BIOLOGIE MOLÉCULAIRE DE

LA CELLULE

quatrième édition

CHEZ LE MÊME ÉDITEUR

L'essentiel de la biologie cellulaire : introduction à la biologie moléculaire de la cellule, Bruce Alberts, Dennis Bray, Alexander Johnson, Julian Lewis, Martin Raff, Keith Roberts, Peter Walter

Biologie moléculaire et médecine, Jean-Claude Kaplan, Marc Delpech

Génétique moléculaire humaine, Tom Strachan, Andrew Read

Atlas de poche de génétique, Eberhard Passarge

Le monde du vivant, William K. Purves, Gordon H. Orians, H. Craig Heller, David Sadava

Biochimie et biologie moléculaire, Pierre Kamoun, Alain Lavoinne, Hubert de Verneuil

Aide-mémoire de biochimie et biologie moléculaire, Pierre Kamoun

Appareils et méthodes en biochimie et biologie moléculaire, Pierre Kamoun

Éléments de sécurité en biologie moléculaire, Jean-Claude David

Introduction à la neurobiologie moléculaire, Zach W. Hall

La cellule, David M. Prescott

Statistique médicale et biologique, Daniel Schwartz, Philippe Lazar, Laure Papoz

Immunologie, Jean-François Bach, Lucienne Chatenoud

Atlas de poche d'immunologie, Gerd-Rüdiger Burmester, Antonio Pezzutto

Biochimie, Lubert Stryer, Jeremy M. Berg, John L. Tymoczko

Biochimie pathologique, Jacques Delattre, Geneviève Durand, Jean-Claude Jardillier

Atlas de poche de biochimie, Jan Koolman, Klaus-Henrich Röhm

La petite encyclopédie médicale Hamburger, Michel Leporrier

Principes de médecine interne, T.R. Harrison

Guide du bon usage du médicament, Gilles Bouvenot, Charles Caulin

Direction éditoriale : Andrée Piekarski
Secrétariat d'édition : Lise Beninca
Fabrication : Michel Perrin, Philippe Deleu
Couverture : Studio Flammarion

Pour recevoir le catalogue Flammarion Médecine-Sciences,
Il suffit d'envoyer vos nom et adresse à
Flammarion Médecine-Sciences
4, rue Casimir-Delavigne
75006 PARIS
Vous pouvez consulter notre site Internet : **http://www.medecine.flammarion.com**

BIOLOGIE MOLÉCULAIRE DE
LA CELLULE

quatrième édition

Bruce Alberts

Alexander Johnson

Julian Lewis

Martin Raff

Keith Roberts

Peter Walter

Traduction de l'américain réalisée par
Florence Le Sueur-Almosni
Docteur vétérinaire - Traductrice scientifique

Avec la collaboration de
Isabelle Berthaut
Biologiste, Docteur ès Sciences, ancienne assistante des hôpitaux de Paris
Laboratoire de Biologie de la Reproduction
Hôpital Tenon, Paris
Pierre Kamoun
Professeur
Faculté de Médecine Necker, Paris

Médecine-Sciences
Flammarion

4, rue Casimir-Delavigne, 75006 Paris

http://www.medecine.flammarion.com

Bruce Alberts a reçu son PhD à l'Université d'Harvard et est Président de la National Academy of Science et Professeur de Biochimie et de Biophysique à l'Université de Californie, San Francisco. **Alexander Johnson** a reçu son PhD à l'Université d'Harvard et est Professeur de Microbiologie et d'Immunologie à l'Université de Californie, San Francisco. **Julian Lewis** a reçu son PhD à l'Université d'Oxford et est Directeur scientifique de l'Imperial Cancer Research Found, à Londres. **Martin Raff** a reçu son M.D. à l'université Mc Gill et travaille au Medical Research Council Laboratory for Molecular Cell Biology and Cell Biology Unit et dans le Département de Biologie de l'Université de Londres. **Keith Roberts** a reçu son PhD à l'Université de Cambridge et est Directeur de Recherche associé du Centre John Innes, à Norwich. **Peter Walter** a reçu son PhD à l'Université Rockefeller de New York et travaille en tant que Professeur et Directeur du Département de Biophysique et de Biochimie de l'Université de Californie, San Francisco et comme Chercheur au Howard Hugues Medical Institute.

Biologie Cellulaire Interactive
Direction artistique et scientifique : Peter Walter
Création et Développement : Mike Morales

Pour l'édition française :
ISBN : 2-257-16219-6
© 1986, 1990, 1995, 2004, Éditions Flammarion

Page de couverture Le génome de l'homme. Reproduit avec la permission de *Nature*, International Human Genome Sequencing Consortium, 409 : 860-921, 2001. © Macmillan Magazines Ltd. Adapté d'une image de Francis Collins, NHGRI ; Jim Kent, UCSC ; Ewan Birney, EBI et Darryl Leja, NHGRI ; montre une partie du chromosome 1 d'après le séquençage initial du génome humain.

Quatrième de couverture En 1967, l'artiste anglais Peter Blake crée un dessin devenu par la suite un classique. Près de 35 ans plus tard, Nigel Orme (un illustrateur), Richard Denyer (un photographe) et les auteurs ont voulu rendre ensemble un hommage affectueux à l'image de M. Blake. Avec son ensemble d'icônes et de personnalités, cet assemblage engendre presque autant de complexité, d'intrigue et de mystère que l'original. *Drosophila*, *Arabidopsis*, Dolly et toutes les personnes présentes tentent, comme dans le dessin original, de vous entraîner dans « un moment merveilleux, garanti pour tous ».
(Gunter Blobel, avec l'autorisation de The Rockefeller University ; Marie Curie, Keystone Press Agency Inc ; buste de Darwin, avec l'autorisation du Président et du Conseil de The Royal Society ; Rosalind Franklin, avec l'autorisation de Cold Spring Harbor Laboratory Archives ; Dorothy Hodgkin, © The Nobel Foundation, 1964 ; James Joyce, réalisé par Peter Blake ; Robert Johnson, © 1986 Delta Haze Corporation all rights reserved, avec autorisation ; Albert L. Lehninger, (photographe non identifié) avec l'autorisation de The Alan Mason Chesney Medical Archives of The Johns Hopkins Medical Institutions ; Linus Pauling, d'après les archives de Ava Helen et Linus Pauling, Collections spéciales, Oregon State University ; Nicholas Poussin, avec l'autorisation de ArtToday.com ; Barbara McClintock, © David Micklos, 1983 ; Andrei Sakharov, avec l'autorisation de Elena Bonner ; Frederick Sanger, © The Nobel Foundation, 1958.)

Préface

« Le développement de la connaissance scientifique est paradoxal. Tandis que les informations s'accumulent en quantités impressionnantes, des faits isolés et des mystères impénétrables cèdent la place à des explications rationnelles, et la simplicité émerge alors du chaos. »

Ainsi commençait la préface de notre première édition, écrite il y a dix-huit ans. Une grande partie de ce qu'elle contient s'applique également à la présente édition. Nos objectifs sont restés les mêmes : rendre la biologie cellulaire compréhensible. Nous souhaitons, comme auparavant, livrer aux lecteurs à la fois un état des lieux de ce que nous connaissons et de ce que nous ne connaissons pas. Ce livre s'adresse à une grande diversité d'étudiants, mais il devrait également s'avérer très utile aux scientifiques qui souhaitent suivre les progrès dans des domaines autres que leur propre spécialité. Comme dans les éditions précédentes, chaque chapitre est une composition qui réunit de nombreux auteurs et qui a été revue par plusieurs spécialistes. Cela permet de comprendre pourquoi la « gestation » de cette édition a été si longue, trois fois celle d'un éléphant, cinq fois celle d'une baleine !

Alors que les informations dans le domaine des sciences de la vie s'étendent rapidement, ce n'est pas le cas des capacités du cerveau humain. Du fait de ce décalage, les auteurs de manuels, les professeurs et en particulier les étudiants se trouvent face à un défi de plus en plus grand. Aussi, nous avons dû nous concerter plus que jamais pour décider quels étaient les faits et les concepts essentiels. Il nous a fallu résumer – et laisser de côté bon nombre de détails qui, par leur abondance extrême, auraient pu entraver la compréhension. Cependant, nous avions besoin d'exemples spécifiques pour rendre le sujet vivant. De ce fait, le travail le plus difficile de cette révision fut de décider de ce que nous devions omettre, tandis que le plus gratifiant fut d'avoir l'opportunité de conforter la trame conceptuelle par de nouvelles découvertes.

Qu'y a-t-il de nouveau dans la quatrième édition ?

La génomique nous a donné de nouvelles perspectives qui ont nécessité le remaniement complet et l'expansion des données sur la génétique moléculaire (Chapitre 1 et Chapitres 4 à 8). Ces six chapitres peuvent à présent être utilisés de façon autonome, comme manuel de biologie moléculaire. Comme auparavant, ce livre se termine par une partie essentielle sur les cellules dans leur contexte social, mais nous y avons ajouté un nouveau chapitre sur les germes pathogènes, l'infection et l'immunité innée. Celui-ci reflète les progrès remarquables dans la compréhension de la biologie cellulaire de l'infection, et nous fait à nouveau prendre conscience du fait que les maladies infectieuses restent l'un des plus grands dangers invaincus de notre monde.

Comme cet ouvrage l'explique clairement, le séquençage complet du génome de centaines d'organismes, des bactéries à l'homme, a révolutionné notre compréhension des êtres vivants et de leurs interrelations. Nous pouvons enfin savoir ce qu'il contient : les groupes de gènes et de protéines sont limités et nous pouvons en faire la liste. Mais nous devons aussi reconnaître que ces composants se combinent entre eux de façon merveilleusement subtile et complexe même chez les organismes les plus simples. De ce fait, les dessins explicatifs traditionnels présentés presque dans toutes les pages de ce livre ne représentent généralement que les toutes premières étapes de l'explication. Ces schémas ne peuvent refléter l'énorme complexité des réseaux d'interactions protéine-protéine responsables de la plupart des processus intracellulaires et dont la compréhension nécessite de nouvelles formes d'analyse plus quantitatives. De ce fait, nous ne sommes plus aussi confiants qu'il y a dix-huit ans sur le fait que la simplicité finira par émerger de la complexité. L'extrême complexité des mécanismes cellulaires défiera les biologistes cellulaires pendant toute la durée de ce siècle, ce qui est une très bonne nouvelle pour les nombreux jeunes scientifiques qui nous succéderont.

Plus que jamais, les nouvelles technologies d'imagerie et d'informatique ont modifié notre mode d'observation du travail interne des cellules vivantes. Nous avons essayé de représenter certaines sensations de ces observations dans le CD-ROM *Biologie Cellulaire Interactive*, inclus à la fin de ce livre. Il contient de nombreux vidéoclips, des animations de structures moléculaires et des microphotographies de haute résolution, et vient en complément du matériel statique de chaque chapitre de cet ouvrage. On ne peut observer une cellule migrer, se diviser, effectuer la ségrégation de ses chromosomes ou réarranger sa surface sans être curieux des mécanismes moléculaires sous-jacents à ces processus. Nous espérons que le CD *Biologie Cellulaire Interactive* stimulera la curiosité des étudiants, facilitera leur apprentissage de la biologie cellulaire et leur apportera plus de plaisir. Nous espérons également que les enseignants utiliseront dans ce but cette source visuelle dans leur classe.

Nous sommes profondément redevables à tous ceux qui nous ont aidés à effectuer la relecture. Les spécialistes qui ont relu de façon critique les chapitres spécifiques sont remerciés en particulier p. xxix. Nous souhaitons remercier particulièrement Julie Theriot qui a écrit en grande partie les chapitres 16 et 25 ; nous avons tous bénéficié de sa sagesse. Nous remercions également les autres spécialistes qui ont largement contribué à certains chapitres : Nancy Craig nous a aidés à relire une partie du Chapitre 5 ; Maynard Olson a rédigé la partie sur l'évolution du génome du Chapitre 7 ; Peter Shaw nous a aidés à relire le Chapitre 9 ; David Morgan a largement écrit le Chapitre 17 ; Lisa Satterwhite a préparé la rédaction initiale du Chapitre 18 ; Robert Krypta a largement relu le Chapitre 19 ; Cori Bargmann nous a aidés à restructurer le Chapitre 21 ; et Paul Edwards a joué un rôle central dans la relecture du Chapitre 23. Karen Hopkin a rédigé une grande partie des Chapitres 8 et 23. Nous remercions également chaleureusement les nombreux scientifiques qui nous ont généreusement fourni les microphotographies de ce livre ainsi que le matériel pour le CD-ROM.

Enfin nous sommes redevables à l'équipe remarquable des publications Garland. Nigel Orme a surveillé la production finale de la mise en pages avec un talent et une rapidité remarquables. Mike Morales a passé des heures interminables à gérer les divers défis du développement du CD-ROM. Emma Hunt a mis en pages avec adresse et ingéniosité l'ensemble du texte et des figures. Sarah Gibbs et Kirsten Jenner ont surveillé notre organisation. Adam Sendroff et Nasreen Arain nous ont mis en relation avec nos clients. Eleanor Lawrence a préparé le glossaire et Mary Purton a recueilli une grande partie de la bibliographie. Surtout, Denise Schanck a calmement dirigé tous ces efforts avec une grande habileté. Enfin, et ce n'est pas le moindre, Tim Hunt et John Wilson ont créé encore une fois, un *Livre d'exercices* qui apporte un complément au texte principal ; ils ont travaillé côte à côte avec nous et nous ont constamment donné des conseils avisés. Leurs questions intelligentes montrent comment les découvertes ont été réalisées et fournissent une façon unique d'apprendre la biologie cellulaire.

Il va de soi que notre livre n'aurait pas pu être écrit sans le soutien primordial de nos familles et la patience de nos amis, collègues et étudiants. Pendant des décennies, ils ont dû supporter nos absences pour les fréquentes et longues réunions où nous rédigions la majeure partie des articles. Ils nous ont aidés d'innombrables façons et nous leurs en sommes reconnaissants.

Sommaire abrégé

Caractéristiques spécifiques

Sommaire

Partie II   Mécanismes génétiques de base

CHAPITRE 4   L'ADN ET LES CHROMOSOMES   191

CHAPITRE 5   RÉPLICATION, RÉPARATION ET RECOMBINAISON DE L'ADN   235

Partie III   Méthodes

CHAPITRE 8   COMMENT MANIPULER LES PROTÉINES, L'ADN ET L'ARN   469

CHAPITRE 9   COMMENT OBSERVER LES CELLULES   547

CHAPITRE 10   STRUCTURE MEMBRANAIRE   583

CHAPITRE 11   TRANSPORT MEMBRANAIRE DES PETITES MOLÉCULES ET PROPRIÉTÉS ÉLECTRIQUES DES MEMBRANES   615

CHAPITRE 14   CONVERSION ÉNERGÉTIQUE : MITOCHONDRIES ET CHLOROPLASTES

767

CHAPITRE 15   COMMUNICATION CELLULAIRE   831

CHAPITRE 16   CYTOSQUELETTE   907

CHAPITRE 17   CYCLE CELLULAIRE ET MORT CELLULAIRE PROGRAMMÉE 983

Partie V   Les cellules dans leur contexte social

CHAPITRE 19   JONCTIONS CELLULAIRES, ADHÉSION CELLULAIRE ET MATRICE EXTRACELLULAIRE   1065

CHAPITRE 22   HISTOLOGIE : VIE ET MORT DES CELLULES DANS LES TISSUS
1259

CHAPITRE 24   SYSTÈME IMMUNITAIRE ADAPTATIF OU SPÉCIFIQUE

CHAPITRE 25   AGENTS PATHOGÈNES, INFECTION ET IMMUNITÉ INNÉE

1423

Remerciements

Pour réaliser cet ouvrage nous avons largement bénéficié des conseils de nombreux biologistes et biochimistes. En plus de ceux qui nous ont conseillés par téléphone, nous voudrions remercier les personnes suivantes pour leurs conseils écrits concernant la préparation de cette édition, ainsi que ceux qui nous ont aidés à préparer les trois premières éditions. (Ceux qui nous ont aidés pour cette édition sont présentés en premier lieu, suivis de ceux qui nous ont aidés pour les première, deuxième et troisième éditions.)

Chapitre 1 Eugene Koonin (National Institutes of Health, Bethesda), Maynard Olson (University of Washington, Seattle).

Chapitre 3 Stephen Burley (The Rockefeller University), Christopher Dobson (University of Cambridge, UK), David Eisenberg (University of California, Los Angeles), Stephen Harrison (Harvard University), John Kuriyan (University of California, Berkeley), Greg Petsko (Brandeis University).

Chapitre 4 Gary Felsenfeld (National Institutes of Health, Bethesda), Michael Grunstein (University of California, Los Angeles), Robert Kingston (Massachusetts General Hospital), Douglas Koshland (Carnegie Institution of Washington), Ulrich Laemmli (University of Geneva, Switzerland), Alan Wolffe (deceased), Keith Yamamoto (University of California, San Francisco).

Chapitre 5 Nancy Craig (Johns Hopkins University), Joachim Li (University of California, San Francisco), Tomas Lindahl (Imperial Cancer Research Fund, Clare Hall Laboratories, UK), Maynard Olson (University of Washington, Seattle), Steven West (Imperial Cancer Research Fund, Clare Hall Laboratories, UK).

Chapitre 6 Raul Andino (University of California, San Francisco), David Bartel (Massachusetts Institute of Technology), Jim Goodrich (University of Colorado, Boulder), Carol Gross (University of California, San Francisco), Christine Guthrie (University of California, San Francisco), Tom Maniatis (Harvard University), Harry Noller (University of California, Santa Cruz), Alan Sachs (University of California, Berkeley), Alexander Varshavsky (California Institute of Technology), Jonathan Weissman (University of California, San Francisco), Sandra Wolin (Yale University School of Medicine).

Chapitre 7 Maynard Olson [substantial contribution] (University of Washington, Seattle), Michael Carey (University of California, Los Angeles), Jim Goodrich (University of Colorado, Boulder), Michael Green (University of Massachusetts at Amherst), Tom Maniatis (Harvard University), Barbara Panning (University of California, San Francisco), Roy Parker (University of Arizona, Tuscon), Alan Sachs (University of California, Berkeley), Keith Yamamoto (University of California, San Francisco).

Chapitre 8 Karen Hopkin [major contribution] (science writer, PhD, Albert Einstein College of Medicine), Stephanie Mel (University of California, San Diego).

Chapitre 9 Peter Shaw [major contribution] (John Innes Centre, Norwich, UK), Michael Sheetz (Columbia University, New York), Werner Kühlbrandt (Max Planck Institute for Biophysics, Frankfurt am Main, Germany).

Chapitre 10 Richard Henderson (MRC Laboratory of Molecular Biology, Cambridge, UK), Robert Stroud (University of California, San Francisco).

Chapitre 11 Clay Armstrong (University of Pennsylvania), Robert Edwards (University of California, San Francisco), Lily Jan (University of California, San Francisco), Ron Kaback (University of California, Los Angeles), Werner Kühlbrandt (Max Planck Institute for Biophysics, Frankfurt am Main, Germany), Chris Miller (Brandeis University), Joshua Sanes (Washington University in St. Louis), Nigel Unwin (MRC Laboratory of Molecular Biology, Cambridge, UK).

Chapitre 12 Larry Gerace (The Scripps Research Institute), Reid Gilmore (University of Massachusetts at Amherst), Arthur Johnson (Texas A & M University), Paul Lazarow (Mount Sinai School of Medicine), Walter Neupert (University of Munich, Germany), Erin O'Shea (University of California, San Francisco), Karsten Weis (University of California, Berkeley).

Chapitre 13 Scott Emr (University of California, San Diego), Regis Kelly (University of California, San Francisco), Hugh Pelham (MRC Laboratory of Molecular Biology, Cambridge, UK), Randy Schekman (University of California, Berkeley), Richard Scheller (Stanford University), Giampietro Schiavo (Imperial Cancer Research Fund, London), Jennifer Lippincott-Schwartz (National Institutes of Health, Bethesda), Kai Simons (Max Plank Institute of Molecular Cell Biology and Genetics, Dresden), Graham Warren (Yale University School of Medicine).

Chapitre 14 Martin Brand (University of Cambridge, UK), Stuart Ferguson (University of Oxford, UK), Jodi Nunnari (University of California, Davis), Werner Kühlbrandt (Max Planck Institute for Biophysics, Frankfurt am Main, Germany).

Chapitre 15 Nicholas Harberd [substantial contribution] (John Innes Centre, Norwich, UK), Spyros Artavanis-Tsakonas (Harvard Medical School), Michael J. Berridge (The Babraham Institute, Cambridge, UK), Henry Bourne (University of California, San Francisco), Lewis Cantley (Harvard Medical School), Julian Downward (Imperial Cancer Research Fund, London), Sankar Ghosh (Yale University School of Medicine), Alan Hall (MRC Laboratory for Molecular Biology and Cell Biology Unit, London), Adrian Harwood (MRC Laboratory for Molecular Cell Biology and Cell Biology Unit, London), John Hopfield (Princeton University),

Philip Ingham (University of Sheffield, UK), Hartmut Land (University of Rochester), Ottoline Leyser (University of York, UK), Joan Massagué (Memorial Sloan-Kettering Cancer Center), Elliot Meyerowitz [substantial contribution] (California Institute of Technology), Tony Pawson (Mount Sinai Hospital, Toronto), Julie Pitcher (University College London), Joseph Schlessinger (New York University Medical Center), Nick Tonks (Cold Spring Harbor Laboratory).

Chapitre 16 Julie Theriot [major contribution] (Stanford University), Linda Amos (MRC Laboratory of Molecular Biology, Cambridge, UK), John Cooper (Washington University School of Medicine), Elaine Fuchs (University of Chicago), Frank Gertler (Massachusetts Institute of Technology), Larry Goldstein (University of California, San Diego), Jonathon Howard (University of Washington, Seattle), Laura Machesky (University of Birmingham, UK), Frank McNally (University of California, Davis), Tim Mitchison (Harvard Medical School), Frank Solomon (Massachusetts Institute of Technology), Clare Waterman-Storer (The Scripps Research Institute).

Chapitre 17 David Morgan [major contribution] (University of California, San Francisco), Andrew Murray [substantial contribution] (Harvard University), Tim Hunt (Imperial Cancer Research Fund, Clare Hall Laboratories, UK), Paul Nurse (Imperial Cancer Research Fund, London).

Chapitre 18 Lisa Satterwhite [substantial contribution] (Duke University Medical School), John Cooper (Washington University School of Medicine), Sharyn Endow (Duke University), Christine Field (Harvard Medical School), Michael Glotzer (University of Vienna, Austria), Tony Hyman (Max Planck Institute of Molecular Cell Biology & Genetics, Dresden), Tim Mitchison (Harvard Medical School), Andrew Murray (Harvard University), Jordan Raff (Wellcome/CRC Institute, Cambridge, UK), Conly Rieder (Wadsworth Center), Edward Salmon (University of North Carolina at Chapel Hill), William Sullivan (University of California, San Francisco), Yu-Lie Wang (Worcester Foundation for Biomedical Research).

Chapitre 19 Robert Kypta [major contribution] (MRC Laboratory for Molecular Cell Biology, London), Merton Bernfield (Harvard Medical School), Keith Burridge (University of North Carolina at Chapel Hill), Benny Geiger (Weizmann Institute of Science, Rehovot, Israel), Daniel Goodenough (Harvard Medical School), Barry Gumbiner (Memorial Sloan-Kettering Cancer Center), Martin Humphries (University of Manchester, UK), Richard Hynes (Massachusetts Institute of Technology), Louis Reichhardt (University of California, San Francisco), Joel Rosenbloom (University of Pennsylvania), Erkki Ruoslahti (The Burnham Institute), Joshua Sanes (Washington University in St. Louis), Timothy Springer (Harvard Medical School), Peter Yurchenco (Robert Wood Johnson Medical School).

Chapitre 20 Keith Dudley (King's College London), Harvey Florman (Tufts University), Nancy Hollingsworth (State University of New York, Stony Brook), Nancy Kleckner (Harvard University), Robin Lovell-Badge (National Institute for Medical Research, London), Anne McLaren (Wellcome/Cancer Research Campaign Institute, Cambridge, UK), Diana Myles (University of California, Davis), Terri Orr-Weaver (Massachusetts Institute of Technology), Paul Wassarman (Mount Sinai School of Medicine).

Chapitre 21 Andre Brandli (Swiss Federal Institute of Technology, Zurich), Cornelia Bargmann [substantial contribution] (University

of California, San Francisco), Enrico Coen (John Innes Centre, Norwich, UK), Stephen Cohen (EMBL Heidelberg, Germany), Leslie Dale (University College London), Richard Harland (University of California, Berkeley), David Ish-Horowicz (Imperial Cancer Research Fund, London), Jane Langdale (University of Oxford, UK), Michael Levine (University of California, Berkeley), William McGinnis (University of California, Davis), James Priess (University of Washington, Seattle), Janet Rossant (Mount Sinai Hospital, Toronto), Gary Ruvkun (Massachusetts General Hospital), Joshua Sanes (Washington University in St Louis), François Schweisguth (ENS, Paris), Clifford Tabin (Harvard Medical School), Diethard Tautz (University of Cologne, Germany).

Chapitre 22 Paul Edwards (University of Cambridge, UK), Tariq Enver (Institute of Cancer Research, London), Simon Hughes (King's College London), Richard Gardner (University of Oxford, UK), Paul Martin (University College London), Peter Mombaerts (The Rockefeller University), William Otto (Imperial Cancer Research Fund, London), Terence Partridge (MRC Clinical Sciences Centre, London), Jeffrey Pollard (Albert Einstein College of Medicine), Elio Raviola (Harvard Medical School), Gregg Semenza (Johns Hopkins University), David Shima (Imperial Cancer Research Fund, London), Bruce Spiegelman (Harvard Medical School), Fiona Watt (Imperial Cancer Research Fund, London), Irving Weissman (Stanford University), Nick Wright (Imperial Cancer Research Fund, London).

Chapitre 23 Karen Hopkin [substantial contribution] (science writer, Ph.D., Albert Einstein College of Medicine), Paul Edwards [substantial contribution] (University of Cambridge, UK), Adrian Harris (Imperial Cancer Research Fund, Oxford, UK), Richard Klausner (National Institutes of Health), Gordon Peters (Imperial Cancer Research Fund, London), Peter Selby (Imperial Cancer Research Fund, Leeds, UK), Margaret Stanley (University of Cambridge, UK).

Chapitre 24 Anthony DeFranco (University of California, San Francisco), Jonathan Howard (University of Washington, Seattle), Charles Janeway (Yale University School of Medicine), Dan Littman (New York University School of Medicine), Philippa Marrack (National Jewish Medical and Research Center, Denver), N.A. Mitchison (University College London), Michael Neuberger (MRC Laboratory of Molecular Biology, Cambridge, UK), William E. Paul (National Institutes of Health, Bethesda), Klaus Rajewsky (University of Cologne, Germany), Ronald Schwartz (National Institutes of Health, Bethesda), Paul Travers (Anthony Nolan Research Institute, London).

Chapitre 25 Julie Theriot [major contribution] (Stanford University), David Baldwin (Stanford University), Stanley Falkow (Stanford University), Warren Levinson (University of California, San Francisco), Shirley Lowe (University of California, San Francisco), Suzanne Noble (University of California, San Francisco), Dan Portnoy (University of California, Berkeley), Peter Sarnow (Stanford University).

Bibliographie Mary Purton

Glossaire Eleanor Lawrence

Critiques universitaires José Corona (University of California, Santa Cruz), David Kashatus (University of North Carolina at Chapel Hill), Carol Koyama (University of California, Santa Cruz), David States (University of California, Santa Cruz), Uyen Tram (University of California, Santa Cruz).

Première, deuxième et troisième éditions David Agard (University of California, San Francisco), Michael Akam (University of Cambridge, UK), Fred Alt (Columbia University), Martha Arnaud (University of California, San Francisco), Michael Ashburner (University of Cambridge, UK), Jonathan Ashmore (University College London), Tayna Awabdy (University of California, San Francisco), Peter Baker (deceased), Michael Banda (University of California, San Francisco), Ben Barres (Stanford University), Michael Bennett (Albert Einstein College of Medicine), Darwin Berg (University of California, San Diego), Michael J. Berridge (The Babraham Institute, Cambridge, UK), David Birk (UMNDJ—Robert Wood Johnson Medical School), Michael Bishop (University of California, San Francisco), Tim Bliss (National Institute for Medical Research, London), Hans Bode (University of California, Irvine), Piet Borst (Jan Swammerdam Institute, University of Amsterdam), Henry Bourne (University of California, San Francisco), Alan Boyde (University College London), Martin Brand (University of Cambridge, UK), Carl Branden (Karolinska Institute, Stockholm), Mark Bretscher (MRC Laboratory of Molecular Biology, Cambridge, UK), Marianne Bronner-Fraser (California Institute of Technology), Robert Brooks (King's College London), Barry Brown (King's College London), Michael Brown (University of Oxford, UK), Steve Burden (New York University of Medicine), Max Burger (University of Basel), Stephen Burley (The Rockefeller University), John Cairns (Radcliffe Infirmary, Oxford, UK), Zacheus Cande (University of California, Berkeley), Lewis Cantley (Harvard Medical School), Charles Cantor (Columbia University), Roderick Capaldi (University of Oregon), Mario Capecchi (University of Utah), Adelaide Carpenter (University of California, San Diego), Tom Cavalier-Smith (King's College London), Pierre Chambon (University of Strasbourg), Enrico Coen (John Innes Institute, Norwich, UK), Philip Cohen (University of Dundee, Scotland), Robert Cohen (University of California, San Francisco), Roger Cooke (University of California, San Francisco), Nancy Craig (Johns Hopkins University), James Crow (University of Wisconsin, Madison), Stuart Cull-Candy (University College London), Michael Dexter (The Wellcome Trust, UK), Russell Doolittle (University of California, San Diego), Julian Downward (Imperial Cancer Research Fund, London), Graham Dunn (MRC Cell Biophysics Unit, London), Jim Dunwell (John Innes Institute, Norwich, UK), Sarah Elgin (Washington University, St. Louis), Ruth Ellman (Institute of Cancer Research, Sutton, UK), Beverly Emerson (The Salk Institute), Charles Emerson (University of Virginia), David Epel (Stanford University), Gerard Evan (University of California, Comprehensive Cancer Center), Ray Evert (University of Wisconsin, Madison), Gary Felsenfeld (National Institutes of Health, Bethesda), Gary Firestone (University of California, Berkeley), Gerald Fischbach (Columbia University), Robert Fletterick (University of California, San Francisco), Judah Folkman (Harvard Medical School), Larry Fowke (University of Saskatchewan, Saskatoon), Daniel Friend (University of California, San Francisco), Joseph Gall (Yale University), Anthony Gardner-Medwin (University College London), Peter Garland (Institute of Cancer Research, London), Walter Gehring (Biozentrum, University of Basel), Benny Geiger (Weizmann Institute of Science, Rehovot, Israel), Larry Gerace (The Scripps Research Institute), John Gerhart (University of California, Berkeley), Günther Gerisch (Max Planck Institute of Biochemistry, Martinsried), Reid Gilmore (University of Massachusetts at Amherst), Bernie Gilula (deceased), Charles Gilvarg (Princeton University), Bastien Gomperts (University College Hospital Medical School, London), Daniel Goodenough (Harvard Medical School), Peter Gould (Middlesex Hospital Medical School, London), Alan Grafen (University of Oxford, UK), Walter Gratzer (King's College London), Howard Green (Harvard University), Leslie Grivell (University of Amsterdam), Frank Grosveld (Erasmus Universiteit, Rotterdam), Barry Gumbiner (Memorial Sloan-Kettering Cancer Center), Brian Gunning (Australian National University, Canberra), Christine Guthrie (University of California, San Francisco), Ernst Hafen (Universitat Zurich), David Haig (Harvard University), Jeffrey Hall (Brandeis University), John Hall (University of Southampton, UK), Zach Hall (University of California, San Francisco), David Hanke (University of Cambridge, UK), Graham Hardie (University of Dundee, Scotland), John Harris (University of Otago, Dunedin, New Zealand), Stephen Harrison (Harvard University), Leland Hartwell (University of Washington, Seattle), John Heath (University of Birmingham, UK), Ari Helenius (Yale University), Richard Henderson (MRC Laboratory of Molecular Biology, Cambridge, UK), Glenn Herrick (University of Utah), Ira Herskowitz (University of California, San Francisco), Bertil Hille (University of Washington, Seattle), Alan Hinnebusch (National Institutes of Health, Bethesda), Nancy Hollingsworth (State University of New York, Stoney Brook), Leroy Hood (University of Washington), Robert Horvitz (Massachusetts Institute of Technology), David Housman (Massachusetts Institute of Technology), James Hudspeth (The Rockefeller University), Tim Hunt (Imperial Cancer Research Fund, Clare Hall Laboratories, UK), Laurence Hurst (University of Bath, UK), Jeremy Hyams (University College London), Richard Hynes (Massachusetts Institute of Technology), Philip Ingham (University of Sheffield, UK), Norman Iscove (Ontario Cancer Institute, Toronto), David Ish-Horowicz (Imperial Cancer Research Fund, Oxford, UK), Tom Jessell (Columbia University), Sandy Johnson (University of California, San Francisco), Andy Johnston (John Innes Institute, Norwich, UK), E.G. Jordan (Queen Elizabeth College, London), Ron Kaback (University of California, Los Angeles), Ray Keller (University of California, Berkeley), Douglas Kellogg (University of California, Santa Cruz), Regis Kelly (University of California, San Francisco), John Kendrick-Jones (MRC Laboratory of Molecular Biology, Cambridge, UK), Cynthia Kenyon (University of California, San Francisco), Roger Keynes (University of Cambridge, UK), Judith Kimble (University of Wisconsin, Madison), Marc Kirschner (Harvard University), Nancy Kleckner (Harvard University), Mike Klymkowsky (University of Colorado, Boulder), Kelly Komachi (University of California, San Francisco), Juan Korenbrot (University of California, San Francisco), Tom Kornberg (University of California, San Francisco), Stuart Kornfeld (Washington University, St. Louis), Daniel Koshland (University of California, Berkeley), Marilyn Kozak (University of Pittsburgh), Mark Krasnow (Stanford University), Peter Lachmann (MRC Center, Cambridge, UK), Trevor Lamb (University of Cambridge, UK), Hartmut Land (Imperial Cancer Research Fund, London), David Lane (University of Dundee, Scotland), Jay Lash (University of Pennsylvania), Peter Lawrence (MRC Laboratory of Molecular Biology, Cambridge, UK), Robert J. Lefkowitz (Duke University), Mike Levine (University of California, Berkeley), Alex Levitzki (Hebrew University), Tomas Lindahl (Imperial Cancer Research Fund, Clare Hall Laboratories, UK), Vishu Lingappa (University of California, San Francisco), Clive Lloyd (John Innes Institute, Norwich, UK), Richard Losick (Harvard University), James Maller (University of Colorado Medical School), Colin Manoil (Harvard Medical School), Mark Marsh (Institute of Cancer Research, London), Gail Martin (University of California, San Francisco), Brian McCarthy (University of California, Irvine), Richard McCarty (Cornell University), Anne McLaren (Wellcome/Cancer Research Campaign Institute, Cambridge, UK), Freiderick Meins (Freiderich Miescher Institut, Basel), Ira Mellman (Yale University), Barbara Meyer (University of California, Berkeley), Robert Mishell (University of Birmingham, UK), Avrion Mitchison (University College London), N.A. Mitchison (Deutsches

Rheuma-Forschungszentrum Berlin), Tim Mitchison (Harvard Medical School), Mark Mooseker (Yale University), David Morgan (University of California, San Francisco), Michelle Moritz (University of California, San Francisco), Montrose Moses (Duke University), Keith Mostov (University of California, San Francisco), Anne Mudge (University College London), Hans Müller-Eberhard (Scripps Clinic and Research Institute), Alan Munro (University of Cambridge), J. Murdoch Mitchison (Harvard University), Andrew Murray (University of California, San Francisco), Richard Myers (Stanford University), Mark E. Nelson (University of Illinois, Urbana), Walter Neupert (University of Munich, Germany), David Nicholls (University of Dundee, Scotland), Harry Noller (University of California, Santa Cruz), Paul Nurse (Imperial Cancer Research Fund, London), Duncan O'Dell (deceased), Patrick O'Farrell (University of California, San Francisco), Stuart Orkin (Children's Hospital, Boston), John Owen (University of Birmingham, UK), Dale Oxender (University of Michigan), George Palade (University of California, San Diego), Roy Parker (University of Arizona, Tucson), William W. Parson (University of Washington, Seattle), William E. Paul (National Institutes of Health, Bethesda), Robert Perry (Institute of Cancer Research, Philadelphia), Greg Petsko (Brandeis University), David Phillips (The Rockefeller University), Jeremy Pickett-Heaps (University of Colorado), Tom Pollard (The Salk Institute), Bruce Ponder (University of Cambridge, UK), Darwin Prockop (Tulane University), Dale Purves (Duke University), Efraim Racker (Cornell University), Jordan Raff (Wellcome/CRC Institute, Cambridge, UK), Klaus Rajewsky (University of Cologne, Germany), George Ratcliffe (University of Oxford, UK), Martin Rechsteiner (University of Utah, Salt Lake City), David Rees (National Institute for Medical Research, Mill Hill, London), Louis Reichardt (University of California, San Francisco), Fred Richards (Yale University), Phillips Robbins (Massachusetts Institute of Technology), Elaine Robson (University of Reading, UK), Robert Roeder (The Rockefeller University), Joel Rosenbaum (Yale University), Jesse Roth (National Institutes of Health, Bethesda), Jim Rothman (Memorial Sloan-Kettering Cancer Center), Erkki Ruoslahti (La Jolla Cancer Research Foundation), David Sabatini (New York University), Alan Sachs (University of California, Berkeley), Howard Schachman (University of California, Berkeley), Gottfried Schatz (Biozentrum, University of Basel), Randy Schekman (University of California, Berkeley), Michael Schramm (Hebrew University), Robert Schreiber (Scripps Clinic and Research Institute), James Schwartz (Columbia University), Ronald Schwartz (National Institutes of Health, Bethesda), John Scott (University of Manchester, UK), John Sedat (University of California, San Francisco), Zvi Sellinger (Hebrew University), Philippe Sengel (University of Grenoble), Peter Shaw (John Innes Institute, Norwich, UK), Samuel Silverstein (Columbia University), Melvin I. Simon (California Institute of Technology, Pasadena), Kai Simons (Max-Plank Institute of Molecular Cell Biology and Genetics, Dresden), Jonathan Slack (Imperial Cancer Research Fund, Oxford, UK), Alison Smith (John Innes Institute, Norfolk, UK), John Maynard Smith (University of Sussex, UK), Michael Solursh (University of Iowa), Timothy Springer (Harvard Medical School), Mathias Sprinzl (University of Bayreuth), Scott Stachel (University of California, Berkeley), Andrew Staehelin (University of Colorado, Boulder), David Standring (University of California, San Francisco), Martha Stark (University of California, San Francisco), Wilfred Stein (Hebrew University), Malcolm Steinberg (Princeton University), Paul Sternberg (California Institute of Technology), Chuck Stevens (The Salk Institute, La Jolla, CA), Murray Stewart (MRC Laboratory of Molecular Biology, Cambridge, UK), Monroe Strickberger (University of Missouri, St. Louis), Michael Stryker (University of California, San Francisco), Daniel Szollosi (Institut National de la Recherche Agronomique, Jouy-en-Josas, France), Jack Szostak (Massachusetts General Hospital), Masatoshi Takeichi (Kyoto University), Roger Thomas (University of Bristol, Bristol, UK), Vernon Thornton (King's College London), Cheryll Tickle (University of Dundee, Scotland), Jim Till (Ontario Cancer Institute, Toronto), Lewis Tilney (University of Pennsylvania), Alain Townsend (Institute of Molecular Medicine, John Radcliffe Hospital, Oxford, UK), Robert Trelstad (UMDNJ—Robert Wood Johnson Medical School), Anthony Trewavas (Edinburgh University, Scotland), Victor Vacquier (University of California, San Diego), Harry van der Westen (Wageningen, The Netherlands), Tom Vanaman (University of Kentucky), Harold Varmus (Sloan-Kettering Institute, NY), Alexander Varshavsky (California Institute of Technology), Madhu Wahi (University of California, San Francisco), Virginia Walbot (Stanford University), Frank Walsh (Glaxo-Smithkline-Beecham, UK), Peter Walter (University of California, San Francisco), Trevor Wang (John Innes Institute, Norwich, UK), Anne Warner (University College London), Paul Wassarman (Mount Sinai School of Medicine), Fiona Watt (Imperial Cancer Research Fund, London), John Watts (John Innes Institute, Norwich, UK), Klaus Weber (Max Planck Institute for Biophysical Chemistry, Göttingen), Martin Weigert (Institute of Cancer Research, Philadelphia), Harold Weintraub (deceased), Norman Wessells (Stanford University), Judy White (University of Virginia), William Wickner (Dartmouth College), Michael Wilcox (deceased), Lewis T. Williams (Chiron Corporation), Keith Willison (Chester Beatty Laboratories, London), John Wilson (Baylor University), Richard Wolfenden (University of North Carolina), Sandra Wolin (Yale University School of Medicine), Lewis Wolpert (University College London), Rick Wood (Imperial Cancer Research Fund, Clare Hall Laboratories, UK), Abraham Worcel (University of Rochester), John Wyke (Beatson Institute, Glasgow), Keith Yamamoto (University of California, San Francisco), Charles Yocum (University of Michigan), Peter Yurchenco (UMDNJ—Robert Wood Johnson Medical School), Rosalind Zalin (University College London), Patricia Zambryski (University of California, Berkeley).

Note aux Lecteurs

Structure

Même s'il est possible de lire indépendamment les différents chapitres de ce livre, ceux-ci sont néanmoins disposés selon une suite logique constituée de cinq parties. Les trois premiers chapitres de la **partie I** couvrent les principes élémentaires et la biochimie fondamentale. Ils peuvent servir d'introduction pour ceux qui n'ont pas étudié la biochimie ou de rappel pour ceux qui l'ont étudiée.

La **partie II** forme le cœur de la biologie cellulaire et s'intéresse principalement aux propriétés communes à la plupart des cellules eucaryotes. Elle traite de l'expression et de la transmission des informations génétiques.

La **partie III** aborde les principes des principales méthodes expérimentales d'étude des cellules. Il n'est pas nécessaire de lire dans l'ordre ces deux chapitres pour comprendre les suivants mais le lecteur pourra utilement s'y référer.

La **partie IV** traite de l'organisation interne de la cellule. La **partie V** suit le comportement des cellules dans les organismes multicellulaires, en commençant par les jonctions intercellulaires et la matrice extracellulaire pour finir par un nouveau chapitre sur les germes pathogènes et les infections.

Bibliographies

Une sélection concise d'ouvrages bibliographiques est incluse à la fin de chaque chapitre. Ceux-ci sont présentés par sections de chapitre, et par ordre alphabétique. Ces références bibliographiques contiennent fréquemment les articles originaux décrivant les découvertes importantes. Les chapitres 8 et 9 comportent plusieurs tableaux dans lesquels se trouvent les dates des développements majeurs ainsi que les noms des scientifiques concernés. Dans le reste du livre, nous avons fait le choix de ne pas nommer chaque scientifique.

Pour chaque chapitre, une bibliographie complète classée par concepts est disponible sur le site Internet de Garland Science : http://www.garlandscience.com.

Glossaire

Tout au long du livre, nous avons utilisé une police en **caractères gras** pour mettre en valeur les termes importants à l'endroit du chapitre où ils sont le plus développés. Nous avons utilisé l'*italique* pour mettre en valeur des termes importants mais à un moindre degré. Un important **glossaire** se trouve à la fin du livre et regroupe les termes techniques qui sont couramment utilisés en biologie cellulaire : il est principalement destiné au lecteur rencontrant un terme qui ne lui est pas familier et dont la définition n'est pas fournie.

Nomenclature

Dans chaque espèce, la nomenclature des gènes, des protéines et des phénotypes mutants a ses propres conventions. Dans ce livre, lorsque nous nous référons à un gène dans une espèce particulière, la nomenclature de celui-ci suit la convention établie (*voir* le tableau ci-dessous). Lorsque nous nous référons à un gène ou une famille générique de gènes, sans rechercher de restriction à une espèce particulière, nous utilisons la convention choisie chez la souris : italique, avec l'initiale en majuscule et les lettres suivantes en minuscule (par exemple : *Engrailed, Wnt*). La protéine correspondante, si elle prend le nom du gène, reçoit ce nom avec l'initiale en majuscule sans les caractères en italique (Engrailed, Wnt). Pour les protéines ayant reçu un nom particulier sans rapport avec le nom de leur gène (comme l'actine, la tubuline), l'initiale n'est généralement pas en majuscule.

ORGANISME	GÈNE	PROTÉINE
Souris	*Hoxa4*	Hoxa4
Homme	*HOXA4*	HOXA4
Poisson zèbre (*Danio rerio*)	*cyclops, cyc*	Cyclops, Cyc
Caenorhabditis elegans	*unc-6*	UNC-6
Drosophila	*sevenless, sev* (nommé d'après le phénotype mutant récessif)	Sevenless, SEV
	Deformed, Dfd (nommé d'après le phénotype mutant dominant ou nommé par homologie avec une autre espèce)	Deformed, DFD
Levure		
Saccharomyces cerevisiae (levure bourgeonnante)	*CDC28*	Cdc28, Cdc28p
Schizosaccharomyces pombe (levure se reproduisant par fission)	*Cdc2*	Cdc2, Cdc2p
Arabidopsis	*GAI*	GAI
E. coli	*uvrA*	UvrA

Biologie Cellulaire Interactive

Un CD-ROM *Biologie Cellulaire Interactive* accompagne chaque exemplaire du livre. Créé par l'équipe des auteurs du livre *Biologie moléculaire de la cellule*, ce CD-ROM contient 66 vidéoclips, animations, structures moléculaires et microphotographies à haute résolution. Les auteurs ont choisi d'y inclure des données qui, non seulement, renforcent les concepts fondamentaux de ce livre mais élargissent aussi son contenu et sa portée. On y trouve une table des matières complète et l'ensemble des adresses électroniques dans le Guide d'utilisation situé dans l'Appendice.

Biologie Moléculaire de la Cellule, quatrième édition : Livre d'exercices

L'ouvrage *Biologie Moléculaire de la Cellule, quatrième édition : Livre d'exercices* permettra aux étudiants d'apprécier la façon dont des expériences et des calculs simples peuvent aider à comprendre le mode de fonctionnement de la cellule. Il est composé de problèmes qui accompagnent les chapitres 1 à 8 et 10 à 18 du livre *Biologie Moléculaire de la Cellule, quatrième édition*. Chaque chapitre de problèmes est divisé en sections qui correspondent à celles du livre principal. Elles reprennent les termes clés, comportent des tests de compréhension des principes fondamentaux et posent des problèmes fondés sur la recherche. Ce livre d'exercices sera certainement très utile pour le travail personnel et pourra servir de base de discussions en classe. Il pourrait même fournir des idées pour les questions d'examens. Les réponses à la moitié des problèmes sont fournies en fin d'ouvrage et les autres sont disponibles sur demande pour les professeurs.

Compléments pour l'enseignement

Des compléments pour l'enseignement de *Biologie Moléculaire de la Cellule* sont disponibles pour les professeurs.
   MBoC4 Transparency Set (Ensemble de transparents du *MBoC4*)
   (250 transparents en couleurs des figures les plus importantes de l'ouvrage).
   Garland Science Classwire™
   Le site Internet http://www.classwire.com/garlandscience propose des contacts pour l'enseignement et du matériel pour l'encadrement des cours (*Classwire* est une marque déposée de Chalkfree, Inc).

LA CELLULE : INTRODUCTION

Cellules de levure en division. Ces organismes monocellulaires se divisent rapidement par bourgeonnement en de nouvelles cellules filles. Les levures ont été largement utilisées comme organisme modèle, en particulier pour l'étude du cycle cellulaire.

Cellule d'un œuf. L'ADN de cette unique cellule contient les informations génétiques nécessaires à spécifier l'édification d'un animal multicellulaire complet – dans ce cas une grenouille, *Xenopus laevis*. (Due à l'obligeance de Tony Mills.)

CELLULES ET GÉNOMES

La surface de notre planète est peuplée d'êtres vivants – usines chimiques curieuses, d'organisation complexe, qui prennent les matières brutes dans leur environnement et les utilisent pour créer des copies d'elles-mêmes. La variété des organismes vivants est extraordinaire dans presque tous les domaines. Qu'est-ce qui peut être plus différent qu'un tigre et un morceau d'algue, ou qu'une bactérie et un arbre ? Cependant, nos ancêtres qui ignoraient tout des cellules et de l'ADN, ont observé que toutes ces choses avaient quelque chose en commun. Ils ont appelé ce quelque chose « la vie », s'en sont émerveillés, se sont battus pour la définir et ont désespéré de pouvoir expliquer ce que c'était ou comment cela fonctionnait avec des mots utilisés pour les matières non vivantes.

Les découvertes faites au cours du vingtième siècle n'ont pas amoindri cet émerveillement – bien au contraire. Mais elles ont levé le mystère entourant la nature de la vie. Nous pouvons aujourd'hui constater que tous les êtres vivants sont constitués de cellules, et que toutes ces unités de matière vivante utilisent les mêmes mécanismes pour effectuer leurs fonctions les plus fondamentales. Les êtres vivants, bien qu'infiniment variés vus de l'extérieur, sont fondamentalement identiques vus de l'intérieur. L'ensemble de la biologie est un contrepoint entre ces deux thèmes : l'étonnante variété des particularités individuelles ; l'étonnante constance des mécanismes fondamentaux. Dans ce premier chapitre, nous commencerons par souligner les particularités universelles communes à tous les êtres vivants. Nous étudierons ensuite, brièvement, la diversité des cellules. Et nous verrons comment il est possible de lire, de mesurer et de déchiffrer les particularités de chaque être vivant grâce au code commun qui contient les spécificités de chaque organisme, pour comprendre de façon cohérente toutes les formes de vie, de la plus petite à la plus grande.

CARACTÉRISTIQUES UNIVERSELLES DES CELLULES SUR TERRE

On estime qu'il y a de nos jours plus de 10 millions – peut-être 100 millions – d'espèces vivantes sur terre. Chaque espèce est différente et chacune se reproduit fidèlement, donnant une progéniture qui appartient à la même espèce : l'organisme parental transmet des informations qui spécifient, avec des détails extraordinaires, les caractéristiques de sa descendance. Ce phénomène d'*hérédité* est une partie centrale de la définition de la vie : il distingue la vie des autres processus, comme la croissance d'un cristal, la flamme d'une bougie, ou la formation de vagues sur l'eau, au cours desquels des structures ordonnées sont engendrées, mais sans ce même type de liaison entre les particularités des parents et celles de leur descendance. Tout comme la flamme de la bougie, les organismes vivants doivent consommer de l'énergie libre pour créer et maintenir leur organisation mais cette énergie libre entraîne

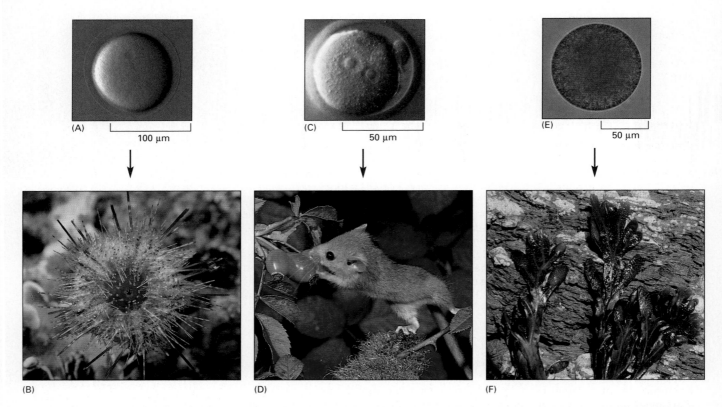

(A) 100 µm
(C) 50 µm
(E) 50 µm
(B) (D) (F)

un immense système, extrêmement complexe, de processus chimiques qui est déterminé par les informations héréditaires.

La plupart des organismes vivants sont des cellules uniques ; d'autres comme nous-mêmes, sont de vastes cités multicellulaires au sein desquelles des groupes de cellules effectuent des fonctions spécialisées et sont reliés par des systèmes de communication complexes. Mais, dans tous les cas, que nous parlions de la bactérie isolée ou de l'ensemble de plus de 10^{13} cellules qui forme le corps humain, l'organisme dans son ensemble a été engendré par la division d'une seule cellule. La cellule elle-même est, de ce fait, le véhicule de l'information héréditaire qui définit l'espèce (Figure 1-1). Et la cellule contient les machines, spécifiées par cette information, qui rassemblent le matériel brut issu de l'environnement pour construire à partir de ce dernier une nouvelle cellule à sa propre image, complétée d'une nouvelle copie de l'information héréditaire. Seule la cellule possède cette capacité.

Figure 1-1 Les informations héréditaires de la cellule de l'œuf déterminent toute la structure de l'organisme multicellulaire. (A et B) Un œuf d'oursin de mer donne naissance à un oursin de mer. (C et D) Un œuf de souris donne naissance à une souris. (E et F) Un œuf d'algue *Fucus* donne naissance à une algue *Fucus*. (A, due à l'obligeance de David McClay ; B, due à l'obligeance de M. Gibbs, Oxford Scientific Films ; C, due à l'obligeance de Patricia Calarco, d'après G. Martin, *Sciences* 209 : 768-776, 1980. © AAAS ; D, due à l'obligeance de O. Newman, Oxford Scientific Films ; E et F, dues à l'obligeance de Colin Brownlee).

Toutes les cellules stockent leur information héréditaire grâce à un même code chimique linéaire (l'ADN)

Les ordinateurs nous ont familiarisés avec le concept que l'information était une quantité mesurable – un million d'octets (ce qui correspond à environ 200 pages de texte) sur une disquette, 600 millions sur un CD-ROM, etc. Ils nous ont aussi rendus désagréablement conscients que la même information pouvait être enregistrée sous de nombreuses formes physiques différentes les unes des autres. Un document écrit sur un type d'ordinateur peut n'être pas lisible sur un autre. Avec l'évolution du monde des ordinateurs, les disques et les cassettes que nous utilisions il y a dix ans pour nos archives électroniques sont devenus illisibles sur les machines actuelles. Les cellules vivantes, tout comme les ordinateurs, distribuent des informations et on estime qu'elles ont évolué et se sont diversifiées depuis 3,5 milliards d'années. Il semblait donc peu vraisemblable qu'elles aient conservé toutes leurs informations sous la même forme, ou que les archives d'un type de cellules puissent être lues par les mécanismes de traitement des informations d'un autre type cellulaire. Cependant, il en est ainsi. Toutes les cellules vivantes sur terre, sans aucune exception connue, conservent leurs informations héréditaires sous la forme d'une molécule d'ADN à double brin – longues chaînes de polymères appariées, non ramifiées, toujours formées des quatre mêmes types de monomères – A, T, C, G. Ces monomères sont enfilés sur une longue séquence linéaire qui code l'information génétique, tout comme les séquences 1s et 0s codent les informations sur un fichier informatique. Nous pouvons prendre un morceau d'ADN d'une cellule humaine et l'insérer dans une bactérie, ou un morceau d'ADN bactérien et l'insérer dans une cellule humaine, et l'information pourra être lue, interprétée et copiée. À l'aide de méthodes chimiques, les scientifiques peuvent lire la séquence complète de monomères de n'importe quelle molécule d'ADN – longue de millions de nucléotides – et déchiffrer ainsi les informations héréditaires contenues dans chaque organisme.

Dans toutes les cellules, la réplication de l'information héréditaire s'effectue par polymérisation à l'aide d'une matrice

Pour comprendre le mécanisme qui autorise la vie, il faut comprendre la structure d'une molécule d'ADN double brin. Chaque monomère d'un seul brin d'ADN – c'est-à-dire chaque **nucléotide** – est composé de deux parties : un sucre (désoxyribose) attaché à un groupement phosphate, et une *base* qui peut être soit l'adénine (A), la guanine (G), la cytosine (C) ou la thymine (T) (Figure 1-2). Chaque sucre est lié au suivant par son groupement phosphate, et forme ainsi une chaîne polymérique composée d'une épine dorsale (squelette) répétitive de sucre-phosphate et d'une série de bases faisant saillie. Le polymère d'ADN s'allonge par addition de monomères à une extrémité. Si l'on prend un seul brin isolé, ceux-ci peuvent, en principe, être ajoutés dans n'importe quel ordre, parce que chacun se lie au suivant de la même façon, par la partie de la molécule qui est la même dans chacun d'entre eux. Dans la cellule vivante, cependant, il y a une contrainte : l'ADN n'est pas synthétisé sous forme d'un

Figure 1-2 L'ADN et ses unités de structure. (A) L'ADN est composé de sous-unités simples, appelées nucléotides, chacune composée d'une molécule de sucre-phosphate sur laquelle est fixée un groupement latéral azoté, ou base. Les bases sont de quatre types (adénine, guanine, cytosine et thymine), et correspondent à quatre nucléotides distincts désignés par A, G, C, et T. (B) Un seul brin d'ADN est composé de nucléotides reliés par des liaisons sucre-phosphate. Notez que chaque unité sucre-phosphate est asymétrique, ce qui donne au squelette du brin d'ADN une polarité définie. Cette polarité guide le processus moléculaire qui interprète et copie les informations de l'ADN dans la cellule ; l'information est toujours lue dans le même ordre, tout comme un texte écrit en anglais est lu de gauche à droite. (C) Par une polymérisation à l'aide d'une matrice, la séquence des nucléotides d'un brin d'ADN existant contrôle la séquence dans laquelle les nucléotides sont reliés dans le nouveau brin d'ADN ; T d'un brin s'apparie avec A de l'autre et G d'un brin s'apparie avec C de l'autre. Le nouveau brin possède une séquence de nucléotides complémentaire à celle de l'ancien brin et son squelette a une direction opposée : correspondant à GTAA… dans le brin d'origine, il a …TTAC. (D) Une molécule d'ADN normal est composée de deux brins complémentaires. Les nucléotides à l'intérieur de chaque brin sont reliés par une liaison chimique forte (ou covalente) ; les nucléotides complémentaires sur les brins opposés sont maintenus ensembles par des liaisons hydrogène plus faibles. (E) Les deux brins s'enroulent l'un sur l'autre pour former une double hélice – structure robuste qui peut recevoir n'importe quelle séquence de nucléotides sans que sa structure de base soit altérée.

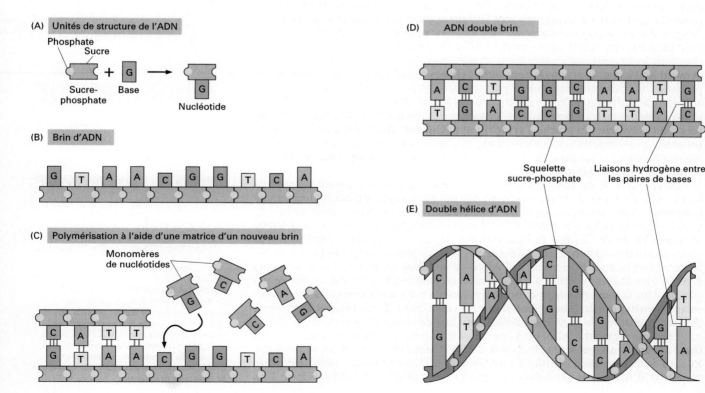

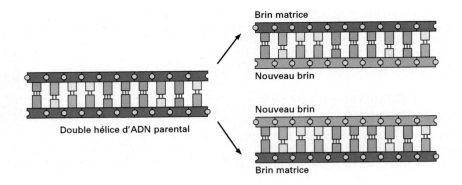

Brin matrice

Nouveau brin

Double hélice d'ADN parental

Nouveau brin

Brin matrice

Figure 1-3 Duplication de l'information génétique par réplication de l'ADN. Au cours de ce processus, les deux brins de la double hélice d'ADN sont séparés et chacun sert de matrice à la synthèse d'un nouveau brin complémentaire.

brin libre isolé, mais à partir d'une matrice formée d'un brin d'ADN préexistant. Les bases qui font saillie sur le brin préexistant se lient aux bases du brin en train d'être synthétisé, selon une loi stricte, définie par les structures complémentaires des bases : A se lie à T et C se lie à G. Cet appariement des bases maintient les nouveaux monomères en place et contrôle ainsi la sélection du monomère (un seul sur les quatre) qui doit être ajouté au brin en croissance. Ainsi se crée la structure à double brin, formée de deux séquences exactement complémentaires de A, C, T et G. Les deux brins s'enroulent l'un sur l'autre pour former la double hélice (Figure 1-2E).

La liaison entre les bases appariées est faible comparée à celle du sucre au phosphate, ce qui permet aux deux brins d'ADN de se séparer sans rompre leur squelette. Chaque brin peut ainsi servir de matrice, comme cela vient d'être décrit, pour synthétiser un nouveau brin d'ADN complémentaire à lui-même – et donc une nouvelle copie de l'information héréditaire (Figure 1-3). Dans les différents types cellulaires, ce processus de **réplication de l'ADN** se produit à des vitesses différentes, avec des contrôles différents du début et de l'arrêt, et avec différentes molécules auxiliaires pour l'aider. Mais le principe fondamental est universel : dans l'ensemble du monde vivant, l'ADN constitue la réserve d'information et la *polymérisation à l'aide d'une matrice* le moyen qui permet de copier cette information.

Toutes les cellules transcrivent des parties de leur information héréditaire sous la même forme intermédiaire (l'ARN)

Pour exécuter sa fonction de stockage d'informations, l'ADN doit faire plus que se copier lui-même avant chaque division cellulaire selon le mécanisme que nous venons de décrire. Il doit aussi exprimer ses informations pour qu'elles soient utilisées pour guider la synthèse d'autres molécules dans la cellule. Cela se produit également chez tous les organismes vivants selon un mécanisme identique qui conduit d'abord et avant tout à la production de deux autres classes clefs de polymères : l'ARN et les protéines. Ce processus commence par une polymérisation à l'aide d'une matrice, appelée **transcription**, au cours de laquelle des segments de la séquence d'ADN sont utilisés comme matrice pour guider la synthèse de molécules plus courtes composées d'un polymère très proche, l'**acide ribonucléique** ou **ARN**. Ensuite, au cours du processus plus complexe de la **traduction**, un grand nombre de ces molécules d'ARN servent à diriger la synthèse de polymères d'une classe chimique radicalement différente – les *protéines* (Figure 1-4).

Dans l'ARN, le squelette est formé d'un sucre légèrement différent de celui de l'ADN – le ribose et non pas le désoxyribose – et une des quatre bases est légèrement différente – l'uracile (U) qui remplace la thymine –; mais les trois autres bases – A, C, et G – sont les mêmes et chacune de ces quatre bases s'apparie avec sa contrepartie complémentaire de l'ADN – A, U, C et G de l'ARN avec T, A, G et C de l'ADN. Au cours de la transcription, les monomères d'ARN sont alignés et choisis pour leur polymérisation sur un brin matrice d'ADN de la même façon que les monomères d'ADN sont choisis pendant la réplication. Il en résulte de ce fait une molécule polymère dont la séquence de nucléotides représente fidèlement une partie de l'information génétique cellulaire, même si elle est écrite suivant un alphabet légèrement différent, constitué de monomères d'ARN au lieu de monomères d'ADN.

Le même segment d'ADN peut être utilisé de façon répétitive pour guider la synthèse de nombreux transcrits identiques d'ARN. De ce fait, alors que les archives cellulaires de l'information génétique sous forme d'ADN sont fixées et sacro-saintes, les transcrits d'ARN sont produits en masse et peuvent être éliminés (Figure 1-5).

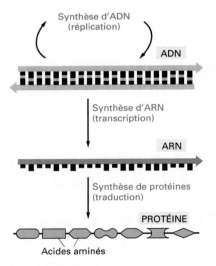

Synthèse d'ADN (réplication)

ADN

Synthèse d'ARN (transcription)

ARN

Synthèse de protéines (traduction)

PROTÉINE

Acides aminés

Figure 1-4 De l'ADN aux protéines. L'information génétique est lue et mise en service grâce à un processus en deux étapes. Tout d'abord, lors de la transcription, des segments de la séquence d'ADN sont utilisés pour guider la synthèse de molécules d'ARN. Puis, lors de la traduction, les molécules d'ARN sont utilisées pour guider la synthèse de molécules protéiques.

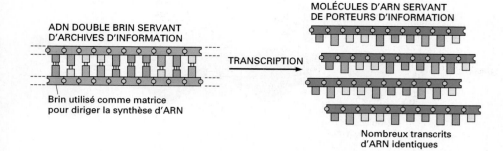

ADN DOUBLE BRIN SERVANT
D'ARCHIVES D'INFORMATION

MOLÉCULES D'ARN SERVANT
DE PORTEURS D'INFORMATION

TRANSCRIPTION →

Brin utilisé comme matrice
pour diriger la synthèse d'ARN

Nombreux transcrits
d'ARN identiques

Figure 1-5 Mode de transmission de l'information génétique pour son utilisation cellulaire. Chaque cellule contient un ensemble fixe de molécules d'ADN – ses archives d'informations génétiques. Un segment donné de cet ADN sert de guide pour synthétiser de nombreux transcrits d'ARN identiques, qui servent de copies de travail de l'information contenue dans l'archive. De nombreux groupes différents de molécules d'ARN peuvent être produits par la transcription de parties spécifiques d'une longue séquence d'ADN, ce qui permet à chaque cellule d'utiliser différemment les informations stockées.

Comme nous le verrons, le rôle principal de la plupart de ces transcrits est de servir d'intermédiaires de transfert des informations génétiques : ils sont utilisés comme **ARN messager (ARNm)** pour guider la synthèse des protéines selon les instructions génétiques contenues dans l'ADN.

Les molécules d'ARN ont des structures distinctes qui peuvent également leur donner d'autres capacités chimiques spécifiques. Composée d'un seul brin, son squelette est souple de telle sorte que la chaîne de polymères peut se replier sur elle-même pour permettre la formation de liaisons faibles entre une partie de la molécule et une autre partie de la même molécule. Cela se produit lorsque les segments de la séquence sont localement complémentaires : par exemple, un segment …GGGG… aura tendance à s'associer à un segment …CCCC… Ce type d'association interne peut provoquer le repliement de la chaîne d'ARN en une forme spécifique, dictée par sa séquence (Figure 1-6). La forme de la molécule d'ARN peut, à son tour, lui permettre de reconnaître une autre molécule en se fixant sélectivement sur elle – et même, dans certains cas, de catalyser des modifications chimiques dans les molécules qui lui sont liées. Comme nous le verrons par la suite dans ce livre, quelques réactions chimiques catalysées par les molécules d'ARN sont cruciales pour un grand nombre de processus très anciens et fondamentaux des cellules vivantes et il a été suggéré qu'au commencement de l'évolution de la vie, le rôle de catalyse de l'ARN avait joué un rôle déterminant (*voir* Chapitre 6).

Toutes les cellules utilisent les protéines comme catalyseurs

Les molécules **protéiques**, comme les molécules d'ADN et d'ARN, sont de longues chaînes non ramifiées de polymères, formées par l'assemblage de blocs de construction monomériques tirés d'un répertoire standard identique dans toutes les cellules vivantes. Comme l'ADN et l'ARN, elles portent des informations sous forme d'une séquence linéaire de symboles, tout comme un message humain est écrit à l'aide de l'alphabet. Il existe de nombreuses protéines, différentes dans chaque cellule, et – mis à part l'eau – elles constituent la majeure partie de la masse cellulaire.

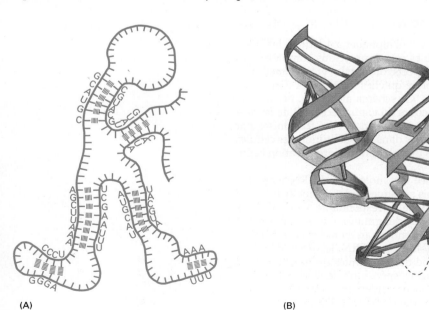

(A)

(B)

Figure 1-6 Conformation d'une molécule d'ARN. (A) L'appariement de nucléotides entre différentes régions de la même chaîne polymérisée d'ARN entraîne l'adoption par cette molécule d'une forme particulière. (B) Structure tridimensionnelle d'une véritable molécule d'ARN, issue du virus de l'hépatite delta, qui catalyse le clivage des brins d'ARN. (B, d'après A.R. Ferré D'Amaré, K. Zhou et J.A. Doudna, *Nature* 395 : 567-574, 1998. © Macmillan Magazines Ltd.)

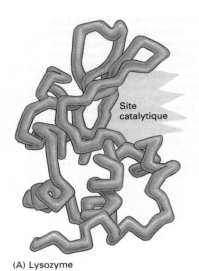

Site catalytique

(A) Lysozyme

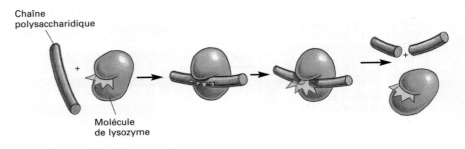

Chaîne polysaccharidique

Molécule de lysozyme

Figure 1-7 Mode d'action d'une molécule protéique qui catalyse une réaction chimique. (A) Dans une molécule protéique la chaîne polymérique se replie en une forme spécifique définie par la séquence de ses acides aminés. Un sillon situé à la surface de cette molécule enzymatique particulière repliée, le lysozyme, forme le site de catalyse. (B) Une molécule de polysaccharides (*en rouge*) – chaîne polymérisée de monomères de sucres – se fixe sur le site de catalyse du lysozyme et est rompue, par une réaction de clivage des liaisons covalentes, catalysée par les acides aminés tapissant le sillon.

Les monomères des protéines, ou **acides aminés**, sont assez différents de ceux de l'ADN et de l'ARN. Il y en a 20 types, au lieu de 4. Chaque acide aminé est construit autour d'une même structure grâce à laquelle il peut être relié de façon standard à n'importe quel autre acide aminé de l'ensemble; fixé sur ce noyau central se trouve un groupement latéral qui donne à chaque acide aminé son caractère chimique particulier. Chaque molécule protéique, ou **polypeptide**, créé par la liaison des acides aminés selon une séquence particulière, se replie en une forme tridimensionnelle précise qui possède des sites réactifs à sa surface (Figure 1-7A). Ces polymères d'acides aminés se fixent ainsi avec une forte spécificité à d'autres molécules et agissent comme des **enzymes** pour catalyser des réactions au cours desquelles des liaisons covalentes sont établies et rompues. De cette manière, ils dirigent la grande majorité des processus chimiques de la cellule (Figure 1-7B). Les protéines ont également une multitude d'autres fonctions – maintenir les structures, générer des mouvements, détecter des signaux, et ainsi de suite – chaque protéine ayant une fonction spécifique, fonction de sa propre séquence d'acides aminés spécifiée génétiquement. Les protéines, surtout, sont les molécules qui mettent en action les informations génétiques de la cellule.

De ce fait, les polynucléotides spécifient la séquence d'acides aminés des protéines. Les protéines, à leur tour, catalysent de nombreuses réactions chimiques, y compris celles qui permettent la synthèse de nouvelles molécules d'ADN et l'information génétique de l'ADN est utilisée pour fabriquer l'ARN et les protéines. Cette boucle de rétrocontrôle est la base du comportement d'auto-reproduction auto-catalytique des organismes vivants (Figure 1-8).

Toutes les cellules traduisent de la même façon l'ARN en protéines

La traduction de l'information génétique à partir de l'alphabet à 4 lettres des polynucléotides en l'alphabet à 20 lettres des protéines est un processus complexe. Les lois de cette traduction semblent, sous certains aspects, ordonnées et rationnelles et, sous d'autres, étrangement arbitraires, étant donné qu'elles sont (à des exceptions mineures) identiques dans tous les êtres vivants. Ce schéma arbitraire, pense-t-on, reflète les accidents de congélation survenus au cours du commencement de la vie – les propriétés dues au hasard des premiers organismes qui ont été transmises par l'hérédité et sont devenues si profondément enfouies dans la constitution des cellules vivantes qu'elles ne peuvent être modifiées sans destruction de l'organisation cellulaire.

Les informations contenues dans la séquence des molécules d'ARN messager sont lues par groupes de trois nucléotides à la fois : chaque triplet de nucléotides, ou *codon*, code pour un seul acide aminé de la protéine correspondante. Comme il y a 64 codons possibles ($4 \times 4 \times 4$), mais seulement 20 acides aminés, il existe nécessairement de nombreux cas où plusieurs codons correspondent au même acide aminé. Ce code est lu par une classe spéciale de petites molécules d'ARN, les **ARN de transfert (ARNt)**. Chaque type d'ARNt se fixe à l'une des extrémités d'un acide aminé donné et expose à son autre extrémité une séquence spécifique de trois nucléotides – un *anticodon* – qui lui permet de reconnaître, par un appariement de bases, un codon particulier ou des sous-ensembles de codons dans l'ARNm (Figure 1-9).

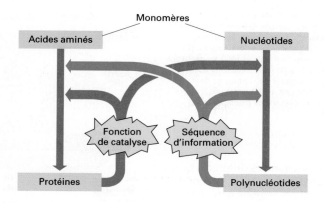

Monomères

Acides aminés

Nucléotides

Fonction de catalyse

Séquence d'information

Protéines

Polynucléotides

Figure 1-8 La vie est un processus autocatalytique. Les polynucléotides (polymères de nucléotides) et les protéines (polymères d'acides aminés) fournissent les séquences d'information et les fonctions de catalyse qui servent – grâce à un ensemble complexe de réactions chimiques – à provoquer la synthèse d'autres polynucléotides et protéines du même type.

Pour la synthèse des protéines, il faut qu'une succession de molécules d'ARNt chargées de leur acide aminé approprié soit mise en contact avec une molécule d'ARNm et s'associe à chaque codon successif par appariement de bases au niveau de l'anticodon. Les acides aminés doivent ensuite être unis pour allonger la chaîne protéique en croissance et les ARNt, une fois soulagés de leur charge, doivent être libérés. Cet ensemble complexe de processus est exécuté dans une machine multi-moléculaire géante, le ribosome, formé de deux chaînes principales d'ARN, appelées l'**ARN ribosomique (ARNr)** et de plus de 50 protéines différentes. Ce mastodonte moléculaire, apparu très anciennement au cours de l'évolution, s'accroche à l'extrémité d'une molécule d'ARNm puis avance péniblement le long de celle-ci, capturant les molécules d'ARNt chargées et cousant ensemble les acides aminés qu'elles portent pour former une nouvelle chaîne protéique (Figure 1-10).

Le fragment de l'information génétique qui correspond à une protéine est un gène

En règle général, les molécules d'ADN sont de très grande taille, et contiennent les spécifications de milliers de protéines. Des segments de la séquence complète d'ADN sont donc transcrits sous forme de molécules séparées d'ARNm, chaque segment codant pour une protéine différente. Un **gène** est défini comme un segment de la séquence d'ADN qui correspond à une seule protéine (ou à une seule molécule d'ARN catalytique ou structurelle, si le gène produit de l'ARN et non pas une protéine).

Dans toutes les cellules, l'*expression* de chaque gène particulier est régulée: au lieu de fabriquer la totalité du répertoire des protéines possibles, à toute vitesse, tout

Figure 1-9 ARN de transfert. (A) Une molécule d'ARNt spécifique de l'acide aminé tryptophane. Une des extrémités de la molécule d'ARNt est liée à une molécule de tryptophane alors que l'autre expose la séquence CCA du triplet de nucléotides (son anticodon), qui reconnaît le codon du tryptophane de la molécule d'ARN messager. (B) Structure tridimensionnelle de la molécule d'ARNt du tryptophane. Remarquez que le codon et l'anticodon de (A) sont dans une orientation antiparallèle, tout comme les deux brins de la double hélice d'ADN (*voir* Figure 1-2), de telle sorte que la séquence de l'anticodon sur l'ARNt est lue de droite à gauche, alors que celle du codon situé sur l'ARNm est lue de gauche à droite.

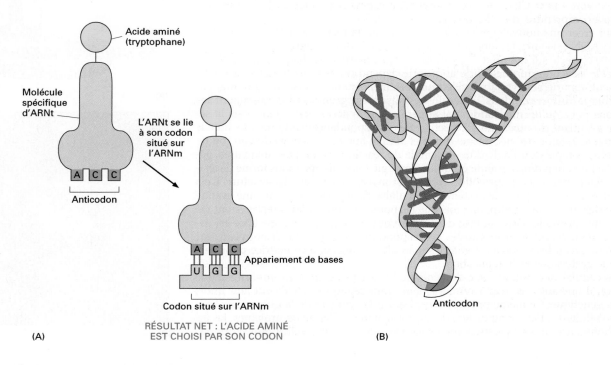

Acide aminé (tryptophane)

Molécule spécifique d'ARNt

L'ARNt se lie à son codon situé sur l'ARNm

A C C

Anticodon

A C C
U G G

Appariement de bases

Codon situé sur l'ARNm

RÉSULTAT NET : L'ACIDE AMINÉ EST CHOISI PAR SON CODON

Anticodon

(A)

(B)

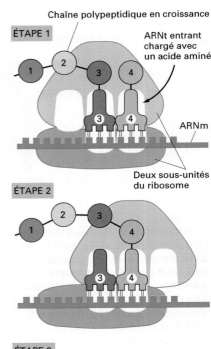

Chaîne polypeptidique en croissance

ÉTAPE 1

ARNt entrant chargé avec un acide aminé

ARNm

Deux sous-unités du ribosome

Figure 1-10 Ribosomes au travail. (A) Ce schéma montre comment le ribosome se déplace le long d'une molécule d'ARN, capture des molécules d'ARNt qui correspondent aux codons de l'ARNm et les utilise pour unir les acides aminés dans une chaîne protéique. L'ARNm spécifie la séquence des acides aminés. (B) La structure tridimensionnelle d'un ribosome bactérien (*vert pâle* et *bleu*) se déplaçant le long d'une molécule d'ARNm (chaînette *orange*), avec trois molécules d'ARNt (*jaune*, *vert* et *rose*) à différentes étapes de leur processus de capture et de libération. Le ribosome est un assemblage géant de plus de 50 protéines individuelles et de molécules d'ARN. (B, due à l'obligeance de Joachim Frank, Yanhong Li et Rajendra Agarwal.)

ÉTAPE 2

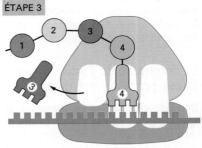

le temps, la cellule ajuste le taux de transcription et de traduction des différents gènes indépendamment, en fonction des besoins. Des *séquences régulatrices d'ADN* sont parsemées dans les segments qui codent pour les protéines, et ces régions non codantes se lient à des protéines spéciales qui contrôlent le taux local de transcription (Figure 1-11). Il existe également d'autres séquences d'ADN non codantes. Certaines servent, par exemple, de ponctuation et définissent l'endroit où commence et celui où se termine l'information pour une protéine particulière. La quantité et l'organisation des séquences régulatrices et non codantes d'ADN varient largement entre les différentes classes d'organismes, mais la stratégie de base est universelle. De ce point de vue, le **génome** cellulaire – c'est-à-dire l'ensemble des informations génétiques incorporées dans la séquence complète d'ADN – ne dicte pas seulement la nature des protéines cellulaires, mais aussi le moment et l'endroit où elles doivent être fabriquées.

ÉTAPE 3

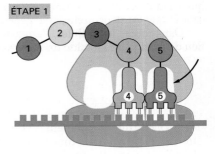

La vie nécessite de l'énergie libre

Une cellule vivante est un système éloigné de l'équilibre chimique : elle possède une grande quantité d'énergie libre interne, ce qui signifie que si on la laisse mourir et se dégrader jusqu'à l'atteinte de l'équilibre chimique, une grande quantité d'énergie sera libérée dans l'environnement sous forme de chaleur. Pour que la cellule fabrique une nouvelle cellule à sa propre image, il lui faut extraire, de son environnement, de l'énergie libre ainsi que des matériaux bruts, pour conduire les réactions synthétiques nécessaires. Cette consommation d'énergie libre est fondamentale pour la vie. Lorsqu'elle s'arrête, la cellule meurt. Les informations génétiques sont également fondamentales pour la vie. Existe-t-il une relation entre celles-ci et l'énergie libre ?

La réponse est oui : l'énergie libre est nécessaire à la propagation de l'information et il existe, en fait, une relation quantitative précise entre ces deux entités. Préciser un bit d'information – à savoir un choix oui/non entre deux alternatives de probabilité égale – coûte une quantité définie d'énergie libre (mesurée en joules), qui dépend de la température. La preuve de ce résumé du principe général de thermodynamique statistique est assez ardue et dépend de la définition précise du terme «énergie libre» (*voir* Chapitre 2). Intuitivement cependant, l'idée de base n'est pas difficile à comprendre, dans le contexte de la synthèse de l'ADN.

Pour créer une nouvelle molécule d'ADN ayant la même séquence qu'une molécule d'ADN existante, les monomères de nucléotides doivent être alignés selon une séquence correcte sur le brin d'ADN utilisé comme matrice. À chaque point de la séquence, la sélection du nucléotide approprié dépend du fait que le nucléotide correctement apparié se lie à la matrice plus fortement que les nucléotides non appariés. Plus la différence dans l'énergie de liaison est grande, plus rares sont les occasions pour qu'un nucléotide mal apparié s'insère accidentellement dans la séquence à la place du nucléotide correct. Cette correspondance haute fidélité, qu'elle soit atteinte à l'aide du mécanisme direct et simple que nous venons de voir, ou de façon plus complexe, à l'aide d'un ensemble de réactions chimiques auxiliaires, nécessite la libération d'une grande quantité d'énergie libre, dissipée sous forme de chaleur à chaque fois qu'un nucléotide correct est mis en place dans la structure. Cela ne peut se produire que si le système moléculaire transporte au départ une grande réserve d'énergie libre. Enfin, une fois que les nouveaux nucléotides recrutés ont été reliés pour former le nouveau brin d'ADN, un nouvel apport d'énergie libre est nécessaire pour forcer les nucléotides correspondants à se séparer à nouveau, car chaque nouveau brin d'ADN doit être séparé de son ancien brin matrice pour permettre le cycle suivant de réplication.

Les cellules nécessitent donc de l'énergie libre qu'elles doivent importer d'une façon ou d'une autre de leur environnement, pour répliquer fidèlement leur information génétique. Ce même principe s'applique à la synthèse de la plupart des molécules cellulaires. Par exemple, lors de la production d'ARN ou de protéines, les informations génétiques existantes dictent la séquence des nouvelles molécules par

ÉTAPE 1

(A)

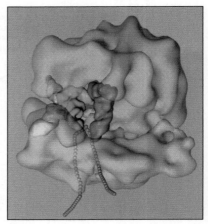

(B)

l'intermédiaire d'un processus d'appariement moléculaire, et de l'énergie libre est nécessaire pour mener à bien les nombreuses réactions qui construisent les monomères à partir de matériaux bruts et les relient ensemble correctement.

Toutes les cellules fonctionnent comme des usines biochimiques et utilisent les mêmes unités de construction moléculaires de base

Comme toutes les cellules fabriquent de l'ADN, de l'ARN et des protéines et que ces macromolécules sont composées du même jeu de sous-unités dans chaque cas, toutes les cellules doivent contenir et manipuler un ensemble identique de petites molécules, parmi lesquelles des sucres simples, des nucléotides et des acides aminés ainsi que d'autres substances qui sont universellement nécessaires pour leur synthèse. Toutes les cellules, par exemple, nécessitent le nucléotide phosphorylé *ATP (adénosine triphosphate)* qui sert d'unité de construction pour la synthèse de l'ADN et de l'ARN ; et, de même, toutes les cellules fabriquent et utilisent cette molécule comme transporteur d'énergie libre et de groupements phosphate pour effectuer de nombreuses autres réactions chimiques.

Même si toutes les cellules fonctionnent comme des usines biochimiques d'un même type, les opérations de leurs petites molécules diffèrent par beaucoup de détails et il n'est pas si facile qu'il y paraît pour les macromolécules qui transmettent l'information d'en souligner les aspects strictement universels. Certains organismes, comme les végétaux, n'ont besoin que des nutriments les plus simples et utilisent l'énergie solaire pour fabriquer à partir d'eux la presque totalité de leurs propres petites molécules organiques ; d'autres organismes, comme les animaux, se nourrissent d'êtres vivants et en tirent une grande partie de leurs molécules organiques déjà toutes faites. Nous reverrons ce point par la suite.

Toutes les cellules sont entourées d'une membrane plasmique à travers laquelle doivent passer les nutriments et les déchets

Il existe, cependant, au moins une autre particularité universelle des cellules : chacune est limitée par une membrane – la **membrane plasmique**. Cette enveloppe agit comme une barrière sélective qui permet à la cellule de concentrer les nutriments recueillis dans son environnement et de retenir les produits synthétisés pour sa propre utilisation, tout en excrétant les produits de déchet. Sans membrane plasmique, la cellule ne pourrait maintenir son intégrité de système chimique coordonné.

Cette membrane est formée d'un ensemble de molécules qui ont la simple propriété physico-chimique d'être *amphipathiques* – c'est-à-dire qu'elles sont composées d'une partie hydrophobe (insoluble dans l'eau) et d'une autre partie hydrophile (soluble dans l'eau). Lorsque ces molécules sont placées dans l'eau, elles se rassemblent spontanément, placent leurs portions hydrophobes de manière à les mettre le plus en contact possible les unes avec les autres pour les cacher de l'eau, et maintiennent leurs portions hydrophiles exposées. Les molécules amphipathiques de forme adaptée, comme les molécules de phospholipides qui composent la plus grande partie de la membrane plasmique, se rassemblent spontanément dans l'eau pour former une *double couche* qui crée de petites vésicules fermées (Figure 1-12). Ce phénomène peut être démontré dans un tube à essai en mélangeant simplement des phospholipides et de l'eau ; dans des conditions appropriées, de petites vésicules se forment dont le contenu aqueux est isolé du milieu extérieur.

Même si les particularités chimiques varient, la queue hydrophobe des principales molécules membranaires de toutes les cellules est constituée de polymères hydrocarbonés ($-CH_2-CH_2-CH_2-$) et leur assemblage spontané en une vésicule bicouche est un des nombreux exemples qui illustrent un principe général important : les cellules produisent des molécules dont les propriétés chimiques entraînent leur *auto-assemblage* en des structures adaptées aux besoins de la cellule.

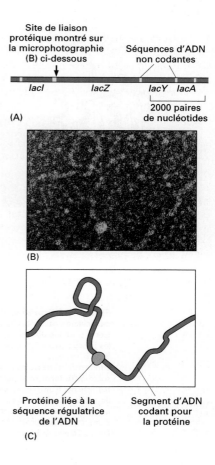

Figure 1-11 (A) Diagramme d'une petite portion du génome de la bactérie *Escherichia coli*, qui contient les gènes (appelés *lacI*, *lacZ*, *lacY* et *lacA*) codant pour quatre protéines différentes. Les séquences d'ADN codant pour la protéine (*rouge*) sont séparées par des séquences régulatrices d'ADN et d'autres séquences non codantes d'ADN (*jaune*). (B) Photographie en microscopie électronique de l'ADN issu de cette région, avec une molécule protéique (codée par le gène *lacI*) liée à la séquence régulatrice ; cette protéine contrôle le taux de transcription des gènes *lacZ*, *lacY* et *lacA*. (C) Schéma de la structure montrée en (B). (B, due à l'obligeance de Jack Griffith.)

Les limites de la cellule ne peuvent être totalement imperméables. Si une cellule doit croître et se reproduire, elle doit être capable d'importer des matériaux bruts et d'exporter des produits de dégradation à travers sa membrane plasmique. Toutes les cellules possèdent, de ce fait, des protéines spécialisées encastrées dans leur membrane, qui servent à transporter des molécules spécifiques d'un côté à l'autre (Figure 1-13). Certaines de ces *protéines de transport membranaire*, tout comme certaines protéines qui catalysent les réactions fondamentales des petites molécules à l'intérieur de la cellule, ont été si bien conservées pendant l'évolution qu'il est possible de reconnaître des ressemblances familiales entre elles, même si l'on compare des groupes d'organismes vivants dont les liens de parenté sont des plus éloignés.

Les protéines de transport membranaire déterminent en grande partie les molécules qui peuvent pénétrer dans la cellule et les protéines catalytiques intracellulaires déterminent les réactions que ces molécules doivent subir. De ce fait, en spécifiant l'ensemble des protéines que la cellule doit fabriquer, les informations génétiques enregistrées dans la séquence d'ADN dictent la chimie complète de la cellule; et pas seulement sa chimie, mais aussi sa forme et son comportement, principalement établis et contrôlés par les protéines cellulaires.

Une cellule vivante peut exister avec moins de 500 gènes

Les principes de base du transfert des informations biochimiques sont assez simples, mais quelle est la complexité d'une véritable cellule vivante? En particulier, quels sont les besoins minimaux? Nous pouvons en avoir une indication grossière en considérant l'espèce qui possède le plus petit génome connu – la bactérie *Mycoplasma genitalium* (Figure 1-14). Cet organisme vit comme parasite des mammifères et son environnement lui fournit toutes faites beaucoup de ses petites molécules. Néanmoins, il doit encore fabriquer ses plus grandes molécules – l'ADN, l'ARN et les protéines – nécessaires au processus de base de l'hérédité. Il ne possède que 477 gènes dans son génome constitué de 580 070 paires de nucléotides, ce qui représente 145 018 octets d'informations – environ autant que cela est nécessaire pour enregistrer le texte d'un chapitre de ce livre. La biologie cellulaire peut être compliquée, mais ce n'est pas une nécessité.

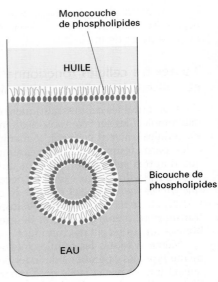

Figure 1-12 Formation d'une membrane par les molécules de phospholipides amphipathiques. Celles-ci ont une tête hydrophile (aimant l'eau, phosphates) et une queue hydrophobe (évitant l'eau, hydrocarbures). À l'interface entre l'huile et l'eau, elles se placent elles-mêmes sur un seul feuillet, les groupes de tête face à l'eau et les groupes de queue face à l'huile. Lorsqu'elles sont immergées dans l'eau, elles s'agrègent pour former une double couche enfermant un compartiment aqueux.

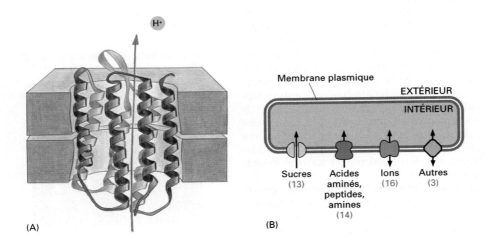

Figure 1-13 Protéines de transport membranaire. (A) Structure d'une molécule de bactériorhodopsine, issue d'une archéobactérie *Halobacterium halobium*. Cette protéine de transport utilise l'énergie de la lumière absorbée pour pomper les protons (ions H⁺) à l'extérieur de la cellule. La chaîne polypeptidique va et vient dans la membrane; dans certaines régions elle s'enroule et adopte une conformation hélicoïdale; les segments en forme d'hélice sont placés de telle sorte qu'ils forment la paroi d'un canal au travers duquel les ions sont transportés. (B) Schéma d'un groupe de protéines de transport présent dans la membrane de la bactérie *Thermotoga maritima*. Les nombres entre parenthèses se réfèrent au nombre de protéines de transport membranaire de chaque type. À l'intérieur d'une classe, la plupart des protéines sont apparentées d'un point de vue évolutif l'une à l'autre et à leurs contreparties présentes dans les autres espèces.

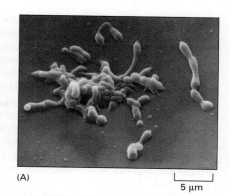

Figure 1-14 *Mycoplasma genitalium*. (A) Photographie en microscopie électronique à balayage qui montre la forme irrégulière de cette petite bactérie, due à l'absence de toute paroi rigide. (B) Coupe transversale (photographie en microscopie électronique à transmission) d'une cellule de *Mycoplasma*. Sur les 477 gènes de *Mycoplasma genitalium*, 37 codent pour les ARN de transfert, ribosomiques et autres ARN non messagers. Les fonctions des 297 gènes codant pour les protéines sont connues, ou peuvent être devinées : parmi celles-ci 153 sont impliquées dans la réplication, la transcription et la traduction de l'ADN et reliées à des processus impliquant ADN, ARN et protéines ; 29 dans les structures de la membrane ou de la surface de la cellule ; 71 dans la conversion énergétique, la synthèse et la dégradation des petites molécules ; et 11 dans la régulation de la division cellulaire et d'autres processus. (A, d'après S. Razin, M. Banai, H. Gamliel, A. Pollack, W. Bredt et I. Kahane, *Infect Immun* 30 : 538-546, 1980 ; B, due à l'obligeance de Roger Cole, in Medical Microbiology, 4th edn. [S. Baron ed.]. Galveston : University of Texas Medical Branch, 1996.)

(A)

5 µm

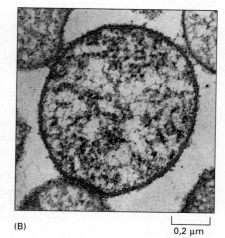

(B)

0,2 µm

Le nombre minimum de gènes d'une cellule viable dans notre environnement actuel n'est probablement pas inférieur à 200 à 300. Comme nous le verrons dans le chapitre suivant, lorsque nous comparerons les branches les plus éloignées de l'arbre phylogénétique, nous trouverons un noyau central commun composé d'un groupe de plus de 200 gènes.

Résumé

Les organismes vivants s'auto-reproduisent en transmettant des informations génétiques à leur progéniture. La cellule prise individuellement est l'unité minimale qui s'auto-reproduit. Elle est le véhicule de la transmission de l'information génétique de toutes les espèces vivantes. Toutes les cellules de notre planète stockent leurs informations génétiques sous la même forme chimique – un double brin d'ADN. Pour répliquer leurs informations les cellules séparent les brins pairs d'ADN appariés, et utilisent chacun d'entre eux comme matrice de polymérisation pour fabriquer un nouveau brin d'ADN présentant une séquence complémentaire en nucléotides. Cette même stratégie de polymérisation à l'aide d'une matrice est utilisée pour transcrire des portions d'informations de l'ADN dans des molécules d'ARN, polymère très proche. Celui-ci, à son tour, guide la synthèse des molécules protéiques à l'aide d'une machinerie plus complexe de traduction qui utilise une grosse machine multimoléculaire, le ribosome, lui-même composé d'ARN et de protéines. Les protéines sont les principaux catalyseurs de presque toutes les réactions chimiques de la cellule ; leurs autres fonctions comprennent l'importation et l'exportation sélectives de petites molécules à travers la membrane plasmique qui forme l'enveloppe de la cellule. La fonction spécifique de chaque protéine dépend de sa séquence en acides aminés, spécifiée par la séquence des nucléotides d'un segment correspondant d'ADN – le gène qui code pour cette protéine. De cette manière, le génome de la cellule détermine sa chimie ; et la chimie de chaque cellule vivante est fondamentalement similaire, parce qu'elle doit permettre la synthèse de l'ADN, de l'ARN et des protéines. Les cellules les plus simples connues possèdent un peu moins de 500 gènes.

DIVERSITÉ DES GÉNOMES ET ARBRE PHYLOGÉNÉTIQUE

La réussite des organismes vivants basés sur l'ADN, l'ARN et les protéines, en dehors de l'infinité d'autres formes chimiques que l'on peut imaginer, a été spectaculaire. Ils ont peuplé les océans, recouvert la terre, infiltré la croûte terrestre et façonné la surface de notre planète. Notre atmosphère riche en oxygène, le dépôt de charbon et de pétrole, les couches de minerais de fer, les falaises crayeuses, calcaires et de marbre – tous sont des produits, directement ou indirectement, de l'activité biologique qui s'est déroulée sur la Terre.

Les êtres vivants ne sont pas confinés aux domaines familiers tempérés constitués de terre, d'eau et de lumière solaire et peuplés de végétaux et d'animaux mangeurs de plantes. Ils peuvent être retrouvés dans les profondeurs les plus sombres de l'océan, dans la boue brûlante des volcans, dans les fonds situés en dessous de la surface gelée de l'Antarctique ou cramponnés à des kilomètres de profondeur dans la croûte terrestre. Les créatures qui vivent dans ces environnements extrêmes sont peu connues, non seulement parce qu'elles sont inaccessibles, mais aussi parce qu'elles sont la plupart du temps microscopiques. Dans les habitats plus accueillants, la plupart des organismes sont aussi trop petits pour que nous puissions les voir sans un équipement spécial : ils ont tendance à passer inaperçus sauf s'ils provoquent une maladie ou pourrissent la charpente de notre maison. De ce fait, les micro-organismes représentent la majeure partie de la masse totale de la matière vivante de notre planète. Nous n'avons commencé que récemment, grâce à de nouvelles méthodes d'analyse moléculaire, en particulier l'analyse de la séquence d'ADN, à nous faire une idée de la vie sur Terre qui ne soit plus déformée grossièrement par notre perspective préconçue de gros animal vivant sur la terre sèche.

Dans ce chapitre, nous envisagerons la diversité des organismes et les relations qui existent entre eux. Comme l'information génétique de chaque organisme est écrite dans le langage universel des séquences d'ADN, et que la séquence d'ADN de n'importe quel organisme vivant peut être obtenue par des techniques biochimiques standardisées, il est maintenant possible de caractériser, de classer et de comparer tous les ensembles d'organismes vivants en se référant à ces séquences. À partir de ces comparaisons, nous pouvons estimer la place de chaque organisme dans l'arbre phylogénétique de l'évolution – l'«arbre de la vie». Mais avant de décrire ce que cette approche nous a révélé, nous allons d'abord considérer les voies par lesquelles les cellules issues d'environnements différents obtiennent la matière et l'énergie nécessaires à leur survie et à leur prolifération, et les moyens par lesquels certaines classes d'organismes dépendent des autres pour leurs besoins chimiques de base.

Les cellules peuvent être actionnées par diverses sources d'énergie libre

Les organismes vivants obtiennent leur énergie libre de différentes façons. Certains, comme les animaux, les champignons et les bactéries qui vivent dans l'appareil digestif de l'homme, l'obtiennent en se nourrissant d'autres êtres vivants ou des produits chimiques organiques qu'ils produisent; ces organismes sont appelés *organotrophes* (du grec *trophe*, qui signifie «nourriture»). D'autres tirent leur énergie directement du monde non vivant. Ils sont divisés en deux classes : ceux qui trouvent leur énergie dans la lumière solaire, et ceux qui capturent leur énergie à partir des systèmes riches en énergie des produits chimiques inorganiques se trouvant dans l'environnement (systèmes chimiques qui sont loin de l'équilibre chimique). Les organismes du premier groupe sont appelés *phototrophes* (se «nourrissant» de la lumière solaire) ; ceux du second groupe sont appelés *lithotrophes* (se «nourrissant» de pierres). Les organismes organotrophes ne peuvent exister sans ces convertisseurs primaires d'énergie qui représentent la plus grande masse de matière vivante sur terre.

Les organismes phototrophes incluent de nombreux types de bactéries, ainsi que des algues et des plantes, desquels nous – et virtuellement tous les êtres vivants que nous voyons habituellement autour de nous – dépendons. Les organismes phototrophes ont changé toute la chimie de notre environnement : l'oxygène de notre atmosphère terrestre est un produit de dégradation de leur activité biosynthétique.

Les organismes lithotrophes ne sont pas une caractéristique aussi évidente de notre monde car ils sont microscopiques et habitent pour la plupart dans des habitats que les humains ne fréquentent pas – dans les profondeurs de l'océan, ancrés dans la croûte terrestre, ou dans d'autres environnements inhospitaliers. Mais ils représentent une partie majeure du monde vivant et sont particulièrement importants lorsque l'on considère l'histoire de la vie sur terre.

Certains lithotrophes puisent leur énergie grâce à des réactions *aérobies*, qui utilisent l'oxygène moléculaire de l'environnement; comme l'O_2 de l'atmosphère est finalement le produit des organismes vivants, ces lithotrophes aérobies se nourrissent, dans un sens, des produits de la vie ancestrale. Il existe, cependant, d'autres lithotrophes qui vivent en anaérobiose, dans des endroits où il n'y a que très peu voire pas d'oxygène moléculaire, dans des circonstances similaires à celles qui ont dû exister les premiers jours de la vie sur terre, avant que l'oxygène ne se soit accumulé.

L'endroit le plus spectaculaire parmi ces derniers est la *cheminée hydrothermique* brûlante située dans les profondeurs du plancher des océans Pacifique et Atlantique, dans des régions où le sol de l'océan s'étend par l'intermédiaire de nouvelles portions de croûte terrestre formées par le jaillissement de matériaux issus de l'intérieur de la Terre (Figure 1-15). L'eau de mer qui s'infiltre à l'intérieur est chauffée puis remonte sous forme d'un geyser sous-marin, entraînant avec elle un courant de produits chimiques issu de la roche brûlante située au-dessous. Un cocktail typique de ceux-ci peut inclure H_2S, H_2, Mn^{2+}, Fe^{2+}, Ni^{2+}, CH_2, NH_4^+, et des composés contenant du phosphore. Une population bactérienne dense vit au voisinage de la cheminée et prospère grâce à cette nourriture austère, tirant l'énergie libre des réactions entre les différents produits chimiques disponibles. D'autres organismes, les palourdes, les moules et les vers marins géants, vivent à leur tour des bactéries de la cheminée, formant un écosystème complet analogue au système des plantes et des animaux auquel nous appartenons, mais actionné par l'énergie géochimique et non par la lumière (Figure 1-16).

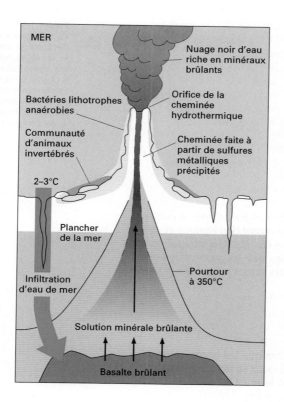

Figure 1-15 Géologie d'une cheminée hydrothermique brûlante sur le plancher de l'océan. L'eau s'infiltre à travers la montagne brûlante en fusion jaillissant de l'intérieur de la Terre. Elle est chauffée puis ramenée vers le sommet, transportant des minéraux lessivés à partir de la roche brûlante. Un gradient de température se met en place, compris entre plus de 350 °C près du centre de la cheminée et 2-3 °C dans l'océan alentour. Les minéraux se condensent par perte d'eau lorsqu'ils se refroidissent, et forment une cheminée. Différentes classes d'organismes prospèrent aux différentes températures et vivent dans les différents voisinages de la cheminée. Une cheminée typique peut mesurer quelques mètres de haut, avec une vitesse de passage de 1-2 m/s.

Certaines cellules fixent l'azote et le dioxyde de carbone qui pourront être utilisés par d'autres

Pour fabriquer une cellule vivante il faut de la matière et de l'énergie libre. L'ADN, l'ARN et les protéines ne sont composés que de 6 éléments : l'hydrogène, le carbone, l'azote, l'oxygène, le soufre et le phosphore. Ils sont tous abondants dans l'environnement non vivant, la roche terrestre, l'eau et l'atmosphère, mais pas sous les formes chimiques qui leur permettent de s'incorporer aisément dans les molécules biologiques. En particulier, N_2 et CO_2 atmosphériques sont extrêmement non réactifs, et il faut une grande quantité d'énergie libre pour effectuer les réactions qui utilisent ces molécules inorganiques afin de fabriquer les composés organiques nécessaires à la poursuite de la biosynthèse – c'est-à-dire, pour *fixer* l'azote et le dioxyde de carbone, afin de rendre N et C disponibles pour les organismes vivants. De nombreux types de cellules vivantes ne possèdent pas la machinerie biochimique qui permet cette fixation et se reposent sur d'autres classes de cellules pour faire ce travail à leur place. Nous, qui sommes des animaux, dépendons des végétaux pour nos besoins en composés organiques du carbone et d'azote. Les végétaux, à leur tour, bien qu'ils puissent fixer le dioxyde de carbone à partir de l'atmosphère, n'ont pas la capacité de fixer l'azote atmosphérique, et dépendent en partie des bactéries fixant l'azote pour survenir à leurs besoins en composés azotés. Les végétaux de la famille des pois, par exemple, hébergent des bactéries symbiotiques qui fixent l'azote dans des nodules de leurs racines.

Énergie géochimique et
matériel brut inorganique

↓

Bactéries

↓

Animaux multicellulaires, comme le ver tubulaire

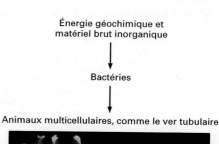

1 m

Figure 1-16 Organismes vivants au niveau d'une cheminée hydrothermique brûlante. Près de l'orifice de la cheminée, à des températures proches de 150 °C, vivent diverses espèces lithotrophes de bactéries et d'archéobactéries, directement approvisionnées par l'énergie géochimique. Un peu plus loin, là où la température est plus faible, vivent divers animaux invertébrés qui se nourrissent de ces microorganismes. Les plus remarquables sont les vers tubulaires géants (2 mètres) qui, au lieu de se nourrir des cellules lithotrophes, vivent en symbiose avec elles : des organes spécialisés de ces vers abritent un très grand nombre de bactéries symbiotiques qui oxydent le soufre. Ces dernières exploitent l'énergie géothermique et fournissent la nourriture à leur hôte, qui ne possède ni bouche, ni appareil digestif, ni anus. La dépendance de ce ver tubulaire par rapport aux bactéries en ce qui concerne l'exploitation de l'énergie géothermique est analogue à celle des végétaux pour les chloroplastes en ce qui concerne l'exploitation de l'énergie solaire, comme nous le verrons par la suite dans ce chapitre. On pense cependant que ce ver tubulaire a évolué à partir d'animaux plus conventionnels et s'est secondairement adapté à la vie au niveau des cheminées hydrothermiques. (Due à l'obligeance de Dudley Foster, Woods Hole Oceanographic Institution.)

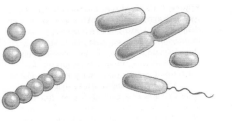

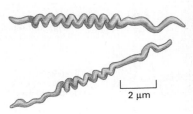

Figure 1-17 Formes et tailles de quelques bactéries. La plupart des bactéries sont petites, comme on le voit ici, mais il existe aussi des espèces géantes. La bactérie en forme de cigare *Epulopiscium fishelsoni* (non représentée) en est un exemple extrême : elle vit dans les boyaux du poisson chirurgien et peut mesurer jusqu'à 600 µm de long.

Cellules sphériques, par ex. *Streptococcus*

Cellules en bâtonnets, par ex. *Escherichia coli, Vibrio cholerae*

Les plus petites cellules, par ex. *Mycoplasma, Spiroplasma*

2 µm

Cellules spiralées, par ex. *Treponema pallidum*

De ce fait, certains aspects les plus basiques de la biochimie des cellules vivantes sont très différents. Il n'est pas surprenant que des cellules ayant des besoins et des capacités complémentaires aient développé des associations étroites. Certaines de ces associations ont, comme nous le verrons, évolué à tel point que les partenaires ont totalement perdu leurs identités séparées : ils ont joint leurs forces pour former une seule cellule composite.

La plus grande diversité cellulaire est observée chez les cellules procaryotes

Grâce à la simple microscopie, il est depuis longtemps clair que les organismes vivants peuvent être classés en deux groupes en fonction de leur structure cellulaire : les **eucaryotes** et les **procaryotes**. Les eucaryotes gardent leur ADN dans un compartiment intracellulaire distinct, limité par une membrane et appelé noyau. (Ce nom provient du grec, et veut dire «vraiment nucléé», formé des mots *eu*, «bien ou vraiment», et *karyon*, «grain» ou «noyau».) Les procaryotes n'ont pas de compartiment nucléaire distinct abritant leur ADN. Les végétaux, les champignons et les animaux sont des eucaryotes ; les bactéries sont des procaryotes.

La plupart des cellules procaryotes sont de petite taille et simples si l'on considère leur aspect extérieur. Elles vivent surtout comme des individus indépendants, plutôt que comme des organismes multicellulaires. Elles sont typiquement sphériques ou en forme de bâtonnet et leur dimension linéaire est de quelques micromètres (Figure 1-17). Elles ont souvent un manteau protecteur résistant, appelé *paroi cellulaire*, sous lequel la membrane plasmique entoure un unique compartiment cytoplasmique contenant l'ADN, l'ARN et des protéines, ainsi que les nombreuses petites molécules nécessaires à la vie. En microscopie électronique, l'intérieur de la cellule apparaît comme une matrice de texture variable dépourvue de structure interne organisée discernable (Figure 1-18).

Les cellules procaryotes vivent dans une très grande variété de niches écologiques et elles sont étonnamment variées du point de vue de leurs capacités biochimiques – presque autant que les cellules eucaryotes. Il y a des espèces organotrophes qui peuvent utiliser virtuellement tout type de molécules organiques comme aliment, allant du sucre et des acides aminés aux hydrocarbures et au gaz méthane. Il y a de

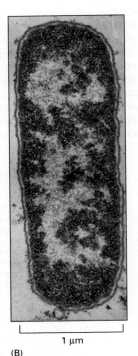

Figure 1-18 Structure d'une bactérie. (A) La bactérie *Vibrio cholerae*, avec son organisation interne simple. Comme de nombreuses autres espèces, *Vibrio* présente un appendice hélicoïdal à une extrémité – un flagelle – qui tourne comme une hélice pour faire avancer la cellule. (B) Une photographie en microscopie électronique d'une coupe longitudinale d'*Escherichia coli (E. coli)*, bactérie grandement étudiée. Elle est apparentée à *Vibrio*, mais ne possède pas de flagelle. L'ADN cellulaire est concentré dans la région légèrement colorée. (Due à l'obligeance de E. Kellenberger.)

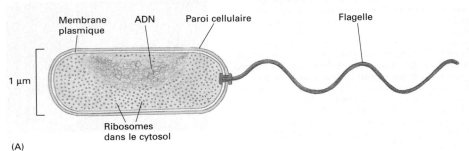

Membrane plasmique

ADN

Paroi cellulaire

Flagelle

1 µm

Ribosomes dans le cytosol

(A)

1 µm

(B)

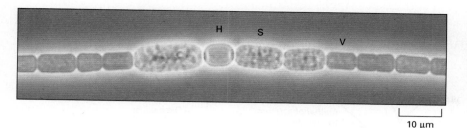

nombreuses espèces phototrophes (Figure 1-19), hébergeant l'énergie lumineuse de diverses façons, certaines générant de l'oxygène comme produit de dégradation, d'autres non. Et il existe des espèces lithotrophes qui peuvent se nourrir d'aliments simples issus de nutriments inorganiques, prenant leur carbone du CO_2 et comptant sur H_2S pour alimenter leurs besoins énergétiques (Figure 1-20) – ou bien sur H_2 ou Fe^{2+}, ou sur le soufre élémentaire, ou n'importe quelle multitude d'autres produits chimiques présents dans l'environnement.

Une grande partie de ce monde d'organismes microscopiques reste virtuellement inexplorée. Les méthodes traditionnelles de la bactériologie nous ont donné une connaissance raisonnable des espèces qui peuvent être isolées et mises en culture au laboratoire. Mais l'analyse des séquences d'ADN des populations bactériennes présentes dans les échantillons frais de leurs habitats naturels – comme le sol ou l'eau des océans, ou même la bouche de l'homme – a ouvert nos yeux sur le fait que la plupart des espèces ne peuvent être mises en culture par les techniques standard de laboratoire. Selon une estimation, 99 p. 100 au moins des espèces procaryotes n'ont pas encore été caractérisées.

L'arbre phylogénétique possède trois branches primitives : bactéries, archéobactéries et eucaryotes

La classification des êtres vivants dépend traditionnellement des comparaisons entre leur apparence externe : nous voyons qu'un poisson a des yeux, des mâchoires, une colonne vertébrale, un cerveau, et ainsi de suite, tout comme nous, alors qu'un ver n'en a pas ; qu'un rosier est cousin d'un pommier, mais ressemble moins à de l'herbe. Nous pouvons facilement interpréter ces ressemblances proches, familiales, en termes d'évolution à partir d'un ancêtre commun et nous pouvons trouver les vestiges de beaucoup de ces ancêtres communs conservés dans des fossiles. De ce point de vue, il a été possible de commencer à dessiner un arbre généalogique des organismes vivants, montrant les diverses lignées de descendance, ainsi que les embranchements dans l'histoire, où les ancêtres d'un groupe d'espèces se sont différenciés de ceux d'un autre.

Lorsque les disparités entre les organismes deviennent très importantes, ces méthodes échouent. Comment pouvons-nous décider si un champignon est un parent plus proche d'un végétal ou d'un animal ? Lorsqu'il s'agit des procaryotes, la tâche devient encore plus difficile : un bâtonnet ou une sphère microscopique ressemble beaucoup à une autre. Les microbiologistes ont de ce fait cherché à classer les procaryotes en fonction de leur biochimie et de leurs besoins nutritionnels. Mais cette approche possède aussi ses défaillances. Au milieu de l'ahurissante variété de comportements biochimiques, il est difficile de savoir quelles différences reflètent véritablement les différences de l'histoire de l'évolution.

L'analyse du génome a transformé ce problème, nous donnant un moyen plus simple, plus direct et plus puissant de déterminer les relations de l'évolution. La séquence complète de l'ADN d'un organisme définit l'espèce avec une précision presque parfaite et avec des détails exhaustifs. De plus, cette caractéristique, une fois que nous l'avons déterminée, est sous une forme numérique – une série de lettres – qui peut être entrée directement dans un ordinateur et comparée avec les informations correspondantes de tout autre être vivant. Comme l'ADN est sujet à des modifications aléatoires qui s'accumulent sur de longues périodes de temps (comme nous le verrons bientôt), le nombre des différences entre les séquences d'ADN de deux organismes peut être utilisé pour fournir une indication directe, objective et quantitative de la distance entre eux en termes d'évolution.

Figure 1-20 Bactérie lithotrophe. *Beggiatoa*, qui vit dans un environnement soufré, obtient son énergie de l'oxydation d'H_2S et peut fixer le carbone même dans le noir. Notez les dépôts jaunes de soufre à l'intérieur de la cellule. (Due à l'obligeance de Ralph W. Wolfe.)

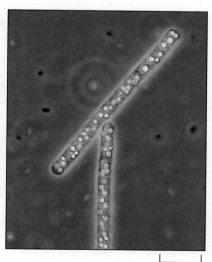

6 µm

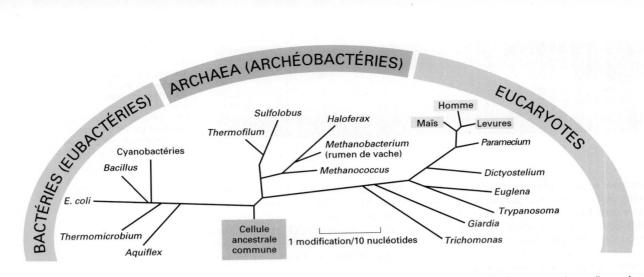

Figure 1-21 Les trois divisions majeures (domaines) du monde vivant. Notez que traditionnellement le mot «bactérie» était utilisé en référence aux procaryotes en général, mais plus récemment il a été redéfini pour se référer spécifiquement aux eubactéries. Lorsqu'il peut exister une ambiguïté, nous utiliserons le terme d'*eubactérie* pour désigner la signification moins générale. L'arbre est basé sur la comparaison, dans les différentes espèces, de la séquence de nucléotides d'une sous-unité d'ARN ribosomique. La longueur des lignes représente le nombre de modifications qui se sont produites, dans chaque lignée, au cours de l'évolution (*voir* Figure 1-22).

Cette approche a montré que certains organismes traditionnellement classés dans le groupe «bactéries» étaient en fait aussi divergents du point de vue de leur origine évolutive qu'un procaryote l'est d'un eucaryote. Il apparaît maintenant que les procaryotes comportent deux groupes distincts qui ont divergé très tôt dans l'histoire de la vie sur terre, soit avant la divergence des ancêtres des eucaryotes pour former un groupe séparé ou à peu près au même moment. Ces deux groupes de procaryotes ont été appelés **bactéries** (pour eubactéries) et **archéobactéries**. Par conséquent, le monde vivant présente trois divisions majeures ou *domaines* : les bactéries, les archéobactéries et les eucaryotes (Figure 1-21).

Les archéobactéries initialement découvertes habitaient des environnements évités par les hommes, comme les marécages, les champs d'épandage, les profondeurs des océans, les mers salées et les eaux thermales acides, mais l'on sait maintenant qu'elles sont également répandues dans des environnements moins extrêmes et plus habitables, allant du sol et des lacs à l'estomac des bovins. Leur aspect extérieur est difficilement différenciable des eubactéries plus familières. D'un point de vue moléculaire, il semble que les archéobactéries soient plus proches des eucaryotes en ce qui concerne leur machinerie de traitement de l'information génétique (réplication, transcription et traduction), mais plus proches des eubactéries en ce qui concerne les appareils permettant le métabolisme et la conversion de l'énergie. Nous verrons ci-dessous comment cela peut s'expliquer.

Certains gènes évoluent rapidement; d'autres sont hautement conservés

Des accidents et des erreurs aléatoires peuvent se produire aussi bien dans le stockage que dans la copie des informations génétiques et altérer la séquence des nucléotides – ou engendrer des **mutations**. De ce fait, lorsqu'une cellule se divise, ses deux filles ne sont souvent pas totalement identiques l'une par rapport à l'autre et par rapport à la cellule mère. Dans de rares occasions, l'erreur peut s'accompagner d'une modification qui entraîne une amélioration; plus souvent, elle ne cause pas de différences significatives pour l'avenir de la cellule; et dans beaucoup de cas, elle provoquera de graves dommages – par exemple, interrompre la séquence de codage d'une protéine clé. Les modifications dues à des erreurs du premier type ont tendance à se perpétuer, parce que la cellule modifiée a plus de probabilités de se reproduire elle-même. Les modifications dues à une erreur de second type – *modifications sélectives neutres* – peuvent se perpétuer ou non; en cas de compétition, lorsque les ressources sont limitées, la réussite de cette cellule modifiée ou de ses cousines n'est qu'une question de chance. Mais les modifications qui provoquent de graves dommages ne conduisent nulle part : la cellule atteinte meurt, ne laissant aucune descendance. Du fait de la répétition constante de ce cycle d'erreurs et d'essais – de *mutation* et de *sé-*

lection naturelle – les organismes évoluent : les caractéristiques génétiques changent, ce qui leur ouvre de nouvelles voies pour exploiter avec plus d'efficacité leur environnement, survivre en compétition avec les autres et réussir à se reproduire.

Il est clair que certaines parties du génome changent plus facilement que d'autres au cours de l'évolution. Une séquence d'ADN qui ne code pas pour les protéines et n'a aucun rôle significatif peut changer librement selon un taux uniquement limité par la fréquence des erreurs aléatoires. À l'opposé, un gène qui code pour une protéine essentielle hautement optimisée ou pour une molécule d'ARN ne peut pas se modifier si facilement : lorsqu'une erreur survient, les cellules fautives sont presque toujours éliminées. Les gènes de ce dernier type sont de ce fait *hautement conservés*. À travers les 3,5 milliards d'années voire plus de l'histoire de l'évolution, de nombreux aspects du génome ont changé au-delà de toute reconnaissance : mais les gènes les plus hautement conservés sont restés parfaitement reconnaissables chez toutes les espèces vivantes.

Ce sont ces derniers gènes que nous devons examiner si nous souhaitons tracer les relations familiales entre les organismes les plus éloignés de l'arbre phylogénétique de la terre. Les études qui ont conduit à la classification du monde vivant en trois domaines, bactéries, archéobactéries et eucaryotes, sont basées principalement sur l'analyse d'une des sous-unités de l'ARN ribosomique – l'ARN 16S qui contient environ 1 500 nucléotides. Comme le processus de traduction est fondamental à toutes les cellules vivantes, ce composant ribosomique a été bien conservé depuis les origines de la vie sur Terre (Figure 1-22).

La plupart des bactéries et des archéobactéries possèdent 1 000 à 4 000 gènes

D'un point de vue général, la sélection naturelle a favorisé les cellules procaryotes qui pouvaient se reproduire le plus vite en prenant des matériaux bruts de leur environnement et en se répliquant elles-mêmes le plus efficacement, à la vitesse maximale permise par la nourriture disponible. La petite taille implique un important ratio « surface sur volume », qui optimise l'absorption de nutriments à travers la membrane plasmique et augmente la vitesse de reproduction de la cellule.

C'est probablement pour ces raisons que la plupart des cellules procaryotes portent très peu de bagages superflus ; leur génome est petit, compact, les gènes sont très serrés et la quantité de séquences régulatrices d'ADN qui les sépare est minimale. Du fait de la petite taille du génome, la détermination de la séquence complète d'ADN est relativement aisée. Actuellement nous avons déterminé cette séquence chez de nombreuses espèces d'eubactéries et d'archéobactéries et quelques espèces d'eucaryotes. Comme le montre le tableau 1-I, la plupart des génomes des eubactéries et des archéobactéries contiennent entre 10^6 et 10^7 paires de nucléotides codant pour 1 000 à 4 000 gènes.

Une séquence complète d'ADN révèle à la fois quels sont les gènes que possède un organisme et ceux dont il manque. Lorsque nous comparons les trois domaines du monde vivant, nous pouvons commencer à voir quels sont les gènes qu'ils ont tous en commun et qui devaient donc être présents dans la cellule qui a été l'ancêtre de tous les êtres vivants actuels, et quels sont les gènes particuliers à une seule branche de l'arbre phylogénétique. Pour expliquer les résultats, cependant, nous devons considérer d'un peu plus près l'apparition de nouveaux gènes et l'évolution du génome.

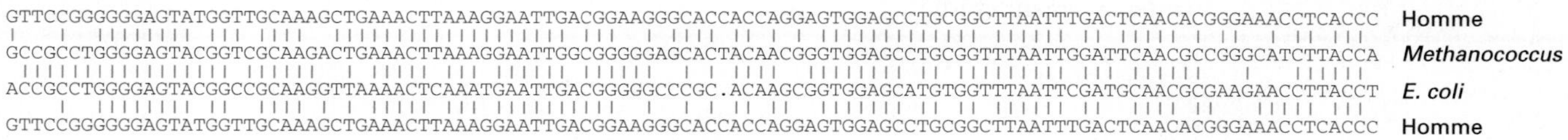

Figure 1-22 Informations génétiques conservées depuis le commencement de la vie. Voici une partie du gène du plus petit des deux composants principaux de l'ARN ribosomique. Les segments correspondants de la séquence de nucléotides d'une archéobactérie (*Methanococcus jannaschii*), d'une eubactérie (*Escherichia coli*) et d'un eucaryote (*Homo sapiens*) sont alignés en parallèle. Les sites où les nucléotides sont identiques entre les espèces sont indiqués par des lignes verticales ; la séquence humaine est répétée en bas de telle sorte qu'on peut voir les trois comparaisons deux à deux. Le point placé le long de la séquence d'*E. coli* montre un site où un nucléotide a été soit effacé de la lignée des eubactéries au cours de l'évolution, soit inséré dans les deux autres lignées. Notez que les séquences issues de ces trois organismes, représentatives des trois domaines du monde vivant, diffèrent toutes l'une de l'autre à un degré grossièrement similaire, tout en gardant des similitudes manifestes.

TABLEAU 1-1 Quelques génomes dont le séquençage est terminé

ESPÈCE	PARTICULARITÉS	HABITAT	TAILLE DU GÉNOME (MILLIERS DE PAIRES DE NUCLÉOTIDES PAR GÉNOME HAPLOÏDE)	NOMBRE DE GÈNES (PROTÉINES)
EUBACTÉRIES				
Mycoplasma genitalium	Plus petit génome de l'ensemble des cellules connues	Tube digestif de l'homme	580	468
Synechocystis sp.	Photosynthétique, générateur d'oxygène (cyanobactérie)	Lacs et ruisseaux	3 573	3 168
Escherichia coli	Préférée des laboratoires	Intestin de l'homme	4 639	4 289
Helicobacter pylori	Provoque des ulcères d'estomac et prédispose au cancer gastrique	Estomac de l'homme	1 667	1 590
Bacillus subtilis	Bactérie	Sol	4 214	4 099
Aquiflex aeolicus	Lithotrophe ; vit à des températures élevées	Orifices des cheminées hydrothermiques	1 551	1 544
Mycobacterium tuberculosis	Provoque la tuberculose	Tissus de l'homme	4 447	4 402
Treponema pallidum	Spirochète ; provoque la syphilis	Tissus de l'homme	1 138	1 041
Rickettsia prowazekii	Bactérie la plus apparentée aux mitochondries ; provoque le typhus	Poux et homme (parasite intracellulaire)	1 111	834
Thermotoga maritima	Organotrophe ; vit à des températures élevées	Cheminées hydrothermiques	1 860	1 877
ARCHÉOBACTÉRIES				
Methanococcus jannaschii	Lithotrophe, anaérobie, producteur de méthane	Cheminées hydrothermiques	1 664	1 750
Archaeoglobus fulgidus	Lithotrophe ou organotrophe, anaérobie, réducteur de sulfates	Cheminées hydrothermiques	2 178	2 493
Aeropyrum pernix	Aérobie, organotrophe, cheminées de vapeurs chaudes	Volcans côtiers	669	2 620
EUCARYOTES				
Saccharomyces cerevisiae (levure bourgeonnante)	Modèle minimal des eucaryotes	Peau des grains de raisin, bière	12 069	~6 300
Arabidopsis thaliana (cresson des murs)	Organisme modèle des végétaux à fleurs	Sol et air	~142 000	~26 000
Caenorhabditis elegans	Animal simple avec un développement parfaitement prévisible	Sol	~97 000	~19 000
Drosophila melanogaster (mouche des fruits)	Clé de la génétique du développement animal	Fruits en putréfaction	~137 000	~14 000
Homo sapiens (homme)	Mammifère le plus intensivement étudié	Maisons	~3 200 000	~30 000

De nouveaux gènes sont engendrés à partir des gènes préexistants

Le matériel brut de l'évolution est la séquence d'ADN qui existe déjà : il n'existe aucun mécanisme naturel permettant de fabriquer de longues bandes de nouvelles séquences aléatoires. Dans ce sens, aucun gène n'est entièrement nouveau. L'innovation peut, cependant, se produire de différentes façons (Figure 1-23) :

- *Mutation à l'intérieur d'un gène* (intragène) : un gène existant peut être modifié par des mutations de sa séquence ADN.

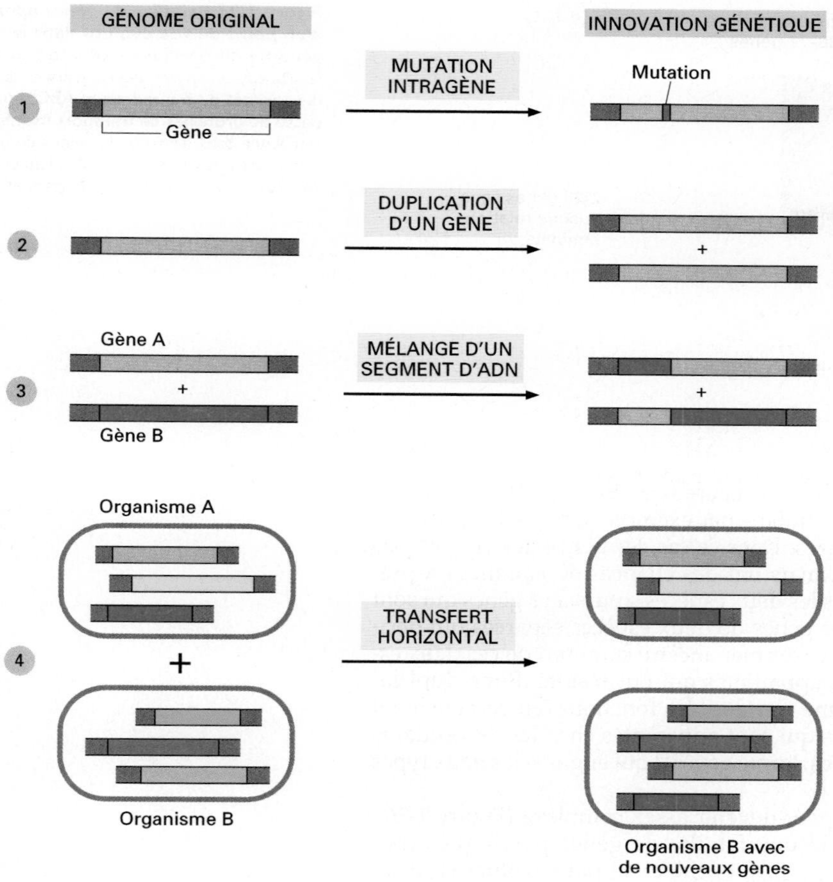

Figure 1-23 Quatre modes d'innovation génétique et leurs effets sur la séquence d'ADN d'un organisme.

- *Duplication d'un gène* : un gène existant peut être dupliqué et former ainsi une paire de gènes très proches dans une seule cellule.
- *Mélange de segments* : deux ou plusieurs gènes existants peuvent se rompre et se relier pour former un gène hybride composé de segments d'ADN qui appartenaient au départ à des gènes séparés.
- *Transfert horizontal* (intercellulaire) : un morceau d'ADN peut être transféré du génome d'une cellule à celui d'une autre – même à celle d'une autre espèce. Ce processus s'oppose au transfert vertical habituel de l'information génétique d'un parent à sa progéniture.

Chacun de ces types de variation laisse une trace caractéristique dans la séquence d'ADN de l'organisme, ce qui a fourni la preuve nette que ces quatre processus se sont produits. Dans des chapitres ultérieurs, nous aborderons les mécanismes sous-jacents, mais pour le moment, nous nous focaliserons sur les conséquences.

La duplication de gènes donne naissance à des familles de gènes apparentés au sein d'une seule cellule

Une cellule doit dupliquer la totalité de son génome à chaque fois qu'elle se divise en deux cellules filles. Cependant, des accidents entraînent parfois la duplication d'une partie seulement du génome, et la rétention des segments original et dupliqué dans une seule cellule. Une fois que le gène a été dupliqué de cette façon, une de ses deux copies est libre de subir des mutations et de se spécialiser pour effectuer une fonction différente à l'intérieur de la même cellule. Des cycles répétés de ce processus de réplication et de divergence, sur des millions d'années, ont permis à un gène de donner naissance à une famille entière de gènes dans un seul génome. Les analyses des séquences d'ADN des génomes procaryotes ont révélé de nombreux exemples de ces familles de gènes : chez *Bacillus subtilis*, par exemple, 47 p. 100 des gènes présentent un ou plusieurs parents évidents (Figure 1-24).

Lorsque les gènes se dupliquent puis divergent de cette façon, les individus de l'espèce sont alors dotés de multiples variants du gène primordial. Ce processus évolutif doit être différencié des divergences génétiques qui se produisent lorsqu'une es-

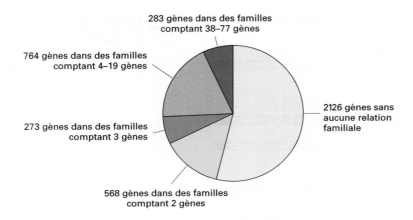

283 gènes dans des familles
comptant 38–77 gènes

764 gènes dans des familles
comptant 4–19 gènes

273 gènes dans des familles
comptant 3 gènes

2126 gènes sans
aucune relation
familiale

568 gènes dans des familles
comptant 2 gènes

Figure 1-24 Familles de gènes apparentés d'un point de vue évolutif dans le génome de *Bacillus subtilis.* La plus grande famille est constituée de 77 gènes codant pour des variétés de transporteurs ABC – une classe de protéines de transport membranaire retrouvée dans les trois domaines du monde vivant. (D'après F. Kunst et al., *Nature* 390 : 249-256, 1997. © Macmillan Magazines Ltd.)

pèce d'un organisme se divise en deux lignées séparées de descendants au niveau d'un embranchement de l'arbre phylogénétique – par exemple, lorsque la lignée humaine s'est séparée de celle des chimpanzés. Dans ce cas, les gènes deviennent peu à peu différents au cours de l'évolution, mais ont des chances de continuer à présenter des fonctions correspondantes dans les deux espèces sœurs. Les gènes qui sont apparentés de cette sorte – c'est-à-dire les gènes de deux espèces séparées qui dérivent du même gène ancestral provenant du dernier ancêtre commun de ces deux espèces – sont dits **orthologues**. Les gènes apparentés qui ont résulté d'une duplication génique à l'intérieur d'un seul génome – et dont les fonctions ont certainement divergé – sont dits **paralogues**. Les gènes qui sont apparentés chez les descendants quel que soit le mode sont dits **homologues**, terme général qui englobe les deux types de relations (Figure 1-25.)

La relation familiale entre les gènes peut devenir assez complexe (Figure 1-26). Par exemple, un organisme qui possède une famille de gènes paralogues (par exemple les sept gènes de l'hémoglobine α, β, γ, δ, ε, ζ et θ) peut évoluer en deux espèces séparées (comme l'homme et le chimpanzé), chacune possédant la gamme complète des gènes paralogues. Ces 14 gènes sont homologues, avec l'hémoglobine α humaine orthologue à l'hémoglobine α du chimpanzé mais paralogue à l'hémoglobine β humaine ou du chimpanzé et ainsi de suite. De plus, les hémoglobines des vertébrés (protéines sanguines qui fixent l'oxygène) sont homologues aux myoglobines des vertébrés (protéines musculaires qui fixent l'oxygène) ainsi qu'aux gènes plus éloignés qui codent pour les protéines de fixation de l'oxygène chez les inver-

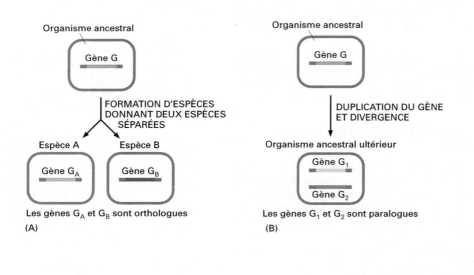

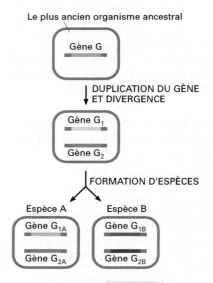

Figure 1-25 Gènes paralogues et gènes orthologues : deux types de gènes homologues basés sur une voie évolutive différente. (A) et (B) Les deux possibilités les plus basiques. (C) Schéma plus complexe d'événements pouvant se produire.

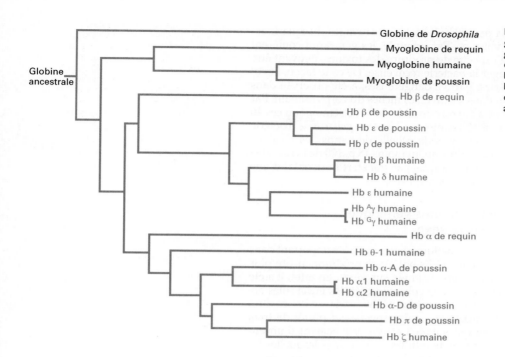

Figure 1-26 Une famille complexe de gènes homologues. Ce schéma montre la généalogie des gènes de l'hémoglobine (Hb), de la myoglobine et de la globine chez l'homme, le poussin, le requin et *Drosophila*. La longueur des lignes représente l'importance de la divergence de la séquence des acides aminés.

tébrés et les végétaux. À partir de la séquence d'ADN, il est en général facile de reconnaître que deux gènes de différentes espèces sont homologues; il est beaucoup plus difficile de décider, sans aucune autre information, s'ils sont orthologues.

Les gènes peuvent être transférés entre les organismes, que ce soit au laboratoire ou dans la nature

Les procaryotes fournissent aussi des exemples de transfert horizontal de gènes d'une espèce de cellule à l'autre. Les signes les plus évidents rapportés sont les séquences reconnaissables dérivées des **virus** bactériens, appelés également *bactériophages* (Figure 1-27). Ces petits paquets de matériel génétique ont évolué comme des parasites de la machinerie de reproduction et de biosynthèse de leur cellule hôte. Ils se répliquent dans une cellule, en émergent entourés d'une enveloppe protectrice puis entrent et infectent une autre cellule, qui peut être de la même espèce ou d'une autre. À l'intérieur de la cellule, ils peuvent rester soit sous forme de fragments séparés d'ADN, appelés *plasmides*, soit s'insérer eux-mêmes dans l'ADN de la cellule hôte pour devenir une partie de son génome normal. Dans leurs voyages, les virus peuvent accidentellement emmener des fragments d'ADN du génome d'une cellule hôte et le transporter dans une autre cellule. Ces transferts de matériel génétique se produisent fréquemment chez les procaryotes et entre les cellules eucaryotes de la même espèce.

Le transfert horizontal de gènes entre les cellules eucaryotes d'espèces différentes est rare et ne semble pas avoir joué un rôle significatif dans l'évolution des eucaryotes. Par contre, le transfert horizontal de gènes se produit beaucoup plus fréquemment entre les différentes espèces de procaryotes. Beaucoup de procaryotes ont la capacité remarquable de prendre des molécules d'ADN provenant de leur environnement, même d'origine non virale, et de capturer ainsi les informations géné-

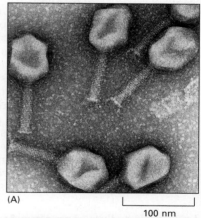

(A)

100 nm

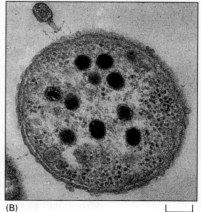

(B)

100 nm

Figure 1-27 Transfert viral de l'ADN d'une cellule à une autre.
(A) Photographie en microscopie électronique de particules d'un virus bactérien, le bactériophage T4. La tête du virus contient l'ADN viral; la queue contient l'appareil qui injecte l'ADN dans la bactérie hôte. (B) Coupe transversale d'une bactérie contenant un bactériophage T4 qui est accroché à sa surface. Les gros objets noirs à l'intérieur de la bactérie sont les têtes des nouvelles particules T4 en cours d'assemblage. Lorsqu'elles sont matures, la bactérie éclate pour les libérer. (A, due à l'obligeance de James Paulson; B, due à l'obligeance de Jonathan King et Erika Hartwig d'après G. Karp, Cell and Molecular Biology, 2nd edn. New York : John Wiley & Sons, 1999. © John Wiley.)

tiques portées par ces molécules. Cela permet aux bactéries sauvages d'acquérir assez facilement des gènes de cellules voisines. Par exemple, les gènes qui confèrent une résistance à un antibiotique ou la capacité de produire des toxines, peuvent être transférés d'espèce à espèce et avantager la bactérie receveuse. De cette façon, l'évolution de nouvelles souches de bactéries, parfois dangereuses, a été observée dans l'écosystème bactérien d'un hôpital ou dans les diverses niches du corps humain. Par exemple, le transfert horizontal de gène a été responsable de la dissémination ces 40 dernières années, de souches pénicillino-résistantes de *Neisseria gonorrheae*, bactérie responsable de blennorrhagie. Sur une plus grande échelle de temps, les résultats peuvent être encore plus profonds ; il a été estimé qu'au moins 18 p. 100 de l'ensemble des gènes du génome actuel de *E. coli* ont été acquis par transfert horizontal d'une autre espèce au cours des dernières 100 millions d'années.

Les échanges horizontaux des informations génétiques dans une espèce sont apportés par le sexe

Les échanges horizontaux des informations génétiques jouent un rôle important dans l'évolution bactérienne de notre monde actuel et ils ont pu se produire encore plus souvent et confusément dans les premiers jours de la vie sur Terre. En effet, il a été suggéré que les génomes des eubactéries, des archéobactéries et des eucaryotes actuels n'avaient pas pour origine des lignées divergentes de descendance issues d'un seul génome d'un seul type de cellule ancestrale, mais provenaient plutôt de trois anthologies indépendantes de gènes qui ont survécu et qui provenaient d'un ensemble de gènes d'une communauté primitive de cellules variées dans lesquelles les échanges de gènes étaient fréquents (Figure 1-28). Cela peut expliquer cette observation plutôt curieuse, à savoir que les eucaryotes semblent plus apparentés aux archéobactéries du point de vue des gènes codant pour les processus de base de traitement de l'information, de réplication, de transcription et de traduction de l'ADN, mais plus apparentés aux eubactéries du point de vue des gènes codant pour les processus métaboliques.

Le transfert horizontal de gènes parmi les bactéries peut sembler un processus surprenant ; cependant il a un parallèle avec un phénomène qui nous est familier : le sexe. La reproduction sexuelle provoque un transfert horizontal sur une grande échelle d'information génétique entre deux lignées cellulaires initialement séparées – celle du père et celle de la mère. Une caractéristique clé du sexe, bien sûr, est que l'échange génétique ne se produit normalement qu'entre des individus de la même espèce. Mais peu importe s'il se produit à l'intérieur d'une espèce ou entre des espèces, le transfert horizontal de gènes laisse une empreinte caractéristique : il entraîne l'apparition d'individus plus apparentés à un ensemble de parents par rapport à d'autres. En comparant les séquences d'ADN de chaque génome humain, un visiteur de l'espace doué d'intelligence pourrait en déduire que les hommes se reproduisent sexuellement, même s'il ne connaît rien du comportement humain.

La reproduction sexuelle est un phénomène répandu (bien que non universel), en particulier parmi les eucaryotes. Même les bactéries se livrent parfois à des échanges d'ADN sous contrôle sexuel avec d'autres membres de leur propre espèce. La sélection naturelle a clairement favorisé les organismes capables de ce comportement, même si les théoriciens de l'évolution débattent encore des avantages sélectifs précis apportés par la reproduction sexuelle.

La fonction d'un gène peut être souvent déduite de sa séquence

Les relations familiales entre les gènes sont importantes, non seulement de par leur intérêt historique, mais aussi parce qu'elles conduisent à une simplification spectaculaire de la tâche de déchiffrage des fonctions des gènes. Une fois que la séquence

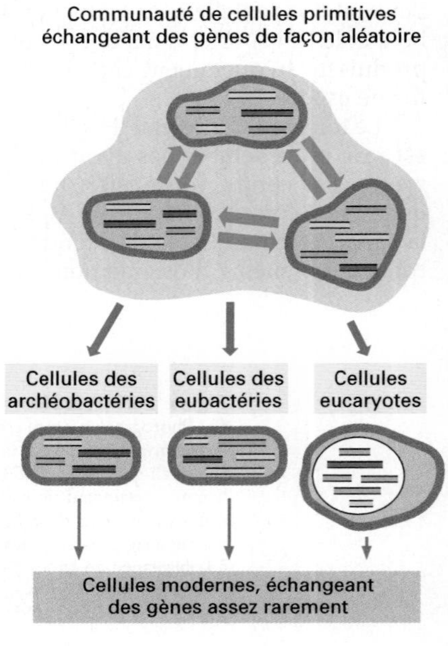

Communauté de cellules primitives échangeant des gènes de façon aléatoire

Cellules des archéobactéries   Cellules des eubactéries   Cellules eucaryotes

Cellules modernes, échangeant des gènes assez rarement

Figure 1-28 Transfert horizontal de gènes au début de l'évolution. Dans les premiers jours de la vie sur Terre, les cellules pourraient avoir été moins capables de maintenir leur identité séparée et pourraient avoir échangé des gènes beaucoup plus facilement que maintenant. De cette façon, les lignées des archéobactéries, des eubactéries et des eucaryotes pourraient avoir hérité de sous-ensembles de gènes différents mais qui se recoupent, issus d'une communauté primitive de cellules qui avaient échangé des gènes de façon aléatoire.

d'un gène nouvellement découverte a été déterminée, il est maintenant possible, en effectuant quelques saisies sur un ordinateur, de rechercher les données complètes sur les séquences génétiques connues des gènes qui lui sont apparentés. Dans de nombreux cas, la fonction d'un ou de plusieurs de ces homologues a déjà été déterminée expérimentalement et, de ce fait, comme la fonction du gène est déterminée par sa séquence, il est souvent possible de deviner sans se tromper quelle est la fonction du nouveau gène : elle a de grandes chances d'être similaire à celle de l'homologue déjà connu.

De cette façon, il devient possible de décrypter une grande partie de la biologie d'un organisme en analysant simplement la séquence d'ADN de son génome et en utilisant les informations que nous possédons déjà sur les fonctions des gènes des autres organismes déjà étudiés plus intensivement. *Mycobacterium tuberculosis*, une eubactérie responsable de la tuberculose, est extrêmement difficile à étudier expérimentalement au laboratoire et constitue un exemple du pouvoir de l'*étude comparative des gènes*. Le séquençage de l'ADN a révélé que le génome de cet organisme était composé de 4 411 529 paires de nucléotides et contenait approximativement 400 gènes. Sur ces gènes, 40 p. 100 ont été immédiatement reconnus (lors du séquençage du génome en 1998) comme des homologues de gènes connus chez d'autres espèces, et cette base a permis de tenter de leur assigner une fonction. Chez 44 p. 100 de gènes supplémentaires il y avait certaines informations similaires à d'autres gènes connus – par exemple, un domaine protéique était conservé et codait pour une longue séquence d'acides aminés. Seuls 16 p. 100 des 4 000 gènes n'étaient absolument pas familiers. Comme nous l'avons vu également avec *Bacillus subtilis* (*voir* Figure 1-24), près de la moitié des gènes ont des séquences proches de celles d'autres gènes du génome de *M. tuberculosis*, ce qui montre qu'ils ont dû se former par une duplication génique relativement récente. Si on compare avec d'autres bactéries, *M. tuberculosis* contient un nombre exceptionnellement grand de gènes qui codent pour des enzymes impliquées dans la synthèse et la dégradation des molécules lipidiques. Cela reflète probablement la production inhabituelle par cette bactérie d'un manteau externe riche en ces substances ; le manteau et les enzymes qui le produisent peuvent expliquer comment *M. tuberculosis* échappe à la destruction par le système immunitaire des patients tuberculeux.

Plus de 200 familles de gènes sont communes aux trois embranchements primaires de l'arbre phylogénétique

Étant donné la séquence complète du génome des organismes représentatifs des trois domaines – les archéobactéries, les eubactéries et les eucaryotes – on peut rechercher systématiquement les homologies qui couvrent cette énorme division évolutive. De cette façon, nous pouvons commencer à faire le stock des héritages communs de tous les êtres vivants. Cette entreprise est d'une difficulté considérable. Par exemple, chaque espèce prise individuellement a souvent perdu certains gènes ancestraux ; d'autres gènes ont probablement été acquis par transfert horizontal à partir d'une autre espèce et de ce fait peuvent ne pas être vraiment ancestraux, même s'ils sont communs. Les comparaisons génomiques récentes suggèrent fortement que la perte de gènes spécifiques de lignée et le transfert horizontal de gènes, parfois entre des espèces éloignées du point de vue évolutif, ont été les facteurs majeurs de l'évolution, du moins chez les procaryotes. Finalement, au cours des 2 ou 3 milliards d'années, certains gènes qui étaient initialement communs ont tellement changé qu'ils ne peuvent être reconnus par les méthodes actuelles.

À cause de tous ces caprices du processus évolutif, il semble que seule une petite proportion de familles de gènes ancestraux a été universellement conservée sous forme reconnaissable. De ce fait, sur les 2 264 familles de gènes codant pour les protéines et récemment définies par la comparaison des génomes de 18 bactéries, 6 archéobactéries et 1 eucaryote (levure), seules 76 sont véritablement ubiquistes (c'est-à-dire représentées dans tous les génomes analysés). La grande majorité de ces familles universelles incluent des composants des systèmes de transcription et de traduction. Il y a peu de chances que ce soit une approximation réaliste de l'ensemble des gènes ancestraux. On peut se faire une meilleure idée – bien qu'encore grossière – de ces derniers en faisant correspondre des familles de gènes qui ont des représentants dans beaucoup d'espèces des trois royaumes majeurs mais pas nécessairement chez toutes. Cette analyse révèle l'existence de 239 familles anciennes conservées. À une exception près, une fonction a pu être assignée à ces familles (au moins en termes d'activité biochimique générale, mais souvent avec plus de précision), et la majeure partie de ces familles communes de gènes était impliquée dans la traduction et la production de ribosomes et dans le métabolisme et le transport des

TABLEAU I-II Nombre de familles de gènes, classées par fonction, communes aux trois domaines du monde vivant

FONCTION DE LA FAMILLE DE GÈNES	NOMBRE DE FAMILLES «UNIVERSELLES»
Traduction, structure ribosomique et biogenèse	61
Transcription	5
Réplication, réparation, recombinaison	13
Division cellulaire et séparation des chromosomes	1
Chaperons moléculaires	9
Membrane externe, biogenèse de la paroi cellulaire	3
Sécrétion	4
Transport des ions inorganiques	9
Transduction du signal	1
Production d'énergie et conversion	18
Métabolisme des glucides et transport	14
Métabolisme des acides aminés et transport	40
Métabolisme des nucléotides et transport	15
Métabolisme des coenzymes	23
Métabolisme des lipides	8
Fonction biochimique générale prévisible; rôle biologique spécifique inconnu	33
Fonction inconnue	1

Pour cette analyse, les familles de gènes sont définies comme «universelles» si elles sont représentées dans le génome d'au moins deux archéobactéries différentes (*Archaeoglobus fulgidus* et *Aeropyrum pernix*), deux bactéries distantes du point de vue évolutif (*Escherichia coli* et *Bacillus subtilis*) et un eucaryote (levure, *Saccharomyces cerevisiae*). (Données issues de R.L. Tatusov, E.V. Koonin et D.J. Lipman, *Science* 278 : 631-637, 1997; R.L. Tatusov, M.Y. Galperin, D.A. Natale et E.V. Koonin, *Nucleic Acids Res.* 28 : 33-36, 2000; et E.V. Koonin, communication personnelle.)

acides aminés (Tableau 1-II). Cet ensemble de familles de gènes hautement conservés ne représente qu'une esquisse grossière de l'hérédité commune de la vie moderne; une reconstruction plus précise de l'ensemble des gènes du dernier ancêtre commun universel pourrait être faite avec d'autres séquençages de génomes et une analyse comparative plus attentive.

Les mutations révèlent les fonctions des gènes

Sans information supplémentaire, la seule contemplation des séquences du génome ne révélera pas les fonctions des gènes. Nous pouvons reconnaître que le gène B est comme le gène A, mais comment allons-nous découvrir la fonction du gène A de départ? Et même, si nous connaissons la fonction du gène A, comment allons-nous tester si la fonction du gène B est véritablement la même, comme le suggèrent les similitudes de séquences? Comment allons-nous faire la connexion entre le monde abstrait des informations génétiques et le monde réel des organismes vivants?

L'analyse des fonctions des gènes dépend fortement de deux approches complémentaires : la génétique et la biochimie. La génétique commence par l'étude des mutants : nous trouvons ou fabriquons un organisme dans lequel un gène est altéré et nous examinons les effets sur la structure et les performances de cet organisme (Figure 1-29). La biochimie examine les fonctions des molécules : nous extrayons les molécules d'un organisme puis nous étudions leurs activités chimiques. Par l'association de la génétique et de la biochimie et l'examen des anomalies chimiques chez un organisme mutant, il est possible de trouver les molécules dont la production dépend d'un gène donné. En même temps, les études des performances de l'organisme mutant nous montrent quel est le rôle de ces molécules sur les opérations de l'organisme

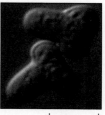

Figure 1-29 Phénotype mutant reflétant les fonctions des gènes. Une levure normale (de l'espèce *Schizosaccharomyces pombe*) est comparée avec un mutant dans lequel la modification d'un seul gène a transformé la cellule d'une forme en cigare (*gauche*) en une forme en T (*droite*). Le gène mutant de ce fait a une fonction dans le contrôle de la forme de la cellule. Mais comment, en termes moléculaires, le produit du gène effectue-t-il cette fonction? C'est une question difficile qui nécessite des analyses biochimiques pour trouver la réponse. (Due à l'obligeance de Kenneth Sawin et Paul Nurse.)

5 μm

en tant qu'entité. De ce fait, l'association de la génétique et de la biochimie fournit un moyen de déduire les connexions entre les gènes, les molécules, la structure et la fonction des organismes.

Récemment, les informations sur les séquences d'ADN et les outils puissants de la biologie moléculaire ont permis de rapides progrès. Par la comparaison des séquences, il est souvent possible d'identifier des domaines particuliers à l'intérieur d'un gène, qui ont été conservés et n'ont pratiquement pas changé au cours de l'évolution. Il y a de grandes chances que ces domaines conservés soient les parties les plus importantes des gènes en termes de fonction. Nous pouvons tester leur contribution individuelle à l'activité du produit du gène en créant au laboratoire des mutations spécifiques de sites à l'intérieur des gènes ou en construisant des gènes hybrides artificiels qui combinent une partie d'un gène avec une partie d'un autre gène. Pour faciliter les analyses biochimiques, les organismes peuvent être amenés à fabriquer en grande quantité l'ARN ou la protéine spécifiés par le gène. Les spécialistes de la structure moléculaire peuvent déterminer la conformation tridimensionnelle du produit codé par le gène et révéler la position de chaque atome. Les biochimistes peuvent déterminer comment chaque partie des molécules spécifiées génétiquement contribue à son comportement chimique. Les biologistes cellulaires peuvent analyser le comportement des cellules qui sont amenées à exprimer une version mutante du gène.

Il n'y a cependant aucune recette simple pour découvrir la fonction d'un gène, ni aucun format universel standard simple pour la décrire. Nous pouvons découvrir, par exemple, que le produit d'un gène donné catalyse une certaine réaction chimique et n'avoir cependant aucune idée du comment ou du pourquoi cette réaction est importante pour l'organisme. La caractérisation fonctionnelle de chaque nouvelle famille de produits géniques, contrairement à la définition de la séquence génique, présente un défi à l'ingéniosité des biologistes. De plus, la fonction d'un gène n'est jamais totalement comprise tant que nous n'avons pas appris son rôle dans la vie de l'organisme en tant qu'entité. Pour donner un sens final à la fonction du gène, de ce fait, nous devons étudier l'organisme dans son ensemble, pas uniquement les molécules ou les cellules.

Les biologistes moléculaires se sont focalisés sur l'étude d'*E. coli*

Comme les organismes vivants sont très complexes, plus nous en apprenons sur une espèce en particulier, plus elle devient un objet d'étude attrayant. Chaque découverte engendre de nouvelles questions et fournit de nouveaux outils pour aborder les questions dans le contexte d'un organisme donné. C'est pourquoi, un grand nombre de biologistes se sont dédiés à l'étude de différents aspects du même **organisme modèle**.

Dans le monde extrêmement varié des bactéries, les biologistes moléculaires se sont longtemps focalisés intensément sur une seule espèce : *Escherichia coli,* ou *E. coli* (*voir* Figures 1-17 et 1-18). Cette petite eubactérie, en forme de bâtonnet, vit normalement dans l'intestin de l'homme et d'autres vertébrés, mais elle peut se multiplier facilement dans un simple bouillon nutritif dans un flacon de culture. L'évolution a optimisé ses possibilités de faire face à des conditions chimiques variées et de se reproduire rapidement. Ses instructions génétiques sont contenues dans une seule molécule d'ADN circulaire qui contient 4 639 221 paires de nucléotides et elle fabrique approximativement 4 300 sortes de protéines différentes (Figure 1-30).

Du point de vue moléculaire, nous avons une connaissance plus complète de la façon de travailler d'*E. coli* que de n'importe quel autre organisme vivant. La majeure partie de notre compréhension des mécanismes fondamentaux de la vie – par

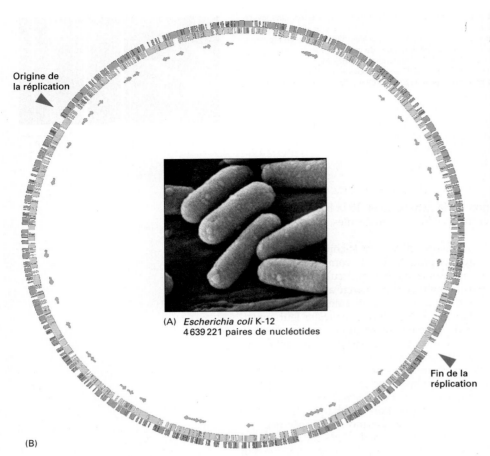

Figure 1-30 Le génome d'*Escherichia coli*.
(A) Un amas de cellules d'*E. coli*. (B) Schéma du génome d'*E. coli* constitué de 4 639 221 paires de nucléotides (pour la souche d'*E. coli* K-12). Le diagramme est circulaire car l'ADN d'*E. coli*, comme celui d'autres procaryotes, forme une seule boucle fermée. Les gènes qui codent pour les protéines sont de couleur *jaune* ou *orange*, selon le brin d'ADN à partir duquel ils sont transcrits ; les gènes qui ne codent que pour les molécules d'ARN sont indiqués par des *flèches vertes*. Certains gènes sont transcrits à partir d'un brin de la double hélice d'ADN (dans la direction des aiguilles d'une montre sur ce schéma), les autres proviennent de l'autre brin (dans la direction inverse aux aiguilles d'une montre). (A, due à l'obligeance de Tony Brain et de la Science Photo Library ; B, d'après F.R. Blattner et al., *Science* 277 : 1453-1462, 1997. © AAAS.)

Origine de la réplication

(A) *Escherichia coli* K-12
4 639 221 paires de nucléotides

Fin de la réplication

(B)

exemple, la façon dont les cellules répliquent leur ADN pour transmettre leurs instructions génétiques à leur progéniture et la façon dont elles décodent les instructions présentes sur l'ADN pour diriger la synthèse des protéines spécifiques – provient des études sur *E. coli*. Les mécanismes génétiques de base ont été fabriqués pour être hautement conservés tout au long de l'évolution : dans nos propres cellules ou chez *E. coli*, ces mécanismes sont de ce fait essentiellement les mêmes.

Résumé

Les procaryotes (cellules sans noyau distinct) sont biochimiquement les organismes les plus variés. Ils incluent des espèces qui peuvent obtenir leur énergie et leurs nutriments à partir de sources chimiques inorganiques, comme les mélanges réactifs de minéraux libérés dans les cheminées hydrothermiques des océans profonds – le type d'aliment qui peut avoir nourri les premières cellules vivantes, il y a 3,5 milliards d'années. Les comparaisons des séquences d'ADN révèlent des relations familiales entre les organismes vivants et montrent que les procaryotes sont divisés en deux groupes qui ont divergé précocement au cours de l'évolution : les bactéries (ou eubactéries) et les archéobactéries. Associés aux eucaryotes (cellules ayant un noyau entouré d'une membrane) ils constituent les trois premières branches de l'arbre phylogénétique. La plupart des bactéries et des archéobactéries sont de petits organismes monocellulaires dont le génome compact renferme entre 1 000 et 4 000 gènes. La plupart des gènes d'un organisme vivant présentent de fortes ressemblances familiales au niveau de leurs séquences d'ADN, ce qui implique qu'ils sont issus du même gène ancestral qui a subi des duplications et des divergences. Les ressemblances familiales (homologies) sont également nettes lorsque les séquences des gènes sont comparées entre différentes espèces et plus de 200 familles de gènes ont été si fortement conservées qu'elles peuvent être reconnues et sont communes aux trois domaines du monde vivant. De ce fait, étant donné une séquence ADN d'un gène nouvellement découvert, il est souvent possible de déduire la fonction du gène à partir des fonctions connues d'un gène homologue présent dans un organisme modèle particulièrement étudié, comme la bactérie E. coli.

Les cellules eucaryotes sont en général plus grandes et plus élaborées que les cellules procaryotes et leur génome est également plus grand et plus complexe. L'augmentation de la taille s'accompagne de différences radicales dans la structure et les fonctions cellulaires. De plus, de nombreuses classes de cellules eucaryotes forment des organismes multicellulaires qui atteignent un niveau de complexité jamais égalé par les procaryotes.

Comme ils sont si complexes, les eucaryotes confrontent les biologistes moléculaires à des défis particuliers, qui nous intéresseront tout au long de cet ouvrage. De plus en plus, les biologistes surmontent ces défis par l'analyse et la manipulation des informations génétiques situées à l'intérieur des cellules et des organismes. Il apparaît donc important d'avoir dès le départ quelques notions sur les caractéristiques spécifiques du génome des eucaryotes. Nous commencerons par rappeler brièvement l'organisation des cellules eucaryotes, comment celle-ci reflète leur façon de vivre, et comment leur génome diffère de celui des procaryotes. Cela nous conduira à aborder les grandes lignes de la stratégie utilisée par les biologistes moléculaires qui exploitent l'information génétique pour tenter de découvrir comment fonctionnent les organismes eucaryotes.

Les cellules eucaryotes étaient peut-être, à l'origine, des prédateurs

Par définition, les cellules eucaryotes gardent leur ADN dans un compartiment interne séparé, le noyau. L'ADN est séparé du cytoplasme par l'*enveloppe nucléaire*, composée d'une double membrane. D'autres particularités séparent également les eucaryotes des procaryotes (Figure 1-31). Typiquement la dimension linéaire de leurs cellules est 10 fois plus grande et leur volume est 1 000 fois plus gros. Elles possèdent un *cytosquelette* – système de filaments protéiques placés en réseau dans le cytoplasme qui, associé aux nombreuses protéines qui y sont fixées, constitue le système de poutres, de cordes et de moteurs qui donne à la cellule sa force mécanique, contrôle sa forme et entraîne et guide ses mouvements. L'enveloppe nucléaire n'est qu'une partie d'un ensemble complexe de *membranes internes*, structures semblables à la membrane plasmique, qui entourent différents types de compartiments à l'intérieur de la cellule, dont beaucoup sont impliqués dans les processus liés à la digestion et à la sécrétion. Comme elles sont dépourvues de la paroi cellulaire résistante de la plupart des bactéries, les cellules animales et les cellules eucaryotes libres appelées *protozoaires* peuvent modifier leur forme rapidement et engloutir d'autres cellules et de petits objets par *phagocytose* (Figure 1-32).

Figure 1-31 Principales caractéristiques des cellules eucaryotes. Ce dessin représente une cellule animale typique. Cependant presque tous ces composants se retrouvent chez les végétaux et les champignons et chez les eucaryotes monocellulaires comme les levures et les protozoaires. Les cellules végétales contiennent des chloroplastes en plus des composants ici montrés, et leur membrane plasmique est entourée d'une paroi externe résistante formée de cellulose.

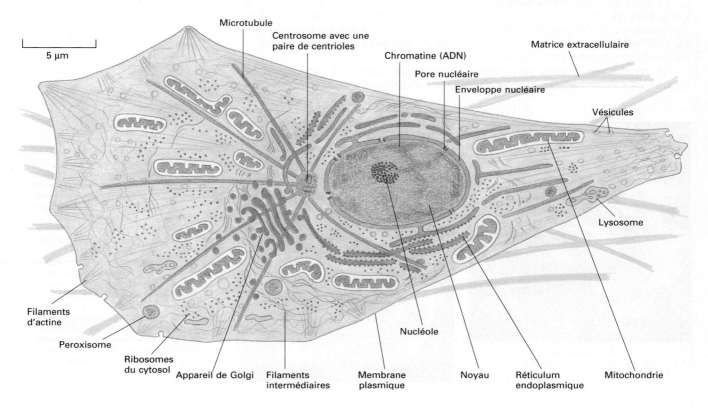

5 µm

Microtubule

Centrosome avec une paire de centrioles

Chromatine (ADN)

Pore nucléaire

Enveloppe nucléaire

Matrice extracellulaire

Vésicules

Lysosome

Nucléole

Mitochondrie

Réticulum endoplasmique

Noyau

Membrane plasmique

Filaments intermédiaires

Appareil de Golgi

Ribosomes du cytosol

Peroxisome

Filaments d'actine

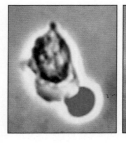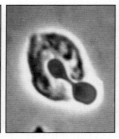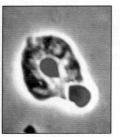

10 μm

Comment ont évolué toutes ces propriétés et selon quelle séquence, cela reste encore un mystère. Il paraît plausible, cependant, qu'elles soient toutes le reflet du mode de vie d'une cellule procaryote primordiale qui était un prédateur et vivait en capturant d'autres cellules et en les mangeant (Figure 1-33). Ce mode de vie nécessite une cellule de grande taille avec une membrane plasmique souple, ainsi qu'un cytosquelette élaboré pour soutenir et faire bouger cette membrane. Il pouvait également nécessiter que les molécules d'ADN cellulaires, longues et fragiles, soient enfermées dans un compartiment nucléaire séparé qui pouvait protéger le génome des dommages causés par les mouvements du cytosquelette.

Les cellules eucaryotes ont évolué à partir d'une symbiose

Le mode de vie de prédateur peut aider à expliquer une autre particularité des cellules eucaryotes. Presque toutes ces cellules contiennent également des *mitochondries* (Figure 1-34). Ce sont des corpuscules enfermés dans une double membrane et situés dans le cytoplasme, qui prélèvent l'oxygène et exploitent l'énergie issue de l'oxydation des molécules alimentaires – comme les glucides – pour produire la majeure partie de l'ATP qui actionne l'activité cellulaire. Les mitochondries ont la même taille que les petites bactéries et, tout comme elles, possèdent leur propre génome sous forme d'une molécule d'ADN circulaire, leurs propres ribosomes, différents de ceux se trouvant ailleurs dans la cellule eucaryote, et leur propre ARN de transfert. Il est pratiquement certain que les mitochondries proviennent d'une eubactérie libre métabolisant l'oxygène (*aérobie*), ingérée par une cellule eucaryote ancestrale qui ne pouvait pas utiliser ainsi l'oxygène (c'est-à-dire qui était *anaérobie*). Échappant à la digestion, cette bactérie a évolué en symbiose avec la cellule qui l'avait phagocytée et sa descendance, recevant protection et nourriture en retour de la formation d'énergie qu'elles effectuent pour leur hôte (Figure 1-35). On pense que ce partenariat entre une cellule eucaryote prédatrice primitive anaérobie et une cellule bactérienne aérobie s'est établi, il y a environ 1,5 milliards d'années, lorsque l'atmosphère terrestre a commencé à s'enrichir en oxygène.

De nombreuses cellules eucaryotes – en particulier celles des végétaux et des algues – contiennent aussi une autre classe d'organites de petite taille entourés d'une

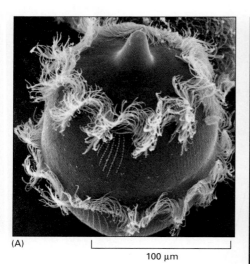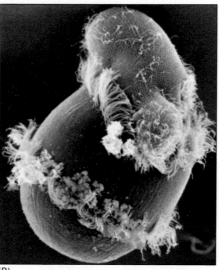

(A)

100 μm

(B)

Figure 1-33 Un eucaryote monocellulaire qui mange une autre cellule. (A) *Didinium* est un protozoaire carnivore appartenant au groupe des ciliés. Il a un corps globulaire, mesure environ 150 μm de diamètre, et est entouré de deux franges de cils – appendices sinueux en forme de fouet qui battent continuellement –; son extrémité antérieure est aplatie excepté une unique protubérance, ressemblant plutôt à un «museau».
(B) *Didinium* nage normalement en tournant dans l'eau à grande vitesse au moyen des battements synchrones de ses cils. Lorsqu'il rencontre une proie adaptée, en général un protozoaire d'un autre type, il libère de nombreux petits dards paralysants de sa région du «museau». Puis *Didinium* se fixe sur l'autre cellule et la dévore par phagocytose, s'inversant comme une balle creuse pour engloutir sa victime, qui est presque aussi grosse qu'elle. (Due à l'obligeance de D. Barlow.)

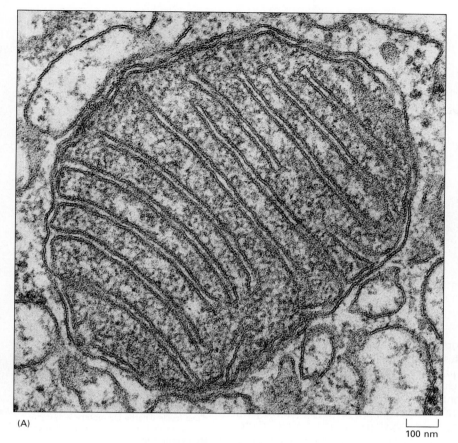

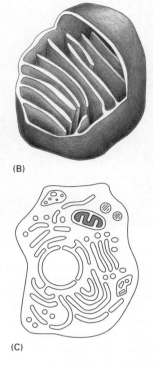

(A)

(B)

(C)

100 nm

Figure 1-34 Une mitochondrie. (A) Coupe transversale vue au microscope électronique. (B) Schéma d'une mitochondrie avec une partie coupée pour montrer sa structure tridimensionnelle. (C) Schéma d'une cellule eucaryote, avec coloration du compartiment intérieur d'une mitochondrie, contenant l'ADN mitochondrial et les ribosomes. Notez la membrane externe lisse et la membrane interne qui forme des crêtes et abrite les protéines qui engendrent l'ATP par oxydation des molécules alimentaires. (A, due à l'obligeance de Daniel S. Friend.)

membrane, qui ressemblent un peu aux mitochondries – les *chloroplastes* (Figure 1-36). Les chloroplastes effectuent la photosynthèse, utilisent l'énergie solaire pour synthétiser des glucides à partir du dioxyde de carbone atmosphérique et de l'eau et libèrent les produits à leur cellule hôte comme nourriture. Tout comme les mitochondries, les chloroplastes possèdent leur propre génome et il est presque certain qu'ils sont issus d'une bactérie photosynthétique symbiotique, acquise par des cellules qui possédaient déjà des mitochondries (Figure 1-37).

Figure 1-35 Origine des mitochondries. On pense qu'une cellule eucaryote ancestrale a ingéré l'ancêtre bactérien des mitochondries, initiant une relation de symbiose.

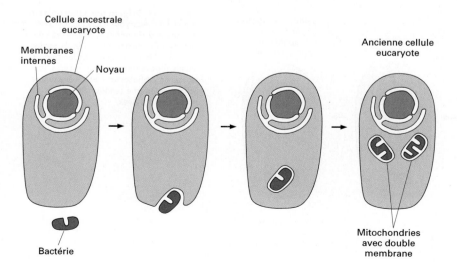

Cellule ancestrale eucaryote

Membranes internes

Noyau

Bactérie

Ancienne cellule eucaryote

Mitochondries avec double membrane

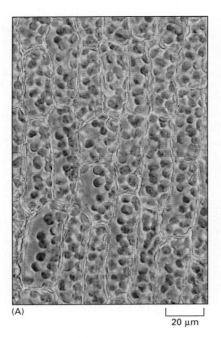

(A)

20 μm

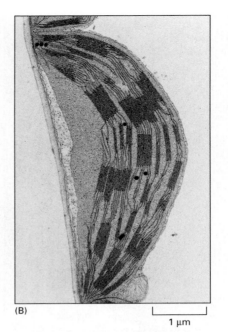

(B)

1 μm

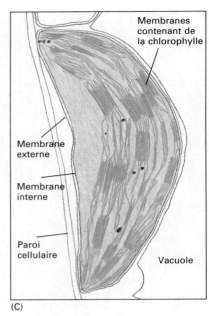

Membranes
contenant de
la chlorophylle

Membrane
externe

Membrane
interne

Paroi
cellulaire

Vacuole

(C)

Une cellule eucaryote équipée de chloroplastes n'a pas besoin de chasser d'autres cellules : elle est nourrie par les chloroplastes captifs qu'elle a hérités de ses ancêtres. Par conséquent les cellules végétales, bien qu'elles soient équipées d'un cytosquelette pour se mouvoir, ont perdu la capacité de changer rapidement leur forme pour phagocyter d'autres cellules. À la place, elles ont créé autour d'elles une paroi cellulaire résistante protectrice. Si l'eucaryote ancestral était véritablement un prédateur pour d'autres organismes, nous pouvons considérer les végétaux comme des eucaryotes qui sont passés de chasseurs à cultivateurs.

Les champignons représentent encore un autre mode de vie eucaryote. Les cellules fongiques, comme les cellules animales, possèdent des mitochondries mais pas de chloroplastes ; mais à la différence des cellules animales et des protozoaires, elles ont une paroi externe résistante qui limite leur capacité à se mouvoir rapidement ou à avaler d'autres cellules. Les champignons, semble-t-il, sont passés de l'état de chasseur à celui de nécrophage : d'autres cellules sécrètent des molécules de nutriments ou les libèrent après leur mort et les champignons se nourrissent de ces déchets – effectuant toute digestion nécessaire par voie extracellulaire à l'aide d'enzymes digestives sécrétées à l'extérieur.

Les eucaryotes ont des génomes hybrides

Les informations génétiques des cellules eucaryotes ont une origine hybride – formée à partir de l'eucaryote anaérobie ancestral et de la bactérie qu'il a adoptée en symbiose. La plupart de cette information est stockée dans le noyau, mais une petite

Figure 1-36 Chloroplastes. Ces organites capturent l'énergie solaire dans les cellules végétales et dans certains eucaryotes monocellulaires. (A) Cellules de feuilles de mousse vues au microscope optique, montrant les chloroplastes verts. (B) Photographie en microscopie électronique d'un chloroplaste d'une feuille d'herbe qui montre le système très replié de la membrane interne contenant les molécules de chlorophylle par lesquelles la lumière est absorbée. (C) Dessin d'interprétation de (B). (B, due à l'obligeance d'Eldon Newcomb.)

Figure 1-37 Origine des chloroplastes. Une cellule eucaryote ancienne, qui possédait déjà des mitochondries, a phagocyté une bactérie (une cyanobactérie) et l'a gardée en symbiose. On pense que tous les chloroplastes actuels sont la trace de leur ancêtre, une seule espèce de cyanobactérie adoptée comme symbionte interne (endosymbionte), il y a un milliard d'années.

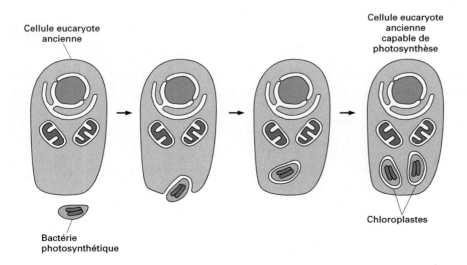

Cellule eucaryote
ancienne

Cellule eucaryote
ancienne
capable de
photosynthèse

Bactérie
photosynthétique

Chloroplastes

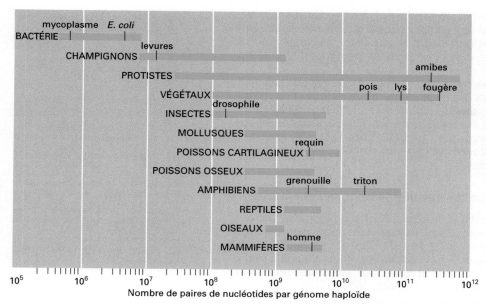

Figure 1-38 Comparaison des tailles de génomes. La taille du génome est mesurée en paires de nucléotides d'ADN par génome haploïde, c'est-à-dire par unique copie du génome. (Les cellules des organismes à reproduction sexuée comme nous autres sont généralement diploïdes : elles contiennent deux copies du génome, une héritée de la mère et l'autre héritée du père.) Les organismes apparentés peuvent varier largement du point de vue de la quantité d'ADN de leur génome même s'ils contiennent un nombre similaire de gènes fonctionnellement distincts. (Données issues de W.H. Li, Molecular Evolution, p. 380-383. Sunderland, MA : Sinauer, 1997.)

quantité reste à l'intérieur des mitochondries et, chez les cellules végétales et les algues, dans le chloroplaste. L'ADN mitochondrial et l'ADN du chloroplaste peuvent être séparés de l'ADN nucléaire, analysés individuellement et séquencés. On a trouvé que les génomes des mitochondries et des chloroplastes étaient des versions dégénérées, abrégées des génomes bactériens correspondants, manquant de beaucoup de gènes qui codent pour de nombreuses fonctions essentielles. Dans une cellule humaine, par exemple, le génome mitochondrial ne comporte que 16 569 paires de nucléotides et ne code que pour 13 protéines, deux composants de l'ARN ribosomique et 22 ARN de transfert.

Les gènes manquants des mitochondries et des chloroplastes n'ont pas tous été perdus ; à la place, beaucoup d'entre eux sont passés d'une manière ou d'une autre du génome du symbionte à l'ADN du noyau de la cellule hôte. L'ADN nucléaire humain contient de nombreux gènes qui codent pour des protéines nécessaires aux fonctions essentielles des mitochondries ; chez les végétaux, l'ADN nucléaire contient également de nombreux gènes spécifiques des protéines nécessaires aux chloroplastes.

Les génomes des eucaryotes sont gros

La sélection naturelle a évidemment favorisé les mitochondries à petit génome, tout comme elle a favorisé les bactéries à petit génome. À l'opposé, les génomes nucléaires de la plupart des eucaryotes semblent avoir été libres de s'agrandir. Peut-être le mode de vie eucaryote a-t-il fait de la grande taille un avantage : les prédateurs doivent être plus grands que leur proie et la taille des cellules augmente généralement en proportion de la taille du génome. Quelle que soit l'explication, le fait est que le génome de la plupart des eucaryotes est bien plus grand que celui des bactéries et des archéobactéries (Figure 1-38). Et cette liberté d'être dispendieux avec l'ADN a eu de profondes implications.

Les eucaryotes n'ont pas seulement plus de gènes que les procaryotes ; ils ont également bien plus d'ADN qui ne code ni pour des protéines ni pour aucune autre molécule fonctionnelle produite. Le génome humain contient 1 000 fois plus de paires de nucléotides que le génome d'une bactérie typique, 20 fois plus de gènes et environ 10 000 fois plus de séquences d'ADN non codantes (~98,5 p. 100 du génome d'un homme est non codant, par opposition aux 11 p. 100 du génome de la bactérie E. coli).

Les génomes des eucaryotes sont riches en séquences d'ADN régulatrices

Il est presque certain que la majeure partie de notre ADN non codant n'est que pure fantaisie non indispensable, gardé comme on garde des vieux journaux parce que, lorsqu'il n'y a pas de forte pression au maintien d'une petite archive, il est plus facile de tout garder plutôt que de trier les informations valables et jeter le reste. Certaines espèces eucaryotes exceptionnelles, comme le poisson ballon (Figure 1-39) té-

Figure 1-39 Poisson ballon ou poisson lune (Fugu rubripes). Cet organisme a un génome qui contient 400 millions de paires de nucléotides, soit à peu près un quart de la quantité contenue dans le génome d'un Danio rerio, par exemple, même si ces deux espèces ont un nombre similaire de gènes. (D'après une gravure sur bois de Hiroshige, due à l'obligeance de Arts and Designs of Japan.)

moignent de la prodigalité de leurs proches ; ce poisson a, d'une façon ou d'une autre, réussi soit à se débarrasser lui-même d'une grande quantité d'ADN non codant soit à éviter de l'acquérir dès le départ. Cependant, il a une structure, un comportement et des aptitudes identiques à ceux des espèces apparentées pourvues de beaucoup plus d'ADN.

Même dans les génomes eucaryotes compacts, comme celui du poisson ballon, il y a plus d'ADN non codant que d'ADN codant et une partie de cet ADN non codant au moins est certainement dotée d'importantes fonctions. En particulier, il sert à réguler l'expression des gènes adjacents. Par les séquences d'ADN régulatrices, les eucaryotes ont développé différents moyens pour contrôler quand et où un gène doit entrer en jeu. Cette régulation sophistiquée des gènes est cruciale pour la formation des organismes multicellulaires complexes.

Le génome définit le programme de développement multicellulaire

Les cellules de chaque animal ou végétal sont extraordinairement variées. Les cellules adipeuses, les cellules cutanées, les cellules osseuses, les cellules nerveuses apparaissent aussi dissemblables que des cellules peuvent l'être. Cependant, tous ces types cellulaires sont engendrés pendant le développement embryonnaire à partir d'une seule cellule constituant l'œuf fécondé et tous (sauf exceptions mineures) contiennent des copies identiques du génome de l'espèce.

L'explication réside dans la façon dont ces cellules utilisent sélectivement leurs instructions génétiques selon les signaux qu'elles obtiennent de leur environnement. L'ADN n'est pas uniquement une liste de courses qui spécifie toutes les molécules que chaque cellule doit posséder, et les cellules ne sont pas un assemblage de tous les composants de la liste. La cellule se comporte plutôt comme une machine multifonctions qui contient des capteurs recevant les signaux issus de l'environnement et qui est pourvue d'une capacité extrêmement développée à mettre en action différents groupes de gènes selon les séquences des signaux auxquels elle a été exposée. Une importante fraction des gènes du génome eucaryote code pour les protéines qui servent à réguler l'activité des autres gènes. La plupart de ces *protéines régulatrices de gènes* agissent en se fixant, directement ou indirectement, sur les séquences d'ADN régulatrices adjacentes aux gènes à contrôler (Figure 1-40) ou en interférant avec les capacités des autres protéines pour ce faire. Le génome très étendu des eucaryotes ne sert donc pas seulement à spécifier le matériel de la cellule mais aussi à conserver les logiciels qui contrôlent l'utilisation de ce matériel.

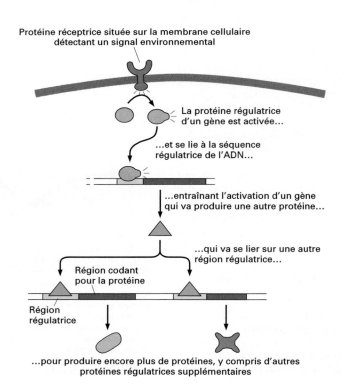

Protéine réceptrice située sur la membrane cellulaire détectant un signal environnemental

La protéine régulatrice d'un gène est activée...

...et se lie à la séquence régulatrice de l'ADN...

...entraînant l'activation d'un gène qui va produire une autre protéine...

...qui va se lier sur une autre région régulatrice...

Région codant pour la protéine

Région régulatrice

...pour produire encore plus de protéines, y compris d'autres protéines régulatrices supplémentaires

Figure 1-40 Gènes de contrôle lus par des signaux environnementaux. Les séquences régulatrices de l'ADN permettent à l'expression des gènes d'être contrôlée par des protéines régulatrices, qui sont à leur tour produites par d'autres gènes. Ce schéma montre comment l'expression d'un gène cellulaire est ajustée selon un signal provenant de l'environnement cellulaire. L'effet initial du signal est d'activer une protéine régulatrice déjà présente dans la cellule ; le signal peut, par exemple, déclencher la liaison d'un groupe phosphate sur une protéine régulatrice et altérer ses propriétés chimiques.

Figure 1-41 Contrôle génétique du programme de développement multicellulaire. Le rôle d'un gène de régulation est mis en évidence chez cette gueule-de-loup ou *Antirrhinum*. Dans cet exemple, la mutation dans un seul gène codant pour une protéine régulatrice a provoqué le développement de pousses de feuilles à la place de fleurs : comme une protéine régulatrice a été modifiée, la cellule adopte les caractères qui seraient appropriés à une localisation différente dans la plante normale. Le mutant se trouve à gauche, la plante normale à droite. (Due à l'obligeance d'Enrico Coen et Rosemary Carpenter.)

Dans les organismes multicellulaires en développement, chaque cellule est gouvernée par le même système de contrôle, mais les conséquences sont différentes en fonction du signal que les cellules échangent avec leurs voisines. Le résultat, très étonnant, est une collection de cellules à différents stades qui forment un motif précis et dont chacune expose un caractère approprié à sa position dans la structure multicellulaire. Le génome de chaque cellule est assez grand pour fournir les informations qui spécifient un organisme multicellulaire complet, mais dans chaque cellule individuelle, seule une partie de cette information est utilisée (Figure 1-41).

Beaucoup d'eucaryotes vivent sous forme d'une cellule isolée : les protistes

Beaucoup d'espèces de cellules eucaryotes mènent une vie solitaire – certaines chassent (*protozoaires*), d'autres effectuent la photosynthèse (*algues* monocellulaires) et d'autres sont des nécrophages (champignons monocellulaires ou *levures*). Même s'ils ne forment pas un organisme multicellulaire, ces eucaryotes à une seule cellule, ou *protistes*, peuvent être très complexes. La figure 1-42 présente certains aspects de la diversité des formes qu'ils peuvent prendre. L'anatomie des protozoaires, en particulier, est souvent élaborée et comprend des structures telles les soies sensorielles, les photorécepteurs, les cils vibratiles, les appendices ressemblant à des pieds, les parties buccales, les dards brûlants et les faisceaux contractiles de type muscle. Même s'ils forment des cellules uniques, les protozoaires peuvent être aussi compliqués, variés et complexes du point de vue de leur comportement que beaucoup d'organismes multicellulaires (*voir* Figure 1-33).

Si l'on se base sur leurs ancêtres et leur séquence d'ADN, les protistes sont de loin plus variés que les animaux, les végétaux et les champignons multicellulaires, qui ont formé relativement tard les trois embranchements de la généalogie des eucaryotes (*voir* Figure 1-21). L'homme a eu tendance à négliger les protistes, tout comme les procaryotes, parce qu'ils sont microscopiques. Ce n'est que maintenant, grâce à l'analyse du génome, que nous commençons à comprendre leur position dans l'arbre phylogénétique et à replacer dans leur contexte les aperçus que ces étranges créatures nous offrent de notre passé évolutif lointain.

Une levure sert de modèle eucaryote minimal

La complexité moléculaire et génétique des eucaryotes est impressionnante. Plus encore qu'avec les procaryotes, les biologistes ont besoin de concentrer leurs ressources limitées sur quelques modèles d'organismes sélectionnés pour sonder cette complexité.

Pour analyser le travail interne de la cellule eucaryote, sans se laisser distraire par le problème supplémentaire du développement multicellulaire, il semble sensé d'utiliser une espèce monocellulaire aussi simple que possible. La levure *Saccharomyces cerevisiae* (Figure 1-43) – espèce utilisée par les brasseurs de bière et les boulangers pour le pain – a été choisie pour tenir ce rôle de modèle minimal des eucaryotes.

S. cerevisiae est un membre monocellulaire de petite taille du royaume des champignons et, de ce fait, est au moins aussi proche des animaux que des végétaux, si

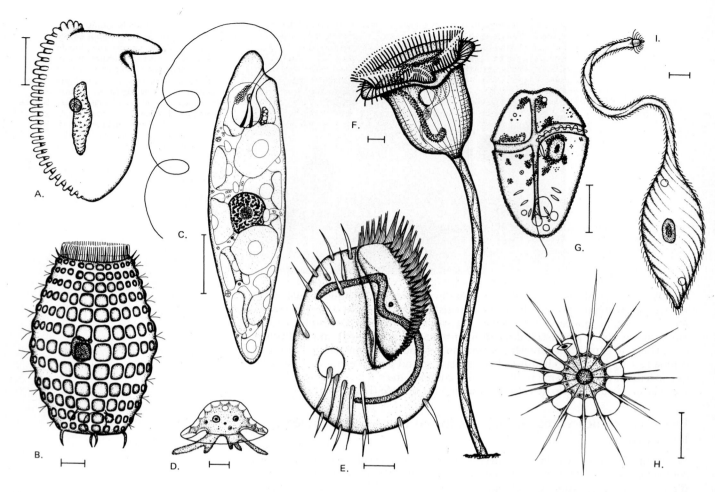

Figure 1-42 Assortiment de protistes : petit exemple d'une classe extrêmement variée d'organismes. Les dessins sont faits à différentes échelles, mais dans chaque cas, l'échelle représente 10 μm. Les organismes (A), (B), (E), (F) et (I) sont des ciliés ; (C) est un euglène ; (D) une amibe ; (G) un dinoflagellé ; et (H) un héliozoaire. (Tiré de M.A. Sleigh, Biology of Protozoa. Cambrige, UK : Cambrige University Press, 1973).

l'on se base sur notre vision moderne. Elle est robuste et se développe facilement dans un milieu nutritif simple. Comme les autres champignons, elle possède une paroi cellulaire rigide, est relativement immobile et contient des mitochondries mais pas de chloroplastes. Lorsque les nutriments sont abondants, elle croît et se divise presque aussi rapidement qu'une bactérie. Elle peut se reproduire soit par voie végétative (c'est-à-dire par simple division cellulaire), soit sexuelle : deux levures *haploïdes* (possédant une seule copie du génome) peuvent fusionner pour créer une cellule *diploïde* (à double génome) ; et la cellule diploïde peut subir une *méiose* (division avec réduction) pour produire des cellules de nouveau haploïdes (Figure 1-44). Contrairement aux végétaux et animaux supérieurs, les levures peuvent se diviser indéfiniment en l'état soit haploïde soit diploïde et le processus qui conduit d'un état à l'autre peut être induit à volonté par la modification des conditions de culture.

Toutes ces caractéristiques font de la levure un organisme très adapté à l'étude génétique, tout comme cette propriété supplémentaire : son génome, selon les stan-

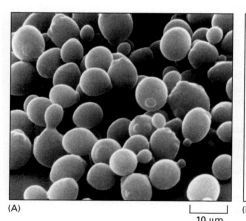

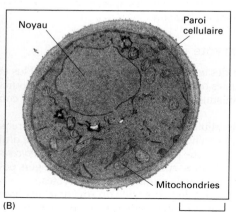

Noyau

Paroi cellulaire

Mitochondries

(A) 10 μm

(B) 2 μm

Figure 1-43 La levure *Saccharomyces cerevisiae*. (A) Photographie en microscopie électronique à balayage d'un amas de cellules. Cette espèce est également appelée levure bourgeonnante ; elle prolifère en formant une saillie ou bourgeon qui s'agrandit puis se sépare du reste de la cellule d'origine. De nombreuses cellules bourgeonnantes sont visibles sur cette microphotographie.
(B) Photographie en microscopie électronique à transmission d'une coupe transversale d'une cellule de levure, montrant son noyau, les mitochondries et la paroi cellulaire rigide. (A, due à l'obligeance d'Ira Herskowitz et Eric Schabatach.)

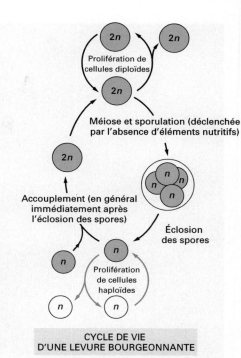

Figure 1-44 Cycles de reproduction de la levure *S. cerevisiae*. Selon les conditions environnementales et les particularités du génotype, les cellules de cette espèce peuvent exister soit dans un état diploïde, avec un double jeu de chromosomes, soit dans un état haploïde, avec un seul jeu de chromosomes. La forme diploïde peut proliférer grâce à des cycles de division cellulaire ordinaires ou subir une méiose pour former des cellules haploïdes. La forme haploïde peut proliférer par des cycles de division cellulaire ordinaires ou subir une fusion sexuée avec une autre cellule haploïde pour devenir diploïde. La méiose est déclenchée par l'absence d'éléments nutritifs et donne naissance à des spores – cellules haploïdes en état de dormance, résistantes aux conditions environnementales difficiles.

dards eucaryotes, est extrêmement petit. Néanmoins, il suffit pour toutes les tâches basiques que n'importe quelle cellule eucaryote doit effectuer. Comme nous le verrons plus tard, des études sur les levures (qui portent sur *S. cerevisiae* et d'autres espèces) ont fourni des clés pour comprendre beaucoup de processus cruciaux. Par exemple le cycle de division des cellules eucaryotes – la chaîne critique des événements grâce auxquels le noyau et tous les autres composants d'une cellule sont dupliqués puis partagés pour créer deux cellules filles à partir d'une seule. Le système de contrôle qui gouverne ce processus a été si bien conservé pendant toute l'évolution que beaucoup de ses composants peuvent fonctionner de façon interchangeable dans les cellules humaines et les levures : si une levure mutante dépourvue d'un gène essentiel du cycle de division cellulaire de la levure reçoit une copie du gène homologue du cycle de division cellulaire de l'homme, la levure est guérie de son anomalie et peut se diviser normalement.

Le niveau d'expression de l'ensemble des gènes d'un organisme peut être surveillé simultanément

La séquence complète du génome de *S. cerevisiae* a été déterminée en 1997. Elle comporte environ 13 117 000 paires de nucléotides, si on compte la petite contribution (78 520 paires de nucléotides) de l'ADN mitochondrial. Ce total n'est que 2,5 fois supérieur à la quantité d'ADN contenue dans *E. coli* et ne code que pour 1,5 fois plus de protéines distinctes (environ 6 300 en tout). Le mode de vie de *S. cerevisiae* ressemble, en beaucoup de façons, à celui des bactéries et il semble que cette levure a été également soumise à une pression de sélection qui a maintenu son génome compact.

La connaissance de la séquence complète du génome d'un organisme – que ce soit une levure ou un homme – ouvre de nouvelles perspectives sur le travail de la cellule : les choses qui ont pu paraître d'une immense complexité semblent maintenant à notre portée. Un exemple suffit. Il est possible de disposer sur la lame d'un microscope un ensemble d'échantillons de séquences d'ADN correspondant à chacune des 6 300 protéines environ que le génome de la levure peut coder. Une molécule d'ADN se liera sélectivement, par appariement de bases, avec un ADN ou un ARN qui possède la séquence complémentaire. De ce fait, si un mélange d'acides nucléiques est passé sur ces *micropuces d'ADN*, chaque type de molécule du mélange s'accrochera au point d'ADN correspondant. Si les molécules du mélange ont été marquées par un colorant chimique fluorescent, on obtiendra un ensemble de points fluorescents, chacun localisé à un point spécifique de ces micropuces (Figure 1-45). De cette façon, il est possible de surveiller, simultanément, la quantité de transcrits d'ARNm produits par chaque gène du génome d'une levure soumise à des conditions choisies et de voir comment les caractéristiques globales de l'activité des gènes se modifient lorsque ces conditions changent. Il est possible de répéter cette analyse avec un ARNm préparé à partir de mutants dépourvus d'un gène particulier – n'importe quel gène que nous souhaitons tester. En principe, cette approche est le moyen de révéler le système entier des relations de contrôle qui gouvernent l'expression des gènes – pas seulement celui des levures, mais aussi celui de tout organisme dont la séquence du génome est connue.

Arabidopsis a été choisi parmi 300 000 espèces comme modèle végétal

Les organismes multicellulaires de grande taille que nous voyons autour de nous – les fleurs, les arbres et les animaux – semblent d'une variété fantastique, mais sont beaucoup plus proches l'un de l'autre du point de vue de leur origine évolutive et plus semblables dans leur biologie cellulaire de base que la multitude d'organismes

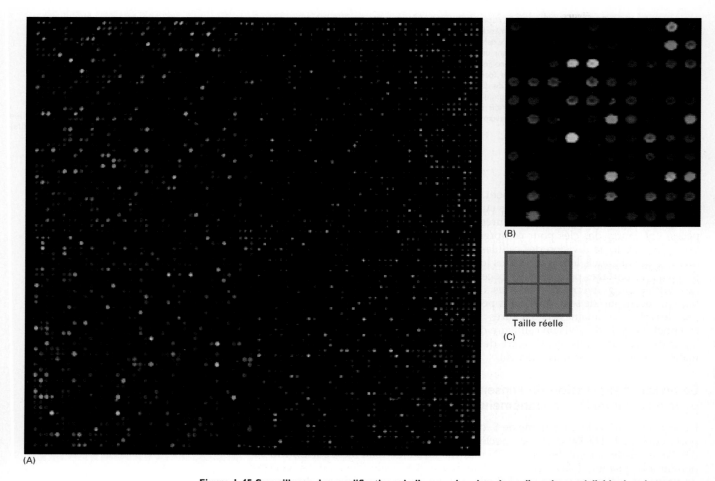

(A)

(B)

Taille réelle

(C)

Figure 1-45 Surveillance des modifications de l'expression des gènes d'une levure à l'aide de micropuces d'ADN. Des échantillons de séquences d'ADN correspondant à chacun des 6 300 gènes environ codant pour les protéines du génome de la levure sont déposés sur une micropuce d'une lame de microscope en verre. (A) Montre la micropuce complète avec 6400 points. (B) Montre une petite région au fort grossissement. (C) Montre la taille réelle de la micropuce quadrillée (A). La micropuce a été utilisée ici pour comparer l'ensemble des molécules d'ARNm produites par une levure avec ou sans glucose dans le milieu de culture. Si la levure qui reçoit le glucose transcrit un gène particulier en ARNm, une préparation d'ARNm de cette cellule contiendra des molécules qui peuvent se lier sélectivement au point d'ADN correspondant placé sur la micropuce. En pratique, l'ARNm extrait de la cellule n'est pas appliqué directement sur la micropuce mais est utilisé (comme nous l'expliquerons au chapitre 8) pour engendrer un autre mélange de molécules d'acides nucléiques appelées molécules d'ADNc, dont la séquence correspond aux molécules d'ARNm. Dans cette expérience, elles sont «peintes» avec un colorant chimique vert fluorescent. Lorsque le mélange d'ADNc est appliqué sur la micropuce, chaque ADNc du mélange se lie au point correspondant sur la micropuce : une fluorescence *vert* brillant à un point donné indique une forte expression d'un gène spécifique. La procédure complète est ensuite répétée avec la levure privée de glucose, en «peignant» son ADNc avec un colorant *rouge* fluorescent et en l'appliquant sur la même micropuce d'ADN. De ce fait un point *vert* indique un gène exprimé plus fortement en présence de glucose qu'en son absence; un point *rouge* indique le contraire. Les points sur la micropuce qui correspondent aux gènes exprimés de la même façon dans les deux conditions lient autant de molécules d'ADNc vertes et rouges et de ce fait brillent en *jaune*. (Tiré de J.L. DeRisi et al., *Science* 278 : 680-686, 1997. © AAAS.)

microscopiques monocellulaires. De ce fait, alors que les bactéries et les eucaryotes sont séparés par plus de 3 000 millions d'années d'évolution divergente, les vertébrés et les insectes ne sont séparés que par 700 millions d'années environ, les poissons et les mammifères par 450 millions d'années environ et les différentes espèces de végétaux à fleurs par seulement 150 millions d'années environ.

Du fait des relations évolutives proches entre l'ensemble des plantes à fleur, nous pouvons à nouveau avoir un aperçu de la cellule et de la biologie moléculaire de cette classe entière d'organismes en nous focalisant sur une ou quelques espèces analysées de façon détaillée. Parmi les centaines de milliers d'espèces de végétaux à fleurs sur terre de nos jours, les biologistes moléculaires ont choisi de concentrer leurs efforts sur une mauvaise herbe de petite taille, le cresson commun des murs *Arabidopsis thaliana* (Figure 1-46). Elle peut être cultivée en intérieur en grande quantité et produit des milliers de descendants par plant au bout de 8 à 10 semaines. *Arabidopsis* a un

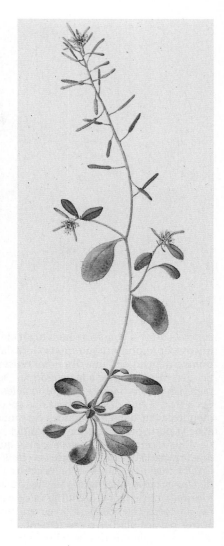

génome composé de 140 millions de paires de nucléotides environ, soit à peu près 11 fois plus que la levure, et sa séquence complète est connue.

Le monde des cellules animales est représenté par un ver, une mouche, une souris et l'homme

Les animaux multicellulaires représentent la majorité des espèces dénommées d'organismes vivants et la majeure partie des efforts de recherche biologique. Quatre espèces ont émergé comme modèle principal d'organisme pour les études de génétique moléculaire et ont subi le séquençage de leur génome. Par ordre de taille croissant, il s'agit du nématode *Caenorhabditis elegans*, de la mouche *Drosophila melanogaster*, de la souris *Mus musculus* et de l'homme *Homo sapiens*.

Caenorhabditis elegans (Figure 1-47) est un parent inoffensif, de petite taille, de l'anguillule qui attaque les récoltes. Son cycle de développement ne dure que quelques jours ; il peut survivre indéfiniment dans un congélateur dans un état inanimé ; il possède un corps simple plat et un cycle de développement inhabituel bien adapté aux études génétiques (*voir* sa description au chapitre 21). Il représente un modèle organique idéal. *C. elegans* se développe avec une précision d'horloger à partir d'un œuf fécondé en un ver adulte pourvu exactement de 959 cellules corporelles (plus un nombre variable d'ovocytes et de spermatozoïdes) – un degré de régularité inhabituel pour un animal. Nous avons maintenant une description minutieusement détaillée de la séquence des événements par lesquels cela se produit, lorsque la cellule se divise, se déplace et change ses caractères selon des règles strictes et prévisibles. Le génome constitué de 97 millions de paires de nucléotides code pour 19 000 protéines environ et il existe une profusion de mutants qui permettent de tester la fonction des gènes. Bien que ce ver ait un corps plat très différent du nôtre, la conservation des mécanismes biologiques est suffisante pour que ce ver fournisse un modèle valable de beaucoup de processus qui se produisent dans le corps humain. L'étude de ce ver nous a aidés à comprendre par exemple, le programme de division cellulaire et de mort cellulaire qui détermine le nombre de cellules d'un corps – un sujet d'une grande importance pour la biologie du développement et la recherche sur le cancer.

Les études sur *Drosophila* ont fourni la clé du développement des vertébrés

La mouche des fruits *Drosophila melanogaster* (Figure 1-48) a servi comme modèle génétique plus longtemps que les autres ; en fait, les fondements de la génétique classique ont été établis largement sur la base de l'étude de cet insecte. Il y a 80 ans, elle a fourni, par exemple, la preuve définitive que les gènes – l'unité résumée des informations héréditaires – étaient portés par les chromosomes, objets physiques

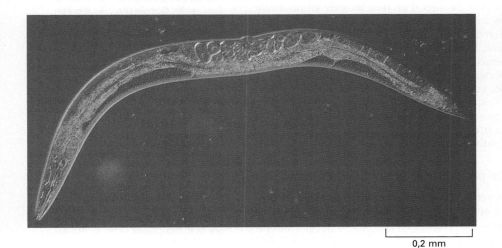

0,2 mm

Figure 1-47 *Caenorhabditis elegans*, premier organisme multicellulaire dont la séquence du génome a été totalement déterminée. Ce petit nématode, d'environ 1 mm, vit dans la terre. La plupart des individus sont hermaphrodites, et produisent à la fois des ovocytes et des spermatozoïdes. (Due à l'obligeance de Ian Hope.)

Figure 1-48 *Drosophila melanogaster*.
Les études de génétique moléculaire sur cette mouche ont fourni les clés principales qui ont permis de comprendre comment les animaux se développent en un adulte à partir d'un œuf fécondé. (Tiré de E.B. Lewis, *Science* 221 : couverture, 1983. © AAAS.)

concrets dont le comportement avait été suivi de près dans les cellules eucaryotes en microscopie photonique, mais dont la fonction n'était pas encore connue. Cette preuve dépend de l'une des nombreuses caractéristiques qui rendent *Drosophila* particulièrement adaptée à la génétique – ses chromosomes géants qui ont un aspect caractéristique en bandes, et sont visibles dans certaines de ses cellules (Figure 1-49). On a trouvé que des modifications spécifiques des informations héréditaires, qui se manifestaient dans les familles de mouches mutantes, étaient exactement corrélées avec la perte ou l'altération de bandes spécifiques des chromosomes géants.

Plus récemment, *Drosophila*, plus que tout autre organisme, nous a montré comment tracer la chaîne des causes et effets entre les instructions génétiques codées dans l'ADN chromosomique et la structure du corps multicellulaire adulte. Des mutants de *Drosophila* dont certaines parties du corps étaient étrangement mal placées ou mal formées ont permis d'identifier et de caractériser les gènes nécessaires pour structurer un corps correctement, avec un tube digestif, des yeux, des pattes et toutes les autres parties placées correctement. Une fois que ces gènes de *Drosophila* ont été séquencés, le génome des vertébrés a pu être examiné pour rechercher les homologues. Après les avoir trouvés, leurs fonctions ont été alors testées chez les vertébrés en analysant des souris chez qui ces gènes ont subi une mutation. Les résultats, comme nous le verrons ultérieurement, ont révélé un degré étonnant de ressemblance des mécanismes moléculaires du développement entre les insectes et les vertébrés.

La majorité des espèces dénommées d'organismes vivants sont des insectes. Même si *Drosophila* n'a rien de commun avec les vertébrés, mais seulement avec les insectes, elle reste un organisme modèle important. Mais le but recherché étant de comprendre la génétique moléculaire des vertébrés, pourquoi ne pas simplement prendre le problème de front, pourquoi l'aborder de côté, en étudiant *Drosophila* ?

Drosophila ne nécessite que 9 jours pour évoluer d'un œuf fécondé en un adulte. Elle est largement plus facile et moins chère à élever que n'importe quel vertébré et son génome est beaucoup plus petit – environ 170 millions de paires de nucléotides –, comparé aux 3200 millions d'un homme. Il code pour 14000 protéines environ et des mutants peuvent maintenant être obtenus pour n'importe quel gène essentiel. Mais il y a aussi une autre raison, plus profonde, qui explique pourquoi les mécanismes génétiques si difficiles à découvrir chez les vertébrés, sont souvent facilement révélés par la mouche. Cela est lié, comme nous l'expliquerons, à la fréquence de la duplication des gènes, qui est substantiellement plus grande dans le génome des vertébrés que dans le génome de la mouche et a été probablement cruciale pour que les vertébrés deviennent les créatures complexes et subtiles qu'ils sont.

Le génome des vertébrés est le produit d'une duplication répétée

Presque tous les gènes du génome des vertébrés possèdent des paralogues – d'autres gènes dans le même génome qui sont apparentés sans la moindre erreur et ont dû apparaître suite à la duplication du gène. Dans de nombreux cas, un groupe complet de gènes est apparenté à des groupes similaires présents quelque part ailleurs dans

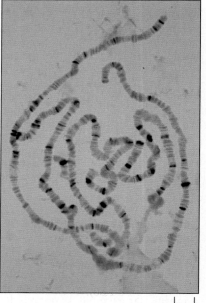

20 µm

Figure 1-49 Chromosome géant issu des cellules de la glande salivaire de *Drosophila*. Comme beaucoup d'étapes de la réplication de l'ADN se produisent sans intervention d'une division cellulaire, chaque chromosome de ces cellules particulières contient plus de 1 000 molécules d'ADN identiques, toutes alignées en coïncidence. Ils deviennent donc faciles à voir en microscopie optique, où ils forment des bandes caractéristiques et reproductibles. Des bandes spécifiques peuvent être identifiées et représentent la localisation de gènes spécifiques : une mouche mutante chez qui il manque une région de ces bandes montre un phénotype qui reflète la perte du gène de cette région. Les gènes transcrits à un fort taux correspondent aux bandes d'aspect «gonflé». Les bandes colorées en brun foncé sur la microphotographie sont les sites où se lie à l'ADN une protéine régulatrice particulière. (Due à l'obligeance de B. Zink et R. Paro, tiré de R. Paro, *Trends Genet.* 6 : 416-421, 1990. © Elsevier.)

Figure 1-50 Deux espèces de grenouilles du genre *Xenopus*. *X. tropicalis*, au-dessus, a un génome diploïde ordinaire ; *X. laevis*, en dessous, possède deux fois plus d'ADN par cellule. D'après le modèle en bande de leurs chromosomes et la disposition des gènes sur ceux-ci, ainsi que de la comparaison des séquences de gènes, il est clair que l'espèce à forte ploïdie a évolué par duplication de la totalité du génome. On pense que ces duplications se sont produites immédiatement après l'accouplement de grenouilles d'espèces de *Xenopus* légèrement divergentes. (Due à l'obligeance de E. Amaya, M. Offield et R. Grainger, *Trends Gen.* 14 : 253-255, 1998. © Elsevier.)

le génome, ce qui suggère que les gènes ont été dupliqués en groupes plutôt qu'en individus isolés. Selon une hypothèse, à une étape précoce de l'évolution des vertébrés, la totalité du génome a subi une duplication deux fois de suite, donnant naissance à quatre copies de chaque gène. Dans certains groupes de vertébrés, comme les poissons de la famille des saumons et des carpes (y compris le *Danio rerio*, un animal de recherche populaire), il a été suggéré qu'il y avait eu une autre duplication, créant un multiple de huit des gènes.

L'évolution précise du génome des vertébrés reste incertaine, car beaucoup de modifications évolutives ultérieures se sont produites depuis cet événement ancien. Les gènes qui étaient alors identiques ont divergé ; beaucoup de copies du gène ont été perdues par mutation avec cassure ; certaines ont subi d'autres cycles de duplication locale ; et le génome, dans chaque embranchement des vertébrés a subi des réarrangements répétés, cassant la majeure partie de l'ordre original des gènes. La comparaison attentive de l'ordre des gènes dans deux organismes apparentés, comme l'homme et la souris, révèle que – à l'échelle du temps de l'évolution des vertébrés – les chromosomes se sont souvent fusionnés et fragmentés et ont déplacé des blocs de séquences d'ADN. En effet, il est totalement possible, comme nous en discuterons au chapitre 7, que l'état actuel des choses soit le résultat de beaucoup de duplications séparées de fragments du génome plutôt que la duplication du génome dans son ensemble.

Il n'y a cependant aucun doute que des duplications du génome en son ensemble se soient produites de temps en temps au cours de l'évolution, comme nous pouvons le voir dans quelques exemples récents au cours desquels des ensembles de chromosomes dupliqués sont encore clairement identifiables en tant que tels. La grenouille du genre *Xenopus*, par exemple, est composée d'un groupe d'espèces assez similaires apparentées les unes aux autres par des duplications ou des réplications triples répétées du génome complet. Parmi ces grenouilles se trouvent *X. tropicalis* qui possède un génome diploïde ordinaire ; l'espèce commune de laboratoire *X. laevis* qui a un génome dupliqué et deux fois plus d'ADN par cellule ; et *X. ruwenzoriensis*, dont le génome a été dupliqué encore 6 fois et qui possède six fois plus d'ADN par cellule (108 chromosomes, comparés aux 36 de *X. laevis*, par exemple). On estime que ces espèces ont divergé les unes des autres au cours des 120 millions d'années passées (Figure 1-50).

La redondance génétique est un problème pour les généticiens mais crée des occasions pour les organismes qui évoluent

Quels que soient les détails de l'histoire de l'évolution, il est clair que la plupart des gènes du génome des vertébrés existent sous diverses versions et que celles-ci étaient auparavant identiques. Les gènes apparentés restent souvent interchangeables pour effectuer différentes fonctions. Ce phénomène est appelé **redondance génétique**. Pour le scientifique qui se débat pour découvrir tous les gènes impliqués dans certains processus particuliers, cela a des conséquences épouvantables. Si le gène A subit une mutation et qu'aucun effet n'est observé, on ne peut plus conclure que le gène A n'a pas d'action fonctionnelle – cela peut simplement signifier que ce gène agit normalement en parallèle avec ses gènes apparentés et que ces derniers suffisent pour fournir une fonction proche de la normale même lorsque le gène A est anormal (tout comme un avion de ligne continue de voler lorsqu'un de ses moteurs est déficient). Dans le génome de *Drosophila*, moins répétitif car la duplication génique est plus rare, l'analyse est plus facile : les fonctions d'un seul gène sont révélées directement par les conséquences d'une mutation d'un seul gène (l'avion à un seul moteur s'arrête de voler si le moteur est déficient).

La duplication du génome a clairement permis le développement d'une forme de vie plus complexe ; elle fournit à l'organisme une corne d'abondance de copies de

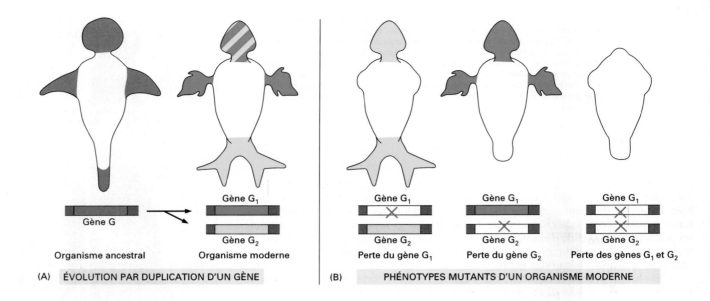

Gène G	Gène G₁
Organisme ancestral	Gène G₂
	Organisme moderne

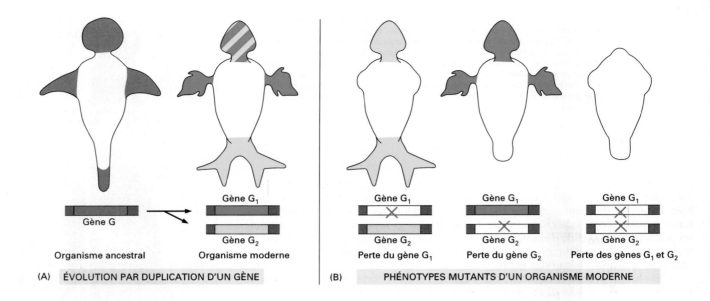

(A) ÉVOLUTION PAR DUPLICATION D'UN GÈNE

(B) PHÉNOTYPES MUTANTS D'UN ORGANISME MODERNE

secours de gènes qui peuvent subir des mutations utilisées à des desseins différents. Alors qu'une copie est optimisée pour son utilisation dans le foie, une autre peut être optimisée pour son utilisation dans le cerveau ou adaptée à un nouvel objectif. De cette manière, ces gènes supplémentaires permettent d'augmenter la complexité et la sophistication. Lorsque les fonctions du gène deviennent divergentes, il cesse d'être redondant. Souvent, cependant, même si le gène acquiert individuellement des rôles spécialisés, il continue aussi à effectuer en parallèle certains aspects de ses fonctions originales, de façon redondante. La mutation d'un seul gène provoque alors une anomalie relativement mineure qui ne révèle qu'une partie de sa fonction génique (Figure 1-51). L'existence de familles de gènes ayant des fonctions divergentes mais partiellement superposées est une caractéristique répandue de la biologie moléculaire des vertébrés et nous les rencontrerons régulièrement dans cet ouvrage.

La souris sert de modèle pour les mammifères

Les mammifères possèdent typiquement trois à quatre fois plus de gènes que *Drosophila*, un génome 20 fois plus grand, et des millions ou des milliards de fois plus de cellules dans leur corps adulte. En termes de taille et de fonction du génome, de biologie cellulaire et de mécanismes moléculaires, les mammifères restent cependant un groupe d'organismes très uniforme. Même anatomiquement, les différences parmi les mammifères restent surtout un problème de taille et de proportions ; il est difficile de penser à une partie du corps humain qui n'aurait pas sa contrepartie chez un éléphant ou une souris, et vice versa. L'évolution joue largement avec les caractéristiques quantitatives, mais ne change pas vraiment la logique de la structure.

Pour avoir une idée plus exacte de la ressemblance génétique entre les espèces de mammifères, nous pouvons comparer les séquences de nucléotides de gènes correspondants (orthologues) ou les séquences d'acides aminés des protéines codées par ces gènes. Les résultats varient largement en ce qui concerne les gènes et les protéines pris individuellement. Mais typiquement, si nous alignons par exemple la séquence d'acides aminés d'une protéine humaine avec celle de la protéine orthologue d'un éléphant, près de 85 p. 100 des acides aminés sont identiques. Une comparaison similaire faite entre l'homme et les oiseaux donne une identité en acides aminés de 70 p. 100 – deux fois plus de différences, car la lignée des oiseaux et celle des mammifères ont divergé depuis deux fois plus de temps que celle de l'éléphant et de l'homme (Figure 1-52).

La souris, qui est petite et se reproduit rapidement, est devenue le principal organisme modèle des études expérimentales de la génétique moléculaire des vertébrés. On connaît de nombreuses mutations survenant naturellement, qui miment souvent les effets des mutations correspondantes chez l'homme (Figure 1-53). De plus, des méthodes ont été développées pour tester les fonctions de n'importe quel gène de souris choisi, ou de n'importe quelle portion non codante du génome de la souris en créant des mutations artificielles, comme nous l'expliquerons ultérieurement dans cet ouvrage.

Figure 1-51 Conséquences de la duplication d'un gène sur l'analyse par mutation de la fonction génique. Dans cet exemple hypothétique, un organisme ancestral multicellulaire contient un génome avec une seule copie du gène G qui effectue sa fonction dans différents sites du corps indiqués en *vert*. (A) Par duplication du gène, un descendant moderne de l'organisme ancestral a fait deux copies du gène G, appelées G₁ et G₂. Ces copies divergent quelque peu du point de vue de leurs caractéristiques d'expression et de leur activité au niveau des sites où elles s'expriment, mais elles gardent encore d'importantes similitudes. Dans certains sites, elles s'expriment ensemble et chacune indépendamment effectue la même fonction ancienne du gène ancestral G (alternance de *stries jaunes* et *bleues*) ; dans d'autres sites, elles s'expriment seules et servent à de nouveaux desseins. (B) À cause du recouvrement fonctionnel, la perte d'un des deux gènes par mutation (*croix rouge*) ne révèle qu'une partie de son rôle. Seule la perte des deux gènes dans le double mutant révèle toute la gamme des processus dont ces gènes sont responsables. Un principe analogue s'applique aux gènes dupliqués qui opèrent au même endroit (par exemple un organisme monocellulaire) mais entrent en action ensemble ou individuellement en réponse aux diverses circonstances. De ce fait, la duplication du gène complique l'analyse génétique de tous les organismes.

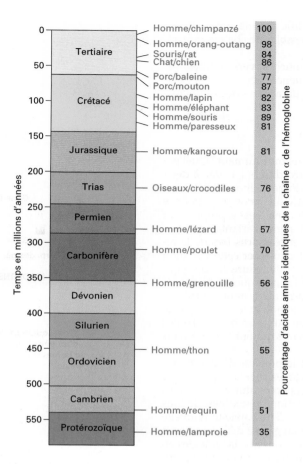

Figure 1-52 Échelle de temps de la divergence des différents vertébrés.
L'échelle à gauche montre la date estimée et l'ère géologique du dernier ancêtre commun de chaque paire d'animaux. Chaque date estimée se base sur la comparaison de séquences d'acides aminés de protéines orthologues; plus un couple d'animaux a évolué indépendamment, plus le pourcentage d'acides aminés qui restent identiques est faible. Des moyennes de données issues de nombreuses classes de protéines ont permis d'arriver à l'estimation finale et l'échelle de temps a été calibrée pour s'accorder aux fossiles qui prouvent que le dernier ancêtre commun des mammifères et des oiseaux vivait, il y a 310 millions d'années. La figure à droite présente les données sur les divergences de séquences d'une protéine particulière (choisie arbitrairement) – la chaîne α de l'hémoglobine. Notez que malgré l'existence d'une tendance générale à l'augmentation de la divergence avec le temps concernant cette protéine, il y a également certaines irrégularités. Cela reflète l'aspect aléatoire du processus de l'évolution et probablement l'action de la sélection naturelle qui entraîne en particulier des modifications rapides de la séquence de l'hémoglobine chez certains organismes qui subissent des demandes physiologiques spéciales. En moyenne, au sein d'une lignée particulière de l'évolution, l'hémoglobine accumule des modifications à un taux d'environ 6 acides aminés modifiés par 100 acides aminés tous les 100 millions d'années. Certaines protéines soumises à des contraintes fonctionnelles plus strictes évoluent beaucoup plus lentement que celle-ci, d'autres parfois 5 fois plus vite. Tout cela donne naissance à des incertitudes substantielles sur l'estimation du moment de la divergence, et certains experts pensent que les principaux groupes de mammifères ont divergé les uns des autres 60 millions d'années plus tard par rapport à ce qui est montré ici. (Adapté de S. Kumar et S.B. Hedges, *Nature* 392 : 917-920, 1998.)

Une souris mutante «faite sur commande» peut fournir une multitude d'informations pour le biologiste cellulaire. Elle révèle les effets des mutations choisies sur l'hôte dans différents contextes, et teste simultanément l'action du gène dans toutes les différentes sortes de cellules du corps qui peuvent être touchées en principe.

Compte rendu des particularités propres à l'homme

En tant qu'hommes, nous portons, bien sûr, un intérêt spécifique au génome humain. Nous voulons tout connaître des parties qui nous constituent et découvrir comment elles fonctionnent. Mais même si nous étions une souris, préoccupée par la biologie moléculaire de la souris, les hommes resteraient un organisme modèle génétique attirant à cause d'une propriété particulière : par nos examens médicaux et nos comptes rendus, nous classons nos propres troubles génétiques (ainsi que les autres troubles). La population humaine est énorme, composée actuellement de 6 milliards d'individus, et cette propriété d'auto-documentation signifie qu'une masse considérable d'informations est disponible sur les mutations humaines. La séquence complète du génome humain, composé de plus de 3 milliards de paires de nucléotides, a récemment

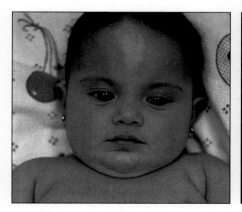

Figure 1-53 Homme et souris : gènes similaires et développement similaire.
Le bébé humain et la souris ici photographiés présentent une tache blanche similaire sur leur front car ils ont tous les deux une mutation sur le même gène (appelé *kit*), nécessaire au développement et au maintien des cellules pigmentaires. (D'après R.A. Fleischman, *Proc. Natl. Acad. Sci. USA* 88 : 10885-10889, 1991. © National Academy of Sciences.)

été déterminée sous forme de données brutes, ce qui simplifie comme jamais l'identification, à un niveau moléculaire, des gènes précis responsables de chaque caractéristique mutante humaine.

En rassemblant les aperçus sur les hommes, souris, mouches, vers, levures, végétaux, et bactéries – et en utilisant les similitudes des séquences géniques pour élaborer les correspondances entre un organisme modèle et un autre – nous enrichissons notre compréhension de chacun d'entre eux.

Nous sommes tous différents en détail

Que signifions-nous précisément lorsque nous parlons *du* génome humain ? Quel génome ? En moyenne, une personne sur deux prise au hasard diffère par une à deux paires de nucléotides sur 1 000 de sa séquence d'ADN. Le Projet Génome Humain a arbitrairement sélectionné l'ADN d'un petit nombre d'individus anonymes pour le séquençage. Le génome humain – génome de l'espèce humaine – est à proprement parler une chose plus complexe, qui embrasse la totalité de gènes variants retrouvés dans la population humaine et continuellement échangés et réassortis lors de la reproduction sexuelle. Nous espérons pouvoir finalement documenter cette variation aussi. Sa connaissance nous aidera à comprendre, par exemple, pourquoi certaines personnes sont sujettes à une maladie et d'autres à une autre ; pourquoi certaines répondent bien à un médicament et d'autres non. Cela pourra aussi nous fournir de nouvelles clés sur notre histoire – les mouvements de population et les mélanges de nos ancêtres, les infections dont ils souffraient, les aliments qu'ils prenaient. Toutes ces choses laissent des traces dans les formes de gènes variants qui ont survécu dans les communautés humaines.

La connaissance et la compréhension nous apportent le pouvoir d'intervenir – avec les hommes, pour éviter ou prévenir les maladies ; avec les végétaux pour créer de meilleures récoltes ; avec les bactéries pour les dévier vers notre utilisation. Toutes ces entreprises biologiques sont liées, parce que les informations génétiques de tous les organismes vivants sont écrites dans la même langue. Cette capacité nouvelle pour les biologistes moléculaires de lire et de déchiffrer ce langage a déjà commencé à transformer notre relation avec le monde vivant. Nous espérons que la biologie cellulaire, présentée dans les chapitres ultérieurs, vous préparera à comprendre et peut-être à contribuer à la grande aventure scientifique du vingt-et-unième siècle.

Résumé

Les cellules eucaryotes, par définition, gardent leur ADN dans un compartiment séparé entouré d'une membrane, le noyau. Elles ont, en plus, un cytosquelette pour leurs mouvements, des compartiments intracellulaires élaborés pour la digestion et la sécrétion, la capacité (dans beaucoup d'espèces) de phagocyter d'autres cellules, et un métabolisme qui dépend de l'oxydation des molécules organiques par les mitochondries. Ces propriétés suggèrent que les eucaryotes étaient à l'origine des prédateurs d'autres cellules. Les mitochondries – et chez les végétaux, les chloroplastes – contiennent leur propre matériel génétique et, il semble évident qu'elles sont l'évolution de bactéries qui ont été prises dans le cytoplasme de la cellule eucaryote et ont survécu par symbiose. Les cellules eucaryotes ont typiquement entre 3 et 30 fois plus de gènes que les procaryotes et souvent des milliers de fois plus d'ADN non codant. L'ADN non codant permet une régulation complexe de l'expression des gènes, nécessaire à la construction des organismes multicellulaires complexes. De nombreux eucaryotes sont cependant monocellulaires. Parmi eux se trouve la levure Saccharomyces cerevisiae, qui a servi d'organisme modèle simple pour la biologie des cellules eucaryotes, et a révélé les bases moléculaires des processus fondamentaux conservés comme le cycle de division cellulaire des eucaryotes. Un petit nombre d'autres organismes ont été choisis comme modèles primaires des végétaux et des animaux multicellulaires et le séquençage de leur génome complet a ouvert la voie à l'analyse systématique et globale des fonctions des gènes, de la régulation des gènes et de la diversité des gènes. Résultant d'une duplication génique durant l'évolution des vertébrés, on retrouve de multiples homologues apparentés de la plupart des gènes dans le génome de ces derniers. Cette redondance génétique a permis la diversification et la spécialisation des gènes dans de nouveaux desseins, mais a également rendu plus difficile le déchiffrage des fonctions géniques. Il y a moins de redondance génétique chez le nématode Caenorhabditis elegans et la mouche Drosophila melanogaster, qui ont de ce fait joué un rôle clé dans la découverte des mécanismes universels génétiques du développement animal.

Bibliographie

Généralités

Alberts B, Bray D, Johnson A et al. (1997) Essential Cell Biology. London: Garland Publishing.

Darwin C (1859) On the Origin of Species. London: Murray.

Graur D & Li W-H (1999) Fundamentals of Molecular Evolution, 2nd edn. Sunderland, MA: Sinauer Associates.

Madigan MT, Martinko JM & Parker J (2000) Brock's Biology of Microorganisms, 9th edn. Englewood Cliffs, NJ: Prentice Hall.

Margulis L & Schwartz KV (1998) Five Kingdoms: An Illustrated Guide to the Phyla of Life on Earth, 3rd edn. New York: Freeman.

Watson JD, Hopkins NH, Roberts JW et al. (1987) Molecular Biology of the Gene, 4th edn. Menlo Park, CA: Benjamin-Cummings.

Caractéristiques universelles des cellules sur Terre

Brenner S, Jacob F & Meselson M (1961) An unstable intermediate carrying information from genes to ribosomes for protein synthesis. Nature 190, 576–581.

Fraser CM, Gocayne JD, White O et al. (1995) The minimal gene complement of Mycoplasma genitalium. Science 270, 397–403.

Koonin EV (2000) How many genes can make a cell: the minimal-gene-set concept. Annu. Rev. Genom. Hum. Genet. 1, 99–116.

Watson JD & Crick FHC (1953) Molecular structure of nucleic acids. A structure for deoxyribose nucleic acid. Nature 171, 737–738.

Yusupov MM, Yusupova GZ, Baucom A et al. (2001) Crystal structure of the ribosome at 5.5Å resolution. Science 292, 883–896.

Diversité du génome et arbre phylogénétique

Blattner FR, Plunkett G, Bloch CA et al. (1997) The complete genome sequence of Escherichia coli K-12. Science 277, 1453–1474.

Cole ST, Brosch R, Parkhill J et al. (1998) Deciphering the biology of Mycobacterium tuberculosis from the complete genome sequence. Nature 393, 537–544.

Dixon B (1994) Power Unseen: How Microbes Rule the World. Oxford: Freeman.

Doolittle RF (1998) Microbial genomes opened up. Nature 392, 339–342.

Doolittle WF (1999) Phylogenetic classification and the universal tree. Science 284, 2124–2129.

Henikoff S, Greene EA, Pietrokovski S et al. (1997) Gene families: the taxonomy of protein paralogs and chimeras. Science 278, 609–614.

Kerr RA (1997) Life goes to extremes in the deep earth—and elsewhere? Science 276, 703–704.

Koonin EV (2001) Computational genomics. Curr. Biol. 11, R155–R158.

Koonin EV, Aravind L & Kondrashov AS (2000) The impact of comparative genomics on our understanding of evolution. Cell 101, 573–576.

Mayr E (1998) Two empires or three? Proc. Natl. Acad. Sci. USA 95, 9720–9723.

Ochman H, Lawrence JG & Groisman EA (2000) Lateral gene transfer and the nature of bacterial innovation. Nature 405, 299–304.

Olsen GJ & Woese CR (1997) Archaeal genomics: an overview. Cell 89, 991–994.

Pace NR (1997) A molecular view of microbial diversity and the biosphere. Science 276, 734–740.

Tatusov RL, Koonin EV & Lipman DJ (1997) A genomic perspective on protein families. Science 278, 631–637.

The Institute of Genome Research (TIGR) Gene Indices. http://www.tigr.org.tdb/tgi.shtml

Woese C (1998) Default taxonomy: Ernst Mayr's view of the microbial world. Proc. Natl. Acad. Sci. USA 95, 11043–11046.

Woese C (1998) The universal ancestor. Proc. Natl. Acad. Sci. USA 95, 6854–6859.

Information génétique chez les eucaryotes

Adams MD, Celniker SE, Holt RA et al. (2000) The genome sequence of Drosophila melanogaster. Science 287, 2185–2195.

Andersson SG, Zomorodipour A, Andersson JO et al. (1998) The genome sequence of Rickettsia prowazekii and the origin of mitochondria. Nature 396, 133–140.

Arabidopsis Genome Sequencing Consortium (2000) Analysis of the genome sequence of the flowering plant Arabidopsis thaliana. Nature 408, 796–815.

Carroll SB, Grenier JK & Weatherbee SD (2001) From DNA to Diversity: Molecular Genetics and the Evolution of Animal Design. Maldon, MA: Blackwell Science.

Cavalier-Smith T (1987) The origin of eukaryote and archaebacterial cells. Ann. NY Acad. Sci. 503, 17–54.

DeRisi JL, Iyer VR & Brown PO (1997) Exploring the metabolic and genetic control of gene expression on a genomic scale. Science 278, 680–686.

Elgar G, Sandford R, Aparicio S et al. (1996) Small is beautiful: comparative genomics with the pufferfish (Fugu rubripes). Trends Genet. 12, 145–150.

Goffeau A, Barrell BG, Bussey H et al. (1996) Life with 6000 genes. Science 274, 546–567.

Gray MW, Burger G & Lang BF (1999) Mitochondrial evolution. Science 283, 1476–1481.

Holland PW (1999) Gene duplication: past, present and future. Semin. Cell Dev. Biol. 10, 541–547.

International Human Genome Sequencing Consortium (2001) Initial sequencing and analysis of the human genome. Nature 409, 860–921.

Lynch M & Conery JS (2000) The evolutionary fate and consequences of duplicate genes. Science 290, 1151–1155.

NCBI Genome Guide. http://www.ncbi.nlm.nih.gov/genome/guide/human/

Online Mendelian Inheritance in Man. http://www.ncbi.nlm.nih.gov/omim

Owens K & King M-C (1999) Genomic views of human history. Science 286, 451–453.

Palmer JD & Delwiche CF (1996) Second-hand chloroplasts and the case of the disappearing nucleus. Proc. Natl. Acad. Sci. USA 93, 7432–7435.

Philippe H, Germot A & Moreira D (2000) The new phylogeny of eukaryotes. Curr. Opin. Genet. Dev. 10, 596–601.

Plasterk RH (1999) The year of the worm. Bioessays 21, 105–109.

Rubin GM, Yandell MD, Wortman JR et al. (2000) Comparative genomics of the eukaryotes. Science 287, 2204–2215.

Sturtevant AH & Beadle GW (1939) An Introduction to Genetics. Philadelphia: Saunders. Reprinted 1988 New York: Garland.

The C. elegans Sequencing Consortium (1998) Genome sequence of the nematode C. elegans: a platform for investigating biology. Science 282, 2012–2018.

Tinsley RC & Kobel HR (eds) (1996) The Biology of Xenopus, p 16, pp 379, pp 391–401. Oxford: Clarendon Press.

Venter JC, Adams MD, Myers EW et al. (2001) The sequence of the human genome. Science 291, 1304–1351.

Walbot V (2000) Arabidopsis thaliana genome. A green chapter in the book of life. Nature 408, 794–795.

Un cytoplasme encombré. Ce dessin à l'échelle ne montre que les macromolécules, et donne une bonne impression de l'aspect encombré du cytoplasme. L'ARN est en *bleu*, les ribosomes en *vert* et les protéines en *rouge*. (Adapté d'après D.S. Goodsell, *Trends Biochem. Sci.* 16 : 203-206, 1991.)

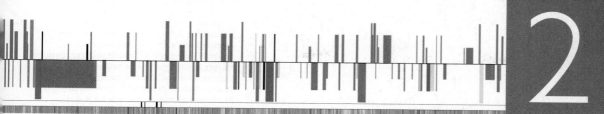

CHIMIE ET BIOSYNTHÈSE CELLULAIRES

À première vue, il est difficile d'accepter l'idée que chaque créature vivante décrite dans le chapitre précédent ne soit qu'un système chimique. L'incroyable diversité des formes vivantes, leur comportement apparemment déterminé et leur capacité à croître et à se reproduire semblent les mettre à part du monde décrit habituellement par la chimie et constitué de solides, de liquides et de gaz. En effet, jusqu'au dix-neuvième siècle, il était largement admis que les animaux étaient pourvus d'une «force vitale» – un «animus» – seule responsable de leurs propriétés caractéristiques.

Nous savons maintenant qu'il n'existe rien dans les organismes vivants qui ne désobéisse aux principes de la chimie et de la physique. Cependant, la chimie de la vie est vraiment d'une nature particulière. Tout d'abord elle se base massivement sur les composés de carbone, dont l'étude est, pour cette raison, appelée *chimie organique*. Deuxièmement, les cellules sont constituées de 70 p. 100 d'eau et la vie dépend presque exclusivement de réactions chimiques qui se produisent en solution aqueuse. Troisièmement, et c'est primordial, la chimie cellulaire est extrêmement complexe : même la cellule la plus simple est largement plus compliquée du point de vue chimique que n'importe quel autre système chimique connu. Même si les cellules contiennent diverses petites molécules à base de carbone, la plupart des atomes de carbone des cellules sont incorporés dans d'énormes *molécules polymériques* – chaînes de sous-unités chimiques reliées par leurs extrémités. Ce sont les propriétés uniques de ces macromolécules qui permettent aux cellules et aux organismes de se développer et de se reproduire – et de faire toutes les autres choses caractéristiques de la vie.

COMPOSANTS CHIMIQUES DE LA CELLULE

La matière est faite d'une association d'*éléments* – substances comme l'hydrogène et le carbone qui ne peuvent être dégradées ni transformées en d'autres substances par des moyens chimiques. La plus petite particule élémentaire qui conserve ses propriétés chimiques particulières est un *atome*. Cependant, les caractéristiques des substances qui ne sont pas des éléments purs – y compris les matériaux à partir desquels les cellules vivantes sont fabriquées – dépendent de la manière dont leurs atomes sont reliés en groupes pour former des molécules. Par conséquent, pour comprendre comment les organismes vivants sont construits à partir de matière inanimée, il est primordial de savoir comment se forment les liaisons chimiques qui maintiennent ensemble les atomes dans les molécules.

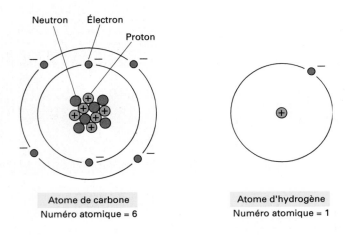

Neutron Électron
Proton

Atome de carbone
Numéro atomique = 6

Atome d'hydrogène
Numéro atomique = 1

Figure 2-1 Représentations très schématiques d'un atome de carbone et d'un atome d'hydrogène. Bien que les électrons montrés ici soient des particules individuelles, en réalité leur comportement est gouverné par les lois de la mécanique quantique, et il n'y a aucun moyen de prédire exactement où se trouve un électron à un instant donné. Le noyau de chaque atome excepté l'hydrogène est constitué de protons chargés positivement et de neutrons électriquement neutres. Le nombre d'électrons dans un atome est égal au nombre de protons (le numéro atomique), de telle sorte que l'atome n'a pas de charge nette. Les neutrons, protons et électrons sont en réalité très petits par rapport à l'atome pris dans son ensemble ; leur taille est fortement exagérée dans ce dessin. De plus le diamètre du noyau n'est que de 10^{-4} environ celui du nuage d'électrons.

Les cellules sont formées à partir de quelques types d'atomes

Chaque **atome** possède en son centre un noyau chargé positivement, entouré à une certaine distance d'un nuage d'**électrons** chargés négativement et maintenus sur une série d'orbites par attraction électrostatique au noyau. Le noyau est, à son tour, constitué de deux types de particules infra-atomiques : les **protons**, chargés positivement et les *neutrons* électriquement neutres. Le nombre de protons dans le noyau de l'atome donne le *numéro atomique*. Un atome d'hydrogène a un noyau composé d'un seul proton ; donc, l'hydrogène a un numéro atomique de 1 et c'est l'élément le plus léger. Un atome de carbone possède un noyau à 6 protons, et son numéro atomique est 6 (Figure 2-1). La charge électrique portée par chaque proton est exactement identique et opposée à la charge portée par un seul électron. Comme un atome dans son ensemble est électriquement neutre, le nombre d'électrons négativement chargés autour du noyau est égal au nombre de protons positivement chargés contenus dans le noyau ; de ce fait le nombre d'électrons d'un atome est égal au numéro atomique. Ce sont ces électrons qui déterminent le comportement chimique d'un atome, et tous les atomes d'un élément donné ont le même numéro atomique.

Les **neutrons** sont des particules infra-atomiques non chargées qui ont, par essence, la même masse que les protons. Ils contribuent à la stabilité structurelle du noyau – s'il y en a trop ou trop peu, le noyau peut se désintégrer par désintégration radioactive – mais ils n'altèrent pas les propriétés chimiques de l'atome. De ce fait, un élément peut exister sous plusieurs formes physiquement différentes mais chimiquement identiques, appelées *isotopes*. Chaque isotope possède un nombre différent de neutrons mais le même nombre de protons. Il existe naturellement beaucoup d'isotopes de presque tous les éléments, y compris certains qui sont instables. Par exemple, la majeure partie du carbone sur terre existe sous forme de son isotope stable, le carbone 12, qui a 6 protons et 6 neutrons, mais il existe aussi en petite quantité sous forme d'un isotope instable, le carbone 14 radioactif, dont l'atome possède six protons et huit neutrons. Le carbone 14 subit une désintégration radioactive à un rythme lent mais régulier. Cette forme est à la base d'une technique appelée datation au carbone 14, utilisée en archéologie pour déterminer la date d'origine d'un matériel organique.

La **masse atomique** d'un atome, ou le **poids moléculaire** d'une molécule, est sa masse par rapport à celle d'un atome d'hydrogène. Elle est, par essence, égale au nombre de protons et de neutrons contenus dans la molécule ou l'atome, car les électrons sont beaucoup plus légers et ne contribuent pour presque rien à la masse totale. L'isotope majeur du carbone a ainsi une masse atomique de 12 et est symbolisé par ^{12}C, alors que l'isotope instable que nous venons de voir a une masse atomique de 14 et est noté ^{14}C. La masse d'un atome ou d'une molécule est souvent précisée en *daltons*, un dalton correspondant à une unité de masse atomique approximativement égale à la masse d'un atome d'hydrogène ou très exactement égale au 1/12 de la masse du carbone 12.

Les atomes sont si petits qu'il est difficile d'imaginer leur taille. Un seul atome de carbone mesure environ 0,2 nm de diamètre, de telle sorte qu'il en faudrait 5 millions placés en ligne droite, pour atteindre le millimètre. Un proton ou un neutron pèse approximativement $1/(6 \times 10^{23})$ grammes, donc un gramme d'hydrogène contient 6×10^{23} atomes. Ce nombre énorme (6×10^{23} ou **nombre d'Avogadro**) est le facteur d'échelle clé utilisé pour décrire la relation entre les quantités exprimées de façon courante et celles mesurées en termes d'atomes ou de molécules individuels.

Si une substance a une masse moléculaire égale à X, 6×10^{23} molécules de celle-ci auront une masse de X grammes. Cette quantité représente une mole d'une substance (Figure 2-2).

Il existe 92 éléments naturels, qui diffèrent chacun les uns des autres par leur nombre de protons et d'électrons dans leurs atomes. Les organismes vivants, cependant, ne sont constitués que d'un petit nombre de ces éléments, dont quatre – le carbone (C), l'hydrogène (H), l'azote (N) et l'oxygène (O) – forment 96,5 p. 100 du poids d'un organisme. Cette composition diffère de façon remarquable de celle de l'environnement inorganique non vivant (Figure 2-3) et constitue la preuve de l'existence d'un type distinct de chimie. Les éléments les plus communs des organismes vivants sont donnés au tableau 2-I, associés à certaines de leurs caractéristiques atomiques.

Les électrons les plus externes déterminent la façon dont les atomes interagissent

Pour comprendre comment les atomes se lient entre eux pour former les molécules qui constituent les organismes vivants, il faut s'intéresser particulièrement aux électrons. Les protons et les neutrons sont étroitement soudés les uns aux autres dans le noyau et ne changent de partenaires que dans des conditions extrêmes – au cours d'une désintégration radioactive, par exemple, ou au centre du soleil ou d'un réacteur nucléaire. Dans les tissus vivants, seuls les électrons d'un atome subissent des réarrangements. Ils constituent l'extérieur de l'atome et déterminent les règles de la chimie par lesquelles les atomes s'associent pour former les molécules.

Les électrons effectuent un mouvement continu autour du noyau, mais ces mouvements à l'échelle infra-microscopique obéissent à des lois différentes de celles qui régissent notre vie de tous les jours. Ces lois énoncent que les électrons d'un atome ne peuvent exister que dans certains états appelés orbites, et que le nombre d'électrons occupant une orbite d'un type donné – appelée *couche électronique* – est strictement limité. Les électrons les plus proches en moyenne du noyau positif sont attirés plus fortement par celui-ci et occupent la couche la plus interne et la plus fortement liée. Cette couche ne peut porter au maximum que deux électrons. La deuxième couche, plus éloignée du noyau, a ses électrons moins fortement reliés. Cette deuxième couche peut porter jusqu'à 8 électrons. La troisième couche contient des électrons encore moins étroitement liés; elle peut également porter huit électrons maximum. La quatrième et la cinquième couches peuvent porter 18 électrons chacune. Les atomes qui ont plus de quatre couches sont très rares au sein des molécules biologiques.

L'arrangement électronique d'un atome est plus stable lorsque tous les électrons se trouvent dans l'état de liaison le plus fort possible – c'est-à-dire lorsqu'ils occupent les couches les plus internes. De ce fait, à part certaines exceptions dans les

Une mole est égale à X grammes d'une substance, avec X correspondant à sa masse moléculaire relative (poids moléculaire). Une mole contient 6×10^{23} molécules de cette substance.

1 mole de carbone pèse 12 g
1 mole de glucose pèse 180 g
1 mole de chlorure de sodium pèse 58 g

Les solutions molaires ont une concentration qui correspond à 1 mole de la substance dans 1 litre de solution. Une solution molaire (1 M) de glucose par exemple correspond à 180 g/l, alors qu'une solution millimolaire (1 mM) contient 180 mg/l.

L'abréviation standard du gramme est g; celle du litre est l.

Figure 2-2 Moles et solutions molaires.

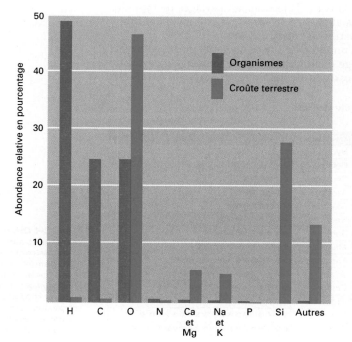

Figure 2-3 Comparaison de l'abondance de certains éléments chimiques dans le monde non vivant (croûte terrestre) et dans les tissus animaux. L'abondance de chaque élément est exprimée en pourcentage du nombre total d'atomes présents dans l'échantillon. Ainsi, par exemple, près de 50 p. 100 des atomes d'un organisme vivant sont des atomes d'hydrogène. La présente étude exclut les tissus minéralisés comme l'os et les dents, qui contiennent de grandes quantités de sels inorganiques de calcium et de phosphore. L'abondance relative des éléments est identique dans tous les organismes vivants.

TABLEAU 2-I Caractéristiques atomiques des éléments les plus abondants dans les tissus vivants

ÉLÉMENTS COMMUNS DES ORGANISMES VIVANTS						
Élément		**Protons**	**Neutrons**	**Électrons**	**Numéro atomique**	**Poids atomique**
Hydrogène	H	1	0	1	1	1
Carbone	C	6	6	6	6	12
Azote	N	7	7	7	7	14
Oxygène	O	8	8	8	8	16
ÉLÉMENTS PLUS RARES						
Élément		**Protons**	**Neutrons**	**Électrons**	**Numéro atomique**	**Poids atomique**
Sodium	Na	11	12	11	11	23
Magnésium	Mg	12	12	12	12	24
Phosphore	P	15	16	15	15	31
Soufre	S	16	16	16	16	32
Chlore	Cl	17	18	17	17	35
Potassium	K	19	20	19	19	39
Calcium	Ca	20	20	20	20	40

atomes les plus gros, les électrons d'un atome remplissent les orbites dans l'ordre – la première couche avant la deuxième, la deuxième avant la troisième et ainsi de suite. Un atome dont l'orbite la plus externe est entièrement remplie d'électrons est particulièrement stable et, par conséquent, ne réagit pas chimiquement. Citons comme exemples l'hélium avec ses deux électrons, le néon avec 2 + 8 et l'argon avec 2 + 8 + 8; ce sont tous des gaz inertes. L'hydrogène, à l'opposé, qui ne possède qu'un électron et, de ce fait, une orbite à demi remplie, est très réactif. De même, les autres atomes retrouvés dans les tissus vivants ont tous une couche électronique externe incomplète et sont donc capables de donner, d'accepter ou de partager des électrons entre eux pour former des molécules et des ions (Figure 2-4).

Comme une couche électronique non remplie est moins stable qu'une orbite remplie, les atomes, qui possèdent des couches externes incomplètes, ont fortement tendance à interagir avec d'autres atomes de manière à gagner ou à perdre assez d'électrons pour atteindre une couche externe complète. Cet échange d'électrons peut être effectué soit par transfert d'électrons d'un atome à l'autre soit par partage d'électrons entre deux atomes. Ces deux stratégies engendrent deux types de **liaisons chimiques** entre les atomes : une *liaison ionique* se forme lorsqu'un atome donne des électrons à un autre, alors qu'une *liaison covalente* se forme lorsque deux atomes partagent une paire d'électrons (Figure 2-5). Souvent, la paire d'électrons est partagée de façon inégale, avec un transfert partiel entre les atomes; cette stratégie intermédiaire forme une *liaison covalente polaire* dont nous parlerons ultérieurement.

Un atome H, qui n'a besoin que d'un électron supplémentaire pour remplir sa couche, l'acquiert en général par partage d'électrons et forme une liaison covalente avec un autre atome; dans de nombreux cas, cette liaison est polaire. Les autres élé-

Numéro atomique ↓ — Orbite électronique

	Élément	I	II	III	IV
1	Hydrogène	●			
2	Hélium	●●			
6	Carbone	●●	●●●●		
7	Azote	●●	●●●●●		
8	Oxygène	●●	●●●●●●		
10	Néon	●●	●●●●●●●●		
11	Sodium	●●	●●●●●●●●	●	
12	Magnésium	●●	●●●●●●●●	●●	
15	Phosphore	●●	●●●●●●●●	●●●●●	
16	Soufre	●●	●●●●●●●●	●●●●●●	
17	Chlore	●●	●●●●●●●●	●●●●●●●	
18	Argon	●●	●●●●●●●●	●●●●●●●●	
19	Potassium	●●	●●●●●●●●	●●●●●●●●	●
20	Calcium	●●	●●●●●●●●	●●●●●●●●	●●

Figure 2-4 Orbites électroniques chargées et non chargées de certains éléments communs. Tous les éléments habituellement retrouvés dans les organismes vivants ont leur orbite la plus externe non remplie (*rouge*) et peuvent donc participer aux réactions chimiques avec d'autres atomes. Pour comparaison, certains éléments qui n'ont que des orbites remplies (*jaune*) sont présentés; ils ne sont pas chimiquement réactifs.

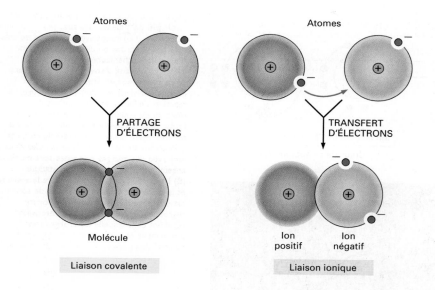

Figure 2-5 Comparaison entre les liaisons covalentes et ioniques. Les atomes peuvent atteindre un arrangement électronique plus stable de leur orbite la plus externe en interagissant l'un avec l'autre. Une liaison ionique se forme lorsque des électrons sont transférés d'un atome à l'autre. Une liaison covalente se produit lorsque des atomes se partagent des électrons. Les deux cas ci-contre représentent des extrêmes ; souvent les liaisons covalentes se forment suite à un transfert partiel (partage inégal des électrons) qui aboutit à une liaison covalente polaire (*voir* Figure 2-43).

ments communs des cellules vivantes – C, N et O, qui présentent une deuxième couche incomplète, et P et S qui ont une troisième couche incomplète (*voir* Figure 2-4) – partagent en général leurs électrons pour obtenir une orbite externe composée de huit électrons et forment ainsi plusieurs liaisons covalentes. Le nombre d'électrons qu'un atome doit acquérir ou perdre (soit par partage soit par transfert) pour remplir sa couche externe est appelé *valence*.

Ce rôle crucial de la couche électronique externe dans la détermination des propriétés chimiques d'un élément signifie qu'il existe une récurrence périodique d'éléments présentant les mêmes propriétés, si on énumère ces éléments en suivant l'ordre de leur numéro atomique. Par exemple, un élément qui possède une deuxième orbite incomplète à un seul électron se comportera pratiquement de la même façon qu'un élément qui a rempli sa deuxième orbite et présente une troisième orbite incomplète ne contenant qu'un électron. Les métaux, par exemple, présentent une orbite externe incomplète composée d'un seul ou de quelques électrons, alors que comme nous venons de le voir, les gaz inertes ont tous une orbite externe pleine.

Les liaisons ioniques se forment par gain ou perte d'électrons

Des liaisons ioniques ont plus de chances de se former entre des atomes qui ne possèdent qu'un ou deux électrons en plus d'une couche remplie ou auxquels il ne manque qu'un ou deux électrons pour remplir leur orbite externe. Il leur est souvent plus facile d'obtenir le remplissage complet de leur orbite externe en transférant des électrons vers un autre atome ou à partir d'un autre atome qu'en partageant des électrons. Par exemple, d'après la figure 2-4, nous voyons qu'un atome de sodium (Na), de numéro atomique 11, peut se dépouiller de son unique électron externe et avoir ainsi une deuxième orbite pleine. Par contre, l'atome de chlore (Cl), de numéro atomique 17, peut compléter son orbite externe en gagnant un seul électron. Par conséquent, si un atome de Na rencontre un atome de Cl, un électron passera de Na vers Cl, et laissera les deux atomes avec une orbite externe remplie. Le résultat de ce mariage entre le sodium, un métal mou extrêmement réactif et le chlore, un gaz vert toxique, est le sel de table (NaCl).

Lorsqu'un électron saute de Na vers Cl, les deux atomes deviennent des **ions** électriquement chargés. L'atome de Na qui a perdu un électron possède maintenant un électron de moins que de protons dans son noyau ; il a donc une seule charge positive (Na^+). L'atome de Cl qui a gagné un électron possède maintenant un électron de plus que de protons et a donc une seule charge négative (Cl^-). Les ions positifs sont appelés *cations* et les ions négatifs, *anions*. Les ions peuvent être ensuite classés selon la quantité d'électrons à perdre ou à gagner. Le sodium et le potassium (K) ont ainsi un électron à perdre et forment des cations à une seule charge positive (Na^+ et K^+), alors que le magnésium et le calcium ont deux électrons à perdre et forment des cations à deux charges positives (Mg^{2+} et Ca^{2+}).

Du fait de leurs charges opposées, Na^+ et Cl^- sont attirés l'un vers l'autre et reliés par une **liaison ionique**. Un cristal de sel contient un nombre astronomique de Na^+ et de Cl^- (environ 2×10^{19} ions de chaque type dans un cristal de 1 mm de côté)

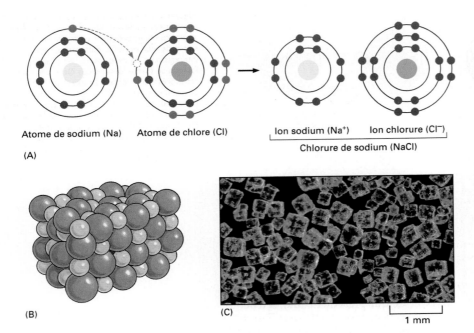

(A)

Atome de sodium (Na)   Atome de chlore (Cl)   Ion sodium (Na⁺)   Ion chlorure (Cl⁻)

Chlorure de sodium (NaCl)

(B)

(C)

1 mm

Figure 2-6 Le chlorure de sodium : un exemple de liaison ionique. (A) Un atome de sodium (Na) réagit avec un atome de chlore (Cl). Les électrons de chaque atome sont représentés schématiquement sur leurs différents niveaux d'énergie ; les électrons de l'orbite chimiquement réactive (incomplètement remplie) sont en *rouge*. La réaction s'effectue par le transfert d'un seul électron du sodium vers le chlore, ce qui forme deux atomes électriquement chargés, ou ions, ayant chacun un ensemble complet d'électrons sur la couche externe. Ces deux ions avec des charges opposées sont maintenus ensemble par attraction électrostatique. (B) Le produit de la réaction entre le sodium et le chlore, le cristal de chlorure de sodium, est composé d'ions sodium et chlorure regroupés ensemble selon une disposition régulière dans laquelle les charges sont exactement équilibrées. (C) Photographie couleur de cristaux de chlorure de sodium.

avec une configuration tridimensionnelle qui équilibre très précisément leurs charges opposées (Figure 2-6). Les substances comme le NaCl, maintenues uniquement par des liaisons ioniques, sont appelées sels plutôt que molécules. Les liaisons ioniques ne représentent qu'un des nombreux types de *liaisons non covalentes* qui existent entre des atomes et nous en verrons d'autres.

À cause des interactions favorables entre les molécules d'eau et les ions, les liaisons ioniques sont fortement affaiblies par l'eau ; de ce fait, de nombreux sels (y compris NaCl) sont très fortement solubles dans l'eau – et se dissocient en ions individuels (comme Na⁺ et Cl⁻) entourés chacun d'un groupe de molécules d'eau. À l'opposé, la force des liaisons covalentes n'est pas modifiée de cette façon.

Les liaisons covalentes se forment par partage d'électrons

Toutes les caractéristiques des cellules dépendent des molécules qu'elles contiennent. Une **molécule** se définit comme un groupe d'atomes reliés par des **liaisons covalentes** ; dans ce cas, les électrons sont partagés entre les atomes pour compléter les orbites externes, et non pas transférés de l'un à l'autre. Dans la molécule la plus simple possible – la molécule d'hydrogène (H_2) – deux atomes, qui contiennent chacun un seul électron, partagent deux électrons, nombre requis pour remplir la première orbite. Ces électrons partagés forment un nuage de charge négative plus dense entre les deux noyaux positivement chargés qui aide à les maintenir ensemble, en s'opposant à la répulsion mutuelle entre des charges identiques qui, sinon, les forcerait à se repousser. Les forces d'attraction et de répulsion sont en équilibre lorsque les noyaux sont séparés par une distance caractéristique, appelée la *longueur de liaison*.

Une autre propriété cruciale de chaque liaison – covalente ou non covalente – est sa force. La *force de liaison* se mesure par la quantité d'énergie qu'il faut apporter pour rompre cette liaison. Elle est souvent exprimée en kilocalories par mole (kcal/mole), la calorie thermodynamique se définissant par rapport à la joule et étant égale à 4,184 joules. De ce fait, si 1 kilocalorie doit être fournie pour rompre 6×10^{23} liaisons d'un type spécifique (c'est-à-dire 1 mole de cette liaison), alors la force de cette liaison est de 1 kcal/mole. Le kilojoule, égal à 0,239 kilocalories, est une autre mesure d'énergie équivalente très utilisée.

Pour avoir une idée de ce que signifie une force de liaison, il faut la comparer à l'énergie moyenne des impacts que les molécules subissent constamment par collision à d'autres molécules de leur environnement (leur énergie thermique), ainsi qu'à d'autres sources d'énergie biologique comme la lumière ou l'oxydation du glucose (Figure 2-7). Les liaisons covalentes typiques sont 100 fois plus fortes que les énergies thermiques, de telle sorte qu'elles résistent à la séparation par les mouvements thermiques et ne sont normalement rompues que lors de réactions chimiques spécifiques avec d'autres atomes ou molécules. La fabrication et la rupture des liaisons covalentes sont des événements violents, qui sont fortement contrôlés dans les cel-

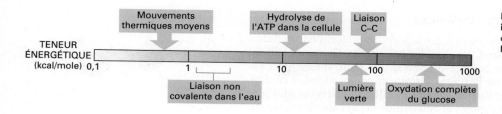

lules vivantes par des catalyseurs hautement spécifiques, les *enzymes*. Les liaisons non covalentes sont en règle générale, beaucoup plus faibles ; nous verrons par la suite qu'elles sont importantes pour la cellule dans les nombreuses situations dans lesquelles les molécules doivent s'associer ou se dissocier facilement pour exercer leurs fonctions.

Alors qu'un atome H ne peut former qu'une seule liaison covalente, les autres atomes habituels qui forment des liaisons covalentes dans la cellule – O, N, S et P ainsi que C, l'atome le plus important – peuvent en former plusieurs. L'orbite externe de ces atomes, comme nous l'avons vu, peut porter jusqu'à 8 électrons et elle forme autant de liaisons covalentes avec autant d'autres atomes qu'il le faut pour atteindre ce nombre. L'oxygène, avec 6 électrons sur sa couche externe, est plus stable lorsqu'il acquiert deux électrons supplémentaires en les partageant avec d'autres atomes et de ce fait peut former deux liaisons covalentes, alors que le carbone, avec ses quatre électrons externes, peut former quatre liaisons covalentes au maximum – et partager ainsi quatre paires d'électrons (*voir* Figure 2-4).

Lorsqu'un atome forme des liaisons covalentes avec plusieurs autres, ces multiples liaisons ont des orientations spatiales définies l'une par rapport à l'autre, reflétant l'orientation des orbites des électrons partagés. Les liaisons covalentes entre plusieurs atomes sont de ce fait caractérisées par des angles de liaison spécifiques ainsi que par des longueurs de liaison et des énergies de liaison spécifiques (Figure 2-8). Les quatre liaisons covalentes qui peuvent se former autour d'un atome de carbone, par exemple, sont disposées comme si elles pointaient vers les quatre coins d'un tétraèdre régulier. L'orientation précise des liaisons covalentes forme la base de la géométrie tridimensionnelle d'une molécule organique.

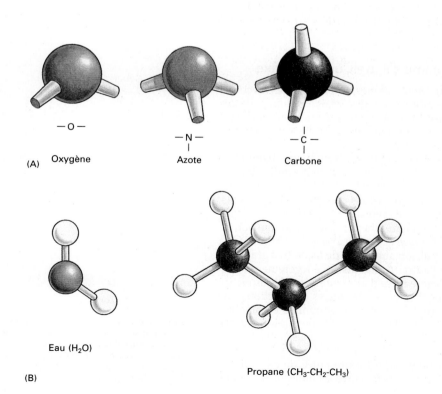

Figure 2-8 Géométrie des liaisons covalentes. (A) Disposition spatiale des liaisons covalentes qui peuvent être formées par l'oxygène, l'azote et le carbone. (B) Les molécules formées à partir de ces atomes ont une structure tridimensionnelle précise, comme cela est montré sur les modèles éclatés du propane et de l'eau. Une structure peut se définir par les angles et longueurs de liaison de chaque liaison covalente.

(A) Oxygène — Azote — Carbone

Eau (H_2O)

(B) Propane (CH_3-CH_2-CH_3)

Il y a différents types de liaisons covalentes

La plupart des liaisons covalentes impliquent le partage de deux électrons, un donné par chaque atome participant ; elles sont appelées *liaisons simples*. Certaines liaisons covalentes, cependant, impliquent le partage de plus d'une paire d'électrons. Par exemple, quatre électrons peuvent être partagés, chaque atome participant en donnant deux ; ces liaisons sont appelées *doubles liaisons*. Les doubles liaisons sont plus courtes et plus fortes que les liaisons simples et agissent de façon caractéristique sur la géométrie tridimensionnelle de la molécule qui les contient. Une liaison covalente simple entre deux atomes permet généralement la rotation d'une partie de la molécule par rapport à l'autre autour de l'axe de liaison. Les doubles liaisons empêchent ces rotations et produisent une disposition plus rigide et moins souple des atomes (Figure 2-9 et Planche 2-1, p. 111-112).

Certaines molécules partagent des électrons entre trois atomes ou plus et produisent des liaisons qui ont un caractère hybride, intermédiaire entre les liaisons simples et les doubles liaisons. La molécule de benzène, très stable, par exemple, est composée d'un cycle de 6 atomes de carbone dans lequel les électrons liés sont uniformément distribués (même s'il est, en général, décrit sous forme d'une séquence alternée de liaison simple et de double liaison, montrée dans la planche 2-1).

Lorsque les atomes reliés par une seule liaison covalente appartiennent à des éléments différents, les deux atomes attirent en général les électrons qu'ils se partagent à des degrés différents. Si on les compare avec un atome C, par exemple, les atomes O et N attirent les électrons relativement puissamment, alors qu'un atome H attire beaucoup plus faiblement les électrons. Par définition, une structure **polaire** (au sens électrique) possède une charge électrique positive concentrée à une extrémité (le pôle positif) et une charge négative concentrée à l'autre extrémité (pôle négatif). Les liaisons covalentes qui ne partagent pas les électrons de façon uniforme sont appelées *liaisons covalentes polaires* (Figure 2-10). Par exemple, la liaison covalente entre l'oxygène et l'hydrogène, –O–H, ou entre l'azote et l'hydrogène –N–H, est polaire alors que la liaison entre le carbone et l'hydrogène –C–H, est relativement non polaire car les électrons sont attirés de façon beaucoup plus uniforme par les deux atomes.

Les liaisons covalentes polaires sont extrêmement importantes en biologie parce qu'elles créent des *dipôles permanents* qui permettent aux molécules d'interagir par l'intermédiaire de forces électriques. Toute molécule de grande taille qui possède de nombreux groupements polaires présentera une distribution partielle de charges positives et négatives à sa surface. Lorsqu'une molécule de cette sorte rencontre une seconde molécule dont la disposition de charge est complémentaire, ces deux molécules sont attirées l'une vers l'autre par des interactions de dipôles permanents qui ressemblent (mais sont plus faibles) aux liaisons ioniques abordées auparavant avec NaCl.

Un atome se comporte souvent comme s'il avait un rayon fixe

Lorsqu'une liaison covalente se forme entre deux atomes, le partage des électrons rapproche de façon inhabituelle les noyaux de ces atomes. Mais la plupart de ces atomes qui se bousculent rapidement les uns les autres dans les cellules sont localisés dans des molécules séparées. Que se passe-t-il lorsque deux de ces atomes se touchent ?

Pour plus de simplicité et de clarté, les atomes et les molécules sont habituellement représentés très schématiquement – soit sous forme de leur formule structurale, soit sous forme du modèle éclaté. Cependant, on peut obtenir une représentation plus précise en utilisant le modèle en trois dimensions ou *compact*. Dans ce cas, on utilise une enveloppe solide pour représenter le rayon du nuage d'électrons dans lequel se trouvent des forces très répulsives qui empêchent tout autre atome non lié de s'approcher plus près – et qu'on appelle le *rayon de van der Waals* d'un atome. Cela est possible parce que l'importance de la répulsion augmente de façon très graduelle lorsque deux atomes s'approchent l'un de l'autre. À une distance légèrement supérieure, chacun des deux atomes subit une légère force d'attraction, appelée *attraction de van der Waals*. Il en résulte qu'il existe une distance où les forces d'attraction et de répulsion s'équilibrent précisément pour produire une énergie minimale dans l'interaction de chaque atome avec un atome non lié d'un second élément (Figure 2-11).

Selon le but recherché, nous représenterons dans cet ouvrage les petites molécules soit par leur modèle éclaté, soit par leur modèle compact. Pour comparaison, la molécule d'eau est représentée de ces trois façons dans la figure 2-12. Lorsque nous parlerons des très grosses molécules, comme

Figure 2-9 Comparaison entre la double liaison carbone-carbone et la simple liaison. (A) La molécule d'éthane, qui possède une seule liaison covalente entre deux atomes de carbone, illustre la disposition tétraédrique des liaisons covalentes simples formées par le carbone. Un des groupements CH$_3$ relié par la liaison covalente peut tourner par rapport à l'autre autour de l'axe de liaison. (B) La double liaison entre les deux atomes de carbone d'une molécule d'éthène (éthylène) modifie la géométrie de la liaison des atomes de carbone et met tous les atomes de carbone dans le même plan (*bleu*) ; la double liaison empêche la rotation d'un groupement CH$_3$ par rapport à l'autre.

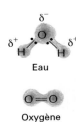

Figure 2-10 Liaisons covalentes polaire et non polaire. La distribution des électrons dans la molécule d'eau polaire (H$_2$O) et la molécule d'oxygène non polaire (O$_2$) est comparée (δ^+, charge partielle positive ; δ^-, charge partielle négative).

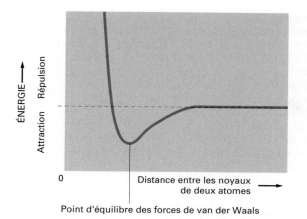

Figure 2-11 Équilibre des forces de van der Waals entre deux atomes. Lorsque les noyaux de deux atomes s'approchent l'un de l'autre, ils présentent initialement une faible interaction de liaison due à leurs charges électriques fluctuantes. Cependant, les atomes identiques se repousseront fortement l'un l'autre s'ils sont rapprochés de trop près. L'équilibre entre ces forces d'attraction et de répulsion de van der Waals se produit au minimum d'énergie indiqué.

les protéines, nous aurons souvent besoin d'une représentation encore plus simplifiée (*voir* par exemple, Planche 3-2, p. 138-139).

L'eau est la substance la plus abondante dans les cellules

L'eau représente environ 70 p. 100 du poids cellulaire et la plupart des réactions intracellulaires se produisent dans un environnement aqueux. La vie sur Terre a commencé dans l'océan et les conditions de cet environnement primitif ont laissé une empreinte indélébile sur la chimie des êtres vivants. La vie tourne, de ce fait, beaucoup autour des propriétés de l'eau.

Dans chaque molécule d'eau (H_2O), les deux atomes H sont liés à l'atome O par des liaisons covalentes (*voir* Figure 2-12). Les deux liaisons sont très polaires parce que O attire fortement les électrons alors que H n'est que faiblement attractif. Par conséquent, la distribution des électrons dans une molécule d'eau est inégale, avec une prépondérance de charges positives sur les deux atomes H et de charges négatives sur l'atome O (*voir* Figure 2-10). Lorsqu'une région positivement chargée d'une molécule d'eau (à savoir, un de ses atomes H) s'approche d'une région chargée négativement (à savoir O) d'une seconde molécule d'eau, l'attraction électrique entre elles forme une liaison faible appelée *liaison hydrogène*. Ces liaisons sont beaucoup plus faibles que les liaisons covalentes et sont facilement rompues par les mouvements thermiques aléatoires dus à l'énergie calorifique des molécules, de telle sorte que chaque liaison ne dure qu'un temps excessivement court. Mais l'effet combiné de nombreuses liaisons faibles est loin d'être insignifiant. Chaque molécule d'eau peut former des liaisons hydrogène par ses deux atomes H avec deux autres molécules d'eau, et former un réseau dans lequel des liaisons hydrogène sont continuellement rompues et reformées (Planche 2-2, p. 112-113). C'est seulement à cause des liaisons hydrogène qui relient les molécules d'eau que l'eau est liquide à température ambiante, avec un point d'ébullition et une tension de surface élevés – et non pas un gaz.

Les molécules, comme les alcools, qui contiennent des liaisons polaires et peuvent former des liaisons hydrogène avec l'eau, se dissolvent rapidement dans l'eau. Comme nous l'avons mentionné auparavant, les molécules qui portent plus ou moins

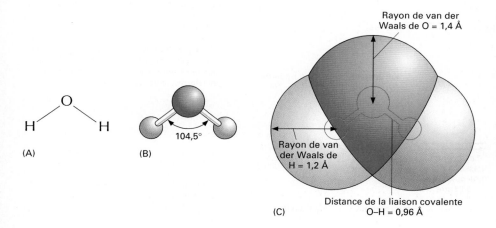

Figure 2-12 Trois représentations d'une molécule d'eau. (A) Représentation schématique habituelle de la formule structurale sur laquelle chaque atome est indiqué par son symbole standard, et chaque ligne représente une liaison covalente rejoignant deux atomes. (B) Modèle éclaté, dans lequel les atomes sont représentés par des sphères de diamètre arbitraire reliées par des bâtons représentant les liaisons covalentes. Contrairement à (A), les angles de liaison sont représentés avec précision dans ce type de modèle (*voir aussi* Figure 2-8). (C) Modèle compact, dans lequel la géométrie des liaisons et les rayons de van der Waals sont représentés avec précision.

de charges (ions) agissent de même favorablement avec l'eau. Ces molécules sont **hydrophiles**, ce qui signifie qu'elles aiment l'eau. Une grande proportion des molécules présentes dans l'environnement aqueux d'une cellule tombe nécessairement dans cette catégorie, y compris les glucides, l'ADN, l'ARN et une majorité de protéines. Les molécules **hydrophobes** (qui n'aiment pas l'eau), à l'opposé, ne sont pas chargées, ne forment que peu ou pas de liaison hydrogène et ne se dissolvent pas dans l'eau. Les hydrocarbures en sont un exemple important (*voir* Planche 2-1, p. 110-111). Dans ces molécules, les atomes H sont liés de façon covalente aux atomes C par une liaison largement non polaire. Comme les atomes H n'ont presque pas de charge positive nette, ils ne peuvent former de liaison hydrogène efficace avec d'autres molécules. Cela rend les hydrocarbures totalement hydrophobes – une propriété qui est exploitée par les cellules dont les membranes sont formées de molécules qui possèdent de longues queues d'hydrocarbures, comme nous le verrons au chapitre 10.

Certaines molécules polaires forment des acides et des bases dans l'eau

Une des réactions les plus simples et les plus significatives pour les cellules se produit lorsqu'une molécule possédant une liaison covalente très polaire entre un hydrogène et un autre atome se dissout dans l'eau. L'atome d'hydrogène de cette molécule a laissé son électron à l'atome accompagnant et de ce fait existe sous forme d'un noyau d'hydrogène presque nu positivement chargé – en d'autres termes, un **proton (H^+)**. Lorsque cette molécule polaire s'entoure de molécules d'eau, le proton est attiré vers la charge négative partielle de l'atome O d'une molécule d'eau adjacente et peut se dissocier de son partenaire d'origine pour s'associer avec l'atome d'oxygène de la molécule d'eau et engendrer un **ion hydronium (H_3O^+)** (Figure 2-13A). La réaction inverse s'effectue alors rapidement de telle sorte qu'il faut s'imaginer un état d'équilibre dans lequel des milliards de protons déménagent constamment d'une molécule en solution à une autre.

Les substances qui libèrent des protons pour former H_3O^+, lorsqu'elles se dissolvent dans l'eau, sont appelées **acides**. Plus la concentration en H_3O^+ est forte, plus la solution est acide. H_3O^+ est présent même dans l'eau pure à une concentration de 10^{-7}M du fait du mouvement des protons d'une molécule d'eau à l'autre (Figure 2-13B). Par tradition, la concentration en H_3O^+ est souvent notée concentration en H^+, même si la plupart des H^+ en solution aqueuse existent sous forme de H_3O^+. Pour éviter d'utiliser des nombres peu maniables, la concentration en H^+ est exprimée à l'aide d'une échelle logarithmique appelée **échelle du pH**, illustrée dans la planche 2-2 (p. 112-113). L'eau pure a un pH de 7,0.

Comme le proton d'un ion hydronium peut passer rapidement dans beaucoup de molécules de la cellule et modifier leur caractère, la concentration en H_3O^+ à l'intérieur d'une cellule (l'acidité) doit être régulée de très près. Les molécules qui peuvent donner des protons le feront plus facilement si la concentration en H_3O^+ de la solution est basse et auront tendance à les recevoir en retour si la concentration dans la solution est forte.

L'opposé d'un acide est une **base**. Tout comme la propriété qui définit un acide est qu'il donne des protons à des molécules d'eau afin d'augmenter la concentration en ions H_3O^+, la propriété qui définit une base est qu'elle élève la concentration des ions hydroxyles (OH^-) – formés par le retrait d'un proton d'une molécule d'eau. De

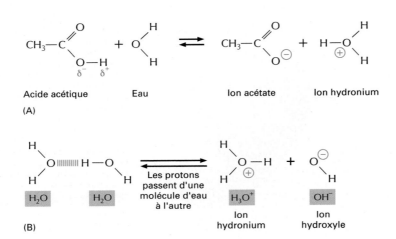

Figure 2-13 Acide dans l'eau. (A) La réaction qui se produit lorsqu'une molécule d'acide acétique se dissout dans l'eau. (B) Les molécules d'eau sont continuellement en train d'échanger des protons l'une avec l'autre pour former des ions hydronium et hydroxyle. Ces ions se recombinent à leur tour rapidement pour former des molécules d'eau.

Acide acétique   Eau   Ion acétate   Ion hydronium
(A)

(B)   Les protons passent d'une molécule d'eau à l'autre

H_2O H_2O H_3O^+ OH^-
Ion hydronium   Ion hydroxyle

TABLEAU 2-II Liaisons chimiques covalentes et non covalentes

TYPE DE LIAISON		LONGUEUR (nm)	FORCE (kcal/mole)	
			Dans le vide	Dans l'eau
Covalente		0,15	90	90
Non covalente	Ionique	0,25	80	3
	Hydrogène	0,30	4	1
	Attraction de van der Waals (par atome)	0,35	0,1	0,1

ce fait l'hydroxyde de sodium (NaOH) est basique (le terme *alcalin* est également utilisé) parce qu'il se dissocie en solution aqueuse pour former des ions Na^+ et OH^-. Une autre classe de bases, particulièrement importante pour les cellules vivantes, est celle qui contient des groupements NH_2. Ces groupements peuvent engendrer des OH^- par capture d'un proton de l'eau : $-NH_2 + H_2O \rightarrow -NH_3^+ + OH^-$.

Comme les ions OH^- se combinent avec les ions H_3O^+ pour former deux molécules d'eau, l'augmentation de la concentration en OH^- entraîne une baisse forcée de la concentration en H_3O^+ et vice versa. Une solution d'eau pure contient une concentration aussi faible en ces deux ions (10^{-7}M) ; elle n'est ni acide ni basique et, de ce fait, appelée *neutre* avec un pH de 7,0. L'intérieur de la cellule est maintenu proche de la neutralité.

Quatre types d'interactions non covalentes facilitent le rapprochement des molécules dans la cellule

Dans les solutions aqueuses, les liaisons covalentes sont 10 à 100 fois plus fortes que les autres forces d'attraction entre les atomes, ce qui permet à leurs connexions de définir les limites entre une molécule et l'autre. Mais une grande part de la biologie dépend des liaisons spécifiques entre différentes molécules. Ces liaisons s'effectuent par l'intermédiaire d'un ensemble d'attractions non covalentes qui, individuellement, sont assez faibles mais dont l'énergie de liaison peut s'additionner pour créer une force efficace entre deux molécules séparées. Nous avons déjà introduit trois de ces forces non covalentes : les liaisons ioniques, les liaisons hydrogène et les forces d'attraction de van der Waals. Dans le tableau 2-II, les forces de ces trois types de liaison sont comparées à celles d'une liaison covalente typique, à la fois en présence et en absence d'eau. Du fait de leur importance fondamentale dans tous les systèmes biologiques, nous résumerons ici leurs propriétés.

- **Liaisons ioniques**. Il s'agit d'une attraction purement électrostatique entre des atomes de charge opposée. Comme nous l'avons vu avec NaCl, ces forces sont assez fortes en l'absence d'eau. Cependant les molécules d'eau polaires s'amassent à la fois autour des ions complètement chargés et des molécules polaires qui contiennent des dipôles permanents (Figure 2-14). Cela réduit grandement l'attractivité potentielle de ces espèces chargées l'une pour l'autre (*voir* Tableau 2-II).

- **Liaisons hydrogène**. La structure d'une liaison hydrogène typique est illustrée dans la figure 2-15. Cette liaison représente une forme spéciale d'interaction polaire dans laquelle un atome d'hydrogène électropositif est partiellement partagé entre deux atomes électronégatifs. Cet hydrogène peut être vu comme un proton qui s'est partiellement dissocié d'un atome donneur, ce qui lui permet de se partager avec un second atome receveur. Contrairement aux interactions électrostatiques typiques, cette liaison est hautement directionnelle – étant la plus forte lorsqu'une ligne droite peut être tirée entre les trois atomes impliqués. Comme nous l'avons déjà dit, l'eau affaiblit ces liaisons en formant des interactions compétitives par liaison hydrogène entre les molécules impliquées (*voir* Tableau 2-II).

- **Force d'attraction de van der Waals**. Le nuage électronique qui entoure tout atome non polaire fluctue, et produit un dipôle clignotant. Ce dipôle induira transitoirement un dipôle clignotant de polarisation opposée dans un atome voisin. Cette interaction engendre une force d'attraction très faible entre les atomes. Mais comme beaucoup d'atomes peuvent être simultanément en contact lorsque deux surfaces s'adaptent bien, le résultat net est souvent significatif. Cette force d'attraction de van der Waals n'est pas affaiblie par l'eau (*voir* Tableau 2-II).

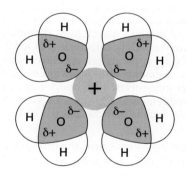

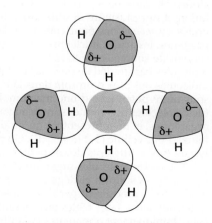

Figure 2-14 Les dipôles de la molécule d'eau s'orientent pour réduire l'affinité l'un pour l'autre des ions de charge opposée ou des groupements polaires.

Le quatrième effet qui peut jouer un rôle important dans le rapprochement des molécules dans l'eau est la **force hydrophobe**. Cette force est provoquée par la poussée des surfaces non polaires vers l'extérieur du réseau aqueux formé par des liaisons hydrogène, où elles interfèrent physiquement avec les interactions hautement favorables entre les molécules d'eau. Comme le fait de rapprocher deux surfaces non polaires réduit leur contact avec l'eau, cette force n'est plutôt pas spécifique. Néanmoins, nous verrons dans le chapitre 3 que les forces hydrophobes sont au centre du repliement adapté des molécules protéiques.

La planche 2-3 donne une vue globale des quatre types d'interactions que nous venons de décrire. Et la figure 2-16 illustre, de façon schématique, comment ces interactions peuvent s'additionner pour maintenir ensemble les surfaces d'assemblage de deux macromolécules, même si chaque interaction par elle-même est beaucoup trop faible pour être efficace.

Une cellule est formée de composés du carbone

Après avoir vu la manière dont les atomes s'associent en petites molécules et comment ces molécules se comportent dans un environnement aqueux, examinons maintenant les principales classes de petites molécules retrouvées dans la cellule ainsi que leur rôle biologique. Nous verrons qu'un petit nombre de catégories de base de ces molécules, formées d'une poignée d'éléments différents, donne naissance à toute la richesse extraordinaire de formes et de comportements présents dans les êtres vivants.

Si on excepte l'eau, presque toutes les molécules de la cellule sont à base de carbone. Le carbone est remarquable parmi tous les éléments du fait de sa capacité à former de grosses molécules ; le silicium arrive en deuxième, loin derrière. Comme il est de petite taille et possède quatre électrons et quatre places vides sur sa couche externe, l'atome de carbone peut former quatre liaisons covalentes avec d'autres atomes. Ce qui est primordial c'est qu'un atome de carbone peut se lier, par des liaisons covalentes C–C très stables, à d'autres atomes de carbone pour former des chaînes ou des cycles qui engendreront de grosses molécules complexes sans qu'il y ait de limite maximale de taille (*voir* Planche 2-1, p. 110-111). Les petits et les gros composés du carbone fabriqués par la cellule sont appelés *molécules organiques*.

Certaines associations d'atomes, comme les groupements méthyle ($-CH_3$), hydroxyle ($-OH$), carboxyle ($-COOH$), carbonyle ($-C=O$), phosphate ($-PO_3^{2-}$) et amine ($-NH_2$) apparaissent répétitivement dans les molécules organiques. Chacun de ces **groupements chimiques** présente des propriétés chimiques et physiques distinctes qui influencent le comportement des molécules dans lesquelles ils se trouvent. Les groupements chimiques les plus fréquents et certaines de leurs propriétés sont résumés dans la planche 2-1, p. 110-111.

Les cellules contiennent quatre principales familles de petites molécules organiques

Les petites molécules organiques de la cellule sont des composés à base de carbone dont le poids moléculaire est compris entre 100 et 1 000 et qui contiennent jusqu'à 30 atomes de carbone environ. Elles sont en général présentes sous forme libre en solution et ont plusieurs destins différents. Certaines sont utilisées comme des sous-unités ou *monomères* pour construire les *macromolécules* polymériques géantes – les protéines, les acides nucléiques et les gros polysaccharides – de la cellule. Les autres servent de source énergétique et sont dégradées et transformées en d'autres petites molécules par un dédale de voies métaboliques intracellulaires. Beaucoup de petites molécules ont plus d'un rôle dans la cellule – agissant par exemple à la fois comme sous-unité potentielle d'une macromolécule et comme source énergétique. Les petites molécules organiques sont beaucoup moins abondantes que les macromolécules organiques, et ne représentent qu'un dixième de la masse totale de la matière organique d'une cellule (Tableau 2-III). On peut estimer grossièrement qu'il existe un millier de types différents de ces petites molécules dans une cellule typique.

Toutes les molécules organiques sont synthétisées à partir d'un même ensemble de composés simples et dégradées en ce même ensemble. Leur synthèse et leur dégradation se produisent par des séquences de modifications chimiques d'étendue limitée qui suivent des règles bien définies. Par conséquent, les composés d'une cellule sont chimiquement apparentés et la plupart peuvent être classés en un petit nombre de familles distinctes. D'une façon générale, les cellules contiennent quatre familles majeures de petites molécules organiques : les *sucres*, les *acides gras*, les *acides aminés* et les *nucléotides* (Figure 2-17). Même si de nombreux composés présents dans la cellule

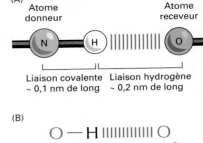

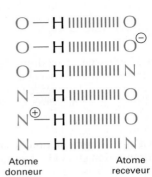

Figure 2-15 Liaisons hydrogène.
(A) Modèle éclaté d'une liaison hydrogène typique. La distance entre les atomes d'hydrogène et d'oxygène est ici inférieure à la somme de leurs rayons de van der Waals, indiquant un partage partiel des électrons. (B) Les liaisons hydrogène les plus fréquentes des cellules.

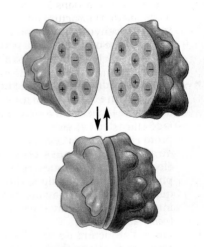

Figure 2-16 Deux macromolécules ayant des surfaces complémentaires peuvent se lier fortement l'une à l'autre par des interactions non covalentes. Sur cette illustration schématique, plus et moins sont utilisés pour marquer les groupements chimiques qui peuvent former des interactions attractives lorsqu'ils sont appariés.

TABLEAU 2-III Composition chimique approximative d'une cellule bactérienne

	POURCENTAGE DU POIDS CELLULAIRE TOTAL	NOMBRE DE TYPES DE CHAQUE MOLÉCULE
Eau	70	1
Ions inorganiques	1	20
Sucres et précurseurs	1	250
Acides aminés et précurseurs	0,4	100
Nucléotides et précurseurs	0,4	100
Acides gras et précurseurs	1	50
Autres petites molécules	0,2	~300
Macromolécules (protéines, acides nucléiques et polysaccharides)	26	~3 000

ne rentrent pas dans ces catégories, ces quatre familles de petites molécules organiques, associées aux macromolécules fabriquées par leur réunion en de longues chaînes, représentent une importante fraction de la masse cellulaire (*voir* Tableau 2-III).

Les sucres fournissent une source d'énergie pour la cellule et sont les sous-unités des polysaccharides

Les **sucres** simples – les *monosaccharides* – sont des composés dont la formule générale est $(CH_2O)n$ avec n généralement égal à 3, 4, 5, 6, 7 ou 8. Les sucres, et les molécules fabriquées à partir d'eau, sont aussi appelés *hydrates de carbone* à cause de cette formule simple. La formule du glucose, par exemple, est $C_6H_{12}O_6$ (Figure 2-18). La formule, cependant ne définit pas totalement la molécule : le même nombre de carbone, d'hydrogène et d'oxygène peuvent être reliés par des liaisons covalentes de diverses façons, et créer ainsi des structures de formes différentes. Comme cela est montré dans la planche 2-4, p. 116-117, le glucose, par exemple, peut être transformé en un autre sucre – le mannose ou le galactose – en modifiant simplement l'orientation d'un groupement OH particulier par rapport au reste de la molécule. Chacun de ces sucres, de plus, existe sous deux formes, appelées la forme D et la forme L qui sont une image en miroir l'une de l'autre. Les groupes de molécules de même formule chimique mais de structure différente sont appelés *isomères* et le sous-groupe de ces molécules qui contient les paires d'image en miroir est appelé *isomères optiques*. Les isomères sont largement répandus parmi les molécules organiques en général et jouent un rôle majeur dans la formation de l'énorme diversité des glucides.

Le schéma de la structure des sucres et de leur chimie est donné dans la planche 2-4. Les sucres peuvent exister soit sous forme de cycles soit de chaîne ouverte. Sous la forme de chaîne ouverte, les sucres contiennent un certain nombre de groupements hydroxyles et soit un groupement aldéhyde ($_H{>}C{=}O$) soit un groupement cétone (${>}C{=}O$). Le groupement aldéhyde ou cétone joue un rôle particulier. Tout d'abord, il peut réagir avec un groupement hydroxyle de la même molécule pour transformer la molécule en un cycle ; sous la forme cyclique, le carbone du groupement aldéhyde ou cétone d'origine peut être reconnu comme le seul lié à deux oxygène. Deuxièmement, une fois le cycle formé, ce même carbone peut se lier à un carbone portant un groupement hydroxyle d'une autre molécule de sucre, et former un *disaccharide* ; par exemple, le saccharose, composé d'une unité de glucose et d'une unité de fructose. Les plus grands polymères de sucre vont des *oligosaccharides* (trisaccharides, tétrasaccharides, etc.) aux *polysaccharides* géants qui peuvent contenir des milliers d'unités de monosaccharides.

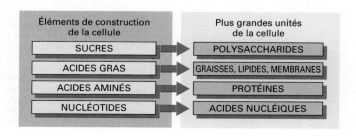

Figure 2-17 Les quatre familles principales de petites molécules organiques de la cellule. Ces petites molécules forment les éléments de construction monomériques, ou sous-unités, de la plupart des macromolécules et autres assemblages de la cellule. Certaines, comme les glucides et les acides gras, sont également des sources énergétiques.

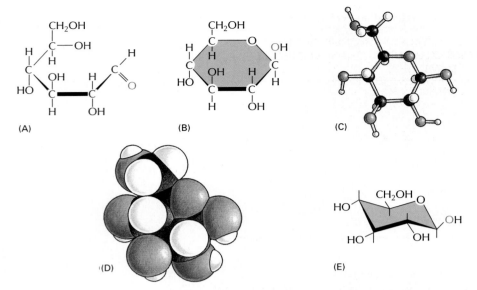

Figure 2-18 Structure du glucose, un sucre simple. Comme nous l'avons déjà illustré pour l'eau (*voir* Figure 2-12), toutes les molécules peuvent être représentées de différentes façons. Dans les formules structurales, montrées en (A), (B), et (E), les atomes sont représentés par leur symbole chimique et reliés par des lignes qui représentent les liaisons covalentes. Les lignes plus épaisses utilisées ici indiquent le plan du cycle glucidique afin d'insister sur le fait que les groupements –H et –OH ne sont pas sur le même plan que le cycle. (A) Forme en chaîne ouverte de ce glucide, qui est en équilibre avec la forme plus stable cyclique de (B). (C) Modèle moléculaire (éclaté) qui représente la disposition tridimensionnelle de l'atome dans l'espace. (D) Modèle compact, qui montre la disposition tridimensionnelle de l'atome, et en plus utilise aussi les rayons de van der Waals pour représenter les contours de surface de la molécule. (E) Représentation en chaise qui est une autre méthode de dessin de la molécule cyclique reflétant avec plus de précision la géométrie que la formule structurale de (B). Les atomes en (C) et en (D) sont dessinés selon les couleurs conventionnelles codant pour les atomes. Par exemple, ces couleurs sont H, *blanc*; C, *noir*; O, *rouge*; N, *bleu* (*voir aussi* Figure 2-8).

Le mode de liaison des sucres entre eux pour former des polymères illustre certaines particularités fréquentes de la formation des liaisons biochimiques. Une liaison se forme entre un groupement –OH d'un sucre et un groupement –OH d'un autre sucre par une **réaction de condensation** au cours de laquelle une molécule d'eau est éliminée lorsque la liaison se forme (Figure 2-19). Les sous-unités d'autres polymères biologiques, comme les acides nucléiques et les protéines, sont également reliées par des réactions de condensation au cours desquelles une molécule d'eau est éliminée. Les liaisons créées par toutes ces réactions de condensation peuvent être rompues par le processus inverse d'**hydrolyse** au cours duquel une molécule d'eau est consommée (*voir* Figure 2-19).

Comme chaque monosaccharide présente plusieurs groupements hydroxyles libres qui peuvent former une liaison avec un autre monosaccharide (ou avec certains autres composés), les polymères de sucres peuvent être ramifiés et le nombre de structures possibles de polysaccharides est extrêmement important. Même un simple disaccharide, composé de deux résidus de glucose, peut exister sous onze variétés différentes (Figure 2-20), alors que trois hexoses différents ($C_6H_{12}O_6$) peuvent se lier pour fabriquer plusieurs milliers de trisaccharides. C'est pourquoi il est beaucoup plus complexe de déterminer la disposition des sucres d'un polysaccharide que de déterminer la séquence de nucléotides d'une molécule d'ADN, où chaque unité est liée à l'autre exactement de la même façon.

Le *glucose,* un monosaccharide, joue un rôle central de source énergétique pour les cellules. Par une série de réactions, il est dégradé en petites molécules, et libère l'énergie que la cellule peut utiliser pour effectuer un travail utile comme nous l'ex-

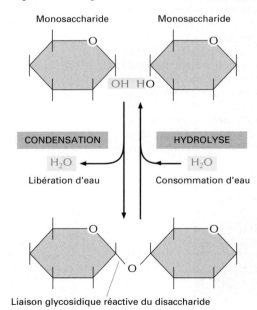

Monosaccharide   Monosaccharide

OH HO

CONDENSATION   HYDROLYSE

H_2O H_2O

Libération d'eau   Consommation d'eau

O

Liaison glycosidique réactive du disaccharide

Figure 2-19 Réaction entre deux monosaccharides pour former un disaccharide. Cette réaction appartient à une catégorie générale de réactions appelées *réactions de condensation* au cours desquelles deux molécules se lient en perdant une molécule d'eau. La réaction inverse (au cours de laquelle de l'eau est ajoutée) est appelée *hydrolyse*. Notez que l'un des deux partenaires (celui à gauche ici) est le carbone lié à deux oxygène par lequel le cycle glucidique se forme (*voir* Figure 2-18). Comme cela est indiqué, ce type fréquent de liaison covalente entre deux molécules de sucres est appelé *liaison glycosidique* (*voir aussi* Figure 2-20).

Figure 2-20 Onze disaccharides composés de deux unités de D-glucose. Bien qu'ils ne diffèrent que par le type de liaison entre les deux unités de glucose, ils sont chimiquement différents. Comme les oligosaccharides associés aux protéines et aux lipides peuvent avoir six types de sucres différents ou plus reliés en une disposition soit linéaire soit ramifiée par l'intermédiaire de liaisons glycosidiques comme celles illustrées ici, le nombre de types distincts d'oligosaccharides qui peuvent être utilisés dans les cellules est extrêmement important. Pour l'explication des liaisons α et β, *voir* Planche 2-4 (p. 116-117).

pliquerons par la suite. Les cellules utilisent des polysaccharides simples composés uniquement d'unités de glucose – principalement le *glycogène* chez les animaux et l'*amidon* chez les végétaux – comme réserves d'énergie à long terme.

La fonction des sucres n'est pas uniquement de produire et de stocker l'énergie. Ils peuvent être aussi utilisés, par exemple, comme soutien mécanique. De ce fait, le produit de chimie organique le plus abondant sur terre – la *cellulose* de la paroi cellulaire des végétaux – est un polysaccharide du glucose. Une autre substance organique extraordinairement abondante, la *chitine* de l'exosquelette des insectes et de la paroi cellulaire des champignons est également un polysaccharide – dans ce cas un polymère linéaire d'un dérivé sucré appelé *N*-acétylglucosamine. Diverses autres sortes de polysaccharides sont les composés principaux de la bave, du mucus et du cartilage.

Les plus petits oligosaccharides peuvent se lier de façon covalente aux protéines pour former des glycoprotéines et aux lipides pour former les *glycolipides* que l'on retrouve dans les membranes cellulaires. Comme nous le décrirons au chapitre 10, les surfaces de la plupart des cellules sont revêtues et décorées de polymères de sucres appartenant aux glycoprotéines et aux glycolipides de la membrane cellulaire. Ces chaînes latérales de glucides sont souvent reconnues sélectivement par les autres cellules. Et les différences de particularités des sucres de surface cellulaire entre les personnes forment les bases moléculaires des principaux groupes sanguins humains.

Les acides gras sont des composants de la membrane cellulaire

Une molécule d'acide gras, comme l'*acide palmitique*, présente deux régions chimiquement distinctes (Figure 2-21). L'une est une longue chaîne d'hydrocarbures, hydrophobe et peu réactive chimiquement. L'autre est un groupement carboxyle (–COOH) qui se comporte comme un acide (acide carboxylique) : il est ionisé en solution (–COO⁻), extrêmement hydrophile et chimiquement réactif. Presque toutes les molécules d'acide gras d'une cellule sont liées de façon covalente à d'autres molécules par leur groupement acide carboxylique.

La queue d'hydrocarbures de l'*acide palmitique* est saturée : elle n'a pas de double liaison entre les atomes de carbone et contient le nombre maximum possible d'hydrogènes. L'acide stéarique, un autre acide gras fréquent de la graisse animale, est également *saturé*. Certains autres acides gras, comme l'acide oléique, présentent une queue *insaturée*, contenant une ou plusieurs doubles liaisons sur leur longueur. La double liaison crée des vrilles dans la molécule, qui interfèrent avec sa capacité à se regrouper en une masse solide. C'est cela qui engendre la différence entre la margarine solide (saturée) et molle (poly-insaturée). Les nombreux acides gras différents trouvés dans les cellules ne diffèrent que par la longueur de leur chaîne hydrocarbonée et le nombre et la position des doubles liaisons carbone-carbone (*voir* Planche 2-5, p. 118-119).

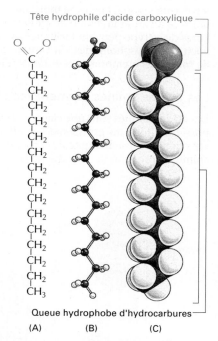

Tête hydrophile d'acide carboxylique

Queue hydrophobe d'hydrocarbures

(A) (B) (C)

Figure 2-21 Un acide gras. Un acide gras est composé d'une chaîne d'hydrocarbures hydrophobe sur laquelle se fixe un groupement acide carboxylique hydrophile. Voici la représentation de l'acide palmitique. Différents acides gras ont différentes queues d'hydrocarbures. (A) Formule structurale. Le groupement acide carboxylique est montré sous forme ionisé. (B) Modèle éclaté. (C) Modèle compact.

Les acides gras servent de réserve alimentaire concentrée dans la cellule car ils peuvent être dégradés pour produire environ six fois plus d'énergie utile, à poids égal, que le glucose. Ils sont stockés dans le cytoplasme de nombreuses cellules sous forme de gouttelettes de molécules de *triacylglycérol* composées de trois chaînes d'acide gras liées à une molécule de glycérol (*voir* Planche 2-5) ; ces molécules forment les graisses animales retrouvées dans la viande, le beurre et la crème et les huiles végétales comme l'huile de maïs et l'huile d'olive. Lorsqu'elles sont utilisées pour produire de l'énergie, les chaînes d'acides gras sont libérées du triacylglycérol et dégradées en unités à deux carbones. Ces unités à deux carbones sont identiques à celles dérivées de la dégradation du glucose et entrent dans les mêmes voies métaboliques de réactions productrices d'énergie que nous décrirons ultérieurement dans ce chapitre.

Les acides gras et leurs dérivés comme les triacylglycérols sont des exemples de *lipides*. Les lipides englobent un ensemble mal défini de molécules biologiques ayant la caractéristique commune d'être insolubles dans l'eau, mais d'être solubles dans la graisse et les solvants organiques comme le benzène. Ils sont formés typiquement soit de longues chaînes d'hydrocarbures comme les acides gras et les isoprènes soit de multiples cycles aromatiques reliés comme les *stéroïdes*.

La principale fonction des acides gras dans la cellule est la construction des membranes cellulaires. Ces minces feuillets entourent toutes les cellules et leurs organites internes. Les membranes sont composées en grande partie de *phospholipides*, petites molécules qui, comme les triacylglycérols, sont composées principalement d'acides gras et de glycérol. Dans les phospholipides cependant, le glycérol est lié à deux chaînes d'acides gras, et non pas à trois comme pour les triacylglycérols. Le « troisième » site du glycérol est lié à un groupement phosphate hydrophile, fixé à son tour sur un petit composé hydrophile comme la choline (*voir* Planche 2-5). Chaque molécule de phospholipide possède de ce fait une queue hydrophobe composée de deux chaînes d'acide gras et une tête hydrophile où se trouve le phosphate. Cela lui donne des propriétés physiques et chimiques différentes de celles des triacylglycérols qui sont à prédominance hydrophobe. Les molécules comme les phospholipides, qui possèdent une région hydrophile et une région hydrophobe, sont dites *amphipathiques*.

Les propriétés de formation de membrane des phospholipides proviennent de leur nature amphipathique. Les phospholipides s'étaleront à la surface de l'eau pour former une monocouche de molécules de phospholipides dont la queue hydrophobe fait face à l'air et la tête hydrophile est en contact avec l'eau. Deux couches moléculaires de ce type peuvent facilement s'associer queue à queue pour former un « sandwich » de phospholipides, ou *bicouche lipidique*. Cette bicouche est la base structurale de toutes les membranes cellulaires (Figure 2-22).

Les acides aminés forment les sous-unités des protéines

Les acides aminés sont une classe variée de molécules définies par une propriété : ils possèdent tous un groupement acide carboxylique et un groupement amine reliés tous deux à un seul atome de carbone appelé carbone α (Figure 2-23). Leur diversité chimique provient de leur chaîne latérale également fixée sur le carbone α. L'impor-

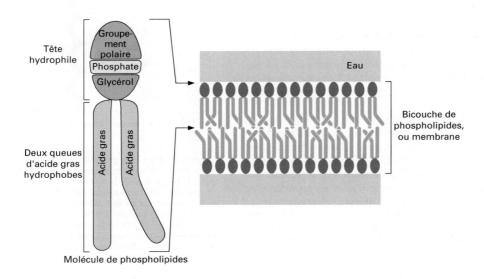

Figure 2-22 Structure des phospholipides et orientation des phospholipides dans les membranes. Dans un environnement aqueux, les queues hydrophobes des phospholipides se rassemblent pour exclure l'eau. Ici elles ont formé une bicouche avec la tête hydrophile de chaque phospholipide faisant face à l'eau. Les bicouches lipidiques sont la base des membranes cellulaires comme nous le verrons en détail dans le chapitre 10.

Groupement amine — Groupement carboxyle

H

H₂N—C—COOH $\xrightarrow{\text{pH 7}}$ H₃N⁺—C—COO⁻

CH₃ CH₃

Carbone α — Chaîne latérale (R)

Forme non ionisée — Forme ionisée

(A) — (B) — (C)

Figure 2-23 L'acide aminé alanine. (A) Dans la cellule, où le pH est proche de 7, les acides aminés libres existent sous leur forme ionisée ; mais lorsqu'ils sont incorporés dans une chaîne polypeptidique, la charge sur les groupements amine et carboxyle disparaît. (B) Modèle éclaté et (C) modèle compact de l'alanine. (H, *blanc* ; C, *noir* ; O, *rouge* ; N, *bleu*).

tance des acides aminés pour la cellule provient de leur rôle dans la fabrication des **protéines**, polymères d'acides aminés reliés tête à queue en une longue chaîne repliée ensuite en une structure tridimensionnelle particulière à chaque type de protéine. La liaison covalente entre deux acides aminés adjacents dans une chaîne protéique est appelée *liaison peptidique* ; la chaîne d'acides aminés est également appelée *polypeptide* (Figure 2-24). Quels que soient les acides aminés spécifiques à partir desquels il est fabriqué, le polypeptide possède un groupement amine (NH₂) à une extrémité (*N-terminale*) et un groupement carboxyle (COOH) à l'autre extrémité (*C-terminale*). Cela lui donne une orientation définie – une polarité structurelle (par opposition à la polarité électrique).

On trouve vingt types d'acides aminés communs dans les protéines, chacun ayant une chaîne latérale différente fixée sur l'atome de carbone α (*voir* Planche 3-1, p. 132-133). Ces mêmes vingt acides aminés apparaissent encore et encore dans toutes les protéines, qu'elles soient issues des bactéries, des végétaux ou des animaux. Comment cet ensemble précis de vingt acides aminés a-t-il été choisi ? Cela reste un des mystères qui entourent l'évolution de la vie ; il n'y a aucune raison chimique évidente qui puisse expliquer pourquoi d'autres acides aminés n'auraient pas pu servir aussi bien. Mais une fois que ce choix a été établi, il n'a pas été modifié. Trop de choses en dépendent.

Comme les sucres, tous les acides aminés, excepté la glycine, existent sous forme d'isomères optiques L et D (*voir* Planche 3-1). Mais seule la forme L est retrouvée dans les protéines (bien que des acides aminés D forment une partie de la paroi bactérienne et de certains antibiotiques). L'origine de cette utilisation exclusive des acides aminés de forme L pour fabriquer les protéines est un autre mystère de l'évolution.

La faculté d'adaptation chimique fournie par les vingt acides aminés standard est d'une importance vitale à la fonction des protéines. Cinq de ces vingt acides aminés possèdent une chaîne latérale qui peut former des ions en solution et porter ainsi une charge (Figure 2-25). Les autres sont non chargés ; certains sont polaires et hydrophiles, et d'autres non polaires et hydrophobes. Comme nous le verrons au chapitre 3, l'ensemble des propriétés des chaînes latérales des acides aminés est à l'origine de toutes les fonctions diverses et sophistiquées des protéines.

Les nucléotides forment les sous-unités de l'ADN et de l'ARN

Un **nucléotide** est une molécule faite à partir de composés cycliques contenant de l'azote liés à un glucide à cinq carbone. Ce glucide peut être soit du ribose, soit du désoxyribose et il porte un ou plusieurs groupements phosphate (Planche 2-6, p. 120-121). Les nucléotides contenant du ribose sont appelés *ribonucléotides* et ceux contenant du désoxyribose, *désoxyribonucléotides*. Les cycles à base d'azote sont généralement appelés bases pour des raisons historiques : sous des conditions acides ils peuvent chacun fixer un H⁺ (proton) et augmenter ainsi la concentration en ions OH⁻ en solution aqueuse. Il existe une forte ressemblance familiale entre les différentes bases. La *cytosine* (C), la *thymine* (T) et l'*uracile* (U) sont appelées pyrimidines parce qu'elles dérivent toutes d'un cycle pyrimidine à six atomes ; la *guanine* (G) et l'*adénine* (A) sont des purines et possèdent un second cycle à cinq atomes associé au cycle à six atomes. Chaque nucléotide porte le nom de la base qu'il contient (*voir* Planche 2-6).

Les nucléotides peuvent agir comme des transporteurs à court terme d'énergie chimique. En particulier, le ribonucléotide **adénosine triphosphate** ou **ATP** (Figure 2-26) est utilisé pour transférer l'énergie dans des centaines de réactions cellulaires différentes. L'ATP est formé par des réactions entraînées par la libération

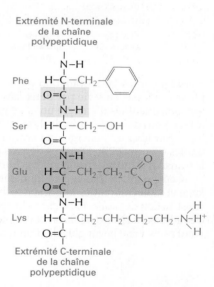

Extrémité N-terminale de la chaîne polypeptidique

N—H

Phe H—C—CH₂—⟨benzène⟩

O=C

N—H

Ser H—C—CH₂—OH

O=C

N—H

Glu H—C—CH₂-CH₂—C(=O)(O⁻)

O=C

N—H

Lys H—C—CH₂-CH₂-CH₂-CH₂—N⁺(H)(H)

O=C

Extrémité C-terminale de la chaîne polypeptidique

Figure 2-24 Petite partie d'une molécule protéique. Les quatre acides aminés montrés sont reliés par trois liaisons peptidiques, dont l'une est surlignée en *jaune*. Un des acides aminés est *grisé*. Les chaînes latérales des acides aminés sont en *rouge*. Les deux extrémités d'une chaîne polypeptidique sont chimiquement différentes. L'extrémité N-terminale se termine par un groupement amine et l'autre extrémité C-terminale, se termine par un groupement carboxyle. La séquence est toujours lue à partir de l'extrémité N-terminale ; la séquence ici est Phe–Ser–Glu–Lys.

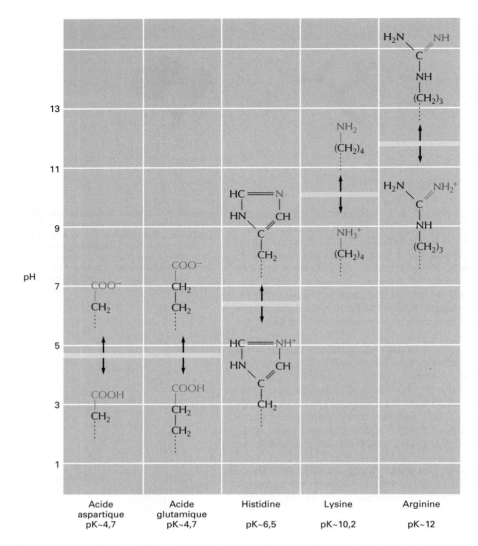

Figure 2-25 La charge d'un acide aminé dépend du pH. Voici les cinq différentes chaînes latérales qui peuvent porter une charge. Les acides carboxyliques peuvent facilement perdre un H⁺ en solution aqueuse pour former un ion chargé négativement noté par le suffixe « -ate » comme aspar*tate* ou gluta*mate*. Il existe une situation comparable pour les amines, qui en solution aqueuse peuvent prélever un H⁺ pour former un ion positivement chargé (qui n'a pas de nom spécial). Ces réactions sont rapidement réversibles et la quantité des deux formes, chargées et non chargées, dépend du pH de la solution. À un pH élevé, les acides carboxyliques ont tendance à être chargés et les amines non chargées. À un bas pH, le contraire s'applique – les acides carboxyliques ne sont pas chargés et les amines sont chargées. Le pH pour lequel la *moitié* exactement des acides carboxyliques et des amines sont chargés est appelé pK de cette chaîne latérale d'acides aminés. Dans la cellule, le pH est proche de 7 et presque tous les acides carboxyliques et amines sont sous leur forme totalement chargée.

d'énergie après la dégradation oxydative des denrées alimentaires. Ses trois phosphates sont liés en série par deux *liaisons phosphoanhydride*, dont la rupture libère de grandes quantités d'énergie utile. Le groupement phosphate terminal, en particulier, est souvent détaché par hydrolyse, transférant souvent un phosphate à d'autres molécules et libérant l'énergie qui entraîne les réactions de biosynthèse énergie-dépendantes (Figure 2-27). D'autres dérivés des nucléotides servent de transporteurs pour le transfert d'autres groupements chimiques, comme nous le verrons ultérieurement.

Cependant, le rôle le plus fondamental des nucléotides dans la cellule est le stockage et la libération des informations biologiques. Les nucléotides servent d'unités de construction des *acides nucléiques* – longs polymères dans lesquels les sous-unités de nucléotides sont reliées de façon covalente par des *liaisons phosphodiester* entre le groupement phosphate lié au glucide d'un nucléotide et le groupement hydroxyle du glucide

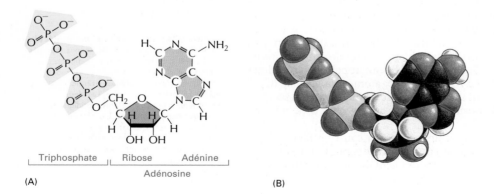

(A)   (B)

Figure 2-26 Structure chimique de l'adénosine triphosphate (ATP). (A) Formule structurale. (B) Modèle compact. En (B) les couleurs des atomes sont C, *noir*; N, *bleu*; H, *blanc*; O, *rouge* et P, *jaune*.

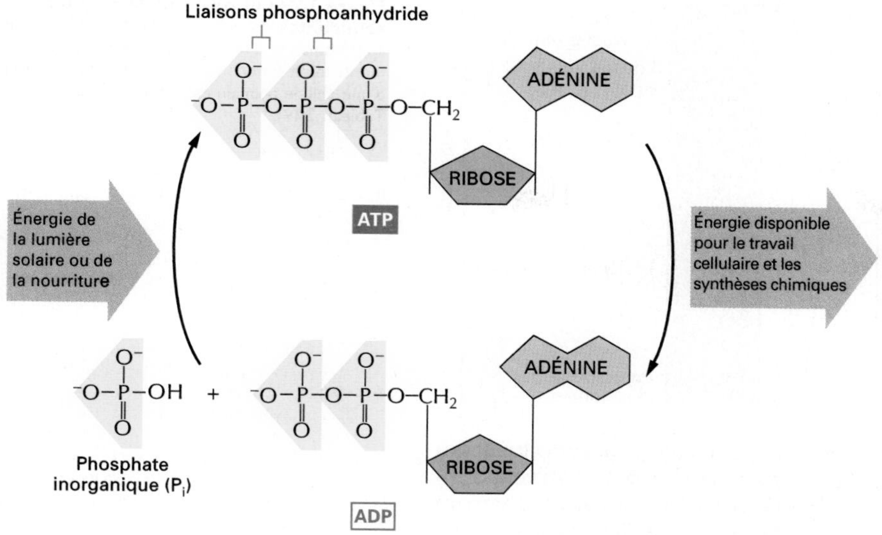

La formation d'ATP, énergie-dépendante, à partir de l'ADP et de phosphate inorganique est couplée à l'oxydation libératrice d'énergie des denrées alimentaires (dans les cellules animales, les champignons et certaines bactéries) ou à la capture de l'énergie lumineuse (dans les cellules végétales et certaines bactéries). L'hydrolyse de cette ATP en ADP et phosphate inorganique fournit à son tour de l'énergie pour effectuer de nombreuses réactions cellulaires.

du nucléotide suivant. Les chaînes d'acide nucléique sont synthétisées à partir de nucléosides triphosphates riches en énergie grâce à une réaction de condensation qui libère du pyrophosphate inorganique pendant la formation de la liaison phosphodiester.

Il existe deux types principaux d'acides nucléiques qui diffèrent selon le type de glucide de leur squelette sucre-phosphate. Ceux basés sur le ribose sont appelés **acides ribonucléiques** ou **ARN** et contiennent les bases A, G, C et U. Ceux basés sur le *désoxyribose* (dans lequel l'hydroxyle en position 2′ du cycle carbone du ribose est remplacé par un hydrogène [*voir* Planche 2-6]) sont appelés **acides désoxyribonucléiques** ou **ADN** et contiennent les bases A, G, C et T (T est chimiquement identique au U de l'ARN, avec simplement l'addition d'un groupement méthyle sur le cycle pyrimidine) (Figure 2-28). L'ARN se trouve en général dans les cellules sous forme d'une seule chaîne de polynucléotides, mais l'ADN est presque toujours sous forme d'une molécule double brin – la double hélice d'ADN composée de deux chaînes de polynucléotides antiparallèles maintenues ensembles par des liaisons hydrogène entre les bases des deux chaînes.

La séquence linéaire des nucléotides de l'ADN ou de l'ARN code pour l'information génétique de la cellule. La capacité des bases des différents acides nucléiques de se reconnaître et de s'apparier l'une avec l'autre par des liaisons hydrogène (appelée *appariement de bases*) – G avec C et A avec soit U soit T – est à la base de toute l'hérédité et de l'évolution, comme nous l'expliquerons dans le chapitre 4.

La chimie de la cellule est dominée par des macromolécules aux propriétés remarquables

Si on se base sur le poids, les macromolécules sont de loin les molécules à base de carbone les plus abondantes d'une cellule vivante (Figure 2-29 et Tableau 2-IV). Elles représentent l'unité de construction principale à partir de laquelle la cellule est édifiée ainsi que les composants qui fournissent les propriétés les plus caractéristiques des êtres vivants. Les macromolécules des cellules sont des polymères qui sont construits simplement par liaison covalente de petites molécules organiques (appelées *monomères*, ou *sous-unités*) pour former de longues chaînes (Figures 2-30). Cependant, elles ont de nombreuses propriétés remarquables qui ne peuvent pas être prédites à partir de leurs seuls constituants.

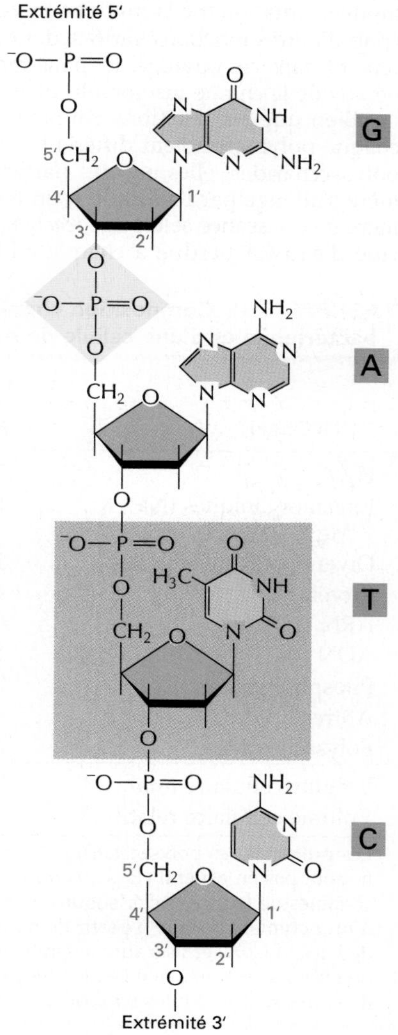

Figure 2-28 Une petite partie d'une chaîne d'acide désoxyribonucléique (ADN). Quatre nucléotides sont montrés. Une des liaisons phosphodiester qui lie les résidus adjacents de nucléotides est surlignée en *jaune* et un des nucléotides est *grisé*. Les nucléotides sont reliés par une liaison phosphodiester entre des atomes de carbone spécifiques du ribose, appelés atomes 5′ et 3′. Pour cette raison, une extrémité de la chaîne du polynucléotide, l'extrémité 5′ présentera un groupement phosphate libre et l'autre, l'extrémité 3′, un groupement hydroxyle libre. La séquence linéaire des nucléotides dans une chaîne polynucléotidique est souvent abrégée par une lettre code et la séquence est toujours lue à partir de l'extrémité 5′. Dans l'exemple illustré ici, la séquence est G–A–T–C.

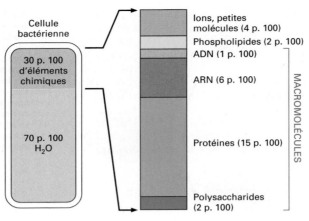

Figure 2-29 Les macromolécules sont abondantes dans la cellule. La composition approximative d'une cellule bactérienne est montrée en fonction du poids. La composition d'une cellule animale est similaire (*voir* Tableau 2-IV).

Les protéines sont particulièrement abondantes et polyvalentes. Elles effectuent des milliers de fonctions distinctes dans la cellule. De nombreuses protéines servent d'*enzymes*, catalyseurs qui entraînent un grand nombre de réactions formant et rompant les liaisons dont la cellule a besoin. Toutes les réactions par lesquelles les cellules extraient l'énergie des molécules alimentaires sont catalysées par des protéines qui servent d'enzymes, par exemple, et une enzyme appelée ribulose bis-phosphate carboxylase transforme le CO_2 en sucres dans les organismes photosynthétiques, produisant la majeure partie de la matière organique nécessaire à la vie sur Terre. D'autres protéines sont utilisées pour fabriquer les composants structuraux, comme la tubuline, une protéine qui s'auto-assemble pour fabriquer les longs microtubules cellulaires – ou les histones, protéines qui compactent l'ADN dans les chromosomes. Cependant d'autres protéines agissent comme des moteurs moléculaires pour produire de la force et des mouvements comme la myosine musculaire. Les protéines peuvent aussi avoir beaucoup d'autres fonctions variées, dont nous examinerons la base moléculaire ultérieurement dans cet ouvrage. Ici nous mentionnerons simplement certains principes généraux de la chimie macromoléculaire qui permettent ces fonctions.

Bien que les réactions chimiques qui permettent d'ajouter des sous-unités à chaque polymère soient différentes entre les protéines, les acides nucléiques et les polysaccharides, elles ont des particularités communes importantes. Chaque polymère s'allonge par l'addition d'un monomère sur l'extrémité d'une chaîne de polymère en croissance selon une *réaction de condensation*, au cours de laquelle une molécule d'eau est perdue à chaque addition d'une sous-unité (*voir* Figure 2-19). La

TABLEAU 2-IV Composition chimique approximative d'une cellule bactérienne et d'une cellule de mammifère typiques

COMPOSANT	POURCENTAGE DU POIDS CELLULAIRE TOTAL	
	E. COLI (BACTÉRIE)	CELLULE DE MAMMIFÈRE
H_2O	70	70
Ions inorganiques (Na^+, K^+, Mg^{2+}, Ca^{2+}, Cl^-, etc.)	1	1
Divers petits métabolites	3	3
Protéines	15	18
ARN	6	1,1
ADN	1	0,25
Phospholipides	2	3
Autres lipides	–	2
Polysaccharides	2	2
Volume cellulaire total	$2 \times 10^{-12}\,cm^3$	$4 \times 10^{-9}\,cm^3$
Volume cellulaire relatif	1	2 000

Les protéines, les polysaccharides, l'ADN et l'ARN sont des macromolécules. Les lipides ne sont pas en général classés comme des macromolécules même s'ils partagent certaines de leurs caractéristiques ; par exemple, la plupart sont synthétisés sous forme d'un polymère linéaire à partir de molécules plus petites (le groupement acétyle de l'acétyl CoA) et ils s'auto-assemblent dans des structures plus importantes (membranes). Notez que l'eau et les protéines constituent la plus grande partie de la masse des cellules bactériennes et des mammifères.

polymérisation graduelle des monomères dans une longue chaîne est une façon simple de fabriquer une grande molécule complexe, car les sous-unités sont ajoutées par la même réaction effectuée encore et encore par le même groupe d'enzymes. Dans un sens, ce processus ressemble à l'opération répétitive d'une machine dans une usine – excepté dans un aspect crucial. Sauf certains polysaccharides, la plupart des macromolécules sont faites à partir d'un ensemble de monomères qui sont légèrement différents les uns des autres – par exemple les 20 acides aminés différents qui forment les protéines. Il est crucial pour la vie que la chaîne de polymères ne s'assemble pas au hasard à partir de ces sous-unités ; au contraire, les sous-unités sont ajoutées dans un ordre, ou *séquence*, particulier. Les mécanismes complexes qui permettent cet accomplissement par les enzymes sont décrits de façon détaillée dans les chapitres 5 et 6.

Des liaisons non covalentes spécifient à la fois la forme précise d'une macromolécule et sa liaison aux autres molécules

La plupart des liaisons covalentes d'une macromolécule permettent la rotation des atomes qu'elles relient de telle sorte que la chaîne de polymères possède une grande souplesse. En principe, cela permet à une macromolécule d'adopter un nombre presque illimité de formes, ou *conformations*, lorsque le polymère se tord ou s'enroule sous l'influence de l'énergie thermique aléatoire. Cependant, les formes de la plupart des macromolécules biologiques sont hautement restreintes à cause des nombreuses *liaisons* faibles *non covalentes* qui se forment entre les différentes parties de la molécule. Si ces liaisons non covalentes se forment en nombre suffisant, le polymère peut préférer fortement une conformation particulière, déterminée par la séquence linéaire des monomères de sa chaîne. Virtuellement toutes les protéines et beaucoup des petites molécules d'ARN des cellules se replient de cette façon pour adopter une conformation hautement préférentielle (Figure 2-31).

Les quatre types importants d'interactions non covalentes des molécules biologiques ont déjà été décrits dans ce chapitre et sont repris dans la planche 2-3 (p. 114-115). Bien qu'individuellement très faibles, ces interactions ne coopèrent pas seulement pour replier les macromolécules biologiques en une forme précise, mais peuvent aussi s'additionner pour créer une forte attraction entre deux molécules différentes lorsque ces molécules s'adaptent de près comme une main et son gant. Cette forme d'interaction moléculaire s'accompagne d'une grande spécificité, tout comme les multiples points de contact nécessaires à une forte liaison permettent qu'une macromolécule choisisse – par sa liaison – juste un type de molécule parmi les nombreux milliers d'autres présents dans la cellule. De plus, comme la force de la liaison dépend du nombre de liaisons non covalentes formées, les interactions peuvent se former selon presque tous les types d'affinité – ce qui permet une dissociation rapide si nécessaire.

Les liaisons de ce type sont à la base de toutes les catalyses biologiques et permettent aux protéines de fonctionner comme enzymes. Les interactions non covalentes permettent d'utiliser les macromolécules comme éléments de construction pour former des structures plus importantes. Dans les cellules, les macromolécules s'unissent souvent dans de gros complexes. Elles forment ainsi des machines compliquées pourvues de multiples parties mobiles qui effectuent des tâches complexes comme la réplication de l'ADN et la synthèse protéique (Figure 2-32).

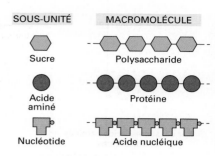

Figure 2-30 Trois familles de macromolécules. Chacune est un polymère formé de petites molécules (appelées monomères ou sous-unités) reliées par des liaisons covalentes.

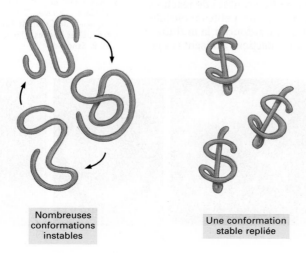

Nombreuses conformations instables

Une conformation stable repliée

Figure 2-31 La plupart des protéines et de nombreuses molécules d'ARN se replient en une seule conformation stable. Si les liaisons non covalentes maintenant cette conformation stable sont détruites, la molécule devient une chaîne souple qui n'a généralement aucun intérêt biologique.

| SOUS-UNITÉS | | MACROMOLÉCULES | | ASSEMBLAGE DE MACROMOLÉCULES |

 Liaisons covalentes →  Liaisons non covalentes →

Par ex. sucres, acides aminés et nucléotides

Par ex. protéines globulaires et ARN

30 nm

Par ex. ribosome

Figure 2-32 Petites molécules, protéines et un ribosome dessinés approximativement selon l'échelle. Les ribosomes constituent une partie centrale de la machinerie utilisée par la cellule pour fabriquer les protéines ; chaque ribosome est formé d'un complexe d'environ 90 macromolécules (molécules d'ARN et protéines).

Résumé

Les organismes vivants sont des systèmes chimiques autonomes qui s'auto-propagent. Ils sont fabriqués à partir d'un ensemble caractéristique et restreint de petites molécules à base de carbone qui sont essentiellement identiques quelle que soit l'espèce vivante. Chacune de ces molécules est composée d'un petit ensemble d'atomes reliés les uns aux autres selon une configuration précise par des liaisons covalentes. Les principales catégories sont les sucres, les acides gras, les acides aminés et les nucléotides. Les sucres représentent la source primaire d'énergie chimique pour la cellule et peuvent être incorporés dans des polysaccharides pour stocker l'énergie. Les acides gras sont également des réserves énergétiques importantes, mais leur principale fonction est de former les membranes cellulaires. Les polymères constitués d'acides aminés forment des macromolécules remarquablement variées et polyvalentes appelées protéines. Les nucléotides jouent un rôle central dans le transfert d'énergie. Ils constituent également les sous-unités à partir desquelles les macromolécules qui transmettent l'information, l'ARN et l'ADN, sont fabriquées.

La plus grande partie de la masse sèche d'une cellule est composée de macromolécules produites sous forme de polymères linéaires d'acides aminés (protéines) ou de nucléotides (ADN et ARN), reliés les uns aux autres de façon covalente dans un ordre précis. Les macromolécules protéiques et une grande partie de l'ARN se replient pour adopter une conformation précise qui dépend de la séquence de leurs sous-unités. Ce processus de repliement crée des surfaces particulières et dépend d'une grande quantité d'interactions faibles produites par des forces non covalentes entre les atomes. Ces forces sont de quatre types : forces ioniques, liaisons hydrogène, forces d'attraction de van der Waals et interactions entre les groupements non polaires provoquées par leur expulsion hydrophobe de l'eau. Ce même ensemble de forces faibles gouverne les liaisons spécifiques d'autres molécules sur les macromolécules et permet la myriade d'associations entre les molécules biologiques qui produit la structure et la chimie d'une cellule.

CATALYSE ET UTILISATION DE L'ÉNERGIE PAR LA CELLULE

Parmi toutes les propriétés des êtres vivants, une, en particulier, les rend presque miraculeusement différents de la matière non vivante : ils créent et maintiennent l'ordre, dans un univers qui tend toujours à un plus grand désordre (Figure 2-33). Pour créer cet ordre, la cellule d'un organisme vivant doit effectuer un flux continu de réactions chimiques. Certaines de ces réactions dégradent ou modifient les petites molécules organiques – acides aminés, sucres, nucléotides et lipides – pour fournir la multitude d'autres petites molécules dont la cellule a besoin. D'autres réactions utilisent ces pe-

Figure 2-33 L'ordre dans les structures biologiques. Des motifs en trois dimensions, bien définis, décorés et magnifiques peuvent s'observer à chaque niveau d'organisation dans les êtres vivants. Par ordre de taille croissante : (A) molécule protéique de l'enveloppe d'un virus ; (B) disposition régulière des microtubules, observée sur la coupe transversale du flagelle d'un spermatozoïde ; (C) contour de la surface d'un grain de pollen (une seule cellule) ; (D) vue rapprochée de l'aile d'un papillon montrant le motif créé par les écailles, chacune étant le produit d'une seule cellule ; (E) disposition en spirale des graines, constituées de millions de cellules, de la tête d'un tournesol. (A, due à l'obligeance de R.A. Grant et J. M. Hogle ; B, due à l'obligeance de Lewis Tilney ; C, due à l'obligeance de Colin MacFarlane et Chris Jeffree ; D et E, dues à l'obligeance de Kjell B. Sandved.)

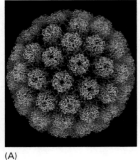
(A)

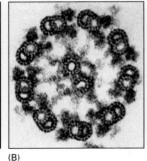
(B)

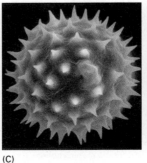
(C)

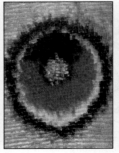
(D)

(E)

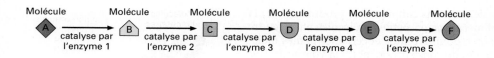

ABRÉGÉ EN

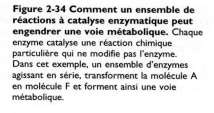

tites molécules pour fabriquer la gamme très large et variée de protéines, d'acides nucléiques et d'autres macromolécules qui dotent les systèmes vivants de toutes leurs propriétés particulières. On peut considérer que chaque cellule est une minuscule usine chimique qui effectue plusieurs millions de réactions chaque seconde.

Le métabolisme cellulaire est organisé par les enzymes

Les réactions chimiques exécutées par la cellule devraient normalement se produire à une température beaucoup plus élevée que celle de la cellule. C'est pourquoi, chaque réaction nécessite un accélérateur spécifique de la réactivité chimique. Ce besoin est crucial, parce qu'il permet à la cellule de contrôler chaque réaction. Ce contrôle est exercé par des protéines spécialisées, les *enzymes*, dont chacune accélère, ou *catalyse*, une seule sorte de réactions, parmi les nombreuses qu'une molécule particulière peut subir. Les réactions catalysées par les enzymes sont généralement reliées en série de telle sorte que le produit d'une réaction devient le matériel de départ, ou *substrat* de la suivante (Figure 2-34). Ces longues voies de réactions linéaires sont à leur tour reliées les unes aux autres pour former un réseau de réactions interconnectées qui permet à la cellule de survivre, de croître et de se reproduire (Figure 2-35).

Figure 2-34 Comment un ensemble de réactions à catalyse enzymatique peut engendrer une voie métabolique. Chaque enzyme catalyse une réaction chimique particulière qui ne modifie pas l'enzyme. Dans cet exemple, un ensemble d'enzymes agissant en série, transforment la molécule A en molécule F et forment ainsi une voie métabolique.

Figure 2-35 Quelques voies métaboliques et leurs interconnexions dans une cellule typique. Près de 500 réactions métaboliques fréquentes sont montrées sur ce diagramme, chaque molécule d'une voie métabolique représentée par un cercle plein comme dans l'*encadré jaune* de la figure 2-34.

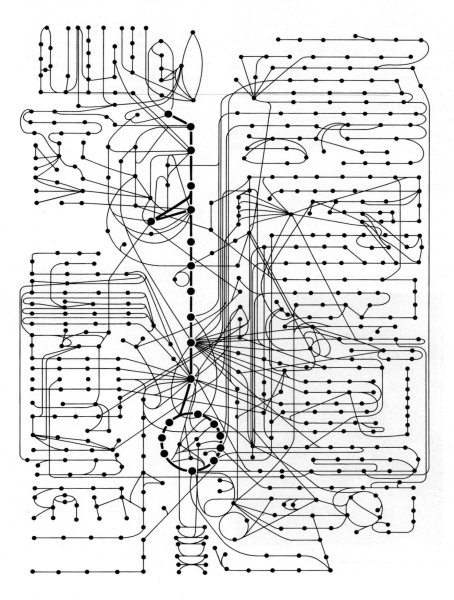

Dans la cellule, deux flux opposés de réactions chimiques se produisent : (1) la voie *catabolique* dégrade les denrées alimentaires en petites molécules et engendre ainsi à la fois une forme d'énergie très utile pour la cellule et certaines petites molécules utilisées par la cellule comme élément de construction, et (2) la voie *anabolique* ou de *biosynthèse*, utilise l'énergie fournie par le catabolisme pour effectuer la synthèse des nombreuses autres molécules qui forment la cellule. L'ensemble de ces deux groupes de réactions constitue le **métabolisme** cellulaire (Figure 2-36).

De nombreuses particularités du métabolisme cellulaire constituent le sujet traditionnel de la *biochimie* et ne nous concernent pas ici. Mais les principes généraux qui permettent à la cellule d'obtenir de l'énergie à partir de son environnement et de l'utiliser pour créer de l'ordre sont au centre de la biologie cellulaire. Nous commencerons par expliquer pourquoi l'apport constant d'énergie est nécessaire au maintien des organismes vivants.

L'ordre biologique est rendu possible par la libération cellulaire d'énergie thermique

La tendance universelle des choses à se mettre en désordre s'exprime dans un des principes fondamentaux de physique – le *second principe de la thermodynamique* – qui énonce que, dans l'univers, ou dans n'importe quel système isolé (un groupe de matière complètement isolé du reste de l'univers), le degré de désordre ne peut qu'augmenter. Ce principe a des implications si profondes pour tous les organismes vivants que cela vaut la peine de le reformuler de plusieurs façons.

Par exemple, si nous représentons ce deuxième principe en termes de probabilité, nous pouvons énoncer que les systèmes spontanément iront vers les états de plus grande probabilité. Considérons par exemple, une boîte de 100 pièces disposées côté face : si une série d'accidents perturbe la boîte, cette disposition aura tendance à se modifier, de telle sorte qu'on obtiendra un mélange de 50 pièces côté pile et 50 côté face. La raison est simple : il existe un nombre considérable d'arrangements possibles des pièces prises individuellement dans le mélange qui permet d'atteindre le résultat 50-50, mais un seul arrangement possible permet de maintenir toutes les pièces côté face. Comme le mélange 50-50 est donc le plus probable, nous dirons qu'il est le plus «désordonné». Pour la même raison, il est fréquent que l'espace où nous vivons devienne de plus en plus désordonné si nous ne faisons pas intentionnellement des efforts ; le mouvement vers le désordre est un *processus spontané* qui nécessite un effort périodique pour l'inverser (Figure 2-37).

Il est possible de quantifier la quantité de désordre dans un système. La quantité utilisée pour le mesurer est appelée **entropie** du système : plus le désordre est

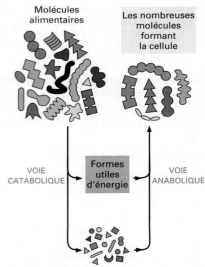

Molécules alimentaires

Les nombreuses molécules formant la cellule

VOIE CATABOLIQUE

Formes utiles d'énergie

VOIE ANABOLIQUE

Nombreux éléments de construction pour la biosynthèse

Figure 2-36 Représentation schématique des relations entre les voies cataboliques et anaboliques du métabolisme. Comme cela est ici suggéré, une portion majeure de l'énergie stockée dans les liaisons chimiques des molécules alimentaires est dissipée sous forme de chaleur. Par conséquent la masse d'aliment nécessaire à chaque organisme qui tire toute son énergie du catabolisme est beaucoup plus grande que la masse de molécules qui peut être produite par anabolisme.

RÉACTION «SPONTANÉE»
avec le temps qui passe

EFFORT ORGANISÉ NÉCESSITANT UN APPORT D'ÉNERGIE

Figure 2-37 Illustration quotidienne d'une dérive spontanée vers le désordre. Le renversement de cette tendance au désordre nécessite un effort intentionnel et un apport d'énergie ; il n'est pas spontané. En fait, selon le second principe de thermodynamique, nous pouvons être certains que l'intervention humaine nécessaire libérera assez de chaleur dans l'environnement pour plus que compenser la remise en ordre des affaires de cette chambre.

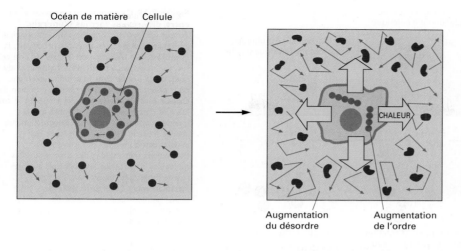

Océan de matière   Cellule

Augmentation du désordre   Augmentation de l'ordre

CHALEUR

Figure 2-38 Simple analyse thermodynamique d'une cellule vivante. Sur le schéma de gauche, les molécules des cellules et du reste de l'univers (l'océan de matière) sont dépeintes dans un état relativement désordonné. Sur le schéma de droite, les cellules ont pris l'énergie des molécules alimentaires et ont libéré de la chaleur par une réaction qui ordonne les molécules que la cellule contient. Comme la chaleur augmente le désordre de l'environnement qui entoure la cellule (figuré par les *flèches brisées* et les molécules distordues, qui indiquent l'augmentation des mouvements moléculaires provoqués par la chaleur), le second principe de la thermodynamique – qui énonce que la quantité de désordre de l'univers doit toujours augmenter – est satisfaite lorsque la cellule se développe et se divise. Pour plus de détails, *voir* Planche 2-7 (p. 122-123).

grand, plus l'entropie est grande. De ce fait une troisième façon d'exprimer ce second principe de la thermodynamique est de dire que les systèmes évoluent spontanément vers l'arrangement qui a la plus grande entropie.

Les cellules vivantes – par leur survie, leur croissance et la formation d'organismes complexes – engendrent de l'ordre, et semblent donc défier le second principe de thermodynamique. Comment est-ce possible ? La réponse tient dans le fait que la cellule n'est pas un système isolé : elle tire son énergie de l'environnement sous forme de nourriture ou de photons issus du soleil (ou même comme certaines bactéries chimiosynthétiques, de molécules inorganiques seules) et utilise ensuite cette énergie pour engendrer un ordre à l'intérieur d'elle-même. Au cours des réactions chimiques qui génèrent de l'ordre, une partie de l'énergie utilisée par la cellule est transformée en chaleur. Cette dernière est libérée dans l'environnement cellulaire et le met en désordre, de telle sorte que l'entropie totale – celle de la cellule plus celle de son environnement – augmente, comme l'exigent les principes de physique.

Pour comprendre les principes qui gouvernent ces conversions énergétiques, pensons à une cellule située dans un océan de matière représentant le reste de l'univers. Lorsque la cellule vit et grandit, elle crée un ordre interne. Mais elle libère de l'énergie thermique par la synthèse de molécules et leur assemblage en structure cellulaire. La chaleur est la forme la plus désordonnée d'énergie – une bousculade aléatoire de molécules. Lorsque la cellule libère de la chaleur dans l'océan, elle augmente l'intensité des mouvements moléculaires à cet endroit (mouvements thermiques) – et augmente ainsi le caractère aléatoire, ou désordre, de l'océan. Le second principe de la thermodynamique est satisfait parce que l'augmentation de la quantité d'ordre à l'intérieur de la cellule est plus que compensée par la baisse de l'ordre (augmentation de l'entropie) dans l'océan de matière environnant (Figure 2-38).

D'où vient la chaleur libérée par la cellule ? Nous rencontrons ici un autre principe important de thermodynamique. Le *premier principe de thermodynamique* énonce que l'énergie peut être transformée d'une forme en une autre, mais qu'elle ne peut être ni créée ni détruite. Certaines formes d'énergie sont illustrées dans la figure 2-39. La quantité d'énergie sous chaque forme différente se modifiera du fait des réactions chimiques à l'intérieur de la cellule, mais le premier principe stipule que la quantité totale d'énergie doit toujours être la même. Par exemple, une cellule animale tire l'énergie des denrées alimentaires et transforme une partie des liaisons chimiques présentes entre les atomes de ces molécules alimentaires (énergie des liaisons chimiques) en mouvement thermique aléatoire des molécules (énergie thermique). Cette conversion de l'énergie chimique en énergie thermique est essentielle pour que les réactions à l'intérieur de la cellule rendent l'univers, considéré comme un tout, encore plus désordonné — comme le stipule le second principe.

Les cellules ne peuvent tirer aucun profit de l'énergie thermique qu'elles libèrent sauf si les réactions génératrices de chaleur à l'intérieur de la cellule sont directement reliées aux processus qui engendrent l'ordre moléculaire. C'est ce *couplage* étroit entre la production de chaleur et l'augmentation de l'ordre qui distingue le métabolisme d'une cellule du gaspillage de la combustion d'un carburant dans un feu. Nous illustrerons plus loin dans ce chapitre comment s'effectue ce couplage. Pour le moment, il nous suffit de reconnaître que l'existence d'une liaison directe entre la «combustion» des molécules alimentaires et la formation d'un ordre biologique est nécessaire si les cellules doivent créer et maintenir un îlot d'ordre dans un univers ayant tendance au chaos.

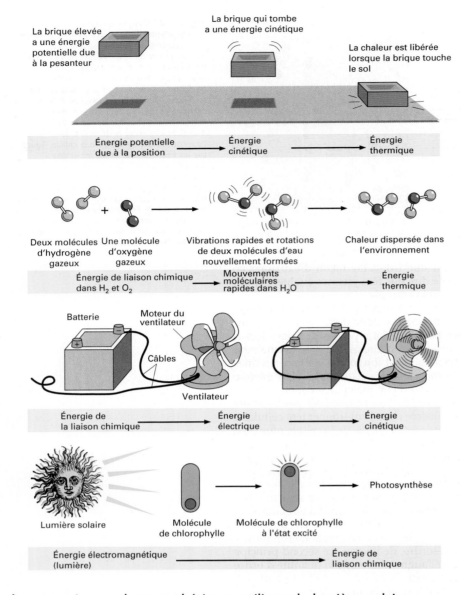

Figure 2-39 Certaines interconversions entre différentes formes d'énergie.
Toutes les formes d'énergie sont, en principe, interchangeables. Dans tous ces processus, la quantité totale d'énergie est conservée; de ce fait, par exemple, à partir de la hauteur et du poids de la brique dans le premier exemple, nous pouvons prédire exactement combien de chaleur sera libérée lorsqu'elle atteindra le sol. Dans le deuxième exemple, notez que la grande quantité d'énergie de liaison chimique libérée lorsque de l'eau est formée est initialement convertie en mouvements thermiques très rapides des deux nouvelles molécules d'eau; mais les collisions avec les autres molécules disséminent presque instantanément l'énergie cinétique uniformément dans l'ensemble de l'environnement (transfert de chaleur), ce qui rend les nouvelles molécules indifférenciables des autres.

Les organismes photosynthétiques utilisent la lumière solaire pour synthétiser les molécules organiques

Tous les animaux vivent de l'énergie stockée dans les liaisons chimiques des molécules organiques fabriquées par d'autres organismes qu'ils utilisent comme nourriture. Les molécules alimentaires fournissent aussi les atomes dont les animaux ont besoin pour construire de nouvelles matières vivantes. Certains animaux obtiennent leur nourriture en mangeant d'autres animaux. Mais au bas de la chaîne alimentaire se trouvent les animaux qui mangent les végétaux. Les végétaux à leur tour captent l'énergie directement de la lumière solaire. Il en résulte que toute l'énergie utilisée par les cellules animales dérive en fin de compte du soleil.

L'énergie solaire entre dans le monde vivant par la **photosynthèse** qui s'effectue dans les végétaux et les bactéries photosynthétiques. La photosynthèse permet de transformer l'énergie électromagnétique de la lumière solaire en une énergie par liaison chimique dans la cellule. Les végétaux sont capables d'obtenir tous les atomes dont ils ont besoin à partir de sources inorganiques : le carbone à partir du dioxyde de carbone atmosphérique, l'hydrogène et l'oxygène à partir de l'eau, l'azote à partir de l'ammoniac et des nitrates du sol et les autres éléments utilisés en plus petite quantité à partir des sels inorganiques du sol. Ils utilisent l'énergie qu'ils tirent de la lumière solaire pour fabriquer, à partir de ces atomes, des sucres, des acides aminés, des nucléotides et des acides gras. Ces petites molécules sont transformées à leur tour en protéines, acides nucléiques, polysaccharides et lipides qui constituent le végétal. Toutes ces substances servent de molécules alimentaires pour les animaux si ces végétaux sont ensuite mangés.

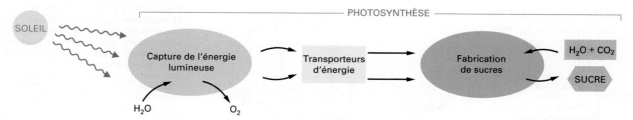

Figure 2-40 Photosynthèse. Les deux étapes de la photosynthèse. Les transporteurs d'énergie créés au cours de la première étape sont deux molécules que nous aborderons prochainement – ATP et NADPH.

Les réactions de photosynthèse s'effectuent en deux étapes (Figure 2-40). Au cours de la première étape, l'énergie de la lumière solaire est capturée et stockée transitoirement sous forme d'énergie de liaison chimique dans de petites molécules spécialisées qui agissent comme transporteurs d'énergie et groupements chimiques réactifs. (Nous parlerons ultérieurement de ces molécules de transport). L'oxygène moléculaire (gaz O_2) dérivé de la scission de l'eau par la lumière est le produit de dégradation libéré au cours de cette première étape.

Pendant la seconde étape, les molécules qui servent de transporteurs d'énergie sont utilisées pour entraîner les *processus de fixation du carbone*. Au cours de ceux-ci, des sucres sont fabriqués à partir du dioxyde de carbone gazeux (CO_2) et d'eau (H_2O), et fournissent ainsi une source très utile d'énergie de liaison chimique et de matériel de réserve – pour le végétal lui-même et pour les animaux qui peuvent le manger. Nous décrirons les mécanismes élégants qui sont à la base de ces deux étapes de la photosynthèse dans le chapitre 14.

Le résultat net du processus complet de la photosynthèse, si nous considérons les végétaux verts, peut être résumé simplement par cette équation :

$$\text{énergie lumineuse} + CO_2 + H_2O \rightarrow \text{sucres} + O_2 + \text{énergie thermique.}$$

Les sucres produits sont ensuite utilisés à la fois comme source d'énergie de liaison chimique et comme source de matériaux pour la fabrication des nombreuses autres molécules organiques, petites ou grandes, essentielles à la cellule végétale.

Les cellules obtiennent l'énergie par oxydation des molécules organiques

Toutes les cellules animales et végétales sont actionnées par l'énergie mise en réserve dans les liaisons chimiques des molécules organiques, que ce soit dans les sucres photosynthétisés par les végétaux pour s'alimenter eux-mêmes, ou dans le mélange de petites et grandes molécules mangées par l'animal. Afin d'utiliser cette énergie pour vivre, croître et se reproduire, les organismes doivent l'extraire sous une forme utilisable. Dans les végétaux et les animaux, l'énergie est extraite à partir des molécules alimentaires par un processus d'oxydation graduelle ou de combustion contrôlée.

L'atmosphère terrestre contient une grande quantité d'oxygène et, en présence d'oxygène, la forme de carbone la plus énergétiquement stable est CO_2 et celle de l'hydrogène est H_2O. Une cellule peut donc obtenir de l'énergie à partir des sucres ou d'autres molécules organiques en permettant aux atomes de carbone et d'hydrogène de se combiner à l'oxygène pour produire respectivement CO_2 et H_2O – un processus appelé **respiration**.

La photosynthèse et la respiration sont des processus complémentaires (Figure 2-41). Cela signifie que les transactions entre les végétaux et les animaux ne se font pas que d'une seule manière. Les végétaux, les animaux et les micro-organismes existent sur cette planète depuis si longtemps que beaucoup d'entre eux sont devenus une partie essentielle de l'environnement des autres. L'oxygène libéré par photosynthèse est consommé par presque tous les organismes dans la combustion des molécules organiques. Et une partie des molécules de CO_2 fixées aujourd'hui par la photosynthèse d'une feuille verte dans ses molécules organiques a été libérée hier dans l'atmosphère par la respiration d'un animal – ou par celle d'un champignon ou d'une bactérie décomposant la matière organique morte. Nous voyons de ce fait que l'utilisation du carbone forme un cycle énorme qui implique la *biosphère* (tous les organismes vivants sur terre) en tant que tout, et franchit les frontières entre les organismes individuels (Figure 2-42). De même, les atomes d'azote, de phosphore et de soufre se déplacent entre les mondes vivant et non vivant selon des cycles qui impliquent les végétaux, les animaux, les champignons et les bactéries.

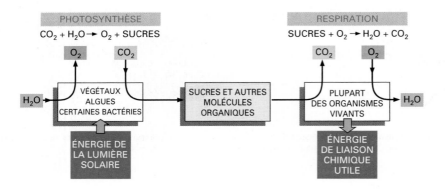

PHOTOSYNTHÈSE		RESPIRATION
$CO_2 + H_2O \rightarrow O_2 + SUCRES$		$SUCRES + O_2 \rightarrow H_2O + CO_2$

Figure 2-41 La photosynthèse et la respiration sont des processus complémentaires du monde vivant. La photosynthèse utilise l'énergie de la lumière solaire pour produire des sucres et d'autres molécules organiques. Ces molécules à leur tour servent de nourriture pour d'autres organismes. Beaucoup de ces organismes effectuent la respiration, un processus qui utilise O_2 pour former CO_2 à partir des mêmes atomes de carbone qui ont été prélevés sous forme de CO_2 et transformés en sucres par photosynthèse. Dans ce processus, les organismes qui respirent obtiennent l'énergie dont ils ont besoin pour survivre par liaison chimique. On pense que les premières cellules sur Terre n'étaient pas capables de photosynthèse ni de respiration (nous le verrons au chapitre 14). Cependant, la photosynthèse doit avoir précédé la respiration sur Terre car il y a de fortes preuves que des milliards d'années de photosynthèse ont été nécessaires avant qu'O_2 n'ait été libéré en quantité suffisante pour créer une atmosphère riche en ce gaz. (L'atmosphère terrestre contient actuellement 20 p. 100 d'O_2).

Oxydation et réduction mettent en jeu un transfert d'électrons

Les cellules n'oxydent pas les molécules organiques en une seule étape comme cela se produit lorsqu'on brûle les matériaux organiques dans un feu. Par l'intermédiaire de catalyseurs enzymatiques, le métabolisme fait entrer les molécules dans un grand nombre de réactions qui n'impliquent que rarement l'addition directe d'oxygène. Avant de considérer certaines de ces réactions et leur pourquoi, nous devons expliquer ce que signifie le processus d'oxydation.

L'**oxydation**, dans le sens utilisé ci-dessus, ne signifie pas uniquement l'addition d'atomes d'oxygène ; elle englobe plus généralement toutes les réactions au cours desquelles des électrons sont transférés d'un atome à l'autre. L'oxydation utilisée dans ce sens se réfère à un retrait d'électrons et la **réduction** – l'inverse de l'oxydation – signifie l'addition d'électrons. De ce fait Fe^{2+} est oxydé s'il perd un électron pour devenir Fe^{3+}, et l'atome de chlore est réduit s'il gagne un électron pour devenir Cl^-. Comme, dans une réaction chimique, le nombre d'électrons est conservé (ni perte ni gain), l'oxydation et la réduction se produisent toujours simultanément ; c'est-à-dire que si une molécule gagne un électron dans une réaction (réduction), une seconde molécule perd un électron (oxydation). Lorsqu'une molécule de sucre est oxydée en CO_2 et H_2O par exemple, les molécules d'O_2 impliquées dans la formation de H_2O gagnent des électrons ; de ce fait, on dit qu'elles ont été réduites.

Les termes «oxydation» et «réduction» s'appliquent même lorsqu'il y a un déplacement partiel d'électrons entre des atomes liés par une liaison covalente (Figure 2-43). Lorsqu'un atome de carbone se lie de façon covalente à un atome ayant une forte affinité pour les électrons, comme l'oxygène, le chlore ou le soufre, par exemple, il abandonne plus que sa part d'électrons et forme une liaison covalente *polaire* : la charge positive du noyau de carbone devient alors un peu plus grande que la charge négative de ses électrons et l'atome acquiert de ce fait une charge positive partielle. On dit qu'il est oxydé. À l'inverse, un atome de carbone d'une liaison C–H a partagé légèrement plus d'électrons et donc est dit réduit (*voir* Figure 2-43).

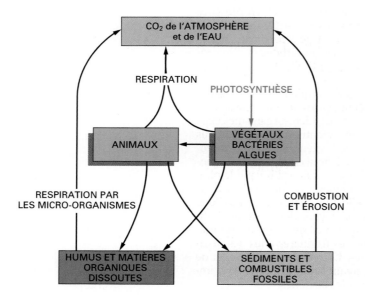

Figure 2-42 Le cycle du carbone. Les atomes de carbone pris individuellement sont incorporés dans les molécules organiques du monde vivant par l'activité de photosynthèse des végétaux, des bactéries et des algues marines. Ils passent aux animaux, micro-organismes et matières organiques du sol et des océans par des voies cycliques. CO_2 est rendu à l'atmosphère lorsque les molécules organiques sont oxydées par les cellules ou brûlées par les hommes comme combustible fossile.

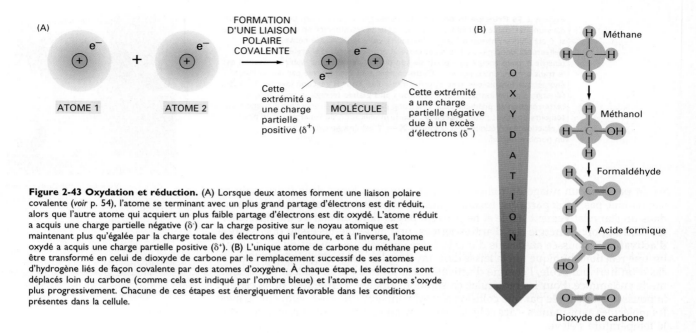

Figure 2-43 Oxydation et réduction. (A) Lorsque deux atomes forment une liaison polaire covalente (*voir* p. 54), l'atome se terminant avec un plus grand partage d'électrons est dit réduit, alors que l'autre atome qui acquiert un plus faible partage d'électrons est dit oxydé. L'atome réduit a acquis une charge partielle négative (δ^-) car la charge positive sur le noyau atomique est maintenant plus qu'égalée par la charge totale des électrons qui l'entoure, et à l'inverse, l'atome oxydé a acquis une charge partielle positive (δ^+). (B) L'unique atome de carbone du méthane peut être transformé en celui de dioxyde de carbone par le remplacement successif de ses atomes d'hydrogène liés de façon covalente par des atomes d'oxygène. À chaque étape, les électrons sont déplacés loin du carbone (comme cela est indiqué par l'ombre bleue) et l'atome de carbone s'oxyde plus progressivement. Chacune de ces étapes est énergiquement favorable dans les conditions présentes dans la cellule.

Lorsqu'une molécule d'une cellule capte un électron (e^-), elle capte souvent en même temps un proton (H^+) (les protons sont librement disponibles dans l'eau). Dans ce cas l'effet net est l'ajout d'un atome d'hydrogène à la molécule :

$$A + e^- + H^+ \rightarrow AH$$

Même si un proton plus un électron sont impliqués (et non pas simplement un électron), ces réactions d'*hydrogénation* sont des réductions et leur inverse, les réactions de *déshydrogénation*, sont des oxydations. Il est particulièrement facile de dire si une molécule organique est oxydée ou réduite : la réduction se produit si son nombre de liaisons C–H augmente alors que l'oxydation se produit si son nombre de liaisons C–H diminue (*voir* Figure 2-43B).

Les cellules utilisent les enzymes pour catalyser, par petites étapes, l'oxydation des molécules organiques, selon une séquence de réactions qui permettent de recueillir l'énergie utile. Nous devons maintenant expliquer comment fonctionnent les enzymes ainsi que certaines contraintes sous lesquelles elles opèrent.

Les enzymes abaissent les barrières qui bloquent les réactions chimiques

Considérons la réaction :

$$\text{papier} + O_2 \rightarrow \text{fumée} + \text{cendres} + \text{chaleur} + CO_2 + H_2O$$

Le papier brûle facilement et libère dans l'atmosphère de l'énergie sous forme de chaleur ainsi que de l'eau et du dioxyde de carbone sous forme gazeuse, mais la fumée et les cendres ne récupèrent jamais spontanément ces entités dans l'atmosphère chauffée pour se reconstituer elles-mêmes en papier. Lorsque le papier brûle, son énergie chimique est dissipée sous forme de chaleur – non perdue pour l'univers, car l'énergie ne peut jamais être créée ou détruite, mais dispersée de façon non récupérable dans des mouvements moléculaires thermiques aléatoires et chaotiques. En même temps, les atomes et les molécules de papier se dispersent et se désorganisent. En langage thermodynamique, il y a eu une perte d'*énergie libre*, c'est-à-dire de l'énergie qui peut être mise au service du travail ou engendrer des réactions chimiques. Cette perte reflète une perte d'ordre, dans le sens où l'énergie et les molécules étaient stockées dans le papier. Nous traiterons plus en détail de l'énergie libre prochainement, mais le principe général est clair assez intuitivement : les réactions chimiques ne s'effectuent que dans la direction qui conduit à une perte d'énergie libre ; en d'autres termes, la direction spontanée de n'importe quelle réaction est celle qui mène vers la descente. Une réaction «en descente» est souvent dite *énergétiquement favorable*.

Même si la forme la plus énergétiquement favorable du carbone dans les conditions ordinaires est CO_2 et celle de l'hydrogène est H_2O, un organisme vivant ne dis-

dans un état stable et il faut de l'énergie pour le transformer en composé Y, même
si Y est dans un niveau d'énergie inférieur à celui de X. Cette conversion ne
s'effectuera donc pas sauf si le composé X acquiert assez d'énergie d'activation
(*énergie a moins énergie b*) à partir de son environnement pour subir la réaction qui
le transformera en composé Y. Cette énergie peut être fournie par une collision
énergétique inhabituelle avec d'autres molécules. Pour la réaction inverse, Y → X,
l'énergie d'activation devra être beaucoup plus grande (*énergie a moins énergie c*);
cette réaction se produira donc beaucoup plus rarement. L'énergie d'activation est
toujours positive; notez cependant, que la modification de l'énergie totale pour
la réaction énergétiquement favorable X → Y est *énergie c moins énergie b*,
un nombre négatif.

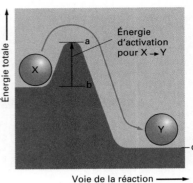

paraît pas dans un nuage de fumée et le livre que vous tenez dans votre main ne
s'enflamme pas. C'est parce que les molécules des organismes vivants et du livre sont
dans un état relativement stable et ne peuvent passer dans un état de moindre énergie sans apport d'énergie; en d'autres termes, une molécule nécessite une **énergie
d'activation** – poussée au-dessus d'une barrière énergétique – avant de pouvoir subir une réaction chimique qui la laisse dans un état plus stable (Figure 2-44). Dans le
cas d'un livre qui brûle, l'énergie d'activation est fournie par la chaleur d'une allu-
mette enflammée. Pour les molécules en solution aqueuse à l'intérieur de la cellule,
la poussée est délivrée par une collision aléatoire inhabituelle énergétiquement avec
les molécules avoisinantes – des collisions qui deviennent d'autant plus violentes que
la température s'élève.

Dans une cellule vivante, le passage au-dessus de la barrière énergétique est grandement favorisé par une classe spécialisée de protéines – les **enzymes**. Chaque enzyme se lie fortement à une ou deux molécules appelées **substrat** et les maintient de
façon à réduire fortement l'énergie d'activation de la réaction chimique particulière
que le substrat lié doit subir. Une substance qui peut abaisser l'énergie d'activation
d'une réaction est appelée **catalyseur**; un catalyseur augmente la vitesse des réactions chimiques parce qu'il permet une plus grande proportion de collisions aléatoires avec les molécules avoisinantes qui poussent le substrat au-dessus de la
barrière énergétique, comme cela est illustré dans la figure 2-45. Les enzymes font partie
des plus efficaces catalyseurs connus; elles accélèrent les réactions par un facteur
pouvant atteindre 10^{14}, et permettent ainsi à des réactions qui, autrement, ne se produiraient pas, de s'effectuer rapidement à des températures normales.

Les enzymes sont également très sélectives. Chaque enzyme catalyse en général
une seule réaction particulière; en d'autres termes, elle abaisse sélectivement l'énergie d'activation d'une seule réaction chimique parmi toutes celles que peut subir son
substrat. De cette manière, les enzymes dirigent chacune des molécules différentes
d'une cellule vers une voie métabolique réactionnelle spécifique (Figure 2-46).

La réussite des organismes vivants est attribuable à la capacité qu'ont les cellules
de fabriquer plusieurs types d'enzymes, dotées chacune de propriétés spécifiques
précises. Chaque enzyme a une forme particulière et contient un *site actif*, poche ou
sillon à l'intérieur de l'enzyme dans lequel un seul substrat particulier peut s'adapter (Figure 2-47). Comme tous les autres catalyseurs, les molécules enzymatiques
elles-mêmes ne sont pas modifiées après avoir participé à une réaction et peuvent
donc fonctionner encore et encore. Dans le chapitre 3 nous parlerons plus précisément de la façon dont les enzymes fonctionnent, après avoir vu en détail la structure
moléculaire des protéines.

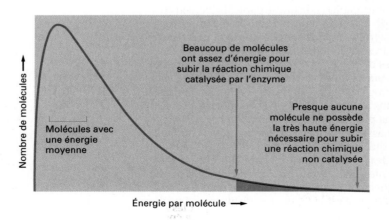

**Figure 2-45 L'abaissement de l'énergie
d'activation augmente fortement la
probabilité de la réaction.** Une population
de molécules de substrats identiques aura
à un instant quelconque une gamme d'énergie
distribuée selon le graphique. Les énergies
variables sont issues de la collision avec les
molécules environnantes, qui secouent les
molécules de substrat, les font vibrer et
tourner. Pour qu'une molécule subisse une
réaction chimique, l'énergie de la molécule
doit dépasser l'énergie d'activation de cette
réaction; pour la plupart des réactions
biologiques, cela ne se produit presque
jamais sans catalyse enzymatique. Même
avec la catalyse enzymatique, les molécules
de substrat doivent subir une collision
énergétique particulière pour réagir,
comme cela est indiqué ici.

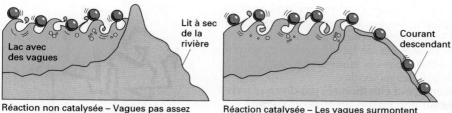

Réaction non catalysée – Vagues pas assez grosses pour surmonter la barrière

Réaction catalysée – Les vagues surmontent la barrière

(A)

Lac avec des vagues

Lit à sec de la rivière

Courant descendant

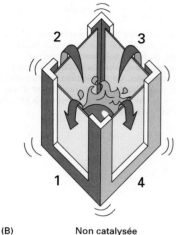
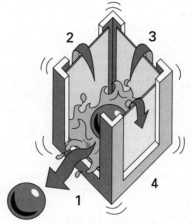

(B)   Non catalysée

Catalyse enzymatique de la réaction 1

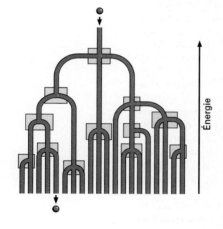

Énergie

(C)

Figure 2-46 Analogie entre les balles flottantes et la catalyse enzymatique. (A) Une barrière est abaissée pour représenter la catalyse enzymatique. Les *balles vertes* représentent un substrat enzymatique potentiel (composé X) qui est ballotté de haut en bas à un niveau d'énergie provoqué par sa rencontre constante avec les vagues (une analogie pour le bombardement du substrat par les molécules d'eau qui l'entourent). Lorsque la barrière (énergie d'activation) est abaissée significativement, le mouvement énergiquement favorable de la balle (le substrat) vers le bas est permis. (B) Les quatre parois de la boîte représentent les barrières de l'énergie d'activation de quatre différentes réactions chimiques qui sont toutes énergétiquement favorables, dans le sens que le produit est à un niveau d'énergie plus faible que le substrat. Dans la *boîte de gauche*, aucune de ces réactions ne se produit parce que même la plus haute vague n'est pas assez grosse pour surmonter une des barrières énergétiques. Dans la *boîte de droite*, la catalyse enzymatique abaisse l'énergie d'activation seulement de la réaction numéro 1 ; maintenant, l'agitation des vagues permet le passage de la molécule au-dessus de cette seule barrière énergétique, et induit la réaction 1. (C) Une rivière ramifiée avec un ensemble de barrages (*encadrés jaunes*) sert à illustrer comment une série de réactions à catalyse enzymatique détermine la voie exacte réactionnelle suivie par chaque molécule à l'intérieur de la cellule.

Comment les enzymes trouvent-elles leurs substrats ? Importance de la diffusion rapide

Une enzyme typique catalyse la réaction d'environ un millier de molécules de substrat par seconde. Cela signifie qu'elle doit être capable de se lier à un nouveau substrat en moins d'un millième de seconde. Mais les enzymes et leurs substrats existent en nombre relativement faible dans une cellule. Comment se trouvent-ils l'un l'autre aussi vite ? La liaison rapide est possible parce que les mouvements provo-

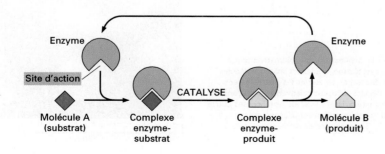

Enzyme   Enzyme

Site d'action

CATALYSE

Molécule A (substrat)

Complexe enzyme-substrat

Complexe enzyme-produit

Molécule B (produit)

Figure 2-47 Mode d'action des enzymes. Chaque enzyme possède un site d'action sur lequel une ou deux molécules de *substrat* se fixent et forment un complexe enzyme-substrat. Une réaction se produit au niveau du site d'action et forme un complexe enzyme-produit. Le *produit* est alors libéré et permet à l'enzyme de se fixer à de nouvelles molécules de substrat.

qués par l'énergie thermique sont excessivement rapides au niveau moléculaire. Ces mouvements moléculaires peuvent être classés grossièrement en trois types : (1) le mouvement d'une molécule d'un endroit à l'autre (*mouvement de translation*), (2) le mouvement rapide d'avant en arrière des atomes liés de façon covalente l'un par rapport à l'autre (vibrations), et (3) les rotations. Tous ces mouvements sont importants pour rapprocher les surfaces d'interaction des molécules.

La vitesse de ces mouvements moléculaires peut être mesurée par diverses techniques spectroscopiques. Elles indiquent qu'une grosse protéine globulaire est constamment bousculée et tourne autour de son axe environ un million de fois par seconde. Les molécules présentent donc un mouvement de translation constant, qui leur fait explorer l'espace à l'intérieur de la cellule de façon très efficace par déplacement – un processus appelé **diffusion**. De cette façon, toutes les molécules de la cellule entrent en collision avec un très grand nombre d'autres molécules chaque seconde. Tout comme une molécule d'un liquide entre en collision et rebondit sur les autres molécules, une molécule individuelle se déplace d'abord d'un côté puis de l'autre, et son déplacement constitue une *marche au hasard* (Figure 2-48). Avec ce type de déplacement, la distance moyenne parcourue par chaque molécule à vol d'oiseau depuis son point de départ est proportionnelle à la racine carré du temps mis : c'est-à-dire que si une molécule met 1 seconde en moyenne pour faire 1 μm, cela lui prendra 4 secondes pour faire 2 μm, 100 secondes pour faire 10 μm et ainsi de suite.

L'intérieur de la cellule est très encombré (Figure 2-49). Néanmoins, des expériences ont utilisé des colorants fluorescents et d'autres molécules marquées injectés dans les cellules et ont montré que les petites molécules organiques diffusent à travers le gel aqueux du cytosol presque aussi vite que si elles étaient dans l'eau. Une petite molécule organique par exemple ne met environ qu'un cinquième de seconde en moyenne pour diffuser sur une distance de 10 μm. La diffusion est donc un moyen efficace pour les petites molécules de parcourir les distances limitées d'une cellule (une cellule animale typique mesure 15 μm de diamètre).

Comme les enzymes se déplacent plus lentement que les substrats dans les cellules, nous pouvons les considérer comme immobiles. La vitesse de rencontre de chaque molécule enzymatique avec son substrat dépend de la concentration en ce substrat. Par exemple, certains substrats abondants sont présents à des concentrations de 0,5 mM. Comme l'eau pure est de 55 M, il y a environ une seule molécule de ce substrat dans la cellule par 10^5 molécules d'eau. Néanmoins, le site d'action de l'enzyme qui se lie au substrat sera bombardé par environ 500 000 collisions aléatoires avec la molécule de substrat par seconde. (Pour une concentration de substrat dix fois plus basse, le nombre de collisions s'effondre à 50 000 par seconde et ainsi de suite.) La rencontre aléatoire entre la surface d'une enzyme et celle, correspondante, de la molécule de substrat, conduit souvent immédiatement à la formation d'un complexe enzyme-substrat prêt à réagir. Une réaction au cours de laquelle une liaison sera rompue ou formée peut alors se produire extrêmement vite. Lorsqu'on apprécie la rapidité à laquelle les molécules se déplacent et réagissent, la vitesse de catalyse enzymatique observée ne semble pas si étonnante.

Une fois que l'enzyme et son substrat sont entrés en collision et se sont ajustés correctement au niveau du site actif, ils forment entre eux de multiples liaisons faibles qui persistent jusqu'à ce qu'un mouvement thermique aléatoire provoque à nouveau la dissociation de la molécule. En général, plus la liaison entre l'enzyme et son substrat est forte, plus la vitesse de dissociation est lente. Cependant, lorsque deux molécules entrent en collision et présentent des surfaces mal adaptées, seules quelques liaisons non covalentes se forment et leur énergie totale est négligeable comparée à celle du mouvement thermique. Dans ce cas, les deux molécules se dissocient aussi rapidement qu'elles se sont associées. C'est cela qui empêche la formation d'associations incorrectes et indésirables entre des molécules mal appariées, par exemple entre une enzyme et le mauvais substrat.

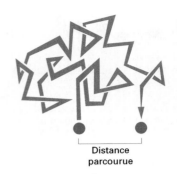

Distance parcourue

Figure 2-48 Une marche au hasard. Les molécules en solution se déplacent de façon aléatoire du fait du ballottement continuel qu'elles reçoivent suite aux collisions avec les autres molécules. Ce mouvement permet aux petites molécules de diffuser rapidement d'une partie de la cellule à l'autre, comme cela est décrit dans le texte.

Figure 2-49 Structure du cytoplasme. Le schéma est approximativement à l'échelle et insiste sur l'encombrement du cytoplasme. Seules les macromolécules sont représentées ; l'ARN est en *bleu*, les ribosomes en *vert* et les protéines en *rouge*. Les enzymes et les autres macromolécules diffusent relativement doucement dans le cytoplasme, en partie parce qu'elles interagissent avec de nombreuses autres macromolécules ; les petites molécules, au contraire, diffusent presque aussi rapidement que dans l'eau. (Adapté de D.S. Goodsell, *Trends Biochem. Sci.* 16 : 203-206, 1991.)

100 nm

La variation d'énergie libre d'une réaction détermine si celle-ci est possible

Nous devons maintenant faire une rapide digression pour introduire quelques notions de chimie fondamentale. Les cellules sont des systèmes chimiques qui doivent obéir à toutes les lois chimiques et physiques. Même si les enzymes accélèrent les réactions, elles ne peuvent pas, par elles-mêmes, forcer l'apparition de réactions énergétiquement défavorables. Faisons une analogie avec l'eau : les enzymes par elles-mêmes ne peuvent pas faire couler l'eau vers le haut. Les cellules cependant doivent exactement faire cela pour pouvoir croître et se diviser : elles doivent construire des molécules hautement ordonnées et riches en énergie à partir de petites molécules simples. Nous verrons qu'elles le font à l'aide des enzymes qui *couplent* directement des réactions énergétiquement favorables, libératrices d'énergie et productrices de chaleur, avec des réactions énergétiquement défavorables qui produisent un ordre biologique.

Avant d'examiner comment s'effectue ce couplage, nous devons nous arrêter sur le terme «énergétiquement favorable». Selon le second principe de la thermodynamique, une réaction chimique ne peut s'effectuer spontanément que si elle entraîne une nette augmentation du désordre de l'univers (*voir* Figure 2-38). Le critère d'augmentation du désordre de l'univers peut s'exprimer de façon plus pratique sous forme d'une quantité appelée **énergie libre**, G, d'un système. La valeur de G n'a d'intérêt que lorsqu'un système subit une *variation*, et la variation de G, notée ΔG (delta G) est critique. Supposons que le système considéré soit un ensemble de molécules. Comme cela est expliqué dans la planche 2-7 (p. 122-123), l'énergie libre a été définie de telle sorte que la ΔG mesure directement la quantité de désordre, créée dans l'univers, lorsqu'il se produit une réaction impliquant ces molécules. Les réactions *énergétiquement favorables*, par définition, sont celles qui diminuent l'énergie libre, ou en d'autres termes, qui ont une ΔG *négative* et créent du désordre dans l'univers (Figure 2-50).

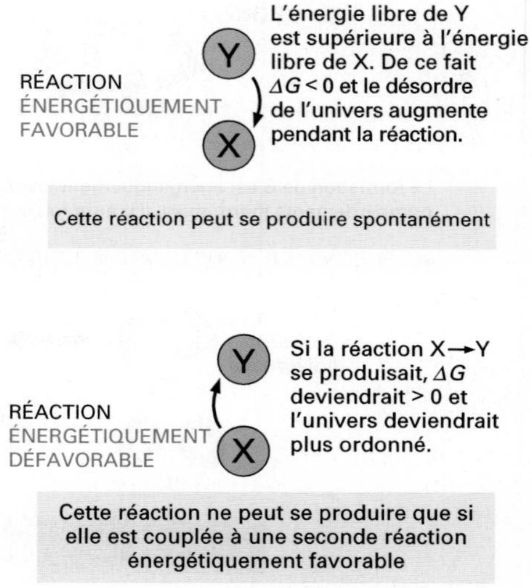

Un exemple familier de réaction énergétiquement favorable à l'échelle macroscopique est la «réaction» par laquelle un ressort comprimé se relâche et libère dans son environnement son énergie élastique stockée sous forme de chaleur ; à l'échelle microscopique un exemple sera la dissolution de sels dans l'eau. À l'inverse, les *réactions énergétiquement défavorables*, de ΔG *positive* – comme celle qui relie deux acides aminés pour former une liaison peptidique – créent par elles-mêmes un ordre dans l'univers. De ce fait, ces réactions ne peuvent se faire que si elles sont couplées à une seconde réaction de ΔG négative suffisamment importante pour que la ΔG de l'ensemble du processus soit négative (Figure 2-51).

La concentration en réactifs influence la ΔG

Comme nous venons de le décrire, une réaction $A \rightleftharpoons B$ s'effectue dans la direction $A \rightarrow B$ lorsque la variation d'énergie libre associée est négative, tout comme un ressort sous tension, laissé à lui-même, se relâche et perd, dans l'environnement, son énergie stockée sous forme de chaleur. Pour une réaction chimique, cependant, ΔG ne dépend pas seulement de l'énergie stockée dans chaque molécule prise individuellement, mais aussi de la concentration des molécules dans le mélange de la réaction. Souvenez-vous que ΔG reflète le degré d'augmentation du désordre créé par la réaction – en d'autres termes, un état plus probable de l'univers. Revenons à notre analogie des pièces : il y a de très grandes chances qu'une pièce passe du côté face au côté pile si une boîte en mouvement contient 90 côtés face et 10 côtés pile, mais cela est moins probable si la boîte contient 10 côtés face et 90 côtés pile. Pour la même raison, lors d'une réaction réversible $A \rightleftharpoons B$, un fort excédent de A par rapport à B aura tendance à entraîner la réaction dans la direction $A \rightarrow B$; c'est-à-dire qu'il y aura plus de molécules qui auront tendance à faire la transition $A \rightarrow B$ que de molécules faisant la transition $B \rightarrow A$. De ce fait la ΔG devient plus négative pour la transition $A \rightarrow B$ (et plus positive pour la transition $B \rightarrow A$) lorsque le ratio A sur B augmente.

Quelle différence de concentration faut-il pour compenser une baisse donnée d'énergie de liaison chimique (et de la libération de chaleur qui l'accompagne) ? La réponse n'est pas intuitivement évidente, mais peut être déterminée par une analyse thermodynamique qui permet de séparer les parties dépendantes de la concentration et celles, indépendantes de la concentration, de la variation d'énergie libre. La ΔG d'une réaction donnée peut de ce fait être écrite comme la somme de deux parties : la première, appelée *variation standard de l'énergie libre*, $\Delta G°$, dépend des caractéris-

RÉACTION ÉNERGÉTIQUEMENT FAVORABLE

L'énergie libre de Y est supérieure à l'énergie libre de X. De ce fait $\Delta G < 0$ et le désordre de l'univers augmente pendant la réaction.

Cette réaction peut se produire spontanément

RÉACTION ÉNERGÉTIQUEMENT DÉFAVORABLE

Si la réaction $X \rightarrow Y$ se produisait, ΔG deviendrait > 0 et l'univers deviendrait plus ordonné.

Cette réaction ne peut se produire que si elle est couplée à une seconde réaction énergétiquement favorable

Figure 2-50 Distinction entre les réactions énergétiquement favorables et énergétiquement défavorables.

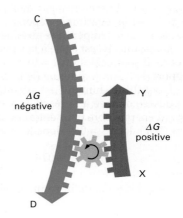

ΔG négative

ΔG positive

La réaction énergétiquement défavorable $X \rightarrow Y$ est entraînée par la réaction énergétiquement favorable $C \rightarrow D$, parce que la modification de l'énergie libre de cette paire de réactions couplées est inférieure à zéro.

Figure 2-51 Le couplage de réactions est utilisé pour entraîner des réactions énergétiquement défavorables.

Figure 2-52 Équilibre chimique.
Lorsqu'une réaction atteint l'équilibre, le flux des molécules réactives dans les deux sens est égal et opposé.

La formation de B est énergétiquement favorisée dans cet exemple. Mais du fait des bombardements thermiques, il y aura toujours une partie de B transformée en A et vice versa.

SUPPOSONS QUE NOUS COMMENCIONS AVEC UN NOMBRE ÉGAL DE MOLÉCULES A ET B

Pour chaque molécule individuelle

la conversion de A en B se produit souvent.

La conversion de B en A se produira plus rarement, parce qu'elle requiert une collision plus énergétique que la transition A → B.

De ce fait, le ratio des molécules B sur A augmentera

FINALEMENT il y aura un excès suffisamment important de B sur A pour juste compenser la faible vitesse de B → A. L'équilibre sera alors atteint.

À L'ÉQUILIBRE, le nombre de molécules A transformées en molécules B chaque seconde est le même que le nombre de molécules B transformées en molécules A chaque seconde, de telle sorte qu'il n'y a pas de variation nette du rapport A sur B.

tiques intrinsèques des molécules qui réagissent; la seconde dépend de leurs concentrations. Pour la réaction simple A → B à 37 °C,

$$\Delta G = \Delta G° + 0{,}616 \ln \frac{[B]}{[A]}$$

où ΔG est en kilocalories par mole, [A] et [B] représentent la concentration de A et de B, ln est le logarithme népérien et 0,616 est RT – le produit de la constante des gaz, R, et de la température absolue, T.

Notez que ΔG est égale à la valeur de $\Delta G°$ lorsque les concentrations molaires de A et de B sont égales (ln 1 = 0). Comme prévu, ΔG devient plus négative lorsque le rapport de B sur A diminue (le ln d'un nombre < 1 est négatif).

L'**équilibre** chimique est atteint lorsque l'effet des concentrations équilibre juste la poussée donnée à la réaction par $\Delta G°$, de telle sorte qu'il n'y a pas de variation nette d'énergie libre pour entraîner la réaction dans une direction ou dans l'autre (Figure 2-52). Ici $\Delta G = 0$ et donc les concentrations de A et B sont telles que :

$$-0{,}616 \ln \frac{[B]}{[A]} = \Delta G° = -1{,}42 \log \frac{[B]}{[A]}$$

Ce qui signifie qu'il y a un équilibre chimique à 37 °C lorsque :

$$\frac{[B]}{[A]} = e^{-\Delta G°/0{,}616}$$

Le tableau 2-V montre comment le ratio d'équilibre de A sur B (exprimé par la **constante d'équilibre, K**) dépend de la valeur de $\Delta G°$.

Il est important de reconnaître que lorsqu'une enzyme (ou un catalyseur) abaisse l'énergie d'activation pour la réaction A → B, il abaisse aussi l'énergie d'activation de la réaction B → A d'exactement la même quantité (*voir* Figure 2-44). Ces réactions inverses sont de ce fait accélérées par l'enzyme d'un même facteur, et le point d'équilibre de la réaction (et la $\Delta G°$) reste le même (Figure 2-53).

TABLEAU 2-V Relation entre la variation standard d'énergie libre, $\Delta G°$, et la constante d'équilibre

CONSTANTE D'ÉQUILIBRE $\frac{[B]}{[A]} = K$ (litres/mole)	ÉNERGIE LIBRE DE B MOINS ÉNERGIE LIBRE DE A (kcal/mole)
10^5	−7,1
10^4	−5,7
10^3	−4,3
10^2	−2,8
10	−1,4
1	0
10^{-1}	1,4
10^{-2}	2,8
10^{-3}	4,3
10^{-4}	5,7
10^{-5}	7,1

Les valeurs de la constante d'équilibre ont été calculées pour la réaction chimique simple A ⇌ B en utilisant l'équation donnée dans le texte.

La $\Delta G°$ donnée ici est en kilocalories par mole à 37 °C (1 kilocalorie est égale à 4,184 kilojoules). Comme nous l'avons expliqué dans le texte, $\Delta G°$ représente la différence d'énergie libre sous des conditions standard (lorsque tous les composants sont présents à des concentrations de 1,0 mole/litre).

D'après ce tableau, nous pouvons voir que s'il y a une variation favorable d'énergie libre de −4,3 kcal/mole pour la transition A → B, il y aura 1 000 fois plus de molécules dans l'état B que dans l'état A.

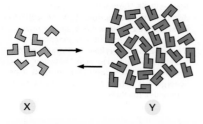 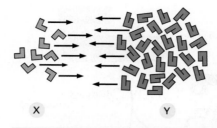

| RÉACTION NON CATALYSÉE | RÉACTION CATALYSÉE PAR UNE ENZYME |

Figure 2-53 Les enzymes ne peuvent changer le point d'équilibre d'une réaction. Les enzymes, comme tous les catalyseurs, accélèrent la vitesse de réaction dans un sens ou dans l'autre d'un même facteur. De ce fait, pour les réactions catalysées et non catalysées montrées ici, le nombre de molécules subissant la transition X → Y est égal au nombre de molécules subissant la transition Y → X lorsque le ratio de Y molécules sur X molécules est de 3,5 sur 1. En d'autres termes, les deux réactions atteignent l'équilibre exactement au même point.

Pour les réactions séquentielles, les valeurs de $\Delta G°$ s'ajoutent

L'évolution de la plupart des réactions peut être prédite quantitativement. Beaucoup de données thermodynamiques ont été réunies et permettent le calcul des variations standard de l'énergie libre, $\Delta G°$, de la plupart des réactions métaboliques de la cellule. La variation globale de l'énergie libre d'une voie métabolique est alors simplement la somme des variations d'énergie libre de chacune des étapes qui la compose. Considérons par exemple deux réactions séquentielles

X → Y et Y → Z

où les valeurs de $\Delta G°$ sont de +5 et de −13 kcal/mole, respectivement. (Souvenez-vous qu'une mole est égale à 6×10^{23} molécules d'une substance.) Si ces deux réactions se produisent de façon séquentielle, la $\Delta G°$ de la réaction couplée sera −8 kcal/mole. De ce fait la réaction non favorable X → Y, qui ne se produit pas spontanément, peut être entraînée par la réaction favorable Y → Z, si la seconde réaction suit la première.

Les cellules peuvent donc provoquer la formation de la transition énergétiquement défavorable X → Y si on ajoute à l'enzyme qui catalyse la réaction X → Y une seconde enzyme qui catalyse la réaction énergétiquement *favorable* Y → Z. En effet, la réaction Y → Z agira alors comme un «siphon» qui entraînera la conversion de toutes les molécules X en molécules Y puis ensuite en molécules Z (Figure 2-54). Par exemple, plusieurs réactions de la longue voie métabolique de conversion des glucides en CO_2 et H_2O sont énergétiquement défavorables si on les considère isolément. Mais cette voie métabolique s'effectue néanmoins rapidement et complètement parce que la $\Delta G°$ totale de la série de réactions séquentielles a une valeur fortement négative.

Mais, dans de nombreux cas, la formation d'une voie métabolique séquentielle n'est pas adaptée. Souvent la voie métabolique désirée est simplement X → Y, sans autre conversion de Y en un autre produit. Heureusement, il existe d'autres façons plus générales d'utiliser des enzymes pour coupler les réactions. Voyons maintenant comment cela fonctionne.

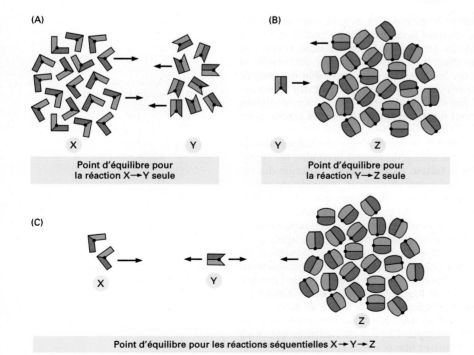

(A) Point d'équilibre pour la réaction X→Y seule

(B) Point d'équilibre pour la réaction Y→Z seule

(C) Point d'équilibre pour les réactions séquentielles X→Y→Z

Figure 2-54 Une réaction énergétiquement défavorable peut être entraînée par la réaction suivante. (A) À l'équilibre, il y a deux fois plus de molécules X que de molécules Y, parce que X a une énergie inférieure à Y. (B) À l'équilibre, il y a 25 fois plus de molécules Z que de molécules Y parce que Z a un niveau d'énergie beaucoup plus bas que Y. (C) Si les réactions de (A) et de (B) sont couplées, presque toutes les molécules X seront converties en molécules Z comme cela est montré.

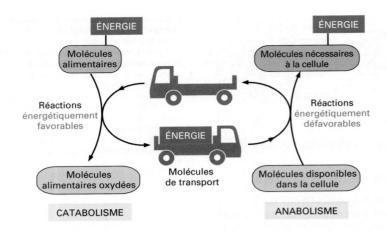

Figure 2-55 Transfert d'énergie et rôle des transporteurs dans le métabolisme. En servant de navette d'énergie, les molécules de transport effectuent leur fonction d'intermédiaire et relient la dégradation des molécules alimentaires et la libération d'énergie (*catabolisme*) à la biosynthèse nécessitant de l'énergie des petites et des grosses molécules organiques (*anabolisme*).

Des molécules de transport sont indispensables à la biosynthèse

L'énergie libérée par l'oxydation des molécules alimentaires doit être stockée temporairement avant de pouvoir être acheminée pour construire les autres petites molécules organiques ainsi que d'autres molécules plus grandes et plus complexes nécessaires à la cellule. Dans la plupart des cas, l'énergie est stockée sous forme d'énergie chimique de liaison dans un petit groupe de «molécules de transport», qui contiennent une ou plusieurs liaisons covalentes riches en énergie. Ces molécules diffusent rapidement à travers la cellule et transportent ainsi leur énergie de liaison des sites où l'énergie est formée aux sites où l'énergie est utilisée pour la biosynthèse et les autres activités cellulaires nécessaires (Figure 2-55).

Ces **molécules de transport** stockent l'énergie sous une forme facilement échangeable, soit sous forme d'un groupement chimique facile à transférer soit sous forme d'électrons riches en énergie. Elles peuvent jouer un double rôle à la fois de source énergétique et de source de groupements chimiques dans les réactions de biosynthèse. Pour des raisons historiques, ces molécules sont appelées parfois *coenzymes*. Ces principales molécules de transport sont l'ATP et deux molécules apparentées l'une à l'autre, le NADH et le NADPH – que nous examinerons en détail d'ici peu. Nous verrons que les cellules utilisent ces molécules de transport comme monnaie pour payer des réactions qui autrement ne pourraient pas avoir lieu.

La formation d'un transporteur enrichi en énergie est couplée à une réaction énergétiquement favorable

Lorsqu'une molécule de combustible comme le glucose est oxydée dans la cellule, des réactions catalysées par des enzymes assurent la capture d'une grande partie de l'énergie libre libérée par l'oxydation sous une forme chimiquement utile, et non pas sa libération en pure perte sous forme de chaleur. Cela s'effectue par des **réactions couplées** au cours desquelles une réaction énergétiquement favorable est utilisée pour entraîner une réaction énergétiquement défavorable qui produit une molécule de transport enrichie en énergie ou une autre réserve d'énergie utile. Les mécanismes de couplage nécessitent des enzymes et sont fondamentaux à toutes les transactions énergétiques de la cellule.

La nature d'une réaction couplée est illustrée par une analogie mécanique dans la figure 2-56, dans laquelle la réaction chimique énergétiquement favorable est représentée par la chute de rochers tombant d'une falaise. Normalement, l'énergie des rochers qui tombent est entièrement perdue sous forme de chaleur, engendrée par friction lorsque les rochers atteignent le sol (*voir* le schéma des briques qui tombent de la figure 2-39). Cependant, avec un projet soigneux, il est possible d'utiliser, à la place, une partie de l'énergie pour faire marcher une roue à palettes qui remonte un seau d'eau (Figure 2-56B). Comme les rochers n'atteignent maintenant le sol qu'après avoir fait bouger la roue à palettes, nous pouvons dire que la réaction énergétiquement favorable du rocher qui tombe a été directement *couplée* à la réaction énergétiquement défavorable de l'élévation du seau d'eau. Notez que, comme une partie de l'énergie est utilisée pour faire un travail en (B), le rocher touche le sol avec une vitesse inférieure à celle de (A) et donc moins d'énergie est gaspillée sous forme de chaleur.

Un processus tout à fait analogue se produit dans les cellules, où les enzymes jouent le rôle de la roue à palettes de notre exemple. Par des mécanismes que nous aborderons plus tard dans ce chapitre, ils couplent une réaction énergétiquement fa-

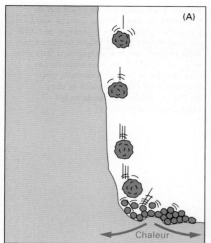 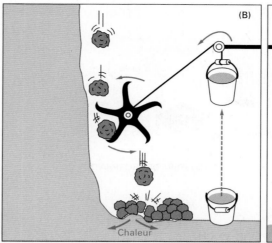 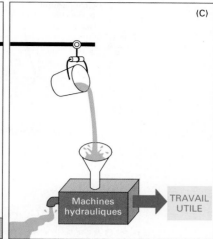

(A) Énergie cinétique transformée uniquement en énergie thermique

(B) Une partie de l'énergie cinétique est utilisée pour monter un seau d'eau et une plus petite quantité est transformée de façon correspondante en chaleur

(C) L'énergie cinétique potentielle conservée dans le seau d'eau élevé peut être utilisée pour faire fonctionner une machine hydraulique qui effectue diverses tâches utiles

vorable, comme l'oxydation des denrées alimentaires, à une réaction énergétiquement défavorable, comme la formation d'une molécule de transport enrichie en énergie. Il en résulte que la quantité de chaleur libérée par la réaction d'oxydation est réduite d'exactement la quantité d'énergie stockée dans les liaisons covalentes riches en énergie de la molécule de transport. Cette molécule de transport enrichie en énergie, à son tour, ramasse une quantité d'énergie d'une taille suffisante pour actionner une réaction chimique ailleurs dans la cellule.

L'ATP est la molécule de transport d'énergie la plus utilisée

L'**ATP** (adénosine triphosphate) est le transporteur d'énergie cellulaire le plus important et polyvalent. Tout comme l'énergie stockée dans le seau d'eau élevé de la figure 2-56B peut être utilisée pour faire fonctionner un grand nombre de machines hydrauliques, l'ATP sert de réserve pratique et polyvalente, ou monnaie, pour faire fonctionner diverses réactions chimiques cellulaires. L'ATP est synthétisé par une réaction de phosphorylation énergétiquement défavorable au cours de laquelle un groupement phosphate est additionné à l'**ADP** (adénosine diphosphate). Lorsque cela est nécessaire, l'ATP donne son énergie par une hydrolyse énergétiquement favorable qui donne de l'ADP et du phosphate inorganique (Figure 2-57). L'ADP régénéré est ainsi disponible pour un autre cycle de phosphorylation qui reforme l'ATP.

Figure 2-56 Modèle mécanique illustrant le principe du couplage de réactions chimiques. La réaction spontanée montrée dans (A) peut servir d'analogie pour l'oxydation directe du glucose en CO_2 et H_2O qui produit uniquement de la chaleur. En (B) la même réaction est couplée à une seconde réaction ; cette seconde réaction peut servir d'analogie à la synthèse d'une molécule de transport activée. L'énergie produite en (B) est sous une forme plus utile que celle de (A) et peut être utilisée pour faire fonctionner diverses réactions autrement énergétiquement défavorables (C).

Liaisons phosphoanhydride

H_2O → ATP

Phosphate inorganique (P_i)

ADP

Figure 2-57 Hydrolyse de l'ATP en ADP et phosphate inorganique. Les deux phosphates les plus externes de l'ATP sont maintenus au reste de la molécule par des liaisons phosphoanhydride riches en énergie et sont facilement transférés. Comme cela est indiqué, l'eau peut être ajoutée à de l'ATP pour former de l'ADP et des phosphates inorganiques (P_i). Cette hydrolyse des phosphates terminaux de l'ATP fournit entre 11 et 13 kcal/mole d'énergie utilisable, en fonction des conditions intracellulaires. La ΔG très largement négative de cette réaction provient d'un grand nombre de facteurs. La libération du groupement phosphate terminal enlève une répulsion défavorable entre des charges négatives adjacentes ; de plus, l'ion phosphate inorganique (P_i) libéré est stabilisé par résonance et formation favorable de liaison hydrogène avec l'eau.

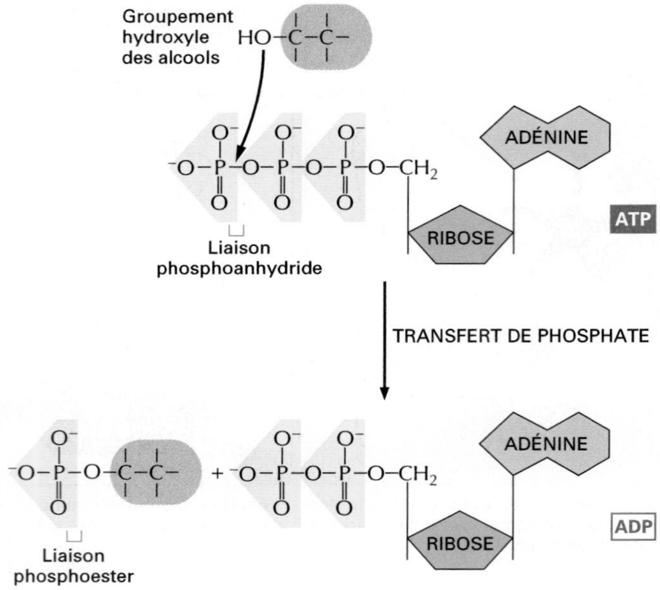

Figure 2-58 Exemple de réaction de transfert du phosphate. Comme une liaison phosphoanhydride riche en énergie de l'ATP est transformée en une liaison phosphoester, cette réaction est énergétiquement favorable, et a une ΔG très fortement négative. Les réactions de ce type interviennent dans la synthèse de phospholipides et dans les étapes initiales des réactions qui catabolisent les sucres.

La réaction énergétiquement favorable de l'hydrolyse de l'ATP est couplée à de nombreuses autres réactions autrement défavorables qui permettent la synthèse d'autres molécules. Nous rencontrerons plusieurs de ces réactions au long de ce chapitre. Beaucoup d'entre elles impliquent le transfert du phosphate terminal de l'ATP sur une autre molécule comme cela est illustré par la réaction de phosphorylation de la figure 2-58.

L'ATP est le transporteur d'énergie le plus abondant des cellules. Par exemple, il est utilisé pour fournir l'énergie de nombreuses pompes qui transportent des substances à l'intérieur ou hors des cellules (*voir* Chapitre 11). Il actionne également les moteurs moléculaires qui permettent aux cellules musculaires de se contracter et aux cellules nerveuses de transporter les matériaux d'une extrémité à l'autre de leur long axone (*voir* Chapitre 16).

L'énergie stockée dans l'ATP est souvent utilisée pour unir deux molécules

Nous avons abordé précédemment comment une réaction énergétiquement favorable pouvait être couplée à une réaction énergétiquement défavorable, $X \rightarrow Y$, pour lui permettre de s'effectuer. Dans ce schéma, une seconde enzyme catalyse la réaction énergétiquement favorable $Y \rightarrow Z$, tirant dans ce processus tous les X vers les Y (*voir* Figure 2-54). Mais lorsque le produit nécessaire est Y et non pas Z, ce mécanisme n'est pas intéressant.

Un type fréquent de réaction utilisé lors de la biosynthèse est la réunion de deux molécules, A et B, pour produire A–B par une réaction de condensation énergétiquement défavorable :

$$A\text{–}H + B\text{–}OH \rightarrow A\text{–}B + H_2O.$$

Il existe une voie indirecte qui permet à A–H et B–OH de former A–B, dans laquelle un couplage avec l'hydrolyse de l'ATP permet la réaction. Dans ce cas, l'énergie de l'hydrolyse de l'ATP est d'abord utilisée pour transformer B–OH en un composé intermédiaire riche en énergie qui réagit directement alors avec A–H pour donner A–B. Le mécanisme le plus simple possible implique le transfert d'un phosphate de l'ATP à B–OH pour donner $B\text{–}OPO_3$, et, dans ce cas, la voie métabolique n'a que deux étapes :

1. $B\text{–}OH + ATP \rightarrow B\text{–}O\text{–}PO_3 + ADP$
2. $A\text{–}H + B\text{–}O\text{–}PO_3 \rightarrow A\text{–}B + P_i$

Résultat net : $B\text{–}OH + ATP + A\text{–}H \rightarrow A\text{–}B + ADP + P_i$

La réaction de condensation, elle-même énergétiquement défavorable, est forcée par son couplage direct à l'hydrolyse de l'ATP selon une voie métabolique à catalyse enzymatique (Figure 2-59A).

Une réaction de biosynthèse exactement du même type est employée pour synthétiser l'acide aminé glutamine, comme cela est illustré dans la figure 2-59B. Nous

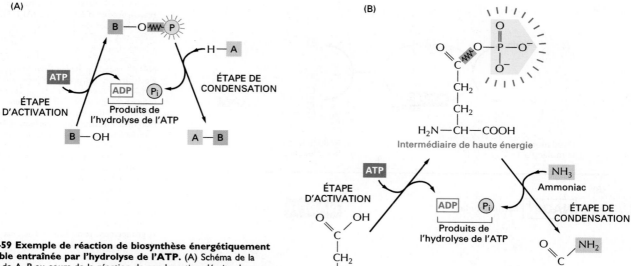

Figure 2-59 Exemple de réaction de biosynthèse énergétiquement défavorable entraînée par l'hydrolyse de l'ATP. (A) Schéma de la formation de A–B au cours de la réaction de condensation décrite dans le texte. (B) Biosynthèse d'un acide aminé commun, la glutamine. L'acide glutamique est d'abord transformé en un intermédiaire phosphorylé riche en énergie (qui correspond au composé B–O–PO₃ du texte) qui réagit ensuite avec l'ammoniac (correspondant à A–H) pour former la glutamine. Dans cet exemple, ces deux étapes se produisent à la surface de la même enzyme, la *glutamine synthase*. Notez que, pour plus de clarté, l'acide aminé est représenté sous forme non chargée.

verrons bientôt que des mécanismes très semblables (mais plus complexes) sont également utilisés pour produire presque toutes les grosses molécules de la cellule.

NADH et NADPH sont d'importants transporteurs d'électrons

D'autres molécules de transport importantes participent aux réactions d'oxydo-réduction et font souvent partie des réactions couplées de la cellule. Ces transporteurs sont spécialisés dans le transport d'électrons riches en énergie et d'atomes d'hydrogène. Les transporteurs d'électrons majeurs sont le **NAD⁺** (nicotinamide adénine dinucléotide) et la molécule étroitement apparentée le **NADP⁺** (nicotinamide adénine dinucléotide phosphate). Nous verrons plus tard certaines réactions auxquelles ils participent. NAD⁺ et NADP⁺ prélèvent chacun une «charge d'énergie» correspondant à deux électrons riches en énergie plus un proton (H⁺) – et sont transformés respectivement en **NADH** (nicotinamide adénine dinucléotide *réduit*) et **NADPH** (nicotinamide adénine dinucléotide phosphate *réduit*). Ces molécules peuvent donc être considérées également comme des transporteurs d'ions hydrures (H⁺ plus deux électrons ou H⁻).

Comme l'ATP, NADPH est un transporteur qui participe à de nombreuses réactions biosynthétiques importantes autrement énergétiquement défavorables. Le NADPH est produit selon le schéma général présenté dans la figure 2-60A. Pendant un ensemble particulier de réactions cataboliques libératrices d'énergie, un atome d'hydrogène plus deux électrons sont retirés de la molécule de substrat et ajoutés au cycle nicotinamide du NADP⁺ pour former NADPH. C'est une réaction d'oxydo-réduction typique ; le substrat est oxydé et NADP⁺ est réduit. Les structures de NADP⁺ et NADPH sont présentées dans la figure 2-60B.

L'ion hydrure transporté par NADPH est libéré facilement au cours d'une seconde réaction d'oxydo-réduction, parce que le cycle peut atteindre une disposition électronique plus stable sans lui. Dans cette seconde réaction, qui régénère le NADP⁺, c'est le NADPH qui s'oxyde et la substance qui est réduite. Le NADPH est un donneur efficace de son ion hydrure à d'autres molécules pour la même raison que l'ATP transfère facilement un phosphate ; dans les deux cas, le transfert s'accompagne d'une variation d'énergie libre fortement négative. Un exemple de l'utilisation de NADPH dans la biosynthèse est présenté dans la figure 2-61.

La différence d'un seul groupement phosphate n'a pas d'effet sur les propriétés de transfert électronique de NADPH par rapport à NADH, mais elle est cruciale pour leur rôle respectif. Le groupement phosphate supplémentaire du NADPH est éloigné de la région impliquée dans le transfert d'électrons (*voir* Figure 2-60B) et n'a pas

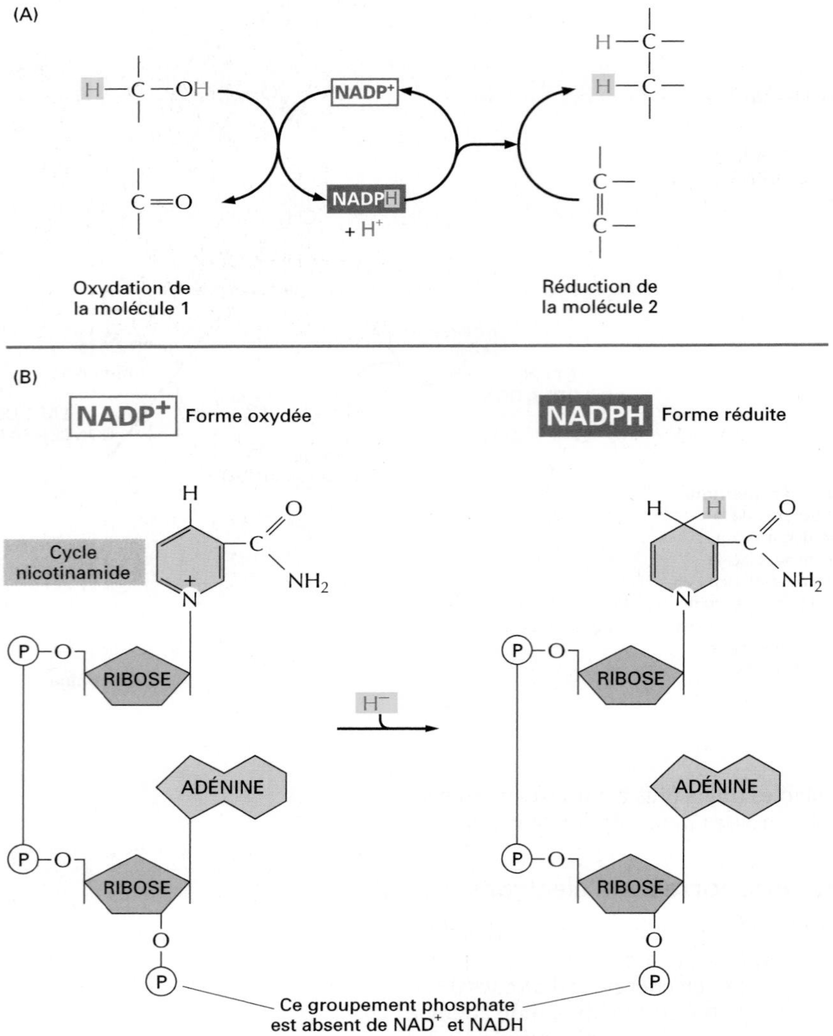

(A)

Oxydation de
la molécule 1

Réduction de
la molécule 2

(B)

NADP⁺ Forme oxydée

NADPH Forme réduite

Cycle nicotinamide

RIBOSE

ADÉNINE

RIBOSE

H⁻

RIBOSE

ADÉNINE

RIBOSE

Ce groupement phosphate
est absent de NAD⁺ et NADH

Figure 2-60 NADPH, un important transporteur d'électrons. (A) NADPH est produit par des réactions du type général présenté à gauche, au cours desquelles deux atomes d'hydrogène sont retirés d'un substrat. La forme oxydée de la molécule de transport NADP⁺ reçoit un atome d'hydrogène plus un électron (ion hydrure) et le proton (H⁺) qui provient de l'autre atome H est libéré dans la solution. Comme NADPH maintient son ion hydrure par une liaison hautement énergétique, l'ion hydrure ajouté peut facilement être transféré sur une autre molécule, comme cela est montré à droite. (B) Structures de NADP⁺ et de NADPH. La partie de la molécule de NADP⁺ connue sous le nom de cycle nicotinamide accepte deux électrons associés à un proton (l'équivalent de l'ion hydrure H⁻), pour former NADPH. Les molécules NAD⁺ et NADH ont respectivement les mêmes structures que NADP⁺ et NADPH, sauf que le groupement phosphate indiqué est absent de ces deux molécules.

d'importance dans la réaction de transfert. Il donne cependant à la molécule de NADPH une forme légèrement différente de celle du NADH et donc NADH et NADPH se lient comme substrat sur des enzymes différentes. De ce fait, ces deux types de transporteurs sont utilisés pour transférer des électrons (ou des ions hydrures) entre différents groupes de molécules.

Pourquoi doit-il exister cette division du travail? La réponse réside dans la nécessité de réguler indépendamment deux groupes de réactions par transfert d'électrons. NADPH opère surtout avec les enzymes qui catalysent les réactions anaboliques, apportant les électrons riches en énergie, nécessaires à la synthèse de molécules biologiques riches en énergie. NADH, à l'opposé, a un rôle spécifique comme intermédiaire du système catabolique de réactions qui engendrent l'ATP par oxydation des molécules alimentaires, comme nous le verrons bientôt. La genèse de NADH à partir de NAD⁺ et celle de NADPH à partir de NADP⁺ se produisent selon différentes voies métaboliques et sont régulées indépendamment, de telle sorte que la cellule peut, de façon indépendante, ajuster l'apport d'électrons à ces deux buts très contrastés. À l'intérieur de la cellule le ratio NAD⁺ sur NADH est maintenu élevé, alors que le ratio NADP⁺ sur NADPH reste faible. Cela fournit une grande quantité de NAD⁺ qui peut agir comme agent oxydant et beaucoup de NADPH qui agit comme réducteur – comme cela est nécessaire à leur rôle spécifique respectif dans le catabolisme et l'anabolisme.

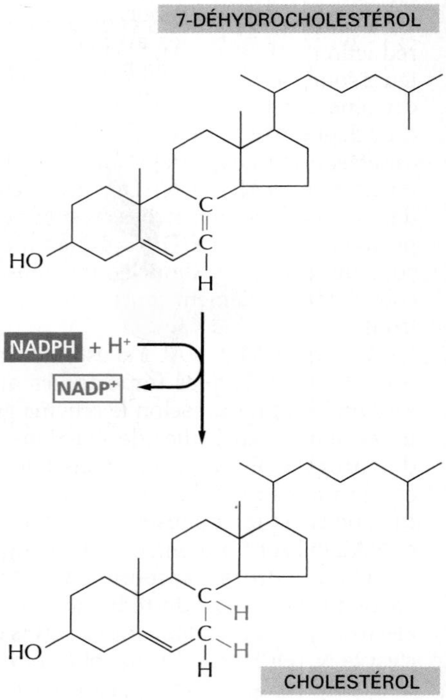

Il existe beaucoup d'autres molécules de transport dans les cellules

D'autres transporteurs prélèvent également des groupements chimiques et les transportent sous forme d'une liaison riche en énergie facilement transférable (Tableau 2-VI). Par exemple, le coenzyme A transporte un groupement acétyle sous forme d'une

7-DÉHYDROCHOLESTÉROL

NADPH + H⁺

NADP⁺

CHOLESTÉROL

Figure 2-61 Étape finale d'une des voies de la biosynthèse conduisant au cholestérol. Comme beaucoup d'autres réactions de biosynthèse, la réduction de la liaison C=C s'effectue par transfert d'un ion hydrure issu d'une molécule de transport, le NADPH, ajouté à un proton (H⁺) provenant de la solution.

TRANSPORTEUR	GROUPE TRANSPORTÉ PAR LIAISON HAUTEMENT ÉNERGÉTIQUE
ATP	Phosphate
NADH, NADPH, FADH$_2$	Électrons et hydrogène
Acétyl CoA	Groupement acétyle
Biotine carboxylée	Groupement carboxyle
S-adénosylméthionine	Groupement méthyle
Uridine diphosphate glucose	Glucose

liaison facilement transférable et sous cette forme est appelé **acétyl CoA** (acétyl coenzyme A). La structure de l'acétyl CoA est illustrée dans la figure 2-62; elle permet d'ajouter deux unités de carbone au cours de la biosynthèse de plus grandes molécules.

Pour l'acétyl CoA et les autres molécules de transport citées dans le tableau 2-VI, le groupement transférable ne constitue qu'une petite partie de la molécule. Le reste comporte une grande portion organique qui sert de «manche» pratique, et facilite la reconnaissance de la molécule de transport par les enzymes spécifiques. Comme pour l'acétyl CoA, cette portion qui forme le manche contient très souvent un nucléotide, fait curieux qui est, peut-être, un vestige d'un stade ancien de l'évolution. On pense souvent que les principaux catalyseurs des premières formes vivantes – avant l'ADN et les protéines – étaient les molécules d'ARN (ou leurs proches parents) comme nous le verrons au chapitre 6. Il est tentant de penser que beaucoup de molécules de transport actuelles proviennent de ce monde ancien d'ARN, et que leur portion de nucléotide a été utile pour les lier aux enzymes ARN.

Des exemples de ce type de réaction de transfert, catalysées par les molécules de transport ATP (transfert de phosphate) et NADPH (transfert d'électrons et d'hydrogène) ont été présentés respectivement dans les figures 2-58 et 2-61. Les réactions des autres molécules de transport impliquent le transfert de groupements méthyle, carboxyle ou glucose, dans un but de biosynthèse. Les transporteurs nécessaires sont généralement fabriqués au cours de réactions couplées à l'hydrolyse de l'ATP, comme dans l'exemple de la figure 2-63. De ce fait, l'énergie qui permet l'utilisation de leurs groupements pour la biosynthèse provient finalement de réactions catabo-

Figure 2-62 Structure d'une molécule d'acétyl CoA, un important transporteur. Un modèle compact est présenté au-dessus de la structure. L'atome de soufre (*jaune*) forme une liaison thioester avec l'acétate. Comme il s'agit d'une liaison hautement énergétique, qui libère une grande quantité d'énergie libre lors de son hydrolyse, la molécule d'acétate peut être facilement transférée sur une autre molécule.

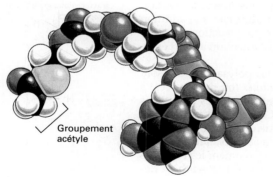

Groupement acétyle

Liaison hautement énergétique

Groupement acétyle

CoA

Nucléotide

ADÉNINE

RIBOSE

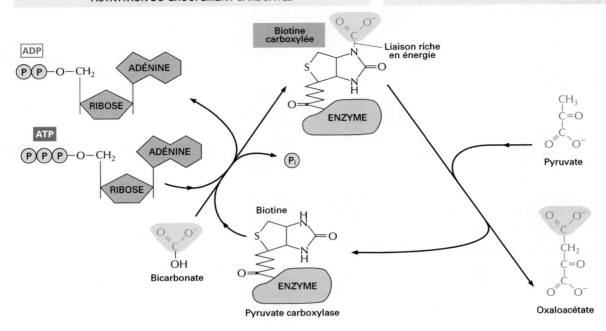

Figure 2-63 Réaction de transfert d'un groupement carboxyle à l'aide d'une molécule de transport. La biotine carboxylée est utilisée par l'enzyme *pyruvate carboxylase* pour transférer un groupement carboxyle au cours de la production d'un oxaloacétate, molécule nécessaire au cycle de l'acide citrique. La molécule réceptrice de cette réaction de transfert de groupement est le pyruvate. D'autres enzymes utilisent la biotine pour transférer les groupements carboxyle sur d'autres molécules réceptrices. Notez que la synthèse de la biotine carboxylée nécessite de l'énergie dérivée de l'ATP – une caractéristique générale de nombreux transporteurs.

liques qui engendrent l'ATP ; des processus similaires se produisent lors de la synthèse des très grosses molécules de la cellule – les acides nucléiques, les protéines et les polysaccharides – que nous aborderons maintenant.

La synthèse des polymères biologiques nécessite un apport d'énergie

Comme nous venons de le voir, les macromolécules de la cellule représentent la grande majorité de la masse sèche – c'est-à-dire la masse non due à l'eau (*voir* Figure 2-29). Ces molécules sont fabriquées à partir de sous-unités (ou monomères) reliées par une réaction de *condensation*, au cours de laquelle les constituants d'une molécule d'eau (OH plus H) sont retirés des deux réactifs. Par conséquent, la réaction inverse – dégradation des trois types de polymères – se produit par une addition d'eau à catalyse enzymatique (*hydrolyse*). Cette hydrolyse est une réaction énergétiquement favorable alors que les réactions de biosynthèse nécessitent un apport énergétique et sont plus complexes (Figure 2-64).

Les acides nucléiques (ADN et ARN), les protéines et les polysaccharides sont tous des polymères produits par addition répétée de *sous-unités* (ou monomères) à l'extrémité d'une chaîne en croissance. Les réactions de synthèse de ces trois types de macromolécules sont représentées dans la figure 2-65. Comme cela est indiqué, dans chaque cas, l'étape de condensation dépend de l'énergie de l'hydrolyse du nucléoside triphosphate. Cependant, à l'exception des acides nucléiques, il n'y a pas de groupements phosphate dans les molécules du produit final. Comment les réactions qui libèrent l'énergie de l'hydrolyse de l'ATP sont-elles couplées à la synthèse des polymères ?

Pour chaque type de macromolécule, il existe une voie métabolique à catalyse enzymatique qui ressemble à celle déjà abordée pour la synthèse d'un acide aminé, la glutamine (*voir* Figure 2-59). Le principe est exactement le même, dans le sens que le groupement OH qui est retiré au cours de la réaction de condensation est d'abord activé en étant impliqué dans une liaison riche en énergie avec une seconde molé-

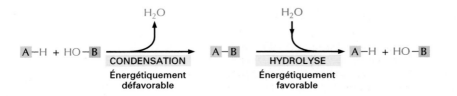

Figure 2-64 Condensation et hydrolyse, deux réactions opposées. Les macromolécules de la cellule sont des polymères formés de sous-unités (monomères) reliées par des réactions de condensation et dégradées par hydrolyse. Les réactions de condensation sont énergétiquement défavorables.

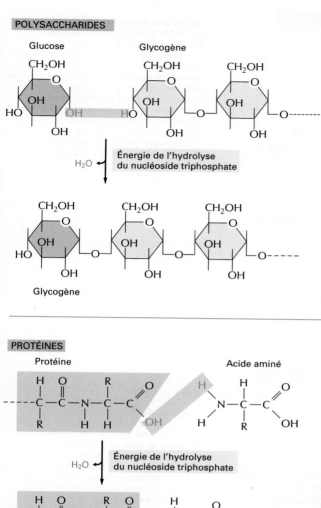

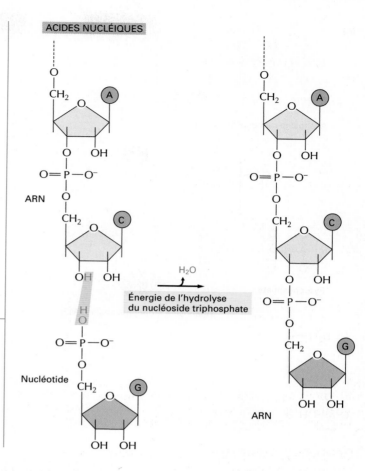

Figure 2-65 Synthèse des polysaccharides, des protéines et des acides nucléiques. La synthèse de chaque sorte de polymère biologique implique la perte d'eau par une réaction de condensation. La consommation de nucléoside triphosphate riche en énergie nécessaire pour activer chaque monomère avant son addition n'est pas montrée. À l'opposé, la réaction inverse – dégradation de ces trois types de polymères– se produit par simple addition d'eau (hydrolyse).

cule. Cependant, le mécanisme réel utilisé pour relier l'hydrolyse de l'ATP à la synthèse des protéines et des polysaccharides est plus complexe que celui utilisé pour la synthèse de la glutamine, car il faut une série d'intermédiaires riches en énergie pour fabriquer la liaison finale riche en énergie rompue pendant l'étape de condensation (nous le verrons au chapitre 6 pour la synthèse protéique).

Il y a des limites à ce que chaque transporteur peut faire pour entraîner la biosynthèse. La ΔG de l'hydrolyse de l'ATP en ADP et en phosphate inorganique (P_i) dépend de la concentration de tous les réactifs, mais dans les conditions habituelles de la cellule, elle se trouve entre –11 et –13 kcal/mole. En principe, cette réaction d'hydrolyse peut être utilisée pour entraîner une réaction défavorable ayant une ΔG de, peut-être, +10 kcal/mole, si tant est qu'il existe une voie métabolique adaptée. Pour certaines réactions de biosynthèse, cependant, même –13 kcal/mole ne suffisent pas. Dans ce cas, la voie de l'hydrolyse de l'ATP peut être modifiée afin de produire initialement de l'AMP et du pyrophosphate (PP_i), lui-même hydrolysé lors d'une deuxième étape (Figure 2-66). Ce processus complet apporte une variation totale d'énergie libre d'environ –26 kcal/mole. Une des réactions importantes de biosynthèse entraînée ainsi est la synthèse des acides nucléiques (polynucléotides), comme cela est illustré dans la figure 2-67.

Il est intéressant de noter que les réactions de polymérisation qui produisent des macromolécules peuvent être orientées dans deux sens, et donner naissance soit à une polymérisation «par l'avant» soit à une polymérisation «par l'arrière» d'un monomère. Lors de *polymérisation par l'avant*, la liaison réactive nécessaire à la réaction de condensation est portée à l'extrémité du polymère en croissance et doit de ce fait être régénérée à chaque fois qu'un monomère est ajouté. Dans ce cas, chaque mono-

(A)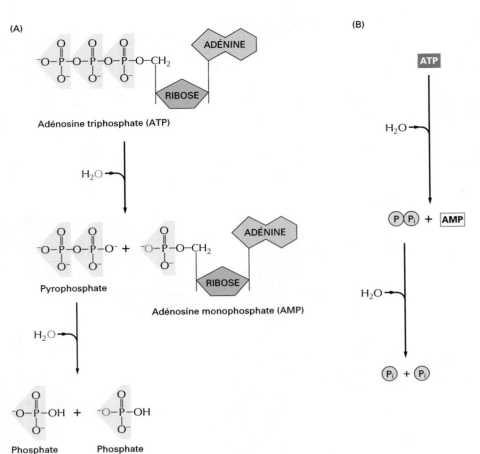

Adénosine triphosphate (ATP)

Pyrophosphate

Adénosine monophosphate (AMP)

Phosphate   Phosphate

(B)

ATP

H₂O

(P)(Pᵢ) + AMP

H₂O

(Pᵢ) + (Pᵢ)

Figure 2-66 Autre voie de l'hydrolyse de l'ATP, au cours de laquelle le pyrophosphate est d'abord formé puis hydrolysé. Cette voie libère près de deux fois plus d'énergie libre que la réaction précédente montrée en figure 2-57. (A) Au cours des deux réactions successives d'hydrolyse, les atomes d'oxygène provenant des molécules d'eau participantes sont conservés dans les produits comme cela est indiqué, alors que les atomes d'hydrogène se dissocient pour former des ions hydrogène libres (H⁺, non montrés). (B) Schéma d'une réaction générale sous forme résumée.

mère apporte avec lui la liaison réactive qui sera utilisée pour additionner le *prochain* monomère de la série. Par contre, lors de *polymérisation par l'arrière*, la liaison réactive portée par chaque monomère est utilisée immédiatement pour sa propre addition (Figure 2-68).

Nous verrons dans des chapitres ultérieurs que ces deux types de polymérisation sont utilisés. La synthèse des polynucléotides et de certains polysaccharides simples se produit par polymérisation par l'arrière, par exemple, alors que la synthèse des protéines se produit par un processus de polymérisation par l'avant.

Figure 2-67 La synthèse d'un polynucléotide, ARN ou ADN, est un processus en plusieurs étapes entraîné par l'hydrolyse de l'ATP. Au cours de la première étape, un nucléoside monophosphate est activé par le transfert séquentiel du groupement phosphate terminal issu de deux molécules d'ATP. L'intermédiaire formé, riche en énergie – un nucléoside triphosphate – existe sous forme libre en solution jusqu'à ce qu'il réagisse avec l'extrémité en croissance d'une chaîne d'ARN ou d'ADN et libère le pyrophosphate. L'hydrolyse de ce dernier en phosphate inorganique est hautement favorable et facilite l'entraînement de la réaction globale dans la direction de la synthèse d'un polynucléotide. Pour plus de détails, *voir* Chapitre 5.

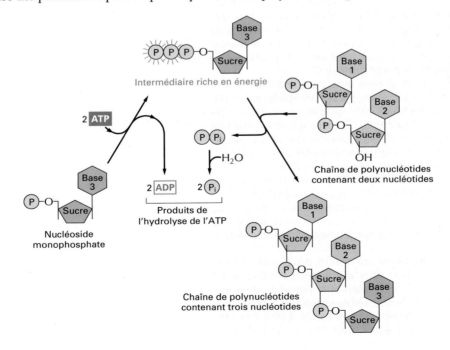

Intermédiaire riche en énergie

2 ATP

(P)(Pᵢ)

H₂O

2 ADP   2 (Pᵢ)

Produits de l'hydrolyse de l'ATP

Nucléoside monophosphate

Chaîne de polynucléotides contenant deux nucléotides

Chaîne de polynucléotides contenant trois nucléotides

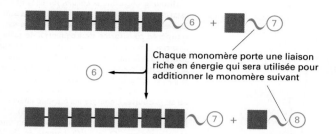

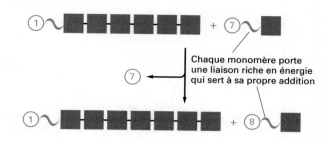

POLYMÉRISATION PAR L'AVANT (par ex. PROTÉINES, ACIDES GRAS)

Chaque monomère porte une liaison riche en énergie qui sera utilisée pour additionner le monomère suivant

POLYMÉRISATION PAR L'ARRIÈRE (par ex. ADN, ARN, POLYSACCHARIDES)

Chaque monomère porte une liaison riche en énergie qui sert à sa propre addition

Figure 2-68 Orientation de l'intermédiaire actif dans les réactions de polymérisation biologiques. La croissance par l'avant d'un polymère est comparée avec son alternative, la croissance par l'arrière. Comme c'est indiqué, ces deux mécanismes sont utilisés pour produire différentes macromolécules biologiques.

Résumé

Les cellules vivantes sont très ordonnées et ont besoin de créer de l'ordre à l'intérieur d'elles-mêmes pour survivre et se développer. Cela est possible d'un point de vue thermodynamique uniquement à cause d'un apport continu d'énergie, dont une partie doit être libérée de la cellule dans l'environnement sous forme de chaleur. L'énergie provient finalement des radiations électromagnétiques du soleil qui entraînent la formation de molécules organiques dans les organismes photosynthétiques comme les végétaux. Les animaux tirent leur énergie en mangeant ces molécules organiques et en les oxydant par une série de réactions catalysées par les enzymes qui sont couplées à la formation d'ATP – une monnaie courante d'énergie dans la cellule.

Pour que la génération d'un ordre continu dans la cellule soit possible, l'hydrolyse énergétiquement favorable de l'ATP est couplée à des réactions énergétiquement défavorables. Pour la biosynthèse des macromolécules, cela s'effectue par le transfert de groupements phosphates qui forment des intermédiaires phosphorylés réactifs. Comme les réactions énergétiquement défavorables deviennent alors énergétiquement favorables, on dit que l'hydrolyse de l'ATP entraîne la réaction. Les molécules polymériques comme les protéines, les acides nucléiques et les polysaccharides sont assemblées à partir des petites molécules précurseurs activées par des réactions de condensation répétitives qui sont entraînées de cette façon. D'autres molécules réactives, appelées soit transporteurs soit coenzymes, transfèrent d'autres groupements chimiques au cours de la biosynthèse : NADPH transfère un hydrogène sous forme de proton plus deux électrons (un ion hydrure), par exemple, alors que l'acétyl CoA transfère un groupement acétyle.

LES CELLULES OBTIENNENT DE L'ÉNERGIE DES ALIMENTS

Comme nous venons de le voir, les cellules ont besoin d'un apport constant d'énergie pour générer et maintenir l'ordre biologique qui les maintient en vie. Cette énergie dérive de l'énergie des liaisons chimiques des molécules alimentaires, qui servent ainsi de carburant cellulaire.

Les sucres sont un carburant particulièrement important pour les cellules car ils sont oxydés par petites étapes en dioxyde de carbone (CO_2) et en eau (Figure 2-69). Dans ce chapitre, nous retracerons les étapes majeures de la dégradation, ou catabolisme, des sucres et montrerons comment ils produisent l'ATP, le NADH et d'autres transporteurs activés dans les cellules animales. Nous nous focaliserons sur la dégradation du glucose, car elle domine la production énergétique de la plupart des cellules animales. Une voie métabolique très similaire s'effectue également dans les végétaux, les champignons et de nombreuses bactéries. D'autres molécules, comme les acides gras et les protéines, peuvent aussi servir de source énergétique lorsqu'elles sont canalisées vers une voie métabolique appropriée.

Les molécules alimentaires sont dégradées en trois étapes pour produire de l'ATP

Les protéines, les lipides et les polysaccharides qui constituent la plupart des aliments que nous mangeons doivent être dégradés en de plus petites molécules avant que nos cellules puissent les utiliser – soit comme source d'énergie soit comme élément de construction d'autres molécules. Les processus de dégradation doivent agir sur les aliments issus de l'extérieur, mais pas sur les macromolécules internes à nos propres cellules. La première étape de la dégradation enzymatique des molécules alimentaires est de ce fait une *digestion*, qui se produit soit dans notre intestin à l'extérieur des cellules, soit dans un organite spécialisé intracellulaire, le lysosome. (La

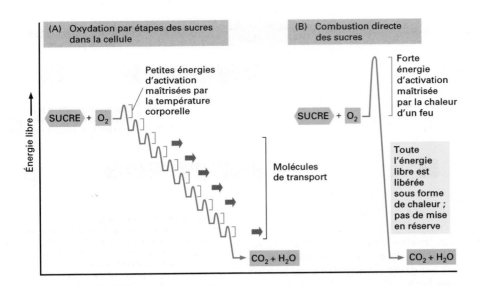

Figure 2-69 Schéma de l'oxydation contrôlée par étape des sucres dans une cellule, comparée avec une combustion ordinaire. (A) Dans la cellule, les enzymes catalysent l'oxydation via une série de petites étapes au cours desquelles l'énergie libre est transférée sous forme de «paquets» de taille adaptée à des molécules de transport – le plus souvent l'ATP et le NADH. À chaque étape, une enzyme contrôle la réaction en réduisant la barrière d'activation énergétique qui doit être surmontée avant que la réaction spécifique ne se produise. L'énergie libre totale libérée est exactement la même en (A) et en (B). Mais si, à la place, le sucre était oxydé en une seule étape en CO_2 et H_2O, comme en (B), il libérerait une quantité d'énergie beaucoup plus importante que celle qui peut être capturée pour être utilisée.

membrane qui entoure le lysosome garde les enzymes digestives séparées du cytosol, comme cela est décrit au chapitre 13.) Dans chaque cas, les grandes molécules polymériques de la nourriture sont dégradées pendant la digestion en leurs sous-unités monomériques – les protéines en acides aminés, les polysaccharides en sucres et les graisses en acides gras et glycérol – par l'action d'enzymes. Après la digestion, les petites molécules organiques dérivées de l'alimentation entrent dans le cytosol de la cellule où leur oxydation graduelle commence. Comme cela est illustré dans la figure 2-70, l'oxydation nécessite deux étapes supplémentaires de catabolisme cellulaire : l'étape 2 commence dans le cytosol et se termine dans les organites majeurs de conversion énergétique, les mitochondries ; l'étape 3 est entièrement confinée à l'intérieur des mitochondries.

Au cours de l'étape 2, une réaction en chaîne, appelée *glycolyse*, transforme chaque molécule de glucose en deux molécules de pyruvate, plus petites. Les autres sucres sont de même transformés en pyruvate après avoir été transformés en un des sucres intermédiaires de la voie métabolique de la glycolyse. Pendant la formation de pyruvate, deux types de molécules de transport sont produites – l'ATP et le NADH. Le pyruvate passe alors du cytosol dans la mitochondrie. Là, chaque molécule de pyruvate est transformée en CO_2 plus un groupement acétyle à deux carbones – qui se lie au coenzyme A et forme l'acétyl CoA, une autre molécule de transport (*voir* Figure 2-62). De grandes quantités d'acétyl CoA sont également produites par les étapes de dégradation et d'oxydation des acides gras dérivés des graisses. Ceux-ci sont transportés dans le courant sanguin, importés dans les cellules sous forme d'acides gras puis passent dans les mitochondries pour produire de l'acétyl CoA.

L'étape 3 de la dégradation oxydative des molécules alimentaires s'effectue totalement dans les mitochondries. Le groupement acétyle de l'acétyl CoA est relié au coenzyme A par une liaison riche en énergie. Il est donc facilement transférable à d'autres molécules. Après son transfert sur la molécule d'oxaloacétate à quatre carbone, le groupement acétyle entre dans une série de réactions appelées le *cycle de l'acide citrique* (ou *cycle de Krebs*). Comme nous le verrons ultérieurement, pendant ces réactions, le groupement acétyle est oxydé en CO_2 et de grandes quantités de transporteur d'électrons NADH sont formées. Enfin, les électrons, riches en énergie, issus du NADH passent à l'intérieur de la membrane interne des mitochondries le long d'une chaîne de transport d'électrons, où l'énergie libérée par leur transfert est utilisée pour entraîner un processus qui produit de l'ATP et consomme de l'oxygène moléculaire (O_2). C'est au cours de cette étape finale que la majeure partie de l'énergie libérée par oxydation est recueillie pour produire la majeure partie de l'ATP cellulaire.

Comme l'énergie qui entraîne la synthèse de l'ATP dans les mitochondries dérive en fin de compte de la dégradation oxydative des molécules alimentaires, la phosphorylation de l'ADP pour former l'ATP, entraînée par le transport d'électrons dans les mitochondries, est appelée *phosphorylation oxydative*. Les événements fascinants qui se produisent dans la membrane interne des mitochondries pendant la phosphorylation oxydative constituent le principal thème du chapitre 14.

L'énergie dérivée de la dégradation des sucres et des graisses produit donc de l'ATP et est ainsi redistribuée n'importe où dans la cellule sous forme de paquets d'énergie chimique, faciles d'emploi. Grossièrement, à tout instant, 10^9 molécules d'ATP se trouvent en solution dans une cellule typique et, dans beaucoup de cellules, tout cet ATP est renouvelé (c'est-à-dire utilisé et remplacé) toutes les 1 à 2 minutes.

En tout, près de la moitié de l'énergie qui, en théorie, dérive de l'oxydation du glucose ou des acides gras en H_2O et CO_2 est capturée et utilisée pour entraîner la réaction énergétiquement défavorable $P_i + ADP \rightarrow ATP$. (Par contre, un appareil à combustion typique, comme une voiture, ne peut pas transformer plus de 20 p. 100 de l'énergie disponible de son carburant en travail utile.) Le reste de l'énergie est libéré par la cellule sous forme de chaleur, qui chauffe notre corps.

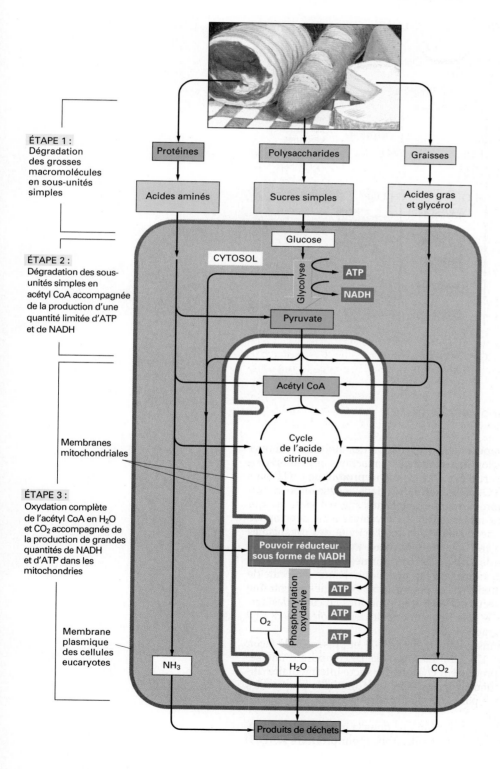

Figure 2-70 Schéma simplifié des trois étapes du métabolisme cellulaire qui permettent de passer des aliments aux produits de déchets de la cellule animale. Cette série de réactions produit de l'ATP utilisé pour entraîner les réactions de biosynthèse et les autres processus qui nécessitent de l'énergie dans la cellule. L'étape 1 se produit en dehors de la cellule. L'étape 2 se produit surtout dans le cytosol sauf l'étape finale de conversion du pyruvate en groupements acétyles de l'acétyl CoA, qui se produit dans les mitochondries. L'étape 3 se produit dans les mitochondries.

ÉTAPE 1 : Dégradation des grosses macromolécules en sous-unités simples

ÉTAPE 2 : Dégradation des sous-unités simples en acétyl CoA accompagnée de la production d'une quantité limitée d'ATP et de NADH

Membranes mitochondriales

ÉTAPE 3 : Oxydation complète de l'acétyl CoA en H_2O et CO_2 accompagnée de la production de grandes quantités de NADH et d'ATP dans les mitochondries

Membrane plasmique des cellules eucaryotes

Protéines

Polysaccharides

Graisses

Acides aminés

Sucres simples

Acides gras et glycérol

Glucose

CYTOSOL

Glycolyse

ATP

NADH

Pyruvate

Acétyl CoA

Cycle de l'acide citrique

Pouvoir réducteur sous forme de NADH

Phosphorylation oxydative

O_2

ATP

ATP

ATP

NH_3

H_2O

CO_2

Produits de déchets

LES CELLULES OBTIENNENT DE L'ÉNERGIE DES ALIMENTS

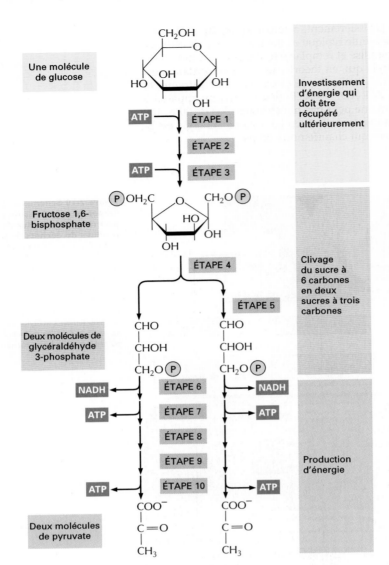

Une molécule de glucose

ATP   ÉTAPE 1

ÉTAPE 2

ATP   ÉTAPE 3

Fructose 1,6-bisphosphate

ÉTAPE 4

ÉTAPE 5

Deux molécules de glycéraldéhyde 3-phosphate

NADH   ÉTAPE 6   NADH

ATP   ÉTAPE 7   ATP

ÉTAPE 8

ÉTAPE 9

ATP   ÉTAPE 10   ATP

Deux molécules de pyruvate

Investissement d'énergie qui doit être récupéré ultérieurement

Clivage du sucre à 6 carbones en deux sucres à trois carbones

Production d'énergie

Figure 2-71 Schéma de la glycolyse. Chacune des 10 étapes présentées ici est catalysée par une enzyme différente. Notez que l'étape 4 effectue le clivage d'un sucre à six atomes de carbone en deux sucres à trois atomes de carbone, de telle sorte que le nombre de molécules de chaque étape ultérieure est doublé. Comme cela est indiqué, l'étape 6 initie la phase de production d'énergie de la glycolyse, qui entraîne la synthèse nette de molécules d'ATP et de NADH (*voir aussi* Planche 2-8).

La glycolyse est une voie métabolique centrale de production d'ATP

Le processus le plus important de l'étape 2 de la dégradation des molécules alimentaires est la dégradation du glucose selon une séquence de réactions appelée **glycolyse** – du grec *glykos*, « sucré » et *lysis*, « rupture ». La glycolyse produit de l'ATP sans impliquer l'oxygène moléculaire (gaz O_2). Elle se produit dans le cytosol de la plupart des cellules, y compris de nombreux micro-organismes anaérobies (ceux qui peuvent vivre sans utiliser d'oxygène moléculaire). La glycolyse s'est développée probablement très tôt dans l'histoire de la vie, avant que l'activité des organismes photosynthétiques n'introduise l'oxygène dans l'atmosphère. Pendant la glycolyse, une molécule de glucose à six atomes de carbone est transformée en deux molécules de *pyruvate*, chacune pourvue de trois atomes de carbone. Pour chaque molécule de glucose, deux molécules d'ATP sont hydrolysées pour fournir l'énergie qui entraîne les premières étapes, mais quatre molécules d'ATP sont produites au cours des dernières étapes. À la fin de la glycolyse, le gain net est donc de deux molécules d'ATP pour chaque molécule de glucose dégradée.

La voie de la glycolyse est schématisée dans la figure 2-71 et présentée de façon plus détaillée dans la planche 2-8 (p. 124-125). La glycolyse se compose d'une séquence de 10 réactions séparées, qui produisent chacune un sucre intermédiaire différent et sont chacune catalysées par une enzyme différente. Comme la plupart des enzymes, leur nom se termine par *ase* – par exemple isomér*ase* et déshydrogén*ase* – et indique le type de réaction catalysée.

Bien que l'oxygène moléculaire ne soit pas impliqué dans la glycolyse, une oxydation se produit, dans le sens que NAD⁺ retire des électrons (pour produire NADH)

de certains carbones dérivés de la molécule de glucose. La nature par étapes du processus permet de libérer l'énergie d'oxydation en petites quantités, de telle sorte que la majeure partie peut être stockée dans les molécules de transport et non pas libérée en totalité sous forme de chaleur (*voir* Figure 2-69). De ce fait, une partie de l'énergie libérée par oxydation entraîne la synthèse directe des molécules d'ATP à partir de l'ADP et du P_i, et une partie reste dans le transporteur d'électrons riches en énergie, le NADH.

Deux molécules de NADH sont formées par molécule de glucose au cours de la glycolyse. Dans les organismes aérobies (ceux qui nécessitent de l'oxygène moléculaire pour vivre), ces molécules de NADH donnent leurs électrons à la chaîne de transport d'électrons décrite au chapitre 14 et le NAD^+ formé à partir de NADH est utilisé de nouveau pour la glycolyse (*voir* étape 6, Planche 2-8, p. 124-125).

La fermentation permet de produire de l'ATP en l'absence d'oxygène

Pour la plupart des cellules animales et végétales, la glycolyse n'est qu'un prélude à la troisième étape finale de la dégradation des molécules alimentaires. Pour ces cellules, le pyruvate formé lors de la dernière réaction de l'étape 2 est rapidement transporté dans les mitochondries où il est transformé en CO_2 plus de l'acétyl CoA, complètement oxydé ensuite en CO_2 et H_2O.

Par contre, pour de nombreux organismes anaérobies – qui n'utilisent pas d'oxygène moléculaire et peuvent se développer et se diviser sans lui –, la glycolyse est la principale source de l'ATP cellulaire. C'est également vrai dans certains tissus animaux, comme le muscle squelettique qui peut encore fonctionner lorsque l'oxygène moléculaire est limitant. Dans ces conditions anaérobies, le pyruvate et les électrons de NADH restent dans le cytosol. Le pyruvate est transformé en des produits excrétés par la cellule – par exemple les levures utilisées par les brasseries et les boulangers produisent de l'éthanol et du CO_2 et les muscles du lactate. Dans ce processus, le NADH donne son électron et est retransformé en NAD^+. Cette régénération de NAD^+ est nécessaire pour maintenir les réactions de la glycolyse (Figure 2-72).

Les voies anaérobies productrices d'énergie comme celles-ci sont appelées **fermentations**. Des études sur les fermentations effectuées par les levures très importantes commercialement ont beaucoup inspiré les débuts de la biochimie. Les travaux effectués au cours du dix-neuvième siècle ont conduit en 1896 à la reconnaissance étonnante que ces processus pouvaient être étudiés à l'extérieur des organismes vivants, dans des extraits cellulaires. Cette découverte révolutionnaire a permis par la suite la dissection et l'étude de chaque réaction individuelle du processus de fermentation. L'assemblage de la voie complète de la glycolyse dans les années 1930 a été un des triomphes majeurs de la biochimie, rapidement suivi par la reconnaissance du rôle central de l'ATP dans les processus cellulaires. De ce fait, la plupart des concepts fondamentaux abordés dans ce chapitre ont été compris il y a plus de 50 ans.

La glycolyse illustre comment les enzymes couplent l'oxydation à la mise en réserve d'énergie

Nous avons précédemment utilisé l'analogie de la « roue à palettes » pour expliquer comment les cellules recueillaient de l'énergie utile à partir de l'oxydation des molécules organiques en utilisant des enzymes pour coupler une réaction énergétiquement défavorable à une autre réaction énergétiquement favorable (*voir* Figure 2-56). Les enzymes représentent la « roue à palettes » de notre analogie et nous allons maintenant retourner à une étape de la glycolyse dont nous avons déjà parlé, afin d'illustrer comment se produisent les réactions couplées.

Deux réactions centrales de la glycolyse (étapes 6 et 7) transforment le sucre intermédiaire à trois carbones nommé glycéraldéhyde 3-phosphate (un aldéhyde) en 3-phosphoglycérate (un acide carboxylique). Cela entraîne l'oxydation d'un groupement aldéhyde en un groupement acide carboxylique, qui se produit en deux étapes. La réaction globale libère assez d'énergie pour transformer une molécule d'ADP en ATP et transférer deux électrons issus de l'aldéhyde sur NAD^+ pour former NADH, tout en libérant encore assez de chaleur à l'environnement pour rendre la réaction globale énergétiquement favorable (la $\Delta G°$ de la réaction globale est –3,0 kcal/mole).

La voie par laquelle s'accomplit cet exploit remarquable est présentée schématiquement dans la figure 2-73. Les réactions chimiques sont guidées par deux enzymes sur lesquelles les sucres intermédiaires sont fermement liés. La première enzyme

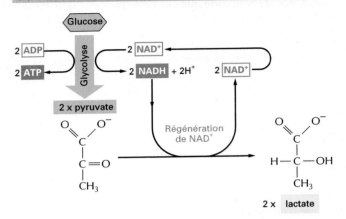

(A) FERMENTATION CONDUISANT À L'EXCRÉTION DE LACTATE

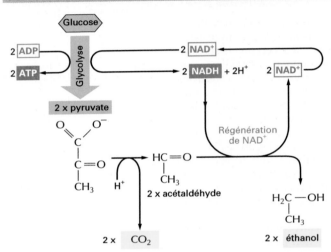

(B) FERMENTATION CONDUISANT À L'EXCRÉTION D'ALCOOL ET DE CO_2

Figure 2-72 Deux voies de dégradation anaérobie du pyruvate. (A) Lorsque la quantité d'oxygène est inadaptée, par exemple dans une cellule musculaire qui subit une contraction vigoureuse, le pyruvate produit par glycolyse est transformé en lactate comme nous le voyons ici. Cette réaction régénère le NAD^+ consommé dans l'étape 6 de la glycolyse, mais la voie dans son ensemble fournit beaucoup moins d'énergie globale que l'oxydation complète. (B) Dans certains organismes qui peuvent croître en anaérobie, comme les levures, le pyruvate est transformé via l'acétaldéhyde en dioxyde de carbone et éthanol. De nouveau, cette voie régénère NAD^+ à partir de NADH comme cela est nécessaire pour permettre la poursuite de la glycolyse. (A) et (B) sont des exemples de *fermentations*.

(*glycéraldéhyde 3-phosphate déshydrogénase*) forme une liaison covalente de courte durée sur l'aldéhyde par son groupement réactif enzymatique –SH et catalyse l'oxydation de cet aldéhyde pendant qu'il est encore fixé. La liaison riche en énergie enzyme-substrat créée par l'oxydation est ensuite déplacée par un ion phosphate inorganique pour produire un intermédiaire sucre-phosphate riche en énergie libéré alors de l'enzyme. Cet intermédiaire se lie ensuite à une seconde enzyme (*phosphoglycérate kinase*). Celle-ci catalyse le transfert énergétiquement favorable sur l'ADP du phosphate riche en énergie qui vient d'être formé, pour donner de l'ATP et terminer le processus d'oxydation d'un aldéhyde en acide carboxylique (*voir* Figure 2-73).

Nous avons montré certaines particularités de ce processus particulier d'oxydation parce qu'il fournit un exemple clair de la mise en réserve énergétique par l'intermédiaire d'enzymes grâce à des réactions couplées (Figure 2-74). Ces réactions (étapes 6 et 7) sont les seules de la glycolyse qui créent une liaison phosphate de haute énergie directement à partir du phosphate inorganique. De ce fait, elles permettent le recueil net de deux molécules d'ATP et de deux molécules de NADH par molécule de glucose (*voir* Planche 2-8, p. 124-125).

Comme nous venons de le voir, l'ATP peut être facilement formé à partir de l'ADP lorsque des réactions intermédiaires qui présentent des liaisons phosphate plus riches en énergie que celles de l'ATP sont formées. Les liaisons phosphate peuvent être classées énergétiquement en comparant les variations standard d'énergie libre ($\Delta G°$) pour la rupture de chaque liaison par hydrolyse. La figure 2-75 compare les liaisons phosphoanhydride riches en énergie avec les autres liaisons phosphate, dont beaucoup sont générées pendant la glycolyse.

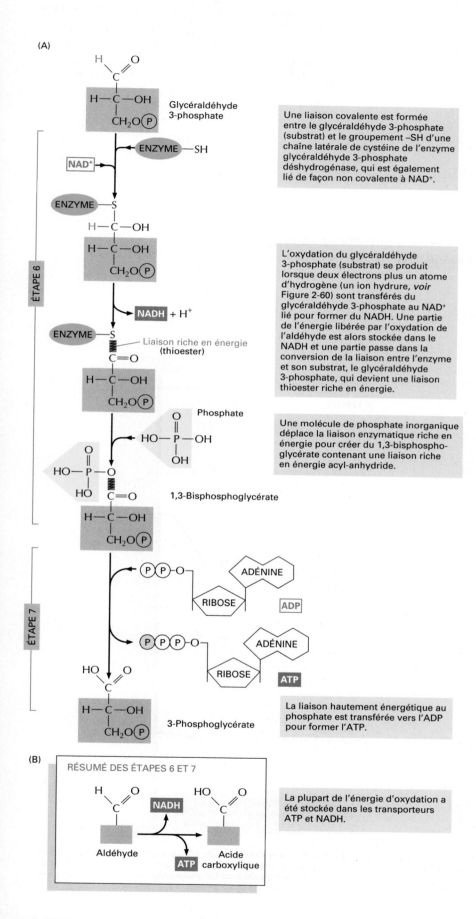

(A)

Glycéraldéhyde 3-phosphate

Une liaison covalente est formée entre le glycéraldéhyde 3-phosphate (substrat) et le groupement –SH d'une chaîne latérale de cystéine de l'enzyme glycéraldéhyde 3-phosphate déshydrogénase, qui est également lié de façon non covalente à NAD⁺.

ÉTAPE 6

L'oxydation du glycéraldéhyde 3-phosphate (substrat) se produit lorsque deux électrons plus un atome d'hydrogène (un ion hydrure, *voir* Figure 2-60) sont transférés du glycéraldéhyde 3-phosphate au NAD⁺ lié pour former du NADH. Une partie de l'énergie libérée par l'oxydation de l'aldéhyde est alors stockée dans le NADH et une partie passe dans la conversion de la liaison entre l'enzyme et son substrat, le glycéraldéhyde 3-phosphate, qui devient une liaison thioester riche en énergie.

Liaison riche en énergie (thioester)

Phosphate

Une molécule de phosphate inorganique déplace la liaison enzymatique riche en énergie pour créer du 1,3-bisphospho-glycérate contenant une liaison riche en énergie acyl-anhydride.

1,3-Bisphosphoglycérate

ÉTAPE 7

ADÉNINE
RIBOSE
ADP

ADÉNINE
RIBOSE
ATP

3-Phosphoglycérate

La liaison hautement énergétique au phosphate est transférée vers l'ADP pour former l'ATP.

(B)

RÉSUMÉ DES ÉTAPES 6 ET 7

Aldéhyde
NADH
ATP
Acide carboxylique

La plupart de l'énergie d'oxydation a été stockée dans les transporteurs ATP et NADH.

Figure 2-73 Stockage de l'énergie dans les étapes 6 et 7 de la glycolyse. Dans ces étapes, l'oxydation d'un aldéhyde en acide carboxylique est couplée à la formation d'ATP et de NADH. (A) L'étape 6 commence par la formation d'une liaison covalente entre le substrat (glycéraldéhyde 3-phosphate) et le groupement –SH exposé à la surface de l'enzyme (glycéraldéhyde 3-phosphate déshydrogénase). L'enzyme catalyse alors le transfert de l'hydrogène (sous forme d'ion hydrure – un proton plus deux électrons) à partir du glycéraldéhyde 3-phosphate lié à une molécule de NAD⁺. Une partie de l'énergie libérée dans cette oxydation est utilisée pour former une molécule de NADH et une partie est utilisée pour transformer la liaison d'origine entre l'enzyme et son substrat en une liaison thioester riche en énergie (montrée en *rouge*). Une molécule de phosphate inorganique déplace alors cette liaison riche en énergie sur l'enzyme, et crée à la place une liaison sucre-phosphate riche en énergie (*rouge*). À ce moment, l'enzyme n'a pas seulement stocké l'énergie en NADH mais a également couplé l'oxydation énergétiquement favorable d'un aldéhyde à la formation énergétiquement défavorable d'une liaison phosphate riche en énergie. La seconde réaction a été entraînée par la première, agissant ainsi comme la « roue à palettes » de la figure 2-56. Dans la réaction de l'étape 7, l'intermédiaire sucre-phosphate riche en énergie qui vient d'être formé, le 1,3-bisphosphoglycérate, se lie à une seconde enzyme, la phosphoglycérate kinase. Le phosphate réactif est transféré sur l'ADP pour former une molécule d'ATP et laisser un groupement acide carboxylique libre sur le sucre oxydé. (B) Résumé des variations chimiques générales produites par les réactions 6 et 7.

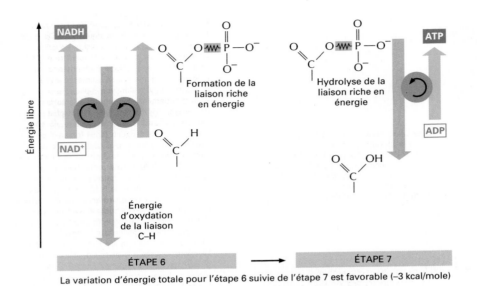

Figure 2-74 Schéma des réactions couplées qui forment le NADH et l'ATP au cours des étapes 6 et 7 de la glycolyse. L'énergie de l'oxydation de la liaison C–H entraîne la formation à la fois de NADH et d'une liaison phosphate riche en énergie. La rupture de la liaison riche en énergie entraîne alors la formation d'ATP.

La variation d'énergie totale pour l'étape 6 suivie de l'étape 7 est favorable (–3 kcal/mole)

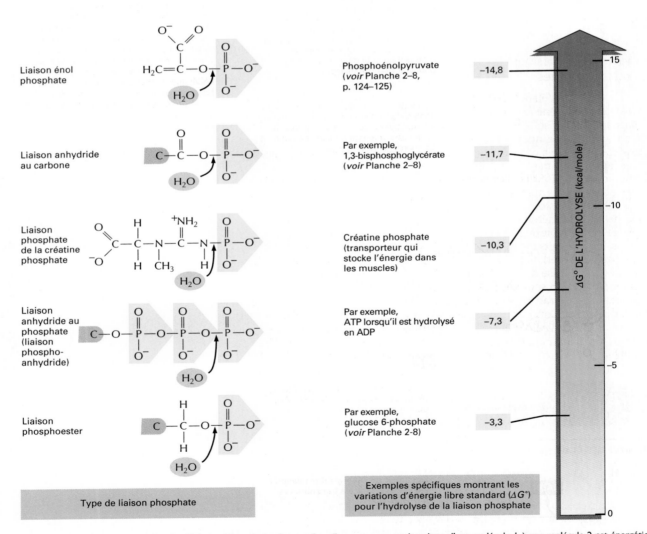

Figure 2-75 Certaines énergies des liaisons phosphate. Le transfert d'un groupement phosphate d'une molécule 1 à une molécule 2 est énergétiquement favorable si la variation standard d'énergie libre $(\Delta G°)$ de l'hydrolyse de la liaison phosphate dans la molécule 1 est plus négative que celle de l'hydrolyse de la liaison phosphate de la molécule 2. De ce fait, par exemple, un groupement phosphate est facilement transféré du 1,3-bisphosphoglycérate à l'ADP pour former de l'ATP. Notez que la réaction d'hydrolyse peut être considérée comme le transfert d'un groupement phosphate à l'eau.

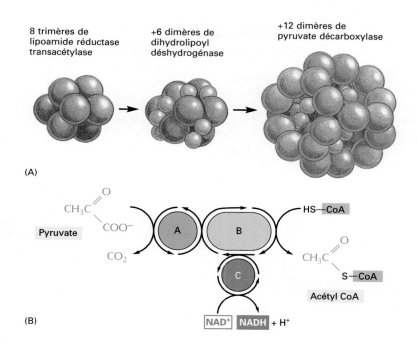

8 trimères de
lipoamide réductase
transacétylase

+6 dimères de
dihydrolipoyl
déshydrogénase

+12 dimères de
pyruvate décarboxylase

(A)

(B)

CH₃C
O
COO⁻

Pyruvate

A   B   HS—CoA

CO₂

C

CH_3C
O
S—CoA

Acétyl CoA

NAD⁺   NADH + H⁺

Figure 2-76 Oxydation du pyruvate en acétyl CoA et CO₂. (A) Structure du complexe de la pyruvate déshydrogénase qui contient 60 chaînes polypeptidiques. C'est un exemple de complexe multi-enzymatique de grande taille dans lequel les réactions intermédiaires passent directement d'une enzyme à l'autre. Dans les cellules eucaryotes, il est localisé dans les mitochondries.
(B) Réactions exécutées par le complexe de la pyruvate déshydrogénase. Ce complexe transforme le pyruvate en acétyl CoA dans la matrice mitochondriale ; NADH est également produit au cours de cette réaction. A, B et C sont dans l'ordre les trois enzymes suivantes : *pyruvate décarboxylase* ; *lipoamide réductase transacétylase* et *dihydrolipoyl déshydrogénase.* Ces enzymes sont représentées en (A) ; leurs activités sont liées comme cela est montré.

Les sucres et les graisses sont dégradés en acétyl CoA dans les mitochondries

Envisageons maintenant l'étape 3 du catabolisme, un processus qui nécessite d'abondantes molécules d'oxygène (gaz O₂). On pense que la Terre a développé son atmosphère contenant de l'O₂ sous forme de gaz il y a entre un et deux milliards d'années, et l'on sait que de nombreuses formes de vie existent sur Terre depuis 3,5 milliards d'années. Cela nous amène donc à penser que l'utilisation d'O₂ dans les réactions que nous allons maintenant aborder a une origine relativement récente. Par contre, le mécanisme utilisé pour produire l'ATP dans la figure 2-73 ne nécessite pas d'oxygène et des réactions apparentées à ce couplage élégant de réactions ont pu apparaître très tôt dans l'histoire de la vie sur Terre.

Dans le métabolisme aérobie, le pyruvate produit par la glycolyse est rapidement décarboxylé par un complexe géant de trois enzymes, appelé *complexe de la pyruvate déshydrogénase*. Les produits de la décarboxylation du pyruvate sont une molécule de CO₂ (un produit de déchet), une molécule de NADH et de l'acétyl CoA. Ce complexe tri-enzymatique est localisé dans les mitochondries des cellules eucaryotes ; sa structure et son mode d'action sont schématisés dans la figure 2-76.

Les enzymes qui dégradent les acides gras dérivés des graisses produisent de la même façon de l'acétyl CoA dans les mitochondries. Chaque molécule d'acide gras (comme la molécule activée d'*acyl CoA*) est dégradée complètement au cours d'un cycle de réactions qui coupent deux carbones à la fois sur l'extrémité carboxyle et forment une molécule d'acétyl CoA à chaque tour de cycle. Une molécule de NADH et une molécule de FADH₂ sont également produites pendant ce processus (Figure 2-77).

Les sucres et les graisses fournissent les sources majeures d'énergie de la plupart des organismes non photosynthétiques, y compris l'homme. Cependant, la majorité de l'énergie utile qui peut être extraite de l'oxydation de ces deux types de denrées alimentaires reste stockée dans les molécules d'acétyl CoA produites par les deux types de réactions juste décrites. Le cycle de l'acide citrique, au cours duquel le groupement acétyle de l'acétyl CoA est oxydé en CO₂ et H₂O, est donc au centre du métabolisme des organismes aérobies. Chez les eucaryotes, toutes ces réactions s'effectuent dans les mitochondries, l'organite vers lequel le pyruvate et les acides gras sont dirigés pour produire l'acétyl CoA (Figure 2-78). Il ne faut donc pas être surpris de découvrir que les mitochondries sont le lieu de production de la plupart de l'ATP dans les cellules animales. Par contre, les bactéries aérobies effectuent toutes leurs réactions dans un seul compartiment, le cytosol, et c'est là que le cycle de l'acide citrique s'effectue dans ces cellules.

LES CELLULES OBTIENNENT DE L'ÉNERGIE DES ALIMENTS

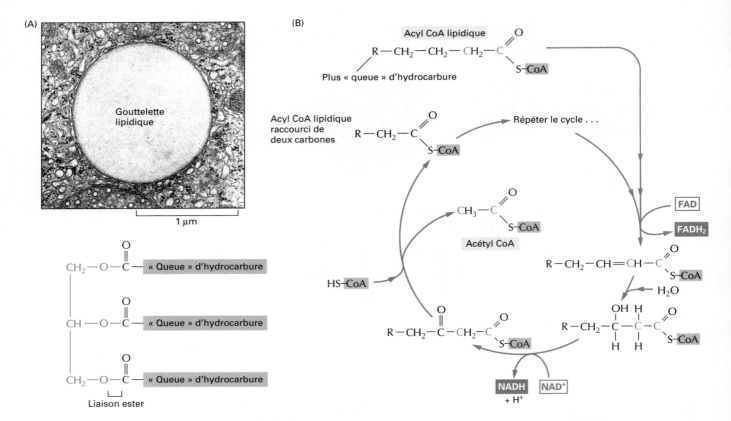

(A)

Gouttelette
lipidique

1 µm

CH_2-O-C- « Queue » d'hydrocarbure
$\|$
O

$CH-O-C-$ « Queue » d'hydrocarbure
$\|$
O

CH_2-O-C- « Queue » d'hydrocarbure
$\|$
O

Liaison ester

(B)

Acyl CoA lipidique
$R-CH_2-CH_2-CH_2-C$ $\overset{O}{\underset{S-CoA}{\|}}$
Plus « queue » d'hydrocarbure

Acyl CoA lipidique
raccourci de
deux carbones
$R-CH_2-C$ $\overset{O}{\underset{S-CoA}{\|}}$

Répéter le cycle . . .

CH_3-C $\overset{O}{\underset{S-CoA}{\|}}$
Acétyl CoA

FAD
FADH$_2$

$R-CH_2-CH=CH-C$ $\overset{O}{\underset{S-CoA}{\|}}$
H_2O

HS-CoA

$R-CH_2-C-CH_2-C$ $\overset{O}{\underset{S-CoA}{\|}}$

$R-CH_2-C-C-C$ ... $S-CoA$

NADH
$+ H^+$
NAD$^+$

Le cycle de l'acide citrique génère du NADH par oxydation des groupements acétyle en CO_2

Au cours du dix-neuvième siècle, les biologistes ont remarqué qu'en absence d'air (conditions anaérobies), les cellules produisent de l'acide lactique (par exemple, dans les muscles) ou de l'éthanol (par exemple dans les levures), alors qu'en sa présence (conditions d'aérobiose) elles consomment l'O_2 et produisent CO_2 et H_2O. Les efforts intensifs pour définir la voie métabolique aérobie ont fini par se focaliser sur l'oxydation du pyruvate et ont conduit en 1937 à la découverte du **cycle de l'acide citrique**, appelé également *cycle des acides tricarboxyliques* ou *cycle de Krebs*. Le cycle de l'acide citrique représente environ les deux tiers de l'oxydation totale des composés carbonés dans la plupart des cellules et ses principaux produits finaux sont le CO_2 et des électrons riches en énergie sous forme de NADH. Le CO_2 est libéré sous forme de déchet, alors que les électrons riches en énergie et issus de NADH passent dans une chaîne de transport d'électrons liée à la membrane, pour finalement se combiner avec l'O_2 et produire H_2O. Bien que le cycle de l'acide citrique lui-même n'utilise pas de l'O_2, il nécessite cet O_2 pour fonctionner parce qu'il n'y a pas d'autres moyens efficaces pour que le NADH se débarrasse de ses électrons et régénère ainsi le NAD$^+$ nécessaire pour maintenir le cycle fonctionnel.

Le cycle de l'acide citrique qui se produit à l'intérieur des mitochondries des cellules eucaryotes, résulte en l'oxydation complète des atomes de carbone des grou-

Figure 2-77 Oxydation des acides gras en acétyl CoA. (A) Photographie au microscope électronique d'une gouttelette lipidique dans le cytoplasme (*en haut*) et structure des graisses (*en bas*). Les graisses sont des triacylglycérols. La portion du glycérol sur laquelle trois acides gras sont liés par l'intermédiaire de liaisons ester, est présentée ici en *vert*. Les graisses sont insolubles dans l'eau et forment de grosses gouttelettes lipidiques dans les cellules adipeuses spécialisées (appelées adipocytes) dans lesquelles elles sont stockées. (B) Cycle d'oxydation des acides gras. Le cycle est catalysé dans les mitochondries par une série de quatre enzymes. Chaque tour de cycle raccourcit la chaîne d'acide gras de deux carbones (montrés en *rouge*) et génère une molécule d'acétyl CoA, une molécule de NADH et une de FADH$_2$. La structure de FADH$_2$ est représentée en figure 2-80B. (Due à l'obligeance de Daniel S. Friends.)

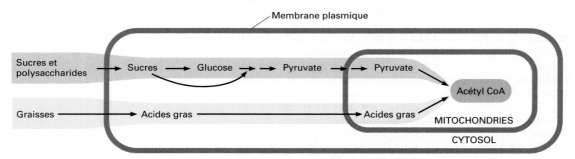

Membrane plasmique

Sucres et polysaccharides → Sucres → Glucose → Pyruvate → Pyruvate

Glucose → Pyruvate

Acétyl CoA

Graisses → Acides gras → Acides gras

MITOCHONDRIES

CYTOSOL

Figure 2-78 Voie métabolique de production de l'acétyl CoA à partir des glucides et des graisses. C'est dans les mitochondries des cellules eucaryotes que l'acétyl CoA est produit à partir des deux types majeurs de molécules alimentaires. C'est également à cet endroit que se produisent la plupart des réactions d'oxydation de la cellule et où se fabrique la majeure partie de l'ATP.

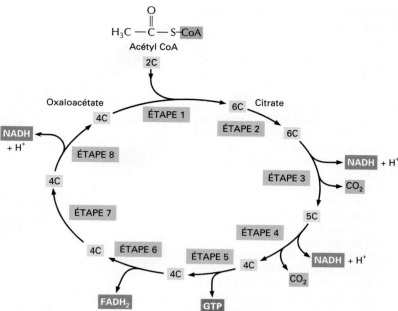

Figure 2-79 Vue globale simplifiée du cycle de l'acide citrique. La réaction entre l'acétyl CoA et l'oxaloacétate commence le cycle en produisant du citrate (acide citrique). Chaque tour de cycle produit deux molécules de CO_2 comme déchet, plus trois molécules de NADH, une molécule de GTP et une molécule de $FADH_2$. Le nombre d'atomes de carbone dans chaque intermédiaire est *surligné en jaune*. Pour plus de précisions, *voir* Planche 2-9 (p. 126-127).

RÉSULTAT NET : UN TOUR DE CYCLE PRODUIT TROIS NADH, UN GTP, UN $FADH_2$, ET LIBÈRE DEUX MOLÉCULES DE CO_2

pements acétyle de l'acétyl CoA et les transforme en CO_2. Mais le groupement acétyle n'est pas directement oxydé. Par contre, ce groupement est transféré de l'acétyl CoA sur une molécule plus grosse à quatre carbones, l'*oxaloacétate*, pour former un acide tricarboxylique à six carbones, l'*acide citrique*, d'où le nom de ce cycle de réactions. La molécule d'acide citrique est ensuite peu à peu oxydée, permettant à l'énergie de cette oxydation d'être récoltée pour produire des molécules de transport riches en énergie. La chaîne composée de huit réactions forme un cycle car à la fin, l'oxaloacétate est régénéré et entre à nouveau dans le cycle comme cela est schématisé en figure 2-79.

Nous n'avons jusqu'à maintenant parlé que de l'un des trois types de molécules de transport, produites par le cycle de l'acide citrique, le couple NAD⁺-NADH (*voir* Figure 2-60). En plus de trois molécules de NADH, chaque tour de cycle produit également une molécule de **$FADH_2$** (flavine adénine dinucléotide réduit) à partir du FAD et une molécule du ribonucléotide **GTP** (guanosine triphosphate) à partir du GDP. Les structures de ces deux molécules de transport sont illustrées en figure 2-80. Le GTP est un proche parent de l'ATP, et le transfert de son groupement phosphate ter-

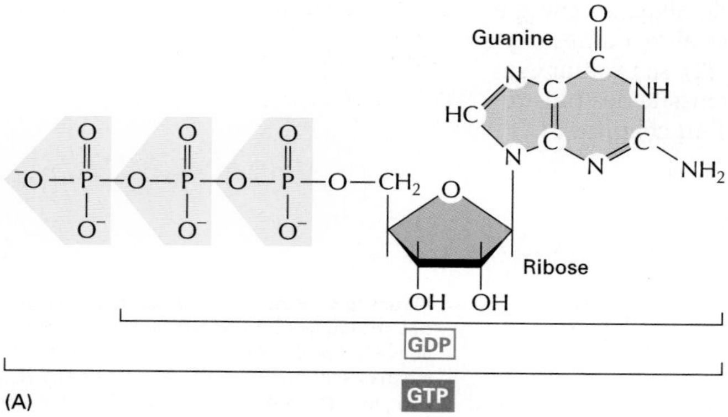

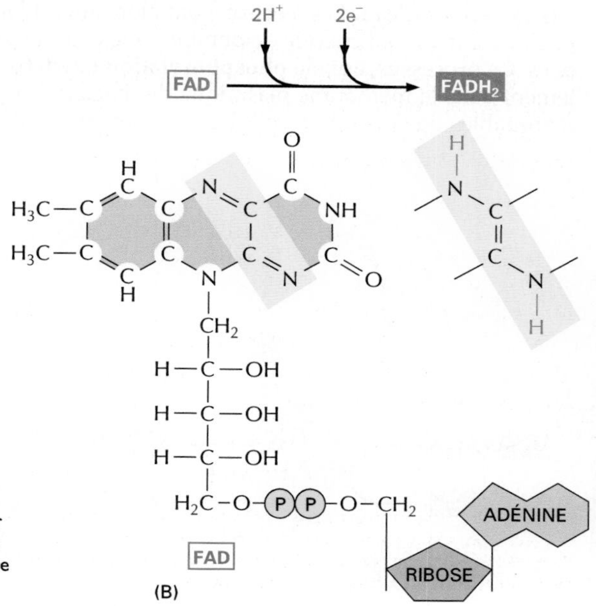

Figure 2-80 Structures du GTP et du $FADH_2$. (A) GTP et GDP sont respectivement très apparentés à ATP et ADP. (B) $FADH_2$ est un transporteur d'hydrogène et d'électrons riches en énergie comme NADH et NADPH. Il est présenté ici sous sa forme oxydée (FAD) avec les atomes porteurs d'hydrogène surlignés en *jaune*.

minal sur l'ADP produit une molécule d'ATP pour chaque cycle. Comme le NADH, le FADH$_2$ est un transporteur d'électrons riches en énergie et d'hydrogène. Comme nous le verrons bientôt, l'énergie stockée dans les électrons de NADH et FADH$_2$, riches en énergie et facilement transférés, sera utilisée ensuite pour produire de l'ATP par oxydation phosphorylante souvent encore appelée *phosphorylation oxydative*, la seule étape du catabolisme oxydatif des denrées alimentaires qui nécessite directement l'oxygène gazeux (O_2) de l'atmosphère.

Le cycle complet de l'acide citrique est présenté dans la planche 2-9 (p. 126-127). Les atomes d'oxygène supplémentaires nécessaires à la formation de CO_2 à partir des groupements acétyle entrant dans le cycle de l'acide citrique ne proviennent pas de l'oxygène moléculaire mais de l'eau. Comme cela est illustré sur la planche, trois molécules d'eau sont rompues par cycle et les atomes d'oxygène de certaines d'entre elles sont finalement utilisés pour fabriquer du CO_2.

En plus du pyruvate et des acides gras, certains acides aminés passent du cytosol dans les mitochondries où ils sont également transformés en acétyl CoA ou en un des autres intermédiaires du cycle de l'acide citrique. Dans les cellules eucaryotes, les mitochondries sont ainsi au centre de tous les processus libérateurs d'énergie, qu'ils commencent avec des sucres, des graisses ou des protéines.

Le cycle de l'acide citrique est également le point de départ d'importantes réactions de biosynthèse en produisant des intermédiaires vitaux à base de carbone, comme l'*oxaloacétate* et l'*α-cétoglutarate*. Certaines de ces substances produites par le catabolisme sont transférées des mitochondries vers le cytosol où elles servent de précurseurs dans les réactions anaboliques qui effectuent la synthèse de nombreuses molécules essentielles, comme les acides aminés.

Le transport d'électrons entraîne la synthèse de la majorité de l'ATP dans la plupart des cellules

C'est au cours de la dernière étape de la dégradation des molécules alimentaires que la majeure partie de son énergie chimique est libérée. Dans ce processus final, les transporteurs d'électrons, NADH et FADH$_2$ transfèrent les électrons qu'ils ont gagnés, lors de l'oxydation d'autres molécules, sur la **chaîne de transport des électrons**, incluse dans la membrane interne des mitochondries. Lorsque les électrons se déplacent le long de cette chaîne de molécules spécialisées receveuses et donneuses d'électrons, ils passent successivement dans des états de moindre énergie. L'énergie libérée par les électrons au cours de ce processus est utilisée pour pomper des ions H$^+$ (protons) à travers la membrane – de l'intérieur du compartiment mitochondrial vers l'extérieur (Figure 2-81). Il se forme ainsi un gradient d'ions H$^+$. Ce gradient sert de source d'énergie puisée, comme pour une batterie, pour entraîner diverses réactions énergie-dépendantes. La principale de ces réactions est la formation d'ATP par phosphorylation d'ADP.

À la fin de cette série de transferts électroniques, les électrons passent dans les molécules d'oxygène gazeux (O_2) qui ont diffusé dans les mitochondries et s'associent simultanément à des protons (H$^+$) issus de la solution avoisinante pour former des molécules d'eau. Les électrons ont alors atteint leur plus faible niveau d'énergie et, de ce fait, toute l'énergie disponible a été extraite des molécules alimentaires oxydées. Ce processus, appelé **phosphorylation oxydative** (Figure 2-82), se produit également dans la membrane plasmique des bactéries. En tant que réussite des plus remarquables de l'évolution cellulaire, il constitue le thème central du chapitre 14.

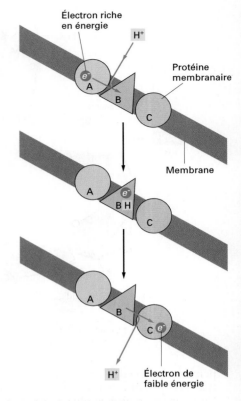

Figure 2-81 Formation d'un gradient de H$^+$ à travers la membrane par des réactions de transport d'électrons. Un électron riche en énergie (dérivé par exemple de l'oxydation d'un métabolite) est amené séquentiellement par des molécules de transport A, B et C dans un état de moindre énergie. Dans ce schéma, le transporteur B est disposé sur la membrane de façon à prendre un H$^+$ d'un côté et à le libérer de l'autre lorsque les électrons passent. Il en résulte un gradient de H$^+$. Ce gradient représente une forme d'énergie de réserve qui est recueillie par d'autres protéines membranaires pour entraîner la formation d'ATP.

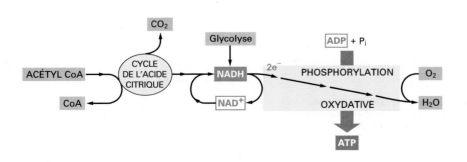

Figure 2-82 Étapes finales de l'oxydation des molécules alimentaires. Les molécules de NADH et de FADH$_2$ (FADH$_2$ n'est pas montré) sont produites par le cycle de l'acide citrique. Ces transporteurs activés libèrent des électrons riches en énergie qui sont finalement utilisés pour réduire l'oxygène gazeux en eau. La majeure partie de l'énergie libérée pendant le transfert de ces électrons le long de la chaîne de transfert des électrons dans la membrane interne des mitochondries (ou dans la membrane plasmique des bactéries) est recueillie pour entraîner la synthèse d'ATP : d'où le nom de phosphorylation oxydative.

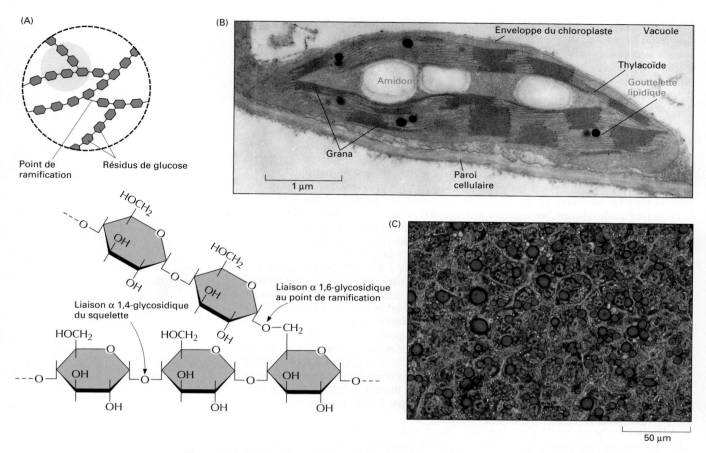

Figure 2-83 Stockage des sucres et des graisses dans les cellules animales et végétales. (A) Structure de l'amidon et du glycogène, formes de stockage des sucres, respectivement dans les végétaux et les animaux. Tous les deux sont des polymères de réserve du glucose et ne diffèrent que par la fréquence des points de ramification (la région en *jaune* est agrandie en dessous). Il y a beaucoup plus de ramifications dans le glycogène que dans l'amidon. (B) Coupe fine d'un seul chloroplaste issu d'une cellule végétale, qui montre les granules d'amidon et les gouttelettes lipidiques accumulés du fait de la biosynthèse se produisant ici. (C) Gouttelettes lipidiques (colorées en *rouge*) qui commencent à s'accumuler dans une cellule adipeuse animale en développement. (B, due à l'obligeance de K. Plaskitt ; C, due à l'obligeance de Ronald M. Evans et Peter Totonoz.)

Au total, l'oxydation complète d'une molécule de glucose en H_2O et CO_2 est utilisée par la cellule pour produire environ 30 molécules d'ATP. Par contre, la glycolyse seule ne produit que 2 molécules d'ATP par molécule de glucose.

Les organismes stockent les molécules alimentaires dans des réservoirs spéciaux

Tous les organismes ont besoin de maintenir un fort ratio ATP/ADP, s'ils veulent maintenir un ordre biologique dans leurs cellules. Cependant, les animaux n'ont qu'un accès périodique à la nourriture et les végétaux ont besoin de survivre la nuit sans lumière solaire, sans la possibilité de produire du sucre par photosynthèse. C'est pourquoi, les végétaux comme les animaux transforment les sucres et les graisses en des formes spéciales de réserve (Figure 2-83).

Pour compenser les longues périodes de jeûne, les animaux stockent les acides gras sous forme de gouttelettes graisseuses composées de triacylglycérols insolubles dans l'eau, surtout dans des cellules adipeuses spécialisées. Et pour les réserves à court terme, les sucres sont stockés sous forme de sous-unités de glucose dans un polysaccharide fortement ramifié appelé **glycogène**, présent sous forme de petits granules dans le cytoplasme de nombreuses cellules, y compris le foie et les muscles. La synthèse et la dégradation du glycogène sont rapidement régulées selon les besoins. Lorsqu'il faut plus d'ATP que la quantité pouvant être fabriquée à partir des molécules alimentaires prélevées dans le courant sanguin, les cellules dégradent le glycogène par une réaction produisant du glucose 1-phosphate qui entre dans la glycolyse.

Quantitativement, la **graisse** est une réserve bien plus importante que le glycogène, en partie parce que l'oxydation d'un gramme de graisse libère environ deux fois plus d'énergie que l'oxydation d'un gramme de glycogène. De plus le glycogène diffère de la graisse parce qu'il lie une grande quantité d'eau, ce qui fait que, pour stocker la même quantité d'énergie que la graisse, il faut 6 fois la masse réelle du glycogène. Un homme adulte stocke en moyenne assez de glycogène pour un jour environ d'activité normale mais assez de graisse pour survivre presque un mois. Si notre combustible principal devait être mis en réserve sous forme de glycogène et non pas de graisse, il faudrait augmenter le poids du corps, en moyenne, de 30 kilogrammes.

La majeure partie de notre graisse est stockée dans le tissu adipeux, d'où elle est libérée dans le courant sanguin pour que les autres cellules l'utilisent selon les besoins. Ceci se produit après une période sans alimentation; même un jeûne nocturne normal entraîne la mobilisation des graisses, de telle sorte que le matin, la plupart de l'acétyl CoA qui entre dans le cycle de l'acide citrique provient des acides gras et non du glucose. Après un repas, cependant, la plupart de l'acétyl CoA qui entre dans le cycle de l'acide citrique provient du glucose dérivé de l'alimentation et tout excès de glucose est utilisé pour renflouer les réserves amoindries en glycogène ou pour synthétiser des graisses. (Alors que les cellules animales convertissent facilement les sucres en graisses, elles ne peuvent convertir les acides gras en sucres.)

Bien que les végétaux produisent du NADPH et de l'ATP par photosynthèse, ce processus important se produit dans un organite spécialisé, appelé chloroplaste, isolé du reste de la cellule végétale par une membrane imperméable à ces deux types de molécules de transport. De plus, les végétaux contiennent beaucoup d'autres cellules – comme celles des racines – dépourvues de chloroplastes et qui ne peuvent de ce fait produire leurs propres sucres ou ATP. De ce fait, pour la plupart de sa production d'ATP, le végétal doit exporter des sucres à partir de ses chloroplastes vers les mitochondries qui sont présentes dans toutes les cellules végétales. La plupart de l'ATP nécessaire au végétal est synthétisé dans ces mitochondries et exporté à partir de celles-ci vers les autres cellules végétales, grâce aux mêmes voies métaboliques de dégradation oxydative des sucres que celles utilisées par les organismes non photosynthétiques (Figure 2-84).

Pendant les périodes de photosynthèse importante se produisant la journée, les chloroplastes transforment certains sucres qu'ils ont fabriqués en graisses et en **amidon**, un polymère de glucose analogue au glycogène animal. Les graisses des végétaux sont des triacylglycérols, tout comme les graisses animales, et n'en diffèrent que par le type d'acide gras qui prédomine. Les graisses et l'amidon sont tous deux stockés dans les chloroplastes et servent de réserve mobilisable en tant que source énergétique durant les périodes d'obscurité (*voir* Figure 2-83B).

L'embryon à l'intérieur d'une graine végétale doit vivre sur ses réserves d'énergie pendant une période prolongée, jusqu'à ce qu'il germe pour former les feuilles qui peuvent recueillir l'énergie solaire. C'est pourquoi les graines de végétaux contiennent souvent des quantités particulièrement importantes de graisses et d'amidon – ce qui fait qu'elles sont une source alimentaire majeure pour les animaux y compris nous-mêmes (Figure 2-85).

Les acides aminés et les nucléotides font partie du cycle de l'azote

Jusqu'à présent nous nous sommes surtout concentrés sur le métabolisme des glucides. Nous n'avons pas encore considéré le métabolisme de l'azote ou du soufre. Ces deux éléments sont des constituants des protéines et des acides nucléiques, deux classes majeures de macromolécules de la cellule qui représentent approximative-

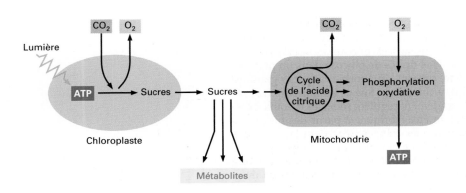

Figure 2-84 Comment se fabrique l'ATP nécessaire à la majeure partie du métabolisme végétal. Dans les végétaux, les chloroplastes et les mitochondries collaborent à l'approvisionnement des cellules par les métabolites et l'ATP.

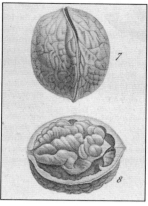
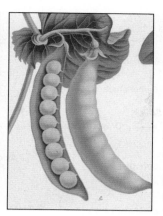

Figure 2-85 Certaines graines de végétaux qui servent d'aliment important pour l'homme. Le maïs, les noix et les pois contiennent tous de riches réserves d'amidon et de graisses qui fournissent au jeune plant embryonnaire de la graine l'énergie et les éléments de construction pour sa biosynthèse. (Due à l'obligeance de la John Innes Foundation.)

ment les deux tiers de son poids sec. Les atomes d'azote et de soufre passent d'un composé à l'autre et d'un organisme à son environnement par une série de cycles réversibles.

Bien que l'azote moléculaire soit abondant dans l'atmosphère terrestre, cet azote sous forme de gaz n'est chimiquement pas réactif. Seules quelques espèces vivantes sont capables de l'incorporer dans des molécules organiques, un processus appelé **fixation de l'azote**. La fixation de l'azote se produit dans certains micro-organismes et lors de certains processus géophysiques comme la décharge de foudre. Elle est essentielle à la biosphère en tant que tout, car sans elle, la vie ne pourrait pas exister sur cette planète. Seule une petite fraction des composés azotés des organismes actuels, cependant, est due à des produits fraîchement issus de la fixation de l'azote à partir de l'atmosphère. La plupart de l'azote organique est en circulation depuis longtemps, passant d'un organisme vivant à l'autre. De ce fait, on peut dire que les réactions de fixation de l'azote de nos jours servent à «combler» l'apport total en azote.

Les vertébrés reçoivent virtuellement tout leur azote de leur absorption alimentaire de protéines et d'acides nucléiques. Dans le corps, ces macromolécules sont dégradées en acides aminés et en composants des nucléotides et l'azote qu'elles contiennent est utilisé pour fabriquer de nouvelles protéines et des acides nucléiques ou pour fabriquer d'autres molécules. Environ la moitié des 20 acides aminés retrouvés dans les protéines sont des acides aminés indispensables pour les vertébrés (Figure 2-86), ce qui signifie qu'ils ne peuvent pas être synthétisés à partir d'autres ingrédients alimentaires. Les autres peuvent être synthétisés à partir de divers matériaux bruts, y compris les intermédiaires du cycle de l'acide citrique comme nous le décrirons. Les acides aminés indispensables sont fabriqués par des organismes invertébrés, en général par des voies métaboliques longues et énergétiquement onéreuses qui ont été perdues au cours de l'évolution des vertébrés.

Les nucléotides nécessaires à la fabrication de l'ARN et de l'ADN peuvent être synthétisés par des voies métaboliques spécialisées de biosynthèse : ce ne sont pas des «nucléotides indispensables» qui doivent être apportés par l'alimentation. Tout l'azote des bases puriques et pyrimidiques (ainsi qu'une partie du carbone) dérive des acides aminés abondants que sont la glutamine, l'acide aspartique et la glycine alors que le ribose et le désoxyribose qui composent les sucres proviennent du glucose.

Les acides aminés qui ne sont pas utilisés dans la biosynthèse peuvent être oxydés pour fabriquer l'énergie métabolique. La plupart de leurs atomes de carbone et d'hydrogène forment finalement du CO_2 et de l'H_2O alors que leurs atomes d'azote sont véhiculés sous diverses formes et forment finalement l'urée, qui est excrétée. Chaque acide aminé est traité différemment et il existe une multitude de réactions enzymatiques pour leur catabolisme.

De nombreuses voies métaboliques biosynthétiques commencent par la glycolyse ou le cycle de l'acide citrique

Le catabolisme produit de l'énergie pour la cellule et des éléments de construction à partir desquels beaucoup d'autres molécules de la cellule sont édifiées (*voir* Figure 2-36). Jusqu'à maintenant, notre abord de la glycolyse et du cycle de l'acide citrique a mis l'accent sur la production d'énergie plutôt que sur l'approvisionnement des ma-

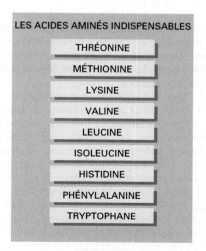

LES ACIDES AMINÉS INDISPENSABLES

| THRÉONINE |
| MÉTHIONINE |
| LYSINE |
| VALINE |
| LEUCINE |
| ISOLEUCINE |
| HISTIDINE |
| PHÉNYLALANINE |
| TRYPTOPHANE |

Figure 2-86 Les neufs acides aminés indispensables. Ils ne peuvent être synthétisés par les cellules humaines et doivent donc être apportés par l'alimentation.

LES CELLULES OBTIENNENT DE L'ÉNERGIE DES ALIMENTS

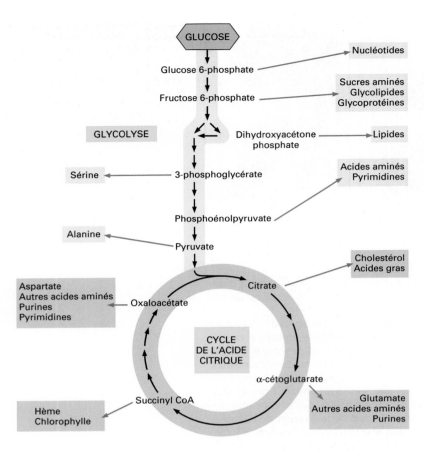

Figure 2-87 La glycolyse et le cycle de l'acide citrique fournissent les précurseurs nécessaires à la synthèse de nombreuses molécules biologiques importantes. Les acides aminés, les nucléotides, les lipides, les sucres et les autres molécules – montrées ici comme produits – servent à leur tour de précurseurs de nombreuses macromolécules cellulaires. Chaque *flèche noire* de ce schéma représente une seule réaction catalysée par une enzyme ; les *flèches rouges* représentent en général des voies métaboliques à plusieurs étapes qui sont nécessaires à la production des produits indiqués.

tériaux de départ pour la biosynthèse. Mais beaucoup d'intermédiaires formés au cours de ces réactions sont également aspirés par d'autres enzymes qui les utilisent pour produire des acides aminés, des nucléotides, des lipides et d'autres petites molécules organiques dont la cellule a besoin. On peut se faire une certaine idée de la complexité de ce processus avec la figure 2-87, qui illustre certaines ramifications des réactions cataboliques centrales qui conduisent à la biosynthèse.

L'existence d'une telle quantité de ramifications des voies métaboliques dans la cellule nécessite que, à chaque embranchement, le choix soit régulé avec précision, comme nous le verrons ultérieurement.

Le métabolisme est organisé et régulé

On peut se rendre compte de la complexité d'une cellule en tant que machine chimique par la relation qui existe entre la glycolyse et le cycle de l'acide citrique et les autres voies métaboliques esquissées par la figure 2-88. Ce type de diagramme, déjà utilisé dans ce chapitre pour introduire le métabolisme, ne représente que quelques-unes des voies métaboliques enzymatiques de la cellule. Il est bien évident que notre discussion du métabolisme cellulaire n'a traité que d'une minuscule fraction de la chimie cellulaire.

Toutes ces réactions se produisent dans une cellule qui mesure moins de 0,1 mm de diamètre et chacune nécessite une enzyme différente. Comme la figure 2-88 le montre clairement, la même molécule peut souvent faire partie de différentes voies métaboliques. Le pyruvate, par exemple, est le substrat d'une demi-douzaine voire plus de différentes enzymes, et chacune le modifie chimiquement d'une façon différente. Une enzyme transforme le pyruvate en acétyl CoA, une autre en oxaloacétate ; une troisième enzyme change le pyruvate en un acide aminé, l'alanine, une quatrième en lactate et ainsi de suite. Toutes ces voies métaboliques entrent en compétition avec la même molécule de pyruvate et des compétitions similaires pour des milliers d'autres petites molécules se produisent à chaque instant. Cette complexité peut être encore mieux ressentie en regardant la carte tridimensionnelle du métabolisme qui permet d'établir plus directement les connexions entre les voies métaboliques (Figure 2-89).

La situation se complique encore plus dans un organisme multicellulaire. Différents types cellulaires ont en général besoin de groupes d'enzymes légèrement différentes. Et différents tissus contribuent de façon différente à la chimie de l'organisme

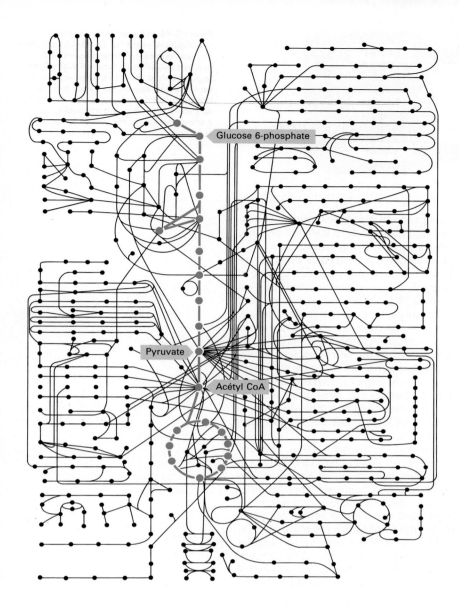

Figure 2-88 La glycolyse et le cycle de l'acide citrique sont au centre du métabolisme. Voici schématiquement quelque 500 réactions métaboliques d'une cellule typique, avec les réactions de la glycolyse et du cycle de l'acide citrique en *rouge*. Les autres réactions conduisent soit à ces deux voies métaboliques centrales – qui délivrent de petites molécules qui seront catabolisées pour produire de l'énergie – soit n'entrent pas dedans et fournissent ainsi les composés de carbone pour les besoins de la biosynthèse.

Glucose 6-phosphate

Pyruvate

Acétyl CoA

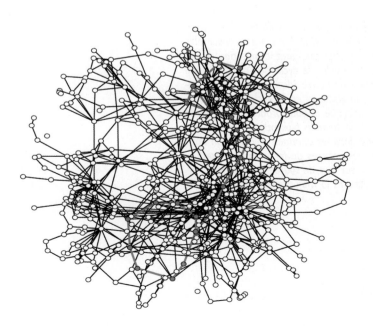

Figure 2-89 Représentation des réactions métaboliques connues qui impliquent de petites molécules dans une levure. Comme dans la figure 2-88, les réactions de glycolyse et du cycle de l'acide citrique sont marquées en *rouge*. Cette carte métabolique est inhabituelle car elle est en trois dimensions, ce qui permet d'insister sur les nombreuses interactions entre les voies métaboliques. Elle a pour but d'être visualisée sur un ordinateur pour subir des rotation et être inspectée sous n'importe quel angle. (D'après H. Jeong, S.P. Mason, A.-L. Barabási et N. Oltava, *Nature* 411 : 41-42, 2001. © Macmillan Magazines Ltd.)

LES CELLULES OBTIENNENT DE L'ÉNERGIE DES ALIMENTS

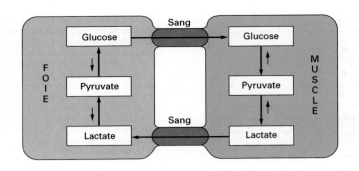

Figure 2-90 Schéma de la coopération métabolique entre les cellules hépatiques et musculaires. Le carburant principal des cellules musculaires en contraction active est le glucose, dont la majeure partie est fournie par les cellules hépatiques. L'acide lactique, le produit final de la dégradation anaérobie du glucose par la glycolyse musculaire, est retransformé en glucose dans le foie par le processus de néoglucogenèse.

en tant que tout. En plus des différences dans les produits spécialisés comme les hormones ou les anticorps, il existe des différences significatives dans les voies métaboliques « communes » entre divers types de cellules du même organisme.

Même si virtuellement toutes les cellules contiennent les enzymes de la glycolyse, du cycle de l'acide citrique, de la synthèse et de la dégradation des lipides, et du métabolisme des acides aminés, l'importance de ces processus nécessaires n'est pas la même dans les différents tissus. Par exemple, les cellules nerveuses, qui sont probablement les cellules les plus exigeantes du corps, ne peuvent garder presque aucune réserve de glycogène ou d'acide gras et se reposent presque entièrement sur l'apport constant de glucose à partir du courant sanguin. À l'opposé, les cellules hépatiques fournissent du glucose aux cellules musculaires qui se contractent activement ; de plus elles recyclent l'acide lactique produit par les muscles en reformant du glucose (Figure 2-90). Tous les types de cellules ont leurs caractéristiques métaboliques particulières et coopèrent intensément à l'état normal, ainsi qu'en réponse au stress et à l'absence de nourriture. On pourrait penser que l'ensemble du système est si finement équilibré que tout bouleversement mineur, comme une modification temporaire de l'absorption alimentaire, serait désastreux.

En fait, l'équilibre métabolique d'une cellule est étonnement stable. Dès que l'équilibre est perturbé, la cellule réagit afin de restaurer l'état initial. La cellule peut s'adapter et poursuivre son fonctionnement pendant le jeûne ou les maladies. Des mutations de nombreuses sortes peuvent endommager ou même éliminer certaines réactions métaboliques particulières, et cependant – dès lors que le besoin minimum est rempli – les cellules survivent. Cela se passe ainsi parce qu'un réseau complexe de *mécanismes de contrôle* régule et coordonne la vitesse de toutes ces réactions. Ces contrôles se reposent pour finir sur la remarquable capacité des protéines à modifier leur forme et leur chimie en réponse à des modifications de leur environnement immédiat. Les principes qui sont à la base de la taille importante des molécules comme les protéines et de la chimie qui permet leur régulation constituent le sujet du chapitre suivant.

Résumé

Le glucose et les autres molécules alimentaires sont dégradés par une oxydation séquentielle contrôlée pour fournir l'énergie chimique sous forme d'ATP et de NADH. Il y a trois ensembles de réactions principales qui agissent en série – le produit de chacune étant le matériau de départ de la suivante : la glycolyse (qui se produit dans le cytosol), le cycle de l'acide citrique (dans la matrice des mitochondries) et la phosphorylation oxydative (dans la membrane interne des mitochondries). Les produits intermédiaires de la glycolyse et du cycle de l'acide citrique sont utilisés à la fois comme source d'énergie métabolique et pour produire une grande partie des petites molécules utilisées comme matériau brut pour la biosynthèse. Les cellules stockent les molécules de sucre sous forme de glycogène dans les animaux et d'amidon dans les végétaux ; les végétaux et les animaux utilisent aussi les graisses de façon intense comme réserve de nourriture. Ces matériaux de réserve servent à leur tour de source majeure de nourriture pour l'homme, tout comme les protéines qui constituent la majorité de la masse sèche des cellules que nous mangeons.

Bibliographie

Généralités

Garrett RH & Grisham CM (1998) Biochemistry, 2nd edn. Orlando: Saunders.

Horton HR, Moran LA, Ochs RS et al. (2001) Principles of Biochemistry, 3rd edn. Upper Saddle River, NJ: Prentice Hall.

Lehninger AL, Nelson DL & Cox MM (1993) Principles of Biochemistry, 2nd edn. New York: Worth.

Mathews CK, van Holde KE & Ahern K-G (2000) Biochemistry, 3rd edn. San Francisco: Benjamin Cummings.

Moore JA (1993) Science As a Way of Knowing. Cambridge, MA: Harvard University Press

Stryer L (1995) Biochemistry, 4th edn. New York: WH Freeman.

Voet D, Voet JG & Pratt CW (1999) Fundamentals of Biochemistry. New York: Wiley.

Zubay GL (1998) Biochemistry, 4th edn. Dubuque, IO: William C Brown.

Composants chimiques de la cellule

Abeles RH, Frey PA & Jencks WP (1992) Biochemistry. Boston: Jones & Bartlett.

Atkins PW (1996) Molecules. New York: WH Freeman.

Branden C & Tooze J (1999) Introduction to Protein Structure, 2nd edn. New York: Garland Publishing.

Bretscher MS (1985) The molecules of the cell membrane. Sci. Am. 253(4), 100–109.

Burley SK & Petsko GA (1988) Weakly polar interactions in proteins. Adv. Protein Chem. 39, 125–189.

Eisenberg D & Kauzman W (1969) The Structure and Properties of Water. Oxford: Oxford University Press.

Fersht AR (1987) The hydrogen bond in molecular recognition. Trends Biochem. Sci. 12, 301–304.

Franks F (1993) Water. Cambridge: Royal Society of Chemistry.

Henderson LJ (1927) The Fitness of the Environment, 1958 edn. Boston: Beacon.

Ingraham JL, Maaløe O & Neidhardt FC (1983) Growth of the Bacterial Cell. Sunderland, MA: Sinauer.

Pauling L (1960) The Nature of the Chemical Bond, 3rd edn. Ithaca, NY: Cornell University Press.

Saenger W (1984) Principles of Nucleic Acid Structure. New York: Springer.

Sharon N (1980) Carbohydrates. Sci. Am. 243(5), 90–116.

Stillinger FH (1980) Water revisited. Science 209, 451–457.

Tanford C (1978) The hydrophobic effect and the organization of living matter. Science 200, 1012–1018.

Tanford C (1980) The Hydrophobic Effect. Formation of Micelles and Biological Membranes, 2nd edn. New York: John Wiley.

Catalyse et utilisation de l'énergie par la cellule

Atkins PW (1994) The Second Law: Energy, Chaos and Form. New York: Scientific American Books.

Atkins PW (1998) Physical Chemistry, 6th edn. Oxford: Oxford University Press.

Berg HC (1983) Random Walks in Biology. Princeton, NJ: Princeton University Press.

Dickerson RE (1969) Molecular Thermodynamics. Menlo Park, CA: Benjamin Cummings.

Dressler D & Potter H (1991) Discovering Enzymes. New York: Scientific American Library.

Einstein A (1956) Investigations on the Theory of Brownian Movement. New York: Dover.

Eisenberg D & Crothers DM (1979) Physical Chemistry with Applications to the Life Sciences. Menlo Park, CA: Benjamin Cummings.

Fruton JS (1999) Proteins, Enzymes, Genes: The Interplay of Chemistry and Biology. New Haven: Yale University Press.

Goodsell DS (1991) Inside a living cell. Trends Biochem. Sci. 16, 203–206.

Karplus M & McCammon JA (1986) The dynamics of proteins. Sci. Am. 254(4), 42–51.

Karplus M & Petsko GA (1990) Molecular dynamics simulations in biology. Nature 347, 631–639.

Kauzmann W (1967) Thermodynamics and Statistics: with Applications to Gases. In Thermal Properties of Matter, vol 2, New York: Benjamin.

Klotz IM (1967) Energy Changes in Biochemical Reactions. New York: Academic Press.

Kornberg A (1989) For the Love of Enzymes. Cambridge, MA: Harvard University Press.

Lavenda BH (1985) Brownian Motion. Sci. Am. 252(2), 70–85.

Lawlor DW (2001) Photosynthesis, 3rd edn. Oxford: BIOS.

Lehninger AL (1971) The Molecular Basis of Biological Energy Transformations, 2nd edn. Menlo Park, CA: Benjamin Cummings.

Lipmann F (1941) Metabolic generation and utilization of phosphate bond energy. Adv. Enzymol. 1, 99–162.

Lipmann F (1971) Wanderings of a Biochemist. New York: Wiley.

Nisbet EE & Sleep NH (2001) The habitat and nature of early life. Nature 409, 1083–1091.

Racker E (1980) From Pasteur to Mitchell: a hundred years of bioenergetics. Fed. Proc. 39, 210–215.

Schrödinger E (1944 & 1958) What is Life?: The Physical Aspect of the Living Cell and Mind and Matter, 1992 combined edn. Cambridge: Cambridge University Press.

van Holde KE, Johnson WC & Ho PS (1998) Principles of Physical Biochemistry. Upper Saddle River, NJ: Prentice Hall.

Walsh C (2001) Enabling the chemistry of life. Nature 409, 226–231.

Westheimer FH (1987) Why nature chose phosphates. Science 235, 1173–1178.

Youvan DC & Marrs BL (1987) Molecular mechanisms of photosynthesis. Sci. Am. 256(6), 42–49.

Les cellules obtiennent de l'énergie des aliments

Cramer WA & Knaff DB (1990) Energy Transduction in Biological Membranes. New York: Springer-Verlag.

Fell D (1997) Understanding the Control of Metabolism. London: Portland Press.

Flatt JP (1995) Use and storage of carbohydrate and fat. Am. J. Clin. Nutr. 61, 952S–959S.

Fothergill-Gilmore LA (1986) The evolution of the glycolytic pathway. Trends Biochem. Sci. 11, 47–51.

Huynen MA, Dandekar T & Bork P (1999) Variation and evolution of the citric-acid cycle: a genomic perspective. Trends Microbiol. 7, 281–291.

Kornberg HL (1987) Tricarboxylic acid cycles. Bioessays 7, 236–238.

Krebs HA & Martin A (1981) Reminiscences and Reflections. Oxford/New York: Clarendon Press/Oxford University Press.

Krebs HA (1970) The history of the tricarboxylic acid cycle. Perspect. Biol. Med. 14, 154–170.

Martin BR (1987) Metabolic Regulation: A Molecular Approach. Oxford: Blackwell Scientific.

McGilvery RW (1983) Biochemistry: A Functional Approach, 3rd edn. Philadelphia: Saunders.

Newsholme EA & Stark C (1973) Regulation in Metabolism. New York: Wiley.

SQUELETTES CARBONÉS

Le carbone a un rôle particulier dans la cellule à cause de sa capacité à former des liaisons covalentes fortes avec d'autres atomes de carbone. De ce fait, les atomes de carbone peuvent s'unir pour former des chaînes

ou des structures ramifiées

ou des cycles

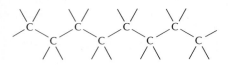

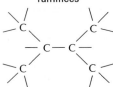

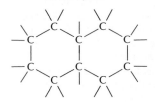

S'écrit aussi ainsi

S'écrit aussi ainsi

S'écrit aussi ainsi

LIAISONS COVALENTES

Une liaison covalente se forme lorsque deux atomes se rapprochent à très courte distance et partagent un ou plusieurs électrons. Lors de liaison simple, chacun des deux atomes fournit un électron et les deux électrons sont partagés ; lors de double liaison, un total de quatre électrons est partagé.

Chaque atome forme un nombre fixe de liaisons covalentes, dans une disposition spatiale définie. Par exemple le carbone forme quatre liaisons simples disposées en tétraèdre, alors que l'azote forme trois liaisons simples et l'oxygène deux liaisons simples disposées comme montré ci-dessous.

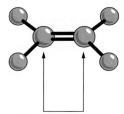

Les atomes liés par au moins deux liaisons covalentes ne peuvent effectuer librement de rotation autour de l'axe de liaison. Cette restriction a une influence majeure sur la forme tridimensionnelle de nombreuses macromolécules.

Des doubles liaisons qui ont une disposition spatiale différente.

HYDROCARBURES

Le carbone et l'hydrogène s'associent entre eux pour former des composés stables (ou groupements chimiques) appelés hydrocarbures. Ils ne sont pas polaires, ne forment pas de liaisons hydrogène et sont généralement insolubles dans l'eau.

Méthane

Groupement méthyle

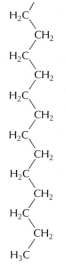

Partie de la « queue » hydrocarbonée d'une molécule d'acide gras

DOUBLES LIAISONS CONJUGUÉES

La chaîne de carbone peut inclure des doubles liaisons. Si elles sont placées tous les deux carbones, les électrons liés se déplacent à l'intérieur de la molécule et stabilisent la structure par un phénomène de résonance.

Dans un cycle, les doubles liaisons conjuguées peuvent créer une structure très stable.

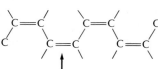

La vérité est quelque part entre ces deux structures

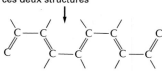

Benzène

S'écrit souvent ainsi

GROUPEMENTS CHIMIQUES C–O

Beaucoup de composés biologiques contiennent un carbone lié à un oxygène. Par exemple :

Alcool

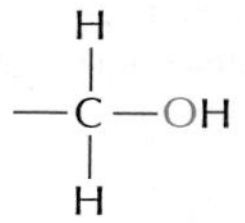

Le –OH est appelé groupement hydroxyle

Aldéhyde

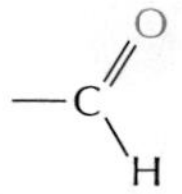

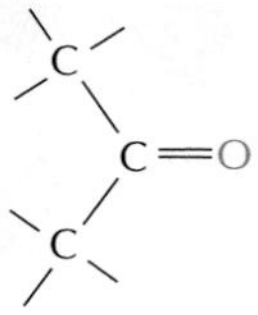

Le C=O est appelé groupement carbonyle

Cétone

Acide carboxylique

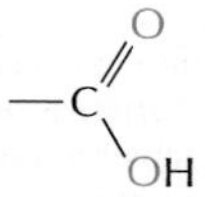

Le –COOH est appelé groupement carboxyle. Dans l'eau, il perd un ion H^+ pour devenir –COO⁻

Esters

Les esters sont formés par l'association d'un acide et d'un alcool

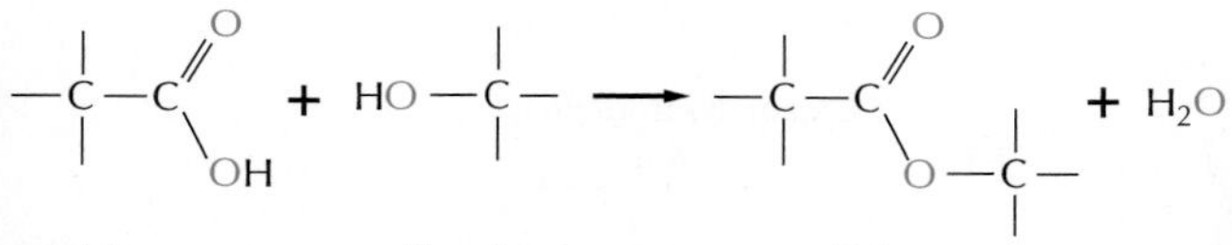

Acide   Alcool   Ester

GROUPEMENTS CHIMIQUES C–N

Les amines et les amides sont deux exemples importants de composés contenant un carbone lié à un azote.

Dans l'eau, les amines se combinent à l'ion H^+ et deviennent chargées positivement.

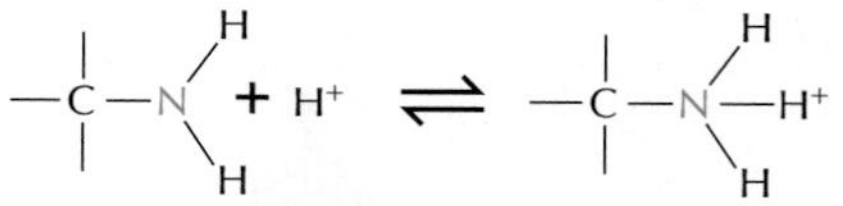

Les amides sont formés par l'association d'un acide et d'une amine. Contrairement aux amines, les amides ne se modifient pas dans l'eau. Citons, comme exemple, la liaison peptide qui relie les acides aminés au sein d'une protéine.

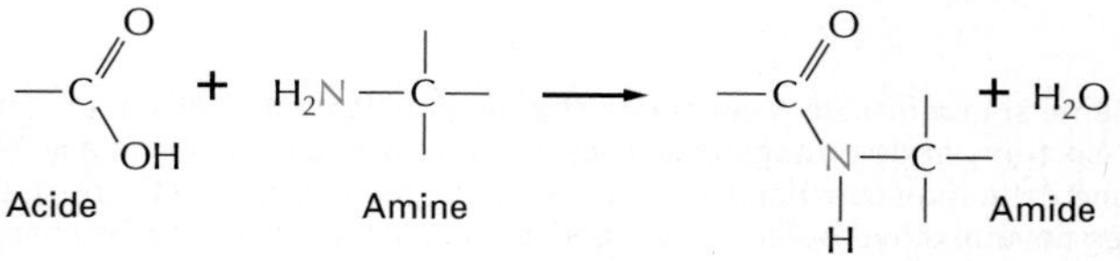

Acide   Amine   Amide

L'azote apparaît également dans beaucoup de composés cycliques, y compris dans les constituants importants des acides nucléiques : les purines et les pyrimidines.

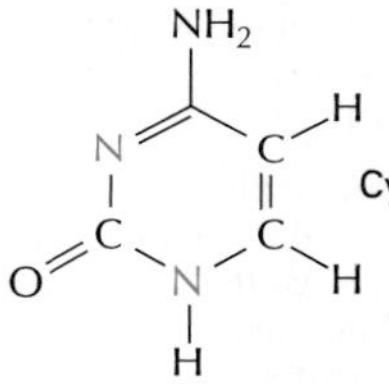

Cytosine (une pyrimidine)

PHOSPHATES

Le phosphate inorganique est un ion stable formé à partir de l'acide phosphorique, H_3PO_4. Il est souvent noté P_i.

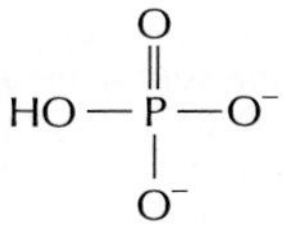

Des esters de phosphate peuvent se former entre un phosphate et un groupement hydroxyle libre. Les groupements phosphate sont souvent ainsi fixés sur les protéines.

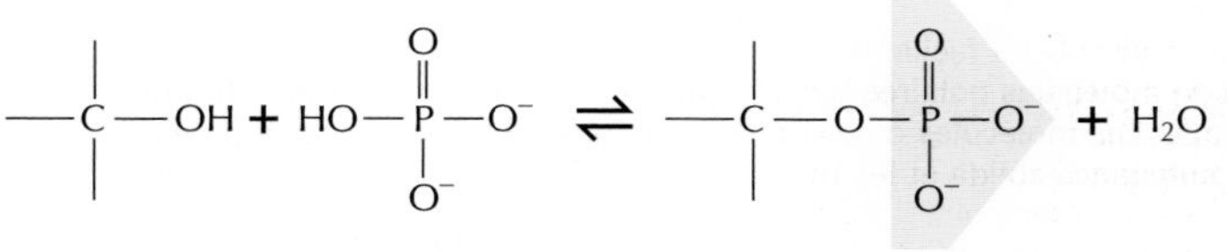

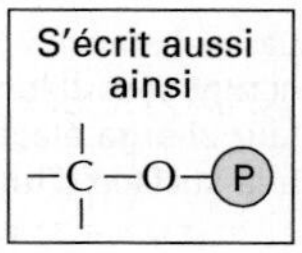

S'écrit aussi ainsi

L'association d'un phosphate et d'un groupement carboxyle, ou de deux ou plusieurs phosphates, forme un anhydride d'acide.

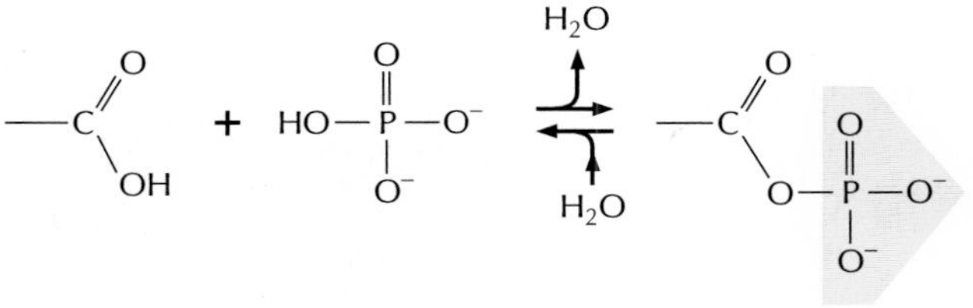

Liaison acyl-phosphate riche en énergie (anhydride d'acides carboxylique et phosphorique) présente dans certains métabolites

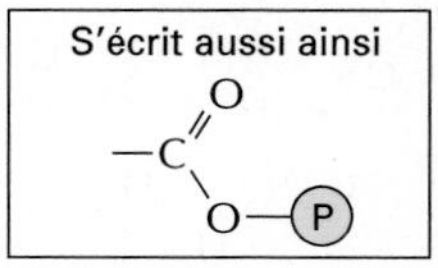

S'écrit aussi ainsi

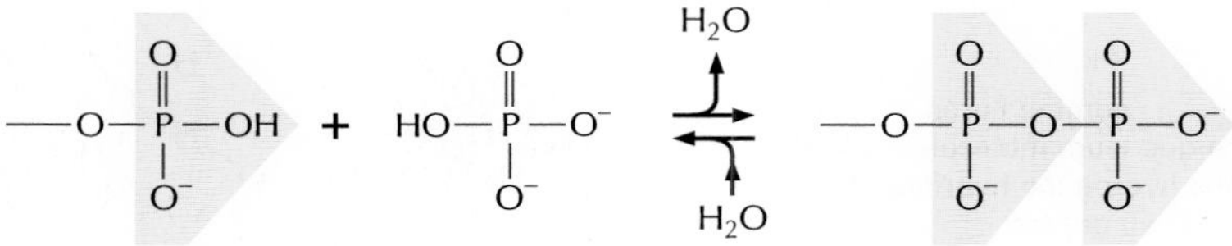

Phosphoanhydride – une liaison riche en énergie présente dans des molécules comme l'ATP

S'écrit aussi ainsi

EAU

Deux atomes reliés par une liaison covalente peuvent exercer des attractions différentes sur les électrons de la liaison. Dans ce cas, la liaison est polaire, avec une extrémité légèrement chargée négativement (δ^-) et l'autre légèrement chargée positivement (δ^+).

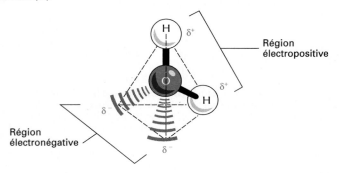

Région électropositive

Région électronégative

Même si la molécule d'eau a une charge globale neutre (elle a le même nombre d'électrons et de protons), les électrons sont disposés de façon asymétrique, ce qui rend cette molécule polaire. Le noyau d'oxygène attire les électrons, les éloignant des noyaux d'hydrogène et laissant ces derniers avec une petite charge nette positive. L'excès de densité électronique sur l'atome d'oxygène crée une région faiblement négative aux deux autres angles d'un tétraèdre imaginaire.

STRUCTURE DE L'EAU

Les molécules d'eau se lient transitoirement pour former un treillis de liaisons hydrogène. Même à 37 °C, 15 p. 100 des molécules d'eau sont liées à quatre autres pour former un assemblage de courte durée de vie appelé « agrégat oscillant ».

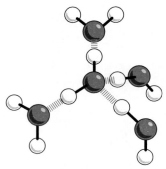

La nature cohésive de l'eau est responsable d'un grand nombre de ses propriétés inhabituelles, comme son importante tension superficielle, sa chaleur spécifique et sa température de vaporisation.

LIAISONS HYDROGÈNE

Du fait de leur polarisation, deux molécules H_2O adjacentes peuvent former une liaison appelée liaison hydrogène. La force des liaisons hydrogène ne représente que 1/20 de celle d'une liaison covalente.

Les liaisons hydrogène sont les plus fortes lorsque trois atomes sont reliés en ligne droite.

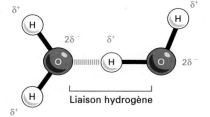

Liaison hydrogène

longueur des liaisons

Liaison hydrogène
0,27 nm

Liaison covalente
0,10 nm

MOLÉCULES HYDROPHILES

Les substances qui se dissolvent facilement dans l'eau sont dites hydrophiles. Elles sont composées d'ions de molécules polaires qui attirent les molécules d'eau par l'effet de leur charge électrique. Les molécules d'eau entourent chaque ion ou molécule polaire à la surface d'une substance solide et les mettent en solution.

Les substances ioniques comme le chlorure de sodium se dissolvent parce que les molécules d'eau sont attirées vers la charge positive (Na^+) ou négative (Cl^-) de chaque ion.

Les substances polaires comme l'urée se dissolvent parce que leurs molécules forment des liaisons hydrogène hybrides avec les molécules d'eau qui les entourent.

MOLÉCULES HYDROPHOBES

Les molécules qui contiennent une prépondérance de liaisons non polaires sont généralement insolubles dans l'eau et dites hydrophobes. Cela est particulièrement vrai pour les hydrocarbures qui contiennent beaucoup de liaisons C–H. Les molécules d'eau ne sont pas attirées vers ces molécules et ont donc peu tendance à les entourer et à les mettre en solution.

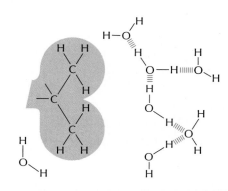

L'EAU EST UN SOLVANT

De nombreuses substances, comme le sucre de table, se dissolvent dans l'eau. C'est-à-dire que leurs molécules se séparent les unes des autres, et chacune s'entoure de molécules d'eau.

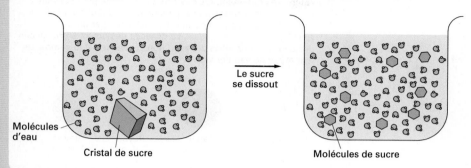

Molécules d'eau

Cristal de sucre

Le sucre se dissout

Molécules de sucre

Lorsqu'une substance se dissout dans un liquide, le mélange est appelé solution. La substance dissoute (dans ce cas le sucre) est le soluté et le liquide qui la dissout (dans ce cas, l'eau) le solvant. L'eau est un excellent solvant de nombreuses substances à cause de ses liaisons polaires.

ACIDES

Les substances qui libèrent des ions hydrogène dans une solution sont appelées acides.

$$HCl \longrightarrow H^+ + Cl^-$$

Acide chlorhydrique (acide fort) · Ion hydrogène · Ion chlorure

Dans la cellule, beaucoup d'acides importants ne sont que partiellement dissociés et sont donc des acides faibles – par exemple le groupement carboxyle (–COOH) qui se dissocie en solution pour donner des ions hydrogène.

$$-C\overset{O}{\underset{OH}{\big<}} \rightleftharpoons H^+ + -C\overset{O}{\underset{O^-}{\big<}}$$

(Acide faible)

Notez qu'il s'agit d'une réaction réversible.

ÉCHANGES D'ION HYDROGÈNE

Les ions hydrogène (H^+) positivement chargés peuvent spontanément se déplacer d'une molécule d'eau à une autre, créant ainsi deux espèces ioniques.

ion hydronium (eau agissant comme une base faible) · ion hydroxyle (eau agissant comme un acide faible)

$$\text{Souvent écrit} \quad H_2O \rightleftharpoons H^+ + OH^-$$

Ion hydrogène · Ion hydroxyle

Comme ce processus est facilement réversible, les ions hydrogène sont continuellement en transit entre les molécules d'eau. L'eau pure contient une concentration stable d'ions hydrogène et d'ions hydroxyle (10^{-7} M de chaque).

pH

L'acidité d'une solution est définie par la concentration en ions H^+ qu'elle renferme. Pour plus de facilité, nous utilisons l'échelle de pH où

$$pH = -\log_{10} [H^+]$$

Pour l'eau pure

$$[H^+] = 10^{-7} \text{ moles/litre}$$

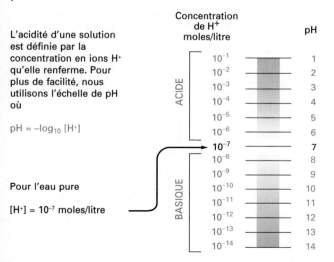

Concentration de H^+ moles/litre	pH
10^{-1}	1
10^{-2}	2
10^{-3}	3
10^{-4}	4
10^{-5}	5
10^{-6}	6
10^{-7}	7
10^{-8}	8
10^{-9}	9
10^{-10}	10
10^{-11}	11
10^{-12}	12
10^{-13}	13
10^{-14}	14

ACIDE · BASIQUE

BASES

Les substances qui réduisent le nombre d'ions hydrogène en solution sont appelées bases. Certaines bases, comme l'ammoniac, s'associent directement avec les ions hydrogène.

$$NH_3 + H^+ \longrightarrow NH_4^+$$

Ammoniac · Ion hydrogène · Ion ammonium

D'autres bases, comme l'hydroxyde de sodium, réduisent indirectement le nombre d'ions H^+, en fabriquant des ions OH^- qui se combinent ensuite directement avec les ions H^+ pour former H_2O.

$$NaOH \longrightarrow Na^+ + OH^-$$

Hydroxyde de sodium (base forte) · Ion sodium · Ion hydroxyle

Dans les cellules, de nombreuses bases sont partiellement dissociées et sont appelées bases faibles. Cela s'applique aux composés qui contiennent un groupement amine (–NH$_2$), qui a une tendance à accepter de façon réversible un ion H^+ de l'eau, augmentant la quantité d'ions OH^- libres.

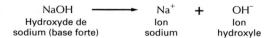

$$-NH_2 + H^+ \rightleftharpoons -NH_3^+$$

LIAISONS CHIMIQUES FAIBLES

Les molécules organiques peuvent interagir avec d'autres molécules par l'intermédiaire de forces non covalentes de courte portée.

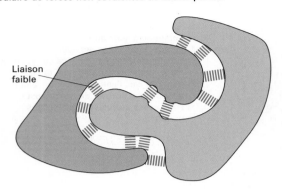

Liaison
faible

Les liaisons chimiques faibles ont une force inférieure à 1/20 de celle d'une liaison covalente forte. Elles ne sont assez fortes pour permettre une liaison solide que lorsqu'elles se forment simultanément en grand nombre.

LIAISONS HYDROGÈNE

Comme nous l'avons déjà décrit dans le cas de l'eau (*voir* Planche 2-2), les liaisons hydrogène se forment lorsqu'un atome d'hydrogène est pris en « sandwich » entre deux atomes attirant les électrons (en général l'oxygène ou l'azote).

Les liaisons hydrogène sont plus fortes lorsque les trois atomes sont placés en ligne droite :

Exemples dans les macromolécules :

Les acides aminés des chaînes polypeptidiques forment ensemble des liaisons hydrogène.

Deux bases, G et C, liées par liaisons hydrogène dans l'ADN ou l'ARN.

FORCES D'ATTRACTION DE VAN DER WAALS

Si deux atomes sont trop rapprochés, ils se repoussent l'un l'autre très fortement. C'est pourquoi un atome peut souvent être considéré comme une sphère de rayon défini. La « taille » particulière de chaque atome est caractérisée par un rayon spécifique de van der Waals. La distance de contact entre chacun des deux atomes reliés de façon non covalente est la somme de leur rayon de van der Waals.

Rayon 0,12 nm	Rayon 0,2 nm	Rayon 0,15 nm	Rayon 0,14 nm

À une distance très courte, chacun des deux atomes montre une faible interaction de liaison due à leurs charges électriques fluctuantes. Les deux atomes seront ainsi attirés l'un vers l'autre jusqu'à ce que la distance entre leurs noyaux soit approximativement égale à la somme de leurs rayons de van der Waals. Même si elles sont individuellement assez faibles, les forces d'attraction de van der Waals peuvent devenir importantes lorsque deux surfaces macromoléculaires s'adaptent fortement l'une à l'autre, car beaucoup d'atomes entrent en jeu.

Notez que lorsque deux atomes forment une liaison covalente, les centres des deux atomes (les deux noyaux atomiques) sont beaucoup plus proches l'un de l'autre que la somme des deux rayons de van der Waals. Donc,

0,4 nm Deux atomes de carbone non liés	0,15 nm Simple liaison carbone	0,13 nm Double liaison carbone

LIAISONS HYDROGÈNE DANS L'EAU

Toutes les molécules qui peuvent former des liaisons hydrogène l'une avec l'autre peuvent alternativement former des liaisons hydrogène avec des molécules d'eau. Du fait de cette compétition avec les molécules d'eau, les liaisons hydrogène formées entre deux molécules dissoutes dans l'eau sont relativement faibles.

Liaison peptidique

$2H_2O$

$2H_2O$

FORCES HYDROPHOBES

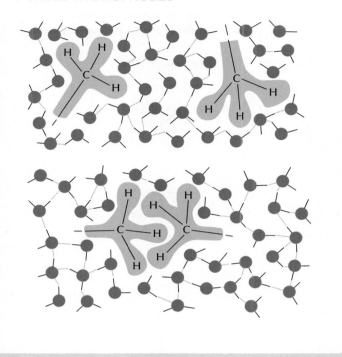

L'eau force les groupements hydrophobes à se regrouper parce que cela minimise leurs effets de rupture du réseau de liaisons hydrogène de l'eau. On dit parfois que les groupements hydrophobes maintenus ainsi sont maintenus par des « liaisons hydrophobes », même si l'attraction est véritablement causée par la répulsion vis-à-vis de l'eau.

LIAISONS IONIQUES DANS LES SOLUTIONS AQUEUSES

Les groupements chargés sont protégés par leurs interactions avec les molécules d'eau. Les liaisons ioniques sont de ce fait assez faibles dans l'eau.

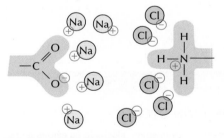

De même, d'autres ions en solution peuvent se regrouper autour d'un groupement chargé et affaiblir encore plus les liaisons ioniques.

LIAISON IONIQUES

Des interactions ioniques se produisent soit entre des groupements complètement chargés (liaison ionique) soit entre des groupements partiellement chargés.

Les forces d'attraction entre les deux charges, δ^+ et δ^-, diminuent rapidement lorsque la distance entre les charges augmente.

En l'absence d'eau, les forces ioniques sont très fortes. Elles sont responsables de la force de minéraux comme le marbre et l'agate.

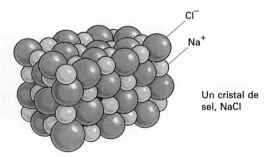

Un cristal de sel, NaCl

Malgré leur affaiblissement par l'eau et les sels, les liaisons ioniques sont très importantes dans les systèmes biologiques ; une enzyme qui se lie à un substrat chargé positivement possèdera souvent à l'endroit approprié une chaîne latérale d'acide aminé chargée négativement.

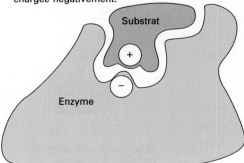

MONOSACCHARIDES

Les monosaccharides ont comme formule générale $(CH_2O)_n$, où n peut être égal à 3, 4, 5, 6, 7 ou 8 et possèdent au moins deux groupements hydroxyle. Ils contiennent soit un groupement aldéhyde ($-C\overset{O}{\underset{H}{\diagdown}}$) et sont appelés aldoses, soit un groupement cétone ($\diagup C = O$) et sont appelés cétoses.

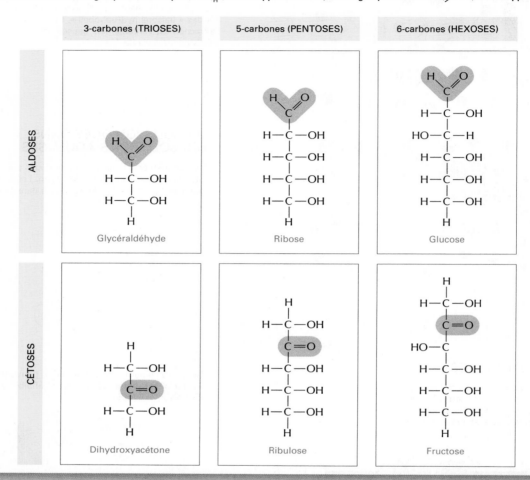

	3-carbones (TRIOSES)	5-carbones (PENTOSES)	6-carbones (HEXOSES)
ALDOSES	Glycéraldéhyde	Ribose	Glucose
CÉTOSES	Dihydroxyacétone	Ribulose	Fructose

FORMATION D'UN CYCLE

En solution aqueuse, le groupement aldéhyde ou cétone d'une molécule de sucre a tendance à réagir avec le groupement hydroxyle de la même molécule, fermant ainsi la molécule en un cycle.

Glucose

Ribose

Notez que chaque atome de carbone est numéroté.

ISOMÈRES

Beaucoup de polysaccharides ne diffèrent que par la disposition spatiale de leurs atomes – ce sont des isomères. Par exemple, le glucose, le galactose et le mannose ont la même formule ($C_6H_{12}O_6$) mais diffèrent par la disposition des groupements autour d'un ou de deux atomes de carbone.

Glucose

Galactose

Mannose

Ces petites différences n'entraînent que des modifications mineures des propriétés chimiques des sucres. Mais elles sont reconnues par les enzymes et d'autres protéines et peuvent ainsi avoir d'importants effets biologiques.

LIAISONS α ET β

Les groupements hydroxyle du carbone qui porte l'aldéhyde ou la cétone peuvent rapidement changer d'une position à l'autre. Ces deux positions sont appelées α et β.

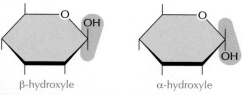

β-hydroxyle   α-hydroxyle

Dès qu'un sucre est relié à un autre, la forme α ou la forme β est gelée.

DÉRIVÉS DES SUCRES

Les groupements hydroxyle d'un monosaccharide simple peuvent être remplacés par d'autres groupements. Par exemple :

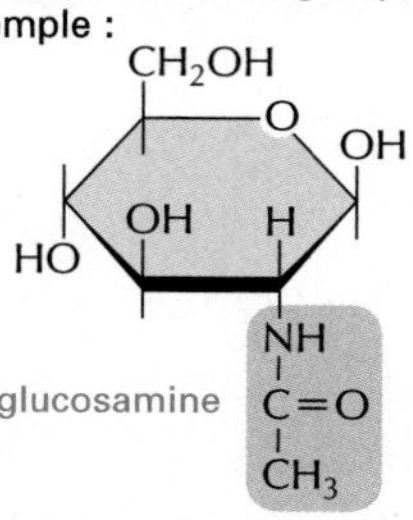

CH₂OH

Glucosamine

N-acétylglucosamine

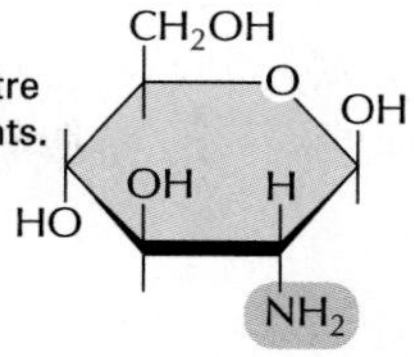

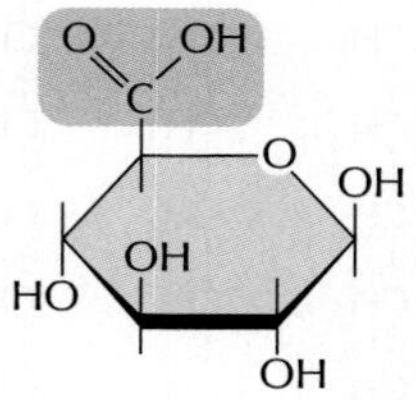

Acide glucuronique

DISACCHARIDES

Le carbone qui porte l'aldéhyde ou la cétone peut réagir avec n'importe quel groupement hydroxyle d'une deuxième molécule de sucre pour former un disaccharide. Cette liaison est appelée liaison glycosidique.

Il existe trois disaccharides communs :
le maltose (glucose + glucose)
le lactose (galactose + glucose)
le saccharose (glucose + fructose)

La réaction de la formation du saccharose est présentée ci-contre.

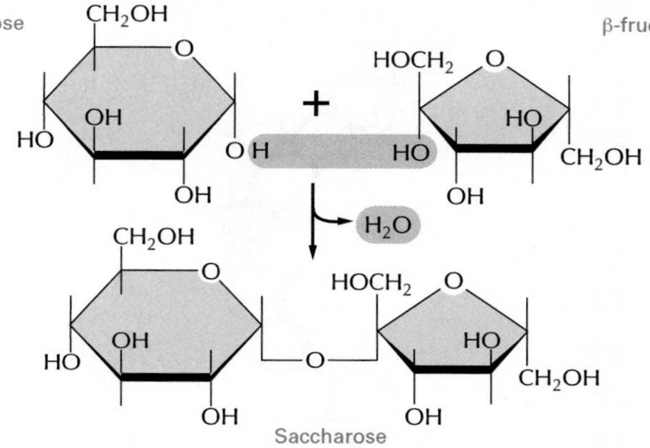

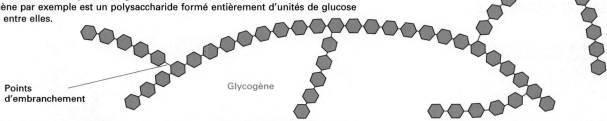

α-glucose   β-fructose

Saccharose

OLIGOSACCHARIDES ET POLYSACCHARIDES

De grosses molécules linéaires et ramifiées peuvent être fabriquées à partir de la répétition de sous-unités de sucres simples. Les courtes chaînes sont appelées oligosaccharides alors que les longues chaînes forment les polysaccharides. Le glycogène par exemple est un polysaccharide formé entièrement d'unités de glucose reliées entre elles.

Points d'embranchement

Glycogène

OLIGOSACCHARIDES COMPLEXES

Dans de nombreux cas, une séquence de sucre n'est pas répétitive. Il peut exister beaucoup de molécules différentes. Ces oligosaccharides complexes sont généralement liés à des protéines ou à des lipides comme cet oligosaccharide, qui fait partie d'une molécule de surface cellulaire qui définit un groupe sanguin particulier.

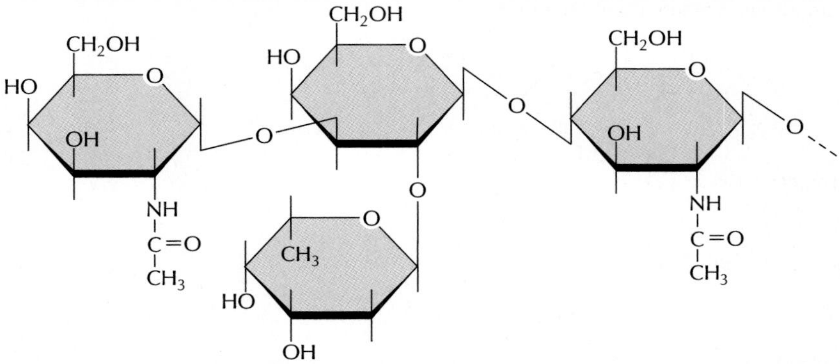

ACIDES GRAS COMMUNS

Il s'agit d'acides carboxyliques à longue queue hydrocarbonée.

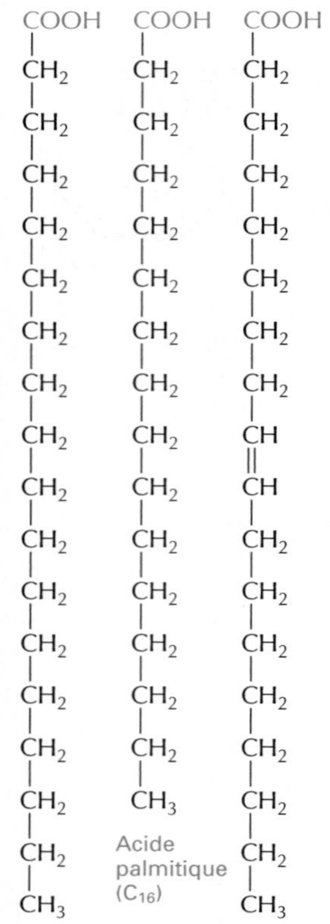

COOH	COOH	COOH
CH_2	CH_2	CH_2
CH_2	CH_2	CH_2
CH_2	CH_2	CH_2
CH_2	CH_2	CH_2
CH_2	CH_2	CH_2
CH_2	CH_2	CH_2
CH_2	CH_2	CH_2
CH_2	CH_2	CH
CH_2	CH_2	CH
CH_2	CH_2	CH_2
CH_2	CH_2	CH_2
CH_2	CH_2	CH_2
CH_2	CH_2	CH_2
CH_2	CH_2	CH_2
CH_2	CH_3	CH_2
CH_2	Acide palmitique (C_{16})	CH_2
CH_3		CH_3

Acide stéarique (C_{18})   Acide oléique (C_{18})

TRIACYLGLYCÉROLS (TRIGLYCÉRIDES)

Les acides gras sont stockés pour servir de réserve énergétique (graisses et huiles) par l'intermédiaire d'une liaison ester avec le glycérol qui forme des triacylglycérols ou triglycérides.

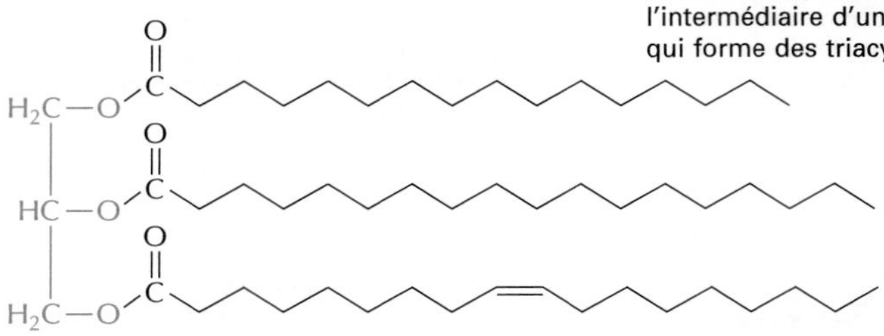

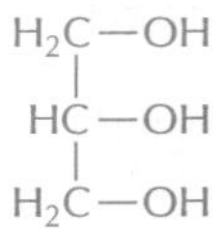

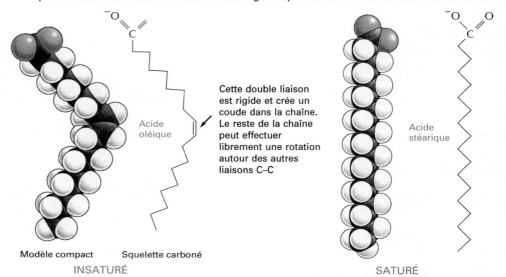

$H_2C—OH$
$HC—OH$
$H_2C—OH$

Glycérol

Il existe des centaines d'acides gras. Certains possèdent une ou plusieurs doubles liaisons sur leur « queue » hydrocarbonée et sont dits insaturés. Les acides gras dépourvus de doubles liaisons sont dits saturés.

Cette double liaison est rigide et crée un coude dans la chaîne. Le reste de la chaîne peut effectuer librement une rotation autour des autres liaisons C–C

Acide oléique

Acide stéarique

Modèle compact   Squelette carboné
INSATURÉ   **SATURÉ**

GROUPEMENT CARBOXYLE

S'il est libre, le groupement carboxyle d'un acide gras sera ionisé.

Mais le plus souvent il est lié à d'autres groupements et forme soit des esters

soit des amides.

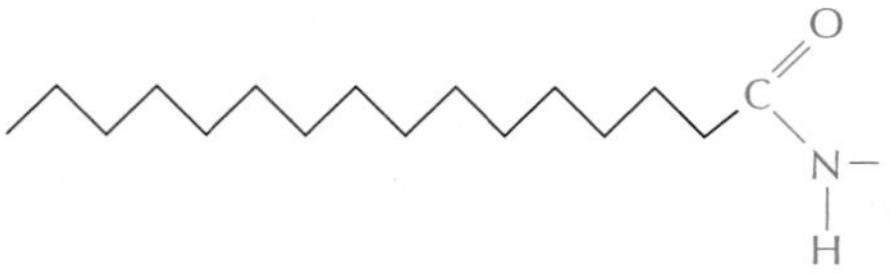

PHOSPHOLIPIDES

Les phospholipides sont les constituants majeurs des membranes cellulaires.

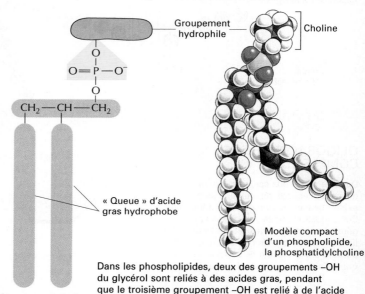

Groupement hydrophile — Choline

Groupement hydrophile

$CH_2—CH—CH_2$

« Queue » d'acide gras hydrophobe

Modèle compact d'un phospholipide, la phosphatidylcholine

Structure générale d'un phospholipide

Dans les phospholipides, deux des groupements –OH du glycérol sont reliés à des acides gras, pendant que le troisième groupement –OH est relié à de l'acide phosphorique. Le phosphate est ensuite relié à un des divers petits groupements polaires (alcools).

AGRÉGATS LIPIDIQUES

Les acides gras ont une « tête » hydrophile et une « queue » hydrophobe.

— Micelle

Dans l'eau, ils peuvent former un film de surface ou de petits micelles.

Leurs dérivés peuvent former de plus grands agrégats maintenus ensembles par des forces hydrophobes :

Les triglycérides peuvent former de grosses gouttelettes lipidiques sphériques dans le cytoplasme cellulaire.

Les phospholipides et les glycolipides forment des doubles couches lipidiques qui se referment sur elles-mêmes et sont la base de toutes les membranes cellulaires.

200 nm ou plus

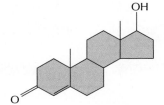

4 nm

AUTRES LIPIDES

Les lipides sont définis comme les molécules intracellulaires qui sont insolubles dans l'eau mais solubles dans les solvants organiques. Deux types communs de lipides forment les stéroïdes et les polyisoprénoïdes. Ils sont tous deux formés d'unités d'isoprène.

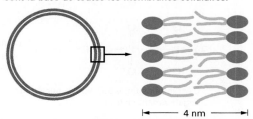

Isoprène

STÉROÏDES

Les stéroïdes ont une structure commune poly-cyclique.

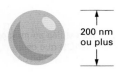

Cholestérol – présent dans de nombreuses membranes

Testostérone – hormone mâle stéroïdienne

GLYCOLIPIDES

Comme les phospholipides, ces composés sont constitués d'une région hydrophobe, contenant deux longues queues hydrocarbonées, et d'une région polaire qui contient cependant un ou plusieurs résidus de sucres et aucun phosphate.

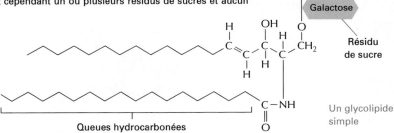

Galactose

Résidu de sucre

Un glycolipide simple

Queues hydrocarbonées

POLYISOPRÉNOÏDES

Longue chaîne polymérique d'isoprène

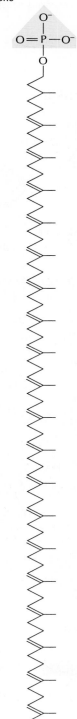

Dolichol phosphate – utilisé pour transporter des sucres activés au cours de la synthèse, liée à la membrane, des glycoprotéines et de certains polysaccharides.

NUCLÉOTIDES

Un nucléotide est composé d'une base contenant de l'azote, d'un sucre à 5 carbones et d'un ou plusieurs groupements phosphate.

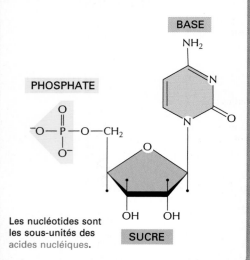

BASE

PHOSPHATE

SUCRE

Les nucléotides sont les sous-unités des acides nucléiques.

PHOSPHATES

Les phosphates sont normalement reliés au C5 hydroxyle d'un sucre, le ribose ou le désoxyribose (désigné par 5'). Les mono-, les di- et les triphosphates sont fréquents.

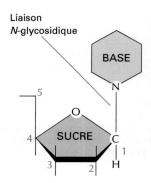

Comme dans l'AMP

Comme dans l'ADP

Comme dans l'ATP

C'est le phosphate qui rend le nucléotide négativement chargé.

LIAISON SUCRE-BASE

Liaison *N*-glycosidique

BASE

SUCRE

La base est liée au même carbone (C1) que celui utilisé dans les liaisons sucre-sucre.

BASES

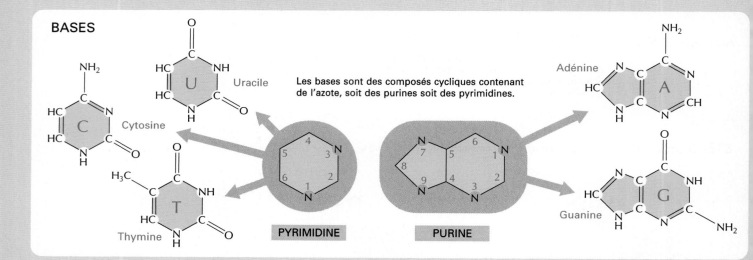

Les bases sont des composés cycliques contenant de l'azote, soit des purines soit des pyrimidines.

Cytosine

Uracile

Thymine

PYRIMIDINE

PURINE

Adénine

Guanine

SUCRES

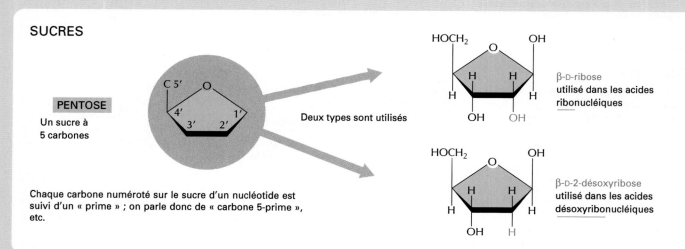

PENTOSE

Un sucre à 5 carbones

Deux types sont utilisés

Chaque carbone numéroté sur le sucre d'un nucléotide est suivi d'un « prime » ; on parle donc de « carbone 5-prime », etc.

β-D-ribose
utilisé dans les acides ribonucléiques

β-D-2-désoxyribose
utilisé dans les acides désoxyribonucléiques

NOMENCLATURE

Les noms peuvent être trompeurs mais les abréviations sont claires.

BASE	NUCLÉOSIDE	ABRÉV.
Adénine	Adénosine	A
Guanine	Guanosine	G
Cytosine	Cytidine	C
Uracile	Uridine	U
Thymine	Thymidine	T

Les nucléotides sont abrégés à l'aide de trois lettres capitales. Voici quelques exemples :

AMP = adénosine monophosphate
dAMP = désoxyadénosine monophosphate
UDP = uridine diphosphate
ATP = adénosine triphosphate

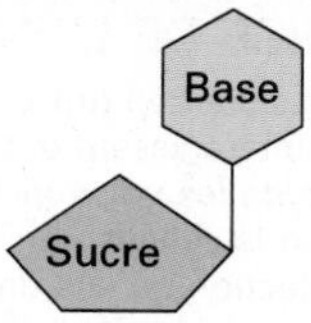

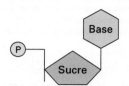

BASE + SUCRE = NUCLÉO**SIDE**

BASE + SUCRE + PHOSPHATE = NUCLÉO**TIDE**

ACIDES NUCLÉIQUES

Les nucléotides sont reliés entre eux par une liaison phosphodiester entre les atomes de carbone 5′ et 3′ pour former les acides nucléiques. La séquence linéaire des nucléotides dans une chaîne d'acide nucléique est communément abrégée par une lettre code, A–G–C–T–T–A–C–A, avec l'extrémité 5′ de la chaîne située à gauche.

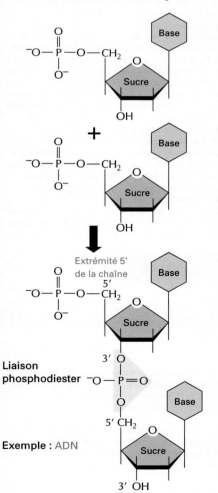

Exemple : ADN

LES NUCLÉOTIDES ONT BEAUCOUP D'AUTRES FONCTIONS

1 Ils transportent l'énergie chimique dans leur liaison phosphoanhydride facilement hydrolysée.

Liaisons phosphoanhydride

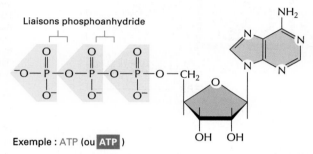

Exemple : ATP (ou ATP)

2 Ils s'associent à d'autres groupements pour former des coenzymes.

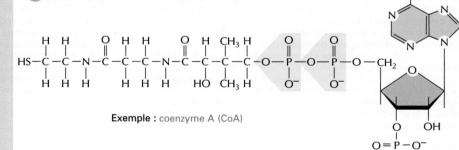

Exemple : coenzyme A (CoA)

3 Ils sont utilisés comme molécules de signalisation spécifique dans la cellule.

Exemple : AMP cyclique (AMPc)

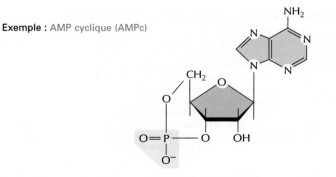

IMPORTANCE DE L'ÉNERGIE LIBRE POUR LES CELLULES

La vie n'est possible que grâce au réseau complexe de réactions chimiques qui interagissent et s'effectuent dans chaque cellule. Lorsqu'on regarde les voies métaboliques qui constituent ce réseau, on peut penser que la cellule a eu la capacité de développer une enzyme pour chaque réaction qu'elle doit effectuer. Mais ce n'est pas le cas. Bien que les enzymes soient de puissants catalyseurs, elles ne peuvent accélérer que les réactions thermodynamiquement possibles ; les autres réactions ne s'effectuent dans la cellule que lorsqu'elles sont *couplées* à des réactions très favorables qui les entraînent. La question de savoir si une réaction peut s'effectuer spontanément ou nécessite

son couplage à une autre réaction est au centre de la biologie cellulaire. On obtient la réponse en se référant à une quantité appelée *énergie libre :* la variation totale d'énergie libre au cours d'un ensemble de réactions détermine si la séquence complète de ces réactions peut se produire ou non. Dans cette planche, nous expliquerons certaines idées fondamentales – dérivées d'une branche particulière de la chimie et de la physique appelée *thermodynamique* – qui sont nécessaires pour comprendre ce qu'est l'énergie libre et pourquoi elle est si importante pour la cellule.

L'ÉNERGIE LIBÉRÉE PAR LES MODIFICATIONS DES LIAISONS CHIMIQUES EST CONVERTIE EN CHALEUR

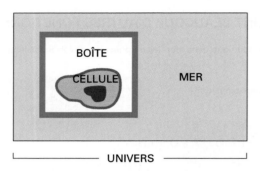

Un système fermé est défini comme une collection de molécules qui n'échangent pas de matière avec le reste de l'univers (par exemple, la « cellule dans une boîte » montrée ci-dessus). Un tel système contient des molécules qui ont une énergie totale E. Cette énergie peut être distribuée de diverses façons : une partie sous forme d'énergie de translation de la molécule, une autre sous forme d'énergie de vibration et de rotation, mais la majeure partie sous forme d'énergie de liaison entre les atomes individuels qui constituent les molécules. Supposons qu'une réaction se produise dans ce système. Le premier principe de la thermodynamique place une contrainte sur le type de réaction possible : il énonce que « dans tout processus, l'énergie totale de l'univers reste constante ». Par exemple, supposons que la réaction $A \rightarrow B$ se produise quelque part dans la boîte et libère une grande quantité d'énergie de liaison chimique. Cette énergie augmentera initialement l'intensité des mouvements moléculaires (translation, vibration et rotation) dans le système, ce qui équivaudra à augmenter

sa température. Cependant, cette augmentation de mouvements sera rapidement transférée à l'extérieur du système par une série de collisions moléculaires qui commenceront par chauffer les parois de la boîte puis le monde extérieur (représenté par la mer dans notre exemple). À la fin, le système retourne à sa température initiale, lorsque toute l'énergie de liaison chimique libérée dans la boîte a été transformée en énergie thermique et transférée à l'extérieur de la boîte, dans l'environnement. Selon le premier principe, la variation de l'énergie dans la boîte ($\Delta E_{\text{boîte}}$, que nous noterons ΔE) doit être égale et opposée à la quantité d'énergie thermique transférée que nous désignerons par h : c'est-à-dire $\Delta E = -h$. De ce fait, l'énergie de la boîte (E) diminue lorsque la chaleur quitte le système.

E peut également varier pendant une réaction due à un travail effectué dans le monde extérieur. Par exemple, supposons qu'il y ait une petite augmentation de volume (ΔV) de la boîte durant la réaction. Comme les parois de la boîte doivent repousser la pression constante (P) de l'environnement pour s'agrandir, cela agit sur le monde extérieur et nécessite de l'énergie. L'énergie utilisée est $P(\Delta V)$ et, selon le premier principe, doit abaisser l'énergie à l'intérieur de la boîte (E) de la même quantité. Dans la plupart des réactions, l'énergie des liaisons chimiques est transformée à la fois en travail et en chaleur. L'*enthalpie* (H) est une fonction composite qui inclut les deux ($H = E + PV$). Pour être rigoureux, c'est la variation de l'enthalpie (ΔH) dans un système clos et non la variation de l'énergie qui est égale à la chaleur transférée au monde extérieur pendant la réaction. Les réactions au cours desquelles H diminue libèrent de la chaleur dans l'environnement et sont dites « exothermiques », alors que les réactions au cours desquelles H augmente absorbent la chaleur de l'environnement et sont dites « endothermiques ». De ce fait, $-h = \Delta H$. Cependant, pendant la plupart des réactions biologiques, la variation de volume est négligeable, donc on peut dire avec une bonne approximation que :

$$-h = \Delta H \cong \Delta E$$

LE SECOND PRINCIPE DE LA THERMODYNAMIQUE

Considérons une boîte dans laquelle 100 pièces sont toutes placées côté face vers le haut. Si cette boîte est vigoureusement remuée, ce qui soumet les pièces aux types de mouvements aléatoires que toutes les molécules subissent du fait de leurs collisions fréquentes avec les autres molécules, nous finirons par obtenir environ la moitié des pièces orientées côté face. Cette réorientation s'explique par le fait qu'il n'y a qu'une seule façon de rétablir l'état ordonné original des pièces (toutes les pièces côté face), alors qu'il y en a beaucoup (environ 10^{298}) d'obtenir un état désordonné contenant un mélange égal pile et face ; en fait, il y a plus de façons d'obtenir un état 50-50 que d'obtenir

n'importe quel autre état. La probabilité d'apparition de chaque état est proportionnelle au nombre de façons par lesquelles il peut se réaliser. Le second principe de la thermodynamique énonce que « les systèmes passent spontanément d'un état de basse probabilité à un état de plus forte probabilité ».

Comme les états de plus faible probabilité sont plus « ordonnés » que les états de forte probabilité, le second principe peut être reformulé ainsi : « l'univers se modifie constamment de façon à devenir plus désordonné ».

L'ENTROPIE, S

Le second principe (et non pas le premier) nous permet de prédire la direction d'une réaction particulière. Mais pour l'utiliser ainsi, il faut une mesure pratique de la probabilité, ce qui est équivalent, du degré de désordre d'un état. L'entropie (S) est une de ces mesures. Il s'agit d'une fonction logarithmique de la probabilité de telle sorte que la *variation de l'entropie* (ΔS) qui se produit lorsque la réaction A $\rightarrow$ B transforme une mole de A en une mole de B est

$$\Delta S = R \ln p_B / p_A$$

Dans ce cas p_A et p_B sont les probabilités des deux états A et B, R est la constante des gaz (2 cal/deg/mole), et ΔS se mesure en unité d'entropie (eu). Dans notre exemple initial de 1000 pièces, la probabilité relative qu'elles soient toutes côté face (état A) par rapport à celle qu'elles soient moitié pile et moitié face (état B) est égale au ratio du nombre des différentes façons d'obtenir ces deux résultats. On peut calculer que $p_A = 1$ et que $p_B = 1\,000\,(500 \times 500) = 10^{298}$. De ce fait, la variation d'entropie de la réorientation des pièces lorsque la boîte est vigoureusement secouée et qu'on obtient une quantité égale de pièces côté pile et côté face est $R \ln (10^{298})$, ou environ 1 370 eu par mole de contenu (6×10^{23} contenu). Nous obtenons cela, parce que ΔS défini ci-dessus est positive pour le passage de l'état A à l'état B ($p_B/p_A > 1$). Les réactions qui s'accompagnent d'une forte augmentation de S (c'est-à-dire pour lesquelles $\Delta S > 0$) sont favorables et se produisent spontanément.

Comme nous l'avons abordé au chapitre 2, l'énergie thermique provoque l'agitation aléatoire des molécules. Comme le transfert de chaleur d'un système clos à son environnement augmente le nombre de dispositions différentes que les molécules peuvent avoir dans le monde extérieur, il augmente leur entropie. Il a pu être démontré que la libération d'une quantité fixe d'énergie thermique entraînait plus de désordre à des températures basses qu'à de fortes températures et que la valeur de ΔS de l'environnement, définie ci-dessous par ΔS_{mer}, est précisément égale à la quantité de chaleur transférée à l'environnement à partir du système (h) divisée par la température absolue (T) :

$$\Delta S_{mer} = h/T$$

L'ÉNERGIE LIBRE DE GIBBS, G

En face d'un système biologique clos, on souhaiterait avoir un moyen simple de prédire si une réaction donnée peut se produire spontanément ou non dans le système. Nous avons vu qu'il est crucial de savoir si, lorsque la réaction se produit, la variation d'entropie pour l'univers est positive ou négative. Dans notre système idéal, la cellule dans une boîte, il existe deux composantes séparées de la variation d'entropie de l'univers – la variation d'entropie du système fermé dans la boîte et la variation d'entropie de la « mer » environnante – et il faut additionner les deux avant de faire une quelconque prédiction. Par exemple, il est possible qu'une réaction absorbe de la chaleur et diminue ainsi l'entropie de la mer ($\Delta S_{mer} < 0$) mais, qu'au même moment, elle provoque un tel degré de désordre à l'intérieur de la boîte ($\Delta S_{boîte} > 0$) que le total $\Delta S_{univers} = \Delta S_{mer} + \Delta S_{boîte}$ soit supérieur à 0. Dans ce cas, la réaction se produira spontanément, même si la mer donne de la chaleur à la boîte pendant la réaction. Un exemple de ce type de réaction est la dissolution du chlorure de sodium dans un gobelet contenant de l'eau (« la boîte »), qui est un processus spontané même si la température de l'eau diminue lorsque le sel passe en solution.

Les chimistes ont trouvé utile de définir un certain nombre de nouvelles « fonctions composites » qui décrivent des *combinaisons* de propriétés physiques d'un système. Les propriétés qui peuvent être associées sont la température (T), la pression (P), le volume (V), l'énergie (E) et l'entropie (S). L'enthalpie (H) est une de ces fonctions composites. Mais, la fonction composite, de loin la plus utile aux biologistes, est l'*énergie libre de Gibbs*, G. Elle sert d'instrument comptable pour déduire les variations d'entropie de l'univers qui résultent d'une réaction chimique dans la boîte, tout en évitant de considérer séparément les variations d'entropie dans la mer. La définition de G est :

$$G = H - TS$$

avec, pour une boîte de volume V, H qui représente l'enthalpie décrite ci-dessus ($E + PV$), T la température absolue et S l'entropie. Chacune de ces quantités s'applique seulement à l'intérieur de la boîte. La variation d'énergie libre pendant la réaction qui s'effectue dans la boîte (G du produit moins G des matériaux de départ) est notée ΔG et nous démontrerons qu'il s'agit d'une mesure directe de la quantité de désordre créée dans l'univers lorsque la réaction se produit.

À une température constante, la variation d'énergie libre (ΔG) pendant une réaction est égale à $\Delta H - T\Delta S$. Si nous nous rappelons que $\Delta H = -h$, la chaleur absorbée à partir de la mer, nous obtenons :

$$-\Delta G = -\Delta H + T\Delta S$$
$$-\Delta G = h + T\Delta S, \text{ donc } -\Delta G/T = h/T + \Delta S$$

mais h/T est égal à la variation d'entropie de la mer (ΔS_{mer}), et la ΔS de l'équation ci-dessus est $\Delta S_{boîte}$. De ce fait :

$$-\Delta G/T = \Delta S_{mer} + \Delta S_{boîte} = \Delta S_{univers}$$

Nous en concluons que la variation d'énergie libre est une mesure directe de la variation d'entropie de l'univers. Une réaction s'effectuera dans la direction qui provoque des variations d'énergie libre (ΔG) inférieures à zéro, parce que dans ce cas, lorsque la réaction s'effectuera, la variation d'entropie de l'univers sera positive. Pour un ensemble complet de réactions couplées qui impliquent de nombreuses molécules différentes, la variation totale de l'énergie libre peut être calculée simplement en additionnant les énergies libres de toutes les espèces moléculaires différentes après la réaction et en comparant ces valeurs à la somme des énergies libres avant la réaction ; pour les substances fréquentes les valeurs d'énergie libre nécessaires peuvent être trouvées dans des tables. De cette façon, il est possible de prédire la direction d'une réaction et de vérifier facilement la faisabilité de tout mécanisme proposé. Ainsi, par exemple, à partir des valeurs observées de l'amplitude du gradient électrochimique des protons à travers la membrane mitochondriale interne et de la ΔG de l'hydrolyse de l'ATP à l'intérieur des mitochondries, on peut être certain qu'il faut le passage de plus d'un proton pour chaque molécule d'ATP synthétisée par l'ATP synthase.

La valeur de ΔG d'une réaction est une mesure directe de la distance à laquelle se trouve la réaction de son équilibre. La valeur très négative de l'hydrolyse de l'ATP dans une cellule reflète simplement le fait que la cellule maintient sa réaction d'hydrolyse de l'ATP à 10 ordres de grandeur de son équilibre. Si une réaction atteint son équilibre, $\Delta G = 0$, la réaction s'effectue alors à une vitesse précisément égale d'un côté comme de l'autre. Pour l'hydrolyse de l'ATP, l'équilibre est atteint lorsque la grande majorité de l'ATP a été hydrolysée, ce qui se produit dans une cellule morte.

À chaque étape, la partie de la molécule qui subit une modification est marquée en bleu et le nom de l'enzyme qui catalyse la réaction est surligné en jaune.

ÉTAPE 1 Le glucose est phosphorylé par l'ATP pour former un sucre-phosphate. La charge négative du phosphate empêche le passage du sucre-phosphate à travers la membrane plasmique et enferme le glucose à l'intérieur de la cellule.

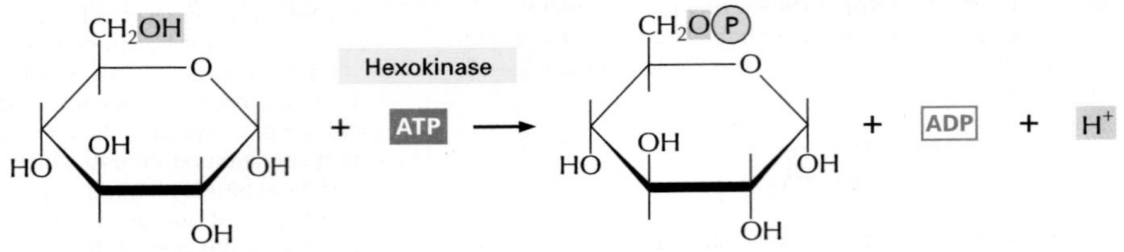

Glucose

Hexokinase

+ ATP →

Glucose 6-phosphate

+ ADP + H⁺

ÉTAPE 2 Un réarrangement, facilement réversible, de la structure chimique (isomérisation), déplace l'oxygène du carbonyle du carbone 1 au carbone 2, ce qui forme une cétone à partir d'un aldose (*voir* Planche 2-4).

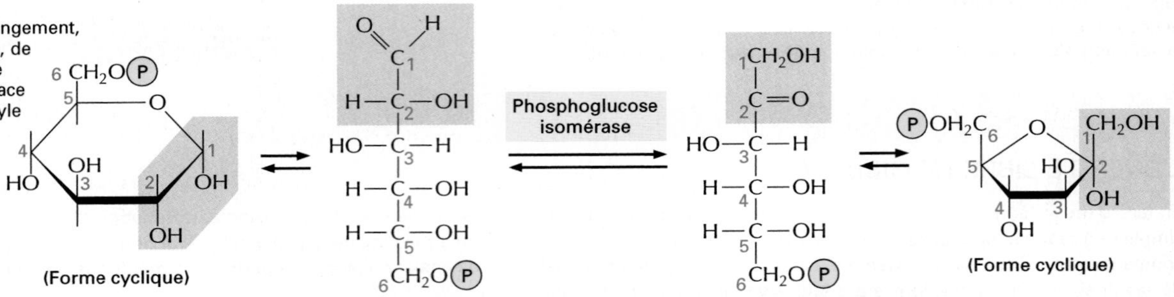

(Forme cyclique)

Glucose 6-phosphate

(Forme en chaîne ouverte)

Phosphoglucose isomérase

(Forme en chaîne ouverte)

Fructose 6-phosphate

(Forme cyclique)

ÉTAPE 3 Le nouveau groupement hydroxyle sur le carbone 1 est phosphorylé par l'ATP pour préparer la formation de deux sucre-phosphate à trois carbones. L'entrée de glucides dans la glycolyse est contrôlée à cette étape par la régulation d'une enzyme, la *phosphofructokinase*.

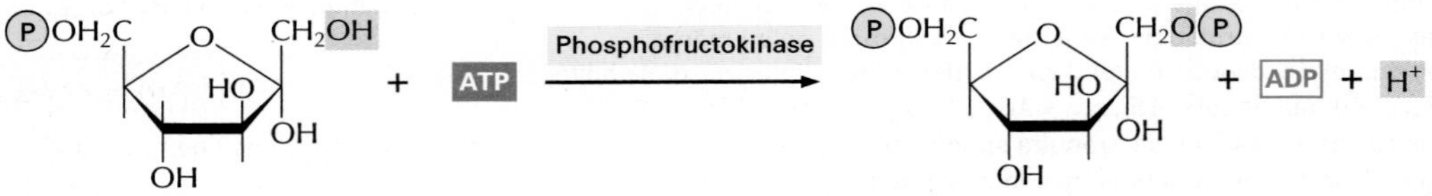

Fructose 6-phosphate

+ ATP

Phosphofructokinase

Fructose 1,6-bisphosphate

+ ADP + H⁺

ÉTAPE 4 Le sucre à 6 carbones est scindé pour produire deux molécules à trois carbones. Seul le glycéraldéhyde 3-phosphate peut entrer immédiatement dans la glycolyse.

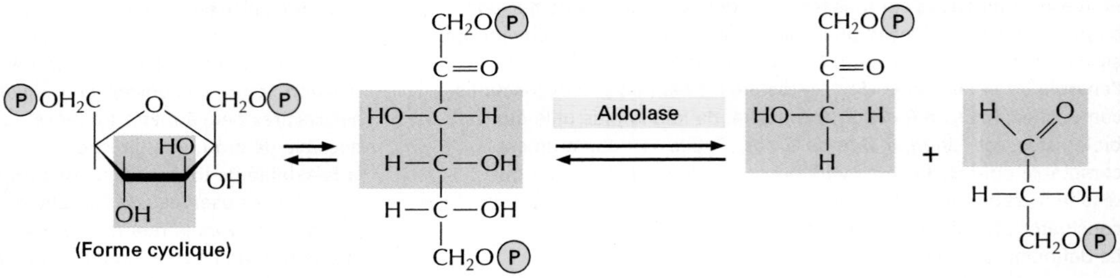

(Forme cyclique)

Fructose 1,6-bisphosphate

(Forme en chaîne ouverte)

Aldolase

Dihydroxyacétone phosphate

Glycéraldéhyde 3-phosphate

ÉTAPE 5 L'autre produit de l'étape 4, le dihydroxyacétone phosphate, est isomérisé pour former du glycéraldéhyde 3-phosphate.

Dihydroxyacétone phosphate

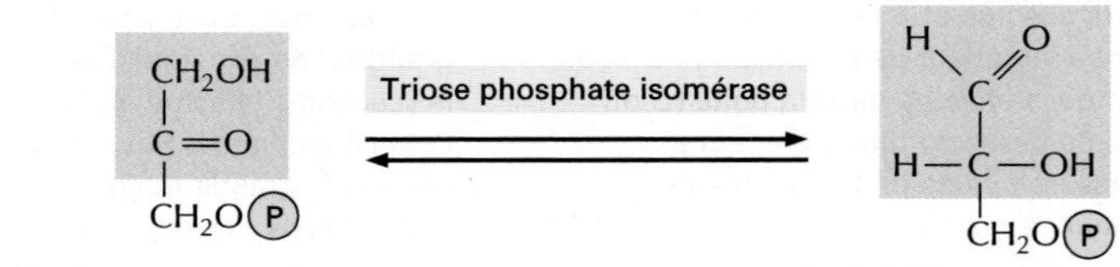

Triose phosphate isomérase

Glycéraldéhyde 3-phosphate

ÉTAPE 6 Les deux molécules de glycéraldéhyde 3-phosphate sont oxydées. La phase de production d'énergie de la glycolyse commence, lorsque NADH et une nouvelle liaison anhydride riche en énergie sont formées (*voir* Figure 2-73).

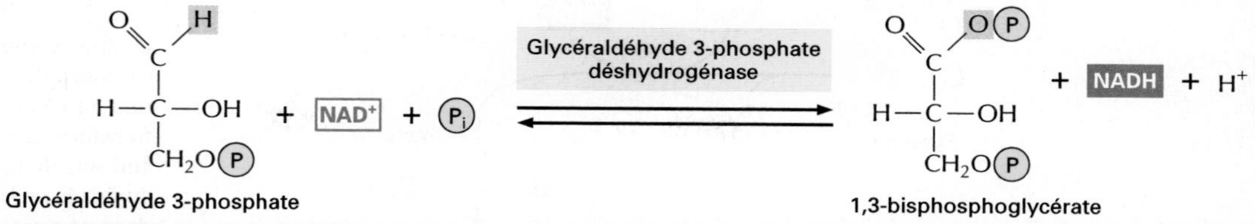

Glycéraldéhyde 3-phosphate + NAD^+ + P_i ⇌ (Glycéraldéhyde 3-phosphate déshydrogénase) 1,3-bisphosphoglycérate + NADH + H^+

ÉTAPE 7 Le transfert sur l'ADP du groupement phosphate riche en énergie engendré pendant l'étape 6 forme de l'ATP.

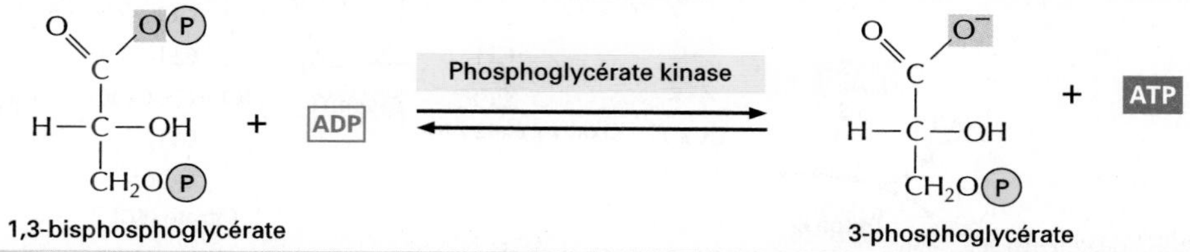

1,3-bisphosphoglycérate + ADP ⇌ (Phosphoglycérate kinase) 3-phosphoglycérate + ATP

ÉTAPE 8 La liaison phosphate ester restante du 3-phosphoglycérate, qui a une énergie libre relativement basse d'hydrolyse, est déplacée du carbone 3 au carbone 2 pour former du 2-phosphoglycérate.

3-phosphoglycérate ⇌ (Phosphoglycérate mutase) 2-phosphoglycérate

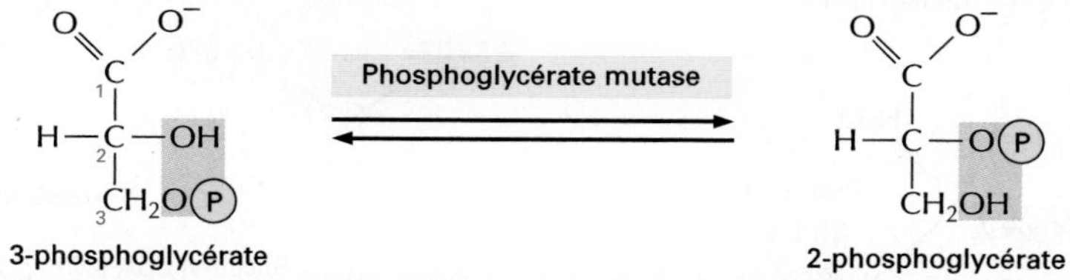

ÉTAPE 9 L'élimination d'H_2O à partir du 2-phosphoglycérate crée une liaison énol-phosphate riche en énergie.

2-phosphoglycérate ⇌ (Enolase) Phosphoénolpyruvate + H_2O

ÉTAPE 10 Le transfert sur l'ADP du groupement phosphate riche en énergie qui a été engendré pendant l'étape 9 forme de l'ATP et termine la glycolyse.

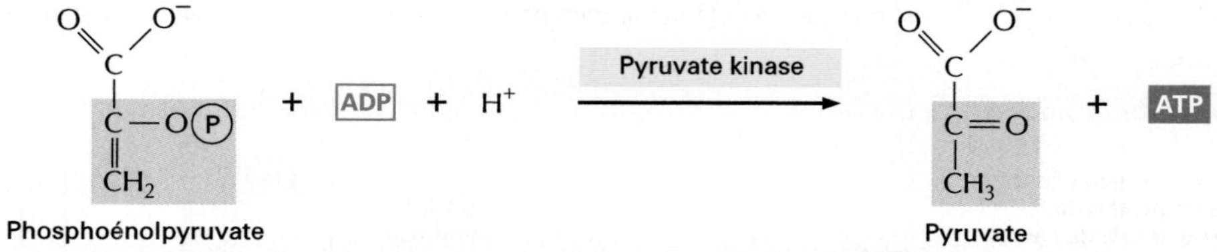

Phosphoénolpyruvate + ADP + H^+ → (Pyruvate kinase) Pyruvate + ATP

RÉSULTAT NET DE LA GLYCOLYSE

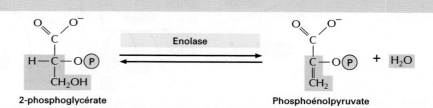

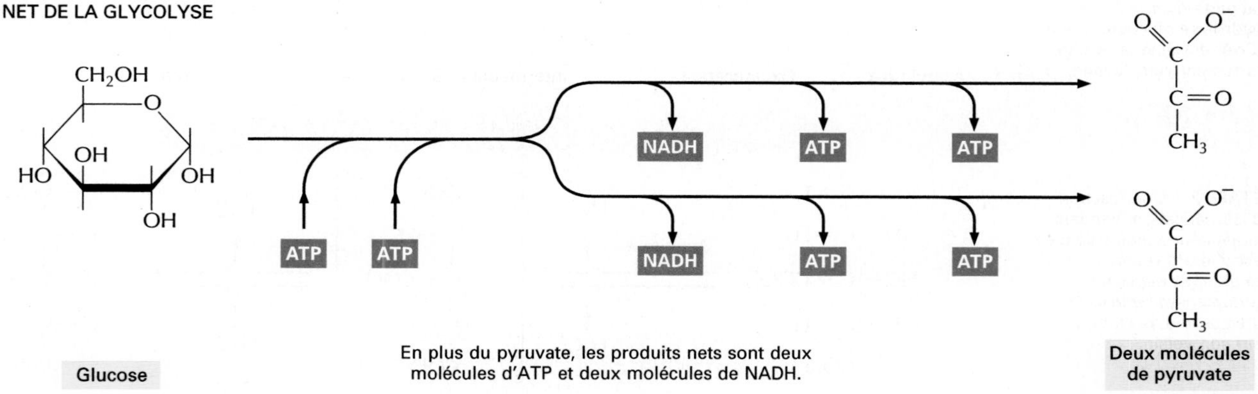

Glucose

En plus du pyruvate, les produits nets sont deux molécules d'ATP et deux molécules de NADH.

Deux molécules de pyruvate

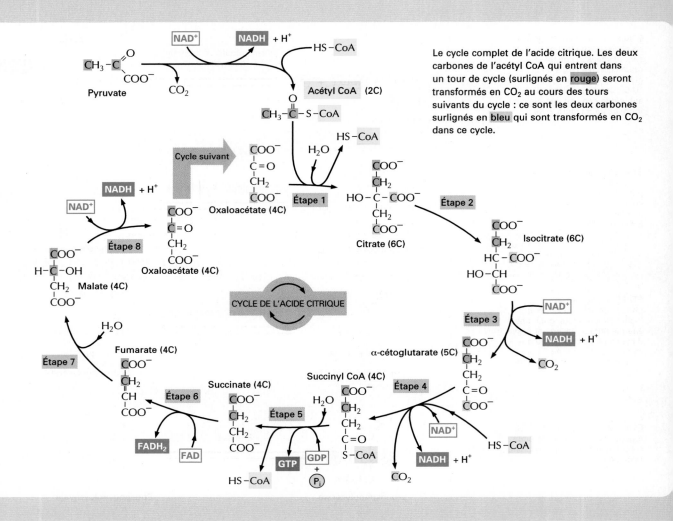

Le cycle complet de l'acide citrique. Les deux carbones de l'acétyl CoA qui entrent dans un tour de cycle (surlignés en rouge) seront transformés en CO_2 au cours des tours suivants du cycle : ce sont les deux carbones surlignés en bleu qui sont transformés en CO_2 dans ce cycle.

Les particularités de chacune des huit étapes sont montrées ci-dessous. Pour chaque étape, la partie de la molécule qui subit une modification est marquée en bleu et le nom de l'enzyme qui catalyse la réaction est surligné en jaune.

ÉTAPE 1   Lorsque l'enzyme a retiré un proton du groupement CH_3 de l'acétyl CoA, le CH_2^-, négativement chargé, forme une liaison avec un carbone d'un carbonyle de l'oxaloacétate. La perte ultérieure par hydrolyse du coenzyme A (CoA) entraîne la réaction fortement vers l'avant.

Acétyl CoA   Oxaloacétate   Intermédiaire S-cityl-CoA   Citrate

ÉTAPE 2   Une réaction d'isomérisation, pendant laquelle une molécule d'eau est d'abord retirée puis ré-ajoutée, déplace le groupement hydroxyle d'un atome de carbone sur son voisin.

Citrate   Intermédiaire *cis*-aconitate   Isocitrate

ÉTAPE 3 Dans la première des quatre étapes d'oxydation du cycle, le carbone qui porte le groupement hydroxyle est transformé en un groupement carbonyle. Le produit immédiat est instable, et perd son CO_2 alors qu'il est encore lié à l'enzyme.

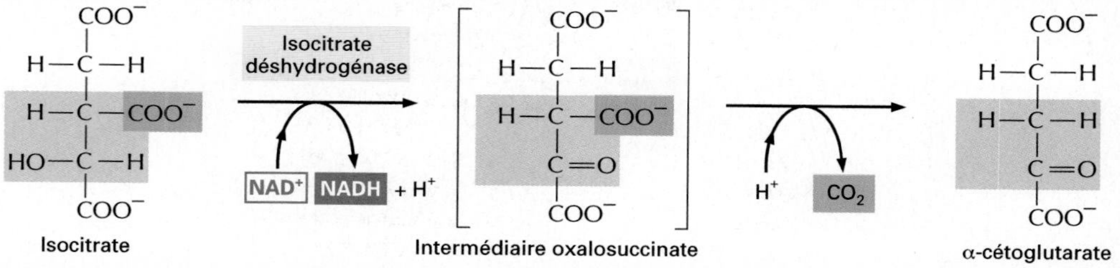

Isocitrate

Isocitrate déshydrogénase

NAD^+ $NADH$ + H^+

Intermédiaire oxalosuccinate

H^+ CO_2

α-cétoglutarate

ÉTAPE 4 Le complexe *α-cétoglutarate déshydrogénase* ressemble au grand complexe enzymatique qui transforme le pyruvate en acétyl CoA (*pyruvate déshydrogénase*). Il catalyse également une oxydation qui produit du NADH, du CO_2 et une liaison thioester riche en énergie avec le coenzyme A (CoA).

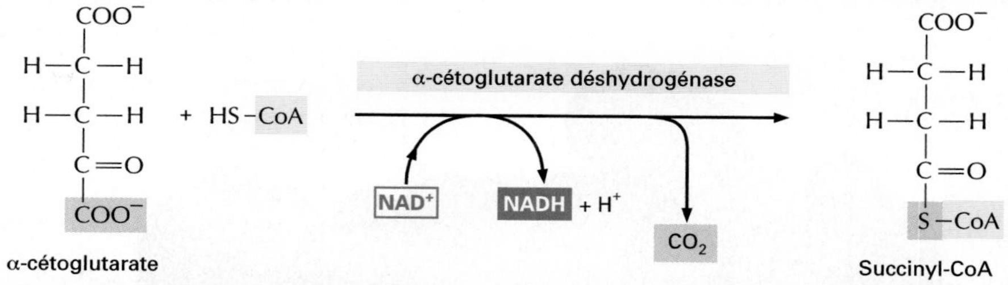

α-cétoglutarate   + HS−CoA

α-cétoglutarate déshydrogénase

NAD^+ $NADH$ + H^+ CO_2

Succinyl-CoA

ÉTAPE 5 Une molécule de phosphate de la solution déplace le CoA et forme une liaison phosphate riche en énergie avec le succinate. Ce phosphate passe ensuite au GDP pour former un GTP. (Dans les bactéries et les végétaux, de l'ATP se forme à la place).

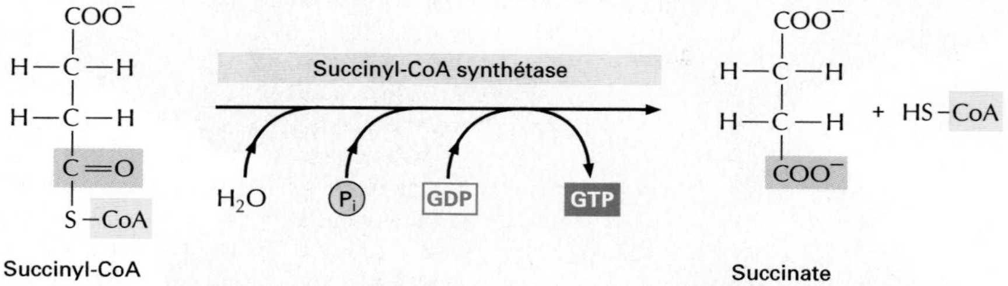

Succinyl-CoA

Succinyl-CoA synthétase

H_2O P_i GDP   GTP

Succinate   + HS−CoA

ÉTAPE 6 Au cours de la troisième réaction d'oxydation du cycle, le FAD enlève deux atomes d'hydrogène au succinate.

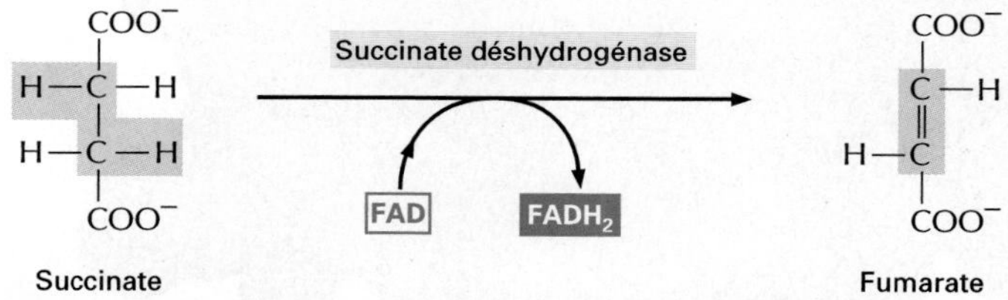

Succinate

Succinate déshydrogénase

FAD $FADH_2$

Fumarate

ÉTAPE 7 L'addition d'eau au fumarate place un groupement hydroxyle à côté d'un carbone du carbonyle.

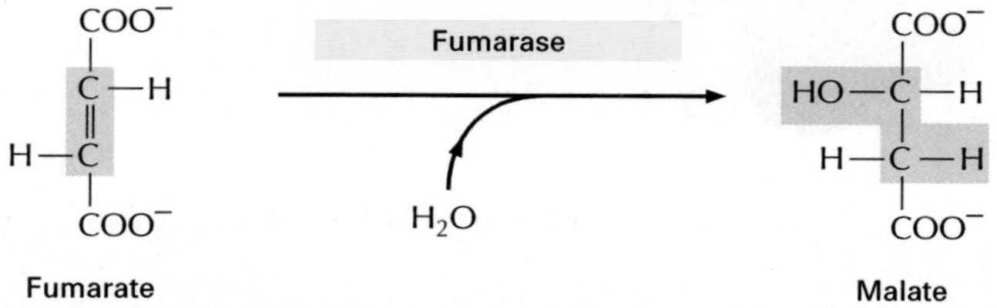

Fumarate

Fumarase

H_2O

Malate

ÉTAPE 8 Dans la dernière des quatre étapes d'oxydation du cycle, le carbone qui porte le groupement hydroxyle est transformé en groupement carbonyle, ce qui régénère l'oxaloacétate nécessaire pour l'étape 1.

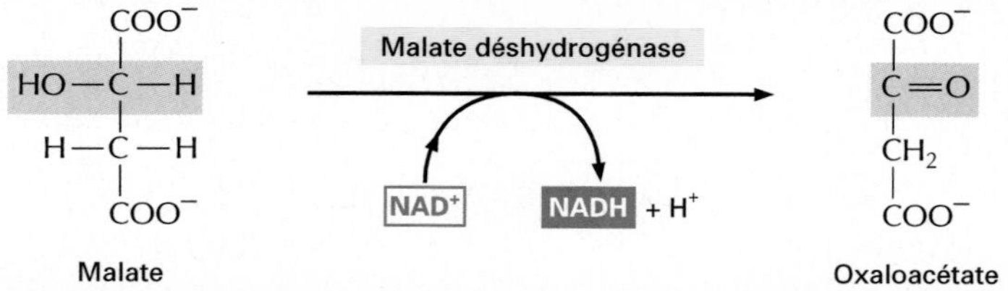

Malate

Malate déshydrogénase

NAD^+ $NADH$ + H^+

Oxaloacétate

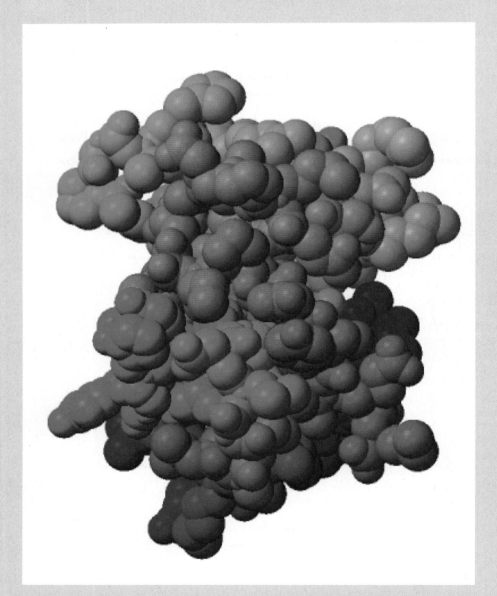

La structure d'une protéine. Un petit domaine protéique, le domaine SH2, est montré ici sous sa représentation compacte. Pour d'autres aperçus, *voir* Planche 3-2. (Due à l'obligeance de David Lawson.)

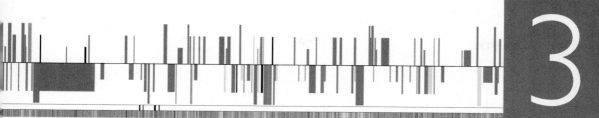

PROTÉINES

Lorsque nous regardons une cellule au microscope ou que nous analysons son activité électrique ou biochimique, nous observons, essentiellement, des protéines. Les protéines constituent la majeure partie de la masse sèche de la cellule. Elles ne forment pas seulement les éléments de construction qui servent à édifier les cellules, mais elles exécutent également presque toutes les fonctions cellulaires. Les enzymes fournissent ainsi, à la cellule, les surfaces moléculaires complexes qui favorisent ses nombreuses réactions chimiques. Les protéines encastrées dans la membrane plasmique forment des canaux et des pompes qui contrôlent l'entrée et la sortie des petites molécules de la cellule. D'autres protéines portent des messages d'une cellule à une autre, ou agissent comme des intégrateurs de signaux qui relaient des groupes de signaux depuis la membrane plasmique jusqu'au noyau cellulaire. D'autres servent de minuscules machines moléculaires possédant des parties mobiles : la *kinésine* par exemple, propulse les organites à travers le cytoplasme ; la *topo-isomérase* peut démêler des nœuds de molécules d'ADN. D'autres protéines spécialisées agissent comme des anticorps, des toxines, des hormones, des molécules antigel, des fibres élastiques, des cordages ou des sources lumineuses. Avant de pouvoir espérer comprendre comment les gènes fonctionnent, comment les muscles se contractent, comment les nerfs conduisent l'électricité, comment les embryons se développent ou comment notre corps fonctionne, nous devons atteindre une connaissance approfondie des protéines.

FORME ET STRUCTURE DES PROTÉINES

D'un point de vue chimique, les protéines sont de loin les molécules les plus complexes, de par leur structure, et les plus sophistiquées, de par leurs fonctions, que nous connaissons. Ce n'est peut-être pas surprenant lorsqu'on réalise que la structure et la chimie de chaque protéine se sont développées et harmonisées sur des milliards d'années d'histoire de l'évolution. Pour commencer ce chapitre nous considérerons comment la localisation de chaque acide aminé sur la longue bande d'acides aminés qui forme une protéine détermine sa forme tridimensionnelle. Nous utiliserons alors cette compréhension de la structure protéique au niveau atomique pour décrire comment la forme précise de chaque protéine détermine sa fonction cellulaire.

La forme d'une protéine est spécifiée par sa séquence d'acides aminés

Nous avons vu au chapitre 2 qu'il existait 20 types d'acides aminés dans les protéines, et que chacun avait des propriétés chimiques différentes. Une **protéine** est faite à partir d'une longue chaîne de ces acides aminés, chacun étant lié à son voisin par une liaison peptidique covalente (Figure 3-1). Les protéines sont de ce fait appelées *polypeptides*. Chaque type de protéine possède une séquence particulière d'acides aminés, exactement la même d'une molécule à l'autre. On connaît plusieurs milliers de protéines différentes, dont chacune a sa propre séquence spécifique d'acides aminés.

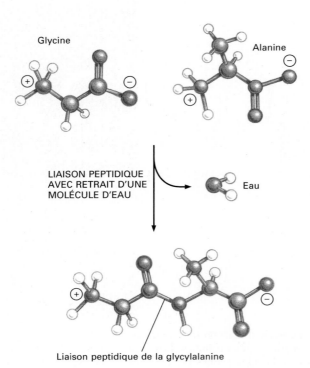

Glycine

Alanine

LIAISON PEPTIDIQUE
AVEC RETRAIT D'UNE
MOLÉCULE D'EAU

Eau

Liaison peptidique de la glycylalanine

Figure 3-1 Une liaison peptidique.
Cette liaison covalente se forme
lorsqu'un atome de carbone issu du
groupement carboxyle d'un acide aminé
partage ses électrons avec l'atome
d'azote (*bleu*) du groupement amine d'un
deuxième acide aminé. Comme cela est
indiqué, une molécule d'eau est perdue
au cours de cette réaction de
condensation.

La séquence répétitive d'atomes le long de la chaîne polypeptidique centrale est appelée **squelette polypeptidique**. Fixées sur cette chaîne répétitive se trouvent les portions d'acides aminés qui ne sont pas impliquées dans la liaison peptidique et qui donnent à chaque acide aminé ses propriétés particulières : les 20 **chaînes latérales** différentes des acides aminés (Figure 3-2). Certaines chaînes latérales sont non polaires et hydrophobes («détestent» l'eau), d'autres sont chargées négativement ou positivement, certaines sont réactives, etc. Leurs structures atomiques sont présentées dans la planche 3-1 et une brève liste d'abréviations est fournie en figure 3-3.

Comme nous l'avons vu au chapitre 2, les atomes se conduisent presque comme s'ils étaient des sphères dures à rayon défini (leur *rayon de van der Waals*). Le fait que deux atomes ne puissent pas se chevaucher limite grandement les angles de liaisons possibles d'une chaîne polypeptidique (Figure 3-4). Cette contrainte et d'autres interactions stériques restreignent sévèrement la variété des dispositions tridimensionnelles possibles des atomes (ou *conformations*). Néanmoins, une longue chaîne souple, comme une protéine, peut se replier d'un très grand nombre de manières.

Le repliement d'une chaîne protéique présente cependant des contraintes supplémentaires du fait de différents groupes de liaisons faibles *non covalentes* qui se forment entre une partie de la chaîne et une autre. Elles impliquent les atomes du squelette polypeptidique, ainsi que les atomes des chaînes latérales des acides aminés. Ces liaisons faibles sont de trois types : *liaisons hydrogène, liaisons ioniques* et *forces d'attraction de van der Waals*, comme nous l'avons expliqué au chapitre 2 (*voir* p. 57). Chaque liaison non covalente est 30 à 300 fois plus faible que la liaison covalente typique qui forme les molécules biologiques. Mais beaucoup de liaisons faibles peuvent agir en parallèle pour maintenir fermement deux régions d'une chaîne polypeptidique. La stabilité de chaque forme repliée est ainsi déterminée par l'association des forces d'un grand nombre de ces liaisons non covalentes (Figure 3-5).

Une quatrième force faible joue également un rôle central dans la détermination de la forme d'une protéine. Comme nous l'avons décrit au chapitre 2, les molécules hydrophobes, y compris les chaînes latérales non polaires de certains acides aminés, ont tendance à se rassembler dans un environnement aqueux afin de minimiser leur effet perturbateur sur le réseau de liaisons hydrogène des molécules d'eau (*voir* p. 58 et Planche 2-2, p. 112-113). De ce fait, un important facteur qui gouverne le repliement d'une protéine est la distribution de ses acides aminés polaires et non polaires. Les chaînes latérales non polaires (hydrophobes) d'une protéine – qui appartiennent à des acides aminés comme la phénylalanine, la leucine, la valine et le tryptophane – ont tendance à se rassembler vers l'intérieur de la molécule (comme les gouttelettes lipidiques hydrophobes entrent en coalescence dans l'eau pour former une gouttelette plus grosse). Cela leur permet d'éviter le contact avec l'eau qui les entoure à

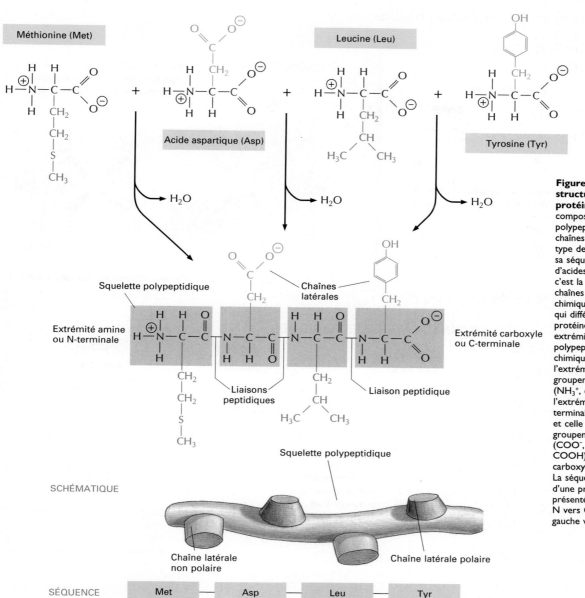

Figure 3-2 Composants structuraux d'une protéine. Une protéine est composée d'un squelette polypeptidique relié à des chaînes latérales. Chaque type de protéine diffère par sa séquence et son nombre d'acides aminés ; de ce fait, c'est la séquence des chaînes latérales chimiquement différentes qui différencie chaque protéine. Les deux extrémités d'une chaîne polypeptidique sont chimiquement différentes : l'extrémité portant le groupement amine libre (NH_3^+, écrit aussi NH_2) est l'extrémité amine, ou N-terminale, et celle qui porte le groupement carboxyle (COO^-, également noté COOH) est l'extrémité carboxyle ou C-terminale. La séquence d'acides aminés d'une protéine est toujours présentée dans la direction N vers C, se lisant de la gauche vers la droite.

ACIDE AMINÉ			CHAÎNE LATÉRALE
Acide aspartique	Asp	D	Négative
Acide glutamique	Glu	E	Négative
Arginine	Arg	R	Positive
Lysine	Lys	K	Positive
Histidine	His	H	Positive
Asparagine	Asn	N	Non chargée polaire
Glutamine	Gln	Q	Non chargée polaire
Sérine	Ser	S	Non chargée polaire
Thréonine	Thr	T	Non chargée polaire
Tyrosine	Tyr	Y	Non chargée polaire

—— ACIDES AMINÉS POLAIRES ——

ACIDE AMINÉ			CHAÎNE LATÉRALE
Alanine	Ala	A	Non polaire
Glycine	Gly	G	Non polaire
Valine	Val	V	Non polaire
Leucine	Leu	L	Non polaire
Isoleucine	Ile	I	Non polaire
Proline	Pro	P	Non polaire
Phénylalanine	Phe	F	Non polaire
Méthionine	Met	M	Non polaire
Tryptophane	Trp	W	Non polaire
Cystéine	Cys	C	Non polaire

—— ACIDES AMINÉS NON POLAIRES ——

Figure 3-3 Les 20 acides aminés des protéines. Les abréviations à trois lettres et à une lettre sont présentées. Comme on peut le voir, il y a autant de chaînes latérales polaires que non polaires. Pour leur structure atomique, *voir* Planche 3-1 (p. 132-133).

LES ACIDES AMINÉS

La formule générale d'un acide aminé est :

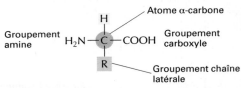

Groupement amine · H₂N — C — COOH · Groupement carboxyle

Atome α-carbone

Groupement chaîne latérale

R représente habituellement une des 20 chaînes latérales différentes. À un pH de 7, les groupements amine et carboxyle sont ionisés.

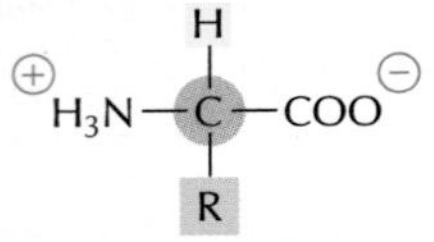

$$\overset{\oplus}{H_3N} - \underset{R}{\overset{H}{\underset{|}{\overset{|}{C}}}} - COO^{\ominus}$$

ISOMÈRES OPTIQUES

L'atome α-carbone est asymétrique, ce qui permet deux images miroir (ou stéréo), les isomères L et D.

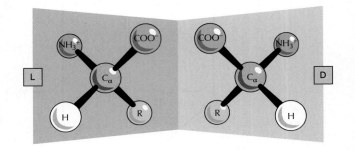

Les protéines sont uniquement composées d'acides aminés L.

FAMILLES D'ACIDES AMINÉS

Les acides aminés communs sont regroupés selon leur chaîne latérale qui peut être soit :

acide
basique
non chargée polaire
non polaire

Ces 20 acides aminés possèdent deux abréviations, une de trois lettres et une d'une lettre.

Ainsi : alanine = Ala = A

CHAÎNES LATÉRALES BASIQUES

Lysine
(Lys ou K)

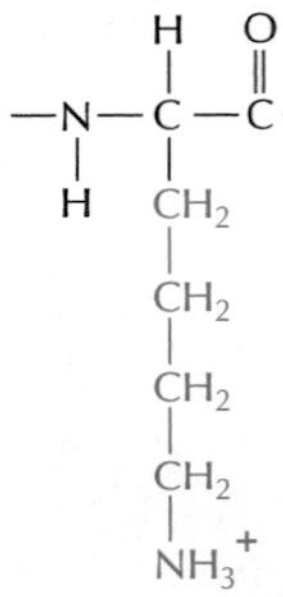

Arginine
(Arg ou R)

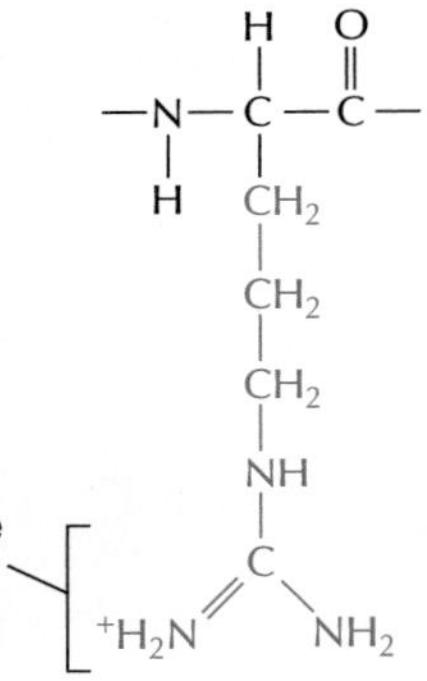

Histidine
(His ou H)

Ce groupe est très basique parce que sa charge positive est stabilisée par résonance.

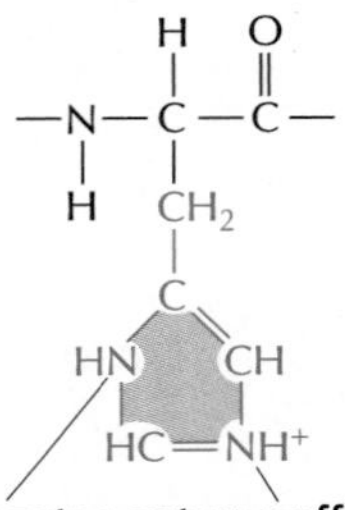

Ces azotes ont une affinité relativement faible pour les H⁺ et ne sont que partiellement positifs à pH neutre.

LIAISONS PEPTIDIQUES

Les acides aminés sont souvent reliés par une liaison amine appelée liaison peptidique.

Liaison peptidique : les quatre atomes de chaque encadré gris forment une unité plane rigide. Il n'y a pas de rotation autour de la liaison C–N.

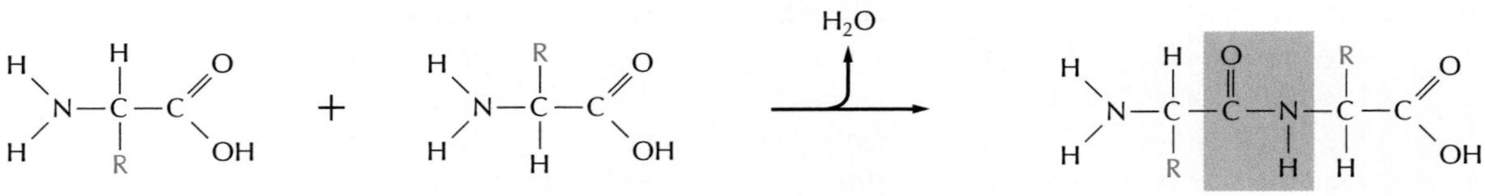

Les **protéines sont** de longs polymères d'acides aminés reliés par des liaisons peptidiques et elles sont toujours écrites avec leur extrémité N-terminale dirigée à gauche. La séquence de ce tripeptide est histidine-cystéine-valine.

Extrémité amine ou N-terminale

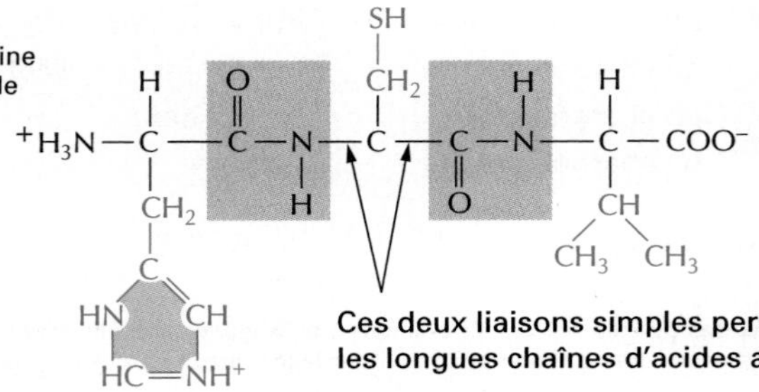

Extrémité carboxyle ou C-terminale

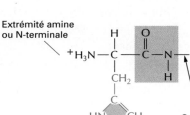
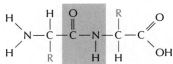

Ces deux liaisons simples permettent une rotation, les longues chaînes d'acides aminés sont ainsi très flexibles.

CHAÎNES LATÉRALES ACIDES

Acide aspartique

(Asp ou D)

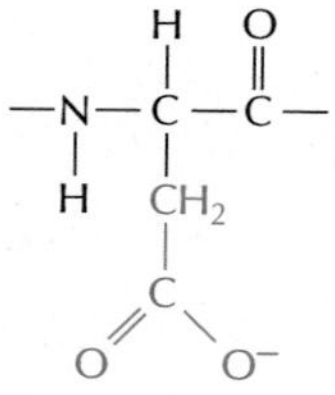

Acide glutamique

(Glu ou E)

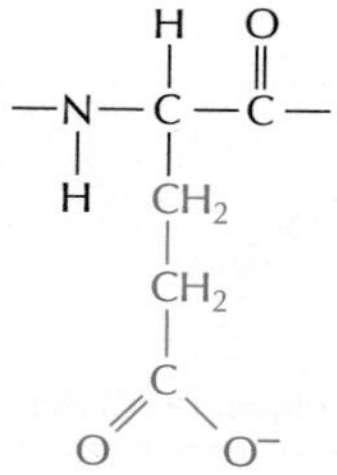

CHAÎNES LATÉRALES POLAIRES NON CHARGÉES

Asparagine

(Asn ou N)

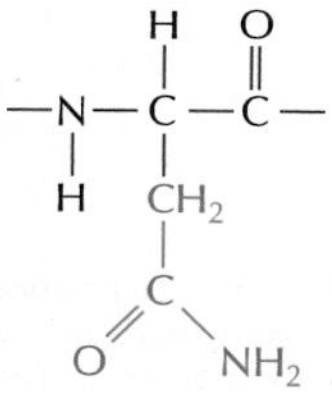

Glutamine

(Gln ou Q)

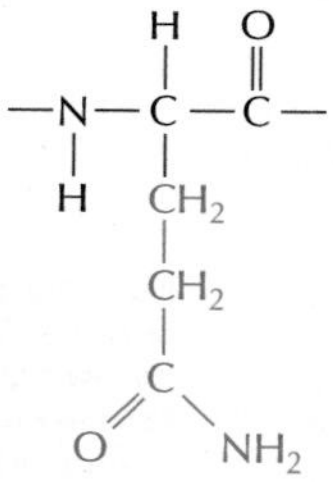

Bien que l'amide N ne soit pas chargé à pH neutre, il est polaire.

Sérine

(Ser ou S)

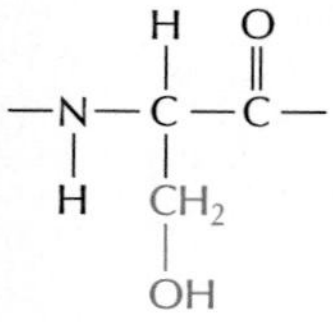

Thréonine

(Thr ou T)

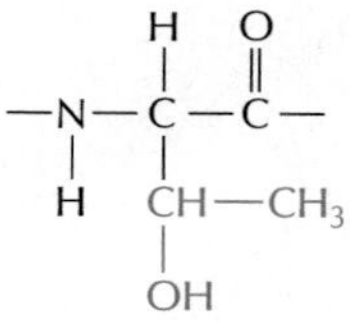

Tyrosine

(Tyr ou Y)

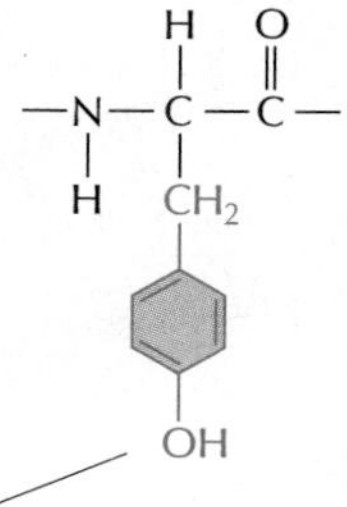

Le groupement –OH est polaire.

CHAÎNES LATÉRALES NON POLAIRES

Alanine

(Ala ou A)

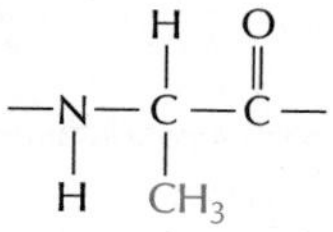

Valine

(Val ou V)

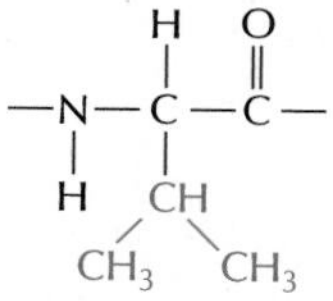

Leucine

(Leu ou L)

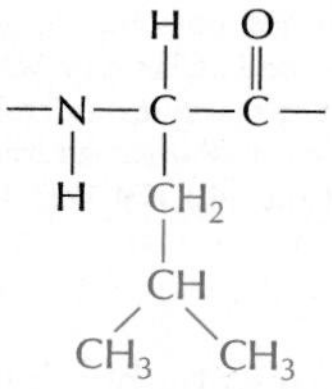

Isoleucine

(Ile ou I)

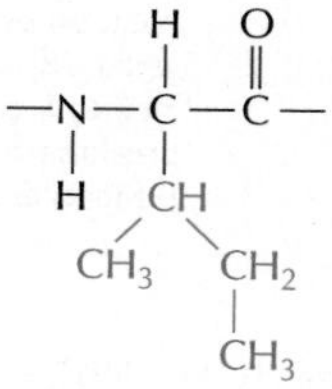

Proline

(Pro ou P)

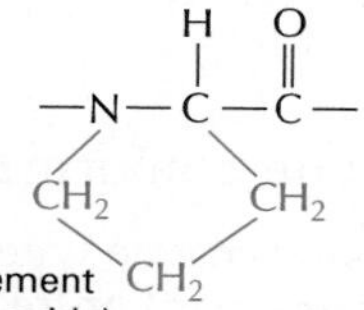

Phénylalanine

(Phe ou F)

(véritablement un imino-acide)

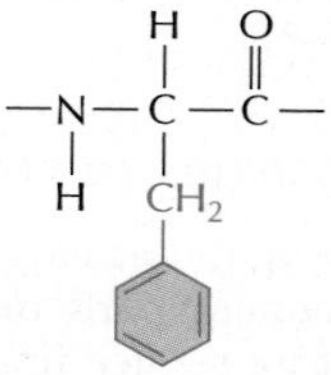

Méthionine

(Met ou M)

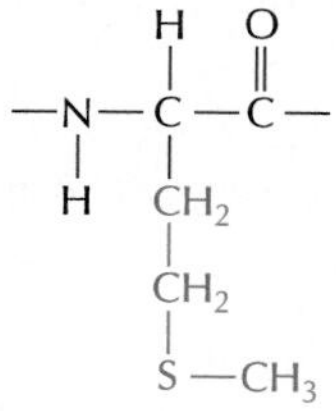

Tryptophane

(Trp ou W)

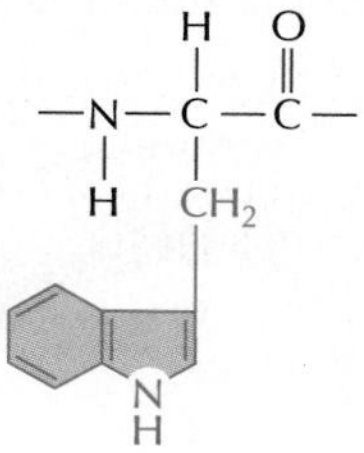

Glycine

(Gly ou G)

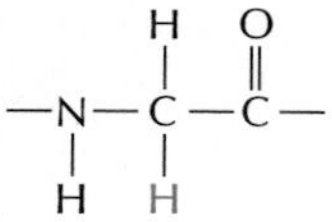

Cystéine

(Cys ou C)

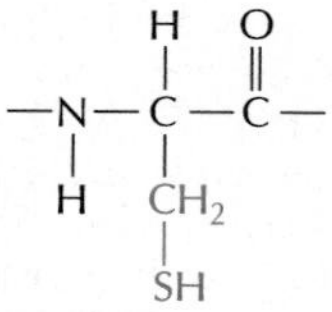

Des liaisons disulfure peuvent se former entre deux chaînes latérales de cystéine dans les protéines.

$$- -CH_2- S - S -CH_2--$$

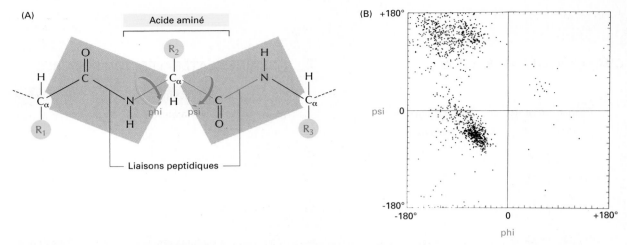

Figure 3-4 Limites stériques des angles de liaison dans une chaîne polypeptidique. (A) Chaque acide aminé contribue par trois liaisons (*rouge*) au squelette de la chaîne. La liaison peptidique est plane (*ombre grise*) et ne permet pas de rotation. Par contre, une rotation peut se produire au niveau de la liaison C_α–C, dont l'angle de rotation est appelé psi (ψ) et au niveau de la liaison N–C_α dont l'angle de rotation est appelé phi (φ). Par convention, un groupement R est souvent utilisé pour représenter la chaîne latérale d'acides aminés (*cercles verts*). (B) La conformation de la chaîne principale d'atomes dans une protéine est déterminée par une paire d'angle ψ et φ pour chaque acide aminé ; à cause des collisions stériques entre les atomes à l'intérieur de chaque acide aminé, la plupart des paires d'angles ψ et φ ne se produisent pas. Sur ce tracé de Ramachandran, chaque point représente une paire d'angles observée dans une protéine. (B, d'après J. Richardson, *Adv. Prot. Chem.* 34 : 174-175, 1981. © Academic Press.)

l'intérieur de la cellule. À l'opposé, les chaînes latérales polaires – comme celles de l'arginine, la glutamine et l'histidine – ont tendance à se disposer elles-mêmes près de la périphérie de la molécule, où elles peuvent former des liaisons hydrogène avec l'eau et d'autres molécules polaires (Figure 3-6). Lorsque les acides aminés polaires sont enfouis à l'intérieur de la protéine, ils sont généralement reliés par des liaisons hydrogène à d'autres acides aminés polaires ou au squelette polypeptidique (Figure 3-7).

Les protéines se replient en une conformation de plus faible énergie

Il résulte de toutes ces interactions que chaque type de protéine a une structure tridimensionnelle particulière, déterminée par l'ordre des acides aminés de sa chaîne. La structure repliée finale, ou **conformation**, adoptée par toute chaîne polypeptidique, est généralement celle qui présente une énergie libre minimale. Le repliement protéique a été étudié dans un tube à essai avec des protéines hautement purifiées. Une protéine peut être dépliée, ou *dénaturée*, après un traitement par certains solvants qui perturbent les interactions non covalentes qui maintiennent la chaîne repliée. Ce traitement transforme la protéine en une chaîne polypeptidique flexible qui a perdu

Figure 3-5 Les trois types de liaisons non covalentes qui favorisent le repliement des protéines. Même si chacune de ces liaisons est assez faible, un grand nombre d'entre elles se forment souvent ensemble pour créer une disposition fortement liée, comme dans l'exemple montré. Comme dans la figure précédente, R est utilisé pour désigner la chaîne latérale d'un acide aminé.

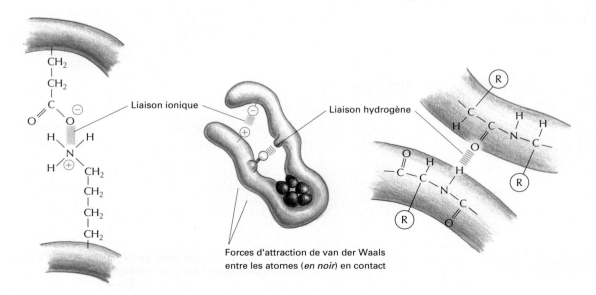

Liaison ionique

Liaison hydrogène

Forces d'attraction de van der Waals entre les atomes (*en noir*) en contact

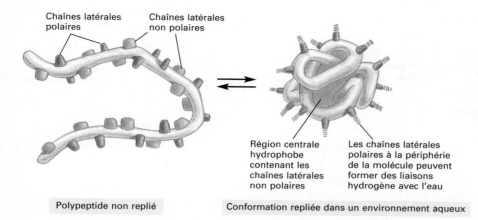

Chaînes latérales polaires

Chaînes latérales non polaires

Région centrale hydrophobe contenant les chaînes latérales non polaires

Les chaînes latérales polaires à la périphérie de la molécule peuvent former des liaisons hydrogène avec l'eau

Polypeptide non replié

Conformation repliée dans un environnement aqueux

Figure 3-6 Une protéine se replie en une conformation compacte. Les chaînes latérales polaires d'acides aminés ont tendance à se rassembler à la périphérie de la protéine, où elles peuvent interagir avec l'eau; les chaînes latérales non polaires d'acides aminés sont enfouies à l'intérieur pour former le noyau hydrophobe d'atomes serrés soustraits à l'eau. Sur ce schéma, les protéines ne contiennent environ que 30 acides aminés.

sa forme naturelle. Après le retrait du solvant dénaturant, la protéine se replie souvent spontanément, ou se «*renature*», dans sa conformation d'origine (Figure 3-8). Cela indique que toutes les informations nécessaires à la spécification de la forme tridimensionnelle d'une protéine sont contenues dans sa séquence d'acides aminés.

Chaque protéine se replie normalement selon une conformation unique et stable. Cependant, cette conformation change souvent légèrement lorsque la protéine interagit avec les autres molécules cellulaires. Cette modification de la forme est souvent cruciale pour la fonction de la protéine, comme nous le verrons par la suite.

Même si une chaîne protéique peut se replier dans sa conformation correcte sans aide extérieure, dans une cellule vivante, ce repliement protéique est souvent aidé par des protéines spéciales appelées *molécules chaperons*. Ces protéines se lient aux chaînes polypeptidiques en partie repliées et les aident à évoluer vers la voie de repliement la plus énergétiquement favorable. Les chaperons sont vitaux dans les conditions d'encombrement du cytoplasme, car ils évitent que les régions hydrophobes temporairement exposées des chaînes protéiques néosynthétisées s'associent les unes aux autres pour former des agrégats protéiques (*voir* p. 357). Cependant, la forme finale tridimensionnelle de la protéine est encore spécifiée par sa séquence d'acides aminés : les chaperons ne font qu'augmenter la fiabilité de ce processus de repliement.

Les formes des protéines sont très diverses et leur taille s'étend généralement entre 50 et 2 000 acides aminés de long. Les grosses protéines sont souvent composées de plusieurs *domaines protéiques* distincts – unités structurelles qui se replient plus ou moins indépendamment les unes des autres, comme nous le verrons par la suite. La structure détaillée de chaque protéine est complexe; pour plus de simplicité, il existe différentes façons de représenter la structure protéique, chacune insistant sur différentes caractéristiques de la protéine.

Figure 3-7 Liaisons hydrogène dans une molécule protéique. Un grand nombre de liaisons hydrogène se forment entre des régions adjacentes de la chaîne polypeptidique repliée et facilitent la stabilisation de la forme tridimensionnelle. La protéine présentée est une portion du lysozyme, une enzyme, et les liaisons hydrogène entre les trois paires possibles de partenaires ont été colorées différemment, comme indiqué. (D'après C.K. Matthews et K.E. van Holde, Biochemistry. Redwood City, CA : Benjamin/Cummings, 1996.)

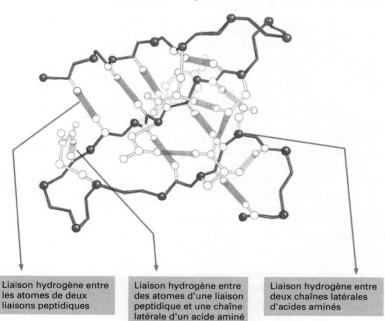

Liaison hydrogène entre les atomes de deux liaisons peptidiques

Liaison hydrogène entre des atomes d'une liaison peptidique et une chaîne latérale d'un acide aminé

Liaison hydrogène entre deux chaînes latérales d'acides aminés

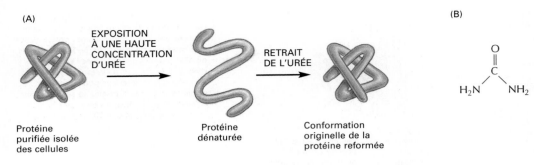

(A)

EXPOSITION
À UNE HAUTE
CONCENTRATION
D'URÉE

RETRAIT
DE L'URÉE

Protéine
purifiée isolée
des cellules

Protéine
dénaturée

Conformation
originelle de la
protéine reformée

(B)

Figure 3-8 Repliement d'une protéine dénaturée. (A) Cette expérience démontre que la conformation d'une protéine est uniquement déterminée par sa séquence en acides aminés. (B) Structure de l'urée. L'urée est très soluble dans l'eau et déplie les protéines à très haute concentration, lorsqu'il y a une molécule d'urée pour six molécules d'eau.

La planche 3-2 (p. 138-139) présente quatre représentations différentes d'un domaine protéique, appelé SH2, dont les fonctions sont importantes pour les cellules eucaryotes. Construite à partir d'une bande de 100 acides aminés, la structure peut être visualisée sous forme de (A) un squelette polypeptidique, (B) un ruban, (C) un fil qui inclut les chaînes latérales des acides aminés, et (D) un modèle compact ou tridimensionnel. Chacune des trois lignes horizontales du tableau montre la protéine sous une orientation différente et l'image est coloriée de manière à permettre à la chaîne polypeptidique d'être suivie de son extrémité N-terminale (*violet*) à son extrémité C-terminale (*rouge*).

La planche 3-2 montre que la conformation protéique est extrêmement complexe, même pour une structure aussi petite que le domaine SH2. Mais la description des structures protéiques peut être simplifiée si on reconnaît qu'elles sont construites à partir de divers motifs structuraux communs, comme nous le verrons.

L'hélice α et le feuillet β sont des types de repliement fréquents

Lorsque nous comparons les structures tridimensionnelles de différentes molécules protéiques, il apparaît clairement que, même si la conformation de chaque protéine est unique, on retrouve souvent régulièrement deux motifs de repliement dans des parties de celles-ci. Ces deux types ont été découverts, il y a environ 50 ans, lors d'études sur les cheveux et la soie. Le premier type de repliement découvert, l'**hélice α**, a été trouvé dans l'*α-kératine*, une protéine abondante dans la peau et ses annexes – comme les cheveux, les ongles et la corne. Dans l'année qui a suivi la découverte de l'hélice α, une deuxième structure repliée, appelée **feuillet β**, a été observée dans la *fibroïne*, une protéine majeure de la soie. Ces deux types sont particulièrement communs parce qu'ils résultent de liaisons hydrogène entre les groupements N–H et C=O du squelette polypeptidique, sans impliquer les chaînes latérales des acides aminés. De ce fait, ces liaisons peuvent se former au sein de nombreuses séquences d'acides aminés différentes. Dans chaque cas, la chaîne protéique adopte une conformation régulière répétitive. Ces deux conformations, ainsi que les abréviations utilisées pour les décrire dans les modèles type ruban des protéines, sont montrées dans la figure 3-9.

Le cœur de nombreuses protéines contient de larges régions de feuillets β. Comme cela est montré dans la figure 3-10, ces feuillets β peuvent se former soit à partir de chaînes polypeptidiques voisines de même orientation (chaînes parallèles) soit à partir d'une chaîne polypeptidique qui se replie sur elle-même en accordéon, chaque section de la chaîne se trouvant alors dans la direction opposée de celle de ses voisines immédiates (chaînes antiparallèles). Ces deux types de feuillets β produisent une structure très rigide, maintenue par des liaisons hydrogène qui connectent les liaisons peptidiques de chaînes voisines (*voir* Figure 3-9D).

Une hélice α se forme lorsqu'une seule chaîne polypeptidique s'enroule sur elle-même pour former un cylindre rigide. Une liaison hydrogène se place toutes les quatre liaisons peptidiques, reliant le C=O d'une liaison peptidique au N–H d'une autre (*voir* Figure 3-9A). Cela donne naissance à une hélice régulière qui effectue un tour complet tous les 3,6 acides aminés. Notez que le domaine protéique illustré dans la planche 3-2 contient deux hélices α, ainsi que des structures en feuillets β.

De courtes régions d'hélice α sont particulièrement abondantes dans les protéines situées dans les membranes cellulaires, comme les protéines de transport et les protéines réceptrices. Comme nous le verrons au chapitre 10, les portions des protéines transmembranaires qui traversent la bicouche lipidique sont souvent des hélices α composées en grande partie d'acides aminés à chaînes latérales non polaires. Le squelette polypeptidique, qui est hydrophile, forme des liaisons hydrogène sur lui-même au niveau des hélices α et est protégé de l'environnement lipidique hydrophobe de la membrane par ses chaînes latérales saillantes, non polaires (*voir aussi* Figure 3-77).

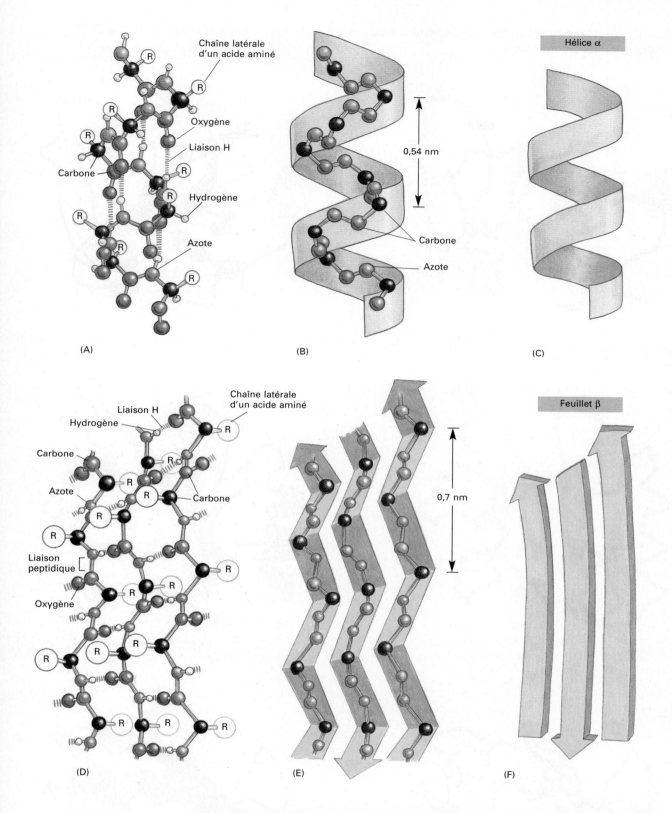

(A)

(B)

(C)

Chaîne latérale
d'un acide aminé

Oxygène

Liaison H

Carbone

Hydrogène

Azote

0,54 nm

Carbone

Azote

Hélice α

(D)

(E)

(F)

Chaîne latérale
d'un acide aminé

Liaison H

Hydrogène

Carbone

Azote

Carbone

Liaison
peptidique

Oxygène

R

0,7 nm

Feuillet β

Figure 3-9 Conformation régulière du squelette polypeptidique observée dans l'hélice α et le feuillet β.
(A, B, C) Hélice α. Le N–H de chaque liaison peptidique est relié par liaison hydrogène au C=O de la liaison
peptidique voisine localisée quatre liaisons peptidiques plus loin sur la même chaîne. (D, E, F) Feuillet β. Dans
cet exemple, des chaînes peptidiques adjacentes sont dans des directions opposées (antiparallèles). Les chaînes
polypeptidiques individuelles (brins) d'un feuillet β sont maintenues ensemble par des liaisons hydrogène entre des
liaisons peptidiques de différents brins et les chaînes latérales des acides aminés de chaque brin projetées
alternativement en dessous et au-dessus du plan du feuillet. (A) et (D) montrent tous les atomes du squelette
polypeptidique, mais les chaînes latérales des acides aminés sont tronquées et notées par R. Par contre, (B) et (E)
ne montrent que les atomes du squelette, alors que (C) et (F) visualisent les tracés utilisés pour représenter l'hélice α
et le feuillet β sur un schéma type ruban d'une protéine (*voir* Planche 3-2B).

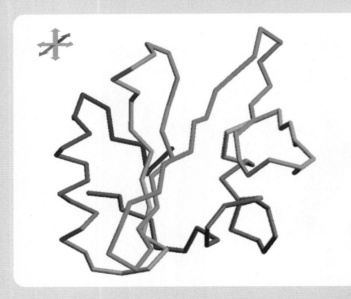

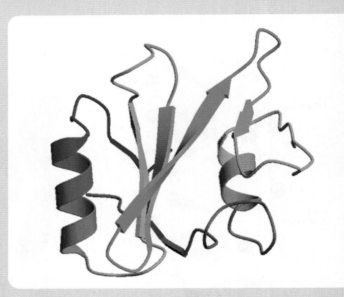

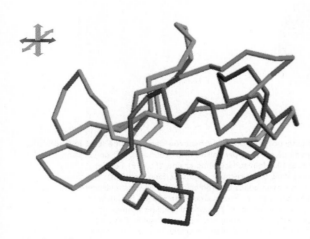

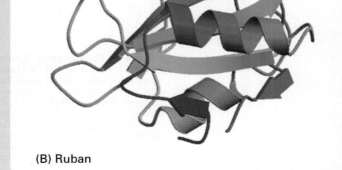

(A) Squelette

(B) Ruban

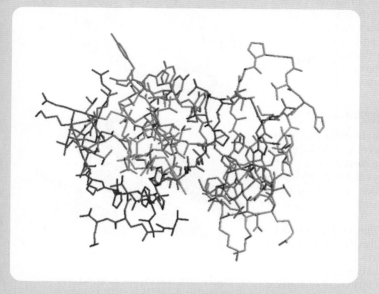

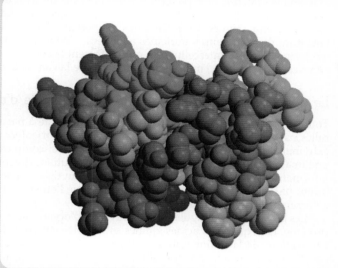

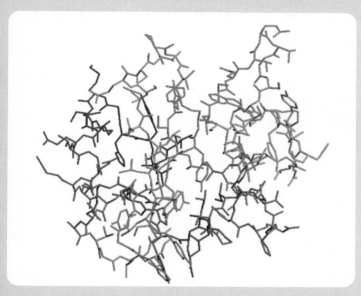

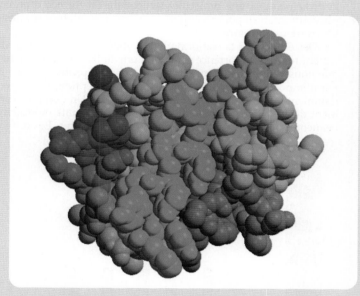

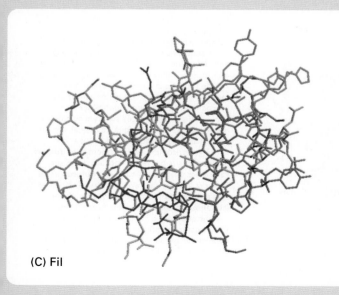

(C) Fil

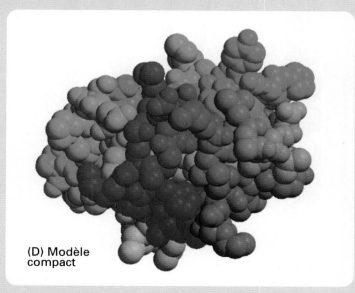

(D) Modèle compact

Dans d'autres protéines, les hélices α s'enroulent l'une sur l'autre pour former une structure particulièrement stable, appelée «**superenroulement**». Cette structure peut se former lorsque deux (ou dans certains cas trois) hélices α ont la majeure partie de leurs chaînes latérales non polaires (hydrophobes) d'un seul côté, de telle sorte qu'elles peuvent s'enrouler l'une autour de l'autre en plaçant ces chaînes latérales tournées vers l'intérieur (Figure 3-11). De longs «superenroulements» en bâtonnets forment l'ossature de nombreuses protéines allongées. Citons, comme exemple, l'α-kératine qui forme les fibres intercellulaires qui renforcent la couche externe de la peau et ses annexes, et la myosine, molécule responsable de la contraction musculaire.

Le domaine protéique est l'unité fondamentale d'organisation

Toute molécule protéique, même petite, est construite à partir de milliers d'atomes reliés par des liaisons covalentes et non covalentes, orientées avec précision, et il est extrêmement difficile de visualiser cette structure si complexe sans avoir recours à une image tridimensionnelle. C'est pourquoi on utilise diverses aides graphiques et informatisées. Un CD-ROM accompagne cet ouvrage et contient des images, produites par ordinateur, de certaines protéines, que l'on peut visualiser et faire pivoter à l'écran sous divers formats.

Les biologistes distinguent quatre niveaux d'organisation dans la structure d'une protéine. La séquence d'acides aminés est appelée **structure primaire** de la protéine. Les sections de la chaîne polypeptidique qui forment les hélices α et les feuillets β constituent la **structure secondaire** de la protéine. L'organisation complète tridimensionnelle de la chaîne polypeptidique est parfois appelée **structure tertiaire** de la protéine et, si une molécule particulière est formée d'un complexe constitué de plusieurs chaînes polypeptidiques, la structure globale est désignée par le terme de **structure quaternaire**.

Des études sur la conformation, la fonction et l'évolution des protéines ont également révélé l'importance capitale d'une unité d'organisation, différente des quatre que nous venons de décrire. C'est le **domaine protéique**, une infrastructure formée par n'importe quelle partie de la chaîne polypeptidique qui peut se replier indépendamment en une structure compacte et stable. Un domaine est composé habituellement de 40 à 350 acides aminés et représente l'unité modulaire à partir de laquelle beaucoup de protéines plus grosses sont construites. Les différents domaines d'une

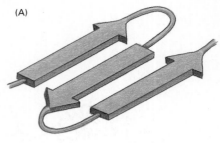

Figure 3-10 Deux types de structures en feuillet β. (A) Un feuillet β antiparallèle (*voir* Figure 3-9D). (B) Un feuillet β parallèle. Ces deux structures sont fréquentes dans les protéines.

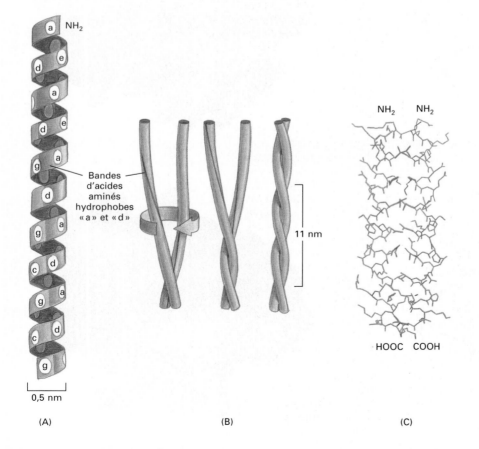

Figure 3-11 Une structure en «superenroulement». (A) Une seule hélice α avec ses chaînes latérales successives d'une séquence de 7 acides aminés marqués «abcdefg» (de bas en haut). Les acides aminés «a» et «d» d'une telle séquence sont proches l'un de l'autre à la surface du cylindre et forment une bande (marquée en *rouge*) qui tourne légèrement autour de l'hélice α. Les protéines qui forment ces superenroulements présentent de façon typique des acides aminés non polaires en positions «a» et «d». Par conséquent, comme cela est montré en (B), les deux hélices α peuvent s'enrouler l'une sur l'autre, les chaînes latérales non polaires d'une hélice α interagissant avec les chaînes latérales non polaires de l'autre, alors que les chaînes latérales d'acides aminés plus hydrophiles restent exposées à l'environnement aqueux. (C) Structure atomique d'un superenroulement déterminée par cristallographie aux rayons X. Les chaînes latérales en *rouge* ne sont pas polaires.

Bandes d'acides aminés hydrophobes «a» et «d»

11 nm

NH$_2$ NH$_2$

HOOC   COOH

0,5 nm

(A)   (B)   (C)

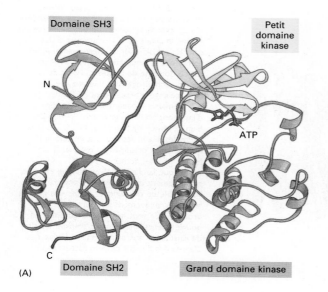

Domaine SH3

N

Petit domaine kinase

ATP

C

(A)   Domaine SH2   Grand domaine kinase

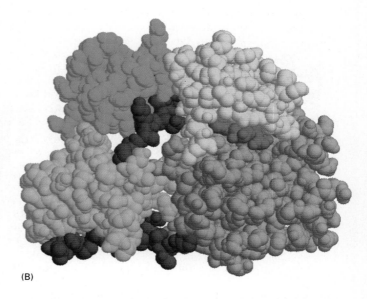

(B)

Figure 3-12 Une protéine formée de quatre domaines. Dans la protéine Src présentée, deux des domaines forment une enzyme, une protéine-kinase, alors que les domaines SH2 et SH3 ont des fonctions régulatrices. (A) Modèle de type ruban avec un substrat ATP en *rouge*. (B) Modèle compact, avec le substrat ATP en *rouge*. Notez que le site qui lie l'ATP est positionné à l'interface des deux domaines qui forment la kinase. La structure détaillée du domaine SH2 est illustrée dans la planche 3-2 (p. 138-139).

protéine sont souvent associés à des fonctions différentes. La figure 3-12 montre un exemple – la Src protéine-kinase – qui fonctionne en signalant des voies métaboliques à l'intérieur des cellules vertébrées (Src se prononce «sarc»). Cette protéine a quatre domaines : les domaines SH2 et SH3 ont des rôles de régulation, alors que les deux autres domaines sont responsables de l'activité catalytique de type kinase. Nous reviendrons à cette protéine ultérieurement dans ce chapitre afin d'expliquer comment les protéines peuvent former des commutateurs moléculaires qui transmettent les informations dans la cellule.

Les plus petites molécules protéiques ne contiennent qu'un seul domaine, alors que les plus grosses protéines peuvent contenir plusieurs douzaines de domaines, généralement connectés entre eux par de courtes chaînes polypeptidiques relativement non structurées. La figure 3-13 représente un modèle de type ruban de trois domaines protéiques organisés différemment. Comme ces exemples le montrent, le centre d'un domaine peut être construit à partir d'hélices α, de feuillets β ou de diverses associations de ces deux éléments de repliements fondamentaux. Chaque combinaison différente est appelée *repliement protéique*. Actuellement près de 1 000 repliements protéiques ont été identifiés au sein des dix mille protéines dont on connaît la conformation détaillée.

Parmi les nombreuses chaînes polypeptidiques possibles, peu seront utiles

Comme chacun des 20 acides aminés est chimiquement différent et que chacun peut, en principe, se placer dans n'importe quelle position de la chaîne protéique, il y a $20 \times 20 \times 20 \times 20 = 160\,000$ différentes chaînes polypeptidiques possibles de quatre acides aminés de long, ou 20^n différentes chaînes polypeptidiques possibles de n acides aminés de long. Pour une chaîne protéique typique longue de 300 acides aminés, il est théoriquement possible de fabriquer plus de 10^{390} (20^{300}) chaînes polypeptidiques différentes. Ce nombre est si énorme que la production d'une seule molécule de chaque type nécessiterait bien plus d'atomes qu'il n'en existe dans l'univers.

Seule une très petite fraction de ce vaste groupe de chaînes polypeptidiques concevables adoptera une seule conformation tridimensionnelle stable – estimée par certains à moins d'une pour un milliard. La grande majorité des molécules protéiques possibles pourrait adopter plusieurs conformations d'une stabilité grossièrement égale, et dont chacune aurait différentes propriétés chimiques. Cependant, toutes les protéines présentes dans une cellule adoptent virtuellement une seule conformation stable. Comment est-ce possible ? La réponse provient de la sélection naturelle. Une protéine qui présente une structure variable et une activité biochimique imprévisible a peu de chances d'aider la cellule qui la contient à survivre. Ces protéines ont certainement été éliminées par sélection naturelle au cours du processus extrêmement long de tentatives et d'erreurs sous-jacent à l'évolution biologique.

À cause de la sélection naturelle, non seulement la séquence d'acides aminés d'une protéine actuelle ne permet qu'une seule conformation extrêmement stable, mais, en plus, les propriétés chimiques de cette conformation sont finement réglées

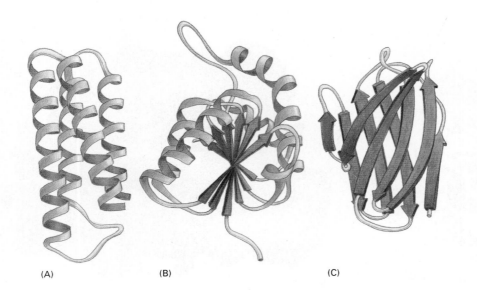

(A)   (B)   (C)

Figure 3-13 Modèles de type ruban de trois domaines protéiques différents. (A) Le cytochrome b_{562}, un domaine protéique unique impliqué dans le transport d'électrons dans les mitochondries. Cette protéine est composée presque entièrement d'hélices α. (B) Le domaine de liaison au NAD de la lactico-déshydrogénase, une enzyme, composé d'un mélange d'hélices α et de feuillets β. (C) Domaine variable d'une chaîne légère d'immunoglobuline (anticorps), composé d'un sandwich de deux feuillets β. Dans ces exemples, les hélices α sont en *vert*, alors que les brins organisés en feuillets β sont figurés par des *flèches rouges*. Notez que la chaîne polypeptidique effectue généralement un va-et-vient à travers l'ensemble du domaine, et forme des coudes brusques uniquement à la surface de la protéine. Ce sont les régions saillantes en boucle (*jaunes*) qui forment souvent les sites de liaison aux autres molécules. (Adapté d'après des dessins de Jane Richardson.)

pour permettre à la protéine d'effectuer une fonction catalytique ou structurelle particulière dans la cellule. Les protéines sont construites avec tant de précision que la modification, ne serait-ce que de quelques atomes d'un acide aminé, peut parfois perturber si sévèrement la structure de la totalité de la molécule que toute ses fonctions sont perdues.

Les protéines peuvent être classées en un grand nombre de familles

Une fois qu'une protéine a développé un repliement en une conformation stable ayant des propriétés utiles, sa structure a pu se modifier au cours de l'évolution pour lui permettre d'effectuer de nouvelles fonctions. Ce processus a été fortement accéléré par des mécanismes génétiques qui produisent parfois des copies dupliquées de gènes, et permettent à une des copies du gène d'évoluer indépendamment pour effectuer une nouvelle fonction (*voir* Chapitre 7). Ce type d'événements s'est produit assez souvent par le passé ; il en résulte que beaucoup de protéines actuelles peuvent être regroupées en familles protéiques, dont chaque membre a une séquence d'acides aminés et une conformation tridimensionnelle ressemblant à celles des autres membres de la famille.

Considérons par exemple, les *sérine-protéases*, une grande famille d'enzymes de clivage des protéines (protéolytiques) qui comprend les enzymes digestives comme la chymotrypsine, la trypsine et l'élastase, et diverses protéases impliquées dans la coagulation sanguine. Lorsqu'on compare deux à deux les parties protéases de ces enzymes, des parties de la séquence des acides aminés correspondent. La similitude de leur conformation tridimensionnelle est encore plus frappante ; la plupart des particularités des enroulements et des tours de leurs chaînes polypeptidiques, qui mesurent plusieurs centaines d'acides aminés, sont virtuellement identiques (Figure 3-14). Les différentes sérine-protéases ont néanmoins des activités enzymatiques distinctes, chacune clivant différentes protéines ou liaisons peptidiques entre différents types d'acides aminés. Chacune effectue donc une fonction distincte dans l'organisme.

Cette histoire que nous venons de raconter sur les sérine-protéases peut être répétée pour des centaines d'autres familles protéiques. Dans de nombreux cas, les séquences d'acides aminés ont divergé bien avant celles des sérine-protéases, de telle sorte qu'on ne peut pas être sûr de la relation familiale entre deux protéines sans déterminer leur structure tridimensionnelle. L'α-2 protéine de la levure et la protéine « engrailed » de *Drosophila*, par exemple, sont deux protéines régulatrices de la famille des homéodomaines. Comme elles n'ont que 17 résidus d'acides aminés identiques sur 60, leur relation n'a été certaine que lorsque leurs structures tridimensionnelles ont pu être comparées (Figure 3-15).

Les divers membres d'une grande famille protéique ont souvent des fonctions distinctes. Certaines variations des acides aminés qui différencient les membres d'une famille ont été sans aucun doute sélectionnées au cours de l'évolution parce qu'elles entraînaient des variations utiles de l'activité biologique et donnaient à chaque membre de la famille les différentes propriétés fonctionnelles qu'ils ont de nos jours. Mais beaucoup d'autres variations d'acides aminés sont en réalité

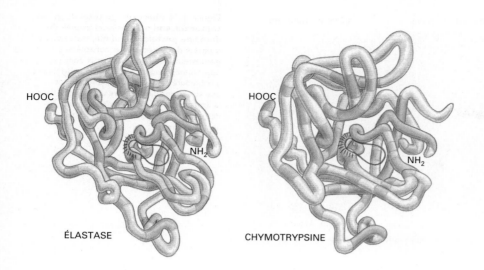

Figure 3-14 Comparaison de la conformation de deux sérine-protéases. Conformation du squelette de l'élastase et de la chymotrypsine. Bien que seuls les acides aminés de la chaîne polypeptidique marqués en *vert* soient les mêmes entre les deux protéines, les deux conformations sont très semblables presque partout. Le site actif de chaque enzyme est cerclé de *rouge* ; c'est là que les liaisons peptidiques des protéines qui servent de substrat sont fixées puis clivées par hydrolyse. Le nom des sérine-protéases dérive de l'acide aminé sérine dont la chaîne latérale fait partie du site actif de chaque enzyme et participe directement à la réaction de clivage.

« neutres », et n'ont aucun effet bénéfique ou néfaste sur la structure fondamentale et la fonction des protéines. De plus, comme les mutations sont un processus aléatoire, il a dû également exister beaucoup de variations délétères qui ont suffisamment altéré la structure tridimensionnelle des protéines pour leur causer du tort. Ces protéines défectueuses ont dû être éliminées à chaque fois que l'organisme qui les fabriquait, présentait assez d'inconvénients pour être éliminé par sélection naturelle.

Les familles protéiques sont facilement reconnues lors du séquençage du génome d'un organisme : par exemple, la détermination de la séquence complète d'ADN du génome du nématode *Caenorhabditis elegans* a révélé que ce minuscule ver contenait plus de 18 000 gènes. En comparant les séquences, il a été possible de voir que les produits d'une grande partie de ces gènes contenaient des domaines issus d'une famille protéique ou d'une autre ; par exemple, il est apparu que 388 gènes contenaient des domaines de type protéine-kinase, 66 gènes contenaient des domaines de type ADN et ARN hélicases, 43 gènes contenaient des domaines SH2, 70 gènes contenaient des domaines des immunoglobulines et 88 gènes contenaient des homéodomaines de liaison à l'ADN dans ce génome de 97 millions de paires de bases (Figure 3-16).

Les protéines peuvent adopter un nombre limité de repliements protéiques

Il est stupéfiant de considérer la rapidité de l'augmentation de nos connaissances sur les cellules. En 1950 nous ne connaissions pas l'ordre des acides aminés d'une seule protéine et beaucoup doutaient même du fait que les acides aminés d'une protéine soient disposés selon une séquence précise. En 1960, la première structure tridimensionnelle d'une protéine a été déterminée par cristallographie aux rayons X. Mainte-

Figure 3-15 Comparaison d'une classe de domaines de liaison à l'ADN, appelée homéodomaine, dans une paire de protéines issues de deux organismes séparés de plus d'un milliard d'années d'évolution. (A) Modèle type ruban de la structure commune des deux protéines. (B) Tracé des positions des carbones α. Les structures tridimensionnelles montrées ont été déterminées par cristallographie aux rayons X pour la protéine α-2 de levure (*vert*) et la protéine « engrailed » de *Drosophila* (*rouge*). (C) Comparaison des séquences d'acides aminés de la région des protéines montrées en (A) et (B). Les *points noirs* marquent les sites ayant des acides aminés identiques. Les *points orange* indiquent la position d'un insert de trois acides aminés dans la protéine α-2. (Adapté de C. Wolberger et al., *Cell* 67 : 517-528, 1991.)

(A)
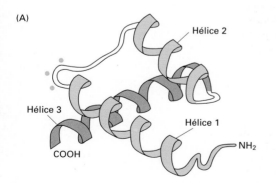

(B)
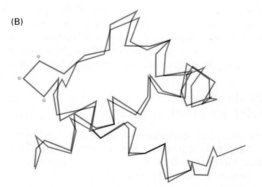

(C)

Levure

H₂N G H R F T K E N V R I L E S W F A K N I E N P Y L D T K G L E N L M K N T S L S R I Q I K N W V S N R R R K E K T I
R T A F S S E O L A R L K R E F N E N - - - R Y L T E R R R Q Q L S S E L G L N E A Q I K I W F Q N K R A K I K K S COOH

Drosophila

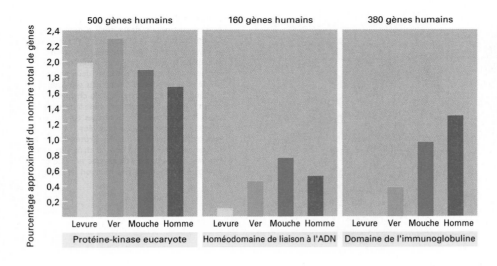

Figure 3-16 Pourcentage total de gènes contenant une ou plusieurs copies du domaine protéique indiqué, déterminé à partir de la séquence complète du génome. Notez qu'un des trois domaines sélectionnés, le domaine de l'immunoglobuline, a été ajouté relativement tardivement et que son abondance relative a augmenté dans la lignée des vertébrés. Les estimations des nombres de gènes humains sont approximatives.

nant que nous avons accès à des centaines de milliers de séquences protéiques grâce au séquençage des gènes qui les codent, à quels développements techniques pouvons-nous nous attendre ?

Le passage du séquençage d'un gène à la production d'une grande quantité de la protéine pure codée par ce gène n'est plus une étape difficile à franchir. Grâce au clonage de l'ADN et aux techniques de génie génétique (*voir* Chapitre 8), cette étape n'est souvent que pure routine. Mais il n'existe encore aucune technique de routine nous permettant de déterminer la structure tridimensionnelle complète d'une protéine. Les techniques standard, basées sur la diffraction des rayons X, nécessitent de soumettre la protéine à des conditions qui provoquent l'agrégation des molécules en des dispositions cristallines parfaitement ordonnées – à savoir un cristal protéique. Chaque protéine se comporte assez différemment de ce point de vue et les cristaux protéiques ne peuvent être engendrés que par des méthodes exhaustives par approximations successives qui prennent souvent plusieurs années pour réussir – si tant est qu'elles réussissent.

Les protéines membranaires et les gros complexes protéiques pourvus de nombreuses parties mobiles ont généralement été les plus difficiles à cristalliser, ce qui explique pourquoi il n'y a que très peu de structures de la sorte représentées dans cet ouvrage. Cependant, de plus en plus, les grosses protéines sont analysées par la détermination de la structure de leurs domaines : soit par cristallisation des domaines isolés et bombardement du cristal aux rayons X, soit par l'étude de la conformation de domaines isolés en solution aqueuse concentrée grâce à une technique puissante de résonance magnétique nucléaire (RMN) (*voir* Chapitre 8). Par l'association des études aux rayons X et de la RMN, nous connaissons maintenant la forme tridimensionnelle, ou conformation, de milliers de protéines différentes.

Par la comparaison attentive de la conformation des protéines connues, les biologistes structuraux (c'est-à-dire les spécialistes de la structure des molécules biologiques) ont conclu qu'il existait un nombre limité de façons selon lesquelles les domaines protéiques se replient – peut-être moins de 2 000. Comme nous l'avons vu, nous avons jusqu'à présent déterminé la structure d'environ 1 000 de ces replis protéiques ; nous connaissons donc déjà la moitié du nombre total de structures possibles d'un domaine protéique. Il semble donc qu'il sera possible d'obtenir dans le futur un catalogue complet des repliements protéiques qui existent dans les organismes vivants.

Les recherches de séquences homologues peuvent identifier les proches parents

Les données actuelles des séquences protéiques connues contiennent plus de 500 000 entrées et augmentent très rapidement avec le séquençage de plus en plus de génomes – révélant l'existence d'un nombre très important de nouveaux gènes codant pour des protéines. Il existe de puissants programmes de recherche informatisés qui permettent de comparer chaque nouvelle protéine découverte avec l'ensemble de ces données, pour rechercher une parenté possible. Les protéines homologues sont définies comme celles dont les gènes se sont développés à partir d'un gène ancestral commun et sont identifiées par la découverte de similitudes statistiquement significatives entre les séquences d'acides aminés.

Avec un si grand nombre de protéines dans les données, les programmes de recherche trouvent beaucoup de correspondances non significatives, ce qui résulte en un niveau de bruits de fond élevé qui rend difficile le repérage des protéines de plus proche parenté. Généralement, on estime qu'il faut 30 p. 100 d'identité dans la séquence de deux protéines pour être certain qu'une correspondance a été trouvée. Cependant, on connaît beaucoup de courtes séquences signatures («empreintes digitales») qui indiquent une fonction protéique particulière et qui sont largement utilisées pour trouver des homologies plus éloignées (Figure 3-17).

Ces comparaisons entre les protéines sont importantes parce que les structures apparentées impliquent souvent des fonctions apparentées. Il est possible d'épargner plusieurs années d'expérimentation par la découverte, dans une nouvelle protéine, d'une homologie de séquence d'acides aminés avec une protéine de fonction connue. Ces homologies de séquence, par exemple, ont été les premières à indiquer que certains gènes qui provoquent la transformation cancéreuse des cellules de mammifères sont des protéine-kinases. De même, beaucoup de protéines qui contrôlent la formation au cours du développement embryonnaire de *Drosophila,* la mouche des fruits, ont été rapidement reconnues comme étant des protéines régulatrices de gènes.

Des méthodes informatiques permettent d'insérer des séquences d'acides aminés dans des repliements protéiques connus

Nous savons qu'il y a un très grand nombre de façons de fabriquer des protéines ayant la même structure tridimensionnelle et que – au cours de l'évolution – des mutations aléatoires on pu provoquer des variations de la séquence des acides aminés sans modifier de façon majeure la conformation de la protéine. C'est pourquoi, un des buts actuels des biologistes structuraux est de répertorier tous les différents repliements protéiques que présentent les protéines dans la nature et d'inventer des méthodes informatisées pour tester la séquence d'acides aminés d'un domaine et identifier quelle conformation, parmi celles déjà déterminées, ce domaine risque d'adopter.

Une technique informatisée d'insertion appelée «threading» peut être utilisée pour adapter une séquence d'acides aminés à un repliement protéique particulier. Pour chaque repliement protéique possible connu, l'ordinateur recherche la meilleure correspondance d'une séquence particulière d'acides aminés à cette structure. Les résidus hydrophobes sont-ils placés à l'intérieur? Les séquences qui ont une forte propension à former une hélice α sont-elles dans une hélice α? Et ainsi de suite. La meilleure adaptation reçoit un score numérique qui reflète la stabilité estimée de la structure.

Dans beaucoup de cas, une structure tridimensionnelle particulière ressort comme bien adaptée à cette séquence d'acides aminés, et suggère la conformation approximative du domaine protéique. Dans d'autres cas, aucun des repliements connus ne semble possible. En appliquant les études par rayons X et la RMN à ces dernières classes de protéines, les biologistes structuraux espèrent être capables d'étendre rapidement le nombre de repliements connus et d'obtenir une base de données de l'ensemble des repliements protéiques existant dans la nature. Ces archives, ajoutées aux améliorations prévues des méthodes informatisées utilisées, permettront éventuellement d'obtenir la structure tridimensionnelle approximative d'une protéine dès que sa séquence d'acides aminés sera connue.

Certains domaines protéiques, appelés modules, forment des parties de nombreuses protéines différentes

Comme nous l'avons déjà dit, la plupart des protéines sont composées d'une série de domaines protéiques, dans lesquels différentes régions de la chaîne polypeptidique se replient indépendamment pour former des structures compactes. On pense que ces protéines à plusieurs domaines sont apparues lorsque des séquences d'ADN, qui codaient chaque domaine, se sont rejointes accidentellement et ont créé un nouveau gène. De nouvelles surfaces de liaison se sont souvent formées au niveau de la

Figure 3-17 Utilisation de petites séquences signatures pour retrouver des domaines protéiques homologues. Les deux courtes séquences de 15 et 9 acides aminés présentées (*vert*) peuvent être utilisées pour rechercher dans de grandes bases de données un domaine protéique retrouvé dans de nombreuses protéines, le domaine SH2. Ici, les 50 premiers acides aminés du domaine SH2 composé de 100 acides aminés sont comparés dans la protéine Src humaine et de *Drosophila* (*voir* Figure 3-12). Sur la comparaison informatisée des séquences (*bande jaune*), les correspondances exactes entre la protéine humaine et celle de *Drosophila* sont notées par l'abréviation à une lettre des acides aminés; les positions ayant des acides aminés similaires mais non identiques sont notées par + et les absences de correspondance par un blanc. Dans ce schéma, aux endroits où une ou les deux protéines contiennent une correspondance exacte avec la position de la séquence *verte*, les deux séquences alignées sont colorées en *rouge.*

```
WYFGKITRRESERLL      GTFLVRESE                    – Séquences signatures
WYFGKITRRESERLLLNAENPRGTFLVRESETTKGAYCLSVSDFDNAKGL – Homme
W+F  + R+E+++LLL  ENPRGTFLVR SE      Y LSV D+++ +G – Correspondance des séquences
WFFENVLRKEADKLLLAEENPEGTFLVRPSEHNPNGYSLSVKDWEDGRGY – Drosophila
1      10      20      30      40      50
```

juxtaposition des domaines, et beaucoup de sites fonctionnels au niveau desquels les protéines se lient à de petites molécules se trouvent localisés à cet endroit (*voir* comme exemple la figure 3-12). Il existe des signes clairs que beaucoup de grosses protéines se sont développées par la réunion de domaines préexistants en de nouvelles associations, un processus évolutif appelé *brassage des domaines* (Figure 3-18).

Un ensemble de domaines protéiques a été particulièrement mobile pendant l'évolution. On les appelle **modules protéiques**. Ils sont généralement un peu plus petits (40-200 acides aminés) que la moyenne des domaines et semblent avoir des structures particulièrement polyvalentes. La structure d'un de ces modules, le domaine SH2, a été illustrée dans la planche 3-2 (p. 138-139). Les structures de certains autres modules protéiques sont présentées dans la figure 3-19.

Chacun des modules présentés a une structure centrale stable formée de brins de feuillets β, à partir desquels des boucles de chaînes polypeptidiques moins ordonnées font saillie (*vert*). Les boucles sont idéalement situées pour former des sites de liaison aux autres molécules, comme cela est démontré de façon flagrante par les repliements des immunoglobulines qui forment la base des molécules d'anticorps (*voir* Figure 3-42). La réussite évolutive de ces modules à base de feuillets β est certainement due au fait qu'ils fournissent une charpente pratique qui engendre de nouveaux sites de liaison aux ligands grâce à de petites variations de ces boucles saillantes.

Une deuxième caractéristique de ces modules protéiques explique leur utilité : c'est la facilité avec laquelle ils peuvent être intégrés dans d'autres protéines. Cinq des six modules illustrés dans la figure 3-19 ont leurs extrémités C-terminales et N-terminales placées aux pôles opposés du module. Cette disposition «linéaire» signifie que lorsque l'ADN, qui code pour ces molécules, subit une duplication en tandem, ce qui n'est pas rare dans l'évolution d'un génome (*voir* Chapitre 7), les modules dupliqués peuvent être facilement reliés en série pour former des structures allongées – soit avec eux-mêmes, soit avec d'autres modules «linéaires» (Figure 3-20). Ces structures allongées rigides composées de séries de modules sont particulièrement fréquentes dans les molécules de la matrice extracellulaire et dans les portions extracellulaires des récepteurs protéiques cellulaires de surface. D'autres modules, y compris le domaine SH2 et le module «kringle» illustrés dans la figure 3-19, sont

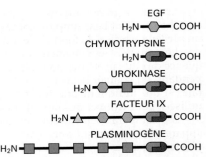

Figure 3-18 Brassage des domaines. Un brassage important de blocs de séquences protéiques (domaines protéiques) s'est produit pendant l'évolution des protéines. Les portions de protéines notées par les mêmes forme et couleur sur ce schéma sont liées d'un point de vue évolutif. Les sérine-protéases comme la chymotrypsine sont formées de deux domaines (*bruns*). Dans les trois autres protéases présentées, qui sont hautement régulées et plus spécialisées, ces deux domaines de protéase sont connectés à un ou plusieurs domaines homologues aux domaines retrouvés dans le facteur de croissance épidermique (EGF pour *epidermal growth factor*, en *vert*), à une protéine de liaison au calcium (*jaune*) ou à un domaine «kringle» (*bleu*) qui contient trois liaisons disulfure internes. La chymotrypsine est présentée en figure 3-14.

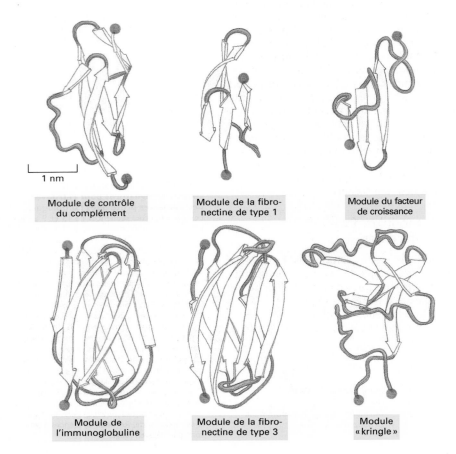

Module de contrôle du complément

Module de la fibronectine de type 1

Module du facteur de croissance

Module de l'immunoglobuline

Module de la fibronectine de type 3

Module «kringle»

Figure 3-19 Structures tridimensionnelles de certains modules protéiques. Dans ce schéma de forme ruban, les brins de feuillets β sont montrés sous forme de *flèches* et les extrémités C-terminales et N-terminales sont indiquées par des *sphères rouges*. (Adapté de M. Baron, D.G. Norman et I.D. Campbell, *Trends Biochem. Sci.* 16 : 13-17, 1991, et D.J. Leahy et al., *Science* 258 : 987-991, 1992.)

d'un type en «prise mâle» de courant électrique. Après réarrangement génomique, ces modules se logent généralement par insertion dans une région en boucle d'une deuxième protéine.

Le génome humain code pour un ensemble complexe de protéines et en a révélé beaucoup que nous ne connaissons pas encore

Le résultat du séquençage du génome humain a été surprenant, parce qu'il a révélé que nos chromosomes contenaient seulement 30 000 à 35 000 gènes. Si l'on se fie au nombre de gènes, il apparaît que nous ne sommes que 1,4 fois plus complexes que la minuscule mauvaise herbe de cresson, *Arabidopsis*, et moins de 2 fois plus complexes qu'un nématode. Les séquences du génome révèlent également que les vertébrés ont hérité presque tous leurs domaines protéiques des invertébrés – 7 p. 100 seulement des domaines humains identifiés étant spécifiques aux vertébrés.

Cependant, chacune de nos protéines apparaît en moyenne plus complexe. Un processus de brassage de domaines pendant l'évolution des vertébrés a donné naissance à de nombreuses combinaisons nouvelles de domaines protéiques, et il en résulte qu'il y a presque deux fois plus de combinaisons de domaines dans les protéines humaines que dans celles des vers ou des mouches. De ce fait, par exemple, le domaine de la sérine-protéase de type trypsine est relié à au moins 18 autres types de domaines protéiques dans les protéines humaines, alors qu'il n'est relié de façon covalente qu'à 5 domaines différents chez le ver. Cette variété supplémentaire de nos protéines augmente fortement le nombre d'interactions possibles protéines-protéines (*voir* Figure 3-78), mais on ne sait pas comment elle contribue à faire de nous des hommes.

La complexité des organismes vivants est incroyable et il est assez dégrisant de noter que nous n'avons actuellement pas même la plus minuscule indication de la fonction de plus de 10 000 protéines identifiées actuellement dans le génome humain. Il existe assurément d'énormes défis pour la génération de biologistes cellulaires à venir, qui ne manqueront pas de mystères fascinants à résoudre.

Les grosses molécules protéiques contiennent souvent plus d'une chaîne polypeptidique

Ces mêmes liaisons faibles non covalentes qui permettent à une chaîne protéique de se replier en une conformation spécifique permettent aussi aux protéines de s'unir les unes aux autres pour produire de plus grosses structures cellulaires. Toute région d'une surface protéique qui peut interagir avec une autre molécule par l'intermédiaire d'un ensemble de liaisons non covalentes est appelée **site de liaison**. Une protéine peut contenir des sites de liaison pour diverses molécules, petites ou grandes. Si un site de liaison reconnaît la surface d'une deuxième protéine, la liaison étroite entre les deux chaînes polypeptidiques repliées au niveau de ce site crée une plus grosse molécule protéique de géométrie précisément définie. Chaque chaîne polypeptidique de ce type de protéine est appelée **sous-unité protéique**.

Dans le cas le plus simple, deux chaînes polypeptidiques repliées identiques sont reliées l'une à l'autre dans une disposition «tête à tête» et forment un complexe symétrique de deux sous-unités protéiques (un *dimère*) maintenues ensemble par les interactions entre les deux sites de liaison identiques. La *protéine répresseur Cro* – une protéine régulatrice de gènes qui se fixe sur l'ADN pour inactiver les gènes dans une cellule bactérienne – en est un exemple (Figure 3-21). Beaucoup d'autres types de complexes protéiques symétriques, formés de multiples copies d'une seule chaîne polypeptidique, sont fréquemment retrouvés dans la cellule. Par

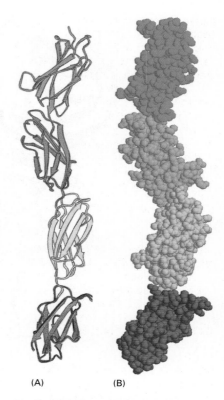

(A)   (B)

Figure 3-20 Une structure allongée formée d'une série de modules protéiques en ligne. Quatre modules de la fibronectine de type 3 (*voir* Figure 3-19) issue de la molécule de fibronectine de la matrice extracellulaire sont illustrées sur le modèle type ruban (A) et le modèle compact (B). (Adapté d'après D.J. Leahy, I. Aukhil et H.P. Erickson, *Cell* 84 : 155-164, 1996.)

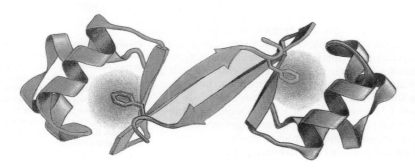

Figure 3-21 Deux sous-unités protéiques identiques reliées pour former un dimère protéique symétrique. La protéine répresseur Cro du bactériophage lambda se lie à l'ADN pour modifier le gène viral. Ses deux sous-unités identiques liées «tête à tête», sont maintenues par une association de forces hydrophobes (*bleue*) et un ensemble de liaisons hydrogène (région *jaune*). (Adapté de D.H. Ohlendorf, D.E. Tronrud et B.W. Matthews, *J. Mol. Biol.* 280 : 129-136, 1998.)

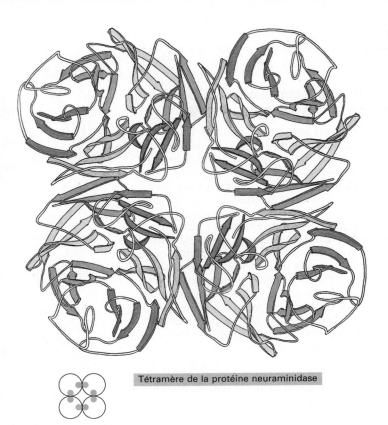

Tétramère de la protéine neuraminidase

exemple, la *neuraminidase*, une enzyme, est composée de quatre sous-unités protéiques identiques, chacune reliée à la suivante selon une disposition « tête à queue » qui forme un anneau fermé (Figure 3-22).

Beaucoup de protéines cellulaires contiennent un ou plusieurs types de chaînes polypeptidiques. L'*hémoglobine*, protéine de transport de l'oxygène dans les hématies, en est un exemple particulièrement bien étudié (Figure 3-23). Elle contient deux sous-unités identiques de globine α et deux sous-unités identiques de globine β, disposées symétriquement. De telles protéines, composées de multiples sous-unités, sont très fréquentes dans les cellules et peuvent être très grosses. La figure 3-24 présente un échantillon de protéines dont les structures exactes sont connues, ce qui permet de comparer la taille et la forme de quelques grosses protéines avec celles de protéines relativement petites que nous avons présentées comme modèles jusqu'à présent.

Certaines protéines forment de longs filaments hélicoïdaux

Certaines molécules protéiques peuvent s'assembler pour former des filaments qui peuvent traverser toute la cellule. Plus simplement, une longue chaîne de molécules protéiques identiques peut être construite si chaque molécule possède un site de liaison complémentaire à une autre région de la surface de la même molécule (Figure 3-25). Un filament d'*actine* par exemple est une longue structure hélicoïdale produite à partir de nombreuses molécules protéiques d'actine (Figure 3-26). L'actine est très abondante dans les cellules eucaryotes, où elle constitue l'un des plus importants systèmes de filaments du cytosquelette (*voir* Chapitre 16).

Pourquoi l'hélice est-elle une structure si commune en biologie ? Comme nous l'avons vu, les structures biologiques sont souvent formées par la liaison de sous-unités très similaires les unes aux autres – comme les acides aminés ou les protéines – en de longues chaînes répétitives. Si toutes ces sous-unités sont identiques, les sous-unités voisines de la chaîne ne peuvent souvent s'adapter que d'une seule façon, ajustant leurs positions relatives pour minimiser l'énergie libre du contact entre elles. Il en résulte que chaque sous-unité se positionne exactement de la même façon par rapport à la suivante, de telle sorte que la sous-unité 3 s'adapte à la sous-unité 2 de la même façon que la sous-unité 2 s'adapte à la sous-unité 1 et ainsi de suite. Comme il est très rare que les sous-unités se raccordent en ligne droite, cet arrangement forme souvent une hélice – structure régulière qui ressemble à un escalier en colimaçon, comme cela est illustré dans la figure 3-27. Selon le sens de rotation de l'escalier, l'hé-

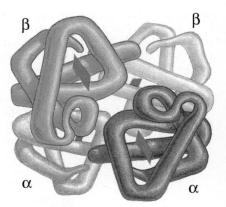

Figure 3-23 Une protéine formée par un assemblage symétrique de deux sous-unités différentes. L'hémoglobine est une protéine abondante des hématies qui contient deux copies de globine α et deux copies de globine β. Chacune de ces quatre chaînes polypeptidiques contient une molécule d'hème (en *rouge*) qui représente le site de fixation de l'oxygène (O_2). De ce fait, chaque molécule d'hémoglobine du sang transporte quatre molécules d'oxygène.

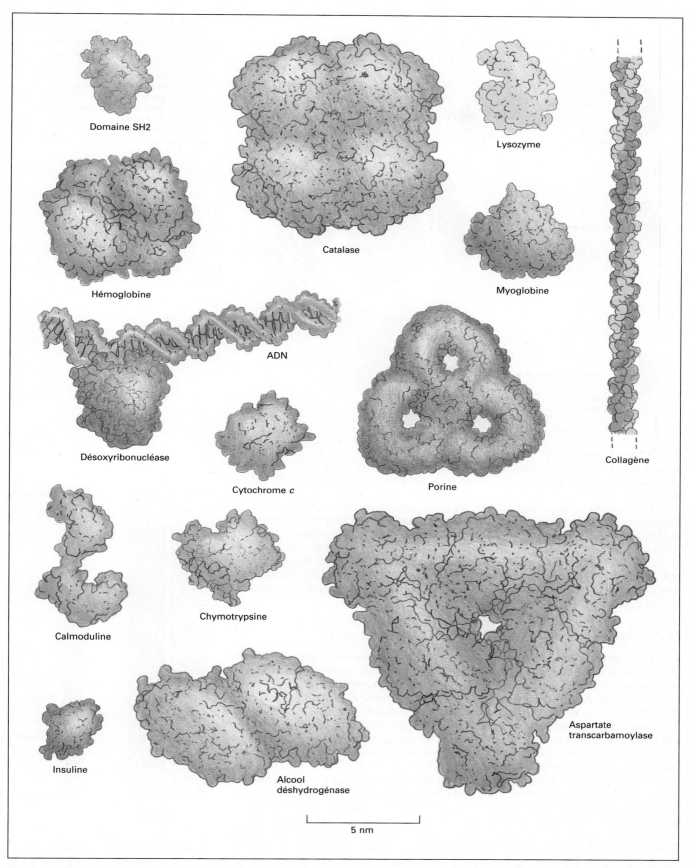

Figure 3-24 Une collection de molécules protéiques, à la même échelle. Pour comparaison, une molécule d'ADN liée à une protéine est aussi représentée. Ces modèles compacts représentent une gamme de diverses tailles et formes. L'hémoglobine, la catalase, la porine, l'alcool déshydrogénase et l'aspartate transcarbamoylase sont formées de multiples copies de sous-unités. Le domaine SH2 (*en haut à gauche*) est détaillé dans la planche 3-2 (p. 138-139). (D'après David S. Goodsell, Our Molecular Nature. New York : Springer-Verlag, 1996.)

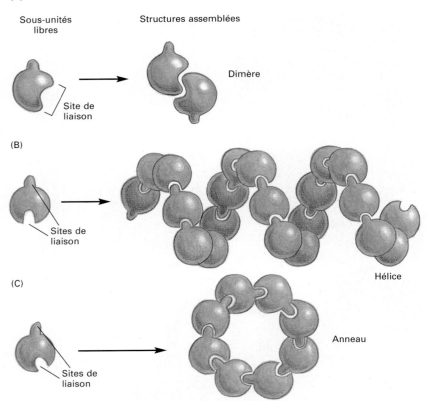

(A) Sous-unités libres — Structures assemblées

Site de liaison

Dimère

(B)

Sites de liaison

Hélice

(C)

Sites de liaison

Anneau

Figure 3-25 Assemblage des protéines.
(A) Une protéine avec un site de liaison unique peut former un dimère avec une autre protéine identique. (B) Des protéines identiques avec deux sites de liaison différents forment souvent un long filament hélicoïdal. (C) Si les deux sites de liaison sont disposés de façon appropriée en relation l'un avec l'autre, les sous-unités protéiques peuvent former un anneau fermé à la place d'une hélice. (Pour un exemple de A, *voir* Figure 3-21 ; pour un exemple de C, *voir* Figure 3-22.)

lice est dite orientée à droite ou à gauche (Figure 3-27E). L'orientation n'est pas modifiée si on retourne l'hélice la tête en bas, mais est inversée si l'hélice se reflète dans un miroir.

Les hélices sont fréquentes au sein des structures biologiques, que les sous-unités soient de petites molécules reliées par des liaisons covalentes (par exemple les acides aminés des hélices α), ou de plus grosses molécules protéiques reliées par des forces non covalentes (par exemple les molécules d'actine dans les filaments d'actine). Ce n'est pas surprenant. Une hélice n'est pas une structure exceptionnelle, et elle est simplement engendrée en plaçant beaucoup de sous-unités similaires les unes après les autres, chacune ayant la même relation strictement répétée avec l'unité précédente.

Une protéine peut avoir une forme allongée, fibreuse

La plupart des protéines dont nous avons parlé jusqu'à présent sont des *protéines globulaires*, dans lesquelles la chaîne polypeptidique se replie en une forme compacte comme une balle qui aurait une surface irrégulière. Les enzymes ont tendance à être des protéines globulaires : même si beaucoup sont de grande taille et complexes, avec de multiples sous-unités, la plupart ont une forme globale arrondie (*voir* Figure 3-24). Par contre, d'autres protéines ont des rôles cellulaires qui nécessitent que chaque protéine prise individuellement enjambe une longue distance. Ces protéines ont en général une structure tridimensionnelle relativement simple et allongée et sont appelées communément *protéines fibreuses*.

Une des grandes familles de protéines fibreuses intracellulaires est composée de l'α-kératine, présentée plus haut, et de ses protéines apparentées. Les filaments de kératine sont extrêmement stables et sont les principaux composants des structures à longue durée de vie comme les cheveux, la corne et les ongles. Une molécule de kératine α est un dimère de deux sous-unités identiques, dont les longues hélices α de chaque sous-unités forment un «superenroulement» (*voir* Figure 3-11). Les régions à superenroulement sont coiffées à chaque extrémité par des domaines globulaires qui contiennent les sites de liaison. Cela permet à cette classe de protéines de s'assembler en *filaments intermédiaires* de type corde – un composant important du cytosquelette qui crée l'échafaudage de la structure interne de la cellule (*voir* Figure 16-16).

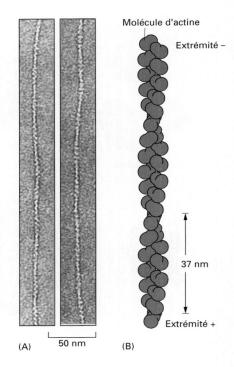

Molécule d'actine

Extrémité –

37 nm

Extrémité +

(A) 50 nm (B)

Figure 3-26 Filaments d'actine.
(A) Photographie en microscopie électronique à transmission de filaments d'actine colorés négativement. (B) Disposition hélicoïdale des molécules d'actine dans un filament d'actine. (A, due à l'obligeance de Roger Craig.)

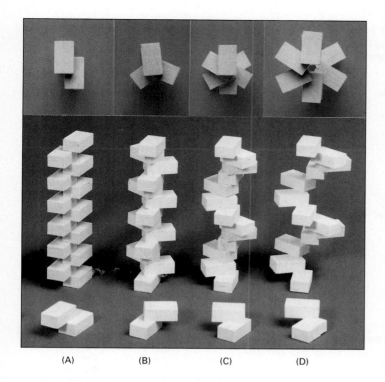

(E)

Figure 3-27 Quelques propriétés des hélices. (A-D) Une hélice se forme lorsqu'une série de sous-unités se lient les unes aux autres de façon régulière. En bas, l'interaction entre deux sous-unités est représentée. Derrière elles se trouvent les hélices qui en résultent. Ces hélices ont deux (A), trois (B) et six (C et D) sous-unités par tour d'hélice. En haut, l'arrangement des sous-unités a été photographié directement par le dessus de l'hélice. Notez que l'hélice en (D) est plus large que celle de (C), mais a le même nombre de sous-unités par tour. (E) Une hélice peut tourner soit vers la droite soit vers la gauche. Comme référence, il est utile de se rappeler que les vis métalliques standard qui se vissent dans le sens des aiguilles d'une montre sont orientées vers la droite. Notez qu'une hélice garde la même direction lorsqu'elle est mise la tête en bas.

(A) (B) (C) (D)

Les protéines fibreuses sont particulièrement abondantes à l'extérieur de la cellule, où elles forment le principal composant de la *matrice extracellulaire* de type gel qui aide à relier des groupes de cellules entre eux pour former un tissu. Les protéines de la matrice extracellulaire sont sécrétées par les cellules dans leur environnement où elles s'assemblent souvent en feuillets ou longues fibrilles. Le *collagène* est la plus abondante de ces protéines dans les tissus animaux. Une molécule de collagène est composée de trois longues chaînes polypeptidiques, qui contiennent chacune une glycine, acide aminé non polaire, tous les trois acides aminés. Cette structure régulière permet aux chaînes de s'enrouler l'une sur l'autre pour engendrer une triple hélice longue et régulière (Figure 3-28A). Beaucoup de molécules de collagène se fixent alors l'une sur l'autre, côte à côte et bout à bout pour créer de longues rangées qui se chevauchent – et forment ainsi les fibrilles de collagène extrêmement solides qui confèrent au tissu conjonctif sa résistance à la tension, comme cela est décrit au chapitre 19.

Complètement à l'opposé du collagène se trouve une autre protéine de la matrice extracellulaire, l'*élastine*. Les molécules d'élastine sont constituées de chaînes polypeptidiques relativement lâches et non structurées qui sont reliées par des liaisons transversales covalentes en un réseau élastique de type caoutchouc ; à la différence de la plupart des protéines, elles n'ont pas de structure unique, stable et définie, mais peuvent passer d'une conformation à une autre de façon réversible, comme cela est illustré dans la figure 3-28B. Les fibres élastiques qui en résultent permettent à la peau et à d'autres tissus, comme les artères et les poumons, de s'étirer et de se détendre sans se déchirer.

Les protéines extracellulaires sont souvent stabilisées par des liaisons transversales covalentes

Beaucoup de protéines sont soit fixées à l'extérieur de la membrane plasmique cellulaire soit sécrétées pour constituer la matrice extracellulaire. Toutes ces protéines sont directement exposées aux conditions extracellulaires. Pour faciliter le maintien de leurs structures, les chaînes polypeptidiques de ces protéines sont souvent stabilisées par des liaisons transversales covalentes. Ces liaisons peuvent relier deux acides aminés de la même protéine ou connecter différentes chaînes polypeptidiques dans une protéine à multiples sous-unités. Les liaisons transversales les plus fréquentes dans les protéines sont les liaisons covalentes soufre-soufre. Ces *liaisons disulfure* (aussi nommés *liaisons S–S*) se forment lorsque les protéines sont préparées pour être exportées de la cellule. Comme nous le décrirons au chapitre 12, leur formation est catalysée dans le réticulum endoplasmique par une enzyme qui relie deux paires de groupements –SH de la chaîne latérale de cystéine, adjacentes dans la protéine repliée (Figure 3-29). Les liaisons disulfure ne modifient pas la conformation de

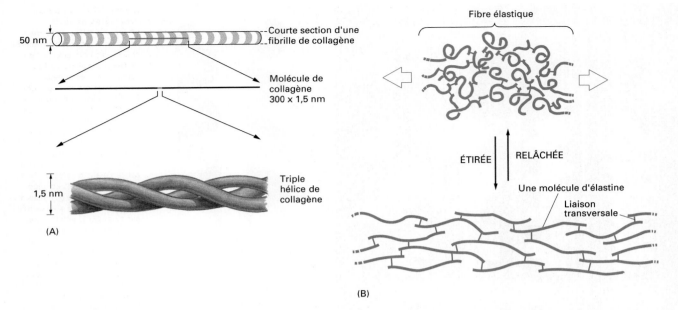

Figure 3-28 Le collagène et l'élastine.
(A) Le collagène est une triple hélice formée par trois chaînes protéiques allongées qui s'enroulent l'une sur l'autre (*bas*). Beaucoup de molécules de collagène en bâtonnet sont reliées transversalement entre elles dans l'espace extracellulaire pour former des fibrilles de collagène inextensibles (*haut*) qui ont la même résistance à la traction que l'acier. La formation de rayures sur les fibrilles de collagène est provoquée par le réarrangement régulier et répétitif des molécules de collagène à l'intérieur de la fibrille. (B) Les chaînes polypeptidiques d'élastine sont reliées transversalement pour former des fibres élastiques de type caoutchouc. Chaque molécule d'élastine se déroule en une conformation plus allongée lorsque la fibre est étirée et s'enroule spontanément dès que la force d'étirement est relâchée.

la protéine mais agissent comme des agrafes atomiques pour renforcer la conformation la plus favorable. Par exemple, le lysozyme – une enzyme des larmes qui dissout la paroi cellulaire bactérienne – garde longtemps son activité antibactérienne parce qu'il est stabilisé par ces liaisons transversales.

Les liaisons disulfure ne se forment généralement pas dans le cytosol des cellules, où une forte concentration d'agents réducteurs transforme les liaisons S–S en groupements –SH de la cystéine. Apparemment, les protéines n'ont pas besoin de ce type de renforcement dans l'environnement relativement calme de l'intérieur de la cellule.

Les protéines servent souvent de sous-unités d'assemblage des grosses structures

Les mêmes principes qui permettent à une protéine de s'associer à elle-même pour former des anneaux ou des filaments opèrent pour engendrer des structures cellulaires beaucoup plus grosses – structures supramoléculaires, comme par exemple les complexes enzymatiques, les ribosomes, les filaments protéiques, les virus et les membranes. Ces grosses structures ne sont pas faites d'une seule molécule géante assemblée de façon covalente. Par contre, elles sont formées par l'assemblage non covalent de nombreuses molécules fabriquées séparément qui servent de sous-unités à la structure finale.

L'utilisation de plus petites sous-unités pour construire de plus larges structures a plusieurs avantages :
1. Une grosse structure construite à partir d'une ou de quelques petites sous-unités répétitives ne nécessite qu'une petite quantité d'informations génétiques.

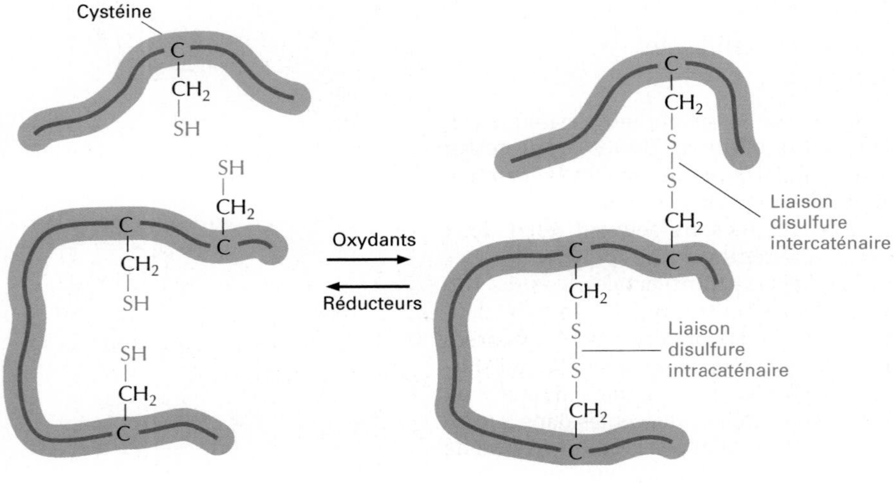

Figure 3-29 Liaisons disulfure. Ce schéma illustre comment les liaisons disulfure covalentes se forment entre des chaînes latérales de cystéine adjacentes. Comme cela est indiqué, ces liaisons transversales peuvent rejoindre soit deux parties de la même chaîne de polypeptides soit deux chaînes polypeptidiques différentes. Comme l'énergie nécessaire pour rompre une liaison covalente est plus importante que l'énergie requise pour rompre un groupe, même complet, de liaisons non covalentes (*voir* Tableau 2-II, p. 57), une liaison disulfure peut avoir un effet stabilisateur majeur sur une protéine.

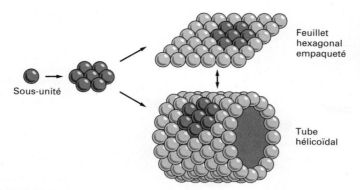

Feuillet
hexagonal
empaqueté

Sous-unité

Tube
hélicoïdal

Figure 3-30 Un exemple d'assemblages de sous-unités protéiques isolées nécessitant de multiples contacts protéine-protéine. Les sous-unités protéiques globulaires empaquetées en une forme hexagonale peuvent former soit un feuillet plat soit un tube.

2. L'assemblage et le désassemblage sont facilement contrôlés et forment des processus réversibles, car les sous-unités sont associées par l'intermédiaire de multiples liaisons d'énergie relativement faible.

3. Les erreurs dans la synthèse de la structure peuvent être évitées plus facilement, car les mécanismes de correction peuvent opérer au cours de l'assemblage pour exclure les sous-unités malformées.

Certaines sous-unités protéiques s'assemblent en feuillets plats dans lesquels les sous-unités sont disposées suivant un schéma hexagonal. Les protéines membranaires spécialisées sont parfois arrangées de cette façon dans la bicouche lipidique. Si la géométrie des sous-unités individuelles varie légèrement, un feuillet hexagonal peut être transformé en un tube (Figure 3-30), ou si les variations sont plus importantes, en une sphère creuse. Les tubes et les sphères protéiques qui se fixent sur les molécules spécifiques d'ARN et d'ADN forment les enveloppes virales.

La formation de structures fermées, comme des anneaux, des tubes ou des sphères, donne une stabilité supplémentaire car elle augmente le nombre de liaisons entre les sous-unités protéiques. De plus, comme une telle structure est créée par des interactions coopératives mutuellement dépendantes entre les sous-unités, elle peut être amenée à s'assembler ou se désassembler par des modifications relativement peu importantes qui affectent individuellement chaque sous-unité. Ces principes sont illustrés de façon spectaculaire au niveau de l'enveloppe protéique ou *capside* de nombreux virus simples, qui a la forme d'une sphère creuse (Figure 3-31). Les capsides

Figure 3-31 Capsides de certains virus présentées toutes à la même échelle.
(A) Virus TBSV ou *tomato bushy stunt virus* (virus du rabougrissement de la tomate).
(B) Polio-virus. (C) Virus simien 40 (SV40).
(D) Virus satellite de la nécrose du tabac. La structure de toutes ces capsides a été déterminée par cristallographie aux rayons X et leurs particularités atomiques sont connues. (Dues à l'obligeance de Robert Grant, Stephan Crainic et James M. Hogle.)

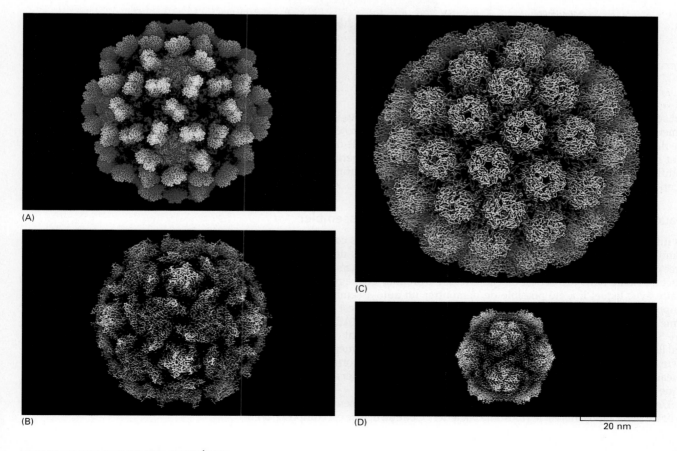

(A)

(B)

(C)

(D)

20 nm

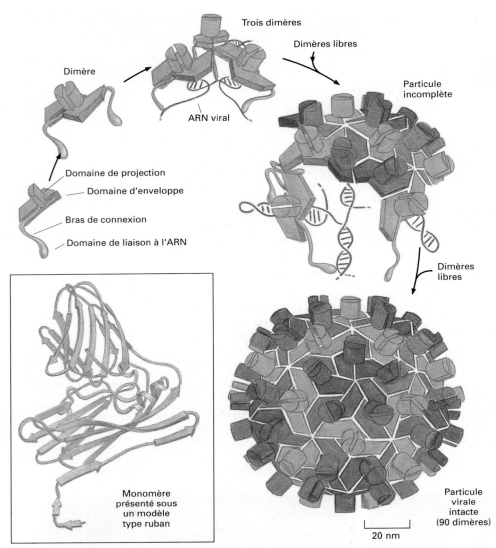

Trois dimères

Dimères libres

Dimère

Particule
incomplète

ARN viral

Domaine de projection

Domaine d'enveloppe

Bras de connexion

Domaine de liaison à l'ARN

Dimères
libres

Monomère
présenté sous
un modèle
type ruban

Particule
virale
intacte
(90 dimères)

20 nm

Figure 3-32 Structure d'un virus sphérique. Dans beaucoup de virus, des sous-unités protéiques identiques se regroupent pour former une enveloppe sphérique (la capside) qui enferme le génome viral, composé soit d'ARN soit d'ADN (*voir aussi* Figure 3-31). Pour des raisons géométriques, pas plus de 60 sous-unités identiques peuvent se regrouper de façon précise et symétrique. Cependant, si de légères irrégularités sont permises, un plus grand nombre de sous-unités peut être utilisé pour produire une capside plus large. Le virus TBSV ou virus du rabougrissement de la tomate montré ici, est un virus sphérique mesurant environ 33 nm de diamètre, formé de 180 copies identiques d'une protéine de capside de 386 acides aminés, associées à un génome d'ARN de 4500 nucléotides.

Pour construire une capside aussi grosse, les protéines doivent pouvoir s'adapter dans trois environnements quelque peu différents, chacun étant coloré différemment dans la particule virale présentée ici. La voie hypothétique d'assemblage est montrée; la structure tridimensionnelle précise a été déterminée par diffraction des rayons X.
(Due à l'obligeance de Steve Harrison.)

sont souvent faites à partir de centaines de sous-unités protéiques identiques qui enferment et protègent l'acide nucléique viral (Figure 3-32). Les protéines de cette capside doivent avoir une structure particulièrement adaptable : elle doivent non seulement fabriquer différentes sortes de contacts pour créer la sphère, mais également modifier cet arrangement pour laisser sortir l'acide nucléique afin qu'il initie la réplication virale lorsque le virus est entré dans la cellule.

Beaucoup de structures cellulaires peuvent s'auto-assembler

Les informations pour la formation des nombreux assemblages complexes des macromolécules dans la cellule doivent être contenues dans les sous-unités elles-mêmes, parce que des sous-unités purifiées peuvent s'assembler spontanément et former leur structure finale dans des conditions adaptées. Le premier gros agrégat macromoléculaire avec lequel il a été possible de démontrer un auto-assemblage à partir des composants fut le *virus de la mosaïque du tabac* (TMV). Ce virus est un long bâtonnet formé d'un cylindre protéique disposé autour d'un noyau d'ARN hélicoïdal (Figure 3-33). Si l'ARN et les sous-unités protéiques dissociées sont mélangés en solution, ils se recombinent pour former des particules virales totalement actives. Ce processus d'assemblage est extrêmement complexe et comprend la formation de doubles anneaux de protéines qui servent d'intermédiaires venant s'ajouter à l'enveloppe protéique virale en croissance.

Un autre agrégat macromoléculaire complexe pouvant s'assembler à nouveau à partir de ses composants est le ribosome bactérien. Cette structure est composée d'en-

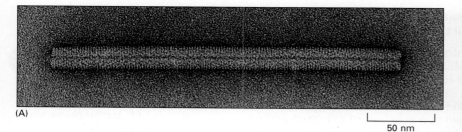

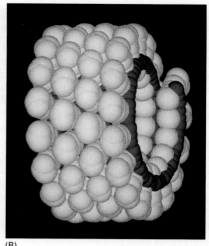

Figure 3-33 Structure du virus de la mosaïque du tabac (TMV).
(A) Photographie en microscopie électronique de la particule virale, composée d'une seule longue molécule d'ARN enfermée dans une enveloppe protéique cylindrique composée de sous-unités protéiques identiques. (B) Modèle montrant une partie de la structure du TMV. Un seul brin d'ARN de 6 000 nucléotides est empaqueté dans une enveloppe hélicoïdale construite à partir de 2 130 copies d'une protéine d'enveloppe de 158 acides aminés de long. Des particules virales complètement infectantes peuvent s'auto-assembler dans des tubes à essai à partir d'ARN purifié et de molécules protéiques. (A, due à l'obligeance de Robley Williams ; B, due à l'obligeance de Richard J. Feldmann.)

viron 55 protéines différentes et de 3 molécules d'ARNr différentes. Si les composants individuels sont incubés dans des conditions appropriées dans un tube à essai, ils reforment spontanément la structure d'origine. Et, ce qui est encore plus important, ces ribosomes reconstitués sont capables d'effectuer la synthèse protéique. Comme on pourrait s'y attendre, le réassemblage des ribosomes suit une voie métabolique spécifique : après la fixation de certaines protéines sur l'ARN, ce complexe est ensuite reconnu par d'autres protéines, etc., jusqu'à ce que la structure soit terminée.

On ne sait pas encore clairement comment sont régulés certains des processus d'auto-assemblage plus élaborés. Beaucoup de structures cellulaires, par exemple, semblent avoir une longueur précisément définie qui est beaucoup plus grande que celle des macromolécules qui les composent. Trois mécanismes possibles sont illustrés dans la figure 3-34. Dans le cas le plus simple, une longue protéine ou d'autres macromolécules centrales fournissent un échafaudage qui détermine la longueur de l'assemblage final. C'est le mécanisme qui détermine la longueur des particules du TMV, où la chaîne d'ARN forme le noyau central. De façon similaire, on pense qu'un noyau protéique détermine la longueur des filaments fins des muscles, ainsi que la longueur des longues queues de certains virus bactériens (Figure 3-35).

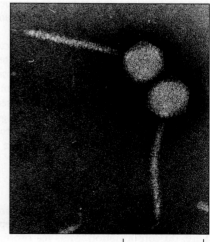

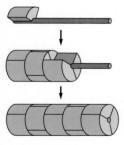 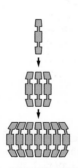 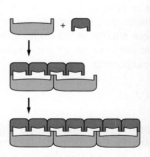

(A) ASSEMBLAGE SUR UN NOYAU CENTRAL   (B) ACCUMULATION DE TENSION   (C) MÉCANISME TYPE VERNIER

Figure 3-34 Les trois mécanismes qui déterminent la longueur d'un gros assemblage protéique. (A) Co-assemblage le long d'une protéine centrale allongée ou d'une toute autre macromolécule qui agit comme instrument de mesure. (B) Terminaison de l'assemblage à cause de tensions qui s'accumulent dans la structure polymérique lorsque des sous-unités supplémentaires sont ajoutées, de telle sorte qu'au-dessus d'une certaine longueur, l'énergie nécessaire pour adapter une autre sous-unité dans la chaîne devient excessivement grande. (C) Un assemblage de type Vernier, pour lequel deux groupes de molécules en bâtonnet de différentes longueurs forment un complexe décalé qui croît jusqu'à ce que leurs extrémités s'adaptent parfaitement. Le nom dérive d'un instrument de mesure basé sur le même principe et utilisé en mécanique.

Figure 3-35 Photographie en microscopie électronique du bactériophage lambda. L'extrémité de la queue du virus se fixe sur une protéine spécifique à la surface d'une cellule bactérienne, après quoi l'ADN empaqueté fermement dans la tête est injecté dans la cellule, à travers la queue. La queue a une longueur précise déterminée par le mécanisme présenté en figure 3-34A.

La formation de structures biologiques complexes est souvent facilitée par des facteurs d'assemblage

Toutes les structures cellulaires reliées par des liaisons non covalentes ne sont pas capables de s'auto-assembler. Une mitochondrie, un cil ou une myofibrille musculaire, par exemple, ne peuvent se former spontanément à partir d'une solution des macromolécules qui les composent. Dans ces cas, une partie des informations d'assemblage est fournie par des enzymes spéciales et d'autres protéines cellulaires qui effectuent la fonction de matrice et guident la construction sans prendre part à la structure finale.

Même des structures relativement simples peuvent ne pas posséder certains ingrédients nécessaires à leur propre assemblage. Lors de la formation de certains virus bactériens, par exemple, la tête qui est composée de nombreuses copies d'une seule sous-unité protéique est assemblée sur un échafaudage temporaire composé d'une deuxième protéine. Comme cette deuxième protéine ne fait pas partie de la particule virale finale, la structure de la tête ne peut pas spontanément se reconstituer une fois qu'elle a été démontée. Dans d'autres exemples connus, un clivage protéolytique constitue une étape essentielle et irréversible du processus d'assemblage normal. Il en est de même lors de l'assemblage de certaines petites protéines, y compris le collagène, une protéine structurale, et l'insuline, une hormone (Figure 3-36). À partir de ces exemples relativement simples, il semble très probable que l'assemblage d'une structure aussi complexe qu'une mitochondrie ou un cil implique un agencement temporel et spatial transmis par de nombreux autres composants cellulaires.

Résumé

La conformation tridimensionnelle d'une protéine est déterminée par sa séquence d'acides aminés. La structure repliée est stabilisée par des interactions non covalentes entre différentes parties de la chaîne polypeptidique. Les acides aminés possédant des chaînes latérales hydrophobes ont tendance à se regrouper à l'intérieur de la molécule, et des interactions locales par liaisons hydrogène entre des liaisons peptidiques voisines donnent naissance à des hélices α et des feuillets β.

Des régions globulaires, appelées domaines, sont les unités modulaires à partir desquelles beaucoup de protéines sont construites ; ces domaines contiennent généralement entre 40 et 350 acides aminés. Les petites protéines sont typiquement composées d'un seul domaine, alors que les protéines de grande taille sont formées de nombreux domaines reliés par de petites chaînes polypeptidiques. Avec le développement des protéines, les domaines se sont modifiés et se sont associés à d'autres domaines pour former d'autres protéines. Les domaines qui participent à la formation de beaucoup de protéines sont appelés modules protéiques. Jusqu'à présent, près de 1 000 types de repliement différents d'un domaine ont été observés, parmi plus de 10 000 structures protéiques connues.

Les protéines sont rassemblées en structures plus grosses par les mêmes forces non covalentes qui déterminent le repliement des protéines. Les protéines possédant des sites de liaison pour leur propre surface peuvent s'assembler en dimères, anneaux fermés, enveloppes sphériques ou polymères hélicoïdaux. Même si, dans un tube à essai, des mélanges de protéines et d'acides nucléiques peuvent s'assembler spontanément en des structures complexes, beaucoup de processus d'assemblage biologique impliquent des étapes irréversibles. Par conséquent toutes les structures cellulaires ne sont pas capables de s'assembler spontanément de nouveau si elles ont été dissociées en leurs composants.

FONCTION DES PROTÉINES

Nous avons vu que chaque type de protéine était formé d'une séquence précise en acides aminés qui lui permet de se replier en une forme tridimensionnelle particulière, ou conformation. Mais les protéines ne sont pas des blocs rigides. Elles peuvent avoir des parties mobiles organisées avec précision dont les actions mécaniques sont couplées à des événements chimiques. C'est ce couplage entre l'activité chimique et les mouvements qui donne aux protéines leurs capacités extraordinaires sous-jacentes aux processus dynamiques des cellules vivantes.

Dans ce chapitre, nous expliquerons comment les protéines se fixent sur d'autres molécules particulières et comment leur activité dépend de cette fixation. Nous montrerons que c'est cette capacité de fixation sur d'autres molécules qui permet aux protéines d'agir comme des catalyseurs, des récepteurs de signaux, des commutateurs, des moteurs ou de minuscules pompes. Les exemples que nous aborderons dans ce chapitre ne sont absolument pas exhaustifs du vaste répertoire fonctionnel des pro-

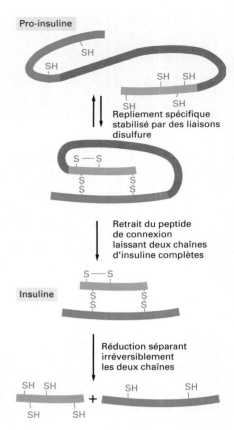

Figure 3-36 Clivage protéolytique lors de l'assemblage de l'insuline. L'insuline, une hormone polypeptidique, ne peut se reformer spontanément efficacement si ses ponts disulfure sont rompus. Elle est synthétisée sous forme d'une protéine de plus grande taille (la *pro-insuline*) qui est clivée par une enzyme protéolytique une fois que la chaîne protéolytique s'est repliée en une forme spécifique. L'excision d'une partie de la chaîne protéolytique de la pro-insuline retire certaines des informations nécessaires au repliement spontané de la protéine dans sa conformation normale une fois qu'elle a été dénaturée et que ses deux chaînes polypeptidiques ont été séparées.

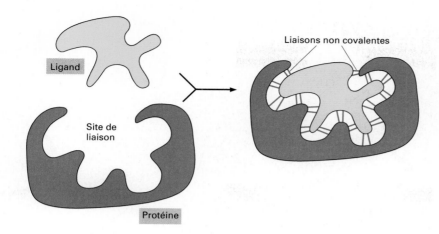

Figure 3-37 Fixation sélective d'une protéine sur une autre molécule. Il faut beaucoup de liaisons faibles pour permettre à une protéine de se fixer fermement sur une autre molécule, appelée *ligand* de la protéine. Un ligand doit donc s'adapter précisément dans le site de liaison de la protéine, comme une main dans un gant, pour qu'un grand nombre de liaisons non covalentes se forme entre la protéine et le ligand.

téines. Cependant, beaucoup de protéines que nous rencontrerons par ailleurs dans ce livre ont des fonctions spécialisées, basées sur des principes similaires.

Toutes les protéines se lient à d'autres molécules

Les propriétés biologiques d'une protéine dépendent de son interaction physique avec d'autres molécules. Les anticorps se fixent ainsi aux virus ou aux bactéries pour les marquer en vue de les détruire ; l'hexokinase, une enzyme, se fixe sur le glucose et l'ATP pour catalyser la réaction entre eux ; les molécules d'actine s'unissent les unes aux autres pour s'assembler en des filaments d'actine, et ainsi de suite. En vérité, toutes les protéines se collent, ou se *fixent*, sur d'autres molécules. Dans certains cas, cette liaison est très forte ; dans d'autres, elle est faible et de courte durée. Mais cette liaison présente toujours une grande *spécificité*, car chaque protéine ne peut généralement se lier qu'à une ou quelques molécules parmi les milliers de types différents qu'elle rencontre. La substance qui s'unit à cette protéine – peu importe que ce soit un ion, une petite molécule ou une macromolécule – est appelée le **ligand** de cette protéine (d'après le latin « *ligare* », qui signifie « lier »).

Cette union sélective et de forte affinité avec un ligand dépend de la capacité de la protéine à former avec lui un ensemble de liaisons faibles non covalentes – liaisons hydrogène, liaisons ioniques et forces d'attraction de van der Waals – et d'interactions hydrophobes favorables (*voir* Planche 2-3, p. 114-115). Comme chaque liaison, prise individuellement, est faible, une liaison efficace nécessite la formation simultanée d'un grand nombre de liaisons faibles. Cela n'est possible que si le contour superficiel de la molécule de ligand s'adapte de très près à la protéine, comme une main dans son gant (Figure 3-37).

La région de la protéine associée au ligand, appelée *site de liaison* avec le ligand, est généralement composée d'une cavité située à la surface de la protéine et formée d'un arrangement spécifique d'acides aminés. Ces acides aminés peuvent appartenir à différentes portions de la chaîne polypeptidique qui sont réunies lorsque la protéine se replie (Figure 3-38). Différentes régions de la surface protéique forment généralement des sites de liaison pour différents ligands, ce qui permet la régulation de l'activité protéique, comme nous le verrons ultérieurement. Et d'autres parties de la protéine peuvent servir de bras pour placer la protéine dans une localisation cellulaire particulière – par exemple, le domaine SH2, que nous avons déjà vu, est souvent utilisé pour déplacer la protéine qui le contient vers des sites de la membrane plasmique en réponse à des signaux spécifiques.

Même si les atomes enfouis à l'intérieur de la protéine n'ont pas de contact direct avec le ligand, ils fournissent l'échafaudage essentiel qui donne à la surface son contour et ses propriétés chimiques. Une variation des acides aminés internes de la molécule protéique, même petite, peut modifier suffisamment la forme tridimensionnelle pour détruire un site de liaison situé à la surface.

Les particularités de la conformation d'une protéine déterminent son activité chimique

Les protéines ont d'impressionnantes capacités chimiques parce que les groupements chimiques voisins de leurs surfaces interagissent souvent de façon à augmenter la réactivité chimique des chaînes latérales d'acides aminés. Ces interactions sont classées en deux catégories principales.

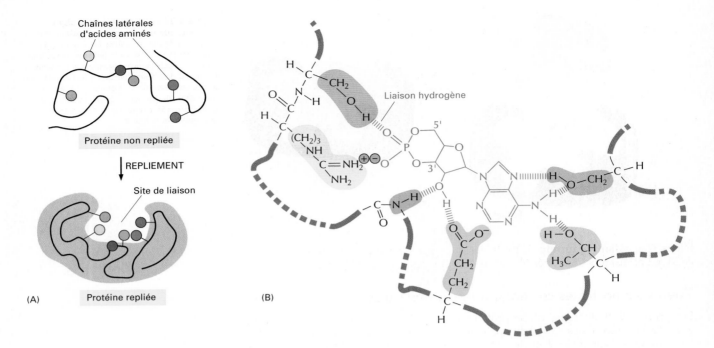

Figure 3-38 Site de liaison d'une protéine. (A) Le repliement de la chaîne polypeptidique crée typiquement une fente ou une cavité à la surface de la protéine. Cette fente contient un ensemble de chaînes latérales d'acides aminés qui sont disposées de manière à ne former des liaisons covalentes qu'avec certains ligands. (B) Gros plan d'un véritable site de liaison montrant les liaisons hydrogène et les interactions ioniques formées entre une protéine et son ligand (dans cet exemple, le ligand qui s'est fixé est l'AMP cyclique).

Tout d'abord, des parties voisines de la chaîne polypeptidique peuvent interagir pour restreindre l'accès des molécules d'eau à un site de liaison. Comme les molécules d'eau ont tendance à former des liaisons hydrogène, elles peuvent entrer en compétition avec les ligands au niveau des sites superficiels de la protéine. La force des liaisons hydrogène (et des interactions ioniques) entre les protéines et leurs ligands augmente donc fortement si les molécules d'eau sont exclues. À première vue, il est difficile d'imaginer un mécanisme qui puisse exclure une molécule aussi petite que l'eau de la surface protéique sans modifier l'accès du ligand lui-même. Cependant, comme les molécules d'eau ont fortement tendance à former des liaisons hydrogène eau-eau, ces molécules forment un important réseau relié par des liaisons hydrogène (*voir* Planche 2-2, p. 112-113). De ce fait, un site de liaison peut rester sec parce qu'il est énergétiquement défavorable, pour chaque molécule d'eau, de se détacher de ce réseau, ce qu'elle doit faire pour atteindre une crevasse située à la surface protéique.

Deuxièmement, le regroupement de chaînes latérales d'acides aminés polaires voisines peut altérer leur réactivité. Si plusieurs chaînes latérales chargées négativement sont regroupées de force, contre leur répulsion mutuelle, par le biais du repliement protéique par exemple, l'affinité du site pour un ion positivement chargé augmente fortement. De plus, lorsque les chaînes latérales d'acides aminés interagissent les unes avec les autres par l'intermédiaire de liaisons hydrogène, des groupements latéraux normalement non réactifs (comme le $-CH_2OH$ de la sérine montré dans la figure 3-39) peuvent devenir réactifs et entrer en réaction pour fabriquer ou rompre des liaisons covalentes particulières.

La surface de chaque molécule protéique a donc une réactivité chimique spécifique qui ne dépend pas seulement des chaînes latérales d'acides aminés qui sont exposées, mais aussi de leur orientation exacte les unes par rapport aux autres. C'est pourquoi, deux conformations, même légèrement différentes, de la même molécule protéique peuvent différer grandement du point de vue chimique.

Figure 3-39 Un acide aminé exceptionnellement réactif sur le site actif d'une enzyme. Cet exemple est la « triade catalytique » de la chymotrypsine, de l'élastase et d'autres sérine-protéases (*voir* Figure 3-14). La chaîne latérale d'acide aspartique (Asp 102) induit l'histidine (His 57) à retirer le proton de la sérine 195. Cela active la sérine qui forme une liaison covalente avec le substrat enzymatique, et hydrolyse une liaison peptidique.

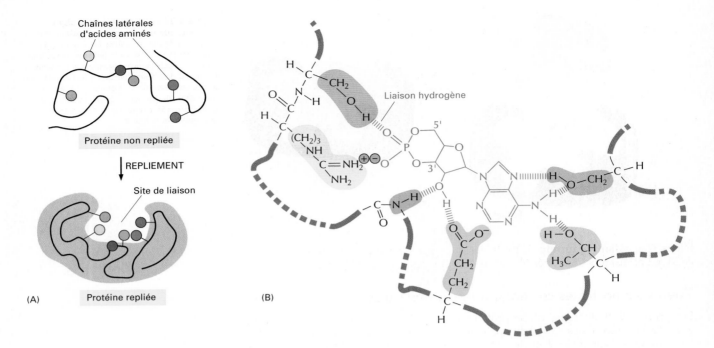

La comparaison des séquences entre les membres d'une famille protéique fait apparaître des sites de liaison décisifs

Comme nous l'avons déjà décrit, beaucoup de domaines protéiques peuvent être regroupés en familles qui ont évolué, cela a été prouvé, à partir d'un ancêtre commun, et les séquences du génome révèlent un grand nombre de protéines contenant un ou plusieurs domaines communs. Les structures tridimensionnelles des membres de la même famille de domaine sont remarquablement semblables. Par exemple, même lorsque l'identité entre les séquences d'acides aminés tombe à 25 p. 100, on observe que les atomes du squelette du domaine suivent un repliement protéique commun sur 0,2 nanomètres (2 Å).

Ces faits permettent d'utiliser une méthode appelée « repérage par l'évolution » pour identifier les sites d'un domaine protéique qui sont les plus importants pour la fonction de ce domaine. Les acides aminés qui restent inchangés ou pratiquement inchangés dans tous les membres connus de la famille protéique sont ainsi placés sur un modèle structural de la structure tridimensionnelle d'un des membres de la famille. Après quoi, les positions les plus invariables forment souvent un ou plusieurs amas à la surface protéique, comme cela est illustré dans la figure 3-40A pour le domaine SH2 déjà décrit (*voir* Planche 3-2, p. 138-139). Ces amas correspondent généralement aux sites de liaison.

Le domaine SH2 est un module qui fonctionne dans les interactions protéine-protéine. Il unit la protéine qui le contient à une deuxième protéine qui contient une chaîne latérale tyrosine phosphorylée dans un contexte de séquence spécifique d'acides aminés, comme cela est montré dans la figure 3-40B. Les acides aminés localisés sur le site de liaison au polypeptide phosphorylé ont été les plus lents à se modifier au cours du long processus évolutif qui a engendré la grande famille SH2 de domaine de reconnaissance peptidique. Comme la mutation est un processus aléatoire, on attribue ce résultat à l'élimination préférentielle, au cours de l'évolution, de tous les organismes dont les domaines SH2 ont été modifiés d'une façon qui a inactivé le site de liaison SH2 et détruit ainsi la fonction du domaine SH2.

Dans cette ère de séquençage important du génome, beaucoup de nouvelles familles protéiques, de fonction inconnue, sont découvertes. Comme la méthode, ci-dessus décrite, de repérage par l'évolution identifie les sites de liaison critiques sur la structure tridimensionnelle déterminée d'un membre d'une famille protéique, celle-ci est utilisée pour faciliter la détermination de la fonction de ces protéines.

Les protéines se lient à d'autres protéines par l'intermédiaire de nombreuses interfaces

Les protéines peuvent se lier à d'autres protéines d'au moins trois façons. Dans beaucoup de cas, une portion de la surface d'une protéine entre en contact avec une boucle allongée (ou « corde ») de la chaîne polypeptidique d'une autre protéine (Figure 3-41A). Cette interaction surface-corde, par exemple, permet au domaine SH2 de reconnaître un polypeptide phosphorylé formant une boucle sur une deuxième protéine, comme nous venons de le décrire, et permet également à la protéine-kinase de reconnaître la protéine à phosphoryler (*voir* plus loin).

Figure 3-40 Méthode de repérage par l'évolution appliquée au domaine SH2. (A) Vues de face et de dos d'un modèle compact du domaine SH2 avec les acides aminés conservés au cours de l'évolution et situés sur la surface protéique colorés en *jaune*, et ceux placés plus vers l'intérieur de la protéine colorés en *rouge*. (B) Structure du domaine SH2 avec son polypeptide fixé dessus. Ici les acides aminés localisés dans les 0,4 nm du ligand fixé sont colorés en *bleu*. Les deux acides aminés clés du ligand sont en *jaune* et les autres en *violet*. (Adapté de O. Lichtarge, H. R. Bourne et F.E. Cohen, *J. Mol. Biol.* 257 : 342-358, 1996.)

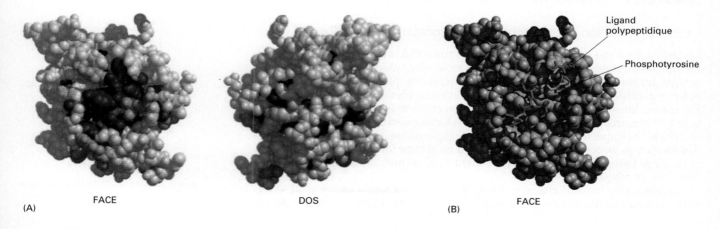

(A) FACE   DOS   (B) FACE

Ligand polypeptidique

Phosphotyrosine

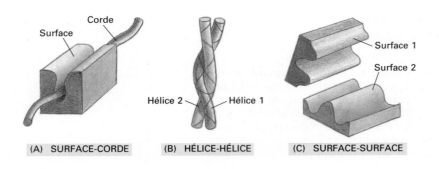

Figure 3-41 Trois façons pour deux protéines de se lier l'une à l'autre. Seules les parties interactives des deux protéines sont représentées. (A) Une surface rigide d'une protéine peut s'unir à une boucle allongée (ou « corde ») de la chaîne polypeptidique d'une deuxième protéine. (B) Deux hélices α peuvent s'unir pour former un superenroulement. (C) Deux surfaces rigides complémentaires relient souvent deux protéines.

(A) SURFACE-CORDE   (B) HÉLICE-HÉLICE   (C) SURFACE-SURFACE

Un deuxième type d'interface protéine-protéine se forme lorsque deux hélices α, une de chaque protéine, s'assemblent pour former un superenroulement (Figure 3-41B). Ce type d'interface protéique se retrouve dans plusieurs familles de protéines régulatrices, comme nous le verrons au chapitre 7.

Le mode d'interaction le plus fréquent pour les protéines est cependant l'adaptation précise d'une surface rigide sur une autre (Figure 3-41C). Ces interactions peuvent être très fortes, car un très grand nombre de liaisons faibles peuvent se former entre deux surfaces qui correspondent bien. De même ces interactions surface-surface peuvent être extrêmement spécifiques et permettre à une protéine de ne choisir qu'un seul partenaire parmi les milliers de protéines différentes d'une cellule.

Les sites de liaison aux anticorps sont particulièrement variés

Toutes les protéines doivent se lier à des ligands particuliers pour exécuter leurs diverses fonctions. Cette capacité de se fixer fortement et sélectivement est particulièrement développée dans la famille des anticorps, comme nous le verrons en détail au chapitre 24.

Les **anticorps**, ou immunoglobulines, sont des protéines produites par le système immunitaire en réponse à des molécules étrangères, comme celles situées à la surface d'un micro-organisme invasif. Chaque anticorps se fixe très solidement à une molécule cible particulière et l'inactive ainsi directement, ou le marque pour qu'il soit détruit. Un anticorps reconnaît sa cible (appelée **antigène**) avec une spécificité remarquable. Comme, potentiellement, des milliards d'antigènes différents peuvent être rencontrés, nous devons être capables de produire des milliards d'anticorps différents.

Les anticorps sont des molécules en forme de Y pourvues de deux sites de liaison identiques complémentaires à une petite portion de la surface de la molécule d'antigène. L'examen détaillé des sites de liaison aux antigènes d'un anticorps révèle qu'ils sont formés de plusieurs boucles de chaînes polypeptidiques qui font saillie à l'extrémité d'une paire de domaines protéiques étroitement juxtaposés (Figure 3-42). L'énorme diversité des sites de liaison aux antigènes que possèdent les différents anticorps, est engendrée seulement par la modification de la longueur et de la séquence des acides aminés de ces boucles, sans qu'il y ait d'altération de la structure protéique de base.

Ces boucles sont idéales pour s'accrocher aux autres molécules. Elles permettent à un grand nombre de groupements chimiques d'entourer un ligand pour que la protéine s'unisse à lui par de nombreuses liaisons faibles. C'est pourquoi les protéines utilisent souvent des boucles pour former leurs sites de liaison.

La force de liaison est mesurée par la constante d'équilibre

Les molécules d'une cellule se rencontrent très souvent à cause de leurs mouvements thermiques aléatoires continus. Lorsque des molécules, qui entrent en collision, présentent des surfaces peu adaptées l'une à l'autre, seules quelques liaisons covalentes se forment et les deux molécules se dissocient aussi rapidement qu'elles se sont unies. Par contre, lorsque de nombreuses liaisons non covalentes se forment, l'association peut persister très longtemps (Figure 3-43). De fortes interactions se produisent dans les cellules à chaque fois qu'une fonction biologique nécessite que des molécules restent longtemps associées – par exemple lorsqu'un groupe formé de molécules d'ARN et un autre formé de protéines se rencontrent pour former une structure sub-cellulaire de type ribosome.

La force avec laquelle chacune des deux molécules s'unit à l'autre peut se mesurer directement. Imaginons, par exemple, une situation où une population de mo-

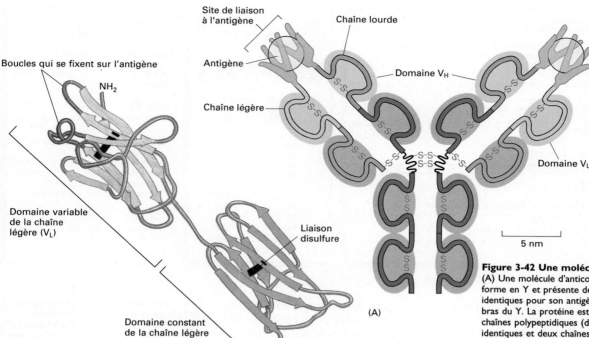

Boucles qui se fixent sur l'antigène

NH₂

Domaine variable de la chaîne légère (V_L)

Domaine constant de la chaîne légère

COOH

Site de liaison à l'antigène

Chaîne lourde

Antigène

Chaîne légère

Domaine V_H

Domaine V_L

Liaison disulfure

5 nm

(A)

Figure 3-42 Une molécule d'anticorps.
(A) Une molécule d'anticorps typique a une forme en Y et présente deux sites de liaison identiques pour son antigène, un sur chaque bras du Y. La protéine est composée de quatre chaînes polypeptidiques (deux chaînes lourdes identiques et deux chaînes légères identiques plus petites) reliées par des liaisons disulfure. Chaque chaîne est constituée de plusieurs domaines différents d'immunoglobuline, ici ombrés soit en *bleu* soit en *gris*. Le site de liaison à l'antigène se forme à l'endroit où un domaine variable de la chaîne lourde (V_H) et un domaine variable de la chaîne légère (V_L) se sont rapprochés. Ce sont ces domaines qui diffèrent surtout par leur séquence et leur structure dans les différents anticorps. (B) Ce modèle en ruban d'une chaîne légère montre en *rouge* les parties du domaine V_L impliquées particulièrement dans la liaison avec l'antigène. Elles contribuent pour moitié à la boucle en forme de doigt qui se replie autour de chaque molécule d'antigène décrite en (A).

lécules d'anticorps identiques rencontre soudainement une population de ligands diffusant dans le liquide qui les entoure. À intervalles fréquents, un des ligands heurtera le site de liaison d'un anticorps et formera un complexe anticorps-ligand. La population de complexes anticorps-ligand augmentera donc, mais pas indéfiniment : avec le temps, un second processus prendra de plus en plus d'importance, au cours duquel chaque complexe se séparera à cause des mouvements thermiques induits. Finalement, la population de molécules d'anticorps et de ligands atteindra un état stable, ou équilibre, dans lequel le nombre de réunions (associations) par seconde sera précisément égal au nombre de «désunions» (dissociations) (*voir* Figure 2-52).

D'après les concentrations de ligands, d'anticorps et de complexes ligand-anticorps à l'équilibre, on peut calculer une grandeur pratique – appelée **constante d'équilibre** (**K**) – de la force de liaison (Figure 3-44A). Plus la constante d'équilibre est grande, plus la force de liaison est grande et cette constante est une mesure directe de la différence d'énergie libre entre les états liée et libre (Figure 3-44B). Une modification, même de quelques liaisons non covalentes, peut avoir un effet étonnant sur l'interaction de la liaison, comme cela est montré dans l'exemple de la figure 3-44C.

Figure 3-43 Des liaisons non covalentes sont les médiateurs des interactions entre les macromolécules.

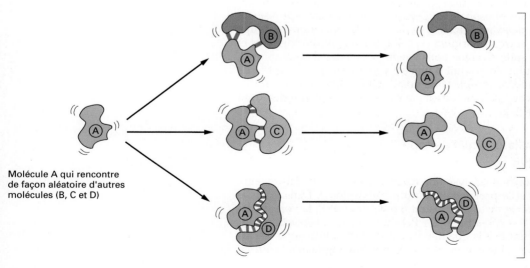

Molécule A qui rencontre de façon aléatoire d'autres molécules (B, C et D)

Les surfaces des molécules A et B et A et C correspondent peu et ne permettent la formation que de quelques liaisons faibles ; les mouvements thermiques les rompent rapidement.

Les surfaces des molécules A et D s'adaptent bien et peuvent ainsi former suffisamment de liaisons faibles pour résister aux secousses thermiques ; elles restent donc reliées l'une à l'autre.

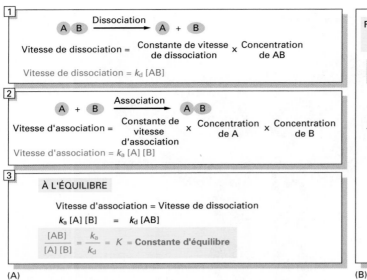

(A)

[1]

$$\text{AB} \xrightarrow{\text{Dissociation}} \text{A} + \text{B}$$

Vitesse de dissociation = Constante de vitesse de dissociation × Concentration de AB

Vitesse de dissociation = k_d [AB]

[2]

$$\text{A} + \text{B} \xrightarrow{\text{Association}} \text{AB}$$

Vitesse d'association = Constante de vitesse d'association × Concentration de A × Concentration de B

Vitesse d'association = k_a [A] [B]

[3]

À L'ÉQUILIBRE

Vitesse d'association = Vitesse de dissociation

$$k_a \text{[A] [B]} = k_d \text{[AB]}$$

$$\frac{\text{[AB]}}{\text{[A] [B]}} = \frac{k_a}{k_d} = K = \text{Constante d'équilibre}$$

(B)

Relation entre les différences d'énergie libre et les constantes d'équilibre

Constante d'équilibre $\dfrac{\text{[AB]}}{\text{[A][B]}} = K$ (litres/mole)	Énergie libre de AB moins énergie libre de A + B (kcal/mole)
1	0
10	−1,4
10^2	−2,8
10^3	−4,3
10^4	−5,7
10^5	−7,1
10^6	−8,6
10^7	−10,0
10^8	−11,4
10^9	−12,9
10^{10}	−14,2
10^{11}	−15,6

(C)

Considérons 1000 molécules de A et 1000 molécules de B dans une cellule eucaryote. La concentration des deux sera d'environ 10^{-9} M.

Si la constante d'équilibre (K) de A + B ⇌ AB est 10^{10}, alors il y aura à l'équilibre :

| 270 molécules A | 270 molécules B | 730 molécules AB |

Si la constante d'équilibre est un peu plus faible que 10^8, ce qui représente une perte de 2,8 kcal/mole d'énergie de liaison selon l'exemple ci-dessus, ou 2 à 3 fois moins de liaisons hydrogène, il y aura alors :

| 915 molécules A | 915 molécules B | 85 molécules AB |

Nous avons utilisé le cas de l'anticorps lié à son ligand pour illustrer les effets de la force de liaison sur l'état d'équilibre, mais ces mêmes principes s'appliquent à n'importe quelle molécule et ses ligands. Beaucoup de protéines sont des enzymes qui, comme nous allons le voir maintenant, se fixent d'abord sur leurs ligands puis catalysent la rupture ou la formation de liaisons covalentes dans ces molécules.

Les enzymes sont de puissants catalyseurs hautement spécifiques

Beaucoup de protéines peuvent effectuer leurs fonctions en s'unissant simplement à d'autres molécules. Une molécule d'actine, par exemple, doit simplement s'associer à d'autres molécules d'actine pour former un filament. Il existe d'autres protéines, cependant, pour lesquelles la liaison à un ligand n'est que la première étape nécessaire à leur fonction. C'est le cas de cette très grande et importante classe de protéines appelées **enzymes**. Comme nous l'avons vu au chapitre 2, les enzymes sont des molécules remarquables qui déterminent toutes les transformations chimiques qui établissent et rompent les liaisons covalentes dans les cellules. Elles se fixent sur un ou plusieurs ligands, appelés **substrats**, et les transforment en un ou plusieurs *produits* chimiquement modifiés, recommençant encore et toujours avec une rapidité surprenante. Les enzymes accélèrent les réactions souvent par un facteur d'un million ou plus, sans être elles-mêmes modifiées – c'est-à-dire qu'elles agissent comme des **catalyseurs** qui permettent aux cellules de former ou de rompre des liaisons covalentes de façon contrôlée. C'est cette catalyse de groupes organisés de réactions chimiques par les enzymes qui crée et maintient la cellule, rendant la vie possible.

Les enzymes qui effectuent des réactions chimiques similaires peuvent être regroupées en classes fonctionnelles (Tableau 3-I). Chaque type d'enzyme de chaque classe est hautement spécifique et ne catalyse qu'un seul type de réaction. L'*hexokinase* ajoute ainsi un groupement phosphate au D-glucose mais ignore son isomère optique, le L-glucose ; la *thrombine*, une enzyme de la coagulation sanguine, coupe un type de protéine sanguine entre une arginine spécifique et la glycine adjacente et nulle part ailleurs, et ainsi de suite. Comme nous l'avons vu en détail au chapitre 2, les enzymes travaillent en équipe, le produit d'une enzyme devenant le substrat de la suivante. Il en résulte un réseau complexe de voies métaboliques qui fournit de l'énergie à la cellule et engendre les nombreuses molécules, petites et grandes, dont la cellule a besoin (*voir* Figure 2-35).

La liaison au substrat est la première étape de la catalyse enzymatique

Pour qu'une protéine (une enzyme) catalyse une réaction chimique, la liaison entre chaque molécule de substrat et la protéine est un prélude essentiel. Dans le cas le plus simple, si nous notons l'enzyme E, le substrat S et le produit P, la voie fondamentale de la réaction est E + S → ES → EP → E + P. D'après cette voie réactionnelle, nous voyons qu'il existe une limite à la quantité de substrat qu'une seule molécule peut traiter en un temps donné. Si la concentration de substrat augmente, la vitesse

Figure 3-44 Relation entre les énergies de liaisons et la constante d'équilibre. (A) L'équilibre entre d'un côté les molécules A et B et de l'autre le complexe AB est maintenu par un équilibre entre les deux réactions opposées montrées en 1 et 2. Les molécules A et B doivent se heurter pour réagir et la vitesse d'association est ainsi proportionnelle au produit de leur concentration individuelle [A] × [B] (les crochets indiquent la concentration). Comme cela est montré en 3, le ratio des constantes de vitesse des réactions d'association et de dissociation est égal à la constante d'équilibre (K) de la réaction. (B) La constante d'équilibre de l'encadré 3 est celle de la réaction d'association A + B ↔ AB, et plus sa valeur est grande, plus la liaison entre A et B est forte. Notez que, pour chaque diminution de 1,4 kcal/mole de l'énergie libre, la constante d'équilibre augmente d'un facteur 10. (C) Un exemple de l'effet spectaculaire que peut avoir la présence ou l'absence d'un petit nombre de liaisons faibles dans un contexte biologique.

L'unité de la constante d'équilibre est ici les litres/mole : pour les simples interactions de liaison, elle est aussi appelée *constante d'affinité* ou *constante d'association* et notée K_a. La réciproque de K_a est appelée *constante de dissociation*, K_d (avec comme unité les moles/litre).

TABLEAU 3-I Quelques enzymes courantes

ENZYMES	RÉACTIONS CATALYSÉES
Hydrolases	Nom général des enzymes qui catalysent une réaction de clivage par hydrolyse.
Nucléases	Dégradent les acides nucléiques par hydrolyse des liaisons entre les nucléotides.
Protéases	Dégradent les protéines par hydrolyse des liaisons entre les acides aminés.
Synthases	Nom général utilisé pour désigner les enzymes qui synthétisent des molécules, dans les réactions anaboliques, par condensation de deux molécules plus petites.
Isomérases	Catalysent le réarrangement de liaisons dans une même molécule.
Polymérases	Catalysent les réactions de polymérisation comme la synthèse de l'ADN et de l'ARN.
Kinases	Catalysent l'addition de groupements phosphate sur des molécules. Les protéine-kinases forment un groupe important de kinases qui ajoutent des groupements phosphate sur les protéines.
Phosphatases	Catalysent le retrait par hydrolyse d'un groupement phosphate d'une molécule.
Oxydo-réductases	Nom général des enzymes qui catalysent les réactions au cours desquelles une molécule est oxydée pendant qu'une autre est réduite. Les enzymes de ce type sont souvent appelées *oxydases*, *réductases* et *déshydrogénases*.
ATPases	Hydrolysent l'ATP. Beaucoup de protéines ayant un large éventail de rôles ont parmi leurs fonctions une activité ATPase pour recueillir l'énergie. Par exemple, les protéines motrices comme la *myosine* et les protéines de transport membranaire comme la *pompe sodium-potassium*.

Le nom des enzymes se termine typiquement par «ase» à l'exception de certaines enzymes comme la pepsine, la trypsine, la thrombine et le lysozyme qui ont été découvertes et nommées avant que cette convention générale soit acceptée à la fin du dix-neuvième siècle. Le nom commun d'une enzyme indique généralement le substrat et la nature de la réaction catalysée. Par exemple, la citrate synthase catalyse la synthèse du citrate par une réaction entre l'acétyl CoA et l'oxaloacétate.

de formation du produit augmente également, jusqu'à une valeur maximale (Figure 3-45). Là, l'enzyme est saturée de substrat et la vitesse de la réaction (V_{max}) ne dépend plus que de la rapidité avec laquelle l'enzyme peut traiter la molécule de substrat. Le résultat de la vitesse maximale divisée par la concentration enzymatique est appelé *nombre de turnover*. Ce nombre de turnover est souvent de 1 000 molécules de substrat environ traitées, par seconde, par molécule d'enzyme, même si on connaît des nombres de turnover compris entre 1 et 10 000.

L'autre paramètre cinétique souvent utilisé pour caractériser une enzyme est la K_m, ou concentration de substrat, qui permet à la réaction de s'effectuer à la moitié de sa vitesse maximale (0,5 V_{max}) (*voir* Figure 3-45). Une *faible K_m* signifie que l'enzyme atteint sa vitesse maximale de catalyse avec une *faible concentration de substrat* et indique généralement que l'enzyme se lie très fortement à son substrat, alors qu'une *valeur élevée de K_m* correspond à une liaison faible. Les méthodes utilisées pour caractériser ainsi les enzymes sont expliquées dans la planche 3-3 (p. 164-165).

Les enzymes accélèrent les réactions en stabilisant sélectivement les états de transition

Les enzymes permettent d'atteindre des vitesses extrêmement rapides de réactions chimiques – de loin supérieures à celles obtenues par n'importe quel catalyseur synthétique. Cette efficacité est attribuable à divers facteurs. Les enzymes permettent, en premier lieu, d'augmenter la concentration locale des molécules de substrat au niveau du site catalytique et maintiennent tous les atomes appropriés dans une orientation correcte pour la réaction suivante. Ce qui est encore plus important, cependant, c'est qu'une partie de l'énergie de liaison contribue directement à la catalyse. Les molécules de substrat doivent traverser une série d'états intermédiaires, de géo-

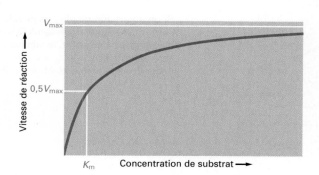

Figure 3-45 Cinétique des enzymes. La vitesse d'une réaction enzymatique (*V*) augmente avec l'augmentation de la concentration du substrat jusqu'à ce qu'elle atteigne une valeur maximale (V_{max}). À ce point, tous les sites de liaison avec le substrat de la molécule enzymatique sont occupés et la vitesse de la réaction est limitée par la vitesse du processus de catalyse à la surface de l'enzyme. Pour la plupart des enzymes, la concentration de substrat pour laquelle la vitesse de la réaction est égale à la moitié du maximum (K_m) donne la mesure de la force de liaison du substrat, avec les fortes valeurs de K_m correspondant aux liaisons faibles.

POURQUOI ANALYSER LA CINÉTIQUE DES ENZYMES ?

Les enzymes sont les catalyseurs les plus sélectifs et les plus puissants que l'on connaisse. La compréhension de leurs mécanismes détaillés fournit un outil critique pour découvrir de nouveaux médicaments, synthétiser industriellement à grande échelle des produits chimiques utiles et apprécier la biochimie des cellules et organismes. L'étude détaillée de la vitesse des réactions chimiques qui sont catalysées par une enzyme purifiée – et plus spécifiquement comment cette vitesse se modifie selon les variations de certaines conditions comme la concentration de substrat, de produits, d'inhibiteurs et de ligands régulateurs – permet aux biochimistes de comprendre exactement le mode de fonctionnement de chaque enzyme. Par exemple, c'est ainsi qu'il a été possible de déchiffrer les réactions productrices d'ATP de la glycolyse, montrées dans la figure 2-73 – ce qui nous a permis d'apprécier la logique de cette voie enzymatique critique. Dans cette planche, nous introduirons la notion importante de cinétique enzymatique, qui a été indispensable pour obtenir une grande partie des particularités des connaissances actuelles en biochimie cellulaire.

CINÉTIQUE ENZYMATIQUE DE L'ÉTAT D'ÉQUILIBRE

Beaucoup d'enzymes n'ont qu'un seul substrat sur lequel elles se fixent puis agissent pour engendrer des produits selon le schéma précisé dans la figure 3-50A. Dans ce cas, la réaction s'écrit ainsi :

$$E + S \underset{k_{-1}}{\overset{k_1}{\rightleftharpoons}} ES \xrightarrow{k_{cat}} E + P$$

Dans ce cas, nous considérons que la réaction inverse, au cours de laquelle E + P se recombinent pour former EP puis ES, se produit si rarement que nous pouvons l'ignorer. Nous pouvons donc exprimer la vitesse de la réaction, V, par :

$$V = k_{cat} [ES]$$

où [ES] est la concentration du complexe enzyme-substrat et k_{cat} est le nombre de turnover : une constante qui est égale au nombre de molécules de substrat traitées par une molécule d'enzyme chaque seconde.

Mais comment peut-on relier la valeur de [ES] aux concentrations que nous connaissons directement et qui sont la concentration totale de l'enzyme, $[E_o]$, et la concentration du substrat [S] ? Lorsque l'enzyme et le substrat commencent à se mélanger, la concentration [ES] passe rapidement de zéro à une concentration appelée état stable ou d'équilibre, comme cela est illustré ci-dessous.

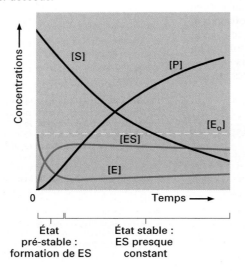

État pré-stable : formation de ES

État stable : ES presque constant

Dans cet état stable, [ES] est presque constant, de telle sorte que :

Vitesse de dégradation de ES $k_{-1} [ES] + k_{cat} [ES]$	=	Vitesse de formation de ES $k_1 [E][S]$

soit, comme la concentration d'enzyme libre (E) est égale à $[E_o] - [ES]$

$$[ES] = \left(\frac{k_1}{k_{-1} + k_{cat}}\right)[E][S] = \left(\frac{k_1}{k_{-1} + k_{cat}}\right)\left([E_o] - [ES]\right)[S]$$

Si on la reformule en définissant la constante K_m comme

$$\frac{k_{-1} + k_{cat}}{k_1}$$

on obtient :

$$[ES] = \frac{[E_o][S]}{K_m + [S]}$$

Soit, si on se rappelle que $V = k_{cat} [ES]$, on obtient la fameuse équation de Michaelis-Menten :

$$V = \frac{k_{cat} [E_o][S]}{K_m + [S]}$$

Si on augmente de plus en plus la concentration [S], toute l'enzyme se trouvera essentiellement liée au substrat à l'état d'équilibre ; à ce point, la vitesse maximale de la réaction, V_{max}, sera atteinte et $V = V_{max} = k_{cat} [E_o]$. De ce fait on peut reformuler l'équation de Michaelis-Menten de façon pratique comme suit :

$$V = \frac{V_{max} [S]}{K_m + [S]}$$

LA REPRÉSENTATION EN DOUBLE INVERSE

Un tracé typique de V en fonction de [S] d'une enzyme qui suit la cinétique de Michaelis-Menten est représenté ci-dessous. D'après ce tracé, ni la valeur de V_{max}, ni celle de K_m ne sont immédiatement claires.

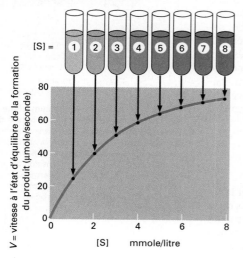

Pour obtenir V_{max} et K_m à partir de ces données, un tracé en double-inverse est souvent utilisé, dans lequel l'équation de Michaelis-Menten a simplement été reformulée, afin que $1/V$ soit tracé en fonction de $1/[S]$.

$$1/V = \left(\frac{K_m}{V_{max}}\right)\left(\frac{1}{[S]}\right) + 1/V_{max}$$

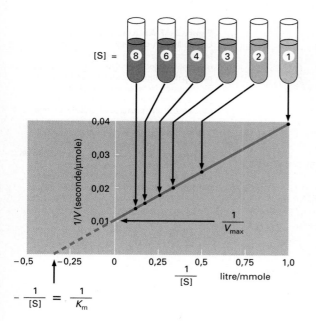

LA SIGNIFICATION DE K_m, k_{cat} ET k_{cat}/K_m

Comme nous l'avons décrit dans le texte, K_m est une mesure approximative de l'affinité du substrat pour l'enzyme : elle est numériquement égale à la concentration de [S] lorsque $V = 0,5\ V_{max}$. En général plus la valeur de K_m est basse plus la liaison au substrat est forte.

Nous avons vu que k_{cat} est le nombre de turnover pour l'enzyme. Aux très basses concentrations de substrat, où [S] << K_m, la plupart des enzymes sont libres. De ce fait, nous pouvons penser que [E] = [E$_o$], et l'équation de Michaelis-Menten devient alors $V = k_{cat}/K_m$ [E][S]. De ce fait le ratio k_{cat}/K_m est équivalent à la constante de vitesse de la réaction entre l'enzyme libre et le substrat libre.

La comparaison de k_{cat}/K_m pour la même enzyme avec différents substrats, ou pour deux enzymes avec leurs substrats différents, est largement utilisée pour mesurer l'efficacité enzymatique.

Pour plus de simplicité, dans cette planche, nous n'avons abordé que les enzymes à un seul substrat, comme le lysozyme décrit dans le texte (*voir* p. 167). La plupart des enzymes ont deux substrats, dont l'un est souvent une molécule de transport – comme le NADH ou l'ATP.

Une analyse similaire mais plus complexe est utilisée pour déterminer la cinétique de ces enzymes – permettant de révéler l'ordre selon lequel les substrats se fixent ainsi que la présence d'intermédiaires covalents au cours de la voie métabolique (*voir* par exemple Figure 2-73).

CERTAINES ENZYMES SONT DIFFUSION-LIMITÉE

Les valeurs de k_{cat}, K_m et k_{cat}/K_m de certaines enzymes particulières sont données ci-dessous :

Enzyme	Substrat	k_{cat} (s)	K_m (mol)	k_{cat}/K_m (s/mol)
Acétylcholinestérase	Acétylcholine	$1,4 \times 10^4$	9×10^{-5}	$1,6 \times 10^8$
Catalase	H_2O_2	4×10^7	1	4×10^7
Fumarase	Fumarate	8×10^2	5×10^{-6}	$1,6 \times 10^8$

Comme une enzyme et son substrat doivent entrer en collision avant de pouvoir réagir, la valeur maximale possible de k_{cat}/K_m est limitée par le taux de collision. Si chaque collision forme un complexe enzyme-substrat, on peut calculer, d'après la théorie de diffusion, que k_{cat}/K_m sera compris entre 10^8 et 10^9 s/mol, si toutes les étapes suivantes s'effectuent immédiatement. De ce fait, on affirme que les enzymes de type acétylcholinestérase et fumarase sont des « enzymes parfaites », chaque enzyme ayant évolué au point où presque toute collision avec son substrat transforme celui-ci en un produit.

métrie et de distribution électronique modifiées, avant de former le produit final de la réaction. L'énergie libre nécessaire pour atteindre l'**état de transition** le plus instable est appelée *énergie d'activation* de la réaction et représente le déterminant majeur de la vitesse de réaction. Les enzymes ont une affinité beaucoup plus forte pour l'état de transition du substrat que pour sa forme stable. Comme cette fixation ferme abaisse fortement l'énergie de l'état de transition, l'enzyme accélère grandement une réaction particulière en abaissant l'énergie d'activation requise (Figure 3-46).

La production intentionnelle d'anticorps qui agissent comme des enzymes fournit une preuve spectaculaire du fait que la stabilisation de l'état de transition augmente fortement la vitesse de la réaction. Considérons, par exemple, l'hydrolyse d'une liaison amide, similaire à la liaison peptidique qui relie deux acides aminés adjacents d'une protéine. En solution aqueuse, la liaison amide s'hydrolyse très lentement selon le mécanisme montré dans la figure 3-47A. Dans le produit intermédiaire central, ou état de transition, le carbone du carbonyle est relié à quatre atomes placés aux angles d'un tétraèdre. Il est possible d'obtenir un anticorps qui fonctionne comme une enzyme, en produisant des anticorps monoclonaux qui se lient fermement à un analogue stable de cet *intermédiaire tétraédrique* très instable (Figure 3-47B). Comme cet *anticorps catalytique* se fixe sur l'intermédiaire tétraédrique et le stabilise, il augmente la vitesse spontanée d'hydrolyse de la liaison amide par plus de 10 000 fois.

Les enzymes peuvent effectuer simultanément la catalyse des acides et des bases

La figure 3-48 compare, pour cinq enzymes, la vitesse de réaction spontanée et la vitesse correspondante après catalyse enzymatique. On observe des accélérations de la vitesse de 10^9 à 10^{23}. Il est clair que les enzymes sont de bien meilleurs catalyseurs que les anticorps catalytiques. Les enzymes ne se lient pas simplement fermement à l'état de transition, elles contiennent aussi des atomes positionnés avec précision qui modifient la distribution des électrons dans les atomes qui participent directement à la formation et à la dégradation des liaisons covalentes. Les liaisons peptidiques, par exemple, peuvent être hydrolysées en l'absence d'enzymes si on expose le polypeptide soit à un acide fort soit à une base forte, comme cela est expliqué dans la figure 3-49. Les enzymes sont cependant très particulières parce qu'elles sont capables d'utiliser simultanément la catalyse acide et basique. En effet, elles empêchent les résidus acides et basiques nécessaires à la réaction de s'associer l'un avec l'autre (comme ils le feraient en solution) en les liant à la charpente rigide de la protéine elle-même (Figure 3-49D).

L'adaptation entre une enzyme et son substrat doit être précise. Une petite variation introduite par génie génétique au niveau du site actif de l'enzyme peut avoir un effet profond. Le remplacement, par exemple, dans une enzyme, d'un acide glutamique par un acide aspartique, décale la position de l'ion carboxylate catalytique de 0,1 nm seulement (environ le rayon d'un atome d'hydrogène) ; cependant cela suffit à abaisser de mille fois l'activité de l'enzyme.

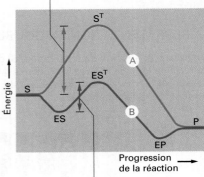

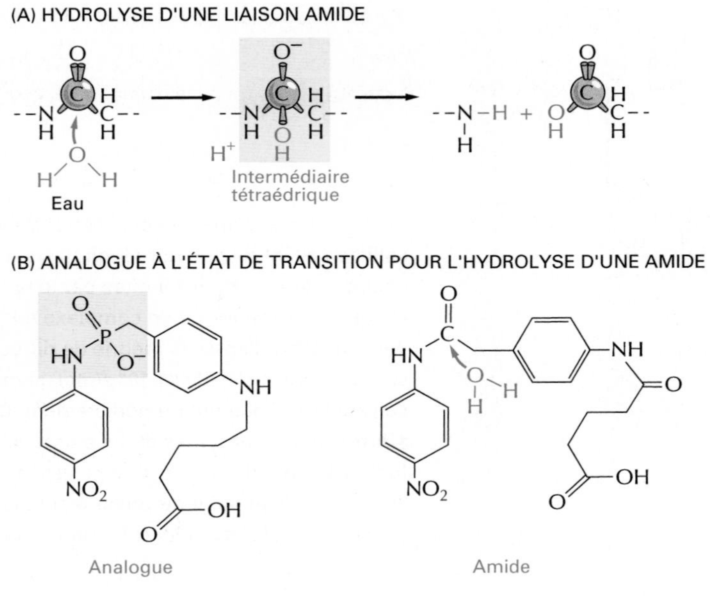

Figure 3-46 Accélération enzymatique des réactions chimiques par la baisse de l'énergie d'activation. Souvent la réaction non catalysée (A) et la réaction catalysée par l'enzyme (B) peuvent passer par plusieurs états de transition. C'est l'état de transition de plus haute énergie (S^T et ES^T) qui détermine l'énergie d'activation et limite la vitesse de la réaction. (S = substrat ; P = produit de la réaction.)

Figure 3-47 Anticorps catalytiques. La stabilisation d'un état de transition par un anticorps crée une enzyme. (A) La voie métabolique de l'hydrolyse d'une liaison amide passe par un intermédiaire tétraédrique, l'état de transition riche en énergie de la réaction. (B) La molécule à gauche a été liée de façon covalente à une protéine et utilisée comme antigène pour engendrer un anticorps qui se fixe fermement sur la région de la molécule montrée en *jaune*. Comme cet anticorps se fixe aussi fermement sur l'état de transition de (A), il se trouve qu'il fonctionne comme une enzyme qui catalyse efficacement l'hydrolyse de la liaison amide de la molécule de droite.

(A) HYDROLYSE D'UNE LIAISON AMIDE

Eau — Intermédiaire tétraédrique

(B) ANALOGUE À L'ÉTAT DE TRANSITION POUR L'HYDROLYSE D'UNE AMIDE

Analogue — Amide

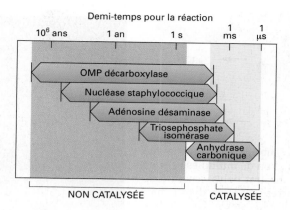

Demi-temps pour la réaction

| 10^6 ans | 1 an | 1 s | 1 ms | 1 µs |

- OMP décarboxylase
- Nucléase staphylococcique
- Adénosine désaminase
- Triosephosphate isomérase
- Anhydrase carbonique

NON CATALYSÉE   CATALYSÉE

Figure 3-48 Accélération de la vitesse provoquée par cinq enzymes différentes. (Modifié d'après A. Radzicka et R. Wolfenden, *Science* 267 : 90-93, 1995.)

Le lysozyme illustre le fonctionnement d'une enzyme

Pour mettre en évidence le mécanisme par lequel les enzymes catalysent les réactions chimiques, nous prendrons comme exemple une enzyme, présente dans le blanc d'œuf, la salive, les larmes et d'autres sécrétions, et qui agit comme un antibiotique naturel. Le **lysozyme** est une enzyme qui catalyse la coupure des chaînes polysaccharidiques de la paroi cellulaire des bactéries. Comme la cellule bactérienne est sous la pression des forces osmotiques, le fait de couper même quelques chaînes polysaccharidiques provoque la rupture de la paroi cellulaire et l'éclatement de la cellule. Le lysozyme est une protéine relativement petite et stable, facilement isolée en grandes quantités. C'est pour ces raisons que cette enzyme a été très étudiée et a été la première enzyme à avoir sa structure atomique détaillée par cristallographie aux rayons X.

La réaction catalysée par le lysozyme est une hydrolyse : une molécule d'eau est ajoutée sur une liaison entre deux groupes de sucres adjacents de la chaîne de polysaccharides, ce qui provoque la rupture de la liaison (*voir* Figure 2-19). La réaction est énergétiquement favorable parce que l'énergie libre de la chaîne polysaccharidique rompue est plus faible que l'énergie libre de la chaîne intacte. Cependant, le polysaccharide pur peut rester des années dans l'eau sans être hydrolysé à un degré détectable. C'est parce qu'il existe une barrière énergétique à cette réaction, comme nous l'avons vu dans le chapitre 2 (*voir* Figure 2-46). Pour qu'une molécule d'eau entre en collision et rompe une liaison entre deux sucres, la molécule de polysaccharide doit avoir été tordue en une forme particulière – l'état de transition – dans laquelle les atomes qui entourent la liaison ont une géométrie et une distribution électronique modifiées. À cause de cette distorsion, il faut fournir une forte énergie d'activation par l'intermédiaire de collisions aléatoires avant que la réaction ne se fasse. En solution aqueuse, à température ambiante, l'énergie des collisions ne dépasse presque jamais l'énergie d'activation. Par conséquent, l'hydrolyse ne se produit qu'extrêmement lentement, voire pas du tout.

Cette situation est totalement modifiée lorsque le polysaccharide se fixe sur le lysozyme. Comme le substrat du lysozyme est un polymère, son site actif est un long sillon qui maintient six sucres reliés en même temps. Dès que le polysaccharide s'unit pour former le complexe enzyme-substrat, l'enzyme coupe le polysaccharide en additionnant une molécule d'eau entre une de ses liaisons sucre-sucre. Les chaînes produites sont ensuite rapidement libérées, libérant l'enzyme pour les cycles ultérieurs de réaction (Figure 3-50).

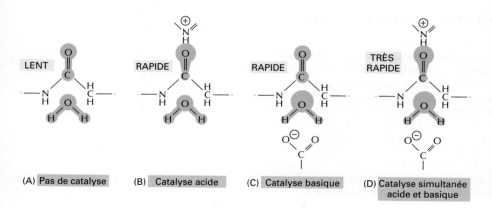

(A) Pas de catalyse   LENT

(B) Catalyse acide   RAPIDE

(C) Catalyse basique   RAPIDE

(D) Catalyse simultanée acide et basique   TRÈS RAPIDE

Figure 3-49 Catalyse acide et catalyse basique. (A) Le début de la réaction non catalysée montrée dans la figure 3-47 est schématisée, avec en *bleu* la distribution des électrons dans l'eau et les liaisons carbonyle. (B) Un acide aime donner un proton (H^+) à d'autres atomes. En s'appariant avec l'oxygène du carbonyle, un acide provoque l'éloignement des électrons du carbone du carbonyle, et rend cet atome beaucoup plus attractif pour l'oxygène électronégatif d'une molécule d'eau attaquante. (C) Une base aime prendre un H^+. En s'appariant avec l'hydrogène d'une molécule d'eau attaquante, une base provoque le déplacement des électrons vers l'oxygène de l'eau, rendant ce groupe meilleur attaquant pour le carbone du carbonyle. (D) Si les atomes sont correctement situés à sa surface, une enzyme peut effectuer au même moment une catalyse acide et basique.

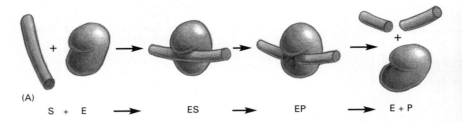

(A)

S + E ⟶ ES ⟶ EP ⟶ E + P

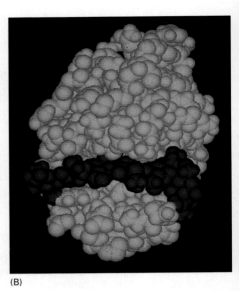

(B)

Figure 3-50 Réaction catalysée par le lysozyme. (A) Le lysozyme, une enzyme notée (E), catalyse la coupure d'une chaîne polysaccharidique qui est son substrat (S). L'enzyme se fixe d'abord sur la chaîne pour former un complexe enzyme-substrat (ES) puis catalyse le clivage d'une liaison covalente spécifique de la charpente du polysaccharide, ce qui forme le complexe enzyme-produit (EP) qui se dissocie rapidement. La libération de la chaîne coupée (le produit P) laisse l'enzyme libre d'agir sur une autre molécule de substrat. (B) Un modèle compact de la molécule de lysozyme fixée sur une petite partie d'une chaîne polysaccharidique avant son clivage. (B, due à l'obligeance de Richard J. Feldmann.)

La chimie qui sous-tend la liaison du lysozyme à son substrat est la même que celle des anticorps qui se fixent sur les antigènes – la formation de multiples liaisons non covalentes. Cependant, le lysozyme maintient son substrat polysaccharidique d'une façon particulière, de telle sorte qu'un des deux sucres impliqués dans la liaison à rompre est tordu et perd sa conformation normale plus stable. La liaison à rompre est également maintenue près de deux acides aminés à chaîne latérale acide (un acide glutamique et un acide aspartique) à l'intérieur du site réactif.

Les conditions ainsi créées dans le micro-environnement du site actif du lysozyme réduisent grandement l'énergie d'activation nécessaire pour que l'hydrolyse se produise. La figure 3-51 montre trois étapes centrales de cette réaction à catalyse enzymatique.

1. L'enzyme exerce une tension sur son substrat lié, en pliant certaines liaisons chimiques critiques de l'un des sucres afin que la forme de ce sucre ressemble de près à la forme de l'état de transition riche en énergie formé pendant la réaction.
2. L'acide aspartique négativement chargé réagit avec l'atome de carbone C1 du sucre déformé, coupant la liaison sucre-sucre et laissant la chaîne latérale de l'acide aspartique fixée de façon covalente sur le site de clivage de la liaison.
3. Avec l'aide de l'acide glutamique négativement chargé, une molécule d'eau réagit avec l'atome de carbone C1, déplace la chaîne latérale de l'acide aspartique et termine le processus d'hydrolyse. La réaction chimique globale qui commence par la fixation initiale du polysaccharide à la surface de l'enzyme et finit par la libération des chaînes coupées, se produit plusieurs millions de fois plus vite que cela se ferait en l'absence d'enzyme.

Comme cela est indiqué dans la légende de la figure, cette vue classique de la réaction du lysozyme nécessite des modifications. En particulier il se forme un intermédiaire tétraédrique au cours de l'état de transition – créé par l'addition covalente transitoire de l'acide aspartique sur l'atome de carbone au point de clivage.

Des mécanismes similaires sont utilisés par d'autres enzymes pour abaisser les énergies d'activation et accélérer les réactions qu'elles catalysent. Dans les réactions impliquant deux réactifs ou plus, le site actif réagit également comme une matrice ou moule qui rapproche les substrats placés dans une orientation correcte pour que la réaction se produise entre eux (Figure 3-52A). Comme nous l'avons vu avec le lysozyme, le site actif d'une enzyme contient des atomes, positionnés avec précision, qui accélèrent la réaction en utilisant des groupements chargés pour modifier la distribution des électrons dans le substrat (Figure 3-52B). La liaison à l'enzyme modifie également la forme du substrat, pliant des liaisons afin d'entraîner le substrat vers un état particulier de transition (Figure 3-52C). Enfin, tout comme le lysozyme, beaucoup d'enzymes participent intimement à la réaction en formant brièvement une liaison covalente entre une de leurs chaînes latérales et le substrat. Les étapes suivantes de la réaction restaurent la chaîne latérale dans son état d'origine, de telle sorte que les enzymes ne sont pas modifiées après la réaction (*voir* Figure 2-73).

De petites molécules fermement unies ajoutent des fonctions supplémentaires aux protéines

Bien que nous ayons insisté sur la polyvalence des protéines en tant que chaînes d'acides aminés effectuant différentes fonctions, dans beaucoup de cas les acides aminés eux-mêmes ne suffisent pas. Tout comme l'homme emploie des instruments pour augmenter et étendre les capacités de ses mains, les protéines utilisent souvent de petites molécules non protéiques pour effectuer des fonctions qui sinon seraient difficiles, voire impossibles à effectuer avec leurs seuls acides aminés. La *rhodopsine*, une protéine réceptrice de signaux fabriquée par les cellules photoréceptrices rétiniennes, détecte ainsi la lumière grâce à une petite molécule, le *rétinal*, encastrée dans la protéine (Figure 3-53A). Le rétinal change de forme lorsqu'il absorbe un photon lumineux et cette variation déclenche une cascade de réactions enzymatiques dans la protéine qui conduit finalement à un signal électrique transmis au cerveau.

Substrat

Ce substrat est un oligosaccharide composé de 6 sucres notés de A à F. Les sucres D et E sont représentés.

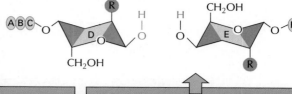

Produits

À la fin de la réaction les produits sont un oligosaccharide de quatre sucres (*gauche*) et un disaccharide (*droite*), produits par hydrolyse.

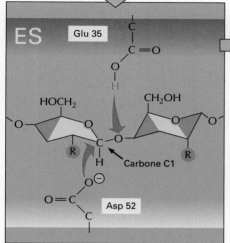

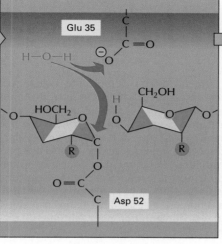

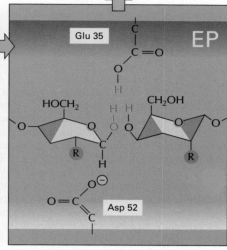

Dans le complexe enzyme-substrat (ES), l'enzyme force le sucre D à avoir une conformation droite, avec la Glu 35 du lysozyme positionnée pour servir d'acide et attaquer la liaison sucre-sucre adjacente en donnant un proton (H⁺).

C'est l'état de transition instable avec une charge positive sur le sucre D. La contrainte sur le sucre D et la charge voisine négative sur l'Asp 52 du lysozyme stabilisent cet intermédiaire, abaissant grandement son énergie à la surface de l'enzyme.

L'addition rapide d'une molécule d'eau (*rouge*) termine l'hydrolyse et régénère la forme protonée de la Glu 35, formant le complexe enzyme-produit (EP).

L'hémoglobine est une autre protéine contenant une portion non protéique (*voir* Figure 3-23). Une molécule d'hémoglobine transporte quatre groupements *hème*, molécules de forme cyclique contenant chacune un seul atome de fer central (Figure 3-53B). L'hème donne à l'hémoglobine (et au sang) sa couleur rouge. En se liant de façon réversible à l'oxygène gazeux par son atome de fer, l'hème permet à l'hémoglobine de se charger d'oxygène dans les poumons et de le libérer dans les tissus.

Ces petites molécules sont parfois fixées de façon covalente et permanente sur la protéine et deviennent ainsi une part intégrale de la molécule protéique elle-même. Nous verrons au chapitre 10 que des protéines sont souvent ancrées sur la membrane cellulaire par des liaisons covalentes avec les molécules lipidiques. Et les protéines membranaires exposées à la surface des cellules, ainsi que les protéines sécrétées à l'extérieur des cellules, sont souvent modifiées par l'addition covalente de sucres et d'oligosaccharides.

Les enzymes possèdent souvent de petites molécules ou des atomes métalliques, associés fermement avec leur site actif, qui facilitent leur fonction catalytique. La *carboxypeptidase*, par exemple, une enzyme qui coupe les chaînes polypeptidiques, porte un ion zinc fermement lié sur son site actif. Pendant le clivage d'une liaison peptidique par la carboxypeptidase, l'ion zinc forme une liaison transitoire avec un des atomes de substrat et facilite ainsi la réaction d'hydrolyse. Dans d'autres enzymes,

Figure 3-51 Les événements qui se produisent au niveau du site actif du lysozyme. Les schémas en haut à gauche et en haut à droite montrent respectivement le substrat libre et le produit libre, alors que les trois autres schémas montrent la séquence des événements au niveau du site actif enzymatique. Notez la modification de la conformation du sucre D dans le complexe enzyme-substrat; cette modification de forme stabilise un état de transition de type ion oxocarbénium nécessaire pour la formation et l'hydrolyse de l'intermédiaire covalent montré dans le dessin du milieu. (Basé sur D.J. Vocadlo et al., *Nature* 412 : 835-838, 2001.)

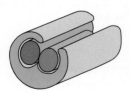

(A) L'enzyme se fixe sur deux molécules de substrat et les oriente précisément pour encourager la réaction qui se produit entre elles.

(B) La fixation du substrat sur l'enzyme redistribue les électrons dans le substrat, créant des charges partielles négatives et positives qui favorisent la réaction.

(C) Les enzymes contraignent les molécules de substrat liées, les forçant vers un état de transition pour favoriser la réaction.

Figure 3-52 Quelques stratégies générales de la catalyse enzymatique. (A) Maintien des substrats dans un alignement précis. (B) Stabilisation de la charge de la réaction intermédiaire. (C) Modification des angles de liaison dans le substrat pour augmenter la vitesse d'une réaction particulière.

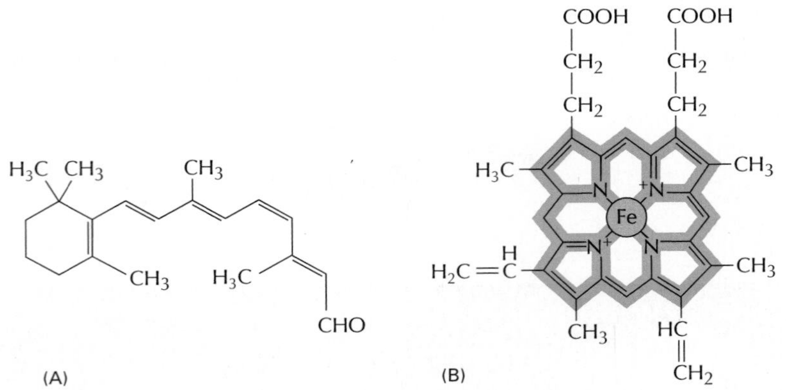

Figure 3-53 Le rétinal et l'hème.
(A) Structure du rétinal, la molécule photosensible fixée sur la rhodopsine dans l'œil. (B) Structure du groupement hème. L'anneau d'hème contenant du carbone est en *rouge* et l'atome de fer en son centre est en *orange*. Un groupement hème est fermement lié à chacune des quatre chaînes polypeptidiques de l'hémoglobine, la protéine de transport de l'oxygène dont la structure est montrée dans la figure 3-23.

c'est une petite molécule organique qui a le même effet. Ces molécules organiques sont souvent appelées **coenzymes**. La *biotine* en est un exemple. On la trouve dans les enzymes qui transfèrent un groupement carboxylate (–COO⁻) d'une molécule à une autre (*voir* Figure 2-63). La biotine participe à ces réactions en formant une liaison covalente transitoire avec le groupement –COO⁻ qui doit être transféré, étant mieux adaptée pour cette fonction que n'importe lequel des acides aminés des protéines. Comme l'homme ne peut pas la synthétiser, la biotine doit donc être apportée en petites quantités par son alimentation; c'est une *vitamine*, comme beaucoup d'autres coenzymes (Tableau 3-II). D'autres vitamines sont nécessaires pour fabriquer d'autres petites molécules qui sont des composants essentiels de nos protéines; la vitamine A par exemple, est nécessaire dans l'alimentation pour fabriquer le rétinal, la partie photosensible de la rhodopsine.

Les complexes multi-enzymatiques permettent d'accélérer le métabolisme cellulaire

L'efficacité des enzymes dans l'accélération des réactions chimiques est cruciale pour le maintien de la vie. En effet, les cellules doivent faire face au processus inévitable de déclin, qui – s'il n'est pas surveillé – entraîne les molécules vers un désordre de plus en plus grand. Si la vitesse des réactions souhaitées n'est pas supérieure à la vitesse des réactions concurrentes non souhaitées, la cellule meurt rapidement. On peut se faire une idée de la vitesse à laquelle le métabolisme cellulaire travaille par la mesure de la vitesse d'utilisation de l'ATP. Une cellule typique de mammifère renouvelle (c'est-à-dire hydrolyse et restaure par phosphorylation) tout son ATP en 1 à 2 minutes. Pour chaque cellule, ce renouvellement représente grossièrement l'utilisation de 10^7 molécules d'ATP par seconde (ou, pour le corps humain, d'un gramme d'ATP par minute).

La vitesse des réactions intracellulaires est rapide à cause de l'efficacité de la catalyse enzymatique. Beaucoup d'enzymes importantes sont devenues si efficaces

TABLEAU 3-II Beaucoup de vitamines fournissent des coenzymes indispensables pour les cellules humaines

VITAMINE	COENZYME	RÉACTIONS À CATALYSE ENZYMATIQUE NÉCESSITANT CES COENZYMES
Thiamine (vitamine B₁)	Thiamine pyrophosphate	Activation et transfert d'aldéhydes
Riboflavine (vitamine B₂)	FADH	Oxydo-réduction
Niacine	NADH, NADPH	Oxydo-réduction
Acide pantothénique	Coenzyme A	Activation et transfert d'un groupement acyle
Pyridoxine	Pyridoxal phosphate	Réactions d'activation des acides aminés
Biotine	Biotine	Activation et transfert du CO_2
Acide lipoïque	Lipoamide	Activation des groupements acyles; oxydo-réduction
Acide folique	Tétrahydrofolate	Activation et transfert des groupements à un seul carbone
Vitamine B₁₂	Coenzymes à cobalamine	Isomérisation et transfert des groupements méthyles

qu'elles ne peuvent subir d'amélioration supplémentaire. Le facteur qui limite la vitesse de réaction n'est plus la vitesse intrinsèque de l'action enzymatique ; c'est plutôt la fréquence avec laquelle l'enzyme entre en collision avec son substrat. On dit que cette réaction est «*diffusion-limitée*».

Si une réaction à catalyse enzymatique est diffusion-limitée, sa vitesse dépend à la fois de la concentration de l'enzyme et de celle de son substrat. Si une séquence de réactions doit s'effectuer très rapidement, chacun des intermédiaires métaboliques et des enzymes impliqués doit être présent en de fortes concentrations. Cependant, vu le nombre extrême de réactions différentes effectuées par une cellule, les concentrations en substrats qui peuvent être atteintes sont limitées. En fait, la plupart des métabolites sont présents à des concentrations micromolaires (10^{-6}M) et la plupart des concentrations enzymatiques sont beaucoup plus faibles. Comment est-il, de ce fait, possible de maintenir des vitesses métaboliques très grandes ?

La réponse tient à l'organisation spatiale des composants cellulaires. Il est possible d'augmenter la vitesse des réactions sans augmenter la concentration en substrats en assemblant les diverses enzymes impliquées dans une séquence de réactions de manière à ce qu'elles forment un gros assemblage protéique appelé *complexe multi-enzymatique* (Figure 3-54). Comme cela permet au produit de l'enzyme A de passer directement à l'enzyme B, et ainsi de suite, la vitesse de diffusion n'a pas besoin d'être limitée, même lorsque la concentration en substrat dans la cellule est très basse. Il n'est donc pas surprenant que ces complexes enzymatiques soient très fréquents et soient impliqués dans presque tous les aspects du métabolisme – y compris le processus génétique central de la synthèse de l'ADN, de l'ARN et des protéines. En fait, dans les cellules eucaryotes, peu d'enzymes peuvent diffuser librement en solution ; par contre, la plupart semblent avoir développé des sites de liaison qui les concentrent avec les autres protéines de fonction apparentée dans des régions particulières de la cellule, ce qui augmente la vitesse et l'efficacité des réactions qu'elles catalysent.

Les cellules eucaryotes peuvent cependant augmenter la vitesse des réactions métaboliques d'une autre manière, en utilisant leur système de membranes intracellulaires. Ces membranes peuvent isoler dans un même compartiment, entouré d'une membrane, comme par exemple le réticulum endoplasmique ou le noyau cellulaire, certains substrats particuliers et les enzymes qui réagissent avec. Si par exemple, un compartiment occupe au total 10 p. 100 du volume de la cellule, la concentration en réactifs dans ce compartiment peut être 10 fois supérieure à celle présente dans la même cellule sans compartiment. Les réactions qui seraient sinon limitées par la vitesse de diffusion sont ainsi accélérées d'un facteur 10.

L'activité catalytique des enzymes est régulée

Une cellule vivante contient des milliers d'enzymes, dont beaucoup opèrent en même temps, dans le même petit volume de cytosol. Par leur action catalytique, ces enzymes engendrent un réseau complexe de voies métaboliques, composées chacune de réactions chimiques en chaîne au cours desquelles le produit d'une enzyme devient le substrat de la suivante. Dans ce labyrinthe de voies, il existe beaucoup d'embranchements au niveau desquels différentes enzymes entrent en compétition pour le même substrat. Ce système est si complexe (*voir* Figure 2-88) qu'il faut des contrôles élaborés pour réguler le moment et la vitesse de chaque réaction.

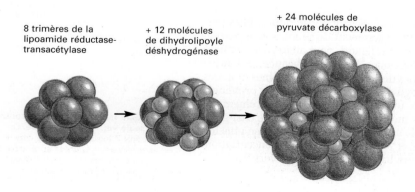

8 trimères de la lipoamide réductase-transacétylase

+ 12 molécules de dihydrolipoyle déshydrogénase

+ 24 molécules de pyruvate décarboxylase

Figure 3-54 Structure de la pyruvate déshydrogénase. Ce complexe enzymatique catalyse la conversion d'un pyruvate en acétyl CoA et fait partie de la voie métabolique qui oxyde les sucres en CO_2 et H_2O. C'est l'exemple d'un gros complexe multi-enzymatique dans lequel les réactions intermédiaires passent directement d'une enzyme à l'autre.

Cette régulation se produit à différents niveaux. À l'un des niveaux, la cellule contrôle le nombre de molécules de chaque enzyme qu'elle doit fabriquer en régulant l'expression du gène qui code pour cette enzyme (*voir* Chapitre 7). La cellule contrôle également l'activité enzymatique en confinant des groupes d'enzymes dans des compartiments subcellulaires particuliers, entourés de membranes distinctes (*voir* Chapitres 12 et 14). La vitesse de la destruction protéique par une protéolyse ciblée représente encore un autre mécanisme de régulation important (*voir* p. 361). Mais le processus le plus rapide et général qui ajuste la vitesse des réactions s'effectue par la modification réversible directe de l'activité de l'enzyme en réponse à une molécule spécifique qu'elle rencontre.

Le type de contrôle le plus fréquent se produit lorsqu'une molécule différente du substrat se fixe sur l'enzyme au niveau d'un site de régulation spécifique, à l'extérieur du site actif, et modifie ainsi la vitesse à laquelle l'enzyme convertit son substrat en produit. Lors d'**inhibition par rétrocontrôle**, l'enzyme qui agit au début d'une voie de réactions est inhibée par un produit tardif de cette voie. De ce fait, dès que le produit final commence à s'accumuler en grande quantité, il se fixe sur la première enzyme et ralentit son action catalytique, limitant ainsi l'entrée ultérieure de substrats dans la voie réactive (Figure 3-55). Au niveau des embranchements ou des intersections des voies métaboliques, il y a en général de multiples points de contrôle pour différents produits finaux, chacun agissant pour réguler sa propre synthèse (Figure 3-56). L'inhibition par rétrocontrôle peut agir presque instantanément et elle est rapidement réversible dès que la concentration en produits s'abaisse.

L'inhibition par rétrocontrôle est une *régulation négative :* elle évite l'action d'une enzyme. Les enzymes peuvent également être soumises à une *régulation positive*, au cours de laquelle l'activité de l'enzyme est stimulée, et non pas arrêtée, par une molécule régulatrice. Une régulation positive se produit lorsqu'un produit d'une des branches du labyrinthe métabolique stimule l'activité d'une enzyme d'une autre voie. Par exemple, l'accumulation d'ADP active plusieurs enzymes impliquées dans l'oxydation des molécules de sucre, ce qui stimule l'augmentation de la conversion de l'ADP en ATP par la cellule.

Les enzymes allostériques possèdent deux sites de liaison, voire plus, qui interagissent

Un des aspects de l'inhibition par rétrocontrôle fut assez déroutant pour ceux qui l'ont découvert : la molécule régulatrice a souvent une forme totalement différente de celle du substrat de l'enzyme. C'est pourquoi cette forme de régulation fut appelée *allostérie* (du grec *allos*, qui signifie «autre» et *stereos*, qui signifie «solide» ou «tridimensionnel»). L'accroissement des connaissances sur l'inhibition par rétrocontrôle, a permis d'établir que beaucoup d'enzymes ont au moins deux sites de liaison différents à leur surface – un **site actif** qui reconnaît le substrat et un **site régulateur** qui reconnaît la protéine régulatrice. Ces deux sites doivent communiquer d'une façon quelconque pour permettre aux événements catalytiques du site actif d'être influencés par la fixation de la protéine régulatrice sur son site propre de la surface protéique.

On sait maintenant que l'interaction entre les sites séparés d'une molécule protéique passe par la *modification de la conformation* de cette protéine : la fixation sur un des sites provoque le passage d'une forme repliée à une autre forme repliée légèrement différente. Pendant les inhibitions par rétrocontrôle, par exemple, la fixation d'un inhibiteur sur un des sites protéiques fait passer la protéine dans une conformation dans laquelle son site actif – localisé ailleurs sur la protéine – devient inactif.

On pense que la plupart des molécules protéiques sont allostériques. Elles peuvent adopter deux ou plusieurs conformations légèrement différentes et le passage de l'une à l'autre, provoqué par la liaison avec un ligand, peut altérer leur activité. Ce n'est pas seulement vrai pour les enzymes, mais aussi pour beaucoup d'autres protéines y compris les récepteurs, les protéines de structure et les protéines motrices. Il n'y a rien de mystérieux concernant la régulation allostérique de ces protéines : chaque conformation de la protéine présente un contour superficiel légèrement différent et les sites de liaison aux ligands sont modifiés lorsque la protéine change de forme. De plus, comme nous le verrons par la suite, chaque ligand stabilise plus fortement la conformation sur laquelle il se lie et – s'il se trouve a des concentrations suffisamment fortes – a ainsi tendance à «faire basculer» la protéine vers la conformation qu'il préfère.

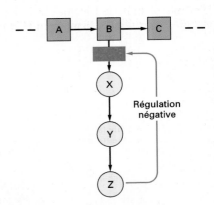

Figure 3-55 Inhibition par rétrocontrôle d'une seule voie biosynthétique. Le produit final Z inhibe la première enzyme qui est particulière à sa synthèse et contrôle ainsi sa propre concentration dans la cellule. C'est un exemple de régulation négative.

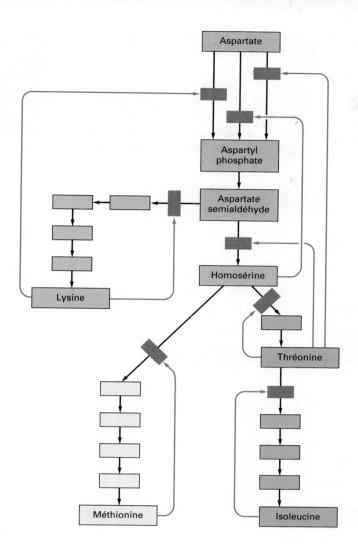

Figure 3-56 Inhibition par rétrocontrôles multiples. Dans cet exemple qui montre la voie de la biosynthèse de quatre acides aminés différents de bactéries, les *flèches rouges* indiquent les positions au niveau desquelles les produits agissent par rétrocontrôle pour inhiber les enzymes. Chaque acide aminé contrôle la première enzyme spécifique à sa propre synthèse, contrôlant ainsi sa propre concentration et évitant la formation inutile d'intermédiaires. Les produits peuvent aussi inhiber séparément l'ensemble initial des réactions communes à toutes les synthèses; dans ce cas, trois enzymes différentes catalysent la réaction initiale, chacune inhibée par un produit différent.

Deux ligands dont les sites de liaison sont couplés modifient réciproquement la liaison de chacun

Les effets de la fixation d'un ligand sur une protéine font suite à un principe chimique fondamental appelé «**enchaînement**». Supposons par exemple qu'une protéine qui fixe le glucose fixe également une autre molécule, X, sur un site distant de sa surface protéique. Si la fixation du glucose induit un changement de conformation du site de liaison de X, on dit que les sites de liaison de X et du glucose sont *couplés*. Dès que deux ligands préfèrent se fixer sur la *même* conformation d'une protéine allostérique, il s'ensuit, d'après les principes de base de la thermodynamique, que chaque ligand augmente l'affinité de la protéine pour l'autre. De ce fait, si le passage de la protéine de la figure 3-57 vers la conformation fermée qui fixe mieux le glucose provoque aussi une meilleure correspondance du site de liaison de X pour X, alors la protéine fixera le glucose plus fermement en présence de X qu'en son absence.

À l'inverse, ce principe opère de façon négative si deux ligands préfèrent se lier à des conformations *différentes* de la même protéine. Dans ce cas, la liaison du premier ligand décourage la liaison du second. Par conséquent, si la modification de la forme provoquée par la fixation du glucose diminue l'affinité de la protéine pour la molécule X, la fixation de X diminuera également l'affinité de la protéine pour le glucose (Figure 3-58). Cette relation entre les liaisons est quantitativement réciproque de telle sorte que, par exemple, si le glucose a un effet très important sur la fixation de X, X aura un effet très important sur la fixation du glucose.

Les relations montrées dans les figures 3-57 et 3-58 sous-tendent toute la biologie cellulaire. Elles semblent si évidentes rétrospectivement que nous les considérons maintenant comme admises. Mais leur découverte en 1950, suivie de la description générale de l'allostérie au début des années 1960, était révolutionnaire. Dans ces

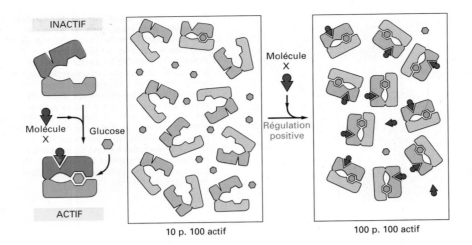

INACTIF

ACTIF

Molécule X

Glucose

Régulation positive

10 p. 100 actif

100 p. 100 actif

exemples, la molécule X se fixe dans un site distinct du site de catalyse, elle n'a donc pas besoin d'avoir de relation avec le glucose ou n'importe quel autre ligand se fixant sur le site actif. Comme nous venons de le voir, pour les enzymes qui sont ainsi régulées, la molécule X peut soit activer l'enzyme (régulation positive) soit l'inactiver (régulation négative). Par ce mécanisme, les **protéines allostériques** servent de commutateur général et permettent ainsi, en principe, à une molécule d'une cellule de modifier le sort de n'importe quelle autre.

L'assemblage symétrique de protéines forme des transitions allostériques coopératives

Une seule sous-unité enzymatique régulée par un rétrocontrôle négatif peut tout au plus abaisser de 90 à 10 p. 100 son activité en réponse à l'augmentation par 100 de la concentration en ligand inhibiteur qu'elle fixe (Figure 3-59, *courbe rouge*). Les réponses de ce type ne sont apparemment pas assez puissantes pour que la régulation cellulaire soit optimale et la plupart des enzymes activées ou inhibées par la fixation d'un ligand sont composées d'un assemblage symétrique de sous-unités identiques. Avec cette conformation, la fixation d'une molécule de ligand sur un seul site d'une sous-unité peut déclencher une modification allostérique de cette sous-unité qui se répercute aux sous-unités voisines, ce qui les aide à se fixer sur le même ligand. Il en résulte qu'il se produit une *transition allostérique coopérative* (Figure 3-59, *courbe bleue*) qui permet à une modification relativement faible de la concentration intracellulaire en ligand de faire passer l'ensemble de l'assemblage, d'une conformation presque totalement active en une autre presque totalement inactive (et vice versa).

Les principes impliqués dans la transition coopérative «du tout ou rien» sont plus faciles à visualiser dans une enzyme qui forme un dimère symétrique. Dans l'exemple montré en figure 3-60, la première molécule d'un ligand inhibiteur se fixe avec beaucoup de difficultés car cette fixation détruit une interaction énergétiquement favorable entre les deux monomères identiques du dimère. La deuxième mo-

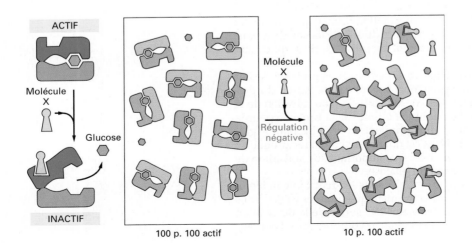

ACTIF

Molécule X

Glucose

Régulation négative

Molécule X

INACTIF

100 p. 100 actif

10 p. 100 actif

Figure 3-58 Régulation négative provoquée par le couplage de deux conformations entre deux sites de fixation distants. Ce schéma ressemble à celui de la figure précédente, mais ici, la molécule X préfère la conformation «*ouverte*» alors que le glucose préfère la conformation «*fermée*». Comme le glucose et la molécule X entraînent la protéine vers une conformation opposée (respectivement «fermée» et «ouverte»), la présence de l'un des deux ligands interfère avec la fixation de l'autre.

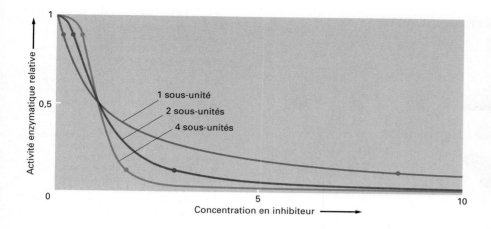

Figure 3-59 Activité enzymatique en fonction de la concentration inhibitrice en ligand pour une enzyme allostérique à une seule sous-unité et une à plusieurs sous-unités. Pour l'enzyme à une seule sous-unité (*courbe rouge*), une chute de 90 à 10 p. 100 de l'activité enzymatique (indiquée par les deux points sur la courbe) nécessite l'augmentation par 100 de la concentration en inhibiteur. L'activité enzymatique est calculée à partir de la simple relation d'équilibre $K = [I][P]/[IP]$ avec P représentant la protéine active, I l'inhibiteur et IP la protéine active liée à l'inhibiteur. Une courbe identique s'applique à n'importe quelle interaction de liaison simple entre deux molécules A et B.
À l'opposé, une enzyme allostérique à multiples sous-unités peut répondre à la manière d'un commutateur pour changer avec la concentration en ligand : l'étape de la réponse est provoquée par une liaison coopérative de la molécule de ligand comme cela est expliqué dans la figure 3-60. Ici la *courbe verte* représente le résultat attendu pour la fixation coopérative de deux ligands inhibiteurs sur une enzyme allostérique à deux sous-unités, et la *courbe bleue* montre la réponse idéale d'une enzyme à quatre sous-unités. Comme cela est indiqué par les deux points sur chacune de ces courbes, l'enzyme la plus complexe passe d'une activité de 90 p. 100 à 10 p. 100 en un intervalle beaucoup plus étroit que l'enzyme composée d'une seule sous-unité.

lécule de ligand inhibiteur se fixe ensuite plus facilement, cependant, parce que sa liaison restaure les contacts monomère-monomère du dimère symétrique (et inactive alors complètement l'enzyme).

La réponse au ligand est encore plus forte si l'assemblage est plus gros, comme celui de l'enzyme formé à partir de 12 chaînes polypeptidiques que nous aborderons maintenant.

La structure atomique détaillée de la transition allostérique de l'aspartate transcarbamoylase est connue

L'aspartate transcarbamoylase d'*E. coli* est une des enzymes qui a été utilisée au cours des premières études de la régulation allostérique. Elle catalyse la réaction importante située au début de la synthèse du cycle pyrimidique des nucléotides C, U et T : carbamoylphosphate + aspartate → N-carbamoylaspartate. Un des produits de cette voie métabolique est la cytosine triphosphate (CTP), qui se fixe sur l'enzyme pour l'arrêter dès qu'elle se trouve en abondance.

L'aspartate transcarbamoylase est un gros complexe composé de six sous-unités de régulation et de six sous-unités catalytiques. Ces dernières se trouvent dans deux trimères, chacun disposé en un triangle équilatéral ; ces deux trimères se font face et sont maintenus par trois dimères de régulation qui forment un pont entre eux. La molécule complète est en équilibre pour subir une transition concertée allostérique, du tout ou rien, entre deux conformations, désignées par T (tendue) et R (relâchée) (Figure 3-61).

La fixation des substrats (carbamoylphosphate et aspartate) sur les trimères catalytiques entraîne l'aspartate transcarbamoylase dans son état de catalyse actif R, ce qui provoque la dissociation des molécules régulatrices (CTP). Par contre, la fixation de CTP sur les dimères régulateurs fait passer l'enzyme dans son état inactif T et entraîne la dissociation des substrats. Cette lutte acharnée entre le CTP et le substrat est identique en principe à celle déjà décrite dans la figure 3-58 pour la protéine allostérique simple. Mais comme cette lutte se produit sur une molécule symétrique à multiples sites de liaison, l'enzyme subit une transition allostérique coopérative qui l'activera soudainement lorsque le substrat s'accumulera (et formera l'état R) ou l'inactivera rapidement lorsque le CTP s'accumulera (et formera l'état T).

Figure 3-60 Transition coopérative allostérique dans une enzyme composée de deux sous-unités identiques. Ce diagramme montre comment la conformation d'une sous-unité peut influencer celle de ses voisines. La fixation d'une seule molécule d'un ligand inhibiteur (en *jaune*) sur une sous-unité de l'enzyme se produit avec difficulté parce qu'elle modifie la conformation de cette sous-unité et détruit ainsi la symétrie de l'enzyme. Une fois que cette modification de conformation s'est produite, cependant, l'énergie acquise par la restauration de l'interaction symétrique paire entre les deux sous-unités facilite grandement la fixation du ligand inhibiteur sur la seconde sous-unité qui subit la même modification de conformation. Comme la fixation de la première molécule de ligand augmente l'affinité avec laquelle l'autre sous-unité fixe ce même ligand, cette enzyme répond plus rapidement aux modifications de la concentration en ligand qu'une enzyme n'ayant qu'une sous-unité (*voir* Figure 3-59).

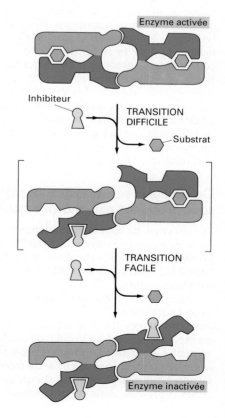

Enzyme activée

Inhibiteur

TRANSITION DIFFICILE

Substrat

TRANSITION FACILE

Enzyme inactivée

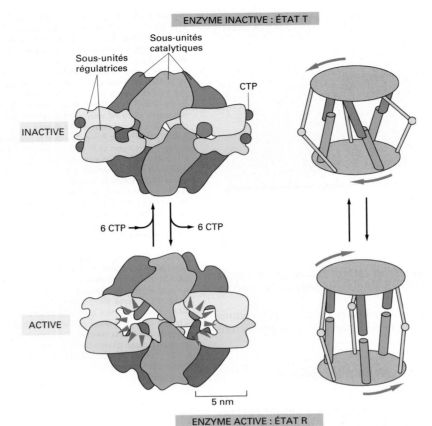

ENZYME INACTIVE : ÉTAT T

Sous-unités
régulatrices

Sous-unités
catalytiques

CTP

INACTIVE

6 CTP

6 CTP

ACTIVE

5 nm

ENZYME ACTIVE : ÉTAT R

Figure 3-61 Transition entre les états R et T de l'enzyme aspartate transcarbamoylase. Cette enzyme est composée d'un complexe de six sous-unités catalytiques et de six sous-unités régulatrices et les structures de ses formes, inactive (état T) et active (état R), ont été déterminées par cristallographie aux rayons X. Cette enzyme est inactivée par un rétrocontrôle inhibiteur qui se produit lorsque la concentration en CTP augmente. Chaque sous-unité régulatrice peut s'unir à une molécule de CTP, qui représente l'un des produits terminaux de cette voie métabolique. Cette régulation, par rétrocontrôle négatif, évite que la voie métabolique produise plus de CTP que la cellule n'en a besoin. (Basé sur K.L. Krause, K.W. Volz et W.N. Lipscomb, *Prac. Natl. Acad. Sci. USA* 82 : 1643-1647, 1985.)

L'association d'études de biochimie et de cristallographie aux rayons X a permis de révéler de nombreuses particularités fascinantes de cette transition allostérique. Chaque sous-unité régulatrice possède deux domaines et la fixation du CTP provoque le mouvement de ces deux domaines l'un par rapport à l'autre de telle sorte qu'ils fonctionnent comme un levier qui entraîne la rotation des deux trimères catalytiques et les rapproche dans l'état T (*voir* Figure 3-61). Lorsque cela se produit, des liaisons hydrogène se forment entre les sous-unités catalytiques opposées, ce qui facilite l'élargissement de la fente qui forme le site actif dans chaque sous-unité catalytique, détruisant ainsi les sites de liaison pour le substrat (Figure 3-62). L'addition d'une grande quantité de substrat a l'effet inverse : elle favorise l'état R en se fixant sur la fente de chaque sous-unité catalytique et en s'opposant à la modification de conformation ci-dessus. Les conformations intermédiaires entre R et T sont instables, de telle sorte que l'enzyme bascule vers l'une ou l'autre de ses formes R et T, et forme un mélange de ces deux espèces en des proportions qui dépendent de la concentration relative en CTP et en substrat.

De nombreuses modifications de forme des protéines sont produites par phosphorylation

Les enzymes ne sont pas simplement régulées par la fixation de petites molécules. Un autre moyen souvent utilisé par la cellule eucaryote pour réguler la fonction d'une protéine est l'addition covalente d'un groupement phosphate sur l'une de ses chaînes latérales d'acides aminés. Cette *phosphorylation* peut modifier la protéine de deux façons importantes.

Premièrement, comme chaque groupement phosphate porte deux charges négatives, l'addition catalysée par l'enzyme d'un groupement phosphate sur une protéine peut provoquer une modification de conformation majeure de la protéine, par exemple, en attirant un groupe de chaînes latérales d'acides aminés chargées positivement. Cela peut à son tour affecter la fixation de ligands en d'autres endroits de la surface protéique et modifier de façon spectaculaire l'activité protéique par un effet allostérique. L'élimination du groupement phosphate par une deuxième enzyme remet la protéine dans sa conformation originale et restaure son activité initiale.

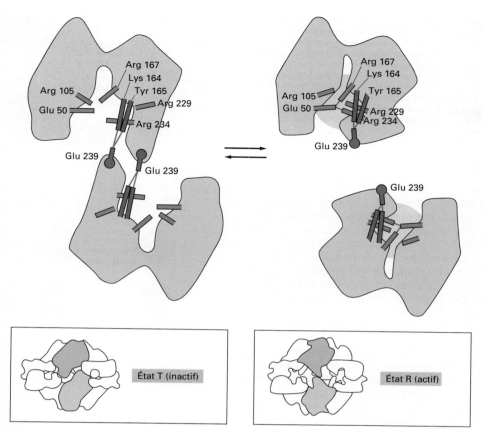

Figure 3-62 Une partie du commutateur actif-inactif des sous-unités catalytiques de l'aspartate transcarbamoylase. Les modifications d'interactions des liaisons hydrogène indiquées sont en partie responsables de la commutation de ce site actif enzymatique entre sa conformation active (en *jaune*) et inactive. Les liaisons hydrogène sont indiquées par les *lignes rouges fines*. Les acides aminés impliqués dans l'interaction entre les sous-unités sont en *rouge*, alors que ceux qui forment le site actif de l'enzyme sont en *bleu*. Le grand schéma montre le site catalytique à l'intérieur de l'enzyme; les encadrés montrent la même sous-unité vue par la face externe de l'enzyme. (Adapté de E.R. Kantrowitz et W.N. Lipscomb, *Trends Biochem. Sci.* 15 : 53-59, 1990.)

Deuxièmement, un groupement phosphate fixé peut former une partie de la structure qui est directement reconnue par des sites de liaison d'autres protéines. Comme nous l'avons vu précédemment, certains petits domaines protéiques, appelés modules, sont très fréquents dans les protéines les plus grosses. Beaucoup de ces modules fournissent des sites de liaison qui unissent les protéines à des peptides phosphorylés d'autres molécules protéiques. Un de ces modules est le domaine SH2, déjà vu dans ce chapitre, qui se fixe sur une courte séquence peptidique contenant une chaîne latérale de tyrosine phosphorylée (*voir* Figure 3-40B). Plusieurs autres types de modules reconnaissent des chaînes latérales de sérine ou de thréonine phosphorylées dans un contexte spécifique. Il en résulte que la phosphorylation et la déphosphorylation des protéines jouent un rôle majeur dans l'entraînement régulé de l'assemblage et du désassemblage des complexes protéiques.

Par ces effets, la phosphorylation protéique réversible contrôle, dans les cellules eucaryotes, la structure active et la localisation cellulaire de nombreux types de protéines. En fait, cette régulation est si étendue, que l'on pense que plus d'un tiers des 10 000 protéines d'une cellule typique de mammifère est phosphorylé à un moment donné – et dans beaucoup de cas par plus d'un phosphate. Comme on peut s'y attendre, l'addition et l'élimination des groupements phosphate d'une protéine spécifique se produisent souvent en réponse à un signal qui spécifie certaines modifications de l'état de la cellule. Par exemple, la série compliquée des événements qui se produisent dans une cellule eucaryote en division est en grande partie minutée de cette façon (*voir* Chapitre 17), et beaucoup de signaux qui interviennent dans les interactions cellule-cellule sont relayés de la membrane plasmique au noyau par une cascade d'événements de phosphorylation protéique (*voir* Chapitre 15).

Une cellule eucaryote contient une grande quantité de protéine-kinases et de protéine-phosphatases

La phosphorylation protéique implique le transfert catalysé par une enzyme du groupement phosphate terminal d'une molécule d'ATP sur le groupement hydroxyle d'une chaîne latérale de sérine, thréonine ou tyrosine d'une protéine (Figure 3-63). Cette réaction, catalysée par une **protéine-kinase**, est essentiellement unidirectionnelle à cause de la grande quantité d'énergie libre libérée lorsque la liaison phos-

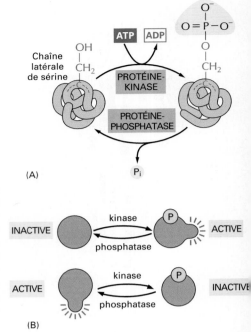

Figure 3-63 Phosphorylation des protéines. Plusieurs milliers de protéines d'une cellule eucaryote typique sont modifiées par l'addition covalente d'un groupement phosphate. (A) La réaction générale, ici montrée, nécessite le transfert, par une protéine-kinase, d'un groupement phosphate de l'ATP sur une chaîne latérale d'acide aminé de la protéine cible. Le retrait du groupement phosphate est catalysé par une deuxième enzyme, la protéine-phosphatase. Dans cet exemple, le phosphate est ajouté à la chaîne latérale d'une sérine ; dans d'autres cas, le phosphate est lié au groupement –OH de la thréonine ou de la tyrosine de la protéine. (B) La phosphorylation d'une protéine par une protéine-kinase peut soit augmenter soit diminuer l'activité protéique, en fonction du site de phosphorylation et de la structure de la protéine.

phate-phosphate de l'ATP est rompue pour produire de l'ADP (*voir* Chapitre 2). La réaction inverse, d'élimination du phosphate ou *déphosphorylation*, est, elle, catalysée par une **protéine-phosphatase**. Les cellules contiennent des centaines de protéine-kinases différentes, chacune responsable de la phosphorylation d'une protéine ou d'un groupe de protéines différent. Il y a aussi beaucoup de protéine-phosphatases, dont certaines sont très spécifiques et retirent les groupements phosphate d'une seule ou de quelques protéines, alors que d'autres agissent sur une large gamme de protéines et sont dirigées sur les substrats spécifiques par des sous-unités régulatrices. L'état de phosphorylation d'une protéine à un moment donné et, par conséquent, son activité, dépendent des activités relatives des protéine-kinases et protéine-phosphatases qui les modifient.

Les protéine-kinases qui phosphorylent les protéines dans les cellules eucaryotes appartiennent à une très grande famille d'enzymes qui partagent une séquence catalytique (kinase) de 250 acides aminés. Les divers membres de cette famille contiennent différentes séquences d'acides aminés de chaque côté de la séquence kinase (*voir* Figure 3-12) et présentent souvent de courtes séquences d'acides aminés insérées dans des boucles internes (*têtes de flèche rouges* de la figure 3-64). Certaines de ces séquences d'acides aminés supplémentaires permettent à chaque kinase de reconnaître le groupe spécifique de protéines qu'elle phosphoryle, ou de se fixer sur des structures qui la placent dans des régions spécifiques de la cellule. D'autres parties de la protéine permettent de réguler fortement l'activité de chaque enzyme, de telle sorte qu'elle soit activée ou inactivée en réponse à des signaux spécifiques, comme nous le décrirons.

En comparant le nombre de différences dans les séquences d'acides aminés entre les divers membres d'une famille protéique, on peut construire un « arbre phylogénétique » qui reflète la combinaison des duplications et des divergences de gènes qui ont donné naissance à la famille. L'arbre phylogénétique de la protéine-kinase est présenté dans la figure 3-65. Il n'est pas surprenant que des protéine-kinases de fonctions apparentées soient souvent localisées sur des branches voisines de l'arbre : les protéine-kinases qui interviennent dans la signalisation cellulaire et qui phosphorylent les chaînes latérales de tyrosine, par exemple, sont regroupées dans le coin supérieur gauche de l'arbre. Les autres kinases présentées phosphorylent une chaîne latérale soit de thréonine soit de sérine et beaucoup sont organisées en groupes qui semblent refléter leurs fonctions – dans la transduction des signaux membranaires, l'amplification du signal intracellulaire, le contrôle du cycle cellulaire et autres fonctions.

Du fait de l'activité combinée des protéine-kinases et des protéine-phosphatases, les groupements phosphate des protéines sont continuellement renouvelés – étant additionnés puis rapidement retirés. Ces cycles de phosphorylation ressemblent à du gaspillage, mais sont importants pour permettre aux protéines phosphorylées de passer rapidement d'un état à l'autre : plus le cycle est rapide, plus l'état de phosphorylation d'une population de protéines peut changer rapidement en réponse à un sti-

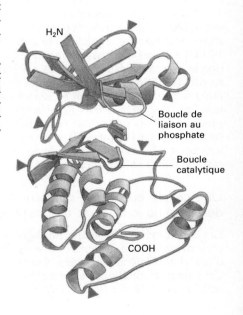

Figure 3-64 Structure tridimensionnelle d'une protéine-kinase. Des *têtes de flèche rouges* sont superposées à cette structure pour indiquer les sites où se trouvent des insertions de 5 à 100 acides aminés dans certains membres de la famille des protéine-kinases. Ces insertions sont localisées dans des boucles superficielles de l'enzyme, là où d'autres ligands interagissent avec elle. Ces insertions séparent ainsi différentes kinases et leur confèrent différentes interactions avec d'autres protéines. L'ATP (qui donne un groupement phosphate) et le peptide à phosphoryler sont maintenus dans le site actif qui s'étend entre la boucle de liaison au phosphate (en *jaune*) et la boucle catalytique (en *orange*). *Voir aussi* Figure 3-12. (Adapté de D.R. Knighton et al., *Science* 253 : 407-414, 1991.)

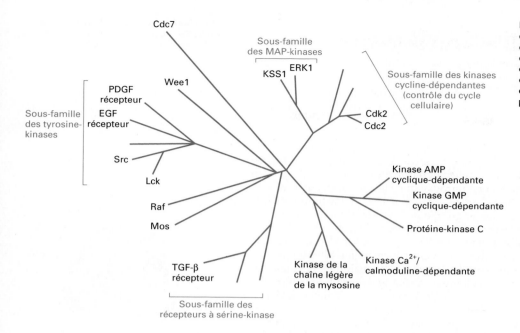

Figure 3-65 L'arbre phylogénétique de certaines protéine-kinases. Bien que les cellules eucaryotes supérieures contiennent des centaines de ces enzymes et que le génome humain code pour plus de 500 d'entre elles, seules certaines de celles abordées dans ce livre sont présentées.

mulus brutal qui modifie la vitesse de phosphorylation (*voir* Figure 15-10). L'énergie requise pour entraîner le cycle de phosphorylation dérive de l'énergie libre de l'hydrolyse de l'ATP, dont une molécule est consommée à chaque phosphorylation.

La régulation des protéine-kinases Cdk et Src montre qu'une protéine peut fonctionner comme une puce électronique

Les centaines de protéine-kinases différentes d'une cellule eucaryote sont organisées en réseaux complexes de voies de signalisation qui facilitent la coordination de l'activité cellulaire, entraînent le cycle cellulaire et relayent, à l'intérieur de la cellule, les signaux provenant de l'environnement cellulaire. Beaucoup de signaux extracellulaires en cause ont besoin d'être à la fois intégrés et amplifiés par la cellule. Chaque protéine-kinase (et les autres protéines de signalisation) sert de port d'entrée/sortie, ou «puce électronique», au cours du processus d'intégration. Une partie importante de la contribution de ces protéines dans le réseau de signalisation vient du contrôle exercé par les protéine-kinases et phosphatases qui, respectivement, ajoutent et retirent des phosphates.

Si une protéine peut être phosphorylée sur des sites multiples, des ensembles spécifiques de groupements phosphate servent à activer la protéine, alors que d'autres groupes peuvent l'inactiver. La protéine-kinase cycline-dépendante (Cdk) constitue un bon exemple d'un tel appareil de signalisation. Les kinases de cette classe phosphorylent des sérines et forment un composant central du système de contrôle du cycle cellulaire des cellules eucaryotes, comme nous le verrons en détail au chapitre 17. Dans une cellule de vertébré, chaque enzyme Cdk est activée et désactivée l'une après l'autre, tandis que la cellule passe par les différentes phases de son cycle de division. Lorsqu'une de ces kinases particulières est activée, elle influence divers aspects du comportement cellulaire en agissant sur les protéines qu'elle phosphoryle.

Une protéine Cdk ne devient active comme sérine/thréonine protéine-kinase que lorsqu'elle est reliée à une deuxième protéine appelée *cycline*. Mais, comme le montre la figure 3-66, la fixation de la cycline n'est qu'une des trois «entrées» nécessaires pour activer la Cdk. Il faut, en plus de la fixation de cycline, l'ajout d'un phosphate sur une chaîne latérale spécifique de thréonine et le retrait d'un phosphate placé ailleurs sur la protéine (fixé de façon covalente sur une chaîne latérale spécifique de tyrosine). La Cdk surveille ainsi un groupe spécifique de composants cellulaires – une cycline, une protéine-kinase et une protéine-phosphatase – et agit comme un port «d'entrée-sortie» qui ne s'active que si, et seulement si, chacun de ses trois composants a atteint son état d'activité approprié. La concentration en certaines cyclines augmente puis diminue par étapes avec le cycle cellulaire, s'élevant graduellement jusqu'à un moment particulier du cycle où elles sont soudainement détruites. La destruction soudaine d'une cycline (par protéolyse ciblée) inactive immédiatement son enzyme Cdk partenaire et déclenche une étape spécifique du cycle cellulaire.

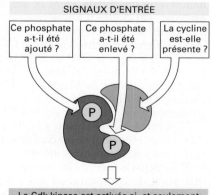

Figure 3-66 La protéine Cdk agit comme un instrument d'intégration. La fonction de ces régulateurs centraux du cycle cellulaire est traitée au chapitre 17.

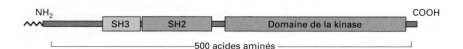

Figure 3-67 Structure du domaine de la famille Src de protéine-kinases, placée sur la séquence des acides aminés.

Il existe un type de comportement similaire, de type «puce», dans la famille Src des protéine-kinases. La *protéine Src* (prononcer «sarc») a été la première tyrosine-kinase découverte et on sait maintenant qu'elle fait partie d'une sous-famille de neuf protéine-kinases très similaires que l'on ne retrouve que chez les animaux multicellulaires. Comme cela est indiqué dans l'arbre phylogénétique de la figure 3-65, la comparaison des séquences suggère que le groupe des tyrosine-kinases est une innovation relativement tardive qui s'est ramifiée à partir des sérine/thréonine kinases, et que la sous-famille Src n'est qu'un sous-groupe des tyrosine-kinases ainsi créées.

La protéine Src et ses homologues contiennent une courte région N-terminale qui se lie de façon covalente à un acide gras très hydrophobe, qui maintient la kinase sur la face cytoplasmique de la membrane plasmique. À côté se trouvent deux modules de liaison peptidique, un domaine Src d'homologie 3 (SH3) et un domaine SH2, suivis du domaine de catalyse de la kinase (Figure 3-67). Ces kinases se trouvent normalement sous leur conformation inactive, c'est-à-dire qu'une tyrosine phosphorylée, proche de l'extrémité C-terminale, est fixée sur le domaine SH2, et que le domaine SH3 est relié à un peptide interne, ce qui déforme le site actif de l'enzyme et permet d'inactiver celle-ci (*voir* Figure 3-12).

L'activation de la kinase nécessite au moins deux «entrées» spécifiques : l'élimination du phosphate C-terminal et la fixation d'une protéine d'activation spécifique sur le domaine SH3 (Figure 3-68). Comme pour la protéine Cdk, l'activation de la Src kinase signale qu'un groupe particulier d'événements séparés en amont s'est effectué (Figure 3-69). De ce fait, les familles de protéines Cdk et Src servent d'intégrateurs de signaux spécifiques, en aidant à engendrer le réseau complexe d'événements de traitement de l'information qui permet à la cellule de calculer des réponses logiques à un ensemble complexe de conditions.

Les protéines qui se lient au GTP et l'hydrolysent sont des régulateurs cellulaires ubiquistes

Nous avons décrit comment l'addition ou l'élimination d'un groupement phosphate sur une protéine pouvait être utilisée par une cellule pour contrôler l'activité protéique. Dans les exemples abordés jusqu'à présent, le phosphate était transféré d'une molécule d'ATP à une chaîne latérale d'acides aminés d'une protéine, selon une réaction catalysée par une protéine-kinase spécifique. Les cellules eucaryotes peuvent également contrôler l'activité protéique d'une autre façon par l'addition et l'élimination d'un phosphate. Dans ce cas, le phosphate n'est pas directement fixé sur la protéine ; par contre il forme une partie du nucléotide guanylique GTP, qui se fixe fermement sur la protéine. En général, les protéines régulées de cette façon sont dans leur conformation active lorsque le GTP est lié. La perte d'un groupement phosphate se produit lorsque le GTP lié est hydrolysé en GDP selon une réaction catalysée par la protéine elle-même, et dans son état lié au GDP la protéine est inactive. De cette façon, les protéines de liaison au GTP agissent comme un commutateur marche-arrêt dont l'activité est déterminée par la présence ou l'absence d'un phosphate supplémentaire sur une molécule de GDP fixée (Figure 3-70).

Les **protéines de liaison au GTP** (appelées aussi **GTPase** à cause de l'hydrolyse du GTP qu'elles catalysent) constituent une grande famille de protéines qui contiennent toutes des variations au niveau du même domaine globulaire de fixation du GTP. Lorsque le GTP, lié fortement, est hydrolysé en GDP, ce domaine subit une modification de conformation qui l'inactive. La structure tridimensionnelle d'un membre prototype de cette famille, la GTPase monomérique appelée Ras, est montrée dans la figure 3-71.

La *protéine Ras* a un rôle important dans le signalement cellulaire (*voir* Chapitre 15). Sous sa forme liée au GTP, elle est active et stimule une cascade de phosphorylations protéiques dans la cellule. La plupart du temps, cependant, cette protéine est sous sa forme inactive, liée au GDP. Elle s'active lorsqu'elle échange son GDP par un GTP en réponse à un signal extracellulaire, comme la fixation d'un facteur de croissance sur un récepteur de la membrane plasmique (*voir* Figure 15-55).

Protéine-kinase de type Src activée

Figure 3-68 Activation d'une protéine-kinase de type Src par deux événements séquentiels. (Adapté d'après I. Moareti et al., *Nature* 385 : 650-653, 1997.)

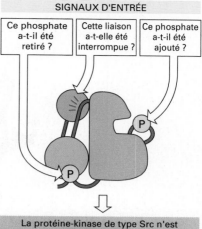

SIGNAUX D'ENTRÉE

Ce phosphate a-t-il été retiré ?

Cette liaison a-t-elle été interrompue ?

Ce phosphate a-t-il été ajouté ?

La protéine-kinase de type Src n'est activée que si les réponses à toutes les questions ci-dessus sont affirmatives.

SIGNAUX DE SORTIE

Figure 3-69 La protéine-kinase de type Src agit comme un instrument d'intégration. L'interruption de l'interaction du domaine SH3 (en *vert*) peut impliquer la remise en place de sa liaison vers la région de liaison indiquée en *rouge*, ce qui augmente l'interaction avec la protéine Nef, comme cela est illustré dans la figure 3-68.

Les protéines de régulation contrôlent l'activité des protéines de liaison au GTP en déterminant la liaison d'un GDP ou d'un GTP

Les protéines de liaison au GTP sont contrôlées par des protéines régulatrices qui déterminent lequel, du GTP ou du GDP, se liera, tout comme les protéines phosphorylées sont activées ou inactivées par les protéine-kinases et les protéine-phosphatases. Ras est ainsi inactivée par la *protéine d'activation de la GTPase (GAP)* qui se fixe sur la protéine Ras et induit l'hydrolyse de sa molécule de GTP liée en GDP – qui reste fermement lié – et en phosphate inorganique (P_i) – rapidement libéré. La protéine Ras reste sous sa conformation inactive liée au GDP jusqu'à ce qu'elle rencontre un *facteur d'échange du nucléotide guanylique (GEF)*, qui se fixe sur la GDP-Ras et provoque la libération du GDP. Comme le site de liaison au nucléotide, laissé libre, est immédiatement rempli par une molécule de GTP (dans les cellules, le GTP est présent en très grande quantité par rapport au GDP), le GEF active la Ras en ajoutant *indirectement* le phosphate retiré par l'hydrolyse du GTP. De ce fait, dans un sens, les rôles du GAP et du GEF sont respectivement analogues à ceux de la protéine-phosphatase et de la protéine-kinase (Figure 3-72).

Les mouvements de grosses protéines peuvent être engendrés par de petites protéines

La protéine Ras appartient à la grande superfamille des *GTPases monomériques*, dont chacune est composée d'un seul domaine de liaison au GTP de 200 acides aminés environ. Au cours de l'évolution, ce domaine a également été uni à de plus grosses protéines possédant déjà d'autres domaines, ce qui a formé la grande famille des protéines de liaison au GTP. Les membres de cette famille comprennent les protéines G trimériques, associées aux récepteurs et impliquées dans les signaux cellulaires (*voir* Chapitre 15), les protéines qui régulent le transport des vésicules entre les compartiments intracellulaires (*voir* Chapitre 13) et les protéines qui constituent les facteurs d'assemblage et se fixent sur l'ARN de transfert pour permettre la synthèse protéique sur les ribosomes (*voir* Chapitre 6). Dans chaque cas, l'activité biologique importante est contrôlée par la modification de la conformation protéique provoquée par l'hydrolyse du GTP dans un domaine de type Ras.

La *protéine EF-Tu* est un bon exemple de la manière dont fonctionnent les protéines de cette famille. L'EF-Tu est une molécule abondante qui sert de facteur d'élongation (d'où EF) au cours de la synthèse protéique, et charge chaque molécule d'aminoacyl-ARNt sur le ribosome. La molécule d'ARNt forme un complexe très ajusté avec la forme liée au GTP de l'EF-Tu (Figure 3-73). Dans ce complexe, l'acide aminé lié à l'ARNt est masqué. Son démasquage est nécessaire pour que l'ARNt transfère son acide aminé sur la protéine à synthétiser et se produit dans le ribosome lorsque

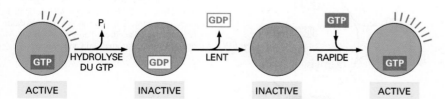

Figure 3-70 Les protéines de liaison au GTP sont des commutateurs moléculaires. L'activité d'une protéine de liaison au GTP (dite aussi GTPase) nécessite généralement la présence d'une molécule de GTP fermement fixée («activation»). L'hydrolyse de cette molécule de GTP produit du GDP et un phosphate inorganique (P_i) et provoque la conversion de la protéine vers une conformation différente habituellement inactive («inactivation»). Comme cela est ici montré, la réinitialisation du commutateur nécessite la dissociation du GDP fermement lié; c'est une étape lente, fortement accélérée par des signaux spécifiques; une fois que le GDP s'est dissocié, une nouvelle molécule de GTP se fixe rapidement.

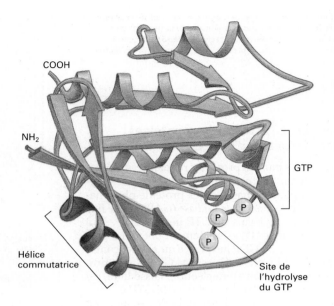

COOH

NH₂

Hélice
commutatrice

GTP

Site de
l'hydrolyse
du GTP

Figure 3-71 Structure de la protéine Ras sous sa forme liée au GTP. Cette GTPase monomérique illustre la structure du domaine lié au GTP, qui se trouve dans la grande famille des protéines de liaison au GTP. Les régions en *rouge* modifient leur conformation lorsqu'une molécule de GTP est hydrolysée en GDP et en phosphate inorganique par l'enzyme; le GDP reste fixé sur la protéine alors que le phosphate inorganique est libéré. Le rôle particulier de «l'hélice commutatrice» des protéines apparentées à la protéine Ras est expliqué ci-après (*voir* Figure 3-74).

le GTP lié à l'EF-Tu est hydrolysé, ce qui permet la dissociation de l'ARNt. Comme l'hydrolyse du GTP est déclenchée par la correspondance adaptée de l'ARNt avec la molécule d'ARNm du ribosome, l'EF-Tu sert de facteur d'assemblage et permet la discrimination entre les appariements ARNm-ARNt corrects et incorrects (*voir* Figure 6-66 pour le développement ultérieur de cette fonction de l'EF-Tu).

La comparaison de la structure tridimensionnelle de l'EF-Tu dans ses formes liées au GTP et au GDP révèle comment se produit le démasquage de l'ARNt. La dissociation du groupement phosphate inorganique (P$_i$) qui suit la réaction GTP → GDP + P$_i$ provoque un décalage de quelques dixièmes de nanomètres au niveau du site de liaison du GTP tout comme dans la protéine Ras. Ce minuscule mouvement, équivalent à quelques diamètres d'un atome d'hydrogène, provoque une modification de conformation qui se propage le long d'une pièce cruciale de l'hélice α, appelée *hélice commutatrice*, au niveau du domaine de type Ras de la protéine. L'hélice commutatrice semble servir de loquet qui adhère à un site spécifique situé dans un autre domaine de la molécule, et maintient la protéine dans une conformation «fermée». La variation de conformation, déclenchée par l'hydrolyse du GTP, provoque le détachement de l'hélice commutatrice, ce qui permet l'écartement des domaines séparés

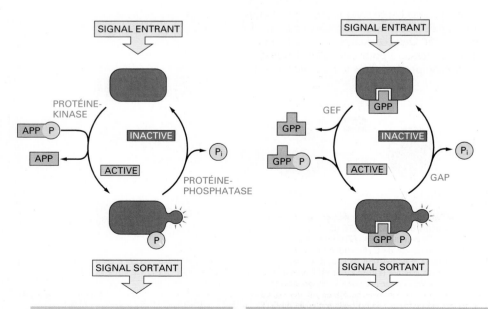

SIGNAL ENTRANT

PROTÉINE-
KINASE

APP P

APP

INACTIVE

ACTIVE

P$_i$

PROTÉINE-
PHOSPHATASE

P

SIGNAL SORTANT

SIGNALEMENT PAR PHOSPHORYLATION

SIGNAL ENTRANT

GEF

GPP

GPP P

GPP

INACTIVE

ACTIVE

P$_i$

GAP

GPP P

SIGNAL SORTANT

SIGNALEMENT PAR LES PROTÉINES DE LIAISON AU GTP

Figure 3-72 Comparaison de deux mécanismes majeurs de signalisation intracellulaire dans les cellules eucaryotes. Dans les deux cas, une protéine de signalisation est activée par addition d'un groupement phosphate et inactivée par le retrait de ce phosphate. Afin d'insister sur les similitudes de ces deux voies métaboliques, l'ATP et le GTP sont écrits APPP et GPPP et l'ADP et le GDP sont écrits APP et GPP respectivement. Comme cela est montré dans la figure 3-63, l'addition d'un phosphate sur une protéine peut aussi être inhibitrice.

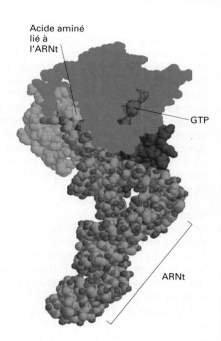

Figure 3-73 Une molécule d'aminoacyl-ARNt fixée sur l'EF-Tu. Les trois domaines de la protéine EF-Tu sont colorés différemment pour concorder avec la figure 3-74. C'est une protéine bactérienne, mais il existe une protéine très similaire chez les eucaryotes, appelée EF-I. (Coordination déterminée par P. Nissen et al., *Science* 270 : 1464-1472, 1995.)

Acide aminé lié à l'ARNt

GTP

ARNt

de la protéine, sur un distance d'environ 4 nm. Cela libère la molécule d'ARNt qui était liée et permet l'utilisation de son acide aminé fixé (Figure 3-74).

On peut voir, avec cet exemple, comment les cellules ont exploité une simple variation chimique qui se produit à la surface d'un petit domaine protéique pour créer un mouvement 50 fois plus important. Des modifications spectaculaires de la forme du même type sous-tendent également les mouvements très importants qui se produisent dans les protéines motrices, comme nous le verrons ci-dessous.

Les protéines motrices entraînent de grands déplacements dans les cellules

Nous avons vu comment les modifications de la conformation des protéines jouaient un rôle central dans la régulation enzymatique et la signalisation cellulaire. Parlons maintenant des protéines dont la fonction majeure est de déplacer d'autres molécules. Ces **protéines motrices** engendrent les forces responsables de la contraction musculaire et des mouvements des cellules qui migrent ou nagent. Elles actionnent également les mouvements intracellulaires de plus faible échelle : elles aident les chromosomes à se déplacer vers les extrémités opposées de la cellule durant la mitose (*voir* Chapitre 18), à déplacer les organites le long des voies moléculaires à l'intérieur de la cellule (*voir* Chapitre 16) et à déplacer les enzymes le long d'un brin d'ADN pendant la synthèse d'une nouvelle molécule d'ADN (*voir* Chapitre 5). Tous ces processus fondamentaux dépendent de protéines pourvues de parties mobiles, qui opèrent comme des machines génératrices de forces.

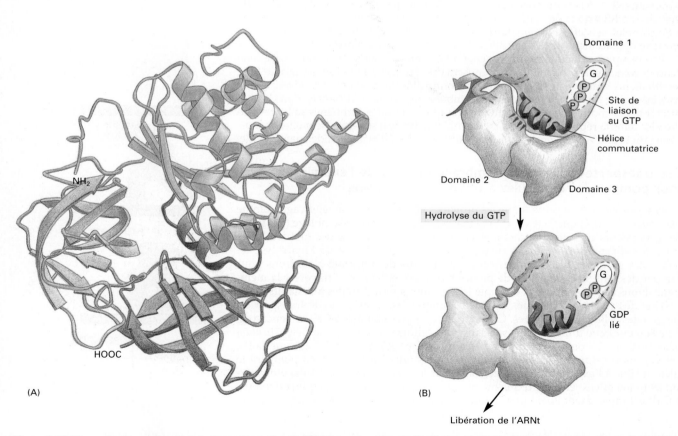

Figure 3-74 L'importante modification de la conformation de l'EF-Tu provoquée par l'hydrolyse du GTP. (A) Structure tridimensionnelle de l'EF-Tu lié à un GTP. Le domaine en haut est homologue à la protéine Ras et son hélice α en *rouge* est l'hélice commutatrice, qui se déplace après l'hydrolyse du GTP, comme cela est montré dans la figure 3-71. (B) La modification de la conformation de l'hélice commutatrice dans le domaine 1 provoque la rotation des domaines 2 et 3, comme une seule unité, d'environ 90° vers le lecteur, ce qui libère l'ARNt qui était représenté fixé dessus dans la figure 3-73. (A, adapté d'après H. Berchtold et al., *Nature* 365 : 126-132, 1993 ; B, due à l'obligeance de Mathias Sprinzl et Rolf Hilgenfeld.)

Comment ces machines fonctionnent-elles ? En d'autres termes, comment les modifications de forme des protéines sont-elles utilisées pour engendrer des mouvements intracellulaires dirigés ? Si, par exemple, une protéine doit se déplacer le long d'un fil étroit comme une molécule d'ADN, elle peut le faire en subissant une série de modifications de conformation comme celles montrées dans la figure 3-75. Si, cependant, rien n'entraîne ces modifications selon une séquence ordonnée, celles-ci sont parfaitement réversibles et les protéines se déplaceront de façon aléatoire d'avant en arrière le long du fil. Imaginons cette situation autrement. Comme le mouvement directionnel d'une protéine engendre un travail, les principes de la thermodynamique (*voir* Chapitre 2) stipulent que ces mouvements utilisent l'énergie libre issue d'une autre source (sinon les protéines pourraient être utilisées pour fabriquer une machine à mouvement perpétuel). De ce fait, sans apport d'énergie, la protéine ne peut qu'errer sans but.

Comment alors peut-on faire pour que la série des modifications soit unidirectionnelle ? Pour forcer le cycle complet à s'effectuer dans une seule direction, il suffit qu'une seule des modifications de la conformation soit irréversible. Pour la plupart des protéines qui se déplacent dans une seule direction sur une longue distance, cela est obtenu par couplage d'une des modifications de conformation avec l'hydrolyse d'une molécule d'ATP fixée sur la protéine. Ce mécanisme est similaire à celui que nous venons de voir et entraîne les modifications de forme des protéines allostériques par hydrolyse du GTP. Comme l'hydrolyse de l'ATP (ou du GTP) libère une grande quantité d'énergie libre, il y a très peu de chances que la protéine liée au nucléotide subisse le changement de forme inverse, nécessaire pour reculer – car cela nécessiterait également d'inverser l'hydrolyse de l'ATP, à savoir additionner une molécule de phosphate sur l'ADP pour former l'ATP.

Dans le modèle montré dans la figure 3-76, la fixation de l'ATP fait passer la protéine motrice de sa conformation 1 à sa conformation 2. L'ATP fixé est ensuite hydrolysé pour produire de l'ADP et du phosphate inorganique (P_i), ce qui provoque la modification de la conformation 2 en la conformation 3. Enfin, la libération de l'ADP fixé et du P_i entraîne le retour de la protéine dans sa conformation 1. Comme la transition 2 → 3 est entraînée par l'énergie fournie par l'hydrolyse de l'ATP, cette série de modifications de conformation est effectivement irréversible. De ce fait, le cycle complet ne s'effectue que dans une seule direction, et, dans cet exemple, provoque le déplacement de la molécule continuellement vers la droite.

Beaucoup de protéines motrices génèrent des mouvements directionnels de cette façon, y compris la protéine motrice musculaire, ou *myosine*, qui se déplace le long des filaments d'actine pour engendrer la contraction musculaire et la *kinésine*, une protéine qui se déplace le long des microtubules (les deux sont traitées dans le chapitre 16). Ces mouvements peuvent être rapides : certaines protéines motrices impliquées dans la réplication de l'ADN (les ADN hélicases) se propulsent elles-mêmes le long du brin d'ADN à une vitesse pouvant atteindre 1 000 nucléotides par seconde.

Des transporteurs liés à la membrane utilisent de l'énergie pour pomper des molécules à travers la membrane

Nous avons vu jusqu'à présent que les protéines allostériques pouvaient agir comme des «puces électroniques» (Cdk et Src kinases), des facteurs d'assemblage (EF-Tu) et des générateurs de forces mécaniques et de mouvements (protéines motrices). Les protéines allostériques peuvent aussi récolter l'énergie dérivée de l'hydrolyse de l'ATP, des gradients électroniques ou des processus de transport d'électrons pour pomper des ions spécifiques ou de petites molécules et leur faire traverser la membrane. Nous considérerons un exemple ici ; les autres seront traités au chapitre 11.

Une des pompes protéiques les mieux connues est la protéine de transport du calcium des cellules musculaires. Cette protéine, appelée **pompe à Ca^{2+}**, est encastrée dans la membrane d'un organite spécialisé des cellules musculaires appelé *réticulum sarcoplasmique*. La pompe à Ca^{2+} (appelée aussi Ca^{2+} ATPase) maintient une faible concentration cytoplasmique en calcium dans les muscles au repos en pompant le calcium situé à l'extérieur, dans le cytosol, pour le faire entrer dans le réticulum sarcoplasmique qui est entouré d'une membrane ; puis, en réponse à un influx nerveux, le Ca^{2+} est rapidement libéré (par d'autres canaux) à nouveau dans le cytosol et dé-

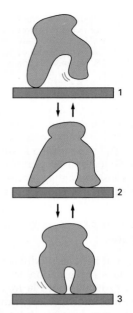

Figure 3-75 Une protéine allostérique qui «marche». Alors que ses trois conformations différentes lui permettent de se déplacer de façon aléatoire vers l'avant ou vers l'arrière, lorsqu'elle est liée à un fil ou un filament, la protéine ne peut se déplacer uniformément dans une seule direction.

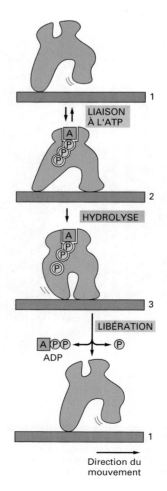

Figure 3-76 Une protéine motrice allostérique. La transition entre les trois conformations différentes comprend une étape entraînée par l'hydrolyse d'une molécule d'ATP reliée. Cela rend, par essence, le cycle complet irréversible. Par ces cycles répétés, la protéine se déplace ainsi continuellement vers la droite le long du fil.

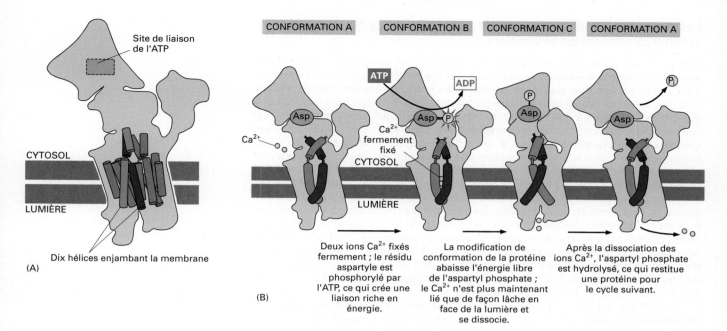

(A)

Site de liaison de l'ATP

CYTOSOL

LUMIÈRE

Dix hélices enjambant la membrane

(B)

Ca^{2+}

Asp

ATP

ADP

Ca^{2+} fermement fixé

CYTOSOL

Asp P

P_i

Asp P

Asp

LUMIÈRE

Deux ions Ca^{2+} fixés fermement ; le résidu aspartyle est phosphorylé par l'ATP, ce qui crée une liaison riche en énergie.

La modification de conformation de la protéine abaisse l'énergie libre de l'aspartyl phosphate ; le Ca^{2+} n'est plus maintenant lié que de façon lâche en face de la lumière et se dissocie.

Après la dissociation des ions Ca^{2+}, l'aspartyl phosphate est hydrolysé, ce qui restitue une protéine pour le cycle suivant.

clenche la contraction musculaire. La pompe à Ca^{2+} est homologue à la pompe à Na^+-K^+ qui maintient les différences de concentrations en Na^+ et en K^+ entre la membrane plasmique, les deux étant des membres de la famille des pompes à cations de type P – ainsi nommées parce que ces protéines sont autophosphorylées pendant leur cycle de réaction. Une grande région représentant la « tête » cytoplasmique fixe et hydrolyse l'ATP, formant une liaison covalente avec le phosphate libéré. La protéine passe ainsi transitoirement dans un état phosphorylé riche en énergie qui se lie fermement à deux ions Ca^{2+} pris dans le cytosol. Cette forme de la protéine se dirige alors vers un état phosphorylé pauvre en énergie qui provoque la libération des ions Ca^{2+} dans la lumière du réticulum. La déphosphorylation de l'enzyme libère pour finir le phosphate et reforme la protéine pour son cycle suivant de pompage des ions.

La région de la tête de tous les types P de pompes à cations est reliée à une série de dix hélices α transmembranaires, dont quatre forment des sites de liaison au Ca^{2+} transmembranaire pour la pompe à Ca^{2+}. La structure tridimensionnelle de cette protéine a été déchiffrée par microscopie électronique à haute résolution et diffraction des rayons X (*voir* Figure 11-15). Cela a permis aux biologistes d'en tirer un modèle moléculaire de l'action des pompes, basé sur des données biochimiques détaillées de ses formes normales et mutantes.

Comme cela est illustré dans la figure 3-77A, les hélices α transmembranaires qui se lient au Ca^{2+} tournent l'une autour de l'autre et créent entre les hélices une cavité pour le Ca^{2+}. L'hydrolyse de l'ATP engendre une série de modifications majeures de conformation dans la tête cytoplasmique qui – de par sa connexion pédiculée aux hélices transmembranaires – modifie la structure et l'orientation relative de certaines de ces hélices membranaires et change ainsi la cavité de manière à repousser les ions Ca^{2+} dans une seule direction à travers la membrane (Figure 3-77B). Comme pour les protéines motrices, le transport unidirectionnel d'un ion nécessite que le cycle utilise de l'énergie pour donner une direction préférentielle à la modification de conformation de la protéine.

L'homme a inventé beaucoup de types différents de pompes mécaniques et il ne devrait pas être surprenant que les cellules contiennent aussi des pompes membranaires qui fonctionnent différemment. Les plus particulières sont les pompes rotatives qui couplent l'hydrolyse de l'ATP au transport des ions H^+ (protons). Ces pompes, qui ressemblent à des turbines miniatures, sont utilisées pour acidifier l'intérieur des lysosomes et d'autres organites eucaryotes. Comme les autres pompes ioniques qui créent des gradients ioniques, elles peuvent fonctionner de façon inverse pour catalyser la réaction $ADP + P_i \rightarrow ATP$ s'il existe à travers la membrane un gradient suffisamment prononcé de l'ion qu'elles transportent.

Une de ces pompes, l'ATP synthase, établit un gradient de concentration de protons produit par les processus de transport d'électrons pour fabriquer la plupart de l'ATP utilisé dans le monde vivant. Comme cette pompe ubiquiste a un rôle central dans la conversion énergétique, nous remettons la discussion de sa structure tridimensionnelle et de son mécanisme au chapitre 14.

Figure 3-77 Transport des ions calcium par la pompe à Ca^{2+}. (A) Structure de la pompe protéique, formée d'une seule sous-unité de 994 acides aminés (*voir* Figure 11-15 pour plus de détails). (B) Un modèle de pompage des ions. Pour plus de simplicité, seules deux des quatre hélices α transmembranaires fixant le Ca^{2+} sont représentées.

Les protéines forment souvent de gros complexes qui fonctionnent comme des machines protéiques

Lorsqu'on passe des petites protéines à un seul domaine aux grosses protéines formées de nombreux domaines, les fonctions que les protéines peuvent effectuer deviennent de plus en plus élaborées. Les tâches les plus impressionnantes cependant, sont effectuées par de gros assemblages protéiques, formés de nombreuses molécules protéiques. Maintenant qu'il est possible de reconstruire, au laboratoire, la plupart des processus biologiques dans des systèmes non cellulaires, il apparaît clairement que chacun des processus centraux d'une cellule – comme la réplication de l'ADN, la synthèse protéique, le bourgeonnement de vésicules ou les signaux transmembranaires – est catalysé par un groupe hautement coordonné constitué d'au moins 10 protéines reliées. Dans la plupart de ces machines protéiques, l'hydrolyse des nucléosides triphosphates fixés (ATP ou GTP) entraîne une série ordonnée de modifications de conformation dans certaines des sous-unités protéiques individuelles, permettant à l'ensemble des protéines de se mouvoir de façon coordonnée. De cette façon, chaque enzyme appropriée peut se placer directement à l'endroit où elle est nécessaire pour effectuer les réactions successives d'une série. C'est ce qui se produit, par exemple, lors de la synthèse protéique dans un ribosome (*voir* Chapitre 6) ou lors de la réplication de l'ADN, où un gros complexe multiprotéique se déplace rapidement le long de l'ADN (*voir* Chapitre 5).

   Les cellules ont développé des machines protéiques pour les mêmes raisons que les hommes ont inventé des machines mécaniques et électroniques. Pour pouvoir accomplir presque toutes les tâches, les manipulations coordonnées dans l'espace et le temps par des processus reliés les uns aux autres sont beaucoup plus efficaces que l'utilisation séquentielle d'instruments isolés.

Un réseau complexe d'interactions protéiques est à la base de la fonction cellulaire

Il existe beaucoup de défis pour les biologistes cellulaires dans cette ère «post-génomique» lorsque les séquences complètes du génome sont connues. L'un d'entre eux est la nécessité de disséquer et de restructurer chacune des milliers de machines protéiques qui existe dans un organisme comme le nôtre. Pour comprendre ces complexes protéiques remarquables, il faut les reconstituer chacun à partir de ses composantes protéiques purifiées – pour pouvoir étudier son mode opératoire détaillé sous des conditions contrôlées, dans un tube à essai, sans aucun autre composant cellulaire. Rien que cela est une tâche immense. Mais nous savons maintenant que chacun de ces sous-composants cellulaires interagit également avec d'autres ensembles de macromolécules, pour créer un grand réseau d'interactions protéine-protéine et protéine-acide nucléique dans la cellule. Pour comprendre la cellule, de ce fait, il faut aussi analyser la plupart de ces interactions.

   On peut se faire une certaine idée de la complexité du réseau protéique intracellulaire avec un exemple particulièrement bien étudié décrit dans le chapitre 16 : les douzaines de protéines qui interagissent avec le cytosquelette d'actine de la levure *Saccharomyces cerevisiae* (*voir* Figure 16-15).

   L'étendue de ces interactions protéine-protéine peut également être estimée de façon plus générale. En particulier, des efforts à grande échelle ont été entrepris pour détecter ces interactions en utilisant une méthode de dépistage par double hybridation décrite au chapitre 8 (*voir* Figure 8-51). Cette méthode est ainsi, par exemple, appliquée au grand groupe des 6000 produits de gènes produits par *S. cerevisiae*. Comme on s'y attendait, la majorité des interactions observées s'effectue entre les protéines du même groupe fonctionnel. C'est-à-dire que les protéines impliquées dans le contrôle du cycle cellulaire ont tendance à avoir des interactions importantes les unes avec les autres, tout comme les protéines impliquées dans la synthèse de l'ADN ou la réparation de l'ADN, et ainsi de suite. Mais il existe également un nombre étonnamment grand d'interactions entre les membres protéiques de différents groupes fonctionnels (Figure 3-78). On suppose que ces interactions sont importantes pour la coordination des fonctions cellulaires, mais on ne comprend pas encore la plupart d'entre elles.

   L'examen des diverses données disponibles suggère qu'une protéine moyenne d'une cellule humaine peut interagir avec 5 à 15 partenaires différents. Souvent, un groupe différent de partenaires se fixe sur chacun des domaines différents d'une protéine à domaines multiples; en fait, on peut spéculer que les structures multi-domaines étonnamment étendues, observées dans les protéines humaines (*voir* p. 462) se sont peut-être développées pour engendrer ces interactions. Étant donné l'extrême

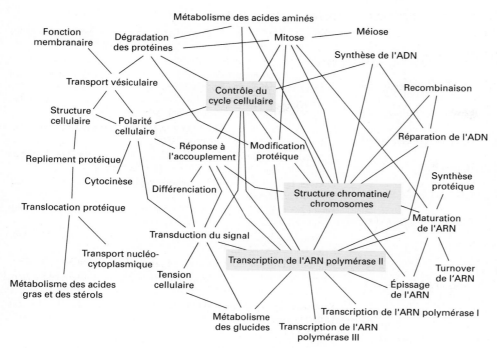

Figure 3-78 Carte des interactions protéine-protéine observées entre les différents groupes fonctionnels des protéines de la levure S. cerevisiae. Pour tracer cette carte, plus de 1 500 protéines ont été assignées aux 31 groupes fonctionnels indiqués. Environ 70 p. 100 des interactions protéine-protéine connues observées se produisent entre des protéines assignées au même groupe fonctionnel. Cependant, comme cela est indiqué, il existe un nombre étonnamment grand d'interactions croisées entre ces groupes. Chaque ligne sur ce diagramme signifie que plus de 15 interactions protéine-protéine ont été observées entre les protéines des deux groupes fonctionnels connectés par ces lignes. Les trois groupes fonctionnels *surlignés en jaune* présentent au minimum 15 interactions avec 10 groupes fonctionnels au moins sur les 31 définis dans cette étude. (D'après C.L. Tucker, J.F. Gera et P. Uetz, *Trends Cell Biol.* 11 : 102-106, 2001.)

complexité du réseau d'interactions des macromolécules de la cellule, le déchiffrage de leur fonction complète pourra facilement occuper les scientifiques pendant des siècles.

Résumé

Les protéines peuvent former des instruments chimiques extrêmement sophistiqués, dont les fonctions dépendent grandement des particularités des propriétés chimiques de leur surface. Les sites de liaison aux ligands ont la forme de cavités superficielles dans lesquelles des chaînes latérales d'acides aminés, positionnées de façon précise, sont rapprochées par le repliement protéique. De même, des chaînes latérales d'acide aminés normalement non réactives peuvent être activées pour établir et rompre des liaisons covalentes. Les enzymes sont des protéines catalytiques qui accélèrent grandement la vitesse des réactions en se fixant sur les états de transition, riches en énergie, d'une voie réactive spécifique; elles effectuent aussi simultanément la catalyse des acides et des bases. La vitesse des réactions enzymatiques est souvent si rapide qu'elle n'est limitée que par la diffusion; cette vitesse peut être encore augmentée si les enzymes qui agissent de façon séquentielle sur un substrat sont réunies en un seul complexe multi-enzymatique, ou si les enzymes et leurs substrats sont confinés dans le même compartiment cellulaire.

Les protéines changent de forme de façon réversible lorsque des ligands se fixent sur leur surface. Les modifications allostériques de la conformation protéique, produites par un ligand, affectent la fixation d'un autre ligand et ce lien entre deux sites de fixation constitue un mécanisme crucial de régulation des processus cellulaires. Les voies métaboliques, par exemple, sont contrôlées par une régulation de type rétrocontrôle : certaines petites molécules inhibent les enzymes qui interviennent au début de la voie métabolique alors que d'autres petites molécules les activent. Les enzymes contrôlées ainsi forment généralement des assemblages symétriques, qui permettent à des modifications de conformation coopératives d'engendrer une réponse brutale aux modifications de la concentration du ligand qui les régule.

Les modifications de forme des protéines peuvent être assurées de manière unidirectionnelle par une consommation d'énergie chimique. Le couplage des modifications de forme allostérique à l'hydrolyse de l'ATP, par exemple, permet aux protéines d'effectuer un travail utile, comme générer une force mécanique ou se déplacer dans une seule direction sur de longues distances. La structure tridimensionnelle des protéines, déterminée par cristallographie aux rayons X, a révélé comment une petite modification locale, provoquée par l'hydrolyse d'un nucléoside triphosphate, pouvait être amplifiée pour créer des modifications majeures dans un autre endroit de la protéine. Les protéines peuvent ainsi servir d'appareil entrée/sortie pour transmettre des informations, comme les facteurs d'assemblage, comme les protéines motrices ou les pompes membranaires. Des machines protéiques extrêmement efficaces sont formées par l'incorporation d'un grand nombre de molécules protéiques différentes dans de gros assemblages au sein desquels les mouvements allostériques de chaque composant individuel sont coordonnés. On sait maintenant que ces machines effectuent la plupart des réactions cellulaires primordiales.

Bibliographie

Généralités

Branden C & Tooze J (1999) Introduction to Protein Structure, 2nd edn. New York: Garland Publishing.

Creighton TE (1993) Proteins: Structures and Molecular Properties, 2nd edn. New York: WH Freeman.

Dickerson RE & Geis I (1969) The Structure and Action of Proteins. New York: Harper & Row.

Kyte J (1995) Structure in Protein Chemistry. New York: Garland Publishing.

Mathews CK, van Holde KE & Ahern K-G (2000) Biochemistry, 3rd edn. San Francisco: Benjamin Cummings.

Perutz M (1992) Protein Structure: New Approaches to Disease and Therapy. New York: WH Freeman.

Schulz GE & Schirmer RH (1990) Principles of Protein Structure, 2nd edn. New York: Springer.

Stryer L (1995) Biochemistry, 4th edn. New York: WH Freeman.

Forme et structure des protéines

Anfinsen CB (1973) Principles that govern the folding of protein chains. Science 181, 223–230.

Bowie JU & Eisenberg D (1993) Inverted protein structure prediction. Curr. Opin. Struct. Biol. 3, 437–444.

Burkhard P, Stetefeld J & Strelkov SV (2001) Coiled coils: a highly versatile protein folding motif. Trends Cell Biol. 11, 82–88.

Caspar DLD & Klug A (1962) Physical principles in the construction of regular viruses. Cold Spring Harb. Symp. Quant. Biol. 27, 1–24.

Doolittle RF (1995) The multiplicity of domains in proteins. Annu. Rev. Biochem. 64, 287–314.

Fraenkel-Conrat H & Williams RC (1955) Reconstitution of active tobacco mosaic virus from its inactive protein and nucleic acid components. Proc. Natl Acad. Sci. USA 41, 690–698.

Fuchs E (1995) Keratins and the skin. Annu. Rev. Cell Dev. Biol. 11, 123–153.

Gehring WJ, Affolter M & Burglin T (1994) Homeodomain proteins. Annu. Rev. Biochem. 63, 487–526.

Harrison SC (1992) Viruses. Curr. Opin. Struct. Biol. 2, 293–299.

International Human Genome Sequencing Consortium (2001) Initial sequencing and analysis of the human genome. Nature 409, 860–921.

Marchler-Bauer A & Bryant SH (1997) A measure of success in fold recognition. Trends Biochem. Sci. 22, 236–240.

Nomura M (1973) Assembly of bacterial ribosomes. Science 179, 864–873.

Pauling L & Corey RB (1951) Configurations of polypeptide chains with favored orientations around single bonds: two new pleated sheets. Proc. Natl. Acad. Sci. USA 37, 729–740.

Pauling L, Corey RB & Branson HR (1951) The structure of proteins: two hydrogen-bonded helical configurations of the polypeptide chain. Proc. Natl. Acad. Sci. USA 27, 205–211.

Pawson T (1994) SH2 and SH3 domains in signal transduction. Adv. Cancer Res. 64, 87–110.

Ponting CP & Dickens NJ (2001) Genome cartography through domain annotation. Genome Biol. 2(7), comment2006.1–2006.7.

Ponting CP, Schultz J, Copley RR et al. (2000) Evolution of domain families. Adv. Protein Chem. 54, 185–244.

Richards FM (1991) The protein folding problem. Sci. Am. 264(1), 54–63.

Richardson JS (1981) The anatomy and taxonomy of protein structure. Adv. Protein Chem. 34, 167–339.

Sali A & Kuriyan J (1999) Challenges at the frontiers of structural biology. Trends Cell Biol. 9, M20–M24.

Steiner DF, Kemmler W, Tager HS & Peterson JD (1974) Proteolytic processing in the biosynthesis of insulin and other proteins. Fed. Proc. 33, 2105–2115.

Teichmann SA, Murzin AG & Chothia C (2001) Determination of protein function, evolution and interactions by structural genomics. Curr. Opin. Struct. Biol. 11, 354–363.

Trinick J (1992) Understanding the functions of titin and nebulin. FEBS Lett. 307, 44–48.

Fonction des protéines

Alberts B (1998) The cell as a collection of protein machines: preparing the next generation of molecular biologists. Cell 92, 291–294.

Benkovic SJ (1992) Catalytic antibodies. Annu. Rev. Biochem. 61, 29–54.

Berg OG & von Hippel PH (1985) Diffusion-controlled macromolecular interactions. Annu. Rev. Biophys. Biophys. Chem. 14, 131–160.

Bourne HR (1995) GTPases: a family of molecular switches and clocks. Philos. Trans. R. Soc. Lond. B. Biol. Sci. 349, 283–289.

Braden BC & Poljak RJ (1995) Structural features of the reactions between antibodies and protein antigens. FASEB J. 9, 9–16.

Dickerson RE & Geis I (1983) Hemoglobin: Structure, Function, Evolution and Pathology. Menlo Park, CA: Benjamin Cummings.

Dressler D & Potter H (1991) Discovering Enzymes. New York: Scientific American Library.

Fersht AR (1999) Structure and Mechanisms in Protein Science: A Guide to Enzyme Catalysis. New York: WH Freeman.

Hazbun TR & Fields S (2001) Networking proteins in yeast. Proc. Natl. Acad. Sci. USA 98, 4277–4278.

Hunter T (1987) A thousand and one protein kinases. Cell 50, 823–829.

Jones S & Thornton JM (1996) Principles of protein–protein interactions. Proc. Natl Acad. Sci. USA 93, 13–20.

Kantrowitz ER & Lipscomb WN (1988) Escherichia coli aspartate transcarbamoylase: the relation between structure and function. Science 241, 669–674.

Khosla C & Harbury PB (2001) Modular enzymes. Nature 409, 247–252.

Koshland DE, Jr (1984) Control of enzyme activity and metabolic pathways. Trends Biochem. Sci. 9, 155–159.

Kraut J (1977) Serine proteases: structure and mechanism of catalysis. Annu. Rev. Biochem. 46, 331–358.

Lichtarge O, Bourne HR & Cohen FE (1996) An evolutionary trace method defines binding surfaces common to protein families. J. Mol. Biol. 257, 342–358.

Marcotte EM, Pellegrini M, Ng HL et al. (1999) Detecting protein function and protein–protein interactions from genome sequences. Science 285, 751–753.

Miles EW, Rhee S & Davies DR (1999) The molecular basis of substrate channeling. J. Biol. Chem. 274, 12193–12196.

Monod J, Changeux J-P & Jacob F (1963) Allosteric proteins and cellular control systems. J. Mol. Biol. 6, 306–329.

Pavletich NP (1999) Mechanisms of cyclin-dependent kinase regulation: structures of Cdks, their cyclin activators, and Cip and INK4 inhibitors. J. Mol. Biol. 287, 821–828.

Perutz M (1990) Mechanisms of Cooperativity and Allosteric Regulation in Proteins. Cambridge: Cambridge University Press.

Phillips DC (1967) The hen egg white lysozyme molecule. Proc. Natl. Acad. Sci. USA 57, 484–495.

Radzicka A & Wolfenden R (1995) A proficient enzyme. Science 267, 90–93.

Schramm VL (1998) Enzymatic transition states and transition state analog design. Annu. Rev. Biochem. 67, 693–720.

Schultz PG & Lerner RA (1995) From molecular diversity to catalysis: lessons from the immune system. Science 269, 1835–1842.

Sicheri F & Kuriyan J (1997) Structures of Src-family tyrosine kinases. Curr. Opin. Struct. Biol. 7, 777–785.

Todd AE, Orengo CA & Thornton JM (1999) Evolution of protein function, from a structural perspective. Curr. Opin. Chem. Biol. 3, 548–556.

Toyoshima C, Nakasako M, Nomura H & Ogawa H (2000) Crystal structure of the calcium pump of sarcoplasmic reticulum at 2.6Å resolution. Nature 405, 647–655.

Vale RD & Milligan RA (2000) The way things move: looking under the hood of molecular motor proteins. Science 288, 88–95.

Vocadlo DJ, Davies GJ, Laine R & Withers SG (2001) Catalysis by hen egg-white lysozyme proceeds via a covalent intermediate. Nature 412, 835–838.

Walsh C (2001) Enabling the chemistry of life. Nature 409, 226–231.

Wolfenden R (1972) Analog approaches to the structure of the transition state in enzyme reactions. Acc. Chem. Res. 5, 10–18.

MÉCANISMES GÉNÉTIQUES DE BASE

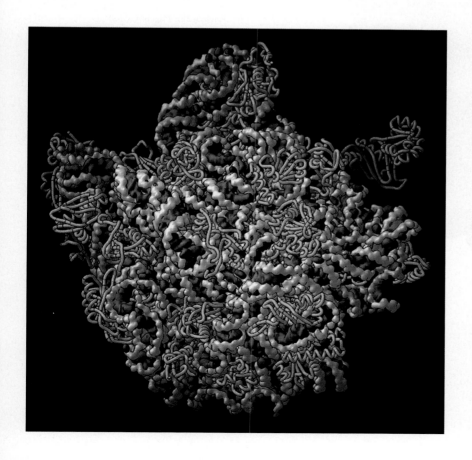

Un ribosome. Voici la grande sous-unité du ribosome bactérien. L'ARN du ribosome est représenté en *gris* et les protéines ribosomiques en *jaune*. Le ribosome est la machine catalytique complexe au centre de la synthèse protéique. (D'après N. Ban et al., *Science* 289 : 905-920, 2000. © AAAS.)

Un nucléosome. La double hélice d'ADN (en *gris*) est enroulée autour d'une particule centrale constituée de protéines d'histone (*colorée*) pour former le nucléosome. Le long de l'ADN chromosomique, les nucléosomes sont grossièrement espacés par 200 paires de nucléotides. (Réimprimé avec la permission de K. Luger et al., *Nature* 389 : 251-260, 1997. © Macmillan Magazines Ltd.)

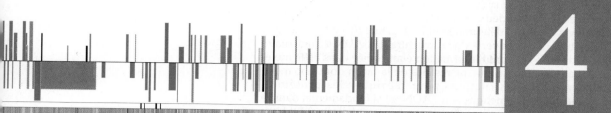

L'ADN ET
LES CHROMOSOMES

La vie dépend de la capacité des cellules à conserver, récupérer et traduire les instructions génétiques nécessaires à fabriquer et maintenir un organisme vivant. Cette *information héréditaire* passe d'une cellule à sa cellule fille au moment de la division cellulaire et, pour un organisme, d'une génération à l'autre par les cellules reproductrices de cet organisme. Dans chaque cellule vivante, ces instructions sont conservées dans les **gènes**, éléments contenant les informations qui déterminent les caractéristiques d'une espèce en tant que tout et celles des individus qui la composent.

Dès que la génétique est devenue une science, au début du vingtième siècle, les scientifiques ont été intrigués par la structure chimique des gènes. Les informations des gènes sont copiées et transmises d'une cellule à sa cellule fille des millions de fois au cours de la vie d'un organisme multicellulaire et traversent ce processus sans changement essentiel. Quel type de molécule pourrait-il être capable d'une réplication aussi précise et presque illimitée et être également en mesure de diriger le développement d'un organisme et la vie quotidienne d'une cellule ? Quelle sorte d'instructions contient l'information génétique ? Comment ces instructions sont-elles physiquement organisées pour que l'énorme quantité d'informations nécessaires au développement et au maintien d'un organisme, même le plus simple, puisse être contenue dans l'espace minuscule d'une cellule ?

Les réponses à certaines de ces questions ont commencé à émerger dans les années 1940, lorsque les chercheurs ont découvert, par l'étude d'un champignon simple, que les informations génétiques comprenaient principalement des instructions pour fabriquer les protéines. Les protéines sont les macromolécules qui effectuent la plupart des fonctions cellulaires : elles servent d'éléments de construction des structures cellulaires et forment les enzymes qui catalysent toutes les réactions chimiques cellulaires (Chapitre 3), elles régulent l'expression des gènes (Chapitre 7) et permettent aux cellules de se déplacer (Chapitre 16) et de communiquer les unes avec les autres (Chapitre 15). Les propriétés et les fonctions d'une cellule sont presque entièrement déterminées par les protéines qu'elle est capable de fabriquer. Avec le recul, il est difficile d'imaginer quel autre type d'instructions auraient pu contenir les informations génétiques.

L'autre avancée cruciale faite dans les années 1940 a été l'identification de l'**acide désoxyribonucléique (ADN)** comme porteur vraisemblable de l'information génétique. Mais les mécanismes qui permettaient de copier l'information héréditaire pour la transmettre de cellule à cellule, et de spécifier les protéines par les instructions de l'ADN, restaient complètement mystérieux. Soudain, en 1953, ce mystère fut résolu par James Watson et Francis Crick qui déterminèrent la structure de l'ADN. Comme nous l'avons dit au chapitre 1, la découverte de la structure de l'ADN a immédiatement résolu le problème de la façon dont l'information était copiée dans cette molécule, la *réplication*. Elle a aussi fourni les premières clés de la façon dont une molécule d'ADN pouvait coder les instructions pour fabriquer les protéines. Actuellement, le fait que le matériel génétique soit l'ADN est si fondamental dans la pensée biologique qu'il est difficile de réaliser quel énorme fossé intellectuel fut franchi grâce à cette découverte.

Bien avant que les biologistes comprennent la structure de l'ADN, ils avaient reconnus que les gènes étaient portés par les *chromosomes*, découverts au dix-neuvième siècle comme des structures, ressemblant à des fils, présentes dans les noyaux des cellules eucaryotes et qui devenaient visibles lorsque la cellule commençait à se diviser (Figure 4-1). Plus tard, lorsque l'analyse biochimique devint possible, il fut démontré que les chromosomes étaient composés d'ADN et de protéines. Nous savons maintenant que l'ADN porte l'information héréditaire de la cellule (Figure 4-2). Par contre, les composants protéiques des chromosomes servent surtout à empaqueter et contrôler les molécules d'ADN, extrêmement longues, afin qu'elles s'adaptent à l'intérieur des cellules et puissent leur être facilement accessibles.

Dans ce chapitre, nous commencerons par décrire la structure de l'ADN. Nous verrons comment, en dépit de sa simplicité chimique, la structure et les propriétés chimiques de l'ADN le rendent idéalement adapté à être le matériau brut des gènes. Sur Terre les gènes de chaque cellule sont composés d'ADN et les aperçus des relations entre l'ADN et les gènes sont venus d'expériences faites sur beaucoup d'organismes variés. Nous verrons ensuite comment les gènes et d'autres segments importants de l'ADN sont disposés le long des molécules d'ADN présentes dans les chromosomes. Enfin nous expliquerons comment les cellules eucaryotes replient ces longues molécules d'ADN dans des chromosomes compacts. Cet empaquetage s'effectue de façon ordonnée pour que les chromosomes soient répliqués et répartis correctement entre les deux cellules filles à chaque division cellulaire. Il doit aussi permettre l'accès de l'ADN chromosomique aux enzymes qui le réparent lorsqu'il est endommagé et aux protéines spécialisées qui dirigent l'expression de ses nombreux gènes.

Ce chapitre est le premier d'un ensemble de quatre traitant des mécanismes génétiques de base – moyens qui permettent aux cellules de maintenir, répliquer, exprimer et parfois améliorer les informations génétiques portées dans leur ADN. Dans le chapitre suivant (Chapitre 5) nous aborderons les mécanismes grâce auxquels les cellules répliquent précisément et réparent l'ADN ; nous verrons également comment les séquences d'ADN peuvent être réarrangées par le processus de recombinaison génétique. L'expression des gènes – processus qui permet à la cellule d'interpréter les informations codées dans l'ADN pour guider la synthèse des protéines – est le principal sujet du chapitre 6. Dans le chapitre 7, nous montrerons comment l'expression des gènes est contrôlée par la cellule qui s'assure ainsi que chacune des milliers de protéines codées dans son ADN n'est fabriquée qu'au moment voulu au cours de sa vie. Après ces quatre chapitres sur les mécanismes de base de la génétique, nous présenterons un exposé des techniques expérimentales utilisées pour étudier ces processus et d'autres qui sont fondamentaux pour toutes les cellules (Chapitre 8).

STRUCTURE ET FONCTION DE L'ADN

Dans les années 1940, les biologistes acceptaient difficilement l'idée que l'ADN soit le matériel génétique, en raison de l'apparente simplicité de sa chimie. Ils savaient que l'ADN est un long polymère uniquement composé de quatre types de sous-unités qui se ressemblent chimiquement entre elles. Au début des années 1950, l'ADN fut, pour la première fois, analysé par diffraction des rayons X, une technique qui permet de déterminer la structure atomique tridimensionnelle d'une molécule (*voir* Chapitre 8). Les premiers résultats de la diffraction des rayons X indiquèrent que l'ADN était composé de deux brins de polymères enroulés en une hélice. Cette observation que l'ADN était à double brin eut une importance cruciale et fournit une des clés majeures conduisant à la structure de Watson-Crick de l'ADN. Ce ne fut que lorsque ce modèle fut proposé que le potentiel de l'ADN pour la réplication et le co-

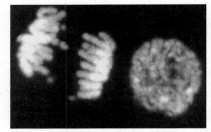

(A) Cellule en division   Cellule non divisée

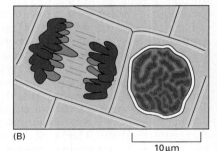

(B) |—— 10 µm ——|

Figure 4-1 Chromosomes d'une cellule.
(A) Deux cellules végétales adjacentes photographiées en microscopie optique. L'ADN a été coloré par un colorant fluorescent (le DAPI) qui se fixe sur lui. L'ADN est présent dans les chromosomes qui ne sont visualisés sous forme de structures distinctes en microscopie optique que lorsqu'ils forment des structures compactes au moment de la préparation de la division cellulaire, comme cela est montré à gauche. La cellule de droite, qui ne se divise pas, contient les mêmes chromosomes, mais ils ne peuvent être clairement distingués en microscopie optique, au cours de cette phase du cycle de la vie cellulaire, parce qu'ils sont sous une conformation plus allongée.
(B) Représentation schématique de la silhouette des deux cellules et de leurs chromosomes.
(A, due à l'obligeance de Peter Shaw.)

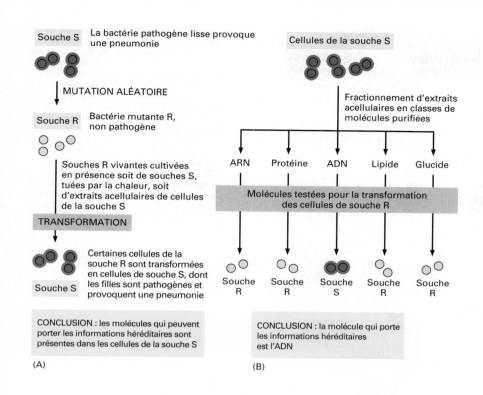

Souche S — La bactérie pathogène lisse provoque une pneumonie

MUTATION ALÉATOIRE

Souche R — Bactérie mutante R, non pathogène

Souches R vivantes cultivées en présence soit de souches S, tuées par la chaleur, soit d'extraits acellulaires de cellules de la souche S

TRANSFORMATION

Souche S — Certaines cellules de la souche R sont transformées en cellules de souche S, dont les filles sont pathogènes et provoquent une pneumonie

CONCLUSION : les molécules qui peuvent porter les informations héréditaires sont présentes dans les cellules de la souche S

(A)

Cellules de la souche S

Fractionnement d'extraits acellulaires en classes de molécules purifiées

ARN   Protéine   ADN   Lipide   Glucide

Molécules testées pour la transformation des cellules de souche R

Souche R   Souche R   Souche S   Souche R   Souche R

CONCLUSION : la molécule qui porte les informations héréditaires est l'ADN

(B)

Figure 4-2 Mise en évidence expérimentale du fait que l'ADN est le matériel génétique. Ces expériences, effectuées dans les années 1940, ont montré que l'addition d'ADN purifié à une bactérie modifiait ses propriétés et que ces modifications étaient fidèlement transmises à la génération suivante. Deux souches très proches de la bactérie *Streptococcus pneumoniae* diffèrent l'une de l'autre à la fois par leur aspect en microscopie et par leur pathogénie. Une souche apparaît lisse (S pour *smooth*) et provoque la mort lorsqu'elle est injectée à une souris alors que l'autre apparaît rugueuse (R) et n'est pas létale. (A) Cette expérience montre qu'une substance présente dans la souche S peut modifier (ou transformer) la souche R en une souche S et que cette modification devient héréditaire pour les générations ultérieures de bactéries. (B) Cette expérience, au cours de laquelle la souche R a été incubée avec diverses classes de molécules biologiques obtenues à partir de la souche S, identifie la substance comme étant l'ADN.

dage de l'information devint apparent. Dans cette partie de chapitre, nous examinerons la structure de la molécule d'ADN et nous expliquerons, en des termes généraux, comment elle est capable de stocker les informations héréditaires.

Une molécule d'ADN est composée de deux chaînes complémentaires de nucléotides

Une molécule d'ADN est formée de deux longues chaînes polynucléotidiques, composées de quatre types de sous-unités de nucléotides. Chacune de ces chaînes est appelée *chaîne d'ADN* ou *brin d'ADN*. Les *liaisons hydrogène* entre les bases des nucléotides maintiennent ensemble les deux chaînes (Figure 4-3). Comme nous l'avons vu au chapitre 2 (Planche 2-6, p. 120-121), les nucléotides sont composés d'un sucre à cinq carbones sur lequel sont fixés un ou plusieurs groupements phosphate et une base contenant un azote. Dans le cas des nucléotides de l'ADN, le sucre est le désoxyribose lié à un seul groupement phosphate (d'où le nom d'acide désoxyribonucléique) et les bases peuvent être l'*adénine (A)*, la *cytosine (C)*, la *guanine (G)* ou la *thymine (T)*. Les nucléotides sont reliés entre eux de façon covalente par les sucres et les phosphates, ce qui forme une chaîne ou «squelette» alterné sucre-phosphate-sucre-phosphate (*voir* Figure 4-3). Comme les bases ne diffèrent que par l'un des quatre types de sous-unités, chaque chaîne polynucléotidique de l'ADN ressemble à un collier (le squelette) composé de quatre types de perles (les quatre bases A, C, G, T). Ces mêmes symboles (A, C, G, T) sont aussi utilisés de façon courante pour désigner les quatre nucléotides différents – à savoir les bases reliées à leur sucre et leur phosphate.

Le mode d'alignement des sous-unités de nucléotides donne au brin d'ADN une polarité chimique. Si nous nous représentons chaque sucre comme un bloc pourvu d'un bouton saillant (le phosphate 5') d'un côté et d'un trou (l'hydroxyle 3') de l'autre (*voir* Figure 3-4), chaque chaîne complète, formée par des boutons emboîtés dans les trous, aura toutes ses sous-unités alignées dans la même orientation. De plus, les deux extrémités de la chaîne seront facilement différenciables, car l'une portera un trou (l'hydroxyle 3') et l'autre un bouton (le phosphate 5') à son extrémité. Cette polarité de la chaîne d'ADN est indiquée par le nom donné à ses extrémités : l'*extrémité 3'* et l'*extrémité 5'*.

La structure tridimensionnelle de l'ADN – ou **double hélice** – provient des caractéristiques chimiques et structurelles de ses deux chaînes polynucléotidiques. Comme ces deux chaînes sont maintenues entre elles par des liaisons hydrogène

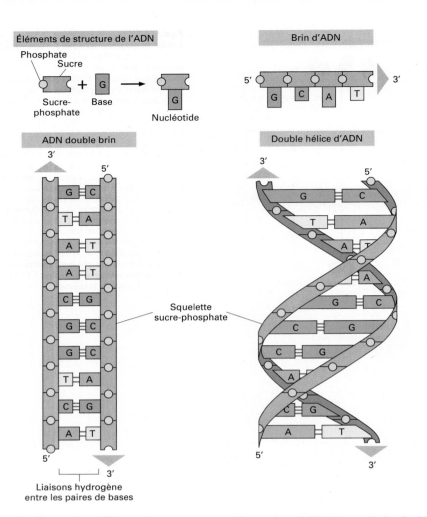

Éléments de structure de l'ADN

Phosphate
Sucre

Sucre-phosphate + Base → Nucléotide

Brin d'ADN

5' G C A T 3'

ADN double brin

3' 5'
G C
T A
A T
A T
C G
G C
G C
T A
C G
A T
5' 3'

Squelette sucre-phosphate

Liaisons hydrogène entre les paires de bases

Double hélice d'ADN

3' 5'
G C
T A
A T
A
G C
C G
C G
A
C G
A T
5' 3'

Squelette sucre-phosphate

Figure 4-3 L'ADN et ses éléments de structure. L'ADN est composé de quatre types de nucléotides reliés de façon covalente pour former une chaîne polynucléotidique (un brin d'ADN) composée d'un squelette sucre-phosphate à partir duquel s'étendent des bases (A, C, G et T). Une molécule d'ADN est composée de deux brins d'ADN reliés l'un à l'autre par des liaisons hydrogène entre les bases appariées. Les *têtes de flèche* aux extrémités des brins d'ADN indiquent la polarité des deux brins, antiparallèles l'un par rapport à l'autre dans la molécule d'ADN. Dans le schéma en bas à gauche de la figure, la molécule d'ADN est montrée sous forme déroulée ; en réalité elle est enroulée en une double hélice, comme cela est montré à droite. Pour plus de détails, *voir* Figure 4-5.

entre les bases des différents brins, toutes ces bases sont à l'intérieur de la double hélice et les squelettes sucre-phosphate sont à l'extérieur (*voir* Figure 4-3). Dans chaque cas, une base volumineuse à deux cycles (une purine, *voir* Planche 2-6, p. 120-121) est appariée à une base à un seul cycle (une pyrimidine) ; A est toujours appariée à T et G à C (Figure 4-4). Cet *appariement complémentaire de bases* permet aux **paires de bases** d'être placées selon la disposition la plus énergétiquement favorable

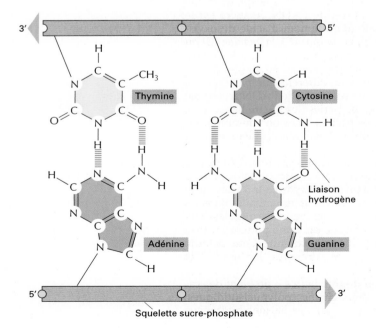

Squelette sucre-phosphate

Figure 4-4 Paires de bases complémentaires de la double hélice d'ADN. La forme et la structure chimique de l'ADN permettent la formation de liaisons hydrogène efficaces uniquement entre A et T et entre G et C, où les atomes qui sont capables de former des liaisons hydrogène (*voir* Planche 2-3, p. 114-115) peuvent être rapprochés sans détruire la double hélice. Comme cela est indiqué, deux liaisons hydrogène se forment entre A et T alors que trois se forment entre G et C. Les bases ne peuvent s'apparier de cette façon que si les deux chaînes polynucléotidiques qui les contiennent sont antiparallèles l'une par rapport à l'autre.

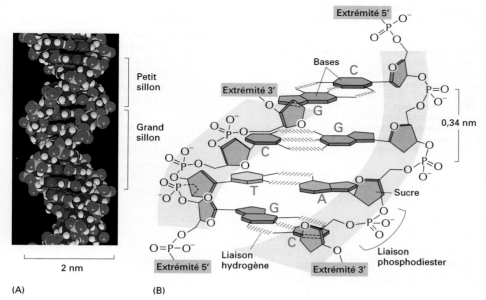

Extrémité 5'

Bases

Extrémité 3'

Petit sillon

Grand sillon

0,34 nm

C

G

G

C

T

A

G

C

Sucre

Liaison phosphodiester

2 nm

Extrémité 5'

Liaison hydrogène

Extrémité 3'

(A)

(B)

Figure 4-5 La double hélice d'ADN. (A) Un modèle compact de 1,5 tours de la double hélice d'ADN. Chaque tour d'ADN est constitué de 10,4 paires de nucléotides et la distance centre-centre entre les paires de nucléotides adjacents est de 3,4 nm. L'enroulement des deux brins l'un sur l'autre crée deux sillons dans la double hélice. Comme cela est indiqué dans la figure, le sillon le plus large est appelé «grand sillon» et le plus petit, «petit sillon». (B) Une courte partie de la double hélice vue de côté montrant les quatre paires de bases. Les nucléotides sont reliés de façon covalente par des liaisons phosphodiester entre un groupement 3'-hydroxyle (–OH) d'un sucre et le groupement 5'-phosphate (P) du suivant. De ce fait, chaque brin polynucléotidique a une polarité chimique; ses deux extrémités sont chimiquement différentes. L'extrémité 3' porte un groupement –OH libre, fixé en position 3' du cycle du sucre; l'extrémité 5' porte un groupement phosphate libre fixé en position 5' du cycle du sucre.

à l'intérieur de la double hélice. Avec cette disposition, chaque paire de bases a une largeur identique, ce qui maintient le squelette sucre-phosphate à égale distance tout au long de la molécule d'ADN. Pour optimiser l'efficacité de la disposition des paires de bases, les deux squelettes sucre-phosphate s'enroulent l'un autour de l'autre pour former une double hélice, qui effectue un tour complet toutes les dix paires de bases (Figure 4-5).

Les membres de chaque paire de bases ne peuvent s'adapter l'un à l'autre à l'intérieur de la double hélice que si les deux brins de l'hélice sont **antiparallèles** – c'est-à-dire si la polarité d'un des brins est orientée à l'opposé de celle de l'autre brin (*voir* Figures 4-3 et 4-4). Une des conséquences de cette nécessité de l'appariement des bases est que chaque brin d'une molécule d'ADN contient une séquence de nucléotides exactement **complémentaire** à la séquence de nucléotides de son brin partenaire.

La structure de l'ADN founit un mécanisme à l'hérédité

Les gènes portent les informations biologiques qui doivent être copiées avec précision pour être transmises à la prochaine génération à chaque fois qu'une cellule se divise pour former deux cellules filles. Deux questions biologiques centrales se posent du fait de ces besoins : comment l'information qui spécifie un organisme peut-elle être portée sous forme chimique et comment est-elle copiée avec exactitude ? La découverte de la structure de la double hélice d'ADN a été décisive pour la biologie du vingtième siècle parce qu'elle a immédiatement suggéré les réponses à ces deux questions, et résolu ainsi au niveau moléculaire le problème de l'hérédité. Nous aborderons brièvement, dans cette partie, les réponses à ces questions que nous examinerons plus en détail dans les chapitres suivants.

L'ADN code les informations par l'intermédiaire de l'ordre, ou séquence, de ses nucléotides le long de chaque brin. On peut considérer chaque base – A, C, T et G – comme une des lettres d'un alphabet de quatre lettres qui compose les messages biologiques dans la structure chimique de l'ADN. Comme nous l'avons vu au chapitre 1, les organismes diffèrent les uns des autres parce que leurs molécules d'ADN respectives ont des séquences de nucléotides différentes et par conséquent, portent des messages biologiques différents. Mais comment l'alphabet des nucléotides est-il utilisé pour fabriquer des messages et que disent-ils ?

Comme nous venons de le voir, on savait déjà bien avant l'établissement de la structure de l'ADN, que les gènes contenaient les instructions pour produire les protéines. Les messages de l'ADN devaient donc, d'une façon ou d'une autre, coder pour les protéines (Figure 4-6). Cette relation a immédiatement facilité la compréhension de ce problème, à cause des caractères chimiques des protéines. Comme nous l'avons vu au chapitre 3, les propriétés des protéines, qui sont responsables de leur fonction biologique, sont déterminées par leur structure tridimensionnelle et cette structure est elle-même déterminée par la séquence linéaire des acides aminés qui la compo-

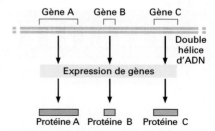

Gène A   Gène B   Gène C

Double hélice d'ADN

Expression de gènes

Protéine A   Protéine B   Protéine C

Figure 4-6 Relation entre les informations génétiques portées sur l'ADN et les protéines.

Figure 4-7 Séquence de nucléotides du gène humain de la globine β.
Ce gène porte les informations pour la séquence des acides aminés d'un des deux
types de sous-unités de la molécule d'hémoglobine qui transporte l'oxygène sanguin.
Un gène différent, le gène de la globine α, porte les informations pour l'autre type de
sous-unité d'hémoglobine (une molécule d'hémoglobine est composée de quatre
sous-unités, deux de chaque type). Seul un des deux brins de la double hélice d'ADN
contenant le gène de la globine β est montré ici; l'autre brin possède une séquence
exactement complémentaire. Par convention, la séquence de nucléotides est écrite
à partir de l'extrémité 5' vers l'extrémité 3' et doit être lue de gauche à droite en
lignes successives dirigées vers le bas de la page, comme s'il s'agissait d'un texte
normal écrit en français. Les séquences d'ADN surlignées en *jaune* montrent les
trois régions du gène qui spécifient la séquence d'acides aminés de la globine β.
Nous verrons au chapitre 6 comment la cellule connecte ces trois séquences
pour synthétiser une protéine de globine β de longueur complète.

sent. La séquence linéaire des nucléotides dans un gène doit donc écrire d'une certaine façon la séquence linéaire des acides aminés d'une protéine. La correspondance
exacte entre l'alphabet nucléotidique à quatre lettres formant l'ADN et l'alphabet à
vingt lettres des acides aminés formant les protéines – ou code génétique – n'est pas
évidente si on se base sur la structure de l'ADN et il a fallu plus d'une décennie après
la découverte de la double hélice avant qu'elle ne soit établie. Dans le chapitre 6 nous
décrirons ce code en détail lorsque nous élaborerons le processus, appelé *expression
des gènes*, utilisé par une cellule pour traduire la séquence nucléotidique d'un gène
en la séquence d'acides aminés d'une protéine.

L'ensemble complet des informations contenues dans l'ADN d'un organisme est
appelé **génome** et il contient les informations concernant toutes les protéines que l'organisme synthétisera. (Le terme de génome est également utilisé pour décrire l'ADN
qui porte ces informations.) La quantité d'informations contenues dans le génome
est stupéfiante : par exemple, une cellule humaine typique contient 2 mètres d'ADN.
Écrite avec l'alphabet nucléotidique à quatre lettres, la séquence des nucléotides d'un
très petit gène humain occupe un quart de page de texte (Figure 4-7), alors que la séquence totale de nucléotides du génome humain remplira plus de mille livres de la
taille de celui-ci. En plus d'autres informations essentielles, le génome porte les instructions pour environ 30 000 protéines distinctes.

À chaque division cellulaire, la cellule doit copier son génome pour le transmettre
à ses deux cellules filles. La découverte de la structure de l'ADN a également révélé
le principe qui permet cette copie : comme chaque brin d'ADN contient une séquence
de nucléotides exactement complémentaire à la séquence de nucléotides de son brin
partenaire, chaque brin peut servir de **matrice**, ou moule, pour la synthèse d'un nouveau brin complémentaire. En d'autres termes, si nous désignons les deux brins
d'ADN par S et S', le brin S peut servir de matrice pour fabriquer un nouveau brin
S' pendant que le brin S' sert de matrice pour fabriquer un nouveau brin S (Figure 4-
8). De ce fait, l'information génétique de l'ADN peut être copiée avec précision par

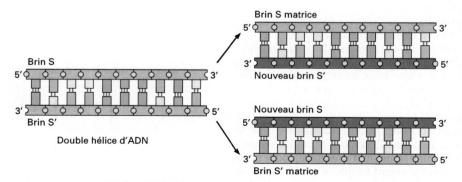

Figure 4-8 L'ADN comme matrice pour sa propre duplication. Comme le nucléotide A ne
peut s'apparier qu'avec le nucléotide T et G qu'avec C, chaque brin d'ADN peut spécifier la séquence
de nucléotides de son brin complémentaire. De cette façon, la double hélice d'ADN peut être copiée
avec précision.

```
CCCTGTGGAGCCACACCCTAGGGTTGGCCA
ATCTACTCCCAGGAGCAGGGAGGGCAGGAG
CCAGGGCTGGGCATAAAAGTCAGGGCAGAG
CCATCTATTGCTTACATTTGCTTCTGACAC
AACTGTGTTCACTAGCAACTCAAACAGACA
CCATGGTGCACCTGACTCCTGAGGAGAAGT
CTGCCGTTACTGCCCTGTGGGGCAAGGTGA
ACGTGGATGAAGTTGGTGGTGAGGCCCTGG
GCAGGTTGGTATCAAGGTTACAAGACAGGT
TTAAGGAGACCAATAGAAACTGGGCATGTG
GAGACAGAGAAGACTCTTGGGTTTCTGATA
GGCACTGACTCTCTCTGCCTATTGGTCTAT
TTTCCCACCCTTAGGCTGCTGGTGGTCTAC
CCTTGGACCCAGAGGTTCTTTGAGTCCTTT
GGGGATCTGTCCACTCCTGATGCTGTTATG
GGCAACCCTAAGGTGAAGGCTCATGGCAAG
AAAGTGCTCGGTGCCTTTAGTGATGGCCTG
GCTCACCTGGACAACCTCAAGGGCACCTTT
GCCACACTGAGTGAGCTGCACTGTGACAAG
CTGCACGTGGATCCTGAGAACTTCAGGGTG
AGTCTATGGGACCCTTGATGTTTTCTTTCC
CCTTCTTTTCTATGGTTAAGTTCATGTCAT
AGGAAGGGGAGAAGTAACAGGGTACAGTTT
AGAATGGGAAACAGACGAATGATTGCATCA
GTGTGGAAGTCTCAGGATCGTTTTAGTTTC
TTTTATTTGCTGTTCATAACAATTGTTTTC
TTTTGTTTAATTCTTGCTTTCTTTTTTTTT
CTTCTCCGCAATTTTTACTATTATACTTAA
TGCCTTAACATTGTGTATAACAAAAGGAAA
TATCTCTGAGATACATTAAGTAACTTAAAA
AAAAACTTTACACAGTCTGCCTAGTACATT
ACTATTTGGAATATATGTGTGCTTATTTGC
ATATTCATAATCTCCCTACTTTATTTTCTT
TTATTTTTAATTGATACATAATCATTATAC
ATATTTATGGGTTAAAGTGTAAGTGTTTTAA
TATGTGTACACATATTGACCAAATCAGGGT
AATTTTGCATTTGTAATTTTTAAAAAATGCT
TTCTTCTTTTTAATATACTTTTTTGTTTATC
TTATTTCTAATACTTTCCCTAATCTCTTTC
TTTCAGGCAATAATGATACAATGTATCAT
GCCTCTTTGCACCATTCTAAAGAATAACAG
TGATAATTTCTGGGTTAAGGCAATAGCAAT
ATTTCTGCATATAAATATTTCTGCATATAA
ATTGTAACTGATGTAAGAGGTTTCATATTG
CTAATAGCAGCTACAATCCAGCTACCATTC
TGCTTTTATTTTATGGTTGGGATAAGGCTG
GATTATTCTGAGTCCAAGCTAGGCCCTTTT
GCTAATCATGTTCATACCTCTTATCTTCCT
CCCACAGCTCCTGGGCAACGTGCTGGTCTG
TGTGCTGGCCCATCACTTTGGCAAAGAATT
CACCCCACCAGTGCAGGCTGCCTATCAGAA
AGTGGTGGCTGGTGTGGCTAATGCCCTGGC
CCACAAGTATCACTAAGCTCGCTTTCTTGC
TGTCCAATTTCTATTAAAGGTTCCTTTGTT
CCCTAAGTCCAACTACTAAACTGGGGGATA
TTATGAAGGGCCTTGAGCATCTGGATTCTG
CCTAATAAAAAACATTTATTTTCATTGCAA
TGATGTATTTAAATTATTTCTGAATATTTT
ACTAAAAAGGGAATGTGGGAGGTCAGTGCA
TTTAAAACATAAAGAAATGATGAGCTGTTC
AAACCTTGGGAAAATACACTATATCTTAAA
CTCCATGAAAGAAGGTGAGGCTGCAACCAG
CTAATGCACATTGGCAACAGCCCCTGATGC
CTATGCCTTATTCATCCCTCAGAAAAGGAT
TCTTGTAGAGGCTTGATTTGCAGGTTAAAG
TTTTGCTATGCTGTATTTTACATTACTTAT
TGTTTTAGCTGTCCTCATGAATGTCTTTTC
```

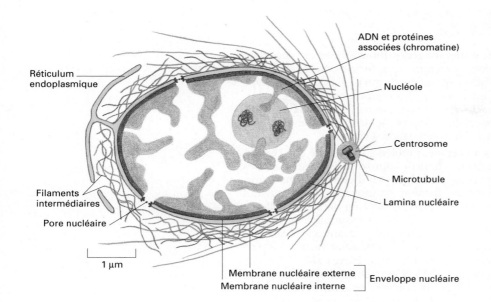

Figure 4-9 Coupe transversale d'un noyau cellulaire typique. L'enveloppe nucléaire est composée de deux membranes, la membrane externe étant en continuité avec la membrane du réticulum endoplasmique (*voir aussi* Figure 12-9). L'espace à l'intérieur du réticulum endoplasmique (la lumière du RE) est coloré en *jaune*; il est continu avec l'espace entre les deux membranes nucléaires. Les bicouches lipidiques des membranes nucléaires, interne et externe, sont reliées l'une à l'autre à chaque pore nucléaire. Deux réseaux de filaments intermédiaires (*vert*) fournissent le soutien mécanique de l'enveloppe nucléaire; les filaments intermédiaires, à l'intérieur du noyau, forment une structure de soutien spéciale appelée «lamina nucléaire».

un processus magnifiquement simple au cours duquel le brin S se sépare du brin S' et chaque brin séparé sert ensuite de matrice pour produire un nouveau brin partenaire complémentaire, identique à son ancien partenaire.

La capacité de chaque brin d'une molécule d'ADN à servir de matrice pour produire un brin complémentaire permet à la cellule de copier, ou *répliquer*, ses gènes avant de les transmettre à ses descendants. Dans le chapitre suivant, nous décrirons la superbe machinerie utilisée par la cellule pour effectuer cette tâche gigantesque.

Chez les eucaryotes, l'ADN est enfermé dans le noyau cellulaire

Presque tout l'ADN d'une cellule eucaryote est séquestré dans un noyau qui occupe environ 10 p. 100 du volume cellulaire total. Ce compartiment est délimité par une *enveloppe nucléaire*, formée de deux membranes lipidiques bicouches concentriques, trouées par endroits par de gros pores nucléaires, qui transportent les molécules entre le noyau et le cytosol. L'enveloppe nucléaire est directement connectée à la membrane très développée du réticulum endoplasmique. Elle est mécaniquement soutenue par deux réseaux de filaments intermédiaires : le premier, appelé lamina nucléaire, forme un fin réseau en feuillets à l'intérieur du noyau, juste en dessous de la membrane nucléaire interne ; l'autre entoure la membrane nucléaire externe et est organisé de façon moins régulière (Figure 4-9).

L'enveloppe nucléaire permet aux nombreuses protéines qui agissent sur l'ADN de se concentrer là où elles sont utiles dans la cellule et, comme nous le verrons dans le chapitre suivant, elle sépare aussi les enzymes nucléaires de celles du cytosol, une caractéristique cruciale au bon fonctionnement des cellules eucaryotes. La compartimentalisation, dont le noyau est un exemple, est un principe important de biologie ; elle sert à établir un environnement qui facilite les réactions biochimiques en concentrant fortement les substrats et les enzymes qui agissent sur elles.

Résumé

L'information génétique est portée par la séquence linéaire de nucléotides de l'ADN. Chaque molécule d'ADN est une double hélice formée de deux brins complémentaires de nucléotides maintenus l'un avec l'autre par des liaisons hydrogène entre les paires de bases G-C et A-T. La duplication de l'information génétique s'effectue par l'utilisation d'un brin d'ADN comme matrice pour la formation d'un brin complémentaire. L'information génétique stockée dans l'ADN d'un organisme contient les instructions pour toutes les protéines que l'organisme synthétisera. Chez les eucaryotes, l'ADN est contenu dans le noyau cellulaire.

L'ADN CHROMOSOMIQUE ET SON EMPAQUETAGE DANS LES FIBRES DE CHROMATINE

La principale fonction de l'ADN est de porter les gènes, informations qui spécifient l'ensemble des protéines d'un organisme – y compris les informations concernant le moment où chaque protéine doit être fabriquée, en quelle quantité et dans quel type de cellule. Le génome des eucaryotes est divisé en chromosomes et, dans cette partie, nous verrons la disposition typique des gènes dans chacun d'entre eux. De plus, nous décrirons les séquences d'ADN spécialisées qui permettent au chromosome de se dupliquer avec précision et de passer d'une génération à l'autre.

Nous serons également confrontés au sérieux problème représenté par l'empaquetage de l'ADN. Chaque cellule humaine contient approximativement 2 mètres d'ADN si on l'étire d'un bout à l'autre ; cependant, le noyau d'une cellule humaine, qui contient l'ADN, ne mesure que 6 μm de diamètre en moyenne. Cela équivaut géométriquement à empaqueter 40 km d'un fil extrêmement fin dans une balle de tennis ! Cette tâche complexe de l'empaquetage de l'ADN est accomplie par des protéines spécialisées qui se fixent sur l'ADN et le replient, engendrant une série d'enroulements et de boucles qui produisent des niveaux d'organisation de plus en plus élevés, et évitent que l'ADN ne devienne un enchevêtrement inextricable. Il est surprenant de voir que, même si le repliement de l'ADN est très serré, il est compacté d'une façon qui le rend facilement disponible aux nombreuses enzymes cellulaires qui le répliquent, le réparent et utilisent ses gènes pour produire les protéines.

L'ADN eucaryote est empaqueté dans un ensemble de chromosomes

Chez les eucaryotes, l'ADN nucléaire est réparti dans un ensemble de **chromosomes** différents. Par exemple, le génome humain – qui a approximativement $3,2 \times 10^9$ nucléotides – est réparti sur 24 chromosomes différents. Chaque chromosome est composé d'une seule molécule d'ADN linéaire, excessivement longue, associée à des protéines qui replient et empaquètent le fin fil d'ADN en une structure plus compacte. Ce complexe, formé par l'ADN et ses protéines, est appelé *chromatine* (du grec *chroma*, «couleur», à cause de ses propriétés de coloration). En plus des protéines impliquées dans l'empaquetage de l'ADN, les chromosomes sont également associés aux nombreuses protéines nécessaires aux processus de l'expression des gènes, de la réplication de l'ADN et de la réparation de l'ADN.

Les bactéries portent leurs gènes sur une seule molécule d'ADN, généralement circulaire (*voir* Figure 1-30). Cet ADN est associé à des protéines qui l'empaquètent et le condensent, mais celles-ci sont différentes des protéines qui effectuent ces fonctions chez les eucaryotes. Même si cet ADN bactérien est souvent appelé «chromosome» bactérien, il n'a pas la même structure que les chromosomes eucaryotes et on sait moins bien comment il est empaqueté. On en sait encore moins sur la façon dont l'ADN des archéobactéries est empaqueté. De ce fait, nous focaliserons notre abord de la structure des chromosomes presque entièrement sur les chromosomes eucaryotes.

Si on excepte les cellules germinales, et quelques types cellulaires hautement spécialisés qui ne peuvent se multiplier et ne possèdent pas d'ADN (par exemple les hématies), chaque cellule humaine contient deux copies de chaque chromosome, une héritée de la mère et une du père. Les chromosomes maternels et paternels d'une paire sont appelés **chromosomes homologues**. La seule paire de chromosomes non homologues est constituée des chromosomes sexuels du sexe masculin, où un *chromosome Y* est hérité du père et un *chromosome X* de la mère. De ce fait, chaque cellule humaine contient au total 46 chromosomes – 22 paires communes aux sexes masculin et féminin, plus deux chromosomes sexuels (X et Y dans les individus masculins et deux X dans les individus féminins). L'*hybridation de l'ADN* (décrite en détail au chapitre 8) peut être utilisée pour différencier ces chromosomes humains en les «peignant» chacun d'une couleur différente (Figure 4-10). Cette méthode de «chromosome painting» s'effectue typiquement au stade du cycle cellulaire où les chromosomes sont particulièrement compacts et faciles à visualiser (mitose, *voir* ci-après).

Une autre façon plus traditionnelle de distinguer les chromosomes les uns des autres est de les colorer avec des colorants qui produisent des bandes formant un motif fiable et net le long de chaque chromosome en mitose (Figure 4-11). La base structurale de cet aspect en bandes n'est pas bien comprise et nous reviendrons sur ce sujet à la fin de ce chapitre. Néanmoins, l'aspect en bandes de chaque type de chromosome est unique et permet de les identifier et de les numéroter.

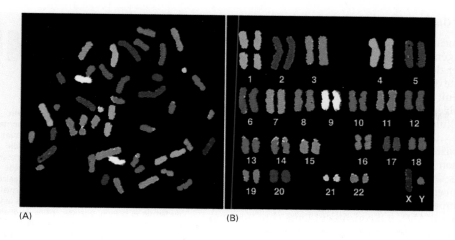

(A)   (B)

Figure 4-10 Chromosomes humains.
Ces chromosomes, issus d'un individu
masculin, ont été isolés d'une cellule subissant
une division nucléaire (mitose) et sont, de
ce fait, très compacts. Chaque chromosome
a été «peint» d'une couleur différente pour
permettre son identification sans ambiguïté
en microscopie optique. La technique de
«chromosome painting» s'effectue en exposant
les chromosomes à une gamme de molécules
d'ADN humain couplées à divers colorants
fluorescents. Par exemple, les molécules
d'ADN dérivées du chromosome 1 sont
marquées avec une association spécifique
de colorants, ceux du chromosome 2 avec
une autre et ainsi de suite. Comme l'ADN
marqué ne peut former des paires de bases,
ou s'hybrider, qu'avec le chromosome dont
il dérive (*voir* Chapitre 8), chaque chromosome
est marqué différemment. Pour cette
expérience, les chromosomes sont soumis
à des traitements qui séparent les doubles
hélices d'ADN en simples brins, pour
permettre leur appariement de bases avec
le brin d'ADN marqué tout en maintenant
la structure du chromosome relativement
intacte. (A) Chromosomes visualisés lorsqu'ils
sont initialement libérés de la cellule lysée.
(B) Les mêmes chromosomes artificiellement
alignés dans leur ordre numérique.
Cet arrangement de l'ensemble complet
des chromosomes est appelé caryotype.
(D'après E. Schröck et al., *Science* 273 :
494-497, 1996. © AAAS.)

La visualisation des 46 chromosomes humains en mitose constitue le **caryotype**
humain. S'il manque des parties de ces chromosomes, ou s'il y a eu un échange de
parties entre deux chromosomes, ces modifications peuvent être détectées par
l'étude des bandes ou par les modifications de l'aspect du «chromosome painting»
(Figure 4-12). Les cytogénéticiens utilisent ces modifications pour détecter les anomalies chromosomiques associées à des anomalies héréditaires ou à certains types
de cancers et qui apparaissent du fait de réarrangements des chromosomes dans les
cellules somatiques.

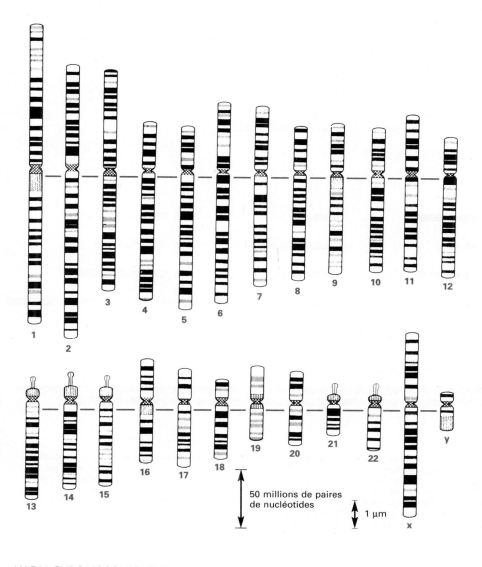

50 millions de paires
de nucléotides

1 μm

**Figure 4-11 Aspect en bandes
des chromosomes humains.**
Les chromosomes 1 à 22 sont numérotés dans
l'ordre approximatif de leur taille. Une cellule
somatique humaine typique (lignée non
germinale) contient deux chromosomes de
chaque type, plus deux chromosomes sexuels —
un chromosome X et un Y chez l'homme
et deux chromosomes X chez la femme.
Les chromosomes utilisés pour cette carte ont
été colorés au début de la mitose, lorsque
les chromosomes ne sont pas totalement
compactés. Les *lignes vertes horizontales*
représentent la position du centromère
(*voir* Figure 4-22) qui apparaît comme
une constriction des chromosomes mitotiques ;
les boutons sur les chromosomes 13, 14, 15,
21 et 22 indiquent la position des gènes qui
codent pour les grands ARN ribosomiques
(*voir* Chapitre 6). Ces cartes sont obtenues en
colorant les chromosomes avec du Giemsa
et peuvent être observées en microscopie
optique. (Adapté d'après U. Franke, *Cytogenet.
Cell Genet.* 31 : 24-32, 1981.)

Les chromosomes contiennent de longues bandes de gènes

La fonction principale des chromosomes est de porter les gènes – l'unité fonctionnelle de l'hérédité. Un gène se définit généralement comme un segment d'ADN qui contient les instructions pour fabriquer des protéines particulières (ou un ensemble de protéines apparentées). Même si cette définition est adaptée à la plupart des gènes, un certain pourcentage de gènes produit des molécules d'ARN et non pas des protéines. Comme les protéines, ces molécules d'ARN effectuent diverses fonctions structurelles et catalytiques dans la cellule et nous les aborderons en détail dans les chapitres suivants.

Comme on peut s'y attendre, il existe une corrélation entre la complexité d'un organisme et le nombre de gènes de son génome (*voir* Tableau 1-I). Par exemple, le nombre total de gènes varie de moins de 500 pour les bactéries simples à environ 30 000 pour l'homme. Les bactéries et certaines cellules eucaryotes monocellulaires ont des génomes particulièrement compacts ; la séquence complète des nucléotides de leur génome révèle que les molécules d'ADN qui constituent leurs chromosomes ne sont rien de plus que des séquences de gènes fortement empaquetées (Figure 4-13, *voir aussi* Figure 1-30). Cependant, dans beaucoup d'eucaryotes, y compris l'homme, les chromosomes contiennent, en plus de leurs gènes, une grande quantité d'ADN intercalé qui ne semble pas porter d'informations essentielles. Parfois appelé ADN « camelote » pour signifier que son utilité cellulaire n'a pas été démontrée, la séquence particulière des nucléotides de cet ADN peut ne pas être importante ; mais cet ADN lui-même, en agissant comme matériel d'espacement, peut avoir une importance cruciale pour l'évolution à long terme des espèces et pour l'expression correcte des gènes. Nous aborderons ce sujet en détail au chapitre 7.

En général, plus l'organisme est complexe, plus son génome est grand ; mais à cause des différences dans la quantité d'ADN excédentaire, cette relation n'est pas systématique (*voir* Figure 1-38). Par exemple, le génome humain est 200 fois plus grand que celui de la levure *S. cerevisiae* mais 30 fois plus petit que celui de certains végétaux et amphibiens et 200 fois plus petit qu'une espèce d'amibe. De plus, à cause des différences de quantité d'ADN excédentaire, la teneur en ADN de génomes d'organismes similaires (poissons osseux, par exemple) peut varier de plusieurs centaines de fois, même si le génome contient grossièrement le même nombre de gènes. Quelle que soit la fonction de l'ADN excédentaire, il semble clair qu'il n'est pas handicapant, pour une cellule eucaryote supérieure, d'en contenir une grande quantité.

La répartition du génome dans les chromosomes est également différente d'une espèce eucaryote à l'autre. Par exemple, si on les compare avec les 46 chromosomes

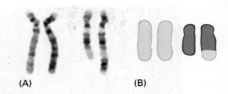

Figure 4-12 Un chromosome humain aberrant. (A) Deux paires de chromosomes colorées au Giemsa (*voir* Figure 4-11) issues d'un patient présentant une ataxie, maladie caractérisée par une détérioration progressive de la dextérité motrice. Le patient possède une paire normale de chromosomes 4 (paire de gauche) mais un chromosome 12 normal et un chromosome 12 aberrant comme on le voit du fait de sa grande longueur (paire de droite). Il a été déduit, d'après l'aspect des bandes, que le matériel supplémentaire contenu dans ce chromosome 12 aberrant est un morceau du chromosome 4 qui s'est fixé sur le chromosome 12 lors d'un événement anormal de recombinaison appelé translocation chromosomique. (B) Les deux mêmes paires de chromosomes « peints » en bleu pour l'ADN du chromosome 4 et en pourpre pour l'ADN du chromosome 12. Ces deux techniques donnent naissance aux mêmes conclusions sur la nature du chromosome 12 aberrant, mais le « chromosome painting » a une meilleure résolution et permet l'identification claire même de courtes parties de chromosomes qui ont subi une translocation. Cependant la coloration au Giemsa est plus facile à faire. (D'après E. Schröck et al., *Science* 273 : 494-497, 1996. © AAAS.)

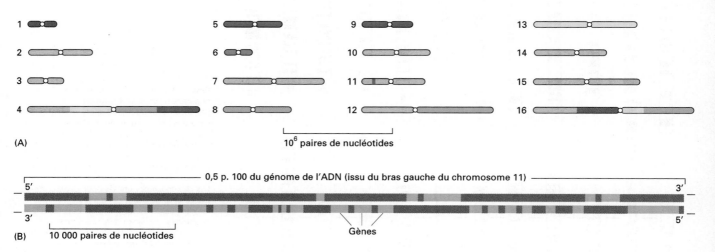

(A)

10^6 paires de nucléotides

0,5 p. 100 du génome de l'ADN (issu du bras gauche du chromosome 11)

5'   3'

3'   5'

(B)   10 000 paires de nucléotides   Gènes

Figure 4-13 Génome de *S. cerevisiae* (levure bourgeonnante). (A) Le génome se distribue sur 16 chromosomes et sa séquence nucléotidique complète a été déterminée par la coopération de scientifiques de divers pays, comme cela est indiqué (*gris*, Canada ; *orange*, Union européenne ; *jaune*, Royaume-Uni ; *bleu*, Japon ; *vert clair*, St Louis, Missouri ; *vert foncé*, Standford, Californie). La constriction présente sur chaque chromosome représente la position de ses centromères (*voir* Figure 4-22). (B) Une petite région du chromosome 11 marquée en *rouge* sur le schéma (A) est grossie pour montrer la grande densité des gènes caractéristique de cette espèce. Comme cela est indiqué en *orange*, certains gènes sont transcrits à partir du brin inférieur (*voir* Figure 1-5) alors que d'autres sont transcrits à partir du brin supérieur. Il y a environ 6 000 gènes dans le génome complet dont la longueur est de 12 147 813 paires de nucléotides.

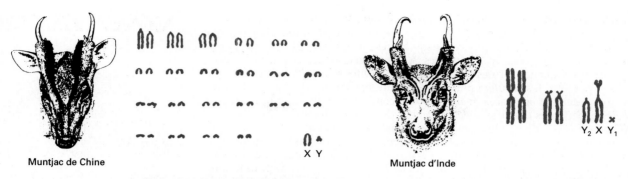

Figure 4-14 Deux espèces proches de cervidés ayant un nombre de chromosomes très différent.
Dans l'évolution du muntjac d'Inde, des chromosomes initialement séparés ont fusionné sans qu'il y ait d'effets majeurs sur l'animal. Ces deux espèces ont grossièrement le même nombre de gènes. (Adapté de M. W. Strickberger, *Evolution*, 3rd edition, 2000 Sudbury, MA : Jones & Bartlett Publishers.)

de l'homme, les cellules somatiques d'une espèce de petit cerf ne contiennent que 6 chromosomes, alors que les cellules d'une espèce de carpe en contiennent plus de 100. Des espèces même très apparentées et ayant une taille de génome identique peuvent avoir un nombre très différent de chromosomes de tailles différentes (Figure 4-14). De ce fait, il n'y a pas de relation simple entre le nombre de chromosomes, la complexité des espèces et la taille totale du génome. On peut plutôt penser que le génome et les chromosomes des espèces modernes ont été chacun modelés par une histoire unique d'événements génétiques apparemment aléatoires, exécutés par la pression de sélection.

La séquence des nucléotides du génome humain montre comment les gènes sont disposés chez l'homme

Lorsque la séquence d'ADN du chromosome humain 22, l'un des plus petits chromosomes humains (*voir* Figure 4-11), a été achevée en 1999, il devint pour la première fois possible de voir avec exactitude comment les gènes étaient disposés le long d'un chromosome entier de vertébré (Figure 4-15 et Tableau 4-I). Avec la publication des « premières épreuves » du génome humain complet en 2001, le paysage génétique de tous les chromosomes humains est soudainement entré en ligne de mire. La quan-

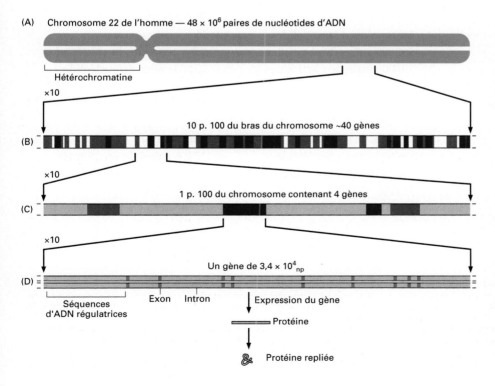

Figure 4-15 Organisation des gènes sur un chromosome humain.
(A) Le chromosome 22, l'un des plus petits chromosomes humains, contient 48×10^6 paires de nucléotides et constitue environ 1,5 p. 100 du génome humain complet. La majeure partie du bras gauche du chromosome 22 est constituée de courtes séquences répétitives d'ADN empaquetées sous une forme particulièrement compacte de chromatine (l'hétérochromatine) dont nous parlerons ultérieurement dans ce chapitre. (B) Un agrandissement par dix d'une portion du chromosome 22 avec environ 40 gènes indiqués. Ceux en *brun foncé* sont les gènes connus et ceux en *brun clair* sont les gènes prédits. (C) Une portion agrandie de (B) montre la longueur complète de plusieurs gènes. (D) La disposition intron-exon d'un gène typique est montrée après un agrandissement supplémentaire de 10 fois. Chaque exon (en *rouge*) code pour une portion de la protéine alors que la séquence d'ADN de l'intron (en *gris*) est relativement peu importante. Le génome humain complet ($3,2 \times 10^9$ paires de nucléotides) est réparti sur 22 chromosomes autosomes et 2 chromosomes sexuels (*voir* Figures 4-10 et 4-11). Le terme de « *séquence du génome humain* » se réfère à la séquence complète des nucléotides de l'ADN dans ces 24 chromosomes. En étant diploïde, une cellule somatique humaine contient de ce fait grossièrement deux fois cette quantité d'ADN. Les hommes diffèrent les uns des autres en moyenne par un nucléotide tous les mille, et un très grand nombre d'hommes ont apporté leur ADN pour le projet de séquençage du génome humain. La séquence du génome humain publiée est de ce fait un composite de beaucoup de séquences individuelles. (Adapté de l'International Human Genome Sequencing Consortium, *Nature* 409 : 860-921, 2001.)

tité absolue d'informations fournie par le Projet Génome Humain est sans précédents en biologie (Figure 4-16 et Tableau 4-I) ; le génome humain est 25 fois plus gros que les autres génomes jamais séquencés jusqu'à présent et 8 fois plus grand que la somme de tous les génomes déjà séquencés. À son apogée, le Projet Génome Humain a engendré des séquences brutes de nucléotides à la vitesse de 1 000 nucléotides par seconde et par jour. Il s'écoulera plusieurs décennies avant que ces informations ne soient complètement analysées, mais ce projet continuera à stimuler beaucoup de nouvelles expériences et a déjà affecté la teneur de tous les chapitres de ce livre.

Même s'il existe de nombreuses façons d'analyser le génome humain, nous ne ferons que de simples généralisations sur la façon dont sont disposés les gènes dans les chromosomes humains. La première particularité frappante du génome humain est que seule une petite partie du génome (un faible pourcentage) code pour les protéines et l'ARN structural et catalytique (Figure 4-17). La plus grande partie de l'ADN chromosomique restant est constituée de courts morceaux d'ADN, mobiles, qui se sont eux-mêmes insérés peu à peu dans le chromosome tout au long de l'évolution. Nous parlerons en détail de ces *éléments transposables* dans les chapitres ultérieurs.

Une deuxième caractéristique notable du génome humain est la grande taille des gènes qui sont composés, en moyenne, de 27 000 paires de nucléotides. Comme nous l'avons déjà vu, un gène typique porte, dans sa séquence linéaire de nucléotides, les informations sur la séquence linéaire des acides aminés d'une protéine. Il faut seulement environ 1 300 paires de nucléotides pour coder une protéine de taille moyenne (environ 430 acides aminés chez l'homme). La plupart de l'ADN restant dans le gène est constituée de longs segments d'ADN non codant qui interrompent des segments relativement courts d'ADN codant pour les protéines. Les séquences codantes sont appelées *exons* ; les séquences intermédiaires (non codantes) sont appelées *introns* (*voir* Figure 4-15 et Tableau 4-I).

La majorité des gènes humains est donc formée d'une longue bande d'exons alternant avec des introns, avec la plus grande partie des gènes constituée d'introns. À l'opposé, la majorité des gènes issus des organismes à génome compact n'a pas d'introns. Cela s'explique par la taille bien plus petite de leurs gènes (environ un vingtième de celle des gènes humains) ainsi que par la fraction bien plus importante d'ADN codant dans leurs chromosomes. En plus des introns et des exons, chaque gène est associé à des *séquences d'ADN régulatrices*, responsables de la surveillance de

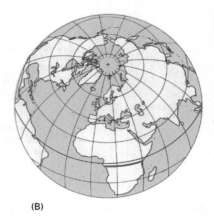

(A)

(B)

Figure 4-16 Échelle du génome humain. Si chaque paire de nucléotides était représentée par 1 mm comme sur (A), alors le génome humain s'étendrait sur 3200 km, assez pour s'étirer d'un bord à l'autre du centre de l'Afrique, le site de nos origines humaines (*ligne rouge* de B). À cette échelle, il y aurait, en moyenne, un gène codant pour une protéine tous les 300 mètres. Un gène moyen s'étendrait sur 30 m mais, dans ce gène, les séquences codantes additionnées ne mesureraient qu'un mètre.

TABLEAU 4-I Principales données sur le chromosome 22 et le génome humain complet

	CHROMOSOME 22	GÉNOME HUMAIN
Longueur de l'ADN	48 × 10⁶ paires de nucléotides*	3,2 × 10⁹
Nombre de gènes	Environ 700	Environ 30 000
Plus petit gène codant pour les protéines	1 000 paires de nucléotides	Non analysé
Plus grand gène	583 000 paires de nucléotides	2,4 × 10⁶ paires de nucléotides
Taille moyenne des gènes	19 000 paires de nucléotides	27 000 paires de nucléotides
Plus petit nombre d'exons par gène	1	1
Plus grand nombre d'exons par gène	54	178
Nombre moyen d'exons par gène	5,4	8,8
Taille minimale des exons	8 paires de nucléotides	Non analysé
Taille maximale des exons	7 600 paires de nucléotides	17 106 paires de nucléotides
Taille moyenne des exons	266 paires de nucléotides	145 paires de nucléotides
Nombre de pseudogènes**	Plus de 134	Non analysé
Pourcentage de séquences ADN dans les exons (séquences de codage protéique)	3 p. 100	1,5 p. 100
Pourcentage d'ADN dans les éléments répétitifs très copiés	42 p. 100	Environ 50 p. 100
Pourcentage du génome humain total	1,5 p. 100	100 p. 100

* La séquence nucléotidique de 33,8 × 10⁶ nucléotides est connue ; le reste du chromosome est constitué surtout de petites séquences répétitives très courtes qui ne codent ni pour les protéines ni pour l'ARN.
** Un pseudogène est une séquence nucléotidique de l'ADN qui ressemble beaucoup à celle d'un gène fonctionnel mais qui contient de nombreuses mutations par délétion qui empêchent sa propre expression. La plupart des pseudogènes proviennent de la duplication d'un gène fonctionnel, suivie de l'accumulation de mutations qui ont endommagé la copie.

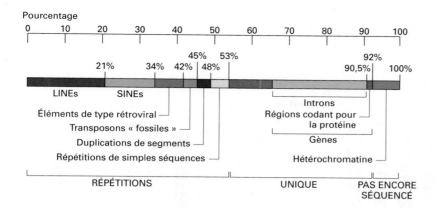

Figure 4-17 Représentation du contenu de la séquence de nucléotides du génome humain. LINES, SINES, les éléments type rétroviraux et les transposons sont tous des éléments génétiques mobiles qui se sont multipliés dans notre génome en se répliquant eux-mêmes et en insérant leurs nouvelles copies en différentes positions. Les éléments génétiques mobiles sont abordés au chapitre 5. Les répétitions de simples séquences sont de courtes séquences de nucléotides (moins de 14 paires de nucléotides) qui sont répétées encore et encore en longues bandes. Les duplications de segments sont de gros blocs de génome (100-200 000 paires de nucléotides) qui sont présents dans au moins deux localisations du génome. Plus de la moitié des séquences uniques sont composées de gènes et le reste est probablement de l'ADN de régulation. La plus grande partie de l'ADN présente dans l'hétérochromatine, un type particulier de chromatine (abordé par la suite dans ce chapitre) qui contient relativement peu de gènes, n'a pas encore été séquencée. (Adapté de Unveiling the Human Genome, supplement to the Wellcome Trust Newsletter, London: Wellcome Trust, February 2001.)

l'expression du gène à un niveau adapté, au bon moment et dans le bon type cellulaire. Chez l'homme, les séquences régulatrices de gènes sont typiquement disséminées sur des dizaines de milliers de paires de nucléotides. Comme on peut s'y attendre, ces séquences régulatrices sont plus comprimées dans les organismes à génome compact. Nous aborderons au chapitre 7 le fonctionnement des séquences d'ADN régulatrices.

Pour finir, la séquence de nucléotides du génome humain a révélé que les informations critiques semblaient être dans un état alarmant de désordre. Selon la description de notre génome par un commentateur, « d'une certaine façon, il peut ressembler à votre garage/chambre à coucher/réfrigérateur/vie : hautement individualiste, mais débraillé ; peu organisé ; beaucoup de pagaille accumulée (appelée par les non initiés « pacotille ») ; virtuellement rien n'a jamais été jeté et les quelques articles manifestement valables sont disséminés à l'intérieur sans aucune distinction et apparemment sans aucun soin ».

Les comparaisons entre les ADN d'organismes apparentés permettent de distinguer les régions conservées et non conservées des séquences d'ADN

Un obstacle majeur à l'interprétation de la séquence des nucléotides des chromosomes humains réside dans le fait que beaucoup de séquences ne sont probablement pas importantes. De plus, les régions codantes du génome (les exons) forment typiquement de courts segments (taille moyenne 145 paires de nucléotides, environ) flottant dans un océan d'ADN dont la séquence nucléotidique exacte a peu de conséquences. Cette disposition rend l'identification de tous les exons d'un segment de séquence d'ADN très difficile ; il est encore plus difficile de déterminer l'endroit où commence un gène et celui où il se termine, de même que le nombre d'exons qu'il contient. L'identification précise des gènes nécessite des approches qui extraient des informations du faible rapport signal/bruit, inhérent au génome humain et nous en décrirons certaines au chapitre 8. Ici nous étudierons l'approche la plus générale, qui permet d'identifier non seulement les séquences codantes mais aussi les autres séquences d'ADN qui sont importantes. Elle se base sur l'observation que les séquences pourvues d'une fonction ont été conservées pendant l'évolution alors que celles qui n'en ont pas ont pu muter de façon aléatoire. La stratégie utilisée consiste donc à comparer la séquence humaine avec celle des régions correspondantes d'un génome apparenté, comme celui de la souris. On pense que les hommes et les souris ont divergé d'un mammifère commun ancestral, il y a environ 100×10^6 années, ce qui est assez long pour que la majorité des nucléotides de leur génome ait pu être modifiée par des mutations aléatoires. Par conséquent, les seules régions qui sont restées très similaires dans les deux génomes sont celles dans lesquelles des mutations auraient empêché certaines fonctions et désavantagé les animaux porteurs, résultant en leur élimination de la population par sélection naturelle. Ces régions très semblables sont appelées *régions conservées*. En général les régions conservées représentent les exons fonctionnellement importants et les séquences régulatrices. À l'opposé, les *régions non conservées* représentent l'ADN dont la séquence n'est généralement pas indispensable pour cette fonction. En révélant ainsi les résultats d'une « expérience » naturelle très longue, les études comparatives du séquençage de l'ADN ont mis en lumière les régions les plus intéressantes du génome.

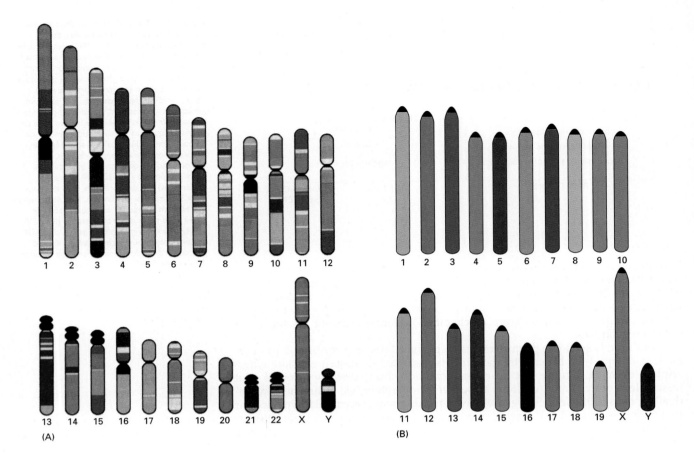

Les chromosomes existent sous différents états tout au long de la vie d'une cellule

(A)

(B)

Figure 4-18 Conservation de la synténie entre les génomes de l'homme et de la souris. Les régions des différents chromosomes de la souris (indiquées par les couleurs de chaque souris en B) montrent une conservation de la synténie (ordre des gènes) avec les régions indiquées du génome humain (A). Par exemple, les gènes présents sur la partie supérieure du chromosome humain 1 (*orange*) sont présents dans le même ordre dans une portion du chromosome 4 de la souris. Les régions des chromosomes humains qui sont surtout composées de courtes séquences répétitives sont montrées en *noir*. Les centromères de la souris (indiqués en *noir* en B) sont localisés à l'extrémité des chromosomes ; aucun gène connu ne se trouve au-delà des centromères sur n'importe quel chromosome de souris. Pour la plupart, les centromères humains, indiqués par des constrictions, occupent une position plus interne sur les chromosomes (*voir* Figure 4-11). (Adapté d'après International Human Genome Sequencing Consortium, *Nature* 409 : 860-921, 2001.)

Ce type d'études comparatives a révélé non seulement que les souris et les hommes partageaient la plupart des mêmes gènes mais aussi que de gros blocs des génomes de l'homme et de la souris contenaient ces gènes dans le même ordre, une caractéristique appelée *conservation de la synténie* (Figure 4-18). La conservation de la synténie peut aussi être révélée par la technique de «chromosome painting», qui a été utilisée pour reconstruire l'histoire de l'évolution de nos propres chromosomes en les comparant avec ceux d'autres mammifères (Figure 4-19).

Les chromosomes existent sous différents états tout au long de la vie d'une cellule

Nous avons vu comment les gènes étaient disposés dans les chromosomes, mais pour former un chromosome fonctionnel, la molécule d'ADN doit faire plus que simplement porter les gènes : elle doit être capable de se répliquer, et les copies répliquées doivent être séparées et réparties de façon fiable dans les cellules filles à chaque division cellulaire. Ce processus se produit selon une série ordonnée d'étapes, globalement appelée **cycle cellulaire**. Le cycle cellulaire est brièvement résumé dans la figure 4-20 et sera abordé en détail au chapitre 17. Seules deux étapes du cycle nous concernent dans ce chapitre. Pendant l'*interphase*, les chromosomes sont répliqués et pendant la *mitose*, ils se condensent fortement puis se séparent et sont répartis dans les deux noyaux fils. Les chromosomes très condensés d'une cellule en division sont appelés *chromosomes mitotiques*. C'est sous cette forme que les chromosomes sont le plus facilement visualisés ; en fait, toutes les images des chromosomes montrées jusqu'à présent dans ce chapitre sont celles de chromosomes en mitose. L'état condensé est important pour permettre au chromosome dupliqué de se séparer en suivant le fuseau mitotique au cours de la division cellulaire, comme nous le verrons au chapitre 18.

Pendant les parties du cycle cellulaire où la cellule ne se divise pas, les chromosomes sont sous forme déroulée et la plus grande partie de leur chromatine existe,

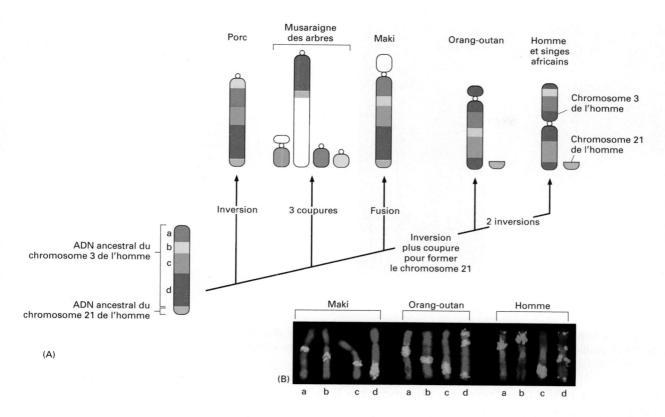

Figure 4-19 Hypothèse de l'historique de l'évolution du chromosome 3 de l'homme et de ses apparentés chez les autres mammifères. (A) *En bas à gauche* se trouve l'ordre des segments du chromosome 3 hypothétiquement présents sur le chromosome d'un mammifère ancestral. *Au-dessus* se trouvent les représentations des séquences de chromosomes retrouvées sur les chromosomes des mammifères modernes. Les modifications minimales qui ont compté pour l'aspect des chromosomes modernes par rapport à celui de l'ancêtre hypothétique sont marquées le long de chaque branche. Chez les mammifères, on pense que ces types de modifications dans l'organisation des chromosomes se sont produits tous les 5-10 × 10⁶ ans. Les *petits cercles* montrés sur les chromosomes modernes représentent la position des centromères. (B) Certaines expériences de «chromosome painting» qui ont conduit au schéma (A). Chaque image montre les chromosomes les plus apparentés au chromosome humain 3, peints en vert par hybridation avec différents segments d'ADN, désignés par les lettres a, b, c et d au *bas* de la figure. Ces lettres correspondent aux segments colorés du schéma (A). (D'après S. Müller et al., *Proc. Natl. Acad. Sci. USA* 97 : 206-211, 2000. © National Academy of Sciences.)

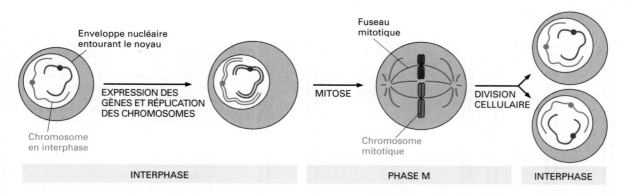

Figure 4-20 Vue simplifiée du cycle cellulaire eucaryote. Pendant l'interphase, la cellule exprime activement ses gènes et synthétise ainsi des protéines. Durant l'interphase également, et avant la division cellulaire, l'ADN se réplique et les chromosomes sont dupliqués. Une fois que la réplication de l'ADN est terminée, la cellule peut entrer dans la *phase M*, où se produit la mitose, et le noyau se divise en deux noyaux fils. Pendant cette étape, le chromosome se condense, l'enveloppe nucléaire se rompt et le fuseau mitotique se forme à partir des microtubules et d'autres protéines. Les chromosomes mitotiques condensés sont capturés par le fuseau mitotique et un jeu complet de chromosomes est repoussé à chaque extrémité de la cellule. Une enveloppe nucléaire se reforme autour de chaque jeu de chromosomes et dans l'étape finale de la phase M, la cellule se divise pour produire deux cellules filles. L'interphase occupe la majeure partie du cycle cellulaire; la phase M est comparativement brève, n'occupant environ qu'une heure dans la plupart des cellules de mammifères.

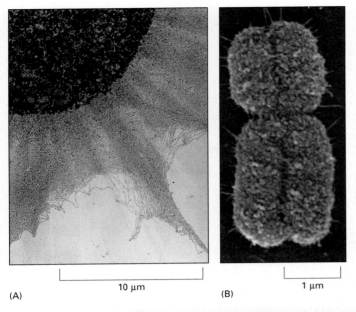

(A)

10 µm

(B)

1 µm

Figure 4-21 Comparaison entre la chromatine déroulée en interphase et la chromatine dans un chromosome mitotique. (A) Photographie en microscopie électronique montrant un enchevêtrement très important de chromatine sortant d'un noyau lysé en interphase. (B) Photographie en microscopie électronique à balayage d'un chromosome mitotique; un chromosome condensé dupliqué dans lequel les deux nouveaux chromosomes sont encore reliés (voir Figure 4-22). La région de constriction indique la position du centromère. Notez les différences d'échelle. (A, due à l'obligeance de Victoria Foe; B, due à l'obligeance de Terry D. Allen.)

dans le noyau, sous forme d'un long fil, fin et enchevêtré, de telle sorte que chaque chromosome ne peut être facilement distingué (Figure 4-21). Les chromosomes dans cet état allongé sont appelés *chromosomes interphasiques.*

Chaque molécule d'ADN qui forme un chromosome linéaire contient un centromère, deux télomères et des origines de réplication

Un chromosome opère comme une unité structurale distincte : pour qu'une copie soit transmise à chaque cellule fille au moment de la division cellulaire, chaque chromosome doit pouvoir se répliquer et les copies nouvellement répliquées doivent ensuite être séparées puis réparties correctement dans les deux cellules filles. Ces fonctions essentielles sont contrôlées par trois types spécifiques de séquences de nucléotides de l'ADN, chacune fixant des protéines spécifiques qui guident la machinerie de réplication et de séparation des chromosomes (Figure 4-22).

Des expériences sur les levures, dont les chromosomes sont relativement petits et faciles à manipuler, ont identifié les éléments minimaux de la séquence d'ADN responsables de chacune de ces fonctions. Une des séquences nucléotidiques agit comme une **origine de réplication** de l'ADN, le lieu où commence la duplication de l'ADN. Les chromosomes eucaryotes contiennent beaucoup d'origines de réplication, ce qui assure au chromosome entier la possibilité d'être rapidement répliqué, comme nous le verrons en détail au chapitre 5.

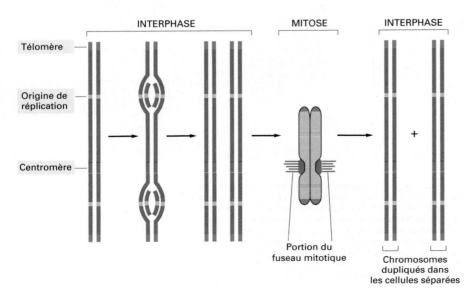

Télomère

Origine de réplication

Centromère

INTERPHASE — MITOSE — INTERPHASE

Portion du fuseau mitotique

Chromosomes dupliqués dans les cellules séparées

Figure 4-22 Les trois séquences d'ADN nécessaires pour produire un chromosome eucaryote qui peut être répliqué puis séparé à la mitose. Chaque chromosome a de multiples origines de réplication, un centromère et deux télomères. La séquence d'événements suivie par un chromosome typique durant le cycle cellulaire est montrée ici. L'ADN se réplique pendant l'interphase en commençant aux origines de réplication et en se dirigeant de façon bidirectionnelle des origines tout le long du chromosome. Pendant la phase M, le centromère fixe le chromosome dupliqué au fuseau mitotique de telle sorte qu'une copie se distribue à chaque cellule fille pendant la mitose. Le centromère facilite aussi le maintien des chromosomes dupliqués jusqu'à ce qu'ils soient prêts à se séparer. Les télomères forment des capuchons spéciaux sur chaque extrémité du chromosome.

Après la réplication, les deux chromosomes fils restent reliés l'un à l'autre et tandis que le cycle cellulaire s'effectue, se condensent de plus en plus pour former les chromosomes mitotiques. La présence d'une deuxième séquence d'ADN spécialisée, appelée le **centromère**, permet à chacune des copies de chaque chromosome dupliqué et condensé d'être tirée dans chaque cellule fille au moment de la division cellulaire. Un complexe protéique appelé *kinétochore* se forme sur le centromère et fixe les chromosomes dupliqués sur le fuseau mitotique, ce qui permet leur séparation (*voir* Chapitre 18).

La troisième séquence d'ADN spécialisée forme les **télomères**, ou extrémités du chromosome. Les télomères contiennent des séquences répétitives de nucléotides qui permettent que les extrémités des chromosomes soient répliquées efficacement. Les télomères ont aussi d'autres fonctions : les séquences répétitives de l'ADN du télomère, associées aux régions attenantes forment des structures qui protègent les extrémités des chromosomes ; celles-ci ne sont pas reconnues par la cellule comme des molécules d'ADN cassées ayant besoin d'être réparées. Nous aborderons ce type de réparation et les autres caractéristiques des télomères dans le chapitre 5.

Dans les cellules de levures, les trois types de séquences nécessaires à la propagation d'un chromosome sont relativement courtes (typiquement moins de 1 000 paires de bases) et de ce fait n'utilisent qu'une minuscule fraction des capacités de transport de l'information d'un chromosome. Bien que les séquences des télomères soient assez simples et courtes chez tous les eucaryotes, les séquences d'ADN qui spécifient les centromères et les origines de réplication des organismes plus complexes sont beaucoup plus longues que leur contrepartie dans les levures. Par exemple, selon des expériences, les centromères humains pourraient contenir jusqu'à 100 000 paires de nucléotides. Il a été proposé que le segment d'ADN des centromères humains n'avait pas obligatoirement une séquence nucléotidique définie ; par contre, cette séquence pourrait simplement créer une structure longue, régulièrement répétitive de protéine-acide nucléique. Nous reprendrons ce sujet à la fin de ce chapitre lorsque nous aborderons en termes plus généraux les protéines qui, avec l'ADN, constituent les chromosomes.

Les molécules d'ADN sont très condensées dans les chromosomes

Tous les organismes eucaryotes ont élaboré des manières d'empaqueter l'ADN dans les chromosomes. Souvenons-nous, d'après un paragraphe antérieur de ce chapitre, que le chromosome 22 contient environ 48 millions de paires de nucléotides. Étiré d'un bout à l'autre, son ADN s'étendrait sur environ 1,5 cm. Cependant, lorsqu'il existe sous forme de chromosome mitotique, le chromosome 22 ne mesure que 2 μm de long (*voir* Figures 4-10 et 4-11), donnant un ratio de compactage de presque 10 000 fois. Cet exploit remarquable de compression est effectué par des protéines qui enroulent et replient successivement l'ADN à des niveaux d'organisation de plus en plus élevés. Bien que moins condensé que les chromosomes mitotiques, l'ADN des chromosomes interphasiques est encore très empaqueté avec un rapport de compactage d'environ 1 000 fois. Dans le paragraphe suivant, nous parlerons des protéines spécialisées qui rendent cette compression possible.

Lorsque vous lirez ces paragraphes, il est important de vous souvenir que la structure des chromosomes est dynamique. Les chromosomes ne se condensent pas seulement en accord avec le cycle cellulaire, mais différentes régions des chromosomes en interphase se condensent et se décondensent pour que la cellule accède à des séquences spécifiques d'ADN pour permettre l'expression des gènes, leur réparation et leur réplication. Cet empaquetage des chromosomes doit donc être accompli de façon à permettre d'accéder rapidement à l'ADN, de façon localisée, à la demande.

Les nucléosomes sont les unités de base de la structure des chromosomes eucaryotes

Les protéines qui se fixent sur l'ADN pour former les chromosomes eucaryotes sont traditionnellement divisées en deux grandes classes : les **histones** et les *protéines chromosomiques non histone*. Le complexe formé par ces deux classes de protéines avec l'ADN nucléaire des cellules eucaryotes est appelé **chromatine**. La quantité d'histones dans la cellule est si énorme (environ 60 millions de molécules de chaque type par cellule humaine) que leur masse totale dans la chromatine est à peu près égale à celle de l'ADN.

Les histones sont responsables du premier niveau, le plus fondamental, de l'organisation chromosomique, le **nucléosome**, découvert en 1974. Lorsque les noyaux

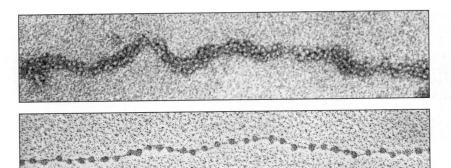

Figure 4-23 Nucléosomes vus en microscopie électronique.
(A) La chromatine isolée directement d'un noyau en interphase apparaît en microscopie électronique comme un fil de 30 nm d'épaisseur. (B) Cette photographie en microscopie électronique présente un segment de chromatine expérimentalement déroulée, ou décondensée, après isolement pour montrer les nucléosomes. (A, due à l'obligeance de Barbara Hamkalo ; B, due à l'obligeance de Victoria Foe.)

50 nm

en interphase sont ouverts tout doucement et que leur contenu est examiné en microscopie électronique, la majorité de la chromatine est sous forme d'une fibre de 30 nm de diamètre environ (Figure 4-23A). Si cette chromatine est soumise à des traitements qui la déplient partiellement, elle peut être observée en microscopie électronique comme une série de « perles enfilées » (Figure 4-23B). Le fil représente l'ADN et chaque perle est la particule du « cœur du nucléosome », composée d'ADN enroulé autour d'un noyau protéique formé d'histones. Les perles sur le fil représentent le premier niveau d'empaquetage de l'ADN chromosomique.

L'organisation structurelle des nucléosomes a été déterminée après leur isolement de la chromatine déroulée par digestion grâce à des enzymes particulières (les nucléases) qui ont décomposé l'ADN en le coupant entre les nucléosomes. Après une digestion sur une courte période, l'ADN exposé entre les cœurs de nucléosomes, ou *ADN de liaison*, est dégradé. Chaque cœur de nucléosome est constitué d'un complexe de huit protéines d'histone – deux molécules de chaque histone H2A, H2B, H3 et H4 – et d'un double brin d'ADN qui mesure 146 paires de nucléotides. L'*octamère d'histones* forme un noyau protéique autour duquel s'enroule le double brin d'ADN (Figure 4-24).

Chaque cœur du nucléosome est séparé du suivant par une région d'ADN de liaison, dont la longueur peut varier de quelques paires de nucléotides à environ 80 paires. (Le terme « nucléosome » se réfère techniquement au cœur du nucléosome associé à l'un de ses ADN de liaison adjacents, mais est souvent utilisé comme synonyme de « cœur du nucléosome »). De ce fait, les nucléosomes se répètent, en moyenne, à intervalles d'environ 200 paires de nucléotides. Par exemple, une cellule humaine diploïde ayant $6{,}4 \times 10^9$ paires de nucléotides contient approximativement 30 millions de nucléosomes. La formation d'un nucléosome transforme une molécule d'ADN en une perle de chromatine mesurant environ un tiers de sa longueur initiale et représente ainsi le premier niveau d'empaquetage de l'ADN.

La structure du cœur du nucléosome révèle comment l'ADN est empaqueté

La structure haute résolution d'un cœur du nucléosome, connue en 1997, a révélé que le noyau d'histone avait la forme d'un disque autour duquel l'ADN était fermement enroulé en faisant 1,65 tours vers la gauche (Figure 4-25). Les quatre histones qui constituent le noyau du nucléosome sont des protéines relativement petites

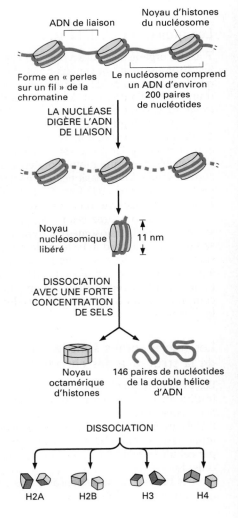

ADN de liaison

Noyau d'histones du nucléosome

Forme en « perles sur un fil » de la chromatine

Le nucléosome comprend un ADN d'environ 200 paires de nucléotides

LA NUCLÉASE DIGÈRE L'ADN DE LIAISON

Noyau nucléosomique libéré — 11 nm

DISSOCIATION AVEC UNE FORTE CONCENTRATION DE SELS

Noyau octamérique d'histones

146 paires de nucléotides de la double hélice d'ADN

DISSOCIATION

H2A   H2B   H3   H4

Figure 4-24 Organisation structurale du nucléosome. Un nucléosome contient un noyau protéique composé de huit molécules d'histone. Comme cela est indiqué, le cœur du nucléosome est libéré de la chromatine par digestion de l'ADN de liaison par une nucléase, enzyme qui coupe l'ADN. (La nucléase peut dégrader l'ADN de liaison exposé mais ne peut attaquer l'ADN enroulé fermement autour du noyau nucléosomique.) Après la dissociation du nucléosome isolé en son noyau protéique et son ADN, la longueur du segment d'ADN qui s'enroule autour du noyau peut être déterminée. Cette longueur, de 146 paires de nucléotides, suffit pour permettre un enroulement de 1,65 fois autour du noyau d'histones.

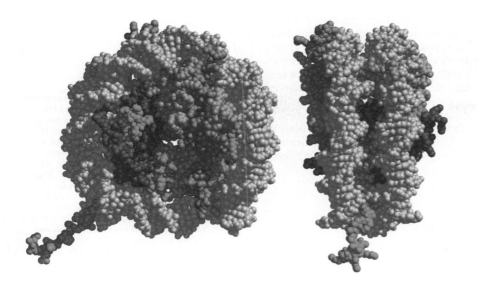

Figure 4-25 Structure d'un cœur du nucléosome, déterminée par diffraction des rayons X d'un cristal. Chaque histone est colorée selon le schéma de la Figure 4-24 avec la double hélice d'ADN en *gris clair*. (Réimprimé avec la permission de K. Luger et al., *Nature* 389 : 251-260, 1997 : © Macmillan Magazines Ltd.)

(102-135 acides aminés) qui partagent un même type structural, appelé *repli d'histone*, formé de trois hélices α connectées par deux boucles (Figure 4-26). Pour assembler un nucléosome, les replis d'histones s'unissent d'abord l'un à l'autre pour former des dimères H3-H4 et H2A-H2B et les dimères H3-H4 s'associent pour former un tétramère. Un tétramère H3-H4 se combine ensuite avec deux dimères H2A-H2B pour former le noyau octamérique compact autour duquel l'ADN s'enroule (Figure 4-27).

L'interface entre l'ADN et l'histone est importante : 142 liaisons hydrogène se forment entre l'ADN et le noyau d'histones dans chaque nucléosome. Près de la moitié de ces liaisons se forme entre le squelette d'acides aminés des histones et le squelette phosphodiester de l'ADN. De nombreuses interactions hydrophobes et des liaisons de type salin maintiennent aussi l'ADN avec les protéines dans le nucléosome. Par exemple, tous les noyaux d'histones sont riches en lysine et arginine (deux acides aminés ayant des chaînes latérales basiques) et leurs charges positives peuvent neutraliser avec efficacité le squelette d'ADN chargé négativement. Ces nombreuses interactions expliquent en partie pourquoi virtuellement toutes les séquences d'ADN peuvent être fixées sur un noyau octamérique d'histones. Le trajet de l'ADN autour du noyau d'histones n'est pas régulier ; on observe plutôt plusieurs coudes de l'ADN, comme on peut s'y attendre du fait de la surface non uniforme du noyau.

En plus de son repli d'histone, chaque histone du noyau présente une longue « queue » N-terminale d'acides aminés, qui s'étend à l'extérieur du noyau ADN-histone (*voir* Figure 4-27). Ces queues d'histone sont soumises à divers types de modifications covalentes qui contrôlent de nombreux aspects de la structure de la chromatine. Nous aborderons ce sujet ultérieurement dans ce chapitre.

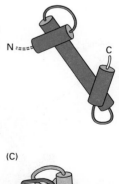

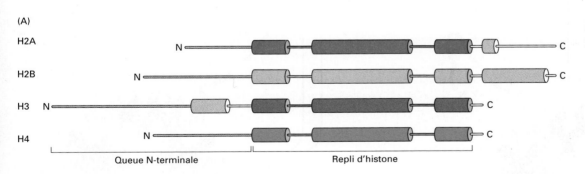

Figure 4-26 Organisation structurelle générale des histones du noyau.
(A) Chacune des histones du noyau contient une queue N-terminale soumise à différentes formes de modifications covalentes, et une région repliée comme cela est indiqué. (B) Structure d'un repli d'histone, formé par les quatre histones du noyau. (C) Les histones 2A et 2B forment un dimère par une interaction appelée en « poignée de main ». Les histones H3 et H4 forment un dimère par le même type d'interactions, comme cela est illustré dans la figure 4-27.

Comme on peut s'y attendre d'après leur rôle fondamental dans l'empaquetage de l'ADN, les histones font partie des protéines eucaryotes les plus hautement conservées. Par exemple, la séquence d'acides aminés de l'histone H4 d'un pois et d'une vache ne diffère que dans 2 positions sur 102. Cette forte conservation dans l'évolution suggère que la fonction des histones implique presque tous ses acides aminés, de telle sorte qu'une modification dans n'importe quelle position est délétère pour la cellule. Cette suggestion a été directement testée dans les cellules de levures, dans lesquelles il est possible d'effectuer *in vitro* une mutation dans un gène d'histone donné et d'introduire ce gène dans le génome de levure à la place du gène normal. Comme on peut s'y attendre, la plupart des modifications des séquences d'histone sont létales ; les rares qui ne le sont pas provoquent des modifications du patron d'expression normal des gènes, ainsi que d'autres anomalies.

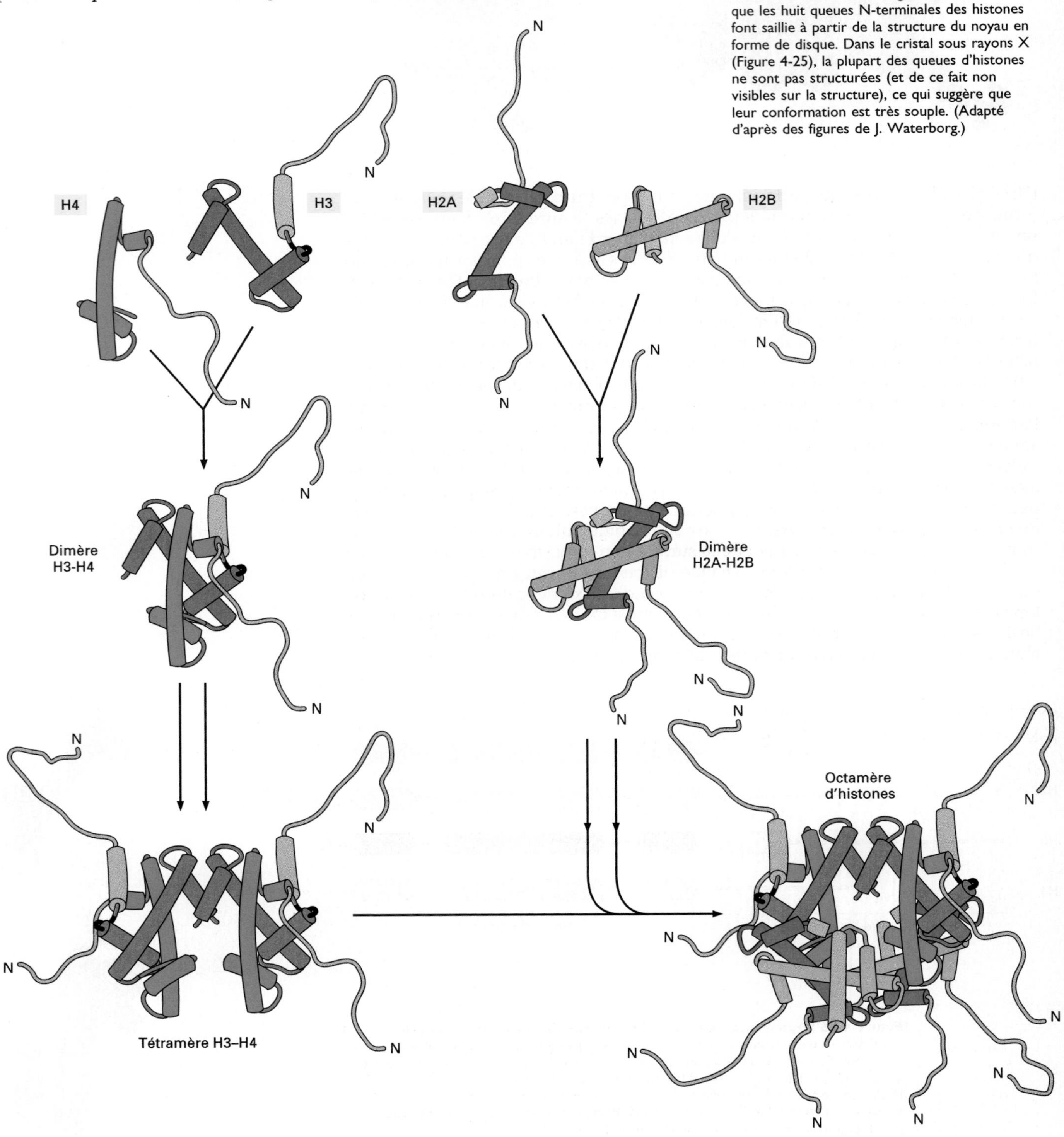

Figure 4-27 Assemblage d'un octamère d'histones. Les dimères d'histones H3-H4 et H2A-H2B sont formés selon une interaction en «poignée de main». Un tétramère H3-H4 forme l'échafaudage de l'octamère sur lequel deux dimères H2A-H2B s'additionnent, pour compléter l'assemblage. Les histones sont colorées comme dans la figure 4-26. Notez que les huit queues N-terminales des histones font saillie à partir de la structure du noyau en forme de disque. Dans le cristal sous rayons X (Figure 4-25), la plupart des queues d'histones ne sont pas structurées (et de ce fait non visibles sur la structure), ce qui suggère que leur conformation est très souple. (Adapté d'après des figures de J. Waterborg.)

Malgré la haute conservation des histones du noyau, beaucoup d'organismes eucaryotes produisent aussi des variants spécialisés des histones du noyau qui diffèrent des principales par leur séquence d'acides aminés. Par exemple, l'oursin de mer a cinq variants de l'histone H2A, chacun étant exprimé à différents moments au cours du développement. On pense que les nucléosomes qui ont incorporé ces variants d'histones diffèrent par leur stabilité des nucléosomes normaux, et qu'ils sont peut-être particulièrement adaptés aux vitesses élevées de transcription et de réplication de l'ADN qui existent pendant ces étapes précoces du développement.

La position des nucléosomes dans l'ADN est déterminée par la flexibilité à la fois de l'ADN et des autres protéines fixées sur l'ADN

Même si presque toutes les séquences d'ADN peuvent en principe être repliées en nucléosome, l'espacement des nucléosomes dans la cellule peut être irrégulier. Deux influences principales déterminent la formation des nucléosomes dans l'ADN. La première est la difficulté de courber la double hélice d'ADN pour qu'elle effectue deux tours serrés à la périphérie d'un octamère d'histones, un processus qui nécessite la compression substantielle du petit sillon de l'hélice d'ADN. Comme les séquences riches en A-T du petit sillon sont plus faciles à comprimer que les séquences riches en G-C, chaque octamère d'histones a tendance à se positionner lui-même sur l'ADN pour que le nombre de petits sillons riches en A-T à l'intérieur de l'enroulement de l'ADN soit maximal (Figure 4-28). De ce fait, un segment d'ADN qui contient de courtes séquences riches en A-T espacées par un nombre entier de tours d'ADN est plus facile à courber autour du nucléosome qu'un segment d'ADN dépourvu de cette particularité. De plus, comme l'ADN d'un nucléosome forme des coudes à divers endroits, la capacité d'une séquence donnée de nucléotides de subir cette déformation peut aussi influencer la position de l'ADN sur le nucléosome.

Ces caractéristiques de l'ADN expliquent probablement certains cas, étonnants mais rares, de positionnement très précis des nucléosomes le long d'un segment d'ADN. Dans la plupart des séquences d'ADN trouvées dans les chromosomes, cependant, il n'y a pas de sites fortement préférentiels de liaison sur le nucléosome; un nucléosome peut occuper n'importe quelle position sur la séquence d'ADN.

La deuxième influence, probablement la plus importante, sur la position d'un nucléosome, est la présence d'autres protéines fermement fixées sur l'ADN. Certaines protéines fixées favorisent la formation adjacente d'un nucléosome. D'autres créent des obstacles qui forcent le nucléosome à s'assembler entre elles. Enfin, certaines protéines peuvent se fixer fermement sur l'ADN même lorsque leur site de fixation sur l'ADN fait partie d'un nucléosome. La position exacte des nucléosomes le long d'un segment d'ADN dépend ainsi de facteurs qui incluent la séquence d'ADN et la présence et la nature des autres protéines fixées sur l'ADN. De plus, comme nous le verrons ensuite, la disposition des nucléosomes sur l'ADN est très dynamique et se modifie rapidement selon les besoins de la cellule.

Les nucléosomes sont généralement placés dans une fibre de chromatine compacte

Bien que de longues cordes de nucléosomes se forment sur la majeure partie de l'ADN chromosomique, la chromatine d'une cellule vivante adopte rarement la forme étirée de «perles sur un fil». Par contre, les nucléosomes sont placés l'un au-dessus de l'autre, pour former des rangs réguliers dans lesquels l'ADN est encore plus fortement condensé. De ce fait, lorsque les noyaux sont très doucement lysés sur une grille de microscope électronique, la plus grande partie de la chromatine observée est sous la forme d'une fibre de 30 nm de diamètre environ, considérablement plus large que la chromatine sous forme de «perles sur un fil» (*voir* Figure 4-23).

Divers modèles ont été proposés pour expliquer comment les nucléosomes sont placés dans la fibre de chromatine de 30 nm; la plus cohérente avec les données disponibles est une série de variations structurelles appelées collectivement le modèle en zigzag (Figure 4-29). En réalité, la structure de 30 nm observée dans les chromosomes est probablement une mosaïque fluide de différentes variations en zigzag. Nous avons déjà vu que l'ADN de liaison qui connecte les nucléosomes adjacents pouvait varier en longueur; ces différences de la longueur de liaison introduisent probablement d'autres perturbations locales dans la structure en zigzag. Enfin, la présence d'autres protéines de liaison à l'ADN ainsi que de séquences

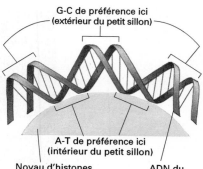

G-C de préférence ici (extérieur du petit sillon)

A-T de préférence ici (intérieur du petit sillon)

Noyau d'histones du nucléosome (octamère d'histones)

ADN du nucléosome

Figure 4-28 Courbure de l'ADN dans un nucléosome. L'hélice d'ADN fait 1,65 tour autour de l'octamère d'histones. Ce schéma est dessiné approximativement à l'échelle, montrant comment le petit sillon est comprimé à l'intérieur du tour. En raison de certaines particularités structurales de la molécule d'ADN, les paires de bases A-T sont préférentiellement placées dans un petit sillon étroit.

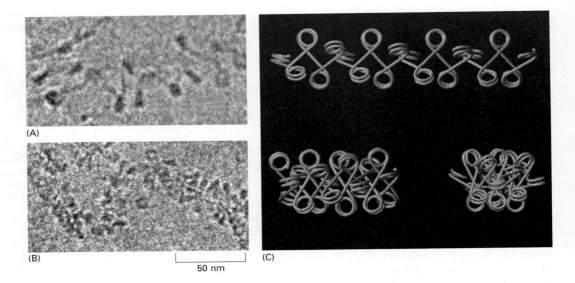

Figure 4-29 Variations du modèle en zigzag de la fibre de chromatine de 30 nm. (A et B) Preuves en microscopie électronique de l'existence des modèles *en haut* et *en bas à gauche* de la structure montrée en (C). (C) Variations du zigzag. Il a été proposé qu'une inter-conversion entre ces trois variations se produise par l'intermédiaire d'allongement et de contraction en accordéon de la longueur des fibres. Les différences de longueur de la liaison entre les perles adjacentes de nucléosomes peuvent être dues à l'ADN de liaison qui serpente ou s'enroule ou à de petites modifications locales de la largeur de la fibre. La formation de la fibre de 30 nm nécessite à la fois l'histone H1 et les queues des histones centrales ; pour plus de simplicité aucune n'est montrée ici, mais reportez-vous aux figures 4-30 et 4-32. (D'après J. Bednar et al., *Proc. Natl. Acad. Sci. USA* 95 : 14173-14178, 1998. © National Academy of Sciences.)

d'ADN difficiles à replier en nucléosomes ponctuent la fibre de 30 nm d'aspects irréguliers (Figure 4-30).

Divers mécanismes agissent probablement simultanément pour former la fibre de 30 nm à partir d'une corde linéaire de nucléosomes. Tout d'abord, une autre histone appelée histone H1 est impliquée dans ce processus. H1 est plus grosse que les histones du cœur du nucléosome et est nettement moins bien conservée. En fait les cellules de la plupart des organismes eucaryotes fabriquent diverses protéines d'histone H1, pourvues de séquences d'acides aminés apparentées mais nettement distinctes. Une seule molécule d'histone H1 se fixe sur chaque nucléosome, entre en contact à la fois avec l'ADN et les protéines et modifie la trajectoire de l'ADN qui sort du nucléosome. Même si on ne comprend pas en détail comment H1 réunit les nucléosomes dans la fibre de 30 nm, la modification de la trajectoire de sortie de l'ADN semble cruciale pour permettre le compactage de l'ADN du nucléosome afin qu'il s'emboîte pour former la fibre de 30 nm (Figure 4-31).

Un deuxième mécanisme de la formation de la fibre de 30 nm implique probablement les queues des histones du noyau, qui, comme nous l'avons vu, sortent du nucléosome. On pense que ces queues peuvent faciliter la fixation entre les nucléosomes – permettant ainsi à la corde qu'ils forment, avec l'aide de l'histone H1, de se condenser dans une fibre de 30 nm (Figure 4-32).

Des machines de remodelage de la chromatine, entraînées par l'ATP, modifient la structure du nucléosome

Pendant de nombreuses années, les biologistes ont pensé que les nucléosomes restaient fixes en place, une fois qu'ils s'étaient formés dans une position particulière

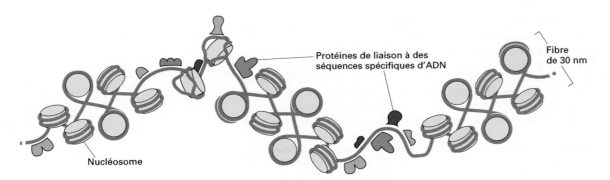

Figure 4-30 Irrégularités de la fibre de 30 nm. Ce schéma de la fibre de 30 nm illustre son interruption par des protéines de liaison à des séquences spécifiques d'ADN. Comment ces protéines se lient-elles fermement à l'ADN ? Cela est expliqué au chapitre 7. Les interruptions de la fibre de 30 nm peuvent être dues à des régions d'ADN qui manquent totalement de nucléosomes ou plus probablement à des régions qui contiennent des nucléosomes altérés ou remodelés. Les régions de la chromatine qui n'ont pas de nucléosomes ou contiennent des nucléosomes remodelés sont souvent détectées expérimentalement par la sensibilité inhabituellement importante de leur ADN à la digestion par les nucléases – par comparaison avec l'ADN des nucléosomes.

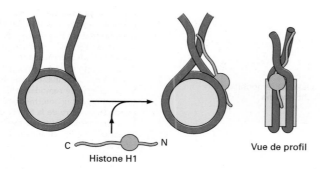

Figure 4-31 Modèle hypothétique de la façon dont l'histone H1 peut modifier la trajectoire de l'ADN qui sort du nucléosome. L'histone H1 (en *vert*) est constituée d'un noyau globulaire et de deux queues déroulées. Une partie des effets de H1 sur le compactage de l'organisation des nucléosomes peut résulter de la neutralisation des charges : comme les histones du noyau, H1 est positivement chargée (en particulier la queue formant son extrémité C-terminale) et cela facilite le compactage de l'ADN négativement chargé. Contrairement aux histones du noyau, H1 ne semble pas être essentielle à la viabilité cellulaire. Dans un protozoaire cilié le noyau s'étend presque deux fois plus en l'absence de H1 mais la cellule reste par ailleurs normale.

sur l'ADN, à cause de l'association ferme entre les histones du noyau et l'ADN. Cependant, récemment, on a découvert que les cellules eucaryotes contenaient des *complexes de remodelage de la chromatine*, machines protéiques qui utilisent l'énergie de l'hydrolyse de l'ATP pour modifier temporairement la structure des nucléosomes afin que l'ADN soit plus lâchement uni au noyau d'histones. Cet état remodelé peut résulter du mouvement des dimères H2A-H2B dans le cœur du nucléosome ; le tétramère H3-H4 est particulièrement stable et semble difficile à réarranger (*voir* Figure 4-27).

Le remodelage de la structure du nucléosome a deux conséquences importantes. D'abord, il permet que d'autres protéines cellulaires puissent accéder facilement à l'ADN du nucléosome, en particulier celles impliquées dans l'expression des gènes, la réplication et la réparation de l'ADN. Même après la dissociation du complexe de remodelage, le nucléosome peut rester dans son « état remodelé » qui contient l'ADN et l'ensemble complet des histones – mais dans lequel les contacts ADN-histone se sont relâchés ; ce nucléosome remodelé ne revient que graduellement à l'état standard. Deuxièmement, les complexes remodelés peuvent catalyser des modifications dans la position des nucléosomes le long de l'ADN (Figure 4-33) ; certains peuvent même transférer un noyau d'histones d'une molécule d'ADN à une autre.

Les cellules ont plusieurs complexes de remodelage de la chromatine qui diffèrent légèrement de par leurs propriétés. La plupart sont de gros complexes protéiques qui peuvent contenir plus de 10 sous-unités. Ils sont certainement utilisés dès qu'une cellule eucaryote nécessite un accès direct à l'ADN du nucléosome pour l'expression des gènes, la réplication de l'ADN ou la réparation de l'ADN. Différents complexes de remodelage peuvent avoir des caractéristiques spécialisées pour chacune de ces tâches. On pense que le rôle primaire de certains complexes de remodelage est de permettre l'accès à l'ADN du nucléosome alors que celui d'autres complexes est de reformer les nucléosomes lorsque l'accès à l'ADN n'est plus nécessaire (Figure 4-34).

Les complexes de remodelage de la chromatine sont scrupuleusement contrôlés par la cellule. Nous verrons, au chapitre 7, que lorsque les gènes sont activés ou désactivés, ces complexes peuvent être amenés dans des régions spécifiques de l'ADN où ils agissent localement pour influencer la structure de la chromatine. Pendant la mitose, au moins quelques complexes de remodelage de la chromatine sont inactivés par phosphorylation. Ils peuvent aider les chromosomes mitotiques à maintenir leur structure très fermement empaquetée.

Des modifications covalentes des queues d'histone peuvent affecter profondément la chromatine

La séquence des queues de l'extrémité N-terminale de chacune des quatre histones du noyau est très fortement conservée, et ces queues effectuent des fonctions cru-

Figure 4-32 Modèle hypothétique du rôle des queues d'histone dans la formation de la fibre de 30 nm. (A) Points de sortie approximatifs des huit queues d'histone, quatre issues de chaque sous-unité d'histone, qui se déroulent à partir de chaque nucléosome. Dans la structure à haute résolution du nucléosome (*voir* Figure 4-25) les queues sont largement non structurées, ce qui suggère qu'elles sont hautement flexibles. (B) Modèle hypothétique montrant comment les queues d'histone peuvent faciliter l'empaquetage des nucléosomes les uns sur les autres dans la fibre de 30 nm. Ce modèle est basé sur (1) des preuves expérimentales indiquant que les queues d'histone facilitent la formation de la fibre de 30 nm, (2) la structure aux rayons X du cristal du nucléosome qui montre que les queues d'un nucléosome entrent en contact avec le noyau d'histones du nucléosome adjacent dans le treillis de cristaux, et (3) les preuves que les queues d'histone interagissent avec l'ADN.

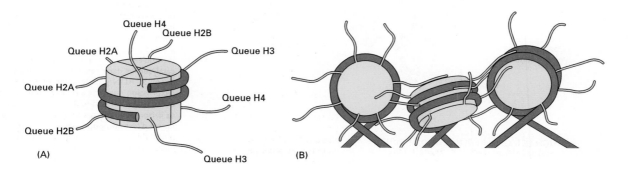

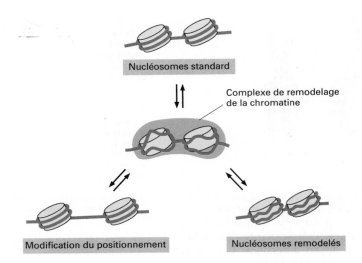

Nucléosomes standard

Complexe de remodelage de la chromatine

Modification du positionnement

Nucléosomes remodelés

Figure 4-33 Modèle du mécanisme de certains complexes de remodelage de la chromatine. En l'absence de complexes de remodelage, les conversions entre les trois états des nucléosomes montrés ici sont très lentes à cause d'une haute barrière énergétique d'activation. Si on utilise l'hydrolyse de l'ATP, les complexes de remodelage de l'ATP (en *vert*) créent un intermédiaire activé (montré au centre de la figure) dans lequel les contacts ADN-histones sont partiellement rompus. Cet état activé peut alors se dégrader dans une des trois configurations montrées du nucléosome. De cette façon, les complexes de remodelage accélèrent beaucoup la vitesse de conversion entre les différents états du nucléosome. L'état remodelé, dans lequel les contacts ADN-histones sont relâchés, a un niveau d'énergie libre supérieur à celui de la conformation standard du nucléosome et repassera doucement à sa conformation nucléosomique standard, même en l'absence de complexes de remodelage. Les cellules ont beaucoup de complexes de remodelage de la chromatine qui diffèrent par les particularités de leurs propriétés chimiques ; par exemple, tous ne peuvent pas changer la position d'un nucléosome, mais tous utilisent l'énergie de l'hydrolyse de l'ATP pour modifier la structure du nucléosome. (Adapté de R.E. Kingston et G.J. Narlikar, *Genes Dev.* 13 : 2339-2352, 1999.)

ciales de régulation de la structure de la chromatine. Chaque queue est soumise à différents types de modifications covalentes, y compris l'acétylation des lysines, la méthylation des lysines et la phosphorylation des sérines (Figure 4-35A). Les histones sont synthétisées dans le cytosol puis s'assemblent en nucléosomes. Certaines modifications de la queue des histones se produisent juste après leur synthèse mais avant leur assemblage. Les modifications qui nous concernent, cependant, s'effectuent lorsque le nucléosome a été assemblé. Ces modifications des nucléosomes sont ajoutées et retirées par des enzymes qui résident dans le noyau de la cellule ; par exemple les groupements acétyle sont ajoutés aux queues d'histone par l'histone acétyl transférase (HAT) et enlevés par l'histone désacétylase (HDAC).

Les diverses modifications des queues d'histone ont plusieurs conséquences importantes. Même si les modifications des queues ont peu d'effets directs sur la stabilité de chaque nucléosome pris individuellement, elles semblent affecter la stabi-

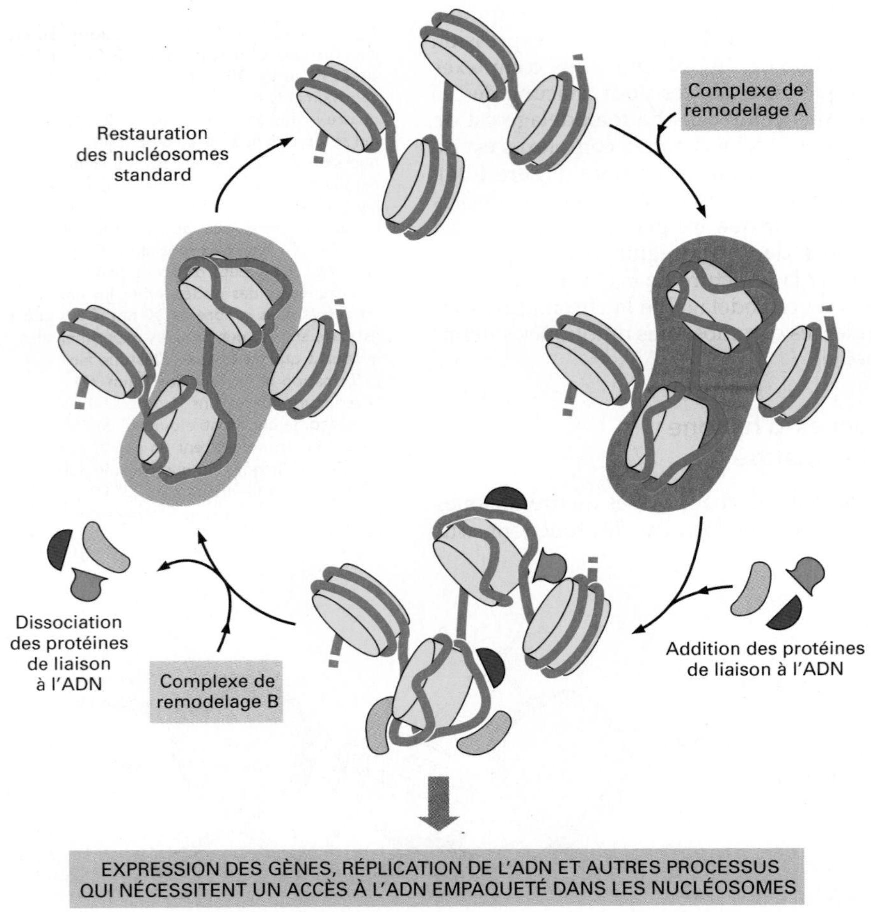

Restauration des nucléosomes standard

Complexe de remodelage A

Dissociation des protéines de liaison à l'ADN

Complexe de remodelage B

Addition des protéines de liaison à l'ADN

Figure 4-34 Mécanisme cyclique de la perturbation des nucléosomes et de leur reformation. Selon ce modèle, différents complexes de remodelage de la chromatine perturbent les nucléosomes et les reforment bien qu'en principe le même complexe puisse catalyser les deux réactions. La protéine de liaison à l'ADN peut fonctionner dans l'expression des gènes, la réplication de l'ADN et la réparation de l'ADN et dans certains cas sa liaison peut conduire à la dissociation du noyau d'histones pour former des régions d'ADN dépourvues de nucléosomes comme celles montrées dans la figure 4-30. (Adapté de A. Travers, *Cell* 96 : 311-314, 1999.)

EXPRESSION DES GÈNES, RÉPLICATION DE L'ADN ET AUTRES PROCESSUS QUI NÉCESSITENT UN ACCÈS À L'ADN EMPAQUETÉ DANS LES NUCLÉOSOMES

lité des fibres de chromatine de 30 nm et des structures plus ordonnées que nous aborderons ultérieurement. Par exemple, l'acétylation de l'histone a tendance à déstabiliser la structure de la chromatine, peut-être en partie parce que l'addition d'un groupement acétyle retire la charge positive de la lysine et augmente la difficulté qu'ont les histones à neutraliser les charges de l'ADN lorsque la chromatine est compactée. Cependant, l'effet le plus important de la modification de la queue des histones est qu'elles deviennent capables d'attirer des protéines spécifiques sur un segment de la chromatine qui a été modifié de façon appropriée. En fonction de la modification précise de la queue, ces protéines supplémentaires peuvent soit augmenter le compactage de la chromatine, soit faciliter l'accès à l'ADN. Si l'association des modifications est prise en compte, le nombre de marquages distincts possibles pour chaque queue d'histone est très important. De ce fait, il a été proposé que, par le biais des modifications covalentes des queues d'histone, un segment donné de

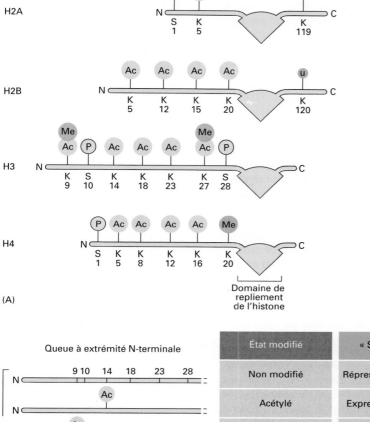

(A)

Figure 4-35 Modifications covalentes des queues du noyau d'histones.
(A) Les modifications connues des quatre protéines du noyau d'histones sont indiquées : Me = groupement méthyle, Ac = groupement acétyle, P = phosphate u = ubiquitine. Notez que certaines positions (par ex. lysine 9 de H3) peuvent être modifiées de plusieurs façons. La plupart de ces modifications ajoutent une molécule relativement petite sur la queue d'histone ; une exception est l'ubiquitine, une protéine de 76 acides aminés utilisée aussi dans d'autres processus cellulaires (*voir* Figure 6-87). La fonction de l'ubiquitine dans la chromatine n'est pas bien comprise : l'histone H2B peut être modifiée par une seule molécule d'ubiquitine ; H2A peut être modifiée par l'addition de plusieurs ubiquitines.
(B) Un code d'histone hypothétique. Les queues d'histone peuvent être marquées par différentes associations de modifications. Selon cette hypothèse, chaque marquage transmet une signification particulière au segment de chromatine sur lequel il se produit. Seules quelques significations de ces modifications sont connues. Dans le chapitre 7, nous aborderons la façon dont la queue d'H4 doublement acétylée est «lue» par une protéine nécessaire pour l'expression des gènes. Dans un autre cas bien étudié, une queue d'H3 méthylée au niveau de la lysine 9 est reconnue par un ensemble de protéines qui crée une forme spécialement compacte de chromatine qui supprime l'expression des gènes.

L'acétylation de la lysine 14 de l'histone H3 et des lysines 8 et 16 de l'histone H4 – en général associée à l'expression des gènes – est effectuée par l'histone actéylase de type A (HAT) dans le noyau cellulaire. Par contre, l'acétylation des lysines 5 et 12 de l'histone H4 et d'une lysine de l'histone H3 s'effectue dans le cytosol après la synthèse des histones mais avant leur incorporation dans le nucléosome ; ces modifications sont catalysées par une HAT de type B. Ces histones modifiées sont déposées sur l'ADN après la réplication de l'ADN (*voir* Figure 5-4) et leurs groupements acétyles sont retirés peu de temps après par une histone désacétylase (HDAC). De ce fait, l'acétylation de ces positions signale une chromatine nouvellement répliquée.

Les modifications dans une position particulière de la queue d'une histone peuvent avoir différentes significations selon d'autres caractéristiques de la structure locale de la chromatine. Par exemple, la phosphorylation en position 10 de l'histone H3 n'est pas seulement associée à la condensation des chromosomes qui s'effectue dans la mitose et la méiose mais aussi à l'expression de certains gènes. Certaines modifications des queues d'histone sont interdépendantes. Par exemple, la méthylation de la position 9 de H3 bloque la phosphorylation de la position 10 de H3 et vice versa.

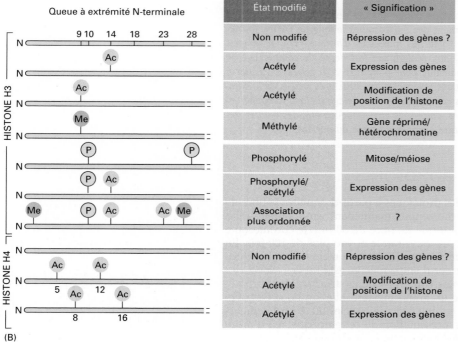

État modifié	« Signification »
Non modifié	Répression des gènes ?
Acétylé	Expression des gènes
Acétylé	Modification de position de l'histone
Méthylé	Gène réprimé/hétérochromatine
Phosphorylé	Mitose/méiose
Phosphorylé/acétylé	Expression des gènes
Association plus ordonnée	?
Non modifié	Répression des gènes ?
Acétylé	Modification de position de l'histone
Acétylé	Expression des gènes

(B)

chromatine soit capable de transmettre un signal particulier à la cellule (Figure 4-35B). Par exemple, un type de marquage pourrait signaler que le segment de la chromatine vient d'être répliqué, tandis qu'un autre pourrait signaler que l'expression des gènes ne doit pas s'effectuer. Selon cette idée, chaque marquage différent attirerait les protéines qui exécuteraient alors les fonctions appropriées. Comme les queues d'histone sont déroulées et, de ce fait, probablement accessibles même lorsque la chromatine est condensée, elles fournissent un format spécialement adapté à de tels messages.

Comme pour les complexes de remodelage de la chromatine, les enzymes qui modifient les queues d'histone (ou enlèvent les modifications) sont généralement des protéines à multiples sous-unités hautement régulées. Elles sont apportées sur des régions particulières de la chromatine par d'autres signaux, en particulier par des protéines de liaison sur des séquences spécifiques d'ADN. Nous pouvons alors imaginer comment les cycles des modifications et remises à l'état initial des queues d'histone peuvent permettre à la structure de la chromatine d'être dynamique – en la compactant et la décompactant localement et en y attirant les autres protéines spécifiques à chaque état modifié. Il est vraisemblable que les enzymes modifiant les histones et les complexes de remodelage de la chromatine travaillent de concert pour condenser et re-condenser des segments de chromatine ; il y a, par exemple, des preuves qui suggèrent qu'une modification particulière de la queue d'histone attire un type particulier de complexes de remodelage. De plus, certains complexes de remodelage de la chromatine contiennent comme sous-unités des enzymes de modification des histones, ce qui relie directement ces deux processus.

Résumé

Un gène est une séquence de nucléotides de la molécule d'ADN qui agit comme une unité fonctionnelle pour produire une protéine, un ARN de structure ou un ARN catalytique. Chez les eucaryotes, les gènes codant pour les protéines sont généralement composés d'un segment alterné d'introns et d'exons. Un chromosome est formé d'une seule molécule d'ADN excessivement longue qui contient de nombreux gènes disposés linéairement. Le génome humain contient $3,2 \times 10^9$ paires de nucléotides, divisés en 22 chromosomes autosomes différents et deux chromosomes sexuels. Seul un faible pourcentage de cet ADN code pour les protéines ou pour les ARN de structure ou catalytique. Une molécule d'ADN chromosomique contient aussi trois autres types de séquences de nucléotides fonctionnellement importantes ; les origines de réplication et les télomères permettent la réplication complète de la molécule d'ADN, alors que le centromère attache les molécules d'ADN filles au fuseau mitotique, assurant leur séparation précise entre les cellules filles pendant la phase M du cycle cellulaire.

L'ADN des eucaryotes est fermement relié à une masse égale d'histones qui forment des rangées répétitives de particules ADN-protéines appelées nucléosomes. Le nucléosome est composé d'un noyau octamérique de protéines histone autour duquel s'enroule la double hélice d'ADN. Malgré les irrégularités de positionnement des nucléosomes le long de l'ADN, les nucléosomes sont en général rassemblés (avec l'aide des molécules d'histone H1) en rangées quasi régulières pour former une fibre de 30 nm. Malgré son fort degré de compactage, la structure de la chromatine doit être très dynamique pour permettre à la cellule d'accéder à l'ADN. Deux stratégies générales de modifications réversibles des structures locales de la chromatine ont un rôle important dans ce but : les complexes de remodelage de la chromatine entraînés par l'ATP et les modifications covalentes, catalysées enzymatiquement, des queues formées par les extrémités N-terminales des quatre histones du cœur du nucléosome.

STRUCTURE GLOBALE DES CHROMOSOMES

Après avoir abordé l'ADN et les molécules protéiques à partir desquelles la fibre de chromatine de 30 nm est fabriquée, tournons-nous maintenant vers l'organisation plus générale d'un chromosome. Sous sa forme de fibre de 30 nm, le chromosome humain typique mesurerait encore 0,1 cm et couvrirait le noyau plus de 100 fois. En clair, il doit exister un niveau de repliement supplémentaire même dans les chromosomes en interphase. Ce niveau supérieur d'empaquetage est l'un des aspects les plus fascinants – mais aussi l'un des moins compris – de la structure des chromosomes. Même si la base moléculaire reste un grand mystère, elle implique certainement le repliement de la fibre de 30 nm en une série de boucles ou d'enroulements comme nous le verrons plus loin. Notre présentation de cet empaquetage d'ordre supérieur reprend un thème important de l'architecture des chromosomes : la structure de la chromatine en interphase est fluide et peut exposer à n'importe quel moment la séquence d'ADN directement nécessaire pour la cellule.

Nous décrirons d'abord divers cas, rares, qui permettent de visualiser facilement la structure globale et l'organisation des chromosomes en interphase et nous expliquerons que certaines particularités de ces cas exceptionnels peuvent être représentatives de la structure de l'ensemble des chromosomes en interphase. Nous décrirons ensuite les différentes formes de chromatine qui constituent un chromosome typique en interphase. Enfin, nous aborderons le compactage final subi par les chromosomes en interphase pendant le processus de mitose.

Les chromosomes en écouvillon contiennent des boucles de chromatine décondensée

La plupart des chromosomes en interphase sont trop fins et trop emmêlés pour pouvoir être visualisés clairement. Dans quelques cas exceptionnels, cependant, il est possible d'observer la structure d'ordre supérieur précisément définie des *chromosomes en interphase* et on pense que certaines caractéristiques de ces structures d'ordre supérieur sont représentatives de tous les chromosomes en interphase. Les chromosomes appariés lors de la méiose dans les ovocytes en croissance des amphibiens (ovules immatures), par exemple, présentent une expression des gènes très active et forment, en général, des boucles de chromatine déroulées et rigides. Ces chromosomes dits « **en écouvillon** » (les plus gros chromosomes connus) sont clairement visibles même en microscopie optique, où leur organisation apparaît comme une série de grandes boucles de chromatine émanant d'un axe chromosomique linéaire (Figure 4-36).

L'organisation d'un chromosome en écouvillon est illustrée dans la figure 4-37. Une boucle donnée contient toujours la même séquence d'ADN et reste déroulée de façon identique pendant que l'ovocyte grandit. D'autres expériences démontrent que la plupart des gènes présents dans la boucle d'ADN sont activement exprimés (*voir*

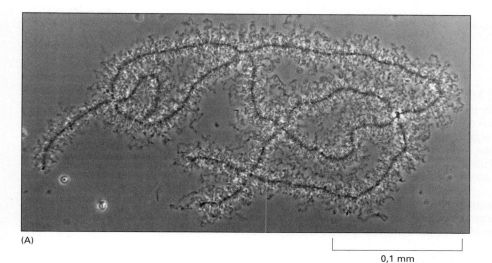

(A)

0,1 mm

(B)

20 µm

Figure 4-36 Chromosomes en écouvillon. (A) Photographie en microscopie optique de chromosomes en écouvillon d'un ovocyte d'amphibien. Au début de la différenciation des ovocytes, chaque chromosome se réplique pour commencer la méiose et les chromosomes homologues répliqués s'apparient pour former cette structure très déroulée contenant au total quatre molécules d'ADN répliquées ou chromatides. Ce stade de chromosome en écouvillon persiste pendant des mois ou des années pendant que l'ovocyte accumule un apport de matériel nécessaire pour son développement final en un nouvel individu. (B) Photographie en microscopie optique à fluorescence montrant une portion d'un chromosome en écouvillon d'amphibien. Les régions du chromosome qui sont activement exprimées sont colorées en *vert* par l'utilisation d'anticorps contre les protéines de maturation de l'ARN durant une des étapes de l'expression génique (*voir* Chapitre 6). On pense que les granules arrondis correspondent aux grands complexes de la machinerie d'épissage de l'ARN qui seront aussi traités au chapitre 6. (A, due à l'obligeance de Joseph G. Gall; B, due à l'obligeance de Joseph G. Gall et Christine Murphy.)

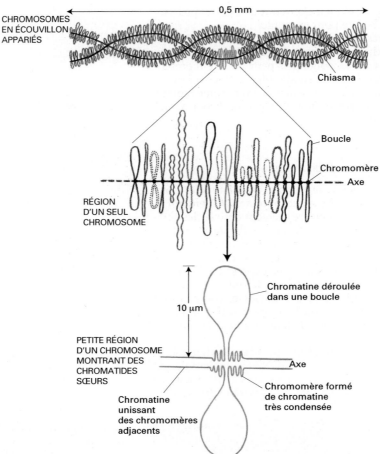

CHROMOSOMES
EN ÉCOUVILLON
APPARIÉS

0,5 mm

Chiasma

Boucle

Chromomère

Axe

RÉGION
D'UN SEUL
CHROMOSOME

Chromatine déroulée
dans une boucle

10 µm

PETITE RÉGION
D'UN CHROMOSOME
MONTRANT DES
CHROMATIDES
SŒURS

Axe

Chromatine
unissant
des chromomères
adjacents

Chromomère formé
de chromatine
très condensée

Figure 4-37 Un modèle de la structure d'un chromosome en écouvillon. L'ensemble des chromosomes en écouvillon de nombreux amphibiens contient au total environ 10 000 boucles de chromatine, bien que la plupart de l'ADN de chaque chromosome reste fortement condensé dans les chromomères. Chaque boucle correspond à une séquence particulière d'ADN. Quatre copies de chaque boucle sont présentes dans chaque cellule, car chacun des deux chromosomes montré en haut est constitué de deux chromosomes apposés de près et nouvellement répliqués. Cette structure à quatre brins est caractéristique de ce stade de développement de l'ovocyte, le stade diplotène de la méiose ; *voir* Figure 20-12.

Figure 4-36B). La majeure partie de l'ADN, cependant, ne se trouve pas dans les boucles mais reste fortement condensée dans les *chromomères* axiaux et n'est généralement pas exprimée. Les chromosomes en écouvillon illustrent un thème récurrent de ce chapitre – lorsque l'ADN d'une région de la chromatine est utilisé (dans ce cas pour l'expression des gènes) cette région de la chromatine a une structure déroulée ; sinon, la chromatine est condensée. Dans les chromosomes en écouvillon, les unités structurelles de cette régulation sont constituées de boucles de grande taille, précisément définies.

Relativement peu d'espèces subissent cette spécialisation qui produit des chromosomes en écouvillon. Cependant, lorsqu'il est injecté dans les ovocytes d'amphibien, l'ADN des organismes qui ne produisent normalement pas de chromosomes en écouvillon (par exemple l'ADN d'un poisson) devient empaqueté en chromosomes en écouvillon. Ce type d'expérience a permis de proposer l'hypothèse que les chromosomes en interphase de tous les eucaryotes sont disposés en boucles, normalement trop petites et trop fragiles pour être observées facilement. Il sera peut-être possible, dans l'avenir, d'amener l'ADN d'un mammifère, comme une souris, à former des chromosomes en écouvillon en l'introduisant dans un ovocyte d'amphibien. Cela permettrait une corrélation détaillée entre la structure des boucles, l'arrangement des gènes et la séquence d'ADN et nous permettrait de commencer à apprendre comment l'empaquetage en boucles reflète le contenu de la séquence de notre ADN.

Les chromosomes géants ou polyténiques de *Drosophila* sont constitués d'une alternance de bandes et d'entrebandes

Certaines cellules d'insectes possèdent également des chromosomes spécialisés en interphase, facilement visibles, même si ce type de spécialisation diffère de celui des chromosomes en écouvillon. Par exemple, beaucoup de cellules de certaines larves de mouches se développent par de multiples cycles de synthèse d'ADN sans division cellulaire et atteignent une taille énorme. La cellule géante qui en résulte contient plusieurs milliers de fois l'ADN complet normal. Les cellules qui possèdent plus qu'un jeu complet d'ADN normal sont dites *polyploïdes* lorsqu'elles contiennent plus que le nombre standard de chromosomes. Dans plusieurs types de cellules sécrétrices de larves de mouches, cependant, toutes les copies des chromosomes homologues sont maintenues côte à côte, comme des pailles dans une boîte, et forment un seul **chromosome polyténique** ou géant. Le fait que, dans certaines grosses cellules d'insectes, les chromosomes polyténiques se dispersent pour former une cellule polyploïde conventionnelle démontre que ces deux états chromosomiques sont très proches et que la structure fondamentale d'un chromosome polyténique doit être similaire à celle d'un chromosome normal.

Les chromosomes polyténiques sont souvent faciles à voir en microscopie optique parce qu'ils sont très gros et que l'adhésion, côte à côte, des bandes individuelles de chromatine alignées avec précision élargit fortement l'axe du chromosome et évite qu'il ne s'emmêle. La polyténie a surtout été étudiée dans les cellules des glandes salivaires des larves de drosophile, dans lesquelles l'ADN de chacun des quatre chromosomes de *Drosophila* a été répliqué pendant 10 cycles sans se séparer des chromosomes fils, de telle sorte que 1 024 (2^{10}) bandes identiques de chromatine sont alignées côte à côte (Figure 4-38).

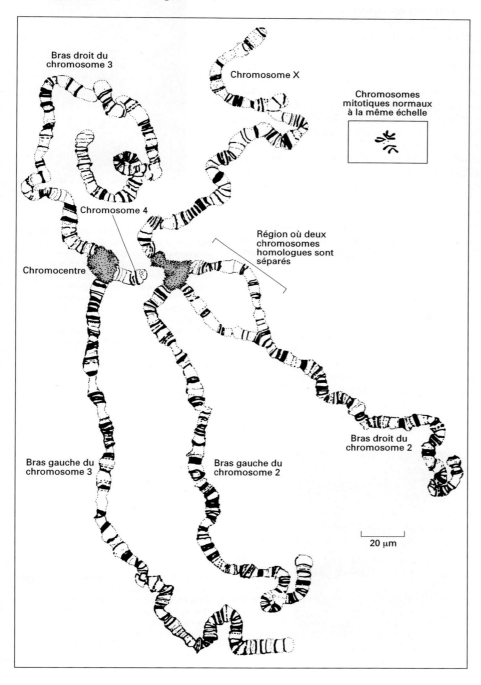

Figure 4-38 Jeu complet des chromosomes polyténiques d'une cellule salivaire de *Drosophila*. Ces chromosomes ont été étalés pour leur observation en les écrasant sur une lame de microscope. *Drosophila* possède quatre chromosomes et il y a ici quatre paires différentes de chromosomes. Mais chaque chromosome est fermement apparié à son homologue (de telle sorte que chaque paire apparaît comme une structure unique), ce qui n'est pas vrai dans la plupart des noyaux (excepté pendant la méiose). Les quatre chromosomes polyténiques sont normalement réunis par des régions proches de leur centromère qui se regroupent pour créer un seul chromocentre volumineux (*région rose*). Dans cette préparation, cependant, le chromosome a été fendu en deux moitiés par la procédure d'écrasement utilisée. (Modifié d'après T.S. Painter, *J. Hered.* 25 : 465-476, 1934.)

Dans la figure :
Bras droit du chromosome 3
Chromosome X
Chromosomes mitotiques normaux à la même échelle
Chromosome 4
Région où deux chromosomes homologues sont séparés
Chromocentre
Bras droit du chromosome 2
Bras gauche du chromosome 3
Bras gauche du chromosome 2
20 µm

Lorsque les chromosomes polyténiques sont observés en microscopie optique, l'alternance de *bandes* sombres et d'*entrebandes* claires est visible (Figure 4-39). Chaque bande et entrebande représente un ensemble de 1 024 séquences identiques d'ADN, disposées en série. Environ 95 p. 100 de l'ADN des chromosomes polyténiques constitue les bandes et 5 p. 100 forme les entrebandes. La chromatine de chaque bande apparaît sombre, soit parce qu'elle est beaucoup plus condensée que la chromatine de l'entrebande, soit parce qu'elle contient une plus grande proportion de protéines, soit les deux (Figure 4-40). Selon leur taille, on estime que chaque bande contient entre 3 000 et 300 000 paires de nucléotides dans un brin de chromatine. Les bandes des chromosomes polyténiques de *Drosophila* peuvent être reconnues par des différences d'épaisseur et d'espacement et chacune a été numérotée pour établir une « carte » chromosomique. Il y a environ 5 000 bandes et 5 000 entrebandes dans l'ensemble complet de chromosomes polyténiques de *Drosophila*.

Les bandes et les entrebandes des chromosomes polyténiques contiennent des gènes

La disposition reproductible en bandes et entrebandes observée dans les chromosomes polyténiques de *Drosophila* signifie que ces chromosomes en interphase sont hautement organisés. Depuis les années 1930, les scientifiques débattent de la nature de cette organisation et nous n'avons toujours pas de réponse claire. Comme on pensait que le nombre de bandes des chromosomes de *Drosophila* était grossièrement égal au nombre de gènes dans le génome, on a cru au début que chaque bande pouvait correspondre à un seul gène ; cependant, nous savons maintenant que cette idée simple est incorrecte. Il y a presque trois fois plus de gènes chez *Drosophila* que de bandes sur les chromosomes et on a trouvé des gènes aussi bien dans les régions de bandes que dans les entrebandes. De plus, certaines bandes contiennent de multiples gènes et certaines semblent en manquer complètement.

Il semble probable que le schéma bande-entrebandes reflète différents niveaux d'expression de gènes et de structure de la chromatine le long du chromosome, les gènes situés sur les entrebandes moins compactes s'exprimant plus fortement que ceux situés sur les bandes plus compactes. En tout cas, on pense que l'aspect remarquable des chromosomes polyténiques de mouche reflète la nature hétérogène du compactage de la chromatine retrouvée dans tous les chromosomes en interphase. Dans le prochain paragraphe, nous verrons comment l'aspect d'une bande peut changer de façon spectaculaire lorsque l'expression du ou des gènes qu'elle contient devient forte.

Chaque bande des chromosomes polyténiques peut se déplier et se replier comme une unité

Un facteur majeur qui contrôle l'expression des gènes dans les chromosomes polyténiques de *Drosophila* est une hormone stéroïde de l'insecte, l'*ecdysone*, dont la concentration augmente et diminue périodiquement au cours du développement larvaire. Lorsque la concentration en ecdysone augmente, elle induit l'expression des gènes qui codent pour les protéines nécessaires à chaque mue larvaire et à la forma-

10 μm

Figure 4-39 Photographie en microscopie optique d'une portion d'un chromosome polyténique de la glande salivaire de *Drosophila*. Le schéma distinct produit par les bandes et les entrebandes est facilement visible. Les bandes sont des régions où la concentration de chromatine est supérieure et qui apparaissent dans les chromosomes en interphase. Bien qu'elles ne soient détectables que dans les chromosomes polyténiques, on pense qu'elles reflètent une structure commune aux chromosomes de la plupart des eucaryotes. (Due à l'obligeance de Joseph G. Gall.)

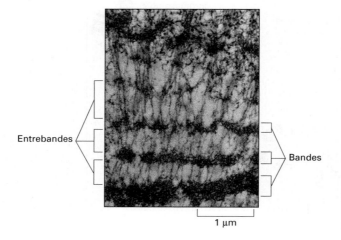

Entrebandes

Bandes

1 μm

Figure 4-40 Photographie en microscopie électronique d'une petite section d'un chromosome polyténique de *Drosophila* observé sur coupe fine. Les bandes d'épaisseurs très différentes peuvent être facilement distinguées, séparées par des entrebandes, qui contiennent de la chromatine moins condensée. (Due à l'obligeance de Veikko Sorsa.)

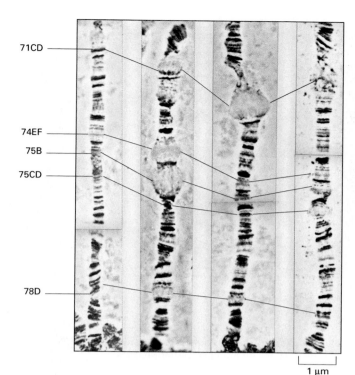

71CD

74EF
75B
75CD

78D

├─┤ 1 μm

Figure 4-41 Gonflements ou *puffs* chromosomiques. Cette série de photographies en fonction du temps montre comment les gonflements se forment et se défont dans les chromosomes polyténiques de *Drosophila* pendant son développement larvaire. Une région du bras gauche du chromosome 3 est montrée. Elle présente cinq très gros puffs dans les cellules des glandes salivaires, chacun actif seulement pendant une courte période du développement. La série de modifications montrée se produit sur une période de 22 heures, apparaissant sous un schéma reproductible lorsque l'organisme se développe. La dénomination des bandes indiquées est donnée à gauche de la photographie. (Due à l'obligeance de Michael Ashburner.)

tion de la nymphe. Lorsque l'organisme passe d'un stade du développement à un autre, des *gonflements chromosomiques* particuliers ou «*puffs*» se forment et les anciens puffs s'effacent lorsque les nouveaux gènes sont exprimés et les anciens inactivés (Figure 4-41). Après inspection de chaque gonflement lorsqu'il est relativement petit et que l'aspect en bandes est encore discernable, il semble que la plupart d'entre eux se forment par décondensation d'une seule bande de chromosome.

Chaque fibre de chromatine qui constitue un puff peut être visualisée en microscopie électronique. Pour des raisons techniques, cela est plus facile dans les chromosomes polyténiques d'un autre insecte, *Chironomus tentans*, un moucheron. Les photographies en microscopie électronique de certains puffs, appelés anneaux de Balbiani, des chromosomes polytènes des glandes salivaires de *Chironomus*, montrent que la chromatine est disposée en boucles (Figures 4-42 et 4-43) presque comme celles observées dans les chromosomes en écouvillon des amphibiens que nous avons présentés antérieurement. D'après certaines expériences, chaque boucle ne contient qu'un seul gène. Lorsqu'il n'est pas exprimé, la boucle d'ADN adopte une structure

Figure 4-42 Synthèse de l'ARN dans les gonflements (*puffs*) chromosomiques.
(A) Chromosomes polyténiques issus des glandes salivaires de l'insecte *C. tentans*. Comme cela a été précisé au chapitre 1 et sera décrit en détail au chapitre 6, la première étape de l'expression des gènes est la synthèse d'une molécule d'ARN qui utilise l'ADN comme matrice. Sur cette photographie en microscopie électronique, l'ARN nouvellement synthétisé issu du gène d'un anneau de Balbiani est indiqué en *rouge*. Les cellules ont été exposées à une brève impulsion de BrUTP (un analogue de l'UTP) qui a été incorporé dans l'ARN. Les cellules ont ensuite été fixées et les ARN nouvellement synthétisés ont été identifiés en utilisant un anticorps anti-BrU. Les ARN de l'anneau de Balbiani ont pu être distingués des autres ARN par leur forme caractéristique (*voir* Figure 4-43). Les *points bleus* de la figure représentent les positions des ARN des anneaux de Balbiani qui ont été synthétisés avant l'addition de BrUTP. L'expérience montre que les ARN de l'anneau de Balbiani sont synthétisés dans les puffs puis diffusent à travers le nucléoplasme.
(B) Autoradiogramme d'un seul puff d'un chromosome polyténique. La portion du chromosome indiqué synthétise de l'ARN et a de ce fait été marquée par l'³H-uridine. (A, due à l'obligeance de B. Daneholt, d'après O.P. Singh et al., *Exp. Cell Res.* 251 : 135-146, 1999. © Academic Press; B, due à l'obligeance de José Bonner.)

Anneau de Balbiani   Chromosomes polyténiques   Cytosol

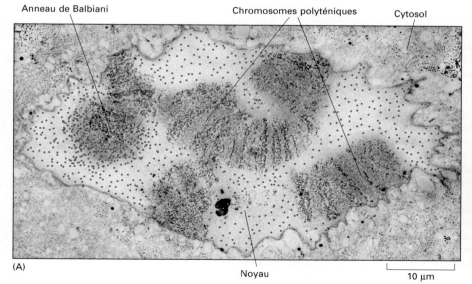

(A)

Noyau   ├────┤ 10 μm

Synthèse d'ARN

(B)   ├────┤ 10 μm

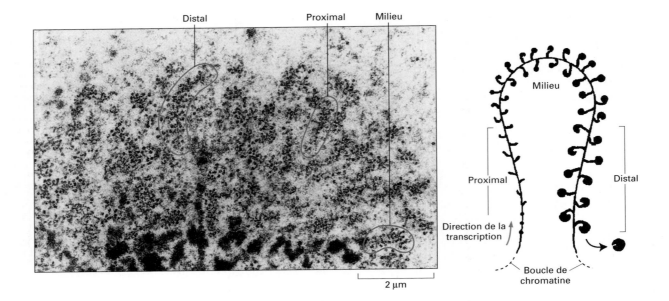

Distal   Proximal   Milieu

Milieu

Proximal   Distal

Direction de la transcription

Boucle de chromatine

2 µm

plus épaisse, éventuellement une fibre repliée de 30 nm, mais lorsque l'expression des gènes se produit, la boucle se déroule. Ces deux types de boucles contiennent les quatre histones du cœur du nucléosome et l'histone H1.

Il est probable que la structure de la boucle défaillante soit une fibre de 30 nm repliée et que les enzymes de modification des histones, les complexes de remodelage de la chromatine et d'autres protéines nécessaires à l'expression des gènes facilitent sa transformation en une forme plus déroulée lorsque le gène s'exprime. Sur les photographies en microscopie électronique, la chromatine localisée de part et d'autre de la boucle décondensée apparaît considérablement plus compacte, ce qui conforte l'idée qu'une boucle constitue un domaine de la structure de la chromatine, fonctionnellement indépendant.

Même si cela reste controversé, il a été proposé que tout l'ADN des chromosomes polyténiques soit disposé en boucles qui se condensent et se décondensent selon le moment où les gènes qu'elles contiennent s'expriment. Il est possible que tous les chromosomes en interphase de tous les eucaryotes soient ainsi empaquetés, en une série ordonnée de domaines en boucles, chacun contenant un petit nombre de gènes dont l'expression est régulée de façon coordonnée (Figure 4-44). Nous reparlerons de ce thème au chapitre 7, lorsque nous aborderons les modes de régulation cellulaire de l'expression des gènes.

L'hétérochromatine est hautement organisée et, en général, s'oppose à l'expression des gènes

Après avoir décrit certains aspects des chromosomes en interphase, déduits à partir de rares cas, retournons aux caractéristiques des chromosomes en interphase qui peuvent être observés dans un grand éventail d'organismes. Les études en microscopie électronique, faites dans les années 1930, ont permis de distinguer deux types de chromatine dans les noyaux en interphase de nombreuses cellules eucaryotes supérieures : une forme hautement condensée, appelée **hétérochromatine** et tout le reste, moins condensé, appelé **euchromatine**. L'euchromatine est composée des types de structure chromosomique – les fibres de 30 nm et les boucles de domaines – que nous avons étudiés jusqu'à présent. L'hétérochromatine, par contre, contient des protéines supplémentaires et représente probablement un niveau plus compact d'organisation que nous commençons juste à comprendre. Dans une cellule typique de mammifère, environ 10 p. 100 du génome est placé dans l'hétérochromatine. Même si on la trouve dans beaucoup d'endroits sur les chromosomes, elle est concentrée dans des régions spécifiques, y compris les centromères et les télomères.

La plupart de l'ADN replié dans l'hétérochromatine ne contient pas de gènes. Cependant, les gènes qui sont placés dans l'hétérochromatine résistent, en général, à leur expression, parce que l'hétérochromatine est particulièrement compacte. Cela ne signifie pas que l'hétérochromatine est inutile ou nocive pour la cellule ; comme nous le verrons ci-dessous, des régions d'hétérochromatine sont responsables du fonctionnement correct des télomères et des centromères (dépourvus de gènes) et sa for-

Figure 4-43 Chromosomes polyténiques de *C. tentans*. La photographie en microscopie électronique montre une fine coupe de la chromatine d'un anneau de Balbiani, un gonflement ou puff chromosomique très actif dans l'expression des gènes. Le gène de l'anneau de Balbiani code pour les protéines sécrétrices utilisées par la larve pour tisser un tube protecteur. La chromatine est disposée en boucles mais comme l'échantillon a été coupé seules des portions de la boucle sont visibles. Lorsqu'elles sont synthétisées sur la chromatine, les molécules d'ARN sont fixées sur des molécules protéiques, ce qui les rend visibles et les fait apparaître en microscopie électronique comme des boutons sur un pédicule. D'après la taille du complexe ARN-protéine, l'étendue de la synthèse de l'ARN (transcription) peut être déduite ; une boucle de chromatine complète (montrée à droite) peut être reconstruite d'après un ensemble de coupes faites en microscopie électronique comme cela est montré ici. (Due à l'obligeance de B. Daneholt, d'après U. Skoglund et al., *Cell* 34 : 847-855, 1993. © Elsevier.)

mation peut même aider le génome à ne pas être dépassé par les éléments d'ADN mobiles «parasites». De plus quelques gènes doivent être placés dans des régions d'hétérochromatine pour être exprimés. En fait le terme d'*hétérochromatine* (d'abord défini par les cytologistes) englobe certainement différents types particuliers de structures de la chromatine qui ont, comme caractéristique commune, un degré d'organisation particulièrement élevé. De ce fait, il ne faut pas penser que l'hétérochromatine encapsule un ADN «mort» mais plutôt qu'elle crée différents types de chromatine compacte de caractéristiques et de rôles distincts.

La résistance de l'hétérochromatine à l'expression des gènes permet de l'étudier même dans les organismes où elle ne peut être observée directement. Lorsqu'un gène, normalement exprimé dans l'euchromatine, est expérimentalement délocalisé dans une région d'hétérochromatine, il cesse d'être exprimé et est dit «réprimé». Ces différences dans l'expression des gènes sont des exemples d'**effets de position**, pour lesquels l'activité d'un gène dépend de sa position le long d'un chromosome. Tout d'abord reconnus chez *Drosophila*, les effets de position ont été ensuite observés dans de nombreux organismes et on pense qu'ils reflètent l'influence des différents états de la structure de la chromatine le long des chromosomes sur l'expression des gènes. De ce fait, on peut considérer les chromosomes comme une mosaïque de différentes formes de chromatine, dont chacune a un effet particulier sur la capacité de la cellule à accéder à l'ADN qu'elle contient.

Beaucoup d'effets de position ont une caractéristique supplémentaire appelée *panachage par effets de position*, responsable de l'apparence mouchetée de l'œil de mouche et de la disposition en secteurs des colonies de levures dans l'exemple montré en figure 4-45. Cet aspect peut résulter de groupes de cellules dans lesquels un gène réprimé a été réactivé ; une fois réactivé, le gène est transmis par hérédité aux cellules filles de façon stable sous cette forme. Sinon, un gène peut se trouver dans l'euchromatine au début du développement puis être sélectionné, de façon plus ou moins aléatoire pour être placé dans l'hétérochromatine, ce qui provoque son inactivation dans une cellule et toutes les cellules filles.

L'étude des panachages par effets de position a révélé deux caractéristiques importantes de l'hétérochromatine. Tout d'abord, l'hétérochromatine est dynamique ; elle peut «s'étendre» sur une région puis «se rétracter» de celle-ci à une fréquence faible mais observable. Deuxièmement, l'état de la chromatine – soit euchromatine, soit hétérochromatine – a tendance à être héréditaire d'une cellule à sa descendance. Ces deux caractéristiques sont responsables des panachages par effets de position, comme cela est expliqué dans la figure 4-46. Dans le paragraphe suivant, nous aborderons divers modèles qui rendent compte de la nature d'auto-entretien de l'hétérochromatine, une fois formée.

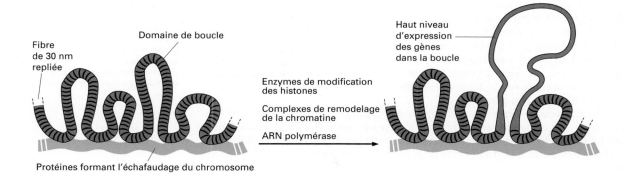

Figure 4-44 Modèle de la structure d'un chromosome en interphase. Une coupe d'un chromosome en interphase est montrée repliée en une série de domaines en boucle, chacun contenant 20 000 à 100 000 paires de nucléotides d'une double hélice d'ADN condensée en une fibre de 30 nm. Chacune des boucles peut se décondenser, parfois en partie selon un allongement en accordéon de la fibre de 30 nm (*voir* Figure 4-29), lorsque la cellule doit accéder directement à l'ADN empaqueté dans ces boucles. Cette décondensation est effectuée par des enzymes qui modifient directement la structure de la chromatine – ainsi que par des protéines, comme l'ARN polymérase (*voir* Chapitre 6), qui agit directement sur l'ADN sous-jacent. On ne sait pas comment la fibre repliée de 30 nm est ancrée sur l'axe du chromosome, mais des preuves suggèrent que la base d'une boucle chromosomique est riche en ADN topo-isomérase, une enzyme qui permet à l'ADN de pivoter lorsqu'il est ancré (*voir* p. 251-253).

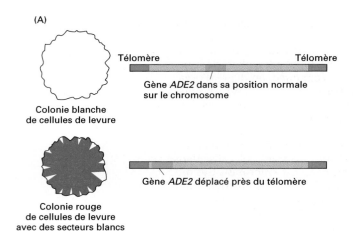

(A)

Télomère   Télomère

Gène *ADE2* dans sa position normale
sur le chromosome

Colonie blanche
de cellules de levure

Gène *ADE2* déplacé près du télomère

Colonie rouge
de cellules de levure
avec des secteurs blancs

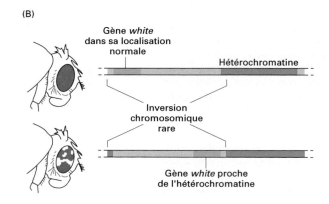

(B)

Gène *white*
dans sa localisation
normale

Hétérochromatine

Inversion
chromosomique
rare

Gène *white* proche
de l'hétérochromatine

Figure 4-45 Effets de position sur l'expression des gènes dans deux organismes eucaryotes différents.
(A) Le gène *ADE2* de la levure dans sa localisation chromosomique normale s'exprime dans toutes les cellules. Lorsqu'il est déplacé près de l'extrémité d'un chromosome de levure, dont on a déduit qu'il était replié sous forme d'hétérochromatine, le gène ne s'exprime plus dans la plupart des cellules de la population. Le gène *ADE2* code pour l'une des enzymes de la biosynthèse de l'adénine, et l'absence du produit du gène *ADE2* conduit à l'accumulation d'un pigment rouge. De ce fait une colonie de cellules qui exprime le gène *ADE2* est *blanche* et une colonie de cellules où le gène *ADE2* ne s'exprime pas est rouge. Les secteurs blancs qui se déploient à partir du centre de la colonie rouge cultivée sur une gélose agar représentent les descendants des cellules dans lesquelles le gène *ADE2* est devenu spontanément actif. On pense que ces secteurs blancs résultent d'une modification héréditaire vers un état moins empaqueté de chromatine, proche du gène *ADE2*, dans ces cellules. Même si les chromosomes de levure sont trop petits pour être vus en microscopie optique, on pense que la structure de la chromatine à l'extrémité d'un chromosome de levure a beaucoup d'aspects structuraux communs avec l'hétérochromatine des chromosomes des organismes plus grands.
(B) Les effets de position peuvent aussi être observés avec le gène *white* de la mouche des fruits *Drosophila*. Le gène *white* contrôle la production du pigment oculaire et a été ainsi nommé d'après la mutation qui a permis de l'identifier. Les mouches sauvages ayant un gène *white* normal (*white*⁺) ont une production normale de pigment, qui leur donne les yeux rouges, mais si le gène *white* subit une mutation ou est inactivé, la mouche mutante (*white*⁻) ne produit pas de pigment et a des yeux blancs. Des mouches chez qui le gène *white*⁺ normal a été déplacé dans une région proche d'une région d'hétérochromatine ont les yeux mouchetés, avec des taches blanches et des taches rouges. Les taches blanches représentent les cellules dans lesquelles le gène *white*⁺ a subi une répression transcriptionnelle par les effets de l'hétérochromatine.
À l'opposé, les taches rouges représentent les cellules qui expriment le gène *white*⁺ parce que l'hétérochromatine ne s'était pas étendue sur ce gène au moment où, au début du développement, l'hétérochromatine a commencé à se former. Comme dans la levure, la présence de grandes taches de cellules rouges et blanches indique que l'état d'activité transcriptionnelle du gène est héréditaire, déterminé par son empaquetage dans la chromatine chez le jeune embryon.

Les extrémités des chromosomes présentent une forme spéciale d'hétérochromatine

À la différence de celle des nucléosomes et des fibres de 30 nm, la structure de l'hétérochromatine est mal connue. Elle implique presque sûrement un niveau supplémentaire de repliement des fibres de 30 nm et nécessite beaucoup de protéines en plus des histones. Même si ses chromosomes sont trop petits pour être observés en microscopie optique, la nature moléculaire de l'hétérochromatine est probablement plus facile à comprendre dans la simple levure *S. cerevesiae*. Beaucoup d'expériences avec les cellules de levure ont montré que la chromatine qui s'étend à partir de chaque extrémité de chromosome vers l'intérieur sur grossièrement 5 000 paires de nucléotides est résistante à l'expression des gènes et a probablement une structure qui correspond au moins à un type d'hétérochromatine des chromosomes des organismes plus complexes. Une importante analyse génétique a conduit à l'identification d'un grand nombre de protéines de levure nécessaires pour ce type de répression transcriptionnelle des gènes.

Les mutations dans n'importe quel groupe de protéines régulatrices Sir (*Silent information regulator*) de levure empêchent la répression transcriptionnelle des gènes localisés près des télomères, permettant ainsi l'expression de ces gènes. L'analyse de ces protéines a conduit à la découverte d'un complexe protéique Sir fixé sur les télomères qui reconnaît les queues N-terminales peu acétylées de certaines histones (Figure 4-47). Une des protéines de ce complexe est une histone désacétylase hautement conservée appelée Sir2, qui possède des homologues dans divers organismes y compris l'homme et joue probablement un rôle majeur dans la création d'un motif de sous-acétylation d'histone, particulier à l'hétérochromatine. Comme nous l'avons vu précédemment dans ce chapitre, on pense que la désacétylation des queues d'histone permet le regroupement des nucléosomes en rangées plus serrées et les rend également moins sensibles à certains complexes de remodelage de la chromatine. En plus, l'aspect de la modification des queues d'histones, spécifique à l'hétérochromatine, risque d'attirer des protéines supplémentaires impliquées dans la formation et le maintien de l'hétérochromatine (*voir* Figure 4-35).

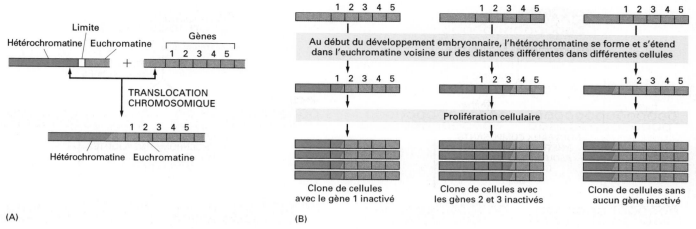

(A)

(B)

Figure 4-46 Causes du panachage par effets de position chez la drosophile. (A) L'hétérochromatine (*bleu*) ne peut normalement pas s'étendre dans les régions adjacentes d'euchromatine (*vert*) à cause de séquences spéciales d'ADN frontalières, que nous aborderons au chapitre 7. Chez les mouches qui héritent de certains réarrangements chromosomiques, cependant, cette barrière n'existe plus. (B) Durant le développement précoce de ces mouches, l'hétérochromatine peut s'étendre dans l'ADN chromosomique voisin, se dirigeant sur des distances différentes dans les cellules différentes. Cette extension s'arrête rapidement, mais le schéma établi de l'hétérochromatine est héréditaire, de telle sorte que des clones importants de cellules filles sont produits et ont les mêmes gènes voisins condensés en hétérochromatine et donc inactivés (d'où l'aspect «panaché» de certaines de ces mouches, *voir* Figure 4-45B). Bien que le terme d'«extension» soit utilisé pour décrire la formation de nouvelle hétérochromatine près de l'hétérochromatine déjà existante, ce terme n'est pas totalement vrai. Il y a des preuves que durant son expansion, l'hérétochromatine peut «sauter par dessus» certaines régions de chromatine, épargnant les gènes qui résident au dedans de cet effet répresseur. Une des possibilités est que l'hétérochromatine s'étende et traverse la base de certaines boucles d'ADN, shuntant ainsi la chromatine contenue dans la boucle.

Mais comment la protéine Sir2 est-elle, au départ, apportée à l'extrémité des chromosomes? Une autre série d'expériences a suggéré le modèle montré dans la figure 4-47B. Une protéine de liaison à l'ADN qui reconnaît des séquences spécifiques à l'intérieur des télomères de la levure se fixe également sur une des protéines Sir et provoque l'assemblage du complexe entier des protéines Sir sur l'ADN du télomère. Le complexe Sir se propage alors le long du chromosome à partir de ce site et modifie les queues N-terminales des histones adjacentes pour créer les sites de liaison au nucléosome que ce complexe préfère. On pense que cette «propagation» est en-

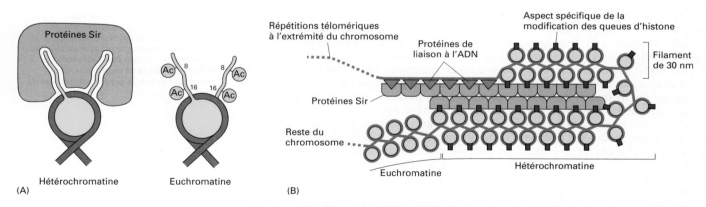

(A)   (B)

Figure 4-47 Modèle hypothétique de l'hétérochromatine à l'extrémité d'un chromosome de levure.
(A) L'hétérochromatine est généralement sous-acétylée et il a été proposé que les queues sous-acétylées de l'histone H4 interagissaient avec un complexe protéique Sir, stabilisant ainsi l'association de ces protéines avec les nucléosomes. Même si elles sont montrées totalement non acétylées, les modifications exactes des queues d'histones H4 nécessaires à sa fixation sur le complexe Sir ne sont pas connues avec certitude. Dans certains organismes, la méthylation de la lysine 9 de l'histone H3 est également un signal critique de la formation de l'hétérochromatine. Dans l'euchromatine, les queues d'histones sont typiquement très acétylées. Celles de l'H4 sont montrées partiellement acétylées mais, en réalité, l'état d'acétylation varie dans l'euchromatine. (B) Des protéines spécifiques de liaison à l'ADN (*triangles bleus*) reconnaissent les séquences d'ADN proches des extrémités des chromosomes et attirent les protéines Sir, dont l'une (Sir2) est une histone désacétylase NAD$^+$-dépendante. Cela conduit ensuite à la dissémination coopérative du complexe protéique Sir le long du chromosome. Lorsque ce complexe s'étend, la désacétylation catalysée par Sir2 facilite la création de nouveaux sites de liaison sur les nucléosomes pour de nouveaux complexes protéiques Sir. Une structure repliée sur elle-même du type montré ici peut aussi se former.

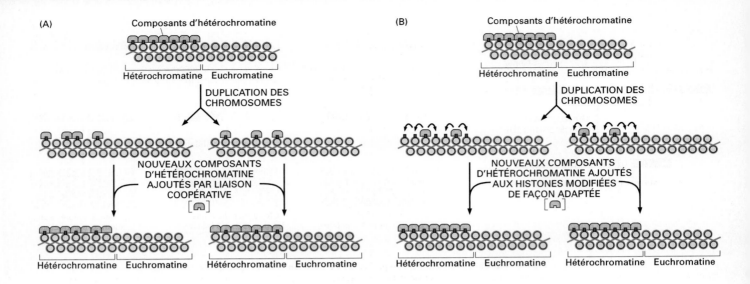

traînée par la liaison coopérative de complexes de protéines Sir adjacents ainsi que par le repliement du chromosome sur lui-même qui favorise la fixation de Sir dans des régions voisines (*voir* Figure 4-47B). De plus, la formation de l'hétérochromatine nécessite probablement l'action de complexes de remodelage de la chromatine pour réajuster les positions des nucléosomes lorsqu'ils sont réunis.

Contrairement à la plupart des désacétylases, Sir2 nécessite NAD$^+$ comme cofacteur (*voir* Figure 2-60). La concentration en NAD$^+$ dans la cellule fluctue avec la santé nutritionnelle de la cellule, augmentant lorsque la cellule manque de nourriture. Cet aspect peut provoquer la propagation de l'hétérochromatine des télomères en réponse à l'absence de nourriture (peut-être pour inactiver l'expression des gènes qui ne sont pas absolument nécessaires à la survie) et sa rétraction lorsque les conditions s'améliorent.

Les propriétés de l'hétérochromatine de levure que nous venons de décrire peuvent ressembler à celles de l'hétérochromatine des organismes plus complexes. La propagation de l'hétérochromatine de levure à partir des télomères est certainement similaire en principe aux mouvements de l'hétérochromatine responsables du panachage par effets de position chez les animaux (*voir* Figure 4-46). De plus, ces propriétés peuvent expliquer l'héritabilité de l'hétérochromatine, comme cela est décrit dans la figure 4-48. Quel que soit le mécanisme précis de la formation de l'hétérochromatine, il devient clair que des modifications covalentes des histones du noyau des nucléosomes ont un rôle critique dans ce processus. Les *histones méthyl-transférases* sont particulièrement importantes pour beaucoup d'organismes. Ce sont des enzymes qui méthylent des lysines spécifiques des histones, en particulier la lysine 9 de l'histone H3 (*voir* Figure 4-35). Cette modification est « lue » par les composants de l'hétérochromatine (y compris HP1 de *Drosophila*) qui se fixent spécifiquement sur cette forme modifiée d'histone H3 pour induire l'assemblage de l'hétérochromatine. Il y a des chances qu'un éventail de diverses modifications d'histones soit utilisé par la cellule pour différencier l'hétérochromatine de l'euchromatine (*voir* Figure 4-35).

Le fait que les extrémités des chromosomes soient empaquetées dans l'hétérochromatine présente divers avantages pour la cellule : cela permet d'éviter que les extrémités des chromosomes soient reconnues par la machinerie de réparation cellulaire comme étant des cassures de chromosomes, cela facilite la régulation de la longueur des télomères et cela peut aider à l'appariement précis et à la ségrégation des chromosomes durant la mitose. Dans le chapitre 5, nous verrons que les télomères ont d'autres particularités structurales qui les différencient des autres parties des chromosomes.

Les centromères sont aussi placés dans l'hétérochromatine

L'hétérochromatine est aussi observée autour des centromères, séquences d'ADN qui dirigent le mouvement de chaque chromosome vers les cellules filles à chaque fois qu'une cellule se divise (*voir* Figure 4-22). Dans beaucoup d'organismes complexes,

Figure 4-48 Deux modèles hypothétiques de la façon dont l'empaquetage serré de l'ADN dans l'hétérochromatine peut être hérité pendant la réplication des chromosomes. Dans les deux cas, la moitié des composants spécialisés de l'hétérochromatine a été distribuée à chaque chromosome fils par la réplication de l'ADN. (A) Dans ce modèle, les nouveaux composants de l'hétérochromatine se fixent de façon coopérative aux composants hérités, commençant ainsi le processus de formation d'une nouvelle hétérochromatine. Ce processus se termine par l'assemblage de protéines supplémentaires et l'éventuelle modification covalente des histones (non montrée). (B) Dans ce modèle, les composants de l'hétérochromatine hérités changent l'aspect des modifications des histones sur le nucléosome fils nouvellement formé à proximité, créant de nouveaux sites de liaison pour les composants libres de l'hétérochromatine qui s'assemblent et complètent leur structure. Les deux modèles peuvent jouer un rôle dans l'extension de l'hétérochromatine et de plus, ces deux processus peuvent se produire simultanément dans la cellule.

y compris l'homme, chaque centromère semble encastré dans un segment très long d'hétérochromatine qui persiste pendant toute l'interphase, même si le déplacement de l'ADN, dirigé par les centromères, ne se produit que pendant la mitose. La structure et les propriétés biochimiques de cette *hétérochromatine centrale* ne sont pas bien comprises, mais comme les autres formes d'hétérochromatine, elle inactive l'expression des gènes expérimentalement placés à l'intérieur. Elle contient en plus des histones (typiquement sous-acétylées et méthylées dans l'hétérochromatine), plusieurs autres protéines structurales qui compactent les nucléosomes dans des formations particulièrement denses.

Comme pour les télomères, notre meilleure connaissance de la structure de la chromatine d'un centromère provient des études des centromères bien plus simples de la levure *S. cerevisiae*. Nous avons déjà vu dans ce chapitre qu'une simple séquence d'ADN d'environ 125 paires de nucléotides était suffisante pour servir de centromère dans cet organisme. En dépit de sa petite taille, plus d'une douzaine de protéines différentes s'assemblent sur cette séquence d'ADN. Ces protéines comprennent un variant de l'histone H3 qui, pense-t-on, forme un nucléosome spécifique du centromère, en s'associant aux autres histones du noyau (Figure 4-49A). Cependant nous ne comprenons pas quelles sont les propriétés que ce nucléosome particulier apporte à la cellule, mais il semble que des nucléosomes similaires spécialisés soient présents dans tous les centromères eucaryotes (Figure 4-49B). Les autres protéines du centromère de la levure fixent ce dernier sur les microtubules du fuseau et fournissent les signaux qui assurent que cette fixation est terminée avant que les derniers stades de la mitose ne s'effectuent (*voir* Chapitres 17 et 18).

Les centromères des organismes plus complexes sont considérablement plus grands que ceux des levures bourgeonnantes. Par exemple, les centromères de la mouche et de l'homme s'étendent sur des centaines de milliers de paires de nucléotides et ne semblent pas contenir de séquences d'ADN spécifiques du centromère. Par contre, la plupart sont composés en grande partie de courtes séquences répétitives d'ADN, appelées *ADN satellite alpha* chez l'homme (Figure 4-50). Ces mêmes séquences répétitives sont aussi cependant retrouvées ailleurs (en position non centromérique) sur les chromosomes et l'on comprend mal comment elles peuvent spécifier le centromère. D'une manière ou d'une autre, la formation de la plaque interne du kinétochore est «semée», suivie de l'assemblage coopératif du groupe complet des protéines spéciales qui forment le kinétochore (Figure 4-50B). Il semble que les centromères des organismes complexes soient plus définis par un assemblage de protéines que par une séquence spécifique d'ADN.

Il existe certaines similitudes frappantes entre la formation et le maintien des centromères et la formation et le maintien des autres régions de l'hétérochromatine. Le centromère complet se forme comme une entité «tout ou rien», ce qui suggère que l'addition des protéines après l'événement d'ensemencement est hautement coopérative. De plus, une fois formée, la structure semble être directement héréditaire sur l'ADN et fait partie de chaque cycle de réplication chromosomique. Par exemple, certaines régions de nos chromosomes contiennent ainsi des séquences d'ADN satellite alpha non fonctionnelles qui semblent être identiques à celles du centromère; on présume que ces séquences se sont formées à partir d'un événement de réunion chromosomique qui a initialement créé un chromosome à deux centromères (un chromosome instable bi-centrique; Figure 4-51A). De plus, dans certains cas inhabituels,

Figure 4-49 Le nucléosome spécifique formé sur les centromères. (A) Modèle de l'assemblage des protéines sur un centromère de levure. Le nucléosome spécifique contient un variant de H3 (appelé CENP-A dans la plupart des organismes) en plus des histones centrales H2A, H2B et H4. Le repliement de l'ADN dans ce nucléosome facilite l'assemblage des autres protéines de liaison au centromère, qui forment le kinétochore qui fixe le centromère au fuseau mitotique. (B) Localisation de l'histone H3 conventionnelle sur les chromosomes mitotiques de *Drosophila*. Les H3 conventionnelles ont été fusionnées à une protéine fluorescente et apparaissent *vertes*. Un composant du kinétochore a été coloré en *rouge* par des anticorps contre une protéine spécifique du kinétochore. (C) La même expérience mais avec des protéines d'histone H3 spécifiques du centromère (et non pas des H3 conventionnelles), marquées en *vert*. Lorsque les colorants *vert* et *rouge* coïncident, la couleur apparaît *jaune*. (A, adapté de P.B. Meluh et al., *Cell* 94 : 607-613, 1998; B et C, d'après S. Henikoff et al., *Proc. Natl. Acad. Sci. USA* 97 : 716-721, 2000. © National Academy of Sciences.)

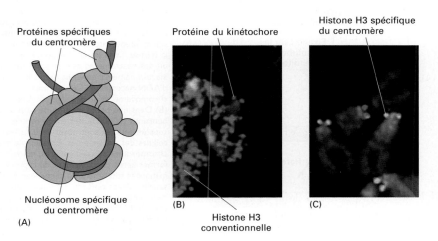

Protéines spécifiques du centromère

Protéine du kinétochore

Histone H3 spécifique du centromère

Nucléosome spécifique du centromère

(A)

(B)

Histone H3 conventionnelle

(C)

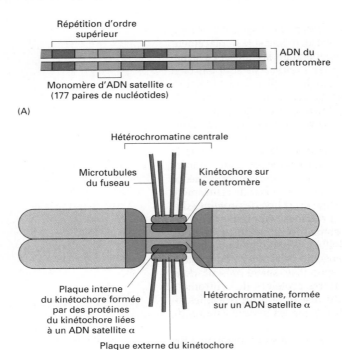

Répétition d'ordre supérieur

ADN du centromère

Monomère d'ADN satellite α
(177 paires de nucléotides)

(A)

Hétérochromatine centrale

Microtubules du fuseau

Kinétochore sur le centromère

Plaque interne du kinétochore formée par des protéines du kinétochore liées à un ADN satellite α

Hétérochromatine, formée sur un ADN satellite α

Plaque externe du kinétochore formée de protéines spéciales

(B)

Figure 4-50 Structure d'un centromère humain. (A) Organisation des séquences d'ADN satellite alpha, qui sont répétées plusieurs milliers de fois au niveau d'un centromère. (B) Un chromosome entier. Les séquences d'ADN satellite alpha (en *rouge*) sont riches en AT et composées d'un grand nombre de répétitions qui varient légèrement les unes des autres de par leur séquence d'ADN. Le *bleu* représente la position de l'hétérochromatine encadrant le centre qui contient des séquences d'ADN composées de différents types de répétitions. Comme cela est indiqué, le kinétochore est composé d'une plaque interne et d'une plaque externe formées par un ensemble de protéines du kinétochore. Les microtubules du fuseau sont fixés sur le kinétochore pendant la phase M du cycle cellulaire (*voir* Figure 4-22). (B, adapté d'après T.D. Murphy et G.H. Karpen, *Cell* 93 : 317-320, 1998.)

la formation spontanée de nouveaux centromères humains (appelés néocentromères) a été observée sur des chromosomes fragmentés. Certaines de ces nouvelles positions étaient à l'origine constituées d'euchromatine, totalement dépourvue d'ADN satellite alpha (Figure 4-51B).

Pour expliquer ces observations, il a été proposé que la formation *de novo* du centromère nécessiterait un marquage initial (ou ensemencement), comme la formation d'une structure spécifique ADN-protéine, qui chez l'homme, se produirait plus facilement sur des séquences répétitives d'ADN satellite alpha que sur d'autres séquences d'ADN. Cette marque serait dupliquée au moment de la division des chromosomes et les mêmes centromères fonctionneraient alors au cours de la division cellulaire suivante. Exceptionnellement, ce marquage serait perdu après la réplication des chromosomes, et dans ce cas, serait très difficile à rétablir à nouveau (Figure 4-51C). Même si on ne comprend pas, en détails, le mode d'auto-renouvellement des centromères, les types de modèles décrits pour l'hérédité de l'hétérochromatine dans la figure 4-48 pourraient aussi être dans ce cas décisifs.

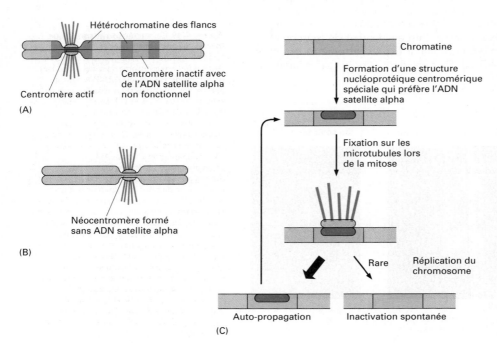

Hétérochromatine des flancs

Centromère inactif avec de l'ADN satellite alpha non fonctionnel

Centromère actif

(A)

Néocentromère formé sans ADN satellite alpha

(B)

Chromatine

Formation d'une structure nucléoprotéique centromérique spéciale qui préfère l'ADN satellite alpha

Fixation sur les microtubules lors de la mitose

Rare

Réplication du chromosome

Auto-propagation

Inactivation spontanée

(C)

Figure 4-51 La plasticité de la formation des centromères humains. (A) Selon un ancien événement de rupture et de réunion des chromosomes, certains chromosomes humains contiennent deux blocs d'ADN satellite alpha (*rouge*), dont chacun fonctionnait probablement comme un centromère dans le chromosome d'origine. En général ces chromosomes dicentriques ne se propagent pas de façon stable parce qu'ils sont mal fixés sur le fuseau mitotique et sont rompus durant la mitose. Dans les chromosomes qui survivent, un des centromères devient spontanément inactif, même s'il contient toutes les séquences d'ADN nécessaires. Cela permet au chromosome de se propager de façon stable. (B) Dans une petite fraction de naissances humaines (1/2 000), des chromosomes supplémentaires sont observés dans les cellules des nouveau-nés. Certains de ces chromosomes supplémentaires, qui se sont formés après un événement de rupture, manquent totalement de séquences d'ADN satellite alpha ; cependant de nouveaux centromères se sont formés à partir de ce qui était de l'ADN euchromatique à l'origine. (C) Modèle qui explique la plasticité et l'héritabilité des centromères.

La plasticité des centromères peut avoir un avantage évolutif important. Nous avons vu que les chromosomes évoluent en partie suite à des événements de rupture et de réunion (*voir* Figure 4-19). Beaucoup de ces événements produisent des chromosomes à deux centromères, ou des fragments de chromosome dépourvus de centromère. Bien que rares, l'inactivation des centromères et leur capacité à pouvoir être activés *de novo* peuvent occasionnellement permettre à des chromosomes nouvellement formés d'être maintenus, stables et faciliter ainsi le processus de l'évolution des chromosomes.

L'hétérochromatine peut être un mécanisme de défense contre les éléments mobiles d'ADN

L'ADN placé dans l'hétérochromatine est souvent composé de longs segments de courtes séquences répétitives en tandem qui ne codent pas pour des protéines comme nous l'avons vu dans le cadre de l'hétérochromatine des centromères des mammifères. Par contre, l'ADN de l'euchromatine est riche en gènes et autres copies uniques de séquences d'ADN. Même si cette corrélation n'est pas absolue (il existe certains segments de séquences répétitives dans l'euchromatine et certains gènes sont présents dans l'hétérochromatine), cette tendance suggère que certains types de répétitions d'ADN constituent un signal pour la formation de l'hétérochromatine. Cette idée est confortée par des expériences au cours desquelles plusieurs centaines de ces copies en tandem de gènes ont été artificiellement introduites dans des lignées germinales de mouches et de souris. Dans ces deux organismes, ces segments de gènes ont souvent subi une répression ; dans certains cas, ces segments ont pu être observés en microscopie : ils formaient des régions d'hétérochromatine. Par contre lorsque des copies non répétitives du même gène sont introduites dans la même position dans le chromosome, elles s'expriment activement.

Cette caractéristique, appelée *répression transcriptionnelle induite par la répétition* (*repeat-induced gene silencing*), peut être un mécanisme utilisé par les cellules pour empêcher leur génome d'être submergé par les éléments génétiques mobiles. Ces éléments, dont nous parlerons au chapitre 5, peuvent se multiplier et s'insérer eux-mêmes dans le génome. Si on se base sur cette idée, une fois qu'un groupe de ces éléments mobiles s'est formé, l'ADN qui les contient est placé dans l'hétérochromatine pour éviter qu'ils ne poursuivent leur prolifération. Ce même mécanisme peut être responsable de la formation de grandes régions d'hétérochromatine qui contiennent un grand nombre de répétitions en tandem d'une séquence simple, ce qui se produit autour des centromères.

Les chromosomes mitotiques sont formés à partir d'une chromatine dans un état de condensation maximale

Après avoir abordé la structure dynamique des chromosomes en interphase, intéressons-nous maintenant au niveau ultime d'empaquetage de l'ADN, observé dans les chromosomes mitotiques. Excepté quelques cas particuliers, comme les chromosomes en écouvillon ou les chromosomes polyténiques abordés précédemment, la plupart des chromosomes en interphase sont trop déroulés et trop enchevêtrés pour que leur structure puisse être clairement observée. Par contre, au cours de la mitose, les chromosomes de presque toutes les cellules eucaryotes sont facilement visibles, lorsqu'ils s'enroulent pour former une structure hautement condensée. Il est remarquable que cette condensation supplémentaire, qui réduit la longueur du chromosome interphasique typique d'environ une dizaine de fois, produise une modification aussi spectaculaire de l'aspect des chromosomes.

La figure 4-52 montre un **chromosome mitotique** typique au stade métaphase de la mitose. Les deux molécules filles d'ADN produites par la réplication de l'ADN au cours de l'interphase du cycle de division cellulaire sont repliées séparément pour former deux chromosomes fils, ou *chromatides sœurs*, maintenues ensemble au niveau de leur centromère (*voir aussi* Figure 4-42). Ces chromosomes sont normalement recouverts par diverses molécules, y compris de grandes quantités de complexes ARN-protéines. Une fois que ce « manteau » a été retiré, chaque chromatide peut être observée en microscopie électronique et apparaît organisée en boucles de chromatine émanant d'une structure centrale (Figures 4-53 et 4-54). Plusieurs types d'expériences démontrent que l'ordre des formations visibles le long d'un chromosome mitotique reflète, du moins grossièrement, l'ordre des gènes le long de la molécule d'ADN. On peut donc penser que la condensation des chromosomes mitotiques est le dernier niveau dans la hiérarchie d'empaquetage des chromosomes (Figure 4-55).

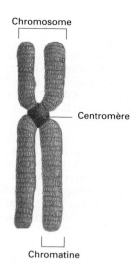

Chromosome

Centromère

Chromatine

Figure 4-52 Un chromosome typique en métaphase. Chaque chromatide sœur contient une des deux molécules d'ADN filles identiques engendrées auparavant dans le cycle cellulaire par la réplication de l'ADN.

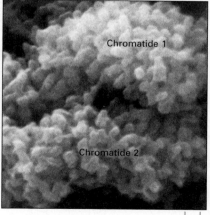

Chromatide 1

Chromatide 2

0,1 µm

Figure 4-53 Photographie en microscopie électronique à balayage d'une région proche d'une extrémité d'un chromosome mitotique typique. On pense que chaque projection en forme de bouton représente l'extrémité d'un domaine en boucle séparé. Notez que les deux paires de chromatides identiques, dessinées en figure 4-52, peuvent être clairement distinguées. (D'après M.P. Marsden et U.K. Laemmli, *Cell* 17 : 849-858, 1979. © Elsevier.)

Le compactage des chromosomes au cours de la mitose est un processus hautement organisé et dynamique qui a au moins deux fonctions importantes. Tout d'abord, à la fin de la condensation (en métaphase), les chromatides sœurs ont été désenchevêtrées l'une de l'autre et résident côte à côte. De ce fait, les chromatides sœurs peuvent facilement se séparer lorsque l'appareil mitotique commence à les repousser l'une de l'autre. Deuxièmement, la compaction des chromosomes protège les molécules d'ADN relativement fragiles de leur cassure lorsqu'elles sont tirées vers les cellules filles séparées.

La condensation des chromosomes en interphase en chromosomes mitotiques se produit pendant la phase M, et est intimement liée à la progression du cycle cellulaire, comme nous le verrons en détail aux chapitres 17 et 18. Elle nécessite une classe de protéines, les *condensines,* qui utilisent l'énergie de l'hydrolyse de l'ATP pour entraîner l'enroulement de chaque chromosome en interphase et produire un chromosome mitotique. Les condensines sont de gros complexes protéiques qui contiennent les protéines SMC : molécules protéiques allongées, dimériques, articulées en leur centre, avec des domaines globulaires à chaque extrémité qui se fixent sur l'ADN et hydrolysent l'ATP (Figure 4-56). Lorsqu'elles sont ajoutées à de l'ADN purifié, les condensines utilisent l'énergie de l'hydrolyse de l'ATP pour fabriquer des grandes boucles d'ADN enroulées vers la droite. Bien que l'on ne sache pas encore comment elles agissent sur la chromatine, le modèle d'enroulement montré à la figure 4-56C se base sur le fait que les condensines sont un composant structurel majeur des chromosomes mitotiques, avec une molécule de condensine présente pour 10 000 nucléotides d'ADN mitotique.

Chaque chromosome mitotique contient de très grands domaines formant un motif caractéristique

Comme nous l'avons auparavant mentionné, la collection des 46 chromosomes humains en mitose est appelé caryotype humain. Lorsqu'ils sont colorés au Giemsa, on

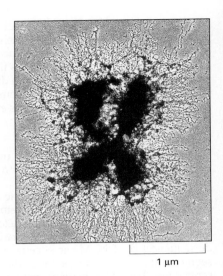

Figure 4-54 Photographie en microscopie électronique d'un chromosome mitotique. Ce chromosome (d'un insecte) a été traité pour révéler les boucles de fibres de chromatine qui émanent de l'échafaudage central de la chromatide. Ces microphotographies confortent l'idée que la chromatine de tous les chromosomes est repliée en une série de domaines en boucles (*voir* Figure 4-55). (Due à l'obligeance de Uli Laemmli.)

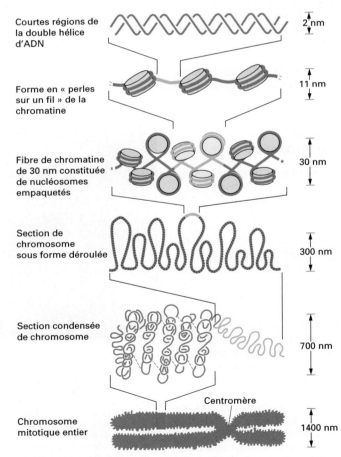

Courtes régions de la double hélice d'ADN — 2 nm

Forme en « perles sur un fil » de la chromatine — 11 nm

Fibre de chromatine de 30 nm constituée de nucléosomes empaquetés — 30 nm

Section de chromosome sous forme déroulée — 300 nm

Section condensée de chromosome — 700 nm

Centromère

Chromosome mitotique entier — 1400 nm

RÉSULTAT NET : CHAQUE MOLÉCULE D'ADN A ÉTÉ EMPAQUETÉE DANS UN CHROMOSOME MITOTIQUE QUI EST 10 000 FOIS PLUS COURT QUE SA LONGUEUR DÉROULÉE

Figure 4-55 Empaquetage de la chromatine. Ce modèle montre certains des nombreux niveaux d'empaquetage de la chromatine qui ont été postulés comme engendrant les chromosomes mitotiques hautement condensés.

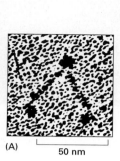

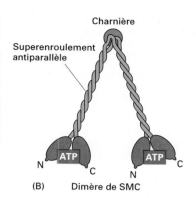

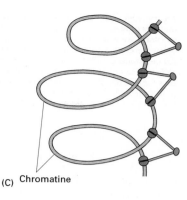

Charnière

Superenroulement
antiparallèle

ATP   ATP

N   C   N   C

(A) |— 50 nm —| (B)   Dimère de SMC   (C) Chromatine

Figure 4-56 Les protéines SMC dans les condensines. (A) Photographie en microscopie électronique d'un dimère purifié SMC. (B) Structure d'un dimère SMC. La longue région centrale de cette protéine est un superenroulement antiparallèle (*voir* Figure 3-11) avec une charnière souple en son centre, comme cela est mis en évidence par la photographie en microscopie électronique de (A). (C) Modèle de la manière par laquelle les protéines SMC dans les condensines compactent la chromatine. En réalité les protéines SMC sont des composants d'un complexe de condensine beaucoup plus grand. Il a été proposé que, dans la cellule, les condensines enroulent de longues cordes de domaines de chromatine en boucle dans un état hautement organisé durant la phase M du cycle de la cellule. (A, due à l'obligeance de H.P. Erickson ; B et C, adaptés d'après T. Hirano, *Genes Dev.* 13 : 11-19, 1999.)

observe le long de chaque chromosome mitotique un motif en bandes frappant et reproductible, comme cela est montré dans la figure 4-11. Ces bandes ne sont pas apparentées à celles déjà décrites pour les chromosomes polyténiques des insectes et qui correspondent à des régions relativement petites de chromatine en interphase. Dans un chromosome mitotique humain, toute la chromatine est condensée et les bandes représentent une fixation sélective du colorant.

En examinant des chromosomes humains au début de la mitose, lorsqu'ils sont moins condensés que pendant la métaphase, il a été possible d'estimer que la totalité du génome haploïde contenait 2 000 bandes discernables. Elles entrent progressivement en coalescence tandis que la condensation s'effectue au cours de la mitose et produisent des bandes moins nombreuses et plus épaisses. Comme nous l'avons déjà vu, les cytogénéticiens utilisent en routine les motifs créés par ces bandes de chromosomes pour découvrir, chez les patients, des anomalies génétiques, comme des inversions chromosomiques, des translocations et d'autres types de réarrangements chromosomiques (*voir* Figure 4-12).

Les bandes des chromosomes mitotiques sont détectées sur les chromosomes d'espèces aussi variées que l'homme et la mouche. De plus, la disposition des bandes dans un chromosome est restée inchangée depuis longtemps à l'échelle de l'évolution. Chaque chromosome humain par exemple, possède une contrepartie clairement reconnaissable avec une disposition en bandes presque identique parmi les chromosomes du chimpanzé, du gorille et de l'orang-outan – même s'il existe aussi de nettes différences, comme la fusion de chromosomes qui a engendré les 46 chromosomes humains à la place des 48 chromosomes des singes (Figure 4-57). Cette conservation suggère que les chromosomes sont organisés en de grands domaines qui peuvent être importants pour la fonction des chromosomes.

Même la plus fine des bandes de la figure 4-11 contient probablement plus d'un million de paires de nucléotides, ce qui est presque la taille d'un génome bactérien. Ces bandes semblent refléter la division grossière des chromosomes en régions de contenu GC différent. La séquence des nucléotides du génome humain a révélé de gros blocs non aléatoires de séquences (certains supérieurs à 10^7 paires de nucléotides) qui ont une teneur en GC significativement plus grande ou plus petite que la moyenne du génome entier qui est de 41 p. 100. Ces blocs sont grossièrement corrélés au motif coloré des chromosomes en métaphase. Par exemple, les bandes colorées en noir par le Giemsa (appelées bandes G) sont corrélées avec l'ADN contenant peu de GC, alors que les bandes colorées en blanc (bandes R) correspondent à l'ADN ayant une teneur en GC supérieure à la moyenne.

En général, les régions riches en GC du génome ont une densité supérieure de gènes, en particulier de gènes «domestiques» (*house-keeping* en anglais), les gènes qui sont exprimés virtuellement dans tous les types cellulaires. Sur la base de ces obser-

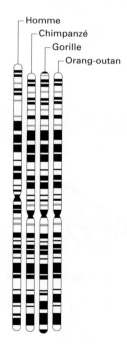

Homme
Chimpanzé
Gorille
Orang-outan

Figure 4-57 Comparaison, sous coloration au Giemsa, du plus gros chromosome humain (chromosome 1) avec celui du chimpanzé, du gorille et de l'orang-outan. Les comparaisons des motifs de coloration de tous les chromosomes indiquent que les chromosomes humains sont plus apparentés à ceux du chimpanzé qu'à ceux du gorille et qu'ils sont plus distants de ceux de l'orang-outan. (Adapté d'après M.W. Strickberger, Evolution, 3rd Edn. Sudbury, MA : Jones & Bartlett Publishers, 2000.)

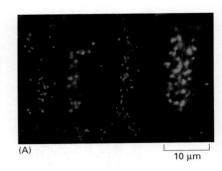
Figure 4-58 Orientation polarisée des chromosomes de certains noyaux en interphase. (A) Photographie en microscopie optique à fluorescence de noyaux en interphase issus de l'extrémité radiculaire à croissance rapide d'un végétal. Les centromères sont colorés en *vert* et les télomères en *rouge* par une hybridation *in situ* des séquences d'ADN spécifiques des centromères et des télomères, couplés à différents colorants fluorescents. (B) Interprétation de (A) montrant les chromosomes dans l'orientation Rabl avec tous les centromères faisant face à un côté du noyau et tous les télomères positionnés du côté opposé. (A, d'après R. Abranches et al., *J. Cell Biol.* 143 : 5-12, 1998. © The Rockefeller University Press.)

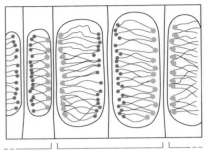

(B)   Paire de noyaux venant de se diviser

vations, il a été proposé que le motif en bandes soit lié à l'expression des gènes. Peut-être la différenciation des chromosomes en bandes G et R reflète-t-elle de subtiles différences, déterminées par la teneur en GC, de la façon dont les boucles de chromatine sont empaquetées dans ces zones. Si cette idée est correcte, la division grossière des chromosomes peut être considérée comme une compartimentalisation, certains composants cellulaires impliqués dans l'expression des gènes étant plus concentrés dans les bandes R où leur activité est nécessaire. Dans tous les cas, il semble évident, d'après cette discussion, que nous ne commençons qu'à entrevoir les principes de l'organisation à grande échelle des chromosomes.

Chaque chromosome occupe un petit territoire dans le noyau en interphase

Nous avons vu précédemment dans ce chapitre que les chromosomes des eucaryotes sont contenus dans le noyau de la cellule. Cependant, le noyau n'est pas simplement un sac de chromosomes ; les chromosomes – ainsi que les autres composants internes du noyau que nous rencontrerons dans les chapitres ultérieurs – sont hautement organisés. La façon dont les chromosomes sont organisés dans le noyau en interphase, lorsqu'ils sont actifs et difficiles à voir, intrigue les biologistes depuis le dix-neuvième siècle. Bien que nos connaissances actuelles soient loin d'être complètes, nous connaissons certains aspects intéressants de ces arrangements chromosomiques.

Un certain degré d'ordre chromosomique résulte de la configuration des chromosomes à la fin de la mitose. Juste avant que la cellule ne se divise, les chromosomes condensés sont poussés vers chaque pôle du fuseau par les microtubules fixés sur le centromère ; de ce fait, lorsque les chromosomes se déplacent, les centromères sont en tête et les bras distaux (se terminant par les télomères) se trouvent derrière. Dans certains noyaux, les chromosomes ont tendance à garder cette orientation dite *orientation Rabl* pendant toute l'interphase, leurs centromères faisant face à un pôle du noyau et leurs télomères pointant vers le pôle opposé (Figures 4-58 et 4-59).

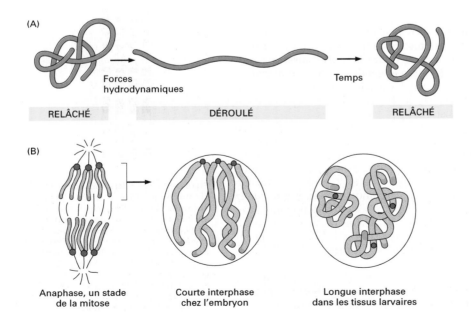

(A)

Forces hydrodynamiques   Temps

RELÂCHÉ   DÉROULÉ   RELÂCHÉ

(B)

Anaphase, un stade de la mitose   Courte interphase chez l'embryon   Longue interphase dans les tissus larvaires

Figure 4-59 Analogie avec les polymères de l'organisation des chromosomes en interphase. (A) Comportement d'un polymère en solution. L'entropie amène un long polymère à passer en une conformation compacte en l'absence d'une force externe appliquée. Si le polymère est soumis à des forces de cisaillement ou hydrodynamiques, il se déroule. Mais lorsque la force est enlevée, la chaîne polymérique retourne dans sa conformation compacte plus favorable. (B) Le comportement des chromosomes en interphase peut refléter les mêmes principes simples. Dans les embryons de *Drosophila*, par exemple, la division mitotique se produit à des intervalles d'environ 10 minutes ; durant les interphases courtes intermédiaires, les chromosomes ont peu de temps pour se relâcher de leur orientation Rabl induite par leur mouvement au cours de la mitose. Cependant, dans les stades ultérieurs du développement, lorsque l'interphase est beaucoup plus longue, les chromosomes ont le temps de se replier. Ce repliement peut être grandement affecté par des associations spécifiques entre différentes régions du même chromosome. (Adapté d'après A.F. Dernburg et al., *Cell* 85 : 745-759, 1996.)

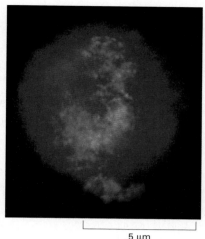

Figure 4-60 «Chromosome painting» sélectif de deux chromosomes en interphase dans un lymphocyte périphérique humain. La photographie en microscopie optique à fluorescence montre que les deux copies du chromosome 18 (*rouge*) et du chromosome 19 (*turquoise*) de l'homme occupent des territoires réservés du noyau. (D'après J.A. Croft et al., *J. Cell. Biol.* 145 : 1119-1131, 1999. © The Rockefeller University Press.)

5 μm

Dans la plupart des cellules en interphase, les chromosomes ne se trouvent pas dans cette orientation Rabl ; par contre, les centromères semblent dispersés dans le noyau. La plupart des cellules ont une interphase plus longue que les cellules spécialisées montrées auparavant, et cela donne probablement à leurs chromosomes le temps de prendre une autre conformation (*voir* Figure 4-59). Néanmoins, chaque chromosome en interphase a tendance à occuper un territoire propre relativement petit dans le noyau ; c'est-à-dire que les différents chromosomes ne sont pas fortement entrelacés (Figure 4-60).

Un des appareils permettant d'organiser les chromosomes dans le noyau peut être la fixation de certaines portions de chaque chromosome sur l'enveloppe nucléaire (Figure 4-61). Par exemple, dans beaucoup de cellules, les télomères semblent liés de cette façon. Mais la position exacte d'un chromosome dans le noyau n'est pas fixe. Dans les mêmes tissus, par exemple, deux cellules apparemment identiques ont différents chromosomes proches voisins.

Certains biologistes cellulaires pensent qu'il existe une structure intranucléaire analogue au cytosquelette, sur laquelle les chromosomes et d'autres composants du noyau sont organisés. La *matrice nucléaire*, ou *squelette*, a été définie comme le matériel insoluble qui reste dans le noyau après une série d'extractions biochimiques par étapes. Il a été démontré que certaines protéines qui la constituent se fixaient sur des séquences spécifiques d'ADN appelées *SAR* ou *MAR* (pour régions associées à la matrice ou régions associées au squelette). Il a été postulé que ces séquences d'ADN formaient la base des boucles chromosomiques (*voir* Figure 4-44) ou unissaient les chromosomes à l'enveloppe nucléaire ou aux autres structures du noyau. Avec ces sites de fixation chromosomique, la matrice peut jouer un rôle dans l'organisation des chromosomes, la localisation des gènes, la régulation de l'expression des gènes et la réplication de l'ADN. Il n'est encore pas certain cependant que la matrice isolée par les biologistes cellulaires représente la structure présente dans les cellules intactes.

Résumé

Les chromosomes sont généralement décondensés durant l'interphase, de telle sorte que leur structure est difficile à visualiser directement. Des exceptions notables sont les chromosomes spécialisés en écouvillon des ovocytes des vertébrés et les chromosomes polyténiques des cellules sécrétrices géantes des insectes. Des études faites sur ces deux types de chromosomes en interphase suggèrent que chaque longue molécule d'ADN d'un chromosome est divisée en un grand nombre de domaines spécialisés, organisés en boucles de chromatine, chaque boucle contenant probablement une fibre de 30 nm de chromatine repliée. Lorsque les gènes contenus dans une boucle sont exprimés, la boucle se décondense et permet à la machinerie cellulaire d'accéder facilement à l'ADN.

L'euchromatine constitue la plupart des chromosomes en interphase et correspond probablement aux domaines en boucles des fibres de 30 nm. Cependant, l'euchromatine est interrompue par des segments d'hétérochromatine, dans lesquels les fibres de 30 nm sont soumises à des niveaux supplémentaires d'empaquetage qui les rendent généralement résistantes à l'expression des gènes. L'hétérochromatine se trouve communément autour des centromères et près des télomères, mais est également présente ailleurs sur le chromosome. Bien que considérablement moins condensés que les chromosomes mitotiques, les chromosomes en interphase occupent des territoires propres dans le noyau cellulaire, c'est-à-dire qu'ils ne sont pas fortement entrelacés.

Tous les chromosomes adoptent une conformation très condensée au cours de la mitose. Lorsqu'ils sont colorés spécifiquement, ces chromosomes mitotiques ont une structure en bandes qui permet à chaque chromosome particulier d'être reconnu sans ambiguïté. Ces bandes contiennent des millions de paires de nucléotides d'ADN et reflètent une hétérogénéité grossière mal comprise de la structure des chromosomes.

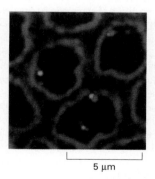

5 μm

Figure 4-61 Régions spécifiques des chromosomes en interphase proches de l'enveloppe nucléaire. Cette vue en microscopie au fort grossissement du noyau d'un embryon de *Drosophila* montre la localisation de deux régions différentes du chromosome 2 (*jaune* et *magenta*) proches de l'enveloppe nucléaire (colorée en *vert* par des anticorps antilamina). Les autres régions du même chromosome sont plus distantes de l'enveloppe. (D'après W.F. Marshall et al., *Mol. Biol. Cell* 7 : 825-842, 1996.)

Bibliographie

Généralités

Hartwell L, Hood L, Goldberg ML et al. (2000) Genetics: from Genes to Genomes. Boston: McGraw Hill.

Lewin B (2000) Genes VII. Oxford: Oxford University Press.

Lodish H, Berk A, Zipursky SL et al. (2000) Molecular Cell Biology, 4th edn. New York: WH Freeman.

Wolfe A (1999) Chromatin: Structure and Function, 3rd edn. New York: Academic Press.

Structure et fonction de l'ADN

Avery OT, MacLeod CM & McCarty M (1944) Studies on the chemical nature of the substance inducing transformation of pneumococcal types. J. Exp. Med. 79, 137.

Meselson M & Stahl FW (1958) The replication of DNA in E. coli. Proc. Natl Acad. Sci. USA 44, 671–682.

Watson JD & Crick FHC (1953) Molecular structure of nucleic acids. A structure for deoxyribose nucleic acids. Nature 171, 737–738.

L'ADN chromosomique et son empaquetage dans les fibres de chromatine

Aalfs JD & Kingston RE (2000) What does 'chromatin remodeling' mean? Trends Biochem. Sci. 25, 548–555.

Cairns BR (1998) Chromatin remodeling machines: similar motors, ulterior motives. Trends Biochem. Sci. 23, 20–25.

Carter NP (1994) Cytogenetic analysis by chromosome painting. Cytometry 18, 2–10.

Cheung P, Allis CD & Sassone-Corsi P (2000) Signaling to chromatin through histone modifications. Cell 103, 263–271.

Clark MS (1999) Comparative genomics: the key to understanding the Human Genome Project. Bioessays 21, 121–130.

DePamphilis ML (1999) Replication origins in metazoan chromosomes: fact or fiction? Bioessays 21, 5–16.

Dunham I, Shimizu N, Roe BA et al. (1999) The DNA sequence of human chromosome 22. Nature 402, 489–495.

Felsenfeld G (1985) DNA. Sci. Am. 253(4), 58–67.

Grunstein M (1992) Histones as regulators of genes. Sci. Am. 267(4), 68–74B.

International Human Genome Sequencing Consortium (2001) Initial sequencing and analysis of the human genome. Nature 409, 860–921.

Jenuwein T & Allis CD (2001) Translating the histone code. Science 293:1074–1080.

Kingston RE & Narlikar GJ (1999) ATP-dependent remodeling and acetylation as regulators of chromatin fluidity. Genes Dev. 13, 2339–2352.

Kornberg RD & Lorch Y (1999) Chromatin-modifying and -remodeling complexes. Curr. Opin. Genet. Dev. 9, 148–151.

Kornberg RD & Lorch Y (1999) Twenty-five years of the nucleosome, fundamental particle of the eukaryote chromosome. Cell 98, 285–294.

Luger K & Richmond TJ (1998) The histone tails of the nucleosome. Curr. Opin. Genet. Dev. 8, 140–146.

Luger K, Mader AW, Richmond RK et al. (1997) Crystal structure of the nucleosome core particle at 2.8 Å resolution. Nature 389, 251–260.

McEachern MJ, Krauskopf A & Blackburn EH (2000) Telomeres and their control. Annu. Rev. Genet. 34, 331–358.

Ng HH & Bird A (2000) Histone deacetylases: silencers for hire. Trends Biochem. Sci. 25, 121–126.

O'Brien S, Menotti-Raymond M, Murphy W et al. (1999) The promise of comparative genomics in mammals. Science 286, 458–480.

Pidoux AL & Allshire RC (2000) Centromeres: getting a grip of chromosomes. Curr. Opin. Cell Biol. 12, 308–319.

Rhodes D (1997) Chromatin structure. The nucleosome core all wrapped up. Nature 389, 231–233.

Rice JC & Allis CD (2001) Histone methylation versus histone acetylation: new insights into epigenetic regulation. Curr. Opin. Cell Biol. 13, 263–273.

Ried T, Schrock E, Ning Y & Wienberg J (1998) Chromosome painting: a useful art. Hum. Mol. Genet. 7, 1619–1626.

Rubin GM (2001) Comparing species. Nature 409, 820–821.

Stewart A (1990) The functional organization of chromosomes and the nucleus—a special issue. Trends Genet. 6, 377–379.

Strahl BD & Allis CD (2000) The language of covalent histone modifications. Nature 403, 41–45.

Travers AA (1987) DNA bending and nucleosome positioning. Trends Biochem. Sci. 12, 108–112.

Wu J & Grunstein M (2000) 25 years after the nucleosome model: chromatin modifications. Trends Biochem. Sci. 25, 619–623.

Structure globale des chromosomes

Agard DA & Sedat JW (1983) Three-dimensional architecture of a polytene nucleus. Nature 302, 676–681.

Ashburner M, Chihara C, Meltzer P & Richards G (1974) Temporal control of puffing activity in polytene chromosomes. Cold Spring Harbor Symp. Quant. Biol. 38, 655–662.

Bickmore WA & Sumner AT (1989) Mammalian chromosome banding—an expression genome organization. Trends Genet. 5, 144–148.

Birchler JA, Bhadra MP & Bhadra U (2000) Making noise about silence: repression of repeated genes in animals. Curr. Opin. Genet. Dev. 10, 211–216.

Callan HG (1982) Lampbrush chromosomes. Proc. Roy. Soc. Lond. Ser. B. (Biol.) 214, 417–448.

Croft JA, Bridger JM, Boyle S et al. (1999) Differences in the localization and morphology of chromosomes in the human nucleus. J. Cell Biol. 145, 1119–1131.

Griffith JD, Comeau L, Rosenfield S et al. (1999) Mammalian telomeres end in a large duplex loop. Cell 97, 503–514.

Grunstein M (1997) Molecular model for telomeric heterochromatin in yeast. Curr. Opin. Cell Biol. 9, 383–387.

Hart CM & Laemmli UK (1998) Facilitation of chromatin dynamics by SARs. Curr. Opin. Genet. Dev. 8, 519–525.

Henikoff S (1990) Position-effect variegation after 60 years. Trends Genet. 6, 422–426.

Henikoff S (1998) Conspiracy of silence among repeated transgenes. Bioessays 20, 532–535.

Hirano T (1999) SMC-mediated chromosome mechanics: a conserved scheme from bacteria to vertebrates. Genes Dev. 13, 11–19.

Hirano T (2000) Chromosome cohesion, condensation, and separation. Annu. Rev. Biochem. 69, 115–144.

Lamond AI & Earnshaw WC (1998) Structure and function in the nucleus. Science 280, 547–553.

Lyko F & Paro R (1999) Chromosomal elements conferring epigenetic inheritance. Bioessays 21, 824–832.

Marsden M & Laemmli UK (1979) Metaphase chromosome structure: evidence for a radial loop model. Cell 17, 849–858.

Pluta AF, Mackay AM, Ainsztein AM et al. (1995) The centromere: hub of chromosomal activities. Science 270, 1591–1594.

Saitoh N, Goldberg I & Earnshaw WC (1995) The SMC proteins and the coming of age of the chromosome scaffold hypothesis. Bioessays 17, 759–766.

Spector DL (1993) Macromolecular domains within the cell nucleus. Annu. Rev. Cell Biol. 9, 265–315.

Thummel CS (1990) Puffs and gene regulation—molecular insights into the Drosophila ecdysone regulatory hierarchy. Bioessays 12, 561–568.

Weiler KS & Wakimoto BT (1995) Heterochromatin and gene expression in Drosophila. Annu. Rev. Genet. 29, 577–605.

Zhimulev IF (1998) Morphology and structure of polytene chromosomes. Adv. Genet. 37, 1–566.

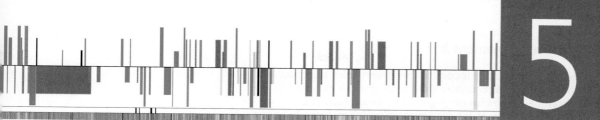

RÉPLICATION, RÉPARATION ET RECOMBINAISON DE L'ADN

La capacité des cellules à maintenir un niveau d'ordre élevé dans un univers chaotique dépend de la duplication précise de grandes quantités d'informations génétiques transportées sous forme chimique comme l'ADN. Ce processus, appelé *réplication de l'ADN*, doit s'effectuer avant que la cellule ne produise deux cellules filles génétiquement identiques. Le maintien de l'ordre nécessite aussi la surveillance continue et la réparation de ces informations génétiques parce que l'ADN à l'intérieur des cellules est régulièrement endommagé par les produits chimiques et les radiations de l'environnement, ainsi que par des accidents thermiques et des molécules réactives. Dans ce chapitre, nous décrirons les machineries protéiques qui répliquent et réparent l'ADN cellulaire. Ces machineries catalysent certains des processus les plus rapides et précis se produisant dans la cellule et leurs mécanismes démontrent clairement l'élégance et l'efficacité de la chimie cellulaire.

Alors que la survie à court terme d'une cellule dépend de la prévention des modifications de son ADN, la survie à long terme d'une espèce nécessite que les séquences d'ADN puissent se modifier sur de nombreuses générations. Malgré les efforts énormes faits par les cellules pour protéger leur ADN, il se produit néanmoins des modifications occasionnelles des séquences d'ADN. Avec le temps, ces modifications fournissent les variations génétiques sur lesquelles agit la pression de sélection durant l'évolution des organismes.

Nous commencerons ce chapitre par une brève présentation des modifications qui se produisent dans l'ADN lorsqu'il se transmet de génération en génération. Ensuite, nous discuterons des mécanismes cellulaires – réplication et réparation de l'ADN – qui maintiennent à leur minimum ces modifications. Enfin, nous envisagerons certains moyens étonnants dont les cellules se servent pour modifier les séquences d'ADN, en nous concentrant sur la recombinaison de l'ADN et le mouvement de séquences particulières d'ADN, les éléments transposables, dans nos chromosomes.

CONSERVATION DES SÉQUENCES D'ADN

Même si, à long terme, la survie d'une espèce est améliorée par des modifications génétiques occasionnelles, la survie des individus exige une stabilité génétique. Les processus de conservation de l'ADN cellulaire n'échouent que rarement, entraînant alors des modifications permanentes. Ce type de modification, appelé **mutation**, peut détruire un organisme s'il se produit au niveau d'une position vitale de la séquence d'ADN. Avant d'examiner les mécanismes responsables de la stabilité génétique, nous discuterons brièvement de la précision avec laquelle les séquences d'ADN sont conservées d'une génération à l'autre.

Le taux de mutation est extrêmement bas

Le **taux de mutation**, vitesse à laquelle des modifications observables se produisent dans les séquences d'ADN, peut être directement déterminé par des expériences effectuées sur une bactérie comme *Escherichia coli* – germe de laboratoire souvent utilisé et qui réside dans notre intestin. Dans les conditions d'un laboratoire, *E. coli* se divise environ toutes les 30 minutes et il est possible d'obtenir une très grande population – de plusieurs milliards – à partir d'une seule cellule en moins d'un jour. Dans cette population, il est possible de repérer la petite fraction de bactéries qui a subi une mutation ayant endommagé un gène précis, si ce gène n'est pas nécessaire à la survie de la bactérie. Par exemple, il est possible de déterminer le taux de mutation d'un gène spécifiquement requis par la cellule pour utiliser un sucre, le lactose, comme source énergétique (grâce à des indicateurs colorés qui identifient les cellules mutantes), si ces cellules sont cultivées en présence d'un sucre différent, comme le glucose. La fraction des gènes lésés sous-estime le véritable taux de mutation parce que beaucoup de mutations sont *silencieuses* (par exemple, celles qui changent un codon mais pas l'acide aminé qu'il spécifie, ou celles qui changent les acides aminés sans affecter l'activité de la protéine codée par le gène). Après une correction qui tient compte de ces mutations silencieuses, on estime qu'un gène unique, qui code pour une protéine de taille moyenne (~10^3 paires de nucléotides codantes) subit une mutation (qui n'inactive pas nécessairement la protéine) une fois toutes les 10^6 générations bactériennes. Autrement dit, les bactéries affichent un taux de mutation, par génération cellulaire, de 1 nucléotide modifié tous les 10^9 nucléotides.

Le taux de mutation des lignées germinales des mammifères est plus difficile à mesurer directement, mais il est possible d'obtenir une estimation indirecte. Un des moyens consiste à comparer les séquences d'acides aminés de la même protéine dans des espèces différentes. La fraction d'acides aminés différents entre chacune des deux espèces peut ensuite être comparée avec l'estimation du nombre d'années écoulées depuis la divergence de ces deux espèces de leur ancêtre commun, déterminée d'après des bases de données sur les fossiles. Grâce à cette méthode, on peut calculer le nombre d'années qui se sont écoulées, en moyenne, avant qu'une modification héréditaire de la séquence des acides aminés d'une protéine ne devienne stable dans un organisme. Comme chacune de ces modifications reflète généralement l'altération d'un seul nucléotide dans la séquence d'ADN du gène codant pour cette protéine, ce nombre peut être utilisé pour estimer le nombre moyen d'années nécessaires pour produire une seule mutation stable dans le gène.

Ces calculs sous-estimeront presque toujours substantiellement le taux véritable de mutation, car beaucoup de mutations altéreront la fonction de la protéine puis disparaîtront de la population par sélection naturelle – c'est-à-dire par la mort préférentielle des organismes qui les contiennent. Mais il existe une famille de fragments protéiques dont les séquences ne semblent pas être importantes, ce qui permet aux gènes qui les codent d'accumuler des mutations sans être éliminés. Il s'agit des *fibrinopeptides*, fragments de 20 acides aminés qui sont retirés d'une protéine, le *fibrinogène*, lorsqu'elle est activée pour former la *fibrine* au cours du processus de coagulation sanguine. Comme la formation des fibrinopeptides ne dépend apparemment pas de leur séquence d'acides aminés, ils peuvent tolérer presque toutes les variations de leurs acides aminés. La comparaison des séquences des fibrinopeptides indique que, dans la lignée germinale, une protéine typique de 400 acides aminés présentera une modification aléatoire d'un de ses acides aminés, environ une fois tous les 200 000 ans.

Une autre façon d'estimer le taux de mutation est d'utiliser le séquençage de l'ADN pour comparer les séquences de nucléotides correspondantes issues de différentes espèces dans les régions du génome qui ne portent pas d'informations critiques. Ces comparaisons produisent des estimations du taux de mutation qui concordent bien avec celles obtenues par l'étude des fibrinopeptides.

E. coli et l'homme diffèrent grandement par leur mode de reproduction et le temps écoulé entre deux générations. Cependant, lorsque le taux de mutation de chacun est normalisé à un seul cycle de réplication de l'ADN, ils apparaissent similaires : grossièrement 1 nucléotide modifié pour 10^9 nucléotides à chaque réplication d'ADN.

Figure 5-1 Les différentes protéines évoluent à des vitesses très différentes. Comparaison des taux de modification des acides aminés trouvées dans l'hémoglobine, l'histone H4, le cytochrome c et les fibrinopeptides. Ces trois premières protéines ont changé bien plus lentement au cours de l'évolution que les fibrinopeptides, les nombres entre parenthèses indiquant combien de millions d'années se sont écoulés, en moyenne, pour qu'il apparaisse une modification acceptable d'un acide aminé sur 100 acides aminés contenus dans la protéine. Pour déterminer le taux de modifications par an, il est important de réaliser que deux espèces qui ont divergé d'un ancêtre commun, il y a 100 millions d'années, sont séparées l'une de l'autre par 200 millions d'années d'évolution.

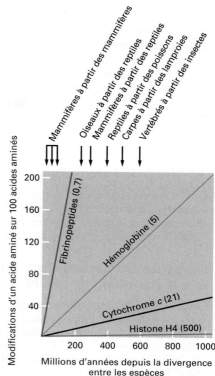

Beaucoup de mutations protéiques sont délétères et éliminées par sélection naturelle

Lorsqu'on effectue le tracé du nombre de différences en acides aminés d'une protéine particulière dans plusieurs couples d'espèces en fonction du temps écoulé depuis que ces couples d'espèces ont divergé d'un ancêtre commun, on obtient une ligne raisonnablement droite : plus la période est longue depuis la divergence, plus le nombre de différences est grand. D'un point de vue pratique, on peut exprimer la pente de cette droite en termes «d'unité de temps d'évolution» de cette protéine, c'est-à-dire le temps moyen requis pour qu'il se produise une modification d'un acide aminé dans une séquence de 100 résidus d'acides aminés. Lorsqu'on compare plusieurs protéines, chacune présente une vitesse d'évolution différente mais caractéristique (Figure 5-1).

Comme on pense que la plupart des nucléotides de l'ADN sont grossièrement soumis au même taux de mutations aléatoires, les différentes vitesses d'évolution observées pour les différentes protéines doivent refléter les différences de probabilité qu'une modification d'un acide aminé soit nuisible pour chaque protéine. Par exemple, d'après les données de la figure 5-1, nous pouvons estimer que six modifications aléatoires d'acides aminés sur sept environ sont nuisibles pour le cytochrome c et que virtuellement toutes les modifications d'acides aminés sont nuisibles pour l'histone H4. Les animaux qui ont porté ces mutations nuisibles ont probablement été éliminés de la population par sélection naturelle.

Un faible taux de mutation est nécessaire pour la vie telle que nous la connaissons

Comme tant de mutations sont délétères, aucune espèce ne peut se permettre de les laisser s'accumuler rapidement dans ses cellules germinales. Même si la fréquence des mutations observées est faible, on pense néanmoins qu'elle limite le nombre de protéines indispensables qu'un organisme peut coder à environ 60 000. Si on reprend ce même argument, une fréquence de mutation dix fois supérieure limiterait un organisme à environ 6 000 gènes indispensables. Dans ce cas, l'évolution se serait probablement arrêtée à un organisme moins complexe que la drosophile.

Alors que les *cellules germinales* doivent se protéger de forts taux de mutation pour maintenir l'espèce, les *cellules somatiques* des organismes multicellulaires doivent se protéger de modifications génétiques pour sauvegarder chaque individu. Les variations de nucléotides dans une cellule somatique peuvent donner naissance à des variants cellulaires, dont certains, par sélection naturelle, prolifèrent rapidement aux dépens du reste de l'organisme. Dans les cas extrêmes, il en résulte une prolifération cellulaire non contrôlée, nommée cancer, une maladie qui, chaque année, provoque un taux de mortalité d'environ 30 p. 100 en Europe et en Amérique du Nord. Cette mortalité est largement due à l'accumulation de modifications des séquences d'ADN des cellules somatiques (*voir* Chapitre 23). L'augmentation significative de la fréquence des mutations causerait probablement une augmentation désastreuse de l'incidence des cancers, en accélérant la vitesse de formation des variants des cellules somatiques. De ce fait, à la fois pour perpétuer les espèces pourvues d'un grand nombre de gènes (stabilité des cellules germinales) et prévenir les cancers résultant de la mutation des cellules somatiques (stabilité des cellules somatiques), les organismes multicellulaires, tels que nous, dépendent de la fidélité remarquable avec laquelle leurs séquences d'ADN sont conservées.

Comme nous le verrons ultérieurement, la réussite de la conservation de l'ADN dépend à la fois de la précision avec laquelle les séquences d'ADN sont dupliquées et distribuées dans les cellules filles et d'un ensemble d'enzymes qui réparent la plupart des modifications de l'ADN provoquées par les radiations, les produits chimiques et d'autres accidents.

CONSERVATION DES SÉQUENCES D'ADN

Résumé

Dans toutes les cellules, la fidélité de la conservation et de la réplication des séquences d'ADN est extrême. Le taux de mutation, environ un nucléotide modifié pour 10^9 nucléotides à chaque réplication d'ADN, reste grossièrement le même pour des organismes aussi différents que les bactéries et les hommes. Du fait de cette précision remarquable, la séquence du génome humain (environ 3×10^9 paires de nucléotides) n'est modifiée que de 3 nucléotides environ à chaque division cellulaire. Cela permet à la plupart des hommes de transmettre des instructions génétiques précises d'une génération à l'autre et également d'éviter les modifications des cellules somatiques qui conduisent au cancer.

MÉCANISMES DE RÉPLICATION DE L'ADN

Tous les organismes doivent dupliquer leur ADN avec une précision extraordinaire avant chaque division cellulaire. Dans cette partie, nous verrons comment une « machinerie de réplication » élaborée peut atteindre cette précision, tout en répliquant l'ADN à une vitesse prodigieuse, égale à 1 000 nucléotides par seconde.

L'appariement des bases est nécessaire à la réplication et à la réparation de l'ADN

Comme nous l'avons brièvement abordé au chapitre 1, la *polymérisation à l'aide d'une matrice d'ADN* est un processus au cours duquel la séquence de nucléotides d'un brin d'ADN (ou des portions sélectionnées d'un brin d'ADN) est copiée par appariement complémentaire des bases (A avec T et C avec G) en une séquence complémentaire d'ADN (Figure 5-2). Ce processus impose la reconnaissance de chaque nucléotide du *brin d'ADN matrice* par un nucléotide libre (non polymérisé) complémentaire, et nécessite la séparation des deux brins de l'hélice d'ADN. Cette séparation permet d'exposer les groupes donneurs et receveurs de liaisons hydrogène sur chaque base d'ADN pour permettre l'appariement de bases avec le nucléotide libre entrant approprié et son alignement pour sa polymérisation, catalysée par une enzyme, en une nouvelle chaîne d'ADN.

La première enzyme de polymérisation des nucléotides, l'**ADN polymérase**, a été découverte en 1957. Les nucléotides libres qui servent de substrat à cette enzyme sont les désoxyribonucléosides triphosphates et leur polymérisation en ADN nécessite une matrice d'ADN simple brin. Le mécanisme par étapes de cette réaction est illustré dans les figures 5-3 et 5-4.

La fourche de réplication de l'ADN est asymétrique

Pendant la réplication de l'ADN à l'intérieur de la cellule, chacun des deux brins parentaux d'ADN sert de matrice pour former un nouveau brin complet. Comme chacune des deux cellules filles d'une cellule en division hérite d'une nouvelle double hélice contenant un brin parental et un nouveau brin (Figure 5-5), on dit que la double hélice d'ADN est répliquée de façon « semi-conservative » par l'ADN polymérase. Comment cela s'effectue-t-il ?

Des analyses faites au début des années 1960 sur des chromosomes entiers en réplication ont révélé l'existence d'une région localisée de réplication qui se déplace progressivement le long de la double hélice parentale d'ADN. Du fait de sa structure

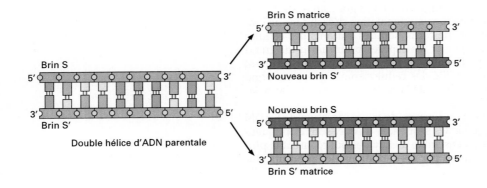

Figure 5-2 La double hélice d'ADN agit comme matrice pour sa propre duplication. Comme le nucléotide A ne peut s'apparier correctement qu'avec T et G avec C, chaque brin d'ADN peut servir de matrice pour spécifier la séquence des nucléotides de son brin complémentaire grâce à un appariement de bases dans l'ADN. Une molécule d'ADN à double hélice peut ainsi être copiée avec précision.

Figure 5-3 Biochimie de la synthèse de l'ADN. L'addition d'un désoxyribonucléotide à l'extrémité 3' d'une chaîne de polynucléotides (*brin amorce*) est la réaction fondamentale de la synthèse d'un brin d'ADN. Comme cela est montré, l'appariement de bases entre un désoxyribonucléoside triphosphate entrant et un brin d'ADN existant (*brin matrice*) guide la formation du nouveau brin d'ADN et explique que sa séquence de nucléotides soit complémentaire.

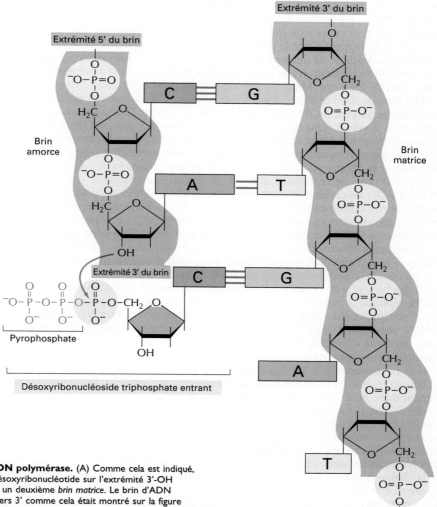

Figure 5-4 Synthèse de l'ADN, catalysée par l'ADN polymérase. (A) Comme cela est indiqué, l'ADN polymérase catalyse l'addition par étapes d'un désoxyribonucléotide sur l'extrémité 3'-OH d'une chaîne polynucléotidique, le *brin amorce* apparié à un deuxième *brin matrice*. Le brin d'ADN néosynthétisé se polymérise donc dans la direction 5' vers 3' comme cela était montré sur la figure précédente. Comme chaque désoxyribonucléoside triphosphate entrant doit s'apparier avec le brin matrice pour être reconnu par l'ADN polymérase, ce brin détermine quel est le désoxyribonucléotide parmi les quatre (A, C, G, ou T) qui doit être ajouté. Cette réaction est entraînée par une variation d'énergie libre hautement favorable, provoquée par la libération de pyrophosphate suivie d'hydrolyse en deux molécules de phosphate inorganique. (B) Structure d'une molécule d'ADN polymérase d'*E. coli*, déterminée par cristallographie aux rayons X. Grossièrement parlant, elle ressemble à une main droite dont la paume, les doigts et le pouce enserrent l'ADN. Ce dessin illustre une ADN polymérase qui fonctionne pour réparer l'ADN, mais les enzymes qui répliquent l'ADN ont des caractéristiques similaires. (B, adapté d'après L.S. Beese, V. Derbyshire et T.A. Steitz, *Science* 260 : 352-355, 1993.)

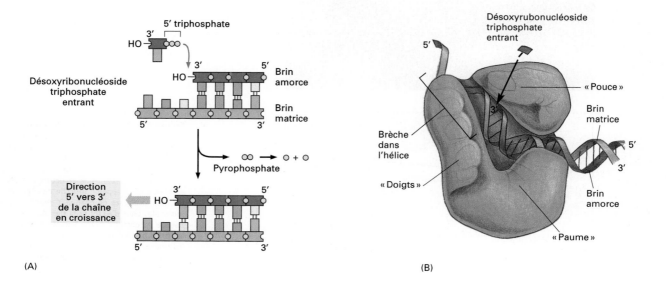

en Y, cette région active est appelée **fourche de réplication** (Figure 5-6). Au niveau de la fourche de réplication, l'ADN des deux brins néosynthétisés est formé par un complexe multi-enzymatique qui contient une ADN polymérase.

Au départ, le mécanisme le plus simple de la réplication de l'ADN semblait être la croissance continue de deux nouveaux brins, nucléotide par nucléotide, au niveau de la fourche de réplication alors que celle-ci se déplaçait d'une extrémité d'une molécule d'ADN à l'autre. Mais, du fait de l'orientation antiparallèle des deux brins d'ADN dans la double hélice d'ADN (*voir* Figure 5-2), il faudrait qu'un brin néosynthétisé se polymérise dans la direction 5' vers 3' et que l'autre se polymérise dans la direction 3' vers 5'. Une telle fourche de réplication nécessiterait deux ADN polymérases différentes. L'une effectuerait la polymérisation dans la direction 5' vers 3', et chaque désoxyribonucléoside triphosphate entrant porterait le triphosphate activé nécessaire à sa propre addition. L'autre se déplacerait dans la direction 3' vers 5' et travaillerait par une croissance dite «par l'avant», dans laquelle l'extrémité de la chaîne d'ADN en croissance porterait le triphosphate activé nécessaire à l'addition de chaque nucléotide suivant (Figure 5-7). Même si la polymérisation par l'avant se produit dans d'autres cas en biochimie (*voir* p. 88-89), elle ne se produit pas lors de la synthèse de l'ADN; aucune ADN polymérase 3' vers 5' n'a jamais été trouvée.

Comment s'effectue donc la croissance globale de la chaîne d'ADN 3' vers 5'? La réponse a tout d'abord été suggérée par les résultats d'expériences effectuées à la fin des années 1960. Les chercheurs ont ajouté de la thymidine ^{3}H hautement radioactive à des bactéries en division pendant quelques secondes de manière à ce que seul l'ADN répliqué le plus récemment – celui juste en arrière de la fourche de réplication – soit radioactif. Cette expérience a révélé l'existence transitoire de morceaux d'ADN, mesurant 1 000 à 2 000 nucléotides de long, appelés maintenant communément *fragments d'Okazaki*, au niveau de la fourche de réplication en croissance. (Des intermédiaires similaires de réplication ont été retrouvés ensuite chez les eucaryotes, mais ils ne mesurent que 100 à 200 nucléotides.) Il a été démontré que les fragments d'Okasaki n'étaient polymérisés que dans la direction 5' vers 3' et étaient réunis après leur synthèse pour former une longue chaîne d'ADN.

De ce fait, la fourche de réplication a une structure asymétrique (Figure 5-8). Le brin d'ADN fils qui est synthétisé de façon continue est appelé **brin précoce** (ou brin avancé). Sa synthèse précède légèrement celle du nouveau brin qui est synthétisé de façon discontinue, appelé **brin tardif** (ou retardé). Pour le brin tardif, la direction de la polymérisation des nucléotides est opposée à la direction générale de la croissance de la chaîne d'ADN. La synthèse des brins tardifs est retardée parce qu'elle doit attendre que le brin précoce expose le brin matrice sur lequel le fragment d'Okazaki sera synthétisé. Cette synthèse du brin tardif par un mécanisme discontinu de «pi-

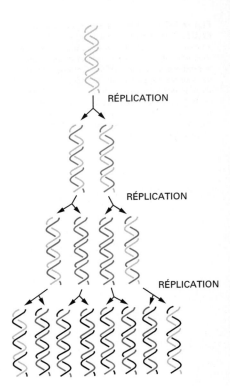

Figure 5-5 Nature semi-conservative de la réplication de l'ADN. Dans un cycle de réplication, chacun des deux brins d'ADN est utilisé comme matrice pour la formation d'un brin complémentaire d'ADN. Les brins originels ou parentaux restent ainsi intacts durant de nombreuses générations cellulaires.

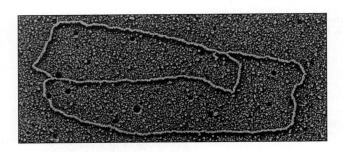

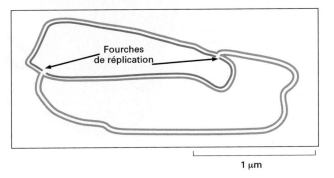

Fourches de réplication

1 μm

Figure 5-6 Deux fourches de réplication se déplaçant en directions opposées sur un chromosome circulaire. Une zone active de réplication de l'ADN se déplace progressivement le long d'une molécule d'ADN en réplication, créant une structure d'ADN en forme de Y appelée fourche de réplication : les deux branches de chaque Y sont les deux molécules filles d'ADN et la tige du Y est l'hélice parentale d'ADN. Sur ce schéma, les brins parentaux sont en *orange*; les nouveaux brins synthétisés en *rouge*. (Microphotographie, due à l'obligeance de Jerome Vinograd.)

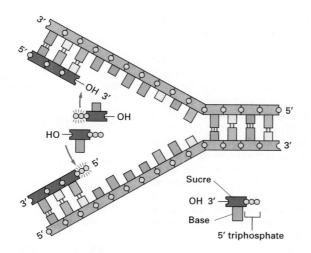

Figure 5-7 Modèle incorrect de la réplication de l'ADN. Bien qu'il semble être le modèle le plus simple de la réplication de l'ADN, le mécanisme illustré ici n'est pas celui utilisé par la cellule. D'après ce schéma, les deux brins d'ADN s'allongeraient de façon continue, utilisant l'énergie de l'hydrolyse des deux phosphates terminaux (*cercles jaunes* montrés par les *flèches rouges*) pour ajouter les nucléotides suivants sur chaque brin. Cela nécessiterait l'allongement de la chaîne dans les deux directions 5' vers 3' (*en haut*) et 3' vers 5' (*en bas*). Aucune enzyme catalysant la polymérisation 3' vers 5' n'a jamais été trouvée.

qûre à points arrière» signifie qu'un seul type d'ADN polymérase 5' vers 3' est nécessaire à la réplication de l'ADN.

La réplication hautement fidèle de l'ADN nécessite plusieurs mécanismes de correction

Comme nous l'avons dit au début de ce chapitre, la fidélité du copiage de l'ADN pendant la réplication est telle qu'il n'y a environ qu'une seule erreur tous les 10^9 nucléotides copiés. Cette fidélité est beaucoup plus forte qu'on pourrait s'y attendre, en se basant sur la précision de l'appariement de bases complémentaires. L'appariement standard des bases complémentaires (Figure 4-4) n'est pas le seul possible. Par exemple, si l'on modifie légèrement la géométrie de l'hélice, deux liaisons hydrogène peuvent se former entre G et T dans l'ADN. De plus, de rares formes tautomères des quatre bases d'ADN apparaissent transitoirement selon des rapports de 1 pour 10^4 ou 10^5. Ces formes peuvent former des mésappariements sans modifier la géométrie de l'hélice ; les formes tautomères rares de C s'apparient avec A et non pas avec G par exemple.

Si l'ADN polymérase ne faisait rien de particulier lorsque qu'il se produit une erreur d'appariement entre un désoxyribonucléoside triphosphate entrant et la matrice d'ADN, le mauvais nucléotide serait souvent incorporé dans la nouvelle chaîne d'ADN et entraînerait de fréquentes mutations. La grande fidélité de la réplication de l'ADN, cependant, ne dépend pas seulement de l'appariement complémentaire de bases mais aussi de plusieurs mécanismes de «correction» qui agissent séquentiellement pour corriger tout mésappariement initial ayant pu se produire.

La première étape de correction est apportée par l'ADN polymérase et se produit juste avant qu'un nouveau nucléotide ne soit ajouté sur la chaîne en croissance. Nous connaissons ce mécanisme grâce à des études faites sur plusieurs ADN polymérases différentes, y compris celle produite par un virus bactérien, le T7, qui se réplique à l'intérieur de *E. coli*. Le nucléotide correct a une meilleure affinité pour la polymérase en mouvement que le nucléotide incorrect, car seul le nucléotide correct peut s'apparier correctement par sa base avec la matrice. De plus, une fois que le nucléotide est fixé, mais avant qu'il ne soit ajouté de façon covalente à la chaîne en croissance, l'enzyme subit une modification de conformation. Un nucléotide mal lié a plus de chances de se dissocier pendant cette étape qu'un nucléotide correctement lié. Cette étape permet ainsi à la polymérase d'effectuer une «double vérification» de la géométrie exacte des paires de bases avant de catalyser l'addition du nucléotide.

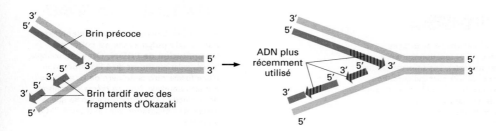

Figure 5-8 Structure de la fourche de réplication de l'ADN. Comme les deux brins d'ADN néosynthétisés sont polymérisés dans la direction 5' vers 3', l'ADN synthétisé sur le brin tardif doit être fabriqué initialement sous forme d'une série de courtes molécules d'ADN, appelées *fragments d'Okazaki*.

La réaction suivante de correction des erreurs, appelée *correction par activité exonucléolytique*, s'effectue immédiatement après ces rares cas où un nucléotide incorrect a été ajouté de façon covalente à la chaîne en croissance. L'ADN polymérase ne peut pas commencer une nouvelle chaîne polynucléotidique en reliant deux nucléosides triphosphates. Elle nécessite absolument une terminaison 3'-OH d'une paire de bases d'un *brin amorce* sur laquelle elle ajoute les nucléotides suivants (*voir* Figure 5-4). Les molécules d'ADN qui ont un nucléotide mal adapté (appariement de bases incorrect) à l'extrémité 3'-OH du brin amorce ne sont pas des matrices efficaces parce que la polymérase ne peut allonger un tel brin. Les molécules d'ADN polymérase agissent sur ce brin amorce mésapparié au moyen d'un site catalytique séparé (situé soit sur une autre sous-unité, soit sur un autre domaine de la molécule de polymérase, selon la polymérase). Cette *exonucléase de correction 3' vers 5'* détache tous les résidus non appariés de l'extrémité du brin amorce, continuant jusqu'à ce qu'elle ait enlevé assez de nucléotides pour obtenir une base appariée à extrémité 3'-OH qui peut amorcer la synthèse d'ADN. De cette façon, l'ADN polymérase fonctionne comme une enzyme «auto-correctrice» qui enlève ses propres erreurs de polymérisation lorsqu'elle se déplace le long de l'ADN (Figures 5-9 et 5-10).

Cette nécessité d'obtenir un appariement de bases parfait à l'extrémité du brin amorce est essentielle pour les propriétés d'auto-correction de l'ADN polymérase. Il n'est apparemment pas possible pour cette enzyme de commencer la synthèse en l'absence totale d'un brin amorce sans perdre toutes ses possibilités de discrimination entre les extrémités 3'-OH en croissance de bases appariées et de bases non appariées. Par contre, les ARN polymérases impliquées dans la transcription des gènes ne nécessitent pas de correction exonucléolytique efficace : les erreurs de fabrication de l'ARN ne passent pas d'une génération à l'autre et les molécules d'ARN anormales occasionnellement produites n'ont aucune signification à long terme. Les ARN polymérases sont de ce fait capables de commencer de nouvelles chaînes polynucléotidiques sans amorce.

La fréquence d'erreur d'environ 1 sur 10^4 se retrouve à la fois dans la synthèse de l'ARN et dans le processus séparé de traduction des séquences d'ARNm en séquences protéiques. Ce niveau d'erreur est 100 000 fois supérieur à celui de la réplication de l'ADN où une série de processus de correction rend ce processus remarquablement précis (Tableau 5-I).

Seule la réplication de l'ADN dans la direction 5' vers 3' permet une correction efficace des erreurs

Cette nécessité de précision explique probablement pourquoi la réplication de l'ADN ne se produit que dans la direction 5' vers 3'. Si une ADN polymérase ajoutait les désoxyribonucléosides triphosphates dans la direction 3' vers 5', l'extrémité 5' de la chaîne en croissance, et non pas les mononucléotides entrants, porterait le triphosphate activateur. Dans ce cas, les erreurs de polymérisation ne pourraient pas être

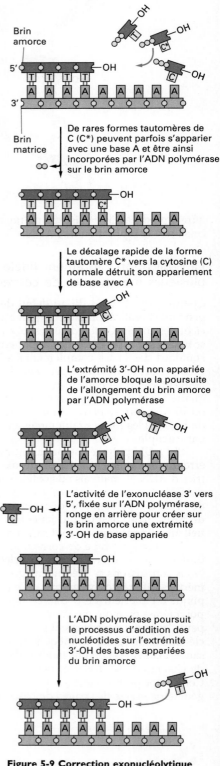

Figure 5-9 Correction exonucléolytique par l'ADN polymérase au cours de la réplication de l'ADN. Dans cet exemple, le mésappariement est dû à l'incorporation d'une forme rare tautomère de C, indiquée par un astérisque. Mais ce même mécanisme de correction s'applique à n'importe quelle erreur d'incorporation sur l'extrémité 3'-OH en croissance.

De rares formes tautomères de C (C*) peuvent parfois s'apparier avec une base A et être ainsi incorporées par l'ADN polymérase sur le brin amorce

Le décalage rapide de la forme tautomère C* vers la cytosine (C) normale détruit son appariement de base avec A

L'extrémité 3'-OH non appariée de l'amorce bloque la poursuite de l'allongement du brin amorce par l'ADN polymérase

L'activité de l'exonucléase 3' vers 5', fixée sur l'ADN polymérase, ronge en arrière pour créer sur le brin amorce une extrémité 3'-OH de base appariée

L'ADN polymérase poursuit le processus d'addition des nucléotides sur l'extrémité 3'-OH des bases appariées du brin amorce

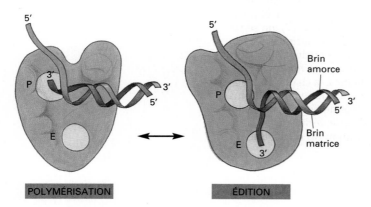

Figure 5-10 L'édition par l'ADN polymérase. Schéma des structures complexées de l'ADN polymérase avec la matrice d'ADN fonctionnant en mode de polymérisation (*à gauche*) et en mode d'édition (*à droite*). Les sites catalytiques des réactions exonucléolytique (E) et de polymérisation (P) sont indiqués. Pour déterminer ces structures par cristallographie aux rayons X, les chercheurs ont «congelé» les polymérases dans ces deux états, en utilisant une polymérase mutante déficiente en domaine exonucléolytique (*à droite*) ou en retirant le Mg^{2+} nécessaire à la polymérisation (*à gauche*).

POLYMÉRISATION   ÉDITION

ÉTAPE DE RÉPLICATION	ERREURS PAR NUCLÉOTIDE POLYMÉRISÉ
Polymérisation 5' vers 3'	1×10^5
Correction exonucléolytique 3' vers 5'	1×10^2
Correction des mésappariements contrôlée par un brin	1×10^2
Total	1×10^9

La dernière étape de correction des mésappariements contrôlée par un brin sera décrite ultérieurement dans ce chapitre.

retirées simplement par hydrolyse, parce que la terminaison 5' dénudée de la chaîne, ainsi créée, bloquerait alors immédiatement la synthèse de l'ADN (Figure 5-11). Il est donc bien plus facile de corriger un mésappariement d'une base qui vient juste de s'ajouter à l'extrémité 3' qu'un mésappariement provoqué par une base qui vient juste de s'ajouter à l'extrémité 5' d'une chaîne d'ADN. Même si le mécanisme de réplication de l'ADN (*voir* Figure 5-8) semble, au premier abord, bien plus complexe que celui, incorrect, décrit auparavant dans la figure 5-7, il est bien plus fiable parce que toute la synthèse de l'ADN se produit dans la direction 5' vers 3'.

En dépit de ces sauvegardes s'opposant aux erreurs de réplication de l'ADN, les ADN polymérases commettent parfois des erreurs. Cependant, comme nous le verrons plus tard, les cellules ont aussi un autre moyen de corriger ces erreurs grâce à un processus appelé *correction des mésappariements contrôlée par un brin* (*strand-directed mismatch repair*). Avant de discuter de ce mécanisme cependant, nous décrirons les autres types de protéines qui agissent au niveau de la fourche de réplication.

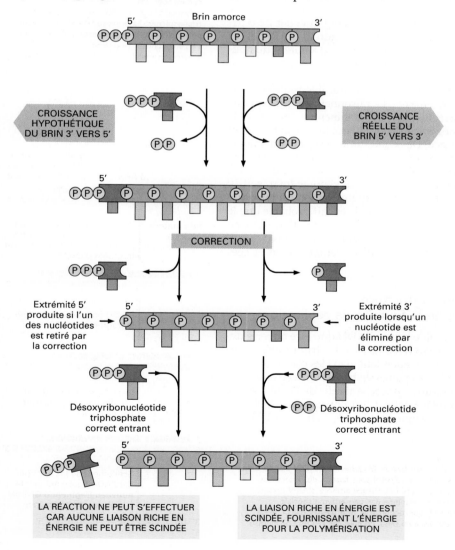

Figure 5-11 Explication de la direction 5' vers 3' de la croissance de la chaîne d'ADN. La croissance dans la direction 5' vers 3' montrée à droite permet à la chaîne de poursuivre son allongement lorsqu'une erreur de polymérisation a été retirée par la correction exonucléolytique (*voir* Figure 5-9). Par contre, la correction exonucléolytique, dans le schéma hypothétique de polymérisation 3' vers 5', montré à gauche, bloquera la poursuite de l'allongement. Pour plus de facilité, seul le brin amorce de la double hélice d'ADN est montré.

Une enzyme spéciale de polymérisation des nucléotides synthétise de courtes molécules d'ARN amorce sur le brin tardif

Pour le brin précoce, une amorce spéciale n'est nécessaire qu'au début de la réplication : une fois que la fourche de réplication est établie, l'ADN polymérase se trouve toujours devant l'extrémité d'une chaîne de bases appariées sur laquelle elle peut ajouter de nouveaux nucléotides. Cependant, sur le brin tardif de la fourche, à chaque fois que l'ADN polymérase termine un court fragment d'Okazaki d'ADN (ce qui prend quelques secondes), elle doit recommencer à synthétiser un fragment totalement nouveau à un endroit plus éloigné le long du brin matrice (*voir* Figure 5-8). Un mécanisme particulier est utilisé pour former le brin amorce d'appariement de bases, utilisé par cette ADN polymérase. Ce mécanisme implique une enzyme, l'**ADN primase**, qui utilise des ribonucléosides triphosphates pour synthétiser de courtes **amorces d'ARN** sur le brin tardif (Figure 5-12). Pour les eucaryotes, ces amorces mesurent environ 10 nucléotides et sont fabriquées tous les 100 à 200 nucléotides sur le brin tardif.

La structure chimique de l'ARN a été introduite au chapitre 1 et sera décrite en détail au chapitre 6. Ici, nous remarquerons simplement que l'ARN a une structure très semblable à celle de l'ADN. Un brin d'ARN peut s'apparier avec un brin d'ADN et former une double hélice hybride ARN/ADN si les deux séquences de nucléotides sont complémentaires. La synthèse des amorces d'ARN est donc guidée par le même principe de polymérisation à l'aide d'une matrice que celui utilisé pour la synthèse de l'ADN (*voir* Figures 1-5 et 5-2).

Comme l'amorce d'ARN contient des nucléotides correctement appariés ayant un groupement 3'-OH à une extrémité, celle-ci peut être allongée par l'ADN polymérase, qui commence ainsi un fragment d'Okazaki. La synthèse de chaque fragment d'Okazaki se termine lorsque l'ADN polymérase arrive dans l'amorce d'ARN fixée sur l'extrémité 5' du fragment précédent. Pour produire une chaîne continue d'ADN avec les nombreux fragments d'ADN du brin tardif, un système particulier de réparation de l'ADN agit rapidement pour effacer les anciennes amorces d'ARN et les remplacer par de l'ADN. Une enzyme, l'**ADN ligase**, unit alors l'extrémité 3' du nouveau fragment d'ADN à l'extrémité 5' du fragment précédent et termine ce processus (Figures 5-13 et 5-14).

Pourquoi est-il préférable d'utiliser une amorce d'ARN effaçable plutôt qu'une amorce d'ADN qui n'aurait pas besoin d'être effacée ? Le raisonnement qui explique pourquoi une polymérase dotée d'autocorrection ne peut commencer une nouvelle chaîne implique aussi son contraire : une enzyme qui commence une chaîne ne peut pas avoir de système d'autocorrection efficace. De ce fait, toute enzyme qui amorce la synthèse d'un fragment d'Okazaki fabriquera nécessairement une copie relativement peu précise (au moins une erreur sur 10^5). Si ces copies étaient gardées dans le produit final et ne constituaient, par exemple, que 5 p. 100 du génome total (soit 10 nucléotides par fragments d'ADN de 200 nucléotides), l'augmentation du taux global de mutation qui en résulterait serait énorme. Il semble de ce fait probable que le développement de l'utilisation d'un ARN, comme amorce, plutôt que d'un ADN ait été très avantageux pour la cellule : les ribonucléotides de l'amorce marquent ces séquences comme «copies suspectes» pour qu'elles puissent être retirées et remplacées efficacement.

Des protéines particulières facilitent l'ouverture de la double hélice d'ADN en face de la fourche de réplication

Pour que la synthèse d'ADN s'effectue, la double hélice d'ADN doit être ouverte devant la fourche de réplication afin que les désoxyribonucléosides triphosphates entrant s'apparient avec les bases du brin matrice. Cependant, dans les conditions normales, la double hélice d'ADN est très stable; les paires de bases sont verrouillées à leur place si fortement qu'il faut des températures approchant celle de l'ébullition de l'eau pour séparer les deux brins dans un tube à essai. C'est pourquoi les ADN polymérases et les ADN primases ne peuvent copier la double hélice d'ADN que

Figure 5-13 Synthèse d'un des nombreux fragments d'ADN sur le brin tardif. Chez les eucaryotes, les amorces d'ARN sont faites à des intervalles d'environ 200 nucléotides sur le brin tardif et chaque amorce d'ARN mesure environ 10 nucléotides. L'amorce est éliminée par une enzyme spéciale de réparation de l'ADN (RNase H) qui reconnaît le brin d'ARN dans l'hélice ARN/ADN et le fragmente; cela laisse un trou, comblé par l'ADN polymérase et l'ADN ligase.

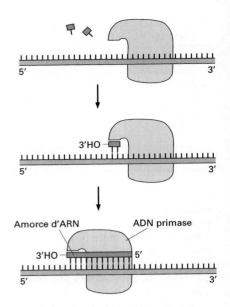

Figure 5-12 Synthèse de l'amorce d'ARN. Schéma de la réaction catalysée par l'*ADN primase*, une enzyme qui synthétise les courtes amorces d'ARN des brins tardifs en utilisant l'ADN comme matrice. Contrairement à l'ADN polymérase, cette enzyme peut commencer une nouvelle chaîne de polynucléotides en reliant deux nucléosides triphosphates. La primase synthétise un court polynucléotide dans la direction 5' vers 3' puis s'arrête, rendant l'extrémité 3' de cette amorce disponible pour l'ADN polymérase.

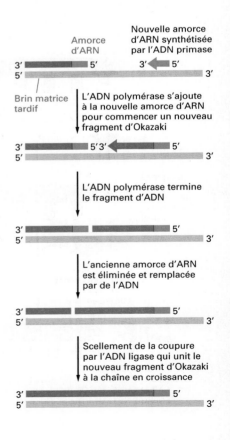

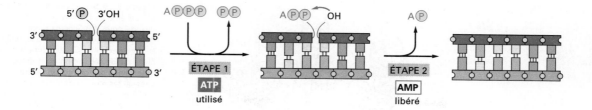

lorsque le brin matrice a été séparé de son brin complémentaire et exposé. Il faut donc d'autres protéines de réplication pour faciliter l'ouverture de la double hélice et fournir ainsi la matrice d'ADN simple brin qui peut être copiée par l'ADN polymérase. Deux types de protéines contribuent à ce processus – les ADN hélicases et les protéines de liaison à l'ADN simple brin.

Les **ADN hélicases** ont d'abord été isolées comme des protéines qui hydrolysent l'ATP lorsqu'elles sont fixées sur l'ADN simple brin. Comme nous l'avons décrit au chapitre 3, l'hydrolyse de l'ATP peut modifier la forme d'une molécule protéique de façon cyclique, ce qui permet à la protéine d'effectuer un travail mécanique. Les ADN hélicases utilisent ce principe pour se propulser rapidement le long d'un ADN simple brin. Lorsqu'elles rencontrent une région de double hélice, elles poursuivent leur déplacement le long de leur brin, séparant ainsi l'hélice à une vitesse de 1 000 paires de nucléotides par seconde (Figures 5-15 et 5-16).

Le déroulement de l'hélice d'ADN matrice au niveau de la fourche de réplication pourrait en principe être catalysé par deux ADN hélicases agissant ensemble – une se déplaçant le long de la matrice du brin précoce et l'autre le long de la matrice du brin tardif. Comme ces deux brins ont des polarités opposées, ces hélicases devraient se déplacer dans des directions opposées le long d'un seul brin d'ADN et de ce fait seraient des enzymes différentes. Ces deux types d'ADN hélicases existent. Dans les systèmes de réplication les mieux compris, l'hélicase située sur la matrice du brin tardif semble avoir un rôle prédominant, pour des raisons que nous éclaircirons bientôt.

Figure 5-14 Réaction catalysée par l'ADN ligase. Cette enzyme scelle une liaison phosphodiester rompue. Comme cela est montré, l'ADN ligase utilise une molécule d'ATP pour activer l'extrémité 5' au niveau de la brèche (étape 1) avant de former une nouvelle liaison (étape 2). De cette façon, la réaction énergétiquement défavorable de scellement de la brèche est entraînée par un processus énergétiquement favorable d'hydrolyse de l'ATP.

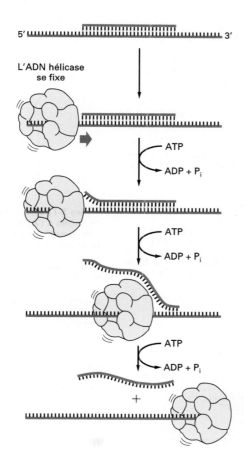

Figure 5-15 Méthode de titrage utilisée pour rechercher les ADN hélicases. Un court fragment d'ADN est hybridé à un long ADN simple brin pour former une région de double hélice d'ADN. La double hélice disparaît lorsque l'hélicase se déplace le long de l'ADN simple brin, et libère le court fragment d'ADN selon une réaction qui nécessite la présence à la fois de l'hélicase et d'ATP. Le mouvement rapide des étapes catalysées par l'hélicase est actionné par l'hydrolyse de son ATP (*voir* Figure 3-76).

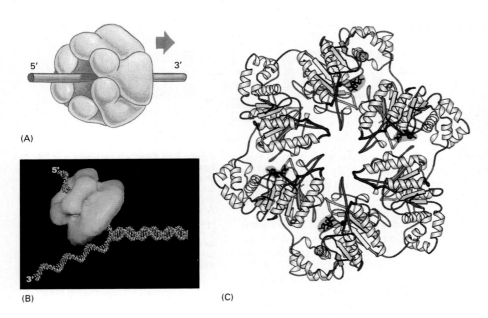

(A)

(B)

(C)

Figure 5-16 Structure de l'ADN hélicase.
(A) Schéma de la protéine qui forme un anneau hexamérique. (B) Schéma montrant la fourche de réplication de l'ADN et une hélicase à la même échelle. (C) Structure détaillée de l'hélicase de réplication du bactériophage T7, déterminée par diffraction des rayons X. Six sous-unités identiques s'unissent et hydrolysent l'ATP de façon ordonnée pour propulser cette molécule le long de l'ADN simple brin qui passe à travers le trou central. En *rouge* sont indiquées les molécules d'ATP fixées à la structure. (B, due à l'obligeance de Edward H. Egelman; C, d'après M.R. Singleton et al., *Cell* 101 : 589-600, 2000. © Elsevier.)

Les **protéines de liaison à l'ADN simple brin** (**SSB** pour *single strand DNA-binding*), appelées aussi *protéines de déstabilisation de l'hélice*, se fixent solidement et de façon coopérative pour exposer les brins d'ADN simple brin sans recouvrir les bases, qui restent ainsi disponibles pour servir de matrice. Ces protéines sont incapables d'ouvrir directement la longue hélice d'ADN, mais elles aident l'hélicase en stabilisant la conformation de simple brin déroulé. En plus, leur liaison coopérative recouvre et étire la région d'ADN simple brin de la matrice du brin tardif, évitant ainsi que de courtes hélices en épingle à cheveux (*hairpins*) ne se forment facilement sur l'ADN simple brin (Figures 5-17 et 5-18). Ces hélices en épingle à cheveux peuvent empêcher la synthèse de l'ADN catalysée par l'ADN polymérase.

La molécule d'ADN polymérase mobile reste connectée à l'ADN par un collier coulissant ou *clamp*

Toutes seules, la plupart des ADN polymérases synthétiseraient uniquement une courte bande de nucléotides avant de tomber de la matrice d'ADN. Cette tendance à se dissocier rapidement d'une molécule d'ADN permet à l'ADN polymérase, qui vient juste de finir la synthèse d'un fragment d'Okazaki sur le brin tardif, d'être rapidement recyclée et de commencer la synthèse du fragment d'Okazaki suivant sur le même brin. Cette dissociation rapide ne facilite pas cependant la synthèse, par la polymérase, des longs brins produits à la fourche de réplication. Une protéine accessoire, qui fonctionne comme un nœud coulant régulateur, empêche cette dissociation. Ce collier coulissant (*clamp*) maintient solidement la polymérase sur l'ADN

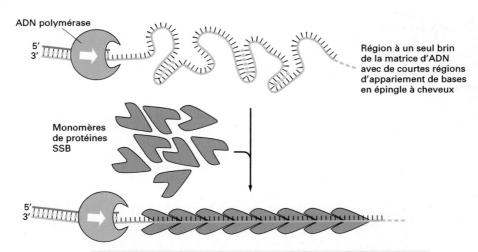

ADN polymérase

5′
3′

Région à un seul brin de la matrice d'ADN avec de courtes régions d'appariement de bases en épingle à cheveux

Monomères de protéines SSB

5′
3′

La fixation coopérative des protéines maintient allongée cette région de la chaîne

Figure 5-17 Effets des protéines de liaison à l'ADN simple brin (protéines SSB pour *single strand binding*) sur la structure de l'ADN simple brin. Comme chaque protéine préfère se fixer près d'une molécule déjà fixée, il se forme de longues rangées de ces protéines sur l'ADN simple brin. Cette *fixation coopérative* maintient droite la matrice d'ADN et facilite le processus de polymérisation de l'ADN. Les hélices en épingle à cheveux (*hairpins*) montrées sur l'ADN simple brin dénudé résultent d'une correspondance fortuite de courtes régions dotées de séquences de nucléotides complémentaires; elles sont similaires aux courtes hélices typiques qui se forment sur les molécules d'ARN (*voir* Figure 1-6).

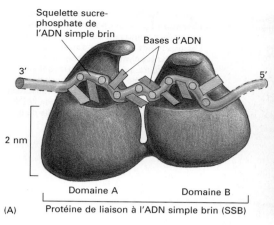

Squelette sucre-
phosphate de
l'ADN simple brin

Bases d'ADN

3'

5'

2 nm

Domaine A   Domaine B

(A)   Protéine de liaison à l'ADN simple brin (SSB)

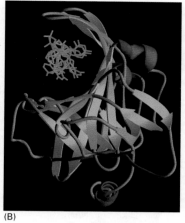

(B)

Figure 5-18 Structure de la protéine SSB humaine fixée sur l'ADN. (A) Vue de face de deux domaines de liaison à l'ADN de la protéine RPA, qui couvrent au total huit nucléotides. Notez que les bases de l'ADN restent exposées dans ce complexe protéine-ADN. (B) Schéma montrant la structure tridimensionnelle, avec le brin d'ADN (en *rouge*) vue par son extrémité. (B, d'après A. Bochkarev et al., *Nature* 385 : 176-181, 1997. © Macmillan Magazines Ltd.)

lorsqu'elle se déplace, mais la libère dès que la polymérase arrive devant une région d'ADN à double hélice.

Comment ce clamp peut-il éviter la dissociation de la polymérase sans empêcher en même temps le mouvement rapide de celle-ci le long de la molécule d'ADN? La structure tridimensionnelle de cette protéine en anneau, déterminée par diffraction des rayons X, révèle qu'elle forme un large collier autour de l'hélice d'ADN. Un côté de ce collier coulissant se fixe à l'arrière de l'ADN polymérase et le collier entier glisse librement le long de l'ADN lorsque la polymérase se déplace. L'assemblage de ce collier autour de l'ADN nécessite l'hydrolyse de l'ATP par un complexe protéique spécial, ou «protéine accessoire d'assemblage du clamp», qui hydrolyse l'ATP lorsqu'il assemble le clamp sur une jonction amorce-matrice (Figure 5-19).

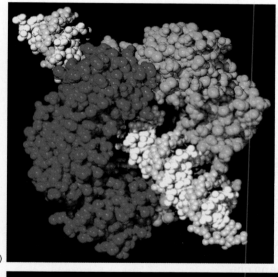

(A)

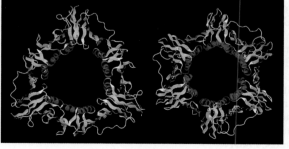

(B)

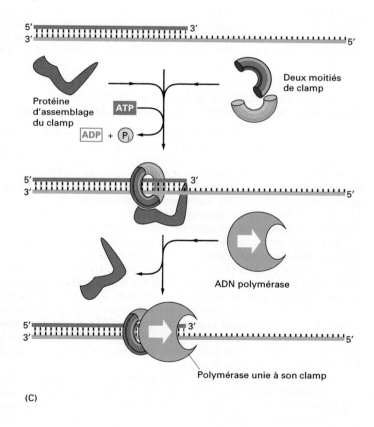

(C)

Figure 5-19 Collier coulissant (*clamp*) qui maintient l'ADN polymérase sur l'ADN. (A) Structure de la protéine qui forme le clamp de *E. coli* déterminée par cristallographie aux rayons X avec l'ajout d'une hélice d'ADN pour indiquer comment cette protéine s'adapte autour de l'ADN. (B) Il existe une protéine similaire chez les eucaryotes, comme cela est illustré par la comparaison du clamp d'*E. coli* (*à gauche*) avec la protéine PCNA de l'homme (*à droite*). (C) Schéma illustrant l'assemblage du clamp qui maintient la molécule d'ADN polymérase qui se déplace sur l'ADN. Selon la réaction simplifiée montrée ici, la protéine accessoire d'assemblage du clamp se dissocie en solution après l'assemblage. Sur une véritable fourche de réplication, cette protéine d'assemblage reste proche de la polymérase du brin tardif, prête à assembler un nouveau clamp au début de chaque nouveau fragment d'Okazaki (*voir* Figure 5-22). (A et B, d'après X.-P. Kong et al., *Cell* 69 : 425-437, 1992. © Elsevier.)

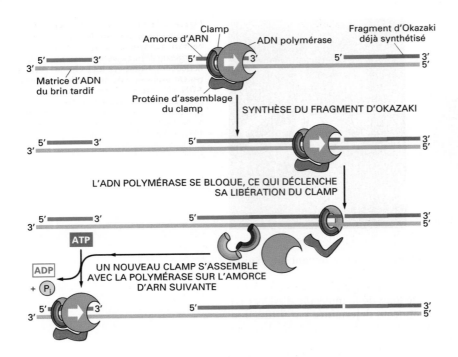

Figure 5-20 Cycle d'assemblage et de libération de l'ADN polymérase et de son collier coulissant sur le brin tardif. L'association de la protéine d'assemblage du clamp avec la polymérase du brin tardif, montrée ici, n'a qu'un but d'illustration; en réalité, la protéine d'assemblage du clamp est transportée le long de la fourche de réplication dans un complexe composé à la fois de l'ADN polymérase du brin précoce et de celle du brin tardif (*voir* Figure 5-22).

Sur la matrice du brin précoce, l'ADN polymérase mobile est solidement fixée au clamp et les deux restent associés très longtemps. Cependant, sur la matrice du brin tardif, à chaque fois que la polymérase atteint l'extrémité 5' du fragment d'Okazaki précédent, la polymérase est libérée; cette polymérase s'associe alors à un nouveau clamp qui est assemblé sur l'amorce d'ARN du fragment d'Okazaki suivant (Figure 5-20).

Les protéines situées à la fourche de réplication coopèrent pour former la machinerie de réplication

Même si nous avons abordé la réplication de l'ADN comme si elle s'effectuait par l'intermédiaire d'un mélange de protéines agissant toutes indépendamment, en réalité, la plupart des protéines sont maintenues ensemble dans un gros complexe multienzymatique qui se déplace rapidement le long de l'ADN. Ce complexe peut être comparé à une minuscule machine à coudre composée de parties protéiques et propulsée par l'hydrolyse des nucléosides triphosphates. Bien que ce complexe de réplication ait été plus intensément étudié chez *E. coli* et plusieurs de ses virus, des complexes très semblables opèrent chez les eucaryotes comme nous le verrons.

Les fonctions des sous-unités de la machinerie de réplication sont résumées dans la figure 5-21. Deux molécules d'ADN polymérase travaillent au niveau de la fourche, une sur le brin précoce et une sur le brin tardif. L'hélice d'ADN est ouverte par une molécule d'ADN polymérase accrochée sur le brin précoce, agissant avec une ou plusieurs ADN hélicases se déplaçant rapidement le long des brins en face d'elle. L'ouverture de l'hélice est facilitée par la fixation coopérative de molécules de protéines de liaison à l'ADN simple brin. Alors que l'ADN polymérase située sur le brin précoce peut opérer de façon continue, l'ADN polymérase située sur le brin tardif doit recommencer à de courts intervalles, utilisant une courte amorce d'ARN fabriquée par une molécule d'ADN primase.

L'efficacité de la réplication est grandement augmentée par l'association de tous ces composants protéiques. Chez les procaryotes, la primase est directement unie à l'ADN hélicase et forme une unité sur le brin tardif appelée **primosome**. Actionné par l'ADN hélicase, le primosome se déplace avec la fourche et synthétise les amorces d'ARN en avançant. De même, la molécule d'ADN polymérase qui synthétise l'ADN sur le brin tardif se déplace en même temps que les autres protéines et synthétise une succession de nouveaux fragments d'Okazaki. Pour loger cet ensemble, le brin tardif semble se replier en arrière de la manière montrée en figure 5-22. Cette disposition facilite aussi l'assemblage du clamp de la polymérase à chaque fois qu'un fragment d'Okazaki est synthétisé: la protéine d'assemblage du clamp et l'ADN polymérase du brin tardif sont maintenues en place et forment une partie de la ma-

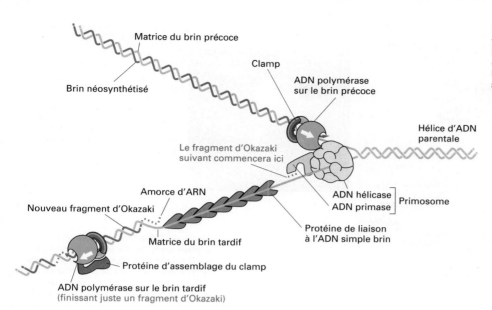

chinerie protéique même lorsqu'elles se détachent de l'ADN. Les protéines de réplication sont donc unies en une seule grande unité (masse moléculaire totale > 10^6 daltons) qui se déplace rapidement le long de l'ADN, permettant à l'ADN d'être synthétisé des deux côtés de la fourche de réplication de manière coordonnée et efficace.

Sur le brin tardif, la machinerie de réplication de l'ADN laisse derrière elle une série de fragments d'Okazaki non scellés, qui contiennent encore l'ARN qui a amorcé leur synthèse à leur extrémité 5'. L'ARN est retiré et le trou laissé est comblé par des enzymes de réparation de l'ADN qui opèrent derrière la fourche de réplication (*voir* Figure 5-13).

Un système de correction des mésappariements contrôlée par un brin d'ADN enlève les erreurs de réplication qui échappent à la machinerie de réplication

Comme nous l'avons établi précédemment, les bactéries comme *E. coli* peuvent se diviser toutes les 30 minutes, ce qui rend relativement facile l'examen d'une grande population pour rechercher une rare cellule mutante présentant un processus spécifique altéré. Une classe intéressante de mutants contient des altérations des gènes appelés *activateurs de mutation*, qui augmentent fortement le taux de mutation spontanée lorsqu'ils sont activés. Il n'est pas surprenant qu'un de ces mutants fabrique une forme anormale d'exonucléase de correction 3' vers 5' qui fait partie de l'ADN polymérase (*voir* Figures 5-9 et 5-10). Lorsque cette activité est défectueuse, l'activité de correction de l'ADN polymérase n'est plus efficace et beaucoup d'erreurs de réplication, qui autrement auraient été retirées, s'accumulent dans l'ADN.

L'étude d'autres mutants d'*E. coli* montrant des taux de mutation anormalement élevés a permis de découvrir un autre système de correction sur épreuve qui retire les erreurs de réplication faites par la polymérase et omises par l'exonucléase de correction. Ce système de **correction des mésappariements contrôlée par un brin (*strand-directed mismatch repair*)** détecte les éventuelles distorsions dans l'hélice d'ADN qui résultent du mésappariement entre des paires de bases non complémentaires. Mais si ce système de correction ne reconnaissait simplement qu'un mésappariement sur un ADN néosynthétisé et corrigeait au hasard un des deux nucléotides mésappariés, il pourrait «corriger» par erreur une fois sur deux le brin matrice parental pour réassortir la base, et n'abaisserait pas ainsi le taux global d'erreur. Pour être efficace, un tel système de correction doit être capable de distinguer et de retirer le nucléotide mésapparié uniquement sur le brin néosynthétisé, où l'erreur de réplication s'est produite.

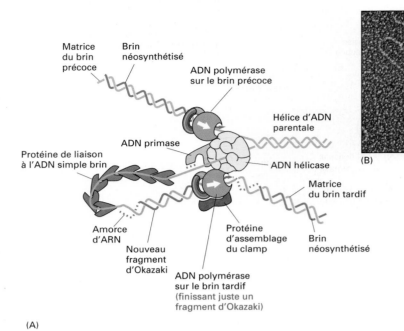

Matrice du brin précoce

Brin néosynthétisé

ADN polymérase sur le brin précoce

Hélice d'ADN parentale

ADN primase

ADN hélicase

Protéine de liaison à l'ADN simple brin

Matrice du brin tardif

Amorce d'ARN

Nouveau fragment d'Okazaki

Protéine d'assemblage du clamp

Brin néosynthétisé

ADN polymérase sur le brin tardif (finissant juste un fragment d'Okazaki)

(A)

(B)

Brin précoce néosynthétisé

Brin tardif néosynthétisé

Hélice d'ADN parentale

(C)

Figure 5-22 Fourche de réplication en déplacement. (A) Ce schéma montre une vue habituelle de la disposition des protéines de réplication au niveau de la fourche de réplication lorsque celle-ci se déplace. Le schéma de la figure 5-21 a été modifié par le repliement de l'ADN sur le brin tardif pour amener la molécule d'ADN polymérase du brin tardif à former un complexe avec la molécule d'ADN polymérase du brin précoce. Ce processus de repliement amène aussi l'extrémité 3' de chaque fragment d'Okazaki terminé près du site de départ du fragment d'Okazaki suivant (comparer avec la figure 5-21). Comme la molécule d'ADN polymérase du brin tardif reste unie aux autres protéines de réplication, elle peut être réutilisée pour synthétiser des fragments d'Okazaki successifs. Sur ce schéma, elle est sur le point de se détacher de son fragment d'ADN terminé et de se déplacer sur l'amorce d'ARN qui sera synthétisée à côté, pour commencer le fragment suivant d'ADN. Notez qu'une hélice d'ADN néosynthétisée s'étend en bas à droite et l'autre en haut à gauche de ce schéma. D'autres protéines facilitent le maintien ensemble des différents composants protéiques au niveau de la fourche, ce qui permet leur fonctionnement en une machinerie protéique fonctionnelle. Le véritable complexe protéique est plus compact que celui qui est montré et la protéine d'assemblage du clamp est maintenue en place par des interactions non montrées ici. (B) Photographie en microscopie électronique montrant la machinerie de réplication d'un bactériophage T4 lorsqu'elle se déplace le long d'une matrice et synthétise l'ADN vers l'arrière. (C) Voici le dessin d'une interprétation de cette photographie : notez en particulier la boucle d'ADN sur le brin tardif. Apparemment les protéines de réplication se sont en partie détachées de l'avant de la fourche de réplication pendant la préparation de cet échantillon pour microscopie électronique. (B, due à l'obligeance de Jack Griffith.)

Le mécanisme de distinction du brin, utilisé par le système de correction sur épreuve des mésappariements de *E. coli,* dépend de la méthylation de certains résidus A de l'ADN. Des groupements méthyle sont ajoutés à tous les résidus A de la séquence GATC, mais seulement quelque temps après l'incorporation du A dans la chaîne d'ADN néosynthétisée. Il en résulte que les séquences GATC non encore méthylées ne se trouvent que dans les nouveaux brins juste en arrière de la fourche de réplication. La reconnaissance de ces GATC non méthylés permet au nouveau brin d'ADN d'être transitoirement distingué du brin parental, ce qui est nécessaire s'il faut retirer sélectivement des mésappariements. Ce processus, en trois étapes, implique la reconnaissance des mésappariements, l'excision du brin et la resynthèse du segment excisé, à l'aide de l'ancien brin comme matrice – ce qui enlève ainsi le mésappariement. Cette correction des mésappariements contrôlée par un brin réduit le nombre d'erreurs durant la réplication de l'ADN d'un facteur supplémentaire de 10^2 (*voir* Tableau 5-I, p. 243).

Un système similaire de correction des mésappariements fonctionne dans les cellules humaines. L'importance de ce système est visible par le fait que les individus qui héritent d'une copie anormale d'un gène de correction des mésappariements contrôlée par un brin (ainsi que d'un gène fonctionnel sur l'autre copie du chromosome) ont une prédisposition marquée pour certains types de cancers. Dans un type de cancer du côlon, appelé *cancer colique héréditaire sans polypose* (HNPCC pour *hereditary non polyposis colon cancer*), une mutation spontanée du gène fonctionnel restant produit un clone de cellules somatiques qui, du fait de leur déficience en système de correction des mésappariements, accumulent rapidement des mutations de façon inhabituelle. La plupart des cancers proviennent de cellules qui ont accumulé de multiples mutations (*voir* Chapitre 23), et les cellules déficientes en système de correction des mésappariements présentent de ce fait beaucoup plus de risques de devenir cancéreuses. Heureusement, nous héritons le plus souvent de deux copies correctes de chaque gène qui codent pour les protéines de correction des mésappariements ; cela nous protège parce qu'il est fort peu probable que ces deux copies mutent dans la même cellule.

Chez les eucaryotes, le mécanisme qui permet de distinguer les brins néosynthétisés des brins parentaux matrices au niveau du site de mésappariement ne dépend pas de la méthylation de l'ADN. En fait, certains eucaryotes – y compris les levures et la drosophile – ne méthylent aucun de leur ADN. On sait que les nouveaux brins d'ADN synthétisés sont préférentiellement *encochés*, et des expériences biochimiques révèlent que ces *brèches* (appelées également *points de cassure des simples brins*) fournissent le signal qui dirige le système de correction des mésappariements sur le brin approprié des cellules eucaryotes (Figure 5-23).

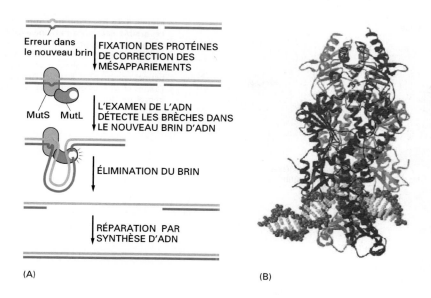

(A)   (B)

Figure 5-23 Modèle de correction des mésappariements contrôlée par un brin chez les eucaryotes. (A) Les deux protéines montrées existent chez les bactéries et les eucaryotes : MutS se fixe spécifiquement sur une paire de bases mésappariées, pendant que MutL examine l'ADN proche à la recherche d'une brèche. Une fois qu'une brèche est trouvée, MutL déclenche la dégradation du brin possédant la brèche vers l'arrière jusqu'à ce qu'il arrive au mésappariement. Comme les brèches sont surtout confinées aux nouveaux brins répliqués chez les eucaryotes, les erreurs de réplication sont sélectivement retirées. Chez les bactéries, le mécanisme est identique, excepté qu'une autre protéine du complexe (MutH) coupe les séquences GATC non méthylées (et donc nouvellement répliquées), commençant ainsi le processus illustré ici. (B) Structure de la protéine MutS fixée sur un ADN mésapparié. Cette protéine est un dimère, qui s'accroche à la double hélice d'ADN comme cela est montré, coudant l'ADN au niveau de la paire de bases mésappariées. Il semble que la protéine MutS examine l'ADN à la recherche de mésappariements en dépistant les sites facilement coudés, car ce sont eux qui n'ont pas une paire de bases complémentaires normale. (B, d'après G. Obmolova et al., *Nature* 407 : 703-710, 2000. © Macmillan Magazines Ltd.)

Les ADN topo-isomérases empêchent que l'ADN ne s'emmêle pendant la réplication

Lorsque la fourche de réplication se déplace le long du double brin d'ADN, elle crée ce qu'on appelle un «problème d'enroulement». Toutes les 10 paires de bases répliquées au niveau de la fourche correspondent à un tour complet autour de l'axe de la double hélice parentale. De ce fait, pour qu'une fourche de réplication se déplace, la totalité du chromosome en avant de la fourche devrait normalement exécuter une rotation rapide (Figure 5-24). Cela nécessiterait de grandes quantités d'énergie pour les longs chromosomes et c'est une autre stratégie qui est utilisée : un pivot est formé dans l'hélice d'ADN par des protéines appelées **ADN topo-isomérases**.

On peut considérer une ADN topo-isomérase comme une nucléase réversible qui s'ajoute elle-même de façon covalente au squelette phosphate de l'ADN, cassant ainsi une liaison phosphodiester sur un brin d'ADN. Cette réaction est réversible et la liaison phosphodiester se reforme lorsque la protéine part.

Un type de topo-isomérase, la *topo-isomérase I*, produit un point de cassure transitoire (ou brèche) sur un seul brin; cette brèche dans le squelette phosphodiester permet aux deux segments de l'hélice d'ADN de part et d'autre de la brèche d'effectuer une rotation libre l'un par rapport à l'autre, utilisant la liaison phosphodiester du brin opposé à la brèche comme pivot (Figure 5-25). Toute tension dans l'hélice d'ADN entraîne cette rotation dans la direction qui soulage cette tension. Il en résulte que la réplication de l'ADN peut se produire en n'entraînant la rotation que d'une courte longueur d'hélice – la partie juste en avant de la fourche. Le problème d'enroulement analogue qui se produit pendant la transcription de l'ADN (*voir*

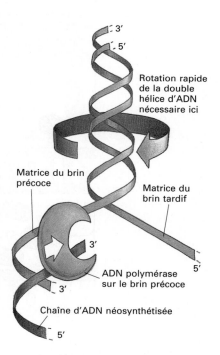

Figure 5-24 «Problème d'enroulement» qui se produit pendant la réplication de l'ADN. Pour que la fourche de réplication se déplace à la vitesse de 500 nucléotides par seconde, la double hélice parentale d'ADN doit effectuer des rotations de 50 révolutions par seconde.

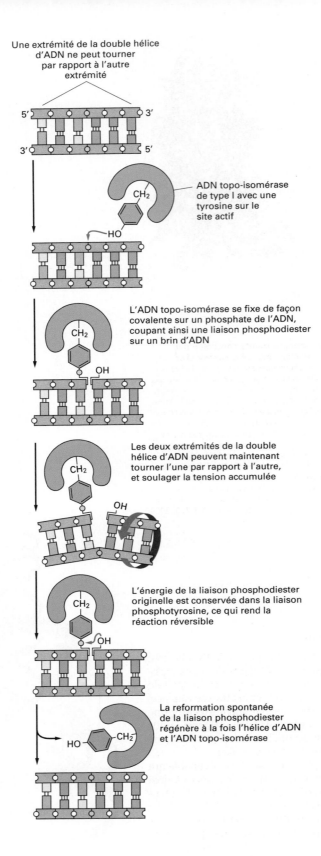

Une extrémité de la double hélice
d'ADN ne peut tourner
par rapport à l'autre
extrémité

5'   3'

3'   5'

ADN topo-isomérase
de type I avec une
tyrosine sur le
site actif

CH₂

HO

L'ADN topo-isomérase se fixe de façon
covalente sur un phosphate de l'ADN,
coupant ainsi une liaison phosphodiester
sur un brin d'ADN

CH₂

OH

Les deux extrémités de la double
hélice d'ADN peuvent maintenant
tourner l'une par rapport à l'autre,
et soulager la tension accumulée

CH₂

OH

L'énergie de la liaison phosphodiester
originelle est conservée dans la liaison
phosphotyrosine, ce qui rend la
réaction réversible

CH₂

OH

La reformation spontanée
de la liaison phosphodiester
régénère à la fois l'hélice d'ADN
et l'ADN topo-isomérase

HO   CH₂

Figure 5-25 Réaction de coupure réversible catalysée par une ADN topo-isomérase I eucaryote. Comme cela est indiqué, ces enzymes forment transitoirement une seule liaison covalente avec l'ADN ; cela permet une rotation libre de l'ADN autour des liaisons covalentes du squelette reliées au phosphate *bleu*.

Chapitre 6) est résolu de même. Comme la liaison covalente qui relie l'ADN topo-isomérase à un phosphate de l'ADN conserve l'énergie de la liaison phosphodiester coupée, la liaison peut se reformer rapidement et ne nécessite pas d'apport énergétique supplémentaire. De ce point de vue, le mécanisme de réunion est différent de celui catalysé par l'ADN ligase dont nous avons déjà parlé (*voir* Figure 5-14).

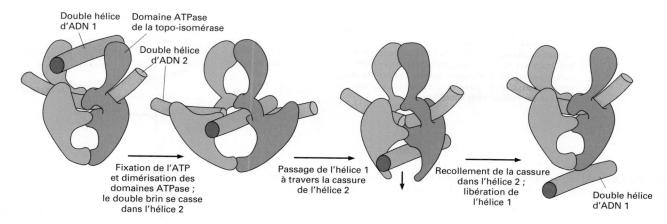

Figure 5-26 Modèle de l'action de la topo-isomérase II. Comme cela est indiqué, la fixation d'ATP sur les deux domaines de l'ATPase provoque leur dimérisation et entraîne la réaction montrée. Comme il ne peut se produire qu'un seul cycle de cette réaction en présence d'un analogue d'ATP non hydrolysable, on pense que l'hydrolyse de l'ATP n'est nécessaire que pour réinitialiser les enzymes à chaque nouveau cycle de réaction. Ce modèle est basé sur des études structurelles et mécaniques de l'enzyme. (Modifié d'après J. M. Berger, *Curr. Opin. Struct. Biol.* 8 : 26-32, 1998.)

Un deuxième type d'ADN topo-isomérase, la *topo-isomérase II*, forme une liaison covalente entre les deux brins de l'hélice d'ADN au même moment, effectuant transitoirement une *cassure du double brin* dans l'hélice. Ces enzymes sont activées par des sites sur les chromosomes où deux doubles hélices se croisent l'une sur l'autre. Après s'être fixée sur un tel site de croisement, la molécule de topo-isomérase II utilise l'hydrolyse de l'ATP pour effectuer efficacement le groupe de réactions suivantes : (1) elle coupe une double hélice d'ADN réversiblement pour créer une « porte » d'ADN ; (2) elle provoque le passage de la deuxième double hélice voisine d'ADN à travers cette cassure ; et (3) elle recolle la cassure et se dissocie de l'ADN (Figure 5-26). De cette façon, l'ADN topo-isomérase de type II peut efficacement séparer deux cercles d'ADN qui s'entrelacent (Figure 5-27).

La même réaction empêche que de graves problèmes d'enchevêtrement de l'ADN ne se produisent au cours de la réplication de l'ADN. Ce rôle est joliment illustré par les cellules de levure mutantes qui produisent, au lieu d'une topo-isomérase II normale, une version inactive à 37 °C. Lorsque les cellules mutantes sont chauffées à cette température, leurs chromosomes fils restent entrelacés après la réplication de l'ADN et sont incapables de se séparer. L'importance fondamentale de la topo-isomérase II pour empêcher l'enchevêtrement des chromosomes peut être facilement appréciée par tous ceux qui ont lutté désespérément pour démêler un fil de pêche sans avoir recours à des ciseaux.

La réplication de l'ADN est similaire chez les eucaryotes et les bactéries

Beaucoup de ce que nous savons sur la réplication de l'ADN provient des études des systèmes multi-enzymatiques purifiés des bactéries et des bactériophages capables de réplication *in vitro*. Le développement de ces systèmes dans les années 1970 a été grandement facilité par l'isolement au préalable de mutants de divers gènes de réplication ; ces mutants furent exploités pour identifier et purifier les protéines de réplication correspondantes. Le premier système de réplication des mammifères qui a répliqué de façon précise l'ADN *in vitro* fut décrit au milieu des années 1980 et, dans la levure *Saccharomyces cerevisiae,* les mutations des gènes codant pour presque tous les composants de la réplication ont été maintenant isolées et analysées. On sait donc beaucoup de choses sur l'enzymologie détaillée de la réplication de l'ADN chez les eucaryotes et il est clair que les caractéristiques fondamentales de la réplication de l'ADN – y compris la géométrie de la fourche de réplication et l'utilisation d'une machinerie de réplication multi-protéique – ont été conservées durant le long processus évolutif qui a séparé les bactéries des eucaryotes.

Il y a plus de composants protéiques dans les machineries de réplication des eucaryotes qu'il n'y en a dans les analogues bactériens, même si les fonctions fondamentales sont les mêmes. De ce fait, par exemple, la protéine de liaison à l'ADN simple brin (SSB) est formée de trois sous-unités alors qu'elle n'en a qu'une chez les bactéries. De même, l'ADN primase est incorporée dans une enzyme à multiples sous-unités appelée ADN polymérase α. La polymérase α commence chaque frag-

Des réactions identiques sont utilisées pour démêler l'ADN à l'intérieur de la cellule. Contrairement à la topo-isomérase de type I, les enzymes de type II utilisent l'hydrolyse de l'ATP et certaines versions bactériennes peuvent introduire des tensions superhélicoïdales dans l'ADN. Les topo-isomérases de type II sont essentiellement présentes dans les cellules des eucaryotes en cours de prolifération ; c'est en partie pour cette raison qu'elles ont été des cibles très utilisées des médicaments anticancéreux.

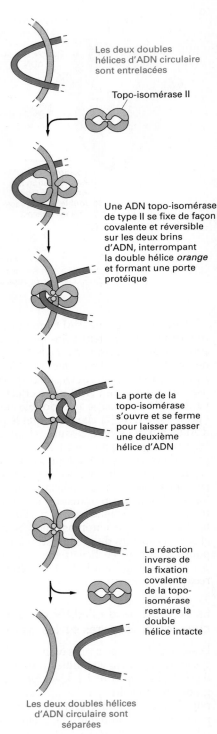

Les deux doubles hélices d'ADN circulaire sont entrelacées

Topo-isomérase II

Une ADN topo-isomérase de type II se fixe de façon covalente et réversible sur les deux brins d'ADN, interrompant la double hélice *orange* et formant une porte protéique

La porte de la topo-isomérase s'ouvre et se ferme pour laisser passer une deuxième hélice d'ADN

La réaction inverse de la fixation covalente de la topo-isomérase restaure la double hélice intacte

Les deux doubles hélices d'ADN circulaire sont séparées

ment d'Okazaki sur le brin tardif avec un ARN puis allonge ensuite l'amorce d'ARN par une courte longueur d'ADN avant de transmettre l'extrémité 3' de cette amorce à une deuxième enzyme, l'ADN polymérase δ. Cette deuxième ADN polymérase synthétise alors le reste de chaque fragment d'Okazaki à l'aide de la protéine du clamp (Figure 5-28).

Comme nous le verrons dans la partie suivante, la machinerie de réplication des eucaryotes doit faire face à un problème supplémentaire, celui de devoir effectuer la réplication à travers les nucléosomes, l'unité structurelle répétitive des chromosomes, abordée au chapitre 4. Les nucléosomes sont espacés par des intervalles d'environ 200 paires de nucléotides le long de l'ADN, ce qui peut expliquer pourquoi les nouveaux fragments d'Okazaki sont synthétisés sur le brin tardif à intervalles de 100 à 200 nucléotides chez les eucaryotes au lieu des 1000 à 2000 nucléotides chez les bactéries. Les nucléosomes peuvent aussi agir comme des barrières qui ralentissent le mouvement des ADN polymérases, ce qui peut expliquer pourquoi la fourche de réplication des eucaryotes ne se déplace qu'à un dixième de la vitesse de la fourche de réplication bactérienne.

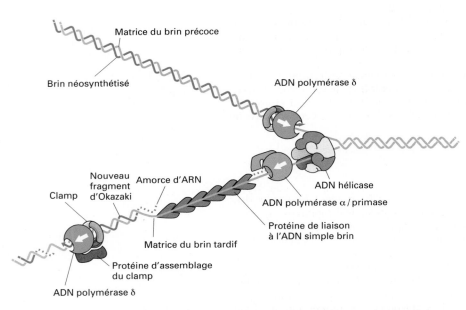

Matrice du brin précoce

Brin néosynthétisé

ADN polymérase δ

Nouveau fragment d'Okazaki

Amorce d'ARN

Clamp

ADN hélicase

ADN polymérase α / primase

Protéine de liaison à l'ADN simple brin

Matrice du brin tardif

Protéine d'assemblage du clamp

ADN polymérase δ

Figure 5-28 Fourche de réplication d'un mammifère. La fourche est dessinée pour insister sur sa similitude avec la fourche de réplication bactérienne décrite dans la figure 5-21. Bien que ces deux fourches utilisent les mêmes composants fondamentaux, la fourche des mammifères présente au moins deux différences importantes. D'abord, elle utilise deux ADN polymérases différentes sur le brin tardif. Deuxièmement, l'ADN primase des mammifères est une sous-unité de l'une des ADN polymérases du brin tardif, l'ADN polymérase α, alors que celle des bactéries est associée à l'ADN hélicase des primosomes. La polymérase α (associée à sa primase), commence des chaînes avec de l'ARN, les allonge avec de l'ADN puis passe la chaîne à la deuxième polymérase (δ) qui l'allonge. On ne sait pas pourquoi la réplication de l'ADN eucaryote nécessite deux polymérases différentes sur le brin tardif. La principale hélicase des mammifères semble être constituée d'un cycle formé de six protéines Mcm différentes ; ce cycle se déplace le long du brin précoce, plutôt que le long de la matrice du brin tardif montrée ici.

Résumé

La réplication de l'ADN s'effectue au niveau d'une structure en forme de Y appelée fourche de réplication. Une enzyme, l'ADN polymérase, dotée de capacités d'autocorrection, catalyse la polymérisation des nucléotides dans la direction 5' vers 3', copiant le brin matrice d'ADN avec une remarquable fidélité. Comme les deux brins d'une double hélice d'ADN sont antiparallèles, cette synthèse d'ADN 5' vers 3' ne peut s'effectuer de façon continue que sur un des brins au niveau de la fourche de réplication (le brin précoce). Sur le brin tardif, de courts fragments d'ADN doivent être fabriqués par un processus de « piqûres à points arrière ». Comme l'ADN polymérase dotée d'autocorrection ne peut commencer une nouvelle chaîne, ces fragments d'ADN du brin tardif sont amorcés par de courtes amorces formées de molécules d'ARN qui sont ensuite effacées et remplacées par de l'ADN.

La réplication de l'ADN nécessite la coopération de beaucoup de protéines. Elles incluent : (1) l'ADN polymérase et l'ADN primase qui catalysent la polymérisation des nucléosides triphosphates ; (2) l'ADN hélicase et la protéine de liaison à l'ADN simple brin (SSB) qui facilitent l'ouverture de l'hélice d'ADN afin qu'elle soit copiée ; (3) l'ADN ligase et une enzyme qui dégrade les amorces d'ARN qui collent ensemble les fragments d'ADN synthétisés de façon discontinue sur le brin tardif ; et (4) l'ADN topo-isomérase qui soulage l'enroulement hélicoïdal et les problèmes d'enchevêtrement de l'ADN. Beaucoup de ces protéines s'associent l'une à l'autre au niveau de la fourche de réplication pour former une machinerie de réplication hautement efficace qui coordonne les activités et les mouvements dans l'espace de chaque composant individuel.

INITIATION ET TERMINAISON DE LA RÉPLICATION DE L'ADN DANS LES CHROMOSOMES

Nous avons vu comment un groupe de protéines de réplication engendrait rapidement et de façon précise deux nouvelles doubles hélices d'ADN en arrière de la fourche de réplication mobile. Mais comment cette machinerie de réplication s'assemble-t-elle au départ ? Comment les fourches de réplication sont-elles formées sur une molécule d'ADN double brin ? Dans cette partie, nous expliquerons comment commence la réplication de l'ADN et comment les cellules régulent attentivement ce processus pour s'assurer qu'il s'effectue au bon endroit sur le chromosome et au bon moment au cours de la vie de la cellule. Nous parlerons également un peu des problèmes particuliers que la machinerie de réplication des cellules eucaryotes doit surmonter. Parmi eux, citons la nécessité de répliquer des molécules d'ADN excessivement longues placées dans les chromosomes eucaryotes ainsi que la difficulté de copier des molécules d'ADN solidement associées à des histones dans les nucléosomes.

La synthèse de l'ADN commence aux origines de réplication

Nous avons vu que la double hélice d'ADN était normalement très stable ; les deux brins d'ADN sont solidement unis par un grand nombre de liaisons hydrogène formées entre les bases de chaque brin. Pour que la double hélice soit utilisée comme matrice, il faut d'abord qu'elle soit ouverte et que les deux brins soient séparés pour exposer leurs bases non appariées. Comme nous le verrons, des *protéines initiatrices* particulières initient le processus de réplication de l'ADN. Celles-ci se fixent sur l'ADN double brin et décrochent les deux brins l'un de l'autre, en rompant les liaisons hydrogène entre les bases.

Le point de départ de l'ouverture de l'hélice d'ADN s'appelle l'**origine de réplication** (Figure 5-29). Dans les cellules simples, comme celles des bactéries ou des levures, les origines sont spécifiées par des séquences d'ADN de plusieurs centaines de paires de nucléotides de long. Cet ADN contient de courtes séquences qui attirent les protéines initiatrices ainsi que des segments d'ADN particulièrement faciles à ouvrir. Nous avons vu dans la figure 4-4 qu'une paire de base A-T était unie par moins de liaisons hydrogène qu'une paire de bases C-G. Par conséquent, l'ADN riche en paires de bases A-T est relativement facile à écarter et on retrouve typiquement des régions d'ADN enrichies en paires de bases A-T au niveau des origines de réplication.

Même si le processus fondamental de l'initiation de la fourche de réplication, décrit à la figure 5-29, est le même chez les bactéries et les eucaryotes, il diffère entre ces deux groupes d'organismes par la façon particulière dont il s'effectue et est régulé. Nous envisagerons tout d'abord le cas des bactéries, plus simple et mieux connu, puis nous nous tournerons vers la situation plus complexe retrouvée chez les levures, les mammifères et les autres eucaryotes.

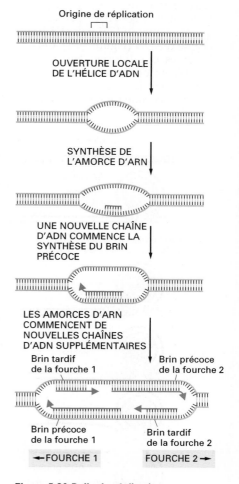

Figure 5-29 Bulle de réplication formée par l'initiation de la fourche de réplication. Ce schéma présente les étapes majeures impliquées dans l'initiation de la fourche de réplication aux origines de réplication. La structure formée lors de la dernière étape, lorsque les deux brins de l'hélice d'ADN parental ont été séparés l'un de l'autre et servent de matrice pour la synthèse d'ADN, est appelée *bulle de réplication*.

Figure 5-30 Réplication de l'ADN d'un génome bactérien. Il faut environ 40 minutes à *E. coli* pour dupliquer son génome de 4,6 × 10⁶ paires de nucléotides. Pour plus de simplicité, aucun fragment d'Okasaki n'est figuré sur le brin tardif. On ne comprend pas bien encore ce qui se passe lorsque les deux fourches de réplication s'approchent l'une de l'autre et entrent en collision à la fin du cycle de réplication, même si une partie du processus est la dissociation du primosome.

Les chromosomes bactériens ont une seule origine de réplication de l'ADN

Le génome de *E. coli* est contenu dans une seule molécule circulaire d'ADN de 4,6 × 10⁶ paires de nucléotides. La réplication de l'ADN commence au niveau d'une seule origine de réplication et les deux fourches de réplication qui s'y assemblent se dirigent (à environ 500-1000 nucléotides par seconde) dans des directions opposées jusqu'à ce qu'elles aient fait grossièrement la moitié du chemin autour du chromosome (Figure 5-30). Le seul moment où *E. coli* peut contrôler la réplication de l'ADN est à son initiation : une fois que les fourches se sont assemblées à l'origine, elles se déplacent à une vitesse relativement constante jusqu'à ce que la réplication soit terminée. De ce fait, il n'est pas surprenant que l'initiation de la réplication de l'ADN soit un processus hautement régulé. Il commence par la fixation de multiples copies de protéines initiatrices sur des sites spécifiques de l'origine de réplication, qui enveloppent l'ADN autour d'elles pour former un gros complexe protéines-ADN. Ce complexe s'unit alors à une ADN hélicase et place cette dernière sur l'ADN simple brin adjacent dont les bases ont été exposées par l'assemblage du complexe «protéines initiatrices-ADN». L'ADN primase rejoint l'hélicase et forme le primosome, qui s'éloigne de l'origine et fabrique l'amorce d'ARN qui commence la première chaîne d'ADN (Figure 5-31). Cela conduit rapidement à l'assemblage des protéines restantes, ce qui forme deux fourches de réplication, dont les complexes protéiques s'éloignent de l'origine dans des directions opposées. Ces machineries protéiques poursuivent la synthèse de l'ADN jusqu'à ce que toute la matrice d'ADN située à l'aval de chaque fourche soit répliquée.

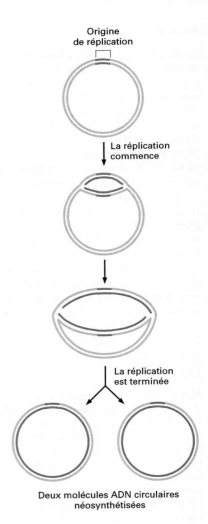

La réplication commence

La réplication est terminée

Deux molécules ADN circulaires néosynthétisées

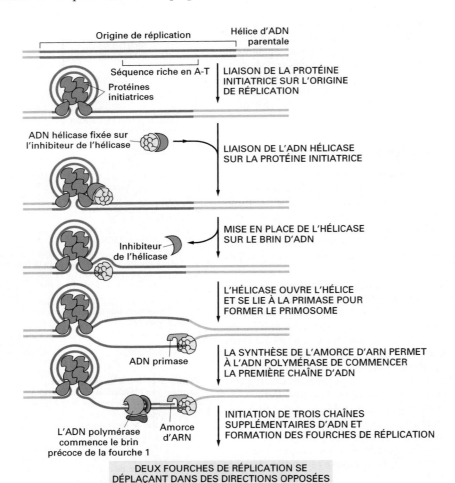

Origine de réplication

Hélice d'ADN parentale

Séquence riche en A-T

Protéines initiatrices

LIAISON DE LA PROTÉINE INITIATRICE SUR L'ORIGINE DE RÉPLICATION

ADN hélicase fixée sur l'inhibiteur de l'hélicase

LIAISON DE L'ADN HÉLICASE SUR LA PROTÉINE INITIATRICE

Inhibiteur de l'hélicase

MISE EN PLACE DE L'HÉLICASE SUR LE BRIN D'ADN

L'HÉLICASE OUVRE L'HÉLICE ET SE LIE À LA PRIMASE POUR FORMER LE PRIMOSOME

ADN primase

LA SYNTHÈSE DE L'AMORCE D'ARN PERMET À L'ADN POLYMÉRASE DE COMMENCER LA PREMIÈRE CHAÎNE D'ADN

L'ADN polymérase commence le brin précoce de la fourche 1

Amorce d'ARN

INITIATION DE TROIS CHAÎNES SUPPLÉMENTAIRES D'ADN ET FORMATION DES FOURCHES DE RÉPLICATION

DEUX FOURCHES DE RÉPLICATION SE DÉPLAÇANT DANS DES DIRECTIONS OPPOSÉES

Figure 5-31 Protéines initiant la réplication de l'ADN chez les bactéries. Le mécanisme montré ici a été établi après des études *in vitro* avec un mélange de protéines hautement purifiées. Pour la réplication de l'ADN de *E. coli*, la principale protéine initiatrice est la protéine adnA; le primosome est composé de protéines adnB (ADN hélicase) et adnG (ADN primase). En solution, l'hélicase est fixée sur une protéine inhibitrice (la protéine adnC) qui est activée par les protéines initiatrices pour charger l'hélicase sur l'ADN à l'origine de réplication, et s'en détache ensuite. Cet inhibiteur empêche l'hélicase de se placer de façon inappropriée sur d'autres segments d'ADN à un seul brin du génome bactérien. Les étapes suivantes entraînent l'initiation de trois chaînes supplémentaires d'ADN (*voir* Figure 5-29) selon une voie métabolique dont les particularités sont encore incomplètement spécifiées.

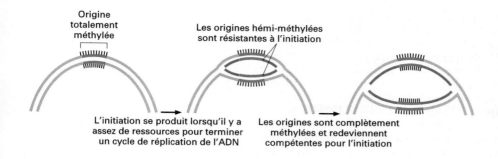

L'initiation se produit lorsqu'il y a
assez de ressources pour terminer
un cycle de réplication de l'ADN

Les origines sont complètement
méthylées et redeviennent
compétentes pour l'initiation

Figure 5-32 La méthylation de l'origine de réplication d'*E. coli* crée une période réfractaire pour l'initiation de la réplication de l'ADN. La méthylation de l'ADN se produit sur les séquences GATC, dont 11 sont retrouvées à l'origine de réplication (s'étendant sur environ 250 paires de nucléotides). Environ 10 minutes après l'initiation de la réplication, les origines hémi-méthylées deviennent complètement méthylées par une enzyme, l'ADN méthylase. Comme nous l'avons vu précédemment, le retard de la méthylation après la réplication des séquences GATC est également utilisé par le système de correction des mésappariements d'*E. coli* pour distinguer les brins d'ADN néosynthétisés des brins parentaux; dans ce cas les séquences GATC utilisées sont éparpillées dans tout le chromosome. Une seule enzyme, la *dam* méthylase, est responsable de la méthylation des séquences GATC de *E. coli*.

Dans *E. coli*, l'interaction entre la protéine initiatrice et l'origine de réplication est attentivement régulée, l'initiation ne se produisant que lorsqu'il y a assez de nutriments disponibles pour que la bactérie finisse un cycle entier de réplication. Non seulement l'activité de la protéine initiatrice est contrôlée, mais l'origine de réplication qui vient d'être utilisée subit une «période réfractaire» provoquée par un retard de méthylation des nucléotides A néosynthétisés. L'initiation suivante de la réplication est bloquée jusqu'à ce que ces A soient méthylés (Figure 5-32).

Les chromosomes eucaryotes contiennent de multiples origines de réplication

Nous avons vu comment les deux fourches de réplication commençaient au niveau d'une seule origine de réplication chez les bactéries et se déplaçaient dans des directions opposées, s'éloignant de l'origine jusqu'à ce que tout l'ADN de l'unique chromosome circulaire soit répliqué. Le génome bactérien est suffisamment petit pour que ces deux fourches de réplication dupliquent le génome en 40 minutes environ. Comme la plupart des chromosomes eucaryotes ont une taille bien plus grande, il faut une autre stratégie pour permettre leur réplication en un temps correct.

Une méthode de détermination du mode général de réplication des chromosomes eucaryotes a été développée au début des années 1960. Des cellules humaines qui se développent en culture ont été marquées pendant un court moment avec de la thymidine ³H afin que l'ADN synthétisé pendant cette période devienne hautement radioactif. Les cellules ont été ensuite doucement lysées et l'ADN étalé sur une lame de verre recouverte d'une émulsion photographique. Le développement de l'émulsion a révélé l'aspect de l'ADN marqué selon une technique appelée *autoradiographie*. Le temps assigné pour le marquage radioactif a été choisi pour permettre à chaque fourche de réplication de se déplacer de plusieurs micromètres le long de l'ADN, de telle sorte que l'ADN répliqué soit détectable en microscopie optique sous forme de lignes de grains argentés, même si la molécule d'ADN elle-même est trop fine pour être visible. De cette façon, la vitesse et la direction du mouvement de la fourche de réplication ont pu être déterminées (Figure 5-33). D'après la vitesse à laquelle la longueur des traces d'ADN répliqué a augmenté avec l'allongement du temps de mar-

Figure 5-33 Expériences mettant en évidence la façon dont les fourches de réplication se forment et se déplacent le long des chromosomes eucaryotes. L'ADN néosynthétisé dans les cellules humaines en culture a été marqué rapidement par une impulsion de thymidine hautement radioactive (³H-thymidine). (A) Dans cette expérience, les cellules ont été lysées et l'ADN a été étalé sur une lame de verre recouverte ensuite d'une émulsion photographique. Après plusieurs mois, l'émulsion a été développée, révélant une ligne de grains argentés sur l'ADN radioactif. L'ADN en *brun* sur cette figure n'est montré que pour nous aider à interpréter l'autoradiographie; l'ADN non marqué est invisible dans de telles expériences. (B) Cette expérience était la même excepté qu'une autre incubation dans un milieu non marqué a permis la réplication d'ADN supplémentaire, ayant un plus faible niveau de radioactivité. Il a été trouvé que, sur la paire de traces noires de (B), les grains d'argent se rétrécissaient dans des directions opposées, démontrant le mouvement bidirectionnel de la fourche à partir d'une origine (*voir* Figure 5-29). On pense que la fourche de réplication ne s'arrête que lorsqu'elle rencontre une fourche de réplication se déplaçant dans la direction opposée ou lorsqu'elle atteint l'extrémité d'un chromosome; de cette façon, tout l'ADN est finalement répliqué.

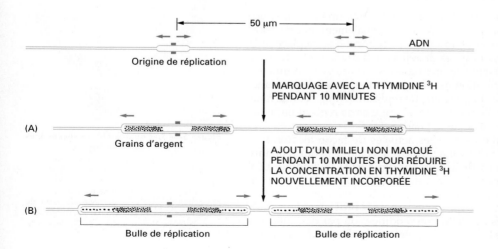

quage, on a pu estimer que les fourches de réplication se déplaçaient d'environ 50 nucléotides par secondes. Cela correspond approximativement au dixième de la vitesse de déplacement des fourches de réplication des bactéries, ce qui reflète peut-être la difficulté accrue de la réplication de l'ADN fermement empaqueté dans la chromatine. Un chromosome humain de taille moyenne contient une seule molécule linéaire d'ADN d'environ 150 millions de paires de nucléotides. Pour répliquer une telle molécule d'ADN d'un bout à l'autre avec une seule fourche de réplication se déplaçant à une vitesse de 50 nucléotides par seconde, il faudrait $0,02 \times 150 \times 10^6 = 3,0 \times 10^6$ secondes (soit environ 800 heures). Comme on peut donc s'y attendre, les expériences d'autoradiographie que nous venons de décrire, ont révélé que de nombreuses fourches se déplaçaient simultanément le long de chaque chromosome eucaryote. De plus, on trouve beaucoup de fourches proches les unes des autres dans la même région d'ADN, alors que d'autres régions du même chromosome en sont dépourvues.

D'autres expériences de ce type ont montré ce qui suit : (1) les origines de réplication ont tendance à être activées en groupes, constitués de 20 à 80 origines, appelés *unités de réplications*. (2) De nouvelles unités de réplication semblent être activées à différents moments du cycle cellulaire jusqu'à ce que tout l'ADN soit répliqué, un point sur lequel nous reviendrons ultérieurement. (3) Dans une unité de réplication, les origines individuelles sont espacées les unes des autres par 30 000 à 300 000 paires de nucléotides. (4) Comme chez les bactéries, les fourches de réplication sont formées par paires et créent une bulle de réplication lorsqu'elles se déplacent en des directions opposées pour s'éloigner du point d'origine commun, ne s'arrêtant que lorsqu'elles entrent en collision avec une fourche de réplication se déplaçant dans la direction opposée (ou lorsqu'elles atteignent l'extrémité du chromosome). De cette façon, beaucoup de fourches de réplication peuvent opérer indépendamment l'une de l'autre sur chaque chromosome et former cependant deux nouvelles hélices d'ADN complètes.

Chez les eucaryotes, la réplication de l'ADN ne s'effectue que pendant une partie du cycle cellulaire

Lorsqu'elles se développent rapidement, les bactéries répliquent leur ADN continuellement et peuvent commencer un nouveau cycle avant d'avoir terminé le cycle précédent. Par contre, la réplication de l'ADN de la plupart des cellules eucaryotes ne se produit que durant une partie spécifique du cycle de division cellulaire, appelé *phase de synthèse de l'ADN* ou **phase S** (Figure 5-34). Dans une cellule de mammifère, la phase S dure typiquement environ 8 heures ; chez les eucaryotes plus simples comme les levures, la phase S peut ne durer que 40 minutes. Lorsqu'elle se termine, chaque chromosome a été répliqué et a donné deux copies complètes, qui restent reliées au niveau du centromère jusqu'à la *phase M* (M pour *mitose*) qui ne tarde pas à s'effectuer. Dans le chapitre 17, nous décrirons le système de contrôle qui entraîne le cycle cellulaire et expliquerons pourquoi l'entrée dans chaque phase du cycle nécessite que la cellule ait terminé la phase précédente.

Dans les paragraphes suivants, nous verrons comment la réplication des chromosomes est coordonnée pendant la phase S du cycle cellulaire.

Différentes régions du même chromosome se répliquent à des moments différents au cours de la phase S

Dans les cellules des mammifères, la réplication de l'ADN dans une région située entre une origine de réplication et la suivante ne nécessite normalement qu'une heure environ, étant donné la vitesse à laquelle la fourche de réplication se déplace et la distance maximale mesurée entre deux origines de réplication d'une unité de réplication. Cependant la phase S dure souvent 8 heures dans les cellules de mammifères. Cela implique que les origines de réplication ne sont pas toutes activées simultanément et que la réplication de l'ADN de chaque unité de réplication (qui, comme nous venons de le voir, contient un groupe d'environ 20 à 80 origines de réplication) n'occupe qu'une petite partie de la durée totale de la phase S.

Les différentes unités de réplication sont-elles activées de façon aléatoire ou chaque région du génome se réplique-t-elle selon un ordre spécifique ? Pour répondre à cette question la bromodésoxyuridine (BrdU), un analogue de la thymidine, a été utilisée pour marquer l'ADN néosynthétisé dans des populations cellulaires synchronisées, en l'ajoutant à différentes périodes de la phase S. Puis, durant la phase M, les régions des chromosomes mitotiques qui ont incorporé la BrdU dans leur ADN ont été reconnues par leurs propriétés de coloration modifiées ou par des anticorps anti-BrdU. Les résultats montrent que les différentes régions de chaque chromosome

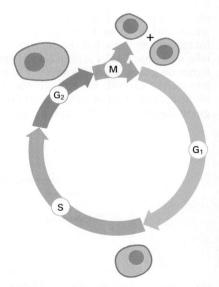

Figure 5-34 Les quatre phases successives du cycle d'une cellule eucaryote standard. Durant les phases G_1, S et G_2, la cellule grossit continuellement. Pendant la phase M, la croissance s'arrête, le noyau se divise et la cellule se divise en deux. La réplication de l'ADN est confinée à la partie de l'interphase appelée phase S. G_1 est l'intervalle entre la phase M et la phase S et G_2 l'intervalle entre la phase S et la phase M.

sont répliquées selon un ordre reproductible au cours de la phase S (Figure 5-35). De plus, comme on pourrait s'y attendre d'après les groupes de fourches de réplication observés sur les autoradiographies de l'ADN (*voir* Figure 5-33), le rythme de la réplication est coordonné sur de grandes régions du chromosome.

La chromatine fortement condensée se réplique tardivement, alors que les gènes de la chromatine moins condensée ont tendance à se répliquer précocement

Il semble que l'ordre d'activation des origines de réplication dépende en partie de la structure de la chromatine dans laquelle résident les origines. Nous avons vu, au chapitre 4, que l'hétérochromatine était un état particulièrement condensé de la chromatine, alors que la chromatine transcriptionnellement active avait une conformation moins condensée, apparemment nécessaire pour permettre la synthèse de l'ARN. L'hétérochromatine a tendance à se répliquer très tardivement au cours de la phase S, ce qui suggère que la chronologie de la réplication est liée à l'empaquetage de l'ADN dans la chromatine. Cette suggestion est confortée par l'examen des deux chromosomes X des cellules des mammifères femelles. Alors que ces deux chromosomes contiennent essentiellement les mêmes séquences d'ADN, l'un transcrit activement son ADN et l'autre non (*voir* Chapitre 7). Presque tout le chromosome X inactif est condensé en hétérochromatine et son ADN se réplique tardivement pendant la phase S. Son homologue actif est moins condensé et se réplique tout au long de la phase S.

Ces résultats suggèrent que les régions du génome où la chromatine est moins condensée, et donc plus accessible à la machinerie de réplication, sont répliquées en premier. L'autoradiographie montre que les fourches de réplication se déplacent à des vitesses comparables tout au long de la phase S, de telle sorte qu'il semble que l'importance de la condensation du chromosome influence plus le moment où les fourches de réplication sont initiées que leur vitesse une fois qu'elles sont formées.

La relation ci-dessus entre la structure de la chromatine et la chronologie de la réplication de l'ADN est également confortée par des études qui déterminent le moment de la réplication de gènes spécifiques. Les résultats montrent que les gènes dits « domestiques », qui sont actifs dans toutes les cellules, se répliquent très tôt au cours de la phase S dans toutes les cellules testées. À l'opposé, la réplication des gènes, qui ne sont actifs que dans quelques types cellulaires, ne s'effectue en général précocement que dans ces types cellulaires particuliers et plus tardivement dans les autres types de cellules.

La relation entre la structure de la chromatine et la chronologie de la réplication a été testée directement dans la levure *S. cerevisiae*. Dans un cas, une origine d'un chromosome de levure, qui fonctionne tardivement pendant la phase S, et qui était placée dans une région de répression transcriptionnelle, a été déplacée expérimentalement dans une région transcriptionnellement active. Après cette relocalisation, l'origine a fonctionné au début de la phase S, ce qui indique que le moment d'utilisation de cette origine pendant la phase S est déterminé par la localisation de cette origine sur le chromosome. Cependant, des études faites avec d'autres origines de levure ont révélé l'existence d'autres origines qui initient plus tardivement la réplication, même lorsqu'elles sont situées dans la chromatine normale. De ce fait, le moment d'utilisation d'une origine peut être déterminé à la fois par la structure de la chromatine et par la séquence d'ADN.

Des séquences d'ADN bien définies servent d'origine de réplication chez un eucaryote simple, la levure bourgeonnante

Après avoir vu qu'un chromosome eucaryote se répliquait grâce à de nombreuses origines de réplication, chacune « s'allumant » à un moment caractéristique de la phase S du cycle cellulaire, retournons à la nature de ces origines de réplication. Nous avons vu précédemment dans ce chapitre que les origines de réplication avaient été définies avec précision dans une bactérie sous forme de séquences spécifiques d'ADN qui permettent l'assemblage de la machinerie de réplication de l'ADN sur la double hélice d'ADN, la formation d'une bulle de réplication et son déplacement dans des directions opposées pour former les fourches de réplication. Par analogie, on pourrait s'attendre à ce que les origines de réplication des chromosomes eucaryotes soient aussi des séquences spécifiques d'ADN.

La recherche des origines de réplication dans les chromosomes des cellules eucaryotes a été plus productive dans la levure bourgeonnante *S. cerevisiae*. Il a fallu pour les trouver imaginer de puissantes méthodes de sélection, qui utilisent des cellules de levure mutante dans lesquelles il manque un gène indispensable. Ces cellules ne peuvent survivre dans un milieu sélectif que si on leur fournit un ADN portant une copie

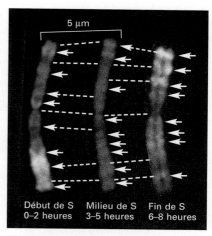

Figure 5-35 Les différentes régions du chromosome sont répliquées à différents moments de la phase S. Cette photographie en microscopie optique montre des chromosomes mitotiques colorés dans lesquels l'ADN en réplication a été marqué de façon différentielle au cours d'intervalles différents définis pendant la phase S précédente. Dans cette expérience, les cellules étaient d'abord cultivées en présence de BrdU (un analogue de la thymidine) et en l'absence de thymidine pour marquer uniformément l'ADN. Les cellules recevaient alors une brève impulsion de thymidine en l'absence de BrdU soit au début, soit à la moitié soit à la fin de la phase S. Comme l'ADN fabriqué pendant l'impulsion de thymidine est une double hélice contenant de la thymidine sur un brin et de la BrdU sur l'autre, il prend une coloration plus foncée que le reste de l'ADN (qui a de la BrdU sur les deux brins) et forme une bande lumineuse (*flèches*) sur ces négatifs. Les lignes pointillées connectent les positions correspondantes sur les trois copies identiques du chromosome montré. (Due à l'obligeance de Elton Stubblefield.)

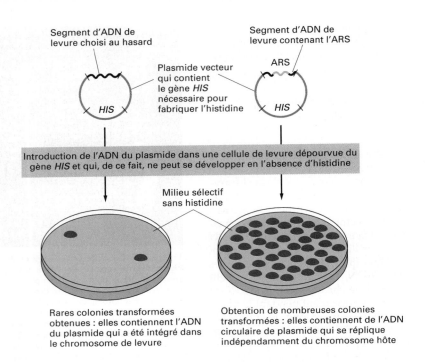

fonctionnelle du gène manquant. Si un plasmide bactérien circulaire possédant ce gène est introduit directement dans les cellules de levure mutante, il ne pourra pas se répliquer parce qu'il ne possède pas l'origine fonctionnelle. Cependant, si des morceaux d'ADN de levure pris au hasard sont insérés dans le plasmide, seules les quelques molécules d'ADN du plasmide qui contiennent une origine de réplication de levure pourront se répliquer. Les cellules de levure qui transportent ces types de plasmides peuvent alors proliférer parce qu'on leur a fourni le gène indispensable sous une forme qui peut être répliquée et transmise à leur progéniture (Figure 5-36). Une séquence d'ADN identifiée par sa présence dans un plasmide isolé de ces cellules de levure survivantes est appelée *séquence de réplication autonome* (ARS pour *autonomic replicating sequence*). Il a été démontré que la plupart des ARS étaient des origines de réplication chromosomiques authentiques, ce qui a validé la stratégie utilisée pour les obtenir.

Il a été possible de déterminer la localisation de chaque origine de réplication sur chaque chromosome des levures bourgeonnantes (Figure 5-37). Le chromosome particulier montré ici – le chromosome III de la levure *S. cerevisiae* – mesure moins de 1/100 d'un chromosome humain typique. Ses origines sont espacées en moyenne tous les 30000 nucléotides ; cette densité des origines doit permettre au chromosome de levure de se répliquer en 8 minutes environ.

Des expériences génétiques faites sur *S. cerevisiae* ont testé les effets de la délétion de divers groupes d'origines de réplication sur le chromosome III. Le retrait de quelques origines a peu d'effets, parce que les fourches de réplication qui commencent sur les origines de réplication voisines peuvent continuer dans la région dépourvue de sa propre origine. Cependant, lorsqu'on élimine un plus grand nombre d'origines de réplication du chromosome, le chromosome est progressivement perdu avec les divisions cellulaires, probablement parce que sa réplication est trop lente.

Un grand complexe à multiples sous-unités se fixe sur les origines de réplication des eucaryotes

La séquence d'ADN minimale nécessaire à l'initiation de la réplication de l'ADN de la levure *S. cerevisiae* a été déterminée grâce à l'expérience montrée dans la figure 5-36 avec des fragments d'ADN de plus en plus petits. Chacune des origines de réplication de la levure contient un site de liaison pour une protéine initiatrice de grande

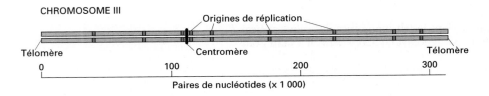

Figure 5-37 Origines de réplication de l'ADN du chromosome III de la levure *S. cerevisiae.* Ce chromosome, un des plus petits chromosomes eucaryotes connus, porte au total 180 gènes. Comme cela est indiqué, il contient neuf origines de réplication.

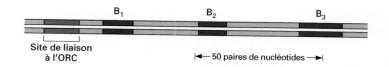

Site de liaison
à l'ORC

|← 50 paires de nucléotides →|

Figure 5-38 Une origine de réplication de levure. Comprenant environ 150 paires de nucléotides, cette origine de réplication de levure (identifiée par la procédure montrée dans la figure 5-36) a un site de liaison pour l'ORC, un complexe protéique qui se fixe sur chaque origine de réplication. L'origine décrite présente aussi des sites de liaison (B1, B2 et B3) pour d'autres protéines nécessaires qui peuvent différer selon les diverses origines de réplication. Un ORC similaire est utilisé pour initier la réplication de l'ADN d'eucaryotes plus complexes, y compris l'homme : il a été particulièrement bien caractérisé chez les levures.

taille, à multiples sous-unités, appelée **ORC** (pour *origin recognition complex*), et divers sites auxiliaires de liaison pour des protéines qui attirent l'ORC vers l'origine sur l'ADN (Figure 5-38).

Comme nous l'avons vu, la réplication de l'ADN des eucaryotes ne se produit que pendant la phase S. Comment cette réplication de l'ADN est-elle déclenchée ? Comment ce mécanisme s'assure-t-il qu'une origine de réplication n'est utilisée qu'une fois par cycle cellulaire ?

Comme nous l'avons vu au chapitre 17, les réponses générales à ces deux questions sont maintenant connues. En bref, l'interaction ORC-origine est stable et sert à marquer l'origine de réplication pendant la totalité du cycle cellulaire. Un complexe protéique de pré-réplication s'assemble sur chaque ORC pendant la phase G1 et contient une ADN hélicase hexamérique et un facteur de chargement de l'hélicase (respectivement les protéines Mcm et Cdc6). La phase S se déclenche lorsque la protéine-kinase est activée et assemble le reste de la machinerie de réplication, permettant à la Mcm-hélicase de commencer à se déplacer avec chacune des deux fourches de réplication formées à chaque origine. Simultanément, la protéine-kinase qui déclenche la phase S empêche tout autre assemblage de la protéine Mcm dans des complexes de pré-réplication, jusqu'à ce que cette kinase soit inactivée au cours de la phase M suivante, ce qui réinitialise le cycle entier (pour plus de détails, *voir* Figure 17-22).

Les séquences d'ADN des mammifères qui spécifient l'initiation de la réplication ont été difficiles à identifier

Par comparaison avec la situation dans les levures bourgeonnantes, les séquences d'ADN qui spécifient les origines de réplication des autres eucaryotes ont été plus difficiles à définir. Pour l'homme, par exemple, les séquences d'ADN nécessaires au fonctionnement correct de l'origine peuvent s'étendre sur de très longues distances le long de l'ADN.

Récemment, cependant, il a été possible d'identifier chez l'homme des séquences d'ADN spécifiques, mesurant chacune plusieurs milliers de paires de nucléotides, qui servent d'origines de réplication. Ces origines fonctionnent toujours lorsqu'elles sont déplacées sur une région chromosomique différente par des méthodes de recombinaison de l'ADN, tant qu'elles se trouvent dans une région où la chromatine est relativement peu condensée. Une de ces origines est la séquence issue du groupe de gènes de la globine β. Dans sa position normale dans le génome, la fonction de cette origine dépend fondamentalement de séquences d'ADN distantes (Figure 5-39). Comme nous le verrons au chapitre 7, on sait que ces séquences d'ADN distantes ont un effet de décondensation de la structure de la chromatine qui entoure l'origine et inclut le gène de la globine β ; la conformation plus ouverte de la chromatine qui en résulte est apparemment nécessaire pour que cette origine fonctionne, ainsi que pour l'expression du gène de la globine β.

Nous savons maintenant qu'un complexe ORC humain, homologue de celui de la levure, est nécessaire à l'initiation de la réplication et que les protéines humaines Cdc6 et Mcm jouent également un rôle central dans le processus d'initiation. Il semble donc probable que les mécanismes d'initiation de la levure et de l'homme se produisent de façon très semblable. Cependant, le site de liaison de la protéine ORC semble être moins spécifique chez l'homme que chez les levures, ce qui peut expliquer pourquoi les origines de réplication de l'homme sont plus longues et définies moins nettement que celles des levures.

Figure 5-39 Délétions inactivant une origine de réplication chez l'homme. Ces deux délétions ont été trouvées séparément chez deux individus souffrant de thalassémie, une maladie provoquée par l'absence d'expression d'un ou de plusieurs gènes de la batterie de gènes de la globine β, ici montrée. Chez ces deux mutants par délétion, l'ADN de cette région est répliqué par des fourches qui commencent sur des origines de réplication situées à l'extérieur de la batterie des gènes de la globine β. Comme cela est expliqué dans le texte, la délétion *à gauche* retire des séquences d'ADN qui contrôlent *à droite* la structure de la chromatine de l'origine de réplication.

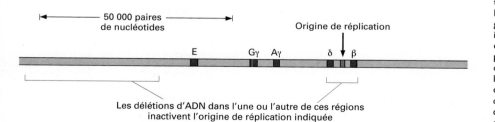

|← 50 000 paires →|
de nucléotides

Origine de réplication

E   Gγ Aγ   δ β

Les délétions d'ADN dans l'une ou l'autre de ces régions inactivent l'origine de réplication indiquée

Les nouveaux nucléosomes s'assemblent en arrière de la fourche de réplication

Dans ce paragraphe et le suivant, nous envisagerons divers autres aspects de la réplication de l'ADN, spécifiques aux eucaryotes. Comme nous l'avons vu au chapitre 4, les chromosomes eucaryotes sont composés d'un mélange d'ADN et de protéines qu'on appelle chromatine. De ce fait, la duplication des chromosomes nécessite non seulement la réplication de l'ADN mais l'assemblage de nouvelles protéines chromosomiques sur l'ADN en arrière de chaque fourche de réplication. Bien que nous soyons encore loin de comprendre toutes les particularités de ce processus, nous commençons à savoir comment se dupliquent les *nucléosomes*, l'unité fondamentale d'empaquetage de la chromatine. Il faut une grande quantité de nouvelles histones, approximativement une masse égale à celle de l'ADN néosynthétisé, pour fabriquer les nouveaux nucléosomes à chaque cycle cellulaire. C'est pourquoi, la plupart des organismes eucaryotes possèdent de multiples copies du gène de chaque histone. Les cellules des vertébrés, par exemple, possèdent environ 20 batteries de gènes répétitifs, et la plupart de ces batteries contiennent les gènes qui codent pour les cinq histones (H1, H2A, H2B, H3 et H4).

Contrairement à la plupart des protéines, qui sont continuellement fabriquées pendant l'interphase, les histones sont surtout synthétisées pendant la phase S, lorsque la concentration en ARNm de l'histone augmente d'environ cinquante fois du fait de l'augmentation de la transcription et de la baisse de la dégradation de l'ARNm. Par un mécanisme qui dépend des propriétés particulières de leur extrémité 3' (*voir* Chapitre 7), la plus grande partie des ARNm des histones devient hautement instable et est dégradée dans les minutes qui suivent l'arrêt de la synthèse de l'ADN à la fin de la phase S (ou lorsque des inhibiteurs sont ajoutés pour arrêter prématurément la synthèse d'ADN). Par contre, les histones elles-mêmes sont remarquablement stables et peuvent survivre pendant toute la vie de la cellule. La relation étroite entre la synthèse de l'ADN et la synthèse des histones dépend probablement d'un mécanisme de rétrocontrôle qui surveille la concentration en histones libres pour s'assurer que la quantité d'histones fabriquée correspond exactement à la quantité d'ADN néosynthétisée.

Lorsque la fourche de réplication avance, elle doit traverser les nucléosomes parentaux. Les études *in vitro* montrent que l'appareil de réplication a la capacité intrinsèque, mal comprise, de traverser les nucléosomes parentaux sans les déplacer de l'ADN. Les protéines de remodelage de la chromatine, présentées Chapitre 4, qui déstabilisent l'interface ADN-histones, facilitent certainement ce processus dans la cellule.

Les deux hélices d'ADN néosynthétisées derrière la fourche de réplication héritent des vieilles histones (Figure 5-40). Mais comme la quantité d'ADN a doublé, il faut également une quantité identique de nouvelles histones pour terminer l'empaquetage de l'ADN en chromatine. L'addition de ces nouvelles histones sur l'ADN néosynthétisé est facilitée par les *facteurs d'assemblage de la chromatine (CAF)*, protéines qui s'associent à la fourche de réplication et empaquètent l'ADN néosynthétisé dès qu'il émerge de la machinerie de réplication. Les histones H3 et H4 néosynthétisées sont rapidement acétylées au niveau de leur queue N-terminale (*voir* Chapitre 4) ; une fois qu'elles ont été incorporées dans la chromatine, ces groupements acétyle sont retirés des histones par des enzymes (Figure 5-41).

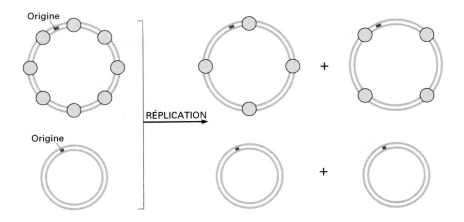

Figure 5-40 Les histones restent associées à l'ADN après le passage de la fourche de réplication. Dans cette expérience, effectuée *in vitro*, deux molécules d'ADN circulaires de tailles différentes (dont une seule est assemblée en nucléosomes) sont mélangées et répliquées avec des protéines purifiées. Après un cycle de réplication d'ADN, seul l'ADN néosynthétisé qui dérive de l'ADN parental portant des nucléosomes présente des nucléosomes. Cette expérience démontre aussi que les deux hélices d'ADN néosynthétisées héritent des histones parentales.

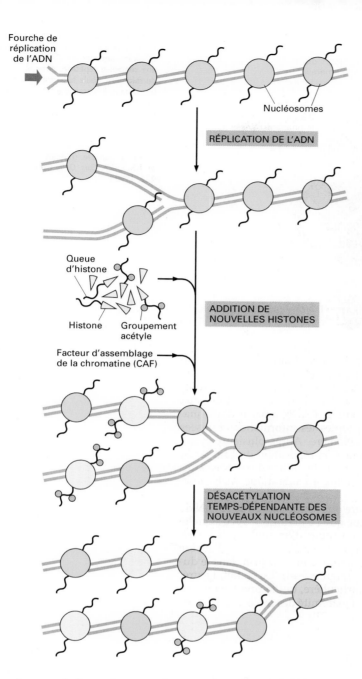

Fourche de
réplication
de l'ADN

Nucléosomes

RÉPLICATION DE L'ADN

Queue
d'histone

Histone   Groupement
acétyle

ADDITION DE
NOUVELLES HISTONES

Facteur d'assemblage
de la chromatine (CAF)

DÉSACÉTYLATION
TEMPS-DÉPENDANTE DES
NOUVEAUX NUCLÉOSOMES

Figure 5-41 Addition de nouvelles histones sur l'ADN situé en arrière de la fourche de réplication. Les nouveaux nucléosomes sont colorés en *jaune clair* sur ce schéma ; comme cela est indiqué, certaines histones qui les composent au départ ont des chaînes latérales de lysine spécifiquement acétylées (*voir* Figure 4-35) et celles-ci sont retirées ultérieurement.

La télomérase réplique les extrémités des chromosomes

Nous avons vu précédemment que, comme l'ADN polymérase ne polymérisait l'ADN que dans la direction 5' vers 3', la synthèse du brin tardif au niveau de la fourche de réplication devait s'effectuer de façon discontinue selon un mécanisme de piqûre à points arrières qui produit de courts fragments d'ADN. Ce mécanisme rencontre un problème particulier lorsque la fourche de réplication atteint la fin d'un chromosome linéaire ; il n'y a pas de place pour produire l'amorce d'ARN nécessaire pour commencer le dernier fragment d'Okazaki à l'extrémité d'une molécule d'ADN linéaire.

Les bactéries résolvent ce problème de « fin de réplication » en ayant un ADN circulaire comme chromosome (*voir* Figure 5-30). Les eucaryotes le résolvent de façon ingénieuse : ils possèdent une séquence spéciale de nucléotides à la fin de leurs chromosomes, qui est incorporée dans les *télomères* (*voir* Chapitre 4) et attire une enzyme appelée **télomérase**. La séquence d'ADN du télomère est identique pour des organismes aussi variés que les protozoaires, les champignons, les végétaux et les mammifères. Elle consiste en plusieurs répétitions en tandem de courtes séquences qui contiennent un bloc de nucléotides G voisins. Chez l'homme, cette séquence est le GGGTTA, qui s'étend sur environ 10 000 paires de nucléotides.

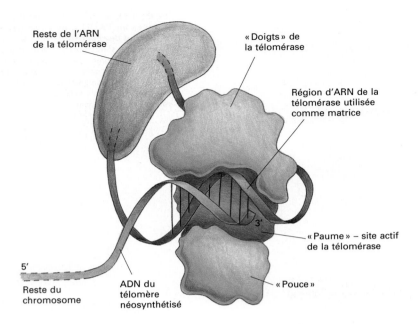

Figure 5-42 Structure de la télomérase.
La télomérase est un complexe protéine-ARN qui porte une matrice d'ARN pour synthétiser une séquence répétitive riche en G de l'ADN du télomère. Seule la partie de la télomérase homologue à la transcriptase inverse est montrée ici (*vert*). Une transcriptase inverse est une télomérase particulière qui utilise une matrice d'ARN pour fabriquer un brin d'ADN ; la télomérase est une enzyme unique parce qu'elle porte sa propre matrice d'ARN toujours avec elle. (Modifié d'après J. Lingner et T.R. Cech, *Curr. Opin. Genet. Dev.* 8 : 226-232, 1998.)

La télomérase reconnaît l'extrémité d'un brin riche en G d'une séquence répétitive existante d'un ADN de télomère et l'allonge dans la direction 5' vers 3'. La télomérase synthétise une nouvelle copie de cette répétition, en utilisant une matrice d'ARN qui est un composant de l'enzyme elle-même. La télomérase ressemble aux autres *transcriptases inverses*, enzymes qui synthétisent de l'ADN à partir d'une matrice d'ARN (Figure 5-42). Elle contient de ce fait toutes les informations utilisées pour conserver les séquences caractéristiques du télomère. Après plusieurs cycles d'extension du brin d'ADN parental par la télomérase, la réplication du brin tardif au niveau de l'extrémité du chromosome peut se terminer en utilisant ces extensions comme matrice pour synthétiser le brin complémentaire à l'aide d'une ADN polymérase (Figure 5-43).

Le mécanisme que nous venons de décrire assure que l'extrémité 3' de l'ADN de chaque télomère est toujours légèrement plus longue que l'extrémité 5' avec laquelle elle est appariée, laissant une extrémité saillante constituée d'un seul brin (*voir* Figure 5-43). Il a été démontré que cette extrémité saillante s'enroulait vers l'arrière avec l'aide de protéines spécialisées et rentrait l'extrémité à un seul brin dans le duplex d'ADN de la séquence répétitive télomérique (Figure 5-44). De ce fait, l'extrémité normale d'un chromosome a une structure particulière, qui le protège des enzymes de dégradation et le distingue clairement de l'extrémité des molécules d'ADN coupées que la cellule répare rapidement (*voir* Figure 5-53).

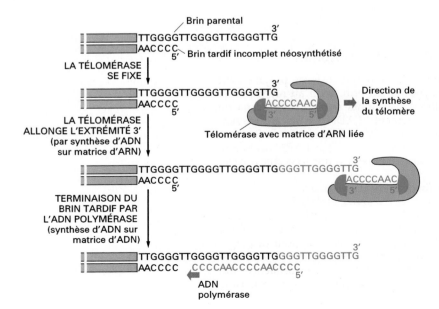

Figure 5-43 Réplication des télomères.
Les réactions impliquées dans la synthèse de la séquence répétitive riche en G qui constitue l'extrémité des chromosomes (télomères) de divers organismes eucaryotes sont présentées ici. L'extrémité 3' du brin d'ADN parental est allongée par la synthèse d'ADN sur une matrice d'ARN ; cela permet l'allongement dans la direction 5' du brin d'ADN néosynthétisé incomplet qui lui est apparié. On présume que ce brin tardif incomplet est complété par l'ADN polymérase α qui porte une ADN primase dans une de ses sous-unités (*voir* Figure 5-28). La séquence du télomère montrée ici est celle du cilié *Tetrahymena*, dans lequel ces réactions ont été découvertes en premier. La répétition du télomère est GGGTTG dans le cilié *Tetrahymena*, GGGTTA chez l'homme et $G_{1-3}A$ dans la levure *S. cerevisiae*.

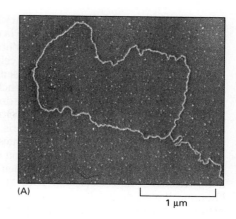

Figure 5-44 Boucle t à la terminaison d'un chromosome de mammifère.
(A) Photographie en microscopie électronique d'un ADN à l'extrémité d'un chromosome humain en interphase. Le chromosome a été fixé, déprotéinisé et artificiellement épaissi avant d'être examiné. La boucle observée ici est approximativement de 15 000 paires de nucléotides. (B) Modèle de la structure d'un télomère. L'insertion d'une extrémité à simple brin dans le duplex de répétitions forme une boucle t. Celle-ci est formée et maintenue par des protéines spécialisées, schématisées en *vert*. En plus, comme cela est montré ici, il est possible que l'extrémité du chromosome reforme une autre boucle sur elle-même du fait de la formation d'hétérochromatine adjacente à la boucle t (*voir* Figure 4-47). (A, d'après J.D. Griffith et al., *Cell* 97 : 503-514, 1999. © Elsevier.)

(A)

1 µm

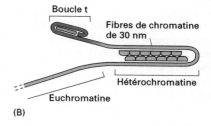

(B)

La longueur du télomère est régulée par les cellules et les organismes

Comme les processus qui allongent et rétrécissent chaque séquence de télomère ne sont qu'approximativement équilibrés, l'extrémité d'un chromosome contient un nombre variable de répétitions télomériques. Il n'est pas surprenant que des expériences aient montré que les cellules qui prolifèrent indéfiniment (comme les levures) présentent des mécanismes homéostatiques qui limitent le nombre de ces répétitions (Figure 5-45).

En ce qui concerne les cellules somatiques humaines, il a été proposé que ces répétitions télomériques fournissent à chaque cellule un mécanisme de comptage qui permet d'éviter la prolifération illimitée de cellules capricieuses dans un tissu adulte. Selon cette hypothèse, nos cellules somatiques naissent avec un ensemble complet de répétitions télomériques; cependant, la télomérase est inactivée dans un tissu comme la peau, de telle sorte qu'à chaque fois qu'une cellule se divise, elle perd 50 à 100 nucléotides de chacun de ses télomères. Après plusieurs générations cellulaires, les cellules descendantes héritent de chromosomes anormaux (parce que leurs extrémités ne peuvent se répliquer complètement) et sont ainsi retirées de façon permanente du cycle cellulaire et cessent de se diviser, un processus appelé *sénescence cellulaire réplicative* (*voir* Chapitre 17). En théorie ce mécanisme peut fournir une sauvegarde vis-à-vis d'une prolifération cellulaire incontrôlée de cellules anormales dans les tissus somatiques, et nous aide à nous protéger du cancer.

L'hypothèse que la longueur du télomère agit comme une «règle graduée» qui compte les divisions cellulaires et régule ainsi la durée de vie de la cellule a été testée de diverses façons. Pour certains types de cellules humaines en culture tissulaire, les résultats expérimentaux confortent cette théorie. Les fibroblastes humains en culture prolifèrent normalement pendant 60 divisions cellulaires environ avant de subir une sénescence réplicative. Comme la plupart des autres cellules somatiques

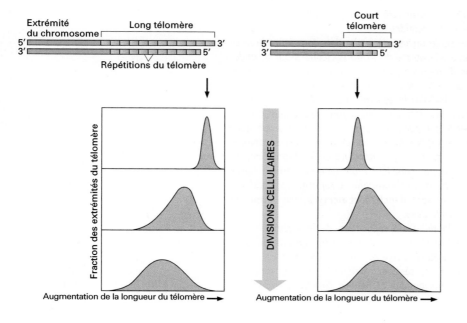

Figure 5-45 Les cellules des levures contrôlent la longueur de leurs télomères. Dans cette expérience, le télomère d'une des extrémités d'un chromosome particulier est artificiellement rendu plus long (*à gauche*) ou plus court (*à droite*) que la moyenne. Après plusieurs divisions cellulaires, le chromosome a récupéré, et présente des télomères d'une longueur moyenne ainsi qu'une distribution de longueurs typique de celle des autres chromosomes de la levure. Un mécanisme de rétrocontrôle a été proposé pour le contrôle de la longueur du télomère des cellules de la lignée reproductive des animaux.

humaines, les fibroblastes ne produisent pas de télomérase et leurs télomères se rac-courcissent peu à peu à chaque fois que la cellule se divise. Lorsque la télomérase est fournie aux fibroblastes par insertion d'un gène actif de télomérase, la longueur du télomère est maintenue et beaucoup de cellules continuent à proliférer indéfiniment. Il semble donc clair que le raccourcissement des télomères peut comptabiliser le nombre de divisions cellulaires et déclencher la sénescence des cellules humaines.

L'hypothèse a été émise que ce type de contrôle de la prolifération cellulaire était important pour le maintien de l'architecture tissulaire et était en partie responsable du vieillissement des animaux, y compris nous-mêmes. Cette hypothèse a été testée par l'intermédiaire de souris transgéniques dépourvues de télomérase. Les télomères des chromosomes de souris sont environ cinq fois plus longs que les télomères hu-mains et les souris ont dû être élevées pendant trois générations au moins avant que leurs télomères ne rétrécissent pour atteindre la longueur normale de ceux de l'homme. Il n'est de ce fait peut-être pas surprenant que les souris se développent au début normalement. Mais le plus important est que les souris des dernières généra-tions développent progressivement plus d'anomalies au niveau de certains de leurs tissus hautement prolifératifs. Cependant, globalement, ces souris ne semblent pas vieillir prématurément et les animaux les plus âgés ont une tendance prononcée au développement de tumeurs. Par cet aspect, et par d'autres, ces souris ressemblent aux hommes atteints d'une maladie génétique, la *dyskératose congénitale*, qui a aussi été attribuée au raccourcissement prématuré des télomères. Les individus atteints de cette maladie présentent des anomalies de diverses structures épidermiques (y com-pris la peau, les ongles et les canaux lacrymaux) et de la production des hématies.

Il est clair, d'après les observations précédentes, que le contrôle de la prolifération cellulaire par l'élimination des télomères pose un risque pour les organismes, parce que toutes les cellules d'un tissu dépourvues de télomères fonctionnels n'arrêteront pas de se diviser. Certaines apparemment deviendront génétiquement instables, mais poursuivront leur division et engendreront des variants cellulaires pouvant conduire au cancer. De ce fait, on peut se poser la question de savoir si l'absence observée de télomérase de la plupart des cellules somatiques humaines est un avantage évolutif comme cela est suggéré par ceux qui postulent que le raccourcissement des télomères a tendance à nous protéger du cancer et d'autres maladies prolifératives.

Résumé

Les protéines qui initient la réplication de l'ADN se fixent sur des séquences d'ADN au niveau des origines de réplication et catalysent la formation d'une bulle de réplication avec deux fourches de réplication se déplaçant vers la périphérie. Ce processus commence lorsqu'un com-plexe «protéine initiatrice-ADN» se forme puis assemble une ADN hélicase sur la matrice d'ADN. D'autres protéines sont alors ajoutées pour former une machinerie de réplication multi-enzymatique qui catalyse la synthèse de l'ADN à chaque fourche de réplication.

Chez les bactéries et certains eucaryotes simples, les origines de réplication sont spécifiées par des séquences spécifiques d'ADN qui n'ont que quelques centaines de paires de nucléo-tides de long. Chez d'autres eucaryotes, comme l'homme, les séquences nécessaires à la spé-cification d'une origine de réplication de l'ADN semblent être moins bien définies et l'origine peut s'étendre sur plusieurs milliers de paires de nucléotides.

Les bactéries possèdent typiquement une seule origine de réplication dans leur chromo-some circulaire. Avec une fourche qui se déplace à la vitesse de 1 000 nucléotides par seconde, elles peuvent répliquer leur génome en moins d'une heure. La réplication de l'ADN des euca-ryotes ne s'effectue que pendant une partie du cycle cellulaire, la phase S. La fourche de ré-plication des eucaryotes se déplace environ 10 fois plus lentement que la fourche de réplica-tion des bactéries et les chromosomes, beaucoup plus longs, des eucaryotes nécessitent chacun plusieurs origines de réplication pour terminer leur réplication dans les huit heures que dure une phase S typique. Les différentes origines de réplication de ces chromosomes eucaryotes sont activées selon une séquence, déterminée en partie par la structure de la chromatine, les régions les plus condensées de la chromatine commençant leur réplication en dernier. Après le passage de la fourche de réplication, la structure de la chromatine se reforme par l'addition de nouvelles histones aux anciennes histones qui sont directement héritées sous forme de nucléosomes par chaque molécule d'ADN néosynthétisée.

Les eucaryotes résolvent le problème de la fin de la réplication de leur chromosome linéaire par une structure terminale spécialisée, le télomère, qui nécessite une enzyme spé-ciale, la télomérase. La télomérase allonge l'ADN du télomère en utilisant une matrice d'ARN qui fait partie intégrante de l'enzyme, produisant une séquence d'ADN hautement répétitive qui s'étend typiquement sur 10 000 paires de nucléotides ou plus à chaque extrémité du chromosome.

Même si la variation génétique est importante pour l'évolution, la survie des individus demande une stabilité génétique. Le maintien de la stabilité génétique nécessite non seulement un mécanisme extrêmement précis de réplication de l'ADN mais aussi des mécanismes de réparation des nombreuses lésions accidentelles qui se produisent continuellement dans l'ADN. La plupart de ces modifications spontanées de l'ADN sont temporaires parce qu'elles sont immédiatement corrigées par un ensemble de processus collectivement appelés **réparation de l'ADN**. Sur les milliers de variations aléatoires qui se forment chaque jour dans l'ADN d'une cellule humaine à cause de la chaleur, des accidents métaboliques, des radiations de diverses sortes et d'exposition à des substances de l'environnement, seules quelques-unes s'accumulent sous forme de mutations dans les séquences d'ADN. Nous savons maintenant que moins d'une variation accidentelle de base sur 1 000 entraîne une mutation permanente ; les autres sont éliminées avec une efficacité remarquable par la réparation de l'ADN.

L'importance de la réparation de l'ADN apparaît clairement si on se base sur les importants investissements faits par les cellules dans les enzymes de réparation de l'ADN. Par exemple, l'analyse du génome de bactéries et levures a révélé que plusieurs pour cent de la capacité de codage de ces organismes ne sont dédiés qu'aux fonctions de réparations de l'ADN. L'importance de la réparation de l'ADN est également mise en évidence par l'augmentation du taux de mutation qui suit l'inactivation des gènes de réparation de l'ADN. Beaucoup de voies métaboliques de réparation de l'ADN ainsi que les gènes qui les codent ont été, au départ, identifiés chez des bactéries, par l'isolement et la caractérisation de mutants qui montrent un taux de mutation supérieur ou une sensibilité accrue aux agents qui lèsent l'ADN. Nous savons maintenant qu'ils opèrent également dans beaucoup d'autres organismes, y compris les hommes.

Des études récentes sur les conséquences de la baisse des capacités de réparation de l'ADN chez l'homme ont relié diverses maladies humaines à une diminution de la réparation (Tableau 5-II). Nous avons ainsi vu précédemment que des anomalies des gènes humains, qui fonctionnent normalement pour réparer les mésappariements de l'ADN dus à des erreurs de réplication, pouvaient entraîner des prédispositions héréditaires à certains cancers, et reflétaient l'augmentation du taux de mutation. Les individus atteints d'une autre maladie humaine, la *xeroderma pigmentosum*, présentent une sensibilité extrême aux ultraviolets parce qu'ils sont incapables de réparer certains ADN photo-produits. Cette absence de réparation entraîne l'augmentation du taux de mutation qui conduit à des lésions cutanées graves et à l'augmentation de la sensibilité à certains cancers.

Sans réparation de l'ADN, des lésions spontanées modifieraient rapidement les séquences d'ADN

Même si l'ADN est un matériau très stable, ce qui est requis pour le stockage de l'information génétique, c'est une molécule organique complexe, susceptible de subir,

TABLEAU 5-II Syndromes héréditaires dus à des anomalies de la réparation de l'ADN

NOM	PHÉNOTYPE	ENZYME OU PROCESSUS ATTEINT
MSH2, 3, 6, MLH1, PMS2	Cancer du côlon	Correction des mésappariements contrôlée par un brin
Xeroderma pigmentosum (XP) groupes A-G	Cancer de la peau, sensibilité cellulaire aux UV, anomalies neurologiques	Excision-réparation des nucléotides
XP variant	Sensibilité cellulaire aux UV	Synthèse trans-lésionnelle par l'ADN polymérase δ
Ataxie-télangiectasie (AT)	Leucémie, lymphome, sensibilité cellulaire aux rayons γ, instabilité du génome	Protéine ATM, une protéine-kinase activée par la cassure des doubles brins
BRCA-2	Cancer du sein et de l'ovaire	Réparation par la voie de recombinaison homologue
Syndrome de Werner	Vieillissement prématuré, cancers de localisations variées, instabilité du génome	3'-exonucléase et ADN hélicase accessoires
Syndrome de Bloom	Cancers de localisations variées, croissance ralentie, instabilité génomique	ADN hélicase accessoire pour la réplication
Anémie de Fanconi, groupes A-G	Anomalies congénitales, leucémies, instabilité génomique	Réparation des liaisons croisées interbrins d'ADN
Patient 46 BR	Hypersensibilité aux agents lésant l'ADN, instabilité du génome	ADN ligase 1

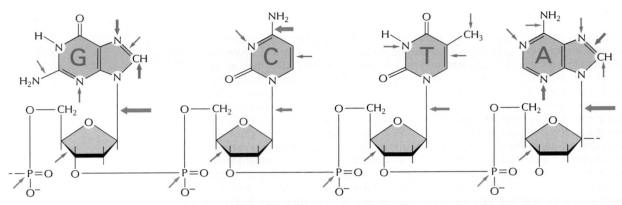

Figure 5-46 Résumé des altérations spontanées qui risquent de nécessiter une réparation de l'ADN. Cette figure montre, sur chaque nucléotide, les sites connus pour être modifiés par des lésions oxydatives spontanées (*flèches rouges*), l'attaque par hydrolyse (*flèches bleues*) et la méthylation incontrôlée par le donneur de groupement méthyle, la S-adénosylméthionine (*flèches vertes*). La largeur de chaque flèche indique la fréquence relative de chaque événement. (D'après T. Lindahl, *Nature* 362 : 709-715, 1993. © Macmillan Magazines Ltd.)

même dans des conditions cellulaires normales, des modifications spontanées qui, si elles n'étaient pas réparées, entraîneraient des mutations (Figure 5-46). L'ADN subit des modifications majeures du fait des fluctuations thermiques : par exemple, 5 000 bases puriques environ (adénine et guanine) sont perdues chaque jour de l'ADN de chaque cellule humaine du fait de l'hydrolyse de leur liaison N-glycosyle sur le désoxyribose, une réaction spontanée appelée *dépurination*. De même une *désamination* spontanée de la cytosine en uracile se produit dans l'ADN à une vitesse de 100 bases par cellule et par jour environ (Figure 5-47). Les bases d'ADN sont aussi parfois endommagées après leur rencontre avec des métabolites réactifs (y compris des formes réactives de l'oxygène) ou des produits chimiques de l'environnement. De même, les radiations ultraviolettes du soleil peuvent engendrer une liaison covalente entre deux bases pyrimidiques adjacentes de l'ADN qui forme, par exemple, un dimère de thymine (Figure 5-48). Si elles ne sont pas corrigées au moment de la réplication de l'ADN, on peut s'attendre à ce que la plupart de ces variations conduisent soit à la délétion d'une ou de plusieurs paires de bases, soit à une substitution d'une paire de bases dans la chaîne d'ADN néosynthétisée (Figure 5-49). Ces mutations se propageraient alors aux générations cellulaires suivantes lors de la réplication de l'ADN. Ce taux si élevé de modifications aléatoires de la séquence d'ADN aurait des conséquences désastreuses pour un organisme.

Figure 5-47 Dépurination et désamination. Ces deux réactions sont les réactions chimiques spontanées les plus fréquentes qui engendrent des lésions sérieuses de l'ADN dans la cellule. La dépurination peut libérer de la guanine (montrée ici) ainsi que de l'adénine à partir de l'ADN. Le principal type de réaction de désamination (montré ici) transforme la cytosine en une base d'ADN modifiée, l'uracile, mais la désamination peut se produire aussi sur d'autres bases. Ces réactions s'effectuent sur une double hélice d'ADN ; pour des raisons pratiques, un seul brin est représenté.

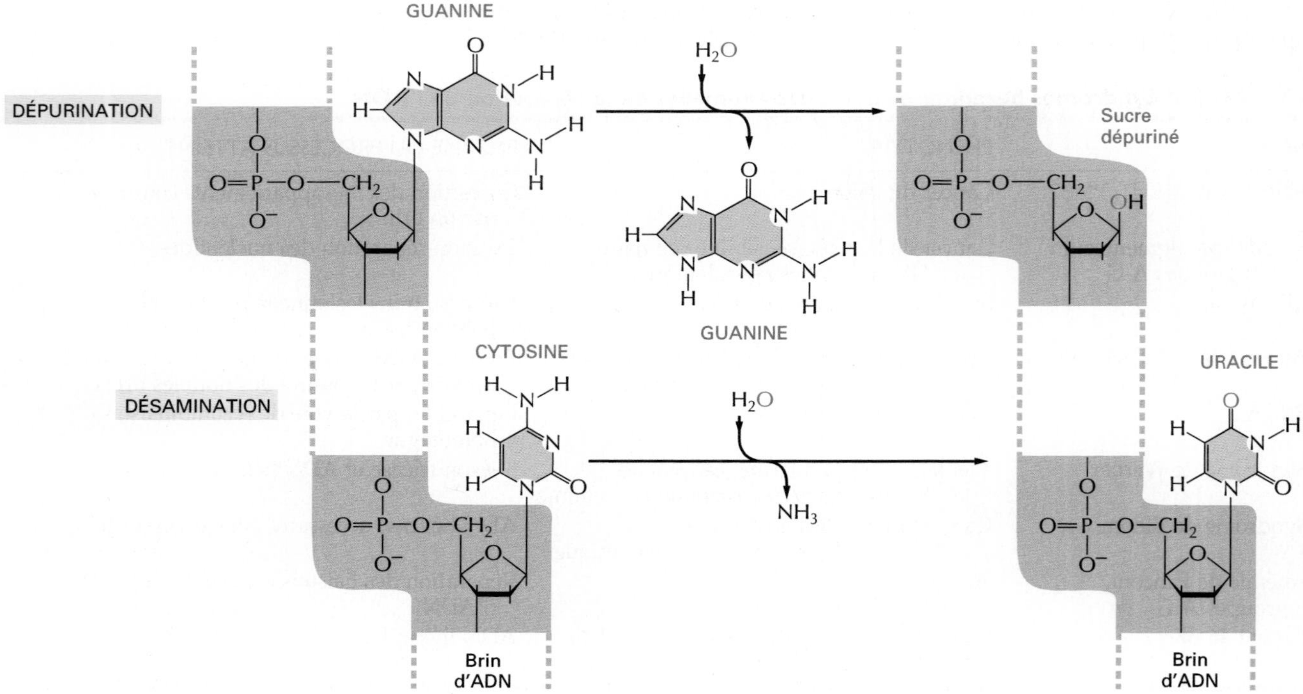

DÉPURINATION

GUANINE

H_2O

Sucre dépuriné

GUANINE

DÉSAMINATION

CYTOSINE

H_2O

NH_3

URACILE

Brin d'ADN

Brin d'ADN

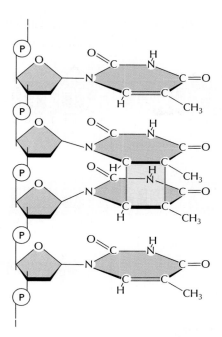

Figure 5-48 Dimère de thymine. Ce type de lésion se forme dans l'ADN des cellules exposées à une irradiation par les ultraviolets (comme la lumière du soleil). Un dimère similaire se formera entre chaque paire de bases pyrimidiques voisines (résidus C ou T) dans l'ADN.

La double hélice d'ADN se répare facilement

La structure en double hélice de l'ADN est idéalement adaptée à la réparation parce qu'elle porte deux copies séparées de chacune des informations génétiques – une sur chacun de ses brins. De ce fait, lorsqu'un brin est lésé, le brin complémentaire garde une copie intacte de la même information et c'est cette copie qui est généralement utilisée pour restaurer la séquence correcte des nucléotides sur le brin lésé.

Toutes les cellules utilisent une hélice double brin pour le stockage en toute sécurité des informations génétiques, ce qui montre bien son importance : seuls quelques petits virus utilisent un ADN simple brin ou un ARN comme matériel génétique. Les processus de réparation décrits dans cette partie ne peuvent opérer sur ces acides nucléiques, et le risque qu'il se produise des modifications permanentes des nucléotides dans ces génomes viraux à un seul brin est donc très important. Il semble que seuls les organismes pourvus d'un génome minuscule puissent se permettre de coder leurs informations génétiques dans une molécule autre que la double hélice d'ADN.

Chaque cellule contient de multiples systèmes de réparation de l'ADN, chacun ayant ses propres enzymes et ses préférences pour le type de dommage reconnu. Comme nous le verrons dans le reste de cette partie, la plupart de ces systèmes utilisent le brin non lésé de la double hélice comme matrice pour réparer le brin lésé.

Figure 5-49 Les modifications chimiques des nucléotides produisent des mutations. (A) La désamination de la cytosine, si elle n'est pas corrigée, entraîne la substitution d'une base par une autre, lorsque l'ADN est répliqué. Comme cela est montré dans la figure 5-47, la désamination de la cytosine produit de l'uracile. L'uracile diffère de la cytosine par ses propriétés d'appariement de bases et s'apparie préférentiellement avec l'adénine. La machinerie de réplication de l'ADN ajoute donc une adénine lorsqu'elle rencontre un uracile sur le brin matrice. (B) La dépurination, si elle n'est pas corrigée, peut entraîner soit la substitution soit la perte d'une paire de nucléotides. Lorsque la machinerie de réplication rencontre une purine manquante sur le brin matrice, elle peut sauter jusqu'au nucléotide complet suivant, comme cela est illustré ici, ce qui entraîne la délétion d'un nucléotide dans le brin néosynthétisé. Beaucoup d'autres types de lésions (voir Figure 5-46) produisent aussi des mutations lors de la réplication de l'ADN si elles ne sont pas corrigées.

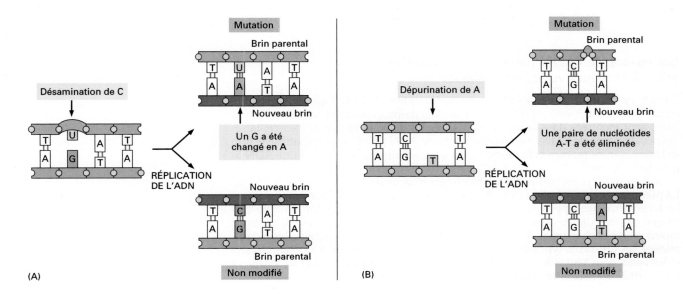

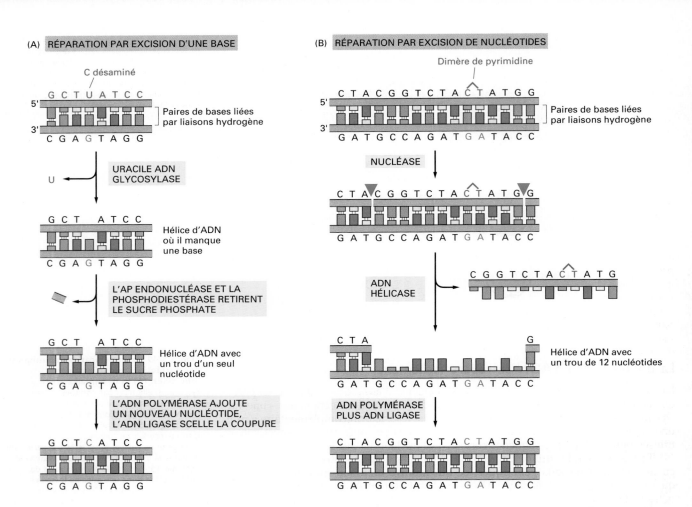

Figure 5-50 Comparaison entre les deux voies métaboliques majeures de réparation de l'ADN.
(A) *Réparation par excision d'une base.* Cette voie métabolique commence par une ADN glycosylase. Dans ce cas présent, l'enzyme uracile ADN glycosylase retire une cytosine, accidentellement désaminée dans l'ADN. Après l'action de cette glycosylase (ou d'une autre ADN glycosylase qui reconnaît un type différent de lésion), le sucre phosphate dépourvu de sa base est coupé par l'action séquentielle d'une AP endonucléase et d'une phosphodiestérase. (Ces mêmes enzymes commencent directement la réparation des sites dépurinés.) Le trou laissé par ce seul nucléotide est alors comblé par l'ADN polymérase et l'ADN ligase. Le résultat net est que la base U qui avait été formée par la désamination accidentelle a été restaurée en C. L'AP endonucléase tire son nom du fait qu'elle reconnaît tout site dans l'hélice d'ADN contenant un sucre désoxyribose ayant perdu sa base. Ces sites peuvent se former soit après la perte d'une purine (sites apuriniques) soit après la perte d'une pyrimidine (sites apyrimidiniques). (B) *Réparation par excision de nucléotides.* Lorsqu'un complexe multi-enzymatique a reconnu une lésion volumineuse, comme un dimère de pyrimidines (*voir* Figure 5-48), il effectue une coupure de part et d'autre de la lésion et l'ADN hélicase, qui lui est associée, retire alors toute la portion endommagée du brin. Dans les bactéries, ce complexe multi-enzymatique laisse un trou de 12 nucléotides ; le trou laissé dans l'ADN humain mesure plus du double. La machinerie de réparation par excision de nucléotides peut reconnaître et réparer plusieurs types différents de lésions d'ADN.

Les lésions de l'ADN peuvent être éliminées grâce à plusieurs voies métaboliques

Il existe de multiples voies métaboliques de réparation de l'ADN qui utilisent différentes enzymes agissant sur différentes sortes de lésions. Deux des voies les plus utilisées sont montrées dans la figure 5-50. Dans les deux, la lésion est excisée, la séquence d'origine de l'ADN est restaurée par une ADN polymérase qui utilise le brin indemne comme matrice et la cassure de la double hélice est scellée par une ADN ligase (*voir* Figure 5-14).

Ces deux voies métaboliques diffèrent dans la façon de retirer la lésion de l'ADN. La première voie métabolique, ou **réparation par excision d'une base**, implique une batterie d'enzymes appelées *ADN glycosylases*, dont chacune reconnaît un type spécifique de base altérée dans l'ADN et catalyse son retrait par hydrolyse. Il existe au moins six types d'enzymes, y compris celles qui retirent les C désaminées, les A désaminées, les différents types de bases alkylées ou oxydées, les bases à cycles ouverts et les bases dans lesquelles la double liaison carbone-carbone a été accidentellement transformée en liaison simple carbone-carbone.

La figure 5-50A montre un exemple du mécanisme général de réparation par excision d'une base : le retrait d'un C désaminé par l'uracile ADN glycosylase. Comment la base altérée est-elle repérée dans le contexte de la double hélice ? Une étape clé est le «basculement» par l'intermédiaire d'une enzyme du nucléotide altéré vers l'extérieur de l'hélice, ce qui permet à l'enzyme de tester toutes les faces de la base pour rechercher la lésion (Figure 5-51). On pense que les ADN glycosylases cheminent le long de l'ADN et utilisent ce basculement de base pour évaluer l'état de chaque paire de bases. Dès qu'elle reconnaît une base endommagée, l'ADN glycosylase entraîne une réaction qui crée un sucre désoxyribose dépourvu de sa base. Cette «dent» manquante est reconnue par une enzyme, l'*AP endonucléase*, qui coupe le squelette phosphodiester et la lésion est ainsi retirée et réparée (*voir* Figure 5-50A). La dépurination, qui est de loin le principal type de dommage souffert par l'ADN, laisse aussi un sucre désoxyribose dépourvu de base. La réparation de la dépurination commence directement par l'AP endonucléase, et suit la moitié inférieure de la voie métabolique de la figure 5-50A.

La deuxième voie métabolique de réparation majeure est appelée **réparation par excision de nucléotides**. Ce mécanisme peut réparer les dommages causés par presque toutes les modifications assez importantes de la structure de la double hélice d'ADN. Ces lésions «volumineuses» incluent celles engendrées par la réaction covalente des bases d'ADN avec de gros hydrocarbures (comme le benzopyrène, un carcinogène), ainsi que les divers dimères pyrimidiques (T-T, C-C et T-C) provoqués par la lumière solaire. Dans cette voie métabolique, un grand complexe multi-enzymatique examine l'ADN pour rechercher des distorsions de la double hélice plutôt que des modifications d'une base spécifique. Dès qu'une lésion volumineuse a été trouvée, le squelette phosphodiester du brin anormal est coupé des deux côtés de la distorsion et l'oligonucléotide contenant la lésion est retiré de la double hélice d'ADN par une ADN hélicase. Le gros trou produit dans l'hélice d'ADN est ensuite réparé par une ADN polymérase et une ADN ligase (Figure 5-50B).

La nature chimique des bases d'ADN facilite la détection des dommages

La double hélice d'ADN semble être construite de façon optimale pour pouvoir être réparée. Comme nous l'avons noté ci-dessus, elle contient une copie de sauvegarde des informations génétiques, de telle sorte que lorsqu'un brin est endommagé, l'autre brin indemne peut être utilisé comme matrice pour la réparation. La nature des bases facilite aussi la distinction entre les bases endommagées et les bases indemnes. De ce fait, toute désamination possible de l'ADN engendre une base dénaturée, qui peut ainsi être reconnue directement et éliminée par une ADN glycosylase spécifique. L'hypoxanthine, par exemple, est la base purine la plus simple qui peut s'apparier spécifiquement avec C, mais l'hypoxanthine est le produit direct de désamination de A (Figure 5-52A). L'addition d'un deuxième groupe amine à l'hypoxanthine produit G, qui ne peut être formé à partir de A par désamination spontanée et dont le produit de désamination est de même unique.

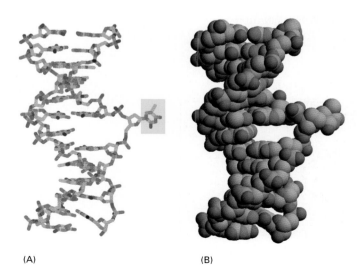

(A)   (B)

Figure 5-51 Reconnaissance d'un nucléotide inhabituel dans l'ADN par basculement des bases. Une famille d'enzymes, les ADN glycosylases, reconnaît les bases spécifiques placées dans la conformation montrée ici. Chacune de ces enzymes coupe la liaison glycosyle qui relie une base particulière reconnue (*jaune*) au squelette de sucre et la retire de l'ADN. (A) Modèle éclaté. (B) Modèle compact.

Comme nous le verrons au chapitre 6, on pense que l'ARN, à l'échelle du temps de l'évolution, a servi de matériel génétique avant l'ADN et il semble probable que le code génétique était initialement porté par les quatre nucléotides A, C, G et U. Cela a engendré une question : pourquoi le U de l'ARN a-t-il été remplacé dans l'ADN par T (qui est le 5-méthyl-U) ? Nous avons vu que la désamination spontanée de C le transformait en U, mais que cet événement était rendu relativement inoffensif par l'uracile ADN glycosylase. Cependant, si l'ADN contenait U comme base naturelle, le système de réparation ne serait pas capable de distinguer un C désaminé d'un U naturel.

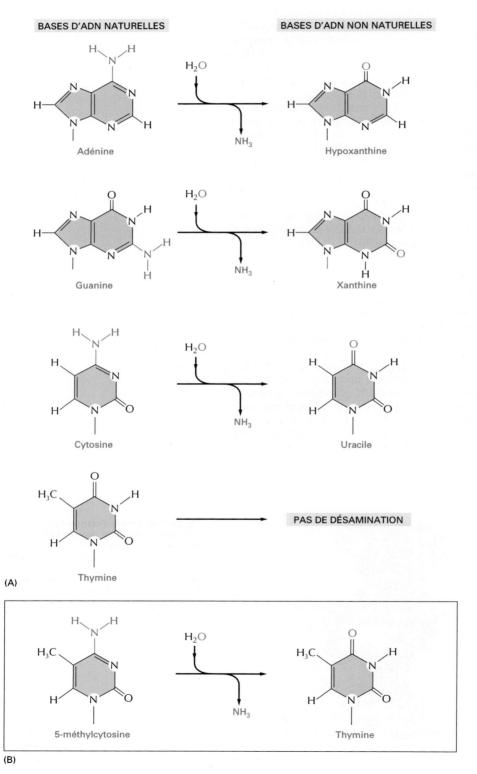

BASES D'ADN NATURELLES

BASES D'ADN NON NATURELLES

Adénine → Hypoxanthine

Guanine → Xanthine

Cytosine → Uracile

Thymine → PAS DE DÉSAMINATION

(A)

5-méthylcytosine → Thymine

(B)

Figure 5-52 Désamination des nucléotides de l'ADN. Dans chaque cas, l'atome d'oxygène qui est ajouté dans cette réaction avec l'eau est coloré en *rouge*. (A) Les produits de la désamination spontanée de A et G sont reconnaissables comme des bases non naturelles lorsqu'ils se trouvent dans l'ADN et sont donc sont facilement reconnus et réparés. La désamination de C en U a déjà été illustrée dans la figure 5-47 ; T n'a pas de groupement amine à désaminer. (B) Près de 3 p. 100 des nucléotides C de l'ADN des vertébrés sont méthylés (*voir* Chapitre 7). Lorsque ces nucléotides 5-méthyle-C sont accidentellement désaminés, ils forment le nucléotide T naturel. Ce T se trouverait alors apparié avec un G sur le brin opposé, formant un mésappariement de bases.

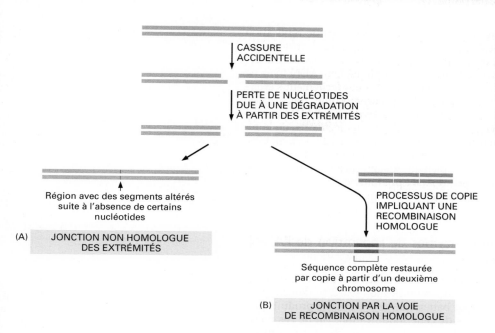

CASSURE
ACCIDENTELLE

PERTE DE NUCLÉOTIDES
DUE À UNE DÉGRADATION
À PARTIR DES EXTRÉMITÉS

Région avec des segments altérés
suite à l'absence de certains
nucléotides

(A)   JONCTION NON HOMOLOGUE
DES EXTRÉMITÉS

PROCESSUS DE COPIE
IMPLIQUANT UNE
RECOMBINAISON
HOMOLOGUE

Séquence complète restaurée
par copie à partir d'un deuxième
chromosome

(B)   JONCTION PAR LA VOIE
DE RECOMBINAISON HOMOLOGUE

Figure 5-53 Les deux types différents de jonction des extrémités permettant de réparer les cassures des doubles brins. (A) La jonction non homologue des extrémités (NHJE) altère la séquence originale de l'ADN lorsqu'elle répare des chromosomes cassés. Cette altération peut être soit une délétion (comme cela est ici montré) soit une courte insertion. (B) La jonction par la voie de recombinaison homologue est plus difficile à effectuer, mais est beaucoup plus précise.

Il existe un cas particulier pour l'ADN des vertébrés, celui où certains nucléotides C sont méthylés au niveau de séquences C-G spécifiques associées à des gènes inactifs (*voir* Chapitre 7). La désamination accidentelle de ces nucléotides C méthylés produit le nucléotide T naturel (Figure 5-52B) et un mésappariement de bases avec G sur le brin d'ADN opposé. Pour faciliter la réparation des nucléotides C méthylés désaminés, une ADN glycosylase spéciale reconnaît les mésappariements de bases impliquant T dans la séquence T-G et retire le T. Ce mécanisme de réparation de l'ADN doit être relativement inefficace cependant, parce que les nucléotides C méthylés sont des sites fréquents de mutation de l'ADN des vertébrés. Il est frappant que, même si seulement 3 p. 100 des nucléotides C de l'ADN humain sont méthylés, les mutations de ces nucléotides méthylés représentent environ un tiers des mutations d'une seule base, observées dans les maladies héréditaires humaines.

Les cassures des doubles brins sont efficacement réparées

Un type potentiellement dangereux de lésion de l'ADN se produit lorsque les deux brins de la double hélice sont cassés, ne laissant aucun brin matrice intact pour la réparation. Les cassures de ce type sont provoquées par les radiations ionisantes, les agents oxydants, les erreurs de réplication et certains produits métaboliques de la cellule. Si ces lésions n'étaient pas réparées, elles conduiraient rapidement à la dégradation des chromosomes en petits fragments. Cependant, deux mécanismes distincts ont évolué pour atténuer les dommages potentiels. Le plus simple à comprendre est la *jonction non homologue des extrémités (NHEJ* pour *non homologous end-joining)*, au cours de laquelle les extrémités cassées sont juxtaposées et réunies par ligature de l'ADN, généralement avec la perte d'un ou de plusieurs nucléotides au niveau du site de jonction (Figure 5-53). Ce mécanisme de jonction des extrémités, qui peut être considéré comme une solution d'urgence pour réparer les cassures des doubles brins, est une solution fréquemment utilisée par les cellules des mammifères. Même s'il en résulte une modification de la séquence d'ADN (mutation) au niveau du site de rupture, il y a si peu du génome des mammifères qui code pour les protéines que ce mécanisme est apparemment une solution acceptable au problème de maintien des chromosomes intacts. Comme nous l'avons abordé précédemment, la structure spécifique des télomères évite que les extrémités des chromosomes ne soient prises par erreur pour de l'ADN cassé, et préserve ainsi les terminaisons naturelles de l'ADN.

Un type encore plus efficace de réparation des cassures des doubles brins exploite le fait que les cellules, qui sont diploïdes, contiennent deux copies de chaque double hélice. Dans cette deuxième voie métabolique de réparation, appelée *voie de recombinaison homologue (homologous end-joining)*, les mécanismes de recombinaison générale sont impliqués et transfèrent l'information des séquences des nucléotides à partir de l'ADN de la double hélice intacte vers le site de cassure du double brin de l'hélice lésée. Ce type de réaction nécessite des protéines de recombinaison spécifiques qui reconnaissent les zones de séquences d'ADN correspondantes entre les deux chromosomes et les rapprochent l'une de l'autre. Le processus de réplication de l'ADN utilise alors le chromosome indemne comme matrice pour transférer les informations génétiques sur le chromosome cassé, le réparant sans modifier la séquence d'ADN (Figure 5-53B). Dans les cellules qui ont répliqué leur ADN mais ne se sont pas encore divisées, ce type de réparation de l'ADN peut facilement s'effectuer entre les deux molécules sœurs d'ADN dans chaque chromosome ; dans ce cas, il n'y a pas besoin que les extrémités cassées trouvent la séquence d'ADN correspondante dans le chromosome homologue. Les particularités moléculaires de la réaction de recombinaison homologue seront abordées ultérieurement dans ce chapitre parce qu'elles nécessitent une compréhension générale de la manière dont les cellules effectuent leur recombinaison génétique. Bien qu'existant chez l'homme, ce type de réparation des cassures des doubles brins d'ADN prédomine chez les bactéries, les levures et la drosophile – tous les organismes chez lesquels on observe peu de jonctions non homologues des extrémités.

Les cellules peuvent produire des enzymes de réparation de l'ADN en réponse à des lésions de l'ADN

Les cellules ont développé plusieurs mécanismes qui les aident à survivre dans un monde dangereux et imprévisible. Souvent une modification extrême de l'environnement de la cellule active l'expression d'une batterie de gènes dont les produits protéiques protègent la cellule des effets nocifs de cette modification. Un de ces mécanismes, utilisé par toutes les cellules, est la *réponse au choc thermique*, qui est provoquée par l'exposition des cellules à des températures inhabituellement hautes. Les « protéines de choc thermique » induites incluent certaines protéines qui facilitent la stabilisation et la réparation des protéines cellulaires en partie dénaturées comme nous le verrons au chapitre 6.

Les cellules possèdent aussi des mécanismes qui élèvent les concentrations des enzymes de réparation de l'ADN, en réponse urgente à des lésions graves de l'ADN. L'exemple le mieux étudié est le **système SOS** de *E. coli*. Dans cette bactérie, tout blocage de la réplication de l'ADN, provoqué par une lésion de l'ADN, produit un signal qui induit l'augmentation de la transcription de plus de 15 gènes, dont beaucoup codent pour des protéines qui ont une fonction de réparation de l'ADN. Le signal (on pense qu'il s'agit d'un excès d'ADN simple brin) active d'abord la protéine RecA de *E. coli* (*voir* Figure 5-58) de telle sorte qu'elle détruit une protéine régulatrice de gènes qui normalement réprime la transcription d'un grand groupe de gènes du système SOS.

Les études de bactéries mutantes déficientes en différentes parties du système SOS ont mis en évidence que ces nouvelles protéines synthétisées ont deux effets. D'abord, comme on peut s'y attendre, l'induction de ces enzymes supplémentaires de réparation de l'ADN augmente la survie de la cellule après une lésion de l'ADN. Deuxièmement, plusieurs protéines induites augmentent transitoirement le taux de mutation en augmentant le nombre d'erreurs faites dans la copie des séquences d'ADN. Ces erreurs sont provoquées par la production d'ADN polymérases à faible fidélité qui peuvent utiliser efficacement l'ADN lésé comme matrice pour la néosynthèse de l'ADN. Tandis que cette réparation de l'ADN « vouée à l'erreur » peut être délétère aux cellules bactériennes prises individuellement, on pense qu'elle est bénéfique à long terme parce qu'elle produit une explosion de variations génétiques dans la population bactérienne, ce qui augmente la probabilité d'apparition d'une cellule mutante plus à même de survivre dans cet environnement modifié.

Les cellules humaines contiennent plus de dix ADN polymérases mineures, dont beaucoup sont spécifiquement amenées à entrer en jeu, en dernier recours, pour effectuer des copies sur des lésions non réparées de la matrice d'ADN. Ces enzymes peuvent reconnaître un type spécifique de lésion d'ADN et ajouter les nucléotides qui restaurent la séquence initiale. Chacune de ces molécules de polymérase n'a la possibilité d'additionner qu'un ou quelques nucléotides, parce que ces enzymes sont extrêmement sujettes à l'erreur lorsqu'elles copient une séquence normale d'ADN. Même si les particularités de ces réactions fascinantes ne sont pas encore résolues, elles fournissent un témoignage élégant du soin avec lequel les organismes conservent leur séquence d'ADN.

Les dommages causés à l'ADN retardent la progression du cycle cellulaire

Nous venons de voir que les cellules contenaient de multiples systèmes enzymatiques qui pouvaient reconnaître les lésions d'ADN et promouvoir la réparation de celles-ci. Du fait de l'importance de la conservation d'un ADN intact et non lésé, de génération en génération, les cellules possèdent un mécanisme supplémentaire qui leur permet de répondre aux dommages de l'ADN : elles retardent la progression du cycle cellulaire jusqu'à ce que la réparation de l'ADN soit terminé. Par exemple, un des gènes exprimés en réponse au système SOS de *E. coli* est *sulA*, qui code pour un inhibiteur de la division cellulaire. De ce fait, lorsque le système SOS fonctionne en réponse à un dommage de l'ADN, le blocage de la division cellulaire s'étend le temps de la réparation. Lorsque la réparation de l'ADN est terminée, l'expression des gènes SOS est réprimée, le cycle cellulaire reprend et l'ADN non endommagé est réparti dans les cellules filles.

L'ADN lésé engendre également un signal qui bloque la progression du cycle cellulaire chez les eucaryotes. Comme nous le verrons en détail au chapitre 17, l'ordre de progression du cycle cellulaire est maintenu par l'utilisation de *points de contrôle* (ou *checkpoints*) qui vérifient qu'une étape est finie avant que la suivante ne commence. À un certain nombre de ces points de contrôle du cycle cellulaire, le cycle s'arrête si un ADN endommagé est détecté. Dans les levures, la présence d'ADN endommagé peut ainsi bloquer l'entrée dans la phase G1 ; elle peut ralentir la réplication de l'ADN une fois commencée et peut bloquer la transition de la phase S à la phase M. Les lésions de l'ADN entraînent l'augmentation de la synthèse de certaines enzymes de réparation de l'ADN et ce retard facilite encore la réparation en fournissant le temps nécessaire à sa terminaison.

On se rend compte de l'importance des mécanismes spécifiques de signalisation qui répondent aux lésions de l'ADN par l'étude du phénotype d'hommes nés avec des anomalies des gènes qui codent pour la *protéine ATM*, une grosse protéine-kinase. Ces individus présentent une maladie, l'*ataxie-télangiectasie* (AT), dont les symptômes incluent une dégénérescence nerveuse, une prédisposition aux cancers et une instabilité du génome. Chez l'homme et les levures, la protéine ATM sert à engendrer les signaux intracellulaires initiaux qui produisent une réponse aux lésions de l'ADN provoquées par l'oxygène ; les organismes porteurs de cette anomalie protéique sont hypersensibles aux agents qui provoquent de telles lésions, comme les radiations ionisantes.

Résumé

Les informations génétiques peuvent être stockées de façon stable dans les séquences d'ADN parce qu'un grand ensemble d'enzymes de réparation de l'ADN examine continuellement l'ADN et remplace tout nucléotide endommagé. La plupart des types de réparation de l'ADN dépendent de la présence d'une copie séparée de l'information génétique dans chacun des deux brins de la double hélice d'ADN. Une lésion accidentelle sur un brin peut ainsi être coupée par une enzyme de réparation. Le brin correct est ensuite re-synthétisé en se référant à l'information portée sur le brin non lésé.

La plupart des lésions sur les bases de l'ADN sont excisées par une des deux voies majeures de réparation de l'ADN. La réparation par excision d'une base permet de retirer la base altérée par une ADN glycosylase, puis d'exciser le sucre-phosphate résultant. La réparation par excision de nucléotides retire, de la double hélice d'ADN, une petite portion du brin d'ADN entourant la lésion sous forme d'un oligonucléotide. Dans les deux cas, le trou laissé dans l'hélice d'ADN est comblé par l'action séquentielle de l'ADN polymérase et de l'ADN ligase, utilisant le brin d'ADN non lésé comme matrice.

D'autres systèmes essentiels de réparation – basés sur la jonction non homologue des extrémités ou la voie de recombinaison homologue – recollent les cassures accidentelles des doubles brins qui se produisent dans l'hélice d'ADN. Dans la plupart des cellules, une concentration élevée d'ADN lésé provoque à la fois l'augmentation de la synthèse d'enzymes de réparation et le retard du cycle cellulaire. Ces deux facteurs permettent de s'assurer que les lésions de l'ADN sont réparées avant que la cellule ne se divise.

RECOMBINAISON GÉNÉRALE

Dans les deux parties précédentes, nous avons abordé les mécanismes qui permettaient de conserver, de génération en génération, les séquences d'ADN de la cellule avec très peu de modifications. Cependant, il est également clair que ces séquences d'ADN peuvent parfois subir un réarrangement. La combinaison particulière des gènes présents dans le génome d'un individu ainsi que leur rythme et leur niveau d'expression sont souvent altérés par ces réarrangements de l'ADN. Dans une population, ce type de variation génétique est crucial pour permettre aux organismes

Figure 5-54 Recombinaison générale. La cassure et la jonction de deux doubles hélices d'ADN homologues créent deux molécules d'ADN qui se sont «enjambées» (crossing-over). Lors de la méiose, c'est par ce processus que chaque chromosome d'une cellule germinale contient un mélange des gènes hérités du père et de la mère.

Deux doubles hélices d'ADN homologues

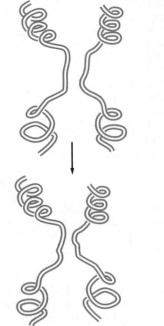

Deux molécules d'ADN ayant subi un crossing-over

d'évoluer en réponse aux modifications de l'environnement. Les réarrangements de l'ADN sont provoqués par un groupe de mécanismes, collectivement appelés **recombinaison génétique**. On en distingue communément deux grands groupes – la *recombinaison générale* et la *recombinaison spécifique de site*. Dans cette partie du chapitre, nous aborderons le premier de ces deux mécanismes ; dans la partie suivante, le deuxième.

Lors d'une **recombinaison générale** (ou *recombinaison homologue*), l'échange génétique se produit entre une paire de séquences homologues d'ADN. Elles sont généralement localisées sur deux copies du même chromosome, même si d'autres types de molécules d'ADN qui partagent la même séquence de nucléotides peuvent aussi y participer. La réaction de recombinaison générale est essentielle pour les cellules en prolifération car, à presque chaque cycle de réplication de l'ADN, des accidents se produisent et interrompent la fourche de réplication, nécessitant un mécanisme de recombinaison générale pour leur réparation. Toutes les particularités de l'interaction intime entre la réplication et la recombinaison ne sont pas encore connues, mais elles impliquent l'utilisation de diverses variantes de la voie de recombinaison homologue (*voir* Figure 5-53) pour faire redémarrer la fourche de réplication arrivée au niveau d'une cassure du brin d'ADN parental matrice.

La recombinaison générale est également essentielle à la séparation précise des chromosomes qui se produit pendant la méiose dans les champignons, les végétaux et les animaux (*voir* Figure 20-11). Le «crossing-over» (ou enjambement) des chromosomes qui en résulte provoque l'échange de morceaux d'information génétique qui crée de nouvelles combinaisons des séquences d'ADN dans chaque chromosome. L'avantage du point de vue évolutif de ce type de mélange de gènes est apparemment si important que ce réassortiment des gènes par recombinaison générale n'est pas confiné aux seuls organismes multicellulaires ; il est aussi largement répandu dans les organismes monocellulaires.

Les caractéristiques qui sont au cœur des mécanismes de recombinaison générale semblent être les mêmes dans tous les organismes. La majeure partie de ce que nous savons sur la biochimie de la recombinaison génétique provient d'études faites sur des bactéries, en particulier sur *E. coli* et ses virus ainsi que d'expériences réalisées sur des eucaryotes simples comme les levures. Ces organismes se reproduisent rapidement et leur génome est relativement petit. Il a donc été possible d'isoler un grand nombre de mutants pourvus d'anomalies de leurs processus de recombinaison. L'identification des protéines modifiées dans chaque mutant a permis ainsi d'identifier et de caractériser l'ensemble des protéines qui catalysent la recombinaison générale. Plus récemment des protéines apparentées à ces dernières ont été découvertes chez la drosophile, la souris et l'homme et ont été largement caractérisées.

La recombinaison générale est guidée par des interactions d'appariement de bases entre deux molécules d'ADN homologues

Les nombreuses recombinaisons générales observées pendant la méiose présentent les caractéristiques suivantes : (1) deux molécules d'ADN homologues qui faisaient, à l'origine, partie de deux chromosomes différents, subissent un crossing-over, c'est-à-dire que leurs doubles hélices se cassent et les deux extrémités coupées se ressoudent sur leurs partenaires opposés pour reformer deux doubles hélices intactes, chacune composée de parties des deux molécules d'ADN initiales (Figure 5-54). (2) Le site d'échange (c'est-à-dire l'endroit où une double hélice *rouge* se soude à une double hélice *verte* dans la figure 5-54) peut se produire sur n'importe quelles séquences homologues de nucléotides des deux molécules d'ADN en jeu. (3) Au niveau du site d'échange, un brin d'une des molécules d'ADN s'est apparié à un brin de la deuxième molécule d'ADN et forme un *hétéroduplex* qui relie les deux doubles hélices (Figure 5-55). Cette région d'hétéroduplex peut mesurer plusieurs milliers de paires de bases ; nous expliquerons ultérieurement comment elle se forme. (4) Aucune séquence de nucléotides n'est altérée au niveau du site de l'échange ; une certaine réplication de l'ADN s'effectue, mais la coupure et les événements de jonction se produisent avec une telle précision qu'aucun nucléotide n'est perdu ou gagné. Malgré cette précision, la recombinaison générale forme une molécule d'ADN pourvue d'une nouvelle séquence : l'hétéroduplex peut tolérer un petit nombre de paires de bases mésappa-

Deux molécules d'ADN ayant subi un crossing-over

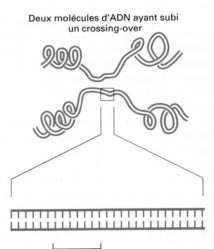

Hétéroduplex de jonction, où les brins des deux hélices d'ADN différentes sont appariés

Figure 5-55 Hétéroduplex de jonction. Cette structure unit deux molécules d'ADN à l'endroit d'un crossing-over. Ce type de jonction a souvent plusieurs milliers de nucléotides.

riées et, ce qui est encore plus important, les deux molécules d'ADN qui participent au crossing-over ne sont en général pas exactement identiques de part et d'autre de la jonction. Il en résulte la formation de nouvelles molécules d'ADN recombinant (chromosomes recombinants).

Ce mécanisme de recombinaison générale assure que l'échange ne s'effectue sur les deux doubles hélices d'ADN que si elles contiennent une région étendue de séquences similaires (homologie). La formation du long hétéroduplex nécessite cette homologie parce qu'elle implique une longue région d'appariement complémentaire entre un brin d'une des deux hélices d'origine et le brin complémentaire de l'autre double hélice. Mais comment cet hétéroduplex se forme-t-il ? Comment ces deux régions homologues de l'ADN situées sur le site du crossing-over se reconnaissent-elles l'une l'autre ? Comme nous le verrons, la reconnaissance s'effectue au cours d'un processus appelé **synapsis** (ou **appariement**), au cours duquel il se forme des paires de bases entre des brins complémentaires issus des deux molécules d'ADN. Cet appariement de bases s'étend ensuite et guide la recombinaison générale, permettant à ce processus de se produire seulement entre des molécules d'ADN qui contiennent de grandes régions de séquences correspondantes d'ADN (ou de proche correspondance).

La recombinaison méiotique commence par la cassure des doubles brins d'ADN

Des interactions étendues entre les paires de bases ne peuvent se produire entre deux doubles hélices d'ADN intactes. De ce fait, le phénomène de synapsis, essentiel à la recombinaison générale de la méiose, ne peut commencer qu'après l'exposition d'un brin d'ADN provenant d'une hélice d'ADN et la mise à disposition de ses nucléotides pour leur appariement avec une autre hélice d'ADN. En l'absence de preuves expérimentales directes, des modèles théoriques ont été proposés, basés sur l'hypothèse qu'il fallait une coupure d'un seul des deux brins de l'hélice d'ADN pour exposer le brin d'ADN nécessaire au synapsis. On a pensé que cette coupure dans le squelette phosphodiester permettait de séparer une extrémité du brin cassé de son brin partenaire d'appariement de bases, la libérant pour qu'elle forme un court hétéroduplex avec la deuxième hélice intacte – et commençant ainsi le synapsis. Les modèles de ce type sont théoriquement possibles et ont été décrits dans les manuels de référence, il y a près de 30 ans.

Au début des années 1990, il a été possible de disposer de techniques biochimiques sensibles qui ont permis de déterminer la véritable structure des intermédiaires de recombinaison qui se forment dans les chromosomes de levure au cours des diverses étapes de la méiose. Ces études ont révélé qu'une endonucléase spécifique initiait la recombinaison générale en coupant simultanément les *deux* brins de la double hélice, créant une coupure complète de la molécule d'ADN. L'extrémité 5' au niveau de la coupure est alors rognée vers l'arrière par une exonucléase, ce qui forme une extrémité 3' saillante sur un seul brin. C'est ce simple brin qui recherche une hélice homologue avec laquelle s'apparier – et conduit à la formation d'une molécule de jonction entre le chromosome maternel et le chromosome paternel (Figure 5-56).

Dans le prochain paragraphe, nous commencerons à expliquer comment l'ADN simple brin peut «trouver» une molécule d'ADN double brin homologue pour commencer le synapsis.

Les réactions d'hybridation de l'ADN fournissent un modèle simple de l'étape d'appariement de bases qui se produit pendant la recombinaison générale

Sous sa forme la plus simple, le type d'interaction d'appariement de bases au centre du phénomène de synapsis de la recombinaison générale peut être simulé dans un tube à essai en permettant à une double hélice d'ADN de se reformer à partir de ses brins simples séparés. Ce processus, appelé *renaturation* de l'ADN ou **hybridation**, se produit lorsqu'une collision aléatoire rare juxtapose des séquences complémentaires de nucléotides de deux brins simples d'ADN correspondants et permet la formation entre eux d'un court segment de double hélice. Cette étape relativement lente de nucléation de l'hélice est suivie par une étape très rapide de «fermeture Éclair», lorsque la région de la double hélice est allongée pour optimiser le nombre d'interactions par appariement de bases (Figure 5-57).

Ce type de néoformation d'une double hélice nécessite que les brins aient une conformation ouverte non repliée. C'est pourquoi les réactions d'hybridation *in vitro* sont effectuées soit à des températures élevées soit en présence d'un solvant orga-

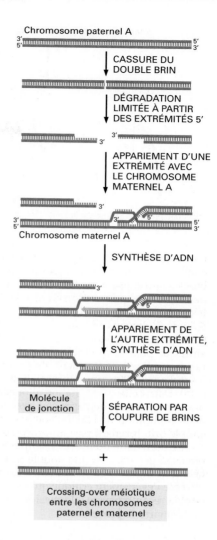

Figure 5-56 Recombinaison générale lors de la méiose. Comme cela est indiqué, le processus commence lorsqu'une endonucléase effectue une cassure d'un double brin dans un chromosome. Une exonucléase crée alors deux extrémités 3' saillantes à un seul brin, qui trouvent leurs régions homologues dans un deuxième chromosome et commencent le synapsis d'ADN. La molécule d'assemblage formée peut finalement être désassemblée par coupure sélective des brins, ce qui produit deux chromosomes ayant subi un crossing-over, comme cela est montré.

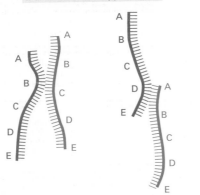

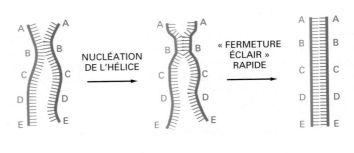

Interactions sans appariement

Interactions avec appariement

NUCLÉATION
DE L'HÉLICE

« FERMETURE
ÉCLAIR »
RAPIDE

nique comme le formamide ; ces conditions séparent (comme par une fusion) les courts segments d'hélices en épingle à cheveux, formés par des appariements de bases se produisant au sein d'un même brin qui se replie sur lui-même. La plupart des cellules ne peuvent survivre à des conditions si dures et utilisent plutôt une protéine de liaison à l'ADN simple brin (SSB) (*voir* p. 246) pour défaire les hélices en épingle à cheveux et aider le rapprochement des simples brins complémentaires. Cette protéine est essentielle à la réplication de l'ADN (comme cela a déjà été décrit) ainsi que pour la recombinaison générale : elle se lie fermement et de façon coopérative sur le squelette sucre-phosphate de toutes les régions d'ADN simple brin et les maintient dans une conformation étirée qui expose les bases (*voir* Figures 5-17 et 5-18). Dans cette conformation allongée, l'ADN simple brin peut former efficacement des appariements de bases soit avec une molécule de nucléoside triphosphate (lors de la réplication de l'ADN) soit avec un segment complémentaire d'un autre ADN simple brin (prenant part au processus de recombinaison génétique).

Le partenaire que l'ADN simple brin doit trouver pour le synapsis de la recombinaison générale est une double hélice d'ADN, et non pas un second ADN simple brin (*voir* Figure 5-56). Dans le paragraphe suivant, nous verrons comment la cellule effectue l'événement critique qui permet de commencer l'hybridation de l'ADN pendant la recombinaison – l'invasion d'un ADN simple brin dans un ADN double brin qui démarre le processus.

La protéine RecA et ses homologues permettent à un ADN simple brin de s'apparier avec une région homologue d'une double hélice d'ADN

La recombinaison générale est plus complexe que la réaction d'hybridation simple que nous venons de décrire, qui implique des ADN simple brin, et elle nécessite divers types de protéines spécialisées. En particulier la **protéine RecA** d'*E. coli* joue un rôle central dans la recombinaison des chromosomes ; elle, et ses homologues chez la levure, la souris, et l'homme, permettent le synapsis (Figure 5-58).

Tout comme la protéine de liaison à l'ADN simple brin, la protéine de type RecA se lie fermement et de façon coopérative, en agrégats, sur l'ADN simple brin pour for-

Figure 5-57 Hybridation de l'ADN. La double hélice d'ADN se reforme à partir des brins séparés selon une réaction qui dépend de la collision aléatoire de deux brins complémentaires d'ADN. Beaucoup de ces collisions ne sont pas productives, comme cela est montré à gauche, mais quelques-unes engendrent une petite région où se forment des appariements de bases complémentaires (nucléation de l'hélice). Un processus rapide de «fermeture Éclair» conduit alors à la formation d'une double hélice complète. Par ce processus d'avancée par tâtonnement, un brin d'ADN trouvera son partenaire complémentaire même au milieu de millions de brins d'ADN non correspondants. Il semble que tous les événements de recombinaison générale commencent par la reconnaissance par tâtonnement, très efficace, du même type, d'une séquence partenaire complémentaire d'ADN.

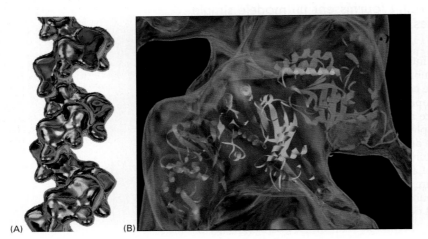

(A)   (B)

Figure 5-58 Structure des filaments ADN-protéine RecA et Rad51.
(A) Protéine Rad51 fixée sur un ADN simple brin. Rad51 est un homologue humain de la protéine bactérienne RecA ; trois monomères successifs de ce filament hélicoïdal sont colorés. (B) Un court segment du filament RecA, avec la structure tridimensionnelle de la protéine placée sur l'image du filament, déterminée en microscopie électronique. Les deux filaments ADN-protéine semblent assez proches. On compte environ six monomères RecA par tour d'hélice, qui maintiennent étirés 18 nucléotides de l'ADN simple brin. La localisation exacte de l'ADN dans cette structure n'est pas connue. (A, due à l'obligeance d'Edward Egelman ; B, d'après X. Yu et al., *J. Mol. Biol.* 283: 985-992, 1998.)

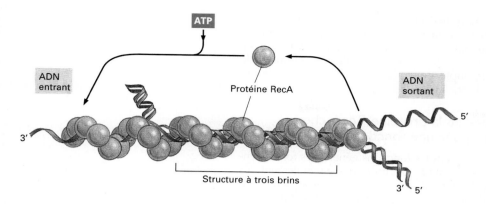

ATP

ADN
entrant

Protéine RecA

ADN
sortant

5′

3′

Structure à trois brins

3′ 5′

Figure 5-59 Synapsis d'ADN catalysé par la protéine RecA. Des expériences *in vitro* montrent que divers types de complexes se forment entre un ADN simple brin recouvert de protéines RecA (en *rouge*) et une double hélice d'ADN (en *vert*). Il se forme d'abord un complexe sans appariement de bases qui est transformé par basculement transitoire des bases (*voir* Figure 5-51) en une structure triple brin dès qu'une région d'homologie de séquence est trouvée. Ce complexe est instable parce qu'il implique une forme d'ADN inhabituelle et qu'il enroule un hétéroduplex d'ADN (un brin *vert* et l'autre brin *rouge*) avec un simple brin déplacé issu de l'hélice d'origine (*vert*). De ce fait la structure montrée dans ce schéma migre vers la gauche, tournoyant dans les «ADN entrants» tout en produisant les «ADN sortants». Le résultat net est l'échange de brins d'ADN identique à celui du schéma précédent montré en figure 5-56. (Adapté d'après S. C. West, *Annu. Rev. Biochem.* 61 : 603-640, 1992.)

mer un filament de nucléoprotéine. Comme chaque monomère RecA a plusieurs sites de liaison sur l'ADN, un filament de RecA peut réunir un simple brin et une double hélice. Cela lui permet de catalyser une réaction à multiples étapes pour former un appariement (synapsis) entre une double hélice d'ADN et une région homologue d'un ADN simple brin. La région homologue est identifiée avant que le duplex d'ADN ciblé soit ouvert, par un intermédiaire triple brin dans lequel l'ADN simple brin forme un appariement transitoire avec des bases de la molécule d'ADN double brin qui ont basculé vers l'extérieur de l'hélice au niveau du grand sillon (Figure 5-59). Cette réaction commence l'appariement montré précédemment dans la figure 5-56 et initie de ce fait l'échange des brins entre deux doubles hélices d'ADN recombinant.

Une fois que le synapsis s'est formé, la courte région d'hétéroduplex où les brins issus des deux molécules différentes d'ADN ont commencé à s'apparier s'allonge par un processus appelé *migration des branches* («branch migration»). La migration des branches peut avoir lieu à tous les points où deux ADN simple brin de même séquence essayent de s'apparier avec le même brin complémentaire; dans cette réaction, une région non appariée de l'un des ADN simple brin remplace une région appariée de l'autre simple brin, déplaçant le point de branchement sans changer le nombre total de paires de bases d'ADN. Même si une migration spontanée des branches peut se produire, elle s'effectue en général uniformément dans les deux directions, de telle sorte qu'elle progresse peu et qu'elle a peu de chances d'entraîner efficacement une recombinaison complète (Figure 5-60A). La protéine RecA catalyse la migration unidirectionnelle des branches et produit facilement une région d'hétéroduplex mesurant des milliers de paires de bases (Figure 5-60B).

La catalyse de la migration directionnelle des branches dépend d'une autre propriété de la protéine RecA. En plus de posséder deux sites de liaison à l'ADN, la protéine RecA est une ATPase ADN-dépendante, dotée d'un site supplémentaire de liaison et d'hydrolyse de l'ATP. Cette protéine s'associe beaucoup plus fermement à l'ADN lorsqu'elle est liée à l'ATP que lorsqu'elle est liée à l'ADP. De plus de nouvelles molécules de RecA liées à l'ATP s'ajoutent préférentiellement à l'extrémité du

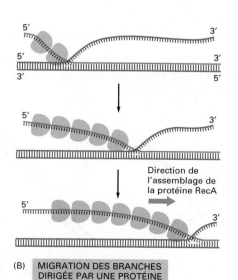

5′ 3′

5′ 3′

3′ 5′

5′ 3′

5′ 3′

5′ 3′

5′ 3′

5′ 3′

3′ 5′

5′ 3′

5′ 3′

Direction de l'assemblage de la protéine RecA

5′ 3′

(A) MIGRATION SPONTANÉE DES BRANCHES

(B) MIGRATION DES BRANCHES DIRIGÉE PAR UNE PROTÉINE

Figure 5-60 Deux types de migration des branches d'ADN observés dans des expériences in vitro. (A) La migration spontanée des branches est un processus de déplacement aléatoire de va-et-vient, qui progresse donc peu sur de longues distances. (B) La migration des branches, dirigée par la protéine RecA, s'effectue à une vitesse uniforme dans une direction et peut être entraînée par l'assemblage polarisé d'un filament de protéines RecA sur un ADN simple brin, se produisant dans la direction indiquée. Des ADN hélicases spéciales qui catalysent la migration des branches avec encore plus d'efficacité sont également impliquées dans la recombinaison (*voir* par exemple Figure 5-63).

filament protéique RecA et l'ATP est alors hydrolysé en ADP. Les filaments protéiques RecA qui se forment sur l'ADN peuvent ainsi présenter certaines propriétés dynamiques identiques à celles des filaments du cytosquelette formés d'actine ou de tubuline (*voir* Chapitre 16) ; cette capacité de la protéine à « travailler » dans une seule direction le long du brin d'ADN, par exemple, pourrait entraîner la réaction de migration des branches montrée dans la figure 5-60B.

Il existe de multiples homologues de la protéine RecA chez les eucaryotes, chacun spécialisé pour une fonction spécifique

Lorsqu'on compare les protéines qui catalysent les fonctions génétiques fondamentales des eucaryotes à celles de bactéries comme *E. coli*, on trouve généralement des protéines apparentées du point de vue de l'évolution qui catalysent des réactions similaires. Dans beaucoup de cas cependant de multiples protéines homologues eucaryotes prennent la place d'une seule protéine bactérienne particulière, chacune se spécialisant dans un aspect spécifique de la fonction protéique bactérienne.

Cette généralisation s'applique à la protéine RecA d'*E. coli* : les hommes et les souris possèdent au moins sept homologues de RecA. On présume que chaque homologue possède une activité catalytique spécifique et son propre groupe de protéines accessoires. La *protéine Rad51* est un homologue de RecA particulièrement important de la levure, la souris et l'homme ; elle catalyse une réaction d'appariement entre un ADN simple brin et une double hélice d'ADN dans les expériences *in vitro*. Des études génétiques avec une protéine Rad51 mutante suggèrent que cette protéine est critique pour la santé de ces trois organismes, et qu'elle est nécessaire pour réparer les fourches de réplication accidentellement rompues au cours du déroulement normal de chaque phase S. Son propre fonctionnement nécessite de multiples protéines accessoires. Deux d'entre elles, les *protéines Brca1* et *Brca2*, ont été les premières découvertes parce que des mutations de leurs gènes étaient héréditaires chez l'homme, et un groupe de familles atteintes présentait une fréquence fortement accrue de cancer du sein. Alors que l'absence de la protéine Rad51 provoque la mort de la cellule, on pense que des modifications moins drastiques de sa fonction, causées par une altération de cette protéine accessoire, conduisent à l'accumulation de lésions de l'ADN qui engendrent souvent un cancer, dans un petit groupe de cellules (*voir* Figure 23-11).

Différents homologues de RecA des eucaryotes sont spécialisés dans la méiose ou dans d'autres types particuliers d'événements d'appariement de l'ADN, moins bien connus. Il est probable que chaque homologue RecA eucaryote se place sur un ADN simple brin pour commencer la recombinaison générale uniquement lorsqu'une structure particulière de l'ADN ou une condition cellulaire lui permet de s'y fixer.

La recombinaison générale implique souvent une jonction de Holliday

On suppose que le synapsis, qui échange le premier simple brin entre deux doubles hélices d'ADN différentes, est l'étape lente et difficile de la recombinaison générale (*voir* Figure 5-56). Après cette étape, il semble que l'allongement de la région d'appariement et l'établissement d'échanges supplémentaires de brins entre les deux hélices d'ADN est plus rapide. Dans la plupart des cas, il en résulte la formation d'un intermédiaire de recombinaison essentiel, la *jonction de Holliday* (appelée aussi « échange croisé de brins »).

Dans une **jonction de Holliday**, les deux hélices homologues d'ADN initialement appariées sont maintenues ensemble par l'échange réciproque de deux des quatre brins présents, provenant chacun d'une des hélices. Comme cela est montré dans la figure 6-61A, on peut considérer que la jonction de Holliday contient deux paires de

Figure 5-61 Une jonction de Holliday et son isomérisation. Comme cela est décrit dans le texte, l'étape de synapsis de la recombinaison générale est catalysée par une protéine de type RecA liée à un ADN simple brin. Cette étape est souvent suivie d'un échange réciproque de brins entre les deux doubles hélices d'ADN qui se sont de ce fait appariées l'une à l'autre. Cet échange produit une structure d'ADN unique appelée jonction de Holliday, nommée d'après le scientifique qui a proposé le premier sa formation. (A) La structure initiale formée contient deux brins qui se croisent (à l'intérieur) et deux brins non croisés (à l'extérieur). (B) L'isomérisation de la jonction de Holliday produit une structure ouverte symétrique. (C) La poursuite de l'isomérisation peut interconvertir les brins croisés et non croisés et produire une structure qui autrement est identique à celle de (A).

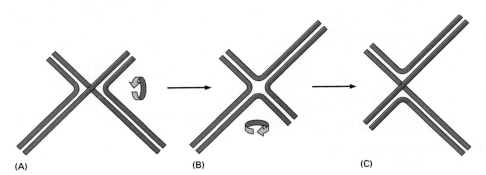

(A)   (B)   (C)

brins : une paire de brins croisés et une paire de brins non croisés. Cependant, cette structure peut subir une *isomérisation*, en subissant une série de mouvements de rotation, catalysés par des protéines spécialisées. Cela engendre une structure plus ouverte dans laquelle les deux paires de brins occupent des positions équivalentes (Figures 5-61B et 5-62). Cette structure peut, à son tour, subir une isomérisation, qui engendre une conformation proche de la jonction originale, excepté que les brins qui se croisaient ont été transformés en brins non croisés et vice versa (Figure 5-61C).

Lorsque la jonction de Holliday a formé une structure ouverte, un groupe particulier de protéines peut s'engager dans la jonction : une de ces protéines utilise l'énergie de l'hydrolyse de l'ATP pour déplacer le point de crossing-over (où les deux hélices d'ADN sont unies) rapidement le long des deux hélices et étendre la région d'hétéroduplex d'ADN (Figure 5-63).

Pour reformer deux hélices d'ADN séparées et terminer ainsi le processus d'échange, les brins reliant les deux hélices dans la jonction de Holliday doivent être coupés, par un processus appelé *séparation* («resolution»). Il y a deux façons de séparer une jonction de Holliday. La première consiste à couper la paire originelle de brins croisés (les brins invasifs ou internes de la figure 5-61A). Dans ce cas, les deux hélices d'ADN d'origine se séparent l'une de l'autre pratiquement sans modifications, n'ayant échangé que l'ADN simple brin formant l'hétéroduplex. L'autre façon consiste à couper la paire originelle de brins non croisés (les brins internes de la figure 5-61C). Dans ce cas, le résultat est beaucoup plus profond : deux chromosomes recombinants sont formés, ayant échangé réciproquement des segments majeurs d'ADN double brin l'un à l'autre par l'intermédiaire d'un crossing-over (Figure 5-64).

Les analyses génétiques révèlent qu'il se forme facilement des régions d'hétéroduplex de plusieurs milliers de paires de bases au cours de la recombinaison. Comme nous le verrons, le traitement de ces hétéroduplex – qui sont généralement formés de l'appariement de brins complémentaires presque identiques – peut encore modifier l'information de chaque hélice résultante d'ADN.

La recombinaison générale peut provoquer la conversion de gènes

Dans les organismes à reproduction sexuée, un principe fondamental de la génétique est que chaque parent contribue génétiquement de façon identique à sa descendance, qui hérite d'un jeu complet de gènes paternels et de gènes maternels. De ce fait, lorsqu'une cellule diploïde subit une méiose pour produire quatre cellules haploïdes (*voir* Chapitre 20), ces cellules possèdent exactement la moitié de leurs gènes issue de la mère (gènes que la cellule diploïde a hérités de la mère) et l'autre moitié issue du père (gènes que la cellule diploïde a hérités du père). Dans certains organismes (champignons par exemple), il est possible de récupérer et d'analyser les quatre ga-

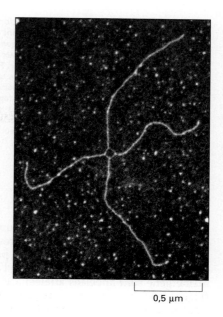

0,5 μm

Figure 5-62 Photographie en microscopie électronique d'une jonction de Holliday. La photographie de cette jonction correspond à la structure ouverte illustrée en figure 5-61B. (Due à l'obligeance de Huntington Potter et David Dressler.)

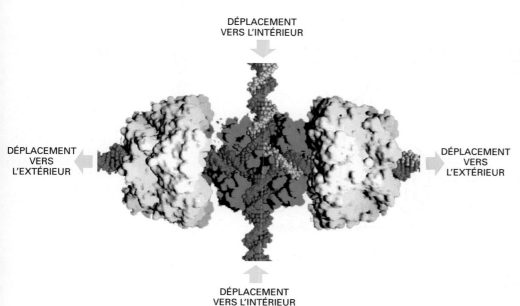

DÉPLACEMENT VERS L'INTÉRIEUR

DÉPLACEMENT VERS L'EXTÉRIEUR

DÉPLACEMENT VERS L'EXTÉRIEUR

DÉPLACEMENT VERS L'INTÉRIEUR

Figure 5-63 Double migration des branches catalysée par des enzymes au niveau d'une jonction de Holliday. Chez *E. coli*, un tétramère de la protéine RuvA (en *vert*) et deux hexamères de la protéine RuvB (en *gris pâle*) se fixent sur la forme ouverte de la jonction. La protéine RuvB utilise l'énergie de l'hydrolyse de l'ATP pour déplacer rapidement le point de crossing-over le long des hélices d'ADN appariées, allongeant la région d'hétéroduplex comme cela est montré. Il a été prouvé que des protéines similaires effectuaient cette fonction dans les cellules des vertébrés. (Image due à l'obligeance de P. Artymiuk ; modifié d'après S.C. West, *Cell* 94 : 699-701, 1998.)

Figure 5-64. La séparation d'une jonction de Holliday produit des chromosomes ayant subi un crossing-over. Dans cet exemple, les régions homologues d'un chromosome *rouge* et d'un autre *vert* ont formé une jonction de Holliday en échangeant deux brins. La coupure de ces deux brins terminerait cet échange sans crossing-over. Par l'isomérisation de la jonction de Holliday (étapes B et C), les brins à l'origine non croisés deviennent les deux brins croisés; leur coupure crée maintenant deux molécules d'ADN ayant subi un crossing-over (*en bas*). Ce type d'isomérisation peut être impliqué dans la cassure et la jonction de deux doubles hélices d'ADN homologues lors de recombinaison générale méiotique. Les barres grises dans les figures centrales ont été dessinées pour mettre en évidence que l'isomérisation montrée peut se produire sans perturber le reste des deux chromosomes.

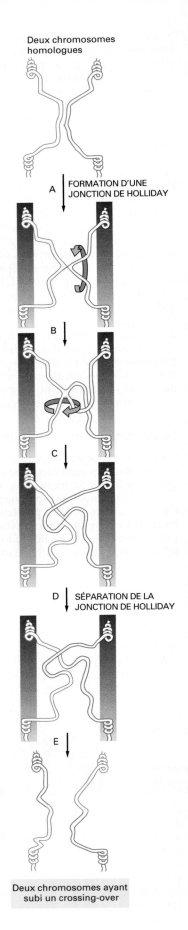

A FORMATION D'UNE JONCTION DE HOLLIDAY

B

C

D SÉPARATION DE LA JONCTION DE HOLLIDAY

E

Deux chromosomes ayant subi un crossing-over

mètes haploïdes produits à partir d'une seule cellule par méiose. Des études faites chez ces organismes ont révélé de rares cas où les lois standard de la génétique sont violées. La méiose engendre parfois, par exemple, trois copies de la version maternelle du gène et une seule copie de l'allèle paternel (les différentes versions d'un même gène sont appelées **allèles**). Ce phénomène est appelé **conversion de gènes** (Figure 5-65). La conversion de gènes est souvent associée à la recombinaison génétique homologue qui s'effectue lors de la méiose (et plus rarement lors de la mitose) et on pense qu'il s'agit d'une conséquence manifeste du mécanisme de recombinaison générale et de réparation de l'ADN. Des études génétiques ont montré que seuls de petits segments de l'ADN subissent typiquement une conversion génique et, dans beaucoup de cas, seule une partie d'un gène est modifiée.

Dans ce processus de conversion génique, l'information de la séquence d'ADN est transférée d'une hélice d'ADN qui reste inchangée (séquence donneuse) à une autre hélice d'ADN dont la séquence est modifiée (séquence receveuse). Cela s'effectue de plusieurs façons, qui toutes impliquent les deux processus suivants : (1) une recombinaison homologue qui juxtapose deux doubles hélices d'ADN homologues, et (2) une synthèse locale limitée d'ADN, nécessaire à la création d'une copie supplémentaire d'un allèle. Dans le cas le plus simple, un processus de recombinaison générale forme un hétéroduplex de jonction (*voir* Figure 5-55), au niveau duquel les deux brins d'ADN appariés n'ont pas une séquence identique et contiennent donc des paires de bases mésappariées. Si les nucléotides mésappariés de l'un des deux brins sont reconnus et éliminés par l'enzyme de réparation de l'ADN qui catalyse la correction sur épreuve des mésappariements, on obtient une copie supplémentaire de la séquence d'ADN sur le brin opposé (Figure 5-66). Ce processus de conversion génique peut se produire sans crossing-over, car il nécessite simplement l'invasion d'une double hélice par un ADN simple brin pour former une courte ré-

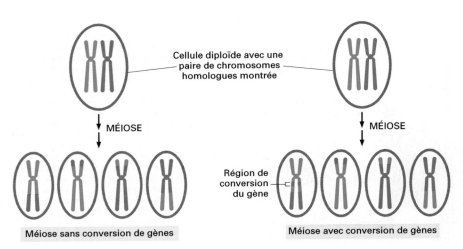

Cellule diploïde avec une paire de chromosomes homologues montrée

MÉIOSE

MÉIOSE

Région de conversion du gène

Méiose sans conversion de gènes

Méiose avec conversion de gènes

Figure 5-65 Conversion de gènes lors de méiose. Comme nous le verrons au chapitre 20, la méiose est le processus par lequel une cellule diploïde donne naissance à quatre cellules haploïdes. Les cellules germinales (ou reproductrices) comme, par exemple, les ovules et les spermatozoïdes, sont produites par méiose.

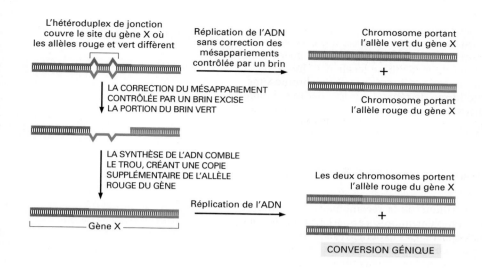

L'hétéroduplex de jonction couvre le site du gène X où les allèles rouge et vert diffèrent

Réplication de l'ADN sans correction des mésappariements contrôlée par un brin

Chromosome portant l'allèle vert du gène X

+

Chromosome portant l'allèle rouge du gène X

LA CORRECTION DU MÉSAPPARIEMENT CONTRÔLÉE PAR UN BRIN EXCISE LA PORTION DU BRIN VERT

LA SYNTHÈSE DE L'ADN COMBLE LE TROU, CRÉANT UNE COPIE SUPPLÉMENTAIRE DE L'ALLÈLE ROUGE DU GÈNE

Les deux chromosomes portent l'allèle rouge du gène X

Réplication de l'ADN

+

── Gène X ──

CONVERSION GÉNIQUE

Figure 5-66 Conversion génique par correction d'un mésappariement contrôlée par un brin. Selon ce processus, les hétéroduplex de jonction se forment sur les sites de crossing-over entre les chromosomes homologues maternels et paternels. Si les séquences de l'ADN maternel et paternel sont légèrement différentes, l'hétéroduplex de jonction inclura certaines paires de bases mésappariées. Le mésappariement résultant dans la double hélice sera alors corrigé par la machinerie de correction des mésappariements contrôlée par un brin de l'ADN (*voir* Figure 5-23), qui peut éliminer les nucléotides sur le brin paternel ou maternel. La conséquence de la réparation du mésappariement est la conversion de gènes, détectée comme une déviation de la séparation de copies identiques des allèles maternels et paternels qui se produit normalement dans la méiose.

gion d'hétéroduplex. On pense que ce dernier type de conversion génique est responsable du transfert particulièrement facile de l'information génétique, souvent observé entre les différentes copies de gènes dans des répétitions en tandem de gènes.

Le résultat de la recombinaison générale est différent dans les cellules mitotiques et méiotiques

Nous avons vu que la recombinaison méiotique commençait très brutalement – la coupure des deux brins de la double hélice d'un des chromosomes recombinants. En quoi la suite du processus méiotique diffère-t-elle du mécanisme, également basé sur la recombinaison générale, utilisé par les cellules pour réparer avec précision les cassures accidentelles des doubles brins se produisant dans les chromosomes (la voie de recombinaison homologue de la figure 5-53)? Dans les deux cas, les deux nouvelles extrémités chromosomiques produites par la cassure du double brin sont soumises à un processus de dégradation qui expose un simple brin pourvu d'une extrémité 3' saillante. De plus, dans les deux cas, ce brin trouve un segment d'ADN double brin intact, de même séquence nucléotidique, et forme avec lui un appariement catalysé par une protéine de type RecA.

Pour réparer la cassure d'un double brin, une synthèse d'ADN allonge l'extrémité 3' invasive de milliers de nucléotides, en utilisant un des brins de l'hélice d'ADN receveuse comme matrice. Si la deuxième extrémité cassée s'engage pareillement dans le synapsis, il se forme une molécule d'assemblage (*voir* Figure 5-56). Selon les événements ultérieurs, le résultat final peut être soit la restauration des deux hélices d'ADN d'origine avec réparation de la cassure du double brin (réaction qui prédomine dans les cellules en mitose) soit un crossing-over qui laisse des hétéroduplex de jonction maintenant ensemble deux hélices d'ADN différentes (réaction qui prédomine dans les cellules en méiose). On pense que les crossing-over sont formés par un groupe de protéines spécifiques qui guident ces réactions dans les cellules subissant la méiose. Non seulement ces protéines entraînent la formation d'une molécule d'assemblage à deux jonctions de Holliday, mais elles produisent également une paire différente de brins au niveau de chacune des deux jonctions, ce qui crée un crossing-over (Figure 5-67).

Quel que soit le résultat de la recombinaison générale, la synthèse d'ADN qui s'effectue transforme au niveau du site de cassure du double brin une partie des informations génétiques en celle du chromosome homologue. Si ces régions possèdent différents allèles du même gène, la séquence de nucléotides dans l'hélice interrompue sera transformée en celle de l'hélice non interrompue, ce qui entraîne une conversion génique. La levure *Saccharomyces cerevisiae* exploite la conversion génique qui accompagne la réparation d'une cassure d'un double brin pour passer d'un type d'accouplement à l'autre (*voir* Chapitre 7). Dans ce cas, une cassure double brin est intentionnellement induite par la coupure d'une séquence spécifique d'ADN au niveau du *locus du type d'accouplement* de la levure par une enzyme, l'HO endonucléase.

Lorsque la dégradation de l'ADN sur le site de cassure a retiré l'ancienne séquence, l'information génétique manquante est restaurée par un synapsis des extrémités interrompues avec une séquence d'ADN, ou «cassette du type d'accouplement», du type d'accouplement opposé (a ou α), suivi de la synthèse locale d'ADN, selon la manière auparavant indiquée, pour réunir les régions interrompues du chromosome. En fait, c'est par l'étude détaillée de cette forme de réparation des cassures double brin dans cette position précise que le mécanisme général de la voie de recombinaison homologue a été découvert.

La correction sur épreuve des mésappariements empêche la recombinaison entre deux séquences d'ADN médiocrement appariées

Comme nous l'avons déjà dit, une étape critique de la recombinaison se produit lorsque deux brins d'ADN de séquences complémentaires s'apparient pour former un hétéroduplex commun à deux doubles hélices. Des expériences *in vitro* avec une protéine RecA purifiée montrent que l'appariement peut être efficace même lorsque les séquences des deux brins d'ADN se correspondent médiocrement – lorsque, par exemple, en moyenne seuls quatre nucléotides sur cinq peuvent former des paires de bases. Si la recombinaison s'effectuait à partir de ces séquences mésappariées, elle engendrerait des ravages dans les cellules, en particulier dans celles qui contiennent une série de séquences d'ADN très proches dans leur génome. Comment les cellules évitent-elles le crossing-over entre ces séquences?

Même si on ne connaît qu'une partie de la réponse, des études faites avec les bactéries et les levures ont démontré que les composants de la voie de correction sur épreuve des mésappariements, qui éliminent les erreurs de réplication (*voir* Figure 5-23), ont un rôle supplémentaire, consistant à interrompre les événements de recombinaison génétique entre des séquences d'ADN médiocrement appariées. On sait depuis longtemps, par exemple, que des gènes homologues de deux bactéries proches, *E. coli* et *Salmonella typhimurium*, ne se recombinent pas, en général, même si leurs séquences de nucléotides sont identiques à 80 p. 100. Cependant, lorsque le système de correction sur épreuve des mésappariements est inactivé par mutation, la fréquence de ces événements de recombinaison interespèces est multipliée par 1 000. On pense que le système de correction sur épreuve des mésappariements reconnaît normalement les bases mésappariées au début de l'échange de brins et – si le nombre de mésappariements est significatif – les étapes suivantes nécessaires à la cassure et à la réunion des deux hélices d'ADN appariées ne s'effectuent pas. Ce mécanisme protège le génome bactérien des modifications de séquence qui sinon seraient provoquées par recombinaison avec des molécules d'ADN étrangères qui entrent occasionnellement dans la cellule. Dans les cellules des vertébrés, qui contiennent beaucoup de séquences d'ADN proches, on pense que ce type de correction des recombinaisons permet d'éviter des recombinaisons illégitimes qui brouilleraient le génome (Figure 5-68).

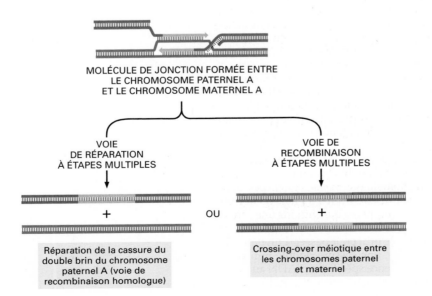

MOLÉCULE DE JONCTION FORMÉE ENTRE
LE CHROMOSOME PATERNEL A
ET LE CHROMOSOME MATERNEL A

VOIE
DE RÉPARATION
À ÉTAPES MULTIPLES

VOIE DE
RECOMBINAISON
À ÉTAPES MULTIPLES

+   OU   +

Réparation de la cassure du double brin du chromosome paternel A (voie de recombinaison homologue)

Crossing-over méiotique entre les chromosomes paternel et maternel

Figure 5-67 Séparation différente d'un intermédiaire de recombinaison générale dans les cellules en mitose et en méiose. Comme cela a été montré auparavant dans la figure 5-56, la recombinaison générale commence lorsqu'une cassure du double brin se forme dans une des doubles hélices (en *vert*), suivie d'une dégradation de l'ADN et d'une invasion d'un brin dans un duplex d'ADN homologue (*rouge*). Il s'ensuit une nouvelle synthèse d'ADN (*orange*) qui engendre la molécule d'assemblage montrée. Selon la suite des événements, la séparation de la molécule d'assemblage conduit soit à une réparation précise de la cassure du double brin initial (*à gauche*) soit à un crossing-over des chromosomes (*à droite*). L'induction expérimentale d'une cassure d'un double brin d'ADN au niveau d'un site spécifique a permis de quantifier le résultat de la recombinaison générale dans les cellules en mitose et en méiose. Plus de 99 p. 100 de ces événements ne produisent pas de crossing-over dans les cellules en mitose alors que le crossing-over en est souvent le résultat dans les cellules en méiose. Dans les deux cas, si la séquence d'ADN des chromosomes paternel et maternel est différente au niveau de la région où s'effectue la néosynthèse d'ADN montrée ici, la séquence du duplex d'ADN *vert* dans la région de néosynthèse d'ADN est transformée en celle du duplex *rouge* (conversion de gène).

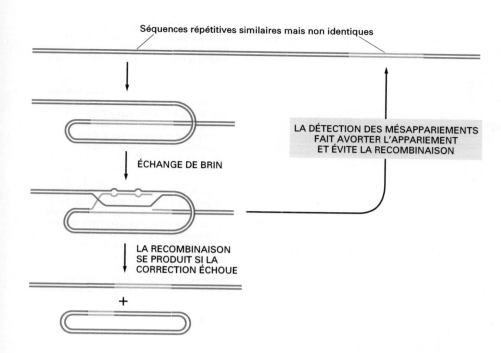

Séquences répétitives similaires mais non identiques

ÉCHANGE DE BRIN

LA DÉTECTION DES MÉSAPPARIEMENTS
FAIT AVORTER L'APPARIEMENT
ET ÉVITE LA RECOMBINAISON

LA RECOMBINAISON
SE PRODUIT SI LA
CORRECTION ÉCHOUE

+

Figure 5-68 Mécanisme empêchant que la recombinaison générale déstabilise un génome qui contient des séquences répétitives. Des études faites sur les bactéries et les levures suggèrent que les composants du système de correction sur épreuve des mésappariements, schématisé en figure 5-23, ont une fonction supplémentaire montrée ici.

Résumé

La recombinaison générale (ou recombinaison homologue) permet le déplacement de grands segments de la double hélice d'ADN d'un chromosome à un autre ; elle est responsable du crossing-over des chromosomes qui se produit au cours de la méiose dans les champignons, les animaux et les végétaux. La recombinaison générale est essentielle au maintien des chromosomes dans toutes les cellules et commence en général par la cassure d'un double brin remanié pour exposer une extrémité d'ADN simple brin. Le synapsis (appariement) entre ce simple brin et une région homologue d'une double hélice d'ADN est catalysé par la protéine bactérienne RecA et ses homologues eucaryotes et conduit souvent à la formation d'une structure à quatre brins appelée jonction de Holliday. En fonction de la position des brins coupés lors de la séparation de cette jonction en deux doubles hélices séparées, le résultat peut être soit la réparation précise de la cassure du double brin soit le crossing-over des deux chromosomes.

Comme la recombinaison générale s'appuie sur un appariement étendu de bases entre les brins de deux doubles hélices d'ADN qui se recombinent, elle ne peut se produire qu'entre des molécules d'ADN homologues. La conversion de gènes, ou transfert non réciproque d'information génétique entre un chromosome et un autre, résulte du mécanisme de recombinaison générale qui implique l'association à une synthèse limitée d'ADN.

RECOMBINAISON SPÉCIFIQUE DE SITE

Lors d'une recombinaison générale, le réarrangement de l'ADN se produit entre des segments d'ADN de séquences très semblables. Même si ces réarrangements aboutissent parfois en l'échange d'allèles entre les chromosomes, l'ordre des gènes des chromosomes qui interagissent reste typiquement le même. Un deuxième type de recombinaison, appelé **recombinaison spécifique de site**, peut modifier l'ordre des gènes et ajouter également de nouvelles informations au génome. La recombinaison spécifique de site déplace des séquences particulières de nucléotides, appelées *éléments mobiles*, entre des sites non homologues du génome. Ce mouvement peut se produire entre deux positions différentes au sein d'un seul chromosome aussi bien qu'entre deux chromosomes différents.

La taille des éléments mobiles varie de quelques centaines à plusieurs dizaines de milliers de paires de nucléotides et ils ont été identifiés virtuellement dans toutes les cellules examinées. Certains de ces éléments sont des virus qui utilisent la recombinaison spécifique de site pour introduire leur génome dans les chromosomes

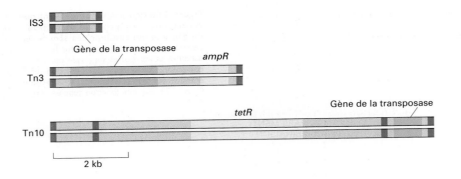

Figure 5-69 Trois types d'éléments mobiles parmi les nombreux trouvés dans les bactéries. Chacun de ces éléments d'ADN contient un gène qui code pour une *transposase*, enzyme qui catalyse au moins certaines des réactions de coupure et de jonction d'ADN nécessaires au déplacement de l'élément. Chaque élément mobile contient aussi de courtes séquences d'ADN (indiquées en *rouge*) qui ne sont reconnues que par les transposases codées par cet élément et sont nécessaires au mouvement de l'élément. De plus, deux des trois éléments mobiles montrés contiennent des gènes codant pour des enzymes qui inactivent des antibiotiques, l'ampicilline (*ampR*) et la tétracycline (*tetR*). On pense que l'élément transposable *Tn10*, figuré en bas, s'est développé après l'arrivée au hasard de deux courts éléments mobiles de chaque côté d'un gène de résistance aux tétracyclines ; la vaste utilisation de la tétracycline comme antibiotique a facilité la dissémination de ce gène dans la population bactérienne. Les trois éléments mobiles montrés ici sont des exemples de *transposons* (*voir* texte).

de leur cellule hôte ou l'en faire sortir. Un virus peut placer ses acides nucléiques dans une particule virale qui peut se déplacer d'une cellule à l'autre dans l'environnement extracellulaire. Beaucoup d'autres éléments mobiles ne peuvent se déplacer qu'à l'intérieur d'une seule cellule (et de sa descendance) et n'ont aucune capacité intrinsèque à quitter la cellule dans laquelle ils résident.

Les vestiges des événements de recombinaison spécifique de site peuvent constituer une fraction considérable d'un génome. L'abondance des séquences répétitives d'ADN trouvée dans beaucoup de chromosomes des vertébrés provient principalement des transposons ; en fait, ces séquences représentent plus de 45 p. 100 du génome humain (*voir* Figure 4-17). Avec le temps, les séquences de nucléotides de ces éléments ont été altérées par des mutations aléatoires. Il en résulte que seules quelques copies de ces éléments sont encore actives dans notre ADN et capables de se déplacer.

En plus de leur déplacement propre, tous les types de transposons déplacent occasionnellement ou réarrangent des séquences voisines d'ADN du génome de la cellule hôte. Ces mouvements peuvent, par exemple, provoquer des délétions dans les séquences nucléotidiques adjacentes ou transporter ces séquences vers un autre site. De cette façon, la recombinaison spécifique de site, comme la recombinaison générale, peut produire bon nombre de variations génétiques dont dépend l'évolution. La translocation des transposons donne naissance à des mutations spontanées dans beaucoup d'organismes y compris l'homme ; chez certains, comme la drosophile, on sait que ces éléments engendrent la plupart des mutations observées. Avec le temps, la recombinaison spécifique de site a ainsi été responsable d'une grande partie des modifications évolutives importantes des génomes.

Les éléments mobiles se déplacent par un mécanisme de transposition ou un mécanisme conservatif

À la différence de la recombinaison générale, la recombinaison spécifique de site est guidée par des enzymes de recombinaison qui reconnaissent de courtes séquences spécifiques de nucléotides, présentes sur une ou sur les deux molécules d'ADN recombinant. Il n'est pas nécessaire pour cette recombinaison que l'homologie de l'ADN soit importante. Chaque type d'élément mobile code généralement pour l'enzyme qui sert de médiateur à ses propres mouvements et contient des sites spéciaux sur lesquels agit l'enzyme. Beaucoup de transposons portent aussi d'autres gènes. Par exemple, les virus codent pour les protéines de l'enveloppe grâce à laquelle ils peuvent subsister à l'extérieur de la cellule ainsi que pour les enzymes virales essentielles. La dissémination de transposons qui portent les gènes de résistance aux antibiotiques est un facteur majeur sous-jacent à l'importante dissémination de l'antibiorésistance au sein d'une population bactérienne (Figure 5-69).

La recombinaison spécifique de site peut s'effectuer selon deux mécanismes distincts, chacun nécessitant des enzymes spéciales de recombinaison et des sites spécifiques sur l'ADN. (1) La **recombinaison spécifique de site par transposition** implique en général une cassure au niveau des extrémités des segments d'ADN mobiles encastrés dans le chromosome et la fixation de ces extrémités sur un des nombreux sites cibles non homologues de l'ADN. Elle n'implique pas la formation d'un hétéroduplex d'ADN. (2) La **recombinaison conservative spécifique de site** implique la formation d'un très court hétéroduplex et nécessite donc une courte séquence d'ADN identique sur les molécules d'ADN donneuse et receveuse. Nous envisagerons d'abord la recombinaison spécifique de site par transposition (ou «*transposition*», pour faire plus court) et retournerons à la recombinaison conservative spécifique de site à la fin de ce chapitre.

La recombinaison spécifique de site par transposition peut insérer des éléments mobiles dans n'importe quelle séquence d'ADN

Les **transposons**, ou **éléments transposables**, sont des éléments génétiques mobiles qui n'ont généralement qu'une modeste sélectivité de sites cibles et peuvent donc s'insérer eux-mêmes dans de nombreux sites différents de l'ADN. Lors d'une transposition, une enzyme spécifique, la *transposase*, généralement codée par l'élément mobile, agit sur les séquences spécifiques d'ADN situées de part et d'autre de l'élément mobile – le déconnectant tout d'abord de l'ADN qui l'entoure puis l'insérant dans un nouveau site cible de l'ADN. Aucune homologie n'est nécessaire entre les extrémités de l'élément et le site d'insertion.

La plupart des transposons ne se déplacent que très rarement (une fois toutes les 10^5 générations cellulaires pour beaucoup d'éléments chez les bactéries), c'est pourquoi il est souvent difficile de les distinguer des parties non mobiles du chromosome. Dans la plupart des cas, on ne sait pas ce qui déclenche leur mouvement soudain.

Si on se base sur leur structure et le mécanisme de transposition, les éléments mobiles peuvent être divisés en trois grandes classes (Tableau 5-III), dont chacune sera abordée en détail dans les paragraphes suivants. Ceux des deux premières classes utilisent pratiquement des réactions identiques de cassure et de réunion d'ADN pour effectuer la translocation. Cependant pour les *transposons* constitués seulement d'ADN, l'élément mobile est sous forme d'ADN tout au long de son cycle de vie : le segment qui subit la translocation est directement coupé au niveau de l'ADN donneur et réuni au site cible par une transposase. Par contre, les *rétrotransposons de type rétrovirus* (à LTR) se déplacent selon un mécanisme moins direct. Une ARN polymérase transcrit d'abord la séquence d'ADN de l'élément mobile en ARN. L'enzyme transcriptase inverse transcrit alors cette molécule d'ARN à nouveau en ADN en utilisant l'ARN comme matrice et c'est cette copie d'ADN qui est finalement insérée dans le nouveau site du génome. Pour des raisons historiques, l'enzyme de type transposase qui catalyse cette réaction d'insertion est appelée plutôt *intégrase* et non transposase. Le troisième type d'élément mobile dans le tableau 5-III se déplace

---

TABLEAU 5-III Les trois classes principales d'éléments transposables

DESCRIPTION DE LA CLASSE ET STRUCTURE	GÈNES DANS L'ÉLÉMENT COMPLET	MODE DE DÉPLACEMENT	EXEMPLES
Transposons Courtes répétitions inversées à chaque extrémité	Code pour les transposases	Se déplace sous forme d'ADN, soit par excision soit par la voie de réplication	Élément P (*Drosophila*) Ac-Ds (maïs) Tn3 et IS1 (*E. coli*) Tam3 (muflier)
Rétrotransposons de type rétrovirus Longues répétitions terminales (LTR) répétées dans le même sens aux extrémités	Code pour une transcriptase inverse et ressemble aux rétrovirus	Se déplace via un ARN intermédiaire produit par un promoteur dans les LTR	Copia (*Drosophila*) Ty1 (levure) THE-1 (homme) Bs1 (maïs)
Rétrotransposons non rétroviraux Poly A à l'extrémité 3' du transcrit d'ARN ; l'extrémité 5' est souvent tronquée	Code pour une transcriptase inverse	Se déplace via un ARN intermédiaire souvent produit à partir d'un promoteur voisin	Élément F (*Drosophila*) L1 (homme) Cin4 (maïs)

La longueur de ces éléments varie de 1 000 à 12 000 paires de nucléotides environ ; chaque famille contient de nombreux membres, dont seuls quelques-uns sont présentés ici. En plus des éléments transposables, certains virus peuvent se déplacer à l'intérieur et à l'extérieur du chromosome de la cellule hôte ; ces virus sont apparentés aux deux premières classes de transposons.

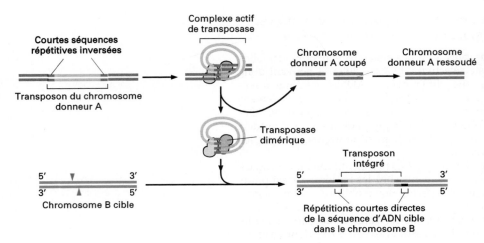

Courtes séquences répétitives inversées

Complexe actif de transposase

Transposon du chromosome donneur A

Chromosome donneur A coupé

Chromosome donneur A ressoudé

Transposase dimérique

5′ 3′
3′ 5′
Chromosome B cible

Transposon intégré

5′ 3′
3′ 5′

Répétitions courtes directes de la séquence d'ADN cible dans le chromosome B

Figure 5-70 Transposition par coupure-collage. Les transposons peuvent être repérés dans les chromosomes par les «séquences d'ADN répétitives inversées» (*rouge*) de leurs extrémités. Des expériences montrent que ces séquences, qui peuvent ne mesurer que 20 nucléotides, sont la seule chose nécessaire pour que l'ADN compris entre elles soit transposé par une transposase particulière associé à l'élément transposable. Le mouvement de coupure-collage du transposon d'un site du chromosome à un autre commence lorsque la transposase rapproche les deux séquences inversées d'ADN, formant une boucle d'ADN. L'insertion dans le chromosome cible, catalysée par la transposase, se produit dans un site aléatoire par la création de cassures décalées dans le chromosome cible (*têtes de flèches rouges*). Il en résulte que le site d'insertion est marqué par une courte répétition directe de la séquence d'ADN cible, comme cela est montré. Même si la cassure (en *vert*) est comblée dans le chromosome donneur, le processus de coupure-collage altère souvent la séquence d'ADN provoquant une mutation sur le site d'origine de l'élément transposable excisé (non montré).

aussi en faisant une copie ADN d'une molécule d'ARN qui est transcrite à partir de l'ADN de l'élément mobile. Cependant, le mécanisme impliqué dans ces *rétrotransposons non rétroviraux* (sans LTR) est différent de celui que nous venons de décrire car la molécule d'ARN est directement impliquée dans la réaction de transposition.

Les transposons se déplacent selon des mécanismes de rupture et de réunion de l'ADN

Beaucoup de **transposons** se déplacent du site donneur au site cible par une **transposition de type coupure-collage**, utilisant le mécanisme décrit dans la figure 5-70. Chaque sous-unité d'une transposase reconnaît la même séquence spécifique d'ADN aux extrémités de l'élément : la réunion de ces deux sous-unités forme une transposase dimérique et crée une boucle d'ADN qui rapproche les deux extrémités du transposon. La transposase introduit alors des coupures aux deux extrémités de cette boucle d'ADN pour exposer les extrémités du transposon et le retirer complètement du chromosome d'origine (Figure 5-71). La transposase catalyse, pour terminer la réaction, l'attaque directe des deux extrémités d'ADN du transposon sur la molécule d'ADN cible, cassant deux liaisons phosphodiester de la molécule cible pour joindre le transposon et l'ADN cible.

Comme les cassures faites sur les deux brins d'ADN cible sont décalées (*têtes de flèches rouges* de la figure 5-70), il se forme initialement deux trous de petite taille sur chaque simple brin de la molécule d'ADN résultante, un à chaque extrémité du transposon inséré. Ces trous sont comblés par une ADN polymérase et une ADN ligase de la cellule hôte qui terminent le processus de recombinaison, produisant une courte duplication de la séquence d'ADN cible adjacente. Ces séquences répétitives directes et latérales, dont la longueur est différente selon le transposon, servent de marqueur pratique pour repérer un événement antérieur de recombinaison par transposition spécifique de site.

Figure 5-71 Structure de l'intermédiaire central formé par une transposase de « coupure-collage ». (A) Schéma de la structure globale. (B) Structure détaillée d'une transposase qui maintient les deux extrémités d'ADN, dont les groupements 3'-OH sont prêts à attaquer un chromosome cible. (B, d'après D.R. Davies et al., *Science* 289 : 77-85, 2000. © AAAS).

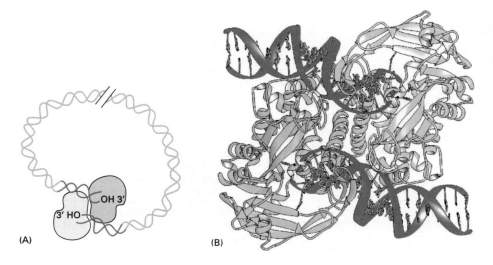

OH 3′
3′ HO

(A)

(B)

Lorsqu'un transposon se déplaçant par transposition de type «coupure-collage» est excisé du chromosome donneur, il se forme une cassure double brin dans ce chromosome. Cette cassure peut être parfaitement «cicatrisée» par la voie de la recombinaison homologue. Sinon, elle peut être scellée par une jonction non homologue des extrémités; dans ce cas, les séquences d'ADN se trouvant de part et d'autre du transposon sont souvent altérées, ce qui produit une mutation du site chromosomique à partir duquel le transposon a été excisé (*voir* Figure 5-53).

Certains transposons se déplacent selon une variation du mécanisme coupure-collage appelée *transposition par réplication*. Dans ce cas, le transposon est répliqué et sa copie est insérée dans un nouveau site chromosomique, laissant le chromosome d'origine intact (Figure 5-72). Bien que ce mécanisme soit plus complexe, il est très proche du mécanisme coupure-collage juste décrit; en effet, certains transposons peuvent se déplacer selon ces deux voies.

Certains virus utilisent la recombinaison spécifique de site par transposition pour se déplacer eux-mêmes dans les chromosomes de la cellule hôte

Certains virus sont considérés comme des éléments génétiques mobiles parce qu'ils utilisent des mécanismes de transposition pour intégrer leur génome dans celui de leur hôte. Cependant, ces virus codent également pour des protéines qui empaquètent leurs informations génétiques dans des particules virales qui peuvent infecter d'autres cellules. Beaucoup de virus qui s'insèrent eux-mêmes dans un chromosome hôte le font en employant un des deux mécanismes présenté au tableau 5-III. En réalité, la majeure partie de notre connaissance sur ces mécanismes provient d'études sur les virus particuliers qui les emploient.

Un virus qui infecte une bactérie est appelé **bactériophage**. Le *bactériophage Mu* utilise non seulement la transposition basée sur l'ADN pour intégrer son génome dans le chromosome de sa cellule hôte, mais aussi pour initier la réplication de son ADN viral. La transposase Mu a été la première à être purifiée sous sa forme active et à être caractérisée; elle reconnaît les sites de recombinaison de part et d'autre de l'ADN viral en se liant spécifiquement sur cet ADN et ressemble beaucoup aux transposases que nous venons de décrire.

La transposition joue également un rôle clé dans le cycle de vie de nombreux autres virus. Les plus importants sont les **rétrovirus** parmi lesquels se trouve le virus du SIDA, ou HIV (et en français VIH), qui infecte les cellules humaines. À l'extérieur de la cellule, le rétrovirus existe sous forme d'un génome d'ARN simple brin, empaqueté dans une capside protéique, associé à une enzyme, la **transcriptase inverse**, codée par le virus. Pendant le processus infectieux, l'ARN viral entre dans la cellule et est transformé en ADN double brin par l'action de cette enzyme cruciale, capable de polymériser un ADN à partir d'une matrice de type ARN ou ADN (Figure 5-73 et 5-74). Le terme de *rétrovirus* fait référence au fait que ces virus inversent le flux habituel de l'information génétique, qui va de l'ADN à l'ARN (*voir* Figure 1-5).

Des séquences d'ADN spécifiques proches des deux extrémités de l'ADN double brin produit par la transcriptase inverse sont ensuite maintenues ensemble par une enzyme codée par le virus, l'intégrase. Cette intégrase crée des extrémités 3'-OH activées sur l'ADN viral qui peuvent attaquer directement la molécule d'ADN cible selon un mécanisme de type coupure-collage très similaire à celui utilisé par les transposons (Figure 5-75). En fait, les analyses détaillées des structures tridimensionnelles de la transposase bactérienne et de l'intégrase de l'HIV ont révélé des similitudes remarquables entre ces enzymes, même si leurs séquences en acides aminés ont considérablement divergé.

Les rétrotransposons de type rétrovirus (à LTR) ressemblent à des rétrovirus dépourvus d'enveloppe protéique

Les rétrovirus se déplacent eux-mêmes à l'intérieur et à l'extérieur des chromosomes selon un mécanisme identique à celui utilisé par une grande famille d'éléments mobiles, les **rétrotransposons de type rétrovirus** (*voir* Tableau 5-III). On trouve ces éléments dans des organismes aussi variés que la levure, la mouche et les mammifères. Un des mieux connus est l'*élément Ty1* de la levure. Comme pour les rétrovirus, la première étape de la transposition est la transcription de l'élément mobile complet, qui produit une copie d'ARN de cet élément ayant plus de 5000 nucléotides. Ce transcrit, traduit sous forme d'un ARN messager par la cellule hôte, code pour une enzyme, une transcriptase inverse. Cette enzyme fabrique une copie d'ADN double

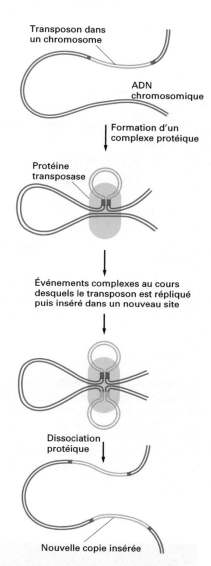

Figure 5-72 Transposition réplicative.
Au cours de la transposition réplicative, la séquence d'ADN du transposon est copiée par réplication de l'ADN. Le produit final est une molécule d'ADN identique au donneur d'origine et une molécule d'ADN cible ayant un transposon inséré. En général, un transposon particulier se déplace soit par la voie de «coupure-collage» montrée dans la figure 5-70 soit par la voie réplicative montrée ici. Cependant les deux mécanismes présentent beaucoup de similitudes enzymatiques et quelques transposons peuvent se déplacer selon ces deux mécanismes.

Labels in figure: Transposon dans un chromosome — ADN chromosomique — Formation d'un complexe protéique — Protéine transposase — Événements complexes au cours desquels le transposon est répliqué puis inséré dans un nouveau site — Dissociation protéique — Nouvelle copie insérée

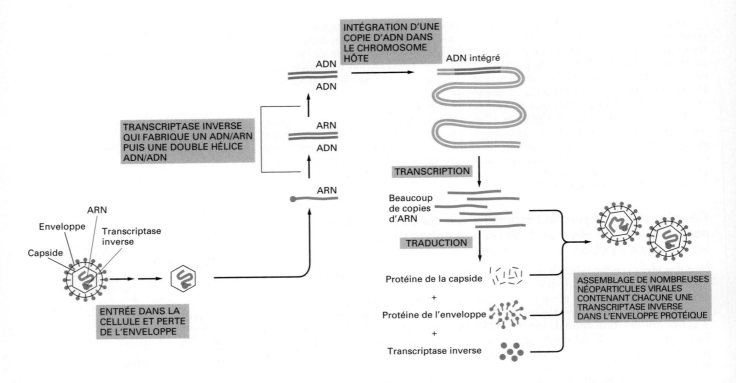

Figure 5-73 Cycle de vie d'un rétrovirus. Le génome du rétrovirus est composé d'une molécule d'ARN ayant 8 500 nucléotides environ ; deux de ces molécules sont empaquetées dans chaque particule virale. L'enzyme *transcriptase inverse* fabrique d'abord une copie ADN de la molécule d'ARN virale puis un deuxième brin d'ADN, engendrant une copie d'ADN double brin du génome d'ARN. L'intégration de cette double hélice d'ADN dans le chromosome hôte est alors catalysée par une *intégrase*, enzyme codée par le virus (*voir* Figure 5-75). Cette intégration est nécessaire à la synthèse d'une nouvelle molécule d'ARN virale par l'ARN polymérase de la cellule hôte, l'enzyme qui transcrit l'ADN en ARN (*voir* Chapitre 6).

brin de la molécule d'ARN via un intermédiaire hybride ARN/ADN, mimant avec précision les stades précoces de l'infection par un rétrovirus (*voir* Figure 5-73). Tout comme les rétrovirus, la molécule d'ADN double brin linéaire est alors intégrée dans un site du chromosome par l'intermédiaire d'une enzyme de type intégrase, également codée par l'ADN *Ty1* (*voir* Figure 5-75). Même si la ressemblance avec les rétrovirus est frappante, contrairement à eux, l'élément Ty1 n'a pas d'enveloppe protéique fonctionnelle ; il ne peut donc se déplacer qu'à l'intérieur d'une seule cellule et de ses descendants.

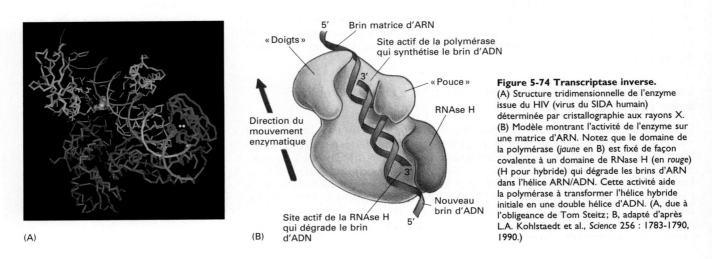

Figure 5-74 Transcriptase inverse.
(A) Structure tridimensionnelle de l'enzyme issue du HIV (virus du SIDA humain) déterminée par cristallographie aux rayons X. (B) Modèle montrant l'activité de l'enzyme sur une matrice d'ARN. Notez que le domaine de la polymérase (*jaune en B*) est fixé de façon covalente à un domaine de RNase H (en *rouge*) (H pour hybride) qui dégrade les brins d'ARN dans l'hélice ARN/ADN. Cette activité aide la polymérase à transformer l'hélice hybride initiale en une double hélice d'ADN. (A, due à l'obligeance de Tom Steitz ; B, adapté d'après L.A. Kohlstaedt et al., *Science* 256 : 1783-1790, 1990.)

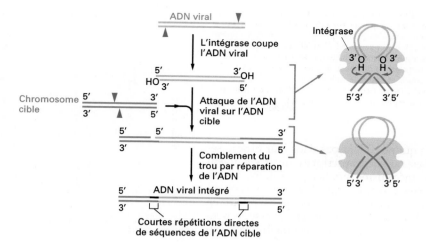

Figure 5-75 Recombinaison spécifique de site par transposition par un rétrotransposon de type rétroviral ou un rétrovirus. Schéma des événements de cassure du brin et de jonction des brins qui conduisent à l'intégration de l'ADN linéaire double brin (*orange*) d'un rétrovirus (comme le VIH) ou d'un rétrotransposon de type rétroviral (comme le *Ty1*) dans le chromosome de la cellule hôte (*bleu*). Lors de l'étape initiale, l'enzyme intégrée forme une boucle d'ADN et coupe un des brins à chaque extrémité de la séquence d'ADN viral, exposant un groupement 3'-OH saillant. Chacune de ces extrémités 3'-OH attaque alors directement une liaison phosphodiester sur le brin opposé d'un site choisi de façon aléatoire sur le chromosome cible (*têtes de flèches rouges*). Cela insère la séquence d'ADN viral dans le chromosome cible, laissant de petits trous de chaque côté qui sont comblés par un processus de réparation de l'ADN. Du fait du comblement du trou, ce type de mécanisme (comme celui de «coupure-collage» du transposon) laisse de courtes répétitions de séquences d'ADN cible (*noir*) de chaque côté du segment d'ADN intégré; ils mesurent entre 3 et 12 nucléotides, selon l'intégrase.

Une grande partie du génome humain est composée de rétrotransposons non rétroviraux (sans LTR)

Une partie significative de nombreux chromosomes de vertébrés est fabriquée à partir de séquences d'ADN répétitives. Dans les chromosomes humains, ces répétitions sont surtout des versions mutées et tronquées d'un rétrotransposon appelé *élément L1* (ou LINE pour *long interspersed nuclear element*, «long élément nucléaire intercalé»). Même si la plupart des copies de l'élément L1 sont immobiles, quelques-unes gardent la capacité de se déplacer. Des translocations de cet élément ont été identifiées et certaines entraînent des maladies chez l'homme; par exemple, un type particulier d'hémophilie résulte de l'insertion de L1 dans le gène codant pour un des facteurs de la coagulation sanguine, le facteur VIII. Des éléments mobiles apparentés existent dans d'autres mammifères et insectes ainsi que dans les mitochondries des levures. Ces **rétrotransposons non rétroviraux** (la troisième entrée du tableau 5-III) se déplacent selon un mécanisme distinct qui nécessite un complexe formé d'une endonucléase et d'une transcriptase inverse. Comme cela est illustré dans la figure 5-76, l'ARN et la transcriptase inverse jouent un rôle beaucoup plus direct dans les événements de recombinaison que dans les éléments mobiles décrits ci-dessus.

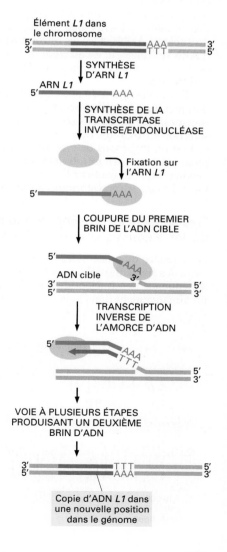

Figure 5-76 Recombinaison spécifique de site par transposition d'un rétrotransposon non rétroviral. La transposition de l'élément *L1* (*rouge*) commence lorsqu'une endonucléase fixée sur la L1 transcriptase inverse et l'ARN *L1* (*bleu*) effectue une coupure dans l'ADN cible au point d'insertion. Ce clivage libère une extrémité 3'-OH d'ADN de l'ADN cible, qui est ensuite utilisée comme amorce pour l'étape de transcription inverse montrée ici. Cela engendre une copie d'ADN simple brin de l'élément directement fixée sur l'ADN cible. Au cours des réactions suivantes, non encore connues en détail, un traitement supplémentaire de la copie d'ADN simple brin forme une nouvelle copie d'ADN double brin de l'élément *L1* qui est insérée dans le site de la brèche initiale.

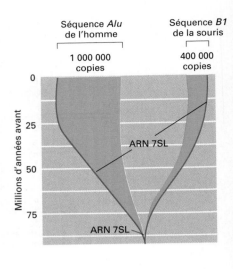

Figure 5-77 Schéma proposé de l'expansion des séquences abondantes *Alu* et *B1* retrouvées respectivement dans les génomes de l'homme et de la souris. On pense que ces deux séquences d'ADN transposables se sont développées à partir du gène essentiel de l'ARN 7SL qui code pour l'ARN SRP (*voir* Figure 12-41). Si on se base sur la distribution des espèces et les similitudes des séquences de ces éléments très répétés, l'expansion principale du nombre de copies semble s'être produite indépendamment chez la souris et l'homme (*voir* Figure 5-78). (Adapté d'après P.L. Deininger et G.R. Daniels, *Trends Genet.* 2 : 76-80, 1986 et International Human Genome Sequencing Consortium, *Nature* 409 : 860-921, 2001.)

On pense que les autres ADN répétitifs qui ne codent pas dans leur propre séquence de nucléotides pour une endonucléase ou une transcriptase inverse peuvent se multiplier dans les chromosomes par un mécanisme similaire, qui utilise les diverses endonucléases et transcriptases inverses présentes dans la cellule, y compris celles codées par les éléments *L1*. Par exemple, l'élément *Alu*, bien qu'abondant, ne possède pas de gène codant pour l'endonucléase ou la transcriptase inverse ; cependant, il s'est amplifié et est devenu un constituant majeur du génome humain (Figure 5-77).

Il semble que les éléments *L1* et *Alu* se sont multipliés dans le génome humain relativement récemment. De ce fait, par exemple, la souris contient des séquences fortement apparentées à *L1* et *Alu*, mais leur place dans le chromosome de la souris est très différente de celle des chromosomes humains (Figure 5-78).

Des éléments transposables différents prédominent dans les différents organismes

Nous avons décrit différents types d'éléments transposables : (1) les transposons, dont le mouvement implique uniquement une cassure et une jonction d'ADN ; (2) les rétrotransposons de type rétrovirus, qui se déplacent aussi par cassure et jonction de l'ADN mais où l'ARN joue un rôle clé de matrice pour engendrer la recombinaison du substrat ADN ; et (3) les rétrotransposons non rétroviraux, pour lesquels la copie d'ARN de l'élément est au cœur de l'incorporation de celui-ci dans l'ADN cible, agissant comme matrice directe de l'événement de transcription inverse amorcée par l'ADN cible.

Il est intéressant de noter que différents types d'éléments mobiles semblent prédominer dans les différents organismes. Par exemple, la grande majorité des éléments transposables bactériens sont de type transposon avec seuls quelques rétrotransposons non rétroviraux. Dans les levures, les principaux éléments mobiles observés sont des rétrotransposons de type rétroviral. Chez la drosophile, on trouve des transposons, ainsi que des rétrotransposons de type rétrovirus et non rétrovirus. Enfin, le génome humain contient les trois types de transposons, mais comme nous l'avons vu ci-dessus, leurs historiques au cours de l'évolution diffèrent fortement.

Des séquences du génome indiquent le moment approximatif où les éléments transposables se sont déplacés

La séquence de nucléotides du génome humain fournit un riche « registre » de l'activité des éléments mobiles en fonction du temps écoulé. En comparant attentivement la séquence des nucléotides des 3 millions d'éléments transposables restant approximativement dans le génome humain, il a été possible de reconstruire grossiè-

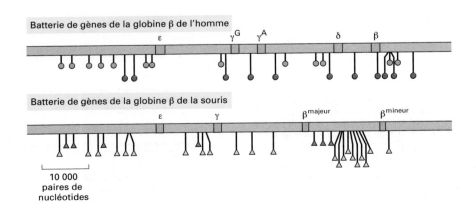

Figure 5-78 La comparaison des batteries de gènes de la globine β du génome de l'homme et du génome de la souris montre la localisation des éléments transposables. Cette bande du génome humain contient cinq gènes fonctionnels de type globine β (*orange*) ; les régions comparables provenant du génome de la souris n'en ont que quatre. Les positions de la séquence humaine *Alu* sont indiquées par des *cercles verts* et les séquences *L1* humaines par des *cercles rouges*. Le génome de la souris contient des éléments transposables différents mais apparentés : les positions des éléments *B1* (apparentés aux séquences *Alu* humaines) sont indiquées par des *triangles bleus* et les positions des éléments *L1* de souris (apparentés aux séquences *L1* humaines) sont indiquées par des *triangles jaunes*. Comme les séquences d'ADN et les positions des éléments transposables trouvées dans les batteries des gènes de la globine β de l'homme et de la souris sont si différentes, on pense qu'elles se sont accumulées indépendamment dans chacun des génomes, relativement récemment sur l'échelle de l'évolution. (Due à l'obligeance de Ross Hardison et Webb Miller.)

rement le déplacement des éléments mobiles dans les génomes de nos ancêtres depuis quelques centaines de millions d'années. Par exemple, les transposons semblent avoir été très actifs bien avant la divergence entre l'homme et les singes de l'ancien monde (il y a 25 à 35 millions d'années); mais comme ils ont peu à peu accumulé des mutations qui les ont inactivés, il sont restés depuis lors inactifs dans la lignée humaine. De même, alors que notre génome est jonché de reliques de rétrotransposons de type rétrovirus, aucun ne semble actif de nos jours. On pense qu'une seule famille de rétrotransposons de type rétrovirus s'est transposée dans le génome humain depuis la divergence entre l'homme et le chimpanzé, il y a environ 7 millions d'années. Les rétrotransposons non rétroviraux sont également très anciens, mais contrairement aux autres types, certains sont encore mobiles dans notre génome. Comme nous l'avons déjà mentionné, ils sont responsables en partie des nouvelles mutations humaines – peut-être de deux mutations sur mille.

La situation chez la souris est significativement différente. Même si les génomes de l'homme et de la souris contiennent grossièrement la même densité des trois types d'éléments mobiles, les deux types de rétrotransposons effectuent encore activement des transpositions dans le génome de la souris et sont responsables de 10 p. 100, environ, des nouvelles mutations. En clair, nous commençons seulement à comprendre comment le mouvement des transposons a façonné le génome des mammifères actuels. Il a été proposé que des poussées d'activité de transposition aient été impliquées dans la formation critique des espèces au cours de la division des lignées de mammifères à partir d'un ancêtre commun, un processus qui a commencé il y a 170 millions d'années environ. Actuellement, nous ne pouvons que nous émerveiller du nombre de qualités propres à l'homme dues à l'activité passée des nombreux éléments génétiques mobiles dont les vestiges sont retrouvés aujourd'hui dans nos chromosomes.

La recombinaison conservative spécifique de site peut réarranger l'ADN de façon réversible

Un autre type de recombinaison spécifique de site, la *recombinaison conservative spécifique de site*, est à l'origine du réarrangement d'autres types d'éléments mobiles d'ADN. Selon cette voie métabolique, la cassure et la jonction se produisent au niveau de deux sites spéciaux, un sur chaque molécule d'ADN participante. En fonction de l'orientation des deux sites de recombinaison, il peut se produire une intégration, une excision ou une inversion de l'ADN (Figure 5-79).

Les enzymes de recombinaison spécifique de site qui cassent et réunissent deux doubles hélices d'ADN au niveau de séquences spécifiques sur chaque molécule d'ADN le font souvent de façon réversible : le même système enzymatique qui effectue la jonction des deux molécules d'ADN peut les séparer à nouveau et restaurer avec précision la séquence des deux molécules d'ADN d'origine. Ce type de recombinaison est donc appelé recombinaison «conservative» spécifique de site pour la distinguer de la recombinaison spécifique de site par transposition, mécaniquement distincte, dont nous venons de parler.

Un virus bactérien, le *bactériophage lambda*, a été le premier élément mobile d'ADN dont la biochimie détaillée a été comprise. Lorsque le virus pénètre dans la cellule,

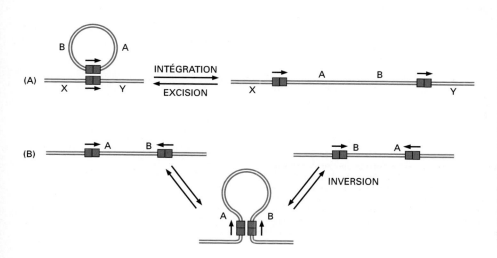

Figure 5-79 Deux types de réarrangements de l'ADN produits par la recombinaison conservative spécifique de site. La seule différence entre les réactions (A) et (B) est l'orientation relative des deux sites d'ADN (indiqués par des *flèches*) au niveau desquels l'événement de recombinaison spécifique de site s'est produit. (A) Grâce à une réaction d'intégration, une molécule d'ADN circulaire peut être incorporée dans une deuxième molécule d'ADN; par la réaction inverse (excision), elle peut sortir et reformer l'ADN circulaire d'origine. Le bactériophage lambda et d'autres virus bactériens se déplacent à l'intérieur et à l'extérieur des chromosomes hôtes précisément de cette façon. (B) La recombinaison conservative spécifique de site peut aussi inverser un segment d'ADN spécifique dans un chromosome. Un exemple bien étudié d'inversion d'ADN par recombinaison spécifique de site se produit chez une bactérie, *Salmonella typhimurium*, principale responsable d'intoxications alimentaires chez l'homme; l'inversion d'un segment d'ADN change le type de flagelle produit par la bactérie (*voir* Figure 7-64).

une enzyme codée par le virus, *l'intégrase lambda*, est synthétisée. Cette enzyme sert de médiateur à la jonction covalente de l'ADN viral et du chromosome bactérien. Le virus devient ainsi une partie de ce chromosome, de telle sorte qu'il est répliqué automatiquement – en tant que partie de l'ADN de l'hôte. Une des caractéristiques clés de la réaction de l'intégrase lambda est que le site de recombinaison est déterminé par la reconnaissance de deux séquences d'ADN apparentées mais différentes – une sur le chromosome du bactériophage et l'autre sur le chromosome de l'hôte bactérien. Le processus de recombinaison commence lorsque, accompagnées de plusieurs protéines de l'hôte, plusieurs molécules d'intégrase se lient fermement sur la séquence spécifique d'ADN du chromosome circulaire du bactériophage. Ce complexe ADN-protéines peut maintenant se fixer sur la séquence d'ADN servant de site d'attache sur le chromosome bactérien, ce qui rapproche les chromosomes de la bactérie et du bactériophage. L'intégrase catalyse alors les réactions nécessaires de coupure-jonction qui entraînent l'échange de brin, spécifique de site. Du fait de la présence d'une courte région de séquence homologue dans les deux séquences reliées, une jonction minuscule par hétéroduplex se forme sur ce point d'échange (Figure 5-80).

L'intégrase lambda ressemble à l'ADN topo-isomérase dans ce sens qu'elle forme une liaison covalente réversible avec l'ADN lorsqu'elle coupe une chaîne. De ce fait, cet événement de recombinaison spécifique de site peut se produire en l'absence d'ATP et d'ADN ligase, qui sont normalement nécessaires à la formation des liaisons phosphodiester.

Ce même type de mécanisme de recombinaison spécifique de site peut être utilisé à l'envers pour favoriser l'excision d'un segment d'ADN mobile fixé par des sites de recombinaison spéciaux présents sous forme de répétitions directes. Dans le cas du bactériophage lambda, l'excision lui permet de sortir de son site d'intégration dans le chromosome d'*E.coli* en réponse à un signal spécifique et de se multiplier ra-

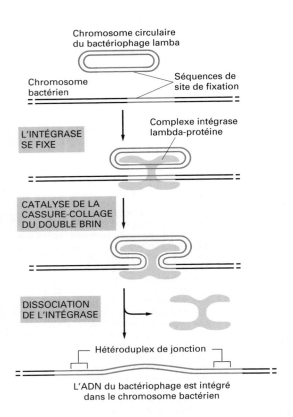

Figure 5-80 Insertion de l'ADN circulaire du chromosome du bactériophage lambda dans un chromosome bactérien. Dans cet exemple de recombinaison spécifique de site, l'enzyme lambda intégrase se fixe sur une séquence spécifique d'ADN ou «site d'attache» située sur chaque chromosome, où elle effectue des coupures qui isolent une courte séquence d'ADN homologue. L'intégrase commute alors les brins partenaires et les recolle pour former un hétéroduplex de jonction qui mesure 7 paires de nucléotides. Au total, il faut quatre réactions de cassure et de réunion de brins ; pour chacune, l'énergie de la liaison phosphodiester clivée est conservée dans une liaison covalente transitoire entre l'ADN et l'enzyme de telle sorte que le recollement du brin d'ADN se produit sans besoin d'ATP ni d'ADN ligase.

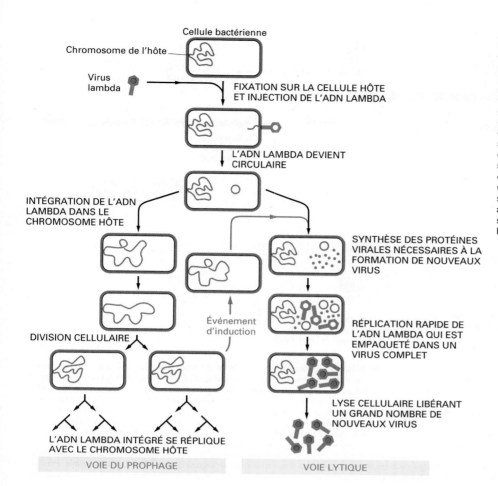

Figure 5-81 Cycle de vie du bactériophage lambda. Le génome de l'ADN lambda double brin contient 50 000 paires de nucléotides et code pour 50 à 60 protéines différentes. Lorsque l'ADN lambda entre dans la cellule, les extrémités se rejoignent pour former une molécule d'ADN circulaire. Ce bactériophage peut se multiplier dans *E. coli* par une voie métabolique lytique qui détruit la cellule ou peut entrer dans un stade de prophage latent. Une lésion dans une cellule portant un prophage lambda induit la sortie du prophage du chromosome hôte et la déviation vers une croissance lytique (*flèches vertes*). L'entrée de l'ADN lambda ainsi que sa sortie du chromosome bactérien sont accomplies par une recombinaison conservative spécifique de site catalysée par une enzyme, l'intégrase lambda (*voir* Figure 5-80).

pidement dans la cellule bactérienne (Figure 5-81). L'excision est catalysée par un complexe formé par l'intégrase et des facteurs propres à l'hôte, associé à une deuxième protéine du bactériophage, l'excisionase, produite par le virus seulement lorsque la cellule hôte est stressée – dans ce cas, il est de l'intérêt du bactériophage d'abandonner la cellule hôte et de se multiplier à nouveau sous forme de particule virale.

La recombinaison conservative spécifique de site est utilisée pour activer et inactiver les gènes

Lorsque les sites spécifiques reconnus par l'enzyme de recombinaison conservative spécifique de site ont une orientation inversée, la séquence d'ADN entre eux est inversée et non pas excisée (*voir* Figure 5-79). Beaucoup de bactéries utilisent cette inversion de la séquence d'ADN pour contrôler l'expression de gènes particuliers – par exemple, en assemblant des gènes actifs présents sur des segments de codage séparés. Ce type de contrôle de gènes a l'avantage d'être directement héréditaire car le nouvel arrangement de l'ADN est automatiquement transmis au chromosome fils lorsque la cellule se divise.

Ces types d'enzymes sont également devenus de puissants outils pour les biologistes cellulaires et du développement. Afin de déchiffrer les rôles de gènes et de protéines spécifiques dans les organismes multicellulaires complexes, les techniques du génie génétique peuvent être utilisées pour introduire dans une souris un gène codant pour une enzyme de recombinaison spécifique de site et un ADN cible choisi avec soin contenant des sites d'ADN reconnus par cette enzyme. À un moment approprié, le gène codant pour l'enzyme peut être activé pour réarranger la séquence cible d'ADN. Ce réarrangement est souvent utilisé pour entraîner la production d'une protéine spécifique dans un tissu particulier de la souris (Figure 5-82). De même, cette technique peut être utilisée pour inactiver n'importe quel gène spécifique dans le tissu à étudier. Il est en principe ainsi possible de déterminer l'influence de n'importe quelle protéine dans n'importe quel tissu d'un animal intact.

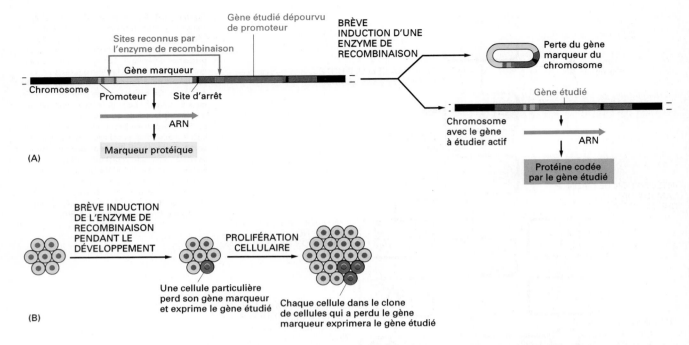

(A)

(B)

Figure 5-82 Une enzyme de recombinaison conservative spécifique de site peut être utilisée pour activer un gène spécifique dans un groupe de cellules d'un animal transgénique. Cette technique nécessite l'insertion de deux molécules d'ADN spécifiquement formées par génie génétique dans la lignée germinale de l'animal. (A) La molécule d'ADN montrée a été conçue avec des sites spécifiques de reconnaissance (*verts*) pour que le gène étudié (en *rouge*) ne soit transcrit qu'après l'induction d'une enzyme de recombinaison spécifique de site qui utilise ces sites. Comme cela est montré à droite, cette induction retire un gène marqueur (*jaune*) et place l'ADN promoteur (*orange*) à côté du gène étudié. L'enzyme de recombinaison est inductible, parce qu'elle est codée par une deuxième molécule d'ADN (non montrée) conçue pour s'assurer que l'enzyme n'est produite que lorsque l'animal est traité avec une petite molécule spéciale ou que sa température augmente. (B) L'induction transitoire de l'enzyme de recombinaison provoque une brève augmentation de la synthèse de cette enzyme, qui cause à son tour un réarrangement de l'ADN dans une cellule. Pour cette cellule et sa descendance, le gène marqueur est inactivé et le gène étudié est simultanément activé (comme cela est montré en A). Dans l'animal qui se développe, ce clone de cellules exprime le gène étudié et peut être identifié par la perte du marqueur protéique. Cette technique est largement utilisée chez la souris et chez *Drosophila* parce qu'elle permet d'étudier les effets de l'expression de n'importe quel gène étudié dans un groupe de cellules d'un animal intact. Selon une des versions de cette technique, l'enzyme Cre de recombinaison du bactériophage PI est utilisée, associée à ses sites de reconnaissance loxP (*voir* p. 542-543).

Résumé

Presque tous les organismes ont un génome qui contient des éléments génétiques mobiles pouvant se déplacer à l'intérieur du génome d'une position à l'autre selon un processus de recombinaison spécifique de site s'effectuant par transposition ou sur le mode conservatif. Dans la plupart des cas, ce mouvement est aléatoire et se produit avec une fréquence très faible. Les éléments génétiques mobiles sont composés d'éléments transposables, qui se déplacent uniquement à l'intérieur d'une seule cellule (et ses descendants), et des virus dont le génome peut s'intégrer au génome de leurs cellules hôtes.

Il y a trois classes d'éléments transposables : les transposons, les rétrotransposons de type rétrovirus et les rétrotransposons non rétroviraux. Excepté les derniers, tous ont des proches parents parmi les virus. Même si les virus et les éléments transposables peuvent être considérés comme des parasites, beaucoup de nouvelles séquences d'ADN réarrangées, produites par les événements de recombinaison spécifique de site, ont engendré les variations génétiques qui ont été cruciales pour l'évolution des cellules et des organismes.

Bibliographie

Généralités

Friedberg EC, Walker GC & Siede W (1995) DNA Repair and Mutagenesis. Washington, DC: ASM Press.

Hartwell L, Hood L, Goldberg ML et al. (2000) Genetics: from Genes to Genomes. Boston: McGraw Hill.

Kornberg A & Baker TA (1992) DNA Replication, 2nd edn. New York: WH Freeman.

Lodish H, Berk A, Zipursky SL et al. (2000) Molecular Cell Biology, 4th edn. New York: WH Freeman.

Stent GS (1971) Molecular Genetics: An Introductory Narrative. San Francisco: WH Freeman.

Conservation des séquences d'ADN

Crow JF (2000) The origins, patterns and implications of human spontaneous mutation. Nat. Rev. Genet. 1, 40–47.

Drake JW, Charlesworth B, Charlesworth D & Crow JF (1998) Rates of spontaneous mutation. Genetics 148, 1667–1686.

Ohta T & Kimura M (1971) Functional organization of genetic material as a product of molecular evolution. Nature 233, 118–119.

Wilson AC & Ochman H (1987) Molecular time scale for evolution. Trends Genet. 3, 241–247.

Mécanismes de réplication de l'ADN

Arezi B & Kuchta RD (2000) Eukaryotic DNA primase. Trends Biochem. Sci. 25, 572–576.

Baker TA & Bell SP (1998) Polymerases and the replisome: machines within machines. Cell 92, 295–305.

Buermeyer AB, Deschenes SM, Baker SM & Liskay RM (1999) Mammalian DNA mismatch repair. Annu. Rev. Genet. 33, 533–564.

Davey MJ & O'Donnell M (2000) Mechanisms of DNA replication. Curr. Opin. Chem. Biol. 4, 581–586.

Kelman Z & O'Donnell M (1995) DNA polymerase III holoenzyme: structure and function of a chromosomal replicating machine. Annu. Rev. Biochem. 64, 171–200.

Kolodner RD (2000) Guarding against mutation. Nature 407, 687, 689.

Kornberg A (1960) Biological synthesis of DNA. Science 131, 1503–1508.

Kunkel TA & Bebenek K (2000) DNA replication fidelity. Annu. Rev. Biochem. 69, 497–529.

Kuriyan J & O'Donnell M (1993) Sliding clamps of DNA polymerases. J. Mol. Biol. 234, 915–925.

Li JJ & Kelly TJ (1984) SV40 DNA replication in vitro. Proc. Natl. Acad. Sci. USA 81, 6973.

Marians KJ (2000) Crawling and wiggling on DNA: structural insights to the mechanism of DNA unwinding by helicases. Structure Fold. Des. 8, R227–R235.

Meselson M & Stahl FW (1958) The replication of DNA in E. coli. Proc. Natl Acad. Sci. USA 44, 671–682.

Modrich P & Lahue R (1996) Mismatch repair in replication fidelity, genetic recombination, and cancer biology. Annu. Rev. Biochem. 65, 101–133.

Ogawa T & Okazaki T (1980) Discontinuous DNA replication. Annu. Rev. Biochem. 49, 421–457.

Okazaki R, Okazaki T, Sakabe K et al. (1968) Mechanism of DNA chain growth. I. Possible discontinuity and unusual secondary structure of newly synthesized chains. Proc. Natl. Acad. Sci. USA 59, 598–605.

Postow L, Peter BJ & Cozzarelli NR (1999) Knot what we thought before: the twisted story of replication. Bioessays 21, 805–808.

von Hippel PH & Delagoutte E (2001) A general model for nucleic acid helicases and their "coupling" within macromolecular machines. Cell 104, 177–190.

Waga S & Stillman B (1998) The DNA replication fork in eukaryotic cells. Annu. Rev. Biochem. 67, 721–751.

Wang JC (1996) DNA topoisomerases. Annu. Rev. Biochem. 65, 635–692.

Young MC, Reddy MK & von Hippel PH (1992) Structure and function of the bacteriophage T4 DNA polymerase holoenzyme. Biochemistry 31, 8675–8690.

Initiation et terminaison de la réplication de l'ADN dans les chromosomes

DePamphilis ML (1999) Replication origins in metazoan chromosomes: fact or fiction? Bioessays 21, 5–16.

Donaldson AD & Blow JJ (1999) The regulation of replication origin activation. Curr. Opin. Genet. Dev. 9, 62–68.

Dutta A & Bell SP (1997) Initiation of DNA replication in eukaryotic cells. Annu. Rev. Cell Dev. Biol. 13, 293–332.

Echols H (1990) Nucleoprotein structures initiation DNA replication, transcription and site-specific recombination. J. Biol. Chem. 265, 14697–14700.

Gasser SM (2000) A sense of the end. Science 288, 1377–1379.

Heun P, Laroche T, Raghuraman MK & Gasser SM (2001) The positioning and dynamics of origins of replication in the budding yeast nucleus. J. Cell Biol. 152, 385–400.

Huberman JA & Riggs AD (1968) On the mechanism of DNA replication in mammalian chromosomes. J. Mol. Biol. 32, 327–341.

Kass-Eisler A & Greider CW (2000) Recombination in telomere-length maintenance. Trends Biochem. Sci. 25, 200–204.

McEachern MJ, Krauskopf A & Blackburn EH (2000) Telomeres and their control. Annu. Rev. Genet. 34, 331–358.

Newlon CS & Theis JF (1993) The structure and function of yeast ARS elements. Curr. Opin. Genet. Dev. 3, 752–758.

Newlon CS (1997) Putting it all together: building a prereplicative complex. Cell 91, 717–720.

Randall SK & Kelly TJ (1992) The fate of parental nucleosomes during SV40 DNA replication. J. Biol. Chem. 267, 14259–14265.

Russev G & Hancock R (1982) Assembly of new histones into nucleosomes and their distribution in replicating chromatin. Proc. Natl Acad. Sci. USA 79, 3143–3147.

Wintersberger E (2000) Why is there late replication? Chromosoma 109, 300–307.

Réparation de l'ADN

Auerbach AD & Verlander PC (1997) Disorders of DNA replication and repair. Curr. Opin. Pediatr. 9, 600–616.

Critchlow SE & Jackson SP (1998) DNA end-joining: from yeast to man. Trends Biochem. Sci. 23, 394–398.

Lindahl T (1993) Instability and decay of the primary structure of DNA. Nature 362, 709–715.

Lindahl T, Karran P & Wood RD (1997) DNA excision repair pathways. Curr. Opin. Genet. Dev. 7, 158–169.

O'Connell MJ, Walworth NC & Carr AM (2000) The G2-phase DNA-damage checkpoint. Trends Cell Biol. 10, 296–303.

Parikh SS, Mol CD, Hosfield DJ et al. (1999) Envisioning the molecular choreography of DNA base excision repair. Curr. Opin. Struct. Biol. 9, 37–47.

Perutz MF (1990) Frequency of abnormal human haemoglobins caused by C→T transitions in CpG dinucleotides. J. Mol. Biol. 213, 203–206.

Sutton MD, Smith BT, Godoy VG et al. (2000) The SOS response: recent insights into umuDC-dependent mutagenesis and DNA damage tolerance. Annu. Rev. Genet. 34, 479–497.

Walker GC (1995) SOS-regulated proteins in translesion DNA synthesis and mutagenesis. Trends Biochem. Sci. 20, 416–420.

Recombinaison générale

Baumann P & West SC (1998) Role of the human RAD51 protein in homologous recombination and double-stranded-break repair. Trends Biochem. Sci. 23, 247–251.

Flores-Rozas H & Kolodner RD (2000) Links between replication, recombination and genome instability in eukaryotes. Trends Biochem. Sci. 25, 196–200.

Haber JE (1998) Mating-type gene switching in Saccharomyces cerevisiae. Annu. Rev. Genet. 32, 561–599.

Haber JE (2000) Recombination: a frank view of exchanges and vice versa. Curr. Opin. Cell Biol. 12, 286–292.

Holliday R (1990) The history of the DNA heteroduplex. *Bioessays* 12, 133–142.

Kowalczykowski SC & Eggleston AK (1994) Homologous pairing and DNA strand-exchange proteins. *Annu. Rev. Biochem.* 63, 991–1043.

Kowalczykowski SC (2000) Initiation of genetic recombination and recombination-dependent replication. *Trends Biochem. Sci.* 25, 156–165.

Szostak JW, Orr-Weaver TK, Rothstein RJ et al. (1983) The double-strand break repair model for recombination. *Cell* 33, 25–35.

van Gent DC, Hoeijmakers JH & Kanaar R (2001) Chromosomal stability and the DNA double-stranded break connection. *Nat. Rev. Genet.* 2, 196–206.

Welcsh PL, Owens KN & King MC (2000) Insights into the functions of BRCA1 and BRCA2. *Trends Genet.* 16, 69–74.

West SC (1997) Processing of recombination intermediates by the RuvABC proteins. *Annu. Rev. Genet.* 31, 213–244.

Recombinaison spécifique de site

Campbell AM (1993) Thirty years ago in genetics: prophage insertion into bacterial chromosomes. *Genetics* 133, 433–438.

Craig NL (1996) Transposition, in *Escherichia coli* and *Salmonella*, pp 2339–2362. Washington, DC: ASM Press.

Craig NL (1997) Target site selection in transposition. *Annu. Rev. Biochem.* 66, 437–474.

Gopaul DN & Duyne GD (1999) Structure and mechanism in site-specific recombination. *Curr. Opin. Struct. Biol.* 9, 14–20.

Gottesman M (1999) Bacteriophage lambda: the untold story. *J. Mol. Biol.* 293, 177–180.

Jiang R & Gridley T (1997) Gene targeting: things go better with Cre. *Curr. Biol.* 7, R321–323.

Mizuuchi K (1992) Transpositional recombination: mechanistic insights from studies of mu and other elements. *Annu. Rev. Biochem.* 61, 1011–1051.

Sandmeyer SB (1992) Yeast retrotransposons. *Curr. Opin. Genet. Dev.* 2, 705–711.

Smith AF (1999) Interspersed repeats and other mementos of transposable elements in mammalian genomes. *Curr. Opin. Genet. Dev.* 9, 657–663.

Stark WM, Boocock MR & Sherratt DJ (1992) Catalysis by site-specific recombinases. *Trends Genet.* 8, 432–439.

Varmus H (1988) Retroviruses. *Science* 240, 1427–1435.

6

LES CELLULES LISENT LE GÉNOME : DE L'ADN AUX PROTÉINES

C'est seulement lorsque la structure de l'ADN a été découverte au début des années 1950 que le mode de codage de l'information héréditaire dans la séquence des nucléotides de l'ADN est devenu évident. Cinquante ans plus tard, nous possédons les séquences complètes du génome de nombreux organismes, y compris de l'homme, et nous savons donc quelle est la quantité maximale d'informations nécessaires pour produire un organisme complexe comme nous-mêmes. Les limites des informations héréditaires nécessaires à la vie contraignent les caractéristiques biochimiques et structurales des cellules et il devient clair que la biologie n'est pas infiniment complexe.

Dans ce chapitre, nous expliquerons comment les cellules décodent et utilisent les informations de leur génome. Nous verrons que nous en avons appris beaucoup sur la façon dont les instructions génétiques, écrites dans un alphabet de quatre «lettres» seulement – les quatre différents nucléotides de l'ADN – dirigent la formation d'une bactérie, d'une drosophile ou d'un homme. Cependant, il nous reste encore beaucoup de choses à découvrir sur la façon dont l'information, stockée dans le génome d'un organisme, peut produire une simple bactérie monocellulaire de 500 gènes, sans parler de la façon dont elle dirige le développement d'un homme possédant approximativement 30 000 gènes. Notre ignorance est encore énorme; il reste encore beaucoup de défis fascinants pour la nouvelle génération de biologistes cellulaires.

Les cellules font face à de nombreux problèmes pour décoder leur génome. Ceux-ci peuvent être appréciés en considérant une petite partie du génome d'une mouche, *Drosophila melanogaster* (Figure 6-1). Une grande partie de l'information codée dans l'ADN de ce génome, et dans d'autres, est utilisée pour spécifier l'ordre linéaire – ou séquence – des acides aminés de chaque protéine fabriquée par l'organisme. Comme cela a été décrit au chapitre 3, cette séquence en acides aminés dicte à son tour le type de repliement de chaque protéine pour former des molécules de forme et de chimie distinctes. Lorsqu'une protéine particulière est fabriquée par la cellule, la région correspondante du génome doit donc être décodée avec précision. Des informations supplémentaires, codées dans l'ADN du génome, spécifient exactement quand, au cours de la vie de l'organisme, et dans quel type de cellule chaque gène doit être exprimé en une protéine. Comme les protéines sont les principaux constituants de la cellule, le décodage du génome détermine non seulement la taille, la forme, les propriétés biochimiques et le comportement des cellules mais aussi les caractéristiques distinctives de chaque espèce sur Terre.

On aurait pu penser que l'information du génome était disposée de façon ordonnée, comme dans un dictionnaire ou un annuaire téléphonique. Même si le gé-

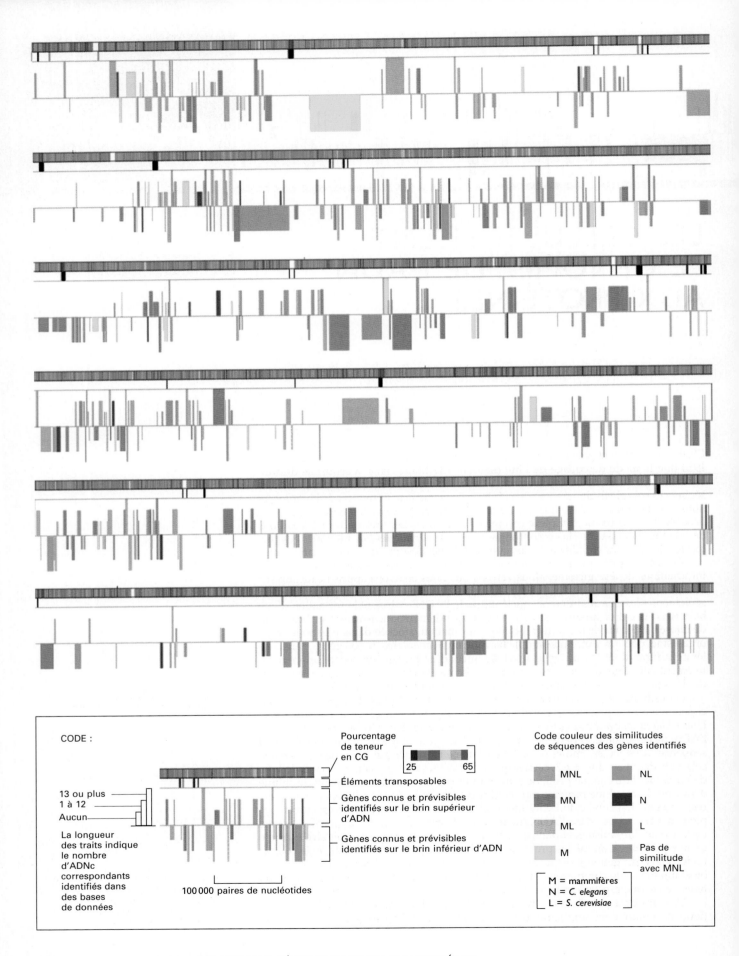

CODE :

Pourcentage
de teneur
en CG

25   65

Éléments transposables

Gènes connus et prévisibles
identifiés sur le brin supérieur
d'ADN

Gènes connus et prévisibles
identifiés sur le brin inférieur d'ADN

13 ou plus
1 à 12
Aucun

La longueur
des traits indique
le nombre
d'ADNc
correspondants
identifiés dans
des bases
de données

100 000 paires de nucléotides

Code couleur des similitudes
de séquences des gènes identifiés

MNL   NL

MN   N

ML   L

M   Pas de
             similitude
             avec MNL

M = mammifères
N = C. elegans
L = S. cerevisiae

nome de certaines bactéries semble assez bien organisé, les génomes de la plupart des organismes multicellulaires, comme celui de _Drosophila,_ notre exemple, sont étonnamment désordonnés. De petits morceaux d'ADN de codage (à savoir, l'ADN qui code pour les protéines) sont intercalés entre de gros blocs d'ADN n'ayant apparemment aucune signification. Certaines parties du génome contiennent beaucoup de gènes et d'autres en manquent totalement. Les protéines qui travaillent étroitement les unes avec les autres dans la cellule ont souvent leurs gènes localisés sur des chromosomes différents et les gènes adjacents codent typiquement pour des protéines qui ont peu de liens entre elles. Le décodage du génome n'est donc pas simple. Même avec l'aide d'ordinateurs puissants, les chercheurs éprouvent encore des difficultés à localiser définitivement où commencent et où se terminent les gènes dans la séquence d'ADN d'un organisme. Même si la séquence d'ADN du génome humain est connue, il faudra probablement encore une décennie au moins pour que l'homme identifie chaque gène et détermine la séquence précise en acides aminés de la protéine qu'il code. Cependant, chaque cellule de notre corps le fait des milliers de fois par seconde.

L'ADN du génome ne dirige pas lui-même la synthèse des protéines, mais utilise l'ARN comme molécule intermédiaire. Lorsque la cellule nécessite une protéine particulière, la séquence des nucléotides de la portion appropriée de la molécule d'ADN, immensément longue, d'un chromosome est d'abord copiée en un ARN (processus appelé _transcription_). Ce sont ces copies d'ARN des segments d'ADN qui sont directement utilisées comme matrice pour diriger la synthèse des protéines (processus appelé _traduction_). Le flux de l'information génétique dans la cellule s'écoule donc de l'ADN à l'ARN puis aux protéines (Figure 6-2). Toutes les cellules, des bactéries à celles de l'homme, expriment leurs informations génétiques de cette façon – un principe si fondamental qu'il est appelé _dogme central_ de la biologie moléculaire.

Malgré l'universalité de ce dogme central, l'information circule de l'ADN vers les protéines de façon très variable. La principale est la formation de transcrits d'ARN par les cellules eucaryotes qui sont soumis à une série d'étapes de maturation dans le noyau, dont un _épissage de l'ARN_, avant de pouvoir sortir du noyau pour être traduits en protéines. Ces étapes de maturation peuvent modifier de façon critique la « signification » de la molécule d'ARN et sont donc cruciales pour comprendre comment les cellules eucaryotes lisent le génome. Enfin, même si, dans ce chapitre, nous nous concentrerons sur la production des protéines codées par le génome, nous verrons que, pour certains gènes, le produit final est un ARN. Comme les protéines, beaucoup de ces ARN se replient dans des structures tridimensionnelles précises qui ont des rôles structurels et catalytiques dans la cellule.

Nous commencerons ce chapitre par la première étape du décodage du génome : le processus de transcription qui produit une molécule d'ARN à partir de l'ADN d'un gène. Nous suivrons ensuite la destinée de cette molécule d'ARN dans la cellule, qui se termine par la formation d'une molécule protéique correctement repliée. À la fin de ce chapitre, nous envisagerons comment le mode actuel, assez complexe, de stockage de l'information, de sa transcription et de sa traduction, a pu découler d'un système plus simple existant au début de l'évolution des cellules.

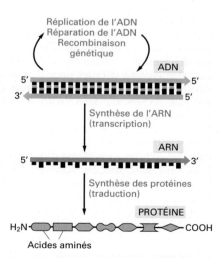

Figure 6-2 Voie métabolique de l'ADN à la protéine. Le flux de l'information génétique qui va de l'ADN à l'ARN (transcription) et de l'ARN à la protéine (traduction) se produit dans toutes les cellules vivantes.

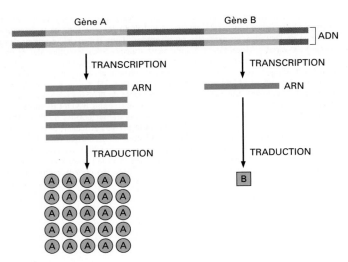

Figure 6-3 Les gènes peuvent s'exprimer plus ou moins fortement. Le gène A est transcrit et traduit beaucoup plus efficacement que le gène B. Cela permet à la cellule d'obtenir une quantité de protéine A beaucoup plus importante que celle de la protéine B.

DE L'ADN À L'ARN

Les cellules lisent, ou expriment, les instructions génétiques de leurs gènes au moyen de leur transcription et de leur traduction. Comme il est possible de faire, à partir du même gène, beaucoup de copies identiques d'ARN, et comme chaque molécule d'ARN peut diriger la synthèse de nombreuses molécules protéiques identiques, les cellules peuvent rapidement synthétiser de grandes quantités de protéines si besoin est. Mais la transcription et la traduction de chaque gène peuvent se faire avec une efficacité différente, ce qui permet à la cellule de fabriquer certaines protéines en grandes quantités et d'autres en quantités infimes (Figure 6-3). De plus, comme nous le verrons dans le chapitre suivant, une cellule peut modifier (ou réguler) l'expression de chacun de ses gènes selon les besoins du moment – en contrôlant le plus manifestement la production d'ARN.

Des parties de la séquence d'ADN sont transcrites en ARN

La première étape effectuée par la cellule pour lire la partie nécessaire de ses instructions génétiques consiste à copier une portion particulière de la séquence des nucléotides de l'ADN – un gène – en une séquence de nucléotides d'ARN. Dans l'ARN, les informations, bien que copiées sous une autre forme chimique, sont encore écrites essentiellement avec le même langage que celles de l'ADN – le langage d'une séquence de nucléotides. D'où le nom **transcription**.

Comme l'ADN, l'ARN est un polymère linéaire composé de quatre types de nucléotides différents, sous-unités reliées par des liaisons phosphodiester (Figure 6-4). Il diffère chimiquement de l'ADN en deux points : (1) les nucléotides de l'ARN sont des *ribonucléotides* – à savoir, leur sucre est le ribose (d'où le nom d'acide *ribo*nucléique) et non pas le désoxyribose –; (2) même si l'ARN, comme l'ADN, contient comme bases l'adénine (A), la guanine (G) et la cytosine (C), il contient de l'uracile (U) à la place de la thymine (T) de l'ADN. La base U, tout comme T, peut s'apparier par des liaisons hydrogène avec A (Figure 6-5) et donc les propriétés d'appariement complémentaire, décrites pour l'ADN dans les chapitres 4 et 5, s'appliquent aussi à l'ARN (dans l'ARN, G s'apparie avec C et A s'apparie avec U). Cependant, il n'est pas rare de trouver dans l'ARN d'autres types de paires de bases ; par exemple G parfois appariée avec U.

Malgré ces petites différences chimiques, les structures générales de l'ADN et de l'ARN diffèrent de façon assez spectaculaire. Alors que l'ADN se trouve toujours dans les cellules sous forme d'une double hélice, l'ARN est sous forme d'un simple brin. Par conséquent, les chaînes d'ARN se replient sous diverses formes, tout comme les chaînes polypeptidiques se replient pour donner la forme finale d'une protéine (Figure 6-6). Comme nous le verrons par la suite dans ce chapitre, cette capacité de repliement sous une forme tridimensionnelle complexe donne à certaines molécules d'ARN des fonctions catalytiques et structurelles.

La transcription produit un ARN complémentaire d'un des brins d'ADN

Tout l'ARN de la cellule est fabriqué par transcription de l'ADN, un processus qui présente certaines similitudes avec le processus de réplication de l'ADN que nous

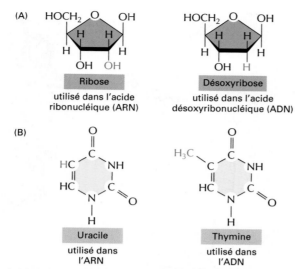

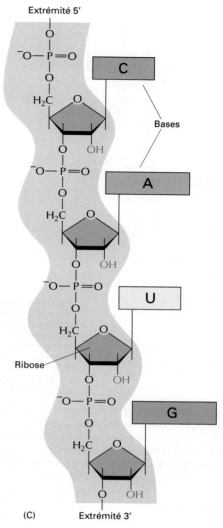

Figure 6-4 Structure chimique de l'ARN. (A) L'ARN contient comme sucre le ribose qui diffère du désoxyribose, sucre contenu dans l'ADN, par la présence d'un groupement –OH supplémentaire. (B) L'ARN contient une base, l'uracile, qui diffère de la thymine, la base équivalente de l'ADN, par l'absence d'un groupement –CH₃. (C) Court segment d'ARN. La liaison chimique phosphodiester entre les nucléotides de l'ARN est la même que celle de l'ADN.

avons vu au chapitre 5. La transcription commence par l'ouverture et le déroulement d'une petite portion de la double hélice d'ADN qui expose les bases sur chaque brin d'ADN. Un des deux brins de la double hélice d'ADN sert alors de matrice pour la synthèse d'une molécule d'ARN. Comme pour la réplication de l'ADN, c'est l'appariement complémentaire des bases entre les nucléotides entrants et la matrice d'ADN qui détermine la séquence en nucléotides de la chaîne d'ARN. Lorsque la correspondance est bonne, le ribonucléotide entrant est uni par liaison covalente à la chaîne d'ARN en croissance grâce à une réaction à catalyse enzymatique. La chaîne d'ARN produite par transcription – ou *transcrit* – s'allonge ainsi d'un nucléotide à la fois et sa séquence en nucléotides est exactement complémentaire à celle du brin d'ADN utilisé comme matrice (Figure 6-7).

Cependant, la transcription diffère de la réplication de l'ADN par plusieurs points cruciaux. Contrairement au brin d'ADN néoformé, le brin d'ARN ne reste pas relié par liaison hydrogène à la matrice d'ADN. Par contre, la chaîne d'ARN est déplacée juste en arrière de la région où les ribonucléotides s'unissent, et l'hélice d'ADN se reforme. Les molécules d'ARN produites par transcription sont donc libérées de la matrice d'ADN sous forme de simple brin. De plus, comme elles ne sont copiées qu'à partir d'une région limitée d'ADN, les molécules d'ARN sont beaucoup plus courtes que les molécules d'ADN. Une molécule d'ADN d'un chromosome humain peut contenir jusqu'à 250 millions de paires de nucléotides ; par contre, la plupart des ARN n'ont pas plus de quelques milliers de nucléotides et beaucoup sont nettement plus courts.

Les enzymes qui effectuent la transcription sont appelées **ARN polymérases**. Tout comme l'ADN polymérase qui catalyse la réplication de l'ADN (*voir* Chapitre 5), les ARN polymérases catalysent la formation des liaisons phosphodiester qui relient les nucléotides et forment une chaîne linéaire. L'ARN polymérase se déplace petit à petit le long de l'ADN, déroulant l'hélice d'ADN juste en avant du site actif de polymérisation pour exposer une nouvelle région du brin matrice et permettre l'appariement des bases complémentaires. De cette façon, la chaîne d'ARN en croissance s'allonge d'un nucléotide à la fois dans la direction 5′ → 3′ (Figure 6-8). Les substrats sont des nucléosides triphosphates (ATP, CTP, UTP et GTP) ; comme pour la réplication d'ADN, l'hydrolyse des liaisons riches en énergie fournit l'énergie nécessaire pour produire la réaction (*voir* Figure 5-4).

La libération presque immédiate du brin d'ARN de l'ADN pendant sa synthèse signifie que de nombreuses de copies d'ARN peuvent être faites à partir du même

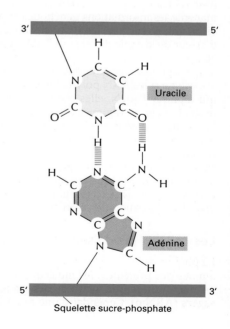

Figure 6-5 L'uracile forme un appariement de bases avec l'adénine.
L'absence du groupement méthyle de U n'a aucun effet sur l'appariement de bases. Par conséquent les paires de bases U-A ressemblent beaucoup aux paires de bases T-A (*voir* Figure 4-4).

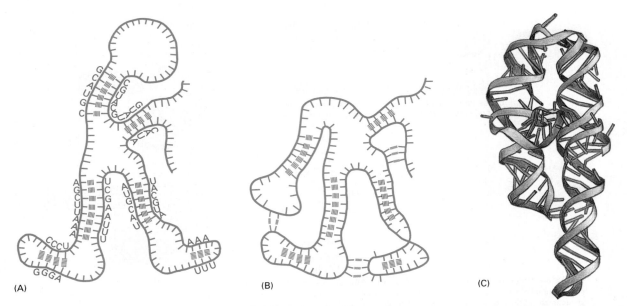

(A)　(B)　(C)

Figure 6-6 L'ARN peut se replier en une structure spécifique. L'ARN est en grande partie sous forme d'un simple brin mais contient souvent de courtes régions de nucléotides qui peuvent former des appariements de bases conventionnels avec des séquences complémentaires situées ailleurs sur la même molécule. Ces interactions, associées aux interactions d'appariements de bases «non conventionnels», permettent le repliement de la molécule d'ARN en une structure tridimensionnelle déterminée par sa séquence en nucléotides. (A) Schéma d'une structure d'ARN repliée ne montrant que les interactions d'appariements de bases conventionnels. (B) Structure présentant les deux sortes d'interactions d'appariements de bases, conventionnel (*rouge*) et non conventionnel (*vert*). (C) Structure d'un véritable ARN, une portion d'un intron du groupe I (*voir* Figure 6-36). Chaque interaction par appariement de bases conventionnel est indiquée par un barreau de la double hélice. Les bases dans les autres configurations sont indiquées par les barreaux rompus.

gène relativement rapidement, la synthèse d'une deuxième molécule d'ARN commençant avant la fin de la synthèse de la première (Figure 6-9). Si les molécules d'ARN polymérase se suivent péniblement sur les talons l'une de l'autre de cette façon, chacune se déplaçant environ à la vitesse de 20 nucléotides par seconde (la vitesse chez les eucaryotes), plus d'un millier de transcrits peuvent être synthétisés en une heure à partir d'un seul gène.

Même si l'ARN polymérase catalyse finalement les mêmes réactions chimiques que l'ADN polymérase, ces deux enzymes présentent certaines différences importantes. Tout d'abord, bien évidemment, l'ARN polymérase catalyse l'enchaînement de ribonucléotides et non pas de désoxyribonucléotides. Deuxièmement, contrairement à l'ADN polymérase impliquée dans la réplication de l'ADN, l'ARN polymérase peut commencer la chaîne d'ARN sans amorce. Cette différence peut s'expliquer parce que la transcription ne nécessite pas une aussi grande précision que la réplication de l'ADN (*voir* Tableau 5-I, p. 243). Contrairement à l'ADN, l'ARN ne conserve pas de façon permanente les informations génétiques dans la cellule. L'ARN polymérase effectue environ une erreur tous les 10^4 nucléotides copiés dans l'ARN (à comparer avec le taux d'erreur de la copie directe par l'ADN polymérase, qui est d'environ une pour 10^7 nucléotides) et les conséquences d'une erreur de transcription de l'ARN sont beaucoup moins significatives que celles d'une erreur de réplication de l'ADN.

Même si les ARN polymérases ne sont pas aussi précises que l'ADN polymérase qui réplique l'ADN, elles contiennent néanmoins un mécanisme de correction modeste. Lorsqu'un ribonucléotide incorrect est ajouté à la chaîne d'ARN en croissance, la polymérase peut reculer et son site actif peut effectuer une réaction d'excision qui ressemble à une réaction de polymérisation inverse, excepté qu'elle utilise de l'eau à la place du pyrophosphate (*voir* Figure 5-4). L'ARN polymérase tourne autour d'un ribonucléotide incorporé par erreur plus longtemps qu'elle ne le fait lors d'une addition correcte, ce qui favorise l'excision de ce nucléotide incorrect. Cependant, l'ARN polymérase excise aussi beaucoup de bases correctes en tant que prix à payer pour l'amélioration de sa précision.

Les cellules produisent divers types d'ARN

La plupart des gènes portés sur l'ADN d'une cellule spécifient la séquence en acides aminés des protéines ; les molécules d'ARN copiées à partir de ces gènes (et qui finalement dirigent la synthèse des protéines) sont appelées molécules d'**ARN messagers** (**ARNm**). Cependant, une minorité de gènes codent pour un ARN qui est le

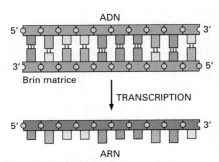

Figure 6-7 La transcription de l'ADN produit une molécule d'ARN simple brin complémentaire à un des brins d'ADN.

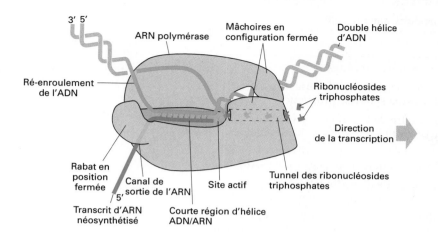

3' 5'

Ré-enroulement
de l'ADN

ARN polymérase

Mâchoires en
configuration fermée

Double hélice
d'ADN

Ribonucléosides
triphosphates

Direction
de la transcription

Rabat en
position
fermée

Canal de
sortie de l'ARN

Site actif

Tunnel des ribonucléosides
triphosphates

5'

Transcrit d'ARN
néosynthétisé

Courte région d'hélice
ADN/ARN

Figure 6-8 L'ADN est transcrit par une enzyme, l'ARN polymérase. L'ARN polymérase (*bleu pâle*) se déplace par étapes le long de l'ADN, déroulant l'hélice d'ADN au niveau de son site actif. Lorsqu'elle progresse, la polymérase ajoute des nucléotides (ici *en forme de petits «T»*) un par un sur la chaîne d'ARN au niveau du site de polymérisation en utilisant un des brins d'ADN exposé comme matrice. Le transcrit d'ARN est donc une copie simple brin, complémentaire à l'un des deux brins d'ADN. La polymérase possède un gouvernail qui déplace l'ARN néoformé et permet aux deux brins d'ADN situés derrière la polymérase de se ré-enrouler. Une courte région d'hélice ADN/ARN (neuf nucléotides de long environ) se forme donc transitoirement et une «fenêtre» d'hélice ADN/ARN se déplace le long de l'ADN avec la polymérase. Les nucléotides entrent sous la forme de ribonucléosides triphosphates (ATP, UTP, CTP et GTP) et l'énergie conservée dans leurs liaisons phosphate-phosphate fournit la force qui entraîne la réaction de polymérisation (*voir* Figure 5-4). (Adapté d'après une figure gracieusement fournie par Robert Landick.)

produit final. L'analyse attentive de la séquence complète du génome de la levure *S. cerevesiae* a permis de découvrir bien plus de 750 gènes (un peu plus de 10 p. 100 du nombre total de gènes de la levure) qui produisent de l'ARN en tant que produit final, bien que ce nombre inclue de multiples copies de certains gènes hautement répétés. Ces ARN, comme les protéines, sont des composants enzymatiques et structuraux de nombreux processus cellulaires variés. Dans le chapitre 5, nous avons rencontré un de ces ARN, la matrice portée par l'enzyme télomérase. Même si toutes les fonctions ne sont pas connues, nous verrons, dans ce chapitre, que certaines molécules d'*ARNsn (small nuclear RNA)* dirigent l'épissage du pré-ARNm pour former l'ARNm, que des molécules d'*ARN ribosomique (ARNr)* forment le cœur des ribosomes et que des molécules d'*ARN de transfert (ARNt)* forment les adaptateurs qui choisissent les acides aminés et les maintiennent en place dans le ribosome pour qu'ils soient incorporés dans une protéine (Tableau 6-I).

Chaque segment transcrit d'ADN est appelé *unité de transcription*. Chez les eucaryotes, une unité de transcription typique contient les informations d'un seul gène et code ainsi pour une seule molécule d'ARN ou une seule protéine (ou groupe de protéines apparentées si le transcrit d'ARN initial est épissé de plusieurs façons et produit différents ARNm). Chez les bactéries, un groupe de gènes adjacents est souvent transcrit sous forme d'une unité ; la molécule d'ARN qui en résulte porte donc les informations de diverses protéines distinctes.

Globalement, l'ARN représente un léger pourcentage du poids sec de la cellule. La majorité de l'ARN cellulaire est l'ARNr ; l'ARNm ne constitue que 3 à 5 p. 100 de l'ARN total dans une cellule typique de mammifère. La population d'ARNm est constituée de dizaines de milliers d'espèces différentes et il n'y a en moyenne que 10 à 15 molécules de chaque espèce d'ARNm dans chaque cellule.

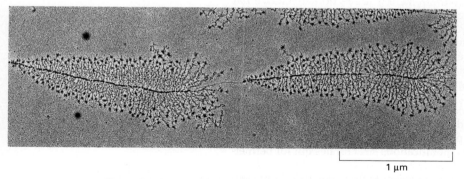

1 µm

Figure 6-9 Transcription de deux gènes observée en microscopie électronique. Cette microphotographie montre plusieurs molécules d'ARN polymérase transcrivant simultanément deux gènes adjacents. Les molécules d'ARN polymérase sont visibles sous la forme d'une série de points le long de l'ADN avec les transcrits néosynthétisés (fils fins) qui lui sont fixés. Les molécules d'ARN (ARN ribosomique) montrées dans cet exemple ne sont pas traduites en protéines mais utilisées directement en tant que composant des ribosomes, les machineries sur lesquelles s'effectue la traduction. On pense que les particules à l'extrémité 5' (extrémité libre) de chaque transcrit d'ARNr reflètent le début de l'assemblage des ribosomes. D'après la longueur des transcrits néosynthétisés, on peut en déduire que les molécules d'ARN polymérase sont transcrites de gauche à droite. (Due à l'obligeance d'Ulrich Scheer.)

Tableau 6-1 Principaux types d'ARN produits dans la cellule

TYPE D'ARN	FONCTION
ARNm	ARN messager, code pour les protéines
ARNr	ARN ribosomique, forme la structure de base du ribosome et catalyse la synthèse protéique
ARNt	ARN de transfert, au centre de la synthèse protéique, servant d'adaptateur entre l'ARNm et les acides aminés
ARNsn	*Small nuclear RNA*, fonctionne au cours de divers processus nucléaires, y compris l'épissage du pré-ARNm
ARNsno	*Small nucleolar RNA* (ou guide de méthylation) utilisé pour la maturation et la modification chimique de l'ARNr
Autres ARN non codants	Fonctionnent dans divers processus cellulaires, y compris la synthèse des télomères, l'inactivation du chromosome X et le transport des protéines dans le RE

Des signaux codés dans l'ADN indiquent à l'ARN polymérase où commencer et où finir

Pour transcrire avec précision un gène, l'ARN polymérase doit reconnaître dans le génome là où elle doit commencer et finir. L'ADN polymérase effectue cette tâche quelque peu différemment chez les bactéries et les eucaryotes. Comme le processus est plus simple chez les bactéries, nous l'examinerons d'abord.

L'initiation de la transcription est une étape particulièrement importante de l'expression des gènes parce que c'est principalement à ce niveau que la cellule détermine quelles sont les protéines qui doivent être produites et à quelle vitesse. L'ARN polymérase bactérienne est un complexe formé de multiples sous-unités. Une sous-unité détachable, le *facteur sigma* (σ), en est grandement responsable par sa capacité à lire les signaux d'ADN qui indiquent où commence la transcription (Figure 6-10). Les molécules d'ARN polymérase n'adhèrent que faiblement à l'ADN bactérien lorsqu'elles entrent en collision avec lui et glissent rapidement le long de la molécule d'ADN jusqu'à ce qu'elles se dissocient à nouveau. Cependant, lorsque la polymérase glisse dans une région de la double hélice d'ADN appelée **promoteur**, qui contient une séquence spécifique de nucléotides indiquant le point de départ de la synthèse d'ARN, elle se fixe solidement à elle. La polymérase reconnaît cette séquence d'ADN à l'aide de son facteur σ et forme des contacts spécifiques avec les portions de bases exposées à l'extérieur de l'hélice (*étape 1* de la figure 6-10).

Après s'être solidement fixée sur le promoteur de l'ADN, l'ARN polymérase ouvre la double hélice pour exposer sur chaque brin une courte région déroulée de nucléotides (*étape 2* de la figure 6-10). Contrairement à la réaction engendrée par l'ADN hélicase (*voir* Figure 5-15), cette ouverture limitée de l'hélice ne nécessite pas d'énergie fournie par hydrolyse de l'ATP. Par contre, la polymérase et l'ADN subissent tous deux des modifications structurelles réversibles qui engendrent un état énergétiquement plus favorable. L'ADN étant déroulé, un des deux brins d'ADN exposés agit comme matrice pour permettre un appariement de bases complémentaires avec les ribonucléotides entrants (*voir* Figure 6-7), dont deux sont reliés par la polymérase qui commence la chaîne d'ARN. Une fois que les dix premiers nucléotides environ de l'ARN ont été synthétisés (processus relativement inefficace au cours duquel la polymérase synthétise et élimine de courts oligomères de nucléotides), le facteur σ relâche son maintien solide de la polymérase puis s'en dissocie. Au cours de ce processus la polymérase subit d'autres modifications structurales qui lui permettent de se déplacer rapidement vers l'avant et de transcrire sans le facteur σ (*étape 4* de la figure 6-10). L'élongation de la chaîne se poursuit (à une vitesse de 50 nucléotides/s environ pour les ARN polymérases bactériennes) jusqu'à ce que l'enzyme rencontre un second signal sur l'ADN, le **signal de terminaison** ou **signal stop** (décrit ultérieurement) où elle s'arrête et libère à la fois la matrice d'ADN et la chaîne d'ARN néosynthétisée (*étape 7* de la figure 6-10). Dès que la polymérase a été libérée au niveau d'un signal de terminaison, elle se réassocie avec un facteur σ libre et recherche un nouveau promoteur pour recommencer le processus de transcription.

Diverses caractéristiques structurales de l'ARN polymérase bactérienne la rendent particulièrement adaptée pour effectuer le cycle de transcription que nous venons de décrire. Une fois que le facteur σ a placé la polymérase sur le promoteur et

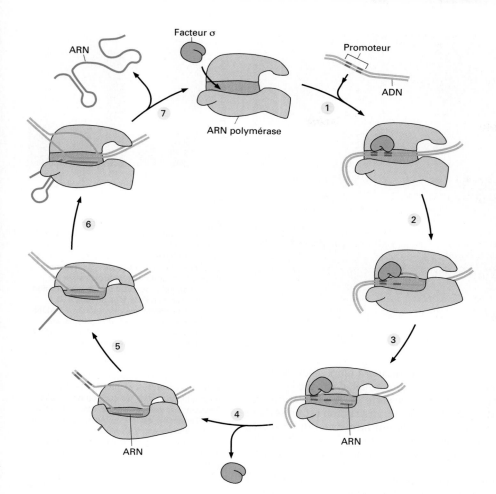

Figure 6-10 Cycle de transcription d'une ARN polymérase bactérienne. Dans l'étape 1, l'holo-enzyme de l'ARN polymérase (cœur de polymérase plus facteur σ) se forme puis localise un promoteur (*voir* Figure 6-12). La polymérase déroule l'ADN à l'endroit où la transcription doit commencer (étape 2) et commence à transcrire (étape 3). La synthèse initiale (parfois appelée « initiation avortée ») est relativement inefficace. Cependant, une fois que l'ARN polymérase est arrivée à synthétiser 10 nucléotides d'ARN environ, σ relâche sa prise et la polymérase subit une série de modifications de conformations (incluant probablement un serrage de ses mâchoires et la mise en place de l'ARN dans le canal de sortie [*voir* Figure 6-11]). La polymérase passe ensuite en mode d'élongation de la synthèse de l'ARN (étape 4), se déplaçant tout droit le long de l'ADN dans ce schéma. Durant le mode d'élongation (étape 5), la transcription est très importante, et la polymérase ne quitte la matrice d'ADN et ne libère l'ARN néotranscrit que lorsqu'elle rencontre un signal de terminaison (étape 6). Les signaux de terminaison sont codés par l'ADN et beaucoup fonctionnent en formant une structure d'ARN qui déstabilise l'accrochage de la polymérase sur l'ARN, comme cela est montré. Dans les bactéries, toutes les molécules d'ARN sont synthétisées par un seul type d'ARN polymérase et le cycle dépeint sur ce schéma s'applique donc à la production de l'ARNm et des ARN catalytiques et structuraux. (Adapté d'après une figure gracieusement fournie par Robert Landick.)

que la matrice d'ADN a été déroulée et poussée dans le site actif, on pense qu'une paire de « mâchoires mobiles » s'accroche sur l'ADN (Figure 6-11). Lorsque les dix premiers nucléotides ont été transcrits, la dissociation de σ permet la fermeture d'un rabat situé à l'arrière de la polymérase, ce qui forme un tunnel de sortie par lequel

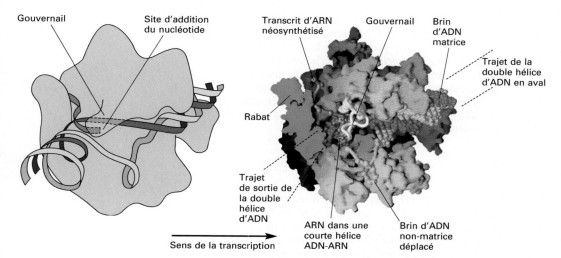

Figure 6-11 Structure d'une ARN polymérase bactérienne. Deux descriptions de la structure tridimensionnelle de l'ARN polymérase bactérienne, dans laquelle sont placés l'ADN et l'ARN. Cette ARN polymérase est formée de quatre sous-unités différentes indiquées par des couleurs différentes (*à droite*). Le brin d'ADN utilisé comme matrice est *rouge* et le brin qui ne sert pas de matrice est *jaune*. Le gouvernail décoince l'hybride ADN-ARN lorsque la polymérase se déplace. Pour plus de simplicité, seul le squelette polypeptidique du gouvernail est montré sur la figure de droite et l'ADN sortant de la polymérase a été enlevé. Comme l'ADN polymérase est montrée dans son mode d'élongation, le facteur σ est absent. (Due à l'obligeance de Seth Darst.)

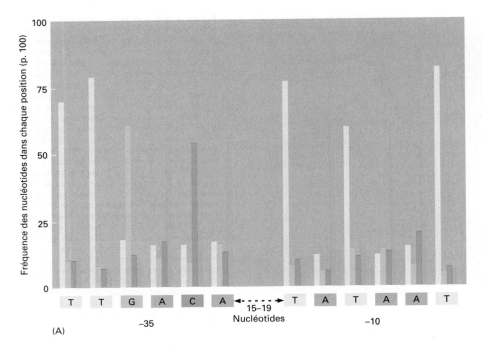

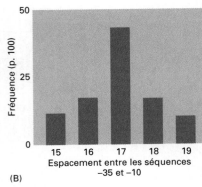

(B)

Figure 6-12 Séquences consensus des principales classes de promoteurs de E. coli. (A) Les promoteurs sont caractérisés par deux séquences hexamériques d'ADN, la séquence −35 et la séquence −10, nommées d'après leur localisation approximative par rapport au point de départ de la transcription (désigné par +1). Pour plus de facilité, la séquence nucléotidique d'un seul brin d'ADN est montrée; en réalité l'ARN polymérase reconnaît le promoteur sous la forme d'ADN double brin. En se basant sur la comparaison de 300 promoteurs, la fréquence des quatre nucléotides dans chaque position des hexamères −35 et −10 est présentée ici. La séquence consensus, montrée *en dessous* du graphique, reflète les nucléotides les plus fréquemment retrouvés pour chaque position dans l'ensemble des promoteurs. La séquence de nucléotides entre les hexamères −35 et −10 ne présente aucune similitude significative entre les promoteurs. (B) Distribution de l'espacement entre les hexamères −35 et −10 observée dans les promoteurs d'E. coli. L'information donnée dans ces deux graphiques s'applique aux promoteurs d'E. coli reconnus par l'ARN polymérase et le facteur σ majeur (appelé σ⁷⁰). Comme nous le verrons dans le chapitre suivant, les bactéries contiennent aussi des facteurs σ mineurs, dont chacun reconnaît une séquence de promoteur différente. Certains promoteurs particulièrement puissants reconnus par l'ARN polymérase et le σ⁷⁰ possèdent une autre séquence localisée en amont de l'hexamère −35 (vers la gauche sur la figure), reconnue par une autre sous-unité de l'ARN polymérase.

l'ARN néoformé quitte l'enzyme. La polymérase fonctionnant alors selon le mode d'élongation, une structure de l'enzyme, en forme de gouvernail, décroche l'hybride ARN-ADN formé. Nous pouvons considérer que la série de modifications de conformation qui se produit au cours de l'initiation de la transcription est un serrage petit à petit de l'enzyme autour de l'ADN et de l'ARN qui lui permet de s'assurer qu'elle ne se dissociera pas avant de finir la transcription du gène. Si l'ARN polymérase se dissocie prématurément, elle ne peut reprendre la synthèse mais doit recommencer au niveau du promoteur.

Comment un signal de l'ADN (signal de terminaison) peut-il arrêter la polymérase en phase d'élongation ? Pour la plupart des gènes bactériens, le signal de terminaison est constitué d'un segment de paires de nucléotides A-T précédé d'une séquence d'ADN doublement symétrique, qui lorsqu'elle est transcrite en ARN, se replie en une structure en « épingle à cheveux » selon un appariement de bases de type Watson-Crick (*voir* Figure 6-10). Lorsque la polymérase effectue la transcription au niveau d'un site de terminaison, l'épingle à cheveux aide à ouvrir le rabat mobile de l'ARN polymérase et à libérer le transcrit d'ARN du tunnel de sortie. Au même moment, l'hybride ADN-ARN au niveau du site actif, qui est associé surtout par un appariement de bases A-U (moins stable que l'appariement de bases C-G parce qu'il forme deux liaisons hydrogène et non pas trois par paires de bases), n'est pas assez fort pour maintenir l'ARN en place et se dissocie. Cela provoque la libération de la polymérase de l'ADN, peut-être parce qu'il force l'ouverture des mâchoires. De cette façon, en quelque sorte, la terminaison de la transcription semble impliquer des transitions structurelles en ordre inverse de celui qui se produit au cours de l'initiation. Ce processus de terminaison est aussi un exemple d'un thème fréquent de ce chapitre : la capacité de repliement de l'ARN en une structure spécifique figure de façon primordiale dans de nombreuses situations du décodage du génome.

Les signaux de début et de fin de transcription ont une séquence de nucléotides hétérogène

Comme nous venons de le voir, les processus d'initiation et de terminaison de la transcription impliquent une série complexe de transitions structurales des molécules protéiques, d'ADN et d'ARN. Il n'est peut-être pas surprenant que les signaux, codés dans l'ADN, qui spécifient cette transition, soient difficiles à reconnaître pour les chercheurs. En effet, la comparaison de nombreux promoteurs bactériens différents a révélé que leurs séquences d'ADN étaient hétérogènes. Néanmoins, ils possèdent tous des séquences apparentées qui reflètent en partie les caractéristiques de l'ADN directement reconnues par le facteur σ. Ces caractéristiques communes sont souvent résumées sous la forme d'une *séquence consensus* (Figure 6-12). En général, la séquence consensus en nucléotides dérive de la comparaison de plusieurs séquences de même fonction fondamentale et du pointage, dans chaque position, des nucléotides les plus

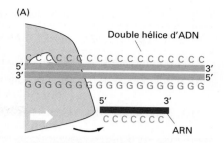

Figure 6-13 Importance de l'orientation de l'ARN polymérase. Le brin d'ADN qui sert de matrice doit être traversé dans la direction 3' → 5', comme cela est illustré dans la figure 6-9. De ce fait, la direction du mouvement de l'ARN polymérase détermine quel est le brin d'ADN qui doit servir de matrice pour la synthèse de l'ARN, comme cela est montré en (A) et en (B). La direction de la polymérase est, à son tour, déterminée par l'orientation de la séquence du promoteur, site au niveau duquel l'ARN polymérase commence la transcription.

fréquemment retrouvés. Elle sert donc de résumé ou de «moyenne» d'un grand nombre de séquences nucléotidiques individuelles.

Une des raisons pour lesquelles chaque promoteur bactérien a une séquence d'ADN différente est que cette séquence précise détermine la force (ou le nombre d'événements d'initiation en fonction du temps) du promoteur. Les processus évolutifs ont ainsi réglé avec précision chaque promoteur pour qu'il initie aussi souvent que nécessaire et ont créé un large éventail de promoteurs. Les promoteurs de gènes codant pour des protéines abondantes sont beaucoup plus forts que ceux de gènes codant pour des protéines rares et c'est leur séquence en nucléotides qui est responsable de cette différence.

Tout comme les promoteurs bactériens, les signaux de terminaison de transcription comprennent un large éventail de séquences, qui peuvent potentiellement former une structure d'ARN simple qui représente leur principale caractéristique commune. Comme il y a un nombre presque illimité de séquences de nucléotides pourvues de ce potentiel, les séquences de terminaison sont beaucoup plus hétérogènes que celles des promoteurs.

Nous avons détaillé quelque peu les promoteurs bactériens et les signaux de terminaison pour illustrer un point important de l'analyse des séquences du génome. Même si nous en savons beaucoup sur les promoteurs et les signaux de terminaison des bactéries et que nous avons pu développer des séquences consensus qui résument leurs caractéristiques les plus frappantes, les chercheurs éprouvent de grandes difficultés (même aidés d'ordinateurs puissants) à les localiser définitivement par la simple inspection de la séquence nucléotidique d'un génome, du fait de la variation de leur séquence nucléotidique. Lorsque nous rencontrons des séquences d'un type analogue chez les eucaryotes, le problème de leur localisation est encore plus ardu. Il faut souvent des informations supplémentaires, dont certaines sont issues d'expériences directes, pour localiser avec précision les courts signaux d'ADN contenus dans le génome.

Les séquences des promoteurs sont asymétriques (*voir* Figure 6-12) et cette caractéristique a des conséquences importantes pour leur disposition dans le génome. Comme l'ADN est double brin, deux molécules différentes d'ARN pourraient en principe être transcrites à partir de chaque gène, chacune utilisant un des deux brins d'ADN comme matrice. Cependant, un gène typique ne possède qu'un seul promoteur et comme la séquence en nucléotides des promoteurs bactériens (et des eucaryotes) est asymétrique, la polymérase ne peut s'y fixer que dans une seule orientation. La polymérase ne peut donc pas choisir quel brin d'ADN transcrire car elle ne peut synthétiser l'ARN que dans la direction 5' → 3' (Figure 6-13). Le choix du brin matrice pour chaque gène est ainsi déterminé par la localisation et l'orientation du promoteur. Les séquences du génome révèlent que le brin d'ADN utilisé comme matrice pour la synthèse d'ARN varie en fonction du gène (Figure 6-14; *voir aussi* Figure 1-31).

Après avoir considéré la transcription chez les bactéries, retournons maintenant à la situation chez les eucaryotes, où la synthèse d'une molécule d'ARN est beaucoup plus complexe.

L'initiation de la transcription chez les eucaryotes nécessite plusieurs protéines

Contrairement aux bactéries, qui ne contiennent qu'un seul type d'ARN polymérase, les noyaux des eucaryotes en ont trois, appelées *ARN polymérase I, ARN polymérase II*

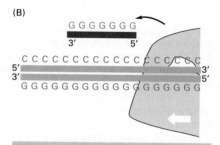

Une ARN polymérase qui se déplace de gauche à droite fabrique l'ARN en utilisant le brin inférieur comme matrice

Une ARN polymérase qui se déplace de droite à gauche fabrique l'ARN en utilisant le brin supérieur comme matrice

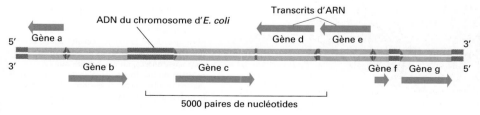

Figure 6-14 Direction de la transcription le long d'un court segment de chromosome bactérien. Certains gènes sont transcrits en utilisant un brin d'ADN comme matrice alors que d'autres sont transcrits en utilisant l'autre brin d'ADN. La direction de la transcription est déterminée par le promoteur au début de chaque gène (*têtes de flèches vertes*). La figure montre 0,2 p. 100 (9 000 paires de bases) environ du chromosome d'*E. coli*. Les gènes transcrits *de gauche à droite* utilisent le brin d'ADN inférieur comme matrice; ceux transcrits *de droite à gauche* utilisent le brin supérieur comme matrice.

TABLEAU 6-II **Les trois ARN polymérases des cellules eucaryotes**

TYPE DE POLYMÉRASE	GÈNES TRANSCRITS
ARN polymérase I	Gènes des ARNr 5,8S, 18S et 28S
ARN polymérase II	Gènes codant pour toutes les protéines, plus les gènes des ARNsno et certains gènes d'ARNsn
ARN polymérase III	Gènes des ARNt, gènes des ARNr 5S, certains gènes des ARNsn et les gènes des autres petits ARN

et *ARN polymérase III*. Ces trois polymérases sont structurellement similaires les unes aux autres (ainsi qu'avec l'enzyme bactérienne). Elles ont certaines sous-unités et de nombreuses caractéristiques structurelles communes, mais transcrivent différents types de gènes (Tableau 6-II). Les ARN polymérases I et III transcrivent les gènes qui codent pour les ARN de transfert, les ARN ribosomiques et divers petits ARN. L'ARN polymérase II transcrit la grande majorité des gènes, y compris ceux qui codent pour les protéines et nous concentrerons donc notre discussion sur cette enzyme.

Même si l'ARN polymérase II des eucaryotes présente beaucoup de similitudes structurelles avec l'ARN polymérase bactérienne (Figure 6-15), il existe plusieurs différences importantes concernant le fonctionnement de ces enzymes dont deux nous intéressent immédiatement.

1. Alors que l'ARN polymérase bactérienne (avec son facteur σ formant l'une des sous-unités) peut initier la transcription sur une matrice d'ADN *in vitro* sans l'aide d'une autre protéine, l'ARN polymérase des eucaryotes ne le peut pas. Cette ARN polymérase a besoin de l'aide d'un groupe important de protéines, les *facteurs généraux de transcription,* qui doivent s'assembler au niveau du promoteur avec elle avant qu'elle ne commence la transcription.

2. L'initiation de la transcription chez les eucaryotes doit faire face à l'empaquetage de l'ADN dans les nucléosomes et à une structure de chromatine plus ordonnée, particularités qui n'existent pas dans les chromosomes bactériens.

L'ARN polymérase II nécessite des facteurs généraux de transcription

La découverte que l'ARN polymérase purifiée des eucaryotes ne pouvait initier la transcription *in vitro*, contrairement à l'ARN polymérase bactérienne, a conduit à la découverte et à la purification de facteurs supplémentaires nécessaires à ce processus. Ces **facteurs généraux de transcription** placent correctement l'ARN polymérase sur le promoteur et séparent les deux brins d'ADN pour permettre le commencement de la transcription puis libèrent l'ARN polymérase du promoteur dans son mode d'élongation une fois que la transcription a commencé. Les protéines sont « générales » parce qu'elles s'assemblent sur tous les promoteurs utilisés par l'ARN polymérase II; formées d'un ensemble de protéines qui interagissent, elles sont dési-

Figure 6-15 Similitudes de structure entre l'ARN polymérase bactérienne et l'ARN polymérase II des eucaryotes. Les régions des deux ARN polymérases qui ont des structures similaires sont indiquées en *vert*. La polymérase des eucaryotes est plus grande que la polymérase des bactéries (12 sous-unités au lieu de 5) et certaines régions supplémentaires sont montrées en *gris*. Les sphères *bleues* représentent les atomes de Zn qui servent de composants structuraux de la polymérase et la sphère *rouge* représente l'atome de Mg présent au niveau du site actif où s'effectue la polymérisation. Les ARN polymérases de toutes les cellules actuelles (bactéries, archéobactéries et eucaryotes) sont apparentées, ce qui indique que les caractéristiques fondamentales de cette enzyme étaient en place avant la divergence des trois branches phylogénétiques majeures. (Due à l'obligeance de P. Cramer et R. Kornberg.)

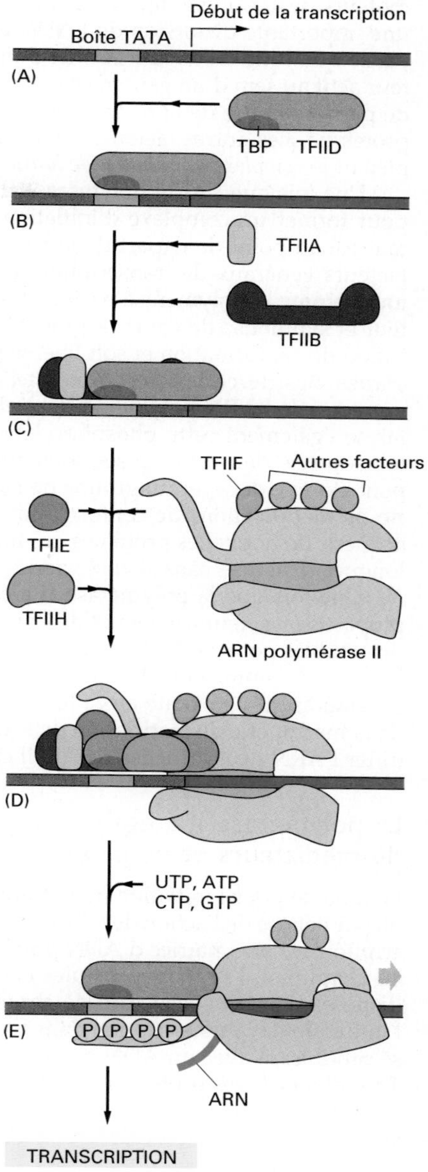

Figure 6-16 Initiation de la transcription d'un gène eucaryote par une ARN polymérase II. Pour commencer la transcription, l'ARN polymérase nécessite certains facteurs généraux de transcription (appelés TFIIA, TFIIB, etc.). (A) Les promoteurs contiennent une séquence d'ADN appelée boîte TATA, localisée à 25 nucléotides du site où la transcription commence. (B) La boîte TATA est reconnue par un facteur de transcription le TFIID qui s'y fixe, ce qui permet la fixation adjacente ultérieure du TFIIB. (C) Pour plus de simplicité la distorsion de l'ADN produite par la fixation du TFIID (*voir* Figure 6-18) n'est pas représentée. (D) Les autres facteurs généraux de transcription, ainsi que l'ARN polymérase elle-même s'assemblent au niveau du promoteur. (E) Le TFIIH utilise alors l'ATP pour écarter la double hélice d'ADN au point de départ de la transcription, permettant à la transcription de commencer. Le TFIIH phosphoryle aussi l'ARN polymérase II, ce qui modifie sa conformation et la libère des facteurs généraux; elle peut ainsi commencer la phase d'élongation de la transcription. Comme cela est montré, le site de phosphorylation est une longue queue polypeptidique C-terminale qui s'étend à partir de la molécule de polymérase. Le schéma d'assemblage montré dans la figure a été déduit d'expériences effectuées *in vitro* et on ne connaît pas avec certitude l'ordre exact dans lequel les facteurs de transcription s'assemblent sur le promoteur de la cellule. Dans certains cas, on pense que les facteurs généraux s'assemblent d'abord avec la polymérase et que cet assemblage se fixe ensuite sur l'ADN en une seule étape. Les facteurs généraux de transcription ont été fortement conservés pendant l'évolution; dans les cellules humaines, certains peuvent être remplacés au cours d'expériences biochimiques par les facteurs correspondants issus de simples levures.

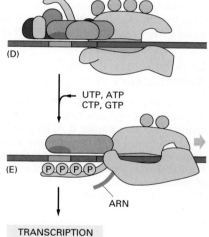

gnées par l'abréviation *TFII* (pour *transcription factor for polymerase II*) et classés en TFIIA, TFIIB, etc. Au sens large, les facteurs généraux de transcription des eucaryotes ont les mêmes fonctions que le facteur σ des bactéries.

La figure 6-16 montre comment les facteurs généraux de transcription s'assemblent *in vitro* sur un promoteur utilisé par l'ARN polymérase II. Le processus d'assemblage commence par la fixation du facteur général de transcription TFIID sur une courte séquence de la double hélice d'ADN composée surtout de nucléotides T et A. C'est pourquoi cette séquence est appelée **séquence TATA** ou **boîte TATA** et la sous-unité du TFIID qui la reconnaît est appelée TBP (pour *TATA-binding protein*). La localisation typique de la boîte TATA est située 25 nucléotides en amont du site de commencement de la transcription. Ce n'est pas la seule séquence d'ADN qui signale le commencement de la transcription (Figure 6-17) mais dans la majorité des pro-

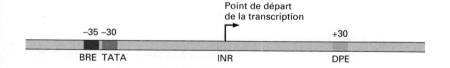

Élément	Séquence consensus	Facteur général de transcription
BRE	G/C G/C G/A C G C C	TFIIB
TATA	T A T A A/T A A/T	TBP
INR	C/T C/T A N T/A C/T C/T	TFIID
DPE	A/G G A/T C G T G	TFIID

Figure 6-17 Séquences consensus retrouvées au voisinage des points de départ de l'ARN polymérase II des eucaryotes. Les noms donnés à chaque séquence consensus (*première colonne*) ainsi que les facteurs généraux de transcription qui les reconnaissent (*dernière colonne*) sont indiqués. N indique n'importe quel nucléotide, et deux nucléotides séparés par une barre oblique indiquent une probabilité égale de chacun des nucléotides dans la position indiquée. En réalité chaque séquence consensus est la représentation abrégée d'un histogramme similaire à celui de la figure 6-12. Sur la plupart des points de départ de la transcription de l'ARN polymérase II, seules deux ou trois de ces quatre séquences existent. Par exemple, la plupart des promoteurs de la polymérase II ont une séquence de boîte TATA, et ceux qui n'en ont pas possèdent typiquement une «forte» séquence INR. Même si la plupart des séquences d'ADN qui influencent l'initiation de la transcription sont localisées en amont du point de départ de la transcription, quelques-unes, comme la DPE montrée sur la figure, sont localisées dans la région transcrite.

moteurs de la polymérase II, c'est la plus importante. La fixation du TFIID entraîne une importante distorsion de l'ADN au niveau de la boîte TATA (Figure 6-18). On pense que cette distorsion sert de point de repère physique qui localise un promoteur actif au sein d'un génome très grand et rapproche les séquences d'ADN, situées de part et d'autre de la distorsion, pour permettre les autres étapes de l'assemblage protéique. Les autres facteurs s'assemblent alors avec l'ARN polymérase II et complètent le *complexe d'initiation de la transcription* (*voir* Figure 6-16).

Une fois que l'ARN polymérase II a été placée sur l'un des promoteurs d'ADN pour former un complexe d'initiation de la transcription, elle doit accéder au brin matrice au point de départ de la transcription. Cette étape est favorisée par un des facteurs généraux de transcription, le TFIIH qui contient une ADN hélicase. Puis, tout comme la polymérase bactérienne, la polymérase II reste au niveau du promoteur et synthétise de courts segments d'ARN jusqu'à ce qu'elle subisse une modification de conformation et soit libérée pour commencer à transcrire le gène. Une des étapes clés de cette libération est l'addition de groupements phosphate sur la «queue» de l'ARN polymérase (appelée CTD pour *C-terminal domain*). Le TFIIH catalyse également cette phosphorylation, contenant, en plus de l'hélicase, une protéine-kinase dans une de ses sous-unités (*voir* Figure 6-16, D et E). La polymérase peut alors se dégager du groupe de facteurs généraux de transcription, subir une série de modifications de conformation qui resserrent ses interactions avec l'ADN et acquérir de nouvelles protéines qui lui permettent d'effectuer la transcription sur de longues distances sans se dissocier.

Une fois que la polymérase II a commencé l'élongation du transcrit d'ARN, la plupart des facteurs généraux de transcription sont libérés de l'ADN et redeviennent disponibles pour initier le cycle suivant de transcription avec une nouvelle ARN polymérase. Comme nous le verrons bientôt, la phosphorylation de la queue de l'ARN polymérase II provoque aussi la mise en place, sur la polymérase, des composants de la machinerie de maturation de l'ARN, qui se trouvent ainsi en position pour modifier l'ARN néosynthétisé dès qu'il émerge de la polymérase.

La polymérase II a également besoin de protéines activatrices, de médiateurs et de protéines de modification de la chromatine

Le modèle pour l'initiation de la transcription que nous venons de décrire a été établi par l'étude de l'action de l'ARN polymérase II et de ses facteurs généraux de transcription sur une matrice d'ADN purifiée *in vitro*. Cependant, comme nous l'avons vu au chapitre 4, l'ADN des cellules eucaryotes est empaqueté dans des nucléosomes disposés dans une structure de chromatine hautement ordonnée. Il en résulte que l'initiation de la transcription dans une cellule eucaryote est plus complexe que celle se produisant avec un ADN purifié et nécessite un plus grand nombre de protéines. Tout d'abord, des protéines régulatrices appelées *activateurs de transcription* se fixent

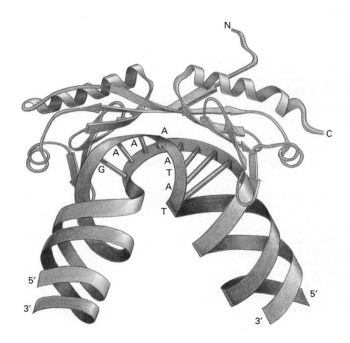

Figure 6-18 Structure tridimensionnelle de la TBP (protéine de liaison au TATA) fixée sur l'ADN. La TBP est une sous-unité d'un facteur général de transcription, le TFIID responsable de la reconnaissance de la séquence de boîte TATA de l'ADN (*rouge*) et qui s'y fixe. La courbure particulière de l'ADN provoquée par la TBP – deux coudes sur la double hélice, séparés par un ADN en partie déroulé – peut servir de point de repère qui attire les autres facteurs généraux de transcription. La TBP est une chaîne polypeptidique particulière repliée en deux domaines très semblables (*bleu* et *vert*). (Adapté d'après J.L. Kim et al., *Nature* 365 : 520-527, 1993.)

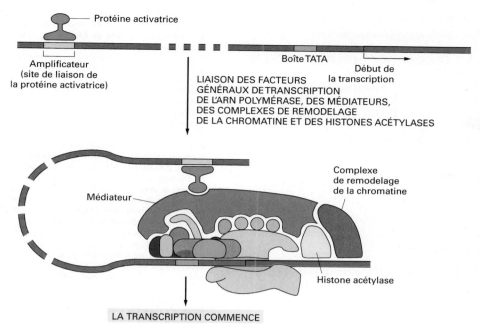

Protéine activatrice

Amplificateur
(site de liaison de
la protéine activatrice)

Boîte TATA

Début de
la transcription

LIAISON DES FACTEURS
GÉNÉRAUX DE TRANSCRIPTION
DE L'ARN POLYMÉRASE, DES MÉDIATEURS,
DES COMPLEXES DE REMODELAGE
DE LA CHROMATINE ET DES HISTONES ACÉTYLASES

Médiateur

Complexe
de remodelage
de la chromatine

Histone acétylase

LA TRANSCRIPTION COMMENCE

Figure 6-19 Initiation de la transcription par l'ARN polymérase II dans une cellule eucaryote. L'initiation de la transcription *in vivo* nécessite la présence de protéines activatrices de la transcription. Comme cela est décrit au chapitre 7, ces protéines se fixent sur de courtes séquences spécifiques d'ADN. Même si une seule est représentée ici, un gène eucaryote typique possède de nombreuses protéines activatrices qui, ensemble, déterminent sa vitesse et son mode de transcription. Agissant parfois sur une séquence distante de plusieurs milliers de paires de nucléotides (indiqué par les pointillés dans la molécule d'ADN), ces protéines régulatrices favorisent l'assemblage de l'ARN polymérase, des facteurs généraux et du médiateur au niveau du promoteur. En plus, ces protéines activatrices attirent les complexes de remodelage de la chromatine ATP-dépendants et les histones acétylases.

Comme nous l'avons vu au chapitre 4, l'état par «défaut» de la chromatine est probablement la fibre de 30 nm et il y a des chances que ce soit la forme sur laquelle commence la transcription. Pour plus de simplicité, elle n'est pas représentée sur la figure.

sur des séquences d'ADN spécifiques et attirent l'ARN polymérase II vers le point de départ de la transcription (Figure 6-19). Cette attraction est nécessaire car elle aide l'ARN polymérase et les facteurs généraux de transcription à surmonter les difficultés de fixation sur un ADN empaqueté dans la chromatine. Nous parlerons du rôle des activateurs au chapitre 7, parce qu'ils constituent une des principales voies permettant aux cellules de réguler l'expression de leurs gènes. Nous noterons simplement ici que leur présence sur l'ADN est nécessaire pour initier la transcription dans les cellules eucaryotes. Deuxièmement, l'initiation de la transcription des eucaryotes *in vivo* nécessite la présence d'un complexe protéique appelé *médiateur*, qui permet à la protéine activatrice de communiquer correctement avec la polymérase II et avec les facteurs généraux de transcription. Enfin, l'initiation de la transcription dans les cellules nécessite souvent le recrutement local d'enzymes de modification de la chromatine, y compris les complexes de remodelage de la chromatine et les histones acétylases (*voir* Figure 6-19). Comme nous l'avons vu au chapitre 4, ces deux types d'enzymes permettent un meilleur accès à l'ADN situé dans la chromatine et par là, facilitent l'assemblage de la machinerie d'initiation de la transcription sur l'ADN.

Comme cela est illustré dans la figure 6-19, beaucoup de protéines (bien plus d'une centaine de sous-unités individuelles) doivent s'assembler au point de départ de la transcription pour l'initier dans les cellules eucaryotes. L'ordre d'assemblage de ces protéines est probablement différent selon les gènes et ne suit donc probablement pas une voie imposée. En fait, certains de ces différents assemblages protéiques peuvent interagir les uns avec les autres, loin de l'ADN, puis être placés sur l'ADN sous forme de sous-complexes préformés. Par exemple, le médiateur, l'ARN polymérase II et certains facteurs généraux de transcription peuvent s'unir les uns aux autres dans le nucléoplasme et être apportés sur l'ADN sous forme d'unité. Nous reprendrons ce thème au chapitre 7, lorsque nous parlerons des nombreux moyens utilisés par la cellule eucaryote pour réguler le processus d'initiation de la transcription.

L'élongation de la transcription produit une tension superhélicoïdale dans l'ADN

Une fois qu'elle a initié la transcription, l'ARN polymérase ne travaille pas de façon régulière sur la molécule d'ADN; elle se déplace plutôt par à-coups, s'arrêtant sur certaines séquences puis transcrivant rapidement d'autres. Les ARN polymérases bactériennes et eucaryotes en mode d'élongation sont associées à un groupe de *facteurs d'élongation*, protéines qui abaissent la probabilité de dissociation de l'ARN polymérase avant l'atteinte de la fin du gène. Ces facteurs s'associent typiquement avec l'ARN polymérase peu de temps après le début de l'initiation et aident la polymérase

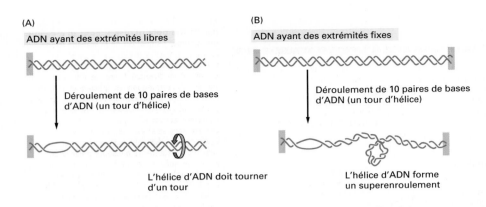

(A)

ADN ayant des extrémités libres

Déroulement de 10 paires de bases
d'ADN (un tour d'hélice)

L'hélice d'ADN doit tourner
d'un tour

(B)

ADN ayant des extrémités fixes

Déroulement de 10 paires de bases
d'ADN (un tour d'hélice)

L'hélice d'ADN forme
un superenroulement

(C)

ADN   Molécule protéique

SUPERENROULEMENTS NÉGATIFS
(l'ouverture de l'hélice est facilitée)

SUPERENROULEMENTS POSITIFS
(l'ouverture de l'hélice est gênée)

Figure 6-20 Les tensions superhélicoïdales de l'ADN provoquent un superenroulement de l'ADN. (A) Pour une molécule d'ADN ayant une extrémité libre (ou une entaille dans un brin qui sert de pivot), la double hélice d'ADN effectue une rotation d'un tour toutes les 10 paires de nucléotides ouverts. (B) Si la rotation est bloquée, une tension superhélicoïdale est introduite dans l'ADN par l'ouverture de l'hélice. Une des façons de s'adapter à cette tension serait d'augmenter l'enroulement hélicoïdal de 10 à 11 paires de nucléotides par tour dans la double hélice qui reste dans cet exemple. L'hélice d'ADN cependant résiste à ce type de déformation à la façon d'un levier, préférant soulager la tension superhélicoïdale en formant des boucles de superenroulement. Il en résulte qu'un superenroulement d'ADN se forme dans la double hélice d'ADN toutes les 10 paires de nucléotides ouvertes. Le superenroulement formé dans ce cas est un superenroulement positif. (C) Le superenroulement de l'ADN est induit par une protéine qui effectue un dépistage dans la double hélice d'ADN. Les deux extrémités de l'ADN représentées ici sont incapables d'effectuer une rotation librement l'une par rapport à l'autre et on pense que, de la même façon, la molécule protéique ne peut pas effectuer de rotation libre lorsqu'elle se déplace. Dans ces conditions, le mouvement de la protéine provoque un trop grand nombre de tours d'hélice d'ADN qui s'accumulent en avant de la protéine et pas assez de tours d'hélice d'ADN derrière la protéine comme cela est montré.

à se déplacer le long des différentes séquences d'ADN très variées présentes dans les gènes. L'ARN polymérase des eucaryotes doit aussi affronter la structure de la chromatine lorsqu'elle se déplace le long de la matrice d'ADN. Des expériences ont montré que les polymérases bactériennes, qui ne rencontrent jamais de nucléosomes *in vivo*, peuvent néanmoins transcrire à travers eux *in vitro*, ce qui suggère que les nucléosomes sont facilement traversés. Cependant les polymérases eucaryotes doivent se déplacer dans des formes de chromatine plus compactes qu'un simple nucléosome. Il semble donc probable qu'elles effectuent la transcription, aidées par les complexes de remodelage de la chromatine (*voir* p. 212-213). Ces complexes peuvent se déplacer avec la polymérase ou peuvent simplement retrouver et secourir les polymérases occasionnellement retardées. De plus certains facteurs d'élongation associés aux ARN polymérases eucaryotes facilitent la transcription au travers des nucléosomes sans nécessiter d'énergie supplémentaire. On ne comprend pas encore comment cela s'accomplit, mais ces protéines pourraient dégager des parties du cœur nucléosomique pendant que la polymérase transcrit l'ADN d'un nucléosome.

Il existe cependant une autre barrière aux polymérases eucaryotes ou bactériennes en mode d'élongation. Pour aborder ce sujet, nous devons d'abord considérer une propriété inhérente à la double hélice d'ADN, à savoir le **superenroulement d'ADN**. Ce superenroulement d'ADN représente la conformation que l'ADN adoptera en réponse à une tension superhélicoïdale ; à l'inverse, la formation de diverses boucles ou enroulements dans l'hélice peut créer ce type de tension. La figure 6-20A illustre de façon simple les contraintes topologiques qui provoquent un superenroulement d'ADN. Il y a approximativement 10 paires de nucléotides à chaque tour d'hélice de la double hélice d'ADN. Imaginons une hélice dont les deux extrémités sont fixées l'une à l'autre (comme elles le sont dans l'ADN circulaire du chromosome bactérien ou dans les boucles solidement fixées qui, pense-t-on, se forment dans les chromosomes eucaryotes). Dans ce cas, un seul grand superenroulement d'ADN se formera pour compenser chaque ouverture (déroulement) de 10 paires de nucléotides. La formation de ce superenroulement est énergétiquement favorable parce qu'elle restaure un tour normal d'hélice au niveau des régions d'appariement de bases qui restent et qui sinon seraient surenroulées à cause de la fixation des extrémités.

Une tension superhélicoïdale est également créée lorsque l'ARN polymérase se déplace le long d'un segment d'ADN étiré, ancré à ses extrémités (Figure 6-20C). Comme la polymérase ne peut effectuer librement de rotation rapide (car ce type de

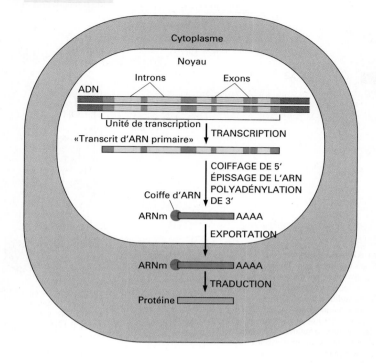

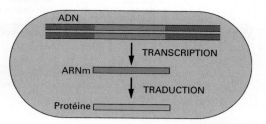

Figure 6-21 Résumé des étapes conduisant des gènes aux protéines chez les eucaryotes et les bactéries. La concentration finale en une protéine dans la cellule dépend de l'efficacité de chaque étape et de la vitesse de dégradation de l'ARN et des protéines. (A) Dans les cellules eucaryotes, les molécules produites uniquement par transcription (parfois nommées transcrit primaire) contiennent des séquences codantes (exons) et non codantes (introns). Avant de pouvoir être traduites en protéine, il faut que les deux extrémités de l'ARN soient modifiées, les introns soient retirés par l'épissage de l'ARN catalysé par des enzymes et que l'ARNm résultant soit transporté du noyau au cytoplasme. Même si ces étapes sont décrites comme si elles se produisaient une seule à la fois, selon un ordre, elles sont en réalité couplées, et différentes étapes peuvent se produire simultanément. Par exemple, la coiffe d'ARN est ajoutée et l'épissage commence typiquement avant que la transcription ne soit terminée. Du fait de ce couplage, il n'existe pas de transcrits primaires typiques d'ARN terminés dans une cellule. (B) Pour les procaryotes, la production d'une molécule d'ARNm est beaucoup plus simple. L'extrémité 5' de la molécule d'ARNm est produite après l'initiation de la transcription par une ARN polymérase et l'extrémité 3' est produite par la fin de la transcription. Comme les procaryotes n'ont pas de noyau, la transcription et la traduction s'effectuent dans un compartiment commun. En fait, la traduction de l'ARNm bactérien commence souvent avant que sa synthèse soit terminée.

rotation est improbable vu la taille des ARN polymérases et de leurs transcrits qui y sont fixés), une polymérase qui se déplace engendre des tensions superhélicoïdales positives dans l'ADN situé à l'aval et des tensions superhélicoïdales négatives dans l'ADN en amont. Chez les eucaryotes, on pense que cette situation est bénéfique. La tension positive superhélicoïdale en avant de la polymérase rend l'hélice d'ADN plus difficile à ouvrir, mais cette tension devrait faciliter le déballage de l'ADN des nucléosomes, car la libération de l'ADN du noyau d'histones facilite le relâchement des tensions superhélicoïdales positives.

Toute protéine qui se déplace elle-même seule le long d'un brin d'ADN d'une double hélice a tendance à engendrer des tensions superhélicoïdales. Chez les eucaryotes, une enzyme, l'ADN topo-isomérase, enlève rapidement ces tensions superhélicoïdales (*voir* p. 251). Mais chez les bactéries, une topo-isomérase spécialisée, l'*ADN gyrase*, utilise l'énergie de l'hydrolyse de l'ATP pour former continuellement des superenroulements dans l'ADN, maintenant ainsi l'ADN sous tension constante. Il s'agit de *superenroulements négatifs*, qui ont une direction d'enroulement opposée aux *superenroulements positifs* qui se forment lorsqu'une région de l'hélice d'ADN se déroule (*voir* Figure 6-20B). Ces superenroulements négatifs sont retirés de l'ADN bactérien à chaque fois qu'une région de l'hélice s'ouvre, réduisant la tension superhélicoïdale. L'ADN gyrase rend ainsi l'ouverture de l'hélice d'ADN énergétiquement favorable chez les bactéries par comparaison à l'ouverture de l'hélice d'un ADN sans superenroulements. Elle facilite donc en général les processus génétiques bactériens, y compris l'initiation de la transcription par l'ARN polymérase bactérienne, qui nécessite l'ouverture de l'hélice (*voir* Figure 6-10).

Chez les eucaryotes, l'élongation de la transcription est couplée à la maturation de l'ARN

Nous avons vu que l'ARNm bactérien n'était synthétisé que par l'ARN polymérase qui commence et s'arrête à des endroits spécifiques du génome. La situation chez les eucaryotes est assez différente. En particulier, la transcription n'est que la première étape d'une série de réactions qui inclut la modification covalente des deux extrémités de l'ARN et le retrait des *séquences d'intron* qui sont éliminées du milieu du transcrit d'ARN par le processus d'*épissage de l'ARN* (Figure 6-21). Les modifications des extrémités d'un ARNm eucaryote sont le *coiffage* de l'extrémité 5' et la *polyadénylation* de l'extrémité 3' (Figure 6-22). La présence de ces extrémités particulières permet à la cellule de vérifier que l'ARNm possède bien ses deux extrémités (et donc que le message est intact) avant que la séquence d'ARN ne soit exportée du noyau

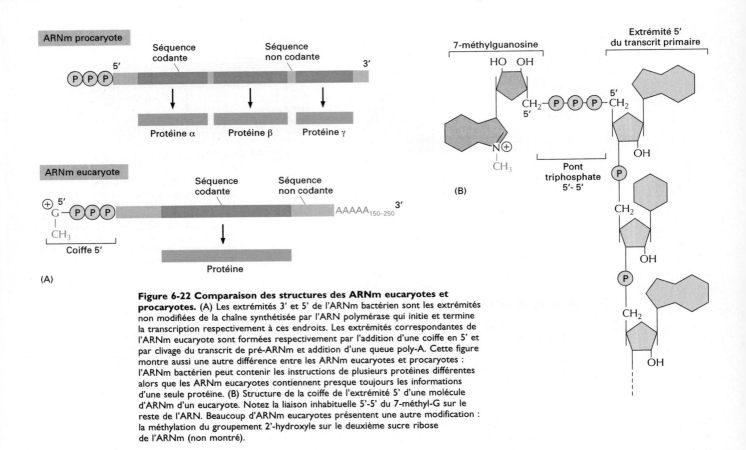

Figure 6-22 Comparaison des structures des ARNm eucaryotes et procaryotes. (A) Les extrémités 3' et 5' de l'ARNm bactérien sont les extrémités non modifiées de la chaîne synthétisée par l'ARN polymérase qui initie et termine la transcription respectivement à ces endroits. Les extrémités correspondantes de l'ARNm eucaryote sont formées respectivement par l'addition d'une coiffe en 5' et par clivage du transcrit de pré-ARNm et addition d'une queue poly-A. Cette figure montre aussi une autre différence entre les ARNm eucaryotes et procaryotes : l'ARNm bactérien peut contenir les instructions de plusieurs protéines différentes alors que les ARNm eucaryotes contiennent presque toujours les informations d'une seule protéine. (B) Structure de la coiffe de l'extrémité 5' d'une molécule d'ARNm d'un eucaryote. Notez la liaison inhabituelle 5'-5' du 7-méthyl-G sur le reste de l'ARN. Beaucoup d'ARNm eucaryotes présentent une autre modification : la méthylation du groupement 2'-hydroxyle sur le deuxième sucre ribose de l'ARNm (non montré).

pour être traduite en protéine. Dans le chapitre 4, nous avons vu qu'un gène eucaryote typique se trouvait dans le génome sous la forme de courts blocs de séquences codant pour les protéines (exons) séparés par de longs introns, et l'épissage de l'ARN est une étape d'une importance critique au cours de laquelle les différentes portions de la séquence codant pour la protéine sont réunies. Comme nous le décrirons ultérieurement, l'épissage de l'ARN permet aussi aux eucaryotes supérieurs de synthétiser plusieurs protéines différentes à partir du même gène.

Ces étapes de maturation de l'ARN sont couplées à l'élongation de la transcription grâce à un mécanisme ingénieux. Comme nous l'avons vu auparavant, une des étapes clés de l'entrée de l'ARN polymérase II dans son mode d'élongation de la synthèse d'ARN est la phosphorylation étendue de la queue (ou CTD) de l'ARN polymérase II. Ce domaine à extrémité C-terminale de la plus grosse sous-unité est composé de longues bandes en tandem d'une séquence répétitive de sept acides aminés, contenant deux sérines par répétition qui peuvent être phosphorylées. Comme il y a 52 répétitions dans le CTD de l'ARN polymérase II humaine, sa phosphorylation complète ajouterait 104 groupements phosphate de charge négative sur la polymérase. Cette étape de phosphorylation ne dissocie pas seulement l'ARN polymérase II des autres protéines présentes au point de départ de la transcription, mais permet aussi l'association, sur la queue de l'ARN polymérase, d'un nouveau groupe de protéines qui agissent dans les processus d'élongation de la transcription et de maturation du pré-ARNm. Comme nous le verrons ultérieurement, certaines de ces protéines de maturation semblent «sauter» de la queue de la polymérase sur la molécule d'ARN naissante pour commencer sa maturation dès qu'elle émerge de l'ARN polymérase. De ce fait, on peut considérer que l'ARN polymérase II dans son mode d'élongation est une sorte d'usine à ARN qui transcrit l'ADN en ARN et effectue la maturation de l'ARN qu'elle produit (Figure 6-23).

Le coiffage de l'ARN est la première modification du pré-ARNm eucaryote

Dès que l'ARN polymérase II a produit 25 nucléotides d'ARN environ, la terminaison 5' de la nouvelle molécule est modifiée par addition d'une «coiffe» composée

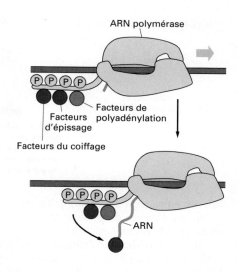

Figure 6-23 Concept de l'«usine d'ARN» de l'ARN polymérase II eucaryote. Non seulement la polymérase transcrit l'ADN en ARN mais elle porte aussi les protéines de maturation du pré-ARNm sur sa queue, pour les transférer ensuite sur l'ARN naissant au moment opportun. Il y a beaucoup d'enzymes de maturation de l'ARN et toutes ne voyagent pas sur la polymérase. Pour l'épissage de l'ARN, par exemple, seuls quelques composants critiques sont portés sur la queue; une fois transférés sur la molécule d'ARN, ils servent de site de nucléation pour les autres composants. Les protéines de maturation de l'ARN se fixent d'abord sur la queue de l'ARN polymérase lorsqu'elle est phosphorylée, à la fin du processus d'initiation de la transcription (*voir* Figure 6-16). Une fois que l'ARN polymérase II a fini la transcription, elle est libérée de l'ADN, les phosphates de sa queue sont retirés par des phosphatases solubles et elle peut réinitialiser la transcription. Seule la forme déphosphorylée de l'ARN polymérase II est compétente pour initier une synthèse d'ARN au niveau du promoteur.

d'un nucléotide de guanine modifié (*voir* Figure 6-22B). Trois enzymes agissent successivement pour effectuer cette réaction de coiffage : une phosphatase retire un phosphate de l'extrémité 5' de l'ARN naissant, puis une guanyl-transférase ajoute un GMP en liaison inverse (5' sur 5' et non pas 5' sur 3') et la troisième, une méthyl-transférase, ajoute un groupement méthyle sur la guanosine (Figure 6-24). Comme ces trois enzymes se fixent sur la queue phosphorylée de l'ARN polymérase, elles sont prêtes à modifier l'extrémité 5' du transcrit naissant dès qu'il émerge de la polymérase.

La coiffe 5' méthylée signale l'extrémité 5' de l'ARNm eucaryote et ce point de repère permet à la cellule de distinguer cet ARNm des autres types de molécules d'ARN présents dans la cellule. Par exemple, les ARN polymérases I et III produisent un ARN sans coiffe au cours de la transcription en partie parce que ces polymérases n'ont pas de queue. Dans le noyau, la coiffe s'unit à un complexe protéique, appelé CBC (*cap-binding complex*) qui, comme nous le verrons dans les paragraphes suivants, facilite la maturation correcte de l'ARN puis son exportation. La coiffe 5' méthylée joue également un rôle important dans la traduction cytosolique de l'ARNm comme nous le verrons ultérieurement dans ce chapitre.

L'épissage de l'ARN enlève les séquences d'intron des pré-ARNm néotranscrits

Comme nous l'avons vu au chapitre 4, les séquences de codage des protéines des gènes eucaryotes sont typiquement interrompues par des séquences intermédiaires non codantes (ou introns). Découverte en 1977, cette caractéristique des gènes eucaryotes a surpris les scientifiques, qui n'étaient jusqu'alors familiarisés qu'aux gènes bactériens, typiquement formés d'un segment continu d'ADN codant, directement transcrit en ARNm. Complètement à l'opposé, ils ont trouvé que les gènes eucaryotes étaient découpés en petits morceaux de séquences codantes (*séquences d'expression* ou **exons**) intercalés entre des séquences intermédiaires beaucoup plus longues ou **introns**; de ce fait, la portion codante d'un gène eucaryote ne représente souvent qu'une petite fraction seulement de la longueur du gène (Figure 6-25).

Les séquences d'introns et d'exons sont transcrites en ARN. Les séquences d'introns sont retirées de l'ARN néosynthétisé par le processus d'**épissage de l'ARN**. Une grande partie de l'épissage de l'ARN qui s'effectue dans les cellules produit de l'ARNm et notre discussion sur l'épissage se concentrera donc sur ce type. On parle d'épissage du précurseur d'ARNm (ou pré-ARNm) pour montrer qu'il s'effectue sur des molécules d'ARN destinées à devenir des ARNm. C'est seulement après avoir subi la maturation de leurs extrémités 5' et 3' et un épissage que ces ARN sont appelés ARNm.

Chaque épissage enlève un intron, procédant par deux réactions séquentielles de transfert d'un phosphoryle appelées transestérifications; celles-ci réunissent deux exons tout en enlevant un intron «formant un lasso» (Figure 6-26). Comme le nombre de liaisons phosphate reste le même, ces réactions peuvent en principe s'effectuer sans hydrolyse d'un nucléoside triphosphate. Cependant, la machinerie qui catalyse l'épissage du pré-ARNm est complexe, formée de 5 molécules d'ARN supplémentaires et de plus de 50 protéines, et elle hydrolyse un grand nombre de molécules d'ATP à chaque épissage. Cette complexité est probablement nécessaire à la grande précision de l'épissage, tout en étant suffisamment souple pour faire face à la grande diversité des introns présents dans les cellules eucaryotes typiques. Si les erreurs d'épissage de l'ARN étaient fréquentes, elles endommageraient sérieusement la cel-

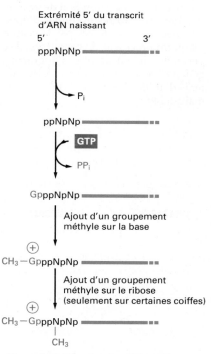

Figure 6-24 Réaction de coiffage de l'extrémité 5' de chaque molécule d'ARN synthétisée par l'ARN polymérase II. La coiffe finie contient une nouvelle liaison 5'-5' entre le résidu 7-méthyl-G de charge positive et l'extrémité 5' du transcrit d'ARN (*voir* Figure 6-22B). La lettre N représente n'importe lequel des quatre ribonucléotides, même si le nucléotide qui commence la chaîne d'ARN est souvent une purine (A ou G). (D'après A.J. Shatkin, *BioEssays* 7 : 275-277, 1987. © ICSU Press.)

Gène de la globine β de l'homme

1 2 3

2 000 paires
de nucléotides

(A)

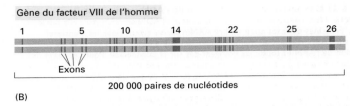

Gène du facteur VIII de l'homme

1   5   10   14   22   25   26

Exons

200 000 paires de nucléotides

(B)

Figure 6-25 Structure de deux gènes humains montrant la disposition des exons et des introns.
(A) Le gène relativement petit de la globine β qui code pour une des sous-unités de l'hémoglobine, protéine de transport de l'oxygène, contient 3 exons (*voir aussi* Figure 4-7). (B) Le gène du facteur VIII, beaucoup plus gros, contient 26 exons et code pour une protéine (le facteur VIII) qui fonctionne dans la voie de la coagulation. Des mutations de ce gène sont responsables de la forme d'hémophilie la plus prévalente.

lule, en entraînant des dysfonctionnements protéiques. Nous verrons, au chapitre 7, qu'en cas d'erreur d'épissage, la cellule possède un «dispositif de sécurité» qui élimine les ARNm mal épissés.

Il peut sembler que l'élimination d'un grand nombre d'introns par l'épissage de l'ARN est du gaspillage. Pour essayer d'expliquer pourquoi cela se produit, les scientifiques ont attiré l'attention sur le fait que l'arrangement exon-intron semblait faciliter l'émergence de nouvelles protéines utiles. De ce fait, la présence de nombreux introns dans l'ADN permet à la recombinaison génétique d'associer facilement les exons de différents gènes (*voir* p. 462), ce qui permet le développement plus facile de gènes codant pour de nouvelles protéines par association entre des parties de gènes préexistants. Cette hypothèse est confortée par l'observation, décrite au chapitre 3, qu'un grand nombre de protéines actuelles ressemblent à des patchworks composés à partir d'un ensemble commun de morceaux protéiques, appelés *domaines* protéiques.

L'épissage de l'ADN a également un avantage actuel. Les transcrits de beaucoup de gènes eucaryotes (estimés à 60 p. 100 des gènes chez l'homme) sont épissés de diverses façons pour former un groupe d'ARNm différents, ce qui permet de produire un ensemble correspondant de protéines à partir d'un même gène (Figure 6-27). Nous aborderons d'autres exemples d'épissage alternatif au chapitre 7, car c'est aussi un des mécanismes utilisés par la cellule pour modifier l'expression de ses gènes. Plutôt qu'un processus de gaspillage, il semble, à première vue, que l'épissage de l'ARN permette aux eucaryotes d'augmenter le potentiel, déjà énorme, de codage de leur génome. Nous reprendrons cette idée plusieurs fois dans ce chapitre et le suivant, mais d'abord il nous faut décrire la machinerie cellulaire qui effectue cette tâche remarquable.

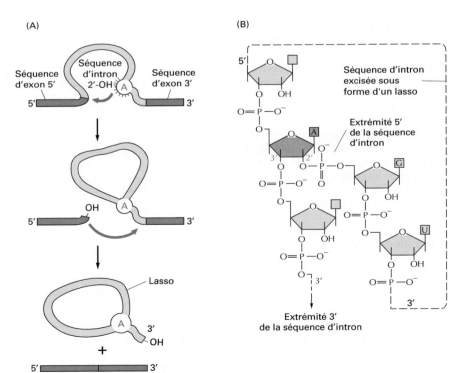

(A)

Séquence d'exon 5'

Séquence d'intron 2'-OH

Séquence d'exon 3'

5'   3'

OH

5'   3'

Lasso

A   3'
OH

+

5'   3'

(B)

5'

OH

O=P—O⁻
O

A

O=P—O⁻
O

G

OH

U

OH

O=P—O⁻
O

3'

Extrémité 3'
de la séquence d'intron

Séquence d'intron excisée sous forme d'un lasso

Extrémité 5' de la séquence d'intron

Figure 6-26 Réaction d'épissage de l'ARN. (A) Dans la première étape, un nucléotide à adénine spécifique de la séquence d'intron (indiqué en *rouge*) attaque le site d'épissage 5' et coupe le squelette sucre-phosphate de l'ARN à ce niveau. L'extrémité 5' coupée de l'intron s'unit de façon covalente au nucléotide adénine, comme cela est montré en détail en (B), créant ainsi une boucle dans la molécule d'ARN. La libération de l'extrémité 3'-OH libre de la séquence de l'exon réagit alors avec le début de la séquence de l'exon suivant, reliant ainsi les deux exons et libérant la séquence intronique sous forme d'un lasso. Les deux séquences d'exon se réunissent donc en une séquence de codage continue; la séquence d'intron libérée est dégradée le moment voulu.

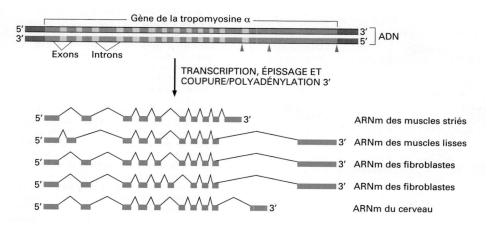

Figure 6-27 Épissage alternatif du gène de la tropomyosine α d'un rat.
La tropomyosine α est une protéine à superenroulement (*voir* Figure 3-11) qui régule la contraction des cellules musculaires. Le transcrit primitif peut être épissé de différentes façons, comme cela est indiqué dans la figure, pour produire différents ARNm qui donnent alors naissance à diverses protéines. Certains modes d'épissage sont spécifiques de certains types de cellules. Par exemple, la tropomyosine α fabriquée dans les muscles striés est différente de celle faite par le même gène dans les muscles lisses. Les *têtes de flèches* dans la partie supérieure de la figure montrent les sites dans lesquels peuvent se produire la coupure et l'addition d'un poly-A.

Des séquences de nucléotides indiquent où l'épissage doit se produire

La taille des introns s'étend entre 10 et plus de 100 000 nucléotides. L'identification des limites précises d'un intron est très difficile pour les scientifiques (même aidés d'ordinateurs) lorsqu'ils sont face à la séquence complète du génome d'un eucaryote. La possibilité d'épissages alternatifs entre en compte dans le problème de la prédiction des séquences protéiques uniquement à partir de la séquence du génome. Cette difficulté est l'une des principales barrières à l'identification de tous les gènes d'une séquence génomique complète et c'est la raison primaire qui explique que nous ne connaissons, par exemple, que le nombre approximatif de gènes du génome humain. Cependant, chaque cellule de notre corps reconnaît et excise rapidement la bonne séquence d'intron de façon très précise. Nous avons vu que l'élimination de la séquence d'intron impliquait trois positions sur l'ARN : le site d'épissage 5', le site d'épissage 3' et le point d'embranchement de la séquence d'intron qui forme la base du lasso excisé. Lors d'épissage du pré-ARNm, ces trois sites ont chacun une séquence consensus en nucléotides, similaire d'un intron à l'autre, qui signale à la cellule où l'épissage doit se produire (Figure 6-28). Cependant, chaque séquence présente suffisamment de variations pour qu'il soit très difficile pour les scientifiques de repérer tous les signaux d'épissage différents d'un génome.

Le splicéosome effectue l'épissage de l'ARN

Contrairement aux autres étapes de la production d'ARNm dont nous avons parlé, l'épissage de l'ARN s'effectue surtout par des molécules d'ARN et non pas des protéines. Les molécules d'ARN reconnaissent les limites intron-exon et participent aux réactions chimiques de l'épissage. Ces molécules d'ARN sont relativement courtes (moins de 200 nucléotides chacune) et cinq d'entre elles (U1, U2, U4, U5 et U6) sont impliquées dans la forme principale de l'épissage du pré-ARNm. Appelés **ARNsn** (*small nuclear RNA*), chacun forme un complexe avec sept sous-unités protéiques au moins pour former une RNPsn (*small nuclear ribonucleoprotein*). Ces RNPsn forment le cœur du **splicéosome**, gros assemblage formé par ces ARN et les protéines qui effectuent l'épissage cellulaire du pré-ARNm.

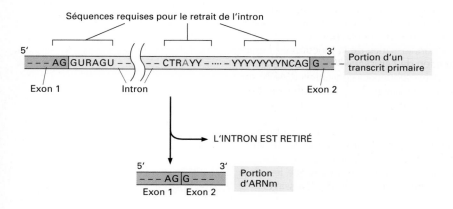

Figure 6-28 Séquences consensus de nucléotides d'une molécule d'ARN signalant le commencement et la fin de la plupart des introns chez l'homme.
Seuls les trois blocs des séquences de nucléotides ici montrés sont nécessaires à l'élimination d'une séquence d'intron; le reste de l'intron peut être occupé par n'importe quel nucléotide. Ici A, G, U et C sont les nucléotides standard de l'ARN; R remplace A ou G; Y remplace C ou U. Le A montré en *rouge* forme le point de branchement du lasso produit par l'épissage. Seuls le GU au début de l'intron et l'AG à sa fin sont des nucléotides invariables de la séquence consensus des nucléotides. Les autres positions (même le point de branchement A) peuvent être occupées par divers nucléotides, même si les nucléotides indiqués sont ceux qui sont principalement présents. Les distances d'ARN entre les trois séquences consensus d'épissage varient fortement; cependant, la distance entre le point de branchement et la jonction d'épissage 3' est typiquement beaucoup plus courte que celle entre la jonction d'épissage 5' et le point de branchement.

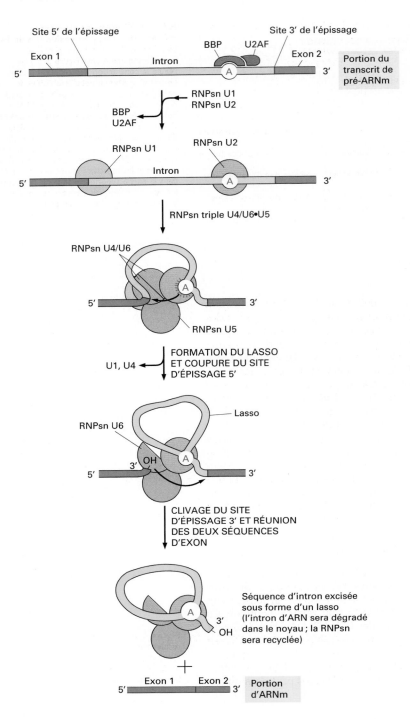

Figure 6-29 Mécanisme d'épissage de l'ARN. L'épissage de l'ARN est catalysé par l'assemblage de RNPsn (*cercles colorés*) et d'autres protéines (dont la plupart ne sont pas montrées) qui forment ensemble le splicéosome. Le splicéosome reconnaît les signaux d'épissage de la molécule de pré-ARNm, rapproche les deux extrémités d'un intron et fournit l'activité enzymatique aux deux étapes de la réaction (*voir* Figure 6-26). Le site du point de branchement est d'abord reconnu par la BBP (protéine de liaison au point de branchement) et l'U2AF, une protéine d'aide. Au cours des étapes suivantes, la RNPsn U2 déplace la BBP et l'U2AF et forme un appariement de bases avec la séquence consensus du site du point de branchement et la RNPsn U1 forme un appariement de bases avec la jonction d'épissage 5' (*voir* Figure 6-30). À ce point, la RNPsn «triple» U4/U6•U5 entre dans le splicéosome. Dans la RNPsn triple, les ARNsn U4 et U6 sont maintenus solidement réunis par des interactions d'appariement de bases et la RNPsn U5 est unie plus lâchement. Plusieurs réarrangements ARN-ARN se produisent ensuite, ce qui rompt les appariements de bases U4/U6 (comme cela est montré, la RNPsn U4 est éjectée du splicéosome avant la fin de l'épissage) et permet à la RNPsn U6 de déplacer U1 sur la jonction 5' de l'épissage (*voir* Figure 6-30). D'autres réarrangements ultérieurs créent le site actif du splicéosome et positionnent les parties appropriées du substrat pré-ARNm pour que la réaction d'épissage se produise. Bien que cela ne soit pas montré sur la figure, chaque épissage nécessite d'autres protéines, dont certaines hydrolysent l'ATP et favorisent les réarrangements ARN-ARN.

Ce splicéosome est une machinerie dynamique ; comme nous le verrons ultérieurement, il s'assemble sur un pré-ARNm à partir de chacun de ses composants, et des parties entrent ou le quittent en même temps que s'effectue la réaction d'épissage (Figure 6-29). Pendant la réaction d'épissage, la reconnaissance de la jonction de l'épissage 5', du point d'embranchement et de la jonction de l'épissage 3' s'effectue surtout par un appariement de bases entre les ARNsn et les séquences consensus d'ARN sur le substrat pré-ARNm (Figure 6-30). Au cours de l'épissage, le splicéosome subit diverses modifications au cours desquelles un groupe d'appariement de bases est rompu et un autre se forme à sa place. Par exemple U1 est remplacé par U6 au niveau de la jonction de l'épissage 5' (*voir* Figure 6-30). Comme nous le verrons, ce type de réarrangement ARN-ARN (dans lequel la formation d'une interaction ARN-ARN nécessite la rupture d'une autre) se produit plusieurs fois pendant la réaction d'épissage. Il permet de vérifier et de re-vérifier les séquences d'ARN avant que les réactions chimiques ne s'effectuent, ce qui augmente ainsi la précision de l'épissage.

Le spliceosome utilise l'hydrolyse de l'ATP pour effectuer une série complexe de réarrangements ARN-ARN

Bien que l'hydrolyse de l'ATP ne soit pas, en elle-même, nécessaire aux réactions chimiques d'épissage de l'ARN, elle est nécessaire à l'assemblage séquentiel et aux réarrangements du spliceosome. Certaines des protéines supplémentaires qui constituent le spliceosome sont des ARN hélicases qui utilisent l'hydrolyse de l'ATP pour rompre les interactions ARN-ARN existantes et permettre la formation de nouvelles. En fait, toutes les étapes montrées précédemment dans la figure 6-29 – sauf l'association de la BBP avec le site du point d'embranchement et de la RNPsn U1 avec le site d'épissage 5' – nécessitent l'hydrolyse de l'ATP ainsi que des protéines supplémentaires. En tout, plus de 50 protéines, y compris celles qui forment la RNPsn, sont nécessaires pour chaque épissage.

Les réarrangements ARN-ARN nécessitant l'ATP se produisent dans le spliceosome à l'intérieur des RNPsn elles-mêmes et entre les RNPsn et le substrat pré-ARNm. Un des principaux rôles de ces réarrangements est la création du site catalytique actif du spliceosome. Cette stratégie de création du site actif uniquement après l'assemblage et le réarrangement des composants d'épissage sur le substrat d'ARN est une manière importante d'éviter tout épissage capricieux.

La particularité la plus surprenante, peut-être, du spliceosome est la nature du site catalytique lui-même : il est largement (voire exclusivement) formé de molécules d'ARN et non de protéines. Dans la dernière partie de ce chapitre, nous aborderons les propriétés chimiques et physiques générales de l'ARN qui lui permettent d'effectuer la catalyse ; ici, nous avons juste besoin de considérer que les ARNsn U2 et U6 du spliceosome forment une structure tridimensionnelle d'ARN précise, qui juxtapose le site d'épissage 5' du pré-ARNm et le site du point d'embranchement et effectue probablement la première réaction de transestérification (*voir* Figure 6-30C). De même, les jonctions d'épissage 5' et 3' sont rapprochées (ce qui nécessite l'ARNsn U5) pour faciliter la seconde transestérification.

Figure 6-30 Plusieurs réarrangements se produisent dans le spliceosome pendant l'épissage du pré-ARNm. Voici les particularités de la levure *Saccharomyces cerevisiae*, dans laquelle les séquences de nucléotides impliquées sont légèrement différentes de celles des cellules humaines. (A) L'échange de RNPsn U1 en RNPsn U6 se produit avant la première réaction de transfert de phosphoryle (*voir* Figure 6-29). Cet échange permet que le site d'épissage 5' soit lu par deux RNPsn différentes, ce qui augmente la précision de la sélection du site d'épissage 5' par le spliceosome. (B) Le site du point de branchement est d'abord reconnu par la BBP puis par la RNPsn U2 ; comme en (A) cette stratégie de «vérification et re-vérification» augmente la précision de la sélection du site. La liaison de U2 sur le point de branchement force l'adénine appropriée (en *rouge*) à se désapparier et l'active ainsi pour son attaque sur le site d'épissage 5' (*voir* Figure 6-29). Ceci, associé à la reconnaissance par la BBP, permet au spliceosome de choisir avec précision l'adénine qui forme le point définitif de branchement. (C) Après la première réaction de transfert de phosphoryle (*à gauche*), la RNPsn subit un réarrangement qui rapproche fortement les deux exons pour la seconde réaction de transfert de phosphoryle (*à droite*). L'ARNsn positionne les réactants et fournit (soit en totalité, soit en partie) le site de catalyse pour les deux réactions. La RNPsn U5 se trouve dans le site de catalyse de l'épissage avant que ces réarrangements ne se produisent ; pour plus de clarté, elle n'est pas schématisée sur la planche de gauche. Comme cela a été indiqué dans le texte, tous les réarrangements ARN-ARN montrés dans cette figure (ainsi que les autres qui se produisent dans le spliceosome mais ne sont pas schématisés) nécessitent la participation d'autres protéines et l'hydrolyse d'ATP.

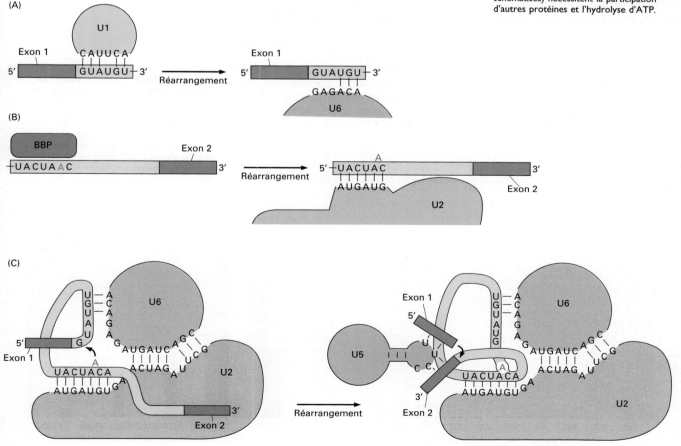

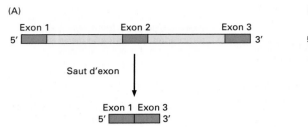

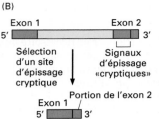

Figure 6-31 Deux types d'erreur d'épissage. On pourrait s'attendre à ce que ces deux types d'erreur se produisent fréquemment si le choix du site d'épissage était effectué par un splicéosome placé sur une molécule d'ARNm préformée sans protéines. Les signaux d'épissage cryptiques sont des séquences de nucléotides d'ARN qui ressemblent fortement aux véritables signaux d'épissage.

Lorsque les réactions chimiques d'épissage sont terminées, les RNPsn restent unies au lasso et le produit épissé est libéré. Le désassemblage de ces RNPsn du lasso (et les unes des autres) nécessite une autre série de réarrangements ARN-ARN qui utilisent l'hydrolyse de l'ATP et remettent ainsi les ARNsn dans leurs configurations d'origine afin qu'ils puissent être réutilisés dans une nouvelle réaction.

L'influence de l'ordre dans le pré-ARNm permet d'expliquer comment sont choisis les bons sites d'épissage

Comme nous l'avons vu, les séquences d'intron ont une taille excessivement variable, certaines dépassant 100 000 nucléotides. Si le site d'épissage était déterminé uniquement par les RNPsn agissant sur la molécule d'ARN préformée non liée à des protéines, on pourrait s'attendre à de très fréquentes erreurs d'épissage – comme le saut d'un exon et l'utilisation de sites d'épissage cryptiques (Figure 6-31).

Les mécanismes de fidélité du splicéosome sont fournis par deux autres facteurs qui permettent de s'assurer que l'épissage se produit de façon précise. Ces influences d'agencement dans le pré-ARNm augmentent la probabilité de rapprocher une paire appropriée de sites d'épissage 5' et 3' dans le splicéosome avant que les réactions chimiques d'épissage ne commencent. La première résulte de l'assemblage du splicéosome qui se produit lorsque le pré-ARNm émerge de l'ARN polymérase II en mode de transcription (*voir* Figure 6-23). Comme pour la formation de la coiffe 5', plusieurs composants du splicéosome semblent être portés sur la queue phosphorylée de l'ARN polymérase. Leur transfert direct de la polymérase sur le pré-ARNm naissant aide probablement la cellule à garder la trace des introns et des exons : les RNPsn sur le site d'épissage 5' ne sont initialement en présence que d'un seul site d'épissage 3' car les sites plus en aval n'ont pas encore été synthétisés. Cette caractéristique permet d'éviter de sauter par-dessus un exon de façon inappropriée.

Le second facteur qui aide la cellule à choisir les sites d'épissage a été nommé l'«hypothèse de la délimitation des exons» et n'est compris que dans de grandes lignes. Les exons ont tendance à avoir une taille bien plus uniforme que celle des introns, égale en moyenne à 150 paires de nucléotides pour de très nombreux organismes eucaryotes (Figure 6-32). Lorsque la synthèse d'ARN s'effectue, on pense qu'un groupe de composants du splicéosome, les protéines SR (ainsi nommées parce qu'elles contiennent un domaine riche en sérines et en arginines) s'assemblent sur les séquences d'exon et délimitent chaque site d'épissage 3' et 5' en commençant par l'extrémité 5' de l'ARN (Figure 6-33). Cet assemblage est associé à celui de l'ARNsn

Figure 6-32 Variation de longueur des introns et des exons dans les génomes de l'homme, du ver et de la mouche.
(A) Distribution de la taille des exons.
(B) Distribution de la taille des introns.
Notez que la longueur des exons est beaucoup plus uniforme que la longueur des introns.
(Adapté d'après International Human Genome Sequencing Consortium, *Nature* 409 : 860-921, 2001.)

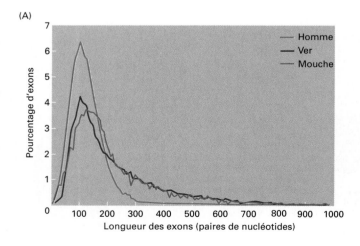

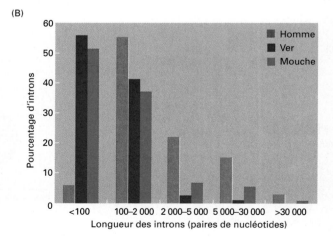

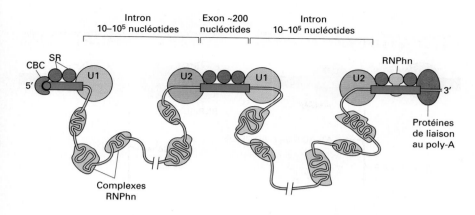

Intron
10–10^5 nucléotides

Exon ~200
nucléotides

Intron
10–10^5 nucléotides

CBC SR U1 U2 U1 U2 RNPhn 3'

5'

Protéines
de liaison
au poly-A

Complexes
RNPhn

Figure 6-33 Hypothèse de délimitation des exons. Selon une supposition, la protéine SR se lierait à chaque séquence d'exon sur le pré-ARNm et guiderait ainsi la RNPsn sur les frontières correctes exon/intron. Cette démarcation des exons par la protéine SR se produirait en même temps que la transcription, commençant sur le CBC (*cap-binding complex*) de l'extrémité 5'. Comme cela est indiqué, les séquences introniques du pré-ARNm, qui peuvent être extrêmement longues, sont empaquetées dans la RNPhn (ribonucléoprotéine nucléaire hétérogène), complexe qui les compacte en des structures plus maniables et masque peut-être les sites d'épissage cryptiques. Chaque complexe RNPhn forme une particule d'un diamètre approximatif égal à deux nucléosomes, et dont le cœur est composé d'un groupe de huit protéines différentes au moins. Il a été proposé que les protéines du RNPhn s'associaient de préférence avec les séquences d'intron et que cette préférence aidait aussi le splicéosome à distinguer les introns des exons. Cependant, comme cela est montré, quelques protéines de la RNPhn au moins peuvent se fixer sur les séquences d'exon mais leur rôle, s'il existe, dans la délimitation de l'exon reste encore à établir. (Adapté de R. Reed, *Curr. Opin. Cell Biol.* 12 : 340-345, 2000.)

U1, qui marque une des limites de l'exon et de l'U2AF, qui aide initialement à spécifier l'autre. Par ce marquage spécifique des exons, la cellule augmente la précision avec laquelle les composants initiaux d'épissage sont déposés sur l'ARN naissant et évite ainsi des sites d'épissage cryptiques. On ne comprend pas encore comment les protéines SR font la discrimination entre les séquences d'exon et d'intron ; cependant, on sait que certaines protéines SR se fixent préférentiellement sur des séquences d'ARN d'exons particuliers. En principe la redondance du code génétique aurait pu être exploitée pendant l'évolution pour sélectionner des sites de fixation de la protéine SR dans les exons, en permettant de créer ces sites sans gêner les séquences d'acides aminés.

La distinction des limites des exons et des introns et l'assemblage du splicéosome commencent tous deux sur la molécule d'ARN pendant qu'elle est allongée par l'ARN polymérase au niveau de son extrémité 3'. Cependant les véritables réactions chimiques d'épissage peuvent s'effectuer beaucoup plus tard. Ce délai signifie que les séquences d'intron ne sont pas nécessairement retirées de la molécule de pré-ARNm dans l'ordre où elles apparaissent le long de la chaîne d'ARN. Cela signifie aussi que, bien que l'assemblage du splicéosome soit co-transcriptionnel, les réactions d'épissage sont parfois post-transcriptionnelles – c'est-à-dire survenant une fois que la molécule complète de pré-ARNm est fabriquée.

Un deuxième groupe de RNPsn effectue l'épissage d'une petite fraction de séquences d'intron des animaux et des végétaux

Les eucaryotes simples comme les levures ne possèdent qu'un seul groupe de RNPsn qui effectue tous les épissages des ARNm. Cependant, les eucaryotes plus complexes, comme les mouches, les mammifères et les végétaux, possèdent un deuxième groupe de RNPsn qui dirige l'épissage de petites fractions de leurs séquences d'intron. Cette forme mineure de splicéosome reconnaît un autre groupe de séquences d'ADN au niveau des jonctions d'épissage 5' et 3' et au point de branchement : on l'appelle *splicéosome AT-AC* à cause de la séquence de nucléotides déterminante au niveau des limites intron-exon (Figure 6-34). Même si elles reconnaissent différentes séquences de nucléotides, les RNPsn de ce splicéosome ont les mêmes types d'interactions ARN-ARN avec le pré-ARNm et les unes avec les autres que les RNPsn majeures (Figure 6-34B). La découverte récente de cette classe de RNPsn nous conforte dans le type d'interaction par appariement de bases existant pour les complexes d'épissage majeurs parce qu'elle montre qu'un groupe indépendant de molécules subit les mêmes interactions ARN-ARN malgré des différences dans les séquences d'ARN impliquées.

Une variante particulière d'épissage, appelée **trans-épissage**, a été découverte chez quelques organismes eucaryotes. Il s'agit des trypanosomes monocellulaires – protozoaires responsables de la maladie du sommeil (trypanosomiase) africaine chez l'homme – et d'un organisme multicellulaire modèle, le nématode. Lors du trans-épissage, les exons de deux transcrits d'ARN séparés sont épissés pour former une molécule d'ARNm mature (*voir* Figure 6-34). Les trypanosomes produisent tous leurs ARNm de cette façon, alors que seul 1 p. 100 de l'ARNm des nématodes est produit par trans-épissage. Dans les deux cas, un seul exon est épissé sur l'extrémité 5' de nombreux transcrits d'ARN différents, produits par la cellule ; tous les produits du trans-épissage ont ainsi le même exon en 5' et des exons différents en 3'. Beaucoup de RNPsn qui fonctionnent dans l'épissage conventionnel sont utilisées dans cette réaction, même si le trans-épissage utilise une seule RNPsn particulière (la RNP SL) pour apporter l'exon commun (*voir* Figure 6-34).

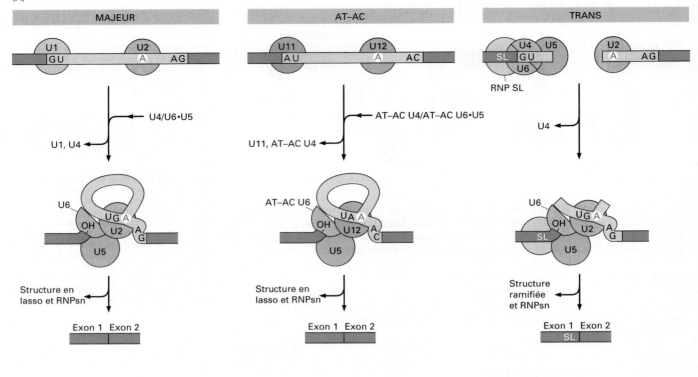

(A)

(B)

Figure 6-34 Grandes lignes des mécanismes utilisés pour les trois types d'épissage de l'ARN. (A) Trois types de splicéosome. Le splicéosome majeur (*à gauche*), le splicéosome AT-AC (*au centre*) et le splicéosome trans (*à droite*) sont montrés chacun à deux stades d'assemblage. La RNPsn U5 est le seul composant commun à ces trois splicéosomes. Les introns retirés par le splicéosome AT-AC ont un groupe de séquences consensus de nucléotides différent de celui retiré par le splicéosome majeur. Chez l'homme, on estime que 0,1 p. 100 des introns sont retirés par le splicéosome AT-AC. Lors du trans-épissage, la RNPsn SL est consommée dans la réaction parce qu'une partie de l'ARNsn SL devient le premier exon de l'ARNm mature. (B) La RNPsn U6 majeure et la RNPsn AT-AC U6 reconnaissent toutes deux la jonction d'épissage 5' mais le font par l'intermédiaire d'un groupe d'interactions par appariement de bases différent. Les séquences montrées sont celles de l'homme. (Adapté d'après Y.-T. Yu et al., The RNA World, p. 487-524. Cold Spring Harbor, New York : Cold Spring Harbor Laboratory Press, 1999.)

On ne sait pas pourquoi quelques organismes utilisent le trans-épissage ; cependant, on pense que l'exon commun en 5' peut faciliter la traduction de l'ARNm. De fait, les produits du trans-épissage des nématodes semblent être traduits de façon particulièrement efficace.

L'épissage de l'ARN présente une souplesse remarquable

Nous avons vu que le choix du site d'épissage dépendait de nombreuses caractéristiques du pré-ARNm transcrit ; parmi elles, citons l'affinité des trois signaux de l'ARN (les jonctions d'épissage 5' et 3' et le point de branchement) pour la machinerie d'épissage, la longueur et la séquence en nucléotides des exons, l'assemblage co-transcriptionnel du splicéosome et la précision de «comptable» qui sous-tend la délimitation des exons. Jusqu'à présent nous avons insisté sur la précision des processus d'épissage de l'ARN qui se produisent dans la cellule. Mais il semble aussi que ces mécanismes ont été choisis pour leur souplesse, qui permet à la cellule, à l'occasion, d'expérimenter de nouvelles protéines. De ce fait, par exemple, lorsqu'une mutation se produit dans une séquence nucléotidique critique pour l'épissage d'un intron spécifique, elle n'empêche pas nécessairement l'épissage de cet intron particulier. Au contraire, la mutation engendre typiquement un nouveau schéma d'épissage (Figure 6-35). Le plus souvent, l'exon est simplement sauté (Figure 6-35B). Dans d'autres cas, la mutation provoque l'utilisation d'une jonction d'épissage «cryptique» (Figure 6-35C). Il est probable que la machinerie d'épissage a évolué en choisissant les meilleures jonctions d'épissage possibles et, si l'une d'entre elles est endommagée par mutation, elle recherchera la prochaine la plus adaptée et ainsi de suite. Cette souplesse du processus d'épissage de l'ARN suggère que les variations du schéma d'épissage provoquées par des mutations aléatoires sont une voie d'évolution importante des gènes et des organismes.

   La souplesse de l'épissage de l'ARN signifie aussi que la cellule peut facilement réguler son patron d'épissage de l'ARN. Antérieurement dans ce chapitre, nous

Figure 6-35 Maturation anormale du transcrit primaire de l'ARN de la globine β d'un homme atteint de thalassémie β. Dans les exemples montrés, cette maladie est provoquée par des mutations du site d'épissage, notée par les *têtes de flèches noires*. Les cases *bleu foncé* représentent les trois séquences normales d'exon ; les *lignes rouges* sont utilisées pour indiquer les sites d'épissage 5' et 3' utilisés pour l'épissage du transcrit d'ARN. Les *cases bleu clair* montrent les nouvelles séquences de nucléotides situées dans la molécule finale d'ARNm du fait de la mutation. Notez que lorsqu'une mutation laisse un site d'épissage normal sans partenaire, soit l'exon est sauté soit un ou plusieurs sites d'épissage « cryptiques » proches sont utilisés comme site partenaire, comme dans (C) et (D). (Adapté en partie de S.H. Orkin, in The Molecular Basis of Blood Diseases [G. Stamatoyannopoulos et al., eds.], p. 106-126, Philadelphia : Saunders, 1987.)

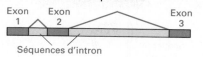

(A) TRANSCRIT PRIMAIRE D'ARN NORMAL DE LA GLOBINE β ADULTE

L'ARNm normal est formé de trois exons

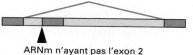

(B) CERTAINS NUCLÉOTIDES ISOLÉS SE MODIFIENT ET DÉTRUISENT UN SITE NORMAL D'ÉPISSAGE, CE QUI PROVOQUE UN SAUT D'EXON

ARNm n'ayant pas l'exon 2

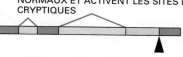

(C) CERTAINES MODIFICATIONS DE NUCLÉOTIDES ISOLÉS DÉTRUISENT LES SITES D'ÉPISSAGE NORMAUX ET ACTIVENT LES SITES D'ÉPISSAGE CRYPTIQUES

ARNm avec l'exon 3 allongé

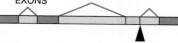

(D) CERTAINES MODIFICATIONS DE NUCLÉOTIDES ISOLÉS CRÉENT DE NOUVEAUX SITES D'ÉPISSAGE ET PROVOQUENT L'INCORPORATION DE NOUVEAUX EXONS

ARNm avec des exons supplémentaires insérés entre l'exon 2 et l'exon 3

avons vu que des épissages alternatifs pouvaient donner naissance à des protéines différentes à partir du même gène. Certains exemples d'épissage alternatifs sont constitutifs ; c'est-à-dire que les ARNm épissés alternativement sont produits de façon continue par les cellules de l'organisme. Cependant, dans la plupart des cas, le patron d'épissage est régulé par la cellule de telle sorte que différentes formes de la protéine sont produites à différents moments et dans différents tissus (*voir* Figure 6-27). Dans le chapitre 7 nous reviendrons sur ce thème pour parler de certains exemples spécifiques d'épissage d'ARN régulé.

L'épissage de l'ARN catalysé par le splicéosome a probablement évolué à partir d'un mécanisme d'auto-épissage

Lorsque le splicéosome a été découvert, il a intrigué les biologistes moléculaires. Pourquoi les molécules d'ARN, et non les protéines, ont-elles des rôles importants dans la reconnaissance des sites et des réactions chimiques d'épissage ? Pourquoi un intermédiaire de type lasso est-il utilisé plutôt que cette alternative, apparemment plus simple, de rapprochement des sites d'épissage 5' et 3' en une seule étape, suivie de leur coupure directe et de leur réunion ? Les réponses à ces questions reflètent le mode d'évolution hypothétique des splicéosomes.

Comme nous l'avons vu brièvement au chapitre 1 (et nous le reprendrons plus en détail dans la dernière partie de ce chapitre), on pense que les premières cellules utilisaient des molécules d'ARN à la place des protéines comme catalyseurs majeurs et qu'elles conservaient leurs informations génétiques dans l'ARN et non dans une séquence d'ADN. Les réactions d'épissage catalysées par l'ARN jouaient probablement un rôle important dans ces cellules primitives. Comme preuve, il persiste encore de nos jours certains introns d'*ARN à auto-épissage* (à savoir des séquences d'intron de l'ARN dont l'épissage peut se produire en l'absence de protéines ou de toute autre molécule d'ARN) – par exemple dans les gènes de l'ARNr nucléaire du cilié *Tetrahymena*, dans quelques gènes de bactériophages T4 et dans certains gènes des mitochondries et des chloroplastes.

Il est possible d'identifier une séquence d'intron à auto-épissage dans un tube à essai en incubant une molécule d'ARN pure qui contient la séquence d'intron et en observant la réaction d'épissage. On distingue ainsi deux classes principales de séquences d'intron à auto-épissage. Les *séquences d'intron du groupe I* commencent les réactions d'épissage en fixant un nucléotide G sur la séquence d'intron ; ce G est ainsi activé et forme le groupement d'attaque qui cassera la première des liaisons phosphodiester coupée au cours de l'épissage (la liaison sur le site d'épissage 5'). Dans les *séquences d'intron du groupe II*, un résidu A particulièrement réactif de la séquence d'intron constitue le groupement d'attaque et forme un lasso intermédiaire. Les autres réactions métaboliques pour ces deux types de séquences d'intron à auto-épissage sont les mêmes. On pense que les deux groupes représentent des vestiges de mécanismes très anciens (Figure 6-36).

Dans les deux types de réactions d'auto-épissage, la séquence des nucléotides de l'intron est critique ; l'ARN de l'intron se replie en une structure tridimensionnelle spécifique qui rapproche les jonctions d'épissage 5' et 3' et fournit des groupements réactifs positionnés avec précision pour effectuer les réactions chimiques (*voir* Figure 6-6C). Si on se base sur le fait que les réactions chimiques d'épissage sont très similaires, il a été proposé que les mécanismes d'épissage du pré-ARNm effectués par le splicéosome ont évolué à partir de l'épissage du groupe II. Selon cette hypothèse, lorsque les RNPsn du splicéosome ont pris les rôles chimiques et structurels des introns du groupe II, la contrainte stricte de séquence intronique a disparu, permettant ainsi le vaste développement du nombre d'ARN différents pouvant être épissés.

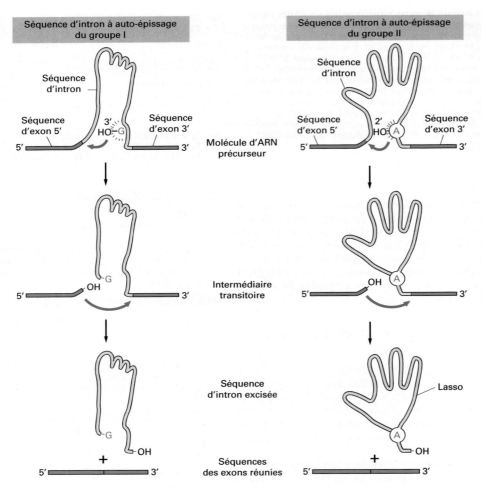

Séquence d'intron à auto-épissage du groupe I		Séquence d'intron à auto-épissage du groupe II

Séquence d'intron — Séquence d'exon 5' — 3' HO–G — Séquence d'exon 3' — 5' — 3'

Molécule d'ARN précurseur

Séquence d'intron — Séquence d'exon 5' — 2' HO–A — Séquence d'exon 3' — 5' — 3'

5' — G–OH — 3'

Intermédiaire transitoire

5' — OH — A — 3'

Séquence d'intron excisée

5' — 3'

+

Séquences des exons réunies

5' — 3'

Lasso

A–OH

5' — 3'

Figure 6-36 Les deux classes connues de séquences d'intron à auto-épissage. Les séquences introniques du groupe I se lient à un nucléotide G libre sur un site spécifique de l'ARN et commencent l'épissage alors que celles du groupe II utilisent un nucléotide A particulièrement réactif de la séquence d'intron dans ce but. Ces deux mécanismes ont été schématisés en insistant sur leurs similitudes. Dans la cellule, des protéines facilitent ces deux mécanismes en accélérant les réactions mais la catalyse se fait néanmoins par l'intermédiaire de l'ARN au niveau de la séquence intronique. Ces deux types de réactions d'auto-épissage nécessitent le repliement de l'intron en une structure tridimensionnelle hautement spécifique qui fournit l'activité catalytique pour la réaction (*voir* Figure 6-6). Le mécanisme utilisé par les séquences d'intron du groupe II libère les introns sous forme d'une structure en lasso et ressemble beaucoup à celui de l'épissage du pré-ARNm catalysé par le splicéosome (comparer avec la figure 6-29). La plus grande partie de l'épissage de l'ARN des cellules eucaryotes s'effectue par le splicéosome et l'auto-épissage de l'ARN ne représente que des cas particuliers. (Adapté d'après T.R. Cech, *Cell* 44 : 207-210, 1986.)

Les enzymes de maturation de l'ARN forment l'extrémité 3' des ARNm des eucaryotes

Comme nous l'avons déjà expliqué, l'extrémité 5' du pré-ARNm produit par l'ARN polymérase II est coiffée dès qu'elle émerge de l'ARN polymérase. Ensuite, tandis que la polymérase poursuit son mouvement le long du gène, les composants du splicéosome s'assemblent sur l'ARN et délimitent les bordures des introns et des exons. La longue queue C-terminale de l'ARN polymérase coordonne ce processus en transférant les composants de coiffage et d'épissage directement sur l'ARN dès qu'il émerge de l'enzyme. Comme nous le verrons dans ce paragraphe, dès que l'ARN polymérase II termine sa transcription, à la fin d'un gène, elle utilise un mécanisme similaire pour s'assurer de la maturation correcte de l'extrémité 3' du pré-ARNm.

Comme on pouvait s'y attendre, l'extrémité 3' de l'ARNm est finalement spécifiée par des signaux d'ADN codés dans le génome (Figure 6-37). Ces signaux d'ADN

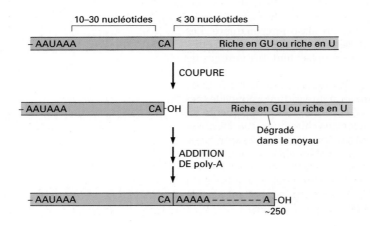

10–30 nucléotides — ≤ 30 nucléotides

— AAUAAA — CA — Riche en GU ou riche en U

COUPURE

— AAUAAA — CA–OH — Riche en GU ou riche en U — Dégradé dans le noyau

ADDITION DE poly-A

— AAUAAA — CA | AAAAA – – – – – – – A–OH
~250

Figure 6-37 Séquences nucléotidiques consensus dirigeant la coupure et la polyadénylation qui forment l'extrémité 3' d'un ARNm eucaryote. Ces séquences sont codées dans le génome et, après leur transcription en ARN, sont reconnues par des protéines spécifiques. La CPSF, un élément riche en GU situé au-delà du site de clivage de la CstF, se fixe sur l'hexamère AAUAAA (*voir* Figure 6-38) et un troisième facteur nécessaire à l'étape de coupure se fixe sur la séquence CA. Comme les autres séquences nucléotidiques consensus abordées dans ce chapitre (*voir* Figure 6-12), les séquences montrées dans la figure représentent divers signaux individuels de coupure et de polyadénylation.

sont transcrits sur l'ARN lorsque l'ARN polymérase II les traverse puis sont reconnus (sous forme d'ARN) par une série de protéines de liaison à l'ARN et d'enzymes de maturation de l'ARN (Figure 6-38). Deux protéines à multi-sous-unités, le CstF (*cleavage stimulation factor*) et le CPSF (*cleavage and polyadenylation specificity factor*) sont particulièrement importantes. Ces deux protéines se déplacent avec la queue de l'ARN polymérase et sont transférées sur l'extrémité 3' de la séquence de la molécule d'ARN devant subir la maturation et qui émerge de l'ARN polymérase. Certaines sous-unités du CPSF sont associées au facteur général de transcription TFIID, qui, comme nous l'avons déjà vu dans ce chapitre, est impliqué dans l'initiation de la transcription. Pendant celle-ci, il est possible que ces sous-unités soient transférées du TFIID sur la queue de l'ARN polymérase, y restant jusqu'à ce que la polymérase finisse de transcrire le gène.

Lorsque le CstF et le CPSF se sont fixés sur des séquences spécifiques de nucléotides de la molécule d'ARN émergeante, d'autres protéines s'assemblent à elles pour effectuer la maturation qui crée l'extrémité 3' de l'ARNm. Tout d'abord, l'ARNm est coupé (*voir* Figure 6-38). Puis une enzyme, la poly-A polymérase, ajoute, un par un, 200 nucléotides A environ sur l'extrémité 3' produite par clivage. Le nucléotide précurseur de cette addition est l'ATP et il se forme le même type de liaisons 5' → 3' que lors de la synthèse conventionnelle d'ARN (*voir* Figure 6-4). Contrairement à l'ARN polymérase usuelle, la poly-A polymérase ne nécessite pas de matrice; la queue poly-A de l'ARNm des eucaryotes n'est ainsi pas directement codée par le génome. Lorsque la poly-A est synthétisée, des protéines de liaison au poly-A s'y assemblent et, selon un mécanisme mal connu, déterminent la longueur définitive de la queue. Les protéines de liaison au poly-A restent fixées sur la queue poly-A pendant que l'ARNm effectue son voyage du noyau au cytosol et aident à diriger la synthèse protéique sur le ribosome, comme nous le verrons ultérieurement dans ce chapitre.

Une fois que l'extrémité 3' de la molécule de pré-ARNm des eucaryotes a été coupée, l'ARN polymérase II poursuit sa transcription, dans certains cas continuant sur plusieurs centaines de nucléotides au-delà de l'ADN qui contient les informations du site de clivage 3'. Mais la polymérase libère rapidement son étau sur la matrice et la transcription se termine; la partie d'ARN en aval du site de clivage est alors dégradée dans le noyau de la cellule. On ne comprend pas encore ce qui déclenche l'arrêt de la polymérase II après la coupure de l'ARN. Une des hypothèses est que le transfert des facteurs de maturation de l'extrémité 3' de l'ARN polymérase sur l'ARN provoque une modification de conformation de la polymérase qui relâche sa prise sur l'ADN; une autre hypothèse est que l'absence de coiffe (et de CBC) à l'extrémité 5' de l'ARN qui émerge de la polymérase signale d'une certaine façon à la polymérase qu'elle doit terminer sa transcription.

Les ARNm matures des eucaryotes sont sélectivement exportés du noyau

Nous avons vu comment la synthèse du pré-ARNm eucaryote et sa maturation s'effectuent de façon ordonnée à l'intérieur du noyau cellulaire. Cependant, ces événements créent un problème particulier pour les cellules eucaryotes, en particulier celles des organismes complexes où les introns sont nettement plus grands que les exons. Sur le pré-ARNm synthétisé, seule une petite fraction – l'ARNm mature – est utilisée ensuite par la cellule. Le reste – les introns excisés, les ARN coupés et les pré-ARNm ayant subi un épissage anormal – sont non seulement inutiles mais peuvent être dangereux s'ils ne sont pas détruits. Comment la cellule peut-elle donc différencier les molécules d'ARNm matures relativement rares qu'elle souhaite garder de la quantité écrasante de débris issus de la maturation de l'ARN? La réponse tient dans le fait que le transport de l'ARNm du noyau au cytoplasme, où il est ensuite traduit en protéine, est hautement sélectif – fortement couplé à la maturation correcte de l'ARN. Ce couplage est effectué par le *complexe du pore nucléaire*, qui reconnaît et ne transporte que les ARNm terminés.

Nous avons vu que lorsqu'une molécule de pré-ARNm était synthétisée et subissait sa maturation, elle était liée à diverses protéines, y compris le complexe de liaison à la coiffe, les protéines SR et les protéines de liaison au poly-A. Pour être « prêt à l'exportation », il semble que l'ARNm se doit d'être relié au bon groupe de protéines – certaines protéines, comme la protéine de liaison à la coiffe, devant être présentes et d'autres, comme les protéines RNPsn, devant être absentes. D'autres protéines, placées sur l'ARN au cours de l'épissage, semblent délimiter les frontières exon-exon et signifier ainsi la fin des événements d'épissage. C'est seulement lorsque le groupe correct de protéines est fixé sur l'ARNm que ce dernier est guidé vers le

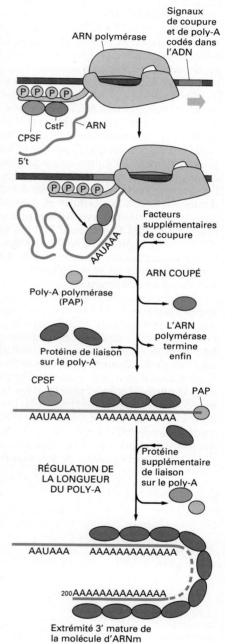

Figure 6-38 Quelques-unes des étapes majeures qui forment l'extrémité 3' d'un ARNm eucaryote. Ce processus est beaucoup plus complexe que le processus bactérien analogue, au cours duquel l'ARN polymérase s'arrête simplement au niveau d'un signal de terminaison et libère l'extrémité 3' de son transcrit et la matrice d'ADN (*voir* Figure 6-10).

cytosol à travers le **complexe du pore nucléaire**. Comme nous le décrirons au chapitre 12, le complexe du pore nucléaire est un canal de la membrane nucléaire, permettant le passage de l'eau, qui connecte directement le nucléoplasme au cytosol. Les petites molécules (de moins de 50 000 daltons) peuvent y diffuser librement. Cependant, la plupart des macromolécules cellulaires, y compris l'ARNm complexé aux protéines, sont beaucoup trop grosses pour traverser les pores sans un processus particulier de transport. Le transport actif des substances à travers le complexe du pore nucléaire se produit dans les deux directions. Comme cela sera expliqué au chapitre 12, des signaux sur les macromolécules déterminent si elles ont été exportées du noyau (l'ARNm par exemple) ou y sont importées (l'ARN polymérase par exemple). Dans le cas de l'ARNm, les protéines liées, qui marquent la fin de l'épissage, sont particulièrement importantes, car on sait qu'elles servent directement de facteurs d'exportation de l'ARN (*voir* Figure 12-16). L'ARNm transcrit à partir de gènes qui ne portent pas d'introns contient apparemment des séquences nucléotidiques directement reconnues par d'autres facteurs d'exportation de l'ARN. Les cellules eucaryotes utilisent donc leurs complexes du pore nucléaire comme des portes qui ne laissent entrer dans le cytoplasme que les molécules d'ARN utiles.

Sur toutes les protéines qui s'assemblent sur les molécules de pré-ARNm lorsqu'elles émergent des ARN polymérases en transcription, les plus abondantes sont les RNPhn (ribonucléoprotéines nucléaires hétérogènes). Certaines de ces protéines (il y en a approximativement 30 chez l'homme), enlèvent les hélices en épingle à cheveux de l'ARN pour que l'épissage et les autres signaux sur l'ARN puissent être lus plus facilement. D'autres empaquètent l'ARN contenu dans les très longues séquences d'intron typiques des gènes des organismes complexes (*voir* Figure 6-33). Si l'on excepte les histones, certaines des protéines RNPhn sont parmi les plus abondantes du noyau des cellules et peuvent jouer un rôle particulièrement important dans la distinction entre l'ARNm mature et les débris de la maturation. Les particules de RNPhn (complexes de type nucléosome formés de protéines RNPhn et d'ARN – *voir* Figure 6-33) sont fortement exclues des séquences d'exon, peut-être par la fixation antérieure de composants des spliceosomes. Elles restent sur les introns excisés et favorisent probablement leur marquage pour leur rétention nucléaire et leur éventuelle destruction.

L'exportation du complexe ARNm-protéine à partir du noyau peut être observée en microscopie électronique par l'examen des ARNm particulièrement abondants des gènes des anneaux de Balbiani des insectes. Lorsque ces gènes sont transcrits, on voit l'ARN néoformé être empaqueté par des protéines (y compris les protéines RNPhn et SR). Ce complexe protéine-ARN subit une série de transitions structurelles, reflétant probablement des événements de maturation de l'ARN, qui culminent par la formation d'une fibre incurvée (Figure 6-39). Cette fibre incurvée se déplace alors dans le nucléoplasme et pénètre dans le complexe du pore nucléaire (CPN) (l'extrémité 5' coiffée en premier) puis subit une autre série de transitions structurelles pendant qu'elle traverse le CPN. Ces observations ainsi que d'autres révèlent que les complexes pré-ARNm-protéines et ARNm-protéines sont des structures dynamiques qui gagnent et perdent de nombreuses protéines spécifiques au cours de la synthèse d'ARN, de sa maturation, de son exportation et de sa traduction (Figure 6-40).

Figure 6-39 Transport des grosses molécules d'ARNm à travers le complexe du pore nucléaire. (A) Maturation d'une molécule d'ARNm d'un anneau de Balbiani synthétisée par l'ARN polymérase et empaquetée par diverses protéines nucléaires. Ce schéma d'un ARN particulièrement abondant produit par une cellule d'insecte est basé sur des photographies en microscopie électronique comme celle montrée en (B). Les anneaux de Balbiani sont décrits dans le chapitre 4. (A, adapté d'après B. Daneholt, *Cell* 88 : 585-588 , 1997 ; B, d'après B.J. Stevens et H. Swift, *J. Cell Biol.* 31 : 55-77, 1996. © The Rockefeller University Press.)

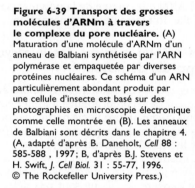

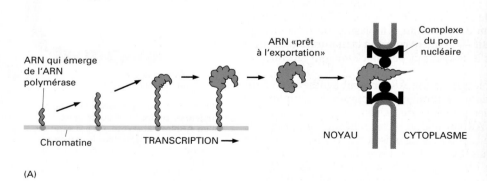

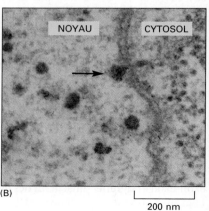

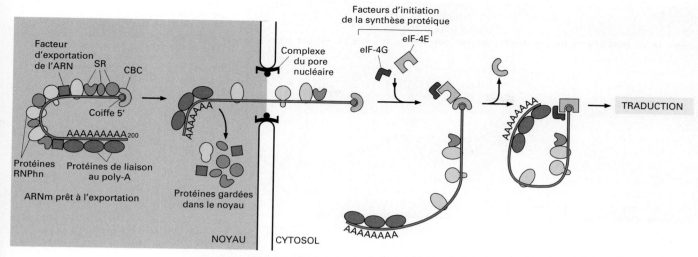

Figure 6-40 Schéma illustrant une molécule d'ARNm «prête à l'exportation» et son transport à travers un pore nucléaire. Comme cela est indiqué, certaines protéines se déplacent avec l'ARNm lorsqu'il traverse le pore, alors que d'autres restent dans le noyau. Une fois dans le cytoplasme, l'ARNm continue de perdre les protéines déjà fixées et en acquiert de nouvelles; ces substitutions affectent la traduction ultérieure du message. Comme certaines protéines sont transportées avec l'ARN, celles qui sont fixées à l'ARNm dans le noyau peuvent influencer sa stabilité ultérieure et sa traduction dans le cytosol. Les facteurs d'exportation de l'ARN, montrés dans le noyau, jouent un rôle actif de transport de l'ARNm vers le cytosol (*voir* Figure 12-16). Certains sont placés sur les limites exon-exon à la fin de l'épissage, marquant ainsi les régions d'ARN correctement épissées.

Avant de parler de ce qui arrive à l'ARNm après son départ du noyau, nous envisagerons brièvement comment se produisent la synthèse et la maturation des molécules d'ARN non codantes. Même s'il existe beaucoup d'autres exemples, notre discussion se concentrera sur les ARNr dont l'importance est primordiale pour la traduction de l'ARNm en protéines.

Beaucoup d'ARN non codants sont également synthétisés et subissent une maturation dans le noyau

Un faible pourcentage du poids sec de la cellule d'un mammifère est composé d'ARN , et seul 3 à 5 p. 100 de celui-ci est de l'ARNm. Une partie du reste représente les séquences d'intron avant leur dégradation, mais la majeure partie de l'ARN des cellules effectue des fonctions structurales et catalytiques (*voir* Tableau 6-I, p. 306). Les ARN les plus abondants des cellules forment les ARN ribosomiques (ARNr) – et constituent 80 p. 100 environ de l'ARN des cellules qui se divisent rapidement. Comme nous le verrons ultérieurement dans ce chapitre, ces ARN forment le cœur des ribosomes. Contrairement aux bactéries – qui synthétisent tout leur ARN cellulaire grâce à une seule ARN polymérase –, les eucaryotes possèdent une polymérase spécialisée distincte, l'ARN polymérase I, dédiée à la production d'ARNr. L'ARN polymérase I est similaire structurellement à l'ARN polymérase II dont nous avons déjà parlé; cependant l'absence d'une queue C-terminale dans la polymérase I explique pourquoi ses transcrits ne sont ni coiffés ni polyadénylés. Comme nous l'avons déjà dit, cette différence facilite la distinction par la cellule entre l'ARN non codant et l'ARNm.

Comme les nombreux cycles de traduction de chaque molécule d'ARNm peuvent amplifier énormément la production des molécules protéiques, beaucoup de protéines cellulaires très abondantes peuvent être synthétisées à partir de gènes présents en une seule copie du génome haploïde. Par contre, les composants d'ARN du ribosome sont des produits terminaux de gènes et une cellule de mammifère en croissance doit synthétiser approximativement 10 millions de copies de chaque type d'ARN ribosomique par génération cellulaire pour construire ses 10 millions de ribosomes. Des quantités adéquates d'ARN ribosomique ne peuvent être produites que parce que les cellules contiennent de multiples copies des **gènes ARNr** qui codent pour les ARN ribosomiques (**ARNr**). Même *E. coli* a besoin de sept copies de ses gènes ARNr pour répondre aux besoins en ribosomes de sa cellule. Les cellules humaines contiennent environ 200 copies du gène ARNr par génome haploïde, disséminées par petits ensembles sur cinq chromosomes différents (*voir* Figure 4-11), alors que les cel-

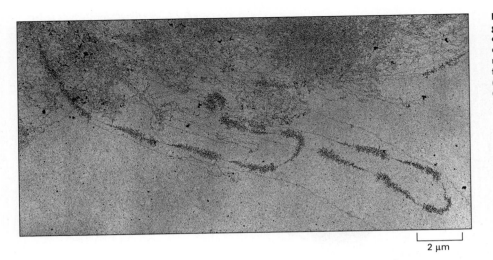

Figure 6-41 Transcription à partir de gènes ARNr disposés en tandem, vue en microscopie électronique. Le patron d'alternance de gènes transcrits et d'espaces non transcrits est facile à voir. Une vue au plus fort grossissement a été montrée en figure 6-9. (D'après V.E. Foe, *Cold Spring Harbor Symp. Quant. Biol.* 42 : 723-740, 1978.)

2 μm

lules de la grenouille *Xenopus* contiennent environ 600 copies du gène ARNr par génome haploïde en un seul groupe sur un seul chromosome (Figure 6-41).

Il existe quatre types d'ARNr eucaryotes, chacun présent en une copie par ribosome. Trois des quatre ARNr (18S, 5,8S et 28S) sont formés à partir d'un ARNr précurseur unique de grande taille, chimiquement modifié et coupé (Figure 6-42) ; le quatrième (l'ARN 5S) est synthétisé à partir d'un ensemble de gènes séparés, par une autre polymérase, l'ARN polymérase III, et ne nécessite pas de modifications chimiques. On ne sait pas pourquoi cet ARN est transcrit séparément.

D'importantes modifications chimiques se produisent sur le long précurseur d'ARNr, composé de 13 000 nucléotides, avant que les ARNr soient coupés et assemblés dans les ribosomes. Elles impliquent 100 méthylations environ des positions 2'-OH des sucres des nucléotides et 100 isomérisations de nucléotides uridine en pseudouridine (Figure 6-43A). On ne connaît pas les fonctions détaillées de ces modifications, mais elles favorisent probablement le repliement et l'assemblage des ARNr définitifs et peuvent aussi légèrement modifier la fonction des ribosomes. Chaque modification s'effectue sur une position spécifique du précurseur d'ARNr. Ces positions sont spécifiées par plusieurs centaines d'«ARN guides» qui se placent eux-mêmes par appariement de bases sur le précurseur d'ARNr et amènent ainsi les enzymes de modification de l'ARN sur la position appropriée (Figure 6-43B). D'autres ARN guides favorisent la coupure des précurseurs d'ARNr pour former les ARNr matures, probablement en entraînant des modifications de conformations sur le précurseur d'ARNr. Tous ces ARN guides font partie d'une grande classe d'ARN, les *small nucleolar RNA* (**ARNsno** ou **guides de méthylation**) nommés ainsi parce que ces ARN effectuent leurs fonctions dans un sous-compartiment du noyau, le nucléole. Beaucoup d'ARNsno sont codés dans les introns d'autres gènes, en particulier ceux codant pour les protéines ribosomiques. Ils sont donc synthétisés par l'ARN polymérase II et maturés à partir des séquences d'intron excisées.

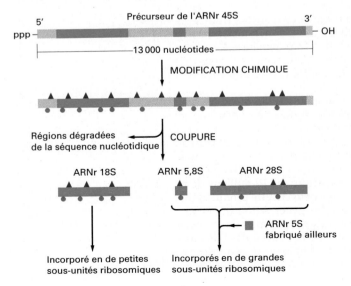

Figure 6-42 Modifications chimiques et maturation nucléolytique d'une molécule d'ARNr 45S du précurseur eucaryotique en trois ARN ribosomiques séparés. Comme cela est indiqué, deux types de modifications chimiques (montrées en figure 6-43) s'effectuent sur le précurseur d'ARNr avant sa coupure. Près de la moitié des séquences nucléotidiques de ce précurseur d'ARNr sont éliminées et dégradées dans le noyau. Les ARNr sont désignés par leur valeur «S», qui se réfère à leur vitesse de sédimentation dans une ultra-centrifugeuse. Plus la valeur de S est grande, plus l'ARNr est gros.

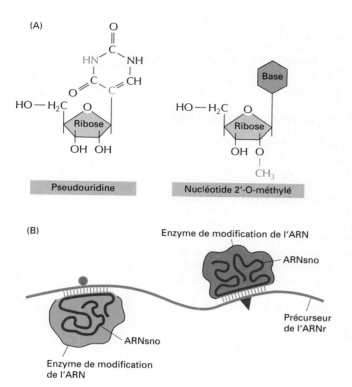

(A)

Pseudouridine

Nucléotide 2'-O-méthylé

(B)

Enzyme de modification de l'ARN

ARNsno

ARNsno

Précurseur de l'ARNr

Enzyme de modification de l'ARN

Figure 6-43 Modifications du précurseur de l'ARNr par les ARN guides. (A) Deux modifications covalentes prédominantes se produisent après la synthèse de l'ARNr : les différences avec les nucléotides initialement incorporés sont indiquées par des atomes *rouges.* (B) Comme cela est indiqué, l'ARNsno localise les sites de modification par un appariement de bases avec des séquences complémentaires du précurseur d'ARNr. Les ARNsno sont unis à des protéines et le complexe formé est appelé RNPsno. Les RNPsno contiennent les activités de modification de l'ARN, apportées probablement par les protéines, mais cela est également possible, par les ARNsno eux-mêmes.

Le nucléole est une usine de production de ribosomes

Le nucléole est la structure la plus visible du noyau d'une cellule eucaryote en microscopie optique. Par conséquent, il a été si bien examiné par les premiers cytologistes qu'une revue de 1898 présentait une liste de 700 références bibliographiques. Nous savons maintenant que le nucléole est le site de maturation de l'ARNr et de son assemblage en ribosomes. Contrairement aux autres organites cellulaires, il n'est pas entouré d'une membrane (Figure 6-44) ; par contre, il est formé d'un gros amas de macromolécules, parmi lesquelles se trouvent les gènes ARNr eux-mêmes, les précurseurs d'ARNr, les ARNr matures, les enzymes de maturation des ARNr, les RNPsno, les sous-unités protéiques ribosomiques et des ribosomes en partie assem-

Figure 6-44 Photographie en microscopie électronique d'une coupe fine d'un nucléole d'un fibroblaste humain, montrant ses trois zones distinctes. (A) Vue du nucléole entier. (B) Vue du nucléole au fort grossissement. On pense que la transcription du gène ARNr s'effectue entre le centre fibrillaire et les composants fibrillaires denses et que la maturation de l'ARNr et son assemblage en ribosome s'effectuent à l'extérieur des composants fibrillaires denses près des composants granuleux périphériques. (Due à l'obligeance de E.G. Jordan et J. McGovern.)

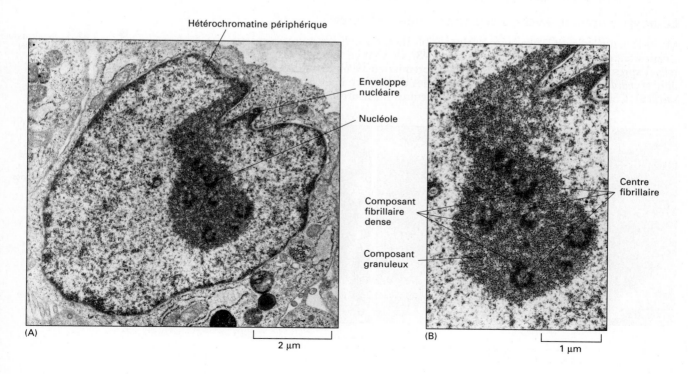

Hétérochromatine périphérique

Enveloppe nucléaire

Nucléole

Composant fibrillaire dense

Composant granuleux

Centre fibrillaire

(A)

2 µm

(B)

1 µm

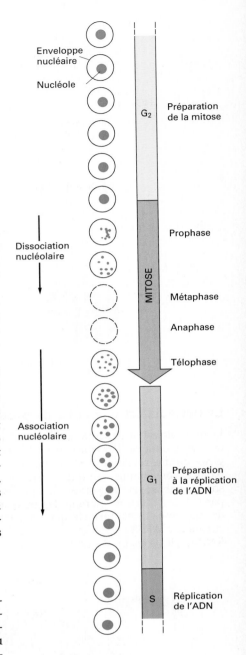

blés. L'association proche de tous ces composants permet probablement l'assemblage rapide et régulier des ribosomes.

On ne sait pas encore comment le nucléole est maintenu organisé en un ensemble, mais divers types de molécules d'ARN ont un rôle central dans sa chimie et sa structure, ce qui suggère que les nucléoles pourraient avoir évolué à partir d'une ancienne structure, présente dans les cellules dominées par la catalyse à ARN. Dans les cellules actuelles, les gènes ARNr ont également un rôle important dans la formation des nucléoles. Dans les cellules humaines diploïdes, les gènes ARNr sont répartis en 10 ensembles, localisés chacun près de l'extrémité d'une des deux copies de cinq chromosomes différents (*voir* Figure 4-11). À chaque fois qu'une cellule humaine subit une mitose, les chromosomes se dispersent et les nucléoles se rompent ; après la mitose, les extrémités des 10 chromosomes rentrent en coalescence en même temps que les nucléoles se reforment (Figures 6-45 et 6-46). La transcription des gènes ARNr par l'ARN polymérase I est nécessaire à ce processus.

Comme on pourrait s'y attendre, la taille du nucléole reflète le nombre de ribosomes produits par la cellule. Sa taille varie donc grandement selon les cellules et peut varier au sein d'une même cellule, occupant 25 p. 100 du volume nucléaire total dans les cellules qui fabriquent des quantités particulièrement importantes de protéines.

La figure 6-47 présente schématiquement l'assemblage des ribosomes. En plus de son rôle important dans la biogenèse des ribosomes, le nucléole est également le site de production d'autres ARN et d'assemblage d'autres complexes ARN-protéines. Par exemple la RNPsn U6 qui, comme nous l'avons vu, fonctionne dans le processus d'épissage du pré-ARNm (*voir* Figure 6-29), est composée d'une molécule d'ARN et d'au moins sept protéines. L'ARNsn U6 est chimiquement modifié par l'ARNsno dans le nucléole avant de s'assembler finalement en RNPsn U6. On pense également que d'autres complexes protéine-ARN importants, y compris la télomérase (*voir* Chapitre 5) et la particule de reconnaissance du signal (que nous verrons au chapitre 12), sont assemblés dans le nucléole. Enfin l'ARNt (ARN de transfert) qui transporte les acides aminés pour la synthèse protéique subit également sa maturation à l'intérieur. De ce fait, on peut penser que le nucléole est une grande usine dans laquelle différents ARN non codants subissent une maturation et sont assemblés aux protéines pour former un grand nombre de complexes ribonucléoprotéiques.

Le noyau contient diverses structures sub-nucléaires

Même si le nucléole est la structure la plus visible du noyau, divers autres corps nucléaires ont été visualisés et étudiés (Figure 6-48). Ce sont les corps de Cajal (nommés d'après le scientifique qui les a décrits le premier en 1906), les GEMS (pour *gemini of coiled bodies*) et les IGC (amas de granules de l'espace interchromatinien, ou *speckles*). Comme les nucléoles, ces autres structures nucléaires n'ont pas de mem-

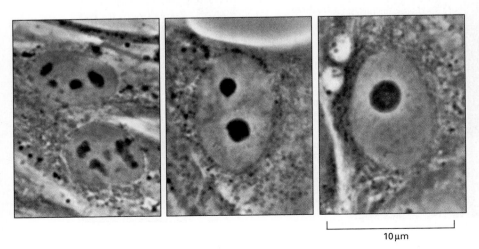

10 μm

Figure 6-46 Fusion nucléolaire. Ces photographies en microscopie électronique d'un fibroblaste humain en culture montrent les différentes étapes de la fusion nucléolaire. Après la mitose, chacun des 10 chromosomes humains qui portent un ensemble de gènes ARNr commence à former un minuscule nucléole, mais ils entrent rapidement en coalescence tandis qu'ils grandissent pour former l'unique nucléole typique de grande taille des nombreuses cellules en interphase. (Due à l'obligeance de E.G. Jordan et J. McGovern.)

branes et sont hautement dynamiques ; leur apparence est probablement le résultat de l'association étroite de composants protéiques et d'ARN (et peut-être d'ADN) impliqués dans la synthèse, l'assemblage et le stockage de macromolécules agissant sur l'expression des gènes. Les corps de Cajal et les GEMS se ressemblent et sont fréquemment appariés dans le noyau ; on ne sait pas si ces structures sont véritablement différentes. Il peut s'agir de sites où se produisent la maturation finale des ARNsn et des ARNsno et leur assemblage avec des protéines. Les ARN et les protéines qui constituent les RNPsn sont en partie assemblés dans le cytoplasme puis sont transportés dans le noyau pour leurs modifications finales. Il a été proposé que les corps de Cajal/GEMS soient aussi des sites de recyclage des RNPsn où s'effectue la « réinitialisation » de leur ARN après le réarrangement qui se produit au cours de l'épissage (voir p. 322). Il a été proposé, par contre, que les amas de granules d'interchromatine soient des réserves de RNPsn complètement matures, prêtes à être utilisées pour l'épissage des pré-ARNm (Figure 6-49).

Les scientifiques ont eu des difficultés à déterminer les fonctions des petites structures sub-nucléaires que nous venons de décrire. Bon nombre des progrès actuels dépendent de la recherche génétique – examen des effets de mutations particulières chez les souris ou de mutations spontanées chez l'homme. Le GEMS, par exemple, contient la protéine SMN (survie des motoneurones). Certaines mutations du gène codant pour cette protéine provoquent l'atrophie musculaire spinale héréditaire de l'homme, caractérisée par un affaiblissement musculaire. Il semble que cette maladie soit causée par une légère anomalie d'assemblage des RNPsn et de l'épissage ulté-

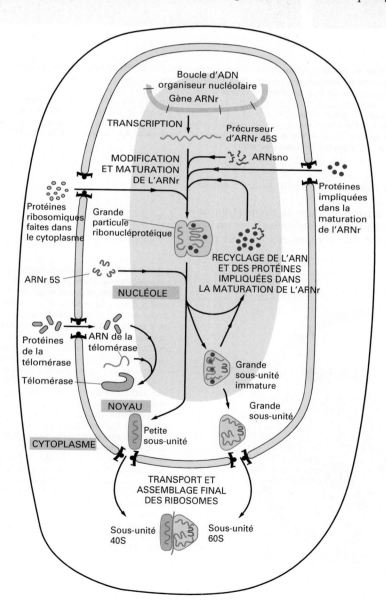

Figure 6-47 Fonction du nucléole dans la synthèse des ribosomes et des autres ribonucléoprotéines. Le précurseur d'ARNr 45S est empaqueté dans une grande particule ribonucléoprotéique contenant plusieurs protéines ribosomiques importées du cytoplasme. Tandis que cette particule reste dans le nucléole, certaines parties y sont ajoutées et d'autres éliminées pendant sa maturation pour former les petites et grandes sous-unités ribosomiques. On pense que ces deux sous-unités ribosomiques atteignent leur forme finale fonctionnelle seulement après avoir été transportées individuellement dans le cytoplasme à travers les pores nucléaires. D'autres ribonucléoprotéines complexes, y compris la télomérase ici montrée, sont aussi assemblées dans le nucléole.

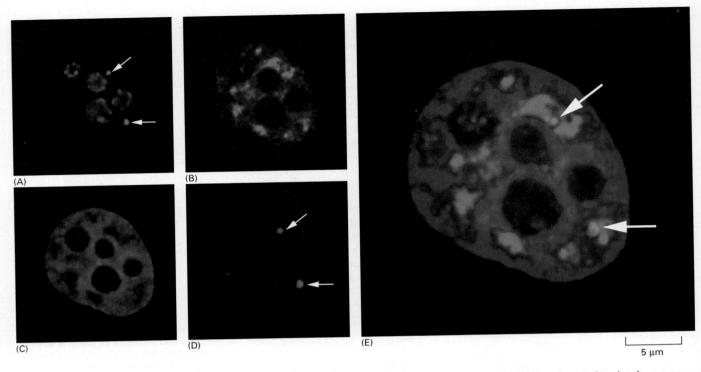

Figure 6-48 Visualisation de la chromatine et des corps nucléaires. (A)-(D) Microphotographies du même noyau cellulaire humain, chacune traitée différemment pour montrer un groupe particulier de structures nucléaires. (E) Les quatre images précédentes superposées et agrandies. (A) Localisation de la fibrillarine (protéine qui compose divers RNPsno), présente dans les nucléoles et les corps de Cajal, ces derniers étant indiqués par des *flèches*. (B) Amas de granules de l'espace interchromatinien ou *speckles* détectés par l'utilisation d'anticorps anti-protéine impliquée dans l'épissage du pré-ARNm. (C) Coloration montrant la chromatine volumineuse. (D) Localisation de la coïline, une protéine présente dans les corps de Cajal (indiqués par des *flèches*). (D'après J.R. Swedlow et A.I. Lamond, *Gen. Biol.* 2 : 1-7, 2001 ; microphotographies dues à l'obligeance de Judith Sleeman.)

rieur du pré-ARNm. On peut s'attendre à ce que des anomalies plus sévères soient létales.

Du fait de l'importance des sub-domaines nucléaires dans la maturation de l'ARN, on pourrait s'attendre à ce que l'épissage de l'ARNm s'effectue dans un endroit particulier du noyau car il nécessite de nombreux composants ARN et pro-

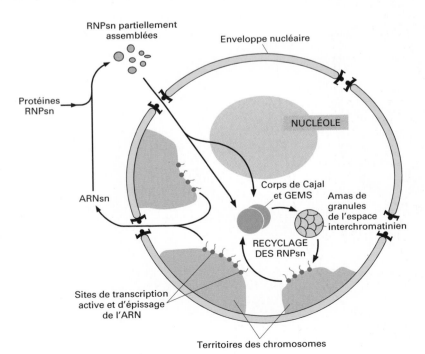

Figure 6-49 Schéma des structures sub-nucléaires. Un noyau typique de vertébré contient plusieurs corps de Cajal, sites proposés où s'effectuent les modifications finales des RNPsn et des RNPsno. Les amas de granules de l'espace interchromatinien sont supposés être les sites de stockage des RNPsn totalement matures. Un noyau typique de vertébré possède 20 à 50 amas de granules de l'espace interchromatinien.

Après leur synthèse initiale, les ARNsn sont exportés du noyau, puis subissent la maturation des extrémités 5' et 3' et s'assemblent avec sept protéines RNPsn communes (appelées protéines Sm). Ces complexes sont réimportés dans le noyau et les RNPsn subissent leurs modifications finales dans les corps de Cajal. En plus, la RNPsn U6 doit être modifiée chimiquement par l'ARNsno dans le nucléole. Les sites de transcription active et d'épissage (environ 2 000 à 3 000 sites par noyau de vertébré) correspondent aux «fibres périchromatiniennes» observées en microscopie électronique. (Adapté d'après J.D. Lewis et D. Tollervey, *Science* 288 : 1385-1389, 2000.)

téiques. Cependant, nous avons vu que l'assemblage des composants d'épissage sur le pré-ARNm s'effectuait en même temps que la transcription ; de ce fait, l'épissage doit prendre place dans de nombreux endroits le long des chromosomes. Nous avons vu, au chapitre 4, que les chromosomes en interphase occupaient des territoires délimités dans le noyau : la transcription et l'épissage du pré-ARNm doivent s'effectuer dans ces territoires. Cependant, les chromosomes en interphase sont eux-mêmes dynamiques et leur position nucléaire exacte est corrélée à l'expression des gènes. Par exemple, les régions de transcription silencieuse des chromosomes en interphase sont souvent associées à l'enveloppe nucléaire où la concentration en composants de l'hétérochromatine est, pense-t-on, particulièrement élevée. Lorsque ces mêmes régions deviennent transcriptionnellement actives, elles se replacent vers le centre du noyau, plus riche en composants nécessaires à la synthèse de l'ARNm. Il a été proposé que la transcription et l'épissage de l'ARN soient localisés uniquement dans quelques milliers de sites nucléaires, même si une cellule typique de mammifère peut exprimer 15 000 gènes environ. Ces sites sont eux-mêmes hautement dynamiques et résultent probablement de l'association des composants de transcription et d'épissage qui forment de petites « lignes d'assemblage » où la concentration locale en ces composants est très élevée. Il en résulte qu'il semble que le noyau soit hautement organisé en sub-domaines et que les RNPsn, les RNPsno et les autres composants nucléaires se déplacent entre ces domaines de façon ordonnée selon les besoins de la cellule (Figure 6-49).

Résumé

Avant le commencement de la synthèse d'une protéine particulière, il faut qu'une molécule d'ARNm correspondante soit produite par transcription. Les bactéries contiennent un seul type d'ARN polymérase (l'enzyme qui effectue la transcription de l'ADN en ARN). Pour qu'une molécule d'ARNm soit produite, il faut que cette enzyme initie la transcription au niveau d'un promoteur, synthétise l'ARN par élongation de la chaîne, arrête la transcription au niveau d'un site de terminaison et libère à la fois la matrice d'ADN et la molécule d'ARN terminée. Dans les cellules eucaryotes, le processus de transcription est beaucoup plus complexe, et il y a trois ARN polymérases — les polymérases I, II et III — apparentées, du point de vue évolutif, les unes aux autres et avec la polymérase bactérienne.

L'ARNm eucaryote est synthétisé par l'ARN polymérase II. Cette enzyme nécessite une série de protéines supplémentaires, les facteurs généraux de transcription, pour commencer la transcription sur une matrice d'ADN purifiée et d'autres protéines encore (y compris les complexes de remodelage de la chromatine et les histones acétyltransférases) pour initier la transcription sur sa matrice de chromatine à l'intérieur de la cellule. Pendant la phase d'élongation de la transcription, l'ARN naissant subit trois types d'événements de maturation : un nucléotide spécial est ajouté à l'extrémité 5' (coiffage), les séquences d'intron sont retirées du centre de la molécule d'ARN (épissage) et l'extrémité 3' de l'ARN est formée (clivage et polyadénylation). Certaines de ces maturations de l'ARN qui modifient le transcrit initial d'ARN (par exemple, celles impliquées dans l'épissage de l'ARN) sont surtout effectuées par de petites molécules particulières d'ARN.

L'ARN est le produit final de certains gènes. Chez les eucaryotes, ces gènes sont souvent habituellement transcrits soit par l'ARN polymérase I soit par l'ARN polymérase III. L'ARN polymérase I fabrique les ARN ribosomiques. Après leur synthèse, sous forme d'un gros précurseur, les ARNr sont chimiquement modifiés, coupés et assemblés en ribosomes dans le nucléole — structure sub-nucléaire distincte qui facilite aussi la maturation de certains complexes protéine-ARN plus petits de la cellule. D'autres structures sub-nucléaires (y compris les corps de Cajal et les amas de granules de l'espace interchromatinien) sont des sites d'assemblage, de stockage et de recyclage des composants impliqués dans la maturation de l'ARN.

DE L'ARN AUX PROTÉINES

Dans la partie précédente, nous avons vu que le produit final de certains gènes était une molécule d'ARN elle-même, comme celle présente dans les RNPsn et les ribosomes. Cependant, la plupart des gènes d'une cellule produisent des molécules d'ARNm qui servent d'intermédiaires de la voie métabolique de formation des protéines. Dans ce chapitre, nous examinerons comment les cellules convertissent l'information portée sur la molécule d'ARNm en une molécule protéique. Cet exploit de

AGA							UUA			AGC			GUA	
AGG							UUG			AGU				
GCA	CGA				GGA		CUA			CCA	UCA	ACA		
GCC	CGC	GAC	AAC	UGC	GGC	CAC	AUA	CUC		CCC	UCC	ACC	GUC	UAA
GCG	CGG	GAU	AAU	UGU	GGG	CAU	AUC	CUG	AAA	UUC	CCG	UCG	ACG	UAC	GUG	UAG
GCU	CGU				GGU		AUU	CUU	AAG	AUG	UUU	CCU	UCU	ACU	UGG	UAU	GUU	UGA

Ala	Arg	Asp	Asn	Cys	Glu	Gln	Gly	His	Ile	Leu	Lys	Met	Phe	Pro	Ser	Thr	Trp	Tyr	Val	arrêt
A	R	D	N	C	E	Q	G	H	I	L	K	M	F	P	S	T	W	Y	V	

traduction a d'abord attiré les biologistes à la fin des années 1950 parce qu'il a posé le «problème du codage» : comment l'information de la séquence linéaire nucléotidique de l'ARN est-elle traduite en une séquence linéaire composée d'un groupe de sous-unités chimiquement assez éloignées – les acides aminés des protéines? Cette question fascinante a fortement stimulé les scientifiques de cette période. Il existait un cryptogramme établi par la nature qui, après plus de 3 milliards d'années d'évolution, pouvait enfin être résolu par un des produits de cette évolution – l'être humain. Et effectivement, non seulement ce code a été décrypté étape par étape, mais en l'an 2000, les caractéristiques atomiques de la machinerie élaborée – le ribosome – qui permet à la cellule de lire ce code ont été finalement découvertes.

La séquence d'ARNm est décodée par groupes de trois nucléotides

Une fois que l'ARNm a été produit, par transcription et maturation, l'information présente dans sa séquence nucléotidique est utilisée pour synthétiser une protéine. La transcription est un mode de transfert d'informations facile à comprendre : comme l'ADN et l'ARN sont chimiquement et structurellement similaires, l'ADN peut agir directement comme matrice pour synthétiser l'ARN grâce à un appariement de bases complémentaires. Comme le terme *transcription* l'indique, c'est comme si un message écrit à la main était transformé, dirons-nous, en un texte tapé à la machine. Le langage lui-même et la forme du message ne sont pas modifiés et les symboles utilisés sont très proches.

Par contre, la conversion de l'information portée sur l'ARN en protéine représente une **traduction** de l'information en un autre langage qui utilise des symboles assez différents. De plus, comme il n'y a que quatre nucléotides différents dans l'ARNm et vingt types d'acides aminés différents dans une protéine, cette traduction ne peut être considérée comme une correspondance directe, un pour un, des nucléotides de l'ARN et des acides aminés des protéines. La séquence nucléotidique d'un gène est traduite, par l'intermédiaire de l'ARNm, en la séquence d'acides aminés d'une protéine selon des règles connues sous le nom de **code génétique**. Ce code a été déchiffré au début des années 1960.

La séquence en nucléotides d'une molécule d'ARNm est lue consécutivement par groupes de trois. L'ARN est un polymère linéaire composé de quatre nucléotides différents, donc il y a $4 \times 4 \times 4 = 64$ combinaisons possibles de trois nucléotides : les triplets AAA, AUA, AUG, etc. Cependant on ne trouve souvent que 20 acides aminés différents dans les protéines. Par conséquent, soit certains triplets de nucléotides ne sont jamais utilisés, soit le code est redondant et certains acides aminés sont spécifiés par plusieurs triplets. La deuxième proposition est celle qui est correcte, comme nous le montre le code génétique complètement déchiffré, en figure 6-50. Chaque groupe de trois nucléotides consécutifs de l'ARN est appelé **codon** et chaque codon spécifie soit un acide aminé soit l'arrêt du processus de traduction (codon d'arrêt).

Ce code génétique est universel et utilisé par tous les organismes actuels. Même si quelques différences légères de ce code ont été trouvées, elles siègent principalement dans les ADN mitochondriaux. Les mitochondries ont leurs propres systèmes de transcription et de synthèse protéique qui opèrent assez indépendamment de ceux du reste de la cellule et il est compréhensible que leur génome de petite taille ait pu s'adapter aux modifications mineures de ce code (*voir* Chapitre 14).

En principe, la séquence d'ARN peut être traduite par n'importe lequel des trois **cadres de lecture** différents, en fonction de l'endroit où commence le processus de décodage (Figure 6-51). Cependant, un seul de ces trois cadres de lecture possible code dans l'ARNm pour la protéine requise. Nous verrons plus tard comment un signal de ponctuation particulier, situé au début de chaque message d'ARN, place le cadre de lecture correct au départ de la synthèse protéique.

Figure 6-50 Code génétique. L'abréviation standard à une lettre de chaque acide aminé est présentée en dessous de son abréviation à trois lettres (*voir* Planche 3-1, p. 132-133, pour le nom complet de l'acide aminé et sa structure). Par convention, les codons sont toujours écrits avec le nucléotide de l'extrémité 5' à gauche. Notez que la plupart des acides aminés sont représentés par plusieurs codons et qu'il y a certaines régularités dans chaque groupe de codons qui spécifie un acide aminé. Les codons d'un même acide aminé ont tendance à contenir les mêmes nucléotides en première et deuxième position et sont variables au niveau de la troisième position. Trois codons ne spécifient aucun acide aminé mais agissent comme un site de terminaison (codon d'arrêt) qui signale la fin de la séquence codante de la protéine. Un codon – AUG – agit à la fois comme un codon d'initiation, signalant le commencement du message codant pour une protéine et aussi comme un codon spécifiant la méthionine.

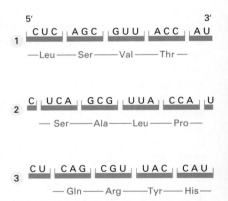

Figure 6-51 Trois cadres de lecture possibles pour la synthèse protéique. Dans le processus de traduction d'une séquence nucléotidique (en *bleu*) en une séquence d'acides aminés (en *vert*), la séquence en nucléotides de la molécule d'ARNm est lue de l'extrémité 5' à l'extrémité 3' par groupes séquentiels de trois nucléotides. En principe, donc, la même séquence d'ARNm peut spécifier trois séquences en acides aminés complètement différentes, en fonction du cadre de lecture. En réalité, cependant, un seul de ces cadres de lecture contient le véritable message.

Les molécules d'ARNt font correspondre les acides aminés aux codons de l'ARNm

Les codons de la molécule d'ARNm ne reconnaissent pas directement les acides aminés qu'ils spécifient : par exemple, le groupe de trois nucléotides ne s'unit pas directement sur les acides aminés. La traduction de l'ARNm en protéine dépend par contre d'une molécule adaptatrice qui peut reconnaître et se fixer à la fois sur le codon et sur un acide aminé grâce à un autre site de sa surface. Ces adaptateurs sont formés d'un groupe de petites molécules d'ARN, les **ARN de transfert (ARNt)**, mesurant chacun 80 nucléotides.

Nous avons vu auparavant dans ce chapitre que les molécules d'ARN pouvaient se replier en une structure tridimensionnelle précise et la molécule d'ARNt en est un exemple frappant. Quatre courts segments de l'ARNt replié forment des doubles hélices, ce qui produit une molécule qui ressemble à une feuille de trèfle lorsqu'on la dessine de façon schématique (Figure 6-52A). Par exemple, une séquence 5'-GCUC-3' d'une partie de la chaîne polynucléotidique peut s'associer assez solidement à une séquence 5'-GAGC-3' d'une autre région de la même molécule. La feuille de trèfle subit d'autres repliements qui engendrent une structure compacte en forme de L maintenue par des liaisons hydrogène supplémentaires entre les différentes régions de la molécule (Figure 6-52B,C).

Deux régions de nucléotides non appariés, situées à chaque extrémité de la molécule en forme de L, sont cruciales pour la fonction de l'ARNt dans la synthèse protéique. Une de ces régions forme l'**anticodon**, groupe de trois nucléotides consécutifs qui s'apparient au codon complémentaire de la molécule d'ARNm. L'autre est une courte région en simple brin située à l'extrémité 3' de la molécule ; c'est le site où l'acide aminé qui correspond au codon se fixe sur l'ARNt.

Nous avons vu dans la partie précédente que le code génétique était redondant ; c'est-à-dire que plusieurs codons différents pouvaient spécifier un seul acide aminé (*voir* Figure 6-50). Cette redondance implique soit qu'il existe plusieurs ARNt pour

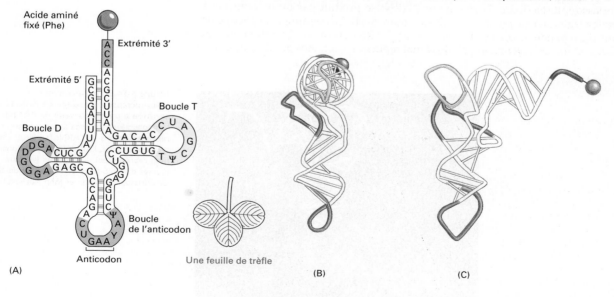

Figure 6-52 Molécule d'ARNt. Dans cette série de schémas, la même molécule d'ARNt – dans ce cas l'ARNt spécifique de l'acide aminé phénylalanine (Phe) – est montrée de différentes façons. (A) Structure en feuille de trèfle, convention utilisée pour montrer l'appariement de bases complémentaires (*lignes rouges*) qui crée des régions de double hélice dans la molécule. L'anticodon est la séquence de trois nucléotides qui forme un appariement de bases avec le codon de l'ARNm. L'acide aminé correspondant au couple anticodon/codon est fixé à l'extrémité 3' de l'ARNt. L'ARNt contient certaines bases inhabituelles, produites par modifications chimiques après la synthèse de l'ARNt. Par exemple, les bases notées ψ (pour pseudouridine – *voir* Figure 6-43) et D (pour dihydrouridine – *voir* Figure 6-55) sont dérivées de l'uracile. (B et C). Vues de la véritable molécule en forme de L, basées sur l'analyse par diffraction des rayons X. Même si un ARNt particulier, celui de l'acide aminé phénylalanine, est montré ici, tous les autres ARNt ont une structure très semblable. (D) Séquence nucléotidique linéaire de la molécule, colorée pour correspondre à A, B et C.

Figure 6-53 Appariement de bases flottant entre des codons et des anticodons. Si le nucléotide cité dans la première colonne se trouve en troisième position, ou position flottante, du codon, il peut former des appariements de bases avec n'importe quel nucléotide cité dans la deuxième colonne. De ce fait, par exemple, lorsque l'inosine (I) se trouve en position flottante sur l'anticodon d'ARNt, l'ARNt peut reconnaître trois codons différents chez les bactéries et deux codons chez les eucaryotes. L'inosine de l'ARNt est formée par désamination de la guanine (*voir* Figure 6-55), modification chimique qui s'effectue après la synthèse de l'ARNt. Les appariements de bases non conventionnels, y compris ceux faits avec l'inosine, sont généralement plus faibles que les appariements conventionnels. Notez que l'appariement codon-anticodon est plus strict dans les positions 1 et 2 du codon : là seuls les appariements de bases conventionnels sont permis. La différence des interactions d'appariement flottant entre les bactéries et les eucaryotes vient probablement de différences structurelles subtiles entre les ribosomes eucaryotes et bactériens, les machineries moléculaires qui effectuent la synthèse protéique. (Adapté de C. Guthrie et J. Abelson, *in* The Molecular Biology of Yeast *Saccharomyces* : Metabolism and Gene Expression, p. 487-528. Cold Spring Harbor, New York : Cold Spring Harbor Laboratory Press, 1982.)

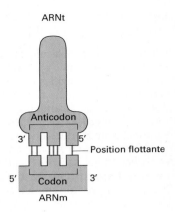

Bactérie

Base flottante du codon	Bases possibles de l'anticodon
U	A, G ou I
C	G ou I
A	U ou I
G	C ou U

Eucaryotes

Base flottante du codon	Bases possibles de l'anticodon
U	G ou I
C	G ou I
A	U
G	C

chaque acide aminé, soit que certaines molécules d'ARNt peuvent former des appariements de bases avec plusieurs codons. En fait ces deux situations sont vraies. Certains acides aminés ont plusieurs ARNt et certains ARNt sont construits de façon à former un appariement de bases précis uniquement dans les deux premières positions du codon et à tolérer un mésappariement (ou *flottement*) dans la troisième position (Figure 6-53). Cet appariement de bases flottant permet d'adapter les 20 acides aminés sur les 61 codons avec seulement 31 sortes de molécules d'ARNt. Cependant le nombre exact des différentes sortes d'acides aminés varie d'une espèce à l'autre. Par exemple, les hommes ont 497 gènes d'ARNt, mais parmi eux, seuls 48 anticodons différents sont représentés.

Les ARNt sont modifiés de façon covalente avant de sortir du noyau

Nous avons vu que la plupart des ARN des eucaryotes étaient modifiés de façon covalente avant de pouvoir sortir du noyau et les ARNt ne font pas exception. Les ARNt eucaryotes sont synthétisés par l'ARN polymérase III. Les ARNt eucaryotes et bactériens sont typiquement synthétisés sous forme d'un gros précurseur d'ARNt puis sont coupés pour produire des ARNt matures. En plus, certains précurseurs d'ARNt (eucaryotes ou bactériens) contiennent des introns qui doivent être épissés. Cette réaction d'épissage est chimiquement différente de celle du pré-ARNm ; au lieu de former un lasso intermédiaire, l'épissage de l'ARNt se produit par un mécanisme de coupure-collage catalysé par des protéines (Figure 6-54). La coupure et l'épissage nécessitent un repliement correct du précurseur d'ARNt en sa configuration en fleur de trèfle. Comme les précurseurs d'ARNt mal repliés ne subissent pas de maturation

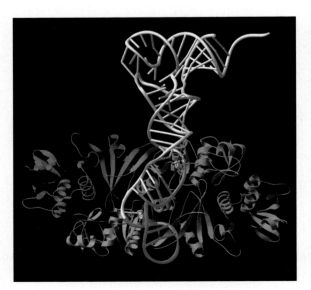

Figure 6-54 Structure d'une endonucléase d'épissage de l'ARNt arrimée à un précurseur de l'ARNt. L'endonucléase (enzyme à quatre sous-unités) retire les introns de l'ARNt (en *bleu*). Une seconde enzyme, l'ARNt ligase multifonction (non représentée), réunit alors les deux moitiés d'ARNt. (Due à l'obligeance de Hong Li, Christopher Trotta et John Abelson.)

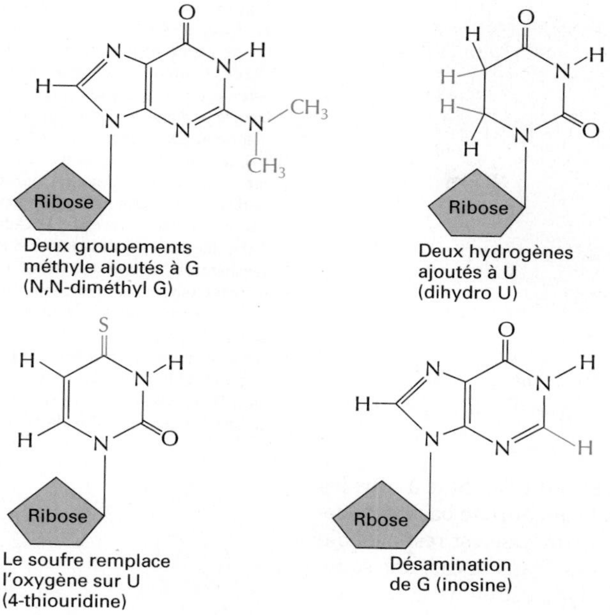

Deux groupements
méthyle ajoutés à G
(N,N-diméthyl G)

Deux hydrogènes
ajoutés à U
(dihydro U)

Le soufre remplace
l'oxygène sur U
(4-thiouridine)

Désamination
de G (inosine)

Figure 6-55 Quelques nucléotides inhabituels placés dans les molécules d'ARNt. Ces nucléotides sont produits par la modification covalente d'un nucléotide normal une fois qu'il a été incorporé dans la chaîne d'ARN. Dans la plupart des molécules d'ARNt, 10 p. 100 environ des ribonucléotides sont modifiés (*voir* Figure 6-52).

correcte, on pense que les réactions de coupure et d'épissage agissent comme des étapes de contrôle de qualité de la formation des ARNt.

Tous les ARNt sont également soumis à diverses modifications chimiques – presque un nucléotide sur 10 de chaque ARNt mature est une version modifiée du ribonucléotide standard U, G, A ou C. On connaît plus de 50 types de modifications de l'ARNt ; quelques-unes sont montrées dans la figure 6-55. Certains nucléotides modifiés – en particulier l'inosine, produit par la désamination de la guanosine – modifient la conformation et l'appariement de bases de l'anticodon et facilitent ainsi la reconnaissance, par la molécule d'ARNt, du codon approprié sur l'ARNm (*voir* Figure 6-53). D'autres modifient la précision avec laquelle l'ARNt se fixe sur le bon acide aminé.

Des enzymes spécifiques couplent chaque acide aminé à sa molécule d'ARNt appropriée

Nous avons vu que pour lire le code génétique de l'ADN, les cellules fabriquaient une série d'ARNt différents. Envisageons maintenant comment chaque ARNt s'unit à l'un des 20 acides aminés, son partenaire approprié. La reconnaissance et la fixation du bon acide aminé dépend d'une enzyme, l'**aminoacyl-ARNt synthétase**, qui couple de façon covalente chaque acide aminé au bon groupe de molécules d'ARNt (Figures 6-56 et 6-57). Dans la plupart des cellules, il existe une synthétase différente pour chaque acide aminé (c'est-à-dire en tout 20 synthétases) ; une unit la glycine à

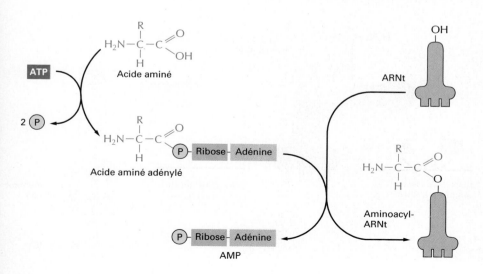

Figure 6-56 Activation des acides aminés. Voici le processus en deux étapes au cours duquel un acide aminé (avec sa chaîne latérale notée R) est activé pour la synthèse protéique par une enzyme, l'aminoacyl-ARNt synthétase. Comme cela est indiqué, l'énergie de l'hydrolyse de l'ATP sert à fixer chaque acide aminé sur sa molécule d'ARNt à l'aide d'une liaison riche en énergie. L'acide aminé est d'abord activé par la liaison directe de son groupement carboxyle sur une partie de molécule d'AMP, ce qui forme un *acide aminé adénylé* ; cette liaison sur l'AMP, qui est normalement une réaction défavorable, est entraînée par l'hydrolyse de la molécule d'ATP qui donne l'AMP. Sans quitter l'enzyme synthétase, le groupement carboxyle de l'acide aminé fixé sur l'AMP est ensuite transféré sur le groupement hydroxyle du sucre situé à l'extrémité 3' de la molécule d'ARNt. Ce transfert relie les acides aminés par une liaison ester activée sur l'ARNt et forme la molécule finale d'aminoacyl-ARNt. La synthétase n'est pas représentée sur ce schéma.

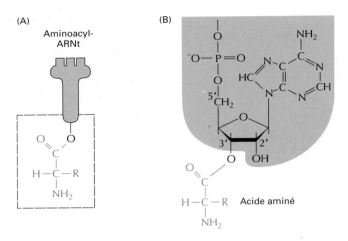

(A) Aminoacyl-ARNt

(B)

Acide aminé

Figure 6-57 Structure de la liaison aminoacyl-ARNt. L'extrémité carboxyle de l'acide aminé forme une liaison ester sur le ribose. Comme l'hydrolyse de cette liaison ester est associée à une modification largement favorable d'énergie libre, un acide aminé maintenu de cette façon est dit activé. (A) Schéma de la structure. L'acide aminé est lié sur le nucléotide à l'extrémité 3' de l'ARNt (*voir* Figure 6-52). (B) Structure réelle correspondant à la région encadrée de (A). Il y a deux principales classes d'enzymes synthétases : une lie les acides aminés directement sur le groupement 3'-OH du ribose, et l'autre les lie initialement au groupement 2'-OH. Dans le dernier cas, une réaction de transestérification fait suite et décale l'acide aminé en position 3'. Comme dans la figure 6-56, le «groupement R» indique la chaîne latérale de l'acide aminé.

tous les ARNt qui reconnaissent le codon glycine, une autre unit l'alanine à tous les ARNt qui reconnaissent le codon alanine et ainsi de suite. Beaucoup de bactéries, cependant, possèdent moins de 20 synthétases et la même synthétase est responsable du couplage de plusieurs acides aminés sur les ARNt adaptés. Dans ce cas, une seule synthétase place un même acide aminé sur deux ARNt de type différent, et dont un seul possède l'anticodon correspondant à l'acide aminé. Une seconde enzyme modifie alors chimiquement chaque acide aminé, uni de façon «incorrecte», afin qu'il finisse par correspondre à l'anticodon présenté sur l'ARNt lié de façon covalente.

La réaction catalysée par la synthétase qui unit l'acide aminé à l'extrémité 3' de l'ARNt fait partie des nombreuses réactions cellulaires couplées à l'hydrolyse de l'ATP, libératrice d'énergie (*voir* p. 83-84) et produit une liaison riche en énergie entre l'ARNt et l'acide aminé. L'énergie de cette liaison sera utilisée ultérieurement lors de la synthèse protéique pour enchaîner de façon covalente l'acide aminé sur la chaîne polypeptidique en croissance.

Même si les molécules d'ARNt servent d'adaptateur final pour la conversion de la séquence nucléotidique en une séquence d'acides aminés, les aminoacyl-ARNt synthétases sont des adaptateurs de même importance pour le processus de décodage (Figure 6-58). Cela a été établi par une expérience ingénieuse au cours de laquelle un acide aminé, la cystéine, est chimiquement transformé en un autre acide aminé (l'alanine) après sa fixation covalente sur son ARNt spécifique. Lorsque cette molécule «hybride» d'aminoacyl-ARNt est utilisée pour la synthèse protéique dans un système acellulaire, le mauvais acide aminé est inséré à chaque endroit de la chaîne protéique où cet ARNt est utilisé. Même si les cellules présentent plusieurs mécanismes de contrôle de qualité pour éviter ce type d'incident, cette expérience établit clairement que le code génétique est traduit par deux groupes d'adaptateurs qui agissent de façon séquentielle. Chacun fait correspondre très spécifiquement une surface moléculaire avec une autre et c'est leur action combinée qui associe chaque séquence de trois nucléotides de la molécule d'ARNm – c'est-à-dire chaque codon – à son acide aminé particulier.

Figure 6-58 Le code génétique est traduit par deux adaptateurs qui agissent l'un après l'autre. Le premier adaptateur est l'aminoacyl-ARNt synthétase qui couple un acide aminé particulier à son ARNt correspondant; le second adaptateur est la molécule d'ARNt elle-même dont l'*anticodon* forme un appariement de bases avec le bon *codon* de l'ARNm. Toute erreur dans l'une ou l'autre étape provoquera l'incorporation d'un mauvais acide aminé dans la chaîne protéique. Dans la séquence d'événements montrée, l'acide aminé tryptophane (Trp) a été choisi par le codon UGC de l'ARNm.

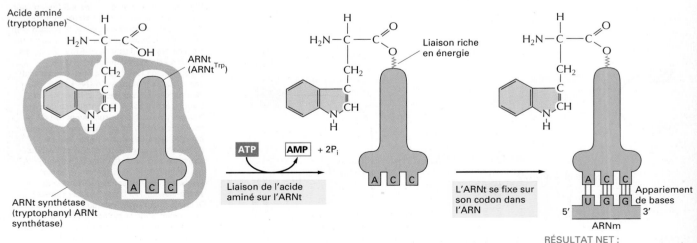

Acide aminé (tryptophane)

ARNt (ARNt^Trp)

ARNt synthétase (tryptophanyl ARNt synthétase)

ATP AMP + 2P_i

Liaison de l'acide aminé sur l'ARNt

Liaison riche en énergie

L'ARNt se fixe sur son codon dans l'ARN

Appariement de bases

ARNm

RÉSULTAT NET : L'ACIDE AMINÉ EST CHOISI PAR SON CODON

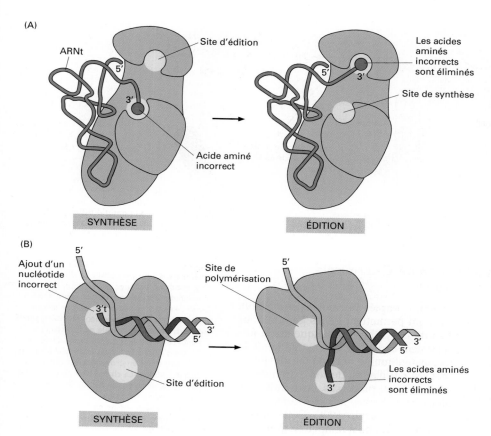

(A)

ARNt

Site d'édition

5'

3'

Acide aminé
incorrect

SYNTHÈSE

Les acides
aminés
incorrects
sont éliminés

5'

3'

Site de synthèse

ÉDITION

Figure 6-59 Édition hydrolytique.
(A) L'ARNt synthétase enlève ses propres
erreurs de couplage grâce à l'édition
hydrolytique des acides aminés mal fixés.
Comme cela est décrit dans le texte, le bon
acide aminé est rejeté du site d'édition.
(B) Le processus de correction des erreurs
effectué par l'ADN polymérase présente
certaines similitudes ; cependant, il en diffère
car le processus d'élimination dépend
fortement d'un mésappariement avec
la matrice (voir Figure 5-9).

(B)

5'

Ajout d'un
nucléotide
incorrect

3't

Site d'édition

SYNTHÈSE

5'

Site de
polymérisation

3'

5'

5'

3'

Les acides aminés
incorrects
sont éliminés

ÉDITION

L'édition par l'ARN synthétase assure la précision

Plusieurs mécanismes agissent ensemble pour assurer que l'ARNt synthétase place l'acide aminé correct sur chaque ARNt. La synthétase doit d'abord choisir le bon acide aminé et la plupart d'entre elles utilisent un mécanisme en deux étapes. D'abord, le bon acide aminé présente la plus grande affinité pour la poche où se trouve le site actif de sa synthétase et est donc favorisé par rapport aux 19 autres. En particulier, les acides aminés plus grands que le bon acide aminé sont efficacement exclus du site actif. Cependant, la discrimination précise entre deux acides aminés similaires, comme l'isoleucine et la valine (qui ne diffèrent que par un groupement méthyle) est très difficile avec un mécanisme de reconnaissance en une étape. La deuxième étape de discrimination se produit une fois que l'acide aminé s'est lié de façon covalente à l'AMP (voir Figure 6-56). Lorsque l'ARNt se fixe sur la synthétase, il fait entrer de force l'acide aminé dans une seconde poche de la synthétase, dont la dimension précise exclut le bon acide aminé mais permet l'entrée des acides aminés apparentés. Dès que l'acide aminé rentre dans cette poche d'édition, il est hydrolysé de l'AMP (ou de l'ARNt lui-même si la liaison aminoacyl-ARNt s'est déjà formée) et libéré de l'enzyme. Cette édition par hydrolyse, analogue à l'édition par les ADN polymérases (Figure 6-59), augmente la précision globale du chargement de l'ARNt à environ une erreur tous les 40 000 couplages.

L'ARNt synthétase doit aussi reconnaître le bon groupe d'ARNt et l'existence de complémentarités étendues, structurelles et chimiques, entre la synthétase et les ARNt lui permettent de donner un sens aux diverses caractéristiques de l'ARNt (Figure 6-60). La plupart des ARNt synthétases reconnaissent directement l'anticodon d'ARNt correspondant ; ces synthétases contiennent trois poches adjacentes de liaison au nucléotide, chacune ayant une forme et une charge complémentaires à celles du nucléotide de l'anticodon. Pour d'autres synthétases, c'est la séquence des nucléotides de la tige d'acceptation qui est le principal déterminant de la reconnaissance. Dans la plupart des cas, cependant, les nucléotides placés dans diverses positions de l'ARNt sont « lus » par la synthétase.

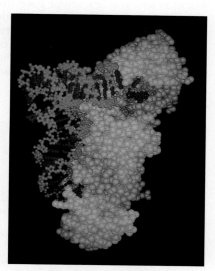

Figure 6-60 Reconnaissance de la molécule d'ARNt par son aminoacyl-ARNt synthétase. Pour cet ARNt (ARNt^Gln), des nucléotides spécifiques situés à la fois sur le codon (en bas) et le bras qui accepte les acides aminés, permettent à l'enzyme synthétase (bleu) de reconnaître l'ARNt correct. (Due à l'obligeance de Tom Steitz.)

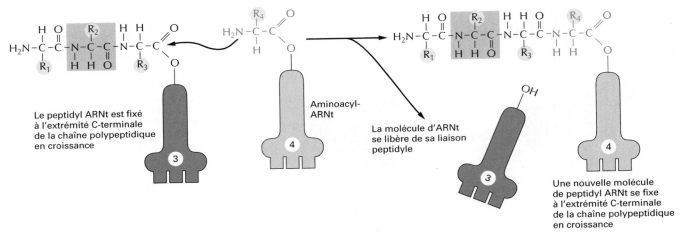

Le peptidyl ARNt est fixé à l'extrémité C-terminale de la chaîne polypeptidique en croissance

Aminoacyl-ARNt

La molécule d'ARNt se libère de sa liaison peptidyle

Une nouvelle molécule de peptidyl ARNt se fixe à l'extrémité C-terminale de la chaîne polypeptidique en croissance

Les acides aminés sont ajoutés à l'extrémité C-terminale de la chaîne polypeptidique en croissance

Après avoir vu que les acides aminés étaient d'abord couplés aux molécules d'ARNt, tournons-nous maintenant vers les mécanismes qui permettent de les joindre pour former les protéines. La réaction fondamentale de la synthèse protéique est la formation d'une liaison peptidique entre le groupement carboxyle de l'extrémité de la chaîne polypeptidique en croissance et le groupement amine libre de l'acide aminé entrant. Par conséquent, la protéine est synthétisée par étapes, de son extrémité N-terminale à son extrémité C-terminale. Tout au long de ce processus, l'extrémité carboxyle de la chaîne polypeptidique en croissance reste activée par sa fixation covalente sur une molécule d'ARNt (une molécule de peptidyl-ARNt). Cette liaison covalente, riche en énergie, est rompue à chaque addition puis remplacée immédiatement par une liaison identique sur l'acide aminé venant d'être ajouté (Figure 6-61). Chaque acide aminé ajouté transporte ainsi avec lui l'énergie d'activation de l'addition de l'acide aminé suivant et non pas l'énergie de sa propre addition – un exemple de ce type de polymérisation par «l'avant» a été décrit dans la figure 2-68.

Le message ARN est décodé sur les ribosomes

Comme nous l'avons vu, la synthèse protéique est guidée par les informations portées sur les molécules d'ARNm. Pour maintenir le bon cadre de lecture et assurer la précision (environ une erreur pour 10 000 acides aminés), la synthèse protéique est effectuée dans le **ribosome**, machinerie catalytique complexe composée de plus de 50 protéines différentes (les *protéines ribosomiques*) et de plusieurs molécules d'ARN, les **ARN ribosomiques (ARNr)**. Une cellule eucaryote typique contient des millions de ribosomes dans son cytoplasme (Figure 6-62). Comme nous l'avons vu, les sous-unités ribosomiques eucaryotes sont assemblées dans le nucléole par l'association des

Figure 6-61 Incorporation d'un acide aminé dans une protéine. La chaîne polypeptidique s'allonge par addition séquentielle d'acides aminés sur son extrémité C-terminale. La formation de chaque liaison peptidique est énergétiquement favorable parce que l'extrémité C-terminale en croissance a été activée par la fixation covalente d'une molécule d'ARNt. La liaison peptidyl-ARNt qui active l'extrémité en croissance est régénérée à chaque addition. La chaîne latérale des acides aminés a été abrégée par R_1, R_2, R_3 et R_4; comme point de référence, tous les atomes du deuxième acide aminé de la chaîne polypeptidique sont ombrés en *gris*. La figure représente l'addition du quatrième acide aminé sur la chaîne en croissance.

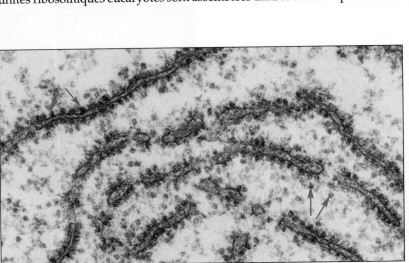

400 nm

Figure 6-62 Ribosomes du cytoplasme d'une cellule eucaryote. Cette photographie en microscopie électronique montre, en coupe fine, une petite région du cytoplasme. Les ribosomes apparaissent sous forme de points noirs (*flèches rouges*). Certains sont libres dans le cytosol; d'autres sont fixés sur la membrane du réticulum endoplasmique. (Due à l'obligeance de Daniel S. Friend.)

ARNr néotranscrits et modifiés avec les protéines ribosomiques, qui ont été importées dans le noyau après leur synthèse dans le cytoplasme. Les deux sous-unités ribosomiques sont ensuite exportées dans le cytoplasme où elles effectuent la synthèse protéique.

Les ribosomes eucaryotes et procaryotes ont un aspect et des fonctions très semblables. Ils sont tous deux composés d'une grande sous-unité et d'une petite sous-unité qui s'adaptent l'une à l'autre pour former un ribosome complet dont la masse est de plusieurs millions de daltons (Figure 6-63). La petite sous-unité fournit l'échafaudage qui fait correspondre avec précision le bon ARNt au codon de l'ARNm (*voir* Figure 6-58), alors que la grande sous-unité catalyse la formation de la liaison peptidique qui relie les acides aminés entre eux dans la chaîne polypeptidique (*voir* Figure 6-61).

Lorsqu'elles ne sont pas en train de synthétiser activement des protéines, les deux sous-unités des ribosomes sont séparées. Elles se réunissent sur une molécule d'ARNm, en général près de son extrémité 5', pour initier la synthèse protéique. L'ARNm est alors tiré dans le ribosome ; lorsque son codon rencontre le site actif du ribosome, la séquence nucléotidique d'ARNm est traduite en une séquence d'acides aminés, l'ARNt étant utilisé comme adaptateur pour ajouter chaque acide aminé selon la séquence correcte à l'extrémité de la chaîne polypeptidique en croissance. Lorsqu'un codon d'arrêt est rencontré, le ribosome libère la protéine terminée, et ses deux sous-unités se séparent à nouveau. Ces sous-unités peuvent alors être réutilisées pour commencer la synthèse d'une autre protéine sur une autre molécule d'ARNm.

Les ribosomes opèrent avec une remarquable efficacité : en une seconde, un seul ribosome d'une cellule eucaryote ajoute environ 2 acides aminés sur la chaîne polypeptidique ; les ribosomes des cellules bactériennes sont encore plus rapides, avec

Figure 6-63 Comparaison structurelle du ribosome procaryote et du ribosome eucaryote. Les composants ribosomiques sont fréquemment désignés par leur valeur «S», qui se réfère à leur vitesse de sédimentation après ultracentrifugation. Malgré les différences de nombre et de taille de leur ARNr et de leurs composants protéiques, les ribosomes procaryotes et eucaryotes ont presque la même structure et fonctionnent de façon similaire. Même si les ARNr 18S et 28S des ribosomes eucaryotes contiennent beaucoup d'autres nucléotides absents de leurs contreparties bactériennes, ceux-ci forment des insertions multiples qui composent des domaines supplémentaires mais modifient peu la structure fondamentale de chaque ARNr.

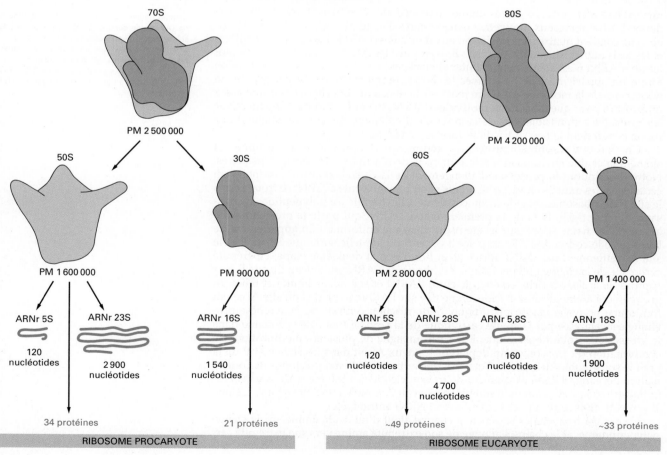

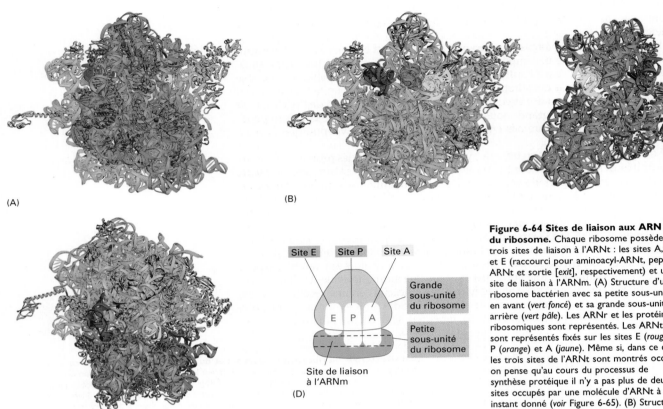

(A)

(B)

(C)

(D)

Site E   Site P   Site A

Grande
sous-unité
du ribosome

E P A

Petite
sous-unité
du ribosome

Site de liaison
à l'ARNm

Figure 6-64 Sites de liaison aux ARN du ribosome. Chaque ribosome possède trois sites de liaison à l'ARNt : les sites A, P et E (raccourci pour aminoacyl-ARNt, peptidyl-ARNt et sortie [*exit*], respectivement) et un site de liaison à l'ARNm. (A) Structure d'un ribosome bactérien avec sa petite sous-unité en avant (*vert foncé*) et sa grande sous-unité en arrière (*vert pâle*). Les ARNr et les protéines ribosomiques sont représentés. Les ARNt sont représentés fixés sur les sites E (*rouge*), P (*orange*) et A (*jaune*). Même si, dans ce cas, les trois sites de l'ARNt sont montrés occupés, on pense qu'au cours du processus de synthèse protéique il n'y a pas plus de deux sites occupés par une molécule d'ARNt à un instant donné (*voir* Figure 6-65). (B) Structures de la grande sous-unité ribosomique (*à gauche*) et de la petite sous-unité (*à droite*) placées comme si le ribosome de (A) était ouvert comme un livre. (C) Structure du ribosome de (A) vue de dessus. (D) Représentation très schématique d'un ribosome (dans la même orientation que C) que nous utiliserons dans les figures suivantes. (A, B et C, adaptés d'après M.M. Yusupov et al., *Science* 292 : 883-896, 2001, due à l'obligeance d'Albion Bausom et Harry Noller.)

une vitesse d'environ 20 acides aminés par seconde. Comment le ribosome coordonne-t-il les nombreux mouvements nécessaires à cette traduction efficace ? Un ribosome contient quatre sites de liaison aux molécules d'ARN : l'un est pour l'ARNm et les trois autres (site A, site P et site E) sont pour les ARNt (Figure 6-64). Une molécule d'ARNt n'est solidement maintenue dans les sites A et P que si son anticodon forme un appariement de bases avec le codon complémentaire (en permettant un flottement) de la molécule d'ARNm fixée sur le ribosome. Les sites A et P sont assez rapprochés pour que leurs deux molécules d'ARNt soient forcées de s'apparier avec les bases des codons adjacents de la molécule d'ARNm. Cette caractéristique du ribosome maintient le bon cadre de lecture sur l'ARNm.

Une fois que la synthèse protéique a commencé, chaque nouvel acide aminé est ajouté à la chaîne en croissance selon un cycle de réactions à trois étapes majeures. Notre description du processus d'allongement de la chaîne commence au point où certains acides aminés ont déjà été réunis et où une molécule d'ARNt se trouve dans le site P du ribosome, unie de façon covalente à l'extrémité du polypeptide en croissance (Figure 6-65). Lors de la première étape, l'ARNt qui porte le prochain acide aminé de la chaîne se fixe sur le site A du ribosome en formant un appariement de bases avec le codon de l'ARNm placé à cet endroit, de telle sorte que le site P et le site A contiennent des ARNt adjacents et liés. Dans la deuxième étape, l'extrémité carboxyle de la chaîne polypeptidique est libérée de l'ARNt au niveau du site P (par rupture de la liaison riche en énergie entre l'ARNt et son acide aminé) et reliée au groupement amine libre de l'acide aminé fixé sur l'ARNt au niveau du site A, ce qui forme une nouvelle liaison peptidique. Cette réaction centrale de la synthèse protéique est catalysée par l'activité catalytique de la *peptidyl-transférase* contenue dans la grosse sous-unité ribosomique. Elle s'accompagne de plusieurs modifications de conformation du ribosome, qui déplacent les deux ARNt dans les sites E et P de la grande sous-unité. Au cours de l'étape 3, une autre série de modifications de conformation déplace l'ARNm exactement de trois nucléotides à travers le ribosome et réinitialise le ribosome pour qu'il soit prêt à recevoir l'aminoacyl ARNt suivant. L'étape 1 se répète alors avec un nouvel aminoacyl ARNt entrant, etc.

Ce cycle à trois étapes se répète à chaque ajout d'un acide aminé sur la chaîne polypeptidique, et la chaîne s'allonge de son extrémité amine vers son extrémité carboxyle jusqu'à ce qu'un codon arrêt soit rencontré.

Les facteurs d'élongation font progresser la traduction

Le cycle de base de l'allongement polypeptidique montré schématiquement en figure 6-65 présente une autre caractéristique qui rend la traduction particulièrement efficace et précise. Deux *facteurs d'élongation* (EF-Tu et EF-G) entrent et quittent le ribosome à chaque cycle, chacun hydrolysant un GTP en GDP et subissant des modifications de conformation pendant ce processus. Sous certaines conditions, des ribosomes peuvent être fabriqués pour effectuer la synthèse protéique sans l'aide de ces facteurs d'élongation et de l'hydrolyse du GTP, mais cette synthèse est très lente, inefficace et imprécise. Ce processus est fortement accéléré par le couplage des modifications de conformation des facteurs d'élongation aux transitions entre les différentes conformations du ribosome. Même si on ne comprend pas toutes les modifications de conformation du ribosome, certaines peuvent impliquer des réarrangements de l'ARN similaires à ceux se produisant dans l'ARN du spliceosome (*voir* Figure 6-30). Les cycles d'association des facteurs d'élongation, d'hydrolyse du GTP et de dissociation assurent que les modifications de conformation se produisent dans la direction « vers l'avant » et que la traduction s'effectue ainsi efficacement (Figure 6-66).

En plus de faciliter le mouvement d'avancée de la traduction, on pense que l'EF-Tu augmente la précision de la traduction en surveillant l'interaction initiale entre l'ARNt chargé et le codon (*voir* Figure 6-66). L'ARNt chargé entre dans le ribosome fixé sur la forme liée au GTP de l'EF-Tu. Même si la fixation du facteur d'élongation permet l'appariement codon-anticodon, elle empêche l'incorporation de l'acide aminé dans la chaîne polypeptidique en croissance. Cependant, la reconnaissance initiale du codon déclenche l'hydrolyse par le facteur d'élongation de sa liaison GTP (en GDP et phosphate inorganique) après quoi le facteur se dissocie du ribosome sans l'ARNt, ce qui permet à la synthèse protéique de s'effectuer. Le facteur d'élongation introduit deux courts délais entre l'appariement de bases codon-anticodon et l'élongation de la chaîne polypeptidique ; ces retards permettent sélectivement aux mauvais ARNt liés de ressortir du ribosome avant que l'étape irréversible d'élongation de la chaîne ne se produise. Le premier délai est le temps nécessaire à l'hydrolyse du GTP. La vitesse de l'hydrolyse du GTP par l'EF-Tu est plus rapide si la paire codon-anticodon est correcte par rapport à une paire incorrecte ; de ce fait, l'opportunité pour une molécule d'ARNt liée de façon incorrecte de se dissocier du ribosome est plus longue. En d'autres termes, l'hydrolyse du GTP permet de capturer sélectivement les ARNt correctement liés. Le deuxième retard se produit entre la dissociation de l'EF-Tu et la mise en place complète de l'ARNt dans le site A du ribosome. Même si on pense que ce retard est le même, que l'ARNt soit correctement ou incorrectement lié, une molécule d'ARNt incorrecte forme moins de liaisons hydrogène codon-anticodon qu'un paire correspondante et par conséquent a plus de chances de se dissocier pendant cette période. Ces deux retards introduits par le facteur d'élongation provoquent le départ des molécules d'ARNt les plus mal liées (ainsi que d'un nombre significatif de molécules correctement liées) du ribosome sans qu'elles aient été utilisées pour la synthèse protéique et ce mécanisme en

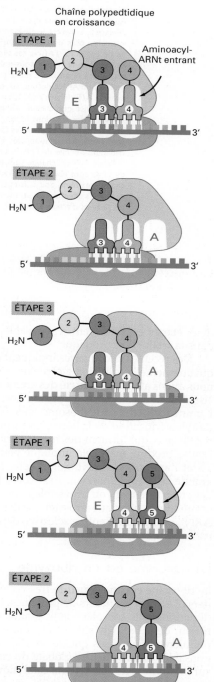

Figure 6-65 Traduction d'une molécule d'ARNm. Chaque acide aminé ajouté à l'extrémité en croissance d'une chaîne polypeptidique est choisi par un appariement de bases complémentaires entre l'anticodon fixé sur la molécule d'ARNt et le codon suivant de la chaîne d'ARNm. Comme un seul type d'ARNt, parmi les nombreux d'une cellule, peut former un appariement de bases avec chaque codon, le codon détermine l'acide aminé spécifique qui doit être ajouté sur la chaîne polypeptidique en croissance. Le cycle en trois étapes montré ici se répète continuellement pendant la synthèse de la protéine. Au cours de l'étape 1, une molécule d'aminoacyl-ARNt se fixe sur un site A vacant du ribosome, puis au cours de l'étape 2 une nouvelle liaison peptidique se forme et, dans l'étape 3, l'ARNm se déplace de trois nucléotides le long de la chaîne de la petite sous-unité, éjectant l'ARNt utilisé et « réinitialisant » le ribosome pour que l'aminoacyl-ARNt suivant puisse s'y fixer. Même si cette figure montre un déplacement important de la petite sous-unité du ribosome relativement à la grande, les modifications de conformation qui s'effectuent réellement dans le ribosome pendant la traduction sont plus légères. Elles impliquent certainement une série de petits réarrangements à l'intérieur de chaque sous-unité ainsi que plusieurs petits décalages entre les deux sous-unités. Comme cela est indiqué, l'ARNm est traduit dans la direction 3' → 5', l'extrémité N-terminale de la protéine étant d'abord fabriquée, puis chaque cycle ajoute un acide aminé à l'extrémité C-terminale de la chaîne polypeptidique. La chaîne polypeptidique en croissance est toujours fixée sur l'ARNt dans la même position pendant le cycle d'élongation : elle est toujours reliée à l'ARNt situé dans le site P de la grande sous-unité.

Figure 6-66 Particularités du cycle de traduction. La représentation schématique de la traduction présentée en figure 6-65 a été reprise et on y a ajouté d'autres caractéristiques, y compris la participation des facteurs d'élongation et d'un mécanisme qui permet l'amélioration de la précision de la traduction. Pendant l'événement initial de liaison (*premier schéma*), la molécule d'aminoacyl-ARNt qui est solidement fixée à l'EF-Tu s'apparie transitoirement avec le codon au niveau du site A de la petite sous-unité. Pendant cette étape (*deuxième schéma*), l'ARNt occupe un site de liaison hybride sur le ribosome. L'appariement codon-anticodon déclenche l'hydrolyse du GTP par l'EF-Tu, ce qui provoque sa dissociation de l'aminoacyl-ARNt, qui entre alors dans le site A (*quatrième schéma*) et peut participer à l'élongation de la chaîne. Il apparaît donc un retard dans le mécanisme de synthèse protéique entre la fixation de l'aminoacyl-ARNt et sa disponibilité pour la synthèse protéique. Comme cela a été décrit dans le texte, ce délai augmente la précision de la traduction. Dans les étapes suivantes, le facteur d'élongation EF-G sous sa forme liée au GTP entre dans le ribosome et se fixe à l'intérieur ou près du site A sur la grande sous-unité ribosomique, ce qui accélère le déplacement des deux ARNt fixés qui passent dans les états hybrides A/P et P/E. Le contact avec le ribosome stimule l'activité GTPase de l'EF-G, ce qui provoque une modification spectaculaire de conformation de l'EF-G qui passe de sa forme liée au GTP à celle liée au GDP. Cette modification déplace l'ARNt lié dans l'état hybride A/P vers le site P et avance le cycle de traduction d'un codon. Au cours de chaque cycle d'élongation de la traduction, les molécules d'ARNt se déplacent à travers le ribosome en effectuant une série complexe de girations pendant lesquelles elles occupent transitoirement divers états de liaison « hybrides ». Dans un de ces états, l'ARNt est simultanément fixé au site A de la petite sous-unité et au site P de la grande sous-unité ; dans un autre, l'ARNt est fixé au site P de la petite sous-unité et au site E de la grande sous-unité. À chaque cycle, on considère qu'une molécule d'ARNt occupe six sites différents, le site de liaison initial (appelé état hybride A/T) le site A/A, l'état hybride A/P, le site P/P, l'état hybride P/E et le site E. On pense que chaque ARNt se visse par un système de cliquet dans ces positions, subissant des rotations le long de son grand axe à chaque changement de localisation. EF-Tu et EF-G désignent les facteurs d'élongation bactériens ; chez les eucaryotes, ils sont respectivement appelés EF-1 et EF-2. La modification spectaculaire de la structure tridimensionnelle de l'EF-Tu provoquée par l'hydrolyse du GTP a été illustrée dans la figure 3-74. À chaque liaison peptidique formée, une molécule de EF-Tu et une de EF-G sont libérées sous leur forme inactive, reliée au GDP. Pour être réutilisée, chaque protéine doit échanger son GDP pour un GTP. Dans le cas de l'EF-Tu, cet échange s'effectue par un membre spécifique d'une importante classe de protéines, les *facteurs d'échange du GTP*.

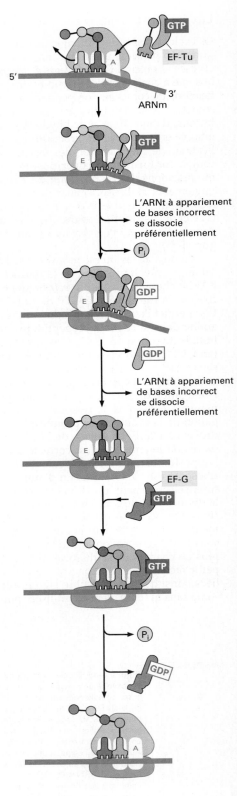

deux étapes est fortement responsable de la précision à 99,99 p. 100 du ribosome dans la traduction protéique.

Des récentes découvertes indiquent que le facteur EF-Tu peut jouer un autre rôle qui augmente la précision globale de la traduction. Un peu plus tôt dans ce chapitre, nous avons abordé le rôle clé des aminoacyl synthétases dans la correspondance précise des acides aminés sur l'ARNt. Lorsque la forme liée au GTP de l'EF-Tu escorte l'aminoacyl-ARNt au ribosome (*voir* Figure 6-66), elle effectue apparemment une double vérification de la bonne correspondance entre les acides aminés et l'ARNt et rejette ceux qui forment des mésappariements. On ne sait pas exactement comment cela se produit, mais cela implique peut-être l'énergie de liaison globale entre l'EF-Tu et l'aminoacyl-ARNt. Selon cette hypothèse, l'afffinité pour l'EF-Tu est plus grande si la correspondance est correcte par rapport aux mésappariements qui se lient trop fortement ou trop faiblement. Il apparaît donc que l'EF-Tu effectue une discrimination, bien que grossière, entre les différentes combinaisons acide aminé-ARNt, permettant l'entrée sélective dans le ribosome uniquement de celles qui sont correctes.

Le ribosome est un ribozyme

Le ribosome est une structure très volumineuse et très complexe, composée de deux tiers d'ARN et d'un tiers de protéines. La détermination, en 2000, de la structure tridimensionnelle complète de sa grande et de sa petite sous-unités a été un triomphe majeur de la biologie structurelle moderne. Cette structure conforte grandement les premières hypothèses que ce sont les ARNr – et non les protéines – qui sont responsables de la structure globale du ribosome, de sa capacité à positionner l'ARNt sur l'ARNm et de son activité catalytique pour la formation de liaisons peptidiques. De ce fait, par exemple, les ARN ribosomiques sont repliés en des structures tridi-

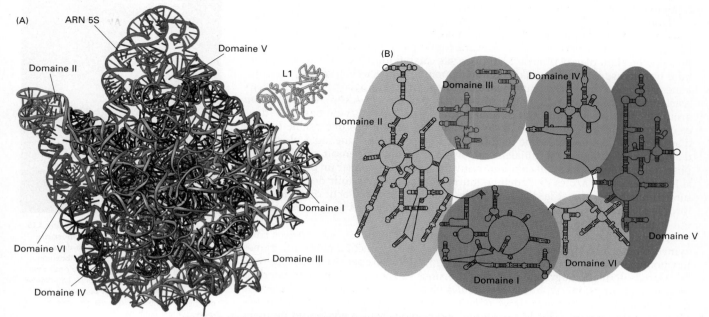

Figure 6-67 Structure des ARNr de la grande sous-unité d'un ribosome bactérien, déterminée par cristallographie aux rayons X. (A) Structures tridimensionnelles des ARNr (5S et 23S) de la grande sous-unité comme elles apparaissent dans le ribosome. Une des sous-unités protéiques du ribosome (LI) est également montrée comme référence, car elle forme une protrusion caractéristique sur le ribosome. (B) Schéma de la structure secondaire de l'ARNr 23S qui montre le réseau étendu d'appariement de bases. La structure a été divisée en six «domaines» structuraux dont les couleurs correspondent à celles de la structure tridimensionnelle de (A). La structure secondaire est très schématisée pour représenter autant de structures possibles en deux dimensions. Pour ce faire, un grand nombre d'interruptions ont été introduites dans la chaîne d'ARN, alors qu'en réalité l'ARN 23S est une seule molécule d'ARN. Par exemple, la base du domaine III est continue avec la base du domaine IV, même s'il apparaît un trou sur ce schéma. (Adapté de N. Ban et al., *Science* 289 : 905-920, 2000.)

mensionnelles précises, hautement compactes, qui forment le cœur compact du ribosome et déterminent ainsi sa forme générale (Figure 6-67).

À l'opposé de la position centrale des ARNr, les protéines ribosomiques sont généralement localisées en surface et remplissent les fentes et crevasses des ARN repliés (Figure 6-68). Certaines de ces protéines contiennent des domaines globulaires à la surface du ribosome qui émettent des régions allongées de la chaîne polypeptidique qui entrent sur de courtes distances dans les trous du cœur d'ARN (Figure 6-69). Le rôle principal des protéines ribosomiques semble être de stabiliser le cœur composé

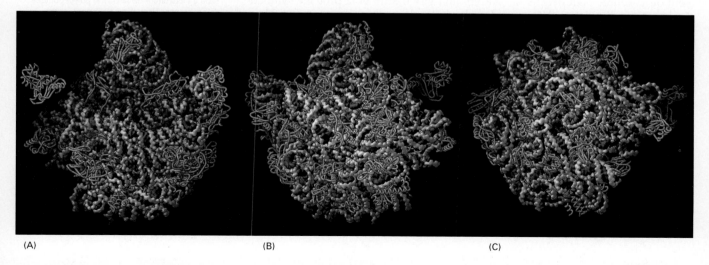

Figure 6-68 Localisation des composants protéiques de la grande sous-unité ribosomique bactérienne. Les ARNr (5S et 23S) sont schématisés en *gris* et les protéines de la grande sous-unité (27 des 31 au total) en *doré*. D'un point de vue pratique, la structure protéique n'est représentée que par son squelette polypeptidique. (A) Vue de l'interface avec les petites sous-unités, même vue que celle montrée dans la figure 6-64B. (B) Vue de dos de la grande sous-unité, obtenue par rotation de (A) de 180° autour d'un axe vertical. (C) Vue de dessous de la grande sous-unité montrant le canal de sortie des peptides au centre de la structure. (D'après N. Ban et al., *Science* 289 : 905-920, 2000. © AAAS.)

DE L'ARN AUX PROTÉINES

d'ARN, tout en permettant les variations de conformation des ARNr nécessaires à leur catalyse efficace de la synthèse des protéines.

Non seulement les trois sites de liaison aux ARNt (les sites A, P et E) du ribosome sont surtout formés d'ARN ribosomiques, mais le site catalytique de la formation de la liaison peptidique est clairement formé par l'ARN 23S, l'acide aminé le plus proche étant placé à plus de 1,8 nm. Ce site catalytique à base d'ARN de la peptidyl transférase est similaire, à de nombreux points de vue, à ceux de certaines protéines ; il s'agit d'une poche hautement structurée qui oriente avec précision les deux réactants (la chaîne peptidique en croissance et l'aminoacyl-ARNt), et apporte un groupement fonctionnel qui agit comme un catalyseur général acido-basique – dans ce cas apparemment, un cycle d'azote de l'adénine, et non pas une chaîne latérale d'acide aminé comme l'histidine (Figure 6-70). Cette capacité d'une molécule d'ARN d'agir comme catalyseur a initialement surpris parce qu'on pensait que l'ARN ne possédait pas de groupement chimique pouvant accepter et donner un proton. Même si le pK des cycles azotés de l'adénine tourne généralement autour de 3,5, la structure tridimensionnelle et la distribution des charges sur le site actif de l'ARNr 23S force le pK de cette adénine apparemment critique à entrer dans une zone neutre, ce qui engendre l'activité enzymatique.

Les molécules d'ARN qui possèdent une activité catalytique sont appelées **ribozymes**. Nous avons vu précédemment dans ce chapitre comment d'autres ribozymes fonctionnaient dans les réactions d'épissage de l'ARN (*voir*, par exemple, Figure 6-36). Dans le dernier paragraphe de ce chapitre, nous verrons ce qu'a pu signifier dans les premiers temps de l'évolution des cellules vivantes, cette capacité des molécules d'ARN à fonctionner comme catalyseurs d'un grand nombre de réactions différentes récemment reconnues. Dans le cas présent, nous avons seulement besoin de noter qu'il y a de bonnes raisons de croire que c'est l'ARN et non pas les protéines, qui a servi de premier catalyseur dans les cellules vivantes. Si c'est le cas, le ribosome, avec son cœur d'ARN, peut être considéré comme un vestige d'un ancien temps de l'histoire de la vie – lorsque la synthèse protéique s'est développée dans des cellules qui fonctionnaient presque uniquement avec les ribozymes.

Des séquences nucléotidiques de l'ARNm signalent où doit commencer la synthèse protéique

L'initiation et la terminaison de la traduction se produisent par des variations de l'allongement du cycle de traduction décrit ci-dessus. Le site où commence la synthèse protéique sur l'ARNm est particulièrement important, car il met en place le cadre de lecture pour toute la longueur du message. Une erreur d'un nucléotide n'importe où au cours de cette étape provoquerait une erreur de lecture de chaque codon suivant du message, de telle sorte qu'il en résulterait une protéine non fonctionnelle ayant une séquence fausse en acides aminés. L'étape d'initiation a aussi une grande importance d'un autre point de vue car, pour la plupart des gènes, c'est le dernier moment où la cellule peut décider si l'ARNm doit être traduit et la protéine synthétisée. La vitesse d'initiation détermine donc la vitesse de synthèse des protéines. Nous verrons au chapitre 7 que les cellules utilisent divers mécanismes pour réguler l'initiation de la traduction.

La traduction d'un ARNm commence par le codon AUG et c'est un ARNt spécifique qui initie la traduction. Cet **ARNt initiateur** transporte toujours l'acide aminé méthionine (les bactéries utilisent une forme modifiée de la méthionine – la formylméthionine) de telle sorte que toutes les protéines néosynthétisées possèdent la méthionine comme premier acide aminé au niveau de leur extrémité N-terminale, qui est synthétisée d'abord. Cette méthionine est généralement retirée ultérieurement par

Figure 6-69 Structure de la protéine LI5 de la grande sous-unité d'un ribosome bactérien. Le domaine globulaire de la protéine est placé à la surface du ribosome et une région allongée pénètre profondément dans le cœur d'ARN du ribosome. La protéine LI5 est montrée en *jaune* et une partie du cœur d'ARN ribosomique est montrée en *rouge*. (Due à l'obligeance de D. Klein, P.B. Moore et T.A. Steitz.)

Figure 6-70 Mécanisme réactionnel possible pour l'activité de la peptidyltransférase présente dans la grande sous-unité ribosomique. L'ensemble des réactions est catalysé par un site actif de l'ARNr 23S. Au cours de la première étape du mécanisme proposé, le N3 de l'adénine du site actif extrait un proton de l'acide aminé fixé sur l'ARNt au niveau du site A du ribosome, ce qui permet à ces acides aminés d'attaquer le groupement carboxyle situé à l'extrémité de la chaîne polypeptidique en croissance. Dans l'étape suivante, cette adénine protonée donne son hydrogène à l'oxygène lié au peptidyl-ARNt, ce qui provoque la libération de l'ARNt de la chaîne peptidique. Cela laisse une chaîne polypeptidique contenant un acide aminé de plus que les réactifs du départ. Ce cycle complet de réactions se répète ensuite lorsque l'aminoacyl-ARNt suivant entre dans le site A. (Adapté d'après P. Nissen et al., *Science* 289 : 920-930, 2000.)

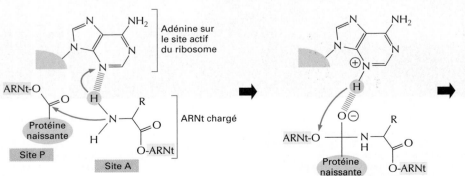

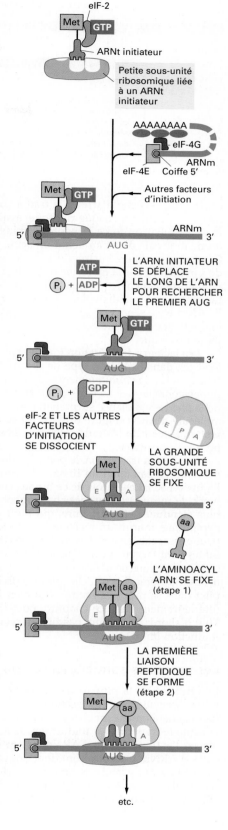

Figure 6-71 Phase initiale de la synthèse protéique chez les eucaryotes. Seuls trois facteurs d'initiation de la traduction parmi les nombreux nécessaires à ce processus sont représentés. L'initiation efficace de la traduction nécessite également la queue poly-A de l'ARNm reliée à des protéines de liaison au poly-A qui, à leur tour, interagissent avec l'eIF4G. L'appareil de traduction s'assure ainsi que les deux extrémités de l'ARNm sont intactes avant l'initiation (*voir* Figure 6-40). Même si, sur la figure, un seul événement d'hydrolyse du GTP est montré, on sait qu'il s'en produit un deuxième juste avant que la grande et la petite sous-unités du ribosome se rejoignent.

une protéase spécifique. L'ARNt initiateur possède une séquence nucléotidique différente de celles des autres ARNt qui transportent normalement la méthionine.

Chez les eucaryotes, l'ARNt initiateur (couplé à la méthionine) est d'abord placé dans la petite sous-unité ribosomique avec d'autres protéines, appelées **facteurs d'initiation des eucaryotes** ou **eIF** (Figure 6-71). Parmi tous les aminoacyl-ARNt de la cellule, seul l'ARNt initiateur chargé de méthionine peut se fixer solidement sur la petite sous-unité ribosomique sans que le ribosome soit complet. Ensuite la petite sous-unité ribosomique se fixe à l'extrémité 5' d'une molécule d'ARNm qui est reconnue du fait de sa coiffe 5' et de ses deux facteurs d'initiation liés, l'eIF4E (qui se fixe directement sur la coiffe) et l'eIF4G (*voir* Figure 6-40). La petite sous-unité ribosomique se déplace ensuite vers l'avant (5' → 3') le long de l'ARNm, recherchant le premier AUG. Ce mouvement est facilité par d'autres facteurs d'initiation qui agissent comme des hélicases actionnées par l'ATP et permettent à la petite sous-unité d'examiner les structures secondaires de l'ARN. Dans 90 p. 100 des ARNm, la traduction commence sur le premier AUG rencontré par la petite sous-unité. Là, les facteurs d'initiation se dissocient de la petite sous-unité ribosomique pour laisser la place à la grande sous-unité ribosomique qui s'assemble avec elle et termine le ribosome. L'ARNt initiateur est maintenant lié au site P et laisse le site A vacant. La synthèse protéique est ainsi prête à commencer par addition de la molécule d'aminoacyl-ARNt suivante (*voir* Figure 6-71).

Les nucléotides qui entourent immédiatement le site de départ de l'ARNm eucaryote influencent l'efficacité de la reconnaissance de l'AUG pendant le processus d'examen précédent. Si ce site de reconnaissance est assez différent de la séquence de reconnaissance consensus, la sous-unité ribosomique ignorera parfois le premier codon AUG de l'ARNm et sautera sur le deuxième ou le troisième codon AUG. Les cellules utilisent souvent ce phénomène, appelé *leaky scanning* (ou «reconnaissance approximative») pour produire deux ou plusieurs protéines qui diffèrent par leur extrémité N-terminale, à partir de la même molécule d'ARNm. Cela permet à certains gènes de produire la même protéine avec ou sans séquence signal à son extrémité N-terminale, par exemple, pour que la protéine soit dirigée dans deux compartiments cellulaires différents.

Le mécanisme de sélection du codon de départ des bactéries est différent. L'ARNm bactérien n'a pas de coiffe 5' qui signale au ribosome où commencer la recherche du début de la traduction. Par contre, chaque ARNm bactérien contient un site de liaison spécifique aux ribosomes (appelé séquence de Shine-Dalgarno, du nom de ceux qui l'ont découvert) localisé quelques nucléotides en amont du AUG au niveau duquel la traduction doit commencer. Cette séquence de nucléotides, de consensus 5'-AGGAGGU-3', forme des appariements de bases avec l'ARNr 16S de la petite sous-unité ribosomique pour positionner le codon initiateur AUG dans le ribosome. Un groupe de facteurs d'initiation de la traduction orchestre cette interaction ainsi que l'assemblage ultérieur de la grande sous-unité ribosomique qui complète le ribosome.

Contrairement aux ribosomes eucaryotes, le ribosome bactérien peut donc facilement s'assembler directement sur un codon de départ placé à l'intérieur d'une molécule d'ARNm, tant que le site de liaison au ribosome le précède de plusieurs nucléotides. Il en résulte que l'ARNm bactérien est souvent *polycistronique* – c'est-à-dire qu'il code pour plusieurs protéines différentes, dont chacune est traduite à partir de la même molécule d'ARNm (Figure 6-72). Par contre, l'ARNm eucaryote code généralement pour une seule protéine.

Les codons d'arrêt marquent la fin de la traduction

La fin du message de codage des protéines est signalé par la présence d'un des trois codons (UAA, UAG ou UGA) appelés *codons d'arrêt* (*voir* Figure 6-50). Ils ne sont pas reconnus par un ARNt et ne spécifient aucun acide aminé, mais ils signalent par

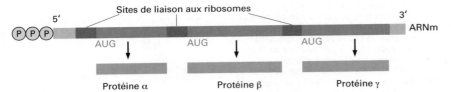

Figure 6-72 Structure d'une molécule d'ARNm bactérien typique. Contrairement aux ribosomes eucaryotes, qui ont besoin que l'extrémité 5' soit coiffée, les ribosomes procaryotes initient la transcription sur un site de liaison au ribosome (séquence de Shine-Dalgarno) qui peut être localisé n'importe où le long de la molécule d'ARN. Cette propriété des ribosomes permet aux bactéries de synthétiser plusieurs types de protéines à partir d'une seule molécule d'ARNm.

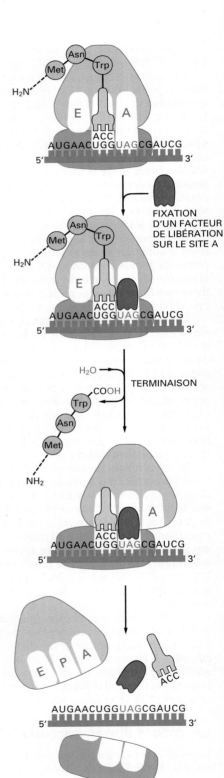

contre au ribosome d'arrêter la traduction. Des protéines, appelées *facteurs de libération*, se fixent sur chaque ribosome ayant un codon d'arrêt positionné dans le site A et cette liaison force la peptidyl transférase du ribosome à catalyser l'addition d'une molécule d'eau au lieu d'un acide aminé sur le peptidyl-ARNt (Figure 6-73). Cette réaction libère l'extrémité carboxyle de la chaîne polypeptidique en croissance de son attache sur la molécule d'ARNt et comme c'est cette seule fixation qui maintient normalement le polypeptide en croissance sur le ribosome, la chaîne protéique terminée est immédiatement libérée dans le cytoplasme. Le ribosome libère alors l'ARNm et se sépare en sa petite et en sa grande sous-unités, qui peuvent s'assembler sur une autre molécule d'ARNm pour commencer un nouveau cycle de synthèse protéique.

Les facteurs de libération fournissent un exemple spectaculaire de *mimétisme moléculaire*, dans lequel un type de macromolécule a une forme qui ressemble à celle d'une molécule chimiquement non apparentée. Dans le cas présent, la structure tridimensionnelle des facteurs de libération (constitués uniquement de protéines) affiche une ressemblance surprenante avec la forme et la charge de distribution d'une molécule d'ARNt (Figure 6-74). C'est ce mimétisme de forme et de charge qui permet au facteur de libération d'entrer dans le site A du ribosome et de provoquer la fin de la traduction.

Pendant la traduction, le polypeptide naissant se déplace à travers un grand tunnel rempli d'eau (environ 10 nm × 1,5 nm) de la grande sous-unité du ribosome (*voir* Figure 6-68C). Les parois de ce tunnel, constitué surtout d'ARNr 23S, sont un patchwork de minuscules surfaces hydrophobes encastrées dans une surface hydrophile plus étendue. Cette structure, qui n'est pas complémentaire à une autre structure peptidique, fournit un revêtement en « téflon » sur lequel la chaîne polypeptidique peut glisser facilement. Les dimensions du tunnel suggèrent que des protéines naissantes sont largement non structurées lorsqu'elles traversent le ribosome, même si certaines régions en hélice α de la protéine peuvent se former avant de quitter le tunnel du ribosome. Lorsqu'elle quitte le ribosome, la protéine néosynthétisée doit se replier dans sa propre structure tridimensionnelle pour être utilisée par la cellule et, ultérieurement dans ce chapitre, nous verrons comment s'effectue ce repliement. Tout d'abord, cependant, passons en revue plusieurs autres aspects du processus de traduction lui-même.

Les protéines sont fabriquées sur des polyribosomes

La synthèse de la plupart des protéines prend entre 20 secondes et plusieurs minutes. Mais même durant cette très courte période, de multiples initiations s'effectuent généralement sur chaque molécule d'ARNm traduite. Dès que le ribosome qui effectue le traitement a traduit une séquence suffisante de nucléotides pour se déplacer, l'extrémité 5' de l'ARNm est enfilée dans un nouveau ribosome. Les molécules d'ARNm traduites sont donc souvent trouvées sous la forme de *polyribosomes* (ou *polysomes*), grands assemblages cytoplasmiques constitués de plusieurs ribosomes placés tous les 80 nucléotides le long d'une seule molécule d'ARNm (Figure 6-75). Ces initiations multiples signifient que, dans un temps donné, il y a beaucoup

Figure 6-73 Phase finale de la synthèse protéique. La liaison d'un facteur de libération sur le site A portant un codon d'arrêt termine la traduction. Le polypeptide terminé est libéré et, après l'action d'un facteur de recyclage du ribosome (non représenté), le ribosome se dissocie en ses deux sous-unités séparées.

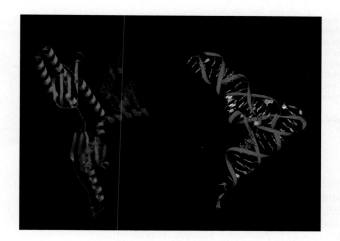

Figure 6-74 La structure d'un facteur de libération de la traduction (eRFI) de l'homme ressemble à une molécule d'ARNt. La protéine est *à gauche* et l'ARNt *à droite*. (D'après H. Song et al., *Cell* 100 : 311-321, 2000. © Elsevier.)

plus de protéines fabriquées que s'il fallait que chacune soit terminée avant que la suivante ne commence.

Les bactéries, comme les eucaryotes, utilisent des polysomes et emploient d'autres stratégies pour accélérer encore plus la vitesse de synthèse des protéines. Comme l'ARNm bactérien n'a pas besoin de maturation et qu'il est accessible aux ribosomes pendant sa fabrication, les ribosomes peuvent se fixer sur l'extrémité libre de l'ARNm bactérien et commencer sa traduction avant même que la transcription de cet ARN ne soit terminée, suivant de près l'ARN polymérase lorsqu'elle se déplace le long de l'ADN. Chez les eucaryotes, comme nous l'avons vu, les extrémités 5' et 3' de l'ARNm interagissent (*voir* Figures 6-40 et 6-75A) ; de ce fait, dès qu'un ribosome se dissocie, ses deux sous-unités sont dans une position optimale pour réinitialiser la traduction sur la même molécule d'ARNm.

Des mécanismes de contrôle de qualité opèrent sur plusieurs étapes de la traduction

La traduction sur le ribosome est un compromis entre deux contraintes opposées : l'exactitude et la vitesse. Nous avons vu, par exemple, que la précision de la traduction (1 erreur par 10^4 acides aminés reliés) nécessite un délai de temps à chaque ajout d'un nouvel acide aminé sur la chaîne polypeptidique en croissance, ce qui donne une vitesse globale de traduction de 20 acides aminés incorporés par seconde chez

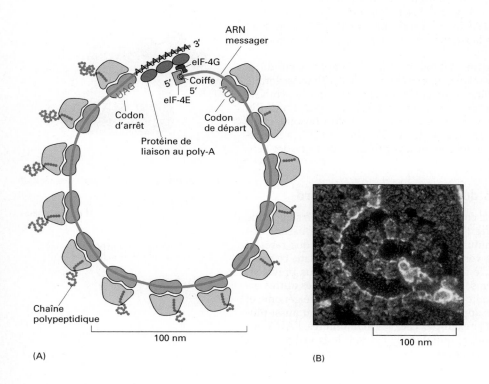

(A)

(B)

Figure 6-75 Un polyribosome. (A) Schéma montrant comment une série de ribosomes peut simultanément traduire la même molécule d'ARNm eucaryote. (B) Photographie en microscopie électronique d'un polyribosome d'une cellule eucaryote. (B, due à l'obligeance de John Heuser.)

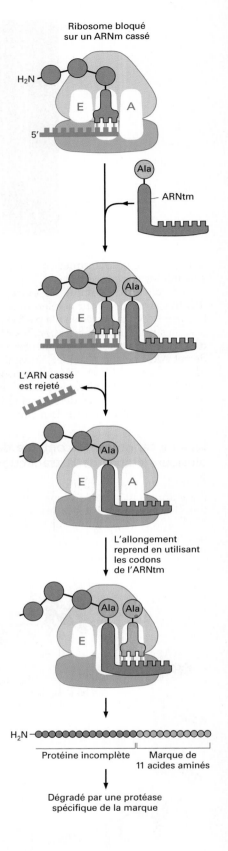

Figure 6-76 Sauvetage d'un ribosome bactérien bloqué sur une molécule d'ARNm. L'ARNtm représenté est un ARN de 361 nucléotides qui possède à la fois une fonction d'ARNt et d'ARNm, d'où son nom. Il porte une alanine et peut entrer dans le site A vacant d'un ribosome en place pour ajouter son alanine à la chaîne polypeptidique, mimant ainsi l'ARNt excepté qu'il n'y a aucun codon pour le guider. Le ribosome traduit alors dix codons à partir de l'ARNtm, ce qui forme un marquage de 11 acides aminés sur la protéine. Cette marque est reconnue par des protéases qui dégradent ensuite la totalité de la protéine.

les bactéries. Des bactéries mutantes, présentant une altération particulière de leur petite sous-unité ribosomique, traduisent l'ARNm en protéines avec une précision considérablement supérieure; cependant, la synthèse protéique est si lente chez ces mutants que la bactérie est à peine capable de survivre.

Nous avons également vu que l'obtention de la précision observée de la synthèse protéique nécessitait la dépense d'une grande quantité d'énergie libre : il fallait s'y attendre, car, comme nous l'avons vu au chapitre 2, l'augmentation de l'ordre dans la cellule a un prix. Dans la plupart des cellules, la synthèse protéique consomme plus d'énergie que n'importe quel autre processus biosynthétique. Quatre liaisons phosphate riches en énergie, au moins, sont rompues pour fabriquer chaque nouvelle liaison peptidique; deux sont consommées pour charger un acide aminé sur la molécule d'ARNt (*voir* Figure 6-56) et deux autres entraînent les étapes du cycle de réaction qui se produit sur les ribosomes pendant la synthèse elle-même (*voir* Figure 6-66). En plus, de l'énergie supplémentaire est consommée à chaque fois qu'une liaison incorrecte d'un acide aminé est hydrolysée par l'ARNt synthétase (*voir* Figure 6-59) et à chaque fois qu'un ARNt incorrect entre dans le ribosome, il déclenche l'hydrolyse du GTP et est rejeté (Figure 6-66). Pour être efficaces, ces mécanismes de correction doivent aussi retirer un nombre appréciable d'interactions correctes; c'est pourquoi ils sont encore plus coûteux en énergie qu'ils ne le semblent.

D'autres mécanismes de contrôle de la qualité assurent que la molécule d'ARNm eucaryote est terminée avant que les ribosomes ne commencent à la traduire. La traduction d'un ARNm cassé ou ayant subi une maturation partielle serait néfaste pour la cellule, parce qu'elle produirait des protéines tronquées ou aberrantes. Chez les eucaryotes, nous avons vu que la production d'ARNm impliquait non seulement la transcription mais également une série d'étapes complexes de maturation de l'ARN; elles se produisent dans le noyau, isolé du ribosome, et c'est uniquement lorsque cette maturation est terminée que les ARNm sont transportés dans le cytoplasme pour leur traduction (*voir* Figure 6-40). Une molécule d'ARNm intacte quand elle quitte le noyau peut cependant se casser dans le cytosol. Pour éviter la traduction de telles molécules d'ARNm incomplètes, la coiffe 5' et la queue poly-A sont toutes deux reconnues par l'appareil d'initiation de la traduction avant le début de la traduction (*voir* Figures 6-71 et 6-75).

Les bactéries résolvent le problème des ARNm incomplets complètement différemment. Non seulement il n'y a pas de signal à l'extrémité 3' de l'ARNm bactérien, mais comme nous l'avons vu, la traduction commence souvent avant que la synthèse du transcrit ne soit finie. Lorsque le ribosome bactérien traduit l'extrémité d'un ARN incomplet, un ARN spécial (appelé *ARNtm*) entre dans le site A du ribosome et est lui-même traduit; cela ajoute une marque spécifique de 11 acides aminés à l'extrémité C-terminale de la protéine tronquée qui signale aux protéases de dégrader l'ensemble de la protéine (Figure 6-76).

Il existe des variations mineures du code génétique standard

Comme nous l'avons vu au chapitre 1, le code génétique (*voir* Figure 6-50) s'applique aux trois embranchements majeurs de l'arbre phylogénétique, fournissant des preuves importantes d'un ancêtre commun à toute vie sur Terre. Bien que rares, il existe des exceptions à ce code et nous verrons certaines d'entre elles dans ce paragraphe. Par exemple, *Candida albicans*, le champignon pathogène le plus prévalent chez l'homme, traduit le codon CUG en sérine alors que presque tous les autres organismes le traduisent en leucine. Les mitochondries (qui ont leur propre génome et codent pour une grande partie de leur appareil de traduction) montrent aussi plusieurs déviations de ce code standard. Par exemple, chez les mammifères, l'AUA mitochondrial est traduit en méthionine, alors que dans le cytosol de la cellule, il est traduit en isoleucine (*voir* Tableau 14-III, p. 814).

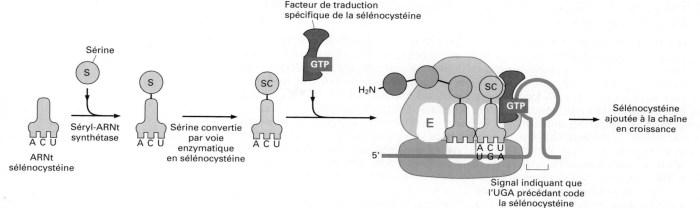

Figure 6-77 Incorporation de la sélénocystéine dans la chaîne polypeptidique en croissance. Un ARNt particulier est chargé avec une sérine par la synthétase normale, la séryl-ARNt, puis la sérine est transformée par voie enzymatique en sélénocystéine. Une structure spécifique d'ARN de l'ARNm (une tige et une boucle composées d'une séquence spécifique de nucléotides) signale que la sélénocystéine doit être insérée au niveau du codon UGA voisin. Comme cela est indiqué, cet événement nécessite la participation d'un facteur de traduction spécifique de la sélénocystéine.

Le type de déviation du code génétique abordé ci-dessus est confiné à certains organismes ou organites. Un autre type de variation, appelé parfois *recodage de traduction*, se produit dans de nombreuses cellules. Dans ce cas, d'autres informations de la séquence nucléotidique présentes dans l'ARNm peuvent modifier la signification du code génétique dans un site particulier de la molécule d'ARNm. Le code standard permet aux cellules de fabriquer des protéines en utilisant uniquement 20 acides aminés. Cependant, les bactéries, les archéobactéries et les eucaryotes ont un vingt-et-unième acide aminé disponible, pour ce faire, qui peut être incorporé directement sur la chaîne polypeptidique en croissance par un recodage de traduction. La sélénocystéine, indispensable pour le bon fonctionnement de diverses enzymes, contient un atome de sélénium à la place de l'atome de soufre de la cystéine. La sélénocystéine est produite à partir d'une sérine fixée sur une molécule d'ARNt spéciale, qui forme un appariement de bases avec le codon UGA, codon normalement utilisé pour signaler l'arrêt de la traduction. L'ARNm de la protéine dans laquelle la sélénocystéine doit être insérée sur le codon UGA contient une autre séquence de nucléotides proche dans l'ARNm qui entraîne la reconnaissance de cet événement (Figure 6-77).

Une autre forme de recodage est le *décalage traductionnel du cadre de lecture*. Ce type de recodage est fréquemment utilisé par les rétrovirus, un groupe important de virus eucaryotes, et leur permet de synthétiser plusieurs protéines à partir d'un seul ARNm. Ces virus traduisent habituellement à la fois les protéines de la capside (*protéines Gag*) ainsi que la transcriptase inverse et l'intégrase virales (*protéines Pol*) à partir du même transcrit d'ARN (*voir* Figure 5-73). Ce virus nécessite beaucoup plus de copies des protéines Gag que des protéines Pol et il effectue cet ajustement quantitatif en codant les gènes *pol* juste après les gènes *gag* mais avec un cadre de lecture différent. Le codon d'arrêt à la fin de la séquence codant pour *gag* peut être parfois sauté par un décalage intentionnel du cadre de lecture qui se produit en amont. Ce décalage du cadre de lecture s'effectue sur un codon particulier d'ARNm et nécessite un *signal de recodage* spécifique, qui semble être une caractéristique structurale de la séquence d'ARN en aval de ce site (Figure 6-78).

Figure 6-78 Le décalage du cadre de lecture produit la transcriptase inverse et l'intégrase d'un rétrovirus. La transcriptase inverse et l'intégrase virales sont produites par le traitement protéolytique d'une grosse protéine (la protéine de fusion Gag-Pol) qui comporte à la fois des séquences d'acides aminés Gag et Pol. La protéine de la capside virale est produite par le traitement protéolytique de la protéine Gag plus abondante. La protéine Gag et la protéine de fusion Gag-Pol commencent de la même façon mais la protéine Gag se termine par un codon d'arrêt placé dans le cadre normal de lecture (non montré) ; le décalage du cadre de lecture indiqué shunte ce codon d'arrêt et permet la synthèse de la protéine de fusion Gag-Pol, plus longue. Ce décalage du cadre de lecture se produit parce que les caractéristiques de la structure locale de l'ARN (y compris la boucle d'ARN montrée), provoquent parfois le glissement de l'ARNt^Leu, fixé à l'extrémité C-terminale de la chaîne polypeptidique en croissance, en arrière d'un nucléotide sur le ribosome de telle sorte qu'il s'apparie avec le codon UUU et non pas le codon UUA qui avait initialement spécifié son incorporation ; le codon suivant (AGG) du nouveau cadre de lecture spécifie une arginine et non pas une glycine. Ce glissement contrôlé est provoqué en partie par une structure en tige et boucle qui se forme sur l'ARNm viral, comme cela est indiqué sur la figure. La séquence montrée est issue du virus du SIDA humain, le virus VIH. (Adapté d'après T. Jacks et al., *Nature* 331 : 280-283, 1988.)

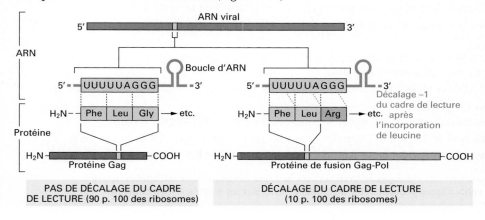

Beaucoup d'inhibiteurs de la synthèse protéique des procaryotes sont de très utiles antibiotiques

Beaucoup d'antibiotiques très efficaces utilisés en médecine moderne sont des composés issus de champignons qui agissent par inhibition de la synthèse protéique bactérienne. Certains de ces médicaments exploitent les différences structurelles et fonctionnelles entre les ribosomes bactériens et eucaryotes pour pouvoir interférer préférentiellement avec la fonction des ribosomes bactériens. Certains de ces composés peuvent être ainsi absorbés à forte dose sans induire de toxicité pour l'homme. Comme ces différents antibiotiques se fixent sur différentes régions des ribosomes bactériens, ils inhibent souvent différentes étapes du processus de synthèse. La liste de certains antibiotiques communs de ce type est présentée au tableau 6-III ainsi que plusieurs autres inhibiteurs de la synthèse protéique dont certains agissent sur les cellules eucaryotes et ne peuvent donc pas être utilisés comme antibiotiques.

Comme ils bloquent des étapes spécifiques du processus qui conduit de l'ADN aux protéines, beaucoup des composés listés dans le tableau 6-III sont très intéressants pour les études de biologie cellulaire. Parmi les médicaments les plus fréquemment utilisés dans ce type d'études expérimentales citons le *chloramphénicol*, la *cycloheximide* et la *puromycine*, qui tous inhibent spécifiquement la synthèse protéique. Dans une cellule eucaryote par exemple, le chloramphénicol n'inhibe la synthèse protéique sur les ribosomes que dans les mitochondries (et dans les chloroplastes des végétaux), ce qui reflète probablement les origines procaryotes de ces organites (*voir* Chapitre 14). La cycloheximide, au contraire, n'affecte que les ribosomes du cytosol. La puromycine est particulièrement intéressante parce que c'est un analogue structural d'une molécule d'ARNt fixée sur un acide aminé et elle représente de ce fait un autre exemple du mimétisme moléculaire ; le ribosome la prend par erreur pour un authentique acide aminé et l'incorpore de façon covalente au niveau de l'extrémité C-terminale de la chaîne peptidique en croissance, provoquant ainsi la terminaison prématurée et la libération du polypeptide. Comme on peut s'y attendre, la puromycine inhibe la synthèse chez les procaryotes et les eucaryotes.

Après avoir décrit le processus de traduction lui-même, voyons maintenant comment les produits – les protéines cellulaires – se replient dans leur conformation tridimensionnelle correcte.

Une protéine commence à se replier alors qu'elle est encore en train d'être synthétisée

Le processus d'expression des gènes n'est pas terminé une fois que le code génétique a été utilisé pour engendrer la séquence d'acides aminés qui constitue la protéine. Pour être utilisée par la cellule, la nouvelle chaîne polypeptidique doit se replier dans

TABLEAU 6-III Inhibiteurs des protéines ou de la synthèse d'ARN

INHIBITEURS	EFFETS SPÉCIFIQUES
Agissant uniquement sur les bactéries	
Tétracycline	Bloque la fixation de l'aminoacyl-ARNt sur le site A du ribosome
Streptomycine	Empêche la transition entre le complexe d'initiation et le ribosome assurant l'élongation de la chaîne ; provoque aussi des erreurs de codage
Chloramphénicol	Bloque la réaction de la peptidyltransférase sur les ribosomes (étape 2 de la figure 6-65)
Érythromycine	Bloque la réaction de translocation sur les ribosomes (étape 3 de la figure 6-65)
Rifamycine	Bloque l'initiation de la chaîne d'ARN en se liant à l'ARN polymérase (évite la synthèse d'ARN)
Agissant sur les bactéries et les eucaryotes	
Puromycine	Provoque la libération prématurée de la chaîne polypeptidique naissante par son addition à l'extrémité de la chaîne en croissance
Actinomycine D	Se fixe sur l'ADN et bloque le mouvement de l'ARN polymérase (évite la synthèse d'ARN)
Agissant sur les eucaryotes mais pas sur les bactéries	
Cycloheximide	Bloque la réaction de translocation sur les ribosomes (étape 3 de la figure 6-65)
Anisomycine	Bloque la réaction de la peptidyl transférase sur les ribosomes (étape 2 de la figure 6-65)
α-Amanitine	Bloque la synthèse d'ARNm en se liant préférentiellement à l'ARN polymérase II

Les ribosomes des mitochondries eucaryotes (et des chloroplastes) ont souvent la même sensibilité aux inhibiteurs que ceux des bactéries. De ce fait, certains de ces antibiotiques peuvent avoir des effets néfastes sur les mitochondries humaines.

sa conformation tridimensionnelle particulière, se lier à toutes les petites molécules de cofacteurs nécessaires à son activité, être modifiée correctement par les protéines-kinases ou d'autres protéines modifiant les enzymes et s'assembler correctement aux autres sous-unités protéiques avec lesquelles elle fonctionne (Figure 6-79).

Les informations nécessaires à toutes les étapes de la maturation des protéines que nous venons de citer sont contenues dans la séquence d'enchaînement des acides aminés que le ribosome a produit lorsqu'il a traduit l'ARNm en une chaîne polypeptidique. Comme nous l'avons vu au chapitre 3, lorsqu'une protéine se replie en une structure compacte, elle enfouit la plupart de ses résidus hydrophobes dans son centre. En plus il se forme un grand nombre d'interactions non covalentes entre diverses parties de la molécule. C'est la somme de tous ces arrangements énergétiquement favorables qui détermine le type de repliement final de la chaîne polypeptique – qui est la conformation de plus faible énergie libre (*voir* p. 134).

Par des millions d'années d'évolution, la séquence en acides aminés de chaque protéine a été sélectionnée non seulement pour la conformation qu'elle adopte mais aussi pour sa capacité à se replier rapidement, lorsque la chaîne polypeptidique sort du ribosome en s'enroulant en commençant par l'extrémité N-terminale. Des expériences ont démontré qu'une fois qu'un domaine protéique d'une protéine multi-domaines émerge du ribosome, il forme en quelques secondes une structure compacte qui contient la plus grande partie de la structure secondaire finale (hélices α et feuillets β) alignée à peu près correctement (Figure 6-80). Pour beaucoup de domaines protéiques, cette structure inhabituelle ouverte et souple, appelée *molten globule* (gouttelette en fusion) est le point de départ d'un processus relativement lent au cours duquel de nombreux ajustements des chaînes latérales se produisent pour former finalement la structure tertiaire correcte. Néanmoins, comme il faut plusieurs minutes pour synthétiser une protéine de taille moyenne, bon nombre des processus de repliement sont terminés au moment où le ribosome libère l'extrémité C-terminale de la protéine (Figure 6-81).

Les molécules chaperons facilitent le repliement de nombreuses protéines

Le repliement d'un grand nombre de protéines s'effectue efficacement grâce à une classe spéciale de protéines, les **molécules chaperons**. Ces dernières sont très utiles pour la cellule parce qu'il existe différentes voies pouvant être empruntées pour transformer la structure en «molten globule» en la conformation compacte finale de la protéine. Pour beaucoup de protéines, certains intermédiaires formés au cours de ce processus s'agrégeraient et resteraient dans une voie de garage sans l'intervention de la molécule chaperon qui réinitialise le processus de repliement (Figure 6-82).

Les molécules chaperons ont tout d'abord été identifiées dans les bactéries lors de l'étude de mutants d'*E. coli* qui n'ont pas permis au bactériophage lambda de s'y ré-

Chaîne polypeptidique naissante

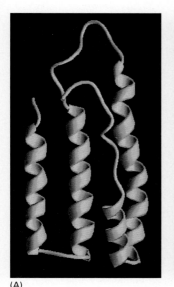

Repliement et liaison avec les cofacteurs (interactions non covalentes)

Modifications covalentes par glycosylation, phosphorylation, acétylation, etc.

Liaison à d'autres sous-unités protéiques

Protéine fonctionnelle mature

Figure 6-79 Étapes dans la création d'une protéine fonctionnelle. Comme cela est indiqué, la traduction d'une séquence d'ARNm en une séquence d'acides aminés sur le ribosome ne termine pas le processus de formation d'une protéine. Pour être utilisée par la cellule, la chaîne polypeptidique terminée doit se replier correctement dans sa conformation tridimensionnelle, fixer tous les cofacteurs nécessaires et s'assembler avec des chaînes protéiques partenaires (si nécessaire). Ces modifications sont liées à la formation de liaisons non covalentes. Comme cela est indiqué, beaucoup de protéines présentent aussi des modifications covalentes de certains de leurs acides aminés. Même si les plus fréquentes d'entre elles sont la glycosylation et la phosphorylation des protéines, il existe plus de 100 types de modifications covalentes différentes (*voir* par exemple Figure 4-35).

(A) (B)

Figure 6-80 Structure d'un *molten globule* (gouttelette en fusion). (A) La forme en *molten globule* du cytochrome b$_{562}$ est plus ouverte et moins ordonnée que la forme repliée finale de la protéine montrée en (B). Notez que le *molten globule* contient la majeure partie des structures secondaires de la forme finale, même si les extrémités des hélices α sont effilées et si une des hélices n'est qu'en partie formée. (Due à l'obligeance de Joshua Wand, d'après Y. Feng et al., *Nat. Struct. Biol.* 1 : 30-35, 1994.)

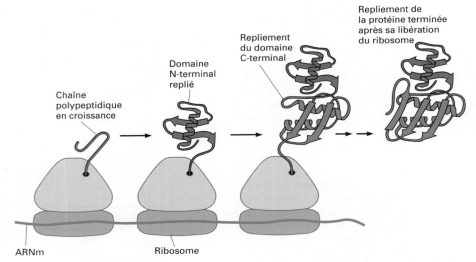

Figure 6-81 Le repliement d'une protéine est co-traductionnel. Une chaîne polypeptidique en croissance est représentée en train d'acquérir sa structure secondaire puis tertiaire au moment où elle sort d'un ribosome. Le domaine N-terminal se replie d'abord tandis que le domaine C-terminal est encore en train d'être synthétisé. Dans ce cas, la protéine n'a pas encore atteint sa conformation finale lorsqu'elle est libérée du ribosome. (Modifié d'après A.N. Federov et T.O. Baldwin, *J. Biol. Chem.* 272 : 32715-32718, 1997.)

pliquer. Ces cellules mutantes produisaient des versions légèrement modifiées de la machinerie des molécules chaperons et présentaient des anomalies des étapes spécifiques d'assemblage des protéines virales. Les molécules chaperons font partie des *protéines de choc thermique* (d'où leur désignation *hsp* pour *heat-shock proteins*) parce que leur synthèse augmente de façon spectaculaire après une brève exposition à une température élevée (par exemple 42 °C pour les cellules qui vivent normalement à 37 °C). Cela reflète l'intervention du système de rétrocontrôle qui répond à toute augmentation des protéines mal repliées (comme celles produites par des températures élevées) en relançant la synthèse des molécules chaperons qui facilitent le repliement protéique.

Les cellules eucaryotes possèdent au moins les deux principales familles de molécules chaperons – les protéines hsp60 et hsp70. Les différents membres de ces familles fonctionnent dans différents organites. De ce fait, comme nous le verrons au chapitre 12, les mitochondries contiennent leurs propres molécules hsp60 et hsp70, différentes de celles qui fonctionnent dans le cytosol, et une hsp70 spécifique, (la *BIP*) facilite le repliement des protéines dans le réticulum endoplasmique.

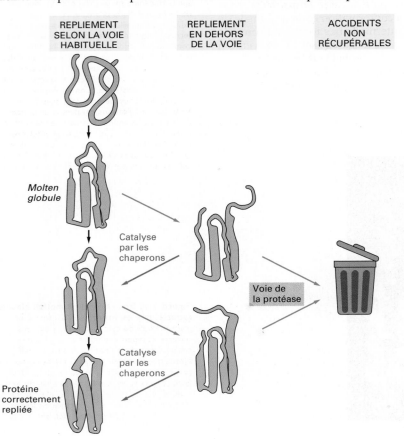

Figure 6-82 Représentation commune du repliement protéique. Chaque domaine d'une protéine néosynthétisée atteint rapidement l'état de *molten globule*. Les repliements ultérieurs se produisent plus lentement, selon des voies multiples, impliquant souvent l'aide d'une molécule chaperon. Certaines molécules ne peuvent toujours pas arriver à se replier correctement; comme nous l'expliquerons bientôt, elles sont alors reconnues par une protéase spécifique et dégradées.

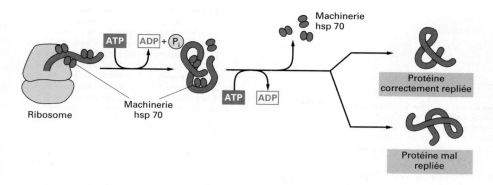

Figure 6-83 Famille des molécules chaperons hsp70. Ces protéines agissent précocement et reconnaissent des petites plaques d'acides aminés hydrophobes sur la surface protéique. Aidé d'un groupe de molécules hsp40 plus petites, le monomère d'hsp70 se fixe sur la protéine cible et hydrolyse alors une molécule d'ATP en ADP; cela entraîne une modification de sa conformation qui provoque le serrage très solide de l'hsp70 sur sa cible. Lorsque les hsp40 se dissocient, la dissociation de la protéine hsp70 est induite par une nouvelle liaison très rapide de l'ATP après la libération de l'ADP. Ces cycles répétés de liaison de la protéine hsp et de libération de celle-ci aident la protéine cible à se replier, comme cela est schématiquement illustré dans la figure 6-82.

Les protéines de type hsp60 et hsp70 agissent chacune avec leur propre ensemble de protéines associées lorsqu'elles aident d'autres protéines à se replier. Elles ont une affinité pour les parties hydrophobes exposées des protéines non totalement repliées et hydrolysent l'ATP, se liant souvent à leurs protéines et les libérant à chaque cycle d'hydrolyse de l'ATP. Mais ces deux types de protéines hsp fonctionnent aussi différemment. L'hsp70 agit au début de la vie des protéines, se fixant sur un segment étiré d'environ sept acides aminés hydrophobes avant que la protéine ne quitte le ribosome (Figure 6-83). Par contre, les protéines de type hsp60 forment une structure de grande taille, en forme de tonneau, qui agit ultérieurement au cours de la vie de la protéine, une fois qu'elle a été totalement synthétisée. Ce type de molécules chaperons forme une chambre d'isolement dans laquelle les protéines mal repliées sont enfouies, afin d'éviter qu'elles ne s'agrègent, et leur fournit un environnement favorable dans lequel elles pourront essayer de se replier (Figure 6-84).

Les régions hydrophobes exposées fournissent des signaux critiques pour le contrôle de la qualité protéique

Il est possible de suivre les protéines néosynthétisées pendant leur maturation dans leur forme fonctionnelle finale en ajoutant des acides aminés radioactifs aux cellules pendant un court laps de temps. C'est ce type d'expérience qui montre que la protéine hsp70 agit d'abord et commence lorsque la protéine est encore en train d'être

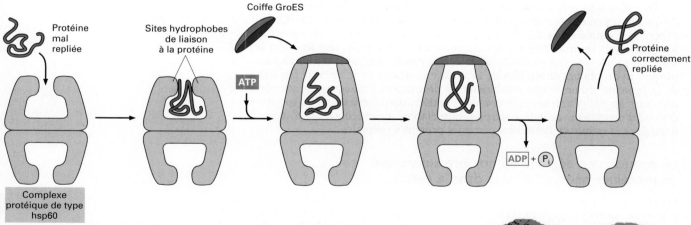

Figure 6-84 Structure et fonction de la famille des molécules chaperons hsp60.
(A) Catalyse du repliement protéique. Comme cela est indiqué, la protéine mal repliée est initialement capturée par des interactions hydrophobes le long des bords du tonneau. Cela est suivi de la fixation d'ATP et d'une coiffe protéique qui augmente le diamètre du tonneau, ce qui étire transitoirement la protéine cible (partiellement dépliée). Cela confine aussi cette protéine dans un espace clos où elle a une nouvelle chance de se replier. Après 15 secondes environ, l'hydrolyse de l'ATP éjecte la protéine, repliée ou non, et le cycle se répète. Ce type de molécule chaperon est aussi appelé chaperonine; il est désigné par hsp60 dans les mitochondries, TCP-1 dans le cytosol des cellules des vertébrés et groEL dans les bactéries. Comme cela est indiqué, seule la moitié du tonneau symétrique opère sur une seule protéine cible à la fois. (B) Structure du GroEL liée à sa coiffe GroES, déterminée par cristallographie aux rayons X. À *gauche*, l'extérieur de la structure de type tonneau est représenté et à *droite* une coupe transversale passant en son centre. (B, adapté de B. Bukace et A.L. Horwich, *Cell* 92 : 351-366, 1998.)

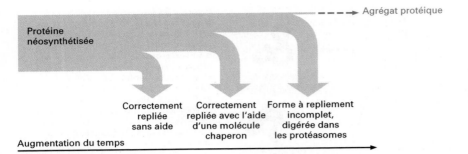

Protéine néosynthétisée

- - - → Agrégat protéique

Correctement repliée sans aide

Correctement repliée avec l'aide d'une molécule chaperon

Forme à repliement incomplet, digérée dans les protéasomes

Augmentation du temps →

Figure 6-85 Mécanismes cellulaires surveillant la qualité protéique après la synthèse protéique. Comme cela est indiqué, la protéine qui vient d'être synthétisée se replie parfois correctement et s'assemble avec ses propres partenaires et, dans ce cas, elle reste seule. Les molécules chaperons aident les protéines, dont le repliement est incomplet, à se replier ; la famille des protéines hsp70 commence et si cela échoue les protéines de type hsp60 continuent. Dans les deux cas, la protéine en cause est reconnue par des plaques d'acides aminés hydrophobes anormalement exposées à sa surface. Ces processus sont en compétition avec un autre système qui reconnaît une plaque anormale exposée et transfère la protéine qui la contient sur un protéasome pour sa destruction totale. L'association de tous ces processus est nécessaire pour éviter l'agrégation massive des protéines dans la cellule, ce qui se produit lorsqu'un grand nombre de régions hydrophobes situées sur les protéines se regroupent et entraînent la précipitation de la masse globale.

synthétisée sur le ribosome, et que les protéines de type hsp60 entrent en jeu plus tardivement pour faciliter le repliement des protéines complètes. Cependant, ces mêmes expériences révèlent qu'il n'y a seulement qu'un petit groupe de protéines néosynthétisées qui est impliqué ; peut-être 20 p. 100 environ de l'ensemble des protéines avec les hsp70 et 10 p. 100 avec les molécules chaperons de type hsp60. Comment ces protéines sont-elles choisies pour le repliement catalysé par l'ATP ?

Avant de répondre, nous devons nous arrêter pour considérer plus globalement le destin des protéines après leur traduction. Une protéine qui présente un assez grand segment d'acides aminés hydrophobes exposé à sa surface est généralement anormale : soit elle n'a pas pu se replier correctement après avoir quitté le ribosome, soit elle a subi un accident qui l'a déroulée en partie assez tardivement, soit elle n'a pas réussi à trouver sa sous-unité partenaire normale dans le cas d'un grand complexe protéique. Ces protéines sont non seulement inutiles pour la cellule, mais elles peuvent même être dangereuses. Beaucoup de protéines présentant une région hydrophobe anormalement exposée peuvent former de gros amas et précipiter hors solution. Nous verrons que, dans de rares cas, ces amas peuvent se former et provoquer des maladies graves chez l'homme. Mais dans la grande majorité des cellules, des mécanismes puissants de contrôle de qualité évitent de tels désastres.

Étant donné ces considérations fondamentales, il n'est pas surprenant que les cellules aient développé des mécanismes complexes qui reconnaissent et retirent les plaques hydrophobes sur les protéines. Deux de ces mécanismes dépendent des molécules chaperons que nous venons de voir ; elles se fixent sur ces plaques et essayent de réparer la protéine défectueuse en lui donnant une autre chance de se replier. En même temps, en recouvrant ces plaques hydrophobes, les chaperons évitent transitoirement l'agrégation des protéines. Les protéines qui se replient correctement très rapidement d'elles-mêmes n'ont pas de telles plaques et les molécules chaperons les court-circuitent.

La figure 6-85 présente les grandes lignes de l'ensemble des choix de contrôles de qualité effectués pour une protéine néosynthétisée qui présente des difficultés à se replier. Comme cela est indiqué, lorsque les essais entrepris pour replier la protéine échouent, un troisième mécanisme entre en jeu et détruit complètement la protéine par protéolyse. Cette voie de la protéolyse commence par la reconnaissance des plaques hydrophobes anormales de la surface protéique et se termine par livraison de la protéine entière à une machinerie de destruction protéique, un complexe de protéases appelé *protéasome*. Comme nous le décrirons ultérieurement, ce processus dépend d'un système de marquage protéique élaboré qui exécute aussi d'autres fonctions dans la cellule en détruisant certaines protéines normales.

Le protéasome dégrade un nombre substantiel de protéines néosynthétisées dans la cellule

Les cellules retirent rapidement les ratages de leurs processus de traduction. Des expériences récentes suggèrent qu'il y a au moins un tiers des nouvelles chaînes polypeptidiques qui sont sélectionnées pour subir une dégradation rapide du fait des mécanismes de contrôle de qualité protéique que nous venons de décrire. Dans les eucaryotes, l'appareil d'élimination finale est le **protéasome**, une abondante protéase, ATP-dépendante, qui constitue près de 1 p. 100 des protéines cellulaires. Présent sous forme de nombreuses copies dispersées dans le cytosol et le noyau, le protéasome cible aussi les protéines du réticulum endoplasmique (RE) : les protéines qui n'arrivent pas à se replier ou à s'assembler correctement après leur entrée dans le RE sont détectées par un système de surveillance basé sur le RE qui entraîne leur « *rétro-translocation* » vers le cytosol où elles sont dégradées (*voir* Chapitre 12).

Chaque protéasome est composé d'un cylindre creux central (le cœur 20S du protéasome) formé de multiples sous-unités protéiques qui s'assemblent en une pile de quatre anneaux heptamériques. Certaines de ces sous-unités sont différentes protéases dont les sites actifs font face à la chambre interne du cylindre (Figure 6-86A). Chaque extrémité du cylindre est normalement associée à un grand complexe protéique (la coiffe 19S) contenant approximativement 20 polypeptides différents (Figure 6-86B). Les sous-unités de la coiffe contiennent au moins six protéines qui hydrolysent l'ATP. Localisées près du bord du cylindre, on pense que ces ATPases déplient les protéines à digérer et les déplacent dans la chambre intérieure pour leur protéolyse. Une des propriétés cruciales du protéasome et une des raisons de sa conformation complexe est le mode de fonctionnement de son mécanisme : contrairement aux « simples » protéases qui coupent la chaîne polypeptidique une seule fois avant de se dissocier, le protéasome reste relié à l'ensemble du substrat jusqu'à ce qu'il soit converti en courts peptides.

La coiffe 19S agit comme une porte de régulation à l'entrée de la chambre protéolytique interne et est également responsable de la liaison du substrat protéique cible au protéasome. Sauf quelques exceptions, les protéasomes agissent sur les protéines spécifiquement marquées pour leur destruction par la fixation covalente de multiples copies d'une petite protéine, l'*ubiquitine* (Figure 6-87A). L'ubiquitine existe dans les cellules soit libre soit liée de façon covalente à un très large éventail de protéines intracellulaires. Pour la plupart des protéines, ce marquage par l'ubiquitine entraîne leur destruction par le protéasome.

Un système élaboré de conjugaison à l'ubiquitine marque les protéines pour leur destruction

Une enzyme *E1* (*ubiquitin-activating enzyme*) dépendante de l'ATP prépare l'ubiquitine pour sa conjugaison aux autres protéines en créant une ubiquitine activée transférée sur l'une des enzymes d'un groupe d'enzymes *E2* (*ubiquitin-conjugating enzyme*). Les enzymes E2 agissent en association avec des protéines accessoires (E3). Dans le complexe E2-E3, appelé *ubiquitine-protéine ligase*, le composant E3 se fixe sur les signaux spécifiques de dégradation situés sur le substrat protéique, et aide E2 à former une chaîne de *polyubiquitines* fixées sur chaque lysine du substrat protéique. Dans cette chaîne, le résidu C-terminal de chaque ubiquitine est relié à une lysine particulière de la molécule d'ubiquitine précédente, ce qui produit une série linéaire de conjugués ubiquitine-ubiquitine (Figure 6-87B). C'est cette chaîne de polyubiquitines placée sur une protéine cible qui est reconnue par un récepteur spécifique situé sur le protéasome.

Il existe à peu près 30 enzymes E2 de structure similaire mais distincte chez les mammifères et des centaines de protéines E3 différentes qui forment des complexes avec les enzymes E2. Le système ubiquitine-protéasome comporte donc de nombreuses voies protéolytiques distinctes, mais d'organisation similaire, qui ont en commun l'enzyme E1 au « *sommet* » et le protéasome en « *bas* » et qui diffèrent par la composition de leur E2-E3 ubiquitine-protéine ligase et de leurs facteurs accessoires. Les différentes ubiquitine-protéine ligases reconnaissent différents signaux de dégradation et ciblent donc des sous-ensembles distincts de protéines intracellulaires qui portent ces signaux pour les dégrader.

(A)

(B)

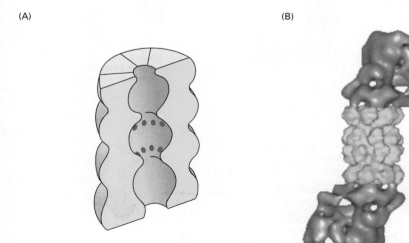

Figure 6-86 Protéasome. (A) Vue en coupe de la structure du cylindre central 20S, déterminée par cristallographie aux rayons X, avec les sites actifs de la protéase indiqués par des *points rouges*. (B) Structure d'un protéasome complet, dans lequel le cylindre central (en *jaune*) est additionné d'une coiffe 19S (en *bleu*) à chaque extrémité et dont la structure a été déterminée par le traitement informatisé d'images de microscopie électronique. La structure complexe de la coiffe se fixe sélectivement sur les protéines marquées pour leur destruction : elle utilise alors l'hydrolyse de l'ATP pour déplier la chaîne polypeptidique et l'introduire dans la chambre intérieure du cylindre 20S pour qu'elle y subisse une digestion en courts peptides. (B, d'après W. Baumeister et al., *Cell* 92 : 367-380, 1998. © Elsevier.)

Les protéines dénaturées ou mal repliées, ainsi que les protéines contenant des acides aminés oxydés ou anormaux, sont reconnues et détruites parce que les protéines anormales ont tendance à présenter à leur surface des séquences d'acides aminés ou des types de conformation qui sont reconnus comme des signaux de dégradation par le groupe de molécules E3 présent sur le système ubiquitine-protéasome ; ces séquences sont naturellement enfouies et donc inaccessibles, sur les contreparties normales de ces protéines. Cependant, une voie protéolytique qui reconnaît et détruit les protéines anormales doit être capable de différencier les protéines *terminées* « mal conformées » des nombreux polypeptides en croissance sur les ribosomes (ainsi que des polypeptides venant d'être libérés des ribosomes) qui n'ont pas encore terminé leur repliement dans leur conformation normale. Ce problème n'est pas insignifiant : on pense que le système ubiquitine-protéasome détruit certaines molécules protéiques naissantes et néoformées non pas parce qu'elles sont anormales en tant que telles mais parce qu'elles exposent transitoirement les signaux de dégradation qui sont enfouis dans leur état mature (replié).

Beaucoup de protéines sont contrôlées par une destruction régulée

Une des fonctions des mécanismes protéolytiques intracellulaires est de reconnaître et d'éliminer les protéines mal repliées ou anormales comme cela vient d'être décrit. Cependant, une autre fonction de ces voies protéolytiques est de conférer une courte demi-vie à certaines protéines normales dont la concentration doit varier rapidement

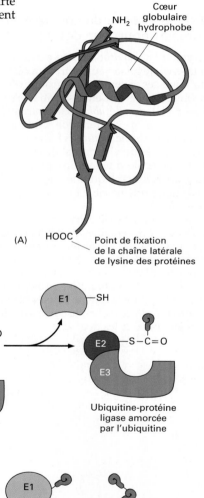

Figure 6-87 L'ubiquitine et le marquage des protéines par une chaîne de polyubiquitines. (A) Structure tridimensionnelle de l'ubiquitine ; cette protéine relativement petite contient 76 acides aminés. (B) L'extrémité C-terminale de l'ubiquitine est initialement activée par sa liaison thioester avec une chaîne latérale de cystéine de la protéine E1. Cette réaction nécessite de l'ATP et s'effectue via un intermédiaire covalent AMP-ubiquitine. L'ubiquitine activée sur E1, aussi appelée *ubiquitin-activating enzyme*, est alors transférée sur les cystéines d'un groupe de molécules E2. Ces E2 existent sous forme de complexe avec une famille encore plus large de molécules E3. (C) Addition d'une chaîne de polyubiquitines sur une protéine cible. Dans les cellules des mammifères, il existe à peu près 300 complexes E2-E3 différents, chacun reconnaissant un signal de dégradation différent sur la protéine cible au moyen de son composant E3. Les E2 sont appelées *ubiquitin-conjugating enzyme*. Les E3 se réfèrent traditionnellement aux ubiquitine-protéine ligases, mais il est plus précis de réserver ce nom au complexe fonctionnel E2-E3.

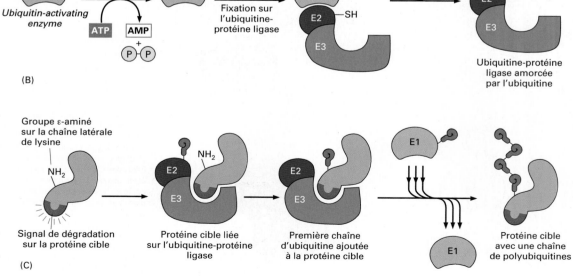

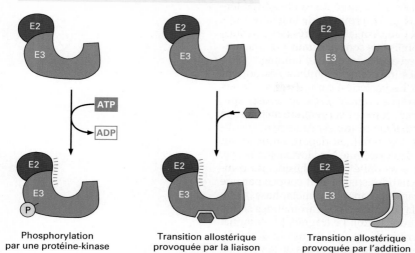

(A) ACTIVATION D'UNE UBIQUITINE-PROTÉINE LIGASE

ATP
ADP

Phosphorylation
par une protéine-kinase

Transition allostérique
provoquée par la liaison
au ligand

Transition allostérique
provoquée par l'addition
d'une sous-unité protéique

Figure 6-88 Deux modes généraux de dégradation d'une protéine spécifique. (A) L'activation de la molécule E3 spécifique crée une nouvelle ubiquitine-protéine ligase. (B) Un signal de dégradation est formé puis exposé sur la protéine qui doit être dégradée. Ce signal s'unit à une ubiquitine-protéine ligase, provoquant l'addition d'une chaîne de polyubiquitines sur une lysine proche sur la protéine cible. On sait que les six voies montrées sont utilisées par les cellules pour induire le déplacement des protéines sélectionnées dans les protéasomes.

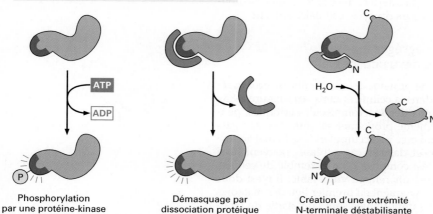

(B) ACTIVATION D'UN SIGNAL DE DÉGRADATION

ATP
ADP

Phosphorylation
par une protéine-kinase

Démasquage par
dissociation protéique

Création d'une extrémité
N-terminale déstabilisante

avec les changements d'état de la cellule. Certaines de ces protéines à courte durée de vie sont toujours dégradées rapidement, alors que beaucoup d'autres ont une demi-vie *conditionnelle*, c'est-à-dire qu'elles sont métaboliquement stables sous certaines conditions mais deviennent instables lors de modifications de l'état de la cellule. Par exemple, les cyclines mitotiques ont une longue durée de vie tout au long du cycle cellulaire jusqu'à ce qu'elles soient soudainement dégradées à la fin de la mitose, comme cela sera expliqué au chapitre 17.

Comment cette destruction protéique si régulée est-elle contrôlée? On connaît divers mécanismes qui seront illustrés par des exemples spécifiques ultérieurement dans ce livre. Selon certains mécanismes généraux (Figure 6-88A), l'activité d'une ubiquitine-protéine ligase est activée soit par phosphorylation d'E3 soit par une transition allostérique de la protéine E3 provoquée par sa fixation sur une petite ou une grande molécule spécifique. Par exemple, le complexe promoteur de l'anaphase (APC) est une ubiquitine-protéine ligase, à sous-unités multiples, activée par l'addition d'une sous-unité au moment de la mitose réglée par le cycle cellulaire. L'APC activé provoque alors la dégradation des cyclines mitotiques et de divers autres régulateurs de la transition métaphase-anaphase (*voir* Figure 17-20).

En réponse à des signaux intracellulaires ou provenant de l'environnement, un signal de dégradation peut aussi être créé dans une protéine et provoquer son ubiquitinylation rapide et sa destruction par les protéasomes. Une des méthodes habituelles de création d'un tel signal est la phosphorylation d'un site spécifique d'une protéine qui démasque un signal de dégradation normalement enfoui. Une autre façon de démasquer ce signal est la dissociation régulée d'une sous-unité protéique. Enfin de puissants signaux de dégradation peuvent être engendrés par une seule coupure d'une liaison peptidique, si cette coupure crée une nouvelle extrémité N-terminale reconnue par une E3 spécifique comme étant un résidu N-terminal déstabilisant (Figure 6-88B).

Le type de signal N-terminal de dégradation apparaît à cause de la « règle de l'extrémité N » qui lie la demi-vie de la protéine *in vivo* à l'identité de son résidu N-terminal. Il existe 12 résidus déstabilisants pour la règle N-terminale de la levure *S. cerevisiae* (Arg, Lys, His, Phe, leu, Tyr, Trp, Ile, Asp, Glu, Asn, et Gln) tirés des 20 acides aminés standard. Ces résidus N-terminaux déstabilisants sont reconnus par une ubiquitine-protéine ligase spécifique qui a été conservée des levures à l'homme.

Comme nous l'avons vu, toutes les protéines initialement synthétisées portent une méthionine (ou une formylméthionine pour les bactéries) comme résidu N-terminal, et ce résidu est stabilisant d'après la règle de l'extrémité N. Des protéases spécifiques, les méthionine aminopeptidases, éliminent souvent la première méthionine de la protéine naissante, mais seulement si le deuxième résidu est également stabilisant selon la règle de l'extrémité N des levures. De ce fait, au départ, on ne savait pas clairement comment les substrats de la règle de l'extrémité N se formaient *in vivo*. Récemment on a découvert, cependant, qu'une sous-unité de la cohésine, un complexe protéique qui maintient ensemble les chromatides sœurs, était coupée par une protéase spécifique de site au moment de la transition anaphase-métaphase. Cette coupure, régulée par le cycle cellulaire, permet la séparation des chromatides sœurs et conduit à la terminaison de la mitose (*voir* Figure 17-26). Le fragment C-terminal de la sous-unité coupée porte une arginine N-terminale, qui est un résidu déstabilisant selon la règle de l'extrémité N. Des cellules mutantes, dépourvues de la voie métabolique de la règle de l'extrémité N, présentent beaucoup plus fréquemment de perte de chromosomes, probablement parce qu'il leur est impossible de dégrader ce fragment de la sous-unité de cohésine et que cela interfère avec la formation de nouveaux complexes « chromatide-cohésine » au cours du cycle cellulaire suivant.

Les protéines mal repliées peuvent s'agréger et provoquer des maladies humaines destructrices

Lorsque tous les contrôles cellulaires de qualité protéique sont absents, de gros agrégats protéiques ont tendance à s'accumuler dans la cellule atteinte (*voir* Figure 6-85). Certains de ces agrégats, en adsorbant sur eux des macromolécules critiques, peuvent endommager sévèrement la cellule et même provoquer sa mort. Les agrégats protéiques libérés des cellules mortes ont tendance à s'accumuler dans la matrice extracellulaire qui entoure les cellules d'un tissu et, dans les cas extrêmes, peuvent aussi endommager les tissus. Comme le cerveau est composé d'un ensemble de cellules nerveuses extrêmement organisées, il est particulièrement vulnérable. Il n'est donc pas surprenant que les agrégats protéiques provoquent en premier lieu des maladies nerveuses dégénératives. Parmi elles, les plus importantes sont la maladie de Huntington et la maladie d'Alzheimer – cette dernière provoquant de nos jours une démence liée à l'âge de plus de 20 millions d'individus.

Pour qu'un type particulier d'agrégat protéique survive, se développe et lèse un organisme, il doit être particulièrement résistant à la protéolyse qui se produit à la fois dans la cellule et à l'extérieur de celle-ci. Beaucoup d'agrégats protéiques qui causent des problèmes forment des fibrilles, édifiées à partir d'une série de chaînes polypeptidiques disposées en couches les unes sur les autres, comme une pile ininterrompue de feuillets β. Ces *filaments β croisés* (Figure 6-89) ont tendance à être extrêmement résistants à la protéolyse. Cette résistance explique probablement pourquoi on observe cette structure dans un si grand nombre de troubles neurologiques provoqués par des agrégats protéiques, où elle produit des dépôts *amyloïdes* prenant une coloration anormale.

Plusieurs de ces maladies d'un type particulier ont atteint une grande notoriété. Ce sont les **maladies à prions**. Contrairement aux maladies de Huntington ou d'Alzheimer, les maladies à prions peuvent passer d'un organisme à un autre si le deuxième organisme mange le tissu contenant l'agrégat protéique. Plusieurs maladies – la tremblante du mouton, la maladie de Creutzfeld-Jacob de l'homme et l'encéphalopathie spongiforme bovine (ESB) des bovins – sont provoquées par l'agrégation d'une forme mal repliée d'une protéine appelée PrP (pour protéine du prion). La PrP est normalement localisée à la surface externe de la membrane plasmique, surtout dans les neurones. On ne connaît pas sa fonction normale. Cependant, la PrP a malheureusement la propriété de se convertir pour adopter une conformation anormale très particulière (Figure 6-89A). Cette conformation forme un filament β croisé, résistant aux protéases et elle est également « infectieuse » parce qu'elle transforme les molécules normalement repliées de PrP en cette même forme anormale. Cette propriété engendre une boucle de rétrocontrôle positif qui propage la forme anormale de PrP, appelée PrP* (Figure 6-89B), et entraîne ainsi la dissémination rapide de la PrP d'une cellule à l'autre dans le cerveau, provoquant la mort de l'homme et de l'animal. Il peut être dange-

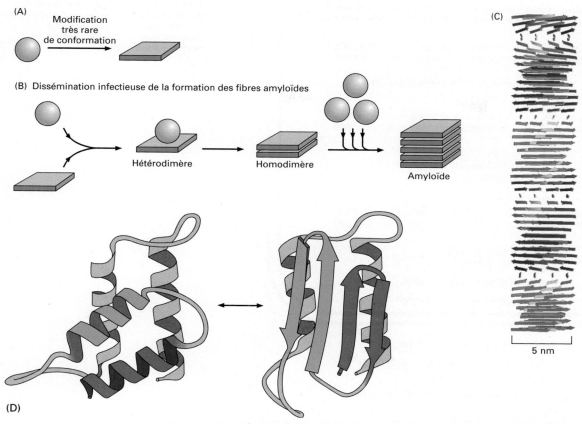

Figure 6-89 Des agrégats protéiques provoquent des maladies humaines. (A) Schéma du type de modifications de conformation des protéines qui produit un matériau formant un filament β croisé. (B) Schéma illustrant la nature auto-infectieuse de l'agrégat protéique au cœur des maladies à prions. La PrP est très particulière parce que la version mal repliée de la protéine, appelée PrP*, induit une modification de conformation des protéines PrP avec lesquelles elle entre en contact, comme cela est montré. La plupart des maladies humaines provoquées par une agrégation protéique sont dues à la surproduction d'un variant protéique, particulièrement sujet à s'agréger ; cependant cette structure n'est pas infectieuse et ne peut pas passer d'un animal à l'autre. (C) Dessin d'un filament β croisé. C'est un type fréquent d'agrégat protéique résistant aux protéases retrouvé dans diverses maladies neurologiques humaines. Comme des interactions des liaisons hydrogène se forment dans les feuillets β entre les atomes du squelette polypeptidique (*voir* Figure 3-9), un certain nombre de protéines différentes mal repliées peuvent produire cette structure. (D) Un des nombreux modèles possibles de conversion de la PrP en PrP*, qui montre la transformation probable de deux hélices α en quatre brins β. Bien que la structure de la protéine normale ait été déterminée avec précision, la structure de la forme infectieuse n'est pas encore connue avec certitude parce que son agrégation empêche l'utilisation des techniques structurelles standard. (C, due à l'obligeance de Louise Serpell, adapté d'après M. Sunde et al., *J. Mol. Biol.* 273 : 729-739, 1997 ; D, adapté de S.B. Prusiner, *Trends Biochem. Sci.* 21 : 482-487, 1996.)

reux de manger les tissus animaux contenant la PrP*, et nous avons pu en être témoins récemment avec la dissémination de l'ESB (appelée communément « maladie de la vache folle ») des bovins aux hommes en Grande-Bretagne.

Heureusement, en l'absence de PrP*, la PrP est extraordinairement difficile à transformer en sa forme anormale. Même si très peu de protéines présentent ce potentiel de repliement dans une conformation infectieuse, il a été découvert qu'une transformation similaire était responsable d'une « hérédité protéique » qui reste par ailleurs mystérieuse, dans les cellules de levures.

Il existe de nombreuses étapes entre l'ADN et les protéines

Nous avons vu jusqu'à présent dans ce chapitre qu'un grand nombre de réactions chimiques de types différents était nécessaire pour produire une protéine correctement repliée à partir des informations contenues dans un gène (Figure 6-90). La quantité finale d'une protéine correctement repliée dans la cellule dépend donc de l'efficacité avec laquelle s'effectue chacune de ces nombreuses étapes.

Nous parlerons dans le chapitre 7 de la capacité des cellules à modifier la concentration de leurs protéines en fonction de leurs besoins. En principe toutes les étapes

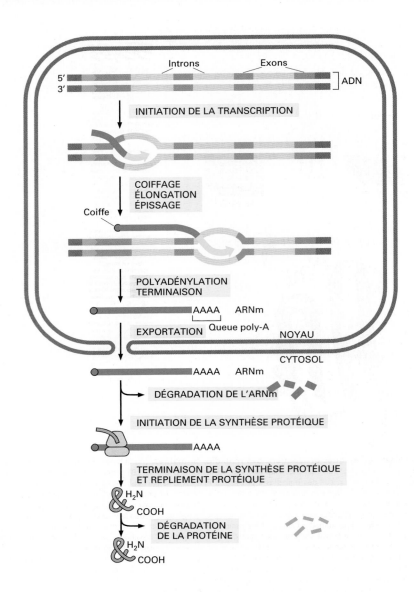

Figure 6-90 Production d'une protéine par une cellule eucaryote. La concentration finale en chaque protéine d'une cellule eucaryote dépend du bon fonctionnement de chaque étape décrite.

Dans la figure :

Introns | Exons

5′
3′ } ADN

INITIATION DE LA TRANSCRIPTION

COIFFAGE
ÉLONGATION
ÉPISSAGE

Coiffe

POLYADÉNYLATION
TERMINAISON

AAAA | ARNm

EXPORTATION | Queue poly-A | NOYAU

CYTOSOL

AAAA | ARNm

DÉGRADATION DE L'ARNm

INITIATION DE LA SYNTHÈSE PROTÉIQUE

AAAA

TERMINAISON DE LA SYNTHÈSE PROTÉIQUE
ET REPLIEMENT PROTÉIQUE

H₂N
COOH

DÉGRADATION
DE LA PROTÉINE

H₂N
COOH

de la figure 6-90 devraient pouvoir être régulées par la cellule pour chaque protéine. Cependant, comme nous le verrons au chapitre 7, l'initiation de la transcription est le point où s'effectue le plus fréquemment la régulation de l'expression de chaque gène par la cellule. Cela est sensé, du fait que le moyen le plus efficace de maintenir un gène non exprimé est de bloquer la toute première étape de son expression – à savoir la transcription de sa séquence d'ADN en une molécule d'ARN.

Résumé

La traduction de la séquence nucléotidique d'une molécule d'ARNm en une protéine s'effectue dans le cytoplasme sur un gros assemblage ribonucléoprotéique appelé ribosome. Les acides aminés utilisés pour la synthèse protéique sont d'abord fixés sur une famille de molécules d'ARNt dont chacune reconnaît, par des interactions d'appariement de bases complémentaires, un groupe particulier de trois nucléotides sur l'ARNm (le codon). La séquence des nucléotides de l'ARNm est alors lue d'une extrémité à l'autre par groupe de trois selon le code génétique.

Pour commencer la traduction, la petite sous-unité ribosomique se fixe sur la molécule d'ARNm au niveau du codon de départ (AUG) reconnu par une molécule initiatrice particulière d'ARNt. La grande sous-unité ribosomique se fixe pour former le ribosome complet et commence la phase d'élongation de la synthèse protéique. Pendant cette phase, les aminoacyl-ARNt – portant chacun un acide aminé spécifique – se lient séquentiellement au codon approprié de l'ARNm par l'intermédiaire d'un appariement de bases complémentaires avec l'anticodon d'ARNt. Chaque acide aminé est ajouté à l'extrémité C-terminale du polypeptide en croissance par un cycle comportant trois étapes séquentielles : la liaison à l'aminoacyl-ARNt, suivie de la formation d'une liaison peptidique, suivie du déplacement du ribosome. La molécule d'ARNm progresse codon par codon à travers le ribosome dans la direction 5' → 3' jusqu'à ce qu'un des trois codons d'arrêt soit atteint. Un facteur de libération se fixe alors sur le ribosome, ce qui termine la traduction et libère le polypeptide terminé.

Les ribosomes eucaryotes et bactériens sont très apparentés, malgré des différences dans le nombre et la taille de leur ARNr et de leurs composants protéiques. Les ARNr jouent un rôle dominant dans la traduction : ils déterminent la structure globale du ribosome, forment les sites de fixation de l'ARNt, font correspondre l'ARNt au codon de l'ARNm et fournissent l'enzyme peptidyl transférase dont l'activité relie les acides aminés au cours de la traduction.

Au cours des étapes finales de la synthèse protéique, deux types distincts de molécules chaperons guident le repliement de la chaîne polypeptidique. Ces molécules chaperons, appelées hsp60 et hsp70, reconnaissent des plaques hydrophobes exposées à la surface des protéines et empêchent l'agrégation protéique qui entrerait en compétition avec le repliement des protéines néosynthétisées dans leur conformation tridimensionnelle correcte. Ce processus de repliement protéique doit aussi entrer en compétition avec un mécanisme de contrôle de qualité très complexe qui détruit les protéines présentant des plaques hydrophobes anormalement exposées. Dans ce cas, une molécule d'ubiquitine est ajoutée de façon covalente à la protéine mal repliée par une ubiquitine-protéine ligase. La chaîne de polyubiquitine qui en résulte est reconnue par la coiffe d'un protéasome qui fait entrer la protéine complète à l'intérieur du protéasome pour qu'elle subisse une dégradation protéolytique. Un autre mécanisme protéolytique fortement apparenté, basé sur des signaux de dégradation particuliers reconnus par l'ubiquitine-protéine ligase, est utilisé pour déterminer la durée de vie d'un grand nombre de protéines normalement repliées. Par cette méthode, certaines protéines normales sont éliminées de la cellule en réponse à des signaux spécifiques.

LE MONDE DE L'ARN ET LES ORIGINES DE LA VIE

Pour comprendre complètement les processus qui se produisent dans nos cellules vivantes actuelles, nous devons considérer comment ils sont apparus au cours de l'évolution. Le processus le plus fondamental est l'expression de l'information héréditaire qui nécessite de nos jours une machinerie extrêmement complexe pour effectuer le traitement de l'ADN en protéines par l'intermédiaire de l'ARN. Comment cette machinerie est-elle apparue ? Une des hypothèses est qu'il existait sur terre un *monde d'ARN* avant l'apparition des cellules modernes (Figure 6-91). Selon cette hypothèse, l'ARN conservait l'information génétique et catalysait les réactions chimiques dans les cellules primitives. Ce n'est que tardivement au cours de l'évolution que l'ADN l'a remplacé en tant que matériel génétique et que les protéines sont devenues les catalyseurs et les composants structuraux majeurs de la cellule. Si cette hypothèse est correcte, alors la transition avec le monde de l'ARN ne s'est jamais terminée ; comme nous l'avons vu dans ce chapitre, l'ARN catalyse encore diverses réactions fondamentales dans les cellules modernes, ce que l'on peut considérer comme un vestige moléculaire de l'ancien monde.

Dans cette section, nous aborderons les grandes lignes de certains arguments qui soutiennent l'hypothèse d'un monde d'ARN. Nous verrons que plusieurs caractéristiques parmi les plus surprenantes des cellules modernes, comme les ribosomes et la machinerie d'épissage du pré-ARNm, s'expliquent plus facilement si on les considère comme des descendants du réseau complexe d'interactions ayant eu l'ARN comme intermédiaire et qui dominaient le métabolisme cellulaire dans le monde d'ARN. Nous verrons également comment l'ADN a pu prendre la place du matériel génétique, comment est apparu le code génétique et comment les protéines ont pu éclipser l'ARN pour effectuer la masse énorme de catalyses biochimiques des cellules modernes.

La vie nécessite une auto-catalyse

Il a été proposé que les premières molécules biologiques sur Terre ont été formées par une catalyse, basée sur les métaux, à la surface cristalline des minéraux. En principe, un système complexe de synthèse moléculaire et de dégradation (métabolisme) aurait pu exister sur ces surfaces longtemps avant que les premières cellules n'apparaissent. Mais la vie à besoin de molécules qui possèdent une propriété primordiale : la capacité de catalyser les réactions qui conduisent, directement ou indirectement, à la production d'un plus grand nombre de molécules identiques à elles-mêmes. Les catalyseurs, qui ont cette propriété particulière de s'auto-promouvoir, peuvent utili-

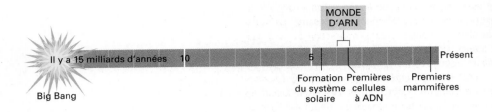

ser des matériaux bruts pour se reproduire eux-mêmes et détourner ainsi ces mêmes matériaux de la production d'autres substances. Mais quelles molécules pouvaient avoir ces propriétés catalytiques dans les cellules ancestrales? Dans les cellules actuelles, les catalyseurs les plus polyvalents sont les polypeptides, composés de plusieurs acides aminés différents, dotés de chaînes latérales chimiquement différentes, et qui peuvent par conséquent adopter diverses formes tridimensionnelles qui se hérissent de groupements chimiques réactifs. Mais, même si les polypeptides sont des catalyseurs polyvalents, on ne connaît aucune méthode qui pourrait permettre à ces molécules de se reproduire elles-mêmes en spécifiant directement la formation d'une autre molécule possédant précisément la même séquence.

Les polynucléotides peuvent stocker des informations et catalyser des réactions chimiques

Les polynucléotides ont une propriété qui contraste avec celles des polypeptides : ils peuvent guider directement la formation de copies exactes de leur propre séquence. Cette capacité dépend de l'appariement de bases complémentaires des sous-unités nucléotidiques qui permet à un polynucléotide d'agir comme matrice pour en former un autre. Comme nous l'avons vu dans ce chapitre et dans le précédent, ces mécanismes basés sur la complémentarité à une matrice sont au cœur de la réplication et de la transcription de l'ADN des cellules modernes.

Mais la synthèse efficace des polynucléotides, par ces mécanismes de complémentarité à une matrice, nécessite des catalyseurs qui provoquent la réaction de polymérisation : sans ces catalyseurs, la formation des polymères est lente, sujette à erreur et inefficace. Aujourd'hui, la polymérisation des nucléotides basée sur l'utilisation d'une matrice est catalysée rapidement par des enzymes protéiques – comme les ARN et les ADN polymérases. Comment pouvait-elle être catalysée lorsqu'il n'existait pas de protéines possédant la spécification enzymatique adaptée? Un début de réponse à cette question a été apporté en 1982, lorsqu'on a découvert que les molécules d'ARN elles-mêmes pouvaient agir comme des catalyseurs. Nous avons vu dans ce chapitre, par exemple, qu'une molécule d'ARN était le catalyseur de la réaction de la peptidyl transférase qui s'effectue sur les ribosomes. Cette capacité unique des molécules d'ARN d'agir à la fois comme des transporteurs d'information et des catalyseurs est à la base de l'hypothèse d'un monde gouverné par l'ARN.

De ce fait, l'ARN possède toutes les propriétés requises nécessaires pour une molécule qui pourrait catalyser sa propre synthèse (Figure 6-92). Même si, dans la nature, aucun système d'auto-réplication des molécules d'ARN n'a été retrouvé, les scientifiques espèrent pouvoir les établir au laboratoire. Cette mise en évidence ne prouvera pas que des molécules d'ARN dotées d'auto-réplication étaient, à l'origine, essentielles à la vie sur terre, mais elle suggérera certainement qu'un tel scénario est possible.

Un monde de pré-ARN a probablement précédé le monde d'ARN

Même si l'ARN semble être bien adapté pour former la base d'un groupe de catalyseurs biochimiques capables d'auto-réplication, il est peu probable que l'ARN ait été

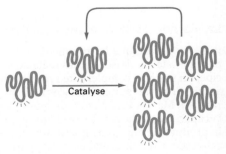

Figure 6-92 Une molécule d'ARN peut catalyser sa propre synthèse. Ce processus hypothétique nécessiterait la catalyse de la production d'un deuxième brin d'ARN de séquence nucléotidique complémentaire et l'utilisation de cette deuxième molécule comme matrice pour former de nombreuses molécules d'ARN ayant la séquence originelle. Les *rayons rouges* représentent le site actif de cette enzyme ARN hypothétique.

la première sorte de molécule à le faire. D'un point de vue purement chimique, il est difficile d'imaginer quelle était la longueur de la molécule d'ARN qui pouvait être formée initialement par des moyens purement non enzymatiques. Tout d'abord, les précurseurs de l'ARN, ou ribonucléotides, sont difficiles à former de façon non enzymatique. De plus, la synthèse de l'ARN nécessite la formation d'une longue série de liaisons phosphodiester 3' → 5' entrant en compétition avec un groupe de réactions incluant l'hydrolyse, les liaisons 2' → 5', les liaisons 5' → 5' et ainsi de suite. Étant donné ces problèmes, il a été suggéré que les premières molécules à posséder à la fois une activité catalytique et une capacité de stockage de l'information étaient peut-être des polymères ressemblant à l'ARN mais chimiquement plus simples (Figure 6-93). Nous ne possédons aucun vestige de ces composés dans les cellules actuelles ni de tels composés oubliés dans des fossiles. Néanmoins, la simplicité relative de ces polymères de type ARN (*ARN-like*) fait d'eux de meilleurs candidats que l'ARN lui-même pour être les premiers polymères biologiques sur terre à avoir à la fois des capacités de stockage de l'information et d'activité de catalyse.

La transition entre le monde de pré-ARN et le monde d'ARN s'est peut-être produite par l'intermédiaire de la synthèse d'un ARN utilisant un de ces composés plus simples à la fois comme matrice et catalyseur. La plausibilité de ce schéma est confortée par des expériences de laboratoire montrant qu'une de ces formes plus simples (l'APN – *voir* Figure 6-93) pouvait agir comme matrice pour la synthèse d'une molécule complémentaire d'ARN, parce que la géométrie globale des bases est similaire dans les deux molécules. Il est vraisemblable que les polymères de pré-ARN aient aussi catalysé la formation de précurseurs des nucléotides à partir de molécules plus simples. Une fois que la première molécule d'ARN a été produite, elle a pu se diversifier petit à petit et prendre les fonctions effectuées à l'origine par les polymères de pré-ARN, pour conduire finalement au monde d'ARN de notre hypothèse.

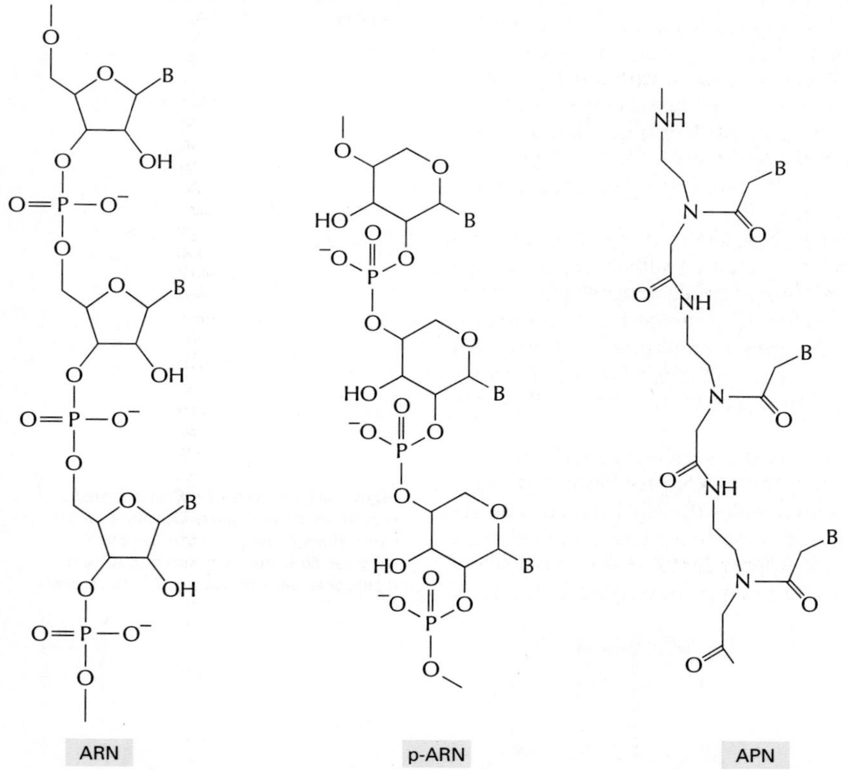

Figure 6-93 Structure de l'ARN et de deux polymères apparentés transporteurs d'information. Dans chaque cas, B indique la position des bases purine et pyrimidine. Le polymère p-ARN (pyranosyl-ARN) est un ARN dans lequel la forme furanose (cycle à cinq composants) du ribose a été remplacée par la forme pyranose (cycle à six composants). Dans l'APN (acide peptide nucléique), le squelette de ribose-phosphate de l'ARN a été remplacé par le squelette peptidique des protéines. Comme l'ARN, le p-ARN et l'APN peuvent former des doubles hélices par appariement de bases complémentaires et chacun aurait donc pu servir en principe de matrice pour sa propre synthèse (*voir* Figure 6-92).

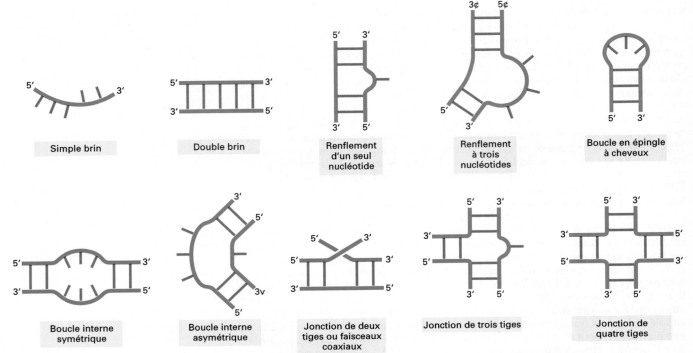

Figure 6-94 Éléments communs de la structure secondaire de l'ARN. Les interactions d'appariement de bases conventionnel sont indiquées par des *barreaux rouges* dans les portions en double hélice de l'ARN.

Simple brin

Double brin

Renflement d'un seul nucléotide

Renflement à trois nucléotides

Boucle en épingle à cheveux

Boucle interne symétrique

Boucle interne asymétrique

Jonction de deux tiges ou faisceaux coaxiaux

Jonction de trois tiges

Jonction de quatre tiges

Les molécules d'ARN simple brin peuvent se replier en des structures extrêmement complexes

Nous avons vu que des appariements de bases complémentaires et d'autres types de liaisons hydrogène pouvaient se produire entre les nucléotides d'une même chaîne, provoquant un repliement unique de la molécule d'ARN, déterminé par sa séquence nucléotidique (*voir* par exemple, Figures 6-6, 6-52 et 6-67). La comparaison de nombreuses structures d'ARN ont révélé des motifs conservés, petites structures utilisées encore et encore comme partie de structures plus grosses. Certains de ces motifs structuraux secondaires d'ARN sont illustrés dans la figure 6-94. De plus, quelques exemples communs d'interactions plus longues et plus complexes, appelées interactions tertiaires de l'ARN, sont montrés dans la figure 6-95.

Les catalyseurs protéiques nécessitent une surface dotée de contours et de propriétés chimiques particuliers sur laquelle un groupe donné de substrats peut réagir (*voir* Chapitre 3). Une molécule d'ARN ayant une forme repliée adaptée peut servir d'enzyme exactement de la même façon (Figure 6-96). Comme certaines protéines, beaucoup de ces ribozymes agissent en plaçant des ions métalliques sur leurs sites actifs. Cette caractéristique leur donne un plus large éventail d'activités catalytiques que ne pourraient leur donner les groupements chimiques en nombre limité de la chaîne polynucléotidique.

Il existe relativement peu d'ARN catalytiques dans les cellules modernes, cependant, et beaucoup de nos déductions sur le monde d'ARN proviennent d'expériences au cours desquelles de grands groupes de molécules d'ARN pourvues de séquences nucléotidiques aléatoires sont engendrés au laboratoire. Les quelques rares molécules d'ARN ayant la propriété spécifiée par l'expérimentateur sont alors sélectionnées et étudiées (Figure 6-97). Les expériences de ce type ont engendré des ARN

Figure 6-95 Exemples d'interactions tertiaires dans l'ARN. Certaines de ces interactions peuvent joindre des parties distantes de la même molécule d'ARN ou rapprocher deux molécules d'ARN séparées.

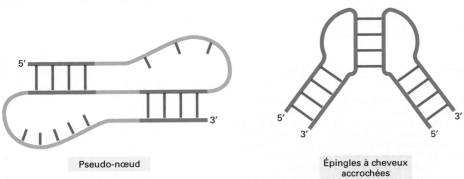

Pseudo-nœud

Épingles à cheveux accrochées

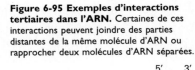

Contact boucle d'épingle à cheveux-renflement

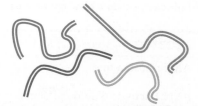

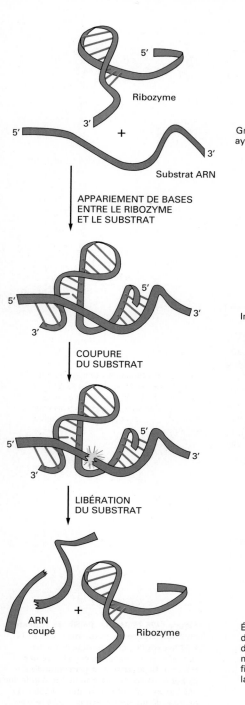

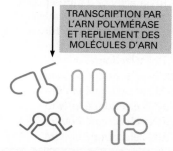

Groupe important de molécules d'ADN double brin ayant chacune une séquence nucléotique différente engendrée de façon aléatoire

TRANSCRIPTION PAR L'ARN POLYMÉRASE ET REPLIEMENT DES MOLÉCULES D'ARN

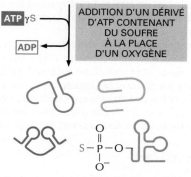

Important pool de molécules d'ARN simple brin, ayant chacune une séquence nucléotique différente engendrée de façon aléatoire

ATP γS   ADDITION D'UN DÉRIVÉ D'ATP CONTENANT DU SOUFRE À LA PLACE D'UN OXYGÈNE

ADP

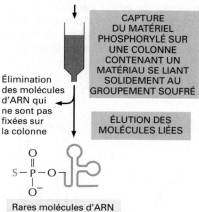

Seules les rares molécules d'ARN capables de s'auto-phosphoryler incorporent le soufre

CAPTURE DU MATÉRIEL PHOSPHORYLÉ SUR UNE COLONNE CONTENANT UN MATÉRIAU SE LIANT SOLIDEMENT AU GROUPEMENT SOUFRÉ

Élimination des molécules d'ARN qui ne sont pas fixées sur la colonne

ÉLUTION DES MOLÉCULES LIÉES

Rares molécules d'ARN ayant une activité kinase

Figure 6-96 *(ci-dessus)* **Un ribozyme.** Cette simple molécule d'ARN catalyse la coupure d'un deuxième ARN au niveau d'un site spécifique. Ce ribozyme se trouve encastré dans des génomes à ARN plus importants – appelés viroïdes – qui infectent les végétaux. La coupure qui se produit, dans la nature, sur la molécule d'ARN qui contient le ribozyme, au niveau d'une localisation éloignée, est une des étapes de la réplication du génome viroïde. Bien que non représentée sur la figure, cette réaction nécessite une molécule de Mg placée au niveau du site actif. (Adapté d'après T.R. Cech et O.C. Uhlenbeck, *Nature* 372 : 39-40, 1994.)

Dans la figure de gauche (Figure 6-96) :

Ribozyme — 5'

5' — 3'

+

Substrat ARN — 3'

APPARIEMENT DE BASES ENTRE LE RIBOZYME ET LE SUBSTRAT

COUPURE DU SUBSTRAT

LIBÉRATION DU SUBSTRAT

ARN coupé   +   Ribozyme

Figure 6-97 *(à gauche)* **Sélection *in vitro* d'un ribozyme synthétique.** Elle commence par la synthèse au laboratoire d'un important groupe de molécules d'acide nucléique. Les rares molécules d'ARN qui possèdent l'activité catalytique spécifiée peuvent être isolées et étudiées. Bien qu'un exemple spécifique (celui d'un ribozyme auto-phosphorylant) soit montré ici, des variations de cette procédure ont été utilisées pour engendrer un grand nombre des ribozymes de la liste du tableau 6-IV. Durant l'étape d'auto-phosphorylation, les molécules d'ARN sont suffisamment diluées pour éviter la phosphorylation croisée avec d'autres molécules d'ARN. En réalité, il faut répéter plusieurs fois cette procédure pour sélectionner les très rares molécules d'ARN présentant une activité catalytique. Par conséquent, le matériel qui initialement subit l'élution de la colonne est reconverti en ADN, plusieurs fois amplifié (par la transcriptase inverse et la PCR comme cela est expliqué au chapitre 8), retranscrit en ARN et soumis à des cycles répétés de sélection. (Adapté d'après J.R. Lorsch et J.W. Szostak, *Nature* 371 : 31-36, 1994.)

ACTIVITÉ	RIBOZYMES
Formation des liaisons peptidiques pendant la synthèse protéique	ARN ribosomique
Clivage de l'ARN, liaison de l'ARN	ARN à activité d'auto-épissage ; ARN sélectionné également *in vitro*
Clivage de l'ADN	ARN à activité d'auto-épissage
Épissage de l'ARN	ARN à activité d'auto-épissage, peut-être ARN des splicéosomes
Polymérisation de l'ARN	ARN sélectionné *in vitro*
Phosphorylation de l'ARN et de l'ADN	ARN sélectionné *in vitro*
Aminoacylation de l'ARN	ARN sélectionné *in vitro*
Alkylation de l'ARN	ARN sélectionné *in vitro*
Formation d'une liaison amide	ARN sélectionné *in vitro*
Clivage d'une liaison amide	ARN sélectionné *in vitro*
Formation d'une liaison glycosidique	ARN sélectionné *in vitro*
Fixation d'un métal sur une porphyrine	ARN sélectionné *in vitro*

qui pouvaient catalyser un grand nombre de réactions biochimiques (Tableau 6-IV), ce qui suggère que la principale différence entre les enzymes protéiques et les ribozymes réside dans la vitesse maximale de réaction, plutôt que dans la diversité des réactions qu'ils peuvent catalyser.

Tout comme les protéines, les ARN peuvent subir des modifications de conformation allostérique, en réponse à de petites molécules ou à d'autres ARN. Un ribozyme artificiellement créé peut exister sous deux conformations totalement différentes, chacune pourvue d'une activité catalytique différente (Figure 6-98). De plus, la structure et la fonction des ARNr dans le ribosome ont clairement établi que l'ARN est une molécule extrêmement polyvalente. Il est de ce fait facile d'imaginer un mode d'ARN ayant pu atteindre un important niveau de perfectionnement biochimique.

Les molécules qui s'auto-répliquent subissent une sélection naturelle

La structure tridimensionnelle repliée d'un nucléotide affecte sa stabilité, son action sur les autres molécules et sa capacité à se répliquer. De ce fait, certains polynucléotides réussiront particulièrement dans n'importe quel mélange d'autoréplication. Comme les erreurs sont inévitables quel que soit le processus de copie, de nouveaux variants des séquences de ces polynucléotides seront engendrés avec le temps.

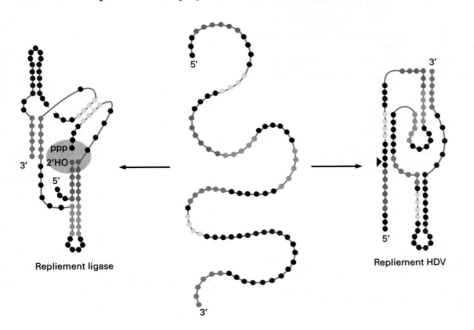

Repliement ligase

Repliement HDV

Figure 6-98 Molécule d'ARN se repliant en deux différents ribozymes. Cet ARN à 88 nucléotides, créé au laboratoire, peut se replier en un ribozyme qui effectue une réaction d'auto-ligation (*à gauche*) ou d'auto-clivage (*à droite*). La réaction de liagation forme une liaison 2'-5' phosphodiester qui libère du pyrophosphate. Cette réaction scelle le trou (*ombre grise*) expérimentalement introduit dans la molécule d'ARN. Dans la réaction effectuée par le repliement HDV, l'ARN est coupé au niveau de la même position, ce qui est indiqué par la *tête de flèche*. Cette coupure ressemble à celle utilisée dans le cycle de vie de l'HDV, un virus satellite de l'hépatite B, d'où le nom de ce repliement. Chaque nucléotide est représenté par un point coloré, les couleurs étant simplement utilisées pour clarifier les deux types de repliement différents. Les structures repliées montrent les structures secondaires des deux ribozymes, avec les régions d'appariement de bases indiquées par l'apposition rapprochée des points colorés. Notez que les deux repliements du ribozyme n'ont pas de structure secondaire en commun. (Adapté de E.A. Schultes et D.P. Bartel, *Sciences* 289 : 448-452, 2000.)

Certaines activités catalytiques auraient eu une importance capitale au début de l'évolution de la vie. Considérons en particulier une molécule d'ARN qui catalyserait le processus de polymérisation sur matrice, en prenant n'importe quelle molécule d'ARN donnée comme matrice. (Cette activité du ribosome a été directement mise en évidence *in vitro*, quoique sous une forme rudimentaire qui ne peut synthétiser que des ARN de longueur modérée.) Cette molécule, en agissant sur des copies d'elle-même, pourrait se répliquer. En même temps, elle pourrait promouvoir la réplication d'autres types de molécules d'ARN voisines (Figure 6-99). Si certains de ces ARN voisins avaient des actions catalytiques qui aidaient à la survie de l'ARN d'une autre façon (par catalyse de la production de ribonucléotides, par exemple), un groupe de différents types de molécules d'ARN, chacune spécialisée dans une activité différente, aurait pu évoluer en un système coopératif qui se répliquerait de façon particulièrement efficace.

Un des événements cruciaux qui ont conduit à la formation d'un système d'autoréplication efficace a dû être le développement de compartiments séparés. Par exemple, un groupe d'ARN mutuellement bénéfiques (comme ceux de la figure 6-99) ne peut se répliquer lui-même que si les ARN restent dans le voisinage de l'ARN spécialisé dans la polymérisation sur matrice. De plus, si ces ARN peuvent diffuser au milieu d'une grande population d'autres molécules d'ARN, ils peuvent être cochoisis par d'autres systèmes de réplication qui entrent alors en compétition avec le système d'ARN originel pour les matériaux bruts. La sélection d'un groupe de molécules d'ARN selon la qualité des systèmes d'autoréplication qu'il engendre ne peut pas se produire efficacement sauf s'il se développe certaines formes de compartiments pour les contenir et les rendre ainsi disponibles seulement pour l'ARN qui les a engendré. Une des formes précoces de «compartimentalisation» grossière aurait pu être la simple adsorption sur une surface ou une particule.

Cette nécessité d'un type plus sophistiqué de confinement a été facilement comblée par une classe de petites molécules qui ont la propriété physico-chimique simple d'être amphipathiques, c'est-à-dire qu'elles sont composées d'une partie hydrophobe (insoluble dans l'eau) et d'une autre partie hydrophile (soluble dans l'eau). Lorsque ces molécules sont placées dans l'eau, elles se rassemblent en plaçant leurs portions hydrophobes le plus près possible les unes des autres et leurs portions hydrophiles au contact de l'eau. Les molécules amphipathiques de forme appropriée s'assemblent spontanément pour former des *bicouches* et créent de petites vésicules fermées dont le contenu aqueux est isolé du milieu extérieur (Figure 6-100). Ce phénomène peut être démontré dans un tube à essai en mélangeant simplement des phospholipides et de l'eau : sous des conditions appropriées, il se forme de petites vésicules. Toutes les cellules actuelles sont entourées d'une *membrane plasmique* composée de molécules amphipathiques – surtout des phospholipides – qui adoptent cette configuration ; nous parlerons de ces molécules en détail dans le chapitre 10.

Il est probable que les premières cellules entourées d'une membrane se sont formées par l'assemblage spontané d'un groupe de molécules amphipathiques qui ont enfermé un mélange d'ARN (ou de pré-ARN) doté d'auto-réplication ainsi que d'autres molécules. On ne sait pas clairement à quel moment de l'évolution des catalyseurs biologiques cela s'est produit pour la première fois. Dans tous les cas, dès que les molécules d'ARN ont été enfermées dans une membrane close, elles ont pu être sélectionnées non seulement sur la base de leur propre structure, mais également selon leurs effets sur les autres molécules du même compartiment. Les séquences de nucléotides des molécules d'ARN pouvaient alors s'exprimer pour caractériser une cellule vivante unitaire.

Comment la synthèse protéique a-t-elle évolué ?

Les processus moléculaires qui sous-tendent la synthèse protéique dans les cellules actuelles semblent inextricablement complexes. Bien que nous comprenions la plupart d'entre eux, ils n'ont pas de sens conceptuel à la différence de la transcription

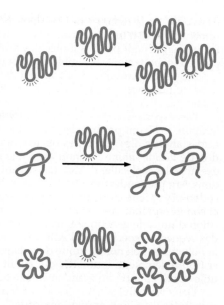

Figure 6-99 Une famille de molécules d'ARN qui se soutiennent mutuellement, l'une catalysant la reproduction de l'autre.

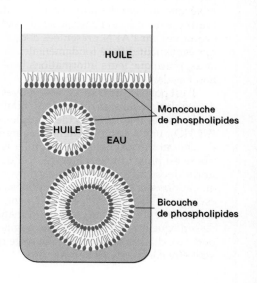

Figure 6-100 Formation d'une membrane par les phospholipides. Comme ces molécules ont des têtes hydrophiles et des queues lipophiles, elles s'alignent elles-mêmes à l'interface huile/eau avec leur tête dans l'eau et leur queue dans l'huile. Dans l'eau, elles s'associent pour former des vésicules bicouches fermées dans lesquelles les queues lipophiles sont en contact les unes avec les autres et les têtes hydrophiles sont exposées du côté de l'eau.

HUILE

HUILE EAU

Monocouche de phospholipides

Bicouche de phospholipides

de l'ADN, de la réparation de l'ADN et de la réplication de l'ADN. Il est particulièrement difficile d'imaginer comment la synthèse protéique a évolué parce qu'elle s'effectue maintenant par des molécules protéiques et de l'ARN selon un système complexe d'emboîtement. Il semble évident que les protéines n'ont pas pu exister avant qu'une version antique de l'appareil de traduction ne soit déjà en place. Même si nous ne pouvons que spéculer sur les origines de la synthèse protéique et du code génétique, diverses approches expérimentales ont fourni des scénarios possibles.

Des expériences de sélection d'ARN *in vitro*, du type résumé précédemment dans la figure 6-97, ont produit des molécules d'ARN pouvant se fixer solidement sur des acides aminés. Les séquences nucléotidiques de ces ARN contiennent souvent le codon de l'acide aminé reconnu avec une fréquence hautement disproportionnée. Par exemple, les molécules d'ARN qui se lient sélectivement à l'arginine présentent des codons Arg prépondérants et celles qui se lient à la tyrosine ont une prépondérance de codons Tyr. Cette corrélation ne marche pas parfaitement pour tous les acides aminés et son interprétation est controversée. Cependant elle soulève la possibilité de l'apparition d'un code génétique limité à partir de l'association directe d'acides aminés sur des séquences spécifiques d'ARN, avec l'ARN servant de matrice grossière dirigeant la polymérisation non aléatoire de quelques acides aminés. Dans le monde d'ARN décrit précédemment, tout ARN qui aurait aidé à guider la synthèse d'un polypeptide utile aurait apporté un grand avantage dans la lutte évolutive pour la survie.

Dans les cellules actuelles, des adaptateurs d'ARNt sont utilisés pour faire correspondre les acides aminés aux codons et les protéines catalysent l'aminoacylation de l'ARNt. Cependant, les ribozymes créés dans le laboratoire peuvent effectuer les réactions spécifiques d'aminoacylation de l'ARNt, de telle sorte qu'il est plausible que des adaptateurs de type ARNt aient pu apparaître dans le monde d'ARN. Ce développement aurait amélioré l'efficacité de la correspondance des séquences d'«ARNm» avec l'acide aminé, et aurait peut-être permis d'augmenter le nombre d'acides aminés pouvant être utilisés dans la synthèse protéique sur matrice.

Enfin, l'efficacité des premières formes de la synthèse protéique aurait pu être spectaculairement augmentée par la catalyse de la formation de la liaison peptidique. Ce développement évolutif ne présente pas de problèmes conceptuels car, comme nous l'avons vu, cette réaction est catalysée par un ARNr dans les cellules actuelles. On peut envisager un ribozyme grossier peptidyl transférase qui, avec le temps, serait devenu plus grand et aurait acquis la capacité de positionner, de façon précise, des ARNt chargés sur la matrice d'ARN – conduisant éventuellement au ribosome moderne. Dès lors que la synthèse protéique s'est développée, la transition vers un monde dominé par les protéines a pu s'effectuer, les protéines prenant finalement la majorité des taches catalytiques et structurales à cause de leur plus grande variété, contenant 20 et non pas 4 sous-unités différentes.

Toutes les cellules actuelles utilisent l'ADN comme matériel héréditaire

Les cellules du monde d'ARN étaient probablement bien moins complexes et moins efficaces pour se reproduire elles-mêmes que les cellules actuelles, même la plus simple, car la catalyse par les molécules d'ARN est moins efficace que celle effectuée par les protéines. Elles seraient composées d'une membrane entourant un groupe de molécules douées d'autoréplication et de quelques autres composants nécessaires à fournir le matériel et l'énergie à leur réplication. Si les grandes lignes des hypothèses évolutives sur l'ARN présentées ci-dessus sont correctes, ces premières cellules aurait également différé fondamentalement des cellules que nous connaissons de nos jours, parce que leurs informations héréditaires auraient été stockées dans l'ARN et non pas dans l'ADN (Figure 6-101).

Il est possible de trouver des preuves que l'ARN est apparu avant l'ADN au cours de l'évolution dans les différences chimiques qu'il existe entre eux. Le ribose, comme le glucose et d'autres glucides simples, peut être formé à partir du formaldéhyde (HCHO), une substance chimique simple facilement produite dans les expériences de laboratoire qui cherchent à simuler les conditions primitives sur terre. Le désoxyribose est plus difficile à fabriquer, et dans les cellules actuelles, il est produit à partir du ribose selon une réaction catalysée par une enzyme protéique, ce qui suggère que le ribose a précédé le désoxyribose dans les cellules. Il est probable que l'ADN est apparu sur scène plus tardivement, mais s'est trouvé plus adapté que l'ARN à servir de dépôt permanent de l'information génétique. En particulier, le désoxyribose de son squelette sucre-phosphate augmente la stabilité des chaînes d'ADN par rapport aux chaînes d'ARN, de telle sorte que des ADN de plus grande longueur peuvent être conservés sans se rompre.

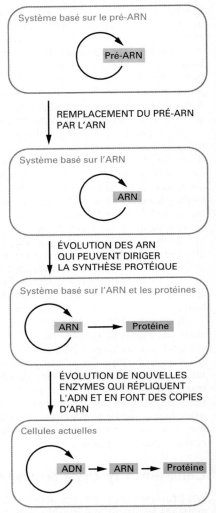

Figure 6-101 Hypothèse de l'ARN précédant l'ADN et les protéines au cours de l'évolution. Dans les premières cellules, des molécules de pré-ARN ont dû associer des fonctions génétiques, structurelles et catalytiques et ces fonctions ont dû être peu à peu remplacées par l'ARN. Dans les cellules actuelles, l'ADN est le dépôt de l'information génétique et les protéines effectuent la grande majorité des fonctions catalytiques de la cellule. L'ARN fonctionne surtout de nos jours comme intermédiaire de la synthèse protéique, même s'il reste le catalyseur d'un certain nombre de réactions cruciales.

L'autre différence entre l'ARN et l'ADN – la structure en double hélice de l'ADN et l'utilisation de thymine au lieu d'uracile – augmente encore plus la stabilité de l'ADN en rendant les nombreux accidents inévitables, qui se produisent dans une molécule, plus faciles à réparer, comme cela a été abordé en détail au chapitre 5 (*voir* p. 269-272).

Résumé

D'après notre connaissance des organismes actuels et des molécules qu'ils contiennent, il semble probable que le développement des mécanismes directement auto-catalytiques fondamentaux aux systèmes vivants a commencé avec l'évolution de familles de molécules qui pouvaient catalyser leur propre réplication. Avec le temps, une famille d'ARN coopératifs agissant comme catalyseurs a probablement développé la capacité à diriger la synthèse de polypeptides. L'ADN s'est certainement surajouté tardivement : lorsque l'accumulation d'autres catalyseurs protéiques a permis l'évolution de cellules plus efficaces et complexes, la double hélice d'ADN a remplacé l'ARN en tant que molécule plus stable, pouvant stocker une plus grande quantité d'information génétique, ce qui était nécessaire pour de telles cellules.

Bibliographie

Généralités

Gesteland RF, Cech TR & Atkins JF (eds) (1999) The RNA World, 2nd edn. Cold Spring Harbor, NY: Cold Spring Harbor Laboratory Press.

Hartwell L, Hood L, Goldberg ML et al. (2000) Genetics: from Genes to Genomes. Boston: McGraw Hill.

Lewin B (2000) Genes VII. Oxford: Oxford University Press.

Lodish H, Berk A, Zipursky SL et al. (2000) Molecular Cell Biology, 4th edn. New York: WH Freeman.

Stent GS (1971) Molecular Genetics: An Introductory Narrative. San Francisco: WH Freeman.

Stryer L (1995) Biochemistry, 4th edn. New York: WH Freeman.

Watson JD, Hopkins NH, Roberts JW et al. (1987) Molecular Biology of the Gene, 4th edn. Menlo Park, CA: Benjamin/Cummings.

De l'ADN à l'ARN

Berget SM, Moore C & Sharp PA (1977) Spliced segments at the 5' terminus of adenovirus 2 late mRNA. *Proc. Natl. Acad. Sci. USA* 74, 3171–3175.

Black DL (2000) Protein diversity from alternative splicing: a challenge for bioinformatics and post-genome biology. *Cell* 103, 367–370.

Brenner S, Jacob F & Meselson M (1961) An unstable intermediate carrying information from genes to ribosomes for protein synthesis. *Nature* 190, 576–581.

Cech TR (1990) Nobel lecture. Self-splicing and enzymatic activity of an intervening sequence RNA from Tetrahymena. *Biosci. Rep.* 10, 239–261.

Chow LT, Gelinas RE, Broker TR et al. (1977) An amazing sequence arrangement at the 5' ends of adenovirus 2 messenger RNA. *Cell* 12, 1–8.

Conaway JW, Shilatifard A, Dvir A & Conaway RC (2000) Control of elongation by RNA polymerase II. *Trends Biochem. Sci.* 25, 375–380.

Cramer P, Bushnell DA, Fu J et al. (2000) Architecture of RNA polymerase II and implications for the transcription mechanism. *Science* 288, 640–649.

Crick F (1979) Split genes and RNA splicing. *Science* 204, 264–271.

Daneholt B (1997) A look at messenger RNP moving through the nuclear pore. *Cell* 88, 585–588.

Darnell JE, Jr. (1985) RNA. *Sci. Am.* 253(4), 68–78.

Dvir A, Conaway JW & Conaway RC (2001) Mechanism of transcription initiation and promoter escape by RNA polymerase II. *Curr. Opin. Genet. Dev.* 11, 209–214.

Ebright RH (2000) RNA polymerase: structural similarities between bacterial RNA polymerase and eukaryotic RNA polymerase II. *J. Mol. Biol.* 304, 687–698.

Eddy SR (1999) Noncoding RNA genes. *Curr. Opin. Genet. Dev.* 9, 695–699.

Green MR (2000) TBP-associated factors (TAFIIs): multiple, selective transcriptional mediators in common complexes. *Trends Biochem. Sci.* 25, 59–63.

Harley CB & Reynolds RP (1987) Analysis of E. coli promoter sequences. *Nucleic Acids Res.* 15, 2343–2361.

Hirose Y & Manley JL (2000) RNA polymerase II and the integration of nuclear events. *Genes Dev.* 14, 1415–1429.

Kadonaga JT (1998) Eukaryotic transcription: an interlaced network of transcription factors and chromatin-modifying machines. *Cell* 92, 307–313.

Lewis JD & Tollervey D (2000) Like attracts like: getting RNA processing together in the nucleus. *Science* 288, 1385–1389.

Lisser S & Margalit H (1993) Compilation of E. coli mRNA promoter sequences. *Nucleic Acids Res.* 21, 1507–1516.

Minvielle-Sebastia L & Keller W (1999) mRNA polyadenylation and its coupling to other RNA processing reactions and to transcription. *Curr. Opin. Cell Biol.* 11, 352–357.

Mooney RA & Landick R (1999) RNA polymerase unveiled. *Cell* 98, 687–690.

Olson MO, Dundr M & Szebeni A (2000) The nucleolus: an old factory with unexpected capabilities. *Trends Cell Biol.* 10, 189–196.

Proudfoot N (2000) Connecting transcription to messenger RNA processing. *Trends Biochem. Sci.* 25, 290–293.

Reed R (2000) Mechanisms of fidelity in pre-mRNA splicing. *Curr. Opin. Cell Biol.* 12, 340–345.

Roeder RG (1996) The role of general initiation factors in transcription by RNA polymerase II. *Trends Biochem. Sci.* 21, 327–335.

Shatkin AJ & Manley JL (2000) The ends of the affair: capping and polyadenylation. *Nat. Struct. Biol.* 7, 838–842.

Smith CW & Valcarcel J (2000) Alternative pre-mRNA splicing: the logic of combinatorial control. *Trends Biochem. Sci.* 25, 381–388.

Staley JP & Guthrie C (1998) Mechanical devices of the spliceosome: motors, clocks, springs, and things. *Cell* 92, 315–326.

Tarn WY & Steitz JA (1997) Pre-mRNA splicing: the discovery of a new spliceosome doubles the challenge. *Trends Biochem. Sci.* 22, 132–137.

von Hippel PH (1998) An integrated model of the transcription complex in elongation, termination, and editing. *Science* 281, 660–665.

De l'ARN aux protéines

Abelson J, Trotta CR & Li H (1998) tRNA splicing. *J. Biol. Chem.* 273, 12685–12688.

Anfinsen CB (1973) Principles that govern the folding of protein chains. *Science* 181, 223–230.

Cohen FE (1999) Protein misfolding and prion diseases. *J. Mol. Biol.* 293, 313–320.

Crick FHC (1966) The genetic code: III. *Sci. Am.* 215(4), 55–62.

Fedorov AN & Baldwin TO (1997) Cotranslational protein folding. *J. Biol. Chem.* 272, 32715–32718.

Frank J (2000) The ribosome—a macromolecular machine par excellence. *Chem. Biol.* 7, R133–141.

Green R (2000) Ribosomal translocation: EF-G turns the crank. *Curr. Biol.* 10, R369–373.

Hartl FU (1996) Molecular chaperones in cellular protein folding. *Nature* 381, 571–580.

Hershko A, Ciechanover A & Varshavsky A (2000) The ubiquitin system. *Nat. Med.* 6, 1073–1081.

Ibba M & Soll D (2000) Aminoacyl-tRNA synthesis. *Annu. Rev. Biochem.* 69, 617–650.

Kozak M (1999) Initiation of translation in prokaryotes and eukaryotes. *Gene* 234, 187–208.

Nissen P, Hansen J, Ban N et al. (2000) The structural basis of ribosome activity in peptide bond synthesis. *Science* 289, 920–930.

Nureki O, Vassylyev DG, Tateno M et al. (1998) Enzyme structure with two catalytic sites for double-sieve selection of substrate. *Science* 280, 578–582.

Prusiner SB (1998) Nobel lecture. Prions. *Proc. Natl. Acad. Sci. USA* 95, 13363–13383.

Rich A & Kim SH (1978) The three-dimensional structure of transfer RNA. *Sci. Am.* 238(1), 52–62.

Sachs AB & Varani G (2000) Eukaryotic translation initiation: there are (at least) two side to every story. *Nat. Struct. Biol.* 7, 356–361.

The Genetic Code. (1966) Cold Spring Harbor Symposium on Quantitative Biology, vol XXXI. Cold Spring Harbor, NY: Cold Spring Harbor Laboratory Press.

Turner GC & Varshavsky A (2000) Detecting and measuring cotranslational protein degradation *in vivo. Science* 289, 2117–2120.

Varshavsky A, Turner G, Du F et al. (2000) The ubiquitin system and the N-end rule pathway. *Biol. Chem.* 381, 779–789.

Voges D, Zwickl P & Baumeister W (1999) The 26S proteasome: a molecular machine designed for controlled proteolysis. *Annu. Rev. Biochem.* 68, 1015–1068.

Wilson KS & Noller HF (1998) Molecular movement inside the translational engine. *Cell* 92, 337–349.

Wimberly BT, Brodersen DE, Clemons WM et al. (2000) Structure of the 30S ribosomal subunit. *Nature* 407, 327–339.

Yusupov MM, Yusupova GZ, Baucom A et al. (2001) Crystal structure of the ribosome at 5.5A resolution. *Science* 292, 883–896.

Le monde de l'ARN et les origines de la vie

Bartel DP & Unrau PJ (1999) Constructing an RNA world. *Trends Cell Biol.* 9, M9–M13.

Joyce GF (1992) Directed molecular evolution. *Sci. Am.* 267(6), 90–97.

Knight RD & Landweber LF (2000) The early evolution of the genetic code. *Cell* 101, 569–572.

Orgel L (2000) Origin of life. A simpler nucleic acid. *Science* 290, 1306–1307.

Szathmary E (1999) The origin of the genetic code: amino acids as cofactors in an RNA world. *Trends Genet.* 15, 223–229.

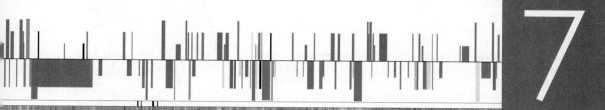

7

CONTRÔLE DE L'EXPRESSION DES GÈNES

L'ADN d'un organisme code pour tous les ARN et les molécules protéiques néces-saires à la construction de ses cellules. Cependant, la description complète de la séquence de l'ADN d'un organisme – que ce soit les quelques millions de nucléo-tides d'une bactérie ou les quelques milliards de nucléotides de l'homme – ne nous permet pas de reconstruire cet organisme, pas plus qu'une liste de mots anglais ne nous permet de refaire une pièce de Shakespeare. Dans les deux cas, le problème est de savoir comment utiliser les éléments de la séquence d'ADN ou les mots de la liste. Dans quelles conditions chaque produit d'un gène est-il fabriqué et que fait-il une fois fabriqué ?

Dans ce chapitre, nous aborderons la première moitié du problème – les règles et les mécanismes qui permettent l'expression sélective d'un sous-groupe de gènes dans chaque cellule. Les mécanismes qui contrôlent l'expression des gènes opèrent à plusieurs niveaux, et nous aborderons donc ces différents niveaux. À la fin de ce chapitre, nous verrons comment les génomes actuels et leurs systèmes de régulation ont été façonnés par les processus évolutifs. Nous commencerons par une vue d'en-semble de certains principes fondamentaux du contrôle des gènes dans les orga-nismes multicellulaires.

GÉNÉRALITÉS SUR LE CONTRÔLE DES GÈNES

Les différents types cellulaires d'un organisme multicellulaire ont des structures et des fonctions extraordinairement différentes. Si nous comparons un neurone de mammifère avec un lymphocyte, par exemple, les différences sont si extrêmes qu'il est difficile d'imaginer que ces deux cellules contiennent le même génome (Figure 7-1). C'est pour cela, et aussi parce que la différenciation cellulaire est souvent irré-versible, que les biologistes ont d'abord suspecté que des gènes pouvaient être sélectivement perdus au moment de la différenciation de la cellule. Nous savons maintenant, cependant, que la différenciation cellulaire dépend généralement de modifications de l'expression des gènes et non pas d'une modification de la séquence nucléotidique du génome cellulaire.

Les différents types cellulaires d'un organisme multicellulaire contiennent le même ADN

Les types cellulaires d'un organisme multicellulaire se différencient les uns des autres parce qu'ils synthétisent et accumulent différents groupes d'ARN et de molécules protéiques. Ils le font généralement sans altérer leur séquence d'ADN. Un ensemble classique d'expériences faites sur la grenouille apporte la preuve de la conservation du génome pendant la différenciation cellulaire. Lorsque le noyau d'une cellule de grenouille, totalement différenciée, est injecté dans un œuf de grenouille dont le noyau a été retiré, le noyau donneur injecté est capable d'amener l'œuf receveur à produire un têtard normal (Figure 7-2A). Comme le têtard contient un éventail complet de cellules différenciées qui obtiennent leur séquence d'ADN du noyau de la cellule d'origine du donneur, cela implique que la cellule différenciée du donneur n'a pas pu perdre d'importantes séquences d'ADN. La même conclusion a été tirée d'expériences effectuées dans divers végétaux. Dans ce cas, des morceaux différenciés de tissus végétaux ont été mis en culture puis séparés en cellules isolées. Souvent, une seule de ces cellules peut régénérer le végétal adulte complet (Figure 7-2B). Enfin, ce même principe a été récemment démontré chez les mammifères, y compris le mouton, les bovins, le porc, la chèvre et la souris en introduisant des noyaux de cellules somatiques dans des œufs énucléés; lorsqu'ils sont placés dans une mère porteuse, certains de ces œufs (appelés zygotes reconstruits) se développent pour donner un animal sain (Figure 7-2C).

La comparaison détaillée des aspects en bande, visibles sur les chromosomes mitotiques condensés (*voir* Figure 4-11), a apporté d'autres preuves de l'absence de perte ou de réarrangement de gros blocs d'ADN pendant le développement des vertébrés. Ce critère montre que l'ensemble des chromosomes de chaque cellule différenciée du corps humain apparaît identique. De plus, la comparaison du génome de différentes cellules, basée sur la technologie de l'ADN recombinant, a montré qu'en règle générale, les modifications de l'expression des gènes qui sous-tendent le développement des organismes multicellulaires ne sont pas accompagnées de modifications de la séquence d'ADN des gènes correspondants. Il existe, cependant, quelques cas où des réarrangements de l'ADN génomique s'effectuent pendant le développement d'un organisme – surtout pour générer la diversité du système immunitaire des mammifères (*voir* Chapitre 24).

Les différents types cellulaires synthétisent différents groupes de protéines

Pour comprendre la différenciation cellulaire, la première étape consisterait à savoir comment il peut exister autant de différences entre une cellule d'un type et celle d'un autre type. Bien que nous ne connaissions pas encore la réponse à cette question fondamentale, nous pouvons faire quelques constatations générales.

1. Beaucoup de processus sont communs à toutes les cellules et chaque cellule d'un même organisme a donc beaucoup de protéines en commun avec les autres. Ceci inclut les protéines structurales des chromosomes, les ARN polymérases, les enzymes de réparation de l'ADN, les protéines ribosomiques, les enzymes impliquées dans les réactions centrales du métabolisme et beaucoup de protéines qui forment le cytosquelette.

2. Certaines protéines sont abondantes dans les cellules spécialisées dans lesquelles elles fonctionnent et ne peuvent être détectées ailleurs, même avec des tests sensibles. L'hémoglobine, par exemple, n'est détectée que dans les hématies.

3. Des études sur le nombre d'ARNm différents suggèrent que, à n'importe quel moment, une cellule humaine typique exprime environ 10 000 à 20 000 gènes sur les 30 000 approximatifs qu'elle possède. Lorsqu'on compare les combinaisons d'ARNm dans une série de différentes lignées cellulaires humaines, on trouve que le niveau d'expression de presque tous les gènes très actifs varie d'un type cellulaire à un autre. Quelques-unes de ces différences sont frappantes, comme celle de l'hémoglobine déjà citée, mais beaucoup d'autres sont plus subtiles. La répartition de l'abondance des divers ARNm (déterminée par les micropuces d'ADN, *voir* Chapitre 8) est si caractéristique d'un type cellulaire qu'elle peut être utilisée pour le typage de cellules cancéreuses humaines dont l'origine tissulaire est incertaine (Figure 7-3).

4. Bien que les différences des ARNm dans les types cellulaires spécialisés soient frappantes, elles sous-estiment néanmoins la gamme complète des différences dans la production protéique. Comme nous le verrons dans ce chapitre, l'expression d'un gène peut être régulée au niveau d'un grand nombre d'étapes après la transcription. En plus, l'épissage alternatif peut produire une famille complète de protéines à partir d'un seul gène. Enfin, les protéines peuvent subir des modifications covalentes après leur synthèse. De ce fait, le meilleur moyen d'apprécier les différences radicales d'expression des gènes entre les types cellulaires est d'utiliser l'électrophorèse bi-dimensionnelle sur gel, qui permet la mesure directe des concentrations protéiques et la visualisation de certaines modifications post-traductionnelles très fréquentes (Figure 7-4).

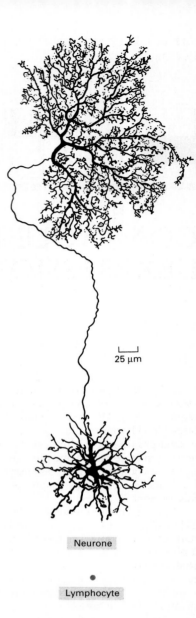

25 µm

Neurone

Lymphocyte

Figure 7-1 Un neurone de mammifère et un lymphocyte. Les longues ramifications de ce neurone provenant de la rétine lui permettent de recevoir les signaux électriques issus de nombreuses cellules et de les transporter vers de nombreuses cellules voisines. Le lymphocyte est un globule blanc sanguin, impliqué dans la réponse immunitaire vis-à-vis d'une infection. Il se déplace librement à travers le corps. Ces deux cellules contiennent le même génome, mais expriment différents ARN et protéines. (D'après B.B. Boycott, Essays on the Nervous System [R. Bellairs and E.G. Gray, eds]. Oxford, UK : Clarendon Press, 1974.)

Une cellule peut modifier l'expression de ses gènes en réponse à un signal externe

La plupart des cellules spécialisées d'un organisme multicellulaire sont capables de modifier le patron d'expression de leurs gènes en réponse à des signaux extracellulaires. Si une cellule hépatique est exposée à des hormones glucocorticoïdes, par exemple, la production de diverses protéines spécifiques augmentera de façon spectaculaire. Les glucocorticoïdes sont libérés dans le corps pendant les périodes de jeûne prolongé ou d'intense exercice et signalent au foie qu'il doit augmenter la production de glucose à partir des acides aminés et d'autres petites molécules ; l'en-

Figure 7-2 Une cellule différenciée contient toutes les instructions génétiques nécessaires pour diriger la formation d'un organisme complet. (A) Le noyau d'une cellule cutanée issue d'une grenouille adulte transplantée dans un œuf énucléé donne naissance à un têtard complet. La *flèche en pointillés* indique que, pour donner au génome transplanté le temps de s'ajuster à un environnement embryonnaire, une étape de transfert supplémentaire est nécessaire au cours de laquelle le noyau est prélevé de l'embryon précoce qui commence à se développer et remis dans un second œuf énucléé. (B) Dans plusieurs types de végétaux, des cellules différenciées gardent la capacité de se « dédifférencier » de telle sorte qu'une seule cellule peut former un clone de cellules filles qui donnent ensuite naissance à un végétal complet. (C) Une cellule différenciée issue d'une vache adulte introduite dans un œuf énucléé provenant d'une autre vache peut donner naissance à un veau. Les différents veaux produits à partir de la même cellule donneuse différenciée sont génétiquement identiques et sont de ce fait des clones les uns des autres. (A, modifié d'après J.B. Gurdon, *Sci. Am.* 219(6) : 24-35, 1968.)

(A)

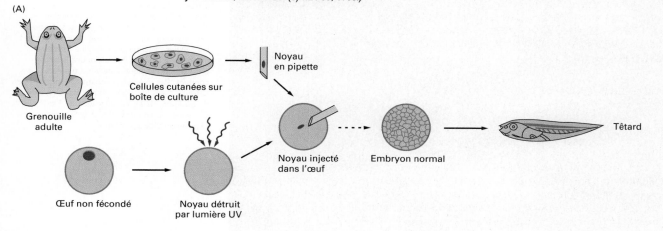

Grenouille adulte

Cellules cutanées sur boîte de culture

Noyau en pipette

Œuf non fécondé

Noyau détruit par lumière UV

Noyau injecté dans l'œuf

Embryon normal

Têtard

(B)

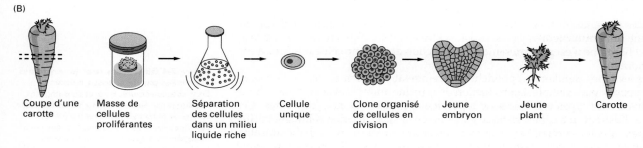

Coupe d'une carotte

Masse de cellules proliférantes

Séparation des cellules dans un milieu liquide riche

Cellule unique

Clone organisé de cellules en division

Jeune embryon

Jeune plant

Carotte

(C)

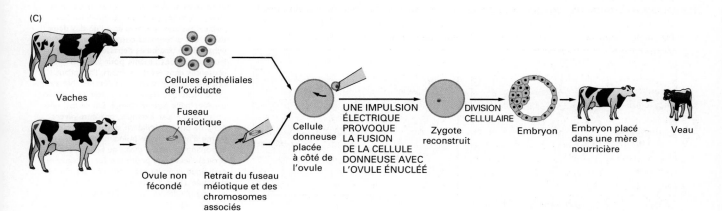

Vaches

Cellules épithéliales de l'oviducte

Fuseau méiotique

Ovule non fécondé

Retrait du fuseau méiotique et des chromosomes associés

Cellule donneuse placée à côté de l'ovule

UNE IMPULSION ÉLECTRIQUE PROVOQUE LA FUSION DE LA CELLULE DONNEUSE AVEC L'OVULE ÉNUCLÉÉ

Zygote reconstitué

DIVISION CELLULAIRE

Embryon

Embryon placé dans une mère nourricière

Veau

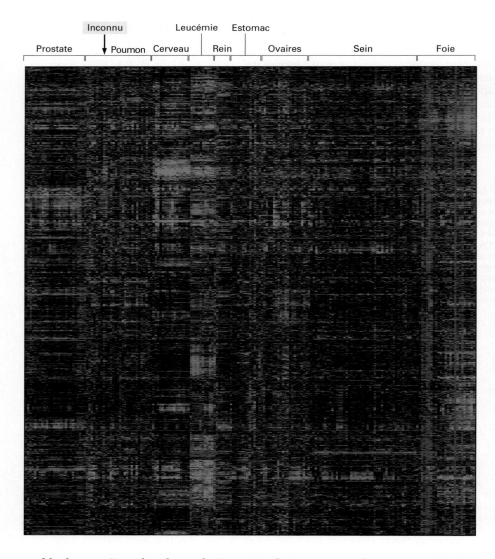

Figure 7-3 Différences de patron d'expression d'ARNm parmi différents types de cellules cancéreuses humaines. Cette figure résume un très grand groupe de mesures au cours desquelles les concentrations en ARNm de 1 800 gènes sélectionnés (disposés *du haut vers le bas*) ont été déterminées pour 142 tumeurs humaines différentes (placées *de gauche à droite*), chacune provenant d'un patient différent. Chaque petite barre *rouge* indique qu'un gène donné dans la tumeur donnée est transcrit à une concentration significativement supérieure à la moyenne parmi toutes les lignées cellulaires. Chaque petite barre *verte* indique un niveau d'expression inférieur à la moyenne et chaque barre *noire* indique un niveau d'expression qui est proche de la moyenne parmi les différentes tumeurs. La procédure utilisée pour engendrer ces données – isolement de l'ARNm suivi d'une hybridation sur micropuce d'ADN – est décrite au chapitre 8 (*voir* p. 533-535). La figure montre que les niveaux d'expression relatifs de chacun des 1 800 gènes analysés varient selon les différentes tumeurs (vu en suivant un gène donné *de gauche à droite* à travers la figure). L'analyse montre aussi que chaque type de tumeur a un patron caractéristique d'expression génique. Cette information peut être utilisée pour «typer» les cellules cancéreuses d'origine tissulaire inconnue en faisant correspondre le profil d'expression génique à celui de tumeurs connues. Par exemple, l'échantillon inconnu de la figure a été identifié comme étant un cancer du poumon. (Due à l'obligeance de Patrick O. Brown, David Botstein et la Standford Expression Collaboration.)

semble des protéines dont la production est induite comporte des enzymes comme la tyrosine aminotransférase, qui favorise la conversion de la tyrosine en glucose. Lorsque l'hormone n'est plus présente, la production de cette protéine retourne à son niveau normal.

D'autres types cellulaires répondent différemment aux corticoïdes. Dans les cellules adipeuses, par exemple, la production de tyrosine aminotransférase est réduite, et certains autres types cellulaires ne répondent pas du tout aux corticoïdes. Ces exemples illustrent une caractéristique générale de la spécialisation cellulaire : différents types de cellules répondent souvent différemment au même signal extracellulaire. Sous-jacentes à ces ajustements qui se produisent en réponse à un signal extracellulaire, il y a des caractéristiques du patron d'expression génique qui ne changent pas et donnent à chaque type cellulaire son caractère particulier permanent.

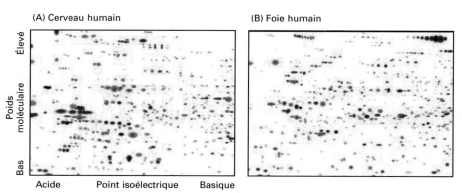

(A) Cerveau humain

(B) Foie humain

Élevé

Poids moléculaire

Bas

Acide Point isoélectrique Basique

Figure 7-4 Différences dans les protéines exprimées par deux tissus humains. Dans chaque encadré, les protéines ont été visualisées par électrophorèse bidimensionnelle sur gel de polyacrylamide (*voir* p. 485-487). Les protéines ont été séparées par leur poids moléculaire (*de haut en bas*) et leur point isoélectrique, pH auquel la protéine n'a pas de charge nette (*de droite à gauche*). Les points protéiques artificiellement colorés en *rouge* sont communs aux deux échantillons. Les *points bleus* sont spécifiques à l'un des deux tissus. Les différences entre les deux échantillons tissulaires dépassent largement leurs similitudes : même pour les protéines présentes dans les deux tissus, l'abondance relative est généralement différente. Notez que cette technique sépare les protéines à la fois par leur taille et leur charge. De ce fait, une protéine qui, par exemple, présente divers états de phosphorylation, apparaîtra sous forme d'une série de points horizontaux (*voir* la portion *en haut à droite* de l'encadré de droite). Seule une petite portion du spectre protéique complet est montrée dans chaque exemple. (Due à l'obligeance de Tim Myers et Leigh Anderson, Large Scale Biology Corporation.)

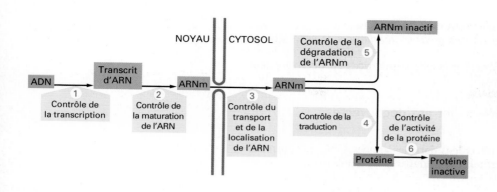

Figure 7-5 Les six étapes de l'expression génique eucaryote qui peuvent être contrôlées. Les contrôles qui opèrent de l'étape 1 à 5 sont abordés dans ce chapitre. L'étape 6, ou régulation de l'activité des protéines, comprend l'activation réversible ou l'inactivation par phosphorylation (*voir* Chapitre 3) ainsi que l'inactivation irréversible par dégradation protéolytique (*voir* Chapitre 6).

L'expression des gènes peut être régulée au niveau de nombreuses étapes de la voie allant de l'ADN à l'ARN puis aux protéines

Si les différences entre les divers types cellulaires d'un organisme dépendent de gènes particuliers exprimés par la cellule, à quel niveau s'exerce le contrôle de l'expression des gènes ? Comme nous l'avons vu dans le dernier chapitre, il existe beaucoup d'étapes dans la voie qui conduit de l'ADN aux protéines et toutes peuvent en principe être régulées. Par conséquent une cellule peut contrôler les protéines qu'elle fabrique en contrôlant (1) quand, et à quelle fréquence, un gène donné doit être transcrit (**contrôle de la transcription**), (2) comment le transcrit d'ARN doit subir l'épissage ou les autres types de maturation (**contrôle de la maturation de l'ARN**) ; en choisissant (3) quels ARNm terminés dans le noyau de la cellule doivent être exportés dans le cytosol et dans quelle localisation cytosolique (**contrôle du transport et de la localisation de l'ARN**), (4) quels ARNm cytoplasmiques seront traduits par les ribosomes (**contrôle de la traduction**) ; (5) en déstabilisant sélectivement certains ARNm dans le cytoplasme (**contrôle de la dégradation de l'ARNm**), ou (6) en activant, inactivant, dégradant ou plaçant sélectivement dans des compartiments les protéines spécifiques une fois qu'elles ont été fabriquées (**contrôle de l'activité protéique**) (Figure 7-5).

Pour la plupart des gènes, le contrôle de la transcription est primordial. Cela est sensé car, de tous les points de contrôle possibles illustrés dans la figure 7-5, seul le contrôle transcriptionnel assure que la cellule ne synthétisera pas d'intermédiaires superflus. Dans la partie suivante, nous aborderons les composants de l'ADN et des protéines qui effectuent cette fonction en régulant l'initiation de la transcription du gène. Nous reviendrons à la fin de ce chapitre sur les autres moyens de régulation de l'expression des gènes.

Résumé

Le génome d'une cellule contient, dans sa séquence d'ADN, les informations pour fabriquer plusieurs milliers de protéines et de molécules d'ARN différentes. Une cellule typique exprime seulement une fraction de ses gènes et différents types de cellules apparaissent dans les organismes multicellulaires à cause des différents groupes de gènes qui sont exprimés. De plus, les cellules peuvent changer le patron d'expression de leurs gènes en réponse à des modifications de leur environnement, comme un signal provenant d'une autre cellule. Bien que toutes les étapes impliquées dans l'expression d'un gène puissent être, en principe, régulées, pour la plupart des gènes l'initiation de la transcription de l'ARN est le point de contrôle le plus important.

TYPES DE LIAISON À L'ADN DES PROTÉINES RÉGULATRICES DE GÈNES

Comment la cellule détermine-t-elle quel gène, sur les milliers qu'elle contient, doit être transcrit ? Comme nous l'avons brièvement mentionné dans les chapitres 4 et 6, la transcription de chaque gène est contrôlée par une région régulatrice de l'ADN, relativement proche du site où la transcription commence. Certaines régions régulatrices sont simples et agissent comme des commutateurs activés par un seul signal. Beaucoup d'autres sont complexes et agissent comme de minuscules microprocesseurs, répondant à une grande variété de signaux qu'ils interprètent et intègrent pour activer ou inactiver les gènes voisins. Qu'ils soient simples ou complexes, ces commutateurs contiennent deux types de composants fondamentaux : (1) de courts segments d'ADN de séquence définie et (2) des *protéines régulatrices de gènes* qui les reconnaissent et s'y fixent.

Nous commencerons notre abord des protéines régulatrices en décrivant leur découverte.

Les protéines régulatrices de gènes ont été découvertes par la génétique bactérienne

Les analyses génétiques de bactéries effectuées dans les années 1950 ont fourni les premières preuves de l'existence de **protéines régulatrices de gènes** qui activent, ou inactivent, des groupes spécifiques de gènes. Une de ces protéines régulatrices, le *répresseur lambda*, est codée par un virus bactérien, le *bactériophage lambda*. Ce répresseur inactive les gènes viraux qui codent pour les composants protéiques des nouvelles particules virales et permet ainsi que le génome viral reste un passager silencieux du chromosome bactérien, se multipliant avec la bactérie lorsque les conditions sont favorables à la croissance bactérienne (*voir* Figure 5-81). Le répresseur lambda a fait partie des premières protéines régulatrices caractérisées et reste l'une des mieux connues, comme nous le verrons plus tard. D'autres régulateurs bactériens répondent aux conditions nutritives en inactivant les gènes codant pour des groupes spécifiques d'enzymes métaboliques lorsque ces dernières ne sont pas nécessaires. Le *répresseur lac*, la première protéine bactérienne de cette sorte à être reconnue, inactive la production des protéines responsables du métabolisme du lactose lorsque ce sucre est absent du milieu.

La première étape pour la compréhension de la régulation d'un gène a été l'isolement de souches mutantes des bactéries et du bactériophage lambda, incapables d'inactiver des groupes spécifiques de gènes. Il fut alors proposé que la plupart de ces mutants ne possédaient pas les protéines agissant comme répresseurs spécifiques de ces groupes de gènes et cela fut prouvé par la suite. Ces protéines, comme la plupart des protéines régulatrices, étant présentes en petites quantités, il fut difficile et long de les isoler. Elles furent finalement purifiées par fractionnement d'extraits cellulaires. Une fois isolées, on a montré que ces protéines se fixaient sur des séquences spécifiques d'ADN proches des gènes qu'elles régulaient. Les séquences précises d'ADN reconnues furent alors déterminées par l'association de la génétique classique, du séquençage de l'ADN et d'expériences d'empreintes d'ADN (*voir* Chapitre 8).

La périphérie de l'hélice d'ADN peut être lue par les protéines

Comme nous l'avons vu au chapitre 4, l'ADN d'un chromosome est composé d'une double hélice très longue (Figure 7-6). Les protéines régulatrices doivent reconnaître des séquences spécifiques de nucléotides encastrées dans cette structure. On a pensé, au départ, que ces protéines nécessitaient l'accès direct aux liaisons hydrogène entre les paires de bases à l'intérieur de la double hélice pour différencier une séquence d'ADN d'une autre. On sait maintenant que la périphérie de la double hélice est garnie d'informations de séquences d'ADN que les protéines régulatrices peuvent reconnaître sans avoir à ouvrir la double hélice. Le bord de chaque base est exposé à la surface de la double hélice et présente une particularité distinctive selon qu'il s'agit d'un donneur de liaison hydrogène, d'un accepteur de liaison hydrogène ou d'une plaque hydrophobe, afin que les protéines les reconnaissent aussi bien dans le grand que dans le petit sillon (Figure 7-7). Mais c'est seulement dans le grand sillon que se trouvent des conformations très différentes pour chacun des quatre arrangements de paires de bases (Figure 7-8). C'est pourquoi, les protéines régulatrices se fixent généralement sur le grand sillon – comme nous le verrons.

Bien que les conformations des groupements donneurs et accepteurs de liaisons hydrogène soient les caractéristiques les plus importantes reconnues par les protéines régulatrices de gènes, ce ne sont pas les seules : la séquence nucléotidique détermine aussi la géométrie globale de la double hélice, créant des distorsions de l'hélice « idéale » qui peuvent aussi être reconnues.

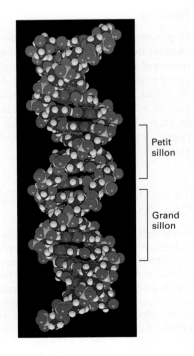

Petit sillon

Grand sillon

Figure 7-6 Structure en double hélice de l'ADN. Les grand et petit sillons à l'extérieur de la double hélice sont indiqués. Les atomes sont colorés comme suit : carbone : *bleu foncé*; azote : *bleu clair*; hydrogène : *blanc*; oxygène : *rouge*; phosphore : *jaune*.

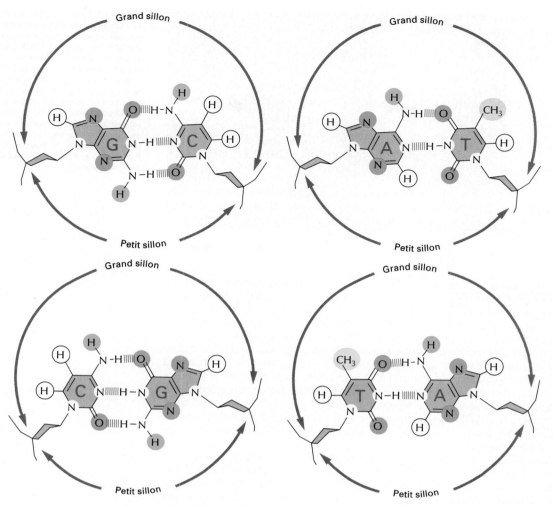

Figure 7-7 Les différentes paires de bases de l'ADN peuvent être reconnues à partir de leur périphérie sans que la double hélice soit ouverte. Les quatre conformations possibles des appariements de bases sont montrées, avec les donneurs potentiels de liaison hydrogène en *bleu*, les accepteurs potentiels de liaison hydrogène en *rouge*, et les liaisons hydrogène des paires de bases elles-mêmes sous forme d'une série de *courtes lignes rouges parallèles*. Les groupements méthyle qui forment des protubérances hydrophobes sont montrés en *jaune* et les atomes d'hydrogène, fixés sur le carbone et non disponibles pour des liaisons hydrogène, sont en *blanc*. (D'après C. Branden et J. Tooze, Introduction to Protein Structure, 2nd edn. New York : Garland Publishing, 1999.)

La géométrie de la double hélice d'ADN dépend de la séquence en nucléotides

Pendant les 20 ans qui ont suivi la découverte de la double hélice d'ADN en 1953, on a pensé que l'ADN avait la même structure monotone, avec exactement 36° de tour d'hélice entre les paires de nucléotides adjacentes (10 paires de nucléotides par tour d'hélice) et une géométrie uniforme de l'hélice. Cette conception se basait cependant sur des études structurelles de mélanges hétérogènes de molécules d'ADN, et s'est modifiée lorsque la structure tridimensionnelle de courtes molécules d'ADN, de séquence nucléotidique définie, fut déterminée par cristallographie aux rayons X et spectrosco-

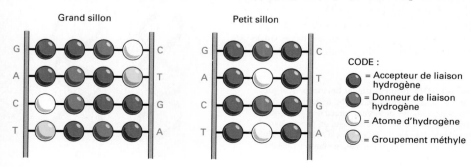

CODE :

⬤ = Accepteur de liaison hydrogène

⬤ = Donneur de liaison hydrogène

◯ = Atome d'hydrogène

◐ = Groupement méthyle

Figure 7-8 Code de reconnaissance de l'ADN. La périphérie de chacune des paires de bases, vues ici regardant directement dans le petit ou le grand sillon, possède un aspect différent selon qu'elles sont des donneurs de liaison hydrogène, des accepteurs de liaison hydrogène ou des groupements méthyle. À partir du grand sillon, chacune des quatre conformations des paires de bases projette des caractéristiques particulières. À partir du petit sillon, cependant, les conformations sont similaires pour C-G et G-C ainsi que pour A-T et T-A. Le code couleur est le même que celui de la figure 7-7. (D'après C. Branden et J. Tooze. Introduction to Protein Structure, 2nd edn. New York : Garland Publishing, 1999.)

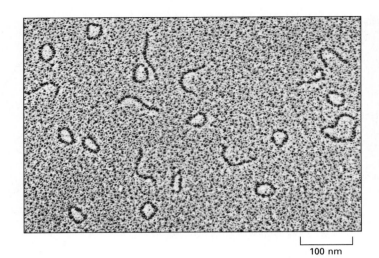

Figure 7-9 Photographie en microscopie électronique de fragments de segments fortement recourbés d'une double hélice d'ADN. Les fragments d'ADN sont dérivés de petites molécules circulaires d'ADN mitochondrial d'un trypanosome. Bien que les fragments n'aient que 200 paires de nucléotides de long, beaucoup d'entre eux se recourbent pour former un cercle complet. En moyenne, une double hélice d'ADN de cette longueur ne se recourbe assez que pour former un quart de cercle (un tour régulier à angle droit). (D'après J. Griffith, M. Bleyman, C.A. Raugh, P.A. Kitchin et P.T. Englund, *Cell* 46 : 717-724, 1986. © Elsevier.)

100 nm

pie RMN. Tandis que les premières études donnaient l'image d'une molécule d'ADN moyenne idéale, les études ultérieures ont montré qu'une séquence nucléotidique donnée présentait localement des irrégularités comme l'inclinaison des paires de nucléotides ou un angle de tour d'hélice supérieur ou inférieur à 36°. Ces caractéristiques particulières peuvent être reconnues par les protéines de liaison à l'ADN.

Les séquences de nucléotides provoquant une courbure de la double hélice d'ADN forment une structure qui s'éloigne de façon frappante de la structure moyenne. Certaines séquences (par exemple AAAANNN, où N peut être n'importe quelle base sauf A) forment une double hélice fortement irrégulière qui engendre une légère courbure ; si cette séquence se répète toutes les 10 paires de nucléotides dans une longue molécule d'ADN, ces petites courbures s'ajoutent, de telle sorte que la molécule d'ADN apparaît inhabituellement incurvée lorsqu'elle est observée en microscopie électronique (Figure 7-9).

Une caractéristique variable apparentée et également importante de la structure de l'ADN est l'importance de la déformation possible de la double hélice. Pour qu'une protéine reconnaisse une séquence spécifique d'ADN et s'y fixe, la protéine et l'ADN doivent s'adapter étroitement et la conformation normale de l'ADN doit souvent se distordre pour optimiser cet ajustement (Figure 7-10). Le coût énergétique d'une telle distorsion dépend de la séquence nucléotidique locale. Nous en avons déjà rencontré un exemple lorsque nous avons parlé de l'assemblage des nucléosomes au chapitre 4 : certaines séquences d'ADN acceptent mieux que d'autres l'encerclement solide par l'ADN nécessaire à la formation du nucléosome. De même, certaines protéines régulatrices induisent une courbure frappante de l'ADN lorsqu'elles s'y fixent (Figure 7-11). En général, ces protéines reconnaissent des séquences d'ADN qui se courbent facilement.

De courtes séquences d'ADN sont des composants fondamentaux des commutateurs génétiques

Nous avons vu comment une séquence nucléotidique spécifique pouvait être détectée, à la surface de la double hélice d'ADN, par un ensemble de caractéristiques structurales. Des séquences nucléotidiques particulières, chacune mesurant typiquement moins de 20 paires de nucléotides, agissent comme composants fondamentaux de commutateurs génétiques en servant de site de reconnaissance pour la fixation de protéines régulatrices spécifiques. Des milliers de séquences d'ADN de ce type ont été identifiées, chacune reconnue par une protéine régulatrice différente (ou par un groupe de protéines régulatrices apparentées). Certaines de ces protéines régulatrices, qui seront abordées tout au long de ce chapitre, sont présentées dans le tableau 7-I en même temps que les séquences d'ADN qu'elles reconnaissent.

Figure 7-10 Déformations de l'ADN induites par la liaison protéique.
La figure montre les modifications de la structure de l'ADN, de la double hélice conventionnelle (A) à la forme distordue (B), observées lorsqu'une protéine régulatrice bien étudiée (le répresseur 434 du bactériophage, un proche parent du répresseur lambda) se fixe sur des séquences spécifiques d'ADN. La facilité avec laquelle la séquence d'ADN peut être déformée affecte souvent l'affinité de la liaison protéique.

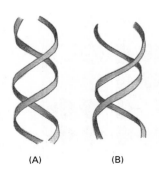

(A)   (B)

Tournons-nous maintenant vers les protéines régulatrices elles-mêmes, deuxième composant fondamental des commutateurs génétiques. Nous commencerons par les caractéristiques structurales qui leur permettent de reconnaître de courtes séquences spécifiques d'ADN contenues dans une double hélice beaucoup plus longue.

Les protéines régulatrices de gènes contiennent des conformations structurales qui peuvent lire les séquences d'ADN

La reconnaissance moléculaire en biologie repose généralement sur l'adaptation exacte entre les surfaces de deux molécules et l'étude des protéines régulatrice de gènes a fourni certains exemples parmi les plus parlants de ce principe. Une protéine régulatrice reconnaît une séquence spécifique d'ADN parce que la surface de la protéine est fortement complémentaire aux caractéristiques particulières de surface de la double hélice dans cette région. Dans la plupart des cas, la protéine établit un grand nombre de contacts avec l'ADN, parmi lesquels des liaisons hydrogène, des liaisons ioniques et des interactions hydrophobes. Même si chaque contact individuel est faible, les 20 contacts qui, typiquement, se forment à l'interface protéine-ADN s'ajoutent et assurent que les interactions sont spécifiques et très fortes (Figure 7-12). En fait, certaines interactions ADN-protéine font partie des interactions moléculaires les plus solides et les plus spécifiques connues en biologie.

Bien que chaque exemple de reconnaissance protéine-ADN ait des particularités uniques, les études de cristallographie aux rayons X et spectroscopie RMN de plusieurs centaines de protéines régulatrices ont révélé qu'un grand nombre de protéines contenaient un des motifs structuraux de liaison à l'ADN. Ce petit groupe de motifs

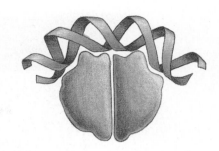

Figure 7-11 Courbure d'un ADN induite par la courbure de la protéine d'activation catabolique (CAP). CAP est une protéine régulatrice de gènes issue de *E. coli*. En l'absence de la protéine liée, cette hélice d'ADN est droite.

TABLEAU 7-1 Certaines protéines régulatrices de gènes et les séquences d'ADN qu'elles reconnaissent

	NOM	SÉQUENCE D'ADN RECONNUE*
Bactérie	Répresseur lac	5' AATTGTGAGCGGATAACAATT 3' TTAACACTCGCCTATTGTTAA
	CAP	TGTGAGTTAGCTCACT ACACTCAATCGAGTGA
	Répresseur lambda	TATCACCGCCAGAGGTA ATAGTGGCGGTCTCCAT
Levure	Gal4	CGGAGGACTGTCCTCCG GCCTCCTGACAGGAGGC
	Matα2	CATGTAATT GTACATTAA
	Gcn4	ATGACTCAT TACTGAGTA
Drosophile	Krüppel	AACGGGTTAA TTGCCCAATT
	Bicoid	GGGATTAGA CCCTAATCT
Mammifères	Sp1	GGGCGG CCCGCC
	Domaine Oct-1 Pou	ATGCAAAT TACGTTTA
	GATA-1	TGATAG ACTATC
	MyoD	CAAATG GTTTAC
	p53	GGGCAAGTCT CCCGTTCAGA

*Chaque protéine de ce tableau peut reconnaître un groupe de séquences d'ADN apparentées (*voir* Figure 6-12); pour plus de facilité, une seule séquence de reconnaissance, et non pas une séquence consensus, est donnée pour chaque protéine.

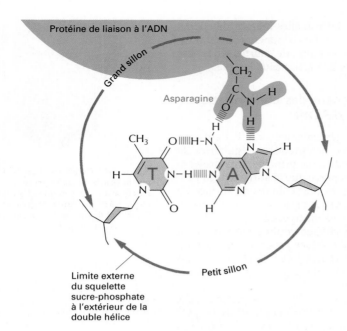

Figure 7-12 Liaison d'une protéine régulatrice sur le grand sillon d'ADN. Un seul contact est montré. L'interface protéine-ADN typique comporte 10 à 20 contacts de ce type, impliquant différents acides aminés, chacun contribuant à la force d'interaction ADN-protéine.

utilise généralement des hélices α ou des feuillets β pour se fixer sur le grand sillon de l'ADN. Ce sillon, comme nous l'avons vu, contient assez d'informations pour permettre la distinction entre deux séquences d'ADN. L'adaptation est si parfaite qu'il a été suggéré que les dimensions des unités structurelles fondamentales des acides nucléiques et des protéines avaient évolué ensemble pour permettre l'emboîtement de ces molécules.

La conformation hélice-coude-hélice est l'un des motifs de liaison à l'ADN les plus simples et les plus communs

La première conformation de liaison à l'ADN reconnue a été l'**hélice-coude-hélice**. Identifiée à l'origine dans les protéines bactériennes, cette conformation a été retrouvée depuis sur des centaines de protéines de liaison à l'ADN des eucaryotes et des procaryotes. Elle est construite à partir de deux hélices α connectées par une courte chaîne allongée d'acides aminés qui constituent le « coude » (Figure 7-13). Les deux hélices sont maintenues en un angle fixe principalement par des interactions entre elles. L'hélice plus proche de l'extrémité C-terminale est appelée *hélice de reconnaissance* parce qu'elle s'adapte dans le grand sillon d'ADN ; ses chaînes latérales d'acides aminés, différentes selon la protéine, jouent un rôle important dans la reconnaissance de la séquence d'ADN spécifique sur laquelle se fixe la protéine.

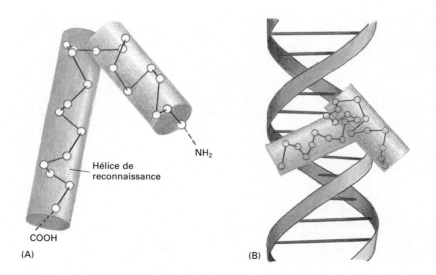

Figure 7-13 Conformation hélice-coude-hélice de liaison à l'ADN. La conformation est montrée en (A), avec chaque *cercle blanc* correspondant au carbone central d'un acide aminé. L'hélice α de l'extrémité C-terminale (en *rouge*) est appelée « hélice de reconnaissance » parce qu'elle participe à la reconnaissance spécifique de la séquence de l'ADN. Comme cela est montré en (B), cette hélice s'adapte sur le grand sillon de l'ADN où elle entre en contact avec les bords des paires de bases (*voir aussi* Figure 7-7). L'hélice α de l'extrémité N-terminale (en *bleu*) fonctionne surtout comme un composant structural qui aide à placer l'hélice de reconnaissance.

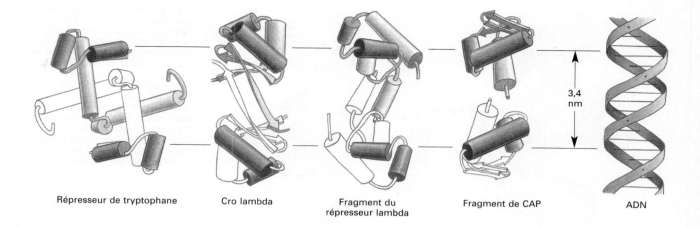

Répresseur de tryptophane　　Cro lambda　　Fragment du répresseur lambda　　Fragment de CAP　　ADN

3,4 nm

En dehors de la région hélice-coude-hélice, la structure des diverses protéines qui contiennent cette conformation peut varier énormément (Figure 7-14). De ce fait, chaque protéine « présente » sa conformation hélice-coude-hélice à l'ADN d'une façon unique. Cette caractéristique augmente, pense-t-on, la polyvalence de la conformation hélice-coude-hélice en augmentant le nombre de séquences d'ADN que cette conformation peut reconnaître. De plus, dans la plupart de ces protéines, les parties de la chaîne polypeptidique externes au domaine hélice-coude-hélice présentent aussi d'importants contacts avec l'ADN, ce qui permet d'accorder finement les interactions.

Ces protéines hélice-coude-hélice montrées dans la figure 7-14 mettent en évidence une caractéristique commune à de nombreuses protéines se fixant sur des séquences spécifiques d'ADN. Elles se lient sous forme de dimères symétriques sur des séquences d'ADN composées de deux « demi-sites » très semblables disposés aussi symétriquement (Figure 7-15). Cet arrangement permet à chaque monomère protéique de fabriquer un groupe presque identique de contacts et d'augmenter énormément l'affinité de la liaison : en première approximation, on peut dire que le doublement du nombre de contacts multiplie par deux l'énergie libre de l'interaction et élève ainsi *au carré* la constante d'affinité.

Les protéines à homéodomaines constituent une classe particulière de protéines hélice-coude-hélice

Peu de temps après la découverte des premières protéines bactériennes régulatrices de gènes, les analyses génétiques de la drosophile ont conduit à la caractérisation d'une classe importante de gènes, les *gènes sélecteurs homéotiques* qui jouent un rôle critique dans l'orchestration du développement de la mouche. Comme nous le verrons au chapitre 21, il a été aussi prouvé qu'ils jouaient un rôle fondamental dans le développement des animaux supérieurs. Des mutations de ces gènes provoquent la transformation d'une partie du corps de la mouche en une autre, ce qui montre que les protéines qu'ils codent contrôlent des décisions critiques pour le développement.

Lorsque les séquences de nucléotides de plusieurs gènes sélecteurs homéotiques ont été déterminées au début des années 1980, il a été prouvé que chacune contenait un segment presque identique de 60 acides aminés, appelé **homéodomaine**, qui définit cette classe de protéines. Lorsque la structure tridimensionnelle de l'homéodomaine a été déterminée, on s'est aperçu qu'elle contenait une conformation hélice-coude-hélice apparentée à celle des protéines bactériennes régulatrices de gènes ; cela a fourni une des premières indications que les principes de la régulation génique établis chez les bactéries étaient aussi appropriés aux organismes supérieurs. Dans la drosophile, plus de 60 homéodomaines protéiques ont déjà été découverts, et des homéodomaines ont été identifiés virtuellement dans tous les organismes eucaryotes étudiés, de la levure aux végétaux et à l'homme.

La structure d'un homéodomaine fixé sur sa séquence spécifique d'ADN est montrée en figure 7-16. Tandis que la conformation hélice-coude-hélice des protéines régulatrices bactériennes est souvent encastrée dans des contextes structuraux différents, la conformation hélice-coude-hélice des homéodomaines est toujours entourée de la même structure (qui forme le reste de l'homéodomaine), ce qui suggère que cette conformation est toujours présentée à l'ADN de la même façon. De plus, des

Figure 7-14 Certaines protéines de liaison à l'ADN hélice-coude-hélice. Toutes les protéines se fixent sur l'ADN sous forme de dimères dans lesquels deux copies de l'hélice de reconnaissance (*cylindres rouges*) sont séparées exactement d'un tour d'hélice d'ADN (3,4 nm). L'autre hélice de la conformation hélice-coude-hélice est colorée en *bleu*, comme dans la figure 7-13. Le répresseur lambda et la protéine Cro contrôlent l'expression des gènes du bactériophage lambda. De même le répresseur du tryptophane et la protéine activatrice catabolique (CAP) contrôlent l'expression de groupes de gènes de *E. coli*.

5' T A A C A C C G T G C G T G T T G 3'
    | | | | | | | | | | | | | | | | | | |
3' A T T G T G G C A C G C A C A A C 5'

Figure 7-15 Séquence spécifique d'ADN reconnue par la protéine Cro du bactériophage lambda. Les nucléotides marqués en *vert* de cette séquence sont disposés symétriquement, ce qui permet à chaque moitié du site d'ADN d'être reconnue pareillement par chaque monomère protéique, également montrés en *vert*. *Voir* la figure 7-14 pour la structure réelle de la protéine.

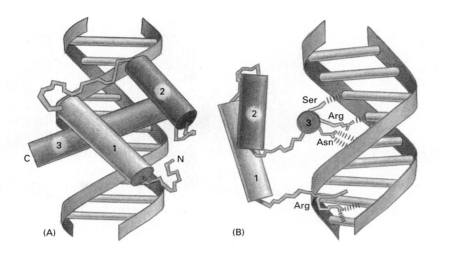

Figure 7-16 Homéodomaine uni à sa séquence spécifique d'ADN. Deux vues différentes de la même structure sont montrées. (A) L'homéodomaine est replié en trois hélices α placées serrées l'une contre l'autre par des interactions hydrophobes. La partie contenant les hélices 2 et 3 ressemble fortement à la conformation hélice-coude-hélice. (B) L'hélice de reconnaissance (hélice 3 en *rouge*) forme d'importants contacts avec le sillon majeur de l'ADN. L'asparagine (Asn) de l'hélice 3, par exemple, entre en contact avec l'adénine comme cela est montré dans la figure 7-12. Les paires de nucléotides entrent également en contact dans le petit sillon avec un bras souple fixé sur l'hélice 1. L'homéodomaine ici montré provient d'une protéine régulatrice de levure mais ressemble beaucoup aux homéodomaines de nombreux organismes eucaryotes. (Adapté de C. Wolberger et al., *Cell* 67 : 517-528, 1991.)

études structurelles ont montré que les homéodomaines protéiques de la levure et de *Drosophila* avaient des conformations très semblables et reconnaissaient l'ADN presque de la même manière, même s'ils n'ont que 17 positions d'acides aminés sur 60 identiques (*voir* Figure 3-15).

Il y a divers types de conformations en « doigt à zinc » de liaison à l'ADN

La conformation hélice-coude-hélice n'est composée que d'acides aminés. Un deuxième groupe important de conformations de liaison à l'ADN présente une structure contenant en plus un ou plusieurs atomes de zinc. Bien que ces conformations de liaisons à l'ADN, coordonnées par le zinc, soient appelées *zinc fingers* (« **en doigt à zinc**»), cette description se réfère uniquement à leur aspect sur les schémas datant de leur découverte initiale (Figure 7-17A). Des études structurales ultérieures ont montré qu'il s'agissait de divers groupes structuraux distincts, dont deux seront développés ici. Le premier type a été initialement découvert dans les protéines qui activent la transcription d'un gène d'ARN ribosomique eucaryote. C'est une structure simple composée d'une hélice α et d'un feuillet β reliés par du zinc (Figure 7-17B). Ce type en doigt à zinc est souvent groupé à d'autres doigts à zinc, disposés les uns après les autres de telle sorte que chaque hélice α entre en contact avec le grand sillon d'ADN et forme une bande presque continue d'hélices α le long du sillon. Il apparaît ainsi une interaction spécifique solide, ADN-protéine, par la répétition de ces unités structurelles fondamentales (Figure 7-18). L'avantage particulier de cette conformation est que la force et la spécificité de cette interaction ADN-protéine a pu être ajustée au cours de l'évolution par la modification du nombre de répétitions en doigt à zinc. Par contre, il est difficile d'imaginer comment les autres conformations de liaison à l'ADN, abordées dans ce chapitre, pourraient former des chaînes répétitives.

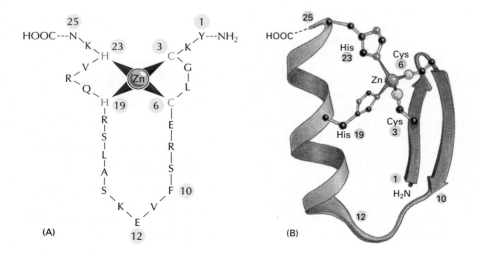

Figure 7-17 Type de protéine en doigt à zinc. Cette protéine appartient à la famille Cys-Cys-His-His de protéines en doigt à zinc, nommée d'après les acides aminés qui enserrent le zinc. (A) Schéma de la séquence en acides aminés d'un doigt à zinc issu d'une protéine de cette classe chez la grenouille. (B) La structure tridimensionnelle de ce type en doigt à zinc est construite à partir d'un feuillet β antiparallèle (acides aminés 1 à 10) suivi d'une hélice α (acides aminés 12 à 24). Les quatre acides aminés qui fixent le zinc (Cys 3, Cys 6, His 19 et His 23) maintiennent solidement une extrémité de l'hélice α à une extrémité du feuillet β. (Adapté de M.S. Lee et al., *Science* 245 : 635-637, 1989.)

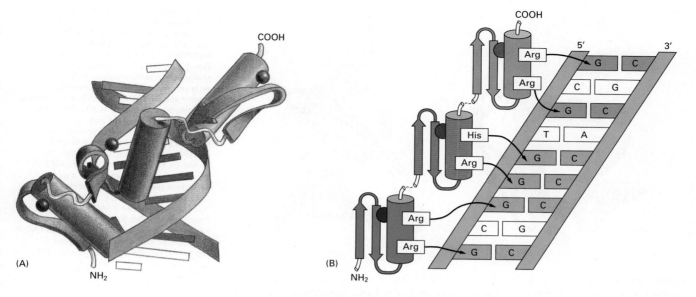

Figure 7-18 Fixation sur l'ADN d'une protéine en doigt à zinc. (A) Structure d'un fragment de protéine régulatrice de souris liée à un site d'ADN spécifique. Cette protéine reconnaît l'ADN en utilisant trois doigts à zinc de type Cys-Cys-His-His (*voir* Figure 7-17) directement répétitifs. (B) Les trois doigts ont des séquences en acides aminés similaires et entrent en contact avec l'ADN de façon similaire. Dans (A) et (B) l'atome de zinc de chaque doigt est représenté par une petite *sphère*. (Adapté de N. Pavletich et C. Pabo, *Science* 252 : 810-817, 1991.)

Un autre type de doigt à zinc est retrouvé dans la grande famille des protéines formant les récepteurs intracellulaires (*voir* Chapitre 15). Il forme une structure d'un type différent (similaire d'une certaine façon à la conformation hélice-coude-hélice) dans laquelle deux hélices α sont associées à des atomes de zinc (Figure 7-19). Tout comme les protéines hélice-coude-hélice, ces protéines forment habituellement des dimères qui permettent l'interaction d'une des deux hélices α de chaque sous-unité avec le grand sillon d'ADN (*voir* Figure 7-14). Même si les deux types de structure en doigts à zinc abordés dans ce paragraphe ont des structures distinctes, ils ont deux caractéristiques communes importantes : ils utilisent tous deux le zinc comme élément structurel et une hélice α pour reconnaître un grand sillon d'ADN.

Les feuillets β peuvent aussi reconnaître l'ADN

Dans les conformations de liaison à l'ADN abordées jusqu'à présent, les hélices α représentent le mécanisme primaire utilisé pour reconnaître les séquences spécifiques d'ADN. Un groupe de protéines régulatrices de gènes a cependant développé une stratégie de reconnaissance complètement différente et non moins ingénieuse. Dans ce cas, les informations à la surface du grand sillon sont lues par un feuillet β double brin dont les chaînes latérales d'acides aminés s'étendent du feuillet vers l'ADN,

Figure 7-19 Un dimère de domaine en doigt à zinc de la famille de récepteurs intracellulaires lié à sa séquence d'ADN spécifique. Chaque domaine en doigt à zinc contient deux atomes de zinc (indiqués par les petites *sphères grises*) ; l'un stabilise la reconnaissance de l'hélice d'ADN (montré en *brun* dans une sous-unité et en *rouge* dans l'autre) et l'autre stabilise la boucle (montré en *violet*) impliquée dans la formation du dimère. Chaque atome de zinc est coordonné par quatre résidus de cystéine espacés de façon appropriée. Comme les protéines en hélice-coude-hélice montrées dans la figure 7-14, les deux hélices de reconnaissance du dimère sont séparées par une distance correspondant à un tour de la double hélice d'ADN. L'exemple spécifique montré est celui d'un fragment du récepteur aux glucocorticoïdes. C'est la protéine qui permet aux cellules de détecter les hormones glucocorticoïdes produites par la surrénale en réponse au stress et d'y répondre transcriptionnellement. (Adapté de B.F. Luisi et al., *Nature* 352 : 497-505, 1991.)

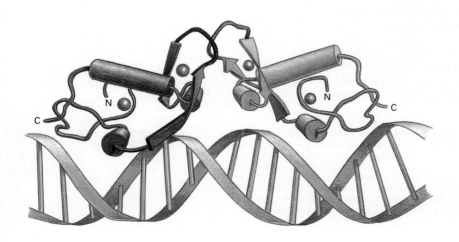

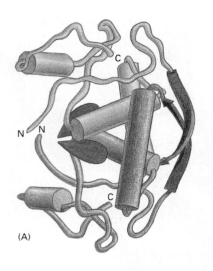

(A)

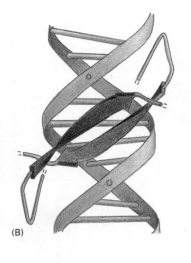

(B)

Figure 7-20 Le répresseur _met_, une protéine bactérienne. Le répresseur _met_ bactérien régule les gènes codant pour les enzymes qui catalysent la synthèse de la méthionine. Lorsque cet acide aminé est abondant, il se lie sur le répresseur, provoquant une modification de la structure de la protéine qui lui permet de se fixer solidement sur l'ADN et d'arrêter la synthèse de l'enzyme. (A) Afin de se fixer solidement sur l'ADN, le répresseur _met_ doit se complexer avec la S-adénosyl méthionine montrée en _rouge_. Une sous-unité de la protéine dimérique est en _vert_, alors que l'autre est en _bleu_. Le feuillet β double brin qui se fixe sur l'ADN est formé d'un brin de chaque sous-unité et est montré en _vert foncé_ et en _bleu foncé_. (B) Schéma simplifié du répresseur _met_ lié à l'ADN, montrant comment le feuillet β double brin du répresseur se fixe sur le grand sillon de l'ADN. Pour plus de clarté, les autres régions du répresseur ont été enlevées. (A, adapté de S. Phillips, _Curr. Opin. Struct. Biol._ 1 : 89-98, 1991 ; B, adapté de W. Somers et S. Phillips, _Nature_ 359 : 387-393, 1992.)

comme cela est montré dans la figure 7-20. Comme dans le cas des hélices α de reconnaissance, cette conformation en feuillet β peut être utilisée pour reconnaître un grand nombre de séquences d'ADN différentes : la séquence exacte d'ADN reconnue dépend de la séquence en acides aminés qui sert à former le feuillet β.

La conformation en «fermeture Éclair à leucine» sert d'intermédiaire à la liaison à l'ADN et aussi à la dimérisation des protéines

Beaucoup de protéines régulatrices de gènes reconnaissent l'ADN sous forme d'homodimère, probablement parce que, comme nous l'avons vu, c'est une façon simple d'obtenir une liaison spécifique solide (_voir_ Figure 7-15). En général, la portion protéique responsable de la dimérisation est différente de la portion responsable de la liaison à l'ADN (_voir_ Figure 7-14). Une conformation associe cependant ces deux fonctions de façon élégante et concise. C'est la conformation en **fermeture Éclair à leucine**, ainsi nommée à cause de la façon dont les deux hélices α, une de chaque monomère, sont reliées et forment un bref superenroulement (_voir_ Figure 3-11). Les hélices sont maintenues par des interactions entre leurs chaînes latérales d'acides aminés hydrophobes (souvent des leucines) qui s'étendent d'un côté de chaque hélice. Juste au-delà de l'interface de dimérisation, les deux hélices α se séparent l'une de l'autre pour former une structure en Y qui permet à leurs chaînes latérales d'entrer en contact avec un grand sillon d'ADN. Le dimère s'agrippe ainsi sur la double hélice comme une pince à linge sur une corde à linge (Figure 7-21).

L'hétérodimérisation étend le répertoire des séquences d'ADN reconnues par les protéines régulatrices de gènes

Beaucoup des protéines régulatrices que nous avons vu jusqu'à maintenant se fixent sur l'ADN sous forme d'homodimère, c'est-à-dire un dimère constitué de deux sous-unités identiques. Cependant, de nombreuses protéines régulatrices de gènes, y compris les protéines à fermeture Éclair à leucine, peuvent aussi s'associer à des partenaires non identiques pour former des hétérodimères composés de deux sous-unités différentes. Comme les hétérodimères se forment typiquement à partir de deux protéines ayant différentes spécificités pour l'ADN, le mélange et l'adaptation des protéines régulatrices qui forment des hétérodimères étendent fortement le répertoire des spécificités de liaison à l'ADN affiché par ces protéines. Comme cela est illustré dans la figure 7-22, trois spécificités distinctes de liaison à l'ADN pourraient en principe être

Figure 7-21 Dimère à fermeture Éclair à leucine fixé sur l'ADN. Deux domaines d'hélice α de liaison à l'ADN (_en bas_) se dimérisent par leur région en fermeture Éclair à leucine d'hélice α (_en haut_) pour former une structure en Y inversée. Chaque branche du Y est formée d'une seule hélice α, issue de chaque monomère, et sert d'intermédiaire de liaison sur la séquence spécifique d'ADN dans le grand sillon de l'ADN. Chaque hélice α se fixe sur la moitié d'une structure d'ADN symétrique. La structure montrée est la protéine de levure Gcn4 qui régule la transcription en réponse à la disponibilité des acides aminés de l'environnement. (Adapté de T.E. Ellenberger et al., _Cell_ 71 : 1223-1237, 1992.)

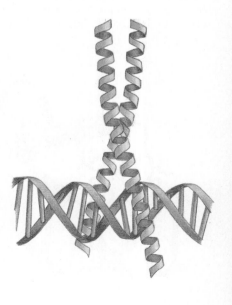

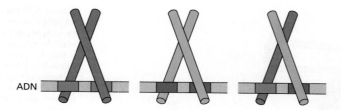

ADN

Figure 7-22 L'hétérodimérisation de la protéine à fermeture Éclair à leucine peut modifier sa spécificité de liaison à l'ADN. Les homodimères à fermeture Éclair à leucine se fixent sur des séquences d'ADN symétriques comme cela est montré sur les schémas de *gauche* et du *centre*. Ces deux protéines reconnaissent différentes séquences d'ADN, comme cela est indiqué par les régions *rouges* et *bleues* de l'ADN. Les deux différents monomères peuvent se combiner pour former un hétérodimère qui reconnaît maintenant une séquence hybride d'ADN, composée d'une région *rouge* et d'une *bleue*.

engendrées à partir de deux types de monomères à fermeture Éclair à leucine, alors que six pourraient être créées à partir de trois types de monomères et ainsi de suite.

Il existe cependant des limites à ce rapprochement : si tous les types de protéines à fermeture Éclair à leucine d'une cellule eucaryote typique formaient des hétérodimères, le nombre de «répliques croisées» entre les circuits de régulation génique d'une cellule serait si important que cela entraînerait le chaos. La formation d'un dimère particulier dépend de la façon dont les surfaces hydrophobes des deux hélices α à fermeture Éclair à leucine s'engrènent bien l'une dans l'autre, ce qui, à son tour, dépend de la séquence exacte en acides aminés des deux régions de la fermeture Éclair. De ce fait, chaque protéine à fermeture Éclair à leucine ne peut former des dimères qu'avec un petit groupe d'autres protéines à fermeture Éclair à leucine.

L'hétérodimérisation est un exemple de **contrôle combinatoire** au cours duquel c'est l'association de différentes protéines, et non pas des protéines individuelles, qui contrôle un processus cellulaire. L'hétérodimérisation est un des mécanismes utilisés par les cellules eucaryotes pour contrôler de cette façon l'expression d'un gène et elle est utilisée par un grand nombre de protéines régulatrices de type différent (Figure 7-23). Comme nous le verrons ultérieurement, cependant, la formation d'un complexe régulateur hétérodimérique n'est qu'un des nombreux mécanismes de contrôle combinatoire de l'expression génique.

Pendant l'évolution des protéines régulatrices, des principes combinatoires similaires ont produit de nouvelles spécificités de liaison à l'ADN en reliant deux domaines distincts de liaison à l'ADN en une seule chaîne polypeptidique (Figure 7-24).

La conformation hélice-boucle-hélice est également un intermédiaire de dimérisation et de liaison à l'ADN

Une autre conformation importante de liaison à l'ADN, apparentée à la fermeture Éclair à leucine, est l'**hélice-boucle-hélice** (**HLH**, avec L pour *loop*), qui ne doit pas

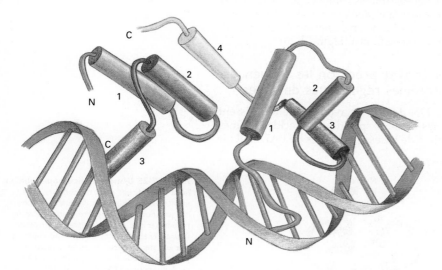

Figure 7-23 Hétérodimère composé de deux homéodomaines protéiques fixé sur son site de reconnaissance de l'ADN. L'hélice 4 *jaune* de la protéine à droite (Matα2) n'est pas structurée en l'absence de la protéine de gauche (Matα1) et ne forme une hélice que lors d'hétérodimérisation. La séquence d'ADN est de ce fait reconnue conjointement par les deux protéines ; certains contacts ADN-protéine effectués par Matα2 ont été montrés dans la figure 7-16. Ces deux protéines proviennent de levures bourgeonnantes, où l'hétérodimère spécifie un type cellulaire particulier (*voir* Figure 7-65). Les hélices sont numérotées en accord avec la figure 7-16. (Adapté de T. Li et al., *Science* 270 : 262-269, 1995.)

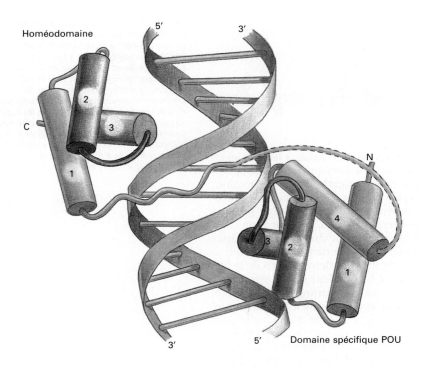

Homéodomaine

Domaine spécifique POU

être confondue avec la conformation hélice-coude-hélice vue précédemment. La conformation HLH est composée d'une courte hélice α reliée par une boucle à une seconde hélice α plus longue. La souplesse de la boucle permet le repliement d'une hélice qui se place contre l'autre. Comme cela est montré dans la figure 7-25, cette structure à deux hélices se fixe à la fois sur l'ADN et sur la conformation HLH d'une seconde protéine HLH. Tout comme pour les protéines à fermeture Éclair à leucine, la deuxième protéine HLH peut être la même (ce qui crée un homodimère) ou être différente (ce qui crée un hétérodimère). Dans les deux cas, les deux hélices α qui s'étendent à partir de l'interface de dimérisation entrent en contact spécifique avec l'ADN.

Plusieurs protéines HLH ne présentent pas l'extension d'hélice α responsable de leur fixation sur l'ADN. Ces protéines tronquées peuvent former des hétérodimères avec des protéines HLH complètes, mais ces hétérodimères sont incapables de se lier solidement sur l'ADN parce qu'ils ne forment que la moitié des contacts nécessaires. De ce fait, en plus de la création d'un dimère actif, l'hétérodimérisation permet de mettre en échec certaines protéines régulatrices spécifiques (Figure 7-26).

Il n'est pas encore possible de prévoir avec précision les séquences d'ADN reconnues par toutes les protéines régulatrices de gènes

Les diverses conformations de liaison à l'ADN dont nous avons parlé fournissent des cadres structuraux à partir desquels les chaînes spécifiques d'acides aminés s'étendent et entrent en contact avec les paires de bases spécifiques de l'ADN. Il est

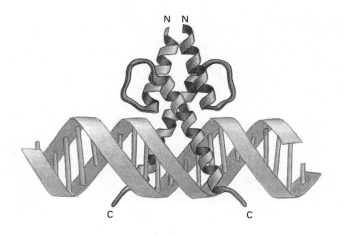

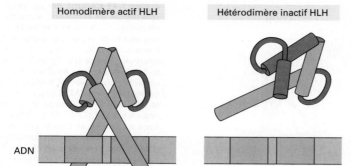

Homodimère actif HLH

Hétérodimère inactif HLH

ADN

Figure 7-26 Régulation inhibitrice par les protéines HLH tronquées.
Le motif HLH est responsable de la dimérisation et de la liaison à l'ADN. Sur la
gauche, un homodimère HLH reconnaît une séquence symétrique d'ADN. Sur
la *droite*, la réunion d'une protéine HLH de longueur complète (*bleu*) et d'une
protéine HLH tronquée (*vert*) qui ne possède pas d'hélice α de liaison à l'ADN
engendre un hétérodimère incapable de se lier solidement sur l'ADN. Si elle est
présente en excès, la protéine tronquée bloque l'homodimérisation de la protéine
HLH de longueur complète et empêche ainsi sa liaison à l'ADN.

donc raisonnable de se demander s'il existe un simple code de reconnaissance
«acides aminés-paires de bases». Est-ce qu'une paire de bases G-C par exemple
entre toujours en contact avec la chaîne latérale d'un acide aminé particulier? La
réponse semble être négative, même si certains types d'interactions d'acides aminés
apparaissent beaucoup plus souvent que d'autres (Figure 7-27). Comme nous
l'avons vu au chapitre 3, la surface des protéines de n'importe quelles forme et composition chimique peut être formée juste à partir de 20 acides aminés différents, et
une protéine régulatrice utilise différentes combinaisons de ceux-ci pour créer une
surface précisément complémentaire à une séquence particulière d'ADN. Nous
savons que la même paire de bases peut donc être reconnue de plusieurs façons en
fonction du contexte (Figure 7-28). Néanmoins, les biologistes moléculaires commencent à comprendre assez bien la reconnaissance protéine-ADN et nous devrions
bientôt pouvoir concevoir des protéines reconnaissant n'importe quelle séquence
choisie d'ADN.

Un test de retard sur gel permet de détecter facilement les protéines se liant à des séquences spécifiques d'ADN

Les analyses génétiques qui ont ouvert la voie sur les protéines régulatrices de gènes
des bactéries, des levures et de *Drosophila* sont beaucoup plus difficiles chez les vertébrés. De ce fait, l'isolement des protéines régulatrices des vertébrés a dû attendre le
développement d'approches différentes. Beaucoup d'entre elles se basent sur la détection, dans un extrait cellulaire, des protéines de liaison à l'ADN qui reconnaissent spécifiquement une séquence d'ADN connue et contrôlent l'expression d'un gène
particulier. La façon la plus commune de détecter les protéines se liant sur des
séquences spécifiques d'ADN consiste à utiliser une technique qui se base sur les effets
d'une protéine liée sur la migration de molécules d'ADN dans un champ électrique.

La molécule d'ADN a une forte charge négative et se déplace donc rapidement
vers l'électrode positive lorsqu'elle est soumise à un champ électrique. Lorsqu'elles
sont analysées par électrophorèse sur gel de polyacrylamide, les molécules d'ADN
sont séparées selon leur taille, les molécules les plus petites pouvant pénétrer le fin
réseau de gel plus facilement que les grosses. Les molécules protéiques liées sur la
molécule d'ADN provoqueront un déplacement plus lent à travers le gel; en général, plus la protéine fixée est grosse, plus le retard de l'ADN est important. Ce phénomène est à la base du **test de retard sur gel** (*gel mobility shift assay*), qui permet
de détecter facilement même des traces d'une protéine se liant spécifiquement sur
une séquence d'ADN. Dans cette épreuve, un court segment d'ADN, de longueur
et de séquence spécifiques (produit soit par clonage de l'ADN soit par synthèse chimique) est marqué par radioactivité et mélangé à un extrait cellulaire; le mélange
est placé sur un gel de polyacrylamide et soumis à l'électrophorèse. Si le fragment
d'ADN correspond à une région chromosomique où, par exemple, plusieurs protéines spécifiques de séquence se fixent, l'autoradiographie révélera une série de

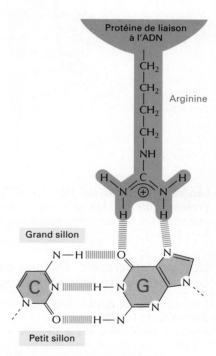

**Figure 7-27 Une des principales
interactions protéine-ADN.** Du fait de sa
géométrie spécifique d'accepteur de liaison
hydrogène (*voir* Figure 7-7), la guanine peut
être reconnue sans ambiguïté par la chaîne
latérale de l'arginine. Une autre interaction
commune protéine-ADN a été montrée
en figure 7-12.

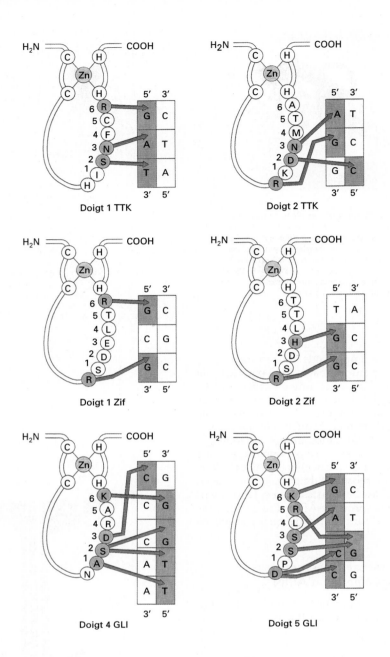

Doigt 1 TTK

Doigt 2 TTK

Doigt 1 Zif

Doigt 2 Zif

Doigt 4 GLI

Doigt 5 GLI

Figure 7-28 Résumé des interactions spécifiques de séquence entre six différents doigts à zinc et leurs séquences de reconnaissance de l'ADN. Même si les six doigts à zinc à la même structure générale (*voir* Figure 7-17), chacun se lie à une séquence d'ADN différente. Les acides aminés numérotés forment les hélices α qui reconnaissent l'ADN (Figures 7-17 et 7-18) et ceux qui font les contacts spécifiques de séquence avec l'ADN sont colorés en *vert*. Les bases qui entrent en contact avec les protéines sont en *orange*. Bien que les contacts arginine-guanine soient fréquents (*voir* Figure 7-27), la guanine peut aussi être reconnue par la sérine, l'histidine et la lysine, comme cela est montré. De plus, le même acide aminé (la sérine dans cet exemple) peut reconnaître plusieurs bases. Deux des doigts à zinc représentés sont issus de la protéine TTK (une protéine de *Drosophila* qui a un rôle dans le développement); deux sont issus de la protéine de souris (Zif268) qui a été montrée en figure 7-18; et deux sont issus d'une protéine humaine (GLI) dont les formes aberrantes provoquent certains types de cancers. (Adapté de C. Branden et J. Tooze, *Introduction to Protein Structure*, 2nd edn. New York : Garland Publishing, 1999.)

bandes d'ADN, chacune retardée différemment et représentant un complexe ADN-protéine différent. Les protéines responsables de chaque bande sur le gel peuvent être séparées les unes des autres par le fractionnement ultérieur de l'extrait cellulaire (Figure 7-29).

La chromatographie d'affinité de l'ADN facilite la purification des protéines se liant sur des séquences spécifiques d'ADN

Une méthode de purification particulièrement puissante, appelée **chromatographie d'affinité de l'ADN**, peut être utilisée lorsque la séquence d'ADN reconnue par la protéine régulatrice a été déterminée. Un oligonucléotide à double brin de la séquence correcte est synthétisé par des méthodes chimiques et fixé sur une matrice poreuse insoluble comme l'agarose; la matrice fixée à l'oligonucléotide est alors utilisée pour former une colonne qui se fixe sélectivement aux protéines qui reconnaissent la séquence particulière d'ADN (Figure 7-30). Il est possible d'atteindre une purification de 10 000 avec relativement peu d'efforts.

Même si la plupart des protéines qui se fixent sur une séquence spécifique d'ADN sont présentes en quelques milliers de copies par cellule eucaryote supérieure (et généralement ne représentent environ qu'une pour 50 000 des protéines cellulaires

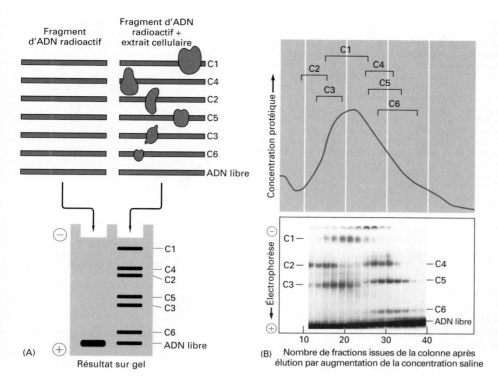

Figure 7-29 Épreuve de retard sur gel.
Le principe de cette épreuve est montré schématiquement en A. Dans cet exemple un extrait de lignée cellulaire productrice d'anticorps est mélangé à un fragment d'ADN radioactif contenant environ 160 nucléotides d'une séquence régulatrice d'ADN issue d'un gène codant pour la chaîne légère d'un anticorps fabriqué par la lignée cellulaire. Les effets des protéines de l'extrait sur la mobilité du fragment d'ADN sont analysés par électrophorèse sur gel de polyacrylamide, suivie d'une autoradiographie. Les fragments d'ADN libres migrent rapidement au bas du gel alors que les fragments liés aux protéines sont retardés ; le résultat de six bandes retardées suggère l'existence dans cet extrait de six différentes protéines de liaison sur des séquences spécifiques d'ADN (indiquées par C1 à C6), qui se sont liées sur ces séquences d'ADN. (Pour plus de simplicité, tous les fragments d'ADN sur lesquels plusieurs protéines sont liées n'ont pas été placés sur cette figure.) En (B), l'extrait a été fractionné par une technique de chromatographie standard (*en haut*) et chaque fraction a été mélangée avec le fragment d'ADN radioactif, appliquée sur un couloir de gel de polyacrylamide et analysée comme en (A). (B, modifié d'après C. Scheidereit, A. Heguy et R.G. Roeder, *Cell* 51 : 783-793, 1987.)

totales), il est possible d'isoler par chromatographie d'affinité des protéines suffisamment pures pour obtenir leur séquence partielle en acides aminés par spectrométrie de masse ou d'autres moyens (*voir* Chapitre 8). Si on connaît la séquence complète du génome de l'organisme, la séquence partielle en acides aminés peut être utilisée pour identifier le gène. Le gène fournit la séquence complète en acides aminés de la protéine et toutes les incertitudes concernant les limites entre les exons et les introns peuvent être éliminées par l'analyse de l'ARNm produit par le gène comme cela est décrit au chapitre 8. Les gènes permettent aussi de produire des protéines en quantité illimitée par des techniques de génie génétique, comme cela est expliqué au chapitre 8.

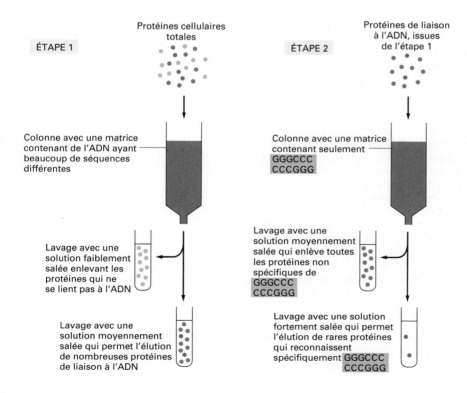

Figure 7-30 Chromatographie d'affinité de l'ADN. Dans la première étape, toutes les protéines qui peuvent se fixer sur l'ADN sont séparées des autres protéines cellulaires sur une colonne contenant un très grand nombre de séquences différentes d'ADN. La plupart des protéines de liaison à l'ADN spécifiques de séquence ont une faible affinité (non spécifique) pour l'ensemble de l'ADN et sont de ce fait retenues sur la colonne. Cette affinité est essentiellement due à des attractions ioniques et les protéines peuvent être éluées de l'ADN par une solution qui contient une concentration modérée de sel. Dans la seconde étape, le mélange des protéines de liaison à l'ADN est passé dans une colonne qui contient uniquement des ADN ayant une séquence particulière. Toutes les protéines de liaison à l'ADN se colleront typiquement à la colonne, la grande majorité par des interactions non spécifiques. Elles sont encore une fois éluées par des solutions de concentration modérée en sel, ne laissant dans la colonne que les protéines (typiquement une ou quelques-unes) qui se lient spécifiquement et de ce fait très solidement sur cette séquence particulière d'ADN. Ces protéines restantes peuvent être éluées de la colonne par des solutions contenant de très hautes concentrations en sel.

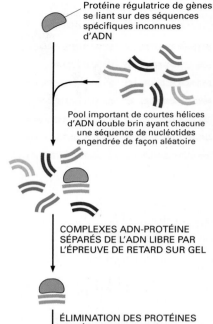

Figure 7-31 Méthode de détermination de la séquence d'ADN reconnue par une protéine régulatrice de gènes. Une protéine régulatrice purifiée est mélangée avec des millions de courts fragments d'ADN différents, chacun ayant une séquence nucléotidique différente. Une collection de ce type de fragments d'ADN peut être produite par la programmation d'un synthétiseur d'ADN, une machine qui synthétise chimiquement de l'ADN ayant n'importe quelle séquence désirée (*voir* Chapitre 8). Par exemple il y a 4^{11} ou environ 4,2 millions de séquences possibles pour un fragment d'ADN de 11 nucléotides. Les fragments d'ADN double brin qui se lient solidement sur la protéine régulatrice sont alors séparés des fragments d'ADN qui ne peuvent se lier. Le retard sur gel, décrit dans la figure 7-29, est une des méthodes qui permet cette séparation. Après la séparation du complexe ADN-protéine de l'ADN libre, les fragments d'ADN sont retirés de la protéine et plusieurs cycles supplémentaires de ce même processus de sélection sont effectués. Les séquences de nucléotides de ces fragments d'ADN qui persistent après les multiples cycles de sélection peuvent être déterminés et une séquence consensus de reconnaissance de l'ADN peut être engendrée.

Protéine régulatrice de gènes se liant sur des séquences spécifiques inconnues d'ADN

Pool important de courtes hélices d'ADN double brin ayant chacune une séquence de nucléotides engendrée de façon aléatoire

COMPLEXES ADN-PROTÉINE SÉPARÉS DE L'ADN LIBRE PAR L'ÉPREUVE DE RETARD SUR GEL

ÉLIMINATION DES PROTÉINES ET DÉTERMINATION DE LA SÉQUENCE DES FRAGMENTS D'ADN SOLIDEMENT LIÉS

SÉQUENCE CONSENSUS D'ADN RECONNUE PAR LES PROTÉINES RÉGULATRICES DE GÈNES

La séquence d'ADN reconnue par la protéine régulatrice de gènes peut être déterminée

Certaines protéines régulatrices de gènes ont été découvertes avant que les séquences d'ADN sur lesquelles elles se fixent ne soient connues. Par exemple, un grand nombre d'homéodomaines protéiques de *Drosophila* ont été découverts par l'isolement de mutations qui modifiaient le développement de la mouche. Cela a permis d'identifier les gènes codant pour les protéines et ces protéines ont pu alors être surexprimées dans des cellules en culture puis facilement purifiées. Une des méthodes de détermination des séquences d'ADN reconnues par la protéine régulatrice consiste à utiliser la protéine purifiée pour sélectionner à partir d'un large pool de courts nucléotides de séquences différentes uniquement ceux qui se fixent fermement sur elle. Après plusieurs cycles de sélection, il est possible de déterminer la séquence nucléotidique des ADN solidement fixés et de formuler une séquence consensus de reconnaissance d'ADN pour cette protéine régulatrice (Figure 7-31). La séquence consensus peut être utilisée pour rechercher des séquences du génome par voie informatique et identifier ainsi les gènes candidats dont la transcription pourrait être régulée par la protéine régulatrice étudiée. Cependant, cette stratégie n'est pas totalement prouvée. Par exemple, beaucoup d'organismes produisent un ensemble de protéines régulatrices apparentées qui reconnaissent des séquences très semblables d'ADN et cette approche ne peut les séparer. Dans la plupart des cas, il faut tester, par des approches plus directes, comme celle décrite dans le paragraphe suivant, les prédictions sur le site d'action des protéines régulatrices obtenues par la recherche des séquences du génome.

La technique d'immuno-précipitation de la chromatine identifie les sites d'ADN occupés par les protéines régulatrices de gènes dans les cellules vivantes

En général, une protéine régulatrice donnée n'occupe pas tout le temps son site potentiel de liaison à l'ADN sur le génome. Dans certaines conditions, la protéine peut simplement ne pas être synthétisée et donc être absente de la cellule ; ou par exemple, elle peut être présente mais doit former un hétérodimère avec une autre protéine pour se lier efficacement à l'ADN dans la cellule vivante ; ou elle peut être exclue du noyau jusqu'à ce qu'un signal approprié soit reçu à partir de l'environnement cellulaire. Une méthode permet de déterminer empiriquement les sites d'ADN occupés par une protéine régulatrice donnée dans un groupe particulier de conditions : l'**immuno-précipitation de la chromatine** (Figure 7-32). Des protéines sont liées à l'ADN par liaison croisée covalente dans les cellules vivantes puis les cellules sont lysées et l'ADN est mécaniquement rompu en de petits fragments. Ensuite des anticorps dirigés contre une protéine régulatrice donnée sont utilisés pour purifier l'ADN relié par liaison croisée covalente à cette protéine régulatrice du fait de la proximité entre cette protéine et l'ADN au moment de la formation de la liaison croisée. De cette façon, les sites d'ADN occupés par cette protéine régulatrice dans les cellules d'origine peuvent être déterminés.

Cette méthode est également utilisée en routine pour identifier le long du génome les positions empaquetées par les divers types d'histones modifiées (*voir* Figure 4-35). Dans ce cas, des anticorps spécifiques d'une modification particulière des histones sont utilisés.

Figure 7-32 Immuno-précipitation de la chromatine. Cette méthode permet l'identification des sites du génome qui sont occupés *in vivo* par des protéines régulatrices. L'amplification de l'ADN par PCR est décrite au chapitre 8. Il est possible de déterminer l'identité des fragments d'ADN amplifiés précipités par l'hybridation du mélange des fragments d'ADN sur une micropuce d'ADN, décrite au chapitre 8.

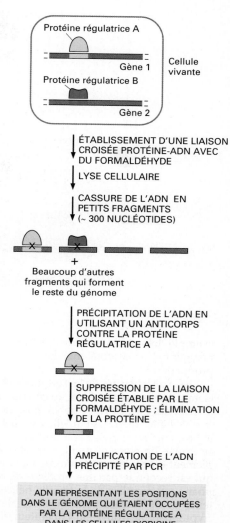

Résumé

Les protéines régulatrices de gènes reconnaissent de courts segments de la double hélice d'ADN d'une séquence définie et déterminent ainsi quel gène, parmi les milliers de la cellule, sera transcrit. Des milliers de protéines régulatrices ont été identifiées dans un large éventail d'organismes. Même si chacune de ces protéines a une caractéristique propre, la plupart se lient à l'ADN sous forme d'homodimères ou d'hétérodimères et reconnaissent l'ADN par une des quelques conformations structurales. Les conformations les plus communes comprennent l'hélice-coude-hélice, les homéodomaines, les fermetures Éclair à leucine, les hélice-boucle-hélice et les doigts à zinc de divers types. La séquence précise en acides aminés qui est repliée en une de ces conformations détermine la séquence particulière d'ADN reconnue. L'hétérodimérisation augmente la variété des séquences d'ADN qui peuvent être reconnues par les protéines régulatrices. Il existe des techniques puissantes qui utilisent la spécificité des protéines régulatrices pour les séquences d'ADN pour identifier et isoler ces protéines, les gènes qui codent pour elles, les séquences d'ADN qu'elles reconnaissent et les gènes qu'elles régulent.

MODE D'ACTION DES COMMUTATEURS GÉNÉTIQUES

Dans le paragraphe précédent, nous avons décrit les composants fondamentaux des commutateurs génétiques – les protéines régulatrices de gènes et les séquences spécifiques d'ADN reconnues par ces protéines. Voyons maintenant comment ces composants activent ou inactivent les gènes en réponse à divers signaux.

Il y a seulement 40 ans, l'hypothèse que les gènes pouvaient être activés et inactivés était révolutionnaire. Ce concept a été une avancée majeure. C'est l'étude sur la façon dont *E. coli* s'adaptait aux changements de composition de son milieu de culture qui a engendré son apparition. Des études parallèles portant sur le bactériophage lambda ont conduit à bon nombre de conclusions identiques et ont facilité l'identification des mécanismes sous-jacents. Un grand nombre de principes identiques s'appliquent aux cellules eucaryotes. Cependant, l'énorme complexité de la régulation génique des organismes supérieurs associée à l'empaquetage de leur ADN dans la chromatine ont engendré des défis particuliers et certaines nouvelles opportunités de contrôle – comme nous le verrons. Nous commencerons par l'exemple le plus simple – la commutation marche-arrêt des bactéries qui répond à un seul signal.

Le répresseur du tryptophane est un commutateur simple qui active et inactive les gènes chez les bactéries

Le chromosome de la bactérie *E. coli*, un organisme monocellulaire, est composé d'un seul ADN circulaire contenant environ $4,6 \times 10^6$ paires de nucléotides. Cet ADN code approximativement pour 4300 protéines, même si seule une fraction de celles-ci est fabriquée à un instant donné. L'expression d'un grand nombre d'entre elles est régulée par la nourriture disponible dans l'environnement. Cela est illustré par les cinq gènes d'*E. coli* qui codent pour les enzymes fabriquant l'acide aminé tryptophane. Ces gènes sont placés dans un seul **opéron**, c'est-à-dire qu'ils sont adjacents les uns aux autres sur le chromosome et sont traduits à partir d'un seul *promoteur* sous forme d'une longue molécule d'ARNm (Figure 7-33). Mais lorsque le tryptophane est présent dans le milieu de croissance et entre dans la cellule (par

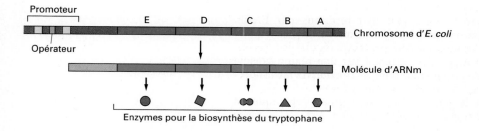

Figure 7-33 Agrégats de gènes d'*E. coli* codant pour les enzymes qui fabriquent l'acide aminé tryptophane. Ces cinq gènes sont transcrits sous forme d'une seule molécule d'ARNm, une caractéristique qui permet le contrôle de leur expression de façon coordonnée. Les agrégats de gènes transcrits dans une seule molécule d'ARNm sont fréquents chez les bactéries. Chaque agrégat de ce type est appelé opéron.

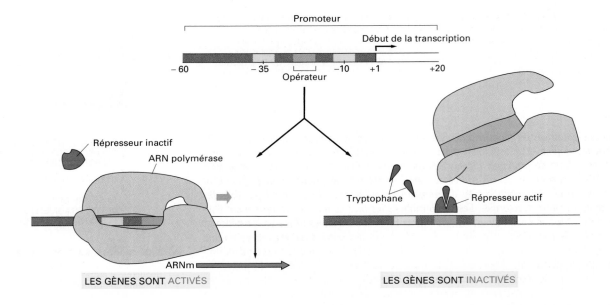

Promoteur

Début de la transcription

−60   −35   −10   +1   +20

Opérateur

Répresseur inactif

ARN polymérase

Tryptophane

Répresseur actif

ARNm

LES GÈNES SONT ACTIVÉS

LES GÈNES SONT INACTIVÉS

exemple, lorsque la bactérie est dans l'intestin d'un mammifère qui vient juste de manger un repas protéique), la cellule n'a plus besoin de ces enzymes et arrête leur production.

Les particularités de la base moléculaire de cette commutation sont bien connues. Comme nous l'avons décrit au chapitre 6, un promoteur est une séquence spécifique d'ADN qui dirige l'ARN polymérase pour qu'elle se fixe sur l'ADN, qu'elle ouvre la double hélice d'ADN et qu'elle commence la synthèse d'une molécule d'ARN. Dans le promoteur qui dirige la transcription des gènes de la biosynthèse du tryptophane se trouve un élément régulateur, appelé **opérateur** (*voir* Figure 7-33). Il s'agit simplement d'une courte région régulatrice d'ADN, de séquence nucléotidique définie, qui est reconnue par une protéine répresseur, dans ce cas le **répresseur du tryptophane**, un membre de la famille hélice-coude-hélice (*voir* Figure 7-14). Les promoteurs et opérateurs sont disposés de telle sorte que lorsque le répresseur du tryptophane se trouve sur l'opérateur, il bloque l'accès de l'ARN polymérase au promoteur et évite ainsi l'expression des enzymes de production du tryptophane (Figure 7-34).

Le blocage de l'expression du gène est régulé de façon ingénieuse : pour se lier sur l'opérateur de l'ADN, il faut que le répresseur protéique ait fixé deux molécules de l'acide aminé tryptophane. Comme cela est montré dans la figure 7-35, la fixation du tryptophane incline le motif hélice-coude-hélice du répresseur, de telle sorte qu'il se présente correctement dans le grand sillon d'ADN ; sans le tryptophane, la conformation se rabat à l'intérieur et la protéine est incapable de se fixer sur l'opérateur. De ce fait, le répresseur et l'opérateur du tryptophane forment un appareillage simple qui active ou inactive la production des enzymes de biosynthèse du tryptophane selon la disponibilité en tryptophane libre. Comme la forme active fixée sur l'ADN de la protéine sert à inactiver les gènes, ce mode de régulation est appelé **contrôle négatif** et la protéine régulatrice qui fonctionne ainsi est appelée *répresseur transcriptionnel* ou *protéine répresseur d'un gène*.

Les activateurs de transcription activent les gènes

Nous avons vu, au chapitre 6, que l'ARN polymérase purifiée d'*E. coli* (y compris la sous-unité σ) pouvait se fixer sur un promoteur et initier la transcription de l'ADN. Certains promoteurs bactériens, cependant, ne sont que marginalement fonctionnels par eux-mêmes, soit parce qu'ils sont mal reconnus par l'ARN polymérase, soit parce que la polymérase a des difficultés à ouvrir l'hélice d'ADN et à commencer la transcription. Dans les deux cas, des protéines régulatrices secourent ces promoteurs qui fonctionnent mal ; elles se fixent sur une région voisine d'ADN et entrent en contact avec l'ARN polymérase pour augmenter de façon spectaculaire la probabilité que le transcrit soit initié. Comme la forme active de fixation sur l'ADN de ces protéines active le gène, ce mode de régulation génique est appelé **contrôle positif** et la protéine régulatrice qui fonctionne ainsi est appelée

Figure 7-34 Commutation marche-arrêt du gène tryptophane. Si la concentration en tryptophane à l'intérieur de la cellule est faible, l'ARN polymérase se fixe sur le promoteur et transcrit les cinq gènes de l'opéron du tryptophane (*trp*). Si la concentration en tryptophane est forte, le répresseur du tryptophane est activé et se fixe sur l'opérateur, où il bloque la liaison de l'ARN polymérase sur le promoteur. Dès que la concentration intracellulaire en tryptophane s'abaisse, le répresseur libère son tryptophane et devient inactif, permettant à la polymérase de commencer la transcription des gènes. Le promoteur inclut deux blocs clés de séquences d'ADN d'information, les régions −35 et −10 montrées en *jaune* (*voir* Figure 6-12).

activateur transcriptionnel ou *protéine activatrice d'un gène*. Dans certains cas, les protéines activatrices bactériennes aident l'ARN polymérase à se fixer sur le promoteur en fournissant une autre surface de contact pour la polymérase. Dans d'autres cas, elles facilitent la transition entre la conformation initiale de liaison à l'ADN de la polymérase et sa forme active pour la transcription, en stabilisant peut-être l'état de transition.

Comme dans le cas du contrôle négatif par le répresseur transcriptionnel, l'activateur transcriptionnel peut opérer comme un simple commutateur génétique « marche-arrêt ». La protéine activatrice bactérienne *CAP* (*protéine activatrice catabolique*), par exemple, active les gènes qui permettent à *E. coli* d'utiliser d'autres sources de carbone lorsque le glucose, sa source de carbone préférée, n'est plus disponible. La baisse de la concentration en glucose induit l'augmentation de molécules de signalisation cellulaire de type AMP cyclique qui s'unissent à la protéine CAP, lui permettant de se fixer sur sa séquence spécifique d'ADN proche du promoteur cible et d'activer ainsi les gènes appropriés. De cette façon, l'expression d'un gène cible est activée ou inactivée en fonction des concentrations en AMP cyclique, respectivement élevées ou basses. La figure 7-36 résume les différents modes d'utilisation des contrôles positifs et négatifs utilisés pour réguler les gènes.

Les activateurs et les répresseurs transcriptionnels se ressemblent sur bien des points. Le répresseur du tryptophane et l'activateur CAP, par exemple, utilisent tous les deux une conformation hélice-coude-hélice (Figure 7-14) et nécessitent tous les deux un petit cofacteur pour se fixer sur l'ADN. En fait, certaines protéines bactériennes (y compris la CAP et le répresseur du bactériophage lambda) peuvent agir soit comme activateurs soit comme répresseurs, en fonction de l'emplacement exact de la séquence d'ADN qu'ils reconnaissent en relation avec le promoteur : si le site de liaison de la protéine recouvre le promoteur, la polymérase ne peut se lier et la protéine agit comme un répresseur (Figure 7-37).

Un activateur transcriptionnel et un répresseur transcriptionnel contrôlent l'opéron *lac*

Des commutateurs génétiques plus complexes associent des contrôles négatif et positif. L'*opéron lac* d'*E. coli*, par exemple, contrairement à l'*opéron trp*, est respectivement sous contrôle transcriptionnel négatif et positif par le répresseur protéique lac et la CAP. L'opéron *lac* code pour les protéines nécessaires au transport dans la cellule d'un disaccharide, le lactose, et à sa dégradation. La CAP, comme nous l'avons vu, permet à la bactérie d'utiliser d'autres sources de carbone comme le lactose en l'absence de glucose. Ce serait du gâchis, cependant, que la CAP induise l'expression de

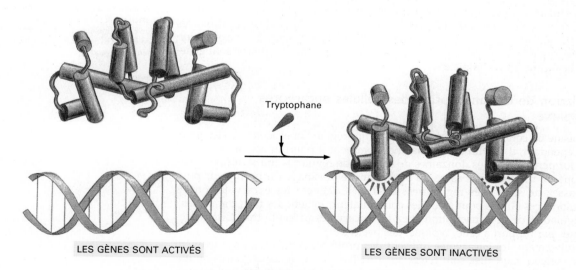

Tryptophane

LES GÈNES SONT ACTIVÉS

LES GÈNES SONT INACTIVÉS

Figure 7-35 La fixation du tryptophane sur la protéine « répresseur » du tryptophane modifie la conformation du répresseur. La modification de conformation permet à cette protéine régulatrice de se lier fermement sur une séquence spécifique d'ADN (l'opérateur), bloquant ainsi la transcription des gènes codant pour les enzymes nécessaires à la production du tryptophane (l'opéron *trp*). La structure tridimensionnelle de cette protéine bactérienne à hélice-coude-hélice, déterminée par diffraction des rayons X, avec ou sans tryptophane lié, est illustrée. La fixation du tryptophane augmente la distance entre les deux hélices de reconnaissance dans l'homodimère et permet au répresseur de s'emboîter parfaitement sur l'opérateur. (Adapté d'après R. Zhang et al., *Nature* 327 : 591-597, 1987.)

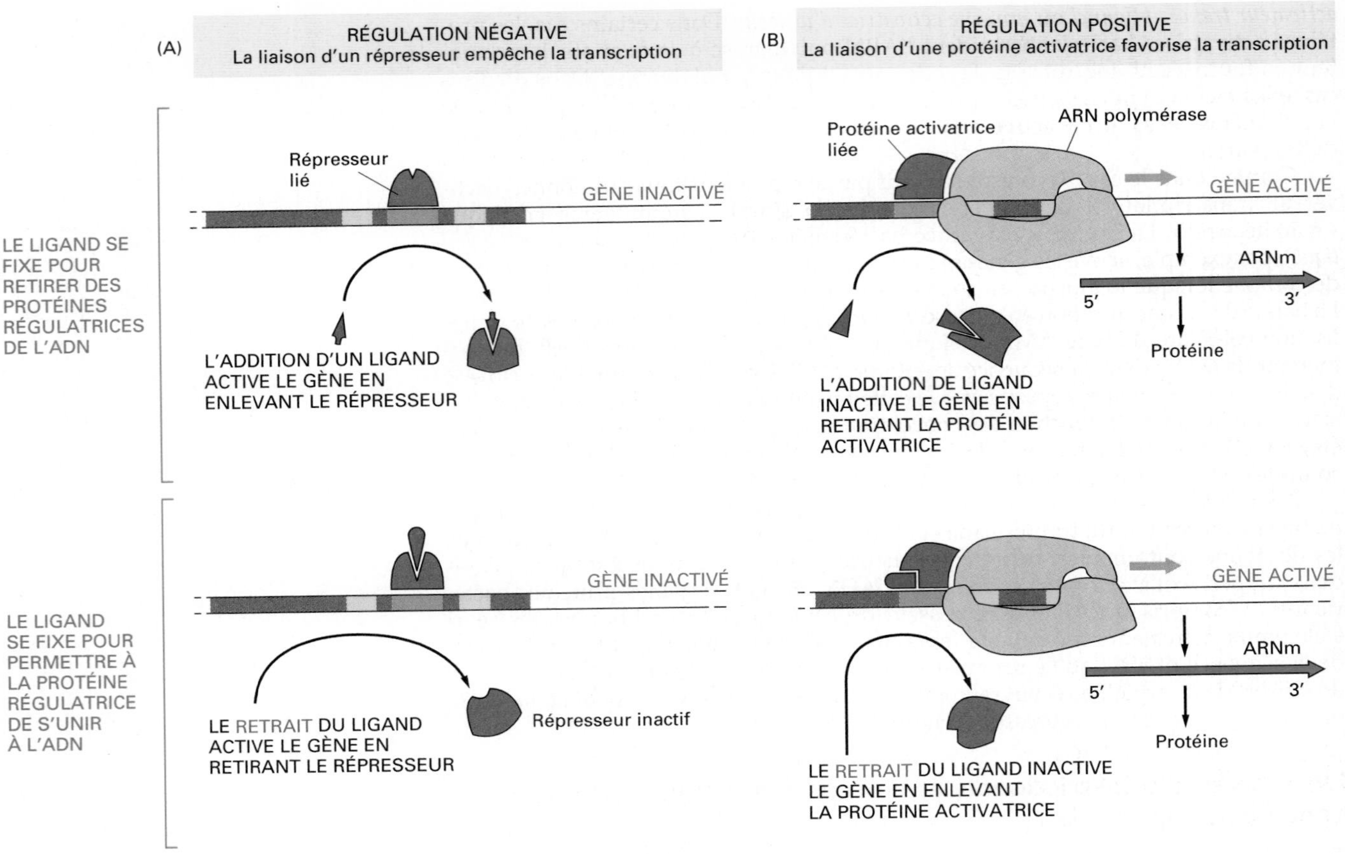

Figure 7-36 Résumé des mécanismes utilisés par les protéines régulatrices spécifiques pour contrôler la transcription des gènes des procaryotes. (A) Régulation négative. (B) Régulation positive. Notez que l'addition d'un ligand «inducteur» peut activer un gène soit en enlevant de l'ADN un répresseur de gène (*partie gauche en haut*) soit en provoquant la liaison d'une protéine activatrice (*partie droite en bas*). De même, l'addition d'un ligand «inhibiteur» peut inactiver le gène soit en enlevant de l'ADN une protéine activatrice (*en haut à droite*) soit en provoquant la liaison d'un répresseur (*en bas à gauche*).

l'opéron *lac* en cas d'absence de lactose, et le répresseur lac assure que l'opéron *lac* soit inactivé en l'absence de lactose. Cet arrangement permet à la région contrôlée de l'opéron *lac* de répondre à deux signaux différents et de les intégrer, afin que l'opéron ne s'exprime fortement que lorsque ces deux conditions sont remplies : présence de lactose et absence de glucose. Les trois autres combinaisons possibles de ces signaux maintiennent chacune la batterie de gènes à l'état inactif (Figure 7-38).

La logique simple de ce commutateur génétique attira la première fois l'attention des biologistes, il y a plus de 50 ans. Comme nous l'avons expliqué ci-dessus, les bases moléculaires de ce commutateur ont été découvertes par l'association de la génétique et de la biochimie et ont fourni le premier aperçu du mode de contrôle des gènes. Bien que les mêmes stratégies soient utilisées pour contrôler l'expression génique des organismes supérieurs, les commutateurs génétiques utilisés sont généralement beaucoup plus complexes.

La régulation de la transcription des cellules eucaryotes est complexe

Le mécanisme de commutation à deux signaux qui régule l'opéron *lac* est élégant et simple. Cependant, il est difficile d'imaginer comment il pourrait accroître sa complexité pour permettre à des douzaines de signaux de réguler la transcription à partir d'un opéron : il n'y a pas assez de place dans le voisinage du promoteur pour entasser assez de séquences régulatrices d'ADN. Comment les eucaryotes ont-ils donc surmonté ces limites pour créer des commutateurs génétiques plus complexes ?

La régulation de la transcription chez les eucaryotes présente trois différences importantes par rapport à celle, typique, des bactéries.
- Premièrement, les eucaryotes utilisent des protéines régulatrices qui peuvent agir même lorsqu'elles sont fixées sur l'ADN à des milliers de paires de nucléotides du promoteur qu'elles influencent, ce qui signifie qu'un seul promoteur peut être contrôlé par un nombre presque illimité de séquences régulatrices éparpillées le long de l'ADN.
- Deuxièmement, comme nous l'avons vu dans le chapitre précédent, l'ARN polymérase II, qui transcrit tous les gènes codant pour les protéines, ne peut initier la transcription d'elle-même. Celle-ci nécessite un groupe de protéines,

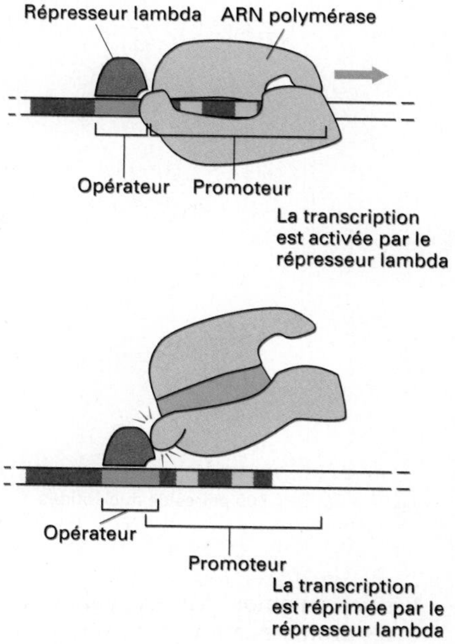

Figure 7-37 Certaines protéines régulatrices bactériennes peuvent agir à la fois comme des activateurs et des répresseurs, en fonction de l'emplacement précis de leur site de liaison sur l'ADN. Prenons comme exemple le répresseur du bactériophage lambda. Sur certains gènes, la protéine agit comme un activateur de transcription en fournissant un contact favorable à l'ARN polymérase (*en haut*). Sur d'autres gènes (*en bas*), l'opérateur est localisé une paire de bases plus près du promoteur et, au lieu d'aider la polymérase, le répresseur entre maintenant en compétition avec elle pour sa fixation sur l'ADN. Le répresseur lambda reconnaît ses opérateurs par sa conformation hélice-coude-hélice comme cela est montré dans la figure 7-14.

les *facteurs généraux de transcription*, qui doivent s'assembler sur le promoteur avant que la transcription ne commence (le terme «général» se réfère au fait que ces protéines s'assemblent sur tous les promoteurs transcrits par l'ARN polymérase II : elles diffèrent en cela des protéines régulatrices qui n'agissent que sur un gène particulier). Ce processus d'assemblage fournit, en principe, de multiples étapes au niveau desquelles la vitesse de l'initiation de la transcription peut être accélérée ou ralentie en réponse aux signaux régulateurs, et beaucoup de protéines régulatrices eucaryotes influencent ces étapes.

- Troisièmement, l'empaquetage de l'ADN eucaryote dans la chromatine fournit des opportunités de régulation inexistantes dans les bactéries.

Après avoir abordé les facteurs généraux de transcription de l'ARN polymérase II dans le chapitre 6 (*voir* p. 309-312), concentrons-nous maintenant sur les deux autres caractéristiques, la première et la troisième, et sur la façon dont elles sont employées pour contrôler sélectivement l'expression des gènes eucaryotes.

Les protéines régulatrices de gènes eucaryotes contrôlent l'expression des gènes à distance

Tout comme les bactéries, les eucaryotes utilisent les protéines régulatrices de gènes (activatrices et répresseur) pour réguler l'expression de leurs gènes mais d'une façon quelque peu différente. Les sites d'ADN sur lesquels se fixent les activateurs eucaryotes étaient à l'origine appelés **séquences amplificatrices** (*enhancers* en anglais), car leur présence «amplifie» ou augmente spectaculairement la vitesse de transcription. Ce fut une surprise lorsque, en 1979, on découvrit que ces protéines activatrices pouvaient se fixer à des milliers de paires de nucléotides du promoteur. De plus, les activateurs des eucaryotes peuvent influencer la transcription des gènes lorsqu'ils sont

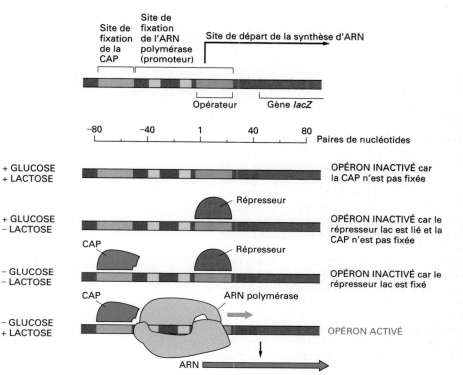

Figure 7-38 Double contrôle de l'opéron *lac*. Les concentrations en glucose et en lactose contrôlent l'initiation de la transcription de l'opéron *lac* par leurs effets sur le répresseur lac et la CAP. L'addition de lactose augmente la concentration en allolactose, qui se fixe sur le répresseur et le retire de l'ADN. L'addition de glucose diminue la concentration en AMP cyclique; comme l'AMP cyclique n'est plus lié à la CAP, cette protéine activatrice se dissocie de l'ADN, inactivant l'opéron. Comme cela est montré dans la figure 7-11, on sait que la CAP induit une courbure de l'ADN quand elle s'y fixe; pour plus de simplicité, celle-ci n'est pas représentée ici. *LacZ*, le premier gène de l'opéron *lac*, code pour une enzyme, la β-galactosidase, qui dégrade le lactose, un disaccharide, en galactose et glucose.

Les caractéristiques essentielles de l'opéron *lac* sont résumées sur cette figure, mais en réalité la situation est plus complexe. D'un côté, il existe plusieurs répresseurs lac se fixant sur des sites localisés dans différentes positions le long de l'ADN. Même si celui illustré ici exerce l'effet majeur, les autres sont nécessaires pour la répression complète. En plus, l'expression de l'opéron *lac* n'est jamais complètement inactivée. Il faut une petite quantité de β-galactosidase pour convertir le lactose en allolactose et permettre ainsi au répresseur lac d'être inactivé lorsque du lactose est ajouté au milieu de croissance.

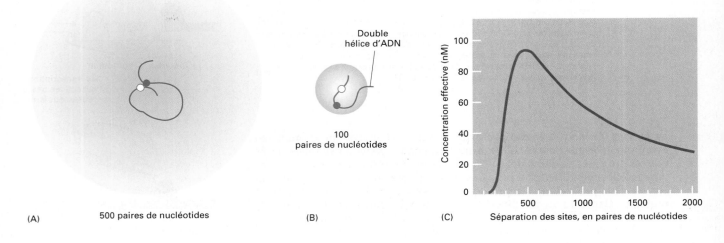

(A)   500 paires de nucléotides   (B)   (C)   Séparation des sites, en paires de nucléotides

liés soit en amont soit en aval de ces gènes. Comment les séquences amplificatrices et les protéines qui y sont fixées peuvent-elles fonctionner à de si longues distances ? Comment communiquent-elles avec le promoteur ?

De nombreux modèles d'« action à distance » ont été proposés, mais le plus simple d'entre eux semble s'appliquer dans la plupart des cas. L'ADN situé entre la séquence amplificatrice et le promoteur forme une boucle vers l'extérieur pour permettre à la protéine activatrice, fixée à la séquence amplificatrice, d'entrer en contact avec les protéines (ARN polymérase, un des facteurs généraux de transcription, ou d'autres protéines) fixées sur le promoteur (*voir* Figure 6-19). L'ADN agit donc comme une longe, aidant la protéine fixée sur une séquence amplificatrice située même à des milliers de paires de nucléotides de là, d'interagir avec le complexe protéique fixé sur le promoteur (Figure 7-39). Ce phénomène se produit également dans les bactéries, bien que moins fréquemment et sur des distances d'ADN beaucoup plus courtes (Figure 7-40).

La région de contrôle génique des eucaryotes est composée d'un promoteur et de séquences régulatrices d'ADN

Comme les protéines régulatrices eucaryotes peuvent contrôler la transcription lorsqu'elles sont liées à l'ADN loin du promoteur, les séquences d'ADN qui contrôlent l'expression des gènes sont souvent disséminées sur de longs segments d'ADN. Nous devrions utiliser le terme de **région de contrôle génique** pour nous référer à toute l'étendue d'ADN impliquée dans la régulation de la transcription des gènes, y compris le **promoteur**, où s'assemblent les facteurs généraux de transcription et la polymérase, et toutes les **séquences régulatrices** sur lesquelles se fixent les protéines régulatrices pour contrôler la vitesse des processus d'assemblage au niveau du promoteur (Figure 7-41). Chez les eucaryotes supérieurs, il n'est pas rare de trouver des séquences régulatrices, parsemées sur des distances pouvant atteindre 50 000 paires de nucléotides. Bien qu'une grande partie de cet ADN serve de séquence d'« espacement » et ne soit pas reconnue par les protéines régulatrices, cet ADN d'espacement peut faciliter la transcription en fournissant la souplesse nécessaire à la communication entre les protéines fixées sur l'ADN. Il est également important de se souvenir que, tout comme les autres régions des chromosomes eucaryotes, la majeure partie de l'ADN des régions de contrôle est empaquetée dans des nucléosomes et des formes très ordonnées de chromatine, ce qui compacte ainsi sa longueur.

Dans ce chapitre, nous utiliserons en général le terme de **gène** pour nous référer uniquement au segment d'ADN transcrit en ARN (*voir* Figure 7-41). Cependant, classiquement, le terme de gène inclut également sa région de contrôle. Les différentes définitions proviennent des différents moyens historiques d'identification des gènes. La découverte de l'épissage alternatif de l'ARN a compliqué encore plus la définition du gène – point que nous avons abordé brièvement au chapitre 6 et que nous reprendrons ultérieurement dans ce chapitre.

Bien que beaucoup de protéines régulatrices se fixent sur des séquences amplificatrices et activent la transcription des gènes, bien d'autres fonctionnent comme des régulateurs négatifs, comme nous le verrons ci-dessous. Contrairement au petit

Figure 7-39 La fixation de deux protéines sur des sites séparés de la double hélice d'ADN peut augmenter fortement la probabilité qu'elles interagissent. (A) L'attache d'une protéine à une autre via l'intervention d'une boucle d'ADN de 500 paires de nucléotides augmente la fréquence de leur collision. L'intensité de la coloration *bleue* reflète la probabilité que la protéine *rouge* soit localisée sur chaque position dans l'espace relativement à la protéine *blanche*. (B) La souplesse de l'ADN est telle qu'une séquence moyenne peut effectuer une courbure uniforme de 90° (un tour courbe) à peu près toutes les deux cent paires de nucléotides. De ce fait lorsque deux protéines sont reliées par seulement 100 paires de nucléotides, leur contact est relativement restreint. Dans ce cas, l'interaction protéique est facilitée lorsque les deux sites de fixation aux protéines sont séparés par un multiple de 10 paires de nucléotides, ce qui place les deux protéines du même côté de l'hélice d'ADN (qui a environ 10 nucléotides par tour) et ainsi à l'intérieur de la boucle d'ADN, où elles peuvent plus facilement s'atteindre l'une l'autre. (C) Concentration théorique efficace de la protéine *rouge* à l'endroit où la protéine *blanche* est fixée, en fonction de leur séparation. (C, due à l'obligeance de Gregory Bellomy, modifiée d'après M.C. Mossing et M.T. Record, *Science* 233 : 889-892, 1986. © AAAS.)

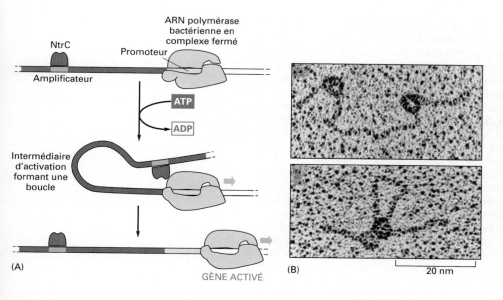

Figure 7-40 Activation des gènes à distance. (A) NtrC est une protéine régulatrice de gènes bactérienne qui active la transcription en facilitant la transition entre la liaison initiale de l'ARN polymérase sur le promoteur et la formation d'un complexe d'initiation (*voir* Chapitre 6). Comme cela est indiqué, la transition stimulée par NtrC nécessite l'énergie produite par l'hydrolyse de l'ATP bien que ce besoin soit inhabituel pour l'initiation de la transcription bactérienne. (B) L'interaction entre NtrC et l'ARN polymérase, avec la boucle externe d'ADN intermédiaire, peut être observée en microscopie électronique. Alors que l'activation de la transcription par la formation d'une boucle d'ADN est inhabituelle chez les bactéries, elle est typique des protéines régulatrices de gènes eucaryotes. (B, due à l'obligeance de Harrison Echols et Sydney Kustu.)

nombre de facteurs généraux de transcription, qui sont d'abondantes protéines qui s'assemblent sur les promoteurs de tous les gènes transcrits par l'ARN polymérase II, il existe des milliers de protéines régulatrices différentes. Par exemple, pour les quelque 30 000 gènes humains, on estime que 5 à 10 p. 100 codent pour des protéines régulatrices. Ces protéines régulatrices de gènes varient d'une région de contrôle à l'autre et chacune est généralement présente en très petite quantité dans la cellule, souvent moins de 0,01 p. 100 des protéines totales. La plupart d'entre elles reconnaissent leurs séquences spécifiques d'ADN en utilisant l'une des conformations de liaison à l'ADN décrite précédemment, même si, comme nous le verrons ci-dessous, certaines ne reconnaissent pas directement l'ADN mais s'assemblent sur d'autres protéines fixées sur l'ADN.

Les protéines régulatrices permettent d'activer ou d'inactiver chaque gène d'un organisme de façon spécifique. Il existe différentes sélections de protéines régulatrices dans les différents types cellulaires qui dirigent ainsi le patron d'expression génique qui donne à chaque type cellulaire ses caractéristiques propres. La régulation de chaque gène d'une cellule eucaryote est différente de celle des autres. Étant donné le nombre de gènes eucaryotes et la complexité de leur régulation, il a été difficile de formuler des règles simples de régulation génique qui s'appliqueraient dans tous les cas. Nous pouvons, cependant, faire certaines généralisations sur la façon dont les protéines régulatrices influencent la vitesse de l'initiation de la transcription une fois qu'elles sont fixées sur une région de contrôle de l'ADN, et c'est le thème du paragraphe suivant.

Chez les eucaryotes, les protéines activatrices de gènes favorisent l'assemblage de l'ARN polymérase et des facteurs généraux de transcription au niveau du point de départ de la transcription

La plupart des protéines régulatrices qui activent la transcription des gènes – c'est-à-dire la plupart des **protéines activatrices** – ont une forme modulaire composée d'au moins deux domaines distincts. Un domaine contient en général les conformations structurales, abordées précédemment, qui reconnaissent une séquence régulatrice

Figure 7-41 Région de contrôle d'un gène eucaryote typique. Le *promoteur* est la séquence d'ADN où s'assemblent les facteurs généraux de transcription et la polymérase (*voir* Figure 6-16). Les *séquences régulatrices* servent de site de fixation aux protéines régulatrices dont la présence sur l'ADN affecte la vitesse d'initiation de la transcription. Ces séquences peuvent être localisées près du promoteur, loin en amont ou même à l'intérieur des introns ou dans des séquences en aval du gène. On pense que la formation d'une boucle d'ADN permet aux protéines régulatrices de s'unir à n'importe laquelle de ces positions pour interagir avec les protéines qui s'assemblent sur le promoteur. Alors que les facteurs généraux de transcription qui s'assemblent sur le promoteur sont les mêmes quel que soit le gène transcrit par la polymérase II, les protéines régulatrices et les localisations de leurs sites de liaison relativement aux promoteurs sont différentes pour chaque gène.

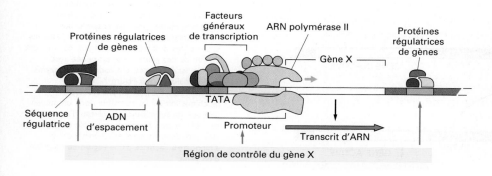

d'ADN spécifique. Dans le cas le plus simple, un deuxième domaine – parfois appelé *domaine d'activation* – accélère la vitesse d'initiation de la transcription. Ce type de constitution modulaire a été révélé pour la première fois par des expériences au cours desquelles des techniques de génie génétique ont été utilisées pour créer une protéine hybride contenant le domaine d'activation d'une protéine, fusionné au domaine de liaison à l'ADN d'une autre protéine (Figure 7-42).

Comment les protéines activatrices eucaryotes augmentent-elles la vitesse de l'initiation de la transcription une fois fixées sur l'ADN? Comme nous le verrons bientôt, il existe divers mécanismes qui le permettent, et dans de nombreux cas, ces mécanismes différents agissent en même temps sur un seul promoteur. Mais, indépendamment de la voie biochimique précise, la principale fonction d'un activateur est d'attirer, de positionner et de modifier les facteurs généraux de transcription et l'ARN polymérase II au niveau du promoteur pour que la transcription commence. Ils effectuent cela en agissant directement sur la machinerie de transcription elle-même et en changeant aussi la structure de la chromatine autour du promoteur.

Considérons d'abord les moyens utilisés par les activateurs pour influencer directement le positionnement des facteurs généraux de transcription et l'ARN polymérase sur le promoteur et aider à les mettre en action. Bien que les facteurs généraux de transcription et l'ARN polymérase II s'assemblent par étapes, selon un ordre imposé *in vitro* (*voir* Figure 6-16), il existe des cas dans les cellules vivantes où certains d'entre eux arrivent sur le promoteur sous forme d'un complexe de grande taille parfois pré-assemblé, appelé *holoenzyme de l'ARN polymérase II*. En plus de certains facteurs généraux de transcription et de l'ARN polymérase, l'holoenzyme contient typiquement un complexe protéique de 20 sous-unités appelé *médiateur*, identifié d'abord biochimiquement comme étant nécessaire pour que les activateurs stimulent l'initiation de la transcription.

Beaucoup de protéines activatrices interagissent avec le complexe de l'holoenzyme et rendent ainsi plus énergétiquement favorable son assemblage sur un promoteur relié, par l'intermédiaire de l'ADN, au site où se fixe la protéine activatrice (Figure 7-43A). Dans ce sens, les activateurs eucaryotes ressemblent à ceux des bactéries car ils attirent et positionnent l'ARN polymérase sur son site spécifique d'ADN (*voir* Figure 7-36). Certaines expériences qui établissent un «shunt activateur» confortent l'hypothèse que les activateurs attirent le complexe holoenzymatique sur les promoteurs (Figure 7-43B). Dans ce cas, un domaine de liaison à l'ADN sur une séquence spécifique est expérimentalement fusionné à un composant du médiateur; cette protéine hybride qui n'a pas de domaine d'activation stimule fortement l'initiation de la transcription lorsque la séquence d'ADN sur laquelle elle se fixe est placée à proximité d'un promoteur.

Même si le recrutement du complexe holoenzymatique par le promoteur est un mécanisme de concept relativement simple qui permet d'envisager l'activation des gènes, les effets des activateurs sur le complexe de l'holoenzyme sont probablement plus complexes. Par exemple, l'assemblage par étapes des facteurs généraux de trans-

Figure 7-42 Structure modulaire d'une protéine activatrice de gènes. Schéma de l'expérience qui a révélé la présence de domaines indépendants de liaison à l'ADN et d'activation de la transcription dans la protéine activatrice de levure, Gal4. Un activateur fonctionnel peut être reconstitué à partir de la portion C-terminale de la protéine de levure Gal4 si elle est fixée sur le domaine de liaison d'une protéine régulatrice bactérienne (la protéine LexA) par une technique de fusion de gènes. Lorsque la protéine hybride bactérie-levure résultante est produite dans les cellules de levure, elle active la transcription à partir des gènes de levure à condition que le site de liaison spécifique à l'ADN de la protéine bactérienne ait été inséré à proximité. (A) Activation normale de la transcription du gène produite par la protéine Gal4. (B) La protéine régulatrice de gènes chimérique nécessite le site de liaison à l'ADN de la protéine LexA pour être active.

Gal4 est normalement responsable de l'activation de la transcription des gènes de levure codant pour les enzymes qui convertissent le galactose en glucose. Dans les expériences montrées ici, la région de contrôle de l'un de ces gènes a été fusionnée avec le gène *lacZ* d'*E. coli*, qui code pour l'enzyme β-galactosidase (*voir* Figure 7-38). La β-galactosidase est très simple à détecter biochimiquement et constitue donc un moyen pratique de surveillance du niveau d'expression spécifié par une région de contrôle de gènes; *lacZ* sert donc de *gène de reportage* car il «rapporte» l'activité d'une région de contrôle d'un gène.

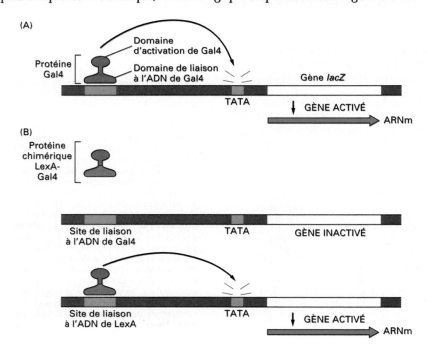

(A)

Domaine d'activation de Gal4

Domaine de liaison à l'ADN de Gal4

Protéine Gal4

Gène *lacZ*

TATA

GÈNE ACTIVÉ

ARNm

(B)

Protéine chimérique LexA-Gal4

Site de liaison à l'ADN de Gal4

TATA

GÈNE INACTIVÉ

Site de liaison à l'ADN de LexA

TATA

GÈNE ACTIVÉ

ARNm

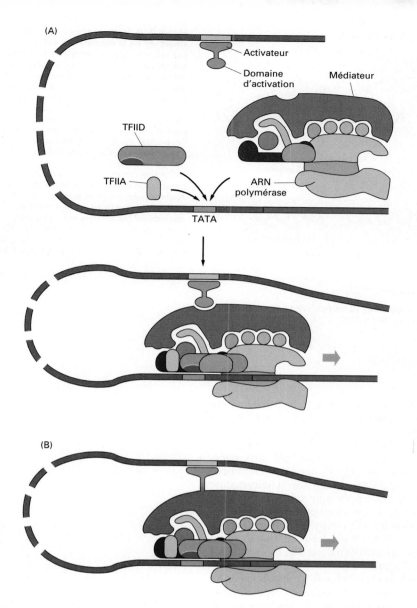

(A)

Activateur

Domaine d'activation

Médiateur

TFIID

TFIIA

ARN polymérase

TATA

(B)

Figure 7-43 Activation de l'initiation de la transcription chez les eucaryotes par le recrutement d'un complexe, l'holoenzyme de l'ARN polymérase II eucaryote. (A) Une protéine activatrice liée à proximité d'un promoteur attire le complexe de l'holoenzyme sur le promoteur. Selon ce modèle, l'holoenzyme (qui contient plus de 100 sous-unités protéiques) est amenée sur le promoteur séparément des facteurs généraux de transcription TFIID et TFIIA. L'ADN «cassé» dans cette figure et la suivante indique que cette portion d'ADN peut être très longue et de longueur variable. (B) Schéma d'une expérience *in vivo* dont les résultats confortent le modèle de recrutement de l'holoenzyme pour les protéines activatrices. Le domaine de liaison à l'ADN d'une protéine a été fusionné directement à un composant protéique du médiateur, un complexe protéique de 20 sous-unités qui fait partie du complexe de l'holoenzyme, mais qui peut facilement s'en dissocier. Lorsque le site de liaison de la protéine hybride est expérimentalement inséré près d'un promoteur, l'initiation de la transcription augmente fortement. Dans cette expérience, le «domaine d'activation» de l'activateur (*voir* Figure 7-42) a été omis, ce qui suggère qu'une des fonctions importantes du domaine d'activation est simplement d'interagir avec l'holoenzyme de l'ARN polymérase et de faciliter ainsi son assemblage sur le promoteur. La capacité des protéines activatrices à recruter la machinerie de transcription sur les promoteurs a également été démontrée directement en utilisant l'immuno-précipitation de la chromatine (*voir* Figure 7-32).

Les protéines activatrices liées à l'ADN augmentent typiquement la vitesse de transcription de plus de 1 000 fois, ce qui est en accord avec une interaction relativement faible et non spécifique entre l'activateur et l'holoenzyme (une modification d'affinité de 1 000 fois correspond à une modification de ΔG d'environ 4 kcal/mole, ce qui peut être obtenu par quelques liaisons faibles non covalentes).

cription (*voir* Figure 6-16) peut s'effectuer sur certains promoteurs. Sur d'autres, leur réarrangement peut être nécessaire lorsqu'ils ont été amenés sur l'ADN sous forme d'une partie de l'holoenzyme. De plus, la plupart des formes du complexe de l'holoenzyme ne possèdent pas certains facteurs généraux de transcription (en particulier TFIID et TFIIA) qui doivent s'assembler séparément sur le promoteur (*voir* Figure 7-43A). En principe chacun de ces processus d'assemblage pourrait être une étape lente de la voie d'initiation de la transcription et les activateurs pourraient faciliter leur terminaison. En fait, on a montré que beaucoup d'activateurs interagissaient avec un ou plusieurs facteurs généraux de transcription et que plusieurs accéléraient directement leur assemblage au niveau du promoteur (Figure 7-44).

Les protéines activatrices de gènes eucaryotes modifient la structure locale de la chromatine

En plus de leur action directe sur l'assemblage sur l'ADN de l'holoenzyme de l'ARN polymérase et des facteurs généraux de transcription, les protéines activatrices favo-

Figure 7-44 Modèle d'action de certains activateurs de transcription eucaryote. La protéine activatrice, fixée sur l'ADN dans le grand voisinage du promoteur, facilite l'assemblage de certains facteurs généraux de transcription. Même si certaines protéines activatrices peuvent être dédiées à des étapes particulières de la voie d'initiation de la transcription, beaucoup semblent être capables d'agir sur différentes étapes.

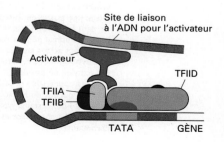

Site de liaison à l'ADN pour l'activateur

Activateur

TFIID

TFIIA
TFIIB

TATA   GÈNE

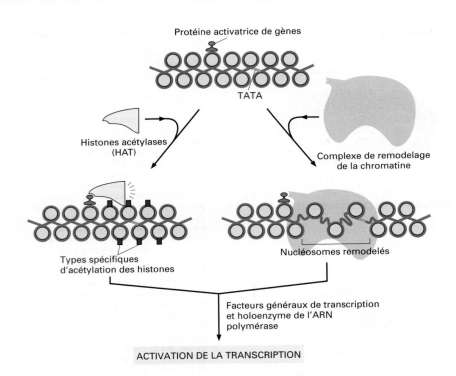

Protéine activatrice de gènes

TATA

Histones acétylases
(HAT)

Complexe de remodelage
de la chromatine

Types spécifiques
d'acétylation des histones

Nucléosomes remodelés

Facteurs généraux de transcription
et holoenzyme de l'ARN
polymérase

ACTIVATION DE LA TRANSCRIPTION

Figure 7-45 Modifications locales de la structure de la chromatine entraînées par les protéines activatrices de gènes eucaryotes. L'acétylation des histones et le remodelage des nucléosomes rendent généralement l'empaquetage de la chromatine plus accessible aux autres protéines cellulaires, y compris celles nécessaires à l'initiation de la transcription. En plus, certaines modifications particulières des histones facilitent directement l'assemblage des facteurs généraux de transcription au niveau du promoteur (*voir* Figure 7-46).

On peut considérer que l'initiation de la transcription et la formation d'une structure de chromatine compacte sont des réactions d'assemblage biochimiques qui entrent en compétition. Les enzymes qui augmentent, même transitoirement, l'accessibilité de l'ADN dans la chromatine auront tendance à favoriser l'initiation de la transcription (*voir* Figure 4-34).

risent aussi l'initiation de la transcription en modifiant la structure de la chromatine des séquences régulatrices et des promoteurs. Comme nous l'avons vu au chapitre 4, les deux principales façons d'altérer localement la structure de la chromatine passent par les modifications covalentes des histones et le remodelage des nucléosomes (*voir* Figures 4-34 et 4-35). Beaucoup de protéines activatrices utilisent ces deux mécanismes en se liant soit aux histones acétyle transférases (HAT), appelées communément histones acétylases, soit aux complexes de remodelage de la chromatine dépendant de l'ATP, et en les recrutant (Figure 7-45) pour agir sur la chromatine proche. Globalement, les modifications locales de la structure chromatinienne qui s'ensuivent permettent une meilleure accessibilité à l'ADN sous-jacent. Cette accessibilité facilite l'assemblage sur le promoteur des facteurs généraux de transcription et de l'holoenzyme de l'ARN polymérase et permet ainsi la liaison d'autres protéines régulatrices sur la région de contrôle du gène (Figure 7-46A).

Les facteurs généraux de transcription semblent incapables de s'assembler sur un promoteur empaqueté dans un nucléosome conventionnel. En fait, ce type d'empaquetage peut s'être développé en partie pour assurer qu'il ne se produise pas de « fuite » d'initiation de la transcription (ou une initiation au niveau d'un promoteur

Figure 7-46 Deux voies spécifiques qui permettent à l'acétylation locale des histones de stimuler l'initiation de la transcription. (A) Certaines protéines activatrices peuvent se lier directement à l'ADN empaqueté dans une chromatine non modifiée. En attirant les histones acétylases (et les complexes de remodelage des nucléosomes), ces « pionniers » de l'activation peuvent faciliter la liaison, sur l'ADN, d'autres protéines activatrices qui ne peuvent se lier sur la chromatine non modifiée. Ces protéines peuvent, à leur tour, effectuer des modifications supplémentaires de la chromatine ou agir directement sur la machinerie de transcription comme cela est montré dans les figures 7-43 et 7-44. (B) Une sous-unité du facteur général de transcription TFIID contient 2 domaines protéiques de 120 acides aminés appelés *bromodomaines*. Chaque bromodomaine forme une poche de liaison pour une chaîne latérale de lysine acétylée (désignés par Ac dans la figure). Dans le TFIID, les deux poches sont séparées de 25 Å, qui est l'espace optimal pour la reconnaissance d'une paire de lysines acétylées séparée par six ou sept acides aminés sur la queue N-terminale de l'histone H4. En plus du type d'acétylation montré, cette sous-unité du TFIID reconnaît aussi la queue de l'histone H4 acétylée en positions 5 et 12 et la queue complètement acétylée. Elle n'a pas d'affinité appréciable pour les queues de H4 non acétylées et son affinité est faible pour les queues de H4 acétylées sur une seule lysine. Comme cela est montré dans la figure 4-35, certains types d'acétylation de l'histone H4, y compris ceux reconnus par le TFIID, sont associés à des régions transcriptionnellement actives de la chromatine.

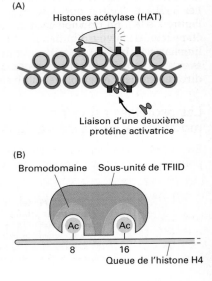

(A)

Histones acétylase (HAT)

Liaison d'une deuxième
protéine activatrice

(B)

Bromodomaine   Sous-unité de TFIID

Ac   Ac
8   16
Queue de l'histone H4

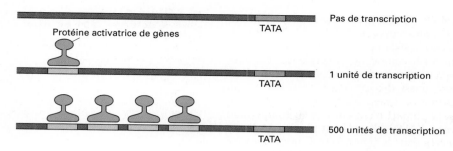

Pas de transcription

Protéine activatrice de gènes

1 unité de transcription

500 unités de transcription

en l'absence de protéine activatrice fixée en amont de ce dernier). Tout en rendant l'ADN généralement plus accessible, l'acétylation locale des histones a un rôle plus spécifique dans la promotion de l'initiation de la transcription. Comme nous l'avons vu au chapitre 4 (*voir* Figure 4-35), certains types d'acétylation des histones sont associés à une chromatine transcriptionnellement active et les protéines activatrices, en recrutant les histones acétylases, produisent ces types d'acétylation. Ceux-ci (Figure 7-46B) sont directement reconnus par une des sous-unités du facteur général de transcription TFIID et cette reconnaissance facilite apparemment l'assemblage de ce facteur sur l'ADN empaqueté dans la chromatine. De ce fait, par son action sur l'histone acétylase, la protéine activatrice peut indirectement favoriser l'assemblage des facteurs généraux de transcription au niveau du promoteur et stimuler ainsi l'initiation de la transcription.

Les protéines activatrices de gènes agissent en synergie

Nous avons vu que les protéines activatrices eucaryotes pouvaient influencer plusieurs étapes différentes de l'initiation de la transcription et que cette propriété avait d'importantes conséquences lorsque différentes protéines activatrices agissaient ensemble. En général, lorsque différents facteurs agissent ensemble pour augmenter la vitesse d'une réaction, l'effet cumulé n'est pas la simple somme des amplifications provoquées par chaque facteur seul, mais son produit. Si, par exemple, le facteur A abaisse la barrière d'énergie libre d'une réaction d'une certaine quantité et accélère ainsi la réaction de 100 fois, et que le facteur B, en agissant sur un autre aspect de la réaction fait de même, alors quand A et B agissent en parallèle, ils abaissent la barrière d'un montant double et accélèrent la réaction de 10 000 fois. Des effets multiplicateurs similaires se produisent si A et B accélèrent la réaction en facilitant chacun le recrutement de protéines nécessaires sur le site réactif. De ce fait, les protéines activatrices montrent souvent une *synergie de transcription*, et la vitesse de transcription engendrée par diverses protéines activatrices agissant ensemble est supérieure à celle produite par n'importe quel activateur agissant seul (Figure 7-47). La synergie de transcription s'observe à la fois entre différentes protéines activatrices fixées en amont et entre de multiples molécules du même activateur fixées sur l'ADN. Il n'est donc pas difficile de voir comment de multiples protéines régulatrices, chacune se fixant sur une séquence régulatrice d'ADN différente, peuvent contrôler la vitesse finale de transcription d'un gène eucaryote.

Comme les protéines activatrices peuvent influencer un grand nombre d'étapes différentes de la voie d'activation de la transcription, il est important de savoir si ces étapes se produisent toujours selon un ordre précis. Par exemple, est-ce que le remodelage de la chromatine précède l'acétylation des histones ou vice-versa? À quel moment se produit le recrutement du complexe de l'holoenzyme par rapport aux modifications de la chromatine? La réponse à ces questions est différente selon le gène – et même pour le même gène selon les différentes conditions (Figure 7-48). Quels que soient les mécanismes précis et l'ordre selon lequel ils se produisent, une protéine régulatrice doit être fixée sur l'ADN soit directement soit indirectement pour influencer la transcription de son promoteur cible, et la vitesse de transcription d'un gène dépend finalement de l'éventail des protéines régulatrices liées en amont et en aval du site de départ de la transcription.

Les protéines «répresseurs» eucaryotes peuvent inhiber la transcription de diverses façons

Tout comme les bactéries, les eucaryotes utilisent des **protéines «répresseurs»** en plus des protéines activatrices pour réguler la transcription de leurs gènes. Cependant, à cause des différences d'initiation de la transcription existant entre les eucaryotes et les bactéries, les répresseurs eucaryotes ont encore plus de mécanismes

Figure 7-47 Synergie de transcription. Dans cette expérience, la vitesse de transcription produite par trois régions régulatrices formées expérimentalement est comparée dans une cellule eucaryote. La synergie de transcription, dont l'effet est supérieur à l'effet additif des activateurs, s'observe lorsque plusieurs protéines activatrices sont fixées en aval du promoteur. Cette synergie est également typiquement observée entre différentes protéines activatrices provenant du même organisme et même entre des protéines activatrices issues d'espèces eucaryotes très différentes lorsqu'elles sont expérimentalement introduites dans la même cellule. Cette dernière observation reflète l'important degré de conservation de la machinerie de transcription.

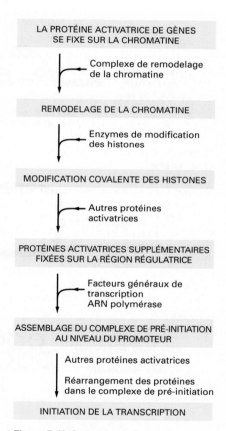

LA PROTÉINE ACTIVATRICE DE GÈNES SE FIXE SUR LA CHROMATINE

Complexe de remodelage de la chromatine

REMODELAGE DE LA CHROMATINE

Enzymes de modification des histones

MODIFICATION COVALENTE DES HISTONES

Autres protéines activatrices

PROTÉINES ACTIVATRICES SUPPLÉMENTAIRES FIXÉES SUR LA RÉGION RÉGULATRICE

Facteurs généraux de transcription ARN polymérase

ASSEMBLAGE DU COMPLEXE DE PRÉ-INITIATION AU NIVEAU DU PROMOTEUR

Autres protéines activatrices

Réarrangement des protéines dans le complexe de pré-initiation

INITIATION DE LA TRANSCRIPTION

Figure 7-48 Ordre des événements qui conduisent à l'initiation de la transcription sur un promoteur spécifique. L'exemple montré, bien étudié, est celui d'un promoteur de la levure bourgeonnante *S. cerevisiae*. Le complexe de remodelage de la chromatine et les histones acétylases se dissocient apparemment de l'ADN après leur action séquentielle. L'ordre des étapes de la voie d'initiation de la transcription semble être différent selon le promoteur. Prenons un exemple bien étudié chez l'homme : les histones acétylases fonctionnent d'abord, suivies du recrutement de l'ARN polymérase, suivi du recrutement du complexe de remodelage de la chromatine.

d'action possibles. Par exemple, nous avons vu, au chapitre 4, que des régions complètes de chromosomes eucaryotes pouvaient être empaquetées dans l'*hétérochromatine*, une forme de chromatine normalement résistante à la transcription. Nous reviendrons ultérieurement dans ce chapitre sur cette caractéristique des chromosomes eucaryotes. En plus des molécules qui inactivent de grandes régions de chromatine, les cellules eucaryotes contiennent aussi des protéines régulatrices qui agissent uniquement localement pour réprimer la transcription de gènes proches. Contrairement aux répresseurs bactériens, la plupart n'entrent pas en compétition directe avec l'ARN polymérase pour l'accès à l'ADN; ils agissent plutôt par divers autres mécanismes, dont certains sont illustrés dans la figure 7-49. Comme les protéines activatrices, un grand nombre de répresseurs eucaryotes agissent par l'intermédiaire de plusieurs mécanismes, assurant ainsi une répression solide et efficace.

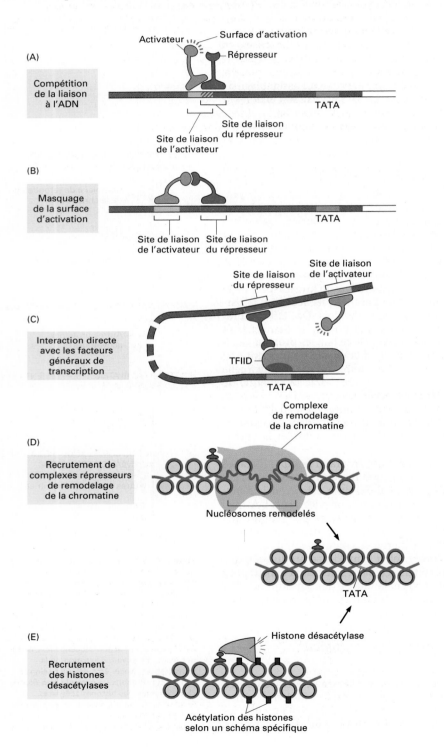

Figure 7-49 Cinq modes opératoires des répresseurs eucaryotes. (A) Les protéines activatrices et répresseurs entrent en compétition pour se lier sur la même séquence régulatrice d'ADN. (B) Les deux protéines peuvent se fixer sur l'ADN, mais le répresseur se fixe sur le domaine d'activation de la protéine activatrice, l'empêchant ainsi d'effectuer ses fonctions d'activation. Selon une variante de cette stratégie, le répresseur se fixe solidement sur l'activateur sans se lier directement sur l'ADN. (C) Le répresseur interagit avec un des premiers stades de l'assemblage du complexe des facteurs généraux de transcription, bloquant tout assemblage ultérieur. Certains répresseurs agissent à un stade tardif de l'initiation de la transcription, par exemple, en empêchant la libération de l'ARN polymérase des facteurs généraux de transcription. (D) Le répresseur recrute un complexe de remodelage de la chromatine qui induit le retour du stade nucléosomique de la région du promoteur dans sa forme pré-transcriptionnelle. Certains types de complexes de remodelage semblent dédiés à la restauration de l'état répresseur nucléosomique du promoteur, alors que d'autres (par exemple, ceux recrutés par les protéines activatrices) augmentent l'accessibilité à l'ADN empaqueté dans les nucléosomes (*voir* Figure 4-34). Cependant, les mêmes complexes de remodelage pourraient en principe être utilisés soit pour activer soit pour réprimer la transcription : en fonction de la concentration en autres protéines dans le noyau, ce serait soit l'état remodelé soit l'état réprimé qui serait stabilisé. Selon ce point de vue, le complexe de remodelage permet simplement une modification de la structure de la chromatine. (E) Le répresseur attire une histones désacétylase sur le promoteur. La désacétylation locale des histones réduit l'affinité du TFIID pour le promoteur (*voir* Figure 7-46) et diminue l'accessibilité de l'ADN dans la chromatine affectée. Un sixième mécanisme de contrôle négatif – inactivation de l'activateur de transcription par hétérodimérisation – a été illustré dans la figure 7-26. Pour plus de simplicité, les nucléosomes n'ont pas été représentés de (A) à (C), et l'échelle de (D) et (E) a été réduite par rapport à celle de (A) à (C).

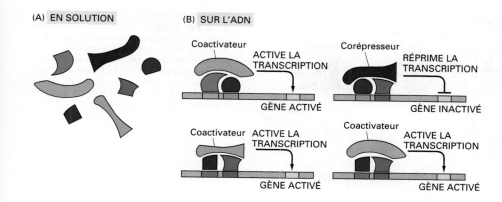

Coactivateur
ACTIVE LA TRANSCRIPTION
GÈNE ACTIVÉ

Corépresseur
RÉPRIME LA TRANSCRIPTION
GÈNE INACTIVÉ

Coactivateur
ACTIVE LA TRANSCRIPTION
GÈNE ACTIVÉ

Coactivateur
ACTIVE LA TRANSCRIPTION
GÈNE ACTIVÉ

Figure 7-50 Les protéines régulatrices eucaryotes s'assemblent souvent en complexes sur l'ADN. Sept protéines régulatrices sont montrées en (A). La nature et la fonction du complexe qu'elles forment dépendent des séquences spécifiques d'ADN qui provoquent leur assemblage. En (B) certains complexes assemblés activent la transcription des gènes, alors que d'autres la répriment. Notez que les complexes d'activation et répresseur se partagent la protéine *rouge*.

Les protéines régulatrices eucaryotes s'assemblent souvent en complexes sur l'ADN

Jusqu'à présent nous avons parlé des protéines régulatrices eucaryotes comme si elles agissaient sous forme de polypeptides individuels. En réalité, la plupart font partie de complexes composés de plusieurs (et parfois d'un grand nombre de) polypeptides, ayant chacun une fonction distincte. Souvent ces complexes ne s'assemblent qu'en présence de la séquence d'ADN appropriée. Dans certains cas bien étudiés, par exemple, deux protéines régulatrices, de faible affinité l'une pour l'autre, coopèrent pour se fixer sur une séquence d'ADN, aucune des deux n'ayant une affinité suffisante pour se fixer efficacement par elle-même sur le site d'ADN. Une fois uni à l'ADN, ce dimère protéique forme une surface distincte, reconnue par une troisième protéine pourvue d'un domaine activateur, qui stimule la transcription (Figure 7-50). Cet exemple illustre un point général important : les interactions protéine-protéine trop faibles pour provoquer l'assemblage des protéines en solution peuvent provoquer l'assemblage des protéines sur l'ADN ; de cette façon, la séquence d'ADN agit comme un site de « cristallisation » ou provoque l'assemblage du complexe protéique.

Une protéine régulatrice seule peut souvent faire partie de plusieurs types de complexes protéiques régulateurs. La protéine peut former, par exemple, dans un cas une partie d'un complexe qui active la transcription et dans un autre cas une partie d'un complexe qui réprime la transcription (*voir* Figure 7-50). De ce fait, chaque protéine régulatrice eucaryote n'est pas nécessairement dédiée à être un activateur ou un répresseur ; par contre, elle fonctionne comme une unité de régulation, utilisée pour engendrer des complexes dont la fonction dépend de l'assemblage final de tous les composants individuels. Cet assemblage final, à son tour, dépend à la fois de l'arrangement des séquences de la région de contrôle de l'ADN et des protéines régulatrices qui sont présentes dans la cellule.

Les protéines régulatrices qui ne se fixent pas elles-mêmes sur l'ADN mais s'assemblent sur des protéines régulatrices reliées à l'ADN sont souvent appelées **coactivateurs** ou **corépresseurs**, en fonction de leurs effets sur l'initiation de la transcription. Comme le montre la figure 7-50, le même coactivateur ou corépresseur peut s'assembler sur différentes protéines de liaison à l'ADN. Les coactivateurs et les corépresseurs ont typiquement de multiples fonctions : ils peuvent interagir avec les complexes de remodelage de la chromatine, les enzymes de modification des histones, l'holoenzyme de l'ARN polymérase et divers facteurs généraux de transcription.

Dans certains cas, la séquence d'ADN précise sur laquelle se fixe directement la protéine régulatrice peut affecter la conformation de cette protéine et influencer ainsi son activité transcriptionnelle ultérieure. Lorsqu'il s'unit à un type de séquence d'ADN, par exemple, le récepteur de l'hormone stéroïdienne interagit avec un corépresseur et finit par inactiver la transcription. Lorsqu'il se fixe sur une séquence d'ADN légèrement différente, il prend une autre conformation et interagit avec un coactivateur, stimulant ainsi la transcription.

L'assemblage d'un groupe de protéines régulatrices sur l'ADN est typiquement guidé par quelques segments, relativement courts, de séquences de nucléotides (*voir* Figure 7-50). Cependant, dans certains cas, une structure protéine-ADN plus complexe, appelée *enhancéosome*, se forme (Figure 7-51). La particularité de cet enhancéosome est la participation de *protéines architecturales* qui recourbent l'ADN selon un angle défini et favorisent ainsi l'assemblage des autres protéines de l'enhancéo-

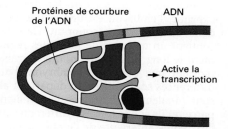

Protéines de courbure de l'ADN
ADN
Active la transcription

Figure 7-51 Description schématique d'un enhancéosome. La protéine montrée en *jaune* est appelée protéine architecturale car son principal rôle est de courber l'ADN pour permettre l'assemblage coopératif des autres composants. La surface protéique de l'enhancéosome interagit avec un coactivateur qui active la transcription sur un promoteur voisin. L'enhancéosome montré ici est fondé sur ce que l'on trouve dans la région de contrôle des gènes qui codent pour une sous-unité du récepteur des lymphocytes T (*voir* Chapitre 24). L'ensemble complet des composants protéiques de l'enhancéosome n'est présent que dans certaines cellules du système immunitaire en développement, qui donnent finalement naissance aux lymphocytes T matures.

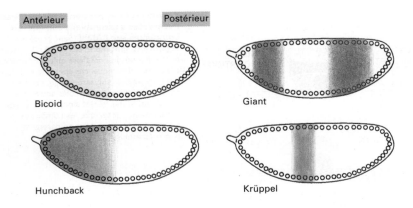

Antérieur　　　　Postérieur

Bicoid

Giant

Hunchback

Krüppel

Figure 7-52 Distribution non uniforme de quatre protéines régulatrices de gènes dans l'embryon d'une drosophile en début de développement. À ce stade l'embryon est un syncytium, contenant de multiples noyaux dans un cytoplasme commun. Bien que cela ne soit pas montré sur le schéma, toutes ces protéines sont concentrées dans les noyaux.

some. Comme la formation de l'enhancéosome nécessite la présence d'un grand nombre de protéines régulatrices, il représente une façon simple de s'assurer que le gène ne s'exprime que lorsque la cellule possède la bonne combinaison de ces protéines. Nous avons vu auparavant comment la formation d'hétérodimères régulateurs en solution fournissait un mécanisme de contrôle combinatoire de l'expression des gènes. L'assemblage de plus gros complexes de protéines régulatrices sur l'ADN représente un deuxième mécanisme important de contrôle combinatoire, qui offre beaucoup plus d'opportunités.

Les commutateurs génétiques complexes qui régulent le développement de *Drosophila* sont formés à partir de plus petits modules

Comme les protéines régulatrices peuvent être placées dans divers sites sur de longs segments d'ADN, qu'elles peuvent s'assembler en complexes à chaque site, et que ces complexes peuvent influencer la structure de la chromatine ainsi que le recrutement et l'assemblage de la machinerie générale de transcription au niveau du promoteur, il semble qu'il pourrait exister des possibilités presque illimitées d'élaboration d'appareils de contrôle pour réguler la transcription des gènes eucaryotes.

Un exemple particulièrement frappant de commutateur génétique complexe à composants multiples est celui qui contrôle la transcription du gène *even-skipped* (*eve*) de *Drosophila* dont l'expression joue un rôle important dans le développement de l'embryon de *Drosophila*. Si ce gène est inactivé par mutation, de nombreuses parties de l'embryon ne se forment pas et l'embryon meurt au début de son développement. Comme nous le verrons au chapitre 21, au début du développement, lorsque *eve* est exprimé, l'embryon est une cellule unique géante contenant de multiples noyaux dans un cytoplasme commun. Ce cytoplasme n'est pas uniforme, cependant : il contient un mélange de protéines régulatrices de gènes distribuées non uniformément le long de l'embryon, qui fournissent des informations de position qui différencient une partie de l'embryon d'une autre (Figure 7-52). (La façon dont ces différences sont initiées au départ est abordée au chapitre 21.) Même si les noyaux sont initialement identiques, ils commencent rapidement à exprimer différents gènes parce qu'ils sont exposés à différentes protéines régulatrices. Les noyaux proches de l'extrémité antérieure de l'embryon en développement, par exemple, sont exposés à un groupe de protéines régulatrices de gènes différent de celui qui influence les noyaux de l'extrémité postérieure de l'embryon.

Les séquences régulatrices d'ADN du gène *eve* sont destinées à lire les concentrations en protéines régulatrices au niveau de chaque position le long de l'embryon et à interpréter ces informations pour que le gène *eve* soit exprimé en sept bandes, positionnées précisément le long de l'axe antéro-postérieur de l'embryon, et dont chacune a initialement cinq à six noyaux de large (Figure 7-53). Comment cet exploit remarquable de traitement de l'information s'effectue-t-il ? Même si on ne connaît pas encore bien leurs particularités moléculaires, plusieurs principes généraux ont émergé d'études du gène *eve* et d'autres gènes de drosophile, régulés de façon similaire.

La région régulatrice du gène *eve* est très grande (environ 20 000 paires de nucléotides). Elle est formée d'une série de modules régulateurs relativement simples, dont chacun contient de multiples séquences régulatrices et est responsable

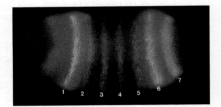

Figure 7-53 Les sept bandes de la protéine codée par le gène *even-skipped* (*eve*) d'un embryon de drosophile en développement. Deux heures et demie après la fécondation, l'œuf a été fixé et coloré par des anticorps qui reconnaissent la protéine Eve (en *vert*) et des anticorps qui reconnaissent la protéine Giant (en *rouge*). Lorsque les protéines Eve et Giant sont présentes en même temps, la coloration apparaît *jaune*. À cette étape du développement, les œufs contiennent approximativement 4 000 noyaux. Les protéines Eve et Giant sont toutes deux localisées dans les noyaux, et les bandes de Eve ont environ 4 noyaux de large. Le patron de coloration de la protéine Giant est également montré en figure 7-52. (Due à l'obligeance de Michael Levine.)

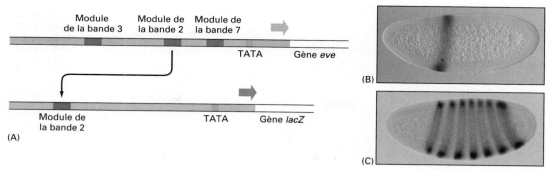
(A)

(B)

(C)

Figure 7-54 Expérience mettant en évidence la construction modulaire de la région régulatrice du gène eve. (A) Un segment de 480 paires de nucléotides de la région régulatrice de eve a été retiré et inséré en amont d'un promoteur test qui dirige la synthèse de l'enzyme β-galactosidase (le produit du gène lacZ d'E. coli). (B) Lorsque cette construction artificielle est réintroduite dans le génome d'embryons de drosophile, les embryons expriment la β-galactosidase (détectable par coloration histochimique) précisément dans la position de la deuxième bande Eve (sur sept) (C). (B et C, dues à l'obligeance de Stephen Small et Michael Levine.)

de la spécification d'une bande particulière de l'expression de *eve* le long de l'embryon. Cette organisation moléculaire de la région de contrôle du gène *eve* peut être révélée par des expériences au cours desquelles un module régulateur particulier (disons, celui qui spécifie la bande 2) est retiré de sa localisation normale en amont du gène *eve*, placé en face d'un gène de reportage (ou gène reporteur) (*voir* Figure 7-42) puis réintroduit dans le génome de *Drosophila* (Figure 7-54A). Lorsqu'on examine les embryons en développement dérivant de mouches portant cette construction génétique, on trouve le gène de reportage exprimé précisément dans la position de la bande 2 (*voir* Figure 7-54). Des expériences similaires ont révélé l'existence d'autres modules régulateurs, dont chacun spécifie une des six autres bandes ou une partie du patron d'expression que le gène affiche aux étapes ultérieures du développement.

Le gène *eve* de *Drosophila* est régulé par des contrôles combinatoires

L'étude détaillée du module de régulation de la bande 2 a fourni un aperçu de la façon dont les informations de position étaient lues et interprétées. Il contient des séquences de reconnaissance pour deux protéines régulatrices qui activent la transcription de *eve* (Bicoid et Hunchback) et pour deux qui la répriment (Krüppel et Giant) (Figure 7-55). (Les protéines régulatrices de la drosophile ont souvent un nom imagé qui reflète le phénotype résultant de l'inactivation par mutation du gène codant pour cette protéine.) La concentration relative en ces quatre protéines détermine si le complexe protéique se formant sur le module de la bande 2 active la transcription du gène *eve*. La figure 7-56 montre la distribution des quatre protéines régulatrices le long de la région de l'embryon de *Drosophila* où la bande 2 se forme. Bien qu'on ne connaisse pas avec précision toutes les particularités, il semble probable que, lorsqu'il est fixé sur l'ADN, l'un ou l'autre des deux répresseurs inactive le module de la bande 2, alors qu'il faut que Bicoid et Hunchbach se fixent ensemble sur l'ADN pour que l'activation soit maximale. Cette unité régulatrice simple combine ainsi ces quatre signaux de position afin d'activer le module de la bande 2 (et ainsi l'expression du gène *eve*) uniquement dans les noyaux localisés là où les concentrations en Bicoid et Hunchbach sont élevées en l'absence de Krüppel et Giant. Cette association d'activateurs et de répresseurs ne se produit que dans une région de l'embryon en début de développement; ailleurs, le module de la bande 2 est de ce fait silencieux.

Figure 7-55 Vue rapprochée de l'unité de la bande 2 de eve. Le segment de la région de contrôle du gène eve identifié dans la figure précédente contient des séquences régulatrices, dont chacune fixe l'une ou l'autre des quatre protéines régulatrices. On sait par des expériences génétiques que ces quatre protéines régulatrices sont responsables de l'expression correcte de eve dans la bande 2. Les mouches qui n'ont pas les deux activateurs du gène, Bicoid et Hunchbach, par exemple, ne peuvent exprimer efficacement eve dans la bande 2. Les mouches manquant de l'un des deux répresseurs du gène, Giant ou Krüppel, ont une bande 2 qui s'étend et recouvre une région anormalement large de l'embryon. Les sites de liaison à l'ADN de ces protéines régulatrices ont été déterminés par les expériences de clonage des gènes codant pour ces protéines, sur-expression des protéines chez E. coli, purification de ces protéines et empreinte d'ADN (*footprinting*), décrites au chapitre 8. Le schéma *du haut* indique que, dans certains cas, les sites de liaison des protéines régulatrices se chevauchent et les protéines peuvent entrer en compétition pour se fixer sur l'ADN. Par exemple, on pense que les liaisons de Krüppel et de Bicoid sur le site à l'extrême droite s'excluent mutuellement.

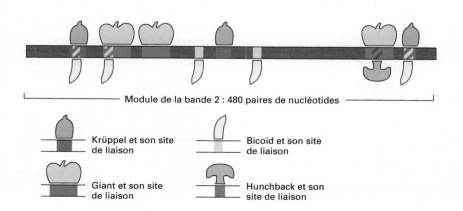

Module de la bande 2 : 480 paires de nucléotides

Krüppel et son site de liaison

Bicoid et son site de liaison

Giant et son site de liaison

Hunchback et son site de liaison

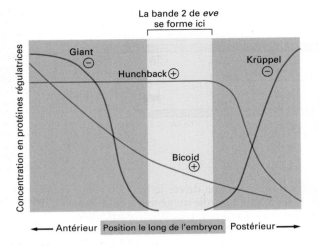

La bande 2 de *eve* se forme ici

Giant ⊖

Hunchback ⊕

Krüppel ⊖

Bicoid ⊕

Concentration en protéines régulatrices

◄── Antérieur　Position le long de l'embryon　Postérieur ──►

Figure 7-56 Distribution des protéines régulatrices responsables de la vérification qu'eve s'exprime dans la bande 2. La distribution de ces protéines a été visualisée par coloration d'un embryon de *Drosophila* en développement avec des anticorps dirigés contre chacune des quatre protéines (*voir* Figures 7-52 et 7-53). L'expression d'*eve* dans la bande 2 ne se produit que lorsque les deux activateurs sont présents (Bicoid et Hunchback) et les deux répresseurs absents (Giant et Krüppel). Dans les embryons de mouche dépourvus de Krüppel par exemple, la bande 2 s'étend postérieurement. De même, la bande 2 s'étend postérieurement si le site de fixation sur l'ADN de Krüppel dans le module de la bande 2 (*voir* Figure 7-55) est inactivé par mutation et que cette région régulatrice est réintroduite dans le génome.

Le gène *eve* lui-même code pour une protéine régulatrice qui, une fois que son patron d'expression a été établi dans les sept bandes, régule l'expression d'autres gènes de *Drosophila*. Lorsque le développement s'effectue, l'embryon est ainsi subdivisé en régions de plus en plus fines qui finissent par donner naissance aux différentes parties du corps de la mouche adulte, comme nous le verrons au chapitre 21.

Cet exemple de l'embryon de *Drosophila* est particulier par le fait que les noyaux sont directement exposés à des signaux de position sous forme de concentrations en protéines régulatrices. Dans les embryons de la plupart des autres organismes, chaque noyau se trouve dans des cellules séparées et les informations de position extracellulaires doivent traverser la membrane plasmique soit, le plus souvent, engendrer des signaux dans le cytosol afin d'influencer le génome.

Nous avons déjà abordé deux mécanismes de contrôle combinatoire de l'expression des gènes – l'hétérodimérisation des protéines régulatrices en solution (*voir* Figure 7-22) et l'assemblage sur l'ADN de petits complexes de combinaisons de protéines régulatrices (*voir* Figure 7-50). Il est probable que ces deux mécanismes participent à la régulation complexe de l'expression d'*eve*. De plus, la régulation de la bande 2 que nous venons de décrire illustre un troisième type de contrôle combinatoire. Comme chaque séquence régulatrice du module de la bande 2 de *eve* est échelonnée le long de l'ADN, de nombreux groupes de protéines régulatrices peuvent se fixer simultanément et influencer le promoteur du gène. Le promoteur intègre les signaux de transcription fournis par toutes les protéines liées (Figure 5-57).

La régulation de l'expression d'*eve* est un exemple impressionnant de contrôle combinatoire. Sept combinaisons de protéines régulatrices – une combinaison pour chaque bande – activent l'expression d'*eve*, alors que beaucoup d'autres combinaisons (toutes celles trouvées dans les régions entre les bandes de l'embryon) gardent les éléments des bandes silencieux. On pense que les autres modules régulateurs des bandes sont établis le long de lignes similaires à celles décrites pour le segment 2, étant conçus pour lire des informations de position fournies par d'autres combinaisons de protéines régulatrices. La région de contrôle complète, espacée sur plus de 20 000 paires de nucléotides d'ADN, s'unit à plus de 20 protéines différentes. Une grande région complexe de contrôle est ainsi édifiée à partir d'une série de modules plus petits dont chacun est constitué d'un arrangement unique de courtes séquences d'ADN reconnues par des protéines régulatrices spécifiques. Bien que toutes les particularités ne soient pas encore comprises, on pense que ces protéines régulatrices utilisent certains mécanismes décrits auparavant comme activateurs et répresseurs. De cette façon, un simple gène peut répondre à énormément d'influx combinatoires.

Les régions complexes de contrôle génique des mammifères sont également construites à partir de simples modules régulateurs

On estime que 5 à 10 p. 100 de la capacité de codage du génome des mammifères est dédiée à la synthèse des protéines régulatrices de la transcription génique. Ce grand

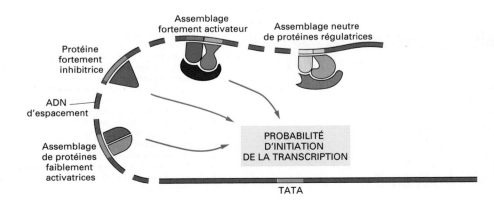

Protéine fortement inhibitrice

Assemblage fortement activateur

Assemblage neutre de protéines régulatrices

ADN d'espacement

Assemblage de protéines faiblement activatrices

PROBABILITÉ D'INITIATION DE LA TRANSCRIPTION

TATA

Figure 7-57 Intégration au niveau d'un promoteur. De multiples groupes de protéines régulatrices peuvent agir ensemble pour influencer l'initiation de la transcription sur un promoteur, comme elles le font dans le module de la bande 2 d'eve illustré précédemment en figure 7-55. On ne comprend pas encore totalement comment l'intégration de ces multiples impulsions est obtenue, mais il est probable que l'activité transcriptionnelle finale du gène résulte d'une compétition entre les activateurs et les répresseurs qui agissent selon les mécanismes résumés dans les figures 7-43, 7-44, 7-45, 7-46 et 7-49.

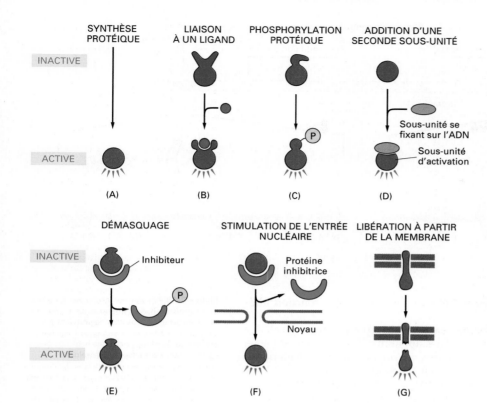

Figure 7-58 Certaines voies de régulation de l'activité des protéines régulatrices dans les cellules eucaryotes. (A) La protéine n'est synthétisée que lorsqu'elle est nécessaire et est rapidement dégradée pour éviter son accumulation. (B) Activation par fixation d'un ligand. (C) Activation par phosphorylation. (D) Formation d'un complexe entre les protéines de liaison à l'ADN et une protéine séparée ayant un domaine d'activation de la transcription. (E) Démasquage d'un domaine d'activation par phosphorylation d'une protéine inhibitrice. (F) Stimulation de l'entrée dans le noyau par l'élimination d'une protéine inhibitrice qui sinon empêche l'entrée de la protéine régulatrice dans le noyau. (G) Libération d'une protéine régulatrice à partir d'une membrane bi-couche par protéolyse régulée.

Chacun de ces mécanismes est typiquement contrôlé par des signaux extracellulaires qui sont communiqués à travers la membrane plasmique aux protéines régulatrices de gènes de la cellule. Le mode de formation de ces signaux est abordé au chapitre 15. Les mécanismes de (A) à (F) sont facilement réversibles et fournissent ainsi les moyens d'inactiver sélectivement des protéines régulatrices.

nombre de gènes reflète le réseau excessivement complexe de contrôles gouvernant l'expression des gènes des mammifères. Chaque gène est régulé par un ensemble de protéines régulatrices ; chacune de ces protéines est le produit d'un gène qui à son tour est régulé par un ensemble complet d'autres protéines, etc. De plus, les protéines régulatrices sont elles-mêmes influencées par des signaux extracellulaires, qui peuvent les activer ou les inactiver de multiples façons (Figure 7-58). De ce fait, on peut considérer le patron d'expression génique d'une cellule comme le résultat d'un calcul moléculaire complexe effectué par le réseau intracellulaire de contrôle des gènes en réponse à des informations issues de l'environnement cellulaire. Nous reprendrons cette discussion au chapitre 21, lorsque nous parlerons du développement multicellulaire, mais cette complexité est remarquable, même au niveau de chaque commutation génétique régulant l'activité d'un seul gène. Il n'est pas rare, par exemple, de trouver un gène de mammifère doté d'une région de contrôle ayant 50 000 paires de nucléotides de long, dans laquelle un grand nombre de modules, contenant chacun plusieurs séquences régulatrices qui fixent des protéines régulatrices, sont intercalés avec de longs segments d'ADN d'espacement.

Une des régions régulatrices complexes les mieux connues des mammifères est celle du gène de la globine β de l'homme, qui s'exprime exclusivement dans les hématies à un moment spécifique de leur développement. Une collection complexe de protéines régulatrices contrôle l'expression du gène, certaines agissant comme des activateurs et d'autres comme des répresseurs (Figure 7-59). On pense que la concentration (ou l'activité) de bon nombre de ces protéines régulatrices se modifie durant le développement et seule une combinaison particulière de toutes ces protéines déclenche la transcription du gène. Le gène de la globine β de l'homme fait partie d'une batterie de gènes de globine (Figure 7-60A). Les cinq gènes de cette batterie sont transcrits exclusivement dans les cellules érythroïdes, c'est-à-dire les cellules de la lignée des hématies. De plus, chaque gène est activé à une étape différente du développement (*voir* Figure 7-60B) et dans différents organes : le gène de la globine ε est exprimé dans la membrane vitelline embryonnaire, le γ dans la membrane vitelline et le foie fœtal, et le δ et le β surtout dans la moelle osseuse de l'adulte. Chacun de ces gènes de globine a son propre ensemble de protéines régulatrices nécessaire à son activation au bon moment et dans le bon tissu. En plus de la régulation individuelle de chaque gène de globine, la batterie complète semble être soumise à une région de contrôle commune appelée *région de contrôle du locus (LCR)*. La LCR se trouve loin en

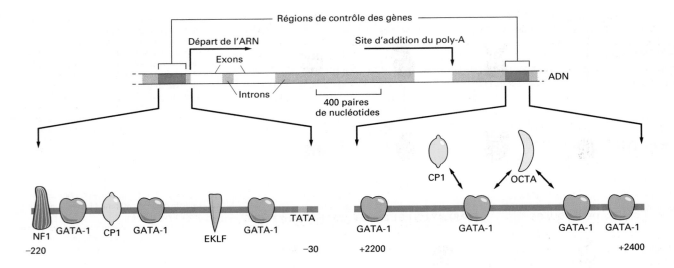

Régions de contrôle des gènes

Départ de l'ARN

Exons

Site d'addition du poly-A

Introns

ADN

400 paires
de nucléotides

CP1

OCTA

NF1   GATA-1   CP1   GATA-1   GATA-1   TATA   GATA-1   GATA-1   GATA-1   GATA-1

EKLF

−220   −30   +2200   +2400

amont de la batterie de gènes (*voir* Figure 7-60), et nous verrons sa fonction ultérieurement.

Dans les cellules où les gènes de globine ne s'expriment pas (comme les cellules nerveuses ou cutanées), toute la batterie de gènes apparaît solidement empaquetée dans la chromatine. Dans les cellules érythroïdes, à l'opposé, toute la batterie de gènes est encore repliée dans les nucléosomes mais la chromatine auparavant hautement ordonnée s'est décondensée. Cette modification se produit avant même la transcription de chacun des gènes de la globine, ce qui suggère qu'il existe deux étapes de régulation. Dans la première, la chromatine du locus entier de la globine s'est décondensée, ce qui, présume-t-on, permet à d'autres protéines régulatrices d'accéder à l'ADN. Lors de la deuxième étape, les protéines régulatrices restantes s'assemblent sur l'ADN et dirigent l'expression de chaque gène.

La LCR semble agir en contrôlant la condensation de la chromatine et son importance est visible chez les patients atteints d'un certain type de thalassémie, une forme héréditaire grave d'anémie. Chez ces patients, on trouve que le locus de la globine β a subi des délétions qui ont retiré toute ou une partie de la LCR et même si le gène de la globine β et ses régions régulatrices proches sont intacts, le gène reste transcriptionnellement silencieux même dans les cellules érythroïdes. De plus, le gène de la globine β des cellules érythroïdes ne peut subir l'étape de décondensation normale de la chromatine qui se produit au cours du développement des cellules érythroïdes.

Il existe beaucoup de LCR (c'est-à-dire de séquences régulatrices d'ADN qui régulent l'accessibilité et l'expression de gènes ou de batteries de gènes distants) dans le génome humain et elles régulent bon nombre de gènes spécifiques d'un type cellulaire. Leur mode de fonctionnement n'est pas compris dans ses moindres détails, mais divers modèles ont été proposés. Le plus simple est fondé sur des principes que nous avons déjà abordés dans ce chapitre : les protéines régulatrices qui se fixent sur la LCR interagissent, en formant une boucle d'ADN, avec les protéines liées aux régions de contrôle des gènes qu'elles régulent. De cette façon, les protéines fixées

Figure 7-59 Modèle du contrôle du gène de la globine β de l'homme. Le schéma montre certaines protéines régulatrices qui, pense-t-on, contrôlent l'expression du gène pendant le développement des hématies (*voir* Figure 7-60). Certaines des protéines régulatrices montrées, comme la CPI, sont retrouvées dans beaucoup de types cellulaires alors que d'autres comme la GATA-I ne sont présentes que dans quelques types cellulaires – y compris les hématies – et de ce fait contribuent, pense-t-on, à la spécificité de type cellulaire de l'expression du gène de la globine β. Comme cela est indiqué par les *flèches à double tête*, plusieurs des sites de fixation du GATA-I chevauchent ceux d'autres protéines régulatrices ; on pense que l'occupation de ces sites par le GATA-I exclut la liaison des autres protéines. Une fois fixées sur l'ADN, les protéines régulatrices recrutent les complexes de remodelage de la chromatine, les enzymes de modification des histones, les facteurs généraux de transcription et l'ARN polymérase sur le promoteur. (Adapté d'après B. Emerson, *in* Gene Expression : General and Cell-Type Specific [M. Karin, ed.], p. 116-161. Boston : Birkhauser, 1993.)

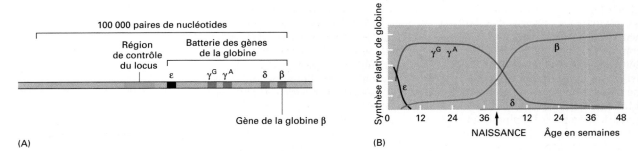

100 000 paires de nucléotides

Région de contrôle du locus

Batterie des gènes de la globine

ε   γ^G γ^A   δ   β

Gène de la globine β

(A)

Synthèse relative de globine

γ^G γ^A   β

ε   δ

0   12   24   36   12   24   36   48
NAISSANCE   Âge en semaines

(B)

Figure 7-60 Batterie des gènes de type globine β de l'homme. (A) La grande région chromosomique montrée ici s'étend sur 100 000 paires de nucléotides et contient les cinq gènes de la globine et une région de contrôle du locus (LCR). (B) Modifications de l'expression des gènes de type globine β à diverses étapes du développement humain. Chacune des chaînes de la globine codée par ces gènes s'associe avec une chaîne de la globine α pour former l'hémoglobine dans les hématies (*voir* Figure 7-115). (A, d'après F. Grosveld, G.B. van Assendelft, D.R. Greaves et G. Kollias, *Cell* 51 : 975-985, 1987. © Elsevier.)

sur la LCR pourraient attirer les complexes de remodelage de la chromatine et les enzymes de modification des histones qui pourraient modifier la structure de la chromatine au niveau du locus avant que la transcription ne commence. D'autres modèles de LCR proposent un mécanisme selon lequel les protéines initialement fixées sur la LCR attirent d'autres protéines qui s'assemblent de façon coopérative et se disséminent ainsi le long de l'ADN vers le gène qu'elles contrôlent, modifiant la chromatine pendant leur formation.

Les éléments isolateurs sont des séquences d'ADN qui empêchent les protéines régulatrices eucaryotes d'influencer des gènes distants

Tous les gènes ont des régions de contrôle qui dictent à quel moment, sous quelles conditions et dans quels tissus le gène doit s'exprimer. Nous avons également vu que les protéines régulatrices eucaryotes pouvaient agir au travers de très longs segments d'ADN. Qu'est-ce qui empêche les régions de contrôle des différents gènes d'interférer l'une avec l'autre ? En d'autre termes, qu'est-ce qui empêche une protéine régulatrice fixée sur la région de contrôle d'un gène d'influencer de façon inappropriée la transcription d'un gène adjacent ?

Différents mécanismes ont été proposés pour expliquer cette régulation à compartiments, mais le mieux compris se fonde sur les **éléments isolateurs**, appelés aussi *éléments frontaliers*. Les éléments isolateurs (ou isolateurs tout court) sont des séquences d'ADN qui fixent des protéines spécialisées et présentent deux propriétés spécifiques (Figure 7-61). D'abord, ils ont une activité de tampon de l'effet répresseur de l'hétérochromatine sur les gènes. Lorsqu'un gène (issu d'une mouche ou d'une souris, par exemple) et sa région de contrôle normale sont insérés dans une autre position du génome, il est souvent exprimé à un niveau qui varie en fonction de son site d'insertion dans le génome et celui-ci est particulièrement bas lorsqu'il est inséré au milieu de l'hétérochromatine. Nous avons vu un exemple de cet *effet de position* au chapitre 4, où des gènes insérés dans l'hétérochromatine sont rendus silencieux (*voir* Figure 4-45). Lorsqu'on inclut les éléments isolateurs qui se trouvent de part et d'autre du gène et de sa région de contrôle, l'expression du gène est généralement normale, quelle que soit sa position dans le génome. La deuxième propriété des isolateurs est, d'une certaine façon, le contraire : ils peuvent bloquer l'action des amplificateurs (*voir* Figure 7-61). Pour que cela se produise, l'isolateur doit être localisé entre l'amplificateur et le promoteur du gène cible.

De ce fait, les isolateurs peuvent définir des domaines d'expression génique, soit en ayant un effet tampon sur le gène qui s'oppose aux effets extérieurs, soit en empêchant la région de contrôle des gènes (ou du groupe de gènes) d'agir à l'extérieur du domaine. Par exemple, la LCR de la globine (présentée précédemment) est associée à un isolateur voisin qui permet à la LCR d'influencer uniquement la batterie de gènes de la globine. Il est probable qu'un autre isolateur est localisé du côté distal de la batterie de gènes de la globine, servant à définir l'autre extrémité du domaine.

On pense donc que la distribution des isolateurs dans le génome le divise en des domaines indépendants de régulation génique et de structure de chromatine. Selon cette hypothèse, la distribution des isolateurs dans un génome est grossièrement corrélée aux variations de la structure de la chromatine. Par exemple, une protéine de liaison sur les isolateurs issue de la mouche se localise préférentiellement dans les interbandes (et aussi sur les bords des renflements des chromosomes polyténiques) (Figure 7-62).

Les mécanismes d'action des isolateurs ne sont pas encore compris et différents isolateurs peuvent fonctionner de différentes façons. Enfin certaines paires d'isolateurs peuvent définir les bases d'un domaine chromosomique en boucle (*voir* Figure 4-44). On a proposé que les chromosomes de tous les eucaryotes étaient divisés par des isolateurs en domaines en boucle indépendants, chacun régulé séparément par rapport aux autres.

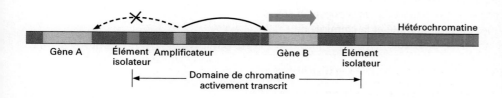

Figure 7-61 Schéma résumant les propriétés des éléments isolateurs. Les isolateurs empêchent à la fois la dissémination de l'hétérochromatine (*partie droite* du schéma) et bloquent la direction de l'action des amplificateurs (*partie gauche*). De ce fait, le gène B est correctement régulé et l'amplificateur du gène B ne peut influencer la transcription du gène A.

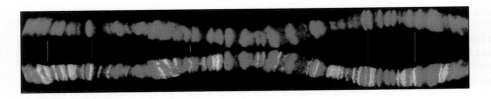

Figure 7-62 Localisation d'une protéine de fixation sur l'isolateur de *Drosophila* d'un chromosome polyténique. Un chromosome polyténique (*voir* p. 218-220) a été coloré avec de l'iodure de propidium (en *rouge*) pour montrer son aspect en bandes — les bandes apparaissent en *rouge brillant* et les interbandes en trous noirs dans le motif (en *haut*). Les positions, sur ces chromosomes polyténiques, sur lesquelles se fixent une protéine particulière de l'isolateur (appelée BEAF) sont colorées en *vert brillant* par l'utilisation d'anticorps dirigés contre les protéines (en *bas*). On voit que BEAF est localisée préférentiellement sur les régions d'interbande, ce qui suggère qu'elles ont un rôle dans l'organisation des domaines de chromatine. D'un point de vue pratique, ces deux photographies en microscopie du même chromosome polyténique sont disposées en miroir. (Due à l'obligeance de Uli Laemmli, d'après K. Zhao et al., *Cell* 81 : 879-889, 1995. © Elsevier.)

Les bactéries utilisent des sous-unités interchangeables d'ARN polymérase pour faciliter la régulation de la transcription des gènes

Nous avons vu l'importance des protéines régulatrices qui se fixent sur les séquences régulatrices de l'ADN et signalent à l'appareil de transcription s'il doit commencer ou non la synthèse d'une chaîne d'ARN. Même s'il s'agit du principal moyen de contrôle de l'initiation de la transcription pour les eucaryotes et les procaryotes, certaines bactéries et leurs virus utilisent une autre stratégie fondée sur des sous-unités interchangeables d'ARN polymérase. Comme cela a été décrit au chapitre 6, il faut une sous-unité sigma (σ) pour que l'ARN polymérase bactérienne reconnaisse un promoteur. Beaucoup de bactéries fabriquent différentes sous-unités sigma, dont chacune peut interagir avec le cœur de l'ARN polymérase et le diriger sur un autre site de promoteur (Tableau 7-II). Ce système permet d'inactiver un grand ensemble de gènes et d'en activer un nouveau groupe simplement en remplaçant une sous-unité sigma par une autre ; cette stratégie est efficace parce qu'elle court-circuite la nécessité d'agir sur les gènes l'un après l'autre. Elle est souvent utilisée de façon subversive par les virus bactériens pour contrôler l'ARN polymérase et activer rapidement et séquentiellement divers ensembles de gènes viraux (Figure 7-63).

Dans un sens, les eucaryotes emploient une stratégie analogue en utilisant trois ARN polymérases distinctes (I, II et III) qui possèdent certaines sous-unités identiques. Les procaryotes par contre n'utilisent qu'un seul type d'ARN polymérase, mais peuvent la modifier avec différentes sous-unités sigma.

Les commutateurs géniques ont peu à peu évolué

Nous avons vu que les régions de contrôle des gènes eucaryotes étaient souvent disséminées sur de longs segments d'ADN, alors que celles des gènes procaryotes sont typiquement empaquetées autour du point de départ de la transcription. Diverses protéines régulatrices bactériennes, cependant, reconnaissent des séquences d'ADN localisées à plusieurs paires de nucléotides du promoteur, comme nous l'avons vu dans la figure 7-40. Ce cas est un des premiers exemples de formation de boucle d'ADN dans la régulation des gènes et a grandement influencé les études ultérieures sur les protéines régulatrices eucaryotes.

Il est probable que l'arrangement par paquets serrés des commutateurs génétiques bactériens s'est développé à partir de formes plus étendues de commutateurs en réponse à la pression d'évolution sur les bactéries pour maintenir la petite taille du génome. Cette compression a eu un prix, cependant, car elle restreint la complexité et le pouvoir d'adaptation de l'appareil de contrôle. La forme étendue des régions de contrôle eucaryotes, à l'opposé, dotées de petits modules régulateurs séparés par de longs segments d'ADN d'espacement, aurait facilité certainement un nouveau mélange des modules régulateurs au cours de l'évolution, à la fois pour créer de nouveaux circuits de régulation et pour modifier les anciens. Le débroussaillage du mode d'évolution des régions de contrôle des gènes représente un défi fascinant, et beaucoup de réponses peuvent être trouvées dans les séquences d'ADN actuelles. Nous reprendrons à nouveau ce thème à la fin de ce chapitre.

TABLEAU 7-II Facteurs sigma d'*E. coli*

FACTEURS SIGMA	PROMOTEURS RECONNUS
σ^{70}	La plupart des gènes
σ^{32}	Gènes induits par un choc thermique
σ^{28}	Gènes de la phase stationnaire et de la réponse au stress
σ^{28}	Gènes impliqués dans la mobilité et la chimiotaxie
σ^{54}	Gènes du métabolisme de l'azote

La dénomination des facteurs sigma se réfère à leur masse moléculaire approximative, en kilodaltons.

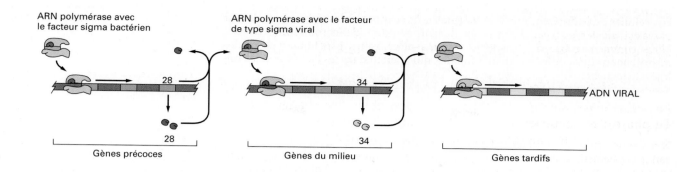

ARN polymérase avec
le facteur sigma bactérien

ARN polymérase avec le facteur
de type sigma viral

28

28

Gènes précoces

34

34

Gènes du milieu

ADN VIRAL

Gènes tardifs

Résumé

La transcription de chaque gène est activée et inactivée dans les cellules par des protéines régulatrices. Chez les procaryotes, ces protéines se fixent généralement sur des séquences d'ADN spécifiques près du point de départ de l'ARN polymérase et activent ou répriment la transcription des gènes, en fonction de la nature des protéines régulatrices et de la localisation précise de leur site de liaison relativement au site de départ. La souplesse de l'hélice d'ADN, cependant, permet également à des protéines fixées sur des sites distants de modifier l'ARN polymérase au niveau du promoteur en formant une boucle dirigée vers l'extérieur de l'ADN intervenant. Cette action à distance est extrêmement fréquente dans les cellules eucaryotes, où les protéines régulatrices se fixent sur des séquences situées à des milliers de paires de nucléotides du promoteur et contrôlent l'expression du gène. Les activateurs et les répresseurs eucaryotes agissent selon un large éventail de mécanismes – qui provoquent généralement la modification locale de la structure de la chromatine, l'assemblage des facteurs généraux de transcription au niveau du promoteur et le recrutement de l'ARN polymérase.

Alors que la transcription d'un gène procaryote typique n'est contrôlée que par une ou deux protéines régulatrices, la régulation des gènes eucaryotes supérieurs est beaucoup plus complexe, proportionnelle à la grande taille du génome et à la grande variété des types cellulaires formés. La région de contrôle du gène eve de Drosophila, par exemple, s'étend sur 20 000 paires de nucléotides d'ADN et présente des sites de liaison pour plus de 20 protéines régulatrices. Certaines de ces protéines sont des répresseurs de la transcription, d'autres des activateurs de la transcription. Ces protéines se fixent sur des séquences régulatrices organisées en une série de modules régulateurs répartis le long de l'ADN et provoquent ensemble le bon patron temporel et spatial d'expression génique. Les gènes eucaryotes et leurs régions de contrôle sont souvent entourés d'éléments isolateurs, séquences d'ADN reconnues par des protéines qui empêchent la diaphonie entre les gènes régulés indépendamment.

Figure 7-63 Les sous-unités interchangeables de l'ADN polymérase constituent une stratégie de contrôle de l'expression génique d'un virus bactérien. Le virus bactérien SPOI, qui infecte la bactérie *B. subtilis*, utilise la polymérase bactérienne pour transcrire ses gènes précoces immédiatement après l'entrée de l'ADN viral dans la cellule. Un de ces gènes précoces, appelé 28, code pour un facteur de type sigma qui se fixe sur l'ARN polymérase et déplace le facteur sigma bactérien. Cette nouvelle forme de polymérase initie spécifiquement la transcription des gènes du «milieu» de SPOI. Un de ces gènes du milieu code pour un second facteur de type sigma, le 34, qui déplace le 28 produit et dirige l'ARN polymérase pour transcrire les gènes «tardifs». Ce dernier groupe de gènes produit les protéines qui empaquètent le chromosome viral dans une enveloppe virale et lysent la cellule. Par cette stratégie, des groupes de gènes viraux sont exprimés dans l'ordre dans lequel ils sont nécessaires; cela assure une réplication virale rapide et efficace.

DES MÉCANISMES GÉNÉTIQUES MOLÉCULAIRES ENGENDRENT DES TYPES CELLULAIRES SPÉCIALISÉS

Même si toutes les cellules sont capables d'activer et d'inactiver les gènes en réponse à des modifications de leur environnement, les cellules des organismes multicellulaires ont développé à l'extrême cette capacité et de manière hautement spécialisée pour former l'ensemble des types cellulaires différenciés. En particulier, une fois qu'une cellule d'un organisme multicellulaire s'est engagée dans la différenciation vers un type cellulaire particulier, le choix de ce destin est généralement maintenu pour bon nombre de générations cellulaires ultérieures, ce qui signifie que le changement de l'expression génique, impliqué dans ce choix, doit être gardé en mémoire. Ce phénomène de *mémoire cellulaire* est indispensable à la création de tissus organisés et à la stabilisation de types cellulaires différenciés. Par contre, les modifications les plus simples de l'expression génique ne sont que transitoires chez les eucaryotes et les bactéries; le répresseur du tryptophane, par exemple, inactive les gènes du tryptophane bactériens uniquement en présence de tryptophane; dès que le tryptophane est retiré du milieu, ces gènes sont de nouveau activés et les descendants de la cellule ne garderons pas en mémoire que leurs ancêtres ont été exposés au tryptophane. Même pour les bactéries, cependant, quelques types de modifications de l'expression génique peuvent être hérités de façon stable.

Dans cette partie, nous examinerons comment les systèmes de régulation géniques peuvent s'associer pour engendrer des circuits «logiques» qui permettent aux cellules de se différencier, de rester stables, de se rappeler les événements de leur passé et d'ajuster le niveau d'expression de leurs gènes sur des chromosomes entiers. Nous commencerons par considérer certains mécanismes génétiques, parmi les mieux connus de la différenciation cellulaire, qui opèrent dans les bactéries et les cellules de levures.

Les réarrangements de l'ADN sont responsables des changements de phase des bactéries

Nous avons vu que la différenciation cellulaire des eucaryotes supérieurs se produisait généralement sans modification détectable de la séquence d'ADN. Pour certains procaryotes, en revanche, un patron de régulation génique, héréditaire et stable, est obtenu par le réarrangement de l'ADN qui active ou inactive des gènes spécifiques. Comme ces modifications de la séquence d'ADN seront copiées fidèlement au cours des réplications ultérieures de l'ADN, tous les descendants de la cellule dans laquelle les réarrangements se sont produits hériteront de cette modification de l'activité génique. Certains de ces réarrangements d'ADN sont, cependant, réversibles de telle sorte que quelques individus récupèrent leur configuration initiale d'ADN. Il en résulte un patron alternatif d'activité génique qui peut être détecté par l'observation de nombreuses générations sur de longues périodes.

Un exemple bien étudié de ce mécanisme de différenciation, appelé **variation de phase**, se produit dans les bactéries de la famille *Salmonella*. Bien que ce mode de différenciation n'ait pas de contreparties connues au sein des eucaryotes supérieurs, il peut néanmoins avoir un impact considérable sur ces derniers parce que les bactéries responsables de maladies l'utilisent pour esquiver leur détection par le système immunitaire. La commutation de l'expression génique des salmonelles se manifeste par l'inversion occasionnelle d'un morceau d'ADN de 1 000 paires de nucléotides. Cette modification altère l'expression de la protéine cellulaire de surface, la flagelline, pour laquelle la bactérie possède deux gènes différents (Figure 7-64). Cette inversion est catalysée par une enzyme de recombinaison spécifique de site et modifie l'orientation du promoteur situé dans les 1 000 paires de nucléotides. Lorsque le promoteur a une orientation, la bactérie synthétise un type de flagelline ; lorsque le promoteur a l'autre orientation, elle synthétise l'autre type. Comme l'inversion ne se produit que rarement, des clones entiers de bactéries se développeront avec un type de flagelline ou l'autre.

Très certainement la variation de phase s'est développée parce qu'elle protège la population bactérienne de la réponse immunitaire de son hôte vertébré. Si l'hôte fabrique des anticorps contre un type de flagelline, les quelques bactéries dont la flagelline aura été modifiée par inversion de gènes pourront survivre et se multiplier.

Les bactéries isolées à l'état sauvage montrent très souvent une variation de phase d'un ou de plusieurs caractères phénotypiques. Les souches bactériennes standard de laboratoire ont généralement perdu peu à peu ces « instabilités », et les mécanismes sous-jacents n'ont été étudiés que dans très peu de cas. Tous n'impliquent

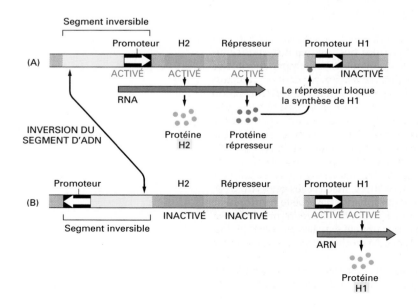

Figure 7-64 Commutation de l'expression génique par inversion de l'ADN dans les bactéries. La transcription en alternance des deux gènes de la flagelline dans les bactéries de type *Salmonella* est provoquée par une recombinaison simple spécifique de site qui inverse un petit segment d'ADN contenant un promoteur. (A) Dans une des orientations, le promoteur active la transcription du gène de la flagelline H2 ainsi que celle d'une protéine répresseur qui bloque l'expression du gène de la flagelline H1. (B) Lorsque le promoteur est inversé, il n'active plus H2 ni le répresseur, et le gène H1, ainsi libéré de la répression, s'exprime. Ce mécanisme de recombinaison n'est activé que rarement (environ toutes les 10^5 divisions cellulaires). De ce fait, la production d'une flagelline ou de l'autre a tendance à être fidèlement héritable dans chaque clone cellulaire.

pas une inversion d'ADN. Une bactérie (*Neisseria gonorrhoeae*) responsable d'une maladie sexuellement transmissible fréquente de l'homme, par exemple, évite l'attaque immunitaire en modifiant héréditairement ses propriétés de surface à l'aide d'une conversion génique (*voir* Chapitre 5) et non pas d'une inversion. Ce mécanisme transfère des séquences d'ADN issues d'une archive de «cassettes de gènes» vers un site du génome où ces gènes sont exprimés; il a l'avantage d'engendrer un grand nombre de variants des protéines majeures de surface bactérienne.

Un ensemble de protéines régulatrices détermine le type cellulaire dans une levure bourgeonnante

Comme elles sont très faciles à cultiver et à manipuler génétiquement, les levures ont servi d'organisme modèle pour étudier les mécanismes de contrôle génique des cellules eucaryotes. La levure commune de boulanger, *Saccharomyces cerevisiae*, a suscité un intérêt particulier en raison de sa capacité à se différencier en trois types cellulaires distincts. *S. cerevisiae* est un eucaryote monocellulaire qui existe soit à l'état haploïde soit à l'état diploïde. Les cellules diploïdes sont formées par un processus appelé **accouplement**, au cours duquel deux cellules haploïdes fusionnent. Pour que deux cellules haploïdes s'accouplent, elles doivent être d'un *type d'accouplement* (sexe) différent. Pour *S. cerevisiae*, il existe deux types sexuels, α et **a**, spécialisés pour pouvoir s'accoupler l'un avec l'autre. Chacun produit une molécule de signalisation spécifique qui peut diffuser (facteur d'accouplement) et une protéine réceptrice spécifique à la surface cellulaire. Ces deux molécules permettent à une cellule de reconnaître la cellule de type opposé, et d'être reconnue par elle, pour pouvoir fusionner avec elle. La cellule diploïde qui en résulte, appelée **a**/α, est différente des cellules parentales : elle est incapable de s'accoupler mais peut former des spores (sporulation) lorsqu'il n'y a plus d'aliment et donner naissance à des cellules haploïdes par le processus de méiose (*voir* Chapitre 20).

Les mécanismes qui permettent d'établir et de maintenir ces trois types cellulaires illustrent un certain nombre de stratégies dont nous avons parlé, qui permettent de modifier le patron d'expression génique. Le type sexuel des cellules haploïdes est déterminé par un seul locus, le **locus MAT** (pour *mating-type* ou type sexuel). Dans les cellules de type **a**, il code pour une seule protéine régulatrice, Mata1, et dans les cellules α, il code pour deux protéines régulatrices Matα1 et Matα2. La protéine Matα1 n'a pas d'effet dans la cellule haploïde de type **a** qui la produit mais devient importante ultérieurement dans la cellule diploïde qui résulte de l'accouplement; pendant ce temps, les cellules haploïdes de type α produisent les protéines spécifiques de leur type sexuel par défaut. La protéine Matα2 agit dans les cellules α comme un répresseur de la transcription qui inactive les gènes spécifiques de **a**, alors que la protéine Matα1 agit comme un activateur de la transcription qui active les gènes spécifiques d'α. Une fois que les cellules des deux types sexuels ont fusionné, l'association des protéines régulatrices Mata1 et Matα2 engendre un patron complètement nouveau d'expression génique, différent de celui de chaque cellule parentale. La figure 7-65 illustre le mécanisme par lequel les gènes spécifiques d'accouplement sont exprimés, selon des patrons différents, dans les trois types cellulaires. C'est un des premiers exemples identifiés de contrôle combinatoire de gènes qui reste l'un des mieux compris au niveau moléculaire.

Bien que dans la plupart des souches de laboratoire de *S. cerevisiae*, les types **a** et α soient maintenus de façon stable pendant de nombreuses divisions cellulaires, certaines souches sauvages isolées peuvent passer de façon répétitive du type cellulaire **a** au type α par un mécanisme de réarrangement génique dont les effets sont des réminiscences des réarrangements d'ADN se produisant chez *N. gonorrhoeae*, même si le mécanisme exact semble être particulier à la levure. De part et d'autre du locus *MAT* du chromosome de levure, se trouve un locus silencieux codant pour les protéines régulatrices des types sexuels : le locus silencieux situé d'un côté code pour Matα1 et Matα2; le locus silencieux de l'autre côté code pour Mata1. Toutes les deux divisions cellulaires environ, le gène actif situé dans le locus *MAT* est excisé et remplacé par une copie néosynthétisée du locus silencieux déterminant le type sexuel opposé. Comme cette modification implique l'élimination d'un gène de la «fente» active et son remplacement par un autre, ce mécanisme est appelé *mécanisme par cassette*. Cette modification est réversible parce que, même si le gène d'origine du locus *MAT* a été éliminé, il en reste une copie silencieuse dans le génome. Les nouvelles copies d'ADN fabriquées à partir des gènes silencieux fonctionnent comme des cassettes jetables qui sont insérées en alternance dans le locus *MAT* qui sert de «tête de lecture» (Figure 7-66).

Les cassettes silencieuses sont conservées sous une forme transcriptionnellement inactive par le même mécanisme responsable de la mise en silence des gènes locali-

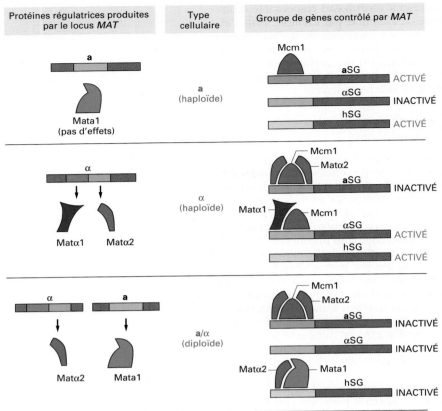

| Protéines régulatrices produites par le locus *MAT* | Type cellulaire | Groupe de gènes contrôlé par *MAT* |

a

Mata1
(pas d'effets)

a
(haploïde)

Mcm1

aSG — ACTIVÉ
αSG — INACTIVÉ
hSG — ACTIVÉ

α

Matα1   Matα2

α
(haploïde)

Mcm1
Matα2

aSG — INACTIVÉ

Matα1   Mcm1

αSG — ACTIVÉ
hSG — ACTIVÉ

α   **a**

Matα2   Mata1

a/α
(diploïde)

Mcm1
Matα2

aSG — INACTIVÉ
αSG — INACTIVÉ

Matα2   Mata1

hSG — INACTIVÉ

Figure 7-65 Contrôle du type cellulaire des levures. Le type cellulaire des levures est déterminé par trois protéines régulatrices (Matα1, Matα2 et Mata1) produites par le locus *MAT*. Différents groupes de gènes sont transcrits dans les cellules haploïdes de type **a**, dans les cellules haploïdes de type α et dans les cellules diploïdes (type **a**/α). Les cellules haploïdes expriment un groupe de gènes spécifique des haploïdes (hSG) ainsi qu'un groupe de gènes α-spécifique (αSG) ou un groupe de gènes **a**-spécifique (**a**SG). Les cellules diploïdes n'expriment aucun de ces gènes. Les protéines Matα1, Matα2 et Mata1 contrôlent beaucoup de gènes cibles dans chaque type cellulaire en se fixant selon diverses combinaisons, sur des séquences régulatrices situées en amont de ces gènes. Notez que la protéine Matα1 est une protéine activatrice alors que la protéine Matα2 est un répresseur. Ces deux protéines agissent en association avec une protéine régulatrice, appelée Mcm1, présente dans les trois types cellulaires. Dans les types cellulaires diploïdes, Matα2 et Mata1 forment un hétérodimère (montré en détail dans la figure 7-23) qui inactive un groupe de gènes (y compris les gènes codant pour la protéine activatrice Matα1) différent du groupe inactivé par les protéines Matα2 et Mcm1. Ce système relativement simple de protéines régulatrices est un exemple de contrôle combinatoire de l'expression génique (*voir* Figure 7-50). Les protéines Mata1 et Matα2 reconnaissent chacune leurs sites de fixation sur l'ADN par l'intermédiaire d'une conformation en homéodomaine (*voir* Figure 7-16).

sés à l'extrémité des chromosomes de levure (*voir* Figure 4-47) ; c'est-à-dire que l'ADN d'un locus silencieux est empaqueté dans une forme hautement organisée de chromatine qui s'oppose à la transcription.

Deux protéines qui répriment mutuellement leur synthèse déterminent l'état héréditaire du bactériophage lambda

L'hypothèse qu'une modification irréversible de la séquence d'ADN soit le mécanisme majeur de la différenciation des cellules eucaryotes supérieures (même si ce type de modification représente une partie cruciale de la différenciation des lym-

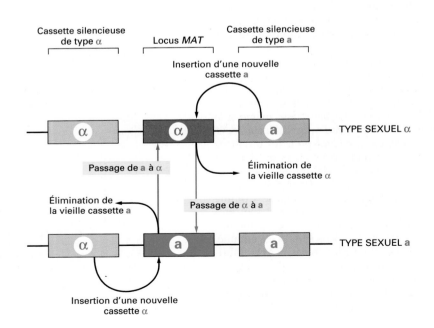

Cassette silencieuse de type α
Locus *MAT*
Cassette silencieuse de type **a**

Insertion d'une nouvelle cassette **a**

α   α   **a**   — TYPE SEXUEL α

Passage de **a** à α

Élimination de la vieille cassette α

Élimination de la vieille cassette **a**

Passage de α à **a**

α   **a**   **a**   — TYPE SEXUEL **a**

Insertion d'une nouvelle cassette α

Figure 7-66 Modèle de type cassette de la commutation de type sexuel des levures. La commutation par cassettes se produit selon un processus de conversion génique qui implique une enzyme spécifique (la HO endonucléase) engendrant une coupure du double brin au niveau d'une séquence spécifique d'ADN du locus *MAT*. L'ADN proche de cette coupure est alors excisé puis remplacé par une copie de la cassette silencieuse du type sexuel opposé. Le mécanisme de cette forme spécialisée de conversion génique est similaire au mécanisme général de recombinaison homologue abordé au chapitre 5 (*voir* p. 283-284).

phocytes – *voir* Chapitre 24) est éliminée par cette observation : un vertébré ou un végétal complet peut être spécifié par les informations génétiques présentes dans un seul noyau d'une cellule somatique (*voir* Figure 7-2). Des modifications réversibles de la séquence d'ADN, ressemblant à celles décrites pour *Salmonella* et les levures, pourraient en principe être responsables de certaines modifications héréditaires de l'expression génique observées chez les organismes supérieurs, mais il n'y a actuellement aucune preuve que ce mécanisme soit largement utilisé.

Cependant, d'autres mécanismes, abordés dans ce chapitre, sont aussi capables de produire des patrons de régulation génique qui peuvent passer héréditairement aux générations cellulaires suivantes. L'exemple le plus simple est, peut-être, celui du virus bactérien (bactériophage) lambda, dans lequel une commutation provoque le basculement du virus entre deux états stables qui s'auto-entretiennent. Ce type de commutation peut être considéré comme le prototype des commutations similaires mais plus complexes qui opèrent pendant le développement des eucaryotes supérieurs.

Nous avons déjà mentionné que le bactériophage lambda pouvait, dans des conditions favorables, s'intégrer à l'ADN cellulaire d'*E. coli*, pour être répliqué automatiquement à chaque division bactérienne. Sinon, le virus peut se multiplier dans le cytoplasme et tuer son hôte (*voir* Figure 5-81). La commutation entre ces deux états est influencée par des protéines codées dans le génome du bactériophage. Le génome contient au total 50 gènes environ transcrits selon des patrons très différents dans les deux états. Un virus destiné à s'intégrer, par exemple, doit produire une protéine, l'*intégrase* lambda, nécessaire à l'insertion de l'ADN lambda dans le chromosome bactérien, mais doit réprimer la production des protéines virales responsables de la multiplication virale. Une fois qu'un des deux patrons de transcription a été établi, il est maintenu de façon stable.

Nous n'allons pas discuter les particularités de ce système complexe de régulation génique mais plutôt dégager les grandes lignes de quelques-unes de ses caractéristiques générales. Au cœur de cette commutation se trouvent deux protéines régulatrices de gènes synthétisées par le virus : la protéine **répresseur lambda** (protéine cI) que nous avons déjà rencontrée, et la **protéine Cro**. Ces protéines répriment chacune la synthèse de l'autre, arrangement qui donne naissance à deux états stables seulement (Figure 7-67). Dans l'état 1 (*état de prophage*), le répresseur lambda occupe l'opérateur, ce qui bloque la synthèse de la protéine Cro et active aussi sa propre synthèse. Dans l'état 2 (*état lytique*), la protéine Cro occupe un autre site de l'opérateur, ce qui bloque la synthèse du répresseur mais permet sa propre synthèse. Dans l'état de prophage, la majeure partie de l'ADN du bactériophage intégré de façon stable n'est pas transcrite ; dans l'état lytique, cet ADN est extensivement transcrit, répliqué, empaqueté dans de nouveaux bactériophages et libéré par lyse des cellules hôtes.

Lorsque la bactérie hôte a une bonne croissance, le virus infectant a tendance à adopter l'état 1, ce qui permet la multiplication de l'ADN viral en même temps que le chromosome hôte. Lorsque la cellule hôte est endommagée, le virus intégré passe de l'état 1 à l'état 2 afin de se multiplier dans le cytoplasme cellulaire et sortir rapidement. Cette conversion est déclenchée par la réponse de l'hôte à une lésion de l'ADN, qui inactive le répresseur. En l'absence d'une telle interférence, cependant, le répresseur lambda inactive la production de la protéine Cro et active sa propre synthèse et cette *boucle de rétrocontrôle positif* permet le maintien de l'état de prophage.

Les circuits de régulation génique peuvent être utilisés pour fabriquer des systèmes mnésiques ainsi que des oscillateurs

Des boucles de rétrocontrôle positif fournissent une stratégie générale simple de mémoire cellulaire – c'est-à-dire qui établit et maintient des patrons héréditaires de transcription génique. La figure 7-68 montre les principes fondamentaux réduits à leur

Figure 7-67 Version simplifiée du système régulateur qui détermine le mode de croissance du bactériophage lambda dans sa cellule hôte, *E. coli*. Dans l'état stable 1 (état de prophage), le bactériophage synthétise une protéine répresseur, qui active sa propre synthèse et inactive la synthèse de différentes autres protéines du bactériophage, y compris la protéine Cro. Dans le stade 2 (state lytique), le bactériophage synthétise la protéine Cro, qui inactive la synthèse du répresseur, de telle sorte que de nombreuses protéines du bactériophage sont synthétisées et que l'ADN viral se réplique librement dans la cellule d'*E. coli*, produisant finalement de nombreuses nouvelles particules du bactériophage et tuant la cellule. Cet exemple montre comment deux protéines régulatrices peuvent s'associer dans un circuit qui engendre deux états héréditaires. Les protéines répresseurs lambda et Cro reconnaissent l'opérateur par l'intermédiaire d'une conformation hélice-coude-hélice (*voir* Figure 7-14).

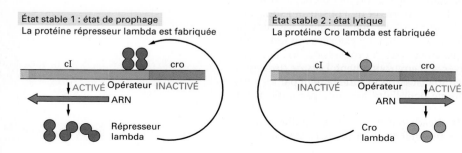

État stable 1 : état de prophage
La protéine répresseur lambda est fabriquée

cI — cro
ACTIVÉ Opérateur INACTIVÉ
ARN
Répresseur lambda

État stable 2 : état lytique
La protéine Cro lambda est fabriquée

cI — cro
INACTIVÉ Opérateur ACTIVÉ
ARN
Cro lambda

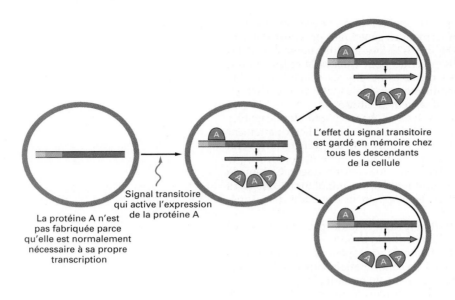

Figure 7-68 Schéma montrant comment une boucle de rétrocontrôle positif peut engendrer une mémoire cellulaire. La protéine A est une protéine régulatrice de gènes qui active sa propre transcription. Tous les descendants de la cellule d'origine se «rappelleront» donc que la cellule génitrice a subi un signal transitoire qui a initié la production de la protéine.

L'effet du signal transitoire est gardé en mémoire chez tous les descendants de la cellule

Signal transitoire qui active l'expression de la protéine A

La protéine A n'est pas fabriquée parce qu'elle est normalement nécessaire à sa propre transcription

strict nécessaire. Des variations de cette stratégie simple sont largement utilisées par les cellules eucaryotes. Diverses protéines régulatrices impliquées dans l'établissement du plan corporel de *Drosophila* (*voir* Chapitre 21) par exemple, stimulent leur propre transcription, créant ainsi une boucle de rétrocontrôle positif qui favorise leur synthèse en continu; en même temps beaucoup de ces protéines répriment la transcription de gènes codant pour d'autres protéines régulatrices importantes. De cette façon, un type complexe de comportements héréditaires peut être atteint seulement avec quelques protéines régulatrices qui modifient réciproquement leur synthèse et leur activité.

Ces simples circuits de régulation génique peuvent être associés pour créer toutes sortes de systèmes de contrôle, tout comme les simples éléments de commutation électronique d'un ordinateur sont associés pour effectuer toute sorte d'opérations logiques complexes. Le bactériophage lambda, comme nous l'avons vu, fournit un exemple de ces circuits en pouvant osciller entre deux états stables. Des types de réseaux de régulation plus complexes n'existent pas seulement dans la nature, mais peuvent être également conçus et construits au laboratoire. La figure 7-69 montre, par exemple, comment une cellule bactérienne génétiquement modifiée peut commuter entre trois états selon un ordre prescrit, fonctionnant ainsi comme un oscillateur ou une «pendule».

Les rythmes circadiens sont fondés sur des boucles de rétrocontrôle de la régulation génique

La vie sur Terre se développe en présence du cycle quotidien du jour et de la nuit et beaucoup d'organismes actuels (des archéobactéries aux végétaux et à l'homme) en sont venus à posséder un rythme interne qui dicte les différents comportements aux différents moments du jour. La gamme de ces comportements s'étend des modifications cycliques de l'activité des enzymes métaboliques du champignon au cycle complexe du jour et de la nuit de l'homme. Les oscillateurs internes qui contrôlent ce rythme diurne sont appelés horloge circadienne (ou biologique).

En transportant sa propre horloge biologique, un organisme peut anticiper les modifications régulières du jour dans son environnement et effectuer par avance les actions appropriées. Bien sûr, l'horloge interne ne peut être parfaitement précise, et doit donc pouvoir être réinitialisée par des signaux externes comme la lumière du jour. De ce fait, les horloges biologiques continuent de fonctionner même lorsque les signaux environnementaux (modifications de la lumière et de l'obscurité) sont retirés, mais la durée de ce rythme qui se poursuit seul est généralement légèrement inférieure ou légèrement supérieure à 24 heures. Les signaux externes qui indiquent le moment du jour provoquent de petits ajustements de la progression de l'horloge, afin de maintenir l'organisme synchrone avec son environnement. Lors de décalages plus drastiques, les cycles circadiens sont réinitialisés plus graduellement par les nouveaux cycles de lumière et d'obscurité, comme peut l'attester toute personne ayant eu l'expérience d'un décalage horaire.

On pourrait s'attendre à ce que le cycle circadien d'une créature multicellulaire complexe comme l'homme soit lui-même un appareil multicellulaire complexe, composé de différents groupes de cellules responsables de différentes parties du mécanisme d'oscillations. Il est cependant remarquable que, pour presque tous les organismes, y compris l'homme, ces contrôleurs soient des cellules individuelles. De ce fait, nos cycles diurnes de sommeil et de veille, de température corporelle et de libération hormonale sont contrôlés par une horloge qui opère sur chaque membre d'un groupe de cellules spécialisées (les cellules du SNC, ou système nerveux central) de l'hypothalamus (une partie de notre cerveau). Même si ces cellules sont retirées du cerveau et éparpillées dans une boîte de culture, elles continueront à osciller individuellement, présentant un schéma cyclique d'expression génique d'une durée approximative de 24 heures. Dans le corps intact, les cellules du SNC reçoivent des signaux neutres issus de la rétine qui les entraînent dans le cycle quotidien du jour et de la nuit et elles envoient les informations sur le moment du jour à d'autres tissus comme l'hypophyse, qui relaie le signal du temps au reste du corps en libérant une hormone, la mélatonine, à l'heure prévue par l'horloge.

Même si les cellules du SNC jouent un rôle central de contrôleur du temps pour les mammifères, il a été démontré qu'elles n'étaient pas les seules cellules du corps des mammifères qui présentent un rythme circadien interne ou une capacité à le réinitialiser en réponse à la lumière. De même, chez *Drosophila*, un grand nombre de types cellulaires différents, y compris ceux du thorax, de l'abdomen, des antennes, des pattes, des ailes et des testicules continuent tous de suivre un cycle circadien lorsqu'ils sont disséqués et enlevés du reste de la mouche. L'horloge de ces tissus isolés, comme celle des cellules du SNC, peut être réinitialisée par l'imposition externe de cycles de lumière et d'obscurité.

Le fonctionnement de l'horloge biologique est donc un problème fondamental de la biologie cellulaire. Bien que nous n'ayons pas encore compris toutes ses particularités, des études menées sur un large éventail d'organismes ont mis au jour un grand nombre de principes fondamentaux et de composants moléculaires. En ce qui concerne les animaux, la majeure partie de nos connaissances provient de recherches menées sur des drosophiles présentant des mutations qui accélèrent leur horloge biologique, la ralentissent ou la rendent incomplète. Ces travaux ont conduit à la découverte qu'un grand nombre de ces mêmes composants est impliqué dans l'horloge biologique des mammifères. Le mécanisme de l'horloge de *Drosophila* est schématisé dans la figure 7-70. Au cœur de l'oscillateur se trouve une boucle de rétrocontrôle de la transcription qui a un décalage placé à l'intérieur : l'accumulation de certains produits particuliers de gènes arrête leur transcription, mais avec un retard, de telle sorte que – pour être plus clair – la cellule oscille entre un état où les produits sont présents et leur transcription arrêtée, et un autre où les produits sont absents et leur transcription activée.

Malgré la relative simplicité des principes fondamentaux de ces horloges biologiques, les détails sont complexes. Une des raisons de cette complexité réside dans la nécessité de tamponner l'horloge vis-à-vis des modifications de la température qui accélèrent ou ralentissent typiquement les associations macromoléculaires. Elle doit aussi fonctionner avec précision tout en pouvant être réinitialisée. Même si on ne comprend pas encore comment l'horloge biologique tourne à vitesse constante malgré les modifications de température, le mécanisme de réinitialisation de l'horloge de *Drosophila* passe par l'induction de la destruction par la lumière d'une des protéines régulatrices clés, comme cela est indiqué dans la figure 7-70.

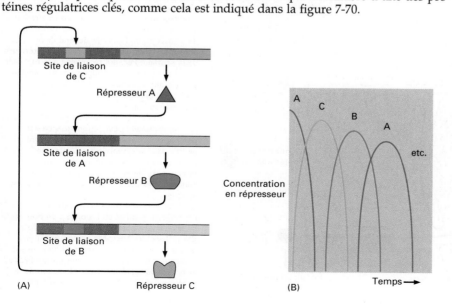

(A)

Site de liaison de C

Répresseur A

Site de liaison de A

Répresseur B

Site de liaison de B

Répresseur C

(B)

Concentration en répresseur

A C B A etc.

Temps →

Figure 7-69 Horloge génique simple conçue au laboratoire. (A) Les techniques d'ADN recombinant ont été utilisées pour placer les gènes de chacune des trois protéines « répresseurs » bactériennes sous contrôle d'un autre répresseur. Ces répresseurs (notés A, B et C dans la figure) sont le répresseur *lac* (*voir* Figure 7-38), le répresseur lambda (*voir* Figure 7-67) et le répresseur *tet* qui régule les gènes en réponse à la tétracycline. (B) Une population cellulaire effectuera un cycle entre les trois différents états montrés en (A). Par exemple, si la cellule commence dans un état où seul le répresseur A s'est accumulé à de fortes concentrations, le gène du répresseur B sera complètement réprimé. Tandis que le répresseur C est peu à peu synthétisé, il commence à arrêter la production du répresseur A et le répresseur B commence à s'accumuler pour finalement arrêter la production du répresseur C. Pendant que le cycle se poursuit, une population synchronisée de cellules oscille entre ces trois états dans un ordre spécifique. (D'après M. B. Elowitz et S. Leibler, *Nature* 403 : 335-338, 2000.)

L'expression d'un ensemble de gènes peut être coordonnée par une seule protéine

Les cellules doivent pouvoir activer et inactiver individuellement leurs gènes mais aussi coordonner l'expression de grands groupes de gènes différents. Par exemple, lorsqu'une cellule eucaryote quiescente reçoit l'ordre de se diviser, beaucoup de gènes non exprimés jusqu'à présent sont activés en même temps pour mettre en mouvement les événements qui conduisent finalement à la division cellulaire (*voir* Chapitre 18). Une des façons utilisées par les bactéries pour coordonner l'expression d'un ensemble de gènes consiste à les regrouper dans un opéron contrôlé par un seul promoteur (*voir* Figure 7-33). Chez les eucaryotes, cependant, chaque gène est transcrit à partir d'un promoteur séparé.

Comment les eucaryotes peuvent-ils coordonner l'expression de leurs gènes ? C'est une question particulièrement importante parce que, comme nous l'avons vu, la plupart des protéines régulatrices agissent en tant que partie d'un «comité» de protéines régulatrices, et toutes sont nécessaires pour exprimer les gènes dans la bonne cellule, au bon moment, en réponse au bon signal et au bon niveau. Comment une cellule eucaryote peut-elle donc rapidement et de façon décisive activer ou inactiver un groupe entier de gènes ? La réponse tient dans le fait que, même si le contrôle de l'expression génique est combinatoire, les effets d'une seule protéine régulatrice peuvent encore être décisifs sur l'activation ou l'inactivation de n'importe quel gène particulier, simplement parce qu'ils terminent la combinaison nécessaire pour activer ou réprimer de façon optimale ce gène. Cette situation est analogue à celle de la composition du dernier chiffre d'un cadenas à code : l'ouverture s'effectue si les autres chiffres ont été auparavant entrés. Tout comme un même chiffre peut compléter la combinaison de différents cadenas, une même protéine peut compléter la combinaison de différents gènes. Si plusieurs gènes différents contiennent le site de régulation de la même protéine régulatrice, elle peut être utilisée pour réguler l'expression de tous ces gènes.

Un exemple qui illustre ce fait chez l'homme est le contrôle de l'expression des gènes par une protéine, le *récepteur des corticoïdes*. Pour se fixer sur le site de régulation de l'ADN, cette protéine régulatrice doit d'abord former un complexe avec une molécule d'une hormone stéroïdienne corticoïde comme le cortisol (*voir* Figures 15-12 et 15-13). Cette hormone est libérée dans l'organisme lors d'absence de nourriture et d'activité physique intense, et parmi toutes ses activités, elle stimule les cellules hépatiques pour qu'elles augmentent la production de glucose à partir d'acides aminés et d'autres petites molécules. Pour permettre cette réponse, les cellules hépatiques augmentent l'expression d'un grand nombre de gènes différents, qui codent pour des enzymes métaboliques et d'autres produits. Même si ces gènes ont tous des régions de contrôle différentes et complexes, leur expression maximale dépend de la fixation du complexe «hormone-récepteur des corticoïdes» sur un site régulateur situé sur l'ADN de chaque gène. Lorsque l'organisme a récupéré et qu'il n'y a plus d'hormone, l'expression de chacun de ces gènes retourne à son niveau normal dans le foie. De cette façon, une seule protéine régulatrice peut contrôler l'expression d'un grand nombre de gènes différents (Figure 7-71).

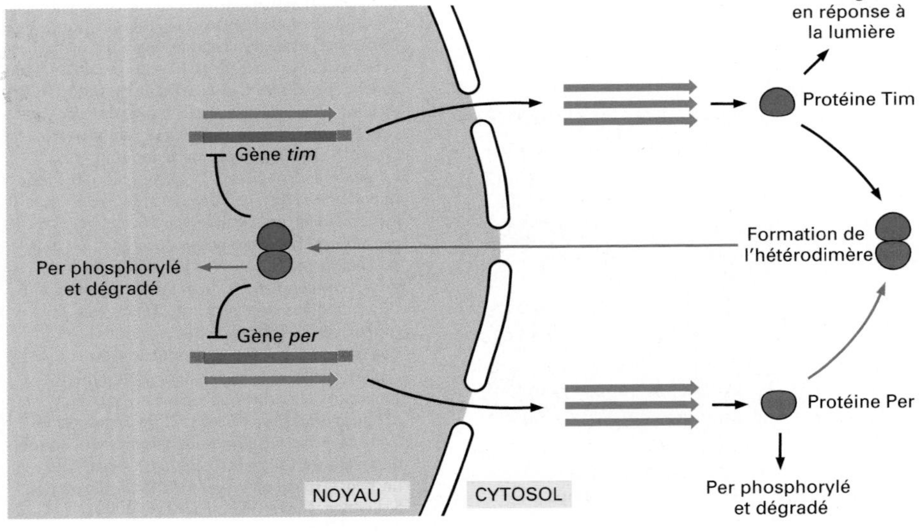

Figure 7-70 Grandes lignes du mécanisme de l'horloge biologique des cellules de *Drosophila*. La caractéristique centrale de cette horloge est l'accumulation et la dégradation périodiques de deux protéines régulatrices, Tim (raccourci de *timeless* ou «éternel», basé sur le phénotype de la mutation du gène) et Per (raccourci de «périodique»). Ces protéines sont traduites dans le cytosol et lorsqu'elles se sont accumulées à des concentrations critiques, forment un hétérodimère. Cet hétérodimère est transporté dans le noyau où il régule plusieurs gènes en même temps que l'horloge. L'hétérodimère Tim-Per réprime également les gènes *tim* et *per*, créant un système de rétrocontrôle qui provoque périodiquement l'augmentation et la baisse des concentrations en Tim et Per. En plus de ce rétrocontrôle de transcription, l'horloge dépend de la phosphorylation et de la dégradation ultérieure de la protéine Per, qui se produit à la fois dans le noyau et dans le cytoplasme et est régulée par une autre protéine d'horloge, la Dbt (raccourci de «double-temps»). Cette dégradation impose des délais dans l'accumulation périodique de Tim et Per qui sont primordiaux pour le fonctionnement de l'horloge. Par exemple, l'accumulation de Per dans le cytoplasme est retardée par la phosphorylation et la dégradation de monomères libres de Per. Les étapes qui imposent des délais spécifiques sont montrées en *rouge*.

L'entraînement (ou réinitialisation) de l'horloge se produit en réponse à de nouveaux cycles lumière-obscurité. Même si la plupart des cellules de *Drosophila* ne possèdent pas de véritables photorécepteurs, la lumière est ressentie par des flavoprotéines intracellulaires et provoque rapidement la destruction de la protéine Tim, réinitialisant ainsi l'horloge.

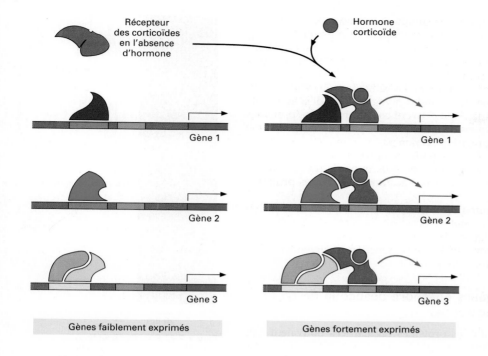

Figure 7-71 Une seule protéine régulatrice peut coordonner l'expression de plusieurs gènes différents. L'action des récepteurs des corticoïdes est schématiquement illustrée. À *gauche* se trouve une série de gènes dont chacun a diverses protéines activatrices fixées sur sa région régulatrice. Cependant, ces protéines fixées ne sont pas suffisantes par elles-mêmes pour activer complètement la transcription. À *droite* on peut voir l'effet de l'addition d'une protéine régulatrice supplémentaire – le récepteur des corticoïdes qui forme un complexe avec une hormone corticoïde – qui peut se fixer sur la région régulatrice de chaque gène. Le récepteur des corticoïdes complète la combinaison des protéines régulatrices nécessaires à l'initiation maximale de la transcription et les gènes sont maintenant activés tous ensemble. En l'absence d'hormone, le récepteur des corticoïdes reste dans le cytosol et ne peut donc pas se fixer sur l'ADN. En plus d'activer l'expression des gènes, la forme liée à l'hormone du récepteur des corticoïdes réprime la transcription de certains gènes, en fonction des protéines régulatrices déjà présentes sur les régions de contrôle. L'effet du récepteur des corticoïdes sur un gène donné dépend donc du type de cellule, des protéines régulatrices qu'il contient et de la région régulatrice du gène. La structure de la portion fixée sur l'ADN du récepteur des corticoïdes est montrée dans la figure 7-19.

Les effets du récepteur des corticoïdes ne sont pas confinés aux cellules hépatiques. Dans d'autres types cellulaires, l'activation de cette protéine régulatrice par l'hormone provoque aussi des modifications du niveau d'expression de nombreux gènes ; les gènes affectés cependant, sont souvent différents de ceux affectés dans les cellules hépatiques. Comme nous l'avons vu, chaque type cellulaire possède un ensemble individualisé de protéines régulatrices qui, par le contrôle combinatoire, affectent de façon critique l'action du récepteur des corticoïdes. Comme le récepteur peut s'assembler avec beaucoup de groupes différents de protéines régulatrices spécifiques de type cellulaire, il peut produire différents effets dans différents types cellulaires.

L'expression d'une protéine régulatrice critique peut déclencher l'expression d'une batterie complète de gènes en aval

La capacité d'activer ou d'inactiver beaucoup de gènes de façon coordonnée n'est pas uniquement importante pour la régulation quotidienne de la fonction cellulaire. C'est également un moyen qui permet aux cellules eucaryotes de se différencier en types cellulaires spécifiques pendant le développement embryonnaire. Le développement des cellules musculaires en est un exemple frappant.

La cellule du muscle squelettique des mammifères est une cellule géante hautement différenciée, formée de la fusion de nombreuses cellules précurseurs musculaires appelées *myoblastes*. Elle contient donc beaucoup de noyaux. La cellule musculaire mature se différencie des autres cellules par son grand nombre de protéines caractéristiques, y compris des types spécifiques d'actine, de myosine, de tropomyosine et de troponine (qui font toutes partie de l'appareil contractile), de créatine phosphokinase (pour le métabolisme spécifique des cellules musculaires) et de récepteurs à l'acétylcholine (qui rendent la membrane sensible à la stimulation nerveuse). Dans les myoblastes en prolifération, ces protéines musculaires spécifiques et leurs ARNm sont absents ou en très faibles concentrations. Lorsque les myoblastes commencent à fusionner les uns avec les autres, les gènes correspondants sont tous activés de façon coordonnée, ce qui constitue une partie de la transformation générale du patron d'expression génique.

Une différenciation musculaire complète peut être déclenchée dans les fibroblastes cutanés en culture et dans certains autres types cellulaires en introduisant n'importe quelle protéine de la famille hélice-boucle-hélice – ou protéines myogènes (MyoD, Myf5, myogénine et Mrf4) – qui ne s'exprime normalement que dans les cellules musculaires (Figure 7-72A). Les sites de fixation de ces protéines régulatrices se trouvent dans les séquences régulatrices d'ADN adjacentes à de nombreux gènes spécifiques de muscles et les protéines myogènes activent donc directement la transcription de nombreux gènes structuraux spécifiques des muscles. De plus, les protéines myogènes stimulent leur propre transcription ainsi que celle de diverses autres protéines régulatrices impliquées dans le développement musculaire, ce qui engendre une série complexe de boucles de rétrocontrôle positif qui amplifie et maintient le programme de développement musculaire, même après dissipation du signal d'initiation (Figure 7-72B; *voir aussi* Chapitre 22).

Il est probable que les fibroblastes et les autres types cellulaires qui sont convertis en cellules musculaires par l'addition de protéines myogènes ont déjà accumulé un certain nombre de protéines régulatrices qui peuvent coopérer avec les protéines myogènes pour activer les gènes spécifiques de muscle. De ce point de vue, c'est une combinaison spécifique de protéines régulatrices, et non pas une simple protéine, qui détermine la différenciation musculaire. Cette hypothèse concorde avec l'observation que certains types cellulaires ne sont pas convertis en muscle par la myogénine ou ses apparentés; ces cellules n'ont probablement pas accumulé les autres protéines régulatrices nécessaires.

La transformation d'un type cellulaire (fibroblaste) en un autre (muscle squelettique) par une seule protéine régulatrice met de nouveau l'accent sur un des principes majeurs que nous avons abordé dans ce chapitre : des différences spectaculaires entre des types cellulaires – en taille, forme, biochimie et fonction – peuvent être produites par des différences de l'expression génique.

Le contrôle combinatoire des gènes engendre beaucoup de types cellulaires différents chez les eucaryotes

Nous avons déjà vu comment de multiples protéines régulatrices pouvaient agir ensemble pour réguler l'expression d'un gène individuel. Mais, comme le montre l'exemple des protéines myogènes, le contrôle combinatoire des gènes signifie plus que cela : non seulement chaque gène doit avoir plusieurs protéines régulatrices pour le contrôler, mais chaque protéine régulatrice contribue au contrôle de nombreux gènes. De plus, même si certaines protéines régulatrices sont spécifiques d'un seul type cellulaire, la plupart sont activées dans divers types cellulaires, à différents sites de l'organisme et à différents moments du développement. Ce point est illustré schématiquement dans la figure 7-73, qui montre comment le contrôle combinatoire des gènes permet d'engendrer une forte complexité biologique avec relativement peu de protéines régulatrices.

Avec le contrôle combinatoire, une protéine régulatrice donnée n'a pas nécessairement une seule fonction simple définie, comme le commandement d'une batterie particulière de gènes ou la spécification d'un type cellulaire particulier. Il faut plutôt comparer ces protéines régulatrices au monde du langage : elles sont utilisées avec différentes significations, dans divers contextes, et rarement seules : c'est uniquement la bonne combinaison qui transporte l'information qui spécifie un événement régulateur de gènes. Une des nécessités du contrôle combinatoire est qu'il faut qu'un grand nombre de protéines régulatrices travaillent ensemble pour influencer la vitesse finale de transcription. L'étendue de ce principe est remarquable : même des protéines régulatrices non apparentées, provenant d'espèces eucaryotes très différentes, peuvent coopérer lorsqu'elles sont expérimentalement introduites dans la même cellule. Cette situation reflète l'important degré de conservation de la machinerie de transcription ainsi que la nature de l'activation de la transcription elle-même. Comme nous l'avons vu, la *synergie de transcription*, au cours de laquelle de multiples protéines activatrices engendrent plus qu'un simple effet additif sur l'état final de la transcription, résulte de la capacité de la machinerie de transcription à répondre à de multiples influx (*voir* Figure 7-47). Il semble que le mode d'action combinatoire multifonctionnel des protéines régulatrices a imposé une forte contrainte à leur évolution : elles doivent interagir avec d'autres protéines régulatrices, des facteurs généraux de transcription, l'holoenzyme de l'ARN polymérase et les enzymes modifiant la chromatine.

Une conséquence importante du contrôle combinatoire des gènes est que l'effet de l'addition d'une nouvelle protéine régulatrice dépend de l'historique de la cellule, car cet historique détermine quelles sont les protéines régulatrices déjà présentes. De ce fait, pendant le développement, une cellule peut accumuler une série de protéines régulatrices qui n'ont pas initialement besoin de modifier l'expression des gènes. Cependant, lorsque le dernier membre de la combinaison requise des protéines régulatrices est ajouté, le message régulateur est complet et entraîne de fortes modifications de l'expression génique. Ce schéma, comme nous l'avons vu, permet d'expliquer comment l'addition d'une seule protéine régulatrice dans un fibroblaste peut produire la transformation spectaculaire de ce fibroblaste en une cellule musculaire. Il peut aussi expliquer les différences importantes, abordées dans le chapitre 21,

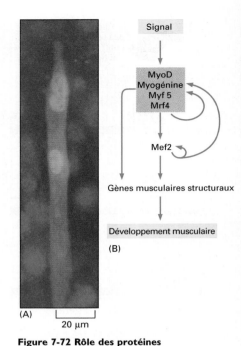

(A) |____| 20 μm

(B)

Figure 7-72 Rôle des protéines régulatrices myogènes dans le développement musculaire. (A) Effets de l'expression de la protéine MyoD dans les fibroblastes. Comme cela est montré sur cette photographie en microscopie à immunofluorescence, les fibroblastes issus de la peau d'un embryon de poulet ont été transformés en cellules musculaires par l'expression, expérimentalement induite, du gène *myoD*. Les fibroblastes qui ont été induits pour exprimer le gène *myoD* ont fusionné pour former des cellules allongées multinucléées de type musculaire colorées en *vert* par un anticorps qui détecte une protéine spécifique de muscle. Les fibroblastes qui n'expriment pas le gène *myoD* sont à peine visibles à l'arrière-plan. (B) Schéma simplifié de certaines protéines régulatrices impliquées dans le développement du muscle squelettique. L'engagement de cellules mésodermiques progénitrices sur la voie spécifique musculaire implique la synthèse de quatre protéines régulatrices myogènes, MyoD, Myf5, myogénine et Mrf4. Ces protéines activent directement la transcription des gènes musculaires structuraux ainsi que le gène *MEF2* qui code pour une protéine régulatrice supplémentaire. Mef2 agit en association avec les protéines myogènes pour poursuivre l'activation de la transcription des gènes musculaires structuraux et créer une boucle de rétrocontrôle positif qui maintient la transcription des gènes myogènes. (A, due à l'obligeance de Stephen Tapscott et Harold Weintraub; B, adapté de J.D. Molkentin et E.N. Olson, *Proc. Natl. Acad. Sci. USA* 93 : 9366-9373, 1996.)

entre le processus de détermination cellulaire – où une cellule est dirigée vers un destin de développement particulier – et le processus de différenciation cellulaire, où une cellule engagée exprime un caractère particulier.

La formation d'un organe entier peut être déclenchée par une seule protéine régulatrice

Nous avons vu que même si le contrôle combinatoire était la norme pour les gènes eucaryotes, une seule protéine régulatrice, si elle complétait la combinaison appropriée, pouvait être décisive dans l'activation ou l'inactivation d'un groupe complet de gènes et nous avons vu comment cela pouvait transformer un type cellulaire en un autre. Une extension spectaculaire de ce principe provient d'études sur le développement de l'œil de *Drosophila*, de la souris et de l'homme. Dans ce cas, une protéine régulatrice (appelée Ey pour la mouche et Pax-6 pour les vertébrés) est fondamentale. Lorsqu'elle est exprimée dans un contexte adapté, Ey peut déclencher la formation, non pas d'un seul type cellulaire, mais d'un organe entier (un œil), composé de différents types de cellules, toutes correctement organisées dans l'espace tridimensionnel.

La preuve la plus étonnante du rôle d'Ey provient d'expériences faites sur la drosophile, dans laquelle le gène *ey* est artificiellement exprimé plus tôt au cours du développement de groupes de cellules qui forment normalement les pattes. Cette expression anormale du gène provoque le développement d'un œil au milieu de la patte (Figure 7-74). L'œil de *Drosophila* est composé de milliers de cellules et le sujet central de la *biologie du développement* est de répondre à la question suivante : comment une protéine régulatrice coordonne-t-elle la spécification d'une collection complète de cellules dans un tissu ? Comme nous le verrons au chapitre 21, cela implique des interactions cellule-cellule ainsi que des protéines régulatrices intracellulaires. Dans ce chapitre, nous noterons simplement qu'Ey contrôle directement l'expression de beaucoup d'autres gènes en se fixant sur leurs régions régulatrices.

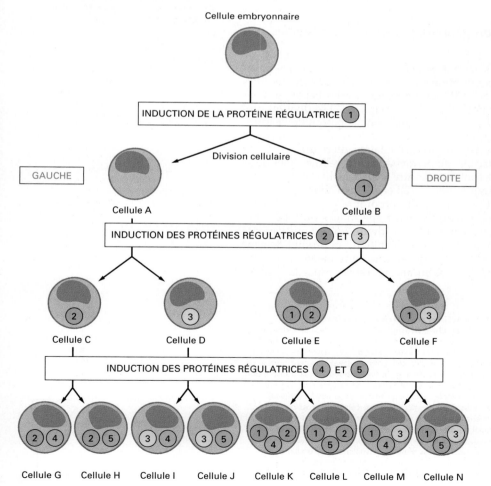

Cellule embryonnaire

INDUCTION DE LA PROTÉINE RÉGULATRICE ①

Division cellulaire

GAUCHE

DROITE

Cellule A

Cellule B

INDUCTION DES PROTÉINES RÉGULATRICES ② ET ③

Cellule C

Cellule D

Cellule E

Cellule F

INDUCTION DES PROTÉINES RÉGULATRICES ④ ET ⑤

Cellule G   Cellule H   Cellule I   Cellule J   Cellule K   Cellule L   Cellule M   Cellule N

Figure 7-73 Importance du contrôle combinatoire des gènes pour le développement. L'association de quelques protéines régulatrices peut engendrer plusieurs types cellulaires pendant le développement. Dans ce simple schéma idéalisé, la «décision» de fabriquer une des protéines régulatrices dans un groupe (montrée par les *cercles* numérotés) est prise après chaque division cellulaire. Pour détecter sa position relative dans l'embryon, la cellule fille du côté *gauche* de l'embryon est toujours induite pour synthétiser la protéine de chiffre pair et la cellule fille du *côté droit* de l'embryon est toujours induite pour synthétiser la protéine de chiffre impair. On présume que la production de chaque protéine régulatrice s'auto-perpétue une fois qu'elle a été initialisée (*voir* Figure 7-68). De cette façon, par la mémoire cellulaire, la spécification combinatoire finale est édifiée étape par étape. Dans cet exemple purement hypothétique, huit types cellulaires finaux (de G à N) ont été créés en utilisant cinq protéines régulatrices différentes.

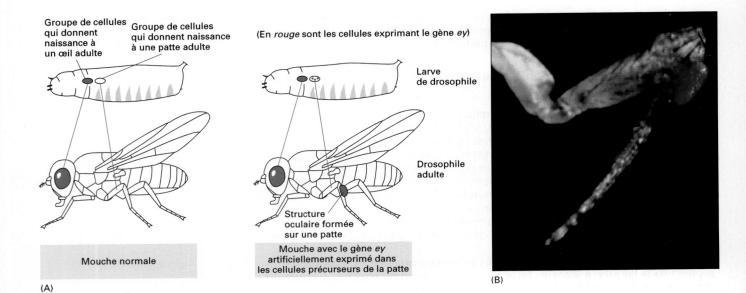

Groupe de cellules qui donnent naissance à un œil adulte

Groupe de cellules qui donnent naissance à une patte adulte

(En *rouge* sont les cellules exprimant le gène *ey*)

Larve de drosophile

Drosophile adulte

Structure oculaire formée sur une patte

Mouche normale

Mouche avec le gène *ey* artificiellement exprimé dans les cellules précurseurs de la patte

(A)

(B)

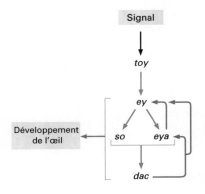

Certains des gènes contrôlés par Ey sont eux-mêmes ceux de protéines régulatrices qui à leur tour contrôlent l'expression d'autres gènes. De plus, certains de ces gènes régulateurs agissent en retour sur *ey* lui-même pour créer une boucle de rétrocontrôle positif qui assure la synthèse continue de la protéine Ey (Figure 7-75). De cette façon, l'action d'une seule protéine régulatrice peut activer une cascade de protéines régulatrices et de mécanismes d'interaction cellule-cellule dont les actions résultent en un groupe organisé de plusieurs types cellulaires différents. On peut commencer à imaginer comment, par l'application répétée de ce principe, un organisme complexe est édifié pièce par pièce.

Figure 7-74 L'expression du gène ey de ***Drosophila*** **dans les cellules précurseurs de la patte déclenche le développement d'un œil sur la patte.** (A) Schéma simplifié montrant le résultat lorsqu'une larve de drosophile contient soit le gène ey normalement exprimé (*à gauche*) soit un gène ey supplémentaire exprimé de façon artificielle dans les cellules qui donnent normalement naissance à des tissus de patte (*à droite*). (B) Photographie d'une patte anormale qui contient un œil mal placé. (B, due à l'obligeance de Walter Gehring.)

Des patrons stables d'expression génique peuvent être transmis aux cellules filles

Une fois qu'une cellule d'un organisme s'est différenciée en un type cellulaire particulier, elle garde généralement cette spécification et, si elle se divise, ses cellules filles héritent des mêmes caractères spécifiques. Par exemple, les cellules hépatiques, les cellules pigmentaires et les cellules endothéliales (*voir* Chapitre 22) se divisent plusieurs fois au cours de la vie d'un individu. Cela signifie que le patron de l'expression génique spécifique à une cellule différenciée doit être gardé en mémoire et transmis à la descendance au moment des divisions cellulaires ultérieures.

Nous avons déjà décrit plusieurs façons qui permettaient aux cellules filles de se «souvenir» du type de cellule qu'elles sont sensées être. Une des plus simples est la boucle de rétrocontrôle positif (*voir* Figures 7-68, 7-72B et 7-75) au cours de laquelle une protéine régulatrice clé active la transcription de son propre gène (soit directement soit indirectement) en plus de celle d'autres gènes spécifiques du type cellulaire. La commutation simple de basculement montrée en figure 7-67 est une variante de ce thème : en inhibant l'expression de son propre inhibiteur, un produit de gène active indirectement et maintient sa propre expression. Une autre méthode très différente de conservation des types cellulaires des eucaryotes est la propagation fidèle

Figure 7-75 Des protéines régulatrices spécifient le développement de ey chez ***Drosophila.*** *toy* (pour *twin of eyeless*) et *ey* (*eyeless*) codent pour des protéines régulatrices similaires, Toy et Ey, dont l'une ou l'autre, lorsqu'elles sont exprimées de façon ectopique, peuvent déclencher le développement d'un œil. Lors du développement normal de l'œil, l'expression de *ey* nécessite le gène *toy*. Une fois que la transcription est activée par Toy, Ey active la transcription de *so* (*sine oculis*) et *eya* (*eyes absent*) qui agissent ensemble pour exprimer le gène *dac* (*dachshund*). Comme cela est indiqué par les *flèches vertes*, certaines protéines régulatrices forment des boucles de rétrocontrôle positif qui renforcent l'engagement initial du développement de l'œil. On sait que la protéine Ey se fixe directement sur de nombreux gènes cibles du développement de l'œil, y compris ceux codant pour les cristallines du cristallin (*voir* Figure 7-119), la rhodopsine et les autres protéines photoréceptrices. (Adapté de T. Czerny et al., *Mol. Cell* 3 : 297-307, 1999.)

Signal

↓

toy

↓

ey

so   *eya*

Développement de l'œil

dac

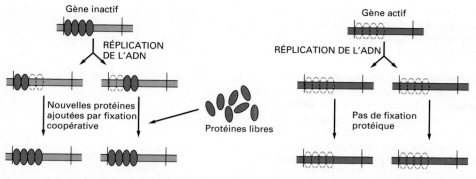

Gène inactif

RÉPLICATION
DE L'ADN

Nouvelles protéines
ajoutées par fixation
coopérative

Protéines libres

LES DEUX GÈNES NÉOFORMÉS SONT INACTIFS

Gène actif

RÉPLICATION DE L'ADN

Pas de fixation
protéique

LES DEUX GÈNES NÉOFORMÉS SONT ACTIFS

Figure 7-76 Schéma général permettant l'héritabilité directe d'états d'expression génique pendant la réplication de l'ADN. Dans ce modèle hypothétique, des portions de groupes de protéines chromosomiques fixées de façon coopérative sont transférées directement de l'hélice d'ADN parentale (*en haut à gauche*) aux deux hélices filles. Les amas hérités provoquent alors la liaison sur les hélices d'ADN filles de copies supplémentaires des mêmes protéines. Comme la liaison est coopérative, l'ADN synthétisé à partir d'une hélice d'ADN parentale identique, qui ne possède pas les protéines liées (*en haut à droite*), ne se liera pas à elles. Si les protéines fixées inactivent la transcription des gènes, alors l'état de gène inactif sera directement héritable, comme cela est illustré. Si les protéines liées activent la transcription, alors l'état de gène activé sera directement héritable (non montré).

Lorsque la fixation coopérative des protéines nécessite une séquence spécifique d'ADN, ces événements sont limités à des régions de contrôle spécifiques de gènes; si la fixation peut se propager le long du chromosome, cependant, elle peut entrer en compte dans l'effet de dissémination associé à l'état de chromatine héritable, abordé au chapitre 4. Même si on a décrit ces protéines comme étant identiques, les mêmes principes peuvent expliquer comment des combinaisons d'assemblages coopératifs de différentes protéines peuvent se propager de façon stable.

des structures de chromatine des cellules parentales aux cellules filles, comme nous l'avons vu au chapitre 4. Une fois qu'un type cellulaire différencié a été spécifié par les protéines régulatrices, ce choix de développement peut être renforcé par l'empaquetage des gènes non exprimés dans des formes plus compactes de chromatine et par le «marquage» de cette chromatine comme silencieuse (*voir* Figure 4-35). La chromatine des gènes activement transcrits peut aussi être marquée et se propager par ce même type de mécanisme. L'empaquetage de régions sélectionnées du génome dans une chromatine condensée est un mécanisme de régulation génétique que les bactéries ne possèdent pas et on pense qu'il permet aux eucaryotes de conserver des patrons d'expression génique de façon extraordinairement stable sur de nombreuses générations. Cette stabilité est particulièrement fondamentale pour les organismes multicellulaires, où l'expression anormale de gènes dans une seule cellule peut avoir de profondes conséquences sur le développement de l'organisme entier.

Si le maintien du patron d'expression génique dépend du mode d'empaquetage dans la chromatine, comment cette configuration de la chromatine se transmet-elle fidèlement d'une cellule à ses filles? Certaines possibilités ont déjà été abordées dans le chapitre 4 (*voir* Figure 4-48). Un des mécanismes généraux dépend de la fixation coopérative de protéines sur l'ADN (Figure 7-76). Lorsque la cellule réplique son ADN, chaque segment d'ADN peut hériter d'un partage des molécules protéiques fixées sur un segment donné de la double hélice parentale et ces molécules héritées peuvent alors recruter des molécules néosynthétisées pour reconstruire la copie complète du complexe originel de la chromatine dans chaque cellule fille. Ce mécanisme de mémoire cellulaire peut être fondé sur la fixation coopérative de protéines régulatrices spécifiques ou de composants structuraux généraux de la chromatine, ou de ces deux classes de molécules agissant ensemble. De ce fait, la configuration initiale de la fixation de protéines régulatrices spécifiques peut initier un type de condensation de la chromatine qui est conservé par la suite.

Cependant, une autre stratégie de mémoire cellulaire est fondée sur l'auto-propagation de types de modifications enzymatiques des protéines de la chromatine (comme nous l'avons vu au chapitre 4) ou même de l'ADN lui-même, comme nous l'expliquerons par la suite. Mais d'abord, intéressons-nous de plus près à un exemple spécifique dans lequel la mémoire cellulaire implique clairement des modifications de la structure de la chromatine.

D'importantes altérations de la structure chromatinienne des chromosomes peuvent être transmissibles

Nous avons vu au chapitre 4 que les états de la chromatine pouvaient être transmis et qu'ils pouvaient être utilisés pour établir et conserver les patrons d'expression génique sur de grandes distances le long de l'ADN et pendant de nombreuses générations cellulaires. Un exemple frappant de cet effet de l'organisation de la chromatine sur une grande longueur se produit chez les mammifères, où une altération de la structure de la chromatine d'un chromosome complet est utilisée pour moduler le niveau d'expression de tous les gènes de ce chromosome.

Les mâles et les femelles diffèrent par leurs *chromosomes sexuels*. Les femelles ont deux chromosomes X alors que les mâles ont un chromosome X et un chromosome Y. Il en résulte que les cellules femelles contiennent deux fois plus de copies des gènes du chromosome X que les cellules mâles. Chez les mammifères, les chromosomes sexuels X et Y diffèrent radicalement en ce qui concerne leur contenu génique : le chromosome X est grand et contient plus de 1 000 gènes alors que le chromosome Y est plus petit et contient moins de 100 gènes. Les mammifères ont développé un mécanisme de *compensation de dose* pour égaliser la dose des produits de gènes du chromosome X entre les mâles et les femelles. Les mutations qui interfèrent avec la compensation de dose sont létales, ce qui démontre la nécessité de maintenir un rapport correct entre les produits des gènes du chromosome X et les produits des gènes *autosomes* (chromosomes non sexuels).

Chez les mammifères, la compensation de dose s'effectue par l'inactivation de la transcription d'un des deux chromosomes X dans les cellules somatiques femelles, un processus appelé **inactivation du chromosome X**. Au début du développement d'un embryon femelle, lorsqu'il est composé de quelques milliers de cellules, un des deux chromosomes X de chaque cellule se condense fortement dans un type d'hétérochromatine. Le chromosome X condensé peut être facilement visualisé en microscopie optique dans les cellules en interphase; il a été au départ appelé *corps de Barr* et est localisé près de l'enveloppe nucléaire. Du fait de l'inactivation de X, deux chromosomes X peuvent coexister dans le même noyau exposé aux mêmes protéines régulatrices de la transcription, tout en ayant une expression totalement différente.

Le choix initial du chromosome X à inactiver est aléatoire, soit celui hérité de la mère (X_m) soit celui hérité du père (X_p). Une fois que X_m ou X_p a été inactivé, il reste silencieux pendant toutes les divisions cellulaires ultérieures de cette cellule et de ses descendants, ce qui indique que ce stade inactif est fidèlement conservé pendant les nombreux cycles de réplication de l'ADN et de mitose. Comme l'inactivation du chromosome X est aléatoire et s'effectue après la formation de plusieurs milliers de cellules dans l'embryon, chaque femelle est une mosaïque de groupes de clones de cellules dans lesquelles soit X_p soit X_m est mis sous silence (Figure 7-77). Ces groupes de clones se distribuent en petits groupes dans l'animal adulte parce que les cellules sœurs ont tendance à rester proches les unes des autres pendant les stades tardifs du développement. Par exemple, l'inactivation du chromosome X provoque la coloration du pelage roux et noir en «écaille de tortue» de certaines chattes. Chez ces chattes, un chromosome X porte un gène qui produit une

Cellule aux premiers stades embryonnaires

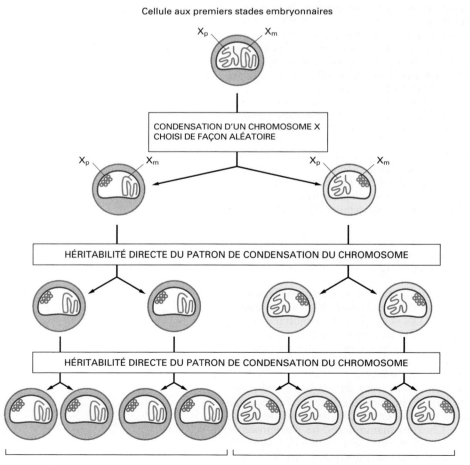

Seul X_m est actif dans ce clone   Seul X_p est actif dans ce clone

Figure 7-77 Inactivation de X. Hérédité par clones d'un chromosome X condensé et inactif se produisant chez les mammifères femelles.

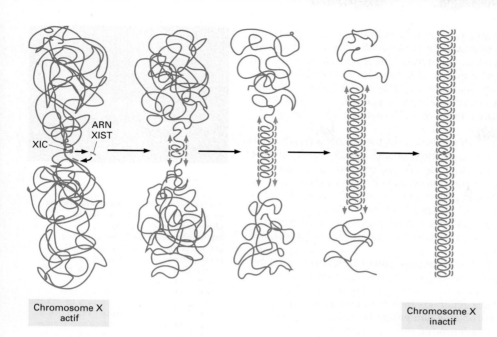

Chromosome X
actif

Chromosome X
inactif

Figure 7-78 Inactivation du chromosome X chez les mammifères. L'inactivation du chromosome X commence par la synthèse d'un ARN XIST (transcrit spécifique d'inactivation de X) à partir du locus XIC (pour centre d'inactivation de X). L'association de l'ARN XIST au chromosome X est corrélée à la condensation du chromosome. L'association de XIST et la condensation du chromosome se déplacent peu à peu à partir du locus XIC vers la périphérie jusqu'aux extrémités de la chromatine. Les détails de l'opération restent encore à éclaircir.

couleur rousse des poils et l'autre chromosome X porte un allèle du même gène qui résulte en une coloration noire des poils ; c'est l'inactivation aléatoire du chromosome X qui produit les taches de cellules de ces deux couleurs distinctes. Contrairement aux femelles, les chats mâles de ce groupe génétique sont soit roux unis soit noirs unis, en fonction du chromosome X qu'ils ont hérité de leur mère. Bien que l'inactivation du chromosome X soit maintenue pendant des milliers de divisions cellulaires, elle n'est pas toujours permanente. En particulier, elle est inversée lors de la formation des cellules reproductrices de telle sorte que tous les ovocytes haploïdes contiennent un chromosome X actif et peuvent exprimer les produits géniques liés à X.

Comment la transcription d'un chromosome entier est-elle inactivée ? L'inactivation du chromosome X est initiée et s'étend à partir d'un seul site situé au milieu du chromosome X, le **centre d'inactivation de X (XIC)**. Des segments de chromosome X retirés du XIC et fusionnés sur un autosome échappent à l'inactivation. Par contre, les autosomes qui sont fusionnés avec le XIC d'un chromosome X inactif sont transcriptionnellement silencieux. Le XIC (une séquence d'ADN de 10^6 paires de nucléotides environ) peut donc être considéré comme un grand élément régulateur qui provoque la formation d'hétérochromatine et facilite sa dissémination bidirectionnelle le long du chromosome entier. Une molécule d'ARN inhabituelle, l'*ARN XIST*, est codée à l'intérieur du XIC et ne s'exprime qu'à partir du chromosome X inactif. Son expression est nécessaire à l'inactivation de X. Il n'est pas traduit en protéines ; par contre, l'ARN XIST reste dans le noyau, où il finit par recouvrir le chromosome X inactif. La dissémination de l'ARN XIST à partir du XIC sur l'ensemble du chromosome est corrélée à la dissémination de la mise sous silence des gènes, ce qui indique que l'ARN XIST participe à la formation et à la dissémination de l'hétérochromatine (Figure 7-78). En plus de contenir l'ARN XIST, l'hétérochromatine du chromosome X est caractérisée par un variant spécifique de l'histone 2A, par l'hypoacétylation des histones H3 et H4, par la méthylation d'une position spécifique de l'histone H3 et par la méthylation de l'ADN sous-jacent, un sujet que nous aborderons ci-dessous. Il est probable que toutes ces caractéristiques rendent le chromosome X inactif particulièrement résistant à la transcription.

Beaucoup de caractéristiques de l'inactivation du chromosome X des mammifères restent à découvrir. Comment la décision initiale est-elle prise concernant le chromosome X à inactiver ? Quels mécanismes empêchent l'autre chromosome X d'être également inactivé ? Comment l'ARN XIST coordonne-t-il la formation de l'hétérochromatine ? Comment le chromosome inactif est-il conservé pendant les nombreuses divisions cellulaires ? Nous commençons juste à comprendre ce mécanisme de la régulation des gènes primordial à la survie de notre espèce.

L'inactivation du chromosome X des femelles est le seul moyen par lequel les organismes à reproduction sexuée résolvent le problème de la compensation de dose. Chez *Drosophila*, tous les gènes du seul chromosome X présent dans les cellules mâles sont transcrits à une concentration deux fois supérieure à leur contrepartie chez les cellules femelles. Cette régulation par augmentation de la transcription, spécifique au mâle, entraîne une altération de la structure de la chromatine de l'ensemble du chromosome X du mâle. Comme chez les mammifères, cette modification implique l'association d'une molécule d'ARN spécifique au chromosome X ; cependant, chez *Drosophila*, l'ARN associé au chromosome X augmente l'activité des gènes au lieu de la bloquer. Le chromosome X des mâles contient aussi un type spécifique d'acétylation des histones qui peut faciliter l'attraction de la machinerie de transcription sur ce chromosome (*voir* Figures 4-35 et 7-46).

Le nématode utilise une troisième stratégie pour effectuer la compensation de dose. Dans ce cas, le sexe est soit mâle (avec un chromosome X) soit hermaphrodite (avec deux chromosomes X) et la compensation de dose se produit par un abaissement de la transcription de moitié à partir de chacun des chromosomes X dans les cellules des hermaphrodites. Cela s'effectue par de grandes modifications de structure du chromosome dans les chromosomes X des hermaphrodites (Figure 7-29). Ces modifications impliquent l'assemblage spécifique à X de protéines, dont certaines sont partagées par les condensines qui facilitent la condensation des chromosomes pendant la mitose (*voir* Figures 4-56 et 18-3).

Bien que les stratégies de la compensation de dose soient différentes entre les mammifères, les mouches et les vers, elles impliquent toutes des modifications de structure de la totalité du chromosome X. Il est probable que des caractéristiques de la structure chromosomique qui sont assez générales aient été adaptées et aménagées pendant l'évolution pour surmonter le problème hautement spécifique de la régulation génique rencontré par les animaux se reproduisant sexuellement.

Le patron de méthylation de l'ADN est transmissible lors de la division des cellules de vertébrés

Jusqu'à présent, nous avons insisté sur la régulation de la transcription des gènes par des protéines qui s'associent à une séquence spécifique d'ADN. Cependant, l'ADN lui-même peut être modifié de façon covalente et, dans les paragraphes suivants, nous verrons que cela donne aussi des opportunités de régulation de l'expression génique. Dans les cellules des vertébrés, la méthylation de la cytosine semble fournir un mécanisme important permettant de distinguer les gènes actifs de ceux qui ne le sont pas. La forme méthylée de la cytosine, la 5-méthylcytosine (5-méthyl C), a la même relation avec la cytosine que la thymine avec l'uracile et cette modification n'a donc pas d'effet sur l'appariement de bases (Figure 7-80). La méthylation de l'ADN des vertébrés se restreint aux nucléotides de type cytosine (C) d'une séquence CG appariée à la même séquence exactement (mais dans le sens opposé) de l'autre brin de l'hélice d'ADN. Par conséquent, un simple mécanisme permet que le brin d'ADN néosynthétisé hérite directement du patron de **méthylation d'ADN** pré-existant. Une enzyme, la *méthyltransférase* ou *méthylase de maintenance*, agit préférentiellement sur ces séquences CG appariées à une séquence CG déjà méthylée. Il en résulte que le patron de méthylation du brin d'ADN parental sert de matrice à la méthylation du brin d'ADN néosynthétisé, provoquant l'héritabilité directe de ce patron après la réplication de l'ADN (Figure 7-81).

L'héritabilité stable du patron de méthylation de l'ADN peut s'expliquer par les méthylases de maintenance de l'ADN. Ces patrons de méthylation d'ADN, cependant, sont dynamiques pendant le développement des vertébrés. Peu après la fécondation, il se produit une onde importante de déméthylation du génome, au moment où une grande partie des groupements méthyles sont perdus par l'ADN. Cette déméthylation peut se produire soit par suppression de l'activité de la méthylase de maintenance de l'ADN, ce qui s'accompagne de la perte passive des groupements méthyles à chaque cycle de réplication de l'ADN, soit par des enzymes de déméthylation spécifiques. Plus tard au cours du développement, lorsque l'embryon s'implante dans la paroi de l'utérus, de nouveaux patrons de méthylation sont établis par plusieurs *ADN méthyltransférases de novo* qui modifient des dinucléotides CG non méthylés spécifiques. Dès que les nouveaux patrons de méthylation sont établis, il peuvent se propager à chaque cycle de réplication de l'ADN par les méthylases de maintenance. Les mutations des méthyltransférases *de novo* ou des méthylases de maintenance entraînent la mort embryonnaire précoce chez la souris, indiquant que l'établissement et la maintenance du patron de méthylation correct sont primordiaux pour le développement normal.

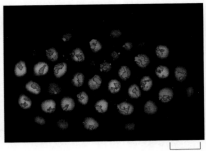

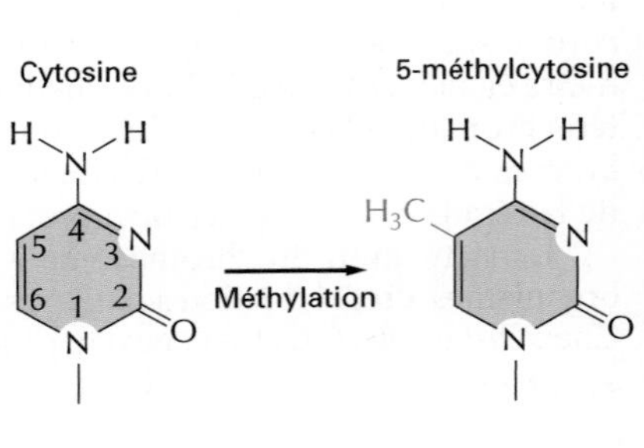

Figure 7-79 Localisation des protéines de compensation de dose sur le chromosome X des noyaux hermaphrodites (XX) de *C. elegans*. De nombreux noyaux d'un embryon en développement sont visibles sur cette image. Tout l'ADN est coloré en *bleu* avec le DAPI, colorant s'intercalant dans l'ADN, et la protéine Sdc-2 est colorée en *rouge* par couplage des anticorps anti-Scd-2 à un colorant fluorescent. Cette expérience montre que la protéine Sdc-2 n'est associée qu'à un groupe limité de chromosomes, identifiés par d'autres expériences comme étant les deux chromosomes X, et qu'elle attire d'autres protéines, y compris un complexe de type condensine qui termine la structure spécifique de ces chromosomes. (D'après H.E. Dawes et al., *Science* 284 : 1800-1804, 1999. © AAAS.)

Figure 7-80 La formation de la 5-méthylcytosine se produit par méthylation d'une base cytosine de la double hélice d'ADN. Chez les vertébrés, cet événement est confiné à des nucléotides particuliers de cytosine (C) localisés dans la séquence CG.

Cytosine

5-méthylcytosine

Méthylation

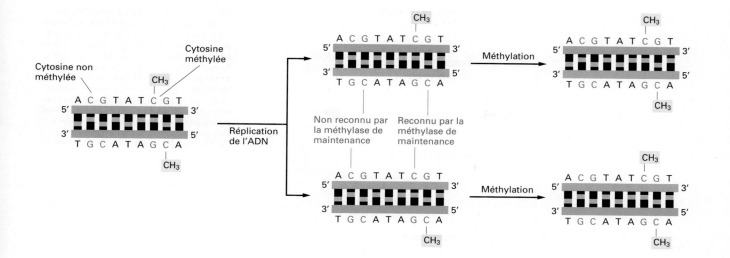

Les vertébrés utilisent la méthylation de l'ADN pour verrouiller les gènes à l'état silencieux

Dans le cas des vertébrés, la méthylation de l'ADN s'observe surtout au niveau des régions transcriptionnellement silencieuses du génome, comme les chromosomes X inactifs ou les gènes inactivés dans certains tissus, ce qui suggère qu'elle joue un rôle dans la mise sous silence des gènes. Les cellules des vertébrés contiennent une famille de protéines qui se fixe sur l'ADN méthylé. Ces protéines de liaison à l'ADN interagissent, à leur tour, avec les complexes de remodelage de la chromatine et les histones désacétylases qui condensent la chromatine, de telle sorte qu'elle devient transcriptionnellement inactive. Malgré cela, la méthylation de l'ADN ne suffit pas pour signaler l'inactivation d'un gène, comme les exemples suivants le démontrent. Des plasmides d'ADN qui codent un gène d'actine spécifique de muscle peuvent être préparés *in vitro* sous des formes complètement méthylées ou non méthylées, à l'aide de protéines bactériennes qui méthylent ou déméthylent l'ADN. Lorsque ces deux versions du plasmide sont introduites dans des cellules musculaires en culture, le plasmide méthylé est transcrit à la même vitesse que la copie non méthylée. De plus, lorsqu'un gène silencieux méthylé est activé au cours du développement normal, la méthylation n'est perdue qu'après que le gène a été transcrit pendant quelque temps. Enfin, pendant l'inactivation du chromosome X, la condensation et la mise sous silence se produisent avant qu'il soit possible de détecter une augmentation du niveau de méthylation de l'ADN. Tous ces résultats suggèrent que la méthylation renforce la répression de la transcription, initialement établie par d'autres mécanismes. Il semble que les vertébrés utilisent surtout la méthylation de l'ADN pour s'assurer qu'une fois qu'un gène est inactivé, il le reste totalement (Figure 7-82).

Des expériences destinées à tester si une séquence d'ADN, transcrite à un haut niveau dans un type cellulaire de vertébré, est transcrite dans un autre ont démontré que le taux de transcription d'un gène pouvait varier entre deux types cellulaires d'un facteur supérieur à 10^6. De ce fait, des gènes de vertébrés non exprimés présentent beaucoup moins de «fuites» transcriptionnelles que les gènes non exprimés des bactéries pour lesquelles la différence maximale connue du taux de transcription entre les gènes exprimés et non exprimés est d'environ 1000 fois. La méthylation de l'ADN des gènes non exprimés des vertébrés, associée aux modifications conséquentes de leur structure chromatinienne, explique au moins en partie cette différence. La «fuite» transcriptionnelle de milliers de gènes qui, normalement, sont totalement inactivés dans chaque cellule de vertébrés, pourrait être la cause de la mort embryonnaire précoce des souris qui ne possèdent pas de méthylase de maintenance de l'ADN.

La mise sous silence transcriptionnel dans le génome des vertébrés est également très importante pour réprimer la prolifération des éléments transposables (*voir* Figure 4-17). Alors que les séquences codantes ne constituent qu'un faible pourcentage du génome typique d'un vertébré, les éléments transposables peuvent représenter presque la moitié de ce génome. Comme nous l'avons vu au chapitre 5, les éléments transposables peuvent fabriquer des copies d'eux-mêmes et insérer ces

Figure 7-81 Le patron de méthylation de l'ADN est fidèlement transmissible. Dans l'ADN des vertébrés, une importante fraction des nucléotides cytosine de la séquence CG sont méthylés (*voir* Figure 7-80). Dès que le patron de méthylation de l'ADN est établi, chaque site de méthylation est transmissible à l'ADN néosynthétisé du fait de l'existence d'une enzyme de méthylation méthyl-dirigée (la méthyltransférase de maintenance), comme cela est montré.

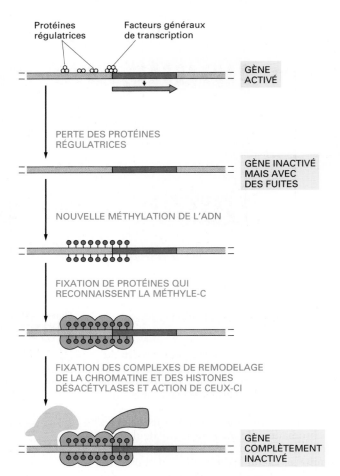

Protéines
régulatrices   Facteurs généraux
de transcription

GÈNE
ACTIVÉ

PERTE DES PROTÉINES
RÉGULATRICES

GÈNE INACTIVÉ
MAIS AVEC
DES FUITES

NOUVELLE MÉTHYLATION DE L'ADN

FIXATION DE PROTÉINES QUI
RECONNAISSENT LA MÉTHYLE-C

FIXATION DES COMPLEXES DE REMODELAGE
DE LA CHROMATINE ET DES HISTONES
DÉSACÉTYLASES ET ACTION DE CEUX-CI

GÈNE
COMPLÈTEMENT
INACTIVÉ

Figure 7-82 La méthylation de l'ADN facilite l'inactivation des gènes. La fixation d'une protéine régulatrice et de la machinerie générale de transcription près d'un promoteur actif peut empêcher la méthylation de l'ADN en excluant les méthylases *de novo*. Si la plupart de ces protéines se dissocient de l'ADN cependant, comme cela se produit en général lorsqu'une cellule ne produit plus les protéines activatrices nécessaires, l'ADN devient méthylé et empêche les autres protéines de se fixer. Cela inactive complètement le gène en modifiant ensuite la structure de la chromatine (*voir* Figure 7-49).

copies ailleurs dans le génome, interrompant potentiellement des gènes ou des séquences régulatrices importantes. En supprimant la transcription des éléments transposables, la méthylation de l'ADN limite leur dissémination et conserve ainsi l'intégrité du génome. En plus de ces utilisations variées, la méthylation de l'ADN sert également à un type particulier, au moins, de mémoire cellulaire, comme nous le verrons par la suite.

L'empreinte génomique parentale nécessite la méthylation de l'ADN

Les cellules des mammifères sont diploïdes et contiennent un groupe de gènes hérité du père et un groupe hérité de la mère. Dans certains cas, on a trouvé que l'expression d'un gène dépendait du fait qu'il était hérité de la mère ou du père, un phénomène appelé **empreinte génomique parentale**. Le gène du *facteur 2 de croissance insuline-like* (*Igf-2*) est un exemple de gène à empreinte. L'*Igf-2* est nécessaire à la croissance prénatale et les souris qui n'expriment pas l'*Igf-2* ont, à la naissance, une taille égale à la moitié de la taille d'une souris normale. Seule la copie paternelle de l'*Igf-2* est transcrite. Il en résulte que les souris qui ont un gène *Igf-2* mutant dérivé du père présentent un arrêt de leur croissance alors que celles ayant une anomalie du gène *Igf-2* héritée de la mère sont normales.

Pendant la formation des cellules reproductrices, les gènes soumis à l'empreinte génomique parentale sont marqués par méthylation en fonction de leur présence dans un spermatozoïde ou un ovule. De cette façon, il est possible de détecter l'origine parentale du gène par la suite dans l'embryon ; la méthylation de l'ADN est donc utilisée comme marquage pour distinguer deux copies identiques d'un gène (Figure 7-83). Comme les gènes à empreinte génomique parentale ne sont pas affectés par la vague de déméthylation qui s'effectue peu de temps après la fécondation (*voir* p. 430), ce marquage permet aux cellules somatiques de se «souvenir» de l'origine parentale de chacune des deux copies du gène et de réguler leur expression en fonction. Dans la plupart des cas, l'empreinte méthyle met sous silence l'expression des gènes voisins en utilisant le mécanisme montré dans la figure 7-82. Dans certains cas, cependant, l'empreinte méthyle peut activer l'expression d'un gène. Dans le cas

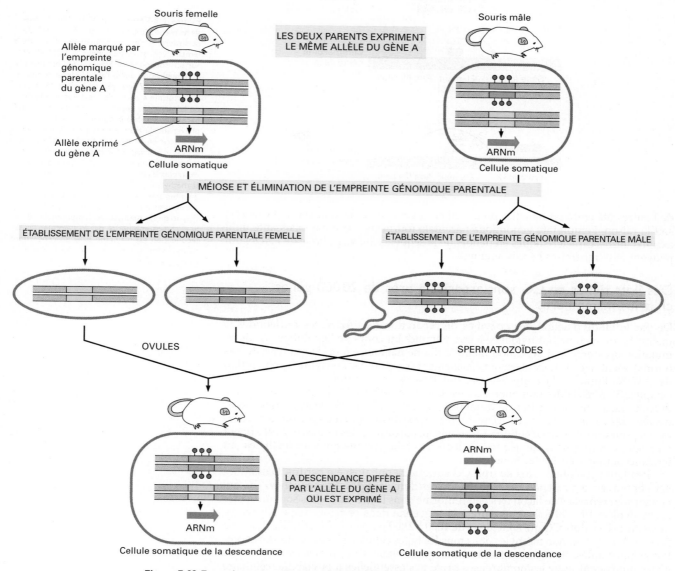

Figure 7-83 Empreinte génomique parentale chez la souris. La *partie supérieure* de la figure montre une paire de chromosomes homologues dans les cellules somatiques de deux souris adultes, un mâle et une femelle. Dans cet exemple, les deux souris ont hérité l'homologue du haut de leur père et l'homologue du bas de leur mère et la copie paternelle du gène soumis à l'empreinte génomique parentale (indiquée en *orange*) est méthylée, ce qui empêche son expression. La copie dérivée de la mère de ce même gène (en *jaune*) s'exprime. Le reste de la figure montre le résultat d'un croisement entre ces deux souris. Pendant la méiose et la formation des cellules germinales, les empreintes sont d'abord effacées puis remises (*partie centrale* de la figure). Dans les ovules produits par les femelles, aucun allèle du gène A n'est méthylé. Dans les spermatozoïdes du mâle, les deux allèles A sont méthylés. *Au bas* de la figure, se trouvent deux des patrons d'empreinte génomique parentale possibles hérités par les souris de la descendance; la souris *à gauche* a le même patron d'empreinte génomique que chacun des parents alors que la souris *à droite* a le patron opposé. Si les deux allèles du gène A sont différents, ces différents patrons d'empreinte génomique peuvent provoquer des différences phénotypiques dans les souris de la descendance, même si elles portent exactement la même séquence d'ADN des deux allèles du gène A. L'empreinte génomique parentale fournit une exception importante au comportement génétique classique et on pense que plus de 100 gènes de souris sont affectés de cette façon. Cependant, la grande majorité des gènes de souris ne sont pas marqués d'une empreinte génomique parentale et de ce fait, les principes de Mendel sur l'hérédité s'appliquent à la majorité du génome de la souris.

de l'*Igf-2*, par exemple, la méthylation d'un élément isolateur (*voir* Figure 7-61) sur le chromosome dérivé du père bloque sa fonction et permet à un amplificateur distant d'activer la transcription du gène *Igf-2*. Sur le chromosome dérivé de la mère, l'isolateur n'est pas méthylé et le gène *Igf-2* n'est donc pas transcrit (Figure 7-84).

L'empreinte génomique parentale est un exemple de *variation épigénétique*, c'est-à-dire d'une modification héréditaire du phénotype qui ne provient pas d'une modification de la séquence nucléotidique de l'ADN. Pourquoi cette empreinte génomique existe-t-elle? Cela reste un mystère. Dans le cas des vertébrés, elle se restreint aux mammifères placentaires et tous les gènes à empreinte génomique parentale sont impliqués dans le développement fœtal. Une des hypothèses est que l'empreinte génomique parentale pourrait refléter un des fondements centraux de la lutte pour l'évolution, d'un côté entre les mâles pour produire des descendants plus grands et

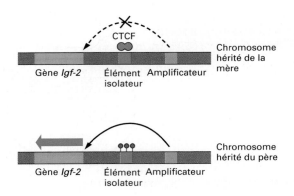

Gène Igf-2   Élément   Amplificateur
           isolateur

Chromosome
hérité de la
mère

CTCF

Gène Igf-2   Élément   Amplificateur
           isolateur

Chromosome
hérité du père

Figure 7-84 Mécanisme de l'empreinte génomique parentale du gène *Igf-2* de la souris. Sur les chromosomes hérités de la femelle, une protéine appelée CTCF se fixe sur un isolateur (*voir* Figure 7-61) bloquant la communication entre l'amplificateur (en *vert*) et le gène *Igf-2* (*orange*). *Igf-2* n'est de ce fait pas exprimé à partir du chromosome hérité de la mère. Du fait de l'empreinte génomique parentale, l'isolateur du chromosome provenant du mâle est méthylé, ce qui inactive l'isolateur en bloquant la fixation de la protéine CTCF et permet à l'amplificateur d'activer la transcription du gène *Igf-2*. Dans d'autres exemples d'empreinte génomique parentale, la méthylation bloque l'expression des gènes en interférant avec la fixation des protéines nécessaires à la transcription des gènes. Le patron de méthylation (empreintes) sur le chromosome hérité par le zygote après la fécondation est maintenu dans les générations suivantes par la méthylase de maintenance (*voir* Figure 7-81).

de l'autre côté entre les femelles pour limiter la taille de la descendance. Quelle que soit la raison, l'empreinte génomique parentale fournit une preuve saisissante qu'il existe d'autres caractéristiques en dehors de la séquence nucléotidique de l'ADN qui peuvent être transmises héréditairement.

Des îlots riches en CG sont associés à près de 20 000 gènes chez les mammifères

De par le mode d'action des enzymes de réparation de l'ADN, les nucléotides C méthylés du génome ont tendance à être éliminés au cours de l'évolution. La désamination accidentelle d'un C non méthylé donne naissance à un U qui n'existe pas normalement dans l'ADN et est ainsi facilement reconnu par l'enzyme de réparation de l'ADN, l'uracil ADN glycosylase, qui l'excise et le remplace par un C (*voir* Chapitre 5). Mais la désamination accidentelle d'un 5-méthyl-C ne peut être réparée de cette façon car le produit de désamination est un T indifférenciable des autres nucléotides T non mutants de l'ADN. Même s'il existe un système spécifique de réparation pour retirer ces nucléotides T mutants, beaucoup de désaminations échappent à la détection de telle sorte que les nucléotides C du génome qui sont méthylés ont tendance à muter en T avec le temps.

     Pendant l'évolution, plus de trois CG sur quatre ont ainsi été perdus, laissant les vertébrés avec une carence remarquable de ces dinucléotides. Les séquences CG qui restent sont réparties de façon très peu uniforme dans le génome ; elles sont présentes à une densité 10 à 20 fois supérieure à la moyenne dans certaines régions particulières, appelées **îlots CG** qui sont longs de 1000 à 2000 paires de nucléotides. Il semble que ces îlots restent non méthylés dans tous les types cellulaires, sauf certaines exceptions importantes. Ils entourent souvent les promoteurs des *gènes domestiques* – ces gènes qui codent pour les nombreuses protéines essentielles à la viabilité cellulaire et qui sont donc exprimés dans la plupart des cellules (Figure 7-85). De plus, certains *gènes spécifiques de tissus*, qui codent pour des protéines nécessaires uniquement dans des types cellulaires particuliers, sont aussi associés à des îlots CG.

     La distribution des îlots CG (aussi appelés îlots CpG pour les différencier des dinucléotides CG des paires de nucléotides CG) peut s'expliquer si nous supposons que la méthylation CG a été adoptée par les vertébrés au départ comme moyen de maintenir l'ADN dans un état transcriptionnellement inactif (Figures 7-82 et 7-86). Chez les vertébrés, les nouvelles mutations de la méthyl-C en T ne peuvent se trans-

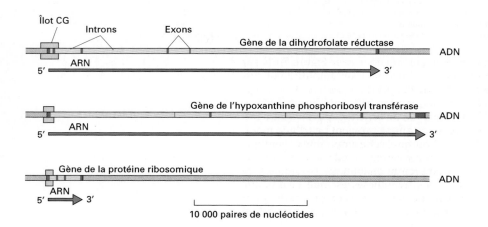

Îlot CG

Introns   Exons

Gène de la dihydrofolate réductase

ADN

5′   ARN   3′

Gène de l'hypoxanthine phosphoribosyl transférase

ADN

5′   ARN   3′

Gène de la protéine ribosomique

ADN

5′ ARN 3′

                10 000 paires de nucléotides

Figure 7-85 Îlots CG entourant le promoteur dans trois gènes domestiques de mammifères. Les *rectangles jaunes* montrent l'étendue de chaque îlot. Comme sur la plupart des gènes des mammifères (*voir* Figure 6-25), les exons (*rouge foncé*) sont très courts relativement aux introns (*rouge clair*). (Adapté de A.P. Bird, *Trends Genet.* 3 : 342-347, 1987.)

mettre à la génération suivante que si elles se produisent dans les lignées germinales, les lignées cellulaires qui donnent naissance aux spermatozoïdes ou aux ovules. La majeure partie de l'ADN des cellules germinales des vertébrés est inactive et hautement méthylée. Sur de longues périodes de l'évolution, les séquences CG méthylées de ces régions inactives ont probablement été perdues par des désaminations spontanées mal réparées. Cependant les promoteurs des gènes qui restent actifs dans les lignées de cellules germinales (y compris la plupart des gènes domestiques) sont maintenus non méthylés et, de ce fait, les désaminations spontanées de C qui se produisent à l'intérieur peuvent être réparées avec précision. Ces régions sont conservées dans les cellules des vertébrés actuels sous forme d'îlots CG. En plus, toute mutation d'une séquence CG du génome qui détruirait la fonction ou la régulation d'un gène chez l'adulte serait sélectionnée comme étant défavorable et certains îlots CG sont simplement le résultat d'une densité supérieure à la normale de séquences CG critiques.

On estime que le génome des mammifères contient 20 000 îlots CG. La plupart d'entre eux marquent l'extrémité 5' des unités de transcription et donc, probablement, des gènes. La présence d'un îlot CG fournit souvent un moyen pratique d'identifier un gène dans la séquence d'ADN du génome des vertébrés.

Résumé

Les nombreux types cellulaires des animaux et des végétaux sont largement engendrés par l'intermédiaire de mécanismes qui provoquent la transcription de différents gènes dans différentes cellules. Comme beaucoup de cellules animales spécialisées peuvent conserver leurs caractères particuliers pendant de nombreux cycles de division cellulaire et même lorsqu'elles sont mises en culture, les mécanismes régulateurs de gènes impliqués dans leur apparition doivent être stables une fois établis et transmissibles lorsque la cellule se divise. Ces caractéristiques dotent la cellule de la mémoire de son historique de développement. Les bactéries et les levures fournissent des systèmes modèles particulièrement accessibles pour l'étude des mécanismes de régulation génique. Un de ces mécanismes implique l'interaction compétitive entre deux protéines régulatrices, dont chacune inhibe la synthèse de l'autre. Cela peut créer une commutation oscillante qui pousse la cellule à passer entre deux patrons alternatifs d'expression génique. Les boucles de rétrocontrôle positif indirect ou direct, qui permettent aux protéines régulatrices de perpétuer leur propre synthèse, fournissent un mécanisme général de mémoire cellulaire. Les boucles de rétrocontrôle négatif dotées de retards programmés forment le fondement des horloges biologiques cellulaires.

Chez les eucaryotes, la transcription d'un gène est généralement contrôlée par des combinaisons de protéines régulatrices. On pense que chaque type de cellule d'un organisme eucaryote supérieur contient une combinaison spécifique de protéines régulatrices qui assure l'expression uniquement des gènes appropriés à ce type cellulaire. Une protéine régulatrice donnée peut être active dans diverses circonstances et est typiquement impliquée dans la régulation de plusieurs gènes.

En plus des protéines régulatrices qui peuvent diffuser, des états héréditaires de condensation de la chromatine sont aussi utilisés dans les cellules eucaryotes pour réguler l'expression génique. Un cas particulièrement spectaculaire est l'inactivation complète d'un des chromosomes X des mammifères femelles. Chez les vertébrés, la méthylation de l'ADN joue aussi un rôle dans la régulation génique et est surtout utilisée comme un système de renforcement des décisions sur l'expression de gènes, initialement prises par d'autres mécanismes. La méthylation de l'ADN sous-tend aussi le phénomène d'empreinte génomique parentale chez les mammifères, au cours duquel l'expression d'un gène dépend du fait qu'il est hérité du père ou de la mère.

CONTRÔLES POST-TRANSCRIPTIONNELS

En principe chaque étape du processus de l'expression génique pourrait être contrôlée. En fait, on trouve des exemples de chaque type de régulation, mais chaque gène utilise plus particulièrement certains d'entre eux. Le contrôle de l'initiation de la transcription des gènes est la forme majeure de régulation pour la plupart des gènes. Mais d'autres contrôles peuvent s'effectuer plus tardivement tout au long du processus allant de l'ADN aux protéines pour moduler la quantité fabriquée du produit codé par le gène. Bien que ces **contrôles post-transcriptionnels**, qui opèrent après la fixation de l'ARN polymérase sur le promoteur du gène et le début de la synthèse d'ARN, soient plus rares que les *contrôles transcriptionnels*, ils sont primordiaux pour certains gènes.

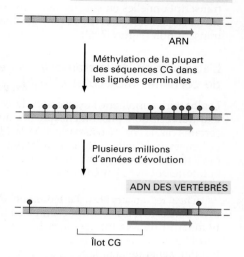

Figure 7-86 Mécanisme expliquant à la fois la carence marquée en séquences CG et leur regroupement en îlots CG dans les génomes des vertébrés. La *ligne noire* marque la localisation des dinucléotides CG dans la séquence d'ADN alors que les « *sucettes* » rouges indiquent la présence de groupements méthyle sur les dinucléotides CG. Les séquences CG qui se trouvent dans les séquences régulatrices transcrites dans les cellules germinales ne sont pas méthylées et de ce fait ont tendance à être conservées pendant l'évolution. Les séquences CG méthylées, d'un autre côté, ont tendance à être perdues par la désamination du 5-méthyle C en T, sauf si la séquence CG est critique pour la survie.

Dans les paragraphes suivants, nous envisagerons diverses régulations post-transcriptionnelles en suivant leur ordre chronologique d'apparition, en se fondant sur la séquence des événements subis par la molécule d'ARN après le début de sa transcription (Figure 7-87).

L'atténuation de la transcription entraîne la terminaison prématurée de certaines molécules d'ARN

Les bactéries inhibent l'expression de certains gènes en terminant prématurément leur transcription, phénomène que l'on appelle **atténuation de la transcription**. Dans certains cas, la chaîne naissante d'ARN adopte une structure qui interagit avec l'ARN polymérase de telle sorte que la transcription avorte. Lorsque le produit du gène devient nécessaire, des protéines régulatrices se fixent sur la chaîne d'ARN naissante et interfèrent avec l'atténuation, ce qui permet la transcription d'une molécule complète d'ARN.

Chez les eucaryotes, l'atténuation de la transcription peut se produire selon divers mécanismes. Un des exemples bien étudié est celui du VIH (virus du SIDA humain). Une fois intégré dans le génome de l'hôte, l'ADN viral est transcrit par l'ARN polymérase II cellulaire (*voir* Figure 5-73). Cependant, la polymérase de l'hôte termine généralement la transcription (pour des raisons qui ne sont pas encore bien comprises) après avoir synthétisé des transcrits de plusieurs centaines de nucléotides et ne transcrit donc pas efficacement la totalité du génome viral. Lorsque les conditions de croissance du virus sont optimales, le virus évite cette terminaison prématurée en codant une protéine appelée Tat, qui se fixe sur une structure spécifique de l'ARN naissant formée d'une tige à une boucle contenant une base «renflée». Une fois fixée sur cette structure spécifique d'ARN (appelée Tar), Tat assemble diverses protéines cellulaires qui permettent à l'ARN polymérase de poursuivre la transcription. Le rôle normal de certaines de ces protéines cellulaires est d'éviter une pause de l'ARN polymérase et la terminaison prématurée de la transcription des gènes cellulaires normaux. Les gènes eucaryotes contiennent souvent de longs introns; pour transcrire efficacement un gène, l'ARN polymérase II ne peut se permettre de s'attarder sur des séquences nucléotidiques favorisant la pause. Un mécanisme cellulaire normal a donc apparemment été adapté par le VIH pour permettre le contrôle de la transcription de son génome par une seule protéine virale.

L'épissage alternatif de l'ARN peut produire différentes formes d'une protéine à partir d'un même gène

Comme nous l'avons vu au chapitre 6, les transcrits de nombreux gènes eucaryotes sont raccourcis par l'épissage de l'ARN, au cours duquel les séquences d'intron sont retirées du précurseur de l'ARNm. Nous avons vu qu'une cellule pouvait épisser le «transcrit primaire» de différentes façons et synthétiser ainsi différentes chaînes polypeptidiques à partir d'un même gène – processus appelé **épissage alternatif de l'ARN** (*voir* Figures 6-27 et 7-88). Une proportion substantielle de gènes des eucaryotes supérieurs (chez l'homme, on l'estime à un tiers des gènes au moins) utilise cette méthode pour produire de multiples protéines.

Lorsqu'il existe différentes possibilités d'épissage dans diverses positions du transcrit, un seul gène peut produire des douzaines de protéines différentes. Prenons un cas extrême : un seul gène de drosophile pourrait produire 38 000 protéines différentes par épissage alternatif (Figure 7-89), même si nous n'avons jusque-là observé qu'une petite fraction de ces formes. Si on considère le génome de *Drosophila*, dans lequel on a identifié approximativement 14 000 gènes, il est clair que la complexité protéique d'un organisme peut grandement dépasser le nombre de ses gènes. Cet exemple illustre aussi le danger d'assimiler le nombre de gènes avec la complexité de l'organisme. Par exemple, l'épissage alternatif est relativement rare pour la levure bourgeonnante monocellulaire mais très fréquent chez les mouches. La levure bourgeonnante a ~6 200 gènes, parmi lesquels seuls 327 subissent un épissage et presque

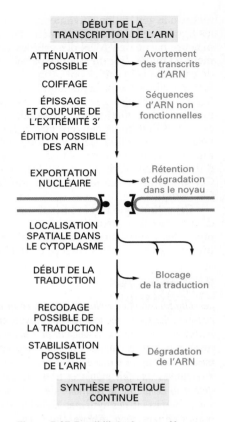

Figure 7-87 Possibilités de contrôles post-transcriptionnels de l'expression génique. Pour chaque gène, seuls quelques-uns de ces contrôles sont importants.

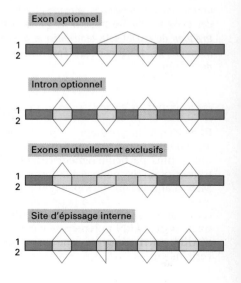

Figure 7-88 Quatre types d'épissage alternatif de l'ARN. Dans chaque cas, un seul transcrit d'ARN est épissé de deux façons pour produire deux ARNm distincts (1 et 2). Les *cases bleu foncé* marquent les séquences d'exon qui sont conservées dans les deux ARNm. Les *cases bleu clair* marquent les séquences d'exon qui peuvent être incluses dans un seul des ARNm. Les cases sont reliées par des *lignes rouges* qui indiquent où sont retirées les séquences d'intron (en *jaune*). (Adapté avec la permission de A. Andreadis, M.E. Gallego et B. Nadal-Ginard, *Annu. Rev. Cell Biol.* 3 : 207-242, 1987.)

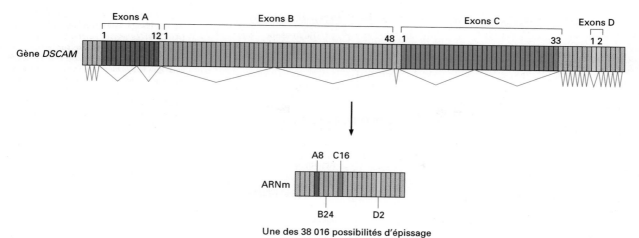

Une des 38 016 possibilités d'épissage

tous n'ont qu'un seul intron. Dire que la mouche n'a que 2 à 3 fois plus de gènes que la levure sous-estime grandement les différences de complexité entre ces deux génomes.

Dans certains cas, l'épissage alternatif de l'ARN se produit lorsqu'il existe une *ambiguïté dans la séquence d'intron* : le mécanisme standard du spliceosome qui retire la séquence d'intron (*voir* Chapitre 6) est incapable de différencier nettement entre deux ou plusieurs appariements alternatifs des sites d'épissage 5' et 3' ; de telle sorte que différents choix sont faits au hasard sur les différents transcrits. Lorsqu'il se produit ce type d'épissage alternatif de constitution, les différentes versions de la protéine codée par le gène sont fabriquées dans toutes les cellules où le gène s'exprime.

Dans d'autres cas cependant, l'épissage alternatif de l'ARN est plutôt régulé que constitutif. Dans les exemples les plus simples, l'épissage régulé sert à passer de la production d'une protéine non fonctionnelle à la production d'une protéine fonctionnelle. La transposase, qui catalyse la transposition de l'élément P de *Drosophila*, est produite dans sa forme fonctionnelle dans les cellules reproductrices et dans une forme non fonctionnelle dans les cellules somatiques de la mouche, ce qui permet la dissémination de l'élément P dans le génome de la mouche sans endommager les cellules somatiques (*voir* Figure 5-70). Cette différence d'activité du transposon a été reliée à la présence d'une séquence d'intron dans l'ARN de la transposase qui n'est retirée que dans les cellules reproductrices.

En plus de la commutation entre la production d'une protéine fonctionnelle et la production d'une protéine non fonctionnelle, la régulation de l'épissage de l'ARN peut permettre de synthétiser différentes versions d'une protéine dans différents types cellulaires, selon les besoins de la cellule. La tropomyosine, par exemple, est produite sous des formes spécialisées dans différents types cellulaires (*voir* Figure 6-27). Beaucoup d'autres protéines présentent des formes spécifiques de type cellulaire, produites de cette façon.

La régulation de l'épissage de l'ARN peut être soit négative par l'intermédiaire d'une molécule régulatrice qui empêche la machinerie d'épissage d'accéder à un site d'épissage particulier, soit positive par l'intermédiaire d'une protéine régulatrice qui dirige la machinerie d'épissage sur un site d'épissage négligé jusqu'alors (Figure 7-90). Dans le cas de la transposase de *Drosophila*, l'événement décisif de l'épissage est bloqué dans les cellules somatiques par une régulation négative.

Du fait de la souplesse de l'épissage de l'ARN (*voir* p. 324-325), le blocage d'un site d'épissage «fort» exposera souvent un site «faible» et résultera en différents patrons d'épissage. De même, l'activation d'un site d'épissage sub-optimal pourra entraîner un épissage alternatif en supprimant un site d'épissage qui entrait en compétition. De ce fait, on peut penser que l'épissage d'une molécule d'ARNm est un équilibre délicat entre des sites d'épissage compétitifs – équilibre qui peut facilement basculer en fonction des protéines régulatrices.

Il a fallu modifier la définition d'un gène depuis la découverte de l'épissage alternatif de l'ARN

La découverte que les gènes eucaryotes contenaient généralement des introns et que leurs séquences codantes pouvaient être assemblées de plusieurs façons a fait surgir de nouvelles interrogations sur la définition du mot gène. Au départ, dans les années 1940, le gène fut clairement défini du point de vue moléculaire à partir des travaux

Figure 7-89 Épissage alternatif des transcrits d'ARN du gène *DSCAM* de *Drosophila*. Les protéines DSCAM sont des récepteurs de guidage des axones qui aident à diriger les cônes de croissance vers leur bonne cible au cours du développement du système nerveux. L'ARNm final contient 24 exons dont quatre (notés A, B, C et D) existent dans le gène *DSCAM* sous forme d'une collection d'exons alternatifs. Chaque ARN contient 1 des 12 alternatives de l'exon A (*rouge*), 1 des 48 alternatives de l'exon B (*vert*), 1 des 33 alternatives de l'exon C (*bleu*) et 1 des 12 alternatives de l'exon D (*jaune*). Si toutes les combinaisons possibles d'épissage étaient utilisées, en principe le gène *DSCAM* pourrait coder pour 38016 protéines différentes. Un seul, parmi les nombreux patrons d'épissage (indiqué par les *lignes rouges* et par l'ARNm mature en dessous), est montré ici. Même si chaque variant de la protéine DSCAM se repliait grossièrement en la même structure [surtout en une série de domaines de type immunoglobuline fixés sur une région qui enjambe la membrane (*voir* Figure 24-71)], la séquence en acides aminés des domaines varierait selon le patron d'épissage. Il est possible que cette diversité de récepteurs contribue à la formation des circuits nerveux complexes, mais on ne connaît pas encore avec précision les propriétés et les fonctions des nombreux variants DSCAM. (Adapté de D.L. Black, *Cell* 103 : 367-370, 2000.)

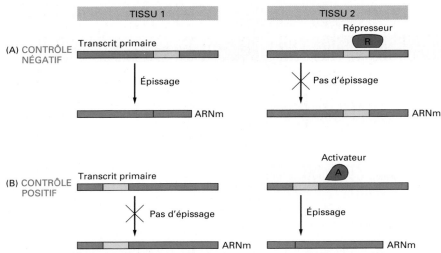

Figure 7-90 Contrôles négatif et positif de l'épissage alternatif de l'ARN.
(A) Contrôle négatif au cours duquel une protéine répresseur se fixe sur le transcrit primaire d'ARN dans le tissu 2 et empêche ainsi que la machinerie d'épissage retire la séquence d'intron. (B) Contrôle positif au cours duquel la machinerie d'épissage est incapable d'éliminer efficacement une séquence particulière d'intron sans être assistée d'une protéine activatrice.

de génétique biochimique sur le champignon *Neurospora*. Jusqu'alors, le gène n'était défini que d'un point de vue opérationnel, en tant que région du génome qui séparait en une seule unité au cours de la méiose et donnait naissance à un caractère phénotypique défini, comme un œil de drosophile soit rouge soit blanc ou un grain de pois soit rond soit ridé. Les travaux effectués sur *Neurospora* ont montré que la plupart des gènes correspondaient à une région du génome qui dirigeait la synthèse d'une seule enzyme. Cela a conduit à l'hypothèse qu'un gène code pour une chaîne polypeptidique. Cette hypothèse a engendré de nombreuses recherches ultérieures ; au cours des années 1960, l'augmentation des connaissances sur les mécanismes de l'expression génique a permis d'identifier le gène comme étant un segment d'ADN, transcrit en un ARN qui code pour une seule chaîne polypeptidique (ou pour un seul ARN structural comme l'ARNt ou l'ARNr). La découverte de gènes divisés et d'introns à la fin des années 1970 pouvait facilement s'adapter à la définition d'origine du gène, si on considérait qu'une seule chaîne polypeptidique était spécifiée par l'ARN transcrit à partir de n'importe quelle séquence d'ADN. Mais il est clair maintenant qu'un grand nombre de séquences d'ADN des cellules des eucaryotes supérieurs peuvent produire un ensemble de protéines distinctes (mais apparentées) par le biais de l'épissage alternatif de l'ARN. Quelle est donc la définition d'un gène ?

Dans les cas relativement rares où deux protéines eucaryotes très différentes sont produites à partir d'une seule unité de transcription, on considère que ces deux protéines sont produites par des gènes distincts qui se chevauchent sur le chromosome. Il semble, cependant, inutilement complexe de considérer que la plupart des variants protéiques produits par l'épissage alternatif dérivent de gènes qui se chevauchent. Il est plus sensé de modifier la définition originelle et de considérer comme gène toute séquence d'ADN, transcrite sous forme d'une seule unité, qui code pour un groupe de chaînes polypeptidiques très apparentées (protéines isoformes). Cette définition du gène prend également en compte les séquences d'ADN qui codent pour les variants protéiques produits par les différents processus d'épissage de l'ARN posttranscriptionnels, comme le décalage du cadre de lecture par translation (*voir* Figure 6-78), l'addition régulée de poly-A et l'édition des ARN (*voir* ci-dessous).

La détermination du sexe de *Drosophila* dépend d'une série régulée d'épissages de l'ARN

Intéressons-nous maintenant aux exemples les mieux compris d'épissage régulé de l'ARN. Dans le cas de *Drosophila*, le premier signal de la détermination du développement en une mouche mâle ou femelle est le rapport chromosome X/autosomes. Les individus dont le rapport chromosome X/autosome est 1 (normalement deux chromosomes X et deux jeux d'autosomes) donnent des femelles, alors que ceux dont le rapport est de 0,5 (normalement un chromosome X pour deux jeux d'autosomes) donnent des mâles. Ce rapport est fixé au début du développement et est conservé par la suite en mémoire dans chaque cellule. Trois produits cruciaux codés par des gènes transmettent l'information concernant ce rapport aux nombreux autres gènes qui spécifient les caractéristiques mâles et femelles (Figure 7-91). Comme cela est expliqué dans la figure 7-92, la détermination du sexe de *Drosophila* dépend d'une cascade régulée d'épissage de l'ARN qui implique ces trois produits de gènes.

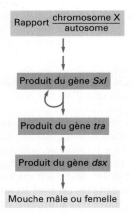

Figure 7-91 Détermination du sexe de *Drosophila*. Les produits des gènes montrés agissent comme une cascade séquentielle qui détermine le sexe de la mouche selon le rapport chromosome X/autosome. Ces gènes sont appelés *Sex-lethal (Sxl)*, *transformer (tra)* et *doublesex (dsx)* en accord avec les phénotypes qui apparaissent lorsque ces gènes sont inactivés par mutation. Les fonctions de ces produits sont de transmettre l'information sur le rapport chromosome X /autosome aux nombreux autres gènes qui engendrent les phénotypes liés au sexe. Ces autres gènes fonctionnent comme deux ensembles alternatifs : ceux qui spécifient les caractéristiques femelles et ceux qui spécifient les caractéristiques mâles (*voir* Figure 7-92).

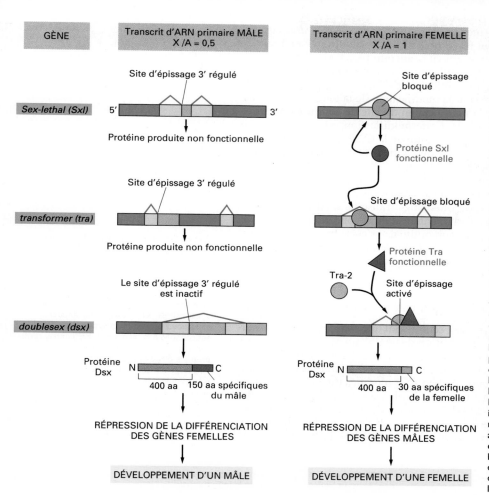

Figure 7-92 Cascade des modifications de l'expression génique qui détermine le sexe d'une mouche par l'intermédiaire de l'épissage de l'ARN. Un rapport chromosome X/autosome de 0,5 entraîne le développement d'un mâle. La voie mâle est la voie «par défaut» au cours de laquelle les gènes *Sxl* et *tra* sont tous les deux transcrits, mais les ARN sont constitutivement épissés pour ne produire que des molécules d'ARN non fonctionnelles. Le transcrit *dsx* est épissé pour produire une protéine qui inactive les gènes qui spécifient les caractéristiques femelles. Un rapport chromosome X/autosome égal à 1 déclenche la voie femelle de différenciation de l'embryon en activant transitoirement un promoteur du gène *Sxl* qui provoque la synthèse d'une classe particulière de transcrits *Sxl* épissés constitutivement pour donner une protéine Sxl fonctionnelle. Sxl est une protéine régulatrice de l'épissage ayant deux sites d'action : (1) elle se fixe sur les transcrits d'ARN *Sxl* constitutivement produits et provoque l'épissage spécifique des femelles qui entretient la production de la protéine Sxl fonctionnelle et (2) elle se fixe sur l'ARN *tra* constitutivement produit et provoque son épissage alternatif qui produit une protéine régulatrice Tra active. La protéine Tra agit avec la protéine Tra-2 constitutivement produite pour engendrer la forme épissée du transcrit *dsx* spécifique de la femelle; celle-ci code pour la forme femelle de la protéine Dsx qui inactive les gènes spécifiant les caractères mâles. Les composants de cette voie ont tous été identifiés initialement lors de l'étude de mutants de *Drosophila* présentant des altérations du développement sexuel. Par exemple, les mouches qui ne possèdent pas le produit du gène *dsx* expriment à la fois les caractéristiques mâles et femelles; d'où le nom de ce gène (*doublesex*). Notez que, même si les protéines Sxl et Tra se fixent sur des sites spécifiques de l'ARN, Sxl est un répresseur qui agit négativement et bloque un site d'épissage, alors que la protéine Tra est un activateur qui agit positivement et induit l'épissage (*voir* Figure 7-90). Sxl se fixe sur le segment nucléotidique riche en pyrimidines qui fait partie de la séquence consensus standard d'épissage (*voir* Figure 6-28) et empêche le facteur normal d'épissage U2AF d'y accéder (*voir* Figure 6-29). Tra se fixe sur une séquence spécifique d'ARN d'un exon et active un signal d'épissage normalement sub-optimal.

Même si la détermination du sexe de *Drosophila* fournit un des exemples les mieux compris de la cascade régulatrice basée sur l'épissage de l'ARN, on ne comprend pas clairement pourquoi la mouche utilise cette stratégie. D'autres organismes (le nématode, par exemple) utilisent un schéma entièrement différent de détermination du sexe – fondé sur des contrôles de la transcription et de la traduction. De plus, la voie de détermination du mâle de *Drosophila* nécessite la production continue d'un certain nombre de molécules d'ARN non fonctionnelles, ce qui semble un gaspillage inutile. Une des hypothèses est que cette cascade d'épissage de l'ARN exploite un ancien appareil de contrôle conservé depuis les débuts de l'évolution lorsque l'ARN était la molécule biologique prédominante et que le contrôle de l'expression génique devait être fondé presque entièrement sur des interactions ARN-ARN (*voir* Chapitre 6).

La modification du site de coupure et d'addition du poly-A du transcrit d'ARN peut modifier l'extrémité C-terminale de la protéine

Nous avons vu, au chapitre 6, que l'extrémité 3' d'une molécule d'ARNm eucaryote n'était pas formée par la terminaison de la synthèse de l'ARN par l'ARN polymérase. Par contre, elle résultait d'une réaction de coupure de l'ARN, catalysée par d'autres facteurs pendant l'allongement du transcrit (Figure 6-37). Une cellule peut contrôler ce site de coupure afin de modifier l'extrémité C-terminale de la protéine qui en résulte.

Un des exemples bien étudiés est la transition entre la synthèse de molécules d'anticorps liées à la membrane et celle d'anticorps sécrétés, qui se produit pendant le développement des lymphocytes B. Au début de la vie d'un lymphocyte B, l'anticorps qu'il produit est ancré dans la membrane plasmique où il sert de récepteur aux antigènes. La stimulation antigénique provoque la multiplication des lymphocytes B et le début de la sécrétion des anticorps. La forme sécrétée de l'anticorps est identique à la forme liée à la membrane excepté au niveau de l'extrémité C-terminale.

Dans cette partie de la protéine, la forme liée à la membrane présente un long segment d'acides aminés hydrophobes qui traverse la bicouche lipidique membranaire alors que la forme sécrétée présente un segment beaucoup plus court d'acides aminés hydrophiles. Cette commutation entre l'anticorps lié à la membrane et l'anticorps sécrété nécessite donc une séquence nucléotidique différente à l'extrémité 3' de l'ARNm. Cette différence est engendrée par la modification de la longueur du transcrit primaire d'ARNm provoquée par la modification du site de coupure de l'ARN, comme cela est montré dans la figure 7-93. Cette modification est provoquée par l'augmentation de la concentration d'une sous-unité de la CStF, une protéine qui se fixe sur les séquences riches en G/U des sites de coupure et d'addition du poly-A de l'ARN et favorise la coupure de l'ARN (*voir* Figures 6-37 et 6-38). Le premier site de coupure-addition du poly-A rencontré par l'ARN polymérase qui transcrit le gène de l'anticorps est sub-optimal et, en général, il est sauté dans les lymphocytes B non stimulés, ce qui entraîne la production de plus longs transcrits d'ARN. Lorsque la stimulation par les anticorps provoque l'augmentation de la concentration en CStF, la coupure s'effectue alors au niveau du site sub-optimal et c'est le transcrit plus court qui est produit. De cette façon, la modification de la concentration en un facteur général de maturation de l'ARN peut produire des effets spécifiques sur un nombre relativement faible de gènes.

L'édition des ARN peut modifier la signification d'un message d'ARN

Les mécanismes moléculaires utilisés par une cellule sont une source continue de surprise. Par exemple, prenons le processus d'**édition des ARN** qui modifie la séquence nucléotidique d'un transcrit d'ARNm une fois transcrit. Dans le chapitre 6 nous avons vu que les ARNr et les ARNt étaient modifiés après leur transcription. Dans ce paragraphe, nous verrons que certains ARNm sont modifiés de telle sorte que le message codé qu'ils portent est changé. La forme la plus spectaculaire d'édition des ARN a été découverte dans les transcrits d'ARN qui codent pour les protéines des mitochondries des trypanosomes. Dans ce cas, un ou plusieurs nucléotides U sont insérés (ou plus rarement retirés) dans certaines régions d'ARN du transcrit, ce qui

Figure 7-93 La régulation du site de coupure et d'addition du poly-A de l'ARN détermine si l'anticorps est sécrété ou reste relié à la membrane. Dans les lymphocytes B non stimulés (*à gauche*), un long transcrit d'ARN est produit et la séquence d'intron proche de l'extrémité 3' est retirée par épissage pour donner naissance à un ARNm qui code pour un anticorps lié à la membrane. Par contre, après stimulation antigénique (*à droite*) le transcrit primaire d'ARN est coupé en amont du site d'épissage en face de la dernière séquence d'exon. Il en résulte qu'une partie de la séquence d'intron retirée du long transcrit reste sous forme de séquence codante dans le court transcrit. Ce sont ces séquences de nucléotides qui codent pour la portion hydrophile C-terminale de la molécule d'anticorps sécrétée.

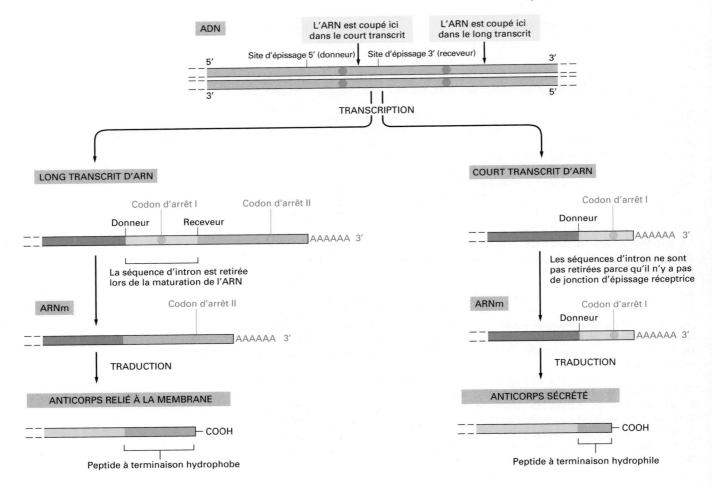

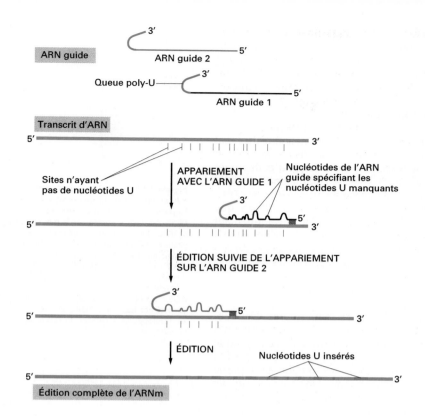

Figure 7-94 Édition des ARN dans les mitochondries du trypanosome. Des ARN guides contiennent à leur extrémité 3' un segment poly-U qui donne des nucléotides U aux sites du transcrit d'ARN qui s'apparient mal à l'ARN guide; la queue poly-U se raccourcit ainsi avec l'avancée de l'édition (non montré). L'édition commence généralement près de l'extrémité 3' et progresse vers l'extrémité 5' du transcrit d'ARN, comme cela est montré, parce que la séquence d'ancrage de l'extrémité 5' de la plupart des ARN guides ne peut s'apparier qu'avec des séquences ayant subi une édition.

provoque des modifications majeures à la fois du cadre de lecture d'origine et de la séquence, et modifie ainsi la signification du message. Pour certains gènes, cette édition est si importante que plus de la moitié des nucléotides de l'ARNm mature sont des nucléotides U insérés pendant le processus d'édition. L'information qui spécifie exactement comment le transcrit initial doit être modifié est contenue dans un groupe de molécules d'ARN, transcrites séparément, longues de 40 à 80 nucléotides. Ces *ARN guides,* ainsi appelés, ont une extrémité 5' de séquence complémentaire à celle d'une des extrémités de la région du transcrit qui subit l'édition; celle-ci est suivie d'une séquence qui spécifie le groupe de nucléotides qui doit être inséré dans le transcrit et celle-ci est suivie à son tour d'une série continue de nucléotides U. Le mécanisme d'édition est remarquablement complexe, et les nucléotides U à l'extrémité 3' de l'ARN guide sont transférés directement dans le transcrit comme cela est illustré en figure 7-94.

Une édition étendue des séquences d'ARNm a également été observée dans les mitochondries de nombreux végétaux, dont presque tous les ARNm subissent une édition d'une certaine importance. Dans ces cas, cependant, les bases C d'ARN sont changées pour U sans insertion ni délétion de nucléotides. Souvent beaucoup de bases C de l'ARNm sont affectées par cette édition, ce qui modifie 10 p. 100 voire plus des acides aminés codés par l'ARNm.

Nous ne pouvons que spéculer sur la façon dont les mitochondries des trypanosomes et des végétaux utilisent ce type d'édition étendue des ARNm. Les hypothèses qui semblent les plus raisonnables sont fondées sur le principe que les mitochondries contiennent un système génétique primitif qui offre très peu d'opportunités pour d'autres formes de contrôle. Il existe des preuves que l'édition est régulée et produit différents ARNm sous différentes conditions, de telle sorte que l'édition des ARN peut être considérée comme un mode primitif de modification de l'expression génique, un vestige peut-être de mécanismes qui opéraient dans les cellules très anciennes, lorsque la majeure partie de la catalyse était effectuée par des molécules d'ARN et non pas des protéines.

Une édition plus limitée des ARN se produit chez les mammifères. Un des principaux types est la désamination enzymatique de l'adénine qui produit de l'inosine (*voir* Figure 6-55) observée dans certaines positions particulières de certains pré-ARNm. Parfois, cette modification change le patron d'épissage de l'ARN; dans d'autres cas, elle change la signification d'un codon. Comme l'inosine s'apparie avec la cytosine, l'édition « A en I » peut engendrer une protéine dont la séquence en acides aminés est modifiée.

Cette édition s'effectue par des protéines enzymatiques appelées *ADAR* (adénosine désaminase agissant sur l'ARN); ces enzymes reconnaissent une structure d'ARN double brin, formée par un appariement de bases entre le site d'édition et une séquence complémentaire située ailleurs sur la même molécule d'ARN, habituellement dans un intron 3' (Figure 7-95). Un des exemples particulièrement important d'édition «A en I» est observé dans un pré-ARNm du cerveau qui code pour un canal ionique à ouverture contrôlée par un transmetteur. Une seule édition échange une glutamine avec une arginine; l'acide aminé modifié réside dans la paroi interne du canal et la variation produite par l'édition modifie la perméabilité du canal au Ca^{2+}. L'importance de cette édition a été démontrée chez la souris par la délétion du gène ADAR en question. La souris mutante est sujette à des crises d'épilepsie et meurt pendant le sevrage ou peu de temps après. Si le gène codant pour ce canal ionique subit une mutation qui produit directement la forme d'édition de la protéine, les souris dépourvues de ADAR se développent normalement. Cela démontre que l'édition des ARN du canal ionique est normalement cruciale pour le développement correct du cerveau. Les souris et les hommes possèdent plusieurs autres gènes ADAR et toute délétion de l'un d'entre eux chez la souris provoque la mort de l'embryon de souris avant la naissance. Comme ces souris présentent d'importantes anomalies de la production des précurseurs des hématies, il y a de grandes chances que l'édition des ARN soit également indispensable pour le développement correct du système hématopoïétique.

L'édition «C en U» a également été observée chez les mammifères. Dans un exemple, celui de l'ARNm de l'*apolipoprotéine B*, un changement de C en U engendre un codon stop qui provoque la fabrication d'une version tronquée de cette grande protéine dans certains tissus spécifiques. On ne sait pas pourquoi l'édition des ARN existe dans les cellules de mammifères. Une des hypothèses est qu'elle est apparue au cours de l'évolution pour corriger des «erreurs» du génome. Une autre est qu'elle fournit aux cellules un autre moyen pour produire diverses protéines apparentées à partir d'un seul gène. Une troisième possibilité serait que l'édition ne soit simplement que l'un des nombreux mécanismes fortuits rudimentaires apparus suite à une mutation aléatoire et qui se serait perpétué parce qu'il s'est avéré utile.

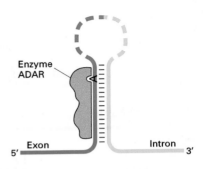

Figure 7-95 Mécanisme de l'édition «A en I» des ARN des mammifères. La position de l'édition est signalée par une séquence d'ARN portée sur la même molécule d'ARN. Une séquence complémentaire à la position du point de correction se trouve typiquement dans un intron et le double brin d'ARN qui se forme attire l'enzyme ADAR d'édition «A en I». La souris et l'homme possèdent trois enzymes ADAR : dans le foie, ADR1 est nécessaire au développement correct des hématies. ADR2 est nécessaire au développement correct du cerveau (*voir* le texte) et on ne connaît pas encore le rôle d'ADR3.

Le transport de l'ARN à partir du noyau peut être régulé

On estime que, chez les mammifères, un vingtième seulement de la masse totale des ARN synthétisés quitte le noyau. Nous avons vu au chapitre 6 que la plupart des molécules d'ARN des mammifères subissaient une maturation étendue et que les fragments d'ARN «qui restaient» (introns excisés et séquences d'ARN 3' du site de coupure/poly-A) étaient dégradés dans le noyau. Les ARN n'ayant pas subi de maturation complète ou endommagés sont aussi dégradés finalement dans le noyau du fait du système de contrôle de qualité de la production d'ARN. Cette dégradation est effectuée par l'**exosome**, un grand complexe protéique qui contient, comme sous-unités, différentes ARN exonucléases.

Comme cela est décrit au chapitre 6, l'exportation des molécules d'ARN à partir du noyau est retardée jusqu'à ce que la maturation soit terminée. De ce fait, tout mécanisme qui empêche la terminaison de l'épissage d'une molécule d'ARN particulière pourrait en principe bloquer la sortie de cet ARN du noyau. Cette caractéristique est le fondement de l'un des exemples les mieux compris de **transport nucléaire régulé** de l'ARNm, qui se produit dans le VIH, virus responsable du SIDA.

Le VIH est un rétrovirus – virus à ARN, qui, une fois dans la cellule, dirige la formation d'un ADN double brin, copie de son génome, inséré ensuite dans le génome de l'hôte (Figure 5-73). Une fois inséré, l'ADN viral est transcrit sous forme d'une longue molécule d'ARN par l'ARN polymérase II de la cellule hôte. Ce transcrit est alors épissé de plusieurs façons différentes et produit plus de 30 types différents d'ARNm qui sont, à leur tour, traduits en différentes protéines (Figure 7-96). Pour fabriquer de nouveaux virus, les transcrits viraux complets, non épissés, doivent être exportés du noyau dans le cytosol où ils sont empaquetés dans la capside virale (*voir* Figure 5-73). De plus, plusieurs ARNm du VIH subissent un épissage alternatif de façon à comporter encore des introns complets. Le blocage, par la cellule hôte, de l'exportation nucléaire des ARN non épissés (suivie de leur dégradation) représente donc un problème particulier pour le VIH qui le surmonte de façon ingénieuse.

Ce virus code pour une protéine (appelée Rev) qui se fixe sur une séquence spécifique d'ARN (appelée élément de réponse à Rev, RRE) localisée dans un intron viral. La protéine Rev interagit avec un récepteur nucléaire d'exportation (l'exportine 1) qui entraîne le déplacement de l'ARN viral à travers les pores nucléaires dans

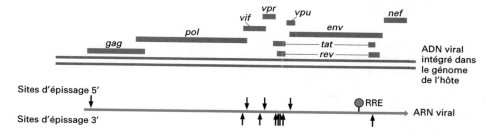

ADN viral intégré dans le génome de l'hôte

Sites d'épissage 5'

Sites d'épissage 3'

RRE

ARN viral

Figure 7-96 Génome compact du VIH, virus du SIDA humain. Les positions des neuf gènes du VIH sont montrées en *vert*. La *double ligne rouge* montre la copie ADN du génome viral qui s'est intégrée à l'ADN de l'hôte (en *gris*). Notez que les régions codantes de nombreux gènes se chevauchent et celles de *tat* et de *rev* sont coupées par des introns. La *ligne bleue* au bas de la figure représente le transcrit pré-ARNm de l'ADN viral et montre où sont situés tous les sites d'épissage possibles (*flèches*). Il y a plusieurs épissages alternatifs possibles des transcrits viraux ; par exemple l'ARNm *env* retient l'intron épissé des ARNm *tat* et *rev*. L'élément de réponse à Rev (RRE) est indiqué par une boule et un bâton *bleus*. C'est un segment d'ARN de 234 nucléotides replié en une structure définie. Rev reconnaît une épingle à cheveux particulière (*voir* Figure 6-94) à l'intérieur de cette structure plus grosse. Le gène *gag* code pour une protéine coupée en plusieurs protéines plus petites qui forment la capside virale. Le gène *pol* code pour une protéine coupée pour produire une transcriptase inverse (qui transcrit l'ARN en ADN) et une intégrase impliquée dans l'intégration du génome viral (sous forme d'ADN double brin) dans le génome de l'hôte. Pol est produit par un décalage ribosomique du cadre de lecture de la traduction qui commence au niveau de *gag* (*voir* Figure 6-78). Le gène *env* code pour les protéines de l'enveloppe (*voir* Figure 5-73). Tat, Rev, Vif, Vpr, Vpu et Nef sont de petites protéines ayant diverses fonctions. Par exemple, Rev régule l'exportation nucléaire (*voir* Figure 7-97) et Tat régule l'élongation de la transcription du génome viral intégré (*voir* p. 436).

le cytosol malgré la présence d'introns. Nous aborderons de façon détaillée au chapitre 12 le mode de fonctionnement des récepteurs d'exportation.

La régulation de l'exportation nucléaire par Rev a différentes conséquences importantes pour la croissance du VIH et sa pathogénie. En plus d'assurer l'exportation nucléaire d'ARN spécifiques non épissés, elle divise l'infection virale en deux phases : la phase précoce (où Rev est traduite à partir d'un ARN entièrement épissé et les ARN contenant un intron sont retenus dans le noyau et dégradés) et la phase tardive (où les ARN non épissés sont exportés du fait du fonctionnement de Rev). Cette chronologie favorise la réplication virale en fournissant les produits codés par les gènes grossièrement dans l'ordre où ils sont utilisés (Figure 7-97). Il est aussi possible que la régulation par Rev aide le virus VIH à atteindre l'état de latence, état où le génome du VIH est intégré au génome de la cellule hôte mais où la production des protéines virales a temporairement cessé. Si, après son entrée initiale dans la cellule hôte, les conditions deviennent défavorables à la transcription virale et à la réplication, Rev est fabriquée en trop faible concentration pour favoriser l'exportation des ARN non épissés. Cette situation arrête le cycle de croissance virale. Lorsque les conditions de réplication virale s'améliorent, la concentration en Rev augmente et le virus peut entrer dans son cycle de réplication.

(A) Début de la synthèse du VIH

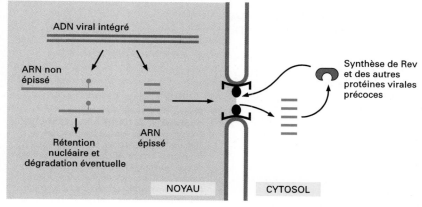

ADN viral intégré

ARN non épissé

Synthèse de Rev et des autres protéines virales précoces

ARN épissé

Rétention nucléaire et dégradation éventuelle

NOYAU

CYTOSOL

(B) Synthèse tardive du VIH

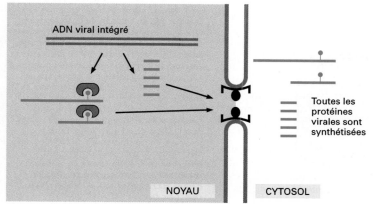

ADN viral intégré

Toutes les protéines virales sont synthétisées

NOYAU

CYTOSOL

Figure 7-97 La protéine Rev du VIH régule l'exportation nucléaire. Au début de l'infection par le VIH (A) seul l'ARN totalement épissé (qui contient les séquences codantes de Rev, Tat et Nef) est exporté du noyau et traduit. Lorsque la protéine Rev s'est suffisamment accumulée et a été transportée dans le noyau (B), l'ARN viral non épissé peut être exporté du noyau. Bon nombre de ces ARN sont traduits en protéines et les transcrits ayant une longueur complète sont empaquetés en de nouvelles particules virales.

Certains ARNm se localisent dans des régions spécifiques du cytoplasme

Dès qu'une nouvelle molécule d'ARNm eucaryote a traversé un pore nucléaire et pénètre dans le cytosol, elle entre typiquement en contact avec des ribosomes qui la traduisent en une chaîne polypeptidique (*voir* Figure 6-40). Si l'ARNm code pour une protéine destinée à être sécrétée ou exprimée à la surface cellulaire, il sera dirigé vers le réticulum endoplasmique (RE) par une séquence signal située à l'extrémité N-terminale de la protéine ; les composants de l'appareil de tri des protéines reconnaissent le signal de la séquence dès qu'il émerge du ribosome et dirigent la totalité du complexe formé de ribosomes, de l'ARN et de la protéine naissante vers la membrane du RE où le reste de la chaîne polypeptidique est synthétisé, comme cela sera expliqué au chapitre 12. Dans d'autres cas, la protéine complète est synthétisée par des ribosomes libres dans le cytosol et des signaux situés sur la chaîne polypeptidique complète peuvent alors diriger la protéine vers d'autres sites cellulaires.

Certains ARNm sont eux-mêmes dirigés vers des localisations intracellulaires spécifiques avant que la traduction ne commence. Il est probablement avantageux pour la cellule de positionner les ARNm près des sites où les protéines produites seront utilisées. Les signaux qui dirigent la localisation des ARNm sont typiquement localisés dans la *région non traduite* (*UTR* pour *untranslated region*) de la molécule d'ARNm – région qui s'étend entre le codon d'arrêt qui termine la synthèse protéique et le début de la queue poly-A (*voir* Figure 6-22A). Un des exemples frappant de la localisation de l'ARNm s'observe dans les œufs de drosophile où l'ARNm codant pour la protéine régulatrice bicoid est localisé à l'extrémité antérieure des œufs en développement par sa fixation sur le cytosquelette. Lorsque la traduction de cet ARNm est déclenchée par la fécondation, il se forme un gradient de la protéine bicoid qui joue un rôle crucial en dirigeant le développement de la partie antérieure de l'embryon (*voir* Figure 7-52 et Chapitre 21 pour plus de détails). Beaucoup d'ARNm des cellules somatiques sont pareillement localisés. L'ARNm qui code pour l'actine par exemple, est localisé dans le cortex cellulaire, riche en filaments d'actine, des fibroblastes des mammifères au moyen d'un signal UTR 3'.

La localisation de l'ARN a été observée dans de nombreux organismes, y compris les champignons, les végétaux et les animaux, et il est fort probable qu'il s'agit d'un mécanisme communément utilisé par les cellules pour concentrer une forte production de protéines dans des sites spécifiques. Plusieurs autres mécanismes de localisation de l'ARNm ont été découverts (Figure 7-98), mais tous nécessitent des signaux spécifiques situés dans l'ARNm lui-même, en général concentrés dans l'UTR 3' (Figure 7-99).

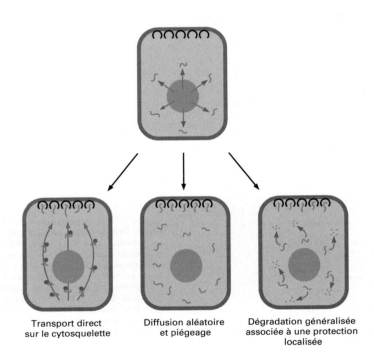

Transport direct
sur le cytosquelette

Diffusion aléatoire
et piégeage

Dégradation généralisée
associée à une protection
localisée

Figure 7-98 Trois mécanismes d'adressage de l'ARNm. Les ARNm, qui doivent avoir une localisation particulière, quittent le noyau par les pores nucléaires (*en haut*). Certains ARNm à adresser (*schéma de gauche*) voyagent vers leur destination en s'associant à des moteurs du cytosquelette (*vert*). Comme cela est décrit au chapitre 16, ces moteurs utilisent l'énergie de l'hydrolyse de l'ATP pour se déplacer dans une direction le long des composants du cytosquelette. Arrivés à destination, les ARNm sont maintenus en place par des protéines d'ancrage (*en noir*). D'autres ARNm diffusent de façon aléatoire dans le cytosol et sont simplement piégés puis concentrés au niveau de leur site d'adressage (*schéma central*). D'autres ARNm encore sont dégradés (*schéma de droite*) dans le cytosol sauf s'ils se fixent, par diffusion aléatoire, sur un complexe protéique localisé qui les ancre et les protège de leur dégradation (*en noir*). Chacun de ces mécanismes nécessite des signaux spécifiques sur l'ARNm typiquement localisés dans l'UTR 3' (*voir* Figure 7-99). Dans beaucoup de cas d'adressage des ARNm, des mécanismes complémentaires bloquent la traduction de l'ARNm jusqu'à ce qu'il aient atteint leur localisation correcte. (Adapté d'après H.D. Lipshitz et C.A. Smibert, *Curr. Opin. Gen. Dev.* 10 : 476-488, 2000.)

Nous avons vu dans le chapitre 6 que la coiffe 5' et la queue poly-A étaient nécessaires pour une traduction efficace. Et leur présence, sur une même molécule d'ARNm, signale ainsi à la machinerie de traduction que la molécule d'ARNm est intacte. Comme nous venons de le décrire, l'UTR 3' contient souvent un «code postal» qui dirige l'ARNm dans différents sites cellulaires. Dans ce chapitre, nous verrons également que l'ARNm transporte aussi des informations spécifiant la durée moyenne de persistance de chaque ARNm dans le cytosol et l'efficacité de la traduction protéique de chaque ARN. Globalement, les régions non traduites de l'ARNm eucaryote ressemblent aux régions de contrôle transcriptionnel des gènes : leurs séquences en nucléotides contiennent des informations qui spécifient la façon dont l'ARN doit être utilisé et les protéines qui interprètent cette information se fixent spécifiquement sur ces séquences. De ce fait, en plus de la spécification de la séquence en acides aminés des protéines, les molécules d'ARNm contiennent beaucoup d'autres types d'informations.

Les protéines qui se fixent sur les régions non traduites 3' et 5' de l'ARNm permettent un contrôle négatif de la traduction

Lorsqu'un ARNm a été synthétisé, une des façons les plus communes de réguler la concentration en ses produits protéiques est de contrôler l'étape de l'initiation de la traduction. Même si les eucaryotes et les bactéries présentent des particularités mécaniques différentes d'initiation de la traduction (comme nous l'avons vu au chapitre 6), ils utilisent certaines stratégies fondamentales identiques.

Dans l'ARNm des bactéries, une séquence de six nucléotides conservée, la *séquence de Shine-Dalgarno*, est toujours observée quelques nucléotides en amont du codon AUG d'initiation. Cette séquence forme un appariement de bases avec l'ARN 16S de la petite sous-unité ribosomique, ce qui positionne correctement le codon d'initiation AUG dans le ribosome. Comme cette interaction contribue de façon majeure à l'efficacité de l'initiation, elle fournit à la cellule bactérienne un mode simple de régulation de la synthèse protéique selon des mécanismes de **contrôle négatif de la traduction**. Ces mécanismes impliquent généralement un blocage de la séquence de Shine-Dalgarno, soit en la recouvrant par fixation d'une protéine soit en l'incorporant dans une région d'appariement de bases de la molécule d'ARNm. Beaucoup d'ARNm bactériens possèdent des *protéines répresseurs de la traduction* qui peuvent se fixer au voisinage de la séquence de Shine-Dalgarno et inhiber ainsi uniquement la traduction de ce type d'ARNm. Par exemple, certaines protéines ribosomiques peuvent réprimer la traduction de leur propre ARNm en se fixant sur la région non traduite 5'. Ce mécanisme n'entre en jeu que lorsque les protéines ribosomiques sont produites en excès par rapport à l'ARN ribosomique et ne sont donc pas incorporées dans les ribosomes. De cette façon, cela permet à la cellule de maintenir correctement en équilibre les quantités des différents composants nécessaires à la formation des ribosomes. Il n'est pas difficile de deviner comment ces mécanismes ont pu se développer. Les protéines ribosomiques s'assemblent dans les ribosomes en se fixant sur des sites spécifiques de l'ARNr ; de façon ingénieuse, certaines exploitent cette capacité de fixation sur l'ARN pour réguler leur propre production en se fixant sur des sites similaires présents sur leur propre ARNm.

Les ARNm eucaryotes ne contiennent pas de séquence de Shine-Dalgarno. Par contre, comme nous l'avons vu au chapitre 6, la sélection d'un codon AUG comme point de départ de la traduction est largement déterminée par sa promiscuité avec la coiffe de l'extrémité 5' de la molécule d'ARNm qui est le site sur lequel se fixe la petite sous-unité ribosomique pour commencer la recherche d'un codon AUG d'initiation. Malgré ces différences dans l'initiation de la traduction, les eucaryotes utilisent aussi des répresseurs de traduction. Certains se fixent sur l'extrémité 5' de l'ARNm et inhibent ainsi l'initiation de la traduction. D'autres reconnaissent des séquences de nucléotides de l'UTR 3' d'ARNm spécifiques et diminuent l'initiation de la traduction en interférant avec la communication entre la coiffe 5' et la queue poly-A, qui est nécessaire à la traduction efficace (*voir* Figure 6-71).

Une forme bien étudiée du contrôle négatif de la traduction chez les eucaryotes permet d'augmenter rapidement la synthèse de la protéine de stockage du fer, la ferritine, si la concentration en atomes de fer solubles augmente dans le cytosol. La régulation du fer dépend d'une séquence d'environ 30 nucléotides à l'extrémité 5' de la molécule d'ARNm de la ferritine. Cet élément de réponse au fer se replie en une structure boucle-tige qui s'unit à une protéine répresseur de traduction appelée aconitase qui bloque la traduction de toutes les séquences d'ARN en aval (Figure 7-100).

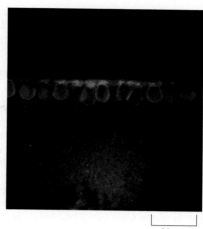

20 μm

Figure 7-99 Importance de l'UTR 3' pour l'adressage des ARNm dans des régions spécifiques du cytoplasme. Au cours de cette expérience, deux ARN marqués par une fluorescence différente ont été préparés par transcription *in vitro* d'ADN en présence de dérivés d'UTP fluorescents. Un ARN (marqué par un fluorochrome *rouge*) contient la région codant pour la protéine Hairy de drosophile et inclut l'UTR 3' adjacent. L'autre ARN (marqué en *vert*) contient la région codante pour Hairy mais l'UTR 3' a été retiré. Ces deux ARN ont été mélangés et injectés dans un embryon de *Drosophila* au stade de développement où de multiples noyaux résident dans un cytoplasme commun (*voir* Figure 7-52). Lorsque l'ARN fluorescent a été visualisé 10 minutes plus tard, les ARN hairy ayant une longueur totale (*rouge*) étaient localisés du côté apical des noyaux (*bleu*) mais les transcrits dépourvus d'UTR 3' (*vert*) n'avaient pas de localisation précise. Hairy est une des nombreuses protéines régulatrices qui spécifient les informations de position dans l'embryon de *Drosophila* en développement (*voir* Chapitre 21). On pense que la localisation de son ARNm (cette expérience montre qu'elle est dépendante de l'UTR 3') est critique pour le bon développement de la mouche. (Due à l'obligeance de Simon Bullock et David Ish-Horowicz.)

L'aconitase est une protéine de liaison au fer et l'exposition des cellules au fer provoque sa dissociation de l'ARNm de la ferritine. Cela libère le blocage de la traduction et augmente la production de ferritine d'un facteur cent.

La phosphorylation d'un facteur d'initiation régule globalement la synthèse protéique

Les cellules eucaryotes diminuent globalement la vitesse de la synthèse protéique en réponse à diverses situations, y compris l'absence de facteurs de croissance ou de nourriture, les infections virales et l'augmentation soudaine de la température. La majeure partie de cette baisse est due à la phosphorylation du facteur d'initiation de la traduction eIF-2 par des protéine-kinases spécifiques qui répondent aux variations de conditions.

La fonction normale de l'eIF-2 a été décrite au chapitre 6. Il forme un complexe avec le GTP et sert d'intermédiaire pour la fixation du méthionyle-ARNt initiateur sur la petite sous-unité ribosomique qui se place alors sur l'extrémité 5' de l'ARNm et commence l'examen de ce dernier. Lorsqu'elle reconnaît un codon AUG, le GTP fixé est hydrolysé en GDP par la protéine eIF-2, ce qui provoque un changement de conformation de la protéine et la libère de la petite sous-unité ribosomique. La grande sous-unité ribosomique s'unit alors à la petite pour former un ribosome complet qui commence la synthèse protéique (*voir* Figure 6-71).

Comme l'eIF-2 s'unit très solidement au GDP, il faut un facteur d'échange des nucléotides guanyliques (*voir* Figure 15-54), appelé eIF-2B, pour provoquer la libération du GDP afin qu'une nouvelle molécule de GTP se fixe et que l'eIF-2 soit réutilisé (Figure 7-101A). La phosphorylation de l'eIF-2 inhibe sa réutilisation – l'eIF-2 phosphorylé se fixe sur l'eIF-2B de façon particulièrement solide, ce qui inactive l'eIF-2B. Comme dans les cellules il y a plus d'eIF-2 que d'eIF-2B, même une petite fraction d'eIF-2 phosphorylée peut piéger presque la totalité de l'eIF-2B. Cela empêche la réutilisation de l'eIF-2 non phosphorylé et ralentit fortement la synthèse protéique (Figure 7-101B)

La régulation de la concentration en eIF-2 actif est particulièrement importante dans les cellules des mammifères et constitue une partie des mécanismes qui permettent aux cellules d'entrer dans un état de repos non prolifératif (appelé G_0) – au cours duquel la vitesse de la synthèse protéique est réduite et ne représente plus qu'un cinquième environ de celle des cellules prolifératives (*voir* Chapitre 17).

Une initiation au niveau des codons AUG placés en amont du site de départ de la traduction peut réguler l'initiation de la traduction des eucaryotes

Nous avons vu au chapitre 6 que la traduction des eucaryotes commençait typiquement au niveau du premier AUG situé en aval de l'extrémité 5' de l'ARNm, car c'est

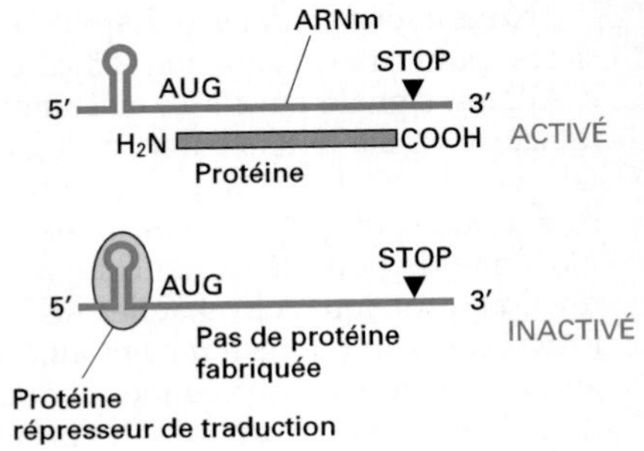

Figure 7-100 Contrôle négatif de la traduction. Cette forme de contrôle est sous l'influence d'une protéine de liaison à une séquence spécifique d'ARN qui agit comme un répresseur de traduction. La fixation de cette protéine sur la molécule d'ARNm abaisse la traduction de l'ARNm. On connaît différents cas de ce type de contrôle de la traduction. Le modèle illustré ici est celui du mécanisme qui provoque l'augmentation de la synthèse de ferritine (protéine de stockage du fer) lorsque la concentration en fer libre augmente dans le cytosol ; l'aconitase est la protéine répresseur de traduction sensible au fer (*voir aussi* Figure 7-105). Dans d'autres exemples, c'est une molécule d'ARN complémentaire, et non pas une protéine, qui régule l'initiation de la traduction en bloquant la région critique de l'ARNm par la formation d'une courte région en double hélice.

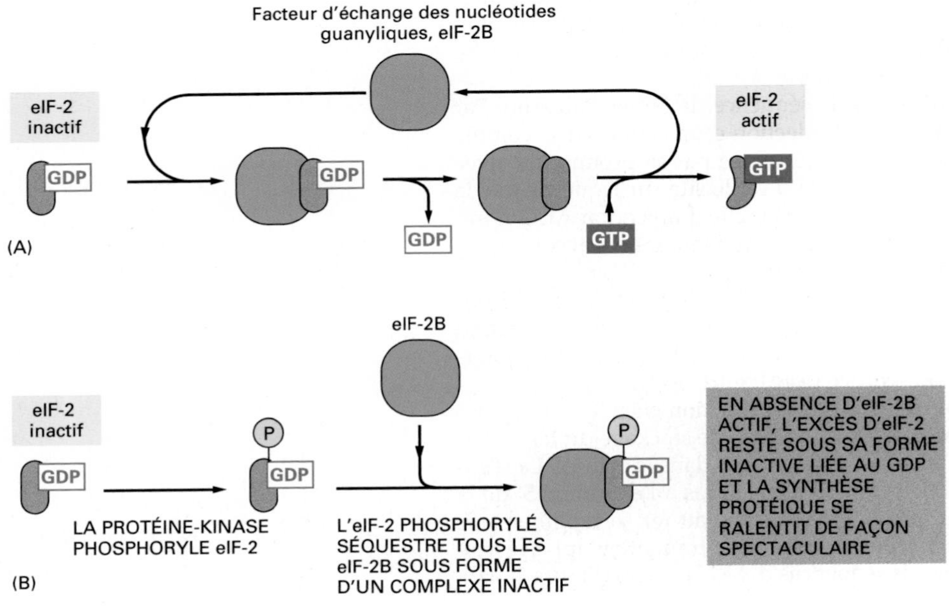

Figure 7-101 Cycle de l'eIF-2.
(A) Recyclage de l'eIF-2 utilisé par un facteur d'échange des nucléotides guanyliques (eIF-2B).
(B) La phosphorylation de l'eIF-2 contrôle la vitesse de la synthèse protéique en amarrant l'eIF-2B.

le premier AUG rencontré par la petite sous-unité ribosomique de dépistage. Mais les nucléotides qui entourent immédiatement cet AUG influencent aussi l'efficacité de l'initiation de la traduction. Si le site de reconnaissance est assez faible, les sous-unités ribosomiques de dépistage ignorent le premier codon AUG de l'ARNm et passent directement sur le deuxième ou le troisième codon. Ce phénomène, appelé *leaky scanning* (dépistage approximatif), est une stratégie fréquemment utilisée pour produire, à partir du même ARNm, des protéines plus ou moins apparentées, qui ne diffèrent que par leurs extrémités N-terminales. Par exemple, elle permet à certains gènes de produire des protéines identiques pourvues ou non d'une séquence signal placée à leur extrémité N-terminale ; la protéine peut ainsi être dirigée dans deux sites cellulaires différents. Dans certains cas, la cellule peut réguler l'abondance relative des isoformes protéiques produits par le *leaky scanning* ; par exemple, l'augmentation, spécifique de type cellulaire, du facteur d'initiation eIF-4F favorise l'utilisation du codon AUG le plus proche de l'extrémité 5' de l'ARNm.

Un autre type de contrôle retrouvé chez les eucaryotes se sert d'un ou de plusieurs courts cadres ouverts de lecture situés entre l'extrémité 5' de l'ARNm et le début du gène. Les séquences en acides aminés codées par ces cadres ouverts de lecture situés en amont (uORF pour *upstream open reading frame*) ne sont souvent pas indispensables ; les uORF ont plutôt une fonction purement régulatrice. La présence d'un uORF dans une molécule d'ARNm abaisse généralement la traduction du gène en aval en piégeant le complexe d'initiation ribosomique qui effectue son dépistage ; cela provoque la traduction de l'uORF par le ribosome qui se dissocie ensuite de l'ARNm avant d'avoir atteint la séquence de codage de la protéine.

Lorsque l'activité d'un facteur général de traduction, comme l'eIF-2 (*voir* ci-dessus) est réduite, on pourrait penser que cela entraîne une baisse uniforme de la traduction de l'ensemble des ARNm. Au lieu de cela, cependant, la phosphorylation de l'eIF-2 peut avoir des effets sélectifs, voire même augmenter la traduction d'ARNm spécifiques pourvus d'un uORF. Par exemple, des cellules de levure peuvent ainsi s'adapter à l'absence de certains nutriments en arrêtant la synthèse de toutes les protéines excepté celles nécessaires à la synthèse des nutriments manquants. Les particularités de ce mécanisme ont été établies dans le cas de l'ARNm spécifique de levure qui code pour la Gcn4, une protéine régulatrice nécessaire à l'activation de nombreux gènes codant pour des protéines importantes pour la synthèse des acides aminés.

L'ARNm *GCN4* contient quatre courts uORF responsables de l'augmentation sélective de la traduction de *GCN4* en réponse à la phosphorylation de l'eIF-2 provoquée par une privation en acides aminés. Le mécanisme qui permet d'augmenter la traduction de *GCN4* est complexe. Globalement, la sous-unité ribosomique se déplace le long de l'ARNm, rencontre chaque uORF mais ne traduit qu'un sous-ensemble de ces derniers ; si le quatrième uORF est traduit, ce qui est le cas dans les cellules qui ne sont pas privées de nutriments, le ribosome se dissocie à la fin de l'uORF et la traduction de *GCN4* est inefficace. La baisse d'activité de l'eIF-2 augmente la probabilité que le ribosome qui scanne passe sur les quatre uORF avant d'acquérir la capacité de commencer la traduction. Ce ribosome initie alors efficacement la traduction de la séquence *GCN4* et conduit à la production de protéines qui favorisent la synthèse des acides aminés dans les cellules.

Les sites d'entrée à l'intérieur des ribosomes fournissent des opportunités de contrôle de la traduction

Même si près de 90 p. 100 des ARNm eucaryotes sont traduits en commençant par le premier AUG situé en aval de la coiffe 5', certains AUG, comme nous l'avons vu dans le dernier paragraphe, peuvent être sautés pendant le processus d'examen. Dans ce paragraphe, nous aborderons une autre méthode qui permet aux cellules d'initier la traduction sur des positions distantes de l'extrémité 5' de l'ARNm. Dans ce cas, la traduction commence directement sur des séquences spécialisées d'ARN dont chacune est appelée **site d'entrée à l'intérieur d'un ribosome** (IRES pour *internal ribosome entry site*). Une séquence IRES peut être placée à différents endroits de l'ARNm. Dans certains cas rares, deux séquences codant pour des protéines distinctes sont placées en tandem sur le même ARNm eucaryote ; la traduction de la première se produit selon le mécanisme habituel d'examen et la traduction de la seconde s'effectue par l'IRES. Les IRES comportent typiquement plusieurs centaines de nucléotides et se replient en des structures spécifiques sur lesquelles se fixent un grand nombre, mais pas la totalité, des mêmes protéines utilisées pour initier la traduction normale dépendant de la coiffe (Figure 7-102). En fait, les différents IRES nécessitent différents sous-groupes de facteurs d'initiation. Cependant, tous court-circuitent la nécessité d'une coiffe sur l'extrémité 5' et du facteur d'initiation de traduction qui la reconnaît, l'eIF-4E.

Les IRES ont d'abord été découverts dans certains virus de mammifères qui s'en servent, de façon intelligente, pour prendre la direction de la machinerie de traduction de la cellule hôte. Pendant l'infection, ces virus produisent une protéase (codée par le génome viral) qui coupe le facteur de traduction cellulaire eIF-4G et l'empêche de se lier au eIF-4E, le complexe de liaison sur la coiffe. Cela stoppe en grande partie la traduction de la cellule hôte et détourne efficacement la machinerie de traduction vers la séquence IRES présente sur un grand nombre d'ARNm viraux. L'eIF-4G tronqué a toujours la capacité d'initier la traduction dans ces sites internes et peut même stimuler la traduction de certains ARNm viraux contenant un IRES.

L'activation sélective de la traduction par l'intermédiaire d'un IRES se produit également dans les ARNm cellulaires. Par exemple, lorsque les cellules eucaryotes entrent dans la phase M du cycle cellulaire, la vitesse globale de traduction chute à 25 p. 100 environ de celle des cellules en interphase. Cette chute est largement causée par la déphosphorylation, dépendant du cycle cellulaire, du complexe de liaison sur la coiffe, l'eIF-4E, qui réduit son affinité pour la coiffe 5'. Les ARNm contenant un IRES sont cependant immunisés contre cet effet et leur vitesse relative de traduction augmente donc lorsque la cellule entre en phase M.

Enfin, lorsque les cellules de mammifères entrent dans la voie de mort cellulaire programmée (*voir* Chapitre 17), l'eIF-4G est coupé et il s'ensuit une baisse générale de la traduction. Certaines protéines critiques pour le contrôle de la mort cellulaire sont traduites à partir des ARNm contenant un IRES et continuent à être synthétisées. Il semble que l'un des principaux avantages du mécanisme IRES pour la cellule est de permettre la traduction d'ARN sélectionnés à une vitesse élevée malgré la baisse générale de la capacité cellulaire d'initiation de la synthèse protéique.

Une modification de la stabilité des ARNm peut contrôler l'expression des gènes

La grande majorité des ARNm des cellules bactériennes sont très instables, ayant une demi-vie d'environ 3 minutes. Les exonucléases qui dégradent ces ARNm dans la direction 3' vers 5' sont en général responsables de leur destruction rapide. Comme les ARNm sont tout aussi rapidement synthétisés que dégradés, une bactérie peut s'adapter rapidement aux modifications de son environnement.

Les ARNm des cellules eucaryotes sont plus stables. Certains, comme ceux codant pour la globine β, ont une demi-vie supérieure à 10 heures. Pour beaucoup, cependant, la demi-vie est de 30 minutes voire moins. Ces ARNm instables codent pour des protéines régulatrices, comme les facteurs de croissance et les protéines régulatrices de gènes, dont la vitesse de production doit pouvoir se modifier rapidement dans les cellules.

Il existe deux voies majeures de dégradation des ARNm eucaryotes et c'est la séquence de chaque molécule d'ARNm qui détermine la voie et la cinétique de la dégradation. La voie principale implique le raccourcissement graduel de la queue poly-A. Nous avons vu, au chapitre 6, que le coiffage et la polyadénylation de l'ARNm se produisaient dans le noyau. Une fois dans le cytosol, les queues poly-A

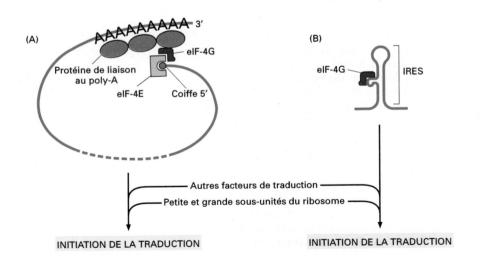

Figure 7-102 Deux mécanismes d'initiation de la traduction.
(A) Le mécanisme qui dépend de la coiffe nécessite un groupe de facteurs d'initiation dont l'assemblage sur l'ARNm est stimulé par la présence de la coiffe 5' et de la queue poly-A (*voir aussi* Figure 6-71). (B) Le mécanisme qui dépend de la séquence IRES ne nécessite qu'un sous-groupe des facteurs normaux d'initiation qui s'assemblent directement sur l'IRES replié. (Adapté d'après A. Sachs, *Cell* 101 : 243-245, 2000.)

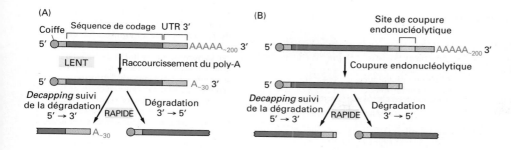

(A) Coiffe 5′ — Séquence de codage — UTR 3′ — AAAAA~200 3′

LENT — Raccourcissement du poly-A

5′ — A~30 3′

Decapping suivi de la dégradation 5′ → 3′ — RAPIDE — Dégradation 3′ → 5′

A~30

(B) Site de coupure endonucléolytique — 5′ — AAAAA~200 3′

Coupure endonucléolytique

5′

Decapping suivi de la dégradation 5′ → 3′ — RAPIDE — Dégradation 3′ → 5′

Figure 7-103 Deux mécanismes de dégradation de l'ARNm eucaryote.
(A) Dégradation dépendante de la désadénylation. La majeure partie de l'ARNm eucaryote est dégradée par cette voie. Le seuil critique de la longueur de la queue poly-A qui induit la dégradation peut correspondre à la perte des protéines de liaison au poly-A (*voir* Figure 6-40). Comme cela est montré dans la figure 7-104, les enzymes de désadénylation s'associent à la fois à la queue poly-A 3′ et à la coiffe 5′ et cette disposition peut coordonner le *decapping* (ou décoiffage) au raccourcissement de la queue poly-A. Même si les dégradations 5′ → 3′ et 3′ → 5′ sont montrées sur deux molécules d'ARN différentes, ces deux processus peuvent se produire en même temps sur la même molécule. (B) Dégradation indépendante de la désadénylation. On ne sait pas encore avec certitude si le *decapping* suit la coupure endonucléolytique de l'ARNm. (Adapté de C.A. Beelman et R. Parker, *Cell* 81 : 179-183, 1995.)

(constituées en moyenne de 200 A) sont peu à peu raccourcies par une exonucléase qui rogne la queue dans la direction 3′ vers 5′. Une fois qu'un seuil critique de raccourcissement de la queue a été atteint (il reste environ 30 A), la coiffe 5′ est retirée (un processus appelé *decapping*) et l'ARN est rapidement dégradé (Figure 7-103A).

Presque tous les ARNm sont soumis au raccourcissement de la queue poly-A, au *decapping* et à la dégradation finale, mais la vitesse à laquelle cela se produit diffère entre les ARNm. Les protéines qui effectuent le raccourcissement de la queue entrent en compétition directement avec la machinerie qui catalyse la traduction ; de ce fait, tout facteur qui affecte l'efficacité de la traduction d'un ARNm a tendance à avoir l'effet opposé sur sa dégradation (Figure 7-104). De plus, beaucoup d'ARNm portent sur leur séquence 3′UTR des sites de liaison pour des protéines spécifiques qui augmentent ou diminuent la vitesse de raccourcissement de la queue poly-A. Par exemple, beaucoup d'ARNm instables contiennent des segments de séquences AU qui augmentent beaucoup la vitesse de raccourcissement.

La seconde voie de dégradation de l'ARNm commence par l'action d'endonucléases spécifiques qui coupent simplement l'extrémité poly-A du reste de l'ARNm en une étape (*voir* Figure 7-103). L'ARNm ainsi dégradé contient des séquences nucléotidiques spécifiques, typiquement placées dans leur UTR 3′ qui servent de séquences de reconnaissance pour les endonucléases.

La stabilité d'un ARNm peut être modifiée en réponse à des signaux extracellulaires. Par exemple, l'addition de fer aux cellules diminue la stabilité de l'ARNm qui code pour la protéine réceptrice qui s'unit à la transferrine, protéine de transport du fer ; cela diminue la fabrication de ces récepteurs. Il est intéressant de noter que cet effet est sous la médiation d'une protéine de liaison à l'ARN sensible au fer, l'aconitase, qui, comme nous l'avons vu précédemment, contrôle aussi la traduction de l'ARNm de la ferritine. L'aconitase peut se lier à l'UTR 3′ de l'ARNm du récepteur de la transferrine et provoquer l'augmentation de la production de ce récepteur en bloquant la coupure endonucléolytique de l'ARNm. Lors d'addition de fer, l'aconitase est libérée de l'ARNm, ce qui diminue la stabilité de ce dernier (Figure 7-105).

L'addition cytoplasmique du poly-A peut réguler la traduction

La polyadénylation initiale de la molécule d'ARN (*voir* Chapitre 6) se produit dans le noyau, à priori automatiquement sur tous les ARNm précurseurs des eucaryotes. Comme nous venons de le voir, la queue poly-A de la plupart des ARNm se rac-

Figure 7-104 Compétition entre la traduction de l'ARNm et sa dégradation.
Ce sont les deux mêmes caractéristiques de l'ARNm – la coiffe 5′ et la queue poly-A – qui sont utilisées pour l'initiation de la traduction et la dégradation de l'ARNm dépendante de la désadénylation (*voir* Figure 7-103). L'enzyme (appelée DAN) qui raccourcit la queue poly-A dans la direction 3′ → 5′ s'associe à la coiffe 5′. Comme cela est décrit au chapitre 6 (*voir* Figure 6-71), la machinerie d'initiation de la traduction s'associe aussi à la coiffe 5′ et à la queue poly-A. (Adapté d'après M. Gao et al., *Mol. Cell* 5 : 479-488, 2000.)

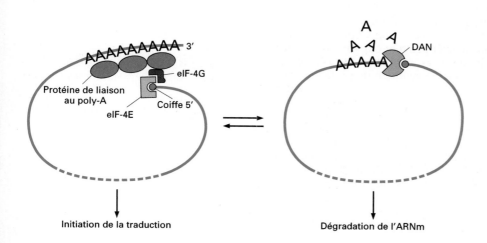

Protéine de liaison au poly-A — eIF-4E — Coiffe 5′ — eIF-4G — AAAAAAAAA 3′

Initiation de la traduction

DAN

Dégradation de l'ARNm

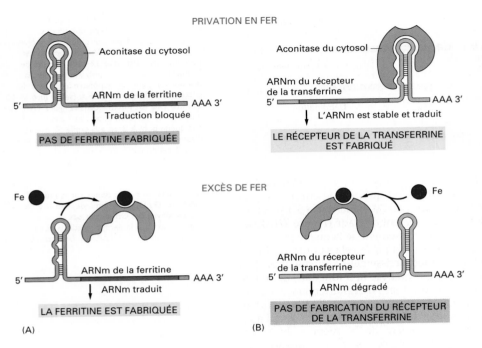

PRIVATION EN FER

Aconitase du cytosol

ARNm de la ferritine

5' — AAA 3'
↓ Traduction bloquée

PAS DE FERRITINE FABRIQUÉE

Aconitase du cytosol

ARNm du récepteur
de la transferrine
5' — AAA 3'
↓ L'ARNm est stable et traduit

LE RÉCEPTEUR DE LA TRANSFERRINE
EST FABRIQUÉ

EXCÈS DE FER

Fe

ARNm de la ferritine
5' — AAA 3'
↓ ARNm traduit

LA FERRITINE EST FABRIQUÉE

(A)

Fe

ARNm du récepteur
de la transferrine
5' — AAA 3'
↓ ARNm dégradé

PAS DE FABRICATION DU RÉCEPTEUR
DE LA TRANSFERRINE

(B)

Figure 7-105 Deux contrôles post-traductionnels par l'intermédiaire du fer. En réponse à l'augmentation de la concentration en fer de son cytosol, la cellule augmente la synthèse de ferritine pour diminuer l'importation de fer à travers la membrane plasmique. (B) Les deux réponses passent par l'intermédiaire de la même protéine régulatrice répondant au fer, l'aconitase, qui reconnaît une structure tige-boucle, ayant des caractéristiques communes, dans les ARNm codant pour la ferritine et pour le récepteur de la transferrine. L'aconitase se dissocie de l'ARNm lorsqu'elle fixe du fer. Mais comme le récepteur de la transferrine et la ferritine sont régulés par des mécanismes différents, leurs concentrations répondent de façon contraire à la concentration en fer, même s'ils sont régulés par la même protéine régulatrice répondant au fer. La fixation de l'aconitase sur l'UTR 5' de l'ARNm du récepteur de la ferritine bloque l'initiation de la traduction ; sa fixation sur l'UTR 3' de l'ARNm du récepteur de la ferritine bloque le site de coupure par l'endonucléase et stabilise ainsi l'ARNm (*voir* Figure 7-103). (Adapté d'après M.W. Hentze et al., *Science* 238 : 1570-1573, 1987 et J.L. Casey et al., *Science* 240 : 924-928, 1988.)

courcit peu à peu dans le cytosol et les ARN sont finalement dégradés. Dans certains cas, cependant, l'extrémité poly-A de certains ARNm est allongée dans le cytosol et ce mécanisme constitue une autre forme de régulation de la traduction.

Les ovocytes en maturation et les ovules en sont les exemples les plus frappants. Il semble que bon nombre de voies normales de dégradation de l'ARNm ne puissent s'effectuer dans ces cellules géantes, de telle sorte que ces cellules peuvent fabriquer d'importantes réserves d'ARNm pour préparer la fécondation. Beaucoup d'ARNm sont stockés dans le cytoplasme et ne contiennent que 10 à 30 A à leur extrémité 3' ; sous cette forme, ils ne sont pas traduits. À certains moments spécifiques de la maturation des ovocytes et après la fécondation, lorsque les protéines codées par ces ARNm sont nécessaires, un groupe poly-A est ajouté sur certains ARNm, ce qui stimule fortement l'initiation de leur traduction.

La dégradation des ARNm non-sens est un système de surveillance des ARNm chez les eucaryotes

Nous avons vu au chapitre 6 que la production d'ARNm chez les eucaryotes se produisait en suivant une série de chorégraphies complexes d'étapes de synthèse et de maturation. C'est seulement lorsque toutes ces étapes de production de l'ARNm sont terminées que les ARNm sont exportés du noyau vers le cytosol pour être traduits en protéines. Si une de ces étapes est mal effectuée, l'ARN est finalement dégradé dans le noyau (ainsi que les introns excisés) par l'*exosome*, un gros complexe protéique qui contient au moins dix ARN exonucléases 3' → 5'. Les cellules eucaryotes possèdent un autre mécanisme, la **dégradation des ARNm non-sens**, qui élimine certains types aberrants d'ARNm avant qu'ils ne soient traduits en protéines. Ce mécanisme a été découvert lorsqu'on a observé que les ARNm, qui contenaient des codons d'arrêt entrant dans le cadre de traduction (UAA, UAG ou UGA) mais mal placés, étaient rapidement dégradés. Ces codons d'arrêt peuvent être dus soit à une mutation soit à un épissage incomplet ; dans les deux cas, ce phénomène a été observé. Ce système de surveillance de l'ARNm évite ainsi la synthèse de protéines anormalement tronquées qui, comme nous l'avons vu, peuvent être particulièrement dangereuses pour la cellule. Mais comment la cellule peut-elle reconnaître ces ARNm potentiellement nuisibles ?

Chez les vertébrés, la caractéristique critique de l'ARNm décelée par le système de dégradation des ARNm non-sens, est la relation spatiale entre le premier codon de terminaison du cadre de la lecture et les limites exon-exon formées par l'épissage de l'ARN. Si le codon de terminaison est placé en aval (3') de toutes les limites exon-exon, l'ARN ne subit pas la dégradation des ARN non-sens ; si, par contre, un codon de terminaison est localisé en amont (5') d'une limite exon-exon, l'ARNm est dégradé. Ce sont les ribosomes, associés à d'autres protéines de surveillance, qui vérifient individuellement cette relation pour chaque ARN pendant qu'ils le traduisent.

On ne connaît pas toutes les particularités de ce mécanisme, mais il est facile de comprendre pourquoi les ribosomes doivent jouer un rôle : seuls les codons de terminaisons placés dans le cadre de lecture déclenchent la dégradation des ARNm non-sens et c'est la relation entre le ribosome et l'ARNm qui définit le cadre de lecture. Selon un modèle (Figure 7-106), des protéines nucléaires se fixent sur les limites exon-exon et les marquent ainsi après l'épissage de l'ARN. Lorsque l'ARNm quitte le noyau, il reste à la périphérie du noyau et est rejoint par un autre groupe de protéines de surveillance lorsque la traduction commence. Le premier cycle de traduction d'une molécule d'ARNm serait, selon ce point de vue, simplement utilisé pour vérifier que l'ARNm est adapté et peut subir les autres cycles de traduction. Si l'ARNm passe ce test, la traduction commence sérieusement dès que l'ARNm diffuse dans le cytosol.

La dégradation des ARNm non-sens a dû être particulièrement importante au cours de l'évolution, en permettant aux cellules eucaryotes d'explorer plus facilement les nouveaux gènes formés par les réarrangements de l'ADN, les mutations ou les épissages alternatifs – en sélectionnant uniquement pour la traduction les ARNm qui produisaient des protéines de longueur complète. La dégradation des ARNm non-sens est également importante dans les cellules du système immunitaire en développement où les importants réarrangements de l'ADN qui se produisent (*voir* Figure 24-37) engendrent souvent des codons de terminaison prématurés. Les ARNm produits à partir de ces gènes réarrangés sont dégradés par ce système de surveillance, évitant ainsi les effets toxiques des protéines tronquées.

Les cellules utilisent des ARN interférents pour arrêter l'expression de gènes

Les cellules eucaryotes utilisent un type particulier de dégradation d'ARN comme mécanisme de défense pour détruire les molécules d'ARN étrangères, en particulier celles qui peuvent être identifiées car elles apparaissent dans les cellules sous forme d'un double brin. Ce mécanisme (nommé **ARN interférence** ou **ARNi**) s'observe chez de nombreux organismes, y compris les champignons monocellulaires, les végétaux, les vers, les souris et probablement l'homme – ce qui suggère qu'il s'agit d'un mécanisme de défense ancien du point de vue évolutif. Chez les végétaux, l'ARNi protège les cellules contre les virus à ARN. Dans d'autres types d'organismes, on pense qu'il protège vis-à-vis de la prolifération des éléments transposables qui se répliquent par l'intermédiaire de l'ARN (*voir* Figure 5-76). Beaucoup d'éléments transposables et de virus de végétaux produisent des ARN double brin, du moins transitoirement pendant leur cycle de reproduction. Non seulement l'ARNi facilite l'échec de ce type d'infestation, mais il fournit aux scientifiques une technique expérimentale puissante pour inactiver l'expression de chaque gène cellulaire (*voir* Figure 8-65).

La présence d'un ARN double brin libre déclenche l'ARNi en attirant un complexe protéique contenant une ARN nucléase et une ARN hélicase. Ce complexe protéique coupe l'ARN double brin en petits fragments (d'environ 23 paires de nucléotides) qui restent associés à l'enzyme. Ces fragments d'ARN liés dirigent alors

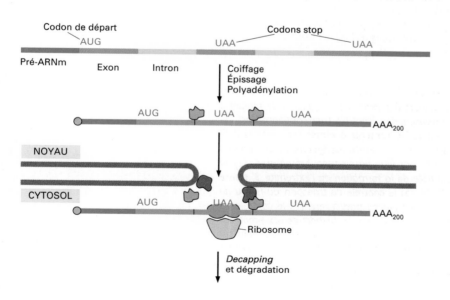

Figure 7-106 Modèle de la dégradation de l'ARNm non-sens. Selon ce modèle, des protéines nucléaires (en *orange*) marquent les limites exon-exon sur la molécule d'ARNm épissée. On pense que ces protéines s'assemblent en même temps que la réaction d'épissage s'effectue et peuvent également être impliquées dans le transport de l'ARNm mature à partir du noyau (*voir* Figure 6-40). La molécule d'ARNm mature est exportée du noyau mais reste au voisinage de l'enveloppe nucléaire où s'effectue un cycle test de traduction par un ribosome (en *vert*) aidé d'autres protéines de surveillance (en *vert foncé*). Si un codon stop, placé dans le cadre de lecture, est rencontré avant que la limite exon-exon soit atteinte, l'ARNm est soumis à la dégradation de l'ARNm non-sens. Sinon, l'ARNm est libéré de l'enveloppe nucléaire (peut-être par le déplacement des protéines de marquage exon-exon par le ribosome) et peut subir de multiples cycles de traduction dans le cytosol. Selon le modèle montré ici, le cycle test de traduction se produit juste à l'extérieur du noyau ; cependant, il est également possible qu'il se produise dans le noyau, juste avant que l'ARNm ne soit exporté. (Adapté de J. Lykke-Anderson et al., *Cell* 103 : 1121-1131, 2000.)

Codon de départ — AUG
Codons stop — UAA — UAA
Pré-ARNm
Exon   Intron
Coiffage
Épissage
Polyadénylation
AUG   UAA   UAA   AAA$_{200}$
NOYAU
CYTOSOL
AUG   UAA   UAA   AAA$_{200}$
Ribosome
Decapping et dégradation

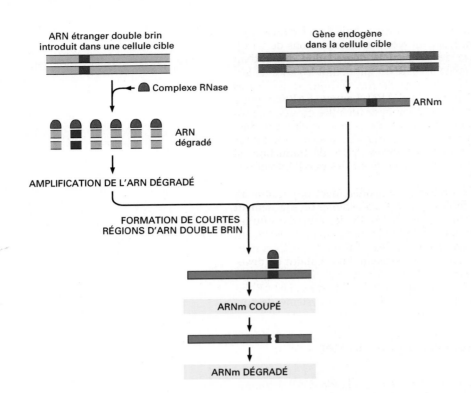

Figure 7-107 Mécanisme d'ARN interférence. Sur la *gauche* est montré le destin des ARN double brin étrangers. Ils sont reconnus par une RNase, présente dans un grand complexe protéique et dégradés en courts fragments qui mesurent approximativement 23 paires de nucléotides. Ces fragments sont parfois amplifiés par une ARN polymérase ARN dépendante et, dans ce cas, peuvent être efficacement transmis aux cellules filles. Si l'ARN étranger possède une séquence nucléotidique similaire à celle d'un gène cellulaire *(côté droit de la figure)*, l'ARNm produit par ce gène sera également dégradé par cette voie. L'expression d'un gène cellulaire peut ainsi être expérimentalement stoppée par l'introduction d'un ARN double brin dans la cellule qui correspond à la séquence nucléotidique d'un gène. L'ARN interférence nécessite également l'hydrolyse de l'ATP et des ARN hélicases, probablement pour produire des molécules d'ARN simple brin qui peuvent former des appariements de bases avec d'autres molécules d'ARN.

le complexe enzymatique sur d'autres molécules d'ARN possédant des séquences nucléotidiques complémentaires et les enzymes les dégradent également. Ces autres molécules peuvent être soit sous forme de simple brin soit de double brin (du moment qu'elles ont un brin complémentaire). L'introduction expérimentale de molécules d'ARN double brin peut ainsi être utilisée par les scientifiques pour inactiver des ARNm cellulaires spécifiques (Figure 7-107).

À chaque fois qu'il coupe un nouvel ARN, le complexe enzymatique est régénéré avec une courte molécule d'ARN, de telle sorte que la molécule d'ARN double brin originelle peut agir de façon catalytique pour détruire beaucoup d'ARN complémentaires. En plus, les courts produits d'ARN double brin engendrés par la coupure peuvent eux-mêmes être répliqués par d'autres enzymes cellulaires, ce qui amplifie encore plus l'activité d'ARNi (*voir* Figure 7-107). Cette amplification assure que l'ARN interférence, une fois initiée, peut se perpétuer même après la dégradation ou la dilution de tous les ARN double brin initiateurs. Par exemple, cela permet aux cellules filles de continuer à effectuer l'ARN interférence commencée dans les cellules parentales. En plus, l'activité de l'ARN interférence peut se répandre de cellule à cellule par le transfert de fragments d'ARN. C'est particulièrement important dans les végétaux (dont les cellules sont reliées par de fins canaux de connexion, comme cela sera expliqué au chapitre 19), parce que cela permet au végétal entier de devenir résistant aux virus à ARN simplement après l'infection de quelques cellules.

Résumé

Les cellules contrôlent l'expression génique en régulant beaucoup d'étapes de la voie de passage de l'ARN aux protéines. On pense que la plupart des gènes sont régulés à de multiples niveaux, même si le contrôle de l'initiation de la transcription (contrôle transcriptionnel) est généralement prédominant. Certains gènes sont cependant transcrits à vitesse constante et activés ou inactivés uniquement par des processus régulateurs post-transcriptionnels. Ces processus incluent (1) l'atténuation des transcrits d'ARN par leur terminaison prématurée, (2) la sélection de sites d'épissage alternatif, (3) le contrôle de la formation de l'extrémité 3' par le clivage et l'addition du poly-A, (4) l'édition des ARN, (5) le contrôle du transport du noyau au cytosol, (6) la localisation de l'ARNm dans des sites cellulaires particuliers, (7) le contrôle de l'initiation de la traduction et (8) la dégradation régulée d'ARNm. La plupart de ces processus de contrôle nécessitent la reconnaissance de séquences ou de structures spécifiques situées sur la molécule d'ARN à réguler. Cette reconnaissance s'effectue soit par une protéine régulatrice soit par une molécule d'ARN régulatrice.

Dans ce chapitre et les trois qui ont précédé, nous avons parlé de la structure des gènes, de la façon dont ils étaient disposés dans les chromosomes, de la machinerie cellulaire complexe qui transformait les informations génétiques en des protéines fonctionnelles et des molécules d'ARN et des nombreuses façons dont l'expression des gènes était régulée par la cellule. Dans ce paragraphe, nous parlerons de certains modes d'évolution des gènes et du génome avec le temps qui ont produit la grande diversité des formes de vie moderne de notre planète. Le séquençage du génome a révolutionné notre conception des processus d'évolution moléculaire et nous a permis de découvrir une richesse étonnante d'informations sur les relations familiales entre les organismes et sur les mécanismes évolutifs.

Il n'est peut-être pas surprenant qu'on puisse retrouver des gènes pourvus de fonctions similaires chez de très nombreux êtres vivants différents. Mais la grande révélation de ces vingt dernières années a été la découverte que la véritable séquence de nucléotides de nombreux gènes est suffisamment bien conservée pour qu'il soit souvent possible de reconnaître des gènes **homologues** – c'est-à-dire des gènes pourvus d'une séquence nucléotidique similaire du fait d'un ancêtre commun – malgré de grandes distances phylogénétiques. Par exemple, il est facile de détecter des homologues manifestes de nombreux gènes humains dans des organismes comme les nématodes, la drosophile, la levure et même les bactéries.

Comme nous l'avons vu au chapitre 3 et le verrons à nouveau au chapitre 8, la reconnaissance des homologies de séquences est devenue un instrument majeur permettant de déduire la fonction des protéines et des gènes. Même si la découverte de ces homologies ne garantit pas que les fonctions sont similaires, il a été prouvé que c'était un excellent indice. De ce fait, il est souvent possible de prédire, chez l'homme, la fonction d'un gène sur lequel nous ne disposons d'aucune information biochimique ou génétique, simplement en comparant sa séquence à celle d'un gène bien étudié d'un autre organisme.

Les séquences des gènes sont souvent bien mieux conservées que la structure globale du génome. Comme cela a été vu au chapitre 4, les caractéristiques de l'organisation du génome comme sa taille, le nombre des chromosomes, l'ordre des gènes le long des chromosomes, l'abondance et la taille des introns et la quantité d'ADN répétitif, diffèrent grandement entre les organismes, tout comme le nombre réel de gènes.

Le nombre de gènes n'est corrélé que très grossièrement à la complexité du phénotype d'un organisme. Par exemple, on estime actuellement que le nombre de gènes de la levure *Saccharomyces cerevisiae* est de 6 000, celui du nématode *Caenorhabditis elegans* de 18 000, celui de *Drosophila melanogaster* de 13 000 et celui de l'homme de 30 000 (*voir* Tableau 1-I). Comme nous le verrons bientôt, une grande partie de l'augmentation du nombre de gènes associée à l'augmentation de la complexité biologique implique l'expansion de familles de gènes apparentés ; c'est cette observation qui a établi que la duplication et la divergence des gènes étaient des processus évolutifs majeurs. En effet, il y a de fortes chances que tous les gènes actuels soient des descendants – via les processus de duplication, de divergence et de réassortiment des segments des gènes – de quelques gènes ancestraux qui existaient dans les premières formes de vie.

Les modifications du génome sont provoquées par l'échec des mécanismes normaux de copie et de conservation de l'ADN

Sauf quelques exceptions, les cellules ne possèdent pas de mécanismes spécialisés qui engendrent des modifications de la structure de leur génome : l'évolution dépend, par contre, d'accidents et d'erreurs. La plupart des variations génétiques qui se sont produites résultent simplement de l'échec des mécanismes normaux qui permettent de copier ou de réparer le génome lorsqu'il est lésé, même si le déplacement des éléments transposables d'ADN joue également un rôle important. Comme nous l'avons vu au chapitre 5, les mécanismes qui conservent les séquences d'ADN sont remarquablement précis – mais ils ne sont pas parfaits. Par exemple, du fait des mécanismes complexes de réplication et de réparation de l'ADN qui permettent aux séquences d'ADN d'être transmises avec une extraordinaire fidélité, seule une paire de nucléotides sur mille environ est modifiée de façon aléatoire tous les 200 000 ans. Même ainsi, dans une population de 10 000 individus, chaque substitution possible des nucléotides a été « expérimentée » dans environ 50 occasions en un million d'années – un court laps de temps comparé à l'évolution des espèces.

Les erreurs de réplication, de recombinaison ou de réparation de l'ADN peuvent conduire soit à de simples modifications de la séquence d'ADN – comme la substitution d'une paire de bases par une autre – soit à des réarrangements à grande échelle du génome comme les délétions, les duplications, les inversions et les translocations d'ADN d'un chromosome à un autre. Il a été soutenu que la vitesse d'apparition de ces erreurs était elle-même établie par les processus évolutifs pour fournir un équilibre acceptable entre la stabilité et la variation du génome.

En plus des échecs des machineries de réplication et de réparation, les divers éléments mobiles d'ADN, décrits au chapitre 5, sont une source importante de variation du génome. En particulier les éléments transposables (transposons) jouent un rôle majeur en tant que séquences d'ADN parasites qui colonisent le génome et peuvent se disséminer à l'intérieur. Au cours de ce processus, ils interrompent souvent la fonction ou modifient la régulation des gènes préexistants ; parfois ils engendrent même entièrement de nouveaux gènes par la fusion entre leur séquence et des segments de gènes préexistants. Des exemples des trois principales classes de transposons ont été présentés dans le tableau 5-III, p. 287. Sur les longues périodes de l'évolution, ces transposons ont profondément affecté la structure du génome.

Les séquences du génome de deux espèces diffèrent proportionnellement à la durée de leur évolution séparée

Les différences entre les génomes des espèces vivantes actuelles se sont accumulées pendant plus de 3 milliards d'années. Même si nous manquons d'archives directes sur les modifications en fonction du temps, nous pouvons néanmoins reconstruire le processus évolutif du génome à partir de la comparaison détaillée des génomes des organismes contemporains.

L'instrument fondamental de la comparaison du génome est l'arbre phylogénétique. Prenons comme exemple simple l'arbre qui présente les divergences entre l'homme et les grands singes (Figure 7-108). Le support primaire de cet arbre provient des comparaisons des séquences des gènes et des protéines. Par exemple, la comparaison entre les séquences des gènes et des protéines de l'homme et celles des grands singes révèle typiquement que les différences sont les plus faibles entre l'homme et le chimpanzé et les plus importantes entre l'homme et l'orang-outan.

Pour les organismes très proches, comme l'homme et le chimpanzé, il est possible de reconstruire la séquence des gènes du dernier ancêtre commun à ces deux espèces qui s'est éteint (Figure 7-109). La forte ressemblance entre les gènes de l'homme et ceux du chimpanzé est surtout due au court laps de temps écoulé depuis la divergence de ces deux lignées pour permettre l'accumulation de mutations, plutôt qu'aux contraintes fonctionnelles qui ont conservé les séquences identiques. Des séquences d'ADN, dont l'ordre des nucléotides n'a pas de contrainte fonctionnelle – comme les séquences qui codent pour les fibrinopeptides (*voir* p. 236) ou la troisième position des codons «synonymes» (codons spécifiant les mêmes acides aminés – *voir* Figure 7-109) – sont aussi presque identiques, ce qui prouve l'exactitude de cette hypothèse.

Pour les organismes de parenté plus éloignée, comme l'homme et la souris, la conservation des séquences retrouvées dans les gènes est largement due à la **sélection purificatrice** (c'est-à-dire la sélection qui a éliminé les individus porteurs de mutations qui interfèrent avec d'importantes fonctions génétiques), plutôt qu'au manque de temps pour l'apparition des mutations. Il en résulte que les séquences de

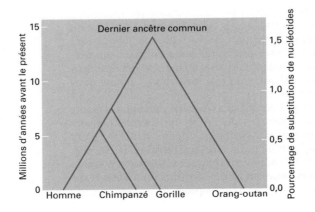

Figure 7-108 Arbre phylogénétique montrant les relations entre l'homme et les grands singes, fondé sur les données des séquences nucléotidiques. Comme cela est indiqué, on estime que les séquences génomiques de ces quatre espèces diffèrent de la séquence génomique de leur dernier ancêtre commun par moins de 1,5 p. 100. Comme les variations se produisent indépendamment sur chaque couple de lignées divergentes, les comparaisons par paires ont révélé un doublement des divergences de séquence à partir du dernier ancêtre commun. Par exemple, la comparaison homme-orang-outan montre typiquement des divergences de séquence légèrement supérieures à 3 p. 100 alors que les comparaisons homme-chimpanzé montrent 1,2 p. 100 de divergences environ. (Modifié d'après F.-C. Chen et W.-H Li, *Am. J. Hum. Genet.* 68 : 444-456, 2001.)

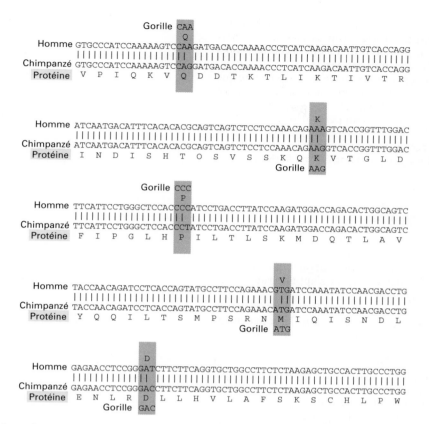

Figure 7-109 Traçage de la séquence ancestrale à partir de la comparaison des séquences codantes du gène de la leptine de l'homme et du chimpanzé. La leptine est une hormone qui régule la prise alimentaire et l'utilisation de l'énergie en réponse à l'adéquation des réserves adipeuses. Comme cela est indiqué par les codons placés dans les *cadres verts*, seuls 5 nucléotides (sur les 441 au total) diffèrent entre ces deux séquences. De plus, lorsqu'on examine les acides aminés codés par les séquences chez le chimpanzé et chez l'homme, l'acide aminé codé ne diffère que dans une seule position sur les 5. Pour chacun de ces variants de positions des nucléotides, la séquence correspondante chez le gorille est également indiquée. Dans deux cas, la séquence du gorille concorde avec la séquence de l'homme, alors que dans trois cas elle concorde avec la séquence du chimpanzé. Quelle était la séquence du gène de la leptine dans le dernier ancêtre commun ? Si on utilise un modèle évolutif qui minimise le nombre présumé de mutations apparues pendant l'évolution des gènes de l'homme et du chimpanzé, on suppose que la séquence de la leptine du dernier ancêtre commun est la même que celle de l'homme et du chimpanzé lorsqu'elles concordent ; lorsqu'elles ne concordent pas, ce modèle utilise la séquence du gorille pour départager. Pour une question pratique, seuls les 300 premiers nucléotides de la séquence codante pour la leptine sont présentés. Les 141 restants sont identiques entre l'homme et le chimpanzé.

codage des protéines et des séquences régulatrices de l'ADN qui sont engagées dans des interactions hautement spécifiques avec des protéines conservées sont souvent remarquablement conservées. Par contre, la plupart des séquences d'ADN du génome de l'homme et de la souris ont tellement divergé qu'il est souvent impossible de les aligner l'une avec l'autre.

L'intégration des arbres phylogénétiques fondés sur la comparaison des séquences moléculaires du registre des fossiles a conduit à la meilleure perception disponible de l'évolution des formes modernes de vie. L'archivage des fossiles reste une source importante de données absolues, fondée sur la dégradation des radio-isotopes des formations rocheuses dans lesquelles les fossiles sont retrouvés. Cependant il est difficile d'établir le moment précis de la divergence entre les espèces à partir du registre des fossiles, même pour les espèces qui ont laissé des fossiles de bonne qualité ayant une morphologie distincte. Certaines populations peuvent être petites et géographiquement localisées pendant de longues périodes avant qu'une nouvelle espèce s'étende en un nombre suffisant pour laisser des fossiles détectables. De plus, même lorsqu'un fossile ressemble à une espèce contemporaine, il n'est pas certain que ce soit un de ses ancêtres – le fossile peut provenir d'une lignée éteinte, alors que le véritable ancêtre de cette espèce contemporaine peut demeurer inconnu.

Les arbres phylogénétiques intégrés soutiennent l'hypothèse fondamentale que les variations des séquences de certains gènes ou protéines se produisent à vitesse constante, au moins dans les lignées des organismes dont les temps de génération et les caractéristiques biologiques globales sont assez similaires les uns aux autres. Cette apparente uniformité de la vitesse de variation des séquences fait référence à l'hypothèse d'une horloge moléculaire. Comme cela a été décrit au chapitre 5, l'horloge moléculaire tourne plus rapidement dans les séquences non soumises à une sélection purificatrice – comme les régions intergènes, les portions d'intron qui ne possèdent pas de signaux d'épissage ou régulateurs, et les gènes inactivés de façon irréversible par mutation (appelés *pseudo-gènes*). L'horloge tourne plus lentement pour les séquences soumises à de fortes contraintes fonctionnelles – par exemple les séquences en acides aminés des protéines comme l'actine qui ont des interactions spécifiques avec un grand nombre d'autres protéines et dont la structure, de ce fait, est hautement contrainte (*voir* par exemple Figure 16-15).

Comme les horloges moléculaires tournent à des vitesses déterminées à la fois par le taux de mutation et par l'importance de la sélection purificatrice de certaines séquences, elles nécessitent un étalonnage différent selon les différents systèmes de réplication et de réparation des gènes à l'intérieur des cellules. Il est encore plus remarquable que les horloges fondées sur les séquences d'ADN mitochondrial, n'ayant aucune contrainte fonctionnelle, tournent beaucoup plus vite que les horloges fondées sur les séquences nucléaires n'ayant non plus aucune contrainte fonctionnelle à cause du fort taux de mutation dans les mitochondries.

Les horloges moléculaires permettent une séparation dans le temps plus fine que le registre des fossiles et sont un guide plus fiable pour établir la structure détaillée de l'arbre phylogénétique par rapport aux méthodes phylogénétiques classiques, fondées sur la comparaison des morphologies et du développement des différentes espèces. Par exemple, les relations précises entre les lignées des grands singes et l'homme n'ont pu être établies que lorsque l'accumulation des données moléculaires sur les séquences a été suffisante pour produire l'arbre montré dans la figure 7-108 (dans les années 1980).

Les chromosomes de l'homme et du chimpanzé sont très semblables

Nous venons juste de voir que l'étendue des similarités des séquences entre les gènes homologues de différentes espèces dépend du temps écoulé depuis que ces deux espèces ont eu leur dernier ancêtre commun. Ce même principe s'applique aux variations à plus grande échelle de la structure du génome.

Les génomes de l'homme et du chimpanzé – séparés par 5 millions d'années d'évolution – ont encore une organisation globale presque identique. Non seulement il apparaît que l'homme et le chimpanzé ont essentiellement le même ensemble de 30 000 gènes, mais ces gènes sont presque disposés pareillement le long des chromosomes de ces deux espèces (*voir* Figure 4-57). La seule exception substantielle est que le chromosome 2 de l'homme s'est formé par fusion de deux chromosomes séparés chez le chimpanzé, le gorille et l'orang-outan.

Même le remodelage massif du génome qui peut se produire par l'activité des transposons n'a eu que des effets mineurs à l'échelle de temps de 5 millions d'années de la divergence homme-chimpanzé. Par exemple, plus de 99 % du million de copies des rétrotransposons de la famille Alu qui existent dans les deux génomes ont des positions qui correspondent. Cette observation indique que la plupart des séquences Alu de notre génome ont subi leur duplication et leur transposition avant la divergence de la lignée de l'homme et de celle du chimpanzé. Néanmoins, la famille Alu est encore activement en train de transposer. De ce fait un petit nombre de cas ont été observés pour lesquels de nouvelles insertions de Alu ont provoqué des maladies génétiques chez l'homme ; ces cas impliquent la transposition de cette séquence d'ADN dans des sites inoccupés du génome des parents des patients. Plus généralement, il existe une classe de séquences Alu «spécifique à l'homme» qui occupe des sites dans le génome humain, inoccupés dans le génome du chimpanzé. Comme il semble qu'il n'y ait pas de mécanismes parfaits d'excision des séquences Alu, ces séquences Alu spécifiquement humaines ont plus de chance de refléter de nouvelles insertions dans la lignée humaine plutôt que des délétions dans la lignée du chimpanzé. La proche similitude de toutes les séquences Alu spécifiquement humaines suggère qu'elles ont un ancêtre commun récent ; il est même possible qu'une seule séquence Alu «maître» soit encore capable de donner naissance à de nouvelles copies d'elle-même chez l'homme.

La comparaison des chromosomes de l'homme et de la souris montre comment divergent à grande échelle les structures du génome

Les génomes de l'homme et du chimpanzé se ressemblent bien plus que les génomes de l'homme et de la souris. Même si la taille du génome de la souris est approximativement la même et contient un ensemble presque identique de gènes, les variations ont eu la possibilité de s'accumuler pendant une période beaucoup plus longue – approximativement 100 millions d'années par rapport aux 5 millions d'années précédentes. Il est aussi possible que la vitesse de mutation chez les rongeurs soit significativement supérieure à celle de l'homme ; dans ce cas, la grande divergence entre les génomes de la souris et de l'homme serait dominée par une vitesse élevée de variations de séquences dans la lignée des rongeurs. Les différences spécifiques de lignée dans les vitesses de mutation sont, cependant, difficiles à estimer de façon fiable et leur contribution aux patrons des divergences de séquence observées entre les organismes contemporains reste controversée.

Comme cela est indiqué par la comparaison de la séquence d'ADN en figure 7-110, les mutations ont conduit à d'intenses divergences de séquence entre l'homme et la souris dans tous les sites qui ne sont pas sous sélection – comme les séquences nucléotidiques des introns. En effet, la comparaison des séquences de l'homme et de la souris apporte beaucoup plus d'informations sur les contraintes fonctionnelles des gènes que la comparaison des séquences de l'homme et du chimpanzé. Dans ce dernier cas, presque toutes les positions des séquences sont identiques simplement parce qu'il n'y a pas eu assez de temps écoulé depuis le dernier ancêtre commun pour que beaucoup de modifications se soient produites. Par contre, dans les comparaisons homme-souris, du fait des contraintes fonctionnelles, les exons des gènes apparaissent comme de petits îlots conservés au sein d'un océan d'introns.

Avec l'augmentation du nombre de génomes séquencés, l'analyse génomique comparative devient une méthode de plus en plus importante d'identification des sites fonctionnels majeurs. Par exemple, la conservation des cadres ouverts de lecture entre des organismes de parenté distante fournit une bien meilleure preuve que ces séquences sont véritablement des exons de gènes exprimés que ne le fait l'analyse informatique de n'importe quel génome. Dans le futur, les annotations biologiques détaillées de la séquence des génomes complexes– comme ceux de l'homme et de la souris– dépendront fortement de l'identification des caractéristiques des séquences conservées entre de multiples génomes de mammifères de parenté éloignée.

Contrairement à la situation entre l'homme et le chimpanzé, la disposition locale des gènes et l'organisation générale des chromosomes a grandement divergé entre l'homme et la souris. Selon des estimations grossières, 180 événements de cassures et réunions environ se sont produits dans les lignées de l'homme et de la souris depuis que ces deux espèces se sont séparées de leur dernier ancêtre commun. Au cours de ces processus, même si le nombre de chromosomes est resté similaire dans les deux espèces (23 par génome haploïde chez l'homme contre 20 dans le génome haploïde de la souris), leur structure générale s'est fortement modifiée. Par exemple, les centromères occupent des positions relativement centrales sur la plupart des chromosomes de l'homme, mais sont situés près d'une extrémité dans chaque chromosome de la souris. Néanmoins, même après ce brassage important du génome, beaucoup de gros blocs d'ADN de l'homme et de la souris conservent des gènes placés dans le même ordre. Ces régions de conservation de l'ordre des gènes sur les chromosomes sont appelées blocs de **synténie** (*voir* Figure 4-18).

L'analyse des familles de transposons de l'homme et la souris apporte des preuves supplémentaires du long temps écoulé depuis la divergence de ces deux espèces. Bien que les principales familles de rétrotransposons de l'homme aient leur contrepartie chez la souris – par exemple, les répétions Alu humaines sont similaires du point de vue de leur séquence et des mécanismes de transposition à celles de la famille B1 de la souris – les deux familles se sont développées séparément dans ces deux lignées. Même dans les régions où les séquences de l'homme et de la souris sont suffisamment conservées pour permettre un alignement fiable, il n'y a pas de corrélation entre les positions des éléments Alu du génome de l'homme et celles des éléments B1 dans les segments correspondants du génome de la souris (Figure 7-111).

Il est difficile de reconstruire la structure des anciens génomes

Il est possible de déduire le génome des organismes ancestraux, mais jamais de l'observer directement : il n'existe aucun organisme antique vivant actuellement. Même si un organisme moderne comme la limule présente des ressemblances remarquables

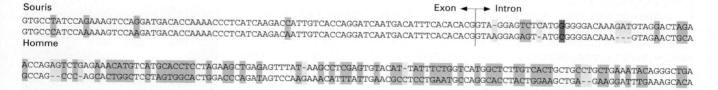

Figure 7-110 Comparaison d'un segment du gène de la leptine de la souris et de l'homme. Les positions où les séquences ne présentent qu'une différence par substitution d'un seul nucléotide sont marquées en *vert* et les positions qui diffèrent par l'addition ou la délétion de nucléotides sont marquées en *jaune*. Notez que la séquence codante de l'exon est bien plus conservée que la séquence adjacente de l'intron.

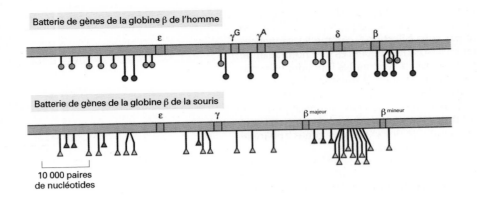

Batterie de gènes de la globine β de l'homme

Batterie de gènes de la globine β de la souris

10 000 paires
de nucléotides

Figure 7-111 Comparaison de la batterie de gènes de la globine β du génome de l'homme et de celui de la souris, montrant la localisation des éléments transposables. Ce segment du génome de l'homme contient cinq gènes fonctionnels de type globine β (en *orange*); la région comparable du génome de la souris n'en a que quatre. Les positions de la séquence Alu de l'homme sont indiquées par des *cercles verts*, et les séquences LI de l'homme par des *cercles rouges*. Le génome de la souris contient des éléments transposables différents mais apparentés : les positions des éléments BI (apparentés aux séquences Alu de l'homme) sont indiquées par des *triangles bleus* et les positions des éléments LI (apparentés aux séquences LI de l'homme) sont indiquées par des *triangles jaunes*. L'absence d'éléments transposables dans les gènes structuraux de la globine peut être attribuée à la pression de sélection purificatrice qui aurait éliminé toute insertion compromettante pour la fonction des gènes. (Due à l'obligeance de Ross Hardison et Webb Miller.)

avec les ancêtres fossiles ayant vécu il y a 200 millions d'années, il y a beaucoup de raisons de croire que le génome de la limule s'est modifié pendant tout ce temps à la même vitesse que celle des autres lignées évolutives. Des contraintes sélectives ont dû maintenir les propriétés fonctionnelles clés du génome de la limule pour expliquer la stabilité morphologique de cette lignée. Cependant, les séquences du génome ont révélé que la fraction du génome soumise à la sélection purificatrice est faible ; de ce fait, le génome de la limule moderne doit être très différent de celui de ses ancêtres éteints, connus uniquement par les registres des fossiles.

Il est même difficile de déduire les caractéristiques générales du génome des organismes éteints depuis longtemps. Prenons un exemple important : la controverse « introns précoces » versus « introns tardifs ». Peu de temps après avoir découvert en 1977 que la région codante de la plupart des gènes des métazoaires était interrompue par des introns, un débat a été soulevé : les introns reflètent-ils une acquisition tardive au cours de l'évolution de la vie sur Terre ou étaient-ils présent dans les premiers gènes ? Selon le modèle des introns précoces, les organismes à croissance rapide, comme les bactéries, auraient perdu les introns présents chez leurs ancêtres parce qu'ils ont été soumis à la pression de sélection d'un génome compact adapté à la réplication rapide. Cette hypothèse est contestée par le modèle des introns tardifs, qui considère que les introns ont été insérés dans des gènes qui en étaient dépourvus, longtemps après l'évolution des organismes monocellulaires, peut-être par l'agencement de certains types de transposons.

Il n'y a actuellement aucun moyen fiable de résoudre cette controverse. Des études comparatives de génomes existants fournissent des estimations du taux d'intron gagné et perdu dans diverses lignées évolutives. Cependant ces estimations n'ont qu'un rapport indirect avec la question du mode d'organisation du génome, il y a des milliards d'années. Les bactéries et l'homme sont des organismes aussi « modernes », et leur deux génomes diffèrent tellement de leur dernier ancêtre commun que nous ne pouvons que spéculer sur les propriétés de ce génome ancestral très ancien.

Lorsque deux organismes modernes partagent des patrons de positions introniques presque identiques dans leurs gènes, nous pouvons être sûrs que ces introns existaient dans le dernier ancêtre commun à ces deux espèces. Pour éclairer cette explication, prenons la comparaison entre l'homme et le poisson ballon, *Fugu rubripes* (Figure 7-112). Le génome de *Fugu* est remarquable de par sa taille particulièrement petite pour un vertébré (0,4 milliard de paires de nucléotides, comparé au milliard ou plus de la plupart des autres poissons et aux 3 milliards des mammifères typiques). La petite taille du génome de *Fugu* est due presque entièrement à la petite taille de ses introns. En particulier, les introns de *Fugu*, comme d'autres segments non codants de son génome, ne présentent pas l'ADN répétitif qui forme une grande partie du génome de la plupart des vertébrés bien étudiés. Néanmoins, la position des introns de *Fugu* est presque parfaitement conservée par rapport à leur position dans le génome de mammifères (Figure 7-113).

Pourquoi les introns de *Fugu* sont-ils si petits ? Cette question rappelle le débat introns précoces versus introns tardifs. Deux hypothèses semblent évidentes : soit les introns se sont développés dans de nombreuses lignées alors qu'ils sont restés petits dans la lignée du *Fugu*, soit la lignée du *Fugu* a subi une perte massive des séquences répétitives de ses introns. Nous savons clairement comment le génome peut se développer par transposition active car la plupart des événements de transposition sont de type duplication [c'est-à-dire que la copie originale reste là où elle était tandis qu'une copie s'insère dans un nouveau site (*voir* Figures 5-72 et 5-76)]. Il existe consi-

Figure 7-112 Poisson ballon, *Fugu rubripes*. (Due à l'obligeance de Byrappa Venkatesh.)

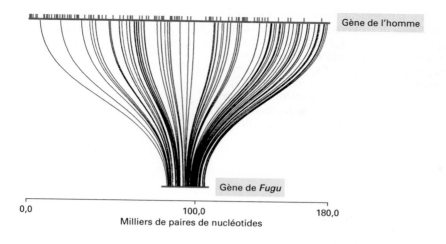

Figure 7-113 Comparaison de la séquence génomique des gènes codant pour la protéine huntingtine de l'homme et du *Fugu*. Ces deux gènes (indiqués en *rouge*) contiennent 67 courts exons alignés en correspondance 1:1 l'un avec l'autre; ces exons sont reliés par des lignes courbes. Le gène de l'homme est 7,5 fois plus grand que celui du *Fugu* (180 000 paires de nucléotides versus 24 000). Cette différence de taille est entièrement due aux introns plus grands du gène humain. L'augmentation de la taille des introns de l'homme est due en partie à la présence de rétrotransposons dont les positions sont représentées par des *lignes vertes verticales*; les introns du *Fugu* ne possèdent pas de rétrotransposons. Chez l'homme, la mutation du gène de l'huntingtine provoque la maladie de Huntington, une maladie neurodégénérative héréditaire (*voir* p. 362). (Adapté de S. Baxendale et al., *Nat. Genet.* 10 : 67-76, 1995).

dérablement moins de preuves, dans les organismes étudiés, de l'existence d'un processus de mutation qui entraînerait la délétion effective de transposons dans un très grand nombre de sites sans entraîner également la délétion de séquences fonctionnelles critiques adjacentes à des vitesses qui menaceraient la survie de la lignée. Néanmoins, on ne connaît toujours pas l'origine des introns particulièrement petits du *Fugu*.

La duplication et la divergence des gènes ont fourni une source critique de nouveauté génétique pendant l'évolution

Jusqu'à présent la majeure partie de notre discussion sur l'évolution du génome a insisté sur les processus neutres de variations ou sur les effets de la pression de sélection purificatrice. Cependant, la principale caractéristique de l'évolution du génome est la capacité qu'ont les variations génomiques de créer des nouveautés biologiques qui peuvent être sélectionnées positivement pour donner naissance, au cours de l'évolution, à de nouveaux types d'organismes.

La comparaison d'organismes qui semblent très différents met en lumière certaines sources de ces nouveautés génétiques. Une des caractéristiques étonnantes de ces comparaisons est la relative rareté des gènes spécifiques de lignée (par exemple, les gènes trouvés chez les primates mais pas chez les rongeurs, ou existant chez les mammifères mais pas chez d'autres vertébrés). L'expansion sélective de familles de gènes préexistantes semble encore plus importante. Les gènes codant pour les récepteurs hormonaux nucléaires de l'homme, du nématode et de la drosophile (qui ont tous leur génome complètement séquencé) illustrent ce point (Figure 7-114). Beaucoup de sous-types de ces récepteurs nucléaires (appelés aussi récepteurs intracellulaires) ont des homologues proches dans ces trois organismes qui sont plus semblables entre eux qu'ils ne le sont avec d'autres sous-types de la famille, présents dans ces mêmes espèces. La majeure partie des divergences fonctionnelles de cette grande famille de gènes doit ainsi avoir précédé la divergence de ces trois lignées évolutives. Par conséquent, une branche majeure de la famille de gènes a subi une énorme expansion uniquement dans la lignée du ver. Des expansions similaires mais moins importantes de sous-types particuliers, spécifiques de lignée, sont évidentes au sein de l'arbre phylogénétique de cette famille de gènes, mais elles sont particulièrement visibles chez l'homme, ce qui suggère que ces expansions ouvrent une voie vers l'augmentation de la complexité biologique.

Figure 7-114 Arbre phylogénétique fondé sur les séquences déduites des protéines formant l'ensemble des récepteurs nucléaires hormonaux, codées dans le génome de l'homme (*H. sapiens*), d'un nématode (*C. elegans*) et de la drosophile (*D. melanogaster*). Les *triangles* représentent les sous-familles protéiques qui se sont développées dans chaque lignée évolutive; la largeur de ces triangles indique le nombre de gènes codant pour les membres de cette sous-famille. Les *barres verticales colorées* représentent un seul gène. Il n'y a pas de patron simple des duplications et des divergences historiques qui ont engendré la famille de gènes codant pour les récepteurs nucléaires dans les organismes contemporains. La structure d'un segment d'un récepteur hormonal nucléaire particulier est montrée en figure 7-14 et la description générale de leur fonction est traitée au chapitre 15. (Adapté de l'International Human Genome Sequencing Consortium, *Nature* 409 : 860-921, 2001.)

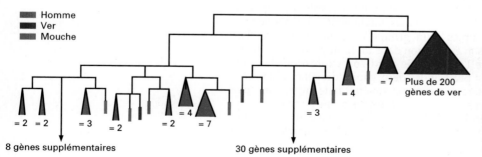

La duplication génique semble se produire rapidement dans toutes les lignées évolutives. L'examen de l'abondance et de la vitesse des divergences des gènes dupliqués dans de nombreux génomes eucaryotes différents suggère que la probabilité pour que chaque gène particulier subisse une duplication efficace (c'est-à-dire qui s'étende à la plupart ou à tous les individus d'une espèce) est d'approximativement 1 p. 100 par million d'années. On en sait peu sur les mécanismes précis de la duplication génique. Cependant, comme deux copies de gènes sont souvent adjacentes l'une à l'autre immédiatement après la duplication, on pense que la duplication résulte souvent d'une réparation inexacte d'une cassure d'un chromosome double brin (*voir* Figure 5-53).

Les gènes dupliqués divergent

Une des questions majeures de l'évolution du génome concerne le destin des gènes nouvellement dupliqués. Dans la plupart des cas, on présume qu'il n'y a pas ou peu de sélection – du moins initialement – pour maintenir l'état dupliqué car chaque copie a une fonction équivalente. Par conséquent, beaucoup d'événements de duplication risquent d'être suivis de mutations avec perte de fonction d'un ou de l'autre gène. Ce cycle restaurerait l'état fonctionnel à un seul gène qui précédait la duplication. En effet il existe beaucoup d'exemples dans les génomes contemporains où on peut considérer qu'une copie d'un gène dupliqué a été irréversiblement inactivée par de multiples mutations. Avec le temps, on pourrait s'attendre à ce que les similitudes de séquences entre ce **pseudogène** et le gène fonctionnel qui l'a produit par duplication s'amenuisent du fait de l'accumulation, dans le pseudogène, de nombreuses variations par mutations – et finissent par devenir indétectables.

L'autre destin de la duplication est que les deux copies restent fonctionnelles tout en divergeant dans leurs séquences et leur patron d'expression et en prenant des rôles différents. Il est presque certain que ce processus de duplication et de divergence explique la présence de grandes familles de gènes, de fonctions apparentées, dans des organismes biologiquement complexes et on pense qu'il joue un rôle critique dans l'évolution de l'augmentation de la complexité biologique.

La duplication de tout le génome offre un exemple particulièrement spectaculaire du cycle de duplication-divergence. La duplication du génome complet peut se produire assez simplement : tout ce qu'il faut c'est un cycle de réplication du génome dans une lignée de cellules germinales sans division cellulaire correspondante. Au départ, le nombre de chromosomes double simplement. Cette augmentation brutale de la **ploïdie** d'un organisme est fréquente, en particulier chez les champignons et les végétaux. Après la duplication du génome complet, tous les gènes existent sous forme de copies dupliquées. Cependant, sauf si la duplication s'est produite si récemment qu'aucune altération consécutive de la structure du génome n'a eu le temps de se produire, le résultat d'une série de duplications segmentaires – se produisant à différents moments– est très difficile à différencier du produit final d'une duplication du génome complet. Dans le cas des mammifères, par exemple, le rôle de la duplication du génome entier par rapport à celui d'une série de duplications segmentaires est assez peu clair. Néanmoins, il est clair qu'une importante duplication génique s'est produite il y a très longtemps.

L'analyse du génome du *Danio rerio* (poisson zèbre) dans lequel s'est produit, il y a des centaines de millions d'années, soit la duplication du génome complet soit une série de duplications plus localisées a quelque peu éclairci le processus de duplication et de divergence génique. Même si beaucoup de gènes dupliqués du *Danio rerio* semblent avoir été perdus par mutation, une fraction significative – entre 30 et 50 p. 100 – a divergé fonctionnellement tandis que les deux copies sont restées actives. Dans de nombreux cas, la différence fonctionnelle la plus visible entre les gènes dupliqués est qu'ils s'expriment dans différents tissus ou à des étapes différentes du développement (*voir* Figure 21-45). Une théorie intéressante qui explique ce résultat final imagine que des mutations différentes, faiblement délétères, se produisent rapidement dans les deux copies d'un groupe de gènes dupliqué. Par exemple, une des copies peut perdre son expression dans un tissu particulier du fait d'une mutation régulatrice alors que l'autre copie perd son expression dans un deuxième tissu. Une fois que cela s'est produit, les deux copies du gène sont nécessaires pour effectuer la gamme complète de fonctions qui était faite auparavant par un seul gène ; les deux copies seront ainsi désormais protégées d'une perte par mutation d'inactivation. Sur de longues périodes de temps, chaque copie peut alors subir d'autres modifications lui permettant d'acquérir de nouvelles caractéristiques spécifiques.

La globine à une chaîne fixe une molécule d'oxygène

Figure 7-115. Comparaison de la structure des globines à une chaîne et à quatre chaînes. La globine à quatre chaînes montrée ici est l'hémoglobine, complexe de deux chaînes de globine α et de deux chaînes de globine β. La globine à une seule chaîne de certains vertébrés primitifs forme un dimère qui se dissocie lorsqu'il fixe l'oxygène et représente un intermédiaire dans l'évolution de la globine à quatre chaînes.

Site de fixation de l'oxygène sur l'hème

ÉVOLUTION D'UNE DEUXIÈME CHAÎNE DE GLOBINE PAR DUPLICATION GÉNIQUE SUIVIE D'UNE MUTATION

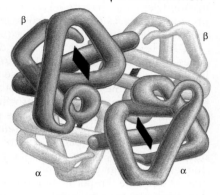

Globine à quatre chaînes avec fixation coopérative de quatre molécules d'oxygène

L'évolution de la famille des gènes de la globine montre comment la duplication de l'ADN contribue à l'évolution des organismes

La famille des gènes de la globine fournit un très bon exemple de la façon dont la duplication de l'ADN engendre de nouvelles protéines, parce que son historique évolutif a été particulièrement bien étudié. Les homologies manifestes de la séquence en acides aminés et de la structure entre les globines actuelles indique qu'elles doivent toutes dériver d'un gène ancestral commun, même si certaines sont codées maintenant par des gènes largement séparés au sein du génome des mammifères.

Nous pouvons reconstruire certains des événements passés qui ont produit les divers types de molécules d'hémoglobine, qui transportent l'oxygène, en considérant les différentes formes de cette protéine dans des organismes placés dans différentes ramifications de l'arbre phylogénétique de la vie. Une molécule comme l'hémoglobine est nécessaire pour permettre aux animaux multicellulaires de croître et d'atteindre une grande taille, car les gros animaux ne peuvent plus se reposer sur la simple diffusion de l'oxygène à travers la surface du corps pour oxygéner correctement leurs tissus. Par conséquent, les molécules de type hémoglobine sont retrouvées chez tous les vertébrés et beaucoup d'invertébrés. La molécule transporteuse d'oxygène la plus primitive des animaux est une chaîne polypeptidique de globine d'environ 150 acides aminés, retrouvée chez de nombreux vers marins, insectes et poissons primitifs. La molécule d'hémoglobine des vertébrés supérieurs, cependant, est composée de deux types de chaînes de globine. Il apparaît qu'il y a 500 millions d'années, pendant l'évolution des poissons supérieurs, une série de mutations et de duplications de gènes s'est produite. Ces événements ont formé deux gènes de globine légèrement différents codant pour les chaînes α et β de la globine dans le génome de chaque individu. Chez les vertébrés supérieurs modernes, chaque molécule d'hémoglobine est un complexe de deux chaînes α et de deux chaînes β (Figure 7-115). Les quatre sites de fixation de l'oxygène dans la molécule $\alpha_2\beta_2$ interagissent, permettant des variations allostériques coopératives de la molécule lorsqu'elle fixe et libère l'oxygène, ce qui permet à l'hémoglobine de prélever et de libérer l'oxygène plus efficacement que la version à une seule chaîne.

Ensuite, pendant l'évolution des mammifères, la chaîne β a apparemment subi une duplication et une mutation qui ont donné naissance à une deuxième chaîne de type β synthétisée spécifiquement dans le fœtus. La molécule d'hémoglobine qui en résulte présente une meilleure affinité pour l'oxygène que l'hémoglobine adulte et facilite ainsi le transfert de l'oxygène de la mère au fœtus. Le gène de la nouvelle chaîne de type β a ensuite subi une mutation et une duplication qui ont produit deux nouveaux gènes, ε et γ, la chaîne ε étant produite la première au cours du développement (pour former $\alpha_2\varepsilon_2$) suivie de la chaîne fœtale γ, qui forme $\alpha_2\gamma_2$. Une autre duplication de la chaîne β adulte s'est produite encore plus tardivement, pendant l'évolution des primates, et a donné naissance au gène de la globine δ et ainsi à une forme mineure d'hémoglobine ($\alpha_2\delta_2$) retrouvée seulement chez les primates adultes (Figure 7-116).

Chacun de ces gènes dupliqués a été modifié par des mutations ponctuelles qui ont affecté les propriétés de la molécule d'hémoglobine finale, ainsi que par des modifications des régions régulatrices qui ont déterminé la chronologie et le niveau d'expression du gène. Il en résulte que chaque globine est faite en différentes quantités à différents moments du développement humain (*voir* Figure 7-60B).

Le résultat final du processus de duplication des gènes qui a donné naissance à la diversité des chaînes de globine est clairement visible dans les gènes humains apparus à partir du gène β original, qui sont disposés en une série de séquences d'ADN homologues localisées à une distance de 50 000 paires de nucléotides l'une de l'autre. Une batterie similaire de gènes de la globine α est localisée sur un autre chromosome. Comme les batteries des gènes de la globine α et de la globine β se trouvent sur des chromosomes séparés chez les oiseaux et les mammifères mais sont regroupées chez la grenouille *Xenopus*, on pense qu'une translocation chromosomique a séparé ces deux batteries de gènes il y a environ 300 millions d'années (*voir* Figure 7-116).

Il y a plusieurs séquences d'ADN dupliquées dans les batteries des gènes de la globine α et de la globine β qui ne sont pas des gènes fonctionnels mais des pseudogènes. Ils présentent une proche homologie avec les gènes fonctionnels mais ont

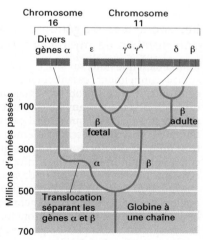

Figure 7-116 Schéma évolutif des chaînes de globine qui transportent l'oxygène dans le sang des animaux. Ce schéma insiste sur la famille de gènes des globines de type β. La duplication relativement récente du gène de la chaîne γ a produit le γ^G et le γ^A, qui sont des chaînes de type β fœtales de fonction identique. La localisation des gènes de la globine dans le génome de l'homme est montrée en haut de la figure (*voir aussi* Figure 7-60).

été désactivés par des mutations qui empêchent leur expression. L'existence de ces pseudogènes témoigne clairement que, comme on peut s'y attendre, chaque duplication d'ADN ne forme pas un nouveau gène fonctionnel. Nous savons aussi que les séquences d'ADN non fonctionnelles ne sont pas rapidement éliminées, comme cela est indiqué par l'abondance de l'ADN non codant retrouvée dans le génome des mammifères.

La recombinaison d'exons peut engendrer des gènes codant pour des protéines nouvelles

Le rôle de la duplication de l'ADN dans l'évolution n'est pas confiné à l'expansion de familles de gènes. Elle peut aussi agir à plus petite échelle pour créer des gènes isolés en associant de courts segments d'ADN dupliqués. On peut reconnaître les protéines codées par les gènes ainsi engendrés par la présence de domaines protéiques similaires répétitifs, reliés en série de façon covalente, l'un à l'autre. Les immunoglobulines (Figure 7-117) et l'albumine, par exemple, ainsi que la plupart des protéines fibreuses (comme le collagène) sont codées par des gènes formés par la répétition de la duplication d'une séquence d'ADN primitive.

Dans les gènes qui se sont ainsi développés, et aussi dans beaucoup d'autres gènes, chaque exon code souvent séparément pour une unité de repliement protéique individuelle, ou domaine. On pense que l'organisation des séquences codantes d'ADN sous forme d'une série d'exons séparés par de longs introns a grandement facilité l'évolution de nouvelles protéines. Les duplications nécessaires à la formation d'un seul gène codant pour une protéine à domaines répétitifs, par exemple, peuvent se produire par cassure et réunion de l'ADN n'importe où à l'intérieur des longs introns situés de part et d'autre de l'exon codant pour le domaine protéique utile ; sans introns, il n'y aurait que peu de sites dans le gène originel au niveau duquel un échange par recombinaison entre des molécules d'ADN pourrait dupliquer le domaine. En permettant que la duplication se produise par recombinaison dans plusieurs sites potentiels plutôt que dans seulement quelques-uns, les introns augmentent la probabilité que l'événement de duplication soit favorable.

Plus généralement, nous savons à partir des séquences du génome que des parties qui composent les gènes – à la fois leurs exons pris individuellement et leurs éléments régulateurs – ont servi d'éléments modulaires qui ont été dupliqués et déplacés dans le génome pour engendrer la grande diversité actuelle des êtres vivants. Il en résulte que bon nombre de protéines actuelles sont formées d'un patchwork de domaines provenant de différentes familles de domaines, reflétant leur longue histoire évolutive (Figure 7-118).

Les séquences du génome laissent encore aux scientifiques bon nombre de mystères à résoudre

Maintenant que nous savons, d'après les séquences du génome, qu'un homme et une souris contiennent essentiellement les mêmes gènes, nous sommes forcément confrontés à un des problèmes majeurs qui défiera les biologistes cellulaires au cours du siècle à venir. Comme un homme et une souris sont formés à partir d'un même groupe de protéines, que s'est-il passé pendant l'évolution pour qu'une souris et un homme soient si différents ? Même si la réponse est cachée quelque part parmi les trois milliards de nucléotides de chaque génome séquencé, nous ne savons pas encore comment déchiffrer ce type d'information – de telle sorte qu'on ne peut répondre à cette question si critique et fondamentale.

En dépit de notre ignorance, cela vaut peut-être la peine de nous engager dans quelques spéculations, simplement pour montrer les quelques difficultés à venir. En biologie, tout repose sur la chronologie, ce qui est très net lorsque nous examinons les mécanismes complexes qui permettent à l'ovule fécondé de se développer en adulte (*voir* Chapitre 21). Le corps humain est formé par le résultat de plusieurs milliards de décisions prises pendant notre développement concernant les molécules

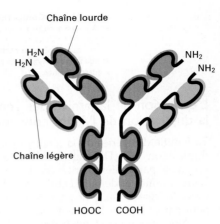

Figure 7-117 Schéma d'une molécule d'anticorps (immunoglobuline). Cette molécule est un complexe formé de deux chaînes lourdes identiques et de deux chaînes légères identiques. Chaque chaîne lourde contient quatre domaines similaires reliés de façon covalente, alors que chaque chaîne légère ne contient que deux de ces domaines. Chaque domaine est codé par un exon séparé. On pense que tous les exons se sont développés par une duplication en série d'un seul exon ancestral.

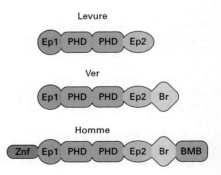

Figure 7-118 Structure des domaines d'un groupe de protéines apparentées d'un point de vue évolutif qui, pense-t-on, présentent des fonctions similaires. En général, les protéines des organismes plus complexes comme nous-mêmes, ont tendance à contenir des domaines supplémentaires – comme c'est le cas pour les protéines de liaison à l'ADN, comparées ici.

d'ARN et les protéines qui doivent être synthétisées, à quel endroit, quand exactement et en quelle quantité. Ces décisions sont différentes pour l'homme, pour le chimpanzé ou pour la souris. Les séquences codantes du génome représentent un ensemble plus ou moins standard de 30 000 parties fondamentales environ à partir desquelles ces trois organismes sont fabriqués. Ce sont donc les nombreux types différents de contrôle de l'expression génique, décrits dans ce chapitre, qui sont grandement responsables des différences entre l'homme et un autre mammifère.

Selon ces hypothèses, il serait raisonnable de s'attendre à ce que les génomes se soient développés de façon à permettre aux organismes d'expérimenter les variations de la chronologie des gènes et des patrons d'expression dans des cellules sélectionnées. Nous avons déjà rencontré certaines preuves de cela lorsque nous avons abordé l'épissage alternatif de l'ARN et les mécanismes d'édition des ARN. Il semble que des mécanismes – certains fondés sur le mouvement des éléments transposables d'ADN – soient également responsables de l'addition ou de la soustraction aisées de modules dans les régions régulatrices géniques, afin de produire des variations du patron de leur transcription lorsque l'organisme se développe. En fait, l'analyse de ces régions régulatrices fournit des preuves qui confortent l'hypothèse que la plupart des régions régulatrices des gènes se sont formées, au cours de l'évolution, par le mélange et l'assortiment des sites de liaison à l'ADN reconnus par les protéines régulatrices (Figure 7-119).

Les variations génétiques à l'intérieur d'une espèce fournissent une vue à petite échelle de l'évolution du génome

Lorsqu'on compare deux espèces qui ont divergé l'une de l'autre depuis des millions d'années, on obtient peu de différences quel que soit l'individu de chaque espèce comparée. Par exemple, les séquences d'ADN typiques d'un homme et d'un chimpanzé présentent 1 p. 100 de différence l'une par rapport à l'autre. Par contre, lorsque la même région du génome prélevée provient de deux hommes différents, les différences sont typiquement inférieures à 0,1 p. 100. Si les organismes sont plus éloignés, les différences inter-espèces éclipsent les variations intra-espèces de façon encore plus spectaculaire. Cependant, chaque «différence fixe» entre l'homme et le chimpanzé (par exemple, chaque différence maintenant caractéristique chez tous ou presque tous les individus de chaque espèce) a débuté sous forme d'une nouvelle mutation dans un seul individu. Si la taille de la population consanguine, dans laquelle la mutation s'est produite, est N, la **fréquence** initiale **de l'allèle** d'une nouvelle mutation serait de 1/2N pour un organisme diploïde. Comment une mutation aussi rare se fixe-t-elle dans une population et devient ainsi une caractéristique d'espèce et non plus celle d'un génome individuel particulier?

Figure 7-119 Régions de contrôle des gènes des cristallines du cristallin de la souris et du poulet. Les cristallines forment la masse du cristallin et sont responsables de la réfraction et de la focalisation de la lumière sur la rétine. Beaucoup de protéines cellulaires ont des propriétés (haute solubilité, index propre de réfraction, etc.) adaptées à la fonction de lentille, et une large gamme de ces protéines ont été réquisitionnées pendant l'évolution pour être utilisées dans le cristallin. Par exemple les cristallines α (*deux premières lignes*) sont très apparentées aux protéines de choc thermique et sont observées dans tous les cristallins des vertébrés. Par contre, la cristalline δ (*troisième ligne*) est très proche d'une enzyme impliquée dans le métabolisme des acides aminés et n'est retrouvée que chez les oiseaux et les reptiles. Les régions de contrôle des gènes des trois cristallines montrées ici forment un patchwork de différentes séquences régulatrices qui reflètent l'historique de l'évolution de chaque gène. La caractéristique commune de ces trois régions de contrôle est la présence de sites de liaison à la protéine régulatrice Pax6. Pax6 est l'homologue chez les vertébrés des protéines Toy et Eyeless de la mouche (*voir* Figure 7-75) et est un des régulateurs clés qui spécifie le développement de l'œil. Les protéines placées au-dessus de chaque région de contrôle sont des activateurs de la transcription et celles en dessous des lignes sont des répresseurs. (Adapté de E.H. Davidson, Genomic Regulatory Systems : Development and Evolution, p. 191-201. San Diego : Academic Press, 2001 et A. Cvekl et J. Piatigarsky, *BioEssays* 18 : 621-630, 1996.)

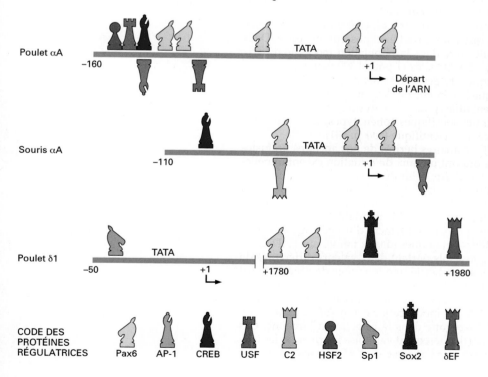

Poulet αA
−160
TATA
+1
Départ de l'ARN

Souris αA
−110
TATA
+1

Poulet δ1
−50
TATA
+1
+1780
+1980

CODE DES PROTÉINES RÉGULATRICES
Pax6 AP-1 CREB USF C2 HSF2 Sp1 Sox2 δEF

La réponse à cette question dépend des conséquences fonctionnelles de la mutation. Si la mutation a un effet délétère significatif, elle sera simplement éliminée par la sélection purificatrice et ne se fixera pas. (Dans le cas le plus extrême, l'individu porteur de la mutation mourra sans produire de descendance.) À l'inverse, les rares mutations qui confèrent un avantage reproducteur majeur sur les individus qui en héritent se dissémineront rapidement dans la population. Comme les hommes se reproduisent sexuellement et que la recombinaison génétique se produit à chaque fois qu'un gamète se forme, le génome de chaque individu qui a hérité de la mutation sera une mosaïque recombinée unique de segments hérités d'un grand nombre de ses ancêtres. La mutation sélectionnée, ainsi qu'une certaine quantité de séquences voisines – finalement héritées de l'individu chez qui la mutation s'est produite – seront simplement une pièce de cette énorme mosaïque.

La grande majorité des mutations qui ne sont pas nuisibles ne sont pas non plus bénéfiques. Ces *mutations sélectivement neutres* peuvent aussi se disséminer et devenir fixes dans une population et contribuent largement aux modifications évolutives du génome. Leur dissémination n'est pas aussi rapide que la dissémination des rares mutations fortement avantageuses. Le processus par lequel ces variations génétiques neutres sont transmises à une population consanguine idéale peut être décrit mathématiquement par des équations étonnamment simples. Le modèle idéal qui s'est avéré le plus utile pour l'analyse des variations génétiques humaines suppose une taille constante de la population et un accouplement aléatoire, ainsi que la neutralité sélective de la mutation. Même si aucune de ces hypothèses ne décrit correctement l'histoire de la population humaine, elles fournissent néanmoins un point de départ intéressant pour l'analyse des variations intra-espèces.

Lorsqu'une nouvelle mutation neutre se produit dans une population constante de taille N qui subit un accouplement aléatoire, la probabilité qu'elle se fixe finalement est approximativement de $1/2N$. Pour les mutations qui se fixent, la durée moyenne pour la fixation est approximativement de $4N$ générations. L'analyse détaillée des données sur les variations génétiques humaines suggère que la taille de la population ancestrale était d'environ 10 000 individus durant la période où se sont fortement établies les combinaisons actuelles des variations génétiques. Dans ces conditions, la probabilité qu'une nouvelle mutation sélectivement neutre se fixe était faible (5×10^{-5}) alors que la durée moyenne pour la fixation était de l'ordre de 800 000 ans. De ce fait, alors que nous savons que la population humaine s'est accrue considérablement depuis le développement de l'agriculture, il y a environ 15 000 ans, la plupart des variations génétiques se sont produites et se sont établies dans la population humaine bien avant cela, lorsque la population humaine était encore faible.

Même si la plupart des variations entre les hommes modernes sont issues des variations présentes dans un groupe d'ancêtres comparativement minuscule, le nombre de variations rencontrées est très important. La plupart des variations apparaissent sous forme d'un **polymorphisme d'un seul nucléotide (SNP)**. Ce sont de simples points de la séquence du génome où une grande partie de la population humaine présente un nucléotide alors que l'autre partie en possède un autre. Deux génomes humains prélevés de façon aléatoire dans la population moderne différeront approximativement au niveau de $2,5 \times 10^6$ sites (1 pour 1300 paires de nucléotides). Les cartes des sites polymorphiques du génome humain – qui signifient qu'il y a une probabilité raisonnable pour que le génome de deux individus soit différent au niveau de ces sites – sont extrêmement utiles pour les analyses génétiques au cours desquelles on essaye d'associer des traits spécifiques (phénotypes) aux séquences spécifiques d'ADN dans un but médical ou scientifique (*voir* p. 531).

En face de cet arrière-fond de SNP ordinaires hérités de nos ancêtres préhistoriques, il apparaît certaines séquences qui ont un taux de mutation exceptionnellement élevé. Prenons un exemple spectaculaire, celui des *répétitions CA* ubiquistes dans le génome humain et dans celui d'autres eucaryotes. La fidélité de la réplication de ces séquences à motif $(CA)n$ est relativement basse à cause du retard qui se produit entre le brin matrice et le brin néosynthétisé pendant la réplication de l'ADN ; la valeur précise de n varie ainsi considérablement d'un génome à l'autre. Ces répétitions constituent des marqueurs génétiques idéaux fondés sur l'ADN, car la plupart des hommes sont hétérozygotes – ils portent deux valeurs différentes de n à chaque répétition CA particulière, ayant hérité une longueur de répétition (n) de leur mère et une autre longueur de répétition de leur père. Tandis que la valeur de n change assez rarement pour que la plupart des transmissions parent-enfant propagent fidèlement ces répétitions CA, les modifications sont suffisamment fréquentes pour maintenir une forte hétérozygotie dans la population humaine. Ces répétitions simples ainsi que d'autres particulièrement variables fournissent les fondements de l'identification des individus par l'analyse de l'ADN dans les études criminelles, les recherches de paternité et d'autres applications légales (*voir* Figure 8-41).

Même si on pense que la plupart des SNP et des autres variations fréquentes de la séquence du génome humain n'ont pas d'effets sur le phénotype, un sous-groupe d'entre eux doit être responsable de pratiquement tous les aspects héréditaires de l'individualité de l'homme. Un des défis majeurs de la génétique de l'homme est d'apprendre à reconnaître ces variations, relativement peu nombreuses, mais fonctionnellement importantes – dans cet immense arrière-fond de variations neutres qui distinguent le génome de deux êtres humains.

Résumé

La comparaison des séquences de nucléotides des génomes actuels a révolutionné notre compréhension de l'évolution des gènes et du génome. Du fait de la fidélité extrême de la réplication et des processus de réparation de l'ADN, les erreurs aléatoires lors de la conservation de la séquence nucléotidique du génome se produisent si rarement qu'il n'y a environ que 5 nucléotides sur 1 000 modifiés chaque million d'années. Il n'est donc pas surprenant de ce fait que la comparaison des chromosomes de l'homme et du chimpanzé – qui se sont séparés il y a 5 millions d'années environ – ne dégage que peu de modifications. Non seulement nos gènes sont essentiellement les mêmes, mais leur ordre sur chaque chromosome est presque identique. En plus, la position des éléments transposables, qui constituent la majeure partie de notre ADN non codant, est largement identique.

Lorsqu'on compare le génome de deux organismes plus éloignés – comme l'homme et la souris, séparés par 100 millions d'années environ – on trouve beaucoup plus de variations. Actuellement on peut voir clairement les effets de la sélection naturelle; par la sélection purificatrice, les séquences nucléotidiques indispensables – à la fois dans les régions régulatrices et dans les séquences codantes (séquences d'exon) – ont été hautement conservées. À l'opposé, les séquences non indispensables (par exemple les séquences d'intron) ont été tellement modifiées qu'il est souvent impossible d'obtenir un alignement précis par rapport aux ancêtres.

Du fait de la sélection purificatrice, il est possible de reconnaître des gènes homologues sur de grandes distances phylogénétiques et souvent aussi d'établir l'historique détaillé de l'évolution d'un gène particulier en retraçant son histoire jusqu'à l'ancêtre commun des espèces actuelles. Nous pouvons ainsi voir que la complexité génétique des organismes actuels est due en grande partie à l'expansion d'anciennes familles de gènes. La duplication de l'ADN suivie de la divergence des séquences a été ainsi une source majeure de nouveauté génétique au cours de l'évolution.

Bibliographie

Généralités

Carey M & Smale ST (2000) Transcriptional Regulation in Eukaryotes: Concepts, Strategies and Techniques. Cold Spring Harbor, NY: Cold Spring Harbor Laboratory Press.

Hartwell L, Hood L, Goldberg ML et al. (2000) Genetics: from Genes to Genomes. Boston: McGraw Hill.

Lewin B (2000) Genes VII. Oxford: Oxford University Press.

Lodish H, Berk A, Zipursky SL et al. (2000) Molecular Cell Biology, 4th edn. New York: WH Freeman.

McKnight SL & Yamamoto KR (eds) (1992) Transcriptional Regulation. Cold Spring Harbor, NY: Cold Spring Harbor Laboratory Press.

Mechanisms of Transcription. (1998) *Cold Spring Harb. Symp. Quant. Biol.* 63.

Généralités sur le contrôle des gènes

Campbell KH, McWhir J, Ritchie WA & Wilmut I (1996) Sheep cloned by nuclear transfer from a cultured cell line. *Nature* 380, 64–66.

Gurdon JB (1992) The generation of diversity and pattern in animal development. *Cell* 68, 185–199.

Ross DT, Scherf U, Eisen MB et al. (2000) Systematic variation in gene expression patterns in human cancer cell lines. *Nat. Genet.* 24, 227–235.

Types de liaison à l'ADN des protéines régulatrices de gènes

Bulger M & Groudine M (199) Looping versus linking: toward a model for long-distance gene activation. *Genes Dev.* 13, 2465–2477.

Choo Y & Klug A (1997) Physical basis of a protein–DNA recognition code. *Curr. Opin. Struct. Biol.* 7, 117–125.

Gehring WJ, Affolter M & Burglin T (1994) Homeodomain proteins. *Annu. Rev. Biochem.* 63, 487–526.

Harrison SC (1991) A structural taxonomy of DNA-binding domains. *Nature* 353, 715–719.

Jacob F & Monod J (1961) Genetic regulatory mechanisms in the synthesis of proteins. *J. Mol. Biol.* 3, 318–356.

Laity JH, Lee BM & Wright PE (2001) Zinc finger proteins: new insights into structural and functional diversity. *Curr. Opin. Struct. Biol.* 11, 39–46.

Lamb P & McKnight SL (1991) Diversity and specificity in transcriptional regulation: the benefits of heterotypic dimerization. *Trends Biochem. Sci.* 16, 417–422.

McKnight SL (1991) Molecular zippers in gene regulation. *Sci. Am.* 264, 54–64.

Muller CW (2001) Transcription factors: global and detailed views. *Curr. Opin. Struct. Biol.* 11, 26–32.

Orlando V (2000) Mapping chromosomal proteins *in vivo* by formaldehyde-crosslinked-chromatin. *Trends Biochem. Sci.* 25, 99–104.

Pabo CO & Sauer RT (1992) Transcription factors: structural families and principles of DNA recognition. *Annu. Rev. Biochem.* 61, 1053–1095.

Ptashne M (1992) A Genetic Switch, 2nd edn. Cambridge, MA: Cell Press and Blackwell Press.

Rhodes D, Schwabe JW, Chapman L et al. (1996) Towards an understanding of protein–DNA recognition. *Proc. R. Soc. Lond.* B 351, 501–509.

Seeman NC, Rosenberg JM & Rich A (1976) Sequence-specific recognition of double helical nucleic acids by proteins. *Proc. Natl Acad. Sci. USA* 73, 804–808.

Wolberger C (1996) Homeodomain interactions. *Curr. Opin. Struct. Biol.* 6, 62–68.

Mode d'action des commutateurs génétiques

Beckwith J (1987) The operon: an historical account. In *Escherichia coli* and *Salmonella typhimurium*: Cellular and Molecular Biology (Neidhart FC, Ingraham JL, Low KB et al. eds), vol 2, pp 1439–1443. Washington, DC: ASM Press.

Bell AC, West AG & Felsenfeld G (2001) Insulators and boundaries: versatile regulatory elements in the eukaryotic. *Science* 291, 447–450.

Buratowski S (2000) Snapshots of RNA polymerase II transcription initiation. *Curr. Opin. Cell Biol.* 12, 320–325.

Carey M (1998) The enhanceosome and transcriptional synergy. *Cell* 92, 5–8.

Fraser P & Grosveld F (1998) Locus control regions, chromatin activation and transcription. *Curr. Opin. Cell Biol.* 10, 361–365.

Kadonaga JT (1998) Eukaryotic transcription: an interlaced network of transcription factors and chromatin-modifying machines. *Cell* 92, 307–313.

Kercher MA, Lu P & Lewis M (1997) Lac repressor-operator complex. *Curr. Opin. Struct. Biol.* 7, 76–85.

Kornberg RD (1999) Eukaryotic transcriptional control. *Trends Cell Biol.* 9, M46–49.

Malik S & Roeder RG (2000) Transcriptional regulation through Mediator-like coactivators in yeast and metazoan cells. *Trends Biochem. Sci.* 25, 277–283.

Merika M & Thanos D (2001) Enhanceosomes. *Curr. Opin. Genet. Dev.* 11, 205–208.

Myers LC & Kornberg RD (2000) Mediator of transcriptional regulation. *Annu. Rev. Biochem.* 69, 729–749.

Ptashne M & Gann A (1998) Imposing specificity by localization: mechanism and evolvability. *Curr. Biol.* 8, R812–R822.

Schleif R (1992) DNA looping. *Annu. Rev. Biochem.* 61, 199–223.

St Johnston D & Nusslein-Volhard C (1992) The origin of pattern and polarity in the *Drosophila* embryo. *Cell* 68, 201–219.

Struhl K (1998) Histone acetylation and transcriptional regulatory mechanisms. *Genes Dev.* 12, 599–606.

Des mécanismes génétiques moléculaires engendrent des types cellulaires spécialisés

Bird AP & Wolffe AP (1999) Methylation-induced repression—belts, braces, and chromatin. *Cell* 99, 451–454.

Cross SH & Bird AP (1995) CpG islands and genes. *Curr. Opin. Genet. Dev.* 5, 309–314.

Dasen J & Rosenfeld M (1999) Combinatorial codes in signaling and synergy: lessons from pituitary development. *Curr. Opin. Genet. Dev.* 9, 566–574.

Gehring WJ & Ikeo K (1999) Pax 6: mastering eye morphogenesis and eye evolution. *Trends Genet.* 15, 371–377.

Haber JE (1998) Mating-type gene switching in *Saccharomyces cerevisiae*. *Annu. Rev. Genet.* 32, 561–599.

Marin I, Siegal ML & Baker BS (2000) The evolution of dosage-compensation mechanisms. *Bioessays* 22, 1106–1114.

Meyer BJ (2000) Sex in the worm: counting and compensating X-chromosome dose. *Trends Genet.* 16, 247–253.

Robertson BD & Meyer TF (1992) Genetic variation in pathogenic bacteria. *Trends Genet.* 8, 422–427.

Surani MA (1998) Imprinting and the initiation of gene silencing in the germ line. *Cell* 93, 309–312.

Weintraub H (1993) The MyoD family and myogenesis: redundancy, networks, and thresholds. *Cell* 75, 1241–1244.

Wolberger C (1999) Multiprotein-DNA complexes in transcriptional regulation. *Annu. Rev. Biophys. Biomol. Struct.* 28, 29–56.

Young MW (1998) The molecular control of circadian behavioral rhythms and their entrainment in Drosophila. *Annu. Rev. Biochem.* 67, 135–152.

Contrôles post-transcriptionnels

Baker BS (1989) Sex in flies: the splice of life. *Nature* 340, 521–524.

Benne R (1996) RNA editing: how a message is changed. *Curr. Opin. Genet. Dev.* 6, 221–231.

Cline TW & Meyer BJ (1996) Vive la difference: males vs females in flies vs. worms. *Annu. Rev. Genet.* 30, 637–702.

Dever TE (1999) Translation initiation: adept at adapting. *Trends Biochem. Sci.* 24, 398–403.

Frankel AD & Young JAT (1998) HIV-1: fifteen proteins and an RNA. *Annu. Rev. Biochem.* 67, 1–25.

Graveley BR (2001) Alternative splicing: increasing diversity in the proteomic world. *Trends Genet.* 17, 100–107.

Gray NK & Wickens M (1998) Control of translation initiation in animals. *Annu. Rev. Cell Dev. Biol.* 14, 399–458.

Hentze MW & Kulozik AE (1999) A perfect message: RNA surveillance and nonsense-mediated decay. *Cell* 96, 307–310.

Hinnebusch AG (1997) Translational regulation of yeast GCN4. A window on factors that control initiator-tRNA binding to the ribosome. *J. Biol. Chem.* 272, 21661–21664.

Holcik M, Sonenberg N & Korneluk RG (2000) Internal ribosome initiation of translation and the control of cell death. *Trends Genet.* 16, 469–473.

Jansen RP (2001) mRNA localization: message on the move. *Nat Rev Mol Cell Biol* 2, 247–256.

Pollard VW & Malim MH (1998) The HIV-1 Rev protein. *Annu. Rev. Microbiol.* 52, 491–532.

Sharp PA (2001) RNA interference – 2001. *Genes Dev.* 15, 485–490.

Wilusz CJ, Wormington M & Peltz SW (2001) The cap-to-tail guide to mRNA turnover. *Nat. Rev. Mol. Cell Biol.* 2, 237–246.

Évolution des génomes

Dehal P, Predki P, Olsen AS et al. (2001) Human chromosome 19 and related regions in mouse: conservative and lineage-specific evolution. *Science* 293, 104–111.

Henikoff S, Greene EA, Pietrokovski S et al. (1997) Gene families: the taxonomy of protein paralogs and chimeras. *Science* 278, 609–614.

International Human Genome Sequencing Consortium (2001) Initial sequencing and analysis of the human genome. *Nature* 409, 860–921.

Kumar S & Hedges SB (1998) A molecular timescale for vertebrate evolution. *Nature* 392, 917–920.

Li WH, Gu Z, Wang H & Nekrutenko A (2001) Evolutionary analyses of the human genome. *Nature* 409, 847–849.

Long M, de Souza SJ & Gilbert W (1995) Evolution of the intron-exon structure of eukaryotic genes. *Curr. Opin. Genet. Dev.* 5, 774–778.

Rowold DJ & Herrera RJ (2000) Alu elements and the human genome. *Genetica* 108, 57–72.

Stoneking M (2001) Single nucleotide polymorphisms. From the evolutionary past. *Nature* 409, 821–822.

Wolfe KH (2001) Yesterday's polyploids and the mystery of diploidization. *Nat. Rev. Genet.* 2, 333–341.

MÉTHODES

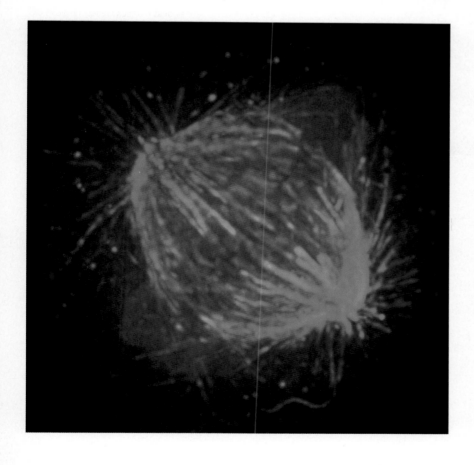

Microscopie à fluorescence.
L'apparition de nouvelles sondes et
l'amélioration des microscopes à
fluorescence ont révolutionné notre
capacité de différenciation des divers
composants cellulaires et de
détermination de leur localisation subcellulaire précise. La coloration de
ce fuseau mitotique montre les
microtubules du fuseau (en *vert*), l'ADN à
l'intérieur du chromosome (en *bleu*)
et les centromères (en *rouge*). (Due
à l'obligeance de Kevin F. Sullivan.)

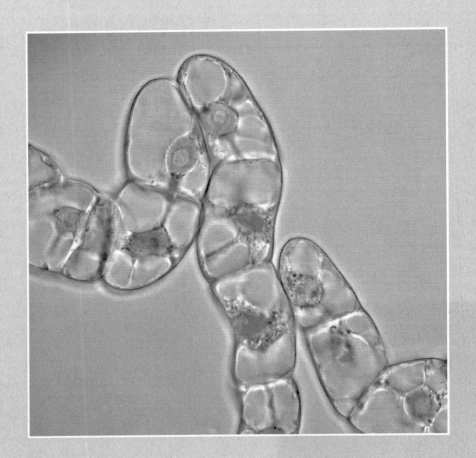

Cellules végétales en culture. Ces cellules de tabac se développent dans un liquide de culture. Une histone marquée par la protéine de fluorescence verte (GFP) a été incorporée dans la chromatine. Certaines cellules se divisent et présentent des chromosomes condensés visibles. La culture des cellules végétales et animales constitue un outil de recherche très intéressant pour tous les domaines de la biologie cellulaire. (Due à l'obligeance de Gethin Roberts.)

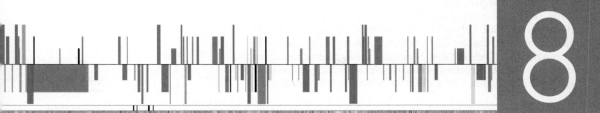

COMMENT MANIPULER LES PROTÉINES, L'ADN ET L'ARN

Les progrès scientifiques sont souvent entraînés par les avancées technologiques. La biologie, par exemple, est entrée dans une nouvelle ère lorsqu'Anton van Leeuwenhoeck, un négociant en étoffes hollandais, a fabriqué la première lentille de microscope. En scrutant à travers cette merveilleuse nouvelle lentille de verre, van Leeuwenhoeck découvrit un monde cellulaire jamais vu, où des créatures minuscules se bousculaient et tournoyaient dans une petite goutte d'eau (Figure 8-1).

Le 21ᵉ siècle promet d'être particulièrement passionnant pour la biologie. De nouvelles méthodes d'analyse des protéines, de l'ADN et de l'ARN apportent une multitude d'informations et permettent aux scientifiques d'étudier les cellules et leurs macromolécules d'une façon jamais encore imaginée. Nous avons maintenant accès à des séquences de plusieurs milliards de nucléotides, fournissant la recette moléculaire complète de douzaines d'organismes – allant des microbes et des graines de moutarde, au ver, à la mouche et à l'homme. De nouvelles techniques puissantes nous aident à déchiffrer ces informations et nous permettent non seulement de compiler de gigantesques catalogues détaillés de gènes et de protéines, mais aussi de commencer à débrouiller le mode d'action conjoint de ces composants pour former des cellules et des organismes fonctionnels. Le but recherché n'est pas moins que de comprendre tout ce qui se passe à l'intérieur de la cellule lorsqu'elle répond à son environnement et interagit avec ses voisines. Nous voulons savoir quels sont les gènes activés, les transcrits d'ARNm présents et les protéines actives – où elles sont localisées, quels sont leurs partenaires et à quelles voies métaboliques ou réseau elles appartiennent. Nous voulons aussi comprendre comment les cellules peuvent gérer ce nombre étonnant de variables et comment elles font leur choix parmi un nombre presque illimité de possibilités pour effectuer leurs diverses tâches biologiques. La possession de ces informations nous permettra d'échafauder une trame pour suivre, et éventuellement prédire, le mode d'opération des gènes et des protéines afin d'établir les fondements de la vie.

Dans ce chapitre, nous présenterons brièvement un certain nombre de méthodes majeures, utilisées pour étudier les cellules et leurs composants, en particulier les protéines, l'ADN et l'ARN. Nous envisagerons comment il est possible de séparer des tissus les cellules de différents types et permettre leur développement en dehors du corps et comment il est possible de désorganiser les cellules et d'isoler, sous une forme pure, les organites et les macromolécules qui les constituent. Nous présenterons ensuite la percée des technologies de l'ADN recombinant qui continuent à révolutionner notre compréhension des fonctions cellulaires. Enfin nous présenterons les dernières techniques utilisées pour déterminer les structures et les fonctions des protéines et des gènes ainsi que pour disséquer leurs interactions complexes.

Ce chapitre fait office de charnière entre d'un côté les fondements cellulaires et la biologie moléculaire et, de l'autre côté, l'abord détaillé du mode d'organisation et de fonctionnement conjoint de ces macromolécules pour coordonner la croissance, le développement et la physiologie des cellules et des organismes. Les techniques et les méthodes décrites ici ont permis les découvertes présentées tout au long de ce livre et sont actuellement utilisées par des dizaines de milliers de scientifiques chaque jour.

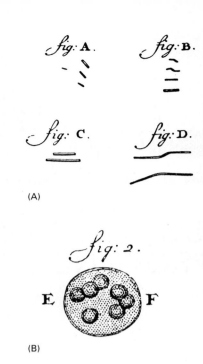

(A)

(B)

Figure 8-1 La vie microscopique. Un échantillon des divers animalcules observés par van Leeuwenhoek avec son simple microscope. (A) Bactéries observées dans du matériel excavé d'entre ses dents. Il a décrit celles de la figure B comme « nageant d'abord en avant puis en arrière » (1692). (B) L'algue verte eucaryote *Volvox* (1700). (Due à l'obligeance de la John Innes Foundation.)

L'ISOLEMENT DES CELLULES ET LEUR MISE EN CULTURE

Même si les organites et les grosses molécules d'une cellule sont visualisables à l'aide de microscopes, la compréhension du mode de fonctionnement de ces composants nécessite une analyse biochimique détaillée. La plupart des techniques biochimiques nécessitent un grand nombre de cellules qu'il faut ensuite désorganiser physiquement pour isoler leurs composants. Si l'échantillon est un morceau de tissu composé de différents types cellulaires, des populations hétérogènes de cellules se mélangeront. Pour obtenir le maximum d'informations possibles sur un type cellulaire particulier, les biologistes ont développé des moyens pour dissocier les cellules des tissus et séparer les divers types. Ces manipulations engendrent une population relativement homogène de cellules qui peut ensuite être analysée – soit directement soit après prolifération des cellules sous forme de culture pure pour augmenter fortement leur nombre.

Il est possible d'isoler les cellules d'une suspension tissulaire et de séparer les différents types

La première étape de l'isolement d'un type cellulaire uniforme à partir d'un tissu qui contient un mélange de cellules consiste à désorganiser la matrice extracellulaire qui maintient les cellules entre elles. Les tissus fœtaux ou néonataux fournissent généralement la meilleure récolte de cellules viables dissociées. L'échantillon tissulaire est typiquement traité par des enzymes protéolytiques (comme la trypsine et la collagénase) qui digèrent les protéines de la matrice extracellulaire et par des substances (comme l'acide éthylène diamine tétracétique ou EDTA) qui fixent ou chélatent le Ca^{2+} dont dépend l'adhésion cellule-cellule. Le tissu peut alors être séparé, par agitation douce, en cellules vivantes isolées.

Diverses approches sont utilisées pour séparer les différents types cellulaires à partir d'une suspension d'un mélange cellulaire. L'une d'elles explore les différences de propriétés chimiques. Par exemple, la centrifugation peut séparer les grandes cellules des petites cellules et les cellules denses des cellules légères. Cette technique sera décrite ultérieurement en relation avec la séparation des organites et des macromolécules pour laquelle elle a été développée à l'origine. Une autre approche se fonde sur la tendance de certains types cellulaires à adhérer fortement sur du verre ou du plastique, ce qui permet leur séparation des cellules qui adhèrent plus faiblement.

Cette dernière technique a été perfectionnée par les propriétés spécifiques de liaison des anticorps. Les anticorps qui se fixent spécifiquement à la surface d'un seul type cellulaire dans un tissu peuvent être couplés à diverses matrices – comme du collagène, des billes de polysaccharides ou du plastique – pour former une surface d'affinité sur laquelle adhèrent seulement les cellules reconnues par ces anticorps. Les cellules fixées sont ensuite récupérées par agitation douce, par un traitement à la trypsine qui digère les protéines servant d'intermédiaire d'adhésion ou, en cas de matrice digestible (comme le collagène), par dégradation enzymatique de la matrice elle-même (avec des collagénases par exemple).

Une des techniques les plus sophistiquées de séparation cellulaire utilise un anticorps couplé à un colorant fluorescent pour marquer les cellules spécifiques. Les cellules marquées peuvent alors être séparées des cellules non marquées par une technique de *cytométrie en flux* (FACS pour *fluorescence-activated cell sorter*). Dans cette remarquable machine, les cellules isolées voyagent en une seule file, dans un flux très étroit, passent à travers un rayon laser et la fluorescence de chaque cellule est rapidement mesurée. Un jet vibratile engendre des gouttelettes minuscules contenant pour la plupart soit une cellule soit aucune. Les gouttelettes contenant une seule cellule reçoivent automatiquement une charge positive ou négative au moment de leur

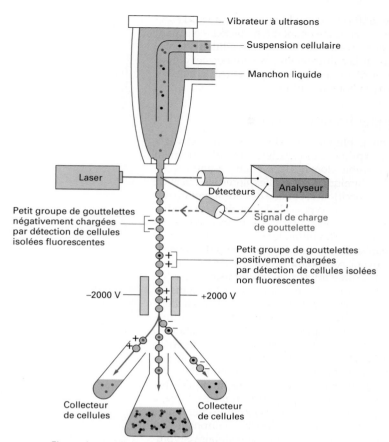

Vibrateur à ultrasons

Suspension cellulaire

Manchon liquide

Laser

Détecteurs

Analyseur

Petit groupe de gouttelettes
négativement chargées
par détection de cellules
isolées fluorescentes

Signal de charge
de gouttelette

Petit groupe de gouttelettes
positivement chargées
par détection de cellules isolées
non fluorescentes

−2000 V   +2000 V

Collecteur
de cellules

Collecteur
de cellules

Flacon de recueil des gouttelettes non défléchies

Figure 8-2 Trieuse utilisée pour la cytométrie en flux. Chaque cellule qui traverse le faisceau laser est examinée pour rechercher sa fluorescence. Les gouttelettes contenant une seule cellule reçoivent une charge positive ou négative en fonction de la présence ou non d'une fluorescence. Les gouttelettes sont ensuite défléchies par un champ électrique dans des tubes collecteurs en fonction de leur charge. Notez que la concentration en cellules doit être ajustée pour que la plupart des gouttelettes ne contiennent pas de cellules et s'écoulent dans un récipient de déchet en même temps que les amas cellulaires.

formation, en fonction de la présence ou de l'absence de fluorescence de la cellule qu'elles contiennent. Elles sont ensuite défléchies dans un récipient approprié par un puissant champ électrique. Les quelques groupes de cellules, détectés par l'augmentation de la diffusion de la lumière, sont laissés sans charge et éliminés dans le récipient de déchet. Ces machines peuvent sélectionner avec précision 1 cellule fluorescente à partir d'un pool de 1 000 cellules non marquées et trient plusieurs milliers de cellules par seconde (Figure 8-2).

Il est possible d'obtenir certaines cellules choisies par leur dissection précise à partir de fines coupes tissulaires préparées pour l'examen en microscopie (*voir* Chapitre 9). Selon une technique, la coupe tissulaire est recouverte d'un fin film plastique et la région contenant les cellules intéressantes est irradiée avec un flux focalisé d'un laser infrarouge. Ce flux lumineux fait fondre un petit cercle du film, qui s'unit aux cellules sous-jacentes. Une fois capturées, ces cellules sont retirées pour la poursuite de leur analyse. Cette technique appelée *microdissection laser* (*LCM* pour *laser capture microdissection*) sert à séparer et analyser les cellules provenant de différentes zones d'une tumeur, pour comparer leurs propriétés. Une méthode apparentée utilise un rayon laser pour couper directement un groupe de cellules et les projeter dans un récipient adapté pour la poursuite de leur analyse (Figure 8-3).

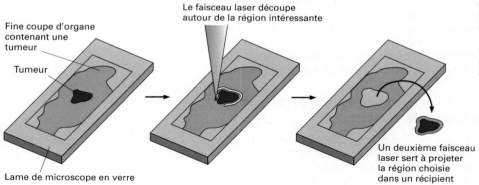

Le faisceau laser découpe
autour de la région intéressante

Fine coupe d'organe
contenant une
tumeur

Tumeur

Lame de microscope en verre

Un deuxième faisceau
laser sert à projeter
la région choisie
dans un récipient

Figure 8-3 Techniques de microdissection permettant d'isoler les cellules à étudier de coupes tissulaires. Cette méthode utilise un faisceau laser pour exciser la région à étudier et l'éjecter dans un récipient, et permet même l'isolement d'une seule cellule à partir d'un échantillon tissulaire.

Une fois qu'une population cellulaire uniforme a été obtenue – par microdissection ou n'importe quelle autre méthode de séparation venant d'être décrite – elle peut être utilisée directement pour l'analyse biochimique. Un échantillon cellulaire homogène fournit aussi le matériel de départ pour la culture cellulaire, qui permet d'augmenter fortement le nombre de cellules et d'étudier leur comportement complexe selon les conditions strictement définies de la boîte de culture.

Les cellules peuvent croître dans une boîte de culture

Si on apporte un environnement approprié, la plupart des cellules animales et végétales peuvent vivre, se multiplier et même exprimer des caractères de différenciation dans une boîte de culture tissulaire. Il est possible alors d'observer en continu les cellules en microscopie ou de les analyser biochimiquement et d'explorer les effets de l'addition ou de la soustraction de molécules spécifiques, comme des hormones ou des facteurs de croissance. En plus, en mélangeant deux types cellulaires, on peut étudier les interactions entre un type cellulaire et l'autre. On dit parfois que les expériences faites sur les cellules en culture sont effectuées *in vitro* (littéralement «sous verre»), ce qui les oppose à celles faites sur des organismes intacts, dites *in vivo* (littéralement «dans les êtres vivants»). Ces termes peuvent cependant prêter à confusion parce qu'ils sont souvent utilisés dans un sens très différent par les biochimistes. Dans un laboratoire biochimique, le terme *in vitro* se réfère à des réactions effectuées dans un tube à essai en l'absence de cellules vivantes alors que *in vivo* se réfère aux réactions s'effectuant à l'intérieur d'une cellule vivante (même celles se développant en culture).

Les cultures tissulaires ont commencé en 1907 par une expérience destinée à régler une controverse en neurobiologie. L'hypothèse examinée était la doctrine neuronale qui établissait que chaque fibre nerveuse était l'excroissance d'une seule cellule nerveuse et non le produit de la fusion de nombreuses cellules. Pour tester cette affirmation, de petits morceaux de moelle épinière furent placés dans un liquide tissulaire coagulé, dans une chambre chaude et humide, et observés en microscopie, à intervalles réguliers. Après un jour, il fut possible d'observer des cellules nerveuses isolées, étendant de longs et fins filaments dans le caillot. La doctrine neuronale s'est trouvée ainsi fortement confortée et les fondements de la culture cellulaire révolutionnaire ont été posés.

Les expériences originelles sur les fibres nerveuses utilisaient des cultures de petits fragments tissulaires appelés explants. De nos jours, les cultures sont plus fréquemment effectuées à partir de suspensions de cellules, dissociées de leurs tissus grâce aux méthodes antérieurement décrites. Contrairement aux bactéries, la plupart des cellules des tissus ne sont pas adaptées à vivre en suspension et nécessitent une surface solide sur laquelle croître et se diviser. Pour les cultures cellulaires, ce support est généralement fourni par la surface de la boîte de culture en plastique. Les besoins des cellules varient cependant et beaucoup ne se développent pas ou ne se différencient pas tant que la boîte de culture n'est pas recouverte de composants spécifiques de la matrice extracellulaire, comme du collagène ou de la laminine.

Les cultures préparées directement à partir des tissus d'un organisme, c'est-à-dire sans prolifération cellulaire *in vitro*, sont appelées *cultures primaires*. Elles peuvent s'effectuer associées ou non à l'étape initiale de fractionnement qui sépare les différents types cellulaires. Dans la plupart des cas, les cellules des cultures primaires peuvent être retirées de la boîte de culture et mises à proliférer pour obtenir un grand nombre de cultures, dites secondaires; de cette façon, elles peuvent être mises en sous-culture pendant des semaines ou des mois. Ces cellules présentent souvent beaucoup des propriétés de différenciation adaptées à leur origine : les fibroblastes continuent de sécréter du collagène; les cellules dérivées du muscle squelettique embryonnaire fusionnent pour former des fibres musculaires qui se contractent spontanément dans la boîte de culture; les cellules nerveuses étendent leurs axones qui sont électriquement excitables et forment des synapses avec d'autres cellules nerveuses; et les cellules épithéliales forment des feuillets étendus gardant bon nombre de propriétés d'un épithélium intact (Figure 8-4). Comme ces phénomènes se produisent en culture, ils peuvent être étudiés par des moyens souvent impraticables sur les tissus intacts.

Les milieux dépourvus de sérum, chimiquement définis, permettent l'identification des facteurs spécifiques de croissance

Jusqu'au début des années 1970, les cultures tissulaires semblaient être un mélange de science et de sorcellerie. Même si les liquides coagulés étaient remplacés par des boîtes contenant un milieu liquide pourvu de quantités spécifiques de petites molécules comme des sels, du glucose, des acides aminés et des vitamines, la plupart des

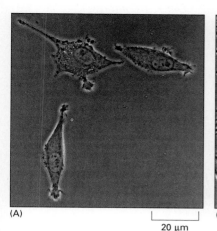
(A)

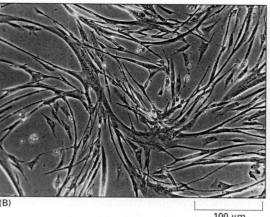
(B)

20 µm

100 µm

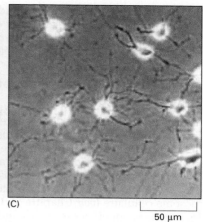
(C)

50 µm

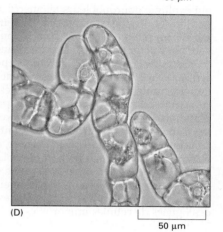
(D)

50 µm

Figure 8-4 Cellules en culture. (A) Photographie en microscopie à contraste de phase de fibroblastes en culture. (B) Photomicrographie de myoblastes en culture montrant des cellules qui fusionnent pour former les cellules musculaires multinucléées. (C) Cellules précurseurs des oligodendrocytes en culture. (D) Cellules de tabac, issues d'une lignée cellulaire immortelle à croissance rapide appelée BY2, en milieu de culture liquide. Les noyaux et les vacuoles sont visibles dans ces cellules. (A, due à l'obligeance de Daniel Zicha; B, due à l'obligeance de Rosalind Zalin; C, d'après D.G. Tang et al., *J. Cell Biol.* 148 : 971-984, 2000. © The Rockefeller University Press; D, due à l'obligeance de Gethin Roberts.)

milieux incluaient aussi un mélange mal défini de macromolécules sous forme de sérum de cheval ou de fœtus de veau ou bien un extrait cru préparé à base d'embryons de poulet. Ces milieux sont encore utilisés de nos jours pour la plupart des cultures cellulaires de routine (Tableau 8-I), mais les chercheurs éprouvent des difficultés à savoir quelle macromolécule spécifique est nécessaire à un type particulier de cellule pour son développement et son fonctionnement normal.

Cette difficulté a conduit au développement de divers milieux sans sérum et chimiquement définis. En plus des petites molécules habituelles, ces milieux définis contiennent une ou plusieurs protéines spécifiques utiles à la survie et à la prolifération des cellules en culture. Ces protéines supplémentaires comportent des facteurs de croissance, qui stimulent la prolifération cellulaire et la transferrine, qui transporte le fer dans les cellules. Beaucoup de protéines de signalisation extracellulaire, essentielles à la survie, au développement et à la prolifération de types cellulaires spéci-

TABLEAU 8-I Composition typique d'un milieu adapté à la culture des cellules de mammifères

ACIDES AMINÉS	VITAMINES	SELS	DIVERS	PROTÉINES (NÉCESSAIRES DANS LES MILIEUX DÉPOURVUS DE SÉRUM, CHIMIQUEMENT DÉFINIS)
Arginine	Biotine	NaCl	Glucose	Insuline
Cystine	Choline	KCl	Pénicilline	Transferrine
Glutamine	Folates	NaH_2PO_4	Streptomycine	Facteurs de croissance
Histidine	Nicotinamide	$NaHCO_3$	Rouge phénol	spécifiques
Isoleucine	Pantothénate	$CaCl_2$	Sérum total	
Leucine	Pyridoxal	$MgCl_2$		
Lysine	Thiamine			
Méthionine	Riboflavine			
Phénylalanine				
Thréonine				
Tryptophane				
Tyrosine				
Valine				

Le glucose est utilisé à la concentration de 5-10mM. Les acides aminés sont tous sous forme L et, à une ou deux exceptions près, sont utilisés à des concentrations de 0,1 à 0,2mM; les vitamines sont utilisées à des concentrations 100 fois inférieures, c'est-à-dire environ 1µM. Le sérum qui provient généralement de cheval ou de veau représente 10 p. 100 du volume total. La pénicilline et la streptomycine sont des antibiotiques ajoutés pour supprimer la croissance des bactéries. Le rouge phénol est un indicateur de pH dont on surveille la couleur pour assurer un pH d'environ 7,4.

Les cultures sont généralement placées dans un récipient en verre ou en plastique avec une surface adaptée et préparée qui permet la fixation des cellules. Les boîtes sont conservées dans un incubateur à 37°C sous atmosphère à 5 p. 100 de CO_2 et 95 p. 100 d'air.

fiques, furent découvertes lors d'études recherchant les conditions minimales permettant aux cellules de se comporter correctement en culture. La recherche de nouvelles molécules de signalisation a donc pu être faite beaucoup plus facilement lorsque les milieux chimiquement définis ont été disponibles.

Des lignées cellulaires eucaryotes sont une source de cellules homogènes largement utilisée

La plupart des cellules de vertébrés cessent de se diviser en culture après un nombre fixe de divisions cellulaires, processus appelé *sénescence cellulaire* (*voir* Chapitre 17). Les fibroblastes normaux de l'homme, par exemple, se divisent typiquement 25 à 40 fois seulement en culture avant de s'arrêter. Dans ces cellules, cette capacité limitée de prolifération reflète le raccourcissement progressif des télomères, séquences d'ADN répétitif associées à des protéines qui coiffent l'extrémité de chaque chromosome cellulaire (*voir* Chapitre 5). Les cellules somatiques humaines ont inactivé les enzymes, appelées *télomérases*, qui maintiennent normalement les télomères, ce qui explique pourquoi leurs télomères se raccourcissent à chaque division cellulaire. Les fibroblastes de l'homme peuvent être amenés à proliférer indéfiniment si on leur fournit les gènes qui codent pour la sous-unité catalytique de la télomérase : ils peuvent alors se propager sous forme d'une **lignée cellulaire** «immortelle».

Certaines cellules de l'homme, cependant, ne sont pas immortalisées par cette astuce. Même si leurs télomères restent longs, elles arrêteront de se diviser après un nombre limité de divisions parce que les conditions de culture activent les *mécanismes de contrôle du cycle cellulaire* (*voir* Chapitre 17) qui stoppent le cycle cellulaire. Afin d'immortaliser ces cellules, il faut faire plus que d'introduire la télomérase. Il faut aussi inactiver les mécanismes de contrôle, par exemple par l'introduction de certains oncogènes promoteurs de cancer, dérivés de virus tumoraux (*voir* Chapitre 23). Contrairement aux cellules humaines, la plupart des cellules de rongeur n'inactivent pas la télomérase et leurs télomères ne se raccourcissent donc pas à chaque division cellulaire. En plus, les cellules de rongeur peuvent subir des variations génétiques en culture qui inactivent leurs mécanismes de contrôle, produisant ainsi spontanément des lignées de cellules immortelles.

Des lignées cellulaires sont souvent facilement engendrées à partir de cellules cancéreuses, mais ces cellules diffèrent assez de celles préparées à partir de cellules normales. Les lignées de cellules cancéreuses croissent souvent sans se fixer sur une surface, par exemple, et peuvent proliférer et atteindre une densité beaucoup plus forte dans la boîte de culture. Il est possible d'induire expérimentalement des propriétés similaires dans les cellules normales en les transformant avec un virus ou une substance chimique induisant des tumeurs. Les lignées cellulaires transformées qui en résultent peuvent souvent provoquer des tumeurs, de façon réciproque, si elles sont injectées dans un animal sensible. Les lignées de cellules transformées et immortelles sont extrêmement intéressantes en recherche cellulaire car ce sont des sources d'un grand nombre de cellules d'un type uniforme, en particulier depuis qu'on peut les conserver dans de l'azote liquide à −196 °C indéfiniment et qu'elles restent viables lorsqu'elles sont décongelées. Il est important de se souvenir cependant que ces deux types de cellules diffèrent presque toujours beaucoup des cellules parentales normales présentes dans les tissus dont elles sont issues. Certaines des lignées cellulaires largement utilisées sont listées dans le tableau 8-II.

Parmi les cultures cellulaires de développement très prometteur – d'un point de vue médical – se trouvent les lignées de cellules souches embryonnaires humaines (ES pour *embryonic stem*). Ces cellules, issues de la masse cellulaire interne du jeune embryon, peuvent proliférer indéfiniment tout en gardant la capacité de donner naissance à n'importe quelle partie du corps (*voir* Chapitre 21). Les cellules ES pourraient potentiellement révolutionner la médecine en fournissant une source de cellules capables de remplacer ou de réparer des tissus lésés par une blessure ou une maladie.

Même si toutes les cellules d'une lignée cellulaire sont très semblables, elles ne sont souvent pas identiques. Il est possible d'améliorer l'uniformité génétique d'une lignée cellulaire par le clonage cellulaire, au cours duquel une seule cellule est isolée et prolifère pour former une grande colonie. Dans cette colonie, ou clone, toutes les cellules sont les descendantes d'une seule cellule ancestrale. Une des utilisations principales du clonage cellulaire a été l'isolement de lignées de cellules mutantes dépourvues de certains gènes spécifiques. L'étude de cellules ne possédant pas une protéine spécifique apporte souvent des informations importantes sur la fonction de cette protéine dans les cellules normales.

Certaines étapes importantes du développement de la culture cellulaire sont présentées dans le tableau 8-III.

TABLEAU 8-II Certaines lignées cellulaires fréquemment utilisées

LIGNÉE CELLULAIRE*	TYPE CELLULAIRE ET ORIGINE
3T3	Fibroblaste (souris)
BHK21	Fibroblaste (hamster de Syrie)
MDCK	Cellule épithéliale (chien)
HeLa	Cellule épithéliale (homme)
PtK1	Cellule épithéliale (rat)
L6	Myoblaste (rat)
PC12	Cellule chromaffine (rat)
SP2	Plasmocyte (souris)
COS	Rein (singe)
293	Rein (homme) ; transformé par l'adénovirus
CHO	Ovaire (hamster de Chine)
DT40	Cellule de lymphome pour recombinaison ciblée efficace (poulet)
R1	Cellule souche embryonnaire (souris)
E14,1	Cellule souche embryonnaire (souris)
H1, H9	Cellule souche embryonnaire (homme)
S2	Cellule de type macrophage (drosophile)
BY2	Cellule indifférenciée du méristème (tabac)

*Un grand nombre de ces lignées cellulaires dérivent de tumeurs. Toutes sont capables de réplication indéfinie en culture et expriment au moins certaines caractéristiques spécifiques de leurs cellules d'origine. Les cellules BHK21, HeLa et SP2 peuvent croître efficacement en suspension ; la plupart des autres lignées cellulaires nécessitent un support de culture solide pour se multiplier.

La fusion de cellules donne des cellules hybrides

Il est possible de fusionner une cellule à une autre pour former un **hétérocaryon**, cellule combinée ayant deux noyaux séparés. Une suspension cellulaire est traitée par certains virus inactivés ou par du polyéthylène glycol, qui modifient tous deux la membrane plasmique des cellules de façon à induire leur fusion. Les hétérocaryons permettent de mélanger les composants de deux cellules séparées pour étudier leurs interactions. Le noyau inerte d'une hématie de poulet, par exemple, est réactivé, fabrique à nouveau de l'ARN puis finit par répliquer son ADN lorsqu'il est exposé, par fusion, au cytoplasme d'une cellule de culture tissulaire en croissance. La première preuve directe que les protéines membranaires sont capables de se déplacer dans le plan de la membrane plasmique (*voir* Chapitre 10) provient d'une expérience de fusion entre des cellules de souris et des cellules humaines : même si, initialement, les protéines cellulaires de surface de la souris et de l'homme étaient confinées dans leur propre moitié de membrane plasmique de l'hétérocaryon, elles ont rapidement diffusé et se sont mélangées sur toute la surface cellulaire.

Enfin, l'hétérocaryon subit des mitoses et produit des cellules hybrides dans lesquelles les deux enveloppes nucléaires séparées se sont désassemblées et ont permis à tous les chromosomes de se réunir en un seul gros noyau (Figure 8-5). Même s'il est possible de cloner ces cellules hybrides pour produire une lignée cellulaire hybride, ces cellules ont tendance à perdre leurs chromosomes et sont donc génétiquement instables. Pour des raisons inconnues, les cellules hybrides souris-homme perdent surtout les chromosomes de l'homme. Ces chromosomes sont perdus de façon aléatoire, donnant naissance à diverses lignées cellulaires hybrides souris-homme, dont chacune contient seulement un ou quelques chromosomes humains. Ce phénomène a été utilisé pour localiser les gènes du génome humain : par exemple, seules les cellules hybrides contenant le chromosome humain 11 synthétisent l'insuline humaine, ce qui indique que le gène codant pour l'insuline est localisé sur le chromosome 11. Cette même cellule hybride est également utilisée comme source d'ADN humain pour préparer les banques d'ADN humain spécifiques des chromosomes.

1885	**Roux** montre que les cellules embryonnaires de poulet peuvent être maintenues en vie dans une solution saline, en dehors du corps de l'animal.
1907	**Harrison** cultive la moelle épinière d'un amphibien dans un caillot de lymphe, démontrant ainsi que les axones sont les extensions d'une seule cellule nerveuse.
1910	**Rous** induit une tumeur en utilisant un extrait filtré de cellules tumorales de poulet. On a montré par la suite qu'elles contenaient un virus à ARN (virus du sarcome de Rous).
1913	**Carrel** montre que les cellules peuvent croître longtemps en culture si elles sont régulièrement nourries sous conditions d'asepsie.
1948	**Earle** et ses collaborateurs isolent des cellules individuelles de la lignée des cellules L et montrent qu'elles forment des clones de cellules en culture tissulaire.
1952	**Gey** et ses collaborateurs créent une lignée continue de cellules dérivées d'un carcinome cervical humain, devenue par la suite la lignée cellulaire HeLa bien connue.
1954	**Levi-Montalcini** et ses associés montrent que le facteur de croissance des nerfs (NGF) stimule la croissance des axones en culture tissulaire.
1955	**Eagle** effectue la première recherche systématique des besoins nutritionnels indispensables des cellules en culture et trouve que les cellules animales peuvent se propager dans un mélange défini de petites molécules, complémenté d'une petite proportion de protéines sériques.
1956	**Puck** et ses associés sélectionnent à partir de cultures de cellules HeLa, des mutants présentant des modifications des besoins de croissance.
1958	**Temin et Rubin** développent le dosage quantitatif de l'infection des cellules de poulet en culture par le virus du sarcome de Rous purifié. Dans la décennie suivante, les caractéristiques de ce type de transformation virale ainsi que d'autres types ont été établies par **Stoker**, **Dulbecco**, **Green** et d'autres virologistes.
1961	**Hayflick et Moorhead** montrent que les fibroblastes humains en culture meurent après un nombre défini de divisions.
1964	**Littlefield** introduit le milieu HAT pour la croissance sélective des hybrides de cellules somatiques. Associé à la technique de fusion cellulaire, cela a rendu accessible la génétique des cellules somatiques. **Kato et Takeuchi** obtiennent une carotte complète à partir d'une unique cellule de racine de carotte en culture tissulaire.
1965	**Ham** introduit un milieu défini, sans sérum, capable de soutenir la croissance clonale de certaines cellules de mammifères. **Harris et Watkins** produisent les premiers hétérocaryons de cellules de mammifères par la fusion viro-induite de cellules humaines et de souris.
1968	**Augusti-Tocco et Sato** adaptent une tumeur de cellules nerveuses de souris (neuroblastome) à la culture tissulaire et isolent des clones qui sont électriquement excitables et qui étendent des processus nerveux. Plusieurs autres lignées cellulaires différenciées ont été isolées au même moment, y compris les lignées de cellules du muscle squelettique et du foie.
1975	**Köhler et Milstein** produisent la première lignée cellulaire d'hybridome sécrétant des anticorps monoclonaux.
1976	**Sato** et ses associés publient la première série d'articles montrant que différentes lignées cellulaires nécessitent différents mélanges d'hormones et de facteurs de croissance pour croître dans un milieu sans sérum.
1977	**Wigler et Axel** et leurs associés développent une méthode efficace pour introduire une copie unique d'un gène de mammifère dans des cellules en culture, adaptant une méthode auparavant développée par **Graham et van der Eb**.
1986	**Martin et Evans** et leurs collaborateurs isolent et mettent en culture des cellules souches embryonnaires pluripotentes issues de souris.
1998	**Thomson et Gearhart** et leurs associés isolent des cellules souches embryonnaires humaines.

Les lignées cellulaires d'hybridomes sont une source permanente d'anticorps monoclonaux

En 1975, le développement d'un type spécifique de lignée cellulaire hybride a révolutionné la production des anticorps pour leur utilisation en biologie cellulaire. Cette technique implique la propagation d'un clone de cellules à partir d'un seul lymphocyte B sécrétant des anticorps, afin d'obtenir une préparation homogène d'une grande quantité d'anticorps. Cependant il y a un problème pratique car normalement, en culture, les lymphocytes B ont une durée de vie limitée. Pour surmonter cette limitante, des lymphocytes B isolés produisant des anticorps issus d'une souris ou d'un rat immunisé sont fusionnés à des cellules dérivées d'une tumeur à lymphocytes B «immortels». Dans le mélange hétérogène de cellules hybrides qui en découle, les hybrides qui possèdent à la fois la capacité de fabriquer l'anticorps particulier et de se multiplier indéfiniment en culture sont sélectionnés. Ces **hybridomes** sont multipliés sous forme de clones individuels, dont chacun fournit une source permanente et stable d'un seul type d'**anticorps monoclonal** (Figure 8-6). Cet anticorps reconnaît un seul type de site antigénique – par exemple un groupe particulier de cinq ou six chaînes d'acides aminés à la surface d'une protéine. Leur spécificité uniforme rend

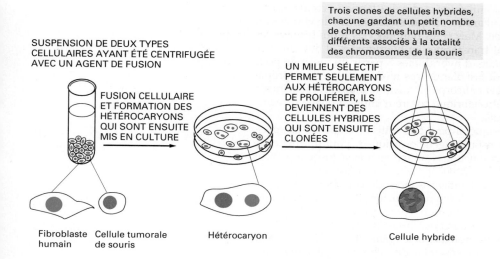

SUSPENSION DE DEUX TYPES CELLULAIRES AYANT ÉTÉ CENTRIFUGÉE AVEC UN AGENT DE FUSION

FUSION CELLULAIRE ET FORMATION DES HÉTÉROCARYONS QUI SONT ENSUITE MIS EN CULTURE

UN MILIEU SÉLECTIF PERMET SEULEMENT AUX HÉTÉROCARYONS DE PROLIFÉRER, ILS DEVIENNENT DES CELLULES HYBRIDES QUI SONT ENSUITE CLONÉES

Trois clones de cellules hybrides, chacune gardant un petit nombre de chromosomes humains différents associés à la totalité des chromosomes de la souris

Fibroblaste humain

Cellule tumorale de souris

Hétérocaryon

Cellule hybride

Figure 8-5 Production de cellules hybrides. Les cellules de l'homme et de la souris sont fusionnées pour produire des hétérocaryons (ayant chacun deux ou plusieurs noyaux) qui finissent par former des cellules hybrides (chacune ayant un noyau fusionné). Ces cellules hybrides particulières sont très utiles pour placer les gènes humains sur leurs chromosomes spécifiques car la plupart des chromosomes de l'homme sont rapidement perdus de façon aléatoire, laissant des clones qui ne conservent que quelques chromosomes ou un seul d'entre eux. Les cellules hybrides produites par fusion d'autres types de cellules conservent souvent la plupart de leurs chromosomes.

ces anticorps monoclonaux bien plus intéressants, pour de nombreuses utilisations, que les antisérums spécifiques, qui contiennent généralement un mélange d'anticorps qui reconnaissent divers sites antigéniques différents sur une macromolécule.

L'avantage majeur de la technique des hybridomes est de pouvoir fabriquer des anticorps monoclonaux vis-à-vis de molécules qui ne constituent qu'un composant

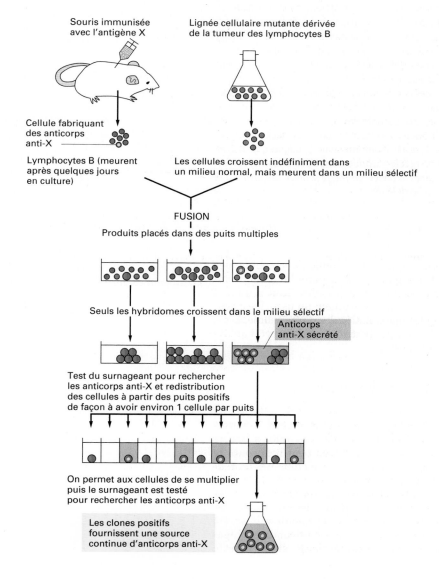

Souris immunisée avec l'antigène X

Lignée cellulaire mutante dérivée de la tumeur des lymphocytes B

Cellule fabriquant des anticorps anti-X

Lymphocytes B (meurent après quelques jours en culture)

Les cellules croissent indéfiniment dans un milieu normal, mais meurent dans un milieu sélectif

FUSION

Produits placés dans des puits multiples

Seuls les hybridomes croissent dans le milieu sélectif

Anticorps anti-X sécrété

Test du surnageant pour rechercher les anticorps anti-X et redistribution des cellules à partir des puits positifs de façon à avoir environ 1 cellule par puits

On permet aux cellules de se multiplier puis le surnageant est testé pour rechercher les anticorps anti-X

Les clones positifs fournissent une source continue d'anticorps anti-X

Figure 8-6 Préparation des hybridomes qui sécrètent des anticorps monoclonaux contre un antigène particulier. Dans ce cas, l'antigène choisi est désigné par «antigène X». Le milieu de croissance sélectionné, utilisé après l'étape de fusion cellulaire, contient un inhibiteur (l'aminoptérine) qui bloque les voies biosynthétiques normales permettant de fabriquer les nucléotides. Les cellules doivent donc utiliser une voie de dérivation pour synthétiser leurs acides nucléiques. Cette voie n'existe pas dans la lignée cellulaire mutante dérivée de la tumeur, mais est intacte dans les cellules obtenues à partir des souris immunisées. Comme aucun type cellulaire utilisé pour la fusion initiale ne peut croître de lui-même, seules les cellules hybrides survivent.

mineur du mélange complexe. Dans l'antisérum ordinaire fabriqué contre un tel mélange, la proportion de molécules d'anticorps qui reconnaissent le composant mineur est trop faible pour être utilisée. Mais si les lymphocytes B qui forment les divers composants de l'antisérum sont transformés en hybridomes, il devient possible de rechercher des clones particuliers d'hybridomes à partir du mélange pour sélectionner celui qui produit le type désiré d'anticorps monoclonal et de le propager indéfiniment de façon à produire cet anticorps en quantité illimitée. En principe donc, un anticorps monoclonal peut être fabriqué contre n'importe quelle protéine présente dans un échantillon biologique.

Une fois qu'un anticorps a été fabriqué, il peut être utilisé comme sonde spécifique – à la fois pour dépister et localiser son antigène protéique et pour purifier cette protéine pour étudier sa structure et sa fonction. Comme on a isolé jusqu'à présent seulement une petite partie des 10 000 à 20 000 protéines estimées d'une cellule typique de mammifère, un grand nombre d'anticorps monoclonaux fabriqués contre des mélanges impurs de protéines dans des fractionnements d'extraits cellulaires identifient de nouvelles protéines. Avec l'utilisation des anticorps monoclonaux et des méthodes rapides d'identification que nous décrirons bientôt, il devient facile d'identifier et de caractériser les nouvelles protéines et les gènes. Le problème majeur reste de déterminer leur fonction, grâce à un ensemble de techniques puissantes que nous aborderons dans la dernière partie de ce chapitre.

Résumé

Il est possible de disséquer les tissus en les cellules qui les composent, puis de purifier chaque type cellulaire afin de l'utiliser pour des analyses biochimiques ou pour établir des cultures cellulaires. Beaucoup de cellules animales et végétales survivent et prolifèrent dans une boîte de culture si on leur fournit un milieu adapté contenant des nutriments et des facteurs de croissance protéiques spécifiques. Même si la plupart des cellules animales cessent de se diviser après un nombre déterminé de divisions, il est possible de maintenir indéfiniment dans des lignées cellulaires des cellules qui sont devenues immortelles suite à des mutations spontanées ou des manipulations génétiques. Des clones peuvent dériver d'une seule cellule ancestrale, et permettent d'isoler des populations uniformes de cellules mutantes dépourvues d'une seule protéine. Deux cellules peuvent être fusionnées pour produire des hétérocaryons à deux noyaux, qui permettent l'examen des interactions entre les composants des deux cellules d'origine. Les hétérocaryons finissent par former des cellules hybrides à un seul noyau fusionné. Comme ces cellules perdent des chromosomes, elles sont à l'origine d'une méthode pratique qui assigne les gènes à un chromosome spécifique. Un type de cellules hybrides, appelé hybridome, est largement utilisé pour produire des quantités illimitées d'anticorps monoclonaux uniformes qui permettent de détecter et de purifier les protéines cellulaires.

FRACTIONNEMENT CELLULAIRE

Même si les analyses biochimiques obligent à rompre l'anatomie de la cellule, des techniques douces de fractionnement ont été imaginées pour séparer les divers composants cellulaires tout en préservant leurs fonctions individuelles. Tout comme il est possible de séparer les types cellulaires vivants qui constituent un tissu, il est possible de séparer les organites fonctionnels et les macromolécules d'une cellule. Dans cette partie, nous considérerons les méthodes qui permettent de purifier et d'analyser biochimiquement les organites et les protéines.

L'ultracentrifugation permet de séparer les organites et les macromolécules

Il est possible de rompre les cellules de diverses façons : elles peuvent être soumises à un choc osmotique ou à des vibrations par ultrasons, envoyées de force à travers un petit orifice ou écrasées dans un mixer. Ces techniques rompent beaucoup de membranes cellulaires (y compris la membrane plasmique et les membranes du réticulum endoplasmique) en fragments qui se recollent immédiatement pour former de petites vésicules closes. Cependant, si elles sont consciencieusement appliquées, les techniques de rupture épargnent les organites comme les noyaux, les mitochondries, l'appareil de Golgi, les lysosomes et les peroxysomes. La suspension de cellules est ainsi réduite à un liquide épais (appelé *homogénat* ou *extrait*) qui contient divers organites entourés d'une membrane dont chacun a une taille, une charge et une densité

Figure 8-7 Ultracentrifugation de préparation. L'échantillon est mis dans des tubes insérés dans des trous cylindriques formant un cercle dans un *rotor* métallique. La rotation rapide du rotor engendre des forces de centrifugation énormes qui provoquent la sédimentation des particules de l'échantillon. Le vide réduit la friction et empêche le rotor de chauffer, ce qui permet au système de réfrigération de maintenir l'échantillon à 4 °C.

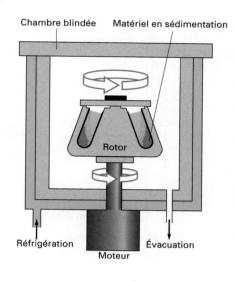

Chambre blindée   Matériel en sédimentation

Rotor

Réfrigération   Moteur   Évacuation

différentes. Comme le milieu d'homogénéisation a été soigneusement choisi (par tâtonnements successifs pour chaque organite), les divers composants – y compris les vésicules dérivées du réticulum endoplasmique, appelées microsomes – gardent leurs propriétés chimiques d'origine.

Les différents composants de l'homogénat doivent ensuite être séparés. Ce type de fractionnement cellulaire n'a été possible qu'au début des années 1940, après le développement commercial d'un appareil appelé *ultracentrifugeuse préparative*, dans lequel les extraits de cellules rompues subissent une rotation à vitesse élevée (Figure 8-7). Ce traitement sépare les composants cellulaires selon leur taille et leur densité ; en général, les plus grandes unités subissent la force de centrifugation maximale et se déplacent le plus vite. À une vitesse relativement faible, les composants de grande taille comme les noyaux sédimentent et forment le culot au fond des tubes de centrifugation ; à des vitesses légèrement supérieures, un culot de mitochondries se dépose et à des vitesses encore plus rapides et des temps de centrifugation allongés, il est possible de recueillir d'abord les petites vésicules fermées puis les ribosomes (Figure 8-8). Toutes ces fractions sont impures, mais beaucoup de contaminants sont retirés en remettant le culot en suspension et en répétant plusieurs fois la procédure de centrifugation.

La centrifugation est la première étape de la plupart des fractionnements, mais elle ne sépare que les composants qui diffèrent grandement de par leur taille. On obtient une séparation plus fine en plaçant une fine bande d'homogénat au sommet d'une solution saline diluée qui remplit le tube de centrifugation. Lorsqu'ils sont centrifugés, les divers composants du mélange se déplacent à travers la solution saline sous forme d'une série de bandes distinctes, chacun à une vitesse différente, selon un processus appelé *vitesse de sédimentation* (Figure 8-9A). Pour que cette technique soit efficace, il faut protéger les bandes du mélange par convection qui se produit normalement si une solution plus dense (par exemple, celle qui contient les organites) se trouve au sommet d'une solution moins dense (la solution saline). Cela s'effectue en remplissant le tube de la centrifugeuse avec un gradient continu de saccharose préparé avec un appareil à mélange spécial. Le gradient de densité qui en résulte – dont la partie dense se trouve en bas du tube – maintient chaque région de la solution saline plus dense que n'importe quelle solution au-dessus d'elle et empêche ainsi que le mélange par convection ne fausse la séparation.

Lorsqu'ils subissent une sédimentation à travers ce gradient de saccharose dilué, les différents composants cellulaires se séparent en bandes distinctes qui peuvent être recueillies individuellement. La vitesse relative de sédimentation de chaque composant dépend surtout de sa taille et de sa forme – et est décrite normalement en terme de coefficient de sédimentation ou valeur S. Les ultracentrifugeuses actuelles tournent à des vitesses supérieures à 80 000 tpm (tours par minute) et produisent des forces atteignant 500 000 fois la pesanteur. Grâce à ces forces gigantesques, même les petites macromolécules comme les molécules d'ARNt et de simples enzymes peuvent sédimenter à une vitesse appréciable et être ainsi séparées les unes des autres par leur taille. La mesure des coefficients de sédimentation est utilisée en routine pour faciliter la détermination de la taille et de la composition des sous-unités des assemblages organisés des macromolécules retrouvées dans la cellule.

L'ultracentrifugeuse sert également à séparer les composants cellulaires selon leur densité de flottaison, indépendamment de leur forme et de leur taille. Dans ce

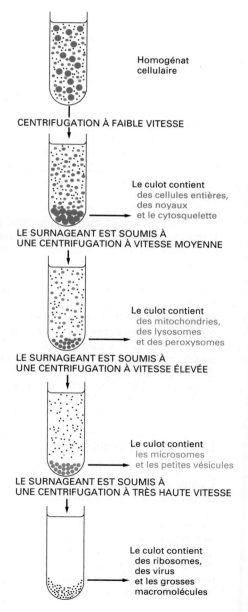

Homogénat cellulaire

CENTRIFUGATION À FAIBLE VITESSE

Le culot contient des cellules entières, des noyaux et le cytosquelette

LE SURNAGEANT EST SOUMIS À UNE CENTRIFUGATION À VITESSE MOYENNE

Le culot contient des mitochondries, des lysosomes et des peroxysomes

LE SURNAGEANT EST SOUMIS À UNE CENTRIFUGATION À VITESSE ÉLEVÉE

Le culot contient les microsomes et les petites vésicules

LE SURNAGEANT EST SOUMIS À UNE CENTRIFUGATION À TRÈS HAUTE VITESSE

Le culot contient des ribosomes, des virus et les grosses macromolécules

Figure 8-8 Fractionnement des cellules par centrifugation. Des centrifugations répétées à des vitesses progressivement supérieures fractionnent des homogénats cellulaires en leurs composants. En général, plus le composant subcellulaire est petit, plus la force de centrifugation nécessaire à sa sédimentation est grande. Les valeurs typiques des différentes étapes de centrifugation référées dans la figure sont :

Faible vitesse	1 000 fois la pesanteur pendant 10 minutes
Vitesse moyenne	20 000 fois la pesanteur pendant 20 minutes
Vitesse élevée	80 000 fois la pesanteur pendant 1 heure
Très haute vitesse	150 000 fois la pesanteur pendant 3 heures

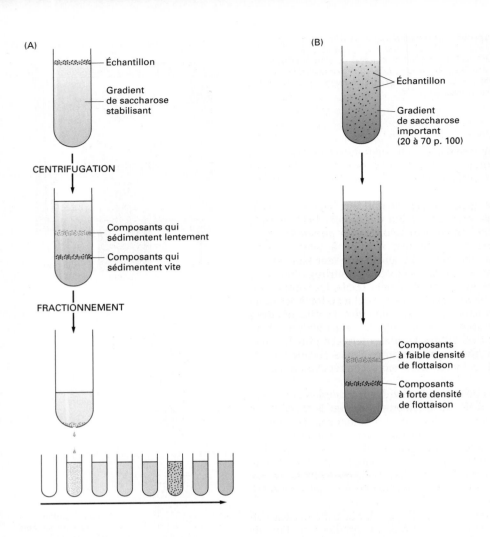

Figure 8-9 Comparaison entre la vitesse de sédimentation et la sédimentation à l'équilibre. Lors de vitesse de sédimentation (A), les composants subcellulaires sédimentent à des vitesses différentes selon leur taille et leur forme lorsqu'ils sont déposés en une couche au-dessus d'une solution diluée contenant du saccharose. Pour stabiliser les bandes de sédiments et empêcher le mélange par convection, provoqué par de petites différences de température ou de concentration du soluté, le tube contient un faible gradient continu de saccharose dont la concentration augmente plus on se dirige vers le fond du tube (typiquement de 5 p. 100 à 20 p. 100 de saccharose). Après la centrifugation, les différents composants sont recueillis individuellement, facilement en perçant le tube de centrifugation en plastique et en recueillant les gouttes à partir du fond, comme cela est illustré ici. Lors de sédimentation à l'équilibre (B), les composants subcellulaires se déplacent vers le haut ou vers le bas lorsqu'ils sont centrifugés selon un gradient jusqu'à ce qu'ils atteignent la position où leur densité correspond à celle de l'entourage. Même s'il s'agit ici d'un gradient de saccharose, des gradients plus denses, particulièrement utiles pour séparer les protéines et les acides nucléiques, peuvent être obtenus avec le chlorure de césium. À l'équilibre, les bandes définitives sont recueillies comme en (A).

cas, l'échantillon sédimente en général dans un gradient de densité important qui contient une très forte concentration en saccharose ou en chlorure de césium. Chaque composant cellulaire commence à se déplacer vers le bas du gradient comme dans la Figure 8-9A, mais il finit par atteindre la position où la densité de la solution est égale à sa propre densité. À ce point, le composant flotte et ne peut aller plus loin. On obtient ainsi une série de bandes distinctes dans le tube de centrifugation, les bandes les plus basses du tube contenant les composants de plus forte densité de flottaison (Figure 8-9B). Cette méthode, appelée *sédimentation à l'équilibre*, est si sensible qu'elle peut séparer des macromolécules ayant incorporé des isotopes lourds comme le ^{13}C ou le ^{15}N des mêmes macromolécules qui contiennent les isotopes plus fréquents moins lourds (^{12}C ou ^{14}N). En fait, la méthode au chlorure de césium a été développée en 1957 pour séparer l'ADN marqué de l'ADN non marqué obtenu après l'exposition d'une population bactérienne en croissance à des précurseurs nucléotidiques contenant du ^{15}N ; cette expérience classique a apporté la preuve directe de la réplication semi-conservative de l'ADN (*voir* Figure 5-5).

Les systèmes acellulaires permettent de déchiffrer les particularités moléculaires des processus cellulaires complexes

L'étude des organites et des autres gros composants subcellulaires isolés par ultra-centrifugation a largement contribué à notre compréhension des fonctions des différents composants cellulaires. Des expériences menées sur les mitochondries et les chloroplastes purifiés par centrifugation, par exemple, ont mis en évidence la fonction centrale de ces organites qui consiste à transformer l'énergie en des formes utilisables par les cellules. De même, les vésicules qui se reforment à partir de fragments de réticulum endoplasmique lisse et rugueux (microsomes) ont été séparées les unes des autres et analysées en tant que modèles fonctionnels de ces compartiments dans les cellules intactes.

L'extension de cette approche, qui utilise des **systèmes** purifiés **acellulaires**, permet d'étudier beaucoup d'autres processus biologiques une fois qu'ils sont libérés de toutes les réactions secondaires complexes qui se produisent dans la cellule vivante. Dans ce cas, l'homogénat cellulaire est fractionné pour purifier individuellement chacune des macromolécules nécessaires à la catalyse du processus biologique à étudier. Par exemple, l'expérience qui a commencé avec un homogénat cellulaire qui pouvait traduire les molécules d'ARN pour produire des protéines a permis de déchiffrer le mécanisme de la synthèse protéique. Le fractionnement de cet homogénat, étape par étape, libère tour à tour les ribosomes, les ARNt et les diverses enzymes qui forment ensemble la machinerie de la synthèse protéique. Dès que chaque composant est purifié, chacun peut être ajouté ou retiré séparément pour définir son rôle exact dans le processus global. Un des buts actuels majeurs est de reconstituer chaque processus biologique dans un système acellulaire purifié, afin de pouvoir définir tous ses composants et leurs mécanismes d'action. Certaines des étapes primordiales dans le développement de cette approche critique de la compréhension des cellules sont présentées au tableau 8-IV.

Une grande partie de nos connaissances en biologie moléculaire de la cellule a été découverte par l'étude des systèmes acellulaires. Citons comme exemple, leur utilisation pour déchiffrer les particularités moléculaires de la réplication et de la transcription de l'ADN, de l'épissage de l'ARN, de la traduction des protéines, de la contraction musculaire et du transport des particules le long des microtubules. Les systèmes acellulaires sont utilisés pour étudier les processus complexes et hautement organisés comme le cycle de division cellulaire, la séparation des chromosomes sur le fuseau mitotique et les étapes du transport vésiculaire impliqué dans le déplacement des protéines à partir du réticulum endoplasmique à travers l'appareil de Golgi jusque dans la membrane plasmique.

Les homogénats cellulaires fournissent aussi en principe, le matériel de départ pour la séparation complète de chacun des composants macromoléculaires à partir d'une cellule. Nous pouvons envisager maintenant comment s'obtient cette séparation, en nous focalisant sur les protéines.

La chromatographie peut séparer les protéines

Le fractionnement des protéines s'effectue le plus souvent par **chromatographie sur colonne**. Dans ce cas, le mélange de protéines en solution traverse une colonne conte-

TABLEAU 8-IV Événements ayant marqué le cours du développement des systèmes acellulaires

1897	**Buchner** montre que les extraits acellulaires de levure peuvent fermenter les sucres pour former du dioxyde de carbone et de l'éthanol, et met en place les fondements de l'enzymologie.
1926	**Svedberg** développe la première ultracentrifugeuse analytique et l'utilise pour estimer la masse moléculaire de l'hémoglobine à 68 000 daltons.
1935	**Pickels et Beams** introduisent plusieurs caractéristiques nouvelles dans la conception des centrifugeuses, qui conduiront à son utilisation comme instrument de préparation.
1938	**Behrens** emploie la centrifugation différentielle pour séparer les noyaux et le cytoplasme des cellules hépatiques, une technique développée ensuite pour le fractionnement des organites cellulaires par **Claude, Brachet, Hogeboom** et d'autres au cours des années 1940 et début 1950.
1939	**Hill** montre que les chloroplastes isolés peuvent effectuer les réactions de la photosynthèse lorsqu'ils sont illuminés.
1949	**Szent-Györgyi** montre que des myofibrilles isolées des cellules du muscle squelettique se contractent après l'addition d'ATP. En 1955, **Hofmann-Berling** développera un système acellulaire similaire pour les battements ciliaires.
1951	**Brakke** utilise une centrifugation par gradient de densité en solution de saccharose pour purifier un virus d'un végétal.
1954	**De Duve** isole par centrifugation les lysosomes puis ensuite les peroxysomes.
1954	**Zamecnik** et ses confrères développent le premier système acellulaire qui effectue une synthèse protéique. Il s'ensuit une décennie d'intense activité de recherche pendant laquelle le code génétique est élucidé.
1957	**Meselson, Stahl et Vinograd** développent la centrifugation à l'équilibre en gradient de densité dans des solutions de chlorure de césium pour séparer les acides nucléiques.
1975	**Dobberstein et Blobel** mettent en évidence la translocation protéique à travers la membrane dans un système acellulaire.
1976	**Neher et Sakman** développent la technique d'enregistrement local (patch clamp recording) pour mesurer l'activité de chaque canal ionique.
1983	**Lohka et Masui** fabriquent des extraits concentrés à partir d'œufs de grenouilles qui effectuent le cycle cellulaire complet *in vitro*.
1984	**Rothman** et ses confrères reconstituent *in vitro* le transport dans les vésicules de Golgi avec un système acellulaire.

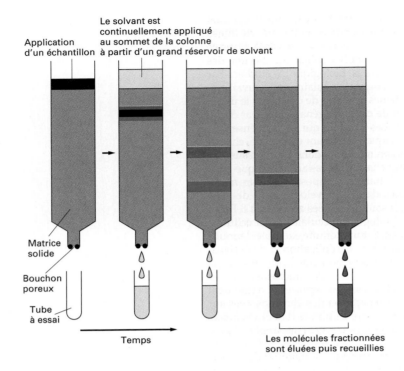

Application
d'un échantillon

Le solvant est
continuellement appliqué
au sommet de la colonne
à partir d'un grand réservoir de solvant

Matrice
solide

Bouchon
poreux

Tube
à essai

Temps

Les molécules fractionnées
sont éluées puis recueillies

Figure 8-10 Séparation des molécules par chromatographie sur colonne. L'échantillon, un mélange de différentes molécules, est appliqué au sommet d'une colonne de verre ou de plastique cylindrique, remplie d'une matrice solide perméable, comme de la cellulose, immergée dans du solvant. Une grande quantité de solvant est alors pompée lentement à travers la colonne et recueillie dans des tubes séparés lorsqu'elle ressort au bas de la colonne. Comme les divers composants de l'échantillon se déplacent à des vitesses différentes à travers la colonne, ils sont fractionnés dans les différents tubes.

nant une matrice solide poreuse. Les différentes protéines sont plus ou moins retardées selon leurs interactions avec la matrice et peuvent être recueillies séparément lorsqu'elles ressortent à l'extrémité inférieure de la colonne (Figure 8-10). En fonction du choix de la matrice, les protéines peuvent être séparées selon leurs charges (*chromatographie par échange d'ions*), leur hydrophobicité (*chromatographie hydrophobe*), leur taille (*chromatographie par filtration sur gel*) ou leur capacité à se fixer sur de petites molécules ou sur d'autres macromolécules (*chromatographie d'affinité*).

Plusieurs types de matrices sont commercialement disponibles (Figure 8-11). Les colonnes échangeuses d'ions sont remplies de petites billes qui portent une charge positive ou négative de telle sorte que le fractionnement protéique s'effectue selon la disposition des charges à leur surface. Les colonnes hydrophobes sont remplies de billes sur lesquelles des chaînes latérales hydrophobes font saillies, de telle sorte que les protéines pourvues de régions hydrophobes exposées sont retardées. Les colonnes de filtration sur gel, qui séparent les protéines en fonction de leur taille, sont remplies de minuscules billes poreuses : les molécules assez petites pour passer par les pores s'attardent à l'intérieur des billes successives lorsqu'elles traversent la colonne, alors que les molécules plus grosses restent en solution et s'écoulent entre les billes, se déplaçant donc rapidement, pour sortir de la colonne les premières. En plus de la séparation des molécules, la chromatographie par filtration sur gel est un moyen pratique de détermination de leur taille.

La résolution de la chromatographie sur colonne conventionnelle est limitée par l'absence d'homogénéité des matrices (comme la cellulose) qui provoque un flux irrégulier du solvant à travers la colonne. De nouvelles résines pour chromatographie (en général à base de silice) ont été développées sous forme de sphères minuscules (3 à 10 µm de diamètre) qui peuvent être placées avec un appareil spécial afin de former une colonne homogène. Une très bonne résolution est atteinte sur ce type de colonne de **chromatographie liquide haute performance** (**CLHP** ou en anglais HPLC pour *high performance liquid chromatography*). Comme elles contiennent de minuscules billes, le flux des colonnes CLHP est négligeable tant qu'on ne leur applique pas de fortes pressions. C'est pourquoi ces colonnes sont typiquement placées dans des cylindres en acier et nécessitent un système complexe de pompes et de valves qui force le solvant à les traverser avec suffisamment de pression pour produire la vitesse d'écoulement rapide souhaitée, égale à un volume de colonne par minute environ. Lors de chromatographie sur colonne conventionnelle, la vitesse du flux doit rester lente (souvent un volume de colonne par heure environ) pour donner, aux solutés à fractionner, le temps de s'équilibrer avec l'intérieur des grosses particules de la matrice. Lors de CLHP, les solutés s'équilibrent très rapidement à l'intérieur des sphères minuscules, de telle sorte que des solutés d'affinités différentes pour la matrice sont efficacement séparés les uns des autres avec des vitesses rapides d'écoulement. Cela permet d'effectuer la plupart des fractionnements en quelques minutes, alors qu'il faut des heures pour obtenir une moins bonne séparation par chromatographie conventionnelle. La CLHP est donc devenue la méthode de choix de séparation de nombreuses protéines et petites molécules.

La chromatographie d'affinité exploite les sites de liaisons spécifiques des protéines

Si on commence avec un mélange complexe de protéines, ces types de chromatographie sur colonne ne produisent pas de fractions fortement purifiées : un seul passage à travers la colonne n'augmente généralement pas de plus de vingt fois la proportion d'une protéine donnée dans le mélange. Comme la plupart des protéines prises individuellement représente moins de 1/1 000 des protéines cellulaires totales, il est en général nécessaire d'utiliser successivement plusieurs types de colonnes différentes pour obtenir une pureté suffisante (Figure 8-12). Une technique plus efficace, appelée **chromatographie d'affinité**, profite des interactions de liaison biologiquement importantes qui se produisent à la surface des protéines. Si la molécule de substrat est couplée de façon covalente sur une matrice inerte comme une bille de polysaccharide, par exemple, les enzymes qui opèrent sur ce substrat seront souvent retenues par la matrice et pourront être alors éluées (lavées) sous une forme presque pure. De même, les petits oligonucléotides d'ADN dont la séquence spécifique a été choisie peuvent être ainsi immobilisés et utilisés pour purifier les protéines de liaison à l'ADN qui reconnaissent normalement cette séquence de nucléotides dans les chromosomes (*voir* Figure 7-30). Des anticorps spécifiques peuvent aussi être couplés à une matrice pour purifier les molécules protéiques qu'ils reconnaissent. Du fait de la grande spécificité de ces colonnes d'affinité, il est possible d'obtenir une purification de 1 000 à 10 000 fois après un seul passage.

Tout gène peut être modifié par la méthode de l'ADN recombinant abordée dans le prochain paragraphe, pour produire sa protéine dotée d'un marquage moléculaire fixe, ce qui rend la purification de cette protéine par chromatographie d'affinité simple et rapide (*voir* Figure 8-48, en bas). Par exemple, l'acide aminé histidine se fixe sur certains ions métalliques, y compris le nickel et le cuivre. Si on utilise des

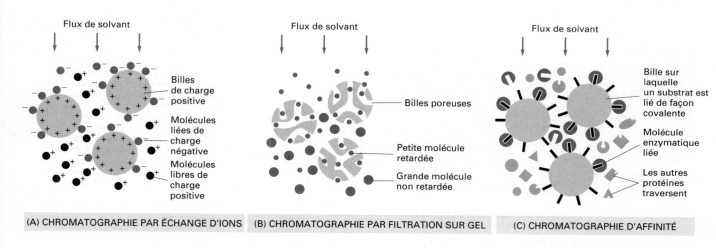

Figure 8-11 Trois types de matrices utilisées en chromatographie. Lors de chromatographie par échange d'ions (A), la matrice insoluble porte une charge ionique qui retarde le mouvement des molécules de charge opposée. Les matrices utilisées pour séparer les protéines sont la diéthylaminoéthyle cellulose (DEAE-cellulose), de charge positive, ainsi que la carboxyméthyle cellulose (CM-cellulose) et la phosphocellulose, qui sont négativement chargées. D'autres matrices analogues constituées d'agarose et d'autres polymères sont aussi souvent utilisées. La force de l'association entre les molécules dissoutes et la matrice échangeuse d'ions dépend à la fois de la force ionique et du pH de la solution qui traverse la colonne et peut donc systématiquement être modifiée (comme dans la figure 8-12) pour permettre une séparation efficace. Lors de chromatographie par filtration sur gel (B), la matrice est inerte mais poreuse. Les molécules assez petites pour pénétrer dans la matrice sont retardées et se déplacent plus lentement à travers la colonne. On trouve sur le marché des billes de polysaccharides à liaisons croisées (dextran, agarose ou acrylamide) de différentes tailles de pores, qui permettent le fractionnement de molécules de poids moléculaire compris entre moins de 500 à plus de 5×10^6. La chromatographie d'affinité (C) utilise une matrice insoluble, reliée de façon covalente à un ligand spécifique, comme une molécule d'anticorps ou un substrat enzymatique, qui se fixe sur une protéine spécifique. Les molécules enzymatiques qui se fixent sur les substrats immobilisés sur de telles colonnes sont éluées par une solution concentrée de la forme libre du substrat, tandis que les molécules qui se fixent sur les anticorps immobilisés sont libérées par la dissociation du complexe anticorps-antigène à l'aide de solutions salines concentrées ou de solutions de fort ou de bas pH. Un seul passage sur une colonne d'affinité permet d'obtenir une purification importante.

techniques de génie génétique pour fixer un court segment de résidus histidine à chaque extrémité d'une protéine, cette protéine légèrement modifiée peut être retenue sélectivement sur une colonne d'affinité contenant des ions nickel immobilisés. La chromatographie d'affinité aux métaux permet ainsi de purifier des protéines modifiées à partir d'un mélange moléculaire complexe. Dans d'autres cas, une protéine complète est utilisée comme marquage moléculaire. Lorsque la petite enzyme glutathion-S transférase (GTS) est fixée sur une protéine cible, la protéine de fusion résultante peut être purifiée sur colonne d'affinité contenant le glutathion, la molécule de substrat qui se fixe spécifiquement et solidement à la GST (*voir* Figure 8-50, en bas).

Un autre perfectionnement de cette dernière technique consiste à placer, entre la protéine choisie et le marquage histidine ou GST, une séquence en acides aminés qui forme un site de coupure pour une protéase hautement spécifique. Les sites de coupure de la protéase utilisés, comme le facteur X qui fonctionne pendant la coagulation sanguine, sont très rarement trouvés par hasard dans les protéines. De ce fait, ce marquage peut être ensuite spécifiquement retiré par coupure au niveau du site sans destruction de la protéine purifiée.

(A) CHROMATOGRAPHIE PAR ÉCHANGE D'IONS

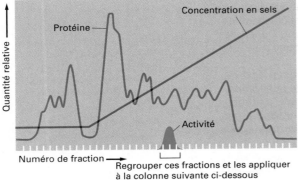

(B) CHROMATOGRAPHIE PAR FILTRATION SUR GEL

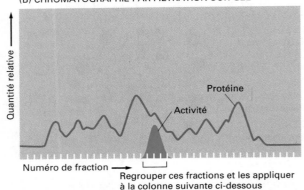

(C) CHROMATOGRAPHIE D'AFFINITÉ

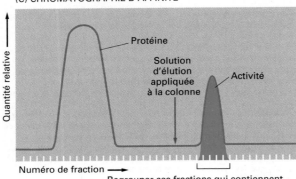

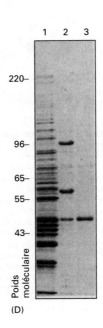

Figure 8-12 Purification protéique par chromatographie. Les résultats sont obtenus après l'utilisation des trois étapes différentes de chromatographie l'une après l'autre pour purifier une protéine. Dans cet exemple, un homogénat cellulaire a d'abord été fractionné par passage sur une résine échangeuse d'ions introduite dans une colonne (A). La colonne a été lavée et les protéines fixées ont été libérées par passage dans une solution contenant une concentration saline augmentant graduellement vers le sommet de la colonne. Les protéines de plus faible affinité pour la résine échangeuse d'ions passent directement à travers la colonne et sont recueillies dans la première fraction éluée à partir du fond de la colonne. Les protéines restantes sont libérées successivement selon leur affinité pour la résine— celles qui se fixent le plus solidement à la résine nécessitant la plus forte concentration en sel pour leur libération. La protéine à étudier a été libérée en plusieurs fractions et est détectée par son activité enzymatique. Les fractions qui présentent l'activité sont regroupées puis placées sur une deuxième colonne de filtration sur gel (B). La position d'élution de la protéine encore impure est à nouveau déterminée par son activité enzymatique. Les fractions actives sont regroupées et purifiées jusqu'à obtenir l'homogénéité sur une colonne d'affinité (C) qui contient le substrat enzymatique immobilisé. (D) Purification par affinité des protéines de liaison à la cycline de *S. cerevisiae* et analysées par électrophorèse sur gel de polyacrylamide SDS (*voir* Figure 8-14). La bande 1 est l'extrait cellulaire total ; la bande 2 montre les protéines éluées d'une colonne d'affinité contenant de la glycine B2 ; la bande 3 montre une protéine majeure libérée par une colonne d'affinité cycline B3. Les protéines des bandes 2 et 3 ont été libérées par des sels et le gel a été coloré avec du bleu de Coomassie. (D, d'après D. Kellogg et al., *J. Cell Biol.* 130 : 675-685, 1995. © The Rockefeller University Press.)

L'électrophorèse sur gel de polyacrylamide SDS permet de déterminer la taille d'une protéine et les sous-unités qui la composent

Les protéines possèdent généralement une charge nette positive ou négative, en fonction du mélange en acides aminés chargés qu'elles contiennent. Lorsqu'un champ électrique est appliqué à une solution contenant une molécule protéique, la protéine migre à une vitesse qui dépend de sa charge nette, de sa taille et de sa forme. Cette technique, appelée électrophorèse, a été initialement utilisée pour séparer des mélanges de protéines soit en solution aqueuse libre soit en solution maintenue sur une matrice poreuse solide comme l'amidon.

Au milieu des années 1960, une version modifiée de cette méthode –appelée **électrophorèse sur gel de polyacrylamide SDS (SDS-PAGE)** – a été développée et a révolutionné l'analyse protéique de routine. Elle utilise, comme matrice inerte, un gel de polyacrylamide formant beaucoup de liaisons croisées à travers lesquelles migrent les protéines. Le gel est préparé par polymérisation à partir de momomères ; la taille des pores du gel peut être ajustée pour qu'elle soit assez petite pour retarder la migration des molécules protéiques intéressantes. Les protéines elles-mêmes ne sont pas en solution aqueuse simple mais dans une solution qui contient un détergent puissant de charge négative, le sodium dodécylsulfate, ou SDS (Figure 8-13). Comme ce détergent se fixe sur les régions hydrophobes des molécules protéiques et provoque leur dépliement en une chaîne polypeptidique allongée, chaque molécule protéique est libérée de ses associations aux autres protéines ou aux molécules lipidiques et librement solubilisée dans la solution de détergent. De plus, on ajoute généralement un agent réducteur, comme le β-mercaptoéthanol (*voir* Figure 8-13) pour rompre toutes les liaisons S–S de la protéine, afin d'analyser séparément tous les polypeptides constituants les molécules à sous-unités multiples.

Que se passe-t-il lorsqu'un mélange de protéines solubilisées et de SDS passe sur une plaque de gel de polyacrylamide ? Chaque molécule protéique fixe un grand nombre de molécules détergentes négativement chargées qui masquent la charge intrinsèque de la protéine et provoquent sa migration vers l'électrode positive lorsqu'une tension est appliquée. Les protéines de même taille ont tendance à se déplacer à travers le gel avec la même vitesse parce que (1) leur structure d'origine est complètement dépliée par le SDS, donc leur forme est identique et (2) elles fixent la même quantité de SDS et donc ont la même quantité de charge négative. Les protéines plus grosses, plus chargées, seront soumises à de plus grandes forces électriques et donc à un plus grand entraînement. Dans la solution libre, les deux effets s'annuleront, mais dans le réseau du gel de polyacrylamide, qui agit comme un tamis moléculaire, les grandes protéines sont beaucoup plus retardées que les petites. Il en résulte qu'un mélange complet de protéines est fractionné en une série de bandes protéiques délimitées placées dans l'ordre de leur masse moléculaire (Figure 8-14). Les protéines majeures sont facilement détectées par leur coloration dans le gel avec du bleu de Coomassie par exemple et même les protéines mineures sont visibles sur des gels traités avec une coloration argent ou or (qui permettent de détecter sur une bande des quantités aussi minimes que 10 ng de protéine).

L'électrophorèse sur gel de polyacrylamide est une technique plus puissante que toutes les méthodes antérieures d'analyse des protéines principalement parce qu'elle peut séparer toutes les sortes de protéines, y compris celles insolubles dans l'eau. Les protéines membranaires, les composants protéiques du cytosquelette et les protéines qui font partie de gros agrégats macromoléculaires peuvent tous être séparés. Comme cette méthode sépare les polypeptides par taille, elle apporte aussi des informations sur la masse moléculaire et la composition des sous-unités des complexes protéiques. La figure 8-15 montre une photographie d'un gel utilisé pour analyser chaque étape successive de la purification d'une protéine.

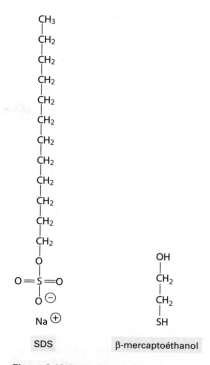

Figure 8-13 Le sodium dodécyl sulfate (SDS), un détergent, et le β-mercaptoéthanol, un agent réducteur. Ces deux produits chimiques sont utilisés pour solubiliser les protéines lors d'électrophorèse sur gel de polyacrylamide SDS. Le SDS est ici montré sous sa forme ionisée.

L'électrophorèse bidimensionnelle sur gel de polyacrylamide permet de séparer plus de 1 000 protéines sur un seul gel

Comme les bandes protéiques peu espacées ou les pics ont tendance à se superposer, les méthodes de séparation unidimensionnelles, comme l'électrophorèse sur gel de polyacrylamide-SDS ou la chromatographie, ne peuvent séparer qu'un nombre relativement petit de protéines (en général moins de 50). Par contre, l'**électrophorèse bidimensionnelle sur gel,** qui associe deux techniques différentes de séparation,

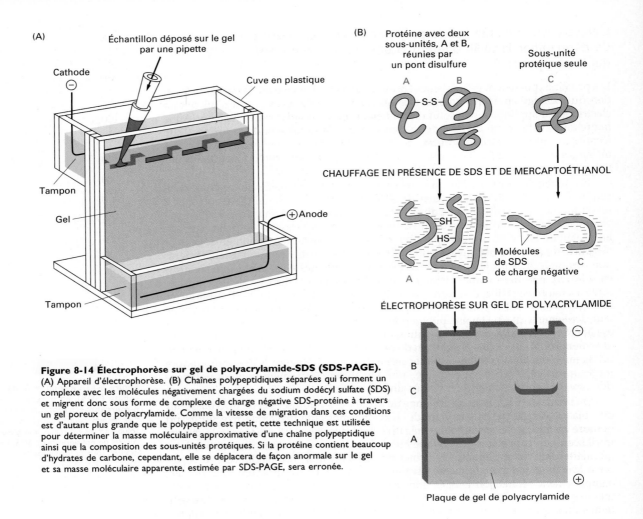

Figure 8-14 Électrophorèse sur gel de polyacrylamide-SDS (SDS-PAGE).
(A) Appareil d'électrophorèse. (B) Chaînes polypeptidiques séparées qui forment un complexe avec les molécules négativement chargées du sodium dodécyl sulfate (SDS) et migrent donc sous forme de complexe de charge négative SDS-protéine à travers un gel poreux de polyacrylamide. Comme la vitesse de migration dans ces conditions est d'autant plus grande que le polypeptide est petit, cette technique est utilisée pour déterminer la masse moléculaire approximative d'une chaîne polypeptidique ainsi que la composition des sous-unités protéiques. Si la protéine contient beaucoup d'hydrates de carbone, cependant, elle se déplacera de façon anormale sur le gel et sa masse moléculaire apparente, estimée par SDS-PAGE, sera erronée.

peut séparer jusqu'à 2 000 protéines – le nombre total de protéines d'une bactérie simple – sous forme d'une carte protéique bidimensionnelle.

Pendant la première étape, les protéines sont séparées par leur charge intrinsèque. L'échantillon est dissous dans un petit volume de solution contenant un détergent non ionique (non chargé), associé à du β-mercaptoéthanol et un réactif dénaturant, l'urée. Cette solution solubilise, dénature et dissocie toutes les chaînes polypeptidiques, sans modifier leur charge intrinsèque. Les chaînes polypeptidiques sont ensuite séparées par une procédure appelée focalisation isoélectrique, qui profite du fait que la charge nette d'une protéine varie avec le pH de la solution environnante. Chaque protéine a un point isoélectrique caractéristique, le pH au niveau duquel la protéine n'a pas de charge nette et donc ne migre pas dans un champ électrique. Lors de focalisation isoélectrique, les protéines sont séparées par électrophorèse dans un tube étroit de gel de polyacrylamide dans lequel un gradient de pH a été établi par le mélange de tampons spécifiques. Chaque protéine se déplace vers la position du gradient qui correspond à son point isoélectrique et y reste (Figure 8-16). C'est la première dimension de l'électrophorèse bidimensionnelle sur gel.

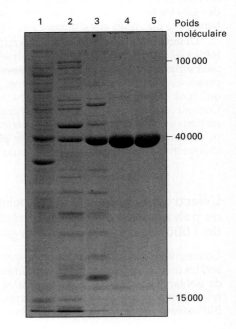

Figure 8-15 Analyse des échantillons protéiques par électrophorèse sur gel de polyacrylamide-SDS. La photographie montre un gel coloré au bleu de Coomassie utilisé pour détecter les protéines présentes aux étapes successives de purification d'une enzyme. La piste la plus à gauche (piste 1) contient le mélange complexe de protéines dans l'extrait cellulaire de départ et chaque piste suivante analyse les protéines obtenues après un fractionnement par chromatographie de l'échantillon protéique analysé dans la bande précédente (*voir* Figure 8-12). La même quantité totale de protéines (10 µg) a été déposée sur le gel au sommet de chaque colonne. Chaque protéine apparaît normalement sous forme d'une bande marquée et colorée. La bande s'élargit, cependant, quand elle contient trop de protéines. (D'après T. Formosa et B.M. Alberts, *J. Biol. Chem.* 261 : 6107-6118, 1986.)

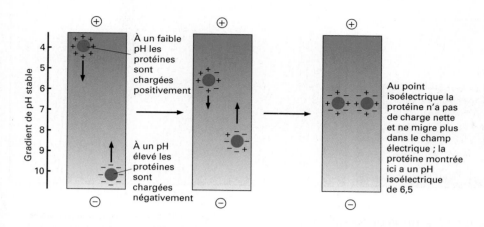

Figure 8-16 Séparation des molécules protéiques par focalisation isoélectrique. À bas pH (forte concentration en H⁺), les groupements acide carboxylique des protéines ont tendance à ne pas être chargés (—COOH) et leurs groupements azotés basiques totalement chargés (par exemple, —NH$_3^+$), ce qui donne à la plupart des protéines une charge nette positive. À fort pH, les groupements acide carboxylique sont négativement chargés (—COO⁻) et les groupements basiques ont tendance à ne pas être chargés (par exemple, —NH$_2$), ce qui donne à la plupart des protéines une charge nette négative. Au pH isoélectrique, une protéine n'a pas de charge nette car les charges positives et négatives s'équilibrent. De ce fait, lorsqu'un tube contenant un gradient fixe de pH est soumis à un fort champ électrique dans la bonne direction, chaque espèce protéique présente migre jusqu'à ce qu'elle forme une bande nette à son pH isoélectrique, comme cela est montré ici.

Dans la deuxième étape, le gel étroit contenant les protéines séparées est de nouveau soumis à l'électrophorèse mais dans une direction à angle droit de celle utilisée dans la première étape. Cette fois-ci, le SDS est ajouté et les protéines sont séparées selon leur taille, comme dans la SDS-PAGE unidimensionnelle : le gel étroit est trempé dans le SDS puis placé sur un bord de la plaque de gel de polyacrylamide SDS, à travers laquelle chaque chaîne polypeptidique migre pour former une petite tache. C'est la deuxième dimension de l'électrophorèse bidimensionnelle sur gel de polyacrylamide. Les seules protéines qui ne sont pas séparées sont celles qui ont à la fois la même taille et le même point isoélectrique, une situation relativement rare. Il est même possible de détecter des traces de chaque chaîne polypeptidique sur le gel par diverses techniques de coloration – ou par autoradiographie si l'échantillon protéique est initialement marqué par un radio-isotope (Figure 8-17). Cette technique a un tel pouvoir de séparation qu'elle peut différencier deux protéines qui ne diffèrent que par un seul acide aminé chargé.

Après son fractionnement sur gel uni- ou bidimensionnel, la protéine spécifique peut être identifiée en exposant toutes les protéines présentes sur le gel à un anticorps spécifique couplé à un isotope radioactif, à une enzyme facilement détectable ou à un colorant fluorescent. D'un point de vue pratique cela s'effectue normalement une fois que toutes les protéines séparées présentes dans le gel ont été transférées (par séchage sur buvard ou *blotting*) sur une feuille de papier de nitrocellulose, comme cela sera décrit pour les acides nucléiques (*voir* Figure 8-27). Cette méthode de détection protéique est appelée *Western blotting* ou **transfert Western** (Figure 8-18).

Certaines des étapes du développement de la chromatographie et de l'électrophorèse sont présentées dans le tableau 8-V.

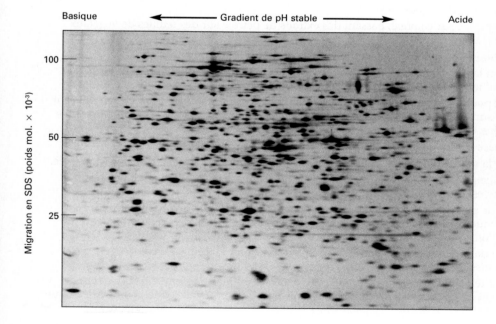

Figure 8-17 Électrophorèse bidimensionnelle sur gel de polyacrylamide. Toutes les protéines de la cellule bactérienne *E. coli* sont séparées sur ce gel dans lequel chaque tache correspond à une chaîne polypeptidique différente. Les protéines sont d'abord séparées en fonction de leur point isoélectrique par focalisation isoélectrique de gauche à droite. Elles sont ensuite encore fractionnées selon leur masse moléculaire par électrophorèse du haut vers le bas en présence de SDS. Notez que les différentes protéines sont présentes en quantités très différentes. Les bactéries étaient nourries avec un mélange d'acides aminés marqués par des radio-isotopes pour que toutes leurs protéines soient radioactives et détectables par autoradiographie (*voir* p. 578-579). (Due à l'obligeance de Patrick O' Farrell.)

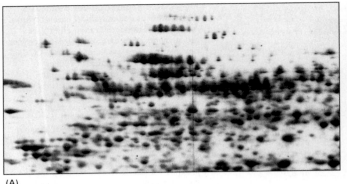

(A)

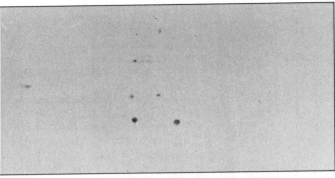

(B)

La coupure protéique sélective engendre un groupe distinct de fragments peptidiques

Même si différentes protéines ont une masse moléculaire et un point isoélectrique différents, leur identification sans ambiguïté dépend finalement de la détermination de leur séquence en acides aminés. Il est plus facile de l'obtenir par la détermination de la séquence nucléotidique du gène codant pour les protéines suivie de l'utilisation du code génétique pour déduire la séquence en acides aminés de la protéine, comme cela sera expliqué ultérieurement dans ce chapitre. On peut également l'obtenir directement par l'analyse de la protéine, même si la séquence complète en acides aminés est, de nos jours, rarement déterminée directement.

Il existe plusieurs techniques plus rapides utilisées pour révéler les informations cruciales sur l'identité des protéines purifiées. Par exemple, la coupure simple de la protéine en petits fragments peut fournir des informations qui facilitent la caractérisation de la molécule. Des enzymes protéolytiques et des réactifs chimiques sont disponibles et coupent les protéines entre des résidus acides aminés spécifiques (Tableau 8-VI). Par exemple une enzyme, la trypsine, coupe le côté carboxyle des résidus lysine ou arginine, tandis qu'une substance chimique, le bromure de cyanogène, coupe la liaison peptidique qui suit les résidus de méthionine. Lorsque des enzymes ou des produits chimiques effectuent une coupure au niveau d'un nombre relativement faible de sites, ils produisent un faible nombre de peptides, relativement gros, lorsqu'ils sont appliqués sur une protéine purifiée. Si ce mélange de peptides est séparé par chromatographie ou une technique d'électrophorèse, le résultat, ou carte

Figure 8-18 *Western blotting* ou transfert Western. Les protéines totales des cellules de tabac en division dans une culture sont d'abord séparées par électrophorèse bidimensionnelle sur gel de polyacrylamide et en (A) leurs positions sont révélées par une coloration sensible aux protéines. En (B) les protéines séparées sur un gel identique sont transférées sur un feuillet de nitrocellulose et exposées à un anticorps qui reconnaît uniquement les protéines phosphorylées sur les résidus thréonine pendant la mitose. Les positions des douzaines de protéines reconnues par cet anticorps sont révélées par un deuxième anticorps fixé sur une enzyme. Cette technique est appelée *immunoblotting*. (D'après J.A. Traas, A.F. Bevan, J.H. Doonan, J. Cordewener et P.J. Shaw, *Plant J.* 2 : 723-732, 1992. © Blackwell Scientific Publications.)

TABLEAU 8-V Dates marquantes du développement de la chromatographie et de l'électrophorèse et de leurs applications sur les protéines

1833	**Faraday** décrit les lois fondamentales concernant le passage de l'électricité à travers une solution ionique.
1850	**Runge** sépare les produits chimiques inorganiques par leur adsorption différentielle sur un papier, un précurseur de la séparation ultérieure par chromatographie.
1906	**Tswett** invente la chromatographie sur colonne, passant des extraits de pétrole sur des feuilles de végétaux à travers une colonne de craie en poudre.
1933	**Tiselius** introduit l'électrophorèse pour séparer les protéines en solution.
1942	**Martin et Synge** développent la chromatographie par partage qui a conduit à la chromatographie sur papier sur des résines échangeuses d'ions.
1946	**Stein et Moore** déterminent pour la première fois la composition en acides aminés d'une protéine, en utilisant d'abord la chromatographie sur colonne sur de l'amidon puis en développant par la suite la chromatographie sur résines échangeuses d'ions.
1955	**Smithies** utilise des gels à base d'amidon pour séparer les protéines par électrophorèse.
	Sanger termine l'analyse de la séquence en acides aminés de l'insuline bovine, la première protéine séquencée.
1956	**Ingram** produit la première empreinte protéique, qui montre que la différence entre l'hémoglobine normale et celle de la drépanocytose n'est due qu'à la modification d'un seul acide aminé.
1959	**Raymond** introduit les gels de polyacrylamide, qui permettent une séparation protéique supérieure par électrophorèse que celle obtenue par les gels d'amidon ; des systèmes tampons améliorés qui permettent une séparation haute résolution sont développés dans les quelques années suivantes par **Ornstein et Davis**.
1966	**Maizel** introduit l'utilisation de sodium dodécyl sulfate (SDS) pour améliorer l'électrophorèse sur gel de polyacrylamide des protéines.
1975	**O'Farrell** met au point un système bidimensionnel sur gel pour analyser les mélanges protéiques au cours duquel l'électrophorèse sur gel de polyacrylamide SDS est associée à une séparation selon le point isoélectrique.

	ACIDE AMINÉ I	ACIDE AMINÉ 2
Enzymes		
Trypsine	Lys ou Arg	Tous
Chymotrypsine	Phe, Trp ou Tyr	Tous
Protéase V8	Glu	Tous
Produits chimiques		
Bromure de cyanogène	Met	Tous
2-nitro-5-thiocyanobenzoate	Tous	Cys

La spécificité pour les acides aminés de chaque côté de la liaison coupée est indiquée ;
l'acide aminé 2 est relié à l'extrémité C-terminale de l'acide aminé 1.

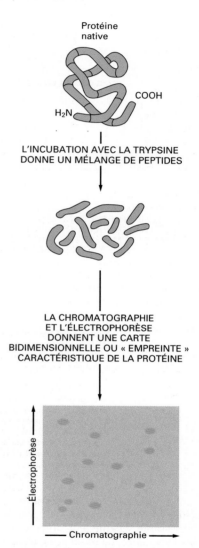

Figure 8-19 Production de la carte peptidique, ou empreinte digitale, d'une protéine. Dans ce cas, la protéine a été digérée par la trypsine pour engendrer un mélange de fragments polypeptidiques, fractionné ensuite en deux dimensions par électrophorèse et chromatographie de partage. Cette dernière technique sépare les peptides en fonction de leur solubilité différentielle dans l'eau, qui est fixée de façon préférentielle sur la matrice solide, par comparaison avec le solvant dans lequel ils sont appliqués. Le patron des points obtenus par cette digestion permet le diagnostic de la protéine analysée. Il est aussi utilisé pour détecter les modifications post-traductionnelles des protéines.

peptidique, parfois appelée «empreinte protéique», permet le diagnostic de la protéine qui a engendré ces peptides (Figure 8-19).

L'empreinte protéique est une technique développée en 1956 pour comparer l'hémoglobine normale avec les formes mutantes de la protéine retrouvées chez les patients atteints de drépanocytose. Le fait de retrouver un seul peptide différent qui a ensuite été tracé pour ne montrer finalement qu'une seule modification en acide aminé, a établi la première mise en évidence qu'une mutation pouvait modifier un seul acide aminé dans une protéine. De nos jours, cette technique est surtout utilisée pour repérer les positions des modifications post-traductionnelles, comme les sites de phosphorylation.

Historiquement, la coupure d'une protéine en un groupe de peptides plus courts fut une étape essentielle dans la détermination de sa séquence en acides aminés. Cela s'effectuait par une série de réactions chimiques répétées qui enlevaient un acide aminé à la fois à l'extrémité N-terminale de chaque peptide. Après chaque cycle, les méthodes de chromatographie déterminaient l'identité de l'acide aminé excisé. Maintenant que l'on dispose des séquences génomiques complètes d'un grand nombre d'organismes, la spectrométrie de masse est devenue la méthode de choix pour identifier les protéines et les faire correspondre chacune avec leur gène, afin de déterminer leur séquence en acides aminés comme nous l'explique le paragraphe suivant.

La spectrométrie de masse peut servir à séquencer les fragments peptidiques et identifier les protéines

La spectrométrie de masse permet de déterminer la masse précise des protéines intactes et des peptides qui en dérivent par coupure enzymatique ou chimique. Cette information est ensuite comparée aux données génomiques, dans lesquelles les masses de toutes les protéines et de tous les fragments peptidiques prévisibles sont présentées sous forme de tableau (Figure 8-20A). Une correspondance sans ambiguïté avec un cadre de lecture ouvert spécifique est souvent obtenue seulement en connaissant la masse de quelques peptides dérivés d'une protéine donnée. Les méthodes de spectrométrie de masse ont donc une importance critique dans le domaine de la *protéomique*, la recherche à grande échelle menée pour identifier et caractériser toutes les protéines codées par le génome d'un organisme, y compris leurs modifications post-traductionnelles.

La spectrométrie de masse est une technique excessivement sensible qui nécessite très peu de matériel. Les masses sont obtenues avec une grande précision, l'erreur étant souvent inférieure à une partie par million. La méthode de spectrométrie de masse la plus courante est la *MALDI-TOF* (pour *matrix-assisted laser desorption ionization-time-of-flight* ou «désorption-ionisation sur matrice assistée par laser-temps de vol»). Lors de cette méthode, les peptides sont mélangés à un acide organique, puis séchés sur une lame métallique ou de céramique. L'échantillon est alors foudroyé par laser, ce qui provoque l'éjection des peptides de la lame sous forme de peptides ionisés accélérés dans un champ électrique et dirigés vers un détecteur. Le temps mis pour atteindre le détecteur est déterminé par leur masse et leur charge. Les gros peptides se déplacent le plus lentement et les molécules les plus chargées se déplacent le plus vite. La masse précise est rapidement déterminée par l'analyse des peptides portant une seule charge. La MALDI-TOF peut aussi servir à mesurer la masse de protéines intactes jusqu'à 200 000 daltons, ce qui correspond à un polypeptide d'environ 2 000 acides aminés.

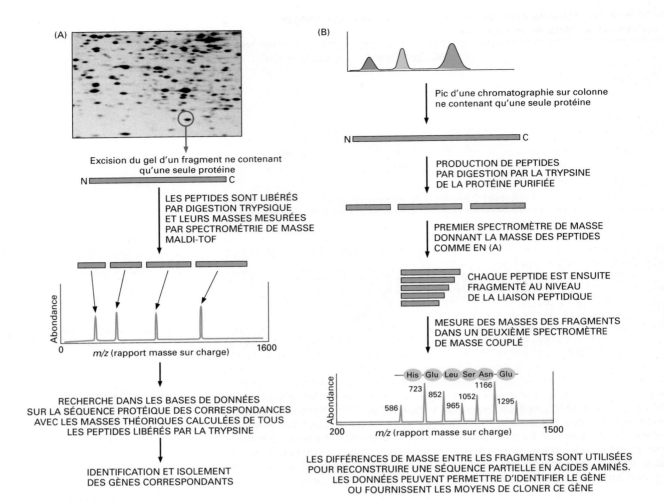

Figure 8-20 Approche par spectrométrie de masse de l'identification des protéines et de la séquence peptidique.
(A) La spectrométrie de masse permet d'identifier les protéines par détermination de leur masse précise et des masses des peptides qui en dérivent. Ces informations sont utilisées pour rechercher le gène correspondant dans les bases de données génomiques. Dans cet exemple, la protéine à examiner est excisée d'un gel de polyacrylamide bidimensionnel puis digérée par la trypsine. Les fragments peptidiques sont déposés dans le spectromètre de masse et leurs masses sont mesurées. On recherche ensuite dans les bases de données de séquences le gène qui code pour les protéines dont le profil calculé, de digestion par la trypsine, correspond à ces valeurs. (B) La spectrométrie de masse sert également à déterminer directement la séquence en acides aminés des fragments peptidiques. Dans cet exemple, les protéines qui forment un complexe macromoléculaire sont séparées par chromatographie et une seule protéine est sélectionnée pour sa digestion par la trypsine. Les masses des fragments trypsiques sont alors déterminées par spectrométrie de masse comme dans (A). Pour déterminer les séquences exactes en acides aminés, chaque peptide est ensuite fragmenté, surtout par coupure des liaisons peptidiques. Ce traitement engendre un groupe imbriqué de peptides, qui diffèrent de taille les uns des autres par un acide aminé. Ces fragments sont placés dans un deuxième spectromètre de masse couplé et leurs masses sont déterminées. La différence de masse entre deux peptides proches permet de déduire l'acide aminé «manquant». En répétant cette procédure, la séquence partielle en acides aminés de la protéine originelle peut être déterminée. (Microphotographie due à l'obligeance de Patrick O' Farrell.)

La spectrométrie de masse est aussi utilisée pour déterminer la séquence en acides aminés de fragments peptidiques isolés. Cette méthode est particulièrement intéressante lorsque le génome de l'organisme étudié n'a pas encore été complètement séquencé. La séquence partielle en acides aminés ainsi obtenue sert à identifier et cloner les gènes. Le séquençage des peptides est également important lorsque les protéines sont modifiées et qu'y sont fixés des hydrates de carbones, des phosphates ou des groupements méthyle. Dans ce cas, il est possible de déterminer les acides aminés précis qui sont le site des modifications.

Pour obtenir ces informations sur la séquence polypeptidique, il faut deux spectromètres de masse en tandem. Le premier sépare les peptides obtenus après digestion de la protéine à étudier et permet de se focaliser sur un peptide à la fois. Ce peptide est ensuite encore plus fragmenté par collision avec des atomes de gaz riches en énergie. Cette méthode de fragmentation coupe préférentiellement les liaisons peptidiques engendrant une échelle de fragments, chacun différant par un seul acide aminé. Le deuxième spectrophotomètre de masse sépare ensuite ces fragments et affiche leur masse. La séquence en acides aminés est déduite des différences de masses entre les peptides (Figure 8-20). Les modifications post-traductionnelles sont identifiées lorsque les acides aminés sur lesquels elles sont fixées présentent une augmentation caractéristique de leur masse.

Pour en savoir plus sur la structure et la fonction d'une protéine, il faut obtenir une grande quantité de cette protéine pour l'analyser. Cela s'obtient grâce à l'utilisation des technologies puissantes de l'ADN recombinant que nous aborderons dans la partie suivante.

Résumé

Il est possible d'analyser biochimiquement les populations cellulaires en les désorganisant et en fractionnant leur contenu par ultracentrifugation. La poursuite du fractionnement permet le développement de systèmes fonctionnels acellulaires : ces systèmes sont nécessaires pour déterminer les particularités moléculaires des processus cellulaires complexes. La synthèse protéique, la réplication de l'ADN, l'épissage de l'ARN, le cycle cellulaire, la mitose et les divers types de transport intracellulaire sont tous étudiés de cette façon. La masse moléculaire et la composition des sous-unités d'une protéine, même présente en petites quantités, peuvent être déterminées par électrophorèse sur gel de polyacrylamide SDS. Lors d'électrophorèse bidimensionnelle sur gel, les protéines sont séparées sous forme de taches par la focalisation isoélectrique dans une dimension suivie de l'électrophorèse sur gel de polyacrylamide SDS dans la deuxième dimension. Cette séparation électrophorétique peut aussi être appliquée à des protéines normalement insolubles dans l'eau.

La chromatographie sur colonne permet de purifier les protéines majeures des extraits cellulaires solubles. En fonction du type de matrice de la colonne, les protéines biologiquement actives sont séparées en fonction de leur masse moléculaire, de leur hydrophobicité, de leurs caractéristiques de charge ou de l'affinité pour d'autres molécules. Lors de purification typique, l'échantillon passe à travers différentes colonnes placées l'une après l'autre – les fractions enrichies obtenues dans une colonne sont appliquées à la suivante. Après l'obtention d'un extrait homogène de la protéine purifiée, les particularités de ses activités biologiques sont examinées. La spectrométrie de masse permet de déterminer rapidement la masse des protéines et des peptides qui en dérivent. Avec cette information, on peut se référer aux données génomiques pour déduire les séquences restantes en acides aminés de la protéine à partir de la séquence nucléotidique de son gène.

ISOLEMENT, CLONAGE ET SÉQUENÇAGE DE L'ADN

Jusqu'au début des années 1970, les biologistes considéraient que l'ADN était la molécule cellulaire la plus difficile à analyser. Les segments nucléotidiques qui forment le matériel génétique d'un organisme, extrêmement longs et chimiquement monotones, ne pouvaient être examinés qu'indirectement, par le séquençage des protéines ou de l'ARN ou par l'analyse génétique. De nos jours, cette situation a complètement changé. Après avoir été la macromolécule cellulaire la plus difficile à analyser, l'ADN est devenue la plus simple. Il est maintenant possible d'isoler une région spécifique d'un génome, d'en produire un nombre virtuellement illimité de copies et de déterminer sa séquence nucléotidique en l'espace d'une nuit. Au moment du Projet Génome Humain, d'énormes installations contenant des appareils automatisés engendraient des séquences d'ADN à la vitesse de 1000 nucléotides par seconde, 24 heures sur 24. Des techniques apparentées permettent de modifier (génétiquement) à la demande un gène isolé puis de le transférer à nouveau dans la lignée germinale d'un animal ou d'un végétal, pour qu'il devienne une partie fonctionnelle et héréditaire du génome de cet organisme.

Les progrès technologiques du génie génétique – la capacité à manipuler l'ADN avec précision dans un tube à essai ou un organisme – ont eu un impact spectaculaire sur tous les aspects de la biologie cellulaire en facilitant l'étude des cellules et de leurs macromolécules de façon inimaginable au préalable. Ils ont conduit à la découverte de nouvelles classes complètes de gènes et de protéines et ont révélé aussi que la conservation de nombreuses protéines pendant l'évolution avait été bien plus importante qu'on ne l'imaginait. Ils ont fourni de nouveaux outils pour déterminer les fonctions des protéines et de leurs domaines, et ont révélé une multitude de relations inattendues entre elles. En permettant l'obtention d'une grande quantité de chaque protéine, ils ont montré des méthodes efficaces de production massive d'hormones protéiques et de vaccins. Enfin, en permettant la dissection des régions régulatrices des gènes, ils ont fourni aux biologistes un outil important leur permettant de démêler le réseau complexe de régulations qui permet le contrôle de l'expression des gènes eucaryotes.

La technologie de l'ADN recombinant regroupe un mélange de techniques, certaines nouvelles, d'autres empruntées à d'autres domaines comme la génétique microbienne (Tableau 8-VII). Les techniques suivantes se trouvent au cœur de cette technologie :

1. La découpe de l'ADN au niveau de sites spécifiques par des nucléases de restriction qui facilite grandement l'isolement et la manipulation des gènes individuels.
2. Le clonage de l'ADN par l'utilisation de vecteurs de clonage ou de la PCR (*polymerase chain reaction*) au cours de laquelle il est possible de copier une seule molécule d'ADN pour engendrer plusieurs milliards de molécules identiques.
3. L'hybridation des acides nucléiques, qui permet de trouver une séquence spécifique d'ADN ou d'ARN avec une grande précision et une grande sensibilité en se fondant sur sa capacité à fixer une séquence en acides nucléiques complémentaire.
4. Le séquençage rapide de tous les nucléotides dans un fragment d'ADN purifié qui permet d'identifier des gènes et de déduire la séquence en acides aminés des protéines qu'ils codent.

TABLEAU 8-VII **Étapes majeures du développement des technologies de l'ADN recombinant et transgéniques**

1869	**Miescher** est le premier à isoler l'ADN de leucocytes sanguins recueillis sur des bandages imprégnés de pus d'un hôpital proche.
1944	**Avery** apporte la preuve que c'est l'ADN, et non pas les protéines, qui porte les informations génétiques au cours de la transformation bactérienne.
1953	**Watson et Crick** proposent le modèle en double hélice de la structure de l'ADN en se fondant sur les résultats des rayons X de **Franklin et Wilkins**.
1955	**Kornberg** découvre l'ADN polymérase, l'enzyme utilisée maintenant pour produire des sondes ADN marquées.
1961	**Marmur et Doty** découvrent la renaturation de l'ADN et établissent la spécificité et la faisabilité des réactions d'hybridation des acides nucléiques.
1962	**Arber** est le premier à apporter la preuve de l'existence de nucléases de restriction, ce qui mène à leur purification et à leur utilisation pour caractériser les séquences d'ADN par **Nathans et H. Smith.**
1966	**Nirenberg**, **Ochoa** et **Khorana** élucident le code génétique.
1967	**Gellert** découvre l'ADN ligase, l'enzyme utilisée pour réunir des fragments d'ADN.
1972-1973	Les techniques de clonage de l'ADN sont développées par les laboratoires de **Boyer**, **Cohen**, **Berg** et leurs confrères à l'université de Standford et à l'université de Californie à San Francisco.
1975	**Southern** développe l'hybridation par transfert sur gel pour la détection de séquences spécifiques d'ADN.
1975-1977	**Sanger et Barrell** ainsi que **Maxam et Gilbert** développent des méthodes rapides de séquençage de l'ADN.
1981-1982	**Palmiter et Brinster** produisent des souris transgéniques ; **Spradling et Rubin** produisent des drosophiles transgéniques.
1982	La **Genbank**, une base de données publique des séquences génétiques du NIH, est établie au laboratoire national de Los Alamos.
1985	**Mullis** et ses collaborateurs inventent la PCR (polymerase chain reaction).
1987	**Capecchi** et **Smithies** introduisent les méthodes de remplacement ciblé de gènes dans des cellules souches embryonnaires de souris.
1989	**Fields et Song** développent dans les levures le système à double hybride pour identifier et étudier les interactions protéiques.
1989	**Olson** et ses collaborateurs décrivent les sites de séquences de marquage, segments particuliers d'ADN utilisés pour établir la cartographie physique des chromosomes humains.
1990	**Lipman** et ses collaborateurs diffusent le BLAST, un algorithme utilisé pour rechercher des homologies de séquences d'ADN ou de protéines.
1990	**Simon** et ses collaborateurs étudient comment utiliser efficacement les chromosomes artificiels bactériens, ou BAC, pour transporter de gros morceaux d'ADN humain cloné pour leur séquençage.
1991	**Hood et Hunkapillar** introduisent une nouvelle technologie automatisée de séquençage d'ADN.
1995	**Venter** et ses collaborateurs séquencent le premier génome complet, celui de la bactérie *Haemophilus influenzae*.
1996	**Goffeau** et un consortium international de chercheurs annoncent la fin du séquençage du premier génome eucaryote, celui de la levure *Saccharomyces cerevisiae*.
1996-1997	**Lockhart** et ses collègues ainsi que **Brown et DeRisi** produisent les micropuces d'ADN qui permettent la surveillance simultanée de milliers de gènes.
1998	**Sulston et Waterston** et leurs collègues produisent la première séquence complète d'un organisme multicellulaire, le nématode *Caenorhabditis elegans*.
2001	Des consortiums de chercheurs annoncent la terminaison de l'ébauche de la séquence du génome humain.

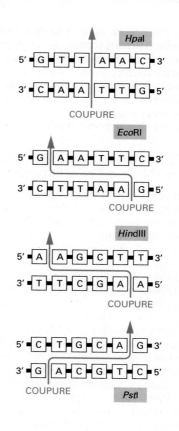

Figure 8-21 Séquences nucléotidiques d'ADN reconnues par quatre nucléases de restriction largement utilisées. Comme dans les exemples montrés ici, ces séquences mesurent souvent six paires de bases et sont «palindromiques» (c'est-à-dire que la séquence nucléotidique est la même si l'hélice est tournée de 180° autour de l'axe de la courte région de l'hélice reconnue). Les enzymes coupent les deux brins d'ADN au niveau de la séquence de reconnaissance ou près d'elle. Certaines enzymes, comme *HpaI*, laissent une coupure avec des extrémités franches. D'autres, comme *EcoRI*, *HindIII* et *PstI*, engendrent une coupure décalée et créent des extrémités cohésives. Les nucléases de restriction sont obtenues à partir de diverses espèces bactériennes : *HpaI* provient de *Haemophilus parainfluenzae*, *EcoRI* d'*Escherichia coli*, *HindIII* d'*Haemophilus influenzae* et *PstI* de *Providencia stuartii*.

5. La surveillance simultanée du niveau d'expression de chaque gène d'une cellule en utilisant une micropuce à acides nucléiques qui permet d'effectuer simultanément des dizaines de milliers de réactions d'hybridation.

Dans ce chapitre, nous décrirons chacune de ces techniques fondamentales qui, associées, ont révolutionné l'étude de la biologie cellulaire.

Les nucléases de restriction découpent les grosses molécules d'ADN en fragments

Contrairement aux protéines, un gène n'existe pas sous forme d'une entité délimitée dans la cellule, mais sous forme d'une petite région d'une molécule d'ADN beaucoup plus longue. Même si des forces mécaniques peuvent couper les molécules d'ADN d'une cellule de façon aléatoire en petits morceaux, un fragment contenant un seul gène dans le génome d'un mammifère resterait encore un fragment parmi les centaines de milliers d'autres fragments d'ADN, indifférenciables par leur taille moyenne. Comment ce gène pourrait-il être purifié ? Comme toutes les molécules d'ADN sont composées d'un mélange approximativement identique de quatre nucléotides, elles ne sont pas facilement séparées, comme les protéines, sur la base d'une différence de charge ou de propriétés de liaison. De plus, même si on concevait un schéma de purification, il faudrait de grandes quantités d'ADN pour recueillir suffisamment de chacun des gènes particuliers pour pouvoir les utiliser dans d'autres recherches.

La solution à tous ces problèmes a commencé à surgir avec la découverte des **nucléases de restriction**. Ces enzymes, qui peuvent être purifiées à partir des bactéries, coupent la double hélice d'ADN au niveau de sites spécifiques définis par la séquence nucléotidique locale, découpant ainsi une longue molécule d'ADN double brin en fragments de taille strictement définie. Les différentes nucléases de restriction ont des spécificités de séquence différentes et il est relativement simple de trouver une enzyme qui engendre un fragment d'ADN contenant un gène particulier. La taille du fragment d'ADN est alors utilisée pour la purification partielle du gène à partir d'un mélange.

Différentes espèces de bactéries fabriquent différentes nucléases de restriction, qui les protègent des virus en dégradant l'ADN viral entrant. Chaque nucléase de restriction reconnaît une séquence spécifique de quatre à huit nucléotides de l'ADN. Ces séquences, lorsqu'elles apparaissent dans le génome de la bactérie elle-même, sont protégées de la coupure par leur méthylation au niveau d'un résidu A ou C ; les séquences d'ADN étranger ne sont généralement pas méthylées et sont donc découpées par les nucléases de restriction. Un grand nombre de nucléases de restriction ont été purifiées à partir de diverses espèces bactériennes. Plusieurs centaines, dont la plupart reconnaissent différentes séquences nucléotidiques, sont maintenant disponibles sur le marché.

Certaines nucléases de restriction produisent des coupes décalées, qui laissent de courtes queues à un seul brin aux deux extrémités de chaque fragment (Figure 8-21). Les extrémités de ce type sont appelées *extrémités cohésives*, parce que chaque queue

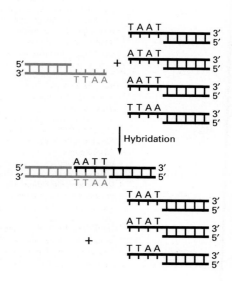

Figure 8-22 Les nucléases de restriction produisent des fragments d'ADN faciles à réunir. Les fragments qui présentent les mêmes extrémités cohésives sont facilement réunis par un appariement de bases complémentaires entre leurs extrémités cohésives, comme cela est illustré ici. Les deux fragments d'ADN qui se sont réunis dans cet exemple étaient tous deux produits par la nucléase de restriction *EcoRI*, alors que les trois autres fragments étaient produits par différentes nucléases de restriction qui avaient engendré des extrémités cohésives différentes (*voir* Figure 8-21). Les fragments à extrémités franches, comme ceux engendrés par *HpaI* (*voir* Figure 8-21) sont plus difficilement épissés l'un avec l'autre.

peut former un appariement de bases complémentaires avec la queue de n'importe quelle extrémité formée par la même enzyme (Figure 8-22). Les extrémités cohésives engendrées par les enzymes de restriction permettent de réunir n'importe quel couple de fragments d'ADN, tant que ces fragments sont engendrés par la même nucléase de restriction (ou par une autre nucléase qui produit les mêmes extrémités cohésives). Les molécules d'ADN produites par la réunion par épissage d'un ou de plusieurs fragments d'ADN sont appelées molécules d'**ADN recombinant;** elles ont permis de nombreux types d'études nouvelles de biologie cellulaire.

L'électrophorèse sur gel sépare les molécules d'ADN de tailles différentes

On peut déterminer avec précision la longueur et la pureté des molécules d'ADN par les mêmes types de méthodes électrophorétiques qui se sont avérées si utiles pour l'analyse protéique. La procédure est réellement plus simple que pour les protéines parce que chaque nucléotide d'une molécule d'acide nucléique porte déjà une seule charge négative et qu'il n'y a pas besoin d'ajouter le détergent SDS négativement chargé nécessaire au déplacement uniforme des molécules protéiques vers l'électrode positive. Pour les fragments d'ADN de moins de 500 nucléotides, des gels de poly-acrylamide spécifiquement conçus permettent la séparation des molécules même si leur longueur ne diffère que par un seul nucléotide (Figure 8-23A). Cependant, les pores des gels de polyacrylamide sont trop petits pour permettre le passage des très grosses molécules d'ADN; pour les séparer selon leur taille, on utilise des gels bien plus poreux, formés de solutions diluées d'agarose (un polysaccharide isolé d'une algue) (Figure 8-23B). Ces méthodes de séparation de l'ADN sont largement utilisées dans des buts analytiques et de préparation.

Une variante de l'électrophorèse sur gel d'agarose, appelée l'*électrophorèse sur gel à champ pulsé*, permet de séparer les molécules d'ADN extrêmement longues. L'électrophorèse ordinaire ne peut pas séparer ce type de molécules parce que le champ électrique continu les étire de telle sorte qu'elles se déplacent, leurs extrémités en avant, à travers le gel en serpentant à une vitesse indépendante de leur longueur. Lors d'électrophorèse sur gel à champ pulsé, à l'opposé, la direction du champ électrique est périodiquement modifiée, ce qui force la molécule à se réorienter avant de continuer à se déplacer en serpentant à travers le gel. Cette réorientation prend d'autant plus de temps que les molécules sont plus grosses, de telle sorte que les molécules les plus longues se déplacent bien plus lentement que les courtes. Par conséquent, même des chromosomes bactériens ou de levure entiers se séparent en bandes délimitées dans les gels à champ pulsé et peuvent donc être triés et identi-

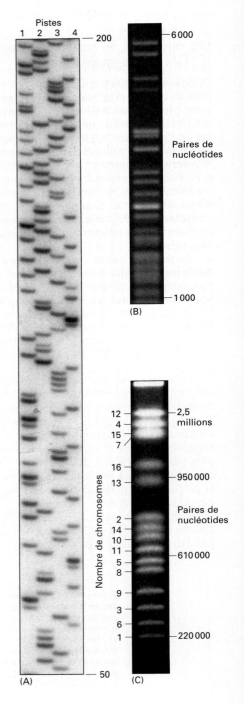

Figure 8-23 Techniques d'électrophorèse sur gel qui séparent les molécules d'ARN par leur taille. Dans ces trois exemples, l'électrophorèse s'effectue de haut en bas de telle sorte que les molécules d'ADN les plus grosses – qui se déplacent donc le plus lentement – se trouvent proches du haut du gel. En (A), un gel de polyacrylamide à petits pores est utilisé pour fractionner les ADN simple brin. Dans un intervalle de taille compris entre 10 et 500 nucléotides, il est possible de séparer les unes des autres des molécules d'ADN qui ne diffèrent en taille que par un seul nucléotide. Dans l'exemple présenté, les quatre pistes représentent des groupes de molécules d'ADN synthétisées au cours d'une procédure de séquençage d'ADN. L'ADN à séquencer a été artificiellement répliqué à partir d'un site fixe de départ jusqu'à un site d'arrêt variable, ce qui a engendré un groupe de répliques partielles de différentes longueurs. (La figure 8-36 explique comment sont synthétisés ces groupes de répliques partielles.) La piste 1 montre toutes les répliques partielles qui se terminent par un G, la piste 2 toutes celles qui se terminent par un A, la piste 3 toutes celles qui se terminent par un T et la piste 4 toutes celles qui se terminent par un C. Comme les molécules d'ADN utilisées dans ces réactions sont radiomarquées, leurs positions sont déterminées par autoradiographie, comme cela est montré ici. En (B) un gel d'agarose pourvu de pores de taille moyenne est utilisé pour séparer des molécules d'ADN double brin. Cette méthode est plus intéressante dans l'intervalle de taille compris entre 300 et 10 000 paires de nucléotides. Ces molécules d'ADN sont des fragments produits par le découpage du génome d'un virus bactérien avec une nucléase de restriction. Elles sont détectées par leur fluorescence lorsqu'elles sont colorées par un colorant, le bromure d'éthidium. En (C) la technique d'électrophorèse sur gel d'agarose à champ pulsé a été utilisée pour séparer les 16 chromosomes de levure différents (de *Saccharomyces cerevisiae*) dont la taille varie entre 220 000 et 2,5 millions de paires de nucléotides (*voir* Figure 4-13). L'ADN a été coloré comme en (B). Des molécules d'ADN pouvant mesurer jusqu'à 10^7 paires de nucléotides peuvent être séparées ainsi. (A, due à l'obligeance de Leander Lauffer et Peter Walter; B, due à l'obligeance de Ken Kreuzer; C, d'après D. Vollrath et R.W. Davis, *Nucleic Acids Res.* 15 : 7865-7876, 1987. © Oxford University Press.)

fiés en fonction de leur taille (Figure 8-23C). Même si un chromosome typique de mammifère de 10^8 paires de bases est trop long pour être séparé ainsi, de gros segments de ce chromosome sont facilement séparés et identifiés si l'ADN chromosomique est d'abord découpé par une nucléase de restriction choisie pour reconnaître des séquences qui ne se produisent que rarement (une fois toutes les 10 000 paires de nucléotides ou plus).

Les bandes d'ADN sur gels d'agarose ou de polyacrylamide sont invisibles sauf si l'ADN est marqué ou coloré. Une des méthodes sensibles de coloration de l'ADN consiste à l'exposer à un colorant, le *bromure d'éthidium*, qui devient fluorescent en lumière ultraviolette lorsqu'il est fixé sur l'ADN (*voir* Figure 8-23B,C). Une méthode de détection encore plus sensible incorpore un radioisotope dans les molécules d'ADN avant l'électrophorèse. Le ^{32}P est souvent utilisé car il peut être incorporé dans les phosphates d'ADN et émet une particule β énergétique facilement détectée par autoradiographie (comme dans la figure 8-23A).

Les molécules d'ADN purifiées sont facilement marquées *in vitro* par des radioisotopes ou des marqueurs chimiques

Deux procédures sont largement utilisées pour marquer les molécules d'ADN isolées. La première méthode consiste à copier l'ADN avec une ADN polymérase en présence de nucléotides qui sont soit radioactifs (marqués généralement par du ^{32}P), soit marqués chimiquement (Figure 8-24A). De cette façon, des «sondes ADN» contenant beaucoup de nucléotides marqués sont produites pour les réactions d'hybridation des acides nucléiques (*voir* ci-après). La deuxième technique utilise une enzyme du bactériophage, la polynucléotide-kinase, qui transfère un seul phosphate marqué au ^{32}P d'un ATP à l'extrémité 5' de chaque chaîne d'ADN (Figure 8-24B). Comme il n'y a qu'un atome de ^{32}P incorporé par la kinase dans chaque brin d'ADN, la molécule d'ADN ainsi marquée n'est souvent pas assez radioactive pour être utilisée comme sonde ADN. Mais comme elle n'est marquée qu'à une extrémité, cependant, elle est inestimable pour d'autres applications comme l'*ADN footprinting* (ou *empreintes sur l'ADN*) que nous verrons bientôt.

De nos jours, les méthodes de marquage radioactif sont remplacées par la détection chimique ou par fluorescence des molécules de marquage. Pour produire ces molécules d'ADN non radioactives, on utilise des précurseurs nucléotidiques spécifiquement modifiés (Figure 8-24C). On permet ensuite à la molécule d'ADN ainsi fabriquée de se fixer par hybridation sur sa séquence complémentaire d'ADN, comme nous le verrons dans le paragraphe suivant. Celle-ci est ensuite détectée par un anticorps (ou un autre ligand) qui reconnaît spécifiquement sa chaîne latérale modifiée (*voir* Figure 8-28).

Les réactions d'hybridation des acides nucléiques constituent une méthode sensible de détection de séquences nucléotidiques spécifiques

Lorsqu'une solution aqueuse d'ADN est chauffée à 100 °C ou exposée à un très fort pH (≥ 13), les appariements de bases complémentaires qui maintiennent normalement les deux brins de la double hélice sont rompus et la double hélice se dissocie rapidement en deux simples brins. Il y a plusieurs années, on pensait que ce processus, appelé *dénaturation de l'ADN*, était irréversible. En 1961, cependant, on a découvert que les simples brins d'ADN complémentaires reformaient facilement une double hélice selon un processus appelé **hybridation** (ou *renaturation de l'ADN*), s'ils étaient maintenus pendant une période prolongée à 65 °C. Des réactions similaires peuvent se produire entre n'importe quelles chaînes d'acides nucléiques simple brin (ADN/ADN, ARN/ARN ou ADN/ARN) si tant est qu'elles présentent des séquences nucléotidiques complémentaires. Ces réactions spécifiques d'hybridation sont largement utilisées pour repérer et caractériser des séquences nucléotidiques spécifiques dans des molécules d'ARN ou d'ADN.

Les molécules d'ADN simple brin utilisées pour détecter les séquences complémentaires sont appelées **sondes**; ces molécules qui portent des marqueurs radioactifs ou chimiques pour faciliter leur détection peuvent mesurer de quinze à des milliers de nucléotides de long. Les réactions d'hybridation qui utilisent des sondes ADN sont si sensibles et sélectives qu'elles peuvent détecter des séquences complémentaires présentes à des concentrations aussi faibles qu'une molécule par cellule. Il est donc possible de déterminer combien de copies de séquences d'ADN se trouvent

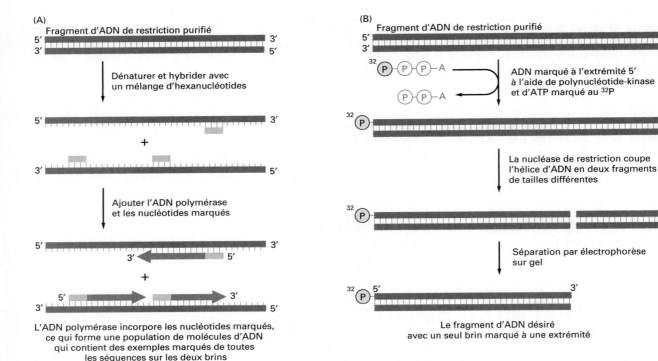

(A) Fragment d'ADN de restriction purifié

5′ ────────────────────── 3′
3′ ────────────────────── 5′

Dénaturer et hybrider avec
un mélange d'hexanucléotides

5′ ────────────────────── 3′
                   ▬▬

+

3′ ────────────────────── 5′
      ▬▬   ▬▬

Ajouter l'ADN polymérase
et les nucléotides marqués

5′ ────────────────────── 3′
                3′ ◀══════ 5′

+

        5′ ═══════▶ 3′
3′ ────────────────────── 5′

L'ADN polymérase incorpore les nucléotides marqués,
ce qui forme une population de molécules d'ADN
qui contient des exemples marqués de toutes
les séquences sur les deux brins

(B) Fragment d'ADN de restriction purifié

5′ ────────────────────── 3′
3′ ────────────────────── 5′

^{32}P–P–P–A

ADN marqué à l'extréomité 5′
à l'aide de polynucléotide-kinase
et d'ATP marqué au ^{32}P

P–P–A

^{32}P ────────────────────── P ^{32}

La nucléase de restriction coupe
l'hélice d'ADN en deux fragments
de tailles différentes

^{32}P ──────── + ──────── P ^{32}

Séparation par électrophorèse
sur gel

^{32}P 5′ ──────── 3′

Le fragment d'ADN désiré
avec un seul brin marqué à une extrémité

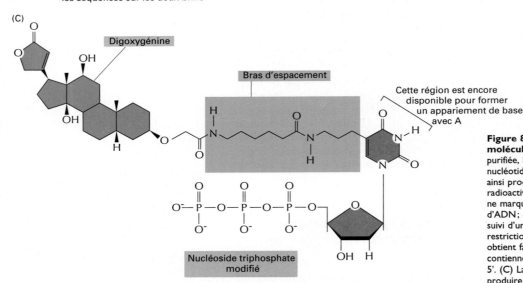

(C)

Digoxygénine

Bras d'espacement

Cette région est encore
disponible pour former
un appariement de base
avec A

Nucléoside triphosphate
modifié

Figure 8-24 Méthodes de marquage des molécules d'ADN *in vitro*. (A) Une enzyme purifiée, l'ADN polymérase, marque tous les nucléotides de la molécule d'ADN et peut ainsi produire des sondes ADN hautement radioactives. (B) La polynucléotide-kinase ne marque que les extrémités 5′ des brins d'ADN; de ce fait, lorsque le marquage est suivi d'une coupure par une nucléase de restriction, comme cela est montré, on obtient facilement des molécules d'ADN qui contiennent un seul brin marqué à l'extrémité 5′. (C) La méthode en (A) permet aussi de produire des molécules d'ADN non radioactives qui portent un marqueur chimique spécifique détectable par un anticorps approprié. Le nucléotide modifié, montré ici, est incorporé dans l'ADN par l'ADN polymérase pour permettre à la molécule d'ADN de servir de sonde, facile à détecter. La base du nucléoside triphosphate montré est un analogue de la thymine dans lequel le groupement méthyle du T a été remplacé par un bras d'espacement relié à un stéroïde végétal, la digoxigénine. Pour visualiser la sonde, la digoxigénine est détectée par un anticorps spécifique couplé à un marqueur visible, comme un colorant fluorescent. D'autres marqueurs chimiques, comme la biotine, peuvent être fixés sur les nucléotides et utilisés essentiellement de la même façon.

dans un échantillon particulier d'ADN. Cette même technique permet de rechercher des gènes apparentés mais non identiques. Pour trouver le gène à étudier dans un organisme dont le génome n'a pas encore été séquencé, par exemple, une portion d'un gène connu peut être utilisée comme sonde (Figure 8-25).

Une autre méthode consiste à hybrider les sondes ADN avec l'ARN et non pas l'ADN, pour savoir si une cellule exprime un gène donné. Dans ce cas, une sonde ADN contenant des parties de la séquence génique est hybridée à de l'ARN purifié issu de la cellule en question pour voir si les ARN incluent des molécules correspondant à la sonde ADN et, si oui, en quelles quantités. Selon des techniques un peu plus complexes, la sonde ADN est traitée par des nucléases spécifiques à la fin de l'hybridation, pour déterminer les régions exactes de la sonde ADN qui se sont appariées avec la molécule d'ARN cellulaire. On peut ainsi déterminer les sites de départ et d'arrêt de la transcription de l'ARN, ainsi que les limites précises des séquences introniques et exoniques du gène (Figure 8-26).

Aujourd'hui, les limites intron/exon sont généralement déterminées par le séquençage des séquences d'ADNc qui représentent les ARNm exprimés dans une cellule. La comparaison de ces séquences exprimées avec les séquences du gène complet révèle où se trouvent les introns. Nous reverrons ultérieurement comment les ADNc sont préparés à partir des ARNm.

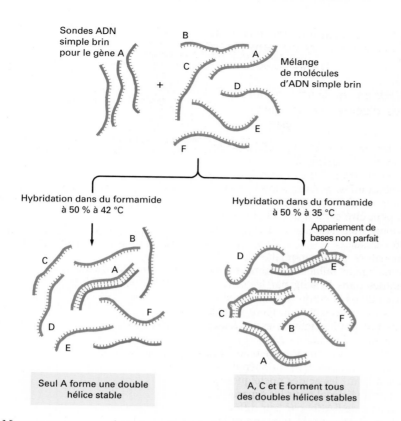

Figure 8-25 Des conditions d'hybridation différentes permettent un appariement d'ADN plus ou moins parfait. Lorsqu'on souhaite une correspondance identique à une sonde d'ADN, la réaction d'hybridation est maintenue juste quelques degrés en dessous de la température où l'hélice parfaite d'ADN se dénature dans le solvant (sa *température de fusion*) afin que toutes les hélices non parfaites qui se forment soient instables. Lorsqu'on utilise une sonde ADN pour trouver des ADN apparentés, mais de séquences non identiques, l'hybridation est effectuée à une température plus basse. Cela permet la formation de doubles hélices qui s'apparient même non parfaitement. Seules les conditions d'hybridations aux plus basses températures peuvent être utilisées pour rechercher les gènes (C et E dans cet exemple) qui ne sont pas identiques mais apparentés au gène A (*voir* Figure 10-18).

Nous avons vu que les gènes étaient activés et inactivés lorsque la cellule rencontrait de nouveaux signaux dans son environnement. L'hybridation des sondes ADN aux ARN cellulaires permet de déterminer si un gène particulier est transcrit ou non. De plus, lorsque l'expression du gène se modifie, on peut déterminer si la modification est due à un contrôle transcriptionnel ou post-transcriptionnel (*voir* Figure 7-87). Ces examens de l'expression génique ont été effectués initialement avec une seule sonde ADN à la fois. Les micropuces d'ADN permettent maintenant la surveillance simultanée de centaines ou de milliers de gènes, comme nous le verrons

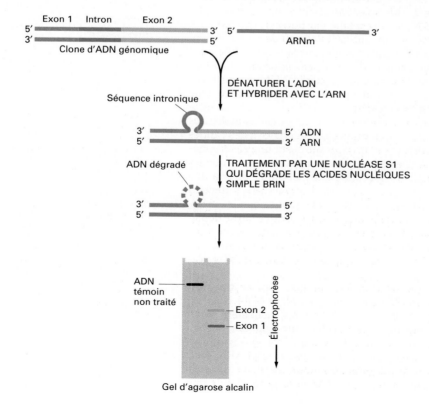

Figure 8-26 Utilisation de l'hybridation des acides nucléiques pour déterminer les régions d'un fragment d'ADN cloné présent dans une molécule d'ARNm. La méthode montrée ici nécessite une nucléase qui découpe la chaîne d'ADN uniquement là où elle ne présente pas d'appariement de bases avec la chaîne d'ARN complémentaire. La position des introns dans les gènes eucaryotes est cartographiée par la méthode montrée; le début et la fin de la molécule d'ARN peuvent être déterminés de la même façon. Pour ce type d'analyse, l'ADN subit une électrophorèse sur un gel d'agarose dénaturant qui provoque sa migration sous forme d'une molécule simple brin.

ultérieurement. Les méthodes d'hybridation sont si largement utilisées en biologie cellulaire qu'il est difficile d'imaginer comment nous avons pu étudier sans elles la structure et l'expression des gènes.

Les transferts Northern et Southern (*Northern* et *Southern blotting*) facilitent l'hybridation avec des molécules d'acides nucléiques séparées par électrophorèse

Les sondes ADN sont souvent utilisées pour détecter, dans un mélange total d'acides nucléiques, les uniques molécules dont la séquence est complémentaire à toute ou à une partie de la sonde. L'électrophorèse sur gel peut servir à fractionner les nombreuses molécules d'ARN ou d'ADN différentes d'un mélange brut selon leur taille avant d'effectuer la réaction d'hybridation ; si les molécules d'une seule taille ou de quelques tailles sont marquées par la sonde, on peut être certain que l'hybridation est vraiment spécifique. De plus, l'information donnée sur la taille peut être inestimable en elle-même. Voici un exemple qui illustre ce fait.

Supposons que l'on souhaite déterminer la nature d'une anomalie chez une souris mutante qui produit des quantités anormalement faibles d'albumine, une protéine normalement sécrétée en grandes quantités dans le sang par les cellules hépatiques. Tout d'abord, il faut recueillir des échantillons identiques de tissus hépatiques issus de la souris mutante et de la souris normale (cette dernière sert de témoin) et rompre les cellules avec un détergent fort pour inactiver les nucléases cellulaires qui dégraderaient sinon les acides nucléiques. Ensuite les ARN et l'ADN sont séparés de tous les autres composants cellulaires : les protéines présentes sont complètement dénaturées et retirées par extractions répétitives dans du phénol – un puissant solvant organique partiellement miscible à l'eau ; les acides nucléiques qui restent en phase aqueuse sont ensuite précipités par de l'alcool pour les séparer des petites molécules cellulaires. L'ADN est ensuite séparé de l'ARN par leur différence de solubilité dans l'alcool et tout acide nucléique contaminant du type indésirable est dégradé par traitement avec une enzyme hautement spécifique – soit une RNase ou une DNase. Les ARNm sont typiquement séparés de la masse des ARN par leur rétention sur une colonne de chromatographie qui fixe spécifiquement la queue poly-A des ARNm.

Pour analyser les ARNm codant pour l'albumine avec une sonde ADN, on utilise une technique appelée le **transfert Northern** (*Northern blotting*). Tout d'abord, les molécules d'ARNm intactes purifiées des cellules hépatiques du mutant et du témoin sont fractionnées en fonction de leur taille par électrophorèse sur gel en une série de bandes. Ensuite, pour que les molécules d'ARN soient accessibles aux sondes ADN, une réplique du modèle en bandes d'ARN du gel est faite par transfert (*blotting*) des molécules d'ARN fractionnées sur une feuille de nitrocellulose ou de papier nylon. Le papier est alors mis à incuber dans une solution contenant la sonde ADN marquée dont la séquence correspond à une partie du brin matrice qui produit l'ARNm de l'albumine. Les molécules d'ARN qui s'hybrident à la sonde ADN marquée sur le papier (parce qu'elles sont complémentaires à une partie de la séquence du gène normal de l'albumine) sont alors localisées par la détection de la sonde liée par autoradiographie ou par des méthodes chimiques (Figure 8-27). La taille des molécules d'ARN sur chaque bande qui fixe la sonde est déterminée par référence à des bandes de molécules d'ARN de taille connue (ARN standard) qui subissent une électrophorèse à côté de l'échantillon expérimental. De cette façon, on peut découvrir que les cellules hépatiques issues de la souris mutante fabriquent de l'albumine en quantité normale et de taille normale ; ou bien, on peut détecter des quantités fortement réduites d'ARN d'albumine de taille normale. On peut aussi trouver que les molécules d'ARN d'albumine du mutant sont anormalement courtes et de ce fait se déplacent particulièrement rapidement à travers le gel ; dans ce cas, le test de transfert sur gel peut être refait avec une série de sondes ADN plus courtes, dont chacune correspond à de petites parties du gène, afin de révéler quelle est la partie d'ARN normal absente.

Une méthode d'hybridation analogue de transfert sur gel, appelée **transfert Southern** (*Southern blotting*), analyse l'ADN plutôt que l'ARN. L'ADN isolé est d'abord découpé par les nucléases de restriction en fragments facilement séparables. Les fragments double brin sont ensuite séparés selon leur taille par électrophorèse sur gel et ceux qui sont complémentaires à la sonde ADN sont identifiés par transfert et hybridation, comme nous venons de le voir avec l'ARN (*voir* Figure 8-27). Pour caractériser la structure du gène de l'albumine dans la souris mutante, une sonde ADN spécifique de l'albumine est utilisée pour établir une

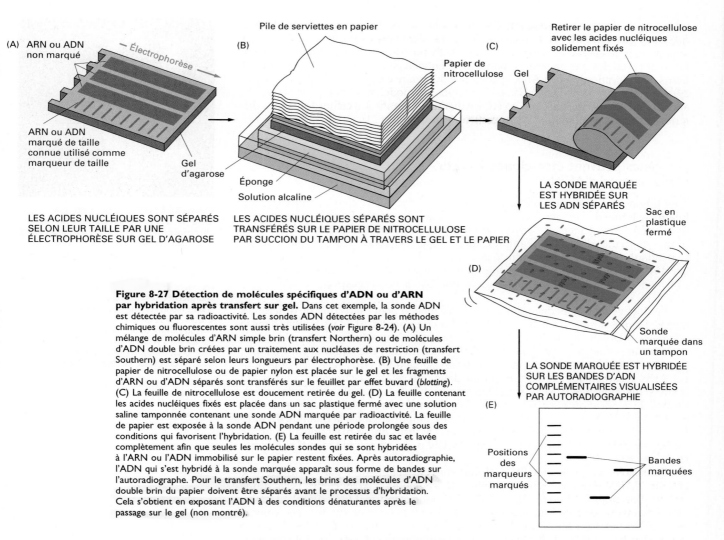

(A) ARN ou ADN non marqué

– Électrophorèse

(B) Pile de serviettes en papier

Papier de nitrocellulose

(C) Retirer le papier de nitrocellulose avec les acides nucléiques solidement fixés

Gel

ARN ou ADN marqué de taille connue utilisé comme marqueur de taille

Gel d'agarose

Éponge

Solution alcaline

LES ACIDES NUCLÉIQUES SONT SÉPARÉS SELON LEUR TAILLE PAR UNE ÉLECTROPHORÈSE SUR GEL D'AGAROSE

LES ACIDES NUCLÉIQUES SÉPARÉS SONT TRANSFÉRÉS SUR LE PAPIER DE NITROCELLULOSE PAR SUCCION DU TAMPON À TRAVERS LE GEL ET LE PAPIER

LA SONDE MARQUÉE EST HYBRIDÉE SUR LES ADN SÉPARÉS

(D)

Sac en plastique fermé

Sonde marquée dans un tampon

LA SONDE MARQUÉE EST HYBRIDÉE SUR LES BANDES D'ADN COMPLÉMENTAIRES VISUALISÉES PAR AUTORADIOGRAPHIE

(E)

Positions des marqueurs marqués

Bandes marquées

Figure 8-27 Détection de molécules spécifiques d'ADN ou d'ARN par hybridation après transfert sur gel. Dans cet exemple, la sonde ADN est détectée par sa radioactivité. Les sondes ADN détectées par les méthodes chimiques ou fluorescentes sont aussi très utilisées (*voir* Figure 8-24). (A) Un mélange de molécules d'ARN simple brin (transfert Northern) ou de molécules d'ADN double brin créées par un traitement aux nucléases de restriction (transfert Southern) est séparé selon leurs longueurs par électrophorèse. (B) Une feuille de papier de nitrocellulose ou de papier nylon est placée sur le gel et les fragments d'ARN ou d'ADN séparés sont transférés sur le feuillet par effet buvard (*blotting*). (C) La feuille de nitrocellulose est doucement retirée du gel. (D) La feuille contenant les acides nucléiques fixés est placée dans un sac plastique fermé avec une solution saline tamponnée contenant une sonde ADN marquée par radioactivité. La feuille de papier est exposée à la sonde ADN pendant une période prolongée sous des conditions qui favorisent l'hybridation. (E) La feuille est retirée du sac et lavée complètement afin que seules les molécules sondes qui se sont hybridées à l'ARN ou l'ADN immobilisé sur le papier restent fixées. Après autoradiographie, l'ADN qui s'est hybridé à la sonde marquée apparaît sous forme de bandes sur l'autoradiographe. Pour le transfert Southern, les brins des molécules d'ADN double brin du papier doivent être séparés avant le processus d'hybridation. Cela s'obtient en exposant l'ADN à des conditions dénaturantes après le passage sur le gel (non montré).

cartographie de restriction détaillée du génome dans la région du gène de l'albumine. À partir de cette carte, on peut déterminer si le gène de l'albumine a été réarrangé chez l'animal présentant l'anomalie – par exemple, par la délétion ou l'insertion d'une courte séquence d'ADN ; la plupart des variations d'une seule base, cependant, ne peuvent pas être détectées de cette façon.

Les techniques d'hybridation localisent les acides nucléiques spécifiques dans les cellules ou les chromosomes

Les acides nucléiques, comme les autres macromolécules, occupent des positions précises dans les cellules et les tissus, et beaucoup d'informations potentielles sont perdues lorsque ces molécules sont extraites par homogénéisation. C'est pourquoi des techniques ont été développées et utilisent des sondes d'acides nucléiques de façon assez identique aux anticorps marqués, pour localiser les séquences spécifiques en acides nucléiques *in situ*, une procédure appelée **hybridation *in situ***. Cette technique s'effectue actuellement pour l'ADN des chromosomes et l'ARN des cellules. Les sondes d'acides nucléiques marquées sont hybridées sur les chromosomes qui ont été brièvement exposés à un très fort pH pour rompre les appariements de bases de l'ADN. Les régions chromosomiques qui fixent la sonde pendant l'hybridation sont ensuite visualisées. Au départ, cette technique a été développée avec des sondes ADN hautement radioactives, détectées par autoradiographie. La résolution spatiale de cette technique, cependant, est bien meilleure avec un marquage chimique, et non pas radioactif, des sondes ADN (Figure 8-28), comme nous l'avons déjà décrit.

Des méthodes d'hybridation *in situ* ont également été développées pour révéler la distribution de molécules d'ARN spécifiques dans les cellules des tissus. Dans ce cas, les tissus ne sont pas exposés à un fort pH, de telle sorte que l'ADN chromosomique reste bicaténaire et ne peut fixer la sonde. Par contre, le tissu est doucement fixé pour que son ARN soit conservé dans une forme exposée qui peut s'hybrider lorsque le tissu est incubé avec une sonde ADN ou ARN complémentaire. De cette façon, les modèles d'expression génique différentielle peuvent être observés dans les tissus, et la localisation des ARN spécifiques déterminée dans les cellules (Figure 8-29). Dans l'embryon de *Drosophila*, par exemple, ces modèles ont donné de nouveaux aperçus sur les mécanismes qui créent les distinctions entre les cellules situées à différents endroits pendant le développement (*voir* Chapitre 21).

Les gènes peuvent être clonés à partir d'une banque d'ADN

Tout fragment d'ADN qui contient le gène à étudier peut être cloné. En biologie cellulaire, le terme de **clonage d'ADN** est utilisé dans deux sens. Dans le premier sens, il se réfère littéralement à l'action de fabriquer de nombreuses copies identiques d'une molécule d'ADN – l'amplification d'une séquence d'ADN particulière. Cependant, ce terme est aussi utilisé pour décrire l'isolement d'un segment particulier d'ADN (souvent un gène particulier) du reste de l'ADN cellulaire, parce que cet isolement est grandement facilité lorsqu'on effectue de nombreuses copies identiques de l'ADN en question.

Le clonage de l'ADN dans son sens le plus général peut s'effectuer de différentes façons. La plus simple implique l'insertion d'un fragment d'ADN particulier dans le génome d'ADN purifié d'un élément génétique qui s'auto-réplique – en général un virus ou un plasmide. Un fragment d'ADN contenant un gène humain, par exemple, peut être réuni dans un tube à essai au chromosome d'un virus bactérien et le nouvel ADN recombinant est alors introduit dans une cellule bactérienne. En partant d'une seule molécule d'ADN recombinant qui infecte une seule cellule, les mécanismes de réplication normaux du virus peuvent produire plus de 10^{12} molécules d'ADN viral identiques en moins d'une journée, amplifiant ainsi la quantité du fragment d'ADN humain inséré du même facteur. Un virus ou un plasmide ainsi utilisé est appelé *vecteur de clonage* et on dit que l'ADN propagé par son insertion à l'intérieur est *cloné*.

Pour isoler un gène spécifique, il faut souvent commencer par construire une banque d'ADN – une collection complète de fragments d'ADN clonés issus d'une cellule, d'un tissu ou d'un organisme. Cette banque comprend (on espère) au moins un fragment qui contient le gène à étudier. Des banques sont construites avec, comme vecteur, un virus ou un plasmide et elles sont généralement conservées dans une population bactérienne. Les principes qui sous-tendent les méthodes utilisées pour le clonage des gènes sont les mêmes quel que soit le type de vecteur de clonage, même si certaines particularités diffèrent. Actuellement, la plupart des clonages sont effectués avec des vecteurs de type plasmide.

Les **plasmides** les plus largement utilisés pour le clonage des gènes sont de petites molécules d'ADN bicaténaires circulaires dérivées de plus gros plasmides qui apparaissent naturellement dans les cellules bactériennes. Ils ne représentent généralement qu'une fraction mineure de l'ADN cellulaire total de la bactérie hôte mais peuvent être facilement séparés du fait de leur petite taille des molécules d'ADN

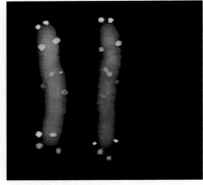

Figure 8-28 Hybridation *in situ* pour localiser des gènes spécifiques sur les chromosomes. Dans ce cas, six sondes ADN différentes ont été utilisées pour marquer la localisation de leurs séquences nucléotidiques respectives sur le chromosome 5 humain en métaphase. Les sondes sont chimiquement marquées et détectées par des anticorps fluorescents. Les deux copies du chromosome 5 sont montrées, alignées côte à côte. Chaque sonde produit deux points sur chaque chromosome, car un chromosome en métaphase a répliqué son ADN et contient donc deux hélices d'ADN identiques. (Due à l'obligeance de David C. Ward.)

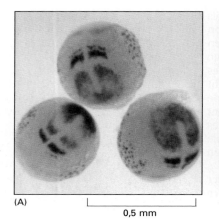

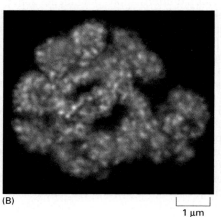

(A) |— 0,5 mm —| (B) |— 1 μm —|

Figure 8-29 Hybridation *in situ* pour localiser les ARN. (A) Modèle d'expression de *deltaC* dans les premiers stades embryonnaires du *Danio rerio*. Ce gène code pour un ligand de la voie de signalisation Notch (*voir* Chapitre 15) et le patron montré ici reflète son rôle dans le développement des somites – les futurs segments du tronc et de la queue des vertébrés. (B) La localisation de l'ARN *in situ* à haute résolution révèle les sites à l'intérieur du nucléole d'une cellule de pois où sont synthétisés les ARN ribosomiques. La structure en forme de saucisse, de 0,5 à 1 μm de diamètre, correspond aux boucles d'ADN chromosomique qui contiennent les gènes codant pour les ARNr. Chaque petit point blanc représente la transcription d'un seul gène d'ARNr. (A, due à l'obligeance de Yun-Jin Jiang ; B, due à l'obligeance de Peter Shaw.)

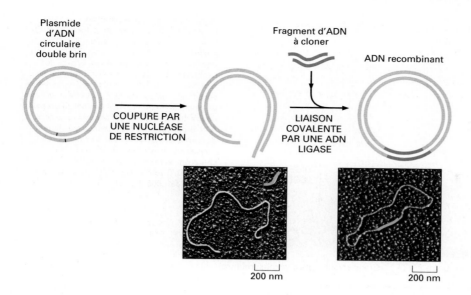

Figure 8-30 Insertion d'un fragment d'ADN dans un plasmide bactérien par une enzyme, l'ADN ligase. Le plasmide est coupé et ouvert par une nucléase de restriction (dans ce cas, une qui produit des extrémités cohésives) et est mélangé aux fragments d'ADN à cloner (préparés avec la même nucléase de restriction), à une ADN ligase et à de l'ATP ; les extrémités cohésives s'apparient par leurs bases et l'ADN ligase scelle les coupures du squelette d'ADN, produisant une molécule complète d'ADN recombinant. (Photographie en microscopie due à l'obligeance de Huntington Potter et David Dressler.)

chromosomiques qui sont grosses et précipitent dans le culot lors de la centrifugation. Pour être utilisés comme vecteurs de clonage, les ADN circulaires des plasmides purifiés sont d'abord coupés par une nucléase de restriction qui engendre des molécules d'ADN linéaires. L'ADN cellulaire utilisé pour construire la banque est découpé par la même nucléase de restriction et les fragments restreints qui en résultent (y compris ceux contenant le gène à cloner) sont ensuite ajoutés aux plasmides coupés et hybridés par leurs extrémités cohésives pour former des cercles d'ADN recombinant. Ces molécules recombinantes qui contiennent des inserts d'ADN étranger sont ensuite réunies de façon covalente par l'ADN ligase (Figure 8-30).

Dans l'étape suivante de préparation de la banque d'ADN, les cercles d'ADN recombinants sont introduits dans des cellules bactériennes rendues transitoirement perméables à l'ADN ; ces cellules sont dites *transfectées* par le plasmide. Lorsque ces cellules se développent et se divisent, doublant de nombre toutes les 30 minutes, les plasmides recombinants se répliquent aussi et produisent un nombre énorme de copies de ces ADN circulaires contenant l'ADN étranger (Figure 8-31). Beaucoup de plasmides bactériens portent des gènes d'antibiorésistance, une propriété qui peut être exploitée pour sélectionner les cellules transfectées ; si les bactéries sont mises en culture en présence de l'antibiotique, seules les cellules contenant les plasmides survivront. Chaque cellule bactérienne originelle initialement transfectée contient, en général, un insert d'ADN étranger différent ; cet insert est transmis héréditairement à toutes les cellules filles de cette bactérie, qui forment ensemble une petite colonie dans la boîte de culture.

Il y a plusieurs années, les plasmides servaient à cloner des fragments d'ADN de 1 000 à 30 000 paires de nucléotides. Les plus gros fragments d'ADN étaient les plus difficiles à manipuler et à cloner. Les chercheurs ont alors commencé à utiliser des chromosomes artificiels de levure (YAC pour *yeast artificial chromosome*) qui pouvaient porter de très gros morceaux d'ADN (Figure 8-32). De nos jours, on utilise de nouveaux vecteurs plasmiques basés sur le plasmide F naturel d'*E. coli* pour cloner des fragments d'ADN de 300 000 à 1 million de paires de nucléotides. Contrairement

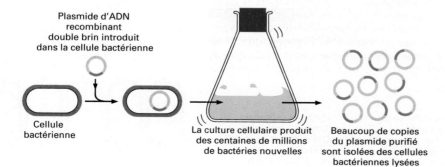

Figure 8-31 Purification et amplification d'une séquence d'ADN spécifique par le clonage d'ADN dans une bactérie. Pour produire un grand nombre de copies d'une séquence spécifique d'ADN, le fragment choisi est d'abord inséré dans un vecteur plasmidique, comme cela est montré en figure 8-30. L'ADN recombinant du plasmide qui en résulte est ensuite introduit dans une bactérie où il se réplique plusieurs millions de fois en même temps que la bactérie se multiplie.

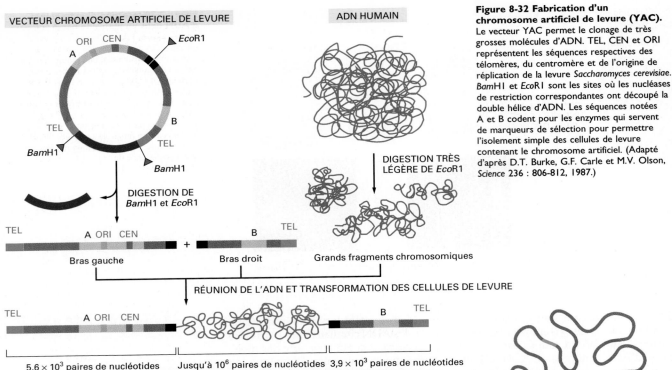

VECTEUR CHROMOSOME ARTIFICIEL DE LEVURE

ADN HUMAIN

ORI CEN
A
*Eco*R1
TEL
B
TEL
*Bam*H1
*Bam*H1

DIGESTION DE
*Bam*H1 et *Eco*R1

DIGESTION TRÈS
LÉGÈRE de *Eco*R1

TEL   A ORI CEN   B   TEL

Bras gauche   +   Bras droit   Grands fragments chromosomiques

RÉUNION DE L'ADN ET TRANSFORMATION DES CELLULES DE LEVURE

TEL   A ORI CEN   B   TEL

$5,6 \times 10^3$ paires de nucléotides   Jusqu'à 10^6 paires de nucléotides $3,9 \times 10^3$ paires de nucléotides

CHROMOSOME ARTIFICIEL DE LEVURE AVEC INSERTION D'UN ADN HUMAIN

Figure 8-32 Fabrication d'un chromosome artificiel de levure (YAC). Le vecteur YAC permet le clonage de très grosses molécules d'ADN. TEL, CEN et ORI représentent les séquences respectives des télomères, du centromère et de l'origine de réplication de la levure *Saccharomyces cerevisiae*. *Bam*H1 et *Eco*R1 sont les sites où les nucléases de restriction correspondantes ont découpé la double hélice d'ADN. Les séquences notées A et B codent pour les enzymes qui servent de marqueurs de sélection pour permettre l'isolement simple des cellules de levure contenant le chromosome artificiel. (Adapté d'après D.T. Burke, G.F. Carle et M.V. Olson, *Science* 236 : 806-812, 1987.)

aux plasmides bactériens plus petits, le plasmide F et son dérivé, le **chromosome artificiel bactérien** (**BAC** pour *bacterial artificial chromosome*) ne sont présents que dans une ou deux copies par cellule d'*E. Coli*. Le fait que le BAC soit conservé en nombre aussi faible dans les cellules bactériennes peut contribuer à sa capacité à maintenir stable de grandes séquences d'ADN clonées ; lorsque seuls quelques BAC existent, il y a moins de risques que les fragments d'ADN clonés s'embrouillent par recombinaisons avec des séquences portées sur d'autres copies du plasmide. Du fait de leur stabilité, de leur capacité à accepter de gros inserts d'ADN et de leur facilité de manipulation, les BAC sont maintenant les vecteurs de choix pour établir les banques d'ADN des organismes complexes – y compris celles représentant les génomes de l'homme et de la souris.

Deux types de banques d'ADN ont des utilisations différentes

La coupure du génome complet d'une cellule par une nucléase de restriction spécifique et le clonage de chaque fragment comme nous venons de le décrire sont parfois appelés clonage « en aveugle » des gènes. Cette technique produit un très grand nombre de fragments d'ADN – de l'ordre d'un million pour le génome de mammifères – qui engendrent des millions de colonies différentes de cellules bactériennes transfectées. (Lorsqu'on travaille avec les BAC et non pas avec les plasmides typiques, de plus gros fragments peuvent être insérés de telle sorte qu'il faut moins de cellules bactériennes transfectées pour couvrir tout le génome.) Chacune de ces colonies est composée d'un clone de cellules dérivées d'une seule cellule ancestrale et contient donc de nombreuses copies d'un segment particulier du génome fragmenté (Figure 8-33). On dit que ce type de plasmide contient un **clone d'ADN génomique** et la collection complète de ces plasmides est appelée **banque génomique d'ADN**. Mais, comme l'ADN génomique est coupé en fragments aléatoires, seuls certains fragments contiennent des gènes. Beaucoup de clones d'ADN génomiques obtenus à partir de l'ADN de cellules eucaryotes supérieures ne contiennent que de l'ADN non codant qui, comme nous l'avons vu au chapitre 4, constitue la majeure partie de l'ADN de ce type de génome.

Figure 8-33 Établissement d'une banque d'ADN génomique humain. Une banque génomique est généralement stockée sous forme d'un ensemble de bactéries, chacune portant un fragment différent d'ADN humain. Pour plus de simplicité, seul le clonage de quelques fragments représentatifs est montré ici (*coloré*). En réalité, tout les fragments d'ADN en gris sont également clonés.

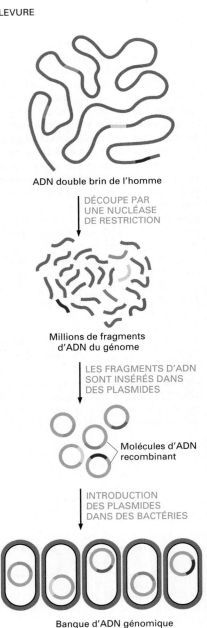

ADN double brin de l'homme

DÉCOUPE PAR
UNE NUCLÉASE
DE RESTRICTION

Millions de fragments
d'ADN du génome

LES FRAGMENTS D'ADN
SONT INSÉRÉS DANS
DES PLASMIDES

Molécules d'ADN
recombinant

INTRODUCTION
DES PLASMIDES
DANS DES BACTÉRIES

Banque d'ADN génomique

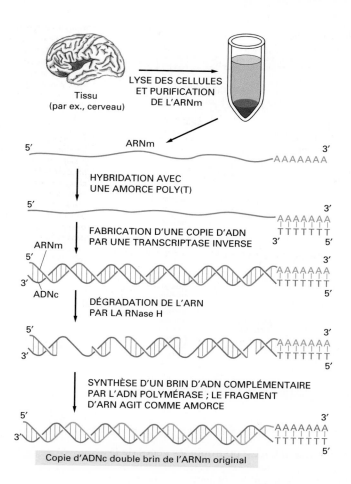

Figure 8-34 Synthèse d'ADNc. L'ARNm total est extrait d'un tissu particulier et les copies d'ADN (ADNc) des molécules d'ARNm sont produites par une enzyme, la transcriptase inverse (*voir* p. 289). Pour plus de simplicité, seule la copie d'un de ces ARNm en ADNc est montrée ici. Un court oligonucléotide complémentaire à la queue poly-A de l'extrémité 3' de l'ARNm (*voir* Chapitre 6) est d'abord hybridé à l'ARN pour agir comme amorce pour la transcriptase inverse, qui copie alors l'ARNm sous forme d'une chaîne d'ADN complémentaire, ce qui forme une hélice hybride ARN/ADN. Le traitement de cette hélice hybride ARN/ADN par une RNase H (*voir* Figure 5-13) crée des entailles et des trous dans le brin d'ARN. L'ADNc simple brin restant est alors copié en ADNc double brin par une ADN polymérase. L'amorce de cette réaction de synthèse est un fragment de l'ARNm d'origine, comme cela est montré ici. Comme l'ADN polymérase utilisée pour synthétiser le deuxième brin d'ADN peut synthétiser à travers les molécules d'ARN liées, le fragment d'ARN qui forme un appariement de bases avec l'extrémité 3' du premier brin d'ADN agit généralement comme amorce du produit final de la synthèse du deuxième brin. Cet ARN est finalement dégradé pendant les étapes suivantes du clonage. Il en résulte qu'il manque souvent les séquences nucléotidiques les plus extrêmes des extrémités 5' des molécules d'ARNm d'origine dans les banques d'ADNc.

Dans la figure :

Tissu (par ex., cerveau)

LYSE DES CELLULES ET PURIFICATION DE L'ARNm

ARNm 5' 3' AAAAAAA

HYBRIDATION AVEC UNE AMORCE POLY(T)

5' 3' AAAAAAA / TTTTTTT 3' 5'

FABRICATION D'UNE COPIE D'ADN PAR UNE TRANSCRIPTASE INVERSE

ARNm 5' 3' AAAAAA / TTTTTT 3' 5'
ADNc 3'

DÉGRADATION DE L'ARN PAR LA RNase H

5' 3' AAAAAAA / TTTTTTT 3' 5'

SYNTHÈSE D'UN BRIN D'ADN COMPLÉMENTAIRE PAR L'ADN POLYMÉRASE ; LE FRAGMENT D'ARN AGIT COMME AMORCE

5' 3' AAAAAAA / TTTTTTT 3' 5'

Copie d'ADNc double brin de l'ARNm original

L'autre stratégie consiste à commencer le processus de clonage en sélectionnant seulement les séquences d'ADN transcrites en ARNm et donc présumées correspondre à des gènes codant pour des protéines. Cela s'effectue en extrayant l'ARNm (ou une sous-fraction purifiée d'ARNm) des cellules puis en fabriquant une copie ADN, complémentaire de chaque molécule d'ARNm présente ; cette réaction est catalysée par la transcriptase inverse des rétrovirus qui synthétise une chaîne d'ADN sur une matrice d'ARN. L'ADN simple brin synthétisé par la transcriptase inverse est transformé en ADN double brin par l'ADN polymérase et ce sont ces molécules qui sont insérées dans le plasmide ou le vecteur viral puis clonées (Figure 8-34). Chaque clone ainsi obtenu est appelé **clone d'ADNc** et la collection complète des clones dérivés d'une préparation d'ARNm constitue la **banque d'ADNc**.

Il y a des différences importantes entre les clones génomiques d'ADN et les clones d'ADNc, comme cela est illustré dans la figure 8-35. Les clones génomiques représentent un échantillon randomisé de toutes les séquences d'ADN d'un organisme et à de très rares exceptions, sont identiques, quelles que soient les cellules utilisées pour les préparer. Par contre, les clones d'ADNc ne contiennent que les régions du génome transcrites en ARNm. Comme les cellules des différents tissus produisent des groupes distincts de molécules d'ARNm, on obtient des banques d'ADNc différentes selon le type cellulaire utilisé pour préparer la banque.

Les clones d'ADNc contiennent des séquences codantes ininterrompues

L'utilisation d'une banque d'ADNc pour le clonage des gènes présente plusieurs avantages. D'abord, les cellules spécialisées produisent certaines protéines en très grandes quantités. Dans ce cas, l'ARNm codant pour ces protéines a des chances d'être produit en de si grandes quantités que la banque d'ADNc préparée à partir de ces cellules sera très enrichie en molécules d'ADNc codant pour ces protéines ; cela diminue grandement le problème d'identification de ce clone au sein de la banque (*voir* Figure 8-35). L'hémoglobine par exemple est fabriquée en grandes quantités par

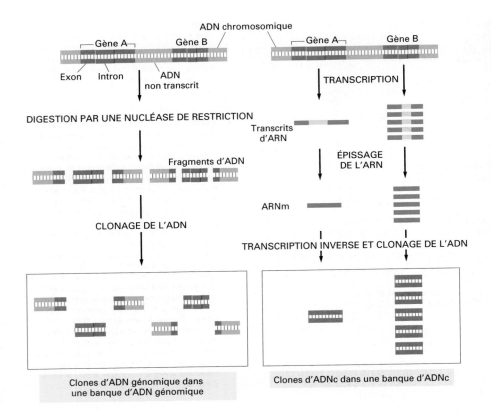

ADN chromosomique

Gène A   Gène B

Exon Intron   ADN
                non transcrit

DIGESTION PAR UNE NUCLÉASE DE RESTRICTION

Fragments d'ADN

CLONAGE DE L'ADN

Clones d'ADN génomique dans
une banque d'ADN génomique

Gène A   Gène B

TRANSCRIPTION

Transcrits
d'ARN

ÉPISSAGE
DE L'ARN

ARNm

TRANSCRIPTION INVERSE ET CLONAGE DE L'ADN

Clones d'ADNc dans une banque d'ADNc

Figure 8-35 Différences entre les clones d'ADNc et les clones d'ADN génomique dérivés de la même région d'ADN. Dans cet exemple, le gène A est rarement transcrit alors que le gène B est souvent transcrit et ces deux gènes contiennent des introns (en *vert*). Dans la banque d'ADN génomique, les introns ainsi que l'ADN non transcrit (en *rose*) sont inclus dans les clones et la plupart des clones ne contiennent, en majorité, que des parties de séquences codantes du gène (en *rouge*). Dans les clones d'ADNc, les séquences d'intron (en *jaune*) ont été retirées par épissage de l'ARN pendant la formation de l'ARNm (en *bleu*) et chaque clone contient ainsi une séquence codante continue. Comme le gène B est plus transcrit que le gène A dans la cellule à partir de laquelle s'obtient la banque d'ADNc, il est bien plus souvent représenté que le gène A dans la banque d'ADNc. Par contre, A et B sont en principe représentés de façon uniforme dans la banque d'ADN génomique.

les érythrocytes en développement (globules rouges) ; c'est pourquoi les gènes de la globine ont été parmi les premiers clonés.

L'avantage majeur des clones d'ADNc est, de loin, qu'ils contiennent la séquence codante ininterrompue d'un gène. Comme nous l'avons vu, les gènes eucaryotes sont généralement constitués de courtes séquences de codage d'ADN (exon) séparées par des séquences beaucoup plus longues non codantes (intron) ; la production d'ARNm s'accompagne de l'élimination des séquences non codantes des transcrits d'ARN initiaux et de la réunion par épissage des séquences codantes. Ni les cellules bactériennes ni celles des levures n'effectueront ces modifications sur l'ARN produit à partir d'un gène issu d'une cellule eucaryote supérieure. De ce fait, lorsque le clonage a pour but de déduire la séquence en acides aminés d'une protéine à partir de la séquence ADN ou de produire la protéine en masse en exprimant le gène cloné dans une cellule bactérienne ou de levure, il est de loin préférable de commencer par les ADNc.

La banque génomique et la banque d'ADNc sont des ressources inépuisables largement répandues parmi les chercheurs. Actuellement, beaucoup de ces banques sont également disponibles sur le marché.

Les fragments d'ADN peuvent être rapidement séquencés

À la fin des années 1970 des méthodes ont été développées pour permettre de déterminer simplement et rapidement la séquence nucléotidique de n'importe quel fragment d'ADN purifié. Elles ont permis la détermination de la séquence ADN complète de dizaines de milliers de gènes et le génome de beaucoup d'organismes a été complètement séquencé (*voir* Tableau 1-I, p. 20). Le volume d'informations des séquences ADN est actuellement si important (plusieurs dizaines de milliards de nucléotides) qu'il faut de puissants ordinateurs pour les stocker et les analyser.

Une grande partie du séquençage de l'ADN a été permise par le développement, au milieu des années 1970, de la **méthode didésoxy de Sanger** de séquençage de l'ADN fondée sur la synthèse *in vitro* d'ADN effectuée en présence de didésoxyribonucléoside triphosphate de fin de chaîne (Figure 8-36).

Même si on utilise encore de nos jours la même méthode fondamentale, elle a connu beaucoup d'améliorations. Le séquençage de l'ADN est maintenant totalement automatisé : des robots mélangent les réactifs puis déposent, font migrer et lisent l'ordre des nucléotides sur le gel. Cela est facilité par l'utilisation de nucléotides de fin de chaîne marqués par un colorant fluorescent différent ; dans ce cas, ces quatre réactions de synthèse peuvent être effectuées dans le même tube et les produits peuvent être séparés sur une seule bande de gel. Un détecteur positionné proche du bas du gel lit et enregistre la couleur des marques fluorescentes de chaque bande lors-

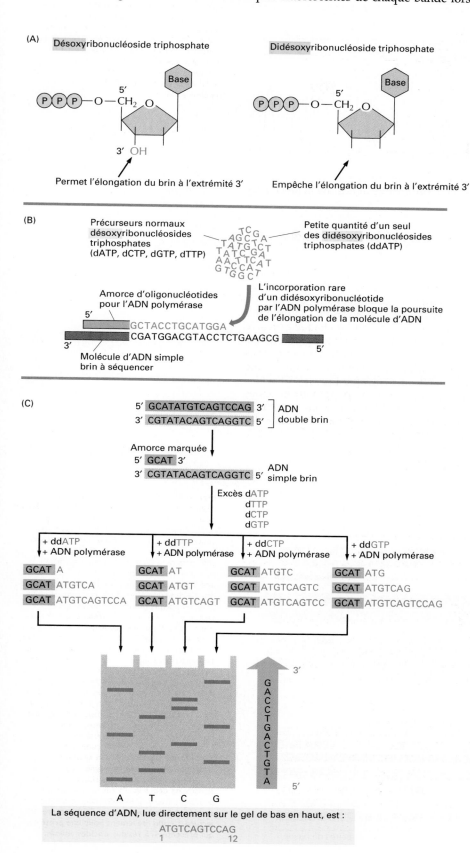

(A) Désoxyribonucléoside triphosphate

Didésoxyribonucléoside triphosphate

Permet l'élongation du brin à l'extrémité 3'

Empêche l'élongation du brin à l'extrémité 3'

(B) Précurseurs normaux désoxyribonucléosides triphosphates (dATP, dCTP, dGTP, dTTP)

Petite quantité d'un seul des didésoxyribonucléosides triphosphates (ddATP)

L'incorporation rare d'un didésoxyribonucléotide par l'ADN polymérase bloque la poursuite de l'élongation de la molécule d'ADN

Amorce d'oligonucléotides pour l'ADN polymérase

5' GCTACCTGCATGGA
3' CGATGGACGTACCTCTGAAGCG 5'

Molécule d'ADN simple brin à séquencer

(C)
5' GCATATGTCAGTCCAG 3'   ADN
3' CGTATACAGTCAGGTC 5'   double brin

Amorce marquée
5' GCAT 3'
3' CGTATACAGTCAGGTC 5'   ADN simple brin

Excès dATP
dTTP
dCTP
dGTP

+ ddATP   + ddTTP   + ddCTP   + ddGTP
+ ADN polymérase + ADN polymérase + ADN polymérase + ADN polymérase

GCAT A   GCAT AT   GCAT ATGTC   GCAT ATG
GCAT ATGTCA   GCAT ATGT   GCAT ATGTCAGTC   GCAT ATGTCAG
GCAT ATGTCAGTCCA GCAT ATGTCAGT   GCAT ATGTCAGTCC GCAT ATGTCAGTCCAG

3' GACCTGACTGTA 5'

A   T   C   G

La séquence d'ADN, lue directement sur le gel de bas en haut, est :
ATGTCAGTCCAG
1   12

Figure 8-36 Méthode enzymatique – ou didésoxy de Sanger – de séquençage de l'ADN. (A) Cette méthode repose sur l'utilisation de didésoxyribonucléosides triphosphates, dérivés d'un désoxyribonucléoside triphosphate normal dépourvu du groupement hydroxyle 3'. (B) L'ADN purifié est synthétisé *in vitro* dans un mélange à base de molécules simple brin de l'ADN à séquencer (en *gris*), de l'enzyme ADN polymérase, d'une courte amorce d'ADN (en *orange*) pour permettre à l'ADN polymérase de commencer la synthèse d'ADN et des quatre désoxyribonucléosides triphosphates (dATP, dGTP, dCTP, dTTP : A, G, C et T *verts*). Si un analogue didésoxyribonucléotide (en *rouge*) d'un de ces nucléotides se trouve également dans le mélange de nucléotides, il peut être incorporé dans la chaîne d'ADN en croissance. Comme cette chaîne n'a plus maintenant de groupement 3'OH, l'addition du nucléotide suivant est bloquée et la chaîne d'ADN se termine à ce point. Dans l'exemple illustré ici, une petite quantité de didésoxyATP (ddATP, symbolisé ici par un A *rouge*) a été inclus dans le mélange de nucléotides. Il entre en compétition avec l'excès de désoxyATP normal (dATP, A *vert*) de telle sorte que le ddATP est parfois incorporé, de façon aléatoire, dans un brin d'ADN en croissance. Ce mélange de réaction produit finalement un groupe d'ADN de différentes longueurs et complémentaires à l'ADN matrice séquencé et qui se termine à chacun des différents A. La longueur exacte des produits d'ADN synthétisés sert à déterminer la position de chaque A dans la chaîne en croissance. (C) Pour déterminer la séquence complète d'un fragment d'ADN, l'ADN double brin est d'abord séparé en ses simples brins et un des brins est utilisé comme matrice pour le séquençage. Quatre différents didésoxyribonucléosides triphosphates de fin de chaîne (ddATP, ddCTP, ddGTP et ddTTP, montrés ici encore en *rouge*) sont utilisés dans quatre réactions séparées de synthèse de l'ADN qui copient la même matrice simple brin d'ADN (en *gris*). Chaque réaction produit un groupe de copies d'ADN qui se terminent à des points différents de la séquence. Les produits de ces quatre réactions sont séparés par électrophorèse en quatre pistes parallèles d'un gel de polyacrylamide (appelées ici A, T, C et G). Les fragments néosynthétisés sont détectés par un marqueur (radioactif ou fluorescent) incorporé soit dans l'amorce soit dans un des désoxyribonucléosides triphosphates utilisés pour l'élongation de la chaîne d'ADN. Dans chaque piste, les bandes représentent les fragments qui se sont terminés à un nucléotide donné (par ex., A dans la piste la plus à gauche), mais dans des positions différentes dans l'ADN. En lisant les bandes dans l'ordre, en commençant en bas du gel et en travaillant à travers toutes les pistes, la séquence d'ADN du brin néosynthétisé peut être déterminée. Celle-ci est donnée dans la *flèche verte* à droite du gel. Cette séquence est identique à celle du brin 5' → 3' (en *vert*) de la molécule d'ADN double brin d'origine.

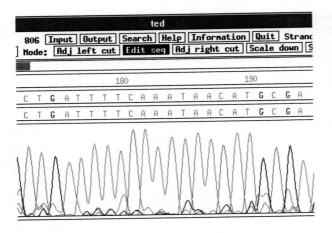

Figure 8-37 Séquençage automatisé de l'ADN. Voici ici une minuscule partie des données issues d'un séquençage automatisé d'ADN tel qu'il apparaît sur l'écran de l'ordinateur. Chaque pic de couleur représente un nucléotide de la séquence d'ADN — un segment clair de la séquence nucléotidique peut être lu, dans ce cas, entre les positions 173 et 194 à partir du commencement de la séquence. Cet exemple particulier est tiré du projet international qui a déterminé la séquence complète en nucléotides du génome de la plante *Arabidopsis*. (Due à l'obligeance de George Murphy.)

qu'elle traverse un faisceau laser (Figure 8-37). L'ordinateur lit ensuite et stocke ces séquences nucléotidiques.

La séquence nucléotidique sert à prédire la séquence en acides aminés des protéines

Maintenant que le séquençage de l'ADN est si rapide et fiable, il est devenu la méthode de choix pour la détermination indirecte de la séquence en acides aminés des protéines. Prenons une séquence nucléotidique qui code pour une protéine, la procédure est assez simple. Même s'il existe, en principe, six cadres de lecture différents pour traduire une séquence ADN en une protéine (trois pour chaque brins), le cadre correct se reconnaît généralement car c'est le seul qui ne présente pas de codons stop trop fréquents (Figure 8-38). Comme nous l'avons vu au chapitre 6 lorsque nous avons présenté le code génétique, une séquence nucléotidique prise au hasard et lue dans un cadre codera un signal d'arrêt de la synthèse protéique tous les 20 acides aminés environ. Les séquences nucléotidiques qui codent pour un segment en acides aminés beaucoup plus long sont candidates pour représenter des exons éventuels; elles peuvent être traduites puis comparées avec les données pour rechercher des similitudes avec des protéines connues dans d'autres organismes. S'il le faut, une petite partie de la séquence en acides aminés de la protéine purifiée peut être déterminée pour confirmer la séquence prédite d'après l'ADN.

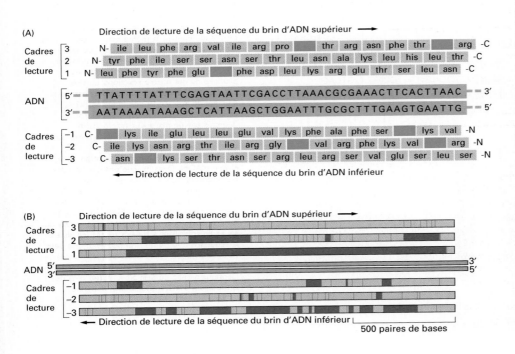

Figure 8-38 Comment retrouver les régions de la séquence d'ADN qui codent pour une protéine? (A) Toutes les régions de la séquence d'ADN peuvent, en principe, coder pour six acides aminés différents, parce que chacun des trois cadres de lecture différents peut être utilisé pour interpréter la séquence nucléotidique sur chaque brin. Notez que la séquence en nucléotides est toujours lue dans la direction 5' → 3' de la chaîne et code pour un polypeptide de son extrémité N-terminale (amine) à son extrémité C-terminale (carboxyle). Pour une séquence nucléotidique prise au hasard et lue dans un cadre particulier, on rencontre en moyenne un signal stop de la synthèse protéique tous les 21 acides aminés environ (une fois tous les 63 nucléotides). Dans cette séquence de 48 paires de bases, chacun de ces signaux (codon stop) est coloré en vert, et seul le cadre 2 ne présente pas de signal stop. (B) Recherche, dans une séquence d'ADN de 1700 paires de bases, d'une séquence possible de codage protéique. L'information est visualisée comme pour (A) avec chaque signal stop de la synthèse protéique marqué par une ligne verte. En plus, toutes les régions possibles situées entre les signaux de début et d'arrêt de la synthèse protéique (voir p. 348-350) sont visualisées sous forme de barres rouges. Seul le cadre de lecture 1 code réellement pour une protéine, qui présente 475 résidus d'acides aminés.

Il y a cependant un problème, celui de la détermination, dans le génome complet, des séquences nucléotidiques qui représentent des gènes de codage protéique. L'identification des gènes est facilitée lorsque la séquence d'ADN provient d'un chromosome de bactérie ou d'archéobactérie, dépourvu d'introns, ou d'un clone d'ADNc. Il est possible de prédire la localisation d'un gène dans ces séquences nucléotidiques en examinant l'ADN à la recherche de certaines caractéristiques distinctives (*voir* Chapitre 6). Brièvement, ces gènes qui codent pour les protéines sont identifiés par la recherche de la séquence nucléotidique des cadres ouverts de lecture (ORF pour *open reading frames*) qui commence par un codon d'initiation, en général ATG, et se termine par un codon d'arrêt TAA, TAG ou TGA. Pour minimiser les erreurs, les ordinateurs utilisés pour rechercher les ORF sont souvent programmés pour ne prendre en compte comme gène que les séquences nucléotidiques dépassant 100 codons.

Pour les génomes plus complexes, comme ceux des eucaryotes, ce processus est compliqué par la présence de longs introns encastrés dans la portion codante des gènes. Dans beaucoup d'organismes multicellulaires, y compris l'homme, un exon moyen ne mesure que 150 nucléotides de long. De ce fait, chez les eucaryotes, il faut rechercher d'autres caractéristiques qui signalent la présence d'un gène, comme les séquences qui signalent une limite intron/exon ou des régions particulières régulatrices en amont.

L'autre approche majeure qui identifie les régions codantes des chromosomes est la caractérisation de la séquence nucléotidique des ARNm détectables (sous forme d'ADNc). Les ARNm (et les ADNc produits à partir d'eux) ne présentent ni introns, ni séquences régulatrices, ni ADN d'espacement non indispensable placé entre les gènes. Il est donc intéressant de séquencer un grand nombre d'ADNc pour obtenir une collection très vaste (appelée banque de données) de séquences codantes d'un organisme. Ces séquences sont ensuite faciles à utiliser pour différencier les exons des introns dans la longue séquence d'ADN chromosomique qui correspond aux gènes.

Enfin les séquences nucléotidiques qui sont conservées dans des organismes proches codent en général pour des protéines. La comparaison de ces séquences conservées dans différentes espèces fournit également des aperçus de la fonction d'une protéine ou d'un gène particulier, comme nous le verrons ultérieurement dans ce chapitre.

Le génome d'un grand nombre d'organismes a été complètement séquencé

En grande partie grâce à l'automatisation du séquençage de l'ADN, le génome de nombreux organismes a pu être complètement séquencé. Citons comme exemples ceux des chloroplastes végétaux et des mitochondries animales, d'un grand nombre de bactéries et d'archéobactéries, et de beaucoup d'organismes modèles étudiés en routine en laboratoire, y compris diverses levures, un nématode, la drosophile (*Drosophila*), le modèle végétal *Arabidopsis*, la souris et enfin, mais ce n'est pas le moindre, celui de l'homme. Les chercheurs ont aussi déduit la séquence complète d'une large gamme de germes humains. Parmi eux se trouvent les bactéries responsables du choléra, de la tuberculose, de la syphilis, de la gonorrhée, de la maladie de Lyme et des ulcères gastriques, ainsi que des centaines de virus, y compris le virus de la variole et le virus Epstein-Barr (qui provoque la mononucléose infectieuse). L'examen du génome de ces germes fournira certainement des clés sur leur mode de virulence et permettra également d'envisager de nouveaux traitements plus efficaces.

Haemophilus influenzae, une bactérie responsable d'infections auriculaires ou de méningites chez l'enfant, a été le premier organisme dont le génome a été séquencé – la totalité des 1,8 million de nucléotides – par la méthode de séquençage à l'aveugle (ou méthode *shotgun*), la principale stratégie utilisée de nos jours. Cette méthode consiste à découper de longues séquences d'ADN au hasard en de nombreux fragments plus petits. Chaque fragment est alors séquencé et l'ordinateur permet d'ordonner ces morceaux en un chromosome entier ou en un génome par le biais du recouvrement de séquences qui guide l'assemblage. La méthode *shotgun* est la technique de choix du séquençage de petits génomes. Même si les séquences des génomes plus grands et plus répétitifs sont plus délicates à assembler, la méthode *shotgun* a été très utile pour le séquençage du génome de *Drosophila melanogaster*, de la souris et de l'homme.

Comme de nouvelles séquences apparaissent toujours de plus en plus vite dans les publications scientifiques, la comparaison des séquences complètes du génome de différents organismes nous permet de retracer les relations évolutives entre les gènes et les organismes et de découvrir de nouveaux gènes et prévoir leurs fonctions. L'assignation d'une fonction à un gène implique souvent la comparaison de sa séquence avec des séquences apparentées issues d'organismes modèles qui ont été bien caractérisés au laboratoire comme la bactérie *E. coli*, les levures *S. cerevisiae* et *S. pombe*, le nématode *C. elegans* et la mouche *Drosophila* (*voir* Chapitre 1).

Même si les organismes dont le génome a été séquencé présentent beaucoup de voies cellulaires communes et de protéines de structure ou de séquence en acides aminés homologues, les fonctions d'un très grand nombre de nouvelles protéines identifiées ne sont toujours pas connues. Environ 15 à 40 p. 100 des protéines codées dans les génomes séquencés ne ressemblent, du point de vue fonctionnel, à aucune autre protéine caractérisée. Cette observation souligne une des limites de ce domaine de la génomique qui émerge : même si l'analyse comparative des génomes apporte une grande quantité d'informations sur les relations entre les gènes et les organismes, elle ne fournit souvent pas d'informations immédiates sur le mode de fonctionnement de ces gènes ou sur leurs rôles dans la physiologie d'un organisme. La comparaison de tous les gènes de plusieurs bactéries thermophiles, par exemple, n'a pas révélé pourquoi ces bactéries se développent à des températures dépassant 70 °C. Et l'examen du génome d'une bactérie incroyablement radiorésistante, *Deinococcus radiodurans*, n'explique pas comment cet organisme peut survivre à un souffle de radiation capable de briser le verre. D'autres études biochimiques et génétiques, comme celles décrites dans les derniers paragraphes de ce chapitre sont nécessaires pour déterminer le mode de fonctionnement des gènes dans le contexte des organismes vivants.

La réaction en chaîne de la polymérase (PCR pour *polymerase chain reaction*) permet de cloner dans un tube à essai des segments d'ADN sélectionnés

Maintenant que l'on dispose de tant de séquences génomiques, les gènes peuvent être directement clonés sans établir d'abord de banques d'ADN. Une technique appelée **PCR** ou ***polymerase chain reaction*** permet ce clonage rapide. La PCR amplifie l'ADN d'une région particulière du génome un milliard de fois, «purifiant» de façon efficace cet ADN par rapport au reste du génome.

Deux groupes d'oligonucléotides d'ADN, choisis parce qu'ils se trouvent de part et d'autre de la séquence nucléotidique désirée du gène, sont synthétisés par des méthodes chimiques. Ces oligonucléotides servent ensuite d'amorce pour la synthèse d'ADN sur de simples brins engendrés par le chauffage de l'ADN du génome entier. L'ADN néosynthétisé est produit par une réaction catalysée *in vitro* par une ADN polymérase purifiée et l'amorce reste à l'extrémité 5′ des fragments d'ADN nouvellement fabriqués (Figure 8-39A).

Il ne se produit rien de spécial durant le premier cycle de synthèse de l'ADN ; la puissance de la méthode PCR n'est révélée qu'après des cycles répétitifs de synthèse d'ADN. Chaque cycle double la quantité d'ADN synthétisé pendant le cycle précédent. Comme chaque cycle nécessite un rapide traitement par la chaleur pour séparer les deux brins de la double hélice d'ADN matrice, cette technique nécessite l'utilisation d'une ADN polymérase particulière, isolée d'une bactérie thermophile, stable à des températures bien plus élevées que la normale, de telle sorte qu'elle n'est pas dénaturée par les traitements thermiques répétitifs. À chaque cycle de synthèse d'ADN, les nouveaux fragments engendrés servent de matrice à leur tour et en quelques cycles le produit majeur est constitué d'un seul type de fragment d'ADN dont la longueur correspond à la distance entre les deux amorces d'origine (Figure 8-39B).

En pratique, il faut 20 à 30 cycles de réactions pour amplifier efficacement l'ADN, les produits de chaque cycle servant de matrice d'ADN au suivant- d'où le terme de «réaction en chaîne» de la polymérase. Un seul cycle ne dure que 5 minutes seulement environ et la procédure complète est facilement automatisée. La PCR permet ainsi le clonage moléculaire acellulaire d'un fragment d'ADN en quelques heures, par comparaison aux jours nécessaires pour le clonage standard. Cette technique est maintenant utilisée en routine pour cloner directement l'ADN à partir des gènes à étudier – en commençant soit à partir de l'ADN génomique soit de l'ARNm isolé des cellules (Figure 8-40).

La PCR est extrêmement sensible ; elle peut détecter une seule molécule d'ADN dans un échantillon. Des traces d'ARN peuvent être analysées de la même façon

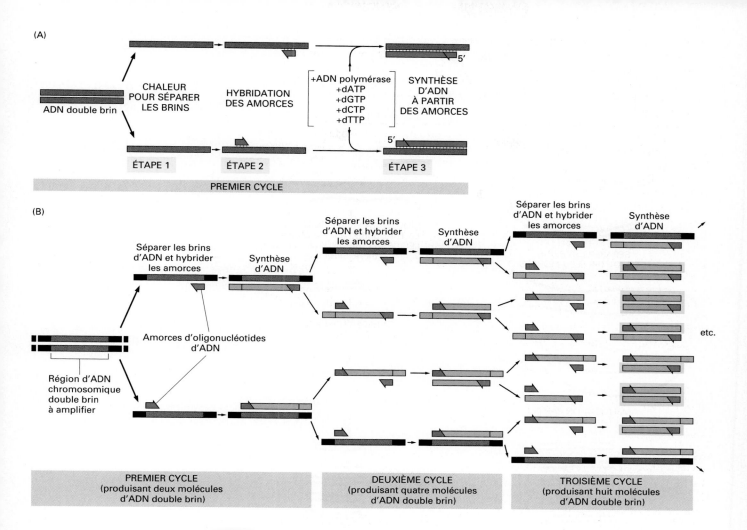

Figure 8-39 Amplification de l'ADN par la technique PCR. La connaissance de la séquence d'ADN à amplifier sert à fabriquer deux oligonucléotides d'ADN synthétiques, chacun complémentaire de la séquence d'un des brins de la double hélice d'ADN aux extrémités opposées, de la région à amplifier. Ces oligonucléotides servent d'amorce de la synthèse d'ADN *in vitro*, effectuée par l'ADN polymérase, et déterminent le segment d'ADN à amplifier. (A) La PCR commence par un ADN double brin et chaque cycle de la réaction commence par un bref traitement thermique qui sépare ces deux brins (étape 1). Après la séparation des brins, le refroidissement de l'ADN en présence d'un large excès des deux oligonucléotides d'amorce d'ADN permet l'hybridation de ces amorces sur les séquences complémentaires des deux brins d'ADN (étape 2). Ce mélange est alors incubé avec une ADN polymérase et les quatre désoxyribonucléosides triphosphates pour que l'ADN soit synthétisé en commençant à partir des deux amorces (étape 3). Le cycle complet recommence alors par un traitement thermique qui sépare les brins d'ADN néosynthétisés. (B) Tandis que la procédure s'effectue encore et encore, les fragments néosynthétisés servent à leur tour de matrice et, en quelques cycles, l'ADN qui prédomine est identique à la séquence comprise entre les deux amorces de la matrice d'origine. De l'ADN utilisé dans la première réaction seule la séquence placée entre les deux amorces est amplifiée parce qu'il n'y a aucune amorce fixée ailleurs. Dans l'exemple illustré en (B), trois cycles de réaction ont produit 16 chaînes d'ADN, dont 8 (encadrées en *jaune*) sont de la même longueur et correspondent exactement à l'un ou à l'autre des brins de la séquence délimitée à l'origine et montrée à l'extrême gauche; l'autre brin contient de l'ADN supplémentaire en aval de la séquence d'origine, qui est répliqué au cours des quelques premiers cycles. Après trois cycles supplémentaires, 240 chaînes d'ADN sur 256 correspondent exactement à la séquence originelle délimitée et après quelques cycles supplémentaires, presque tous les brins d'ADN ont cette longueur précise.

après leur transcription en ADN par une transcriptase inverse. La technique de clonage par PCR a largement remplacé la technique du transfert Southern pour le diagnostic des maladies génétiques et la détection des faibles niveaux d'infection virale. Elle est également très prometteuse en médecine légale en tant que moyen d'analyse de minuscules traces de sang ou d'autres tissus – même si la taille se réduit à une seule cellule – et pour identifier la personne dont elles proviennent par son empreinte génétique (Figure 8-41).

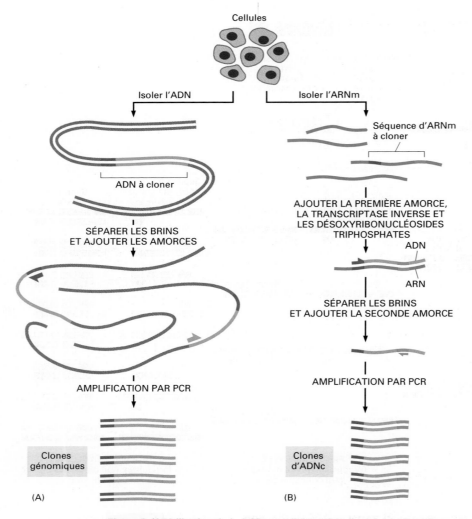

Figure 8-40 Utilisation de la PCR pour l'obtention d'un clone génomique ou d'un clone d'ADNc. (A) Pour obtenir un clone génomique par PCR, l'ADN chromosomique est d'abord purifié des cellules. Après l'ajout des amorces de PCR qui encadrent le segment d'ADN à cloner, plusieurs cycles de réaction sont effectués (*voir* Figure 8-39). Comme seul l'ADN compris entre les amorces (et les incluant) est amplifié, la PCR permet d'obtenir sélectivement un court segment d'ADN chromosomique sous forme pure. (B) Pour utiliser la PCR pour obtenir un clone d'ADNc d'un gène, l'ARNm est d'abord purifié à partir des cellules. La première amorce est alors ajoutée à la population d'ARNm et une transcriptase inverse sert à fabriquer un brin complémentaire d'ADN. La seconde amorce est alors ajoutée et l'ADN simple brin est amplifié par de nombreux cycles de PCR comme cela est montré en figure 8-39. Dans ces deux types de clonage, il faut connaître à l'avance au moins une partie de la séquence nucléotidique de la région à cloner.

L'utilisation de vecteurs d'expression permet de synthétiser de grandes quantités de protéines cellulaires

Il y a quinze ans, les seules protéines cellulaires facilement étudiées étaient celles qui étaient relativement abondantes. Une protéine majeure – parmi celles qui constituent 1 p. 100 ou plus de l'ensemble des protéines cellulaires – pouvait être purifiée par chromatographie séquentielle à partir de plusieurs centaines de grammes de cellules pour recueillir peut-être 0,1 g (100 mg) de protéine pure. Cette quantité était suffisante pour le séquençage conventionnel des acides aminés, l'analyse détaillée des activités biochimiques et la production d'anticorps, qui était ensuite utilisée pour localiser la protéine dans la cellule. De plus, lorsqu'il était possible d'obtenir des cristaux adaptés (tâche souvent difficile), la structure tridimensionnelle de la protéine était déterminée par les techniques de diffraction des rayons X, comme nous le verrons ultérieurement. La structure et la fonction de nombreuses protéines abondantes

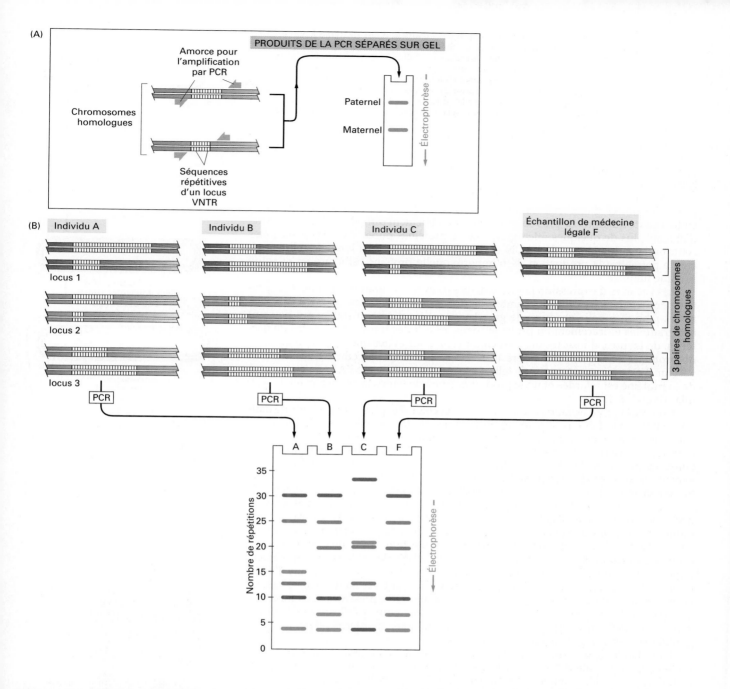

Figure 8-41 La PCR est utilisée en médecine légale. (A) Les séquences d'ADN qui créent la variabilité utilisée dans cette analyse contiennent des segments de courtes séquences répétitives comme CACACA…, retrouvées dans diverses positions (loci) du génome humain. Le nombre de répétitions de chaque segment est très variable dans une population, allant de 4 à 40 selon les individus. Ce type de séquences nucléotidiques répétitives est fréquemment nommé *séquence microsatellite hypervariable* – ou également VNTR (*nombre variable de répétitions en tandem*). Du fait de la variabilité de ces séquences dans chaque locus, les individus héritent en général un variant différent de leur père et de leur mère : deux individus non apparentés ne contiennent donc pas généralement la même paire de séquences. L'analyse par PCR qui utilise des amorces encadrant le locus produisent une paire de bandes d'ADN amplifié à partir de chaque individu, l'une des bandes représentant le variant maternel et l'autre le variant paternel. La longueur de l'ADN amplifié et donc la position de la bande engendrée après électrophorèse dépendent du nombre exact de répétitions au niveau du locus. (B) Dans l'exemple schématique montré ici, les trois même loci VNTR sont analysés (nécessitant trois différentes paires d'amorces oligonucléotidiques spécialement choisies) à partir de trois suspects (individus A, B et C), produisant six bandes d'ADN pour chaque personne après électrophorèse sur gel de polyacrylamide. Même si certains individus présentent diverses bandes en commun, le patron global est assez différent pour chacun. Le patron des bandes peut donc servir d'empreinte pour identifier presque chaque individu. La quatrième colonne (F) contient le produit de la même réaction, effectuée sur un échantillon de médecine légale. Le matériel de départ de ce type de PCR peut être un seul cheveu ou un échantillon minuscule de sang laissé sur la scène du crime. Lorsqu'on examine la variabilité au niveau de cinq ou dix différents loci VNTR, les chances que deux individus pris au hasard partagent, par hasard, les mêmes patrons génétiques, sont approximativement de 1 sur 10 milliards. Dans le cas montré ici, on peut éliminer les individus A et C de l'enquête alors que l'individu B reste clairement suspect d'avoir commis le crime. Une approche similaire est utilisée maintenant en routine pour les tests de paternité.

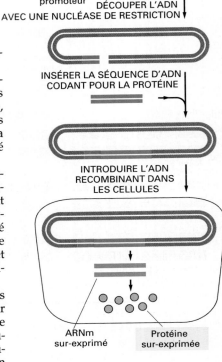

Vecteur d'expression d'un plasmide d'ADN double brin

Séquence promoteur

DÉCOUPER L'ADN AVEC UNE NUCLÉASE DE RESTRICTION

INSÉRER LA SÉQUENCE D'ADN CODANT POUR LA PROTÉINE

INTRODUIRE L'ADN RECOMBINANT DANS LES CELLULES

ARNm sur-exprimé

Protéine sur-exprimée

Figure 8-42 Production de grandes quantités d'une protéine à partir d'une séquence d'ADN codant pour une protéine, clonée dans un vecteur d'expression et introduite dans une cellule. Un vecteur plasmidique a été fabriqué pour contenir un promoteur très actif qui provoque la production de quantités particulièrement grandes d'ARNm à partir d'un gène adjacent codant pour une protéine et inséré dans le plasmide. En fonction des caractéristiques du vecteur de clonage, le plasmide est introduit dans des cellules bactériennes, de levure, d'insecte ou de mammifère, où le gène inséré est transcrit efficacement et traduit en protéines.

– dont l'hémoglobine, la trypsine, les immunoglobulines et le lysozyme – ont été analysées ainsi.

Cependant, les milliers de protéines différentes d'une cellule eucaryote, y compris celles dotées d'importantes fonctions cruciales sont, pour la plupart, présentes en très petite quantité. Le plus souvent, il est extrêmement difficile, voire impossible, d'obtenir plus de quelques microgrammes de protéines pures. Une des principales contributions du clonage de l'ADN et du génie génétique à la biologie cellulaire a été de permettre la production de n'importe quelle protéine cellulaire en quantité presque illimitée.

Les **vecteurs d'expression** permettent de produire une grande quantité de la protéine désirée dans les cellules vivantes (Figure 8-42). Ce sont généralement des plasmides fabriqués pour produire de grandes quantités d'ARNm stable, qui peuvent être traduites efficacement en protéines dans les cellules transfectées issues de bactéries, de levures, d'insectes ou de mammifères. Pour éviter que la grande quantité de protéines étrangères n'interfère avec la croissance de la cellule transfectée, le vecteur d'expression est conçu de telle sorte que la synthèse de l'ARNm étranger et de sa protéine est retardée et ne se produit que peu de temps avant le recueil des cellules (Figure 8-43).

Comme la protéine fabriquée à partir d'un vecteur d'expression est produite dans une cellule, elle doit être séparée et purifiée des protéines cellulaires de l'hôte par chromatographie après la lyse cellulaire ; mais comme le lysat cellulaire contient une telle abondance de cette espèce protéique (souvent 1 à 10 p. 100 des protéines cellulaires totales), la purification est souvent facile à accomplir en quelques étapes seulement. Beaucoup de vecteurs d'expression ont été conçus pour adjoindre un marqueur moléculaire – un groupe de résidus d'histidine ou une petite protéine de marquage – à la protéine exprimée pour faciliter sa purification par chromatographie d'affinité, comme nous l'avons vu précédemment (*voir* p. 483-484). On dispose de différents vecteurs d'expression, chacun modifié génétiquement pour fonctionner dans le type cellulaire fabriquant la protéine en question. Il est ainsi possible d'induire la fabrication par les cellules de grandes quantités de protéines médicalement importantes – comme l'insuline humaine, l'hormone de croissance humaine, l'interféron et les antigènes viraux vaccinaux. Plus généralement, ces méthodes permettent la production de n'importe quelle protéine – même celles présentes sous forme de quelques copies par cellule – en quantités suffisantes pour qu'elles soient utilisées dans les études fonctionnelles et structurelles que nous aborderons dans les paragraphes suivants (Figure 8-44).

La technologie de l'ADN sert également à produire, en grandes quantités, n'importe quelle molécule d'ARN dont le gène a été isolé. Les études sur l'épissage de l'ARN, la synthèse protéique et les enzymes à base d'ARN par exemple, sont grandement facilitées par la disponibilité de molécules d'ARN pures. La plupart des ARN n'existent qu'en quantités minuscules dans les cellules et sont très difficiles à purifier des autres composants cellulaires – en particulier des autres ARN présents par milliers dans la cellule. Cependant chaque ARN à étudier peut être synthétisé efficacement *in vitro* par transcription de sa séquence ADN à l'aide d'une ARN polymérase virale hautement efficace. La seule espèce d'ARN produite est alors facilement purifiée de la matrice ADN et de l'ARN polymérase.

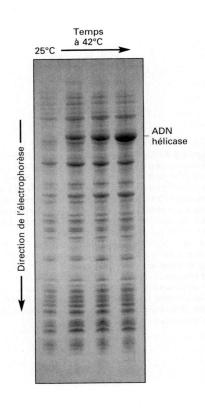

Temps à 42°C

25°C

ADN hélicase

Direction de l'électrophorèse

Figure 8-43 Production de grandes quantités d'une protéine en utilisant un vecteur d'expression plasmidique. Dans cet exemple, les cellules bactériennes sont transfectées avec la séquence codante d'une enzyme, l'ADN hélicase ; la transcription à partir de cette séquence codante est sous contrôle d'un promoteur viral qui n'est actif qu'à des températeurs de 37°C ou plus. Les protéines cellulaires totales sont analysées par électrophorèse sur gel de polyacrylamide-SDS soit à partir de bactéries élevées à 25°C (pas de fabrication d'hélicase), soit après un passage de ces mêmes bactéries à 42°C pendant 2 heures (l'hélicase est devenue la protéine la plus abondante dans le lysat). (Due à l'obligeance de Jack Barry.)

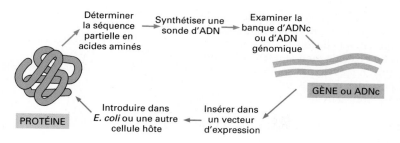

Résumé

Le clonage de l'ADN permet de sélectionner une copie de n'importe quelle partie spécifique d'une séquence ADN ou ARN à partir des millions d'autres séquences d'une cellule et de produire celle-ci en quantité illimitée sous forme pure. Les séquences d'ADN peuvent être amplifiées après la découpe de l'ADN chromosomique par une nucléase de restriction et l'insertion des fragments d'ADN résultants dans le chromosome d'éléments génétiques dotés d'autoréplication. On utilise généralement des vecteurs de type plasmide et la «banque d'ADN génomique» résultante est conservée dans des millions de cellules bactériennes, dont chacune contient un fragment différent d'ADN cloné. Chaque cellule prolifère et produit de grandes quantités du seul fragment d'ADN cloné issu de cette banque. Une autre méthode utilise la PCR (réaction en chaîne de la polymérase) pour effectuer directement le clonage de l'ADN à l'aide d'une ADN polymérase purifiée thermostable – dès lors qu'on connaît déjà la séquence d'ADN à laquelle on s'intéresse.

Les techniques utilisées pour obtenir les clones d'ADN dont la séquence correspond à des molécules d'ARNm sont identiques, excepté qu'il faut d'abord fabriquer une copie ADN, appelée ADNc, de la séquence d'ARNm. Contrairement aux clones d'ADN génomiques, les clones d'ADNc ne possèdent pas de séquences d'intron. Ce sont donc les clones de choix pour l'analyse des produits protéiques d'un gène.

Les réactions d'hybridation des acides nucléiques fournissent des moyens sensibles de détection d'un gène ou de n'importe quelle autre séquence nucléotidique choisie. Sous des conditions rigoureuses d'hybridation (l'association d'un solvant et de températures où les doubles hélices parfaites sont tout juste stables) deux brins ne peuvent s'apparier pour former une hélice hybride que si leurs séquences nucléotidiques sont presque parfaitement complémentaires. L'excessive spécificité de cette réaction d'hybridation permet d'utiliser n'importe quelle séquence nucléotidique simple brin, marquée par un radioisotope ou un produit chimique, comme sonde pour rechercher le brin partenaire complémentaire, même dans une cellule ou un extrait cellulaire contenant des millions de séquences d'ADN et d'ARN différentes. Ces sondes sont largement utilisées pour détecter les acides nucléiques correspondant aux gènes spécifiques, à la fois pour faciliter leur purification et leur caractérisation et pour les localiser dans les cellules, les tissus et les organismes.

La séquence de nucléotides des fragments d'ADN purifiés peut être déterminée rapidement et simplement en utilisant des techniques hautement automatisées fondées sur la méthode didéoxy de Sanger de séquençage de l'ADN. Cette technique a permis la détermination des séquences ADN complètes de dizaines de milliers de gènes et le séquençage complet du génome de nombreux organismes. La comparaison des séquences génomiques de différents organismes nous a permis de retracer les relations évolutives entre les gènes et les organismes et a prouvé son intérêt dans la découverte de nouveaux gènes et la prévision de leurs fonctions.

L'ensemble de ces techniques permet l'identification, l'isolement et le séquençage des gènes de n'importe quel organisme à étudier. Des technologies apparentées permettent aux scientifiques de produire en grandes quantités les produits protéiques de ces gènes, pour effectuer l'analyse détaillée de leur structure et de leur fonction, ainsi que dans des buts médicaux.

ANALYSE DE LA STRUCTURE ET DE LA FONCTION DES PROTÉINES

Les protéines effectuent la majeure partie du travail des cellules vivantes. Cette classe de macromolécules polyvalentes est virtuellement impliquée dans tous les processus cellulaires : les protéines répliquent et transcrivent l'ADN, et produisent, traitent et sécrètent d'autres protéines. Elles contrôlent la division cellulaire, le métabolisme et le flux de matériaux et d'informations qui entrent et sortent de la cellule. Pour comprendre comment fonctionne une cellule, il faut comprendre comment fonctionnent les protéines.

Il n'est pas facile de savoir ce que fait une protéine dans une cellule vivante. Imaginez que vous isoliez une protéine non caractérisée et que vous découvriez que sa structure et sa séquence en acides aminés suggèrent qu'elle fonctionne comme une protéine-kinase. Le simple fait de savoir que cette protéine peut ajouter un groupement phosphate sur un résidu sérine, par exemple, ne révèle pas son mode de fonctionnement dans l'organisme vivant. Il faut posséder d'autres informations pour comprendre le contexte dans lequel elle utilise son activité biochimique. Où se trouve-t-elle localisée dans la cellule et quelles sont ses cibles protéiques ? Dans quels tissus est-elle active ? Quelles voies métaboliques influence-t-elle ? Quel rôle a-t-elle dans la croissance ou le développement de l'organisme ?

Dans cette partie nous aborderons les méthodes couramment utilisées pour caractériser la structure et la fonction des protéines. Nous commencerons par l'examen des techniques de détermination de la structure tridimensionnelle des protéines purifiées. Nous aborderons ensuite les méthodes qui permettent de prévoir comment fonctionne une protéine, en se basant sur ses homologies avec d'autres protéines connues et sur sa localisation à l'intérieur de la cellule. Enfin, comme la plupart des protéines agissent avec d'autres protéines, nous présenterons les techniques de détection des interactions entre protéines. Mais ces approches ne permettent que de commencer à définir la façon dont une protéine peut agir à l'intérieur d'une cellule. Dans la dernière partie de ce chapitre, nous verrons comment utiliser les approches génétiques pour disséquer et analyser les processus biologiques dans lesquels fonctionne une protéine donnée.

La diffraction des rayons X par les cristaux protéiques peut révéler la structure exacte d'une protéine

En partant de la séquence en acides aminés d'une protéine, on peut souvent prédire quels éléments de structures secondaires, comme les hélices α qui traversent la membrane, se trouveront dans la protéine. Il n'est actuellement pas possible, cependant, de déduire avec fiabilité la structure du repliement tridimensionnel d'une protéine à partir de sa séquence en acides aminés sauf si cette dernière est très proche de celle d'une protéine de structure tridimensionnelle déjà connue. La principale technique utilisée pour découvrir la structure tridimensionnelle d'une molécule, y compris d'une protéine, avec une résolution atomique est la **cristallographie aux rayons X**.

Les rayons X, comme la lumière, sont une forme de radiation électromagnétique, de longueur d'onde beaucoup plus courte cependant, située typiquement aux alentours de 0,1 nm (le diamètre d'un atome d'hydrogène). Si un faisceau étroit et parallèle de rayons X est dirigé sur un échantillon de protéine pure, beaucoup de rayons X le traversent. Une petite fraction cependant est éparpillée dans l'échantillon par les atomes. Si cet échantillon est un cristal bien ordonné, les ondes éparpillées se renforcent les unes avec les autres à certains points et apparaissent comme des points de diffraction sur l'enregistrement des rayons X par un détecteur adapté (Figure 8-45).

La position et l'intensité de chaque point sur le modèle de diffraction des rayons X fournissent des informations sur la localisation des atomes dans le cristal qui lui donne naissance. La déduction de la structure tridimensionnelle d'une grosse molécule à partir du modèle de diffraction de son cristal est une tâche complexe qui n'a pu être effectuée pour les protéines qu'après les années 1960. Récemment, les analyses par diffraction des rayons X se sont de plus en plus automatisées et actuellement, l'étape la plus lente est certainement la formation d'un cristal protéique adapté. Cela nécessite de grandes quantités de protéines très pures et implique souvent des années de tâtonnements, pour rechercher les bonnes conditions de cristallisation. Beaucoup de protéines, en particulier les protéines membranaires, ont jusqu'à présent résisté à tous les essais de cristallisation.

L'analyse du modèle de diffraction engendré produit une carte de densité électronique tridimensionnelle complexe. L'interprétation de cette carte – sa traduction en une structure tridimensionnelle – est une procédure complexe qui nécessite de connaître sa séquence en acides aminés. Des ordinateurs sont utilisés pour corréler la séquence et la carte de densité électronique, très souvent par tâtonnements successifs, afin d'obtenir la meilleure correspondance possible. La fiabilité du modèle atomique final dépend de la résolution des données cristallographiques d'origine : une résolution de 0,5 nm engendre une carte du squelette polypeptidique de faible résolution, alors qu'une résolution de 0,15 nm permet le positionnement fiable de tous les atomes, hormis ceux d'hydrogène, de la molécule.

Le modèle atomique complet est souvent trop complexe pour être interprété directement, mais il est facile d'en tirer des versions simplifiées présentant les caractéristiques structurales importantes de la protéine (*voir* Planche 3-2, p. 138-139).

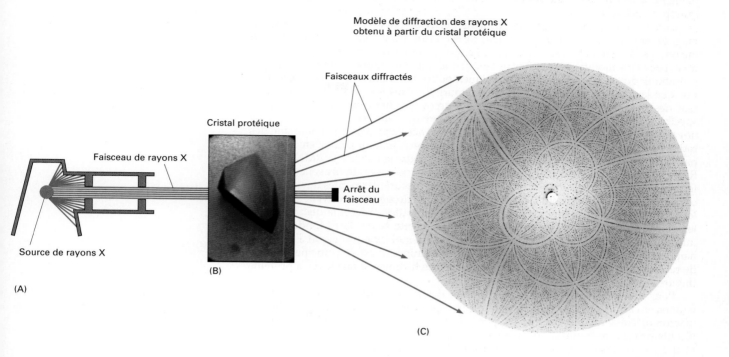

Modèle de diffraction des rayons X
obtenu à partir du cristal protéique

Faisceaux diffractés

Cristal protéique

Faisceau de rayons X

Arrêt du
faisceau

Source de rayons X

(A)

(B)

(C)

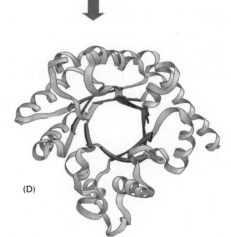

(D)

Figure 8-45 Cristallographie aux rayons X. (A) Un étroit faisceau parallèle
de rayons X est dirigé sur un cristal bien ordonné (B). Voici un cristal protéique
de ribulose bisphosphate carboxylase, une enzyme jouant un rôle central dans la
fixation du CO_2 pendant la photosynthèse. Une partie du rayon est dispersée dans
le cristal par les atomes. Les ondes dispersées se renforcent l'une l'autre à certains
endroits et apparaissent sous forme de points formant un modèle de diffraction (C).
Ce modèle de diffraction, associé à la séquence en acides aminés de la protéine,
sert à produire un modèle atomique (D). Le modèle atomique complet est difficile à
interpréter mais sa version simplifiée, dérivée des données de diffraction des rayons
X, montre clairement les caractéristiques structurales de la protéine (hélices α en
vert; feuillets β en *rouge*). Notez que les composants montrés de A à D ne sont pas
à l'échelle. (B, due à l'obligeance de C. Branden; C, due à l'obligeance de J. Hajdu
et I. Andersson; D, adaptée d'après l'original fourni par B. Furugren.)

Actuellement, la structure tridimensionnelle de 10 000 protéines différentes environ
a été déterminée par cristallographie aux rayons X ou par spectroscopie RMN (*voir*
ci-dessous) – assez pour commencer à voir l'émergence de familles de structures communes. Il semble que ces structures ou repliements protéiques se soient plus conservés durant l'évolution que la séquence en acides aminés qui les compose (*voir*
Figure 3-15).

On peut aussi appliquer les techniques de cristallographie aux rayons X à l'étude
des complexes macromoléculaires. Une des réussites récentes a été l'utilisation de
cette technique pour résoudre la structure des ribosomes, la grosse machinerie cellulaire complexe constituée de plusieurs ARN et de plus de 50 protéines (voir
Figure 6-64). Sa détermination a nécessité l'utilisation d'un synchrotron, une source
de radiation qui engendre des rayons X d'intensité suffisante pour analyser le cristal d'un complexe macromoléculaire aussi gros.

La spectroscopie par résonance magnétique nucléaire (RMN) permet aussi de déterminer la structure moléculaire

La **spectroscopie par résonance magnétique nucléaire (RMN)** a été largement utilisée
pendant de nombreuses années pour analyser la structure des petites molécules. On
applique actuellement cette technique de plus en plus pour étudier les petites protéines ou les domaines protéiques. Contrairement à la cristallographie aux rayons X,
la RMN ne dépend pas de l'obtention d'un échantillon cristallin; elle nécessite sim-

plement un petit volume de solution protéique concentrée placée dans un puissant champ magnétique.

Certains noyaux atomiques, en particulier ceux de l'hydrogène, ont un moment magnétique ou *spin* (moment cinétique) : c'est-à-dire qu'ils ont une magnétisation intrinsèque, comme une barre d'aimant. Le *spin* s'aligne au fort champ magnétique, mais peut être modifié en un état excité, non aligné, en réponse à l'application de pulsations de radiations électromagnétiques pourvues d'une radiofréquence (RF). Lorsque les noyaux d'hydrogène excités retournent dans leur état aligné, ils émettent des radiations RF qui peuvent être mesurées et schématisées sous forme de spectre. La nature des radiations émises dépend de l'environnement de chaque noyau hydrogène et, si un noyau est excité, il influence l'absorption et l'émission des radiations par les autres noyaux qui se trouvent à proximité. Il a donc été possible, par la développement ingénieux de la technique fondamentale de la RMN appelée RMN bidimensionnelle, de distinguer les signaux des noyaux d'hydrogène dans différents résidus d'acides aminés et d'identifier et de mesurer les petites déviations de ces signaux qui se produisent lorsque ces noyaux d'hydrogène se trouvent assez près les uns des autres pour interagir : la taille de ces déviations révèle la distance entre les paires d'atomes d'hydrogène interagissant. De cette façon, la RMN donne des informations sur les distances entre des parties de la molécule protéique. En combinant ces informations avec la séquence en acides aminés, il est en principe possible de reconstruire à l'aide d'un ordinateur la structure tridimensionnelle de la protéine (Figure 8-46).

Pour des raisons techniques, la structure des petites protéines, jusqu'à 20 000 daltons environ, est facilement déterminée par spectroscopie RMN. Plus la taille des macromolécules augmente plus on perd de la résolution. Mais actuellement, les récents progrès techniques ont repoussé les limites à 100 000 daltons environ, permettant ainsi l'analyse structurelle par RMN de la majorité des protéines.

La RMN est particulièrement intéressante lorsque la protéine à étudier résiste aux essais de cristallisation, un problème fréquent de beaucoup de protéines membranaires. Comme les études par RMN sont effectuées en solution, cette méthode offre également un moyen pratique de surveillance des modifications de la structure protéique, pendant le repliement protéique par exemple ou lorsqu'un substrat se fixe sur une protéine. La RMN est aussi largement utilisée pour étudier d'autres molécules non protéiques et, par exemple, est une méthode intéressante de détermination de la

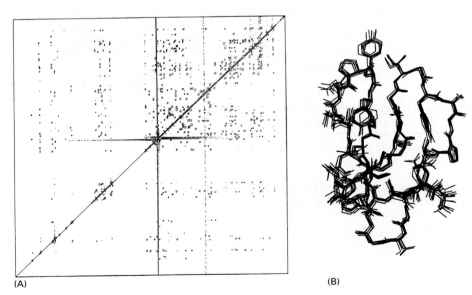

(A)　　　　　　　　　　　　　　　　　　(B)

Figure 8-46 Spectroscopie RMN. (A) Exemple des données issues d'un appareil de RMN. Ce spectre de RMN bidimensionnel dérive du domaine C-terminal d'une enzyme, la cellulase. Les points représentent les interactions entre les atomes d'hydrogène proches dans la protéine et reflètent ainsi la distance qui les sépare. Des méthodes informatisées complexes, associées à la connaissance de la séquence en acides aminés, permettent d'en tirer les différentes structures compatibles possibles. En (B), 10 structures qui satisfont toutes pareillement les contraintes de distance sont présentées, superposées l'une sur l'autre, ce qui donne une bonne indication de la structure tridimensionnelle probable. (Due à l'obligeance de P. Kraulis.)

TABLEAU 8-VIII **Étapes marquantes du développement de la cristallographie aux rayons X et de la RMN et de leurs applications aux molécules biologiques**

1864	**Hoppe-Seyler** cristallise une protéine et l'appelle hémoglobine.
1895	**Röntgen** observe une nouvelle forme de radiations pénétrantes, qu'il appelle rayons X, produite lorsque les rayons cathodiques (électrons) heurtent une cible métallique.
1912	**Von Laue** obtient le premier modèle de diffraction des rayons X en faisant passer les rayons X à travers un cristal de sulfure de zinc.
	W.L. Bragg propose une relation simple entre le modèle de diffraction des rayons X et la disposition des atomes dans le cristal qui produit ce modèle.
1926	**Summer** obtient des cristaux d'uréase, une enzyme, à partir d'extraits de *Canavalia ensiformis* et démontre que les protéines ont une activité catalytique.
1931	**Pauling** publie son premier essai The Nature of Chemical Bond qui détaille les principes des liaisons covalentes.
1934	**Bernal et Crowfoot** présentent le premier modèle détaillé de diffraction d'une protéine, obtenu à partir de cristaux de pepsine, une enzyme.
1935	**Patterson** développe une méthode analytique pour déterminer les espacements interatomiques à partir des données des rayons X.
1941	**Astbury** obtient le premier modèle de diffraction des rayons X de l'ADN.
1951	**Pauling et Corey** proposent la structure de la conformation hélicoïdale d'une chaîne d'acides aminés L – l'hélice α – et la structure des feuillets β, qui ont été par la suite retrouvés dans beaucoup de protéines.
1953	**Watson et Crick** proposent le modèle de la double hélice d'ADN, basé sur le modèle de diffraction des rayons X obtenu par **Franklin et Wilkins**.
1954	**Perutz** et ses collègues développent des méthodes à base de métaux lourds pour résoudre le problème de phase de la cristallographie des protéines.
1960	**Kendrew** décrit la première structure détaillée d'une protéine (la myoglobine des spermatozoïdes de baleine) à une résolution de 0,2 nm, et **Perutz** présente une structure, à plus faible résolution, d'une protéine plus grosse, l'hémoglobine.
1966	**Phillips** décrit la structure du lysozyme, la première enzyme dont la structure détaillée a été analysée.
1971	**Jeener** propose d'utiliser la RMN bidimensionnelle et **Wuthrich** et ses collègues sont les premiers à utiliser cette méthode pour résoudre une structure protéique au début des années 1980.
1976	**Kim et Rich** et **Klug** et ses collègues décrivent la structure tridimensionnelle détaillée de l'ARNt, déterminée par diffraction des rayons X.
1977-1978	**Holmes et Klug** déterminent la structure du virus de la mosaïque du tabac (VMT) et **Harrison** et **Rossman** déterminent la structure de deux petits virus sphériques.
1985	**Michel, Deisenhofer** et ses collègues déterminent la première structure d'une protéine transmembranaire (un centre réactif bactérien) par cristallographie aux rayons X. **Henderson** et ses collègues obtiennent la structure de la bactériorhodopsine, une protéine transmembranaire, par des méthodes de microscopie électronique à haute résolution entre 1975 et 1990.

structure tridimensionnelle des molécules d'ARN et des chaînes latérales glucidiques complexes des glycoprotéines.

Certaines des étapes importantes du développement de la cristallographie aux rayons X et de la RMN sont présentées au tableau 8-VIII.

Les similitudes de séquence peuvent apporter les clés de la fonction protéique

Grâce à la prolifération des protéines et des séquences en acides nucléiques cataloguées dans les bases de données génomiques, la fonction d'un gène – et de la protéine qu'il code – peut souvent être prédite par la simple comparaison de sa séquence avec celles de gènes déjà caractérisés. Comme la séquence en acides aminés détermine la structure protéique et que la structure dicte la fonction biochimique, des protéines de séquence similaire en acides aminés effectuent, en général, des fonctions biochimiques identiques, même si elles sont retrouvées dans des organismes de parenté distante. Actuellement, la détermination de la fonction d'une nouvelle protéine commence donc par la recherche générale des protéines déjà identifiées de séquence similaire en acides aminés. Cette recherche des collections de séquences connues de gènes ou de protéines homologues s'effectue typiquement par les serveurs web (*World-Wide Web*) et implique simplement le choix de la base de données et l'entrée de la séquence désirée. Des programmes d'alignement de séquences – dont les plus populaires sont BLAST et FASTA – recherchent, dans la base de données, les similitudes de séquences en faisant glisser la séquence soumise le long des séquences archivées jusqu'à ce qu'un groupe de résidus s'alignent complètement ou partiellement (Figure 8-47). Le résultat est obtenu en quelques minutes, même pour une

```
Score = 399 parties (1025), Expectation = e-111
Identités = 198/290 (68 p. 100), Positives = 241/290 (82 p. 100),  Gap = 1/290
```

```
Query:  57  MENFQKVEKIGEGTYGVVYKARNKLTGEVVALKKIRLDTETEGVPSTAIREISLLKELNH  116
            ME ++KVEKIGEGTYGVVYKA +K T E +ALKKIRL+ E EGVPSTAIREISLLKE+NH
Sbjct:   1  MEQYEKVEKIGEGTYGVVYKALDKATNETIALKKIRLEQEDEGVPSTAIREISLLKEMNH   60

Query: 117  PNIVKLLDVIHTENKLYLVFEFLHQDLKKFMDASALTGIPLPLIKSYLFQLLQGLAFCHS  176
            NIV+L DV+H+E ++YLVFE+L DLKKFMD+      LIKSYL+Q+L G+A+CHS
Sbjct:  61· GNIVRLHDVVHSEKRIYLVFEYLDLDLKKFMDSCPEFAKNPTLIKSYLYQILHGVAYCHS  120

Query: 177  HRVLHRDLKPQNLLINTE-GAIKLADFGLARAFGVPVRTYTHEVVTLWYRAPEILLGCKY  235
            HRVLHRDLKPQNLLI+     A+KLADFGLARAFG +PVRT+THEVVTLWYRAPEILLG +
Sbjct: 121  HRVLHRDLKPQNLLIDRRTNALKLADFGLARAFGIPVRTFTHEVVTLWYRAPEILLGARQ  180

Query: 236  YSTAVDIWSLGCIFAEMVTRRALFPGDSEIDQLFRIFRTLGTPDEVVWPGVTSMPDYKPS  295
            YST VD+WS+GCIFAEMV ++ LFPGDSEID+LF+IFR LGTP+E WPGV+ +PD+K +
Sbjct: 181  YSTPVDVWSVGCIFAEMVNQKPLFPGDSEIDELFKIFRILGTPNEQSWPGVSCLPDFKTA  240

Query: 296  FPKWARQDFSKVVPPLDEDGRSLLSQMLHYDPNKRISAKAALAHPFFQDV  345
            FP+W  QD + VVP LD  G  LLS+ML Y+P+KRI+A+ AL H +F+D+
Sbjct: 241  FPRWQAQDLATVVPNLDPAGLDLLSKMLRYEPSKRITARQALEHEYFKDL  290
```

recherche complexe – qui peut s'effectuer soit sur la séquence nucléotidique soit sur la séquence en acides aminés. Ces comparaisons servent à prédire les fonctions des protéines prises individuellement, des familles de protéines ou même de l'ensemble complet des protéines d'un organisme nouvellement séquencé.

Cependant, en fin de compte, ces prédictions obtenues par l'analyse des séquences ne sont souvent qu'un outil qui permet d'entreprendre de nouvelles investigations expérimentales.

La fusion de protéines sert à analyser leur fonction et à les dépister dans les cellules vivantes

La localisation d'une protéine dans une cellule suggère souvent quelque peu sa fonction. Les protéines qui se déplacent du cytoplasme au noyau lorsque la cellule est exposée à un facteur de croissance, par exemple, jouent certainement un rôle dans la régulation de l'expression d'un gène en réponse à ce facteur. Une protéine contient souvent de courtes séquences en acides aminés qui déterminent sa localisation dans la cellule. La plupart des protéines nucléaires, par exemple, contiennent une ou plusieurs courtes séquences spécifiques en acides aminés qui servent de signal pour leur importation nucléaire après leur synthèse dans le cytosol (*voir* Chapitre 12). Ces régions particulières de la protéine peuvent être identifiées par leur fusion avec une autre protéine facilement détectable et dépourvue de ces régions puis en suivant le comportement de cette protéine fusionnée dans la cellule. Les protéines de fusion sont facilement produites par la technique de l'ADN recombinant abordée précédemment.

Une autre stratégie commune utilisée à la fois pour suivre les protéines dans la cellule et pour les purifier rapidement est le *marquage par un épitope*. Dans ce cas, la protéine de fusion produite contient la protéine complète à analyser plus un court peptide de 8 à 12 acides aminés (l'« épitope ») qui peut être reconnu par un anticorps disponible sur le marché. La protéine de fusion est ainsi spécifiquement détectée, même en présence d'un fort excédent de protéine normale, grâce à l'anticorps anti-épitope et un anticorps secondaire marqué qui peut être suivi en microscopie optique ou électronique (Figure 8-48).

Actuellement, beaucoup de protéines sont dépistées dans les cellules vivantes grâce à un marqueur fluorescent appelé la **protéine de fluorescence verte** (**GFP** pour *green fluorescent protein*). Le marquage protéique par la GFP est aussi facile que la fixation du gène de la GFP à l'extrémité du gène qui code pour la protéine à étudier. Dans la plupart des cas, la protéine de fusion à la GFP résultante se conduit de la même façon que la protéine d'origine et ses mouvements sont suivis en microscopie à fluorescence en suivant sa fluorescence à l'intérieur de la cellule. La stratégie de

Figure 8-47 Résultats d'une recherche avec la base de données BLAST. Des bases de données de séquences sont utilisées pour trouver des séquences en acides aminés ou en acides nucléiques similaires. Voici une recherche de similitude protéique entre la protéine régulatrice du cycle cellulaire de l'homme cdc2 (*la demande*) et la cdc2 localisée sur le maïs (*le sujet*), dont la séquence en acides aminés est identique à 68 p. 100 (et similaire à 82 p. 100) à la cdc2 humaine. L'alignement commence au niveau du résidu 57 de la protéine à étudier, suggérant que la protéine humaine a une région N-terminale qui n'existe pas sur la protéine du maïs. Les *blocs verts* indiquent les différences de séquence et les *barres jaunes* résument les similitudes : lorsque les deux séquences en acides aminés sont identiques, le résidu est montré ; les substitutions conservatives en acides aminés sont indiquées par un signe plus (+). Seul un petit *gap* (insertion/suppression) a été introduit – indiqué par la *flèche rouge* sur la position 194 de la séquence à étudier – pour aligner les deux séquences de façon optimale. Le score de similitude prend en compte les pénalités par substitution et par trou (*gap*) ; plus le score de similitude est élevé, plus les séquences correspondent. La valeur E (pour *expectation*) reflète la signification de l'alignement et représente le nombre d'alignements dont le score est identique ou supérieur au score donné et qui sont supposés se produire par hasard. Plus E a une valeur faible, plus la correspondance est significative ; la valeur extrêmement faible du cas présent indique une signification certaine. Les valeurs de E plus élevées que 0,1 ont peu de chances de refléter une véritable parenté.

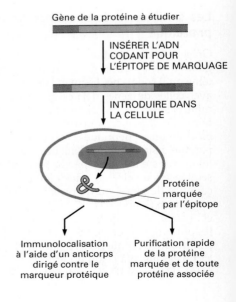

Gène de la protéine à étudier

INSÉRER L'ADN CODANT POUR L'ÉPITOPE DE MARQUAGE

INTRODUIRE DANS LA CELLULE

Protéine marquée par l'épitope

Immunolocalisation à l'aide d'un anticorps dirigé contre le marqueur protéique

Purification rapide de la protéine marquée et de toute protéine associée

Figure 8-48 Le marquage par un épitope permet de localiser ou de purifier les protéines. Avec les techniques de génie génétique, il est possible d'ajouter un court épitope de marquage sur la protéine à étudier. La protéine obtenue contient la protéine à analyser plus un court peptide qui peut être reconnu par des anticorps disponibles sur le marché. L'anticorps marqué peut être utilisé pour suivre la localisation cellulaire de la protéine ou pour la purifier par immunoprécipitation ou chromatographie d'affinité.

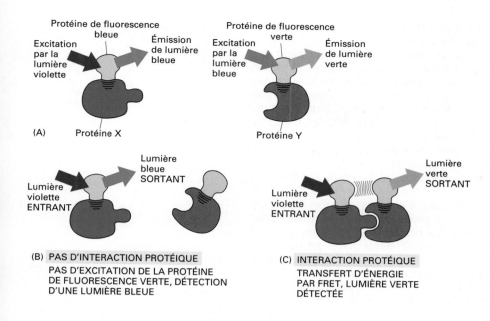

(A) Protéine X

Protéine de fluorescence bleue
Excitation par la lumière violette
Émission de lumière bleue

Protéine de fluorescence verte
Excitation par la lumière bleue
Émission de lumière verte

Protéine Y

Lumière violette ENTRANT
Lumière bleue SORTANT

(B) PAS D'INTERACTION PROTÉIQUE
PAS D'EXCITATION DE LA PROTÉINE DE FLUORESCENCE VERTE, DÉTECTION D'UNE LUMIÈRE BLEUE

Lumière violette ENTRANT
Lumière verte SORTANT

(C) INTERACTION PROTÉIQUE
TRANSFERT D'ÉNERGIE PAR FRET, LUMIÈRE VERTE DÉTECTÉE

Figure 8-49 La technique FRET (*fluorescence resonance energy transfer*). Pour déterminer si (et quand) deux protéines interagissent dans la cellule, il faut d'abord produire des protéines de fusion en les fixant sur différents variants de la GFP. (A) Dans cet exemple, la protéine X est couplée à une protéine de fluorescence bleue, qui est excitée par la lumière violette (370-440 nm) et émet une lumière bleue (440-480 nm). La protéine Y est couplée à une protéine de fluorescence verte qui est excitée par la lumière bleue et émet une lumière verte (510 nm). (B) Si les protéines X et Y n'interagissent pas, l'illumination de l'échantillon avec la lumière violette entraîne seulement la fluorescence de la protéine à fluorescence bleue. (C) Lorsque les protéines X et Y interagissent, le transfert par FRET se produit alors. L'illumination de l'échantillon par la lumière violette excite la protéine de fluorescence bleue dont l'émission excite à son tour la protéine de fluorescence verte, ce qui entraîne l'émission d'une lumière verte. Les fluorochromes doivent être assez proches l'un de l'autre – dans les 1 à 10 nm l'un de l'autre – pour que le transfert par FRET se produise. Comme toutes les molécules de la protéine X et de la protéine Y ne sont pas à tout instant réunies, on détecte encore une certaine lumière bleue. Mais lorsque les deux protéines commencent à interagir, l'émission de la GFP donneuse diminue avec l'augmentation de l'émission de la GFP receveuse.

protéine de fusion à la GFP est devenue une méthode standard de détermination de la distribution et de la dynamique, dans les cellules vivantes, de n'importe quelle protéine à étudier. Nous reparlerons de son utilisation au chapitre 9.

La GFP et ses dérivés de différentes couleurs sont aussi utilisés pour surveiller les interactions entre protéines. Pour cette application, les deux protéines à étudier sont chacune marquées avec un fluorochrome différent, de telle sorte que le spectre d'émission d'un des fluorochromes chevauche le spectre d'absorption de l'autre fluorochrome. Si les deux protéines – et leurs fluorochromes fixés – s'approchent très près l'une de l'autre (entre 1 et 10 nm), l'énergie de la lumière absorbée sera transférée d'un fluorochrome à l'autre. Ce transfert d'énergie, appelé **transfert d'énergie par résonance de fluorescence** (**FRET** pour *fluorescence resonance energy transfer*), est déterminé par l'illumination du premier fluorochrome et la mesure de l'émission à partir du deuxième (Figure 8-49). En utilisant, comme fluorochrome, deux variants de la GFP de spectre différent dans ces études, on peut suivre les interactions de chaque couple de protéines dans une cellule vivante.

La chromatographie d'affinité et l'immunoprécipitation permettent l'identification de protéines associées

Comme la plupart des protéines cellulaires fonctionnent en tant que partie d'un complexe formé d'autres protéines, une des principales façons de commencer à caractériser leurs rôles biologiques est d'identifier les partenaires sur lesquels elles sont liées. Si une protéine non caractérisée se fixe sur une protéine dont le rôle cellulaire est connu, sa fonction a des chances d'être apparentée. Par exemple, si on trouve que la protéine fait partie du complexe constituant le protéasome, il y a des chances qu'elle soit impliquée, d'une façon ou d'une autre, dans la dégradation des protéines lésées ou mal repliées.

La **chromatographie d'affinité protéique** est une méthode utilisée pour isoler et identifier des protéines qui interagissent physiquement. Pour capturer les protéines qui interagissent, une protéine cible est fixée sur des billes de polymère placées dans une colonne. Les protéines cellulaires sont lavées à travers la colonne et les protéines qui interagissent avec la cible adhèrent à la matrice d'affinité (*voir* Figure 8-11C). Ces protéines sont ensuite libérées et leur identité est déterminée par spectrométrie de masse ou une autre méthode adaptée.

La méthode peut-être la plus simple pour identifier les protéines qui se fixent solidement l'une à l'autre est la **co-immunoprécipitation**. Dans ce cas, un anticorps est utilisé pour reconnaître la protéine cible spécifique ; les réactifs d'affinité qui se fixent sur l'anticorps et sont couplés à une matrice solide servent ensuite à entraîner la précipitation du complexe au fond du tube à essai. Si cette protéine est associée assez solidement à une autre protéine au moment de sa capture par l'anticorps, son partenaire précipite aussi. Cette méthode est intéressante pour identifier les protéines qui forment une partie d'un complexe à l'intérieur des cellules, y compris celles qui n'interagissent que transitoirement – par exemple lorsque les cellules sont stimulées par des molécules de signalisation (*voir* Chapitre 15).

Les techniques de co-immunoprécipitation utilisent des anticorps hautement spécifiques dirigés contre une cible protéique cellulaire connue, ce dont on ne dispose pas toujours. Une des façons pour court-circuiter ce besoin est d'utiliser la technique de l'ADN recombinant pour ajouter un épitope de marquage (*voir* Figure 8-48) ou pour fusionner la protéine cible à une protéine de marquage bien caractérisée, comme la glutathion S-transférase (GST), une petite enzyme. On utilise alors les anticorps, disponibles sur le marché, dirigés contre l'épitope ou la protéine de marquage pour faire précipiter l'ensemble de la protéine de fusion, y compris toutes les protéines cellulaires qui lui sont associées. Si la protéine est fusionnée à la GST, on peut se passer d'anticorps : l'hybride relié à ses partenaires est facilement recueilli sur des billes recouvertes de glutathion (Figure 8-50).

En plus de la capture de complexes protéiques sur colonnes ou tubes à essai, les chercheurs ont aussi développé des micropuces protéiques de forte densité pour rechercher la fonction protéique et les interactions protéiques. Ces micropuces, qui contiennent des milliers de protéines ou d'anticorps différents placés sur des lames de verre ou immobilisés dans des puits minuscules, permettent d'examiner en même temps les activités biochimiques et les profils de liaison d'un grand nombre de protéines. Pour examiner les interactions protéiques avec ces micropuces, il faut incuber une protéine marquée avec chacune des protéines cibles immobilisées sur la lame puis déterminer les protéines sur lesquelles se fixe la molécule marquée.

L'utilisation d'un système à double hybride permet d'identifier les interactions entre protéines

Les méthodes de co-immunoprécipitation et de chromatographie d'affinité permettent d'isoler physiquement les protéines qui interagissent. Cet isolement permet de recueillir une protéine dont l'identité doit être certifiée ensuite par spectrométrie de masse, et dont les gènes doivent être extraits puis clonés avant de pouvoir mener d'autres études caractérisant son activité – ou la nature de son interaction avec d'autres protéines.

D'autres techniques permettent l'isolement simultané des protéines qui interagissent et de leurs gènes. La première méthode que nous aborderons, appelée **système à double hybride**, utilise un gène de reportage pour détecter les interactions physiques entre un couple de protéines à l'intérieur du noyau d'une levure. Ce système est conçu pour que, lorsque qu'une protéine cible s'unit à une autre protéine dans la cellule, leur interaction rapproche les deux moitiés d'un activateur de transcription, qui active alors l'expression du gène de reportage.

Cette technique profite de la nature modulaire des protéines activatrices de gènes (*voir* Figure 7-42). Ces protéines se lient à l'ADN et activent également la transcription – activités souvent effectuées par deux domaines protéiques séparés. Grâce à la technique de l'ADN recombinant, la séquence d'ADN qui code pour la protéine cible est fusionnée à l'ADN qui code pour le domaine de liaison à l'ADN d'une protéine activatrice. Lorsque cette association est introduite dans une levure, les cellules produisent la protéine cible liée à ce domaine de fixation sur l'ADN (Figure 8-51). Cette protéine se fixe sur la région régulatrice d'un gène de reportage où elle sert d'«appât» pour capturer les protéines qui interagissent avec la protéine cible à l'intérieur de la levure. Pour préparer un groupe de partenaires de liaison potentiels, l'ADN codant pour le domaine d'activation de la protéine activatrice est relié à un grand nombre de fragments d'ADN mélangés issus d'une banque d'ADNc. Les membres de cette collection de gènes – qui forment la proie – sont introduits individuellement dans les cellules de levure contenant l'appât. Si la cellule de levure a reçu un clone d'ADN qui exprime la proie partenaire de l'appât protéique, les deux moitiés d'un activateur de transcription sont réunies et activent le gène de reportage (*voir* Figure 8-51). Les cellules qui expriment ce gène de reportage sont sélectionnées et se développent et le gène (ou les fragments de gènes) codant pour la protéine «proie» est récupéré et identifié par le séquençage de ses nucléotides.

Bien qu'il semble complexe, le système à double hybride est relativement simple à utiliser au laboratoire. Même si les interactions entre protéines se produisent dans le noyau des cellules de levure, on peut étudier ainsi des protéines issues de n'importe quelle partie de la cellule et de n'importe quel organisme. Sur les milliers d'interactions entre protéines cataloguées dans la levure, la moitié ont été découvertes par ce dépistage à double hybride.

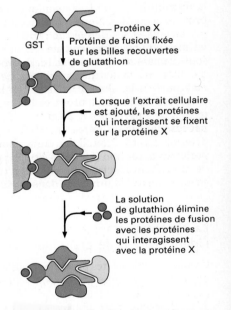

Les techniques de l'ADN recombinant sont utilisées pour fusionner la protéine X et la glutathion S-transférase (GST)

Protéine X

GST — Protéine de fusion fixée sur les billes recouvertes de glutathion

Lorsque l'extrait cellulaire est ajouté, les protéines qui interagissent se fixent sur la protéine X

La solution de glutathion élimine les protéines de fusion avec les protéines qui interagissent avec la protéine X

Figure 8-50 Purification des complexes protéiques à l'aide d'une protéine de fusion à la GST marquée. Les protéines de fusion à la GST, engendrées par la technique standard de l'ADN recombinant, peuvent être capturées sur une colonne d'affinité contenant des billes recouvertes de glutathion. Pour rechercher les protéines qui se fixent sur la protéine X, des extraits cellulaires peuvent être passés dans la colonne. La protéine hybride et ses partenaires de liaison sont ensuite libérés par le glutathion. L'identité de ces protéines qui interagissent est déterminée par spectrométrie de masse (*voir* Figure 8-20). Une autre méthode consiste à obtenir un extrait cellulaire à partir de cellules produisant la protéine de fusion à la GST et à le passer directement sur la colonne d'affinité au glutathion. La protéine de fusion à la GST ainsi que les protéines qui s'y sont associées dans la cellule, sont ainsi retenues. Les colonnes d'affinité peuvent aussi contenir des anticorps anti-GST ou une autre petite protéine adaptée ou un épitope de marquage (*voir* Figure 8-48).

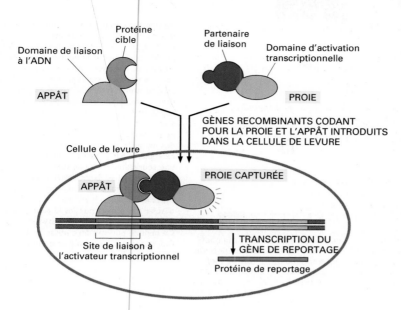

Figure 8-51 Système à double hybride dans la levure qui détecte les interactions entre les protéines. La protéine cible est fusionnée à un domaine de liaison à l'ADN qui la localise dans la région régulatrice d'un gène de reportage en tant qu'«appât». Lorsque cette protéine cible se fixe sur une autre protéine spécifiquement formée dans le noyau cellulaire (la «proie»), leur interaction rapproche les deux moitiés d'un activateur de transcription qui active alors l'expression du gène de reportage. Le gène de reportage permet souvent la croissance sur un milieu sélectif. Les protéines de fusion à l'appât et à la proie sont engendrées par la technique standard de l'ADN recombinant. Dans la plupart des cas, une seule protéine appât est utilisée pour capturer les partenaires qui interagissent parmi un large éventail de protéines proies produites par la fixation de l'ADN codant pour le domaine d'activation d'un activateur de transcription à un important mélange de fragments d'ADN issus d'une banque d'ADNc.

Ce système à double hybride peut être élargi pour établir la carte des interactions entre l'ensemble des protéines produites par un organisme. Dans ce cas, un groupe de fusions d'«appât» est produit pour chaque protéine cellulaire et chacune de ces fusions est introduite dans une cellule de levure séparée. Ces cellules sont alors accouplées à des levures contenant une banque de «proies». Les rares cellules qui présentent une interaction protéique positive sont alors caractérisées. De cette façon il a été possible d'obtenir une carte des liaisons protéiques pour la majorité des 6 000 protéines des levures (*voir* Figure 3-78) et des projets similaires sont en cours pour cataloguer les interactions protéiques de *C. elegans* et de *Drosophila*.

Une technique apparentée, le *système à double hybride inverse,* permet d'identifier des mutations – ou composés chimiques – capables d'interrompre les interactions spécifiques entre deux protéines. Dans ce cas, le gène de reportage est remplacé par un gène qui tue les cellules dans lesquelles la protéine appât interagit avec la protéine proie. Seules les cellules dans lesquelles les protéines ne s'unissent plus – parce qu'une mutation génétiquement induite ou un composé test les en empêche – peuvent survivre. Tout comme l'élimination d'un gène (que nous verrons bientôt), l'élimination d'une interaction moléculaire particulière peut révéler certains aspects du rôle des protéines en question dans la cellule. En plus, les composés qui interrompent sélectivement les interactions protéiques peuvent avoir un intérêt médical : par exemple, tout médicament qui empêche un virus de s'unir à sa protéine réceptrice sur les cellules humaines peut éviter que ces personnes ne s'infectent.

La technique du *phage display* (exposition des phages) détecte aussi les interactions protéiques

Une autre méthode puissante de détection des interactions entre deux protéines implique l'introduction des gènes dans un virus qui infecte la bactérie *E. coli* (un bactériophage, ou «phage»). Dans ce cas, l'ADN qui code pour la protéine à étudier (ou pour un petit fragment peptidique de cette protéine) est fusionné à un gène codant pour une des protéines qui forme l'enveloppe virale. Lorsque ce virus infecte *E. coli*, il se réplique et produit des particules phagiques qui exposent la protéine hybride à l'extérieur de leur enveloppe (Figure 8-52A). Ce bactériophage est alors utilisé pour capturer les partenaires de fixation dans un grand pool de protéines cibles potentielles.

Cependant, la puissance majeure de cette méthode du *phage display* est de pouvoir examiner une large gamme de protéines ou de peptides pour rechercher s'ils se fixent sur une cible choisie. Cet abord nécessite d'engendrer une banque de protéines de fusion, très proche de la banque de proies du système à double hybride. Cette collection de phages est alors examinée pour rechercher les liaisons sur la protéine purifiée à examiner. Par exemple, on peut faire passer la banque de phages dans une colonne d'affinité contenant la protéine cible immobilisée. Les virus qui exposent une protéine ou un peptide qui s'unit solidement à la cible sont capturés sur la colonne et peuvent être éliminés par un excès de protéine cible. Ces phages contiennent donc un fragment d'ADN qui code pour la protéine ou le peptide qui interagit ; ils sont

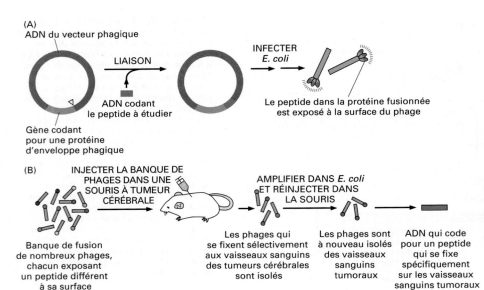

(A)

ADN du vecteur phagique

LIAISON

INFECTER
E. coli

ADN codant
le peptide à étudier

Gène codant
pour une protéine
d'enveloppe phagique

Le peptide dans la protéine fusionnée
est exposé à la surface du phage

(B) INJECTER LA BANQUE DE
PHAGES DANS UNE
SOURIS À TUMEUR
CÉRÉBRALE

AMPLIFIER DANS *E. coli*
ET RÉINJECTER DANS
LA SOURIS

Banque de fusion
de nombreux phages,
chacun exposant
un peptide différent
à sa surface

Les phages qui
se fixent sélectivement
aux vaisseaux sanguins
des tumeurs cérébrales
sont isolés

Les phages sont
à nouveau isolés
des vaisseaux
sanguins
tumoraux

ADN qui code
pour un peptide
qui se fixe
spécifiquement
sur les vaisseaux
sanguins tumoraux

Figure 8-52 Méthode du *phage display* pour l'investigation des interactions protéiques. (A) Préparation du bactériophage. L'ADN codant pour le peptide désiré est relié au vecteur phagique, fusionné au gène codant pour l'enveloppe protéique virale. Les phages génétiquement modifiés sont alors introduits dans *E. coli*, qui produit des phages qui exposent la protéine d'enveloppe hybride contenant le peptide. (B) Il est ainsi possible de former des banques de phages contenant des milliards de peptides différents. Dans cet exemple, la banque de phages est injectée dans une souris atteinte d'une tumeur cérébrale et les phages qui se fixent sélectivement sur les vaisseaux sanguins alimentant la tumeur sont isolés et amplifiés. Il est ensuite possible d'isoler des phages purifiés le peptide qui se fixe spécifiquement sur les vaisseaux sanguins. Ce peptide pourrait être utilisé pour l'adressage des médicaments ou des toxines sur la tumeur.

ensuite recueillis et on les laisse se répliquer dans *E. coli*. L'ADN de chaque phage est alors récupéré et sa séquence nucléotidique déterminée pour identifier la protéine ou le peptide partenaire qui s'unit à la protéine cible. Une technique similaire est utilisée pour isoler chez l'homme les peptides qui se fixent spécifiquement à l'intérieur des vaisseaux sanguins en cas de tumeurs. On effectue actuellement des recherches sur ces peptides pour les utiliser comme substances pouvant délivrer des composés anticancéreux thérapeutiques directement dans ces tumeurs (Figure 8-52B).

La technique du *phage display* sert également à engendrer des anticorps monoclonaux qui reconnaissent une molécule cible ou une cellule spécifique. Dans ce cas, on recherche, dans la banque de phages exprimant les parties appropriées des molécules d'anticorps, les phages qui se fixent sur l'antigène cible.

La résonance des plasmons de surface permet de suivre en temps réel les interactions protéiques

Une fois que l'on sait que deux protéines – ou qu'une protéine et une petite molécule – s'associent, il est important de caractériser plus particulièrement cette interaction. Les protéines peuvent s'unir l'une à l'autre de façon permanente, ou s'engager dans des rencontres transitoires au cours desquelles les protéines ne s'associent que temporairement. Ces interactions dynamiques sont souvent régulées par des modifications réversibles (comme la phosphorylation), par la liaison de ligands ou par la présence ou l'absence d'autres protéines qui entrent en compétition sur le même site de liaison.

Pour commencer à comprendre cette complexité, il faut déterminer le degré de solidité de l'association entre les deux protéines, la lenteur ou la rapidité de l'assemblage et de la séparation des complexes moléculaires dans le temps et comment ces paramètres sont affectés par les influences extérieures. Comme nous l'avons vu dans ce chapitre, il existe beaucoup de techniques différentes qui permettent d'étudier les interactions entre deux protéines, ayant chacune leurs avantages et leurs inconvénients. La **résonance des plasmons de surface** (**SPR** pour *surface plasmon resonance*) est une méthode particulièrement intéressante de surveillance de la dynamique de l'association protéique. La méthode SPR a permis de caractériser une large gamme d'interactions moléculaires y compris les liaisons anticorps-antigènes, les couplages ligands-récepteurs ainsi que les liaisons des protéines sur l'ADN, les glucides, les petites molécules et d'autres protéines.

La SPR détecte les interactions de liaison en suivant la réflexion d'un rayon lumineux à l'interface entre une solution aqueuse contenant les molécules de liaison potentielles et une surface biocapteur portant les «appâts» protéiques immobilisés. La protéine qui sert d'appât est fixée sur une très fine couche métallique qui recouvre un des côtés d'un prisme en verre (Figure 8-53). Le rayon lumineux est envoyé à travers le prisme. À un certain angle, appelé angle de résonance, une partie de l'énergie lumineuse interagit avec le nuage d'électrons du film métallique et engendre un plasmon – c'est-à-dire l'oscillation des électrons à angle droit par rapport au plan du film, qui rebondissent de haut en bas entre les surfaces supérieure et inférieure comme une charge sur un ressort. Ce plasmon engendre à son tour un champ électrique de faible distance – environ la longueur d'onde de la lumière – au-dessous et en dessus de la surface métallique. Toute modification de la composition de l'environnement dans l'intervalle du champ électrique provoque une modification mesurable de l'angle de résonance.

Pour mesurer les liaisons moléculaires, on laisse s'écouler, sous la surface des biocapteurs, une solution qui contient des protéines (ou d'autres molécules) pouvant interagir avec la protéine appât immobilisée. Lorsque les protéines se fixent sur l'appât, la composition des complexes moléculaires sur la surface métallique change et provoque la modification de l'angle de résonance (*voir* Figure 8-53). Les variations de cet angle de résonance sont suivies en temps réel et reflètent la cinétique de l'association – ou de la dissociation – des molécules avec la protéine appât. La vitesse d'association (k_{on}) se mesure lorsque les molécules interagissent et la vitesse de dissociation (k_{off}) se détermine lorsqu'un tampon libère les molécules fixées de la surface du capteur. La constante de liaison (K) est calculée en divisant k_{off} par k_{on}. En plus de la détermination de la cinétique, la SPR permet de déterminer le nombre de molécules fixées dans chaque complexe. L'amplitude de la variation du signal SPR est proportionnelle à la masse du complexe immobilisé.

La méthode SPR est particulièrement intéressante parce qu'elle ne nécessite qu'une petite quantité de protéines, que celles-ci n'ont pas besoin de marquage et qu'elle permet de suivre en temps réel les interactions entre deux protéines.

(A)

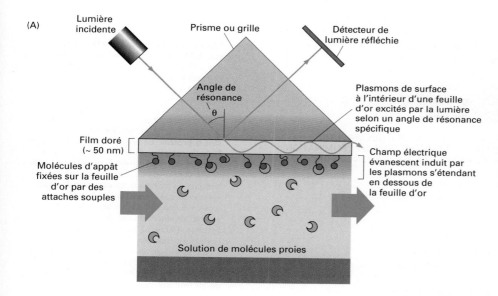

Figure 8-53 Résonance des plasmons de surface (SPR). (A) La SPR détecte les interactions de liaison en surveillant la réflexion d'un faisceau lumineux sur l'interface entre une solution aqueuse contenant les molécules de liaison potentielles (en *vert*) et une surface de biocapteurs recouverte de la protéine appât immobilisée (en *rouge*). (B) Une solution contenant les protéines «proie» s'écoule au-dessous de la protéine appât immobilisée. La fixation des molécules «proie» sur les protéines appâts produit des variations mesurables de l'angle de résonance. Ces variations, suivies en temps réel, reflètent l'association et la dissociation des complexes moléculaires.

(B) La fixation des molécules proies sur les molécules d'appât augmente l'index de réfraction de la couche de surface. Cela modifie l'angle de résonance d'induction des plasmons qui peut être mesuré par un détecteur.

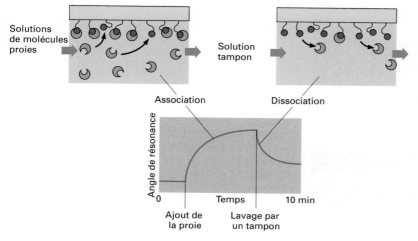

L'empreinte sur ADN (*footprinting*) révèle les sites de liaison des protéines sur la molécule d'ADN

Jusqu'à présent nous nous sommes concentrés sur l'examen des interactions entre des protéines. Mais certaines protéines agissent en se fixant sur l'ADN. La plupart d'entre elles ont un rôle central dans la détermination des gènes actifs dans une cellule donnée car elles se fixent sur des séquences d'ADN régulatrices, généralement localisées à l'extérieur de la région de codage du gène.

Pour analyser ces fonctions protéiques, il est important d'identifier les séquences nucléotidiques spécifiques sur lesquelles se lient les protéines. Une des méthodes utilisées dans ce but est l'**empreinte sur ADN**. Tout d'abord on isole un fragment pur d'ADN, marqué à une des extrémités par du ^{32}P (*voir* Figure 8-24B); cette molécule est ensuite découpée par une nucléase, ou une substance chimique, qui effectue des coupures au hasard des simples brins d'ADN. La molécule d'ADN est ensuite dénaturée pour séparer en deux ses deux brins, et les fragments résultants issus du brin marqué sont séparés par électrophorèse et détectés par autoradiographie. Le patron des bandes issues de l'ADN découpé en présence de la protéine de liaison à l'ADN est comparé à celui de l'ADN découpé en son absence. La protéine de liaison, lorsqu'elle est présente, recouvre les nucléotides situés au niveau du site de liaison et protège leurs liaisons phosphodiesters du clivage. Il en résulte qu'il manque les fragments marqués qui se terminent au niveau du site de liaison, ce qui laisse un trou dans le patron du gel, appelé «empreinte» (Figure 8-54). Des méthodes similaires sont utilisées pour déterminer les sites de liaison des protéines sur l'ARN.

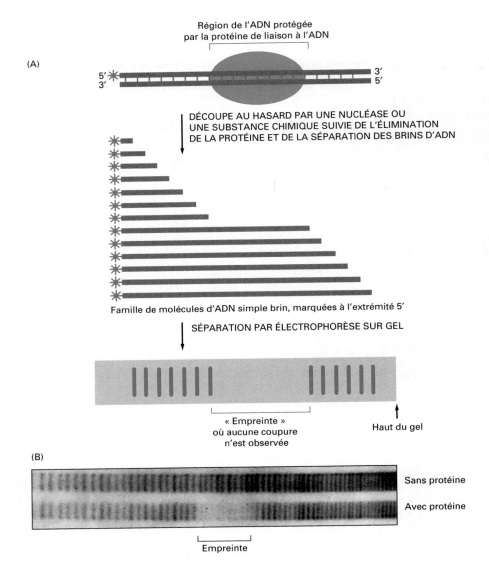

Figure 8-54 Technique de l'empreinte sur ADN. (A) Cette technique nécessite une molécule d'ADN marquée à une de ses extrémités (*voir* Figure 8-24B). La protéine montrée ici se fixe solidement sur une séquence spécifique d'ADN qui mesure sept nucléotides, et protège ainsi ces sept nucléotides de la substance qui effectue la coupure. Si cette même réaction s'effectue sans la protéine de liaison à l'ADN, on observe l'échelle complète de bandes sur le gel (non montrée ici). (B) Empreinte réelle utilisée pour déterminer le site de liaison d'une protéine humaine qui stimule la transcription de gènes eucaryotes spécifiques. Le résultat obtenu localise le site de liaison à 60 nucléotides environ en amont du site de départ de la synthèse d'ARN. La substance responsable de la coupure était une petite molécule organique à base de fer qui découpe normalement toutes les liaisons phosphodiester à une fréquence à peu près régulière. (B, due à l'obligeance de Michele Sawadogo et Robert Roeder.)

Résumé

Un grand nombre de techniques puissantes sont utilisées pour étudier la structure et les fonctions d'une protéine. La détermination de la structure tridimensionnelle d'une grosse protéine à une résolution atomique passe par la cristallisation de la protéine suivie d'une diffraction des rayons X. La structure des petites protéines en solution est déterminée par la résonance magnétique nucléaire. Comme des protéines de structure similaire ont souvent une fonction similaire, l'activité biochimique d'une protéine est parfois prévisible par la recherche de protéines connues dont la séquence en acides aminés est similaire.

L'examen de la distribution subcellulaire d'une protéine peut fournir d'autres clés sur sa fonction. La fusion d'une protéine avec un marqueur moléculaire, comme la protéine de fluorescence verte (GFP), permet de suivre ses mouvements à l'intérieur de la cellule. Les protéines qui entrent dans le noyau et se fixent sur l'ADN peuvent être ensuite caractérisées par l'analyse de l'empreinte sur ADN, une technique utilisée pour déterminer les séquences régulatrices sur lesquelles se lie la protéine lorsqu'elle contrôle la transcription des gènes.

Toutes les protéines fonctionnent en s'unissant à d'autres protéines ou à d'autres molécules et il existe beaucoup de méthodes pour étudier les interactions entre les protéines et identifier les partenaires protéiques potentiels. La chromatographie d'affinité protéique ou la co-immunoprécipitation par des anticorps dirigés contre la protéine cible permettent l'isolement physique des protéines qui interagissent. D'autres techniques, comme le système à double hybride ou la méthode du «phage display» permettent l'isolement simultané des protéines qui interagissent et de leurs gènes. L'identité des protéines récupérées par une de ces méthodes est ensuite certifiée par la détermination de leur séquence en acides aminés ou de leur gène.

ÉTUDE DE L'EXPRESSION ET DE LA FONCTION DES GÈNES

En dernier lieu, il est souhaitable de déterminer le mode de fonctionnement des gènes – et des protéines qu'ils codent – dans l'organisme intact. Même si cela semble contraire à l'intuition, une des façons les plus directes de trouver la fonction d'un gène est d'observer ce qui se passe dans l'organisme en l'absence de celui-ci. L'étude d'organismes mutants qui ont acquis des modifications ou des délétions de leurs séquences nucléotidiques est une pratique séculaire en biologie. Comme les mutations peuvent interrompre des processus cellulaires, les mutants sont souvent la clé de la compréhension des fonctions des gènes. L'approche classique du domaine important qu'est la **génétique** commence par l'isolement des mutants qui présentent un aspect intéressant ou inhabituel : par exemple, des drosophiles aux yeux blancs ou à ailes recourbées. En travaillant à rebours à partir du **phénotype** – qui représente l'aspect ou le comportement de l'individu – on peut alors déterminer le **génotype** de l'organisme, qui représente la forme du gène responsable de cette caractéristique (Planche 8-1).

De nos jours, du fait des nombreux projets de génome qui ajoutent chaque jour des dizaines de milliers de séquences nucléotidiques aux bases de données publiques, l'exploration de la fonction génique commence souvent par la séquence d'ADN. Dans ce cas, le défi est de traduire une séquence par une fonction. Une des approches, déjà abordée dans ce chapitre, consiste à rechercher, dans les bases de données, des protéines bien caractérisées dont la séquence en acides aminés est similaire à la protéine codée par le nouveau gène. Ensuite, à partir de là, il suffit d'employer certaines des méthodes décrites dans la partie précédente pour explorer plus en avant la fonction des gènes. Mais pour s'attaquer directement au problème du mode de fonctionnement d'un gène dans une cellule ou un organisme, le meilleur abord implique l'étude des mutants dépourvus de ce gène ou qui expriment une version altérée de celui-ci. La détermination du processus cellulaire interrompu ouvre une porte sur le rôle biologique du gène.

Dans cette partie, nous décrirons plusieurs approches différentes qui permettent de déterminer la fonction d'un gène, soit en partant de la séquence d'ADN soit d'un organisme ayant un phénotype intéressant. Nous commencerons par l'approche génétique classique de l'étude des gènes et de leur fonction. Ces études commencent par un *criblage génétique* qui isole les mutants intéressants et cherche ensuite à identifier le ou les gènes responsables du phénotype observé. Nous passerons ensuite en revue l'ensemble des techniques qui constituent la *génétique inverse*, qui partent du gène ou de la séquence génique et essaient de déterminer sa fonction. Cette approche implique souvent un certain travail de recherche – la recherche de séquences homologues et la détermination du moment et de l'endroit où le gène s'exprime – ainsi que la formation d'organismes mutants et la caractérisation de leurs phénotypes.

GÈNES ET PHÉNOTYPES

Gène : unité fonctionnelle héréditaire, qui correspond généralement à un segment d'ADN codant pour une seule protéine.

Génome : ensemble des gènes d'un organisme.

Locus : site du gène dans le génome

Allèles : différentes formes d'un gène

Type sauvage : type normal qui se produit naturellement

Mutant : diffère du type sauvage à cause d'une modification génétique (une mutation)

GÉNOTYPE : ensemble spécifique des allèles formant le génome d'un individu

PHÉNOTYPE : caractère visible de l'individu

Homozygote A/A   Hétérozygote a/A   Homozygote a/a

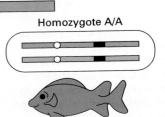
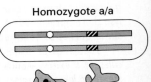

L'allèle A est dominant (relativement à a) ; l'allèle a est récessif (relativement à A)

Dans l'exemple ci-dessus, le phénotype de l'hétérozygote est le même que celui d'un des homozygotes ; dans le cas où il est différent des deux, on dit que les deux allèles sont co-dominants.

CHROMOSOMES

Un chromosome au début du cycle cellulaire, en phase G1 ; l'unique longue barre représente la longue double hélice d'ADN.

Centromère

Bras « p » court   Bras « q » long

Un chromosome à la fin du cycle cellulaire en métaphase ; il s'est dupliqué et condensé, et est formé de deux chromatides sœurs identiques (chacune contenant une double hélice d'ADN) réunies au niveau du centromère.

Bras « p » court   Bras « q » long

Paire d'autosomes

Maternel 1

Paternel 3

Paternel 1   Maternel 3

Paternel 2

Maternel 2

Y

X

Chromosomes sexuels

Ensemble normal de chromosomes diploïdes, comme on peut le voir après leur dissémination en métaphase, après une préparation par éclatement de la cellule en métaphase et coloration des chromosomes éparpillés. Dans l'exemple montré ici schématiquement, il y a trois paires d'autosomes (chromosomes hérités symétriquement des deux parents, quel que soit le sexe) et deux chromosomes sexuels – un X de la mère et un Y du père ; le nombre et le type des chromosomes sexuels et leur rôle dans la détermination du sexe varient d'une classe d'organisme à une autre, tout comme le nombre de paires d'autosomes.

CYCLE HAPLOÏDE-DIPLOÏDE DE LA REPRODUCTION SEXUÉE

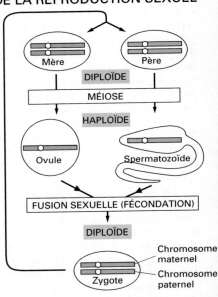

Mère   Père

DIPLOÏDE

MÉIOSE

HAPLOÏDE

Ovule   Spermatozoïde

FUSION SEXUELLE (FÉCONDATION)

DIPLOÏDE

Chromosome maternel

Chromosome paternel

Zygote

Pour plus de simplicité, le cycle est montré pour une seule paire chromosome/chromosome.

MÉIOSE ET RECOMBINAISON GÉNÉTIQUE

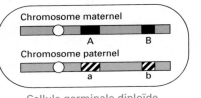

Chromosome maternel

A   B

Chromosome paternel

a   b

Cellule germinale diploïde

Génotype $\dfrac{AB}{ab}$

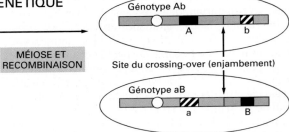

Génotype Ab

MÉIOSE ET RECOMBINAISON

A   b

Site du crossing-over (enjambement)

Génotype aB

a   B

Gamètes haploïdes (ovules ou spermatozoïdes)

Dans un chromosome, plus la distance entre deux loci est grande, plus il y a de chances qu'ils soient séparés par un crossing-over se produisant au niveau d'un site situé entre eux. Si deux gènes sont ainsi réassortis dans x p. 100 de gamètes on dit qu'ils sont séparés sur le chromosome par une distance de carte génétique de x unités de carte (ou x centimorgans).

TYPES DE MUTATIONS

MUTATION PONCTUELLE : cartographiée dans un seul site du génome qui correspond à une seule paire de nucléotides ou à une très petite partie d'un seul gène

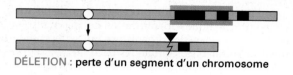

DÉLETION : perte d'un segment d'un chromosome

INVERSION : inverser un segment d'un chromosome

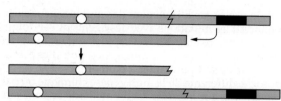

TRANSLOCATION : coupure d'un segment d'un chromosome et fixation de celui-ci sur un autre

Mutation létale : provoque la mort prématurée de l'organisme en développement.

Mutation conditionnelle : ne produit son effet phénotypique que sous certaines conditions, appelées conditions restrictives. Sous d'autres conditions – les conditions *permissives* – l'effet n'est pas observé. Si la mutation est *sensible à la température*, la condition restrictive typique est une température élevée alors que la condition permissive est une température basse.

Mutation avec perte de fonction : réduit ou abolit l'activité du gène. Ce sont les classes de mutation les plus fréquentes. Les mutations avec perte de fonction sont généralement *récessives* – l'organisme fonctionne en général normalement aussi longtemps qu'il garde au moins une copie normale du gène atteint.

Mutation nulle : mutation avec perte de fonction qui a complètement aboli l'activité du gène.

Mutation avec gain de fonction : augmente l'activité du gène ou l'active dans des circonstances inappropriées ; ces mutations sont généralement *dominantes*.

Mutation négative dominante : mutation dominante qui bloque l'activité du gène, provoquant un phénotype avec perte de fonction même en présence d'une copie normale du gène. Ce phénomène se produit lorsque le produit mutant du gène interfère avec la fonction du produit normal du gène.

Mutation suppressive : supprime l'effet phénotypique d'une autre mutation de telle sorte que le double mutant semble normal. Une mutation suppressive *intragénique* réside à l'intérieur du gène atteint par la première mutation ; une mutation suppressive *extragénique* réside dans un deuxième gène – dont le produit interagit souvent avec le produit du premier.

DEUX GÈNES OU UN SEUL ?

Prenons deux mutations qui produisent le même phénotype, comment peut-on dire s'il s'agit de mutations dans le même gène ? Si les mutations sont récessives (comme c'est le cas le plus souvent), la réponse est donnée par un test de complémentation.

Dans le type de test de complémentation le plus simple, un individu homozygote pour une mutation est accouplé à un individu homozygote pour une autre. Le phénotype de la descendance donne la réponse à la question.

| COMPLÉMENTATION : MUTATION DANS DEUX GÈNES DIFFÉRENTS | NON-COMPLÉMENTATION : DEUX MUTATIONS INDÉPENDANTES DANS LE MÊME GÈNE |

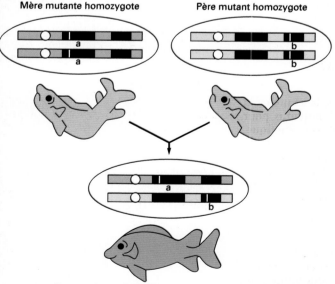

Descendance hybride montrant le phénotype normal : il existe une copie normale de chaque gène

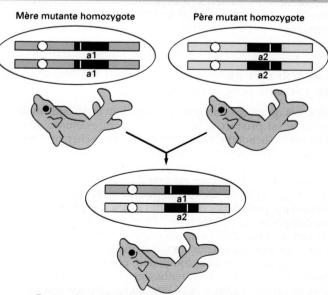

Descendance hybride montrant le phénotype mutant : il n'y a aucune copie normale du gène muté

527

L'approche classique commence par une mutagenèse aléatoire

Avant l'arrivée de la technologie de clonage des gènes, la plupart des gènes étaient identifiés par l'interruption d'un processus lors de la mutation du gène. Cette approche génétique classique – identification des gènes responsables d'un phénotype mutant – est plus facile dans les organismes qui se reproduisent rapidement et sont génétiquement manipulables, comme les bactéries, les levures, les nématodes et la drosophile. Même si des mutants spontanés sont parfois retrouvés lors de l'examen de populations extrêmement importantes – des milliers ou des dizaines de milliers d'individus – le processus d'isolement des mutants peut s'effectuer bien plus efficacement si on induit les mutations avec des agents qui endommagent l'ADN. Comme nous le verrons, il est possible de créer rapidement un très grand nombre de mutants, en traitant les organismes avec des mutagènes, puis d'effectuer un criblage génétique pour rechercher le défaut particulier à étudier.

Une approche différente de la mutagenèse chimique ou par radiation est ce qu'on appelle la *mutagenèse par insertion*. Cette méthode se base sur le fait que l'insertion d'un ADN exogène dans le génome peut engendrer des mutations si le fragment inséré interrompt un gène ou sa séquence régulatrice. L'ADN inséré, de séquence connue, sert alors de molécule de marquage qui facilite son identification et le clonage du gène interrompu (Figure 8-55). Dans le cas de *Drosophila*, l'utilisation du transposon P pour inactiver les gènes a révolutionné l'étude de la fonction des gènes de la drosophile. Les éléments transposables (*voir* Tableau 5-III, p. 287) ont également permis d'engendrer des mutants dans les bactéries, les levures et un végétal à fleurs, *Arabidopsis*. Des rétrovirus, qui se copient eux-mêmes dans le génome de l'hôte (*voir* Figure 5-73), ont été utilisés pour interrompre les gènes du *Danio rerio* (poisson zèbre) et de la souris.

Ces études sont bien adaptées à l'étude des processus biologiques des vers et des mouches, mais comment pouvons-nous étudier la fonction des gènes chez l'homme ? Contrairement aux organismes dont nous avons parlé, les hommes ne se reproduisent pas rapidement et ne sont pas intentionnellement traités par des mutagènes. De plus, tout individu qui présente une anomalie grave d'un processus essentiel, comme la réplication de l'ADN, meurt *in utero*.

Il existe deux réponses à cette question du mode d'étude des gènes humains. Tout d'abord, comme les gènes et leur fonction ont été si fortement conservés pendant l'évolution, l'étude d'organismes modèles moins complexes fournit des informations critiques sur les gènes et les processus similaires existant chez l'homme. Les gènes de l'homme qui leur correspondent sont ensuite étudiés dans les cultures de cellules humaines. Deuxièmement, beaucoup de mutations non létales – par exemple des anomalies, spécifiques de tissu, des lysosomes ou des récepteurs cellulaires de surface – se sont produites spontanément dans la population humaine. Les analyses phénotypiques des sujets atteints, associées aux études de leurs cellules en culture, ont fourni beaucoup d'informations concernant les fonctions cellulaires importantes de l'homme. Même si ces types de mutations sont rares, elles sont efficacement reconnues à cause d'une propriété particulière à l'homme : les sujets mutants attirent l'attention sur eux en demandant des soins médicaux particuliers.

Les criblages génétiques identifient les mutants déficients en certains processus cellulaires

Une fois qu'un ensemble de mutants d'un organisme modèle comme la levure ou la mouche est produit, il faut généralement examiner des milliers d'individus pour trouver le phénotype altéré à étudier. Cette recherche est appelée **criblage génétique**. Comme l'obtention d'une mutation dans le gène à étudier dépend de la probabilité que ce gène soit inactivé ou subisse une autre mutation pendant une mutagenèse aléatoire, plus le génome est grand, plus la probabilité d'une mutation de ce gène spécifique est faible. De ce fait, plus l'organisme est complexe, plus il faut examiner de mutants pour éviter de rater des gènes. Les phénotypes à sélectionner sont simples ou complexes. Les phénotypes simples sont les plus faciles à détecter : par exemple, les carences métaboliques, qui entraînent l'arrêt de la croissance d'un organisme en l'absence d'un acide aminé ou d'un nutriment particulier.

Les phénotypes plus complexes, comme par exemple les mutations qui provoquent des anomalies d'apprentissage ou de mémoire, peuvent nécessiter un criblage plus complexe (Figure 8-56). Cependant n'importe quel criblage génétique utilisé pour disséquer même les systèmes physiologiques complexes doit avoir une conception la

Figure 8-55 Mutant d'insertion du muflier, *Antirrhinum*. Une mutation dans un seul des gènes codant pour une protéine régulatrice provoque le développement de pousses de feuilles à la place de fleurs. Cette mutation permet aux cellules d'adopter un caractère approprié à une autre partie de la plante normale. La plante mutante est à *gauche* et la plante normale à *droite*. (Due à l'obligeance d'Enrico Coen et Rosemary Carpenter.)

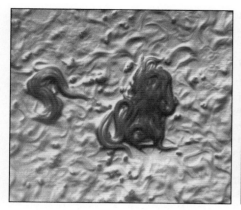
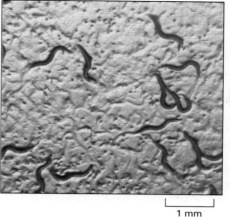

Figure 8-56 Les criblages peuvent détecter des mutations qui affectent le comportement de l'animal. (A) *C. elegans* de type sauvage occupés à leur comportement alimentaire social. Les vers nagent autour jusqu'à ce qu'ils rencontrent leurs voisins et commencent à s'alimenter. (B) Les animaux mutants se nourrissent eux-mêmes. (Due à l'obligeance de Cornelia Bargmann, *Cell* 94 : couverture, 1998. © Elsevier.)

plus simple possible et permettre l'examen simultané d'un grand nombre de mutants. Prenons comme exemple le criblage particulièrement raffiné conçu pour rechercher les gènes impliqués dans le processus visuel du *Danio rerio*. Ce criblage se fonde sur une modification du comportement qui permet de surveiller la réponse du poisson au mouvement. Les poissons de type sauvage ont tendance à nager dans la direction du mouvement qu'ils perçoivent alors que les mutants atteints d'anomalies de leur système visuel nagent au hasard – un comportement facile à détecter. Un mutant, appelé *lakritz*, découvert au cours de ce criblage, a perdu 80 p. 100 des cellules ganglionnaires rétiniennes qui relaient les signaux visuels de l'œil au cerveau. Comme l'organisation cellulaire de la rétine du *Danio rerio* reflète celle de tous les vertébrés, l'étude de ces mutants devrait aussi fournir un aperçu des processus visuels de l'homme.

Comme les anomalies des gènes nécessaires aux processus cellulaires fondamentaux – par exemple, la synthèse et la maturation de l'ARN ou le contrôle du cycle cellulaire – sont généralement létales, les fonctions de ces gènes sont souvent étudiées dans des mutants sensibles à la température. Pour ces mutants, la protéine produite par le gène mutant fonctionne normalement à une température moyenne, mais peut être inactivé par une faible élévation ou baisse de la température. De ce fait, l'anomalie est expérimentalement activée ou inactivée simplement par le changement de la température. Une cellule qui contient un gène indispensable présentant une mutation thermosensible à une température non permissive peut néanmoins croître à la température normale ou permissive (Figure 8-57). Les gènes sensibles à la température de ce type de mutant présentent généralement une mutation ponctuelle qui provoque une variation minime de la protéine produite.

Beaucoup de gènes mutants sensibles à la température et qui codent pour les protéines bactériennes nécessaires à la réplication de l'ADN ont pu être isolés par le criblage des populations bactériennes traitées par des mutagènes : les cellules qui ne fabriquent plus d'ADN lorsque la température augmente de 30 °C à 42 °C sont recherchées. Ces mutants sont ensuite utilisés pour identifier et caractériser les protéines de réplication de l'ADN correspondantes (*voir* Chapitre 5). Les mutants sensibles à la température ont aussi permis l'identification d'un grand nombre de protéines impliquées dans la régulation du cycle cellulaire et dans le déplacement des protéines par l'intermédiaire de la voie métabolique de sécrétion des levures (*voir* Planche 13-1). Des criblages apparentés ont mis en évidence la fonction des enzymes impliquées dans les principales voies métaboliques des bactéries et des levures (*voir* Chapitre 2),

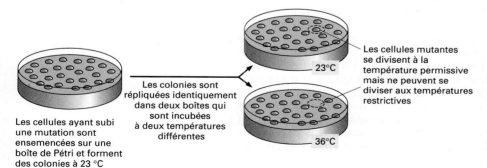

Les cellules ayant subi une mutation sont ensemencées sur une boîte de Pétri et forment des colonies à 23 °C

Les colonies sont répliquées identiquement dans deux boîtes qui sont incubées à deux températures différentes

23°C

36°C

Les cellules mutantes se divisent à la température permissive mais ne peuvent se diviser aux températures restrictives

Figure 8-57 Criblage de mutants bactériens ou de levures sensibles à la température. Des cellules mutantes sont mises en culture à la température permissive. Les colonies résultantes sont transférées dans deux boîtes de Pétri identiques par ensemencement de la colonie de réplication ; une de ces boîtes est incubée à la température permissive et l'autre à la température non permissive. Les cellules qui contiennent une mutation sensible à la température dans un gène indispensable à la prolifération peuvent se diviser à la température normale permissive mais pas à la température élevée, non permissive.

et ont permis la découverte d'un grand nombre de produits géniques responsables du développement ordonné de l'embryon de *Drosophila* (*voir* Chapitre 21).

Le test de complémentation indique si deux mutations sont placées dans le même gène ou dans des gènes différents

Un criblage génétique à grande échelle permet de trouver beaucoup de mutants différents qui présentent le même phénotype. Ces anomalies peuvent résider dans des gènes différents qui fonctionnent dans le même processus ou représenter différentes mutations dans le même gène. Comment peut-on savoir si deux mutations qui engendrent un même phénotype se produisent dans le même gène ou dans différents gènes ? Si les mutations sont récessives – si, par exemple, elles représentent une perte de fonction d'un gène particulier – on peut utiliser un test de complémentation pour vérifier si les mutations se trouvent dans le même gène ou dans des gènes différents. Le type de test de complémentation le plus simple consiste à accoupler un individu homozygote pour une des mutations – c'est-à-dire qui possède deux allèles identiques du gène mutant en question – avec un individu homozygote pour l'autre mutation. Si les deux mutations se trouvent dans le même gène, la descendance présentera le phénotype mutant parce qu'elle n'aura jamais de copies normales du gène en question (*voir* Planche 8-1, p. 526-527). Si, au contraire, les mutations se trouvent dans différents gènes, la descendance résultante présentera le phénotype normal. Elle possède en effet une copie normale (et une copie mutante) de chaque gène. Les mutations se complémentent ainsi l'une l'autre et restaurent le phénotype normal. Ce test de complémentation des mutants identifiés au cours d'un criblage génétique a permis de révéler, par exemple, que la levure a besoin de 5 gènes pour digérer le galactose, un sucre ; qu'*E. coli* nécessite 20 gènes pour édifier un flagelle fonctionnel ; que 48 gènes sont impliqués dans l'assemblage de la particule virale du bactériophage T4 ; et que des centaines de gènes sont impliqués dans le développement d'un nématode adulte à partir d'un œuf fécondé.

L'étape qui suit l'identification d'un groupe de gènes impliqué dans un processus biologique particulier consiste à déterminer l'ordre de fonctionnement de ces gènes. La détermination du moment d'action d'un gène facilite la reconstruction de la voie génétique ou biochimique complète et ce type d'études a été au cœur de notre compréhension du métabolisme, de la transduction du signal et de beaucoup d'autres processus développementaux et physiologiques. L'éclaircissement de l'ordre dans lequel les gènes fonctionnent nécessite la caractérisation scrupuleuse du phénotype provoqué par des mutations de chaque gène impliqué. Imaginez, par exemple, que les mutations d'un petit groupe de gènes provoquent toutes l'arrêt de la division cellulaire au début du développement embryonnaire. L'examen attentif de chaque mutant peut révéler que certains gènes agissent extrêmement tôt et empêchent la division de l'œuf fécondé en deux cellules. D'autres mutations peuvent, par contre, permettre les premières divisions cellulaires mais empêcher l'embryon d'atteindre le stade de blastula.

Pour tester les prévisions faites sur l'ordre de fonctionnement des gènes, il est possible de fabriquer des organismes mutants au niveau de deux gènes différents. Si ces mutations affectent deux différentes étapes du même processus, ces *doubles mutants* doivent avoir le même phénotype que celui de la mutation qui agit en premier dans cette voie métabolique. Prenons par exemple, la voie métabolique de la sécrétion protéique des levures, déchiffrée de cette façon. Différentes mutations des gènes impliqués dans cette voie provoquant l'accumulation aberrante des protéines dans le réticulum endoplasmique (RE) ou l'appareil de Golgi. Lorsqu'une cellule, génétiquement modifiée, porte une mutation qui bloque le traitement des protéines dans le RE et une mutation qui bloque le traitement dans le compartiment de l'appareil de Golgi, les protéines s'accumulent dans le RE. Cela indique que les protéines doivent d'abord traverser le RE avant de passer dans l'appareil de Golgi et d'être sécrétées (Figure 8-58).

L'analyse de liaison permet de localiser les gènes

Une fois en possession des mutants, l'étape suivante consiste à identifier le ou les gènes responsables du phénotype altéré. Si la mutagenèse originale s'est effectuée par mutagenèse par insertion, la localisation du gène interrompu est assez simple. Les fragments d'ADN contenant l'insertion (un transposon ou un rétrovirus par exemple) sont recueillis et amplifiés puis la séquence nucléotidique située de part et d'autre est déterminée. On utilise ensuite cette séquence pour rechercher et identifier, dans une base de données d'ADN, le gène interrompu par l'insertion de l'élément transposable.

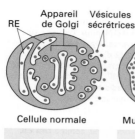

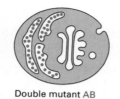

RE   Appareil Vésicules
de Golgi sécrétrices

Cellule normale   Mutant sécréteur A   Mutant sécréteur B   Double mutant AB

Protéine sécrétée

La protéine s'accumule dans le RE

La protéine s'accumule dans l'appareil de Golgi

La protéine s'accumule dans le RE

Figure 8-58 Utilisation de la génétique pour déterminer l'ordre de fonctionnement des gènes. Dans les cellules normales, les protéines se trouvent dans des vésicules qui fusionnent avec la membrane plasmique et sécrètent leur contenu dans le milieu extracellulaire. Dans le mutant sécréteur A, les protéines s'accumulent dans le RE. Dans un autre mutant sécréteur B, les protéines s'accumulent dans l'appareil de Golgi. Dans le double mutant AB, les protéines s'accumulent dans le RE; cela indique que le gène déficient chez le mutant A agit avant le gène déficient chez le mutant B dans la voie de la sécrétion.

Si on utilise une substance chimique lésant l'ADN pour engendrer les mutants, l'identification du gène inactivé est souvent plus laborieuse et peut s'effectuer par diverses approches. La première commence par déterminer où se trouve localisé le gène dans le génome. La cartographie d'un nouveau gène s'effectue d'abord par sa localisation chromosomique grossière en estimant la distance entre ce gène et d'autres gènes du génome. L'estimation des distances entre les loci génétiques s'effectue généralement par analyse de liaison, une technique fondée sur le fait que les gènes placés les uns près des autres sur un chromosome ont tendance à être transmis héréditairement ensemble. Plus les gènes sont proches, plus la probabilité qu'ils soient transmis couplés à la descendance est grande. Cependant, même des gènes très proches peuvent être séparés par recombinaison pendant la méiose. Plus la distance entre les deux loci génétiques est grande, plus le risque qu'ils soient séparés par crossing over est fort (*voir* Planche 8-1, p. 526-527). Le calcul de la fréquence de recombinaison entre deux gènes permet de déterminer la distance approximative entre eux.

Comme les gènes ne sont pas toujours placés assez près l'un de l'autre pour pouvoir localiser avec exactitude leur position, les analyses de liaison se fondent souvent sur des marqueurs physiques disposés le long du génome pour estimer la localisation d'un gène inconnu. Ces marqueurs sont généralement des fragments de nucléotides, de séquence et de localisation génomique connues, qui peuvent avoir au moins deux formes alléliques. Les SNP (pour *single-nucleotide polymorphisms*), par exemple, sont de courtes séquences qui diffèrent par un ou plusieurs nucléotides parmi les individus d'une population. Ces SNP sont détectés par des techniques d'hybridation. Un grand nombre de ces marqueurs physiques, répartis sur toute la longueur du chromosome, a été déterminé dans divers organismes, et l'homme en compte plus de 10^6. Si la distribution de ces marqueurs est suffisamment dense, on peut, par les analyses de liaison qui recherchent la forte co-hérédité d'un ou de plusieurs SNP avec le phénotype mutant, limiter la localisation potentielle du gène à une région chromosomique qui ne contient que quelques séquences géniques. On recherche alors directement la structure et la fonction de ces séquences géniques, qui représentent les gènes candidats, afin de déterminer le gène responsable du phénotype mutant original.

Les analyses de liaison sont aussi utilisées pour identifier les gènes responsables des maladies humaines héréditaires. Ces études nécessitent le recueil d'échantillons d'ADN à partir d'un grand nombre de familles atteintes de cette maladie. On y recherche la présence de marqueurs physiques comme les SNP qui semblent être proches du gène atteint – ces séquences sont toujours héritées par les individus malades mais pas par leurs parents non atteints. Le gène atteint est alors localisé comme nous venons de le décrire (Figure 8-59). Les gènes de la mucoviscidose et de la maladie de Huntington, par exemple, ont été découverts de cette façon.

La recherche d'homologies permet de prédire la fonction d'un gène

Une fois qu'un gène a été identifié, on peut souvent prédire sa fonction en identifiant des gènes homologues de fonctions déjà connues. Comme nous l'avons déjà vu, il est possible de rechercher dans les bases de données contenant des séquences nucléotidiques issues de divers organismes – y compris la séquence complète du génome de plusieurs douzaines de microbes, de *C. elegans*, d'*A. thaliana*, de *D. melanogaster* et de l'homme – les similitudes de séquences avec les gènes cibles non caractérisés.

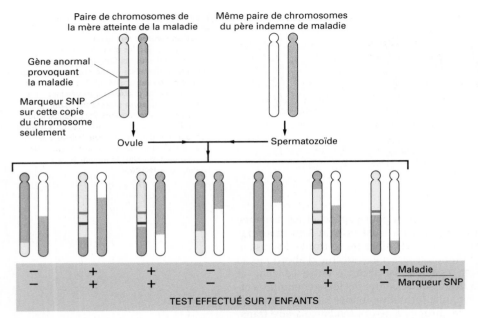

Figure 8-59 Les analyses de liaison génétique utilisent des marqueurs physiques sur l'ADN pour trouver un gène chez l'homme. Dans cet exemple, on étudie la co-hérédité d'un phénotype humain spécifique (dans ce cas, une maladie génétique) et d'un marqueur SNP. Si les individus qui ont hérité de cette maladie héritent presque toujours d'un marqueur SNP particulier, alors le gène responsable de cette maladie et le SNP ont des chances d'être assez proches l'un de l'autre sur le chromosome, comme cela est montré ici. Pour prouver qu'une liaison observée est statistiquement significative, il faut examiner des centaines d'individus. Notez que la liaison n'est absolue que si le marqueur SNP est placé dans le gène lui-même. De ce fait, le SNP sera parfois séparé du gène atteint par un crossing-over méiotique lors de la formation de l'ovule ou du spermatozoïde : c'est ce qui se produit dans le cas de la paire de chromosomes de l'*extrême droite*. Lorsqu'on travaille sur un génome séquencé, la procédure est répétée avec des SNP localisés de part et d'autre du SNP initial jusqu'à ce qu'on obtienne une co-hérédité de 100 p. 100.

CONCLUSION : le gène provoquant la maladie est co-hérité avec le marqueur SNP issu de la mère malade chez 75 p. 100 des enfants malades. Si on observe cette même corrélation dans les autres familles examinées, le gène provoquant la maladie se trouve sur ce chromosome et proche du SNP. Notez qu'un SNP placé sur le même chromosome mais plus éloigné du gène ou localisé sur un autre chromosome que celui du gène à étudier ne sera co-hérité qu'à 50 p. 100.

Lors de l'analyse d'un génome nouvellement séquencé, cette recherche constitue le premier examen dont le but est d'assigner une fonction au plus grand nombre de gènes possible, un processus appelé **annotation**. Comme nous le verrons rapidement, d'autres études génétiques et biochimiques prennent ensuite le relais pour confirmer si le gène code pour un produit ayant la fonction prédite. L'analyse des homologies ne révèle pas toujours des informations sur la fonction : dans le cas du génome de la levure, une fonction putative a pu être assignée à 30 p. 100 des gènes jamais caractérisés auparavant par l'analyse des homologies ; 10 p. 100 avaient des homologues dont la fonction n'était pas non plus connue ; et encore 30 p. 100 ne présentaient aucun homologue dans les bases de données existantes. (Les 30 p. 100 de gènes restant avaient été identifiés avant le séquençage du génome de levure.)

Dans certains cas, la recherche d'homologie trouve un gène dans un organisme A qui produit une protéine qui, dans un autre organisme, est fusionnée à une deuxième protéine produite par un gène indépendant dans l'organisme A. Chez la levure, par exemple, deux gènes séparés codent pour deux protéines impliquées dans la synthèse du tryptophane ; chez *E. coli* cependant, ces deux gènes sont fusionnés en un seul (Figure 8-60). Le fait de savoir que, chez la levure, ces deux protéines correspondent à deux domaines d'une seule protéine bactérienne signifie qu'elles sont certainement associées fonctionnellement et agissent probablement ensemble dans un complexe protéique. Cette approche est utilisée plus généralement pour établir des relations fonctionnelles entre des gènes qui sont fortement séparés dans le génome de la plupart des organismes.

Les gènes de reportage révèlent le moment et le lieu d'expression d'un gène

Des indications sur la fonction du gène s'obtiennent souvent par l'examen du moment et du lieu d'expression d'un gène dans la cellule ou l'organisme entier. La

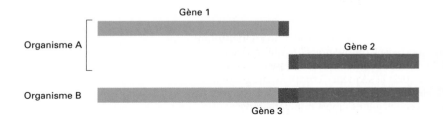

Figure 8-60 Les fusions de domaines révèlent les relations entre des gènes fonctionnellement liés. Dans cet exemple, l'interaction fonctionnelle entre les gènes 1 et 2 de l'organisme A est déduite par la fusion des domaines homologues en un seul gène (gène 3) dans l'organisme B.

détermination du patron d'expression d'un gène et de sa chronologie peut s'effectuer par le remplacement de la portion codante du gène à étudier par un gène de reportage. Dans la plupart des cas, l'expression du gène de reportage est alors suivie par le traçage de l'activité enzymatique ou de la fluorescence du produit protéique (p. 518-519).

Comme nous l'avons vu en détail au chapitre 7, l'expression des gènes est contrôlée par des séquences d'ADN régulatrices, localisées en amont ou en aval de la région codante et qui ne sont généralement pas transcrites. Il est possible de faire que ces séquences régulatrices, qui contrôlent quelles sont les cellules qui expriment un gène et sous quelles conditions, entraînent l'expression d'un gène de reportage. Il suffit simplement de remplacer la séquence codante du gène cible par celle du gène de reportage et d'introduire cette molécule d'ADN recombinant dans les cellules. La concentration, le moment et la spécificité cellulaire de la production de la protéine de reportage reflètent l'action de la séquence régulatrice du gène d'origine (Figure 8-61).

Plusieurs autres techniques déjà abordées peuvent aussi servir à déterminer le patron d'expression d'un gène. Les techniques d'hybridation pour la détection de l'ARN comme le transfert Northern (*voir* Figure 8-27) et l'hybridation *in situ* (*voir* Figure 8-29) peuvent révéler le moment de la transcription des gènes, leur localisation tissulaire et la quantité d'ARN produite.

Les micropuces surveillent l'expression de milliers de gènes à la fois

Jusqu'à présent nous avons parlé des techniques utilisées pour surveiller l'expression d'un seul gène à la fois. Bon nombre de ces méthodes demandent un travail intense : pour former des gènes de reportage ou des fusions à la GFP, il faut manipuler l'ADN et transfecter des cellules avec les molécules recombinantes résultantes. Même les transferts Northern sont limités par le nombre d'échantillons qui peuvent être traités sur un gel d'agarose. Développées dans les années 1990, les **micropuces d'ADN** ont révolutionné le mode d'analyse de l'expression des gènes en permettant la surveillance simultanée de produits ARN de milliers de gènes. L'examen de l'expression simultanée d'un si grand nombre de gènes nous permet de commencer à identifier et à étudier les patrons d'expression génique qui sous-tendent la physiologie cellulaire : nous pouvons savoir quels sont les gènes activés (ou inactivés) lorsque les cellules se développent et se divisent ou lorsqu'elles répondent aux hormones ou aux toxines.

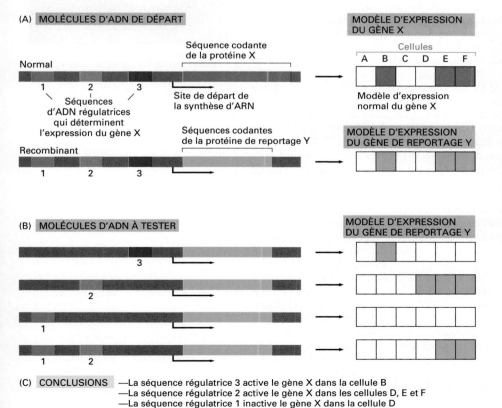

Figure 8-61 **Utilisation d'une protéine de reportage pour déterminer le modèle d'expression d'un gène.** (A) Dans cet exemple, la séquence codante de la protéine X est remplacée par la séquence codante de la protéine Y. (B) Divers fragments d'ADN contenant des séquences régulatrices candidates sont ajoutés par recombinaison. On examine alors l'expression des molécules d'ADN recombinant après leur transfection dans différents types cellulaires de mammifères et les résultats sont résumés en (C). Pour les expériences menées dans les cellules eucaryotes, les deux protéines de reportage fréquemment utilisées sont des enzymes, la β-galactosidase (*β-gal*) et la protéine de fluorescence verte ou GFP (*voir* Figure 9-44). La figure 7-39 montre un exemple dans lequel le gène récepteur de la β-gal est utilisé pour suivre l'activité de la séquence régulatrice du gène eve dans un embryon de drosophile.

Figure 8-62 Utilisation des micropuces d'ADN dans l'étude simultanée de l'expression de milliers de gènes. Pour préparer les micropuces, des fragments d'ADN – chacun correspondant à un gène – sont placés en un point sur la lame par un robot. Il existe aussi des micropuces préparées sur le marché. Dans cet exemple, l'ARN est prélevé dans deux échantillons cellulaires différents dans le but de comparer directement le niveau relatif d'expression génique. Ces échantillons sont transformés en ADNc et marqués, l'un avec un fluorochrome *rouge*, l'autre avec un fluorochrome *vert*. Les échantillons marqués sont mélangés puis hybridés sur la micropuce. Après incubation, et lavage de la puce, la fluorescence est examinée. Dans la portion de micropuce montrée, qui représente l'expression de 110 gènes de levure, les spots *rouges* indiquent que le gène de l'échantillon 1 est exprimé à un plus fort niveau que le gène correspondant dans l'échantillon 2 ; les spots *verts* indiquent que l'expression des gènes est supérieure dans l'échantillon 2 que dans l'échantillon 1. Les spots *jaunes* indiquent que les gènes sont exprimés au même niveau dans les deux échantillons cellulaires. Les spots *noirs* indiquent peu ou aucune expression dans les deux échantillons du gène dont le fragment est localisé sur cette position dans la puce. Pour plus de détails, *voir* Figure 1-45. (Micropuce, due à l'obligeance de J.L. DeRisi et al., *Science* 278 : 680-686, 1997. © AAAS.)

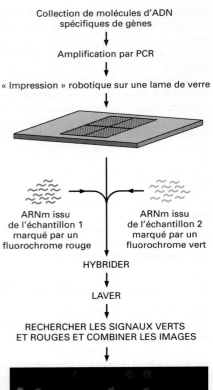

Collection de molécules d'ADN spécifiques de gènes

↓

Amplification par PCR

↓

« Impression » robotique sur une lame de verre

↓

ARNm issu de l'échantillon 1 marqué par un fluorochrome rouge → ← ARNm issu de l'échantillon 2 marqué par un fluorochrome vert

HYBRIDER

↓

LAVER

↓

RECHERCHER LES SIGNAUX VERTS ET ROUGES ET COMBINER LES IMAGES

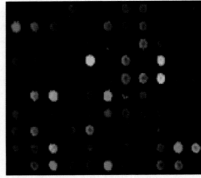

Petite région de la micropuce représentant l'expression de 110 gènes issus de levure

Les micropuces d'ADN ne sont rien de plus que des lames de microscope en verre garnies d'un grand nombre de fragments d'ADN, chacun contenant une séquence de nucléotides qui sert de sonde pour un gène spécifique. Les puces les plus denses contiennent des dizaines de milliers de ces fragments regroupés dans une zone plus petite qu'un timbre poste, et permettent à des milliers de réactions d'hybridation de s'effectuer en parallèle (Figure 8-62). Certaines micropuces sont engendrées à partir de gros fragments d'ADN qui ont été formés par PCR puis placés sur la lame par un robot. D'autres contiennent de courts oligonucléotides synthétisés à la surface de la lame de verre selon des techniques similaires à celles utilisées pour graver des circuits sur les puces d'ordinateur. Dans les deux cas, on connaît la séquence exacte – et la position – de chaque sonde sur la puce. De cette façon, tout fragment nucléotidique qui s'hybride sur une sonde de la puce peut être identifié comme le produit d'un gène spécifique simplement en détectant la position sur laquelle il se fixe.

L'utilisation d'une micropuce d'ADN pour surveiller l'expression génique commence par l'extraction des ARNm dans les cellules à étudier et leur transformation en ADNc (*voir* Figure 8-34). L'ADNc est alors marqué avec une sonde fluorescente. La micropuce est incubée avec cet échantillon d'ADNc marqué pour que l'hybridation se fasse (*voir* Figure 8-62). Ensuite la puce est lavée, ce qui élimine l'ADNc non solidement lié. Un microscope à dépistage laser automatisé permet d'identifier, dans la micropuce, les positions sur lesquelles se sont fixés les fragments d'ADN marqués. On recherche ensuite la correspondance entre ces positions et le gène particulier dont l'ADN avait été placé à cet endroit.

Il est typique de mélanger des ADN fluorescents issus d'échantillons expérimentaux (marqués par exemple par un colorant fluorescent rouge) avec un échantillon de référence contenant des fragments d'ADNc marqués par un colorant ayant une autre fluorescence (vert par exemple). Si la quantité d'ARN exprimée à partir d'un gène particulier dans la cellule à étudier est supérieure à celle de l'échantillon de référence, le spot résultant est rouge. À l'inverse, si l'expression du gène est inférieure à celle de l'échantillon de référence, le spot est vert. En utilisant ce type de référence interne, le profil d'expression peut être mis en tableaux avec une grande précision.

Jusqu'à présent, on a utilisé les micropuces d'ADN pour examiner un large éventail de gènes en partant de la variation de l'expression génique qui fait mûrir les fraises à l'expression des gènes «signature» de différents types de cellules cancéreuses humaines (*voir* Figure 7-3). Des puces qui contiennent des sondes représentant l'ensemble des 6 000 gènes de levure ont permis de surveiller les modifications de l'expression génique lorsque les levures passent de la fermentation du glucose à la croissance sur l'éthanol ; lorsqu'elles répondent à un soudain décalage vers la chaleur ou le froid ; et comment elles effectuent les différents stades du cycle cellulaire. Les premières études ont montré que lorsque la levure avait utilisé le dernier glucose de son milieu, son motif d'expression génique changeait de façon marquée ; près de 900 gènes ne sont plus activement transcrits alors que 1 200 autres diminuent leur activité. Près de la moitié de ces gènes n'ont pas de fonction connue même si cette étude suggère qu'ils sont d'une façon ou d'une autre impliqués dans la reprogrammation métabolique qui se produit lorsque les cellules de levure passent de la fermentation à la respiration.

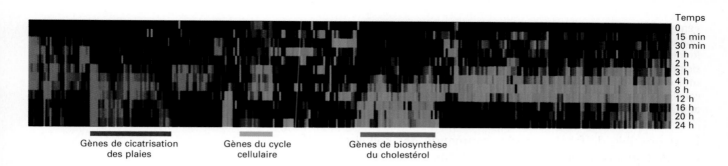

Temps
0
15 min
30 min
1 h
2 h
3 h
4 h
8 h
12 h
16 h
20 h
24 h

Gènes de cicatrisation
des plaies

Gènes du cycle
cellulaire

Gènes de biosynthèse
du cholestérol

Les études globales de l'expression des gènes fournissent aussi d'autres informations utiles pour prédire la fonction génique. Auparavant, nous avons vu comment l'identification des partenaires qui interagissent avec une protéine pouvait fournir des renseignements sur la fonction protéique. Ce même principe s'applique pour les gènes : on peut déduire des informations sur la fonction d'un gène par l'identification de gènes qui partagent le même modèle d'expression. Une technique, la *cluster analysis* (analyse de groupe), permet d'identifier des groupes de gènes régulés de façon coordonnée. Les gènes activés ou inactivés ensemble sous différentes circonstances peuvent agir ensemble dans la cellule : ils peuvent coder pour des protéines qui font partie de la même machinerie multiprotéique, ou pour des protéines impliquées dans une activité complexe coordonnée, comme la réplication de l'ADN ou l'épissage de l'ARN. La caractérisation de la fonction d'un gène inconnu par son regroupement avec des gènes connus qui partagent le comportement de transcription est parfois appelée « culpabilité par association ». Les techniques de *cluster analysis* ont permis d'analyser les modèles d'expression des gènes qui sous-tendent beaucoup de processus biologiques intéressants, y compris la cicatrisation des plaies chez l'homme (Figure 8-63).

Des mutations ciblées peuvent révéler la fonction des gènes

Bien que dans les organismes qui se reproduisent rapidement il soit souvent facile d'obtenir des mutants qui présentent des anomalies d'un processus particulier, comme la réplication de l'ADN ou le développement de l'œil, il peut être long de relier ce processus à l'anomalie d'une protéine particulière. Récemment la technologie de l'ADN recombinant et l'explosion du séquençage du génome ont permis un autre mode d'approche génétique. Au lieu de commencer par un mutant apparu au hasard et de l'utiliser pour identifier un gène et sa protéine, on peut commencer par un gène particulier que l'on traite pour y engendrer des mutations, ce qui crée des cellules ou des organismes mutants chez qui on peut analyser la fonction de ce gène. Comme cette nouvelle approche inverse la direction traditionnelle de découverte-traitement génétique en partant des gènes et des protéines et en allant aux mutants, et non pas vice versa, elle est souvent appelée **génétique inverse**.

La génétique inverse commence par le clonage d'un gène, d'une protéine isolée d'une cellule ayant des propriétés intéressantes, ou simplement d'une séquence génomique. Si le point de départ est une protéine, le gène qui la code est d'abord identifié et, si nécessaire, sa séquence nucléotidique est déterminée. La séquence génique peut alors être modifiée *in vitro* pour créer une version mutante. Ce gène mutant génétiquement modifié, associé à une région régulatrice adaptée, est transféré dans une cellule. Dans cette cellule, il peut s'intégrer à un chromosome et devenir une entité permanente du génome cellulaire. Tous les descendants de la cellule modifiée contiendront donc le gène mutant.

Si la cellule d'origine, utilisée pour le transfert du gène, est un ovule fécondé, on peut obtenir un organisme multicellulaire complet contenant le gène mutant, si tant est que la mutation n'est pas létale. Chez certains de ces animaux, le gène altéré sera incorporé aux cellules germinales – une mutation de la lignée germinale – ce qui permettra sa transmission à la descendance.

Ce type de transformations génétiques s'effectue maintenant en routine dans des organismes aussi complexes que la drosophile et les mammifères. Techniquement, même des hommes pourraient être ainsi transformés, bien que de telles procédures ne soient pas entreprises, même dans des buts thérapeutiques, par crainte des aberrations imprévisibles qui pourraient se produire chez de tels individus.

Nous avons abordé précédemment dans ce chapitre d'autres approches permettant de découvrir la fonction d'un gène, y compris la recherche de gènes homologues dans d'autres organismes et de déterminer où et quand survient l'expression

Figure 8-63 Utilisation de la *cluster analysis* pour identifier des groupes de gènes dont la régulation est coordonnée. Des gènes qui appartiennent au même groupe peuvent être impliqués dans des voies ou des processus métaboliques cellulaires communs. Pour effectuer la *cluster analysis*, des données issues de micropuces sont obtenues dans les échantillons cellulaires exposés à diverses conditions différentes et les gènes qui présentent des modifications coordonnées de leur modèle d'expression sont regroupés. Dans cette expérience, des fibroblastes humains ont été privés de sérum pendant 48 heures. Du sérum a été ensuite rajouté à la culture cellulaire au temps T0 et les cellules ont été recueillies pour leur analyse par micropuce à différents moments. Sur les 8 600 gènes analysés sur la micropuce d'ADN, légèrement plus de 300 ont présenté une variation d'au moins 3 fois de leur niveau d'expression en réponse à la réintroduction de sérum. Dans ce cas, le *rouge* indique l'augmentation de l'expression; le *vert* la baisse de l'expression. En se basant sur les résultats de nombreuses expériences de micropuces, les 8 600 gènes ont été séparés en groupes sur la base de patrons similaires d'expression. Les résultats de cette analyse montrent que les gènes impliqués dans la cicatrisation des blessures sont activés en réponse au sérum, alors que les gènes impliqués dans la régulation de la progression du cycle cellulaire et la biosynthèse du cholestérol sont inactivés. (D'après M.B. Eisen et al., *Proc. Natl. Acad. Sci. USA* 95 : 14863-14868, 1998. © National Academy of Sciences.)

génique. Ce type d'informations est particulièrement utile pour suggérer le genre de phénotype à rechercher dans l'organisme mutant. Un gène qui ne s'exprime que dans le foie adulte, par exemple, peut jouer un rôle dans la dégradation des toxines mais risque peu d'affecter le développement de l'œil. Toutes ces approches peuvent être utilisées soit pour étudier des gènes isolés soit pour essayer d'analyser à grande échelle la fonction de chacun des gènes d'un organisme – un domaine en expansion appelé *génomique fonctionnelle.*

Il est possible de fabriquer sur commande des cellules et des animaux contenant des mutations géniques

Nous avons vu que la recherche de gènes homologues et l'analyse du modèle d'expression génique pouvaient fournir des informations sur la fonction génique, sans toutefois révéler le rôle exact d'un gène dans une cellule. La génétique apporte une excellente solution à ce problème, parce que des mutants dépourvus d'un gène particulier peuvent rapidement révéler la fonction de la protéine qu'ils codent. Les techniques du génie génétique permettent de produire spécifiquement ces inactivations totales de gènes (ou *knockouts*), comme nous le verrons. Cependant il est aussi possible d'engendrer des mutants qui expriment un gène à des niveaux anormalement élevés (sur-expression), dans le mauvais tissu ou au mauvais moment (erreur d'expression) ou sous une forme légèrement altérée qui induit un phénotype dominant. Pour faciliter ces études sur la fonction génique, la séquence codante du gène et celle de sa région régulatrice peuvent être modifiées pour changer les propriétés fonctionnelles de la protéine produite, la quantité de protéine fabriquée ou le type cellulaire particulier dans lequel cette protéine est produite.

Les gènes modifiés sont introduits dans les cellules de diverses façons, dont certaines seront décrites en détail au chapitre 9. L'ADN peut être micro-injecté dans des cellules de mammifères avec une micropipette en verre ou introduit par un virus génétiquement modifié pour transporter des gènes étrangers. Dans les cellules végétales, les gènes sont souvent introduits par la technique du bombardement de particules : les échantillons d'ADN sont étalés sur de minuscules billes d'or puis littéralement bombardés à travers la paroi cellulaire à l'aide d'un pistolet spécifiquement modifié. L'électroporation reste la méthode de choix pour l'introduction d'ADN dans des bactéries et certaines autres cellules. Au cours de cette technique, un choc électrique rapide rend la membrane cellulaire temporairement perméable, ce qui permet l'entrée de l'ADN étranger dans le cytoplasme.

Examinons maintenant comment l'étude de ces cellules et de ces organismes mutants permet de déchiffrer les voies métaboliques biologiques.

Le gène normal d'une cellule peut être directement remplacé par un gène mutant génétiquement modifié dans une bactérie ou certains organismes inférieurs

Contrairement aux eucaryotes supérieurs (multicellulaires et diploïdes), les bactéries, les levures et la moisissure de vase monocellulaire *Dictyostelium* existent généralement sous forme d'une cellule haploïde unique. Dans ces organismes, une molécule d'ADN porteuse d'un gène mutant et artificiellement introduite peut remplacer la seule copie du gène normal par recombinaison homologue (*voir* p. 276), selon une fréquence relativement haute, de telle sorte qu'il est facile d'obtenir des cellules dans lesquelles le gène mutant a remplacé le gène normal (Figure 8-64A). Ces cellules peuvent ainsi être fabriquées sur commande et produire n'importe quelle protéine ou

Figure 8-64 Remplacement de gènes, inactivation totale de gènes et adjonction de gènes. Un gène normal peut être modifié de plusieurs façons dans un organisme génétiquement modifié. (A) Le gène normal (en *vert*) peut être complètement remplacé par une copie mutante (*rouge*), un processus appelé remplacement de gène. Cela fournit des informations sur l'activité du gène mutant sans interférer avec le gène normal et permet de déterminer les effets de petites et fines mutations. (B) Le gène normal peut être complètement inactivé, par exemple en y créant une importante délétion. On dit que le gène a subi un *knockout* ou inactivation. (C) Le gène mutant peut simplement être ajouté au génome. Dans certains organismes, c'est le type de manipulation génétique le plus facile à effectuer. Cette approche donne des informations très intéressantes lorsque le gène mutant introduit annule la fonction du gène normal.

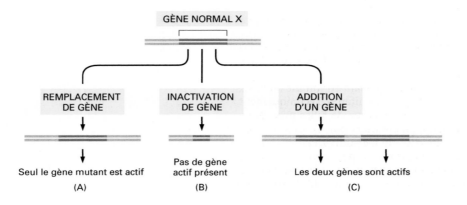

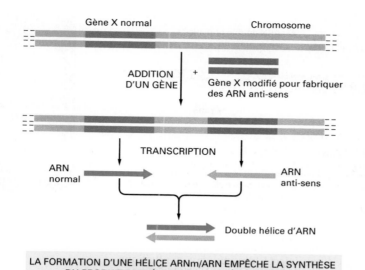

Figure 8-65 Stratégie de l'ARN anti-sens qui engendre des mutations négatives dominantes. Les gènes mutants génétiquement modifiés pour produire des ARN anti-sens, de séquence complémentaire à celle de l'ARN fabriqué par le gène X normal, peuvent provoquer la formation d'ARN double brin à l'intérieur des cellules. En présence d'un fort excès d'ARN anti-sens, celui-ci peut s'hybrider à la plus grande partie de l'ARN normal produit par le gène X — et ainsi l'inactiver. Même si, dans le futur, il sera peut-être possible d'inactiver ainsi n'importe quel gène, cette technique semble actuellement fonctionner avec certains gènes mais pas avec d'autres.

molécule d'ARN spécifique sous forme modifiée à la place de la forme moléculaire normale. Si le gène mutant est complètement inactif et que le produit du gène a normalement une fonction indispensable, la cellule meurt ; cependant, dans ce cas, on peut utiliser une version contenant une mutation moins sévère du gène pour remplacer le gène normal, afin que la cellule mutante survive mais présente des anomalies du processus dans lequel ce gène est nécessaire. Souvent le mutant de choix engendre un produit génique sensible à la température, dont la fonction est normale à une certaine température mais inactivée lorsque les cellules sont placées à une température supérieure ou inférieure.

Cette capacité à remplacer directement des gènes chez les eucaryotes inférieurs, associée à la puissance des analyses génétiques standard chez ces organismes haploïdes, explique pour une large part pourquoi les études dans ces types de cellules ont été si primordiales pour déterminer les particularités des processus communs à tous les eucaryotes. Comme nous le verrons, les remplacements géniques sont possibles, mais plus difficiles à effectuer chez les eucaryotes supérieurs, pour des raisons que l'on ne comprend pas totalement.

Les gènes génétiquement modifiés servent à engendrer des mutations négatives dominantes spécifiques dans les organismes diploïdes

Les eucaryotes supérieurs, comme les mammifères, la drosophile ou le ver, sont diploïdes et possèdent donc deux copies de chaque chromosome. De plus, la transfection avec un gène modifié conduit généralement à une addition génique plutôt qu'à un remplacement génique : le gène modifié s'insère dans le génome au hasard de telle sorte que la cellule (ou l'organisme) finit par contenir le gène muté en plus des copies normales de ce gène. Comme l'addition d'un gène s'accomplit beaucoup plus facilement que son remplacement dans les cellules eucaryotes supérieures, il s'est avéré intéressant de créer des mutations dominantes négatives spécifiques dans lesquelles le gène mutant élimine l'activité de ses contreparties normales dans la cellule. Une des approches ingénieuses exploite la spécificité des réactions d'hybridation entre deux chaînes d'acides nucléiques complémentaires. Normalement, dans un segment donné de la double hélice d'ADN, un seul des deux brins d'ADN est transcrit en ARN et, pour un gène donné, c'est toujours le même brin (*voir* Figure 6-14). Si un gène cloné est génétiquement modifié pour que ce soit le brin d'ADN opposé qui soit transcrit à sa place, il produira des molécules d'ARN anti-sens de séquence complémentaire aux transcrits d'ARN normaux. Ces *ARN anti-sens*, lorsqu'ils sont synthétisés en quantité suffisante, s'hybrident souvent avec les ARN « bon sens » fabriqués par les gènes normaux et inhibent ainsi la synthèse de la protéine correspondante (Figure 8-65). Une méthode apparentée implique la synthèse chimique ou enzymatique de courtes molécules d'acides nucléiques anti-sens suivie de leur injection dans la cellule (ou de leur apport d'une autre façon), ce qui bloque à nouveau (quoique temporairement) la production de la protéine correspondante.

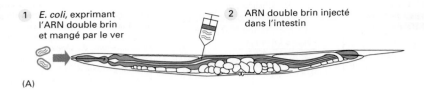

(A)

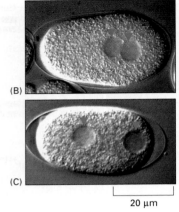

(B)

(C)

20 μm

Figure 8-66 Mutations négatives dominantes créées par ARN interférence. (A) L'ARN double brin (ARNdb) est introduit dans *C. elegans* (1) en nourrissant le ver avec des *E. coli* exprimant l'ARNdb ou (2) en injectant l'ARNdb directement dans l'intestin. (B) Embryon du ver de type sauvage. (C) Embryon du ver dans lequel le gène impliqué dans la division cellulaire a été inactivé par ARNi. L'embryon présente une migration anormale des deux noyaux non fusionnés de l'ovule et du spermatozoïde.

Pour éviter la dégradation de l'acide nucléique injecté, un analogue synthétique stable d'ARN, le morpholino-ARN, est souvent utilisé à la place de l'ARN ordinaire.

Tandis que les chercheurs poursuivaient l'exploration de la stratégie de l'ARN anti-sens, ils ont fait une découverte intéressante. Un brin d'ARN anti-sens peut bloquer l'expression des gènes mais une préparation d'ARN double brin (ARNdb) contenant à la fois le brin sens et le brin anti-sens du gène cible, inhibe l'activité des gènes cibles encore plus efficacement (*voir* Figure 7-107). Ce phénomène, appelé *ARN interférence* (ARNi) est maintenant exploité pour examiner la fonction des gènes dans divers organismes.

La technique d'ARNi a été largement utilisée pour étudier la fonction des gènes chez le nématode *C. elegans*. Lorsqu'on travaille avec des vers, l'introduction d'ARNdb est assez simple : l'ARN peut être injecté directement dans l'intestin de l'animal, ou le ver peut être nourri avec des *E. coli* exprimant l'ARNdb du gène cible (Figure 8-66A). L'ARN se distribue dans tout l'organisme du ver et inhibe l'expression du gène cible dans les différents types tissulaires. De plus, comme cela est expliqué dans la figure 7-107, l'ARN interférence est souvent héritée par la descendance de l'animal qui a reçu l'injection. Comme tout le génome de *C. elegans* a été séquencé, l'ARNi facilite l'assignation des fonctions à l'ensemble des gènes du ver. Selon une étude, les chercheurs ont pu inhiber 96 p. 100 des 2300 gènes environ situés sur le chromosome III de *C. elegans*. De cette façon, ils ont identifié 133 gènes impliqués dans la division cellulaire de l'embryon de *C. elegans* (Figure 8-66C). L'expérimentation directe n'avait auparavant attribué une fonction qu'à seulement 11 d'entre eux.

Pour des raisons inconnues, l'ARN interférence n'inactive pas efficacement tous les gènes. L'ARN interférence peut aussi parfois supprimer l'activité d'un gène cible dans un tissu et pas dans un autre. Un autre mode de production d'une mutation négative dominante tire profit du fait que la plupart des protéines fonctionnent en tant que partie d'un complexe protéique de plus grande taille. Ces complexes sont souvent inactivés par l'inclusion d'un seul composant non fonctionnel. En fabriquant ainsi un gène qui produit de grandes quantités d'une protéine mutante inactive mais encore capable de s'assembler dans un complexe, il est souvent possible de produire une cellule dans laquelle tous les complexes sont inactivés malgré la présence de la protéine normale (Figure 8-67).

Si une protéine est nécessaire pour la survie de la cellule (ou de l'organisme), le mutant négatif dominant meurt et il devient impossible de tester la fonction de la protéine. Pour éviter ce problème, on peut coupler le gène mutant à des séquences

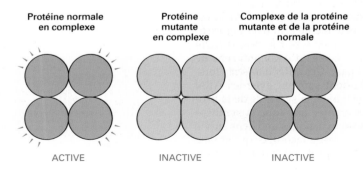

Protéine normale en complexe

Protéine mutante en complexe

Complexe de la protéine mutante et de la protéine normale

ACTIVE

INACTIVE

INACTIVE

Figure 8-67 Effet dominant négatif d'une protéine. Dans ce cas, le gène est génétiquement modifié pour produire une protéine mutante qui empêche que les copies normales de cette même protéine effectuent leur fonction. Dans ce simple exemple, la protéine normale doit former un complexe à sous-unités multiples pour être active et la protéine mutante bloque la fonction en formant un complexe mixte inactif. De cette façon une seule copie du gène mutant, localisée n'importe où dans le génome, peut inactiver le produit normal codé par les autres copies du gène.

de contrôle génétiquement modifiées afin que le produit du gène ne soit fabriqué que sur commande – par exemple, en réponse à l'augmentation de la température ou en présence d'une molécule de signalisation spécifique. Les cellules ou les organismes pourvus d'un tel gène mutant dominant sous contrôle d'un *promoteur inductible* peuvent être privés de la protéine spécifique à un moment particulier et les conséquences peuvent alors être étudiées. Les promoteurs inductibles permettent également d'activer ou d'inactiver les gènes dans des tissus spécifiques, ce qui permet l'examen des effets du gène mutant dans certaines parties sélectionnées de l'organisme. Dans le futur, ces techniques qui produisent des mutations négatives dominantes inactivant des gènes spécifiques risquent fort d'être largement utilisées pour déterminer les fonctions protéiques dans les organismes supérieurs.

Les mutations avec gain de fonction fournissent des indications sur les rôles joués par les gènes dans une cellule ou un organisme

Tout comme les cellules peuvent être génétiquement modifiées pour exprimer une version négative dominante d'une protéine, qui s'accompagne d'un phénotype avec perte de fonction, elles peuvent aussi être manipulées pour afficher un nouveau phénotype par une *mutation avec gain de fonction*. Ces mutations peuvent conférer une nouvelle activité à une protéine particulière ou provoquer l'expression d'une protéine d'activité normale à un moment inapproprié ou dans le mauvais tissu de l'animal. Quel qu'en soit le mécanisme, les mutations avec gain de fonction produisent un nouveau phénotype dans une cellule, un tissu ou un organisme.

Souvent les mutants avec gain de fonction sont engendrés par l'expression, à un niveau beaucoup plus élevé que la normale, du gène dans la cellule. Cette sur-expression peut être atteinte par le couplage du gène à une séquence promotrice puissante et son incorporation dans un plasmide à copies multiples – ou son intégration sous de multiples copies dans le génome. Dans les deux cas, il y a plusieurs copies du gène et chacune dirige la transcription d'un nombre inhabituellement grand de molécules d'ARNm. Même s'il faut rester prudent quant à l'interprétation des effets de cette surexpression sur le phénotype d'un organisme, cette approche a fourni des indications inestimables sur l'activité de nombreux gènes. Selon un autre type de mutation avec gain de fonction, la protéine mutante est fabriquée en quantité normale, mais est beaucoup plus active que sa contrepartie normale. Ces protéines sont souvent retrouvées dans les tumeurs, et ont été exploitées pour étudier les voies de transduction des signaux dans les cellules (*voir* Chapitre 15).

Les gènes peuvent aussi s'exprimer au mauvais moment ou au mauvais endroit dans un organisme – souvent avec des résultats frappants (Figure 8-68). Cette erreur d'expression est le plus souvent obtenue par une nouvelle modification génétique des gènes eux-mêmes : l'apport de séquences régulatrices nécessaires à la modification de leur expression.

Des gènes peuvent être conçus pour produire des protéines ayant n'importe quelle séquence désirée

Lorsqu'on étudie l'action d'un gène et de la protéine qu'il code, on ne souhaite pas toujours effectuer de modifications drastiques – en inondant les cellules avec des quantités énormes d'une protéine hyperactive ou en éliminant complètement un produit génique. Il est parfois très intéressant d'effectuer de légères modifications de la structure protéique afin de pouvoir commencer à rechercher la portion de la protéine qui est importante pour sa fonction. On peut par exemple étudier l'activité d'une enzyme en modifiant un seul acide aminé dans son site actif. Certaines techniques particulières permettent de modifier les gènes et leurs protéines de façon aussi subtile. La première étape est souvent la synthèse chimique d'une courte molécule d'ADN qui contient la portion modifiée désirée de la séquence nucléotidique du gène. Cet oligonucléotide d'ADN synthétique est hybridé à des plasmides d'ADN simple brin qui contiennent la séquence d'ADN à modifier, dans des conditions qui permettent l'appariement de brins d'ADN qui ne correspondent pas parfaitement (Figure 8-69). L'oligonucléotide synthétique sert ensuite d'amorce pour la synthèse d'ADN par l'ADN polymérase, ce qui donne une double hélice d'ADN qui incorpore la séquence modifiée à un de ses deux brins. Après transfection, on obtient des plasmides qui portent la séquence génique complètement modifiée. La partie d'ADN appropriée est alors insérée dans un vecteur d'expression pour que la nouvelle protéine conçue soit produite dans le type cellulaire approprié pour l'étude

Figure 8-68 Mauvaise expression, ectopique, de Wnt, une protéine de signalisation qui agit sur le développement de l'axe corporel du très jeune embryon de *Xenopus*. Dans cette expérience, l'ARNm codant pour Wnt a été injecté dans le blastomère ventral, induisant un deuxième axe du corps (*voir* Chapitre 21). (D'après S. Sokol et al., *Cell* 67 : 741-752, 1992. © Elsevier.)

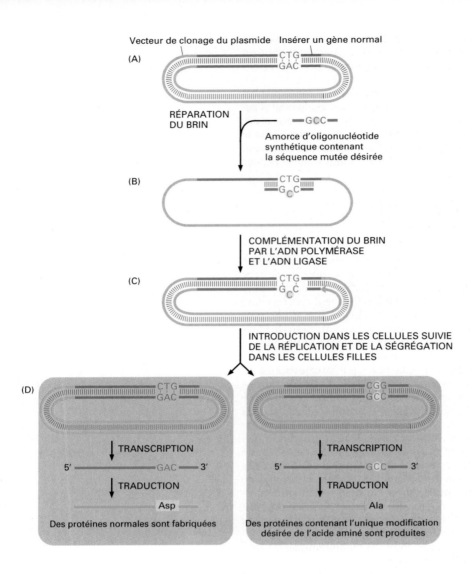

détaillée de sa fonction. En modifiant ainsi certains acides aminés dans une protéine – technique appelée **mutagenèse dirigée** – on peut déterminer exactement quelles sont les parties de la chaîne polypeptidique qui sont importantes dans les processus tels le repliement protéique, les interactions avec d'autres protéines et la catalyse enzymatique.

Des gènes génétiquement modifiés sont facilement insérés dans la lignée germinale de nombreux animaux

Lorsqu'on manipule un organisme qui doit exprimer un gène modifié, l'idéal serait de pouvoir remplacer le gène normal par le gène modifié afin de pouvoir analyser la fonction de la protéine mutante en l'absence de la protéine normale. Comme nous l'avons vu précédemment, cela s'obtient facilement dans certains organismes monocellulaires haploïdes. Nous verrons, dans le paragraphe suivant, que des procédures beaucoup plus complexes ont été développées pour permettre ce type de remplacement génique dans la souris. Cependant dans beaucoup de génomes animaux l'ADN étranger s'intègre facilement plutôt au hasard. Chez les mammifères, par exemple, des fragments d'ADN linéaires introduits dans la cellule sont rapidement réunis bout à bout par des enzymes intracellulaires et forment de longues bandes en tandem qui s'intègrent en général apparemment au hasard dans un site du chromosome. De ce point de vue, les ovules fécondés de mammifères se comportent comme les autres cellules de mammifères. Un ovule de souris dans lequel on a injecté 200 copies d'une molécule d'ADN linéaire se développe souvent en une souris qui contient, dans beaucoup de ses cellules, une bande en tandem des copies du gène injecté, intégrée au hasard dans un seul site de son chromosome. Si le chromosome modifié est présent dans les cellules de la lignée germinale (ovule ou spermatozoïde), la souris transmettra ces gènes étrangers à sa descendance.

Les animaux génétiquement modifiés de façon permanente par insertion génique, délétion génique ou remplacement génique sont appelés **organismes transgéniques** et les gènes étrangers ou modifiés qui sont adjoints sont appelés *transgènes*. Lorsque les gènes normaux sont encore présents, seuls les effets dominants de la modification seront visibles à l'analyse phénotypique. Néanmoins, les animaux transgéniques présentant des insertions géniques ont fourni d'importantes indications sur le mode de régulation des gènes de mammifères et sur la façon dont certains gènes modifiés (appelés oncogènes) provoquent des cancers.

Il est aussi possible de produire des drosophiles transgéniques, dans lesquelles des copies isolées d'un gène sont insérées au hasard dans le génome de *Drosophila*. Dans ce cas, le fragment d'ADN est d'abord inséré entre les deux séquences terminales d'un transposon de *Drosophila*, l'élément P. La séquence terminale permet l'intégration de l'élément P dans le chromosome de *Drosophila* en présence d'une enzyme, la transposase de l'élément P (*voir* p. 288). Pour obtenir des drosophiles transgéniques, le fragment d'ADN modifié est injecté dans un très jeune embryon de drosophile associé à un plasmide séparé contenant le gène codant pour la transposase. Ensuite, le gène injecté entre souvent dans la lignée germinale sous forme d'une copie unique du fait d'une transposition.

Le ciblage des gènes permet de produire des souris transgéniques dépourvues de gènes spécifiques

Si une molécule d'ADN porte une mutation d'un gène de souris et est transférée dans une cellule de souris, elle s'insère généralement au hasard dans le chromosome mais, environ une fois sur mille, elle remplace une des deux copies du gène normal par recombinaison homologue. En exploitant ces rares «ciblages géniques», tout gène spécifique peut être altéré ou inactivé dans une cellule de souris par le remplacement direct du gène. Dans le cas particulier où le gène à étudier est inactivé, l'animal qui en résulte est appelé souris *knockout* (inactivée).

Cette technique marche comme suit : au cours de la première étape, un fragment d'ADN contenant le gène mutant désiré (ou le fragment d'ADN destiné à interrompre un gène cible) est inséré dans un vecteur puis introduit dans une lignée particulière de cellules souches de souris dérivées de l'embryon, appelées **cellules souches embryonnaires**, ou cellules ES, qui se développent en culture cellulaire et peuvent produire des cellules de plusieurs types cellulaires différents. Après une période de prolifération cellulaire, les rares colonies de cellules dans lesquelles la recombinaison homologue aurait pu provoquer un remplacement génique sont isolées. Parmi elles, les bonnes colonies sont identifiées par PCR ou par un transfert type Southern : elles contiennent des séquences d'ADN recombinant dans lesquelles le fragment inséré a remplacé tout ou partie de la copie du gène normal. Dans la deuxième étape, chaque cellule issue des colonies identifiées est aspirée dans une fine micropipette et injectée dans un très jeune embryon de souris. Les cellules souches dérivées de l'embryon transfecté collaborent avec les cellules de l'embryon hôte pour produire une souris d'aspect normal ; de grandes parties de cet animal chimérique, y compris – dans les cas favorables – les cellules de la lignée germinale, dérivent souvent des cellules souches artificiellement modifiées (Figure 8-70).

Les souris qui présentent le transgène dans leur lignée germinale sont élevées pour produire des animaux mâle et femelle, chacun hétérozygote en ce qui concerne le remplacement génique (c'est-à-dire qu'ils ont une copie normale et une copie mutante du gène). Lorsque ces deux souris sont à leur tour accouplées, un quart de leur descendance sera homozygote pour le gène modifié. L'étude de ces homozygotes permet d'examiner la fonction du gène modifié ou les effets de l'élimination de l'activité génique – en l'absence du gène normal correspondant.

Cette capacité à obtenir des souris transgéniques dépourvues d'un gène normal connu a été une avancée majeure et cette technique est maintenant utilisée pour examiner la fonction d'un grand nombre de gènes de mammifères (Figure 8-71). Des techniques apparentées sont utilisées pour produire des mutants conditionnels, dans lesquels un gène particulier est interrompu dans un tissu spécifique à un certain moment du développement. Cette stratégie profite d'un système de recombinaison spécifique de site pour exciser – et invalider – le gène cible dans un endroit particulier ou à un moment particulier. Le principal système de ces recombinaisons est le

Cre/lox qui est largement utilisé pour introduire des remplacements géniques dans les souris et les végétaux (*voir* Figure 5-82). Dans ce cas, le gène cible dans les cellules ES est remplacé par une version totalement fonctionnelle du gène flanquée d'une paire de courtes séquences d'ADN, appelées sites lox, qui sont reconnues par une protéine, la Cre recombinase. Les souris transgéniques qui en résultent ont un phénotype normal. Elles sont ensuite accouplées avec des souris transgéniques qui expriment le gène Cre recombinase sous le contrôle d'un promoteur inductible. Dans les cellules ou les tissus spécifiques où Cre est activée, elle catalyse la recombinaison entre les séquences lox, ce qui excise le gène cible et élimine son activité. Des systèmes de recombinaison similaires sont utilisés pour engendrer des mutants conditionnels de *Drosophila* (*voir* Figure 21-48).

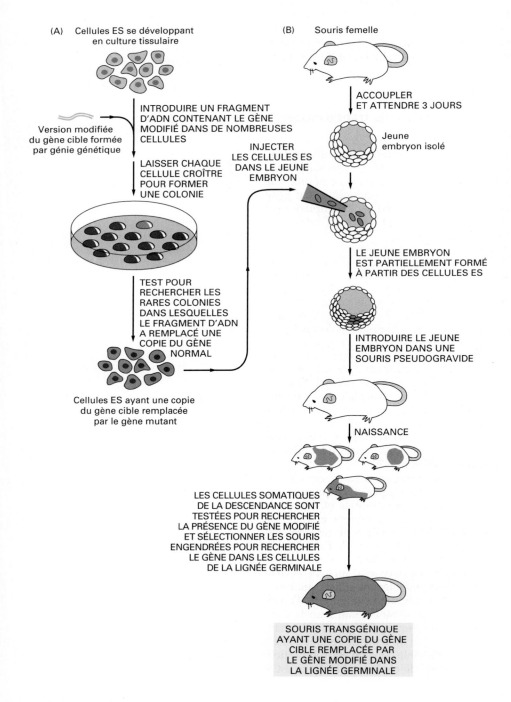

Figure 8-70 Résumé de la procédure utilisée pour effectuer un remplacement génique dans une souris. Au cours de la première étape (A), une version modifiée du gène est introduite dans des cellules ES (souche embryonnaire) en culture. Dans quelques rares cellules ES les gènes normaux correspondants seront remplacés par le gène modifié par recombinaison homologue. Bien que cette procédure soit souvent laborieuse, ces rares cellules peuvent être identifiées et mises en culture pour produire un grand nombre de descendants, portant chacun le gène modifié à la place de l'un des deux gènes normaux correspondants. Dans l'étape suivante de cette procédure (B), les cellules ES modifiées sont injectées dans un embryon très jeune de souris ; elles sont incorporées dans l'embryon en croissance et la souris produite par cet embryon contiendra certaines cellules somatiques (indiquées en *orange*) qui porteront le gène modifié. Certaines souris contiendront aussi des cellules de la lignée germinale contenant le gène modifié. Après leur accouplement avec des souris normales, on obtient certaines souris de la descendance qui contiennent le gène altéré dans toutes leurs cellules. Si deux souris de ce type sont à leur tour accouplées (non montré), certains descendants contiendront deux gènes modifiés (un sur chaque chromosome) dans toutes leurs cellules.

Les végétaux transgéniques sont importants en biologie cellulaire et en agriculture

Lorsqu'un végétal est lésé, il peut souvent se réparer lui-même selon un processus au cours duquel des cellules différenciées matures se «dédifférencient», prolifèrent puis se redifférencient en d'autres types cellulaires. Dans certaines circonstances, les cellules dédifférenciées peuvent même former un méristème apical, qui peut alors donner naissance à un nouveau végétal complet, y compris des gamètes. Cette souplesse remarquable des cellules végétales est exploitée pour engendrer des végétaux transgéniques à partir de cellules qui se développent en culture.

Lorsqu'un morceau de tissu végétal est mis en culture dans un milieu stérile contenant des nutriments et des régulateurs de croissance appropriés, beaucoup de cellules sont stimulées et prolifèrent indéfiniment de façon désorganisée, produisant une masse de cellules relativement indifférenciées appelée le cal. Si les nutriments et les régulateurs de croissance sont manipulés avec soin, il est possible d'induire la formation de méristème apicaux de pousse puis de racine à l'intérieur du cal et dans beaucoup d'espèces, un nouveau végétal complet peut être régénéré.

Les cultures de cals peuvent être dissociées mécaniquement en cellules uniques, qui se développent et se divisent sous forme de culture en suspension. Dans divers végétaux – y compris le tabac, les pétunias, les carottes, les pommes de terre et *Arabidopsis* – une seule cellule issue d'une culture de suspension peut pousser et former un petit groupe (un clone) à partir duquel il est possible de régénérer un végétal complet. Cette cellule qui a la capacité de donner naissance à toutes les parties d'un organisme est considérée comme **totipotente**. Tout comme les souris mutantes qui peuvent, par manipulation génétique, dériver de cellules souches en culture, ce type de végétal transgénique peut être créé à partir d'une seule cellule végétale totipotente en culture transfectée par de l'ADN (Figure 8-72).

La capacité à produire des végétaux transgéniques a grandement accéléré les progrès dans beaucoup de domaines de la biologie des cellules végétales. Cela a joué un rôle important, par exemple, dans l'isolement des récepteurs des régulateurs de croissance et dans l'analyse des mécanismes de la morphogenèse et de l'expression génique dans les végétaux. Cela a également ouvert beaucoup de nouvelles possibilités en agriculture qui pourraient bénéficier aux agriculteurs et aux consommateurs. Cela a permis, par exemple, de modifier les réserves de lipides, d'amidon et de protéines dans les graines, de communiquer aux végétaux des résistances aux nuisibles et aux virus et de créer des végétaux modifiés qui tolèrent des habitats extrêmes comme les marécages salés ou les sols chargés d'eau.

Un grand nombre d'avancées majeures dans la compréhension du développement animal sont issues d'études sur la mouche *Drosophila* et le nématode *Caenorhabditis elegans*, qui sont soumis à des analyses génétiques approfondies ainsi qu'à des manipulations expérimentales. Les progrès de la biologie du développement des végétaux ont été, de par le passé, comparativement assez lents. Beaucoup de végétaux qui se prêtent le plus à l'analyse génétique – comme le maïs et la tomate – ont de longs cycles de vie et de très gros génomes, ce qui allonge les analyses classiques et moléculaires. De ce fait, les scientifiques portent de plus en plus attention à une petite mauvaise herbe à croissance rapide, le cresson des murs (*Arabidopsis thaliana*), qui présente plusieurs avantages majeurs comme modèle végétal (*voir* Figures 1-46 et 21-107). Le génome relativement petit d'*Arabidopsis* a été le premier génome végétal complètement séquencé.

D'importantes collections d'inactivations (*knockouts*) avec marquage fournissent des instruments qui permettent l'examen de la fonction de chacun des gènes d'un organisme

Des efforts intensifs en collaboration sont en cours pour engendrer des banques complètes de mutations dans différents organismes modèles, y compris *S. cerevisiae, C. elegans, Drosophila, Arabidopsis* et la souris. Le but recherché dans chaque cas est de produire une collection de souches mutantes dans lesquelles chaque gène de l'organisme a été soit systématiquement effacé, soit modifié pour pouvoir être conditionnellement interrompu. Ce type de collections constitue un instrument inestimable pour rechercher la fonction des gènes à l'échelle génomique. Dans certains cas, chacun des individus mutants de cette collection produit un marqueur moléculaire distinct – une séquence unique d'ADN destinée à rendre l'identification des gènes modifiés rapide et routinière.

Pour *S. cerevisiae*, l'entreprise qui consiste à engendrer un groupe de 6000 mutants, chacun dépourvu d'un seul gène, est simplifiée par la propension des

Figure 8-71 Souris présentant une anomalie génétiquement induite du facteur 5 de croissance des fibroblastes (FGF5). Le FGF5 est un régulateur négatif de la formation des poils. Le poil de la souris qui n'a pas le FGF5 (*à droite*) est long comparé à celui d'une souris hétérozygote de la même portée (*à gauche*). Des souris transgéniques dont les phénotypes miment les aspects de diverses maladies humaines, comme la maladie d'Alzheimer, l'athérosclérose, le diabète, la mucoviscidose et certains types de cancers ont été engendrées. Leur étude pourrait conduire au développement de traitements plus efficaces. (Due à l'obligeance de Gail Martin, d'après J.M. Hebert et al., *Cell* 78 : 1017-1025, 1994. © Elsevier.)

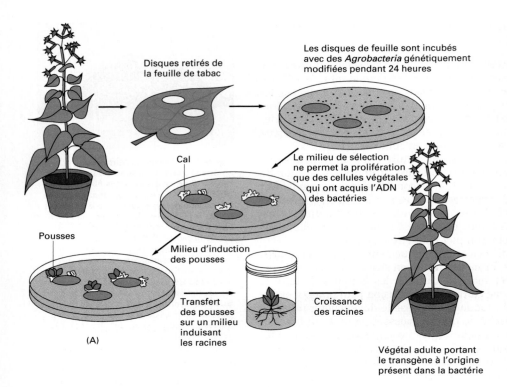

Les disques de feuille sont incubés avec des *Agrobacteria* génétiquement modifiées pendant 24 heures

Disques retirés de la feuille de tabac

Cal

Le milieu de sélection ne permet la prolifération que des cellules végétales qui ont acquis l'ADN des bactéries

Pousses

Milieu d'induction des pousses

Transfert des pousses sur un milieu induisant les racines

Croissance des racines

(A)

Végétal adulte portant le transgène à l'origine présent dans la bactérie

Figure 8-72 Une des procédures utilisées pour fabriquer un végétal transgénique. (A) Description de cette technique. Un disque est coupé dans une feuille et incubé en culture avec des *Agrobacteria* qui portent dans un plasmide recombinant à la fois un marqueur pouvant être sélectionné et le transgène désiré. Les cellules blessées à la limite du disque libèrent des substances qui attirent les *Agrobacteria* et provoquent l'injection de leur ADN dans ces cellules. Seules les cellules végétales qui absorbent le bon ADN et expriment le gène marqueur sélectionné survivent et prolifèrent en formant un cal. La manipulation des facteurs de croissance apportés aux cals induit la formation de pousses qui forment ensuite des racines et se développent en un végétal adulte qui porte le transgène. (B) Préparation du plasmide recombinant et son transfert dans les cellules végétales. Un plasmide d'*Agrobacterium* qui porte normalement la séquence ADN-T est modifié par substitution du marqueur sélectionné (comme le gène de la résistance à la kanamycine) et du transgène désiré entre les répétitions d'ADN-T de 25 paires de nucléotides. Lorsque l'*Agrobacterium* reconnaît une cellule végétale, il fait passer efficacement un brin d'ADN qui porte ces séquences dans la cellule végétale en utilisant la machinerie spéciale qui transfère normalement la séquence d'ADN-T du plasmide.

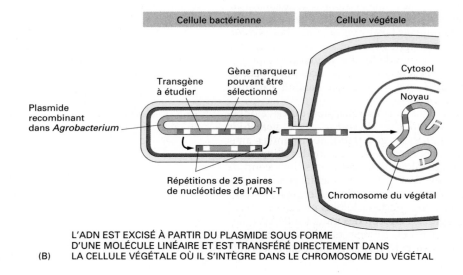

Cellule bactérienne

Cellule végétale

Transgène à étudier

Gène marqueur pouvant être sélectionné

Cytosol

Noyau

Plasmide recombinant dans *Agrobacterium*

Répétitions de 25 paires de nucléotides de l'ADN-T

Chromosome du végétal

(B)

L'ADN EST EXCISÉ À PARTIR DU PLASMIDE SOUS FORME D'UNE MOLÉCULE LINÉAIRE ET EST TRANSFÉRÉ DIRECTEMENT DANS LA CELLULE VÉGÉTALE OÙ IL S'INTÈGRE DANS LE CHROMOSOME DU VÉGÉTAL

levures à la recombinaison homologue. Une «cassette de délétion» est ainsi préparée pour chaque gène. Cette cassette est composée d'une molécule d'ADN spécifique qui contient deux séquences de 50 nucléotides identiques disposées de part et d'autre du gène cible, entourant un marqueur détectable. En plus, une séquence de marquage spécifique, un «code barre», est encastrée dans cette molécule d'ADN pour faciliter l'identification rapide ultérieure de chaque souche mutante résultante (Figure 8-73). Un mélange important de ces mutants à gène inactif est alors mis en culture sous des conditions tests sélectives diverses – comme la privation d'éléments nutritifs, des modifications de température ou la présence de divers médicaments – et les cellules qui survivent sont rapidement identifiées par leur séquence spécifique de marquage. L'estimation de la façon dont chaque mutant du mélange se comporte permet de commencer à estimer quels sont les gènes indispensables, utiles ou insignifiants pour la croissance dans diverses conditions.

Tirer des informations de l'étude de ces mutants de levure constitue un défi, celui de déduire l'activité du gène ou son rôle biologique en se fondant sur un phénotype

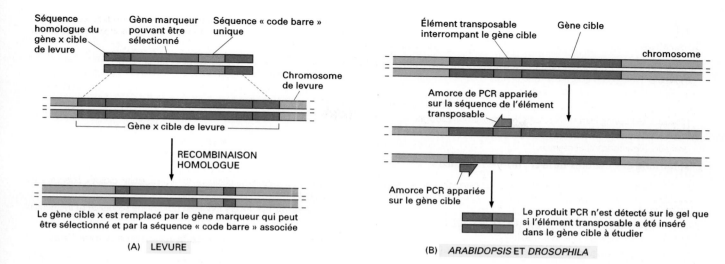

Séquence homologue du gène x cible de levure

Gène marqueur pouvant être sélectionné

Séquence « code barre » unique

Chromosome de levure

Gène x cible de levure

RECOMBINAISON HOMOLOGUE

Le gène cible x est remplacé par le gène marqueur qui peut être sélectionné et par la séquence « code barre » associée

(A)   LEVURE

Élément transposable interrompant le gène cible

Gène cible

chromosome

Amorce de PCR appariée sur la séquence de l'élément transposable

Amorce PCR appariée sur le gène cible

Le produit PCR n'est détecté sur le gel que si l'élément transposable a été inséré dans le gène cible à étudier

(B)   *ARABIDOPSIS* ET *DROSOPHILA*

mutant. Certaines anomalies – l'incapacité de vivre sans histidine par exemple – reflètent directement la fonction du gène de type sauvage. D'autres relations ne sont pas toujours aussi évidentes. Que peut indiquer une soudaine sensibilité au froid sur le rôle d'un gène particulier dans les cellules de levure ? Ce problème est encore plus ardu dans les organismes plus complexes que les levures. La perte de fonction d'un seul gène chez une souris, par exemple, peut affecter plusieurs types de tissus différents à différents stades de développement – alors que la perte d'autres gènes n'a pas d'effets évidents. La caractérisation correcte des phénotypes mutants de la souris nécessite souvent un examen complet associé à la connaissance étendue de l'anatomie de la souris, de son histologie, de sa pathologie, de sa physiologie et de son comportement complexe.

Les informations engendrées par l'examen des banques de mutants seront cependant importantes. Par exemple, l'étude d'un grand ensemble de mutants de *Mycoplasma genitalium* – le germe qui possède le plus petit génome connu – a permis d'identifier l'ensemble minimal de gènes, indispensable à la vie d'une cellule. L'analyse du pool de mutants suggère que *M. genitalium* a besoin de 265 à 350 gènes sur les 480 gènes codant pour ses protéines pour pouvoir croître dans les conditions de laboratoire. Sur ces gènes indispensables, 100 ont une fonction inconnue, ce qui suggère qu'il nous reste encore à découvrir un nombre surprenant de mécanismes moléculaires fondamentaux qui sous-tendent la vie cellulaire.

Figure 8-73 La formation d'une banque d'organismes mutants. (A) Une cassette de délétion, utilisée dans les levures, contient des séquences homologues à chaque extrémité du gène cible x (en *rouge*), un marqueur pouvant être sélectionné (en *bleu*) et une séquence « code barre » unique, d'environ 20 paires de nucléotides de long (en *vert*). Cet ADN est introduit dans les levures, où il remplace facilement le gène cible par recombinaison homologue. (B) Une approche similaire permet de préparer des mutants inactivés marqués d'*Arabidopsis* et de *Drosophila*. Dans ce cas, les mutants sont engendrés par l'insertion accidentelle d'un élément transposable dans le gène cible. Tout l'ADN issu de l'organisme qui en résulte est recueilli et rapidement examiné pour rechercher une interruption du gène à étudier en utilisant des amorces PCR qui se fixent sur l'élément transposable et sur le gène cible. Le produit de la PCR n'est détecté sur le gel que si l'élément transposable s'est inséré dans le gène cible.

Résumé

La génétique et le génie génétique sont des instruments puissants qui permettent l'étude de la fonction des gènes dans les cellules et les organismes. L'approche génétique classique couple une mutagenèse survenue au hasard à un criblage qui identifie les mutants déficients en un processus biologique particulier. Ces mutants servent ensuite à localiser et étudier les gènes responsables de ce processus.

La fonction des gènes est aussi déterminée par des techniques de génétique inverse. Les méthodes de modification génétique de l'ADN sont utilisées pour entraîner des mutations sur n'importe quel gène puis pour le réinsérer dans le chromosome d'une cellule afin qu'il devienne une partie permanente du génome. Si les cellules utilisées pour ce transfert sont des ovules fécondés (pour un animal) ou des cellules végétales totipotentes en culture, des organismes transgéniques peuvent être produits, exprimer le gène mutant et le transmettre à leur descendance. Cette capacité à modifier des cellules et des organismes de façon hautement spécifique est particulièrement importante en biologie cellulaire – car elle nous permet de discerner les effets, sur la cellule ou sur l'organisme, d'une modification particulière dans une seule protéine ou une molécule d'ARN.

Beaucoup de ces méthodes ont été étendues pour rechercher la fonction d'un gène à l'échelle du génome. Des technologies comme les micropuces d'ADN sont utilisées pour suivre simultanément l'expression de milliers de gènes et fournir des instantanés détaillés et complets du modèle dynamique de l'expression génique qui sous-tend les processus cellulaires complexes. Et la formation de banques de mutants dans lesquels chaque gène d'un organisme a été systématiquement éliminé ou interrompu fournira un instrument inestimable d'exploration du rôle de chaque gène dans la collaboration moléculaire complexe qui engendre la vie.

Bibliographie

Généralités

Ausubel FM, Brent R, Kingston RE et al. (eds) (1999) Short Protocols in Molecular Biology, 4th edn. New York: Wiley.

Brown TA (1999) Genomes. New York: Wiley-Liss.

Spector DL, Goldman RD, Leinwand LA (eds) (1998) Cells: A Laboratory Manual. Cold Spring Harbor, NY: Cold Spring Harbor Laboratory Press.

Watson JD, Gilman M, Witkowski J & Zoller M (1992) Recombinant DNA, 2nd edn. New York: WH Freeman.

L'isolement des cellules et leur mise en culture

Cohen S, Chang A, Boyer H & Helling R (1973) Construction of biologically functional bacterial plasmids in vitro. Proc. Natl. Acad. Sci. USA 70, 3240–3244.

Emmert-Buck, MR, Bonner RF, Smith PD et al. (1996) Laser capture microdissection. Science 274, 998–1001.

Freshney RI (2000) Culture of Animal Cells: A Manual of Basic Technique, 4th edn. New York: Wiley.

Ham RG (1965) Clonal growth of mammalian cells in a chemically defined, synthetic medium. Proc. Natl. Acad. Sci. USA 53, 288–293.

Harlow E & Lane D (1999) Using Antibodies: A Laboratory Manual. Cold Spring Harbor, NY: Cold Spring Harbor Laboratory Press.

Herzenberg LA, Sweet RG & Herzenberg LA (1976) Fluorescence-activated cell sorting. Sci. Am. 234(3), 108–116.

Jackson D, Symons R & Berg P (1972) Biochemical method for inserting new genetic information into DNA of simian virus 40: circular SV40 DNA molecules containing lambda phage genes and the galactose operon of Escherichia coli. Proc. Natl. Acad. Sci. USA 69, 2904–2909.

Levi-Montalcini R (1987) The nerve growth factor thirty-five years later. Science 237, 1154–1162.

Milstein C (1980) Monoclonal antibodies. Sci. Am. 243(4), 66–74.

Fractionnement cellulaire

de Duve C & Beaufay H (1981) A short history of tissue fractionation. Cell Biol. 91, 293s–299s.

Laemmli UK (1970) Cleavage of structural proteins during the assembly of the head of bacteriophage T4. Nature 227, 680–685.

Nirenberg MW & Matthaei JH (1961) The dependence of cell-free protein synthesis in E. coli on naturally occurring or synthetic polyribonucleotides. Proc. Natl. Acad. Sci. USA 47, 1588–1602.

O'Farrell PH (1975) High-resolution two-dimensional electrophoresis of proteins. J. Biol. Chem. 250, 4007–4021.

Palade G (1975) Intracellular aspects of the process of protein synthesis. Science 189, 347–358.

Pandey A & Mann M (2000) Proteomics to study genes and genomes. Nature 405, 837–846.

Scopes RK & Cantor CR (1993) Protein Purification: Principles and Practice, 3rd edn. New York: Springer-Verlag.

Yates JR (1998) Mass spectrometry and the age of the proteome. J. Mass. Spectrom. 33, 1–19.

Isolement, clonage et séquençage de l'ADN

Adams MD, Celniker SE, Holt RA et al. (2000) The genome sequence of Drosophila melanogaster. Science 287, 2185–2195.

Alwine JC, Kemp DJ & Stark GR (1977) Method for detection of specific RNAs in agarose gels by transfer to diabenzyloxymethyl-paper and hybridization with DNA probes. Proc. Natl. Acad. Sci. USA 74, 5350–5354.

Blattner FR, Plunkett G, Bloch CA et al. (1997) The complete genome sequence of Escherichia coli K-12. Science 277, 1453–1474.

Hunkapiller T, Kaiser RJ, Koop BK & Hood L Large-scale and automated DNA sequence determination. Science 254, 59–67.

International Human Genome Sequencing Consortium (2000) Initial sequencing and analysis of the human genome. Nature 409, 860–921.

Maniatis T et al. (1978) The isolation of structural genes from libraries of eucaryotic DNA. Cell 15, 687–701.

Saiki RK, Gelfand DH, Stoffel S et al. (1988) Primer-directed enzymatic amplification of DNA with a thermostable DNA polymerase. Science 239, 487–491.

Sambrook J, Russell D (2001) Molecular Cloning: A Laboratory Manual, 3rd edn. Cold Spring Harbor, NY: Cold Spring Harbor Laboratory Press.

Sanger F, Nicklen S & Coulson AR (1977) DNA sequencing with chain-terminating inhibitors. Proc. Natl. Acad. Sci. USA 74, 5463–5467.

Southern EM (1975) Detection of specific sequences among DNA fragments separated by gel electrophoresis. J. Mol. Biol. 98, 503–517.

The Arabidopsis Genome Initiative (2000) Analysis of the genome sequence of the flowering plant Arabidopsis thaliana. Nature 408, 796–815.

The C. elegans Sequencing Consortium (1998) Genome sequence of the nematode C. elegans: a platform for investigating biology. Science 282, 2012–2018.

Venter JC, Adams MA, Myers EW et al. (2000) The sequence of the human genome. Science 291, 1304–1351.

Analyse de la structure et de la fonction des protéines

Bamdad C (1997) Surface plasmon resonance for measurements of biological interest, in Current Protocols in Molecular Biology (FM Ausubel, R Brent, RE Kingston et al. eds), pp 20.4.1–20.4.12. New York: Wiley.

Branden C & Tooze J (1999) Introduction to Protein Structure, 2nd edn. New York: Garland Publishing.

Fields S & Song O (1989) A novel genetic system to detect protein–protein interactions. Nature 340, 245–246.

Kendrew JC (1961) The three-dimensional structure of a protein molecule. Sci. Am. 205(6), 96–111.

MacBeath G & Schreiber SL (2000) Printing proteins as microarrays for high-throughput function determination. Science 289, 1760–1763.

Miyawaki A, Tsien RY (2000) Monitoring protein conformations and interactions by fluorescence resonance energy transfer between mutants of green fluorescent protein. Methods Enzymol. 327, 472–500.

Sali A & Kuriyan J (1999) Challenges at the frontiers of structural biology. Trends Genet. 15, M20–M24.

Wuthrich K (1989) Protein structure determination in solution by nuclear magnetic resonance spectroscopy. Science 243, 45–50.

Étude de l'expression et de la fonction des gènes

Botstein D, White RL, Skolnick M & Davis RW (1980) Construction of a genetic linkage map in man using restriction fragment length polymorphisms. Am. J. Hum. Genet. 32, 314–331.

Brent R (2000) Genomic Biology. Cell 100, 169–182.

Capecchi MR (2001) Generating Mice with Targeted Mutations. Nat. Med. 7, 1086–1090.

Coelho PS, Kumar A & Snyder M (2000) Genome-wide mutant collections: toolboxes for functional genomics. Curr. Opin. Microbiol. 3, 309–315.

DeRisi JL, Iyer VR & Brown PO (1997) Exploring the metabolic and genetic control of gene expression on a genomic scale. Science 278, 680–686.

Eisenberg D, Marcotte EM, Xenarios I & Yeates TO (2000) Protein function in the post-genomic era. Nature 415, 823–826.

Enright AJ, Illiopoulos I, Kyrpides NC & Ouzounis CA (1999) Protein interaction maps for complete genomes based on gene fusion events. Nature 402, 86–90.

Hartwell LH, Hood L, Goldberg ML et al. (2000) Genetics: From Genes to Genomes. Boston: McGraw-Hill.

Lockhart DJ & Winzeler EA (2000) Genomics, gene expression and DNA arrays. Nature 405, 827–836, 2000.

Nusslein-Volhard C & Weischaus E (1980) Mutations affecting segment number and polarity in Drosophila. Nature 287, 795–801.

Palmiter RD & Brinster RL (1986) Germ line transformation of mice. Annu. Rev. Genet. 20, 465–499.

Rubin GM & Sprading AC (1982) Genetic transformation of Drosophila with transposable element vectors. Science 218, 348–353.

Tabara H, Grishok A & Mello CC (1998) RNAi in C. elegans: soaking in the genome sequence. Science 282, 430–431.

Weigel D & Glazebrook J (2001) Arabidopsis: A Laboratory Manual. Cold Spring Harbor, NY: Cold Spring Harbor Laboratory Press.

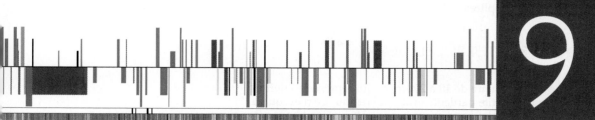

9

COMMENT OBSERVER
LES CELLULES

Les cellules sont petites et complexes. Il est difficile de voir leurs structures, de découvrir leur composition moléculaire et encore plus de se rendre compte du mode de fonctionnement de leurs divers composants. Tout ce que nous pouvons apprendre sur les cellules dépend des instruments dont nous disposons et les progrès majeurs de la biologie cellulaire sont souvent arrivés après l'introduction de nouvelles techniques. Pour comprendre la biologie cellulaire contemporaine, il est donc nécessaire de connaître quelque peu ces méthodes.

Dans ce chapitre, nous verrons rapidement un certain nombre des principales méthodes de microscopie utilisées pour l'étude des cellules. Une des conditions préalables indispensables pour comprendre le mode de fonctionnement des cellules est de comprendre leur organisation structurale. La microscopie optique sera notre point de départ parce que la biologie cellulaire a commencé avec le microscope optique et celui-ci reste encore un instrument indispensable. Récemment, la microscopie optique a même pris encore plus d'importance, en permettant largement le développement de méthodes de marquage spécifique et d'imagerie des différents constituants cellulaires et la reconstruction de leur architecture tridimensionnelle. Un des avantages majeurs de la microscopie optique est que la lumière est relativement peu destructrice. Le marquage des composants cellulaires spécifiques par des marqueurs fluorescents, comme la protéine de fluorescence verte (GFP), nous permet d'observer leurs mouvements et leurs interactions dans les cellules vivantes et les organismes.

La microscopie optique est limitée par la finesse des détails qu'elle révèle. Des microscopes qui utilisent d'autres types de radiations – en particulier les microscopes électroniques – permettent de visualiser des structures bien plus petites que celles observables avec la lumière visible. Mais cela a un prix : la préparation des spécimens de microscopie électronique est bien plus complexe et il est bien plus difficile d'être certain que ce que nous voyons sur l'image correspond précisément à la véritable structure que nous examinons. Il est maintenant possible, cependant, de conserver fidèlement les structures pour leur observation en microscopie électronique par une congélation très rapide. L'analyse informatisée de l'image peut servir à reconstruire l'objet en trois dimensions à partir de multiples vues inclinées. Ces deux approches permettent d'augmenter la résolution et la portée de la microscopie à tel point que nous pouvons commencer à nous représenter la structure des macromolécules.

Même si ces méthodes ont une importance fondamentale, c'est ce que nous découvrons grâce à elles qui les rend intéressantes. Ce chapitre est donc destiné à servir plutôt de référence et à être lu associé aux chapitres suivants de ce livre et non pas comme une introduction à ces chapitres.

L'OBSERVATION DES STRUCTURES CELLULAIRES EN MICROSCOPIE

Une cellule animale typique a un diamètre de 10 à 20 µm, ce qui représente environ un cinquième de la taille de la plus petite particule visible à l'œil nu. Ce n'est qu'au début du dix-neuvième siècle, lorsque les bons microscopes optiques sont apparus, que nous avons découvert que tous les tissus végétaux et animaux étaient des agrégats de cellules individuelles. Cette découverte, proposée comme **doctrine cellulaire** par Schleiden et Schwann en 1838, a marqué la naissance officielle de la biologie cellulaire.

Les cellules animales ne sont pas seulement minuscules, elles sont aussi transparentes et incolores. Par conséquent, la découverte de leurs principales caractéristiques internes fut la conséquence du développement, à la fin du dix-neuvième siècle, de divers colorants qui fournissaient un contraste suffisant pour les rendre visibles. De même, l'introduction du microscope électronique, de loin beaucoup plus puissant, au début de 1940 a nécessité le développement de nouvelles techniques de conservation et de coloration des cellules avant que toute la complexité de leur fine structure interne normale commence à émerger. Actuellement, la microscopie dépend autant des techniques de préparation des spécimens que de la performance du microscope lui-même. Dans les discussions qui suivront, nous considérerons donc à la fois l'instrument et la préparation du spécimen, en commençant par le microscope optique.

La figure 9-1 montre une série d'images qui illustre une progression imaginaire dont le point de départ est un pouce et la fin son amas d'atomes. Chaque image successive représente l'augmentation par 10 du grossissement. L'œil nu peut voir les caractéristiques des deux premiers dessins, la résolution du microscope optique s'étend jusqu'au quatrième dessin environ et la microscopie électronique jusqu'au septième. Certaines des étapes majeures du développement de la microscopie optique sont présentées dans le tableau 9-I. La figure 9-2 présente la taille de diverses structures cellulaires et subcellulaires ainsi que la gamme des tailles que les différents types de microscopes peuvent visualiser.

La résolution du microscope optique permet de visualiser des détails espacés de 0,2 µm

Un type donné de radiations ne peut, en général, être utilisé pour sonder des détails structuraux inférieurs à sa propre longueur d'onde. C'est une limitante fonctionnelle de tous les microscopes. La limite ultime de la résolution d'un microscope optique et donc posée par la longueur d'onde de la lumière visible, qui varie de 0,4 µm (pour le violet) à 0,7 µm (pour le rouge profond). En termes pratiques, les bactéries et les mitochondries dont la largeur est d'environ 500 nm (0,5 µm) représentent généralement le plus petit objet dont la forme peut être clairement discernée en **microscopie optique** ; les détails plus petits sont obscurcis par les effets résultant de la nature de l'onde lumineuse. Pour comprendre pourquoi cela se produit, nous devons suivre ce qui arrive à un rayon d'onde lumineuse lorsqu'il traverse la lentille d'un microscope (Figure 9-3).

Du fait de la nature de son onde, la lumière ne suit pas exactement le faisceau lumineux droit prévu par les optiques géométriques. Par contre, l'onde lumineuse se déplace à travers un système optique en empruntant diverses routes légèrement différentes de telle sorte qu'elles interfèrent l'une avec l'autre et entraînent une *diffraction optique*. Si les deux trains d'ondes qui atteignent le même point par différentes voies sont précisément *en phase*, avec le pic correspondant au pic et le creux correspondant au creux, ils se renforceront l'un l'autre et augmenteront la brillance. Par contre, si les trains d'onde sont en *décalage de phase*, ils interféreront l'un avec l'autre de telle sorte qu'ils s'annuleront partiellement ou complètement (Figure 9-4). L'interaction entre la lumière et un objet modifie les relations de phase de l'onde lumineuse et produit des effets d'interférence complexes. Au fort grossissement, par exemple, l'ombre d'une bordure droite uniformément illuminée par une lumière de longueur d'onde uniforme apparaît comme un ensemble de lignes parallèles, alors que celle d'un point circulaire apparaît comme un ensemble de cercles concentriques

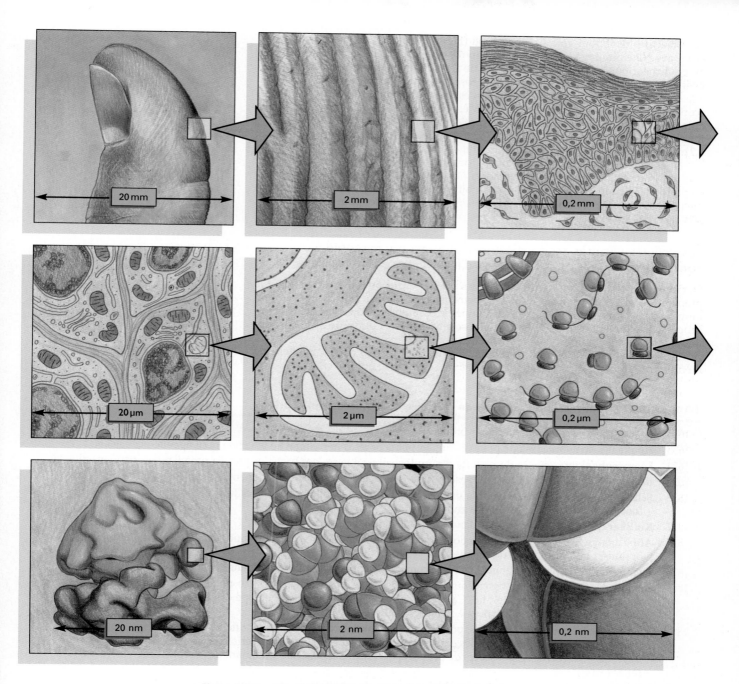

Figure 9-1 Une idée de l'échelle entre les cellules vivantes et les atomes. Chaque dessin montre l'image grossie d'un facteur 10 d'une progression imaginaire qui part d'un pouce, passe par les cellules de la peau, puis les ribosomes, jusqu'à un amas d'atomes formant une partie d'une des nombreuses molécules de notre organisme. Les détails de la structure moléculaire, montrés dans les deux derniers dessins, dépassent la puissance du microscope électronique.

(Figure 9-5). Pour la même raison, un point unique vu au microscope apparaît comme un disque trouble et deux objets ponctuels proches l'un de l'autre donnent des images qui se chevauchent et peuvent n'en former qu'une seule. Aucun perfectionnement de la lentille ne peut surmonter cette limite imposée par la nature ondulatoire de la lumière.

La distance à laquelle deux objets séparés peuvent encore être distingués – appelée **limite de résolution** – dépend à la fois de la longueur d'onde de la lumière et de l'*ouverture numérique* du système de lentille utilisé. Cette dernière quantité représente la mesure de la profondeur de l'objectif du microscope, dont l'échelle est fonction de sa distance avec l'objet ; on peut dire que plus le microscope ouvre largement son objectif plus il peut voir avec précision (Figure 9-6). Sous les meilleures conditions, avec une lumière violette (de longueur d'onde 0,4 μm) et une ouverture de 1,4, on peut théoriquement obtenir une limite de résolution juste inférieure à 0,2 μm en microscopie optique. Des fabricants de microscopes ont pu atteindre cette résolution à la fin du dix-neuvième siècle, mais elle n'est que rarement atteinte par les microscopes contemporains produits en usine. Même s'il est possible d'agrandir l'image autant que l'on veut – par exemple, en la projetant sur un écran – la résolution de la microscopie optique ne permet jamais d'observer deux objets séparés par moins de 0,2 μm ; ils apparaissent sous forme d'un seul objet.

Nous verrons ensuite comment nous pouvons exploiter l'interférence et la diffraction pour étudier des cellules vivantes non colorées. Nous verrons également comment fabriquer des préparations cellulaires permanentes pour les observer en microscopie optique et comment utiliser les colorants chimiques pour améliorer l'observation des structures cellulaires dans ces préparations.

Les cellules vivantes sont clairement vues en microscopie à contraste de phase ou à contraste d'interférence différentielle

Le risque que certains composants cellulaires soient perdus ou déformés pendant la préparation du spécimen a toujours défié ceux qui regardent au microscope. Le seul moyen sûr d'éviter ce problème est d'examiner les cellules vivantes, sans les fixer ni les congeler. Pour y arriver, certains microscopes optiques dotés de systèmes optiques spécifiques sont particulièrement intéressants.

Lorsque la lumière traverse une cellule vivante, la phase de l'onde lumineuse est modifiée selon l'indice de réfraction de la cellule : la lumière qui traverse une partie

TABLEAU 9-1 Découvertes marquantes de l'histoire de la microscopie optique

1611	**Kepler** suggère comment fabriquer un microscope.
1655	**Hooke** utilise un microscope pour décrire les petits pores d'une coupe de bouchon qu'il appelle «cellules».
1674	**Leeuwenhoek** présente sa découverte des protozoaires. Il verra des bactéries pour la première fois neuf ans plus tard.
1833	**Brown** publie ses observations microscopiques des orchidées, et décrit clairement le noyau cellulaire.
1838	**Schleiden** et **Schwann** proposent la théorie de la cellule et établissent que la cellule nucléée est l'unité structurelle et fonctionnelle des végétaux et des animaux.
1857	**Kolliker** décrit les mitochondries dans les cellules musculaires.
1876	**Abbé** analyse les effets de la diffraction sur la formation d'une image dans le microscope et montre comment optimiser la conception d'un microscope.
1879	**Flemming** décrit avec une grande clarté le comportement des chromosomes pendant la mitose chez les animaux.
1881	**Retzius** décrit beaucoup de tissus animaux avec des détails jamais dépassés par un autre microscope optique. Durant les deux décennies suivantes, lui, Cajal et d'autres histologistes ont développé des méthodes de coloration et ont établi les fondements de l'anatomie microscopique.
1882	**Koch** utilise les colorants à l'aniline pour colorer les micro-organismes et identifie les bactéries responsables de la tuberculose et du choléra. Dans les deux décennies suivantes, d'autres bactériologistes comme **Klebs** et **Pasteur** identifient les agents responsables de beaucoup d'autres maladies en examinant des préparations colorées en microscopie.
1886	**Zeiss** fabrique, selon la conception d'**Abbé,** une série de lentilles qui ont permis aux observateurs d'obtenir une résolution des structures à la limite théorique de la lumière visible.
1898	**Golgi** est le premier à observer et a décrire l'appareil de Golgi en colorant des cellules avec du nitrate d'argent.
1924	**Lacassagne** et ses collaborateurs développent la première méthode d'autoradiographie pour localiser le polonium radiographique dans des spécimens biologiques.
1930	**Lebedeff** conçoit et fabrique le premier microscope à interférence. En 1932, **Zernicke** invente le microscope à contraste de phase. Ces deux développements ont permis d'observer pour la première fois les détails des cellules vivantes non colorées.
1941	**Coons** utilise des anticorps couplés à des colorants fluorescents pour détecter des antigènes cellulaires.
1952	**Nomarski** imagine et brevète le système de contraste d'interférence différentielle pour la microscopie optique ; celui-ci porte encore son nom.
1968	**Petran** et ses collaborateurs fabriquent le premier microscope confocal.
1981	**Allen** et **Inoué** perfectionnent la microscopie optique améliorée par vidéo.
1984	**Agar** et **Sédat** utilisent la déconvolution informatisée pour reconstruire les noyaux polyténiques de *Drosophila*.
1988	Les microscopes confocaux du commerce sont largement utilisés.
1994	**Chalfie** et ses collaborateurs introduisent la protéine de fluorescence verte (GFP) comme marqueur en microscopie.

Figure 9-2 Pouvoir de résolution. Les tailles des cellules et de leurs composants sont dessinées sur une échelle logarithmique, indiquant l'éventail des objets facilement observés à l'œil nu, en microscopie optique et électronique. Les unités suivantes de longueur sont fréquemment employées en microscopie :
μm (micromètre) = 10^{-6}m
nm (nanomètre) = 10^{-9}m
Å (Angström) = 10^{-10}m

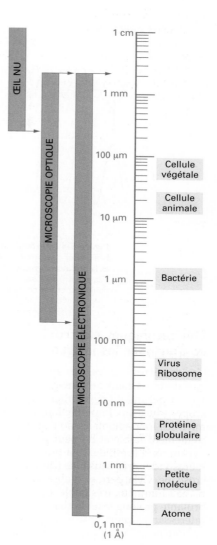

relativement épaisse ou dense de la cellule, comme le noyau, est retardée ; sa phase est, par conséquent, décalée par rapport à la lumière qui traverse une région adjacente cytoplasmique plus fine. Le **microscope à contraste de phase** et le **microscope à contraste d'interférence différentielle**, encore plus complexe, exploitent les interférences produites lorsque ces deux trains d'ondes se ré-associent, et créent ainsi une image de la structure cellulaire (Figure 9-7). Ces deux types de microscopie optique sont largement utilisés pour observer les cellules vivantes.

Une façon simple de voir certaines caractéristiques d'une cellule vivante consiste à observer la lumière éparpillée par ses divers composants. En **microscopie sur fond noir**, les rayons lumineux qui éclairent sont dirigés à partir des côtés de telle sorte que seule la lumière diffuse entre dans les lentilles du microscope. Par conséquent, la cellule apparaît comme un objet brillant sur fond noir. En **microscopie** normale **sur fond clair**, l'image est obtenue par la simple transmission de la lumière à travers une cellule en culture. Les images de la même cellule, obtenues par quatre types de microscopie optique sont montrées dans la figure 9-8.

Les techniques de microscopie à contraste de phase, à contraste d'interférence différentielle et sur fond noir permettent de voir les mouvements impliqués dans certains processus comme la mitose et la migration cellulaire. Comme beaucoup de mouvements cellulaires sont trop lents pour être observés en temps réel, il est souvent utile de prendre des photos ou un enregistrement vidéo des mouvements à intervalle de temps. Dans ce cas, les images successives séparées par un court laps de temps sont enregistrées, et lorsqu'on fait avancer à vitesse normale la série d'images résultantes ou la cassette vidéo, les événements apparaissent largement accélérés.

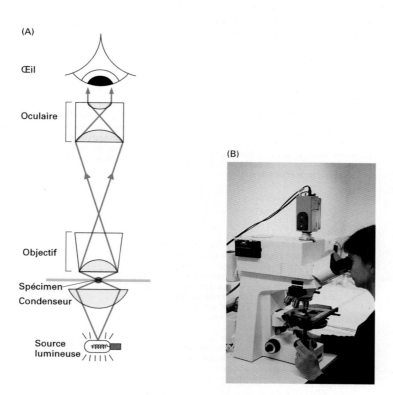

Figure 9-3 Microscope optique. (A) Schéma montrant le trajet lumineux d'un microscope. La lumière est concentrée sur le spécimen par les lentilles du condenseur. Plusieurs lentilles d'objectif et lentilles d'oculaire permettent de concentrer l'image du spécimen éclairé dans l'œil. (B) Microscope optique de recherche moderne.

DEUX ONDES EN PHASE   DEUX ONDES EN DÉCALAGE DE PHASE

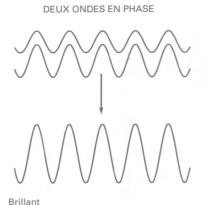

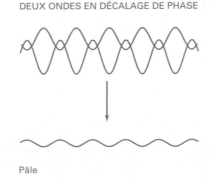

Pâle

Brillant

Figure 9-5 Effet de bordure. Interférences observées au fort grossissement lorsque la lumière passe au niveau de la bordure d'un objet solide placé entre la source de lumière et l'observateur.

Figure 9-4 Interférences entre les ondes lumineuses. Lorsque deux ondes lumineuses s'associent en phase, l'amplitude de l'onde résultante est plus grande et la brillance augmente. Deux ondes lumineuses qui sont en décalage de phase s'annulent l'une l'autre partiellement et engendrent une baisse de l'amplitude de l'onde, et par conséquent de la brillance.

Des techniques électroniques permettent d'améliorer et d'analyser les images

Ces dernières années, des systèmes d'imagerie électronique associés aux technologies de **traitement de l'image** ont eu un impact majeur sur la microscopie optique. Ils ont permis de surmonter largement certaines limitations pratiques des microscopes (dues aux imperfections du système optique). Ils ont aussi contourné deux limitantes fondamentales de l'œil humain : l'œil ne voit pas bien si la lumière est extrêmement faible et ne peut percevoir les petites différences d'intensité lumineuse sur un fond lumineux. La première limitante a été surmontée par la fixation de caméras vidéo très sensibles (du type utilisé pour la surveillance nocturne) sur le microscope. Cela permet d'observer les cellules pendant une longue période avec un niveau lumineux très faible, et évite ainsi les dommages provoqués par une lumière brillante prolongée (et la chaleur). Ces caméras à basse lumière sont particulièrement intéressantes pour observer les molécules fluorescentes dans les cellules vivantes, comme nous l'expliquerons ultérieurement.

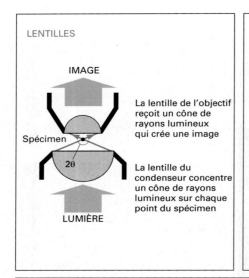

LENTILLES

IMAGE

La lentille de l'objectif reçoit un cône de rayons lumineux qui crée une image

Spécimen

2θ

La lentille du condenseur concentre un cône de rayons lumineux sur chaque point du spécimen

LUMIÈRE

RÉSOLUTION: le pouvoir de résolution du microscope dépend de la largeur du cône d'illumination et de ce fait à la fois de la lentille du condenseur et de celle de l'objectif. Il est calculé par la formule suivante :

$$\text{Résolution} = \frac{0,61\,\lambda}{n\sin\theta}$$

Avec :

θ = moitié de l'angle du cône des rayons recueillis par la lentille de l'objectif à partir d'un point typique du spécimen (comme la largeur maximale est de 180°, sin θ a une valeur maximale de 1)

n = index de réfraction du milieu (en général l'air ou l'huile) qui sépare le spécimen des lentilles de l'objectif et du condenseur

λ = longueur d'onde de la lumière (pour la lumière blanche, une valeur de 0,53 μm est communément utilisée).

Figure 9-6 Ouverture numérique. Le trajet du rayon lumineux qui traverse un spécimen transparent dans un microscope illustre le concept de l'ouverture numérique et sa relation avec les limites de résolution.

OUVERTURE NUMÉRIQUE : *n* sin θ dans l'équation ci-dessus s'appelle ouverture numérique de la lentille (NA pour *numerical aperture*) et est fonction de sa capacité à recueillir la lumière. Pour les lentilles sèches cela ne peut dépasser 1 mais pour les lentilles à immersion dans l'huile elle peut être aussi élevée que 1,4. Plus l'ouverture numérique est grande, plus la résolution et la brillance de l'image sont grandes (la brillance est importante en microscopie à fluorescence). Cependant, cet avantage s'obtient aux dépens d'une distance de travail très courte et d'une profondeur de champ très faible.

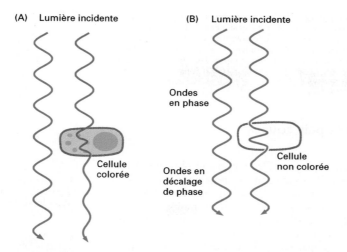

(A) Lumière incidente   (B) Lumière incidente

Ondes en phase

Cellule colorée

Ondes en décalage de phase

Cellule non colorée

Figure 9-7 Deux façons d'obtenir un contraste en microscopie optique.
(A) les portions colorées de la cellule réduisent l'amplitude des ondes lumineuses de longueurs d'ondes particulières qui les traversent. On obtient ainsi une image colorée de la cellule. (B) La lumière qui traverse les cellules vivantes non colorées subit très peu de modifications de son amplitude et les détails structuraux ne peuvent être observés même si l'image est fortement grossie. La phase de la lumière, cependant, est modifiée par son passage à travers la cellule et les légères différences de phase peuvent être rendues visibles par l'exploitation des interférences en utilisant un microscope à contraste de phase ou à contraste d'interférence différentielle.

Comme les images produites par les caméras sont sous forme électronique, elles sont facilement mises sous forme digitale, introduites dans un ordinateur et traitées de diverses façons pour en extraire les informations latentes. Ce traitement de l'image permet de compenser diverses erreurs optiques des microscopes et d'atteindre la limite théorique de résolution. De plus, par le traitement électronique de l'image, le contraste peut être fortement amélioré afin de surmonter les limitantes de l'œil sur le plan de la détection des faibles différences d'intensité lumineuse. Bien que ce traitement accentue également les irrégularités aléatoires de l'arrière-fond dans le système optique, ces anomalies peuvent être éliminées en soustrayant électroniquement une image d'une zone blanche du champ. Les petits objets transparents, impossibles à distinguer de l'arrière-fond auparavant, deviennent alors visibles.

Le fort contraste atteint par la microscopie à contraste d'interférence différentielle assistée par ordinateur permet de voir de très petits objets comme des microtubules (Figure 9-9), dont le diamètre, de 0,025 µm, est inférieur au dixième de la longueur d'onde de la lumière. Les microtubules peuvent aussi s'observer individuellement en microscopie à fluorescence s'ils sont marqués par fluorescence (*voir* Figure 9-15). Dans les deux cas, cependant, la diffraction inévitable donne une image très floue de telle sorte que les microtubules apparaissent avec une largeur de 0,2 µm, ce qui ne permet pas de distinguer un microtubule d'un faisceau de plusieurs microtubules.

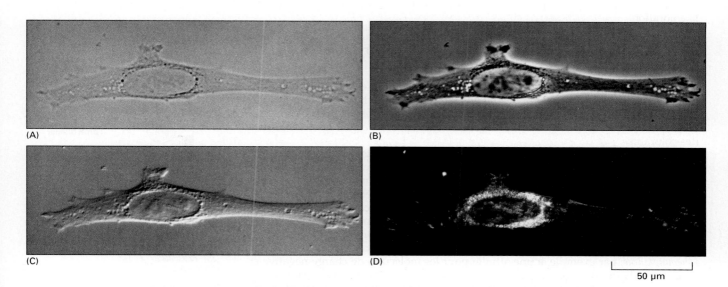

50 µm

Figure 9-8 Quatre types de microscopie optique. Voici quatre images du même fibroblaste en culture. Celles-ci peuvent être obtenues avec les microscopes les plus modernes en interchangeant les composants optiques. (A) Microscopie sur fond clair. (B) Microscopie à contraste de phase. (C) Microscopie à contraste d'interférence différentielle de Nomarski. (D) Microscopie sur fond noir.

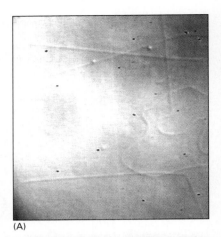

Figure 9-9 Traitement de l'image. (A) Des microtubules non colorés sont sur une image digitale non traitée, obtenue en microscopie à contraste d'interférence différentielle. (B) L'image a maintenant été traitée, d'abord en soustrayant numériquement le fond non uniformément éclairé puis en améliorant numériquement le contraste. Le résultat de ce traitement donne une image bien plus interprétable. Notez que les microtubules sont dynamiques et que certains changent de position ou de longueur entre les deux images. (Due à l'obligeance de Viki Allan.)

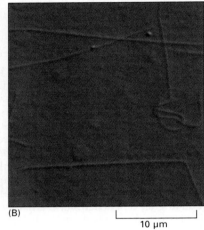

(A)

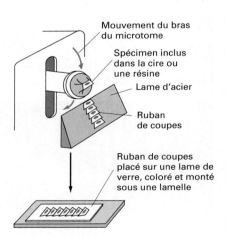

(B)

$\overline{\quad\quad}$ 10 µm

Les tissus sont généralement fixés puis coupés pour l'étude en microscopie

Pour obtenir une préparation permanente qui peut être colorée et observée à loisir au microscope, il faut d'abord traiter les cellules avec un fixateur pour les immobiliser, les tuer et les conserver. En termes chimiques, la **fixation** rend les cellules perméables aux réactifs colorés et réunit transversalement leurs macromolécules de telle sorte qu'elles sont stabilisées et bloquées en position. Certaines des premières techniques de fixation impliquaient l'immersion dans des acides ou des solvants organiques comme l'alcool. Les procédures actuelles comportent généralement un traitement par des réactifs aldéhydes, en particulier le formaldéhyde et le glutaraldéhyde, qui forment des liaisons covalentes avec les groupements amines libres des protéines et relient ainsi transversalement les molécules protéiques adjacentes.

La plupart des tissus sont trop épais pour que leurs cellules soient examinées individuellement directement à haute résolution. Par conséquent, après leur fixation, les tissus sont généralement très finement coupés au *microtome*, une machine dont la lame aiguisée opère comme un couteau à viande (Figure 9-10), pour obtenir des **coupes** ou **sections**. La coupe (dont l'épaisseur typique est de 1 à 10 µm) est alors posée à plat à la surface d'une lame de microscope.

Comme les tissus sont généralement mous et fragiles, même après fixation, ils doivent être encastrés dans un milieu de soutien avant leur section. Le milieu d'encastrement habituel est la cire ou la résine. Sous forme liquide, ces milieux imprègnent et entourent les tissus fixés ; ils sont ensuite durcis (par refroidissement ou polymérisation) pour former un bloc solide facilement sectionné au microtome.

Il existe un risque important que le traitement utilisé pour la fixation et l'incrustation altère la structure des cellules ou de ses constituants moléculaires de façon indésirable. La congélation rapide constitue une autre méthode de préparation qui, à un certain degré, évite ce problème en éliminant la nécessité d'une fixation et d'une incrustation. Le tissu congelé peut être directement coupé avec un microtome spécifique qui est maintenu en chambre froide. Même si les *coupes congelées* ainsi produites évitent certains artefacts, elles en présentent d'autres : les structures natives des molécules individuelles comme les protéines sont bien conservées, mais la structure fine des cellules est souvent détruite par les cristaux de glace.

Après la section, quelle qu'en soit la méthode, l'étape suivante est généralement la coloration.

Les différents composants de la cellule peuvent être colorés sélectivement

Peu de choses à l'intérieur de la majorité des cellules (composées de 70 p. 100 d'eau par poids) empêchent le passage des rayons lumineux. De ce fait, dans leur état naturel, la plupart des cellules, même fixées et coupées, sont presque invisibles en microscopie optique ordinaire. Une des façons de les visualiser est de les colorer avec des colorants.

Au début du dix-neuvième siècle, la demande en colorants pour teindre les textiles a conduit à une période féconde de la chimie organique. Certains de ces colorants teintaient également les tissus biologiques et, de façon inattendue, montraient souvent une préférence pour des parties particulières de la cellule – par exemple le noyau ou les mitochondries – rendant ces structures internes clairement visibles. De nos jours, un grand nombre de colorants organiques sont disponibles, dont certains ont un nom pittoresque comme le *vert malachite*, le *noir soudan* ou le *bleu de Coomassie*, et chacun une affinité spécifique pour des composants subcellulaires particuliers. L'*hématoxyline*, par exemple, a une affinité pour les molécules de charge négative et révèle ainsi la distribution de l'ADN, de l'ARN et des protéines acides dans la cellule (Figure 9-11). On ne connaît pas cependant les bases chimiques de la spécificité de nombreux colorants.

Le manque relatif de spécificité de ces colorants au niveau moléculaire a stimulé la conception de procédures de coloration plus rationnelles et sélectives, et, en par-

Mouvement du bras du microtome

Spécimen inclus dans la cire ou une résine

Lame d'acier

Ruban de coupes

Ruban de coupes placé sur une lame de verre, coloré et monté sous une lamelle

Figure 9-10 Fabrication de coupes tissulaires. Ce dessin montre comment un tissu inclus est découpé avec un microtome pour préparer son examen en microscopie optique.

ticulier, de méthodes pour révéler les protéines spécifiques ou d'autres macromolécules dans les cellules. Il est cependant problématique d'atteindre une bonne sensibilité. Comme il y a relativement peu de copies de la plupart des macromolécules dans une cellule donnée, une ou deux molécules de colorant qui se fixent sur chaque macromolécule restent souvent invisibles. Une des solutions à ce problème consiste à augmenter le nombre de molécules de colorants associées à une seule macromolécule. On peut ainsi localiser certaines enzymes dans les cellules grâce à leur activité catalytique : lorsqu'on leur fournit des molécules de substrat adaptées, chaque molécule enzymatique engendre un grand nombre de molécules de produit réactif, localisé et visible. Une autre approche de ce problème de sensibilité, d'application bien plus générale, dépend de l'utilisation de colorants fluorescents, comme nous l'expliquerons dans le paragraphe suivant.

La microscopie à fluorescence permet de localiser des molécules spécifiques dans les cellules

Les molécules fluorescentes absorbent la lumière à une certaine longueur d'onde et l'émettent à une autre. Si ce composé est illuminé à sa longueur d'onde d'absorption, puis observé à travers un filtre qui ne laisse passer que la lumière de la longueur d'onde d'émission, on le voit briller sur fond noir. Comme l'arrière-fond est noir, on peut détecter même une quantité minuscule de colorant brillant fluorescent. Avec un colorant ordinaire, le même nombre de molécules, observées de façon conventionnelle, seraient pratiquement invisibles parce qu'elles ne donneraient qu'une teinte très pâle de la couleur de la lumière transmise au travers de cette partie colorée du spécimen.

Les colorants fluorescents utilisés pour colorer les cellules sont détectés par un **microscope à fluorescence**. Ce microscope est semblable au microscope optique ordinaire excepté que la lumière d'illumination, issue d'une source très puissante, traverse deux jeux de filtres – un qui filtre la lumière avant qu'elle atteigne le spécimen et un qui filtre la lumière qui provient du spécimen. Le premier filtre est choisi de telle sorte à ne laisser passer que les longueurs d'onde qui excitent le colorant fluorescent spécifique alors que le second filtre bloque cette lumière et ne laisse passer que les longueurs d'onde émises lorsque le colorant devient fluorescent (Figure 9-12).

La microscopie à fluorescence est particulièrement utilisée pour détecter les protéines spécifiques ou les autres molécules des cellules ou des tissus. Une technique très puissante et largement utilisée consiste à coupler les colorants fluorescents à des molécules d'anticorps, qui servent alors de réactifs hautement spécifiques et polyvalents de coloration et se fixent sélectivement aux macromolécules spécifiques qu'ils reconnaissent dans la cellule ou la matrice extracellulaire. Deux colorants fluorescents sont fréquemment utilisés dans ce but, la *fluorescéine* qui émet une fluorescence verte intense lorsqu'elle est excitée par la lumière bleue et la *rhodamine*, qui émet une

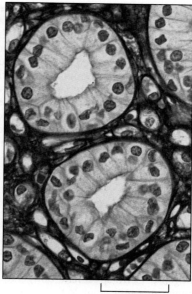

50 µm

Figure 9-11 Coupe tissulaire colorée. Cette coupe de cellules du tube collecteur d'un rein a été colorée par l'association de deux colorants, l'hématoxyline et l'éosine, habituellement utilisés en histologie. Chaque tube est constitué de cellules très serrées (dont les noyaux sont colorés en *rouge*) qui forment un anneau. Cet anneau est entouré d'une matrice extracellulaire colorée en *violet*. (D'après P.R. Wheater et al., Functional Histology, 2nd edn. London : Churchill Livingstone, 1987.)

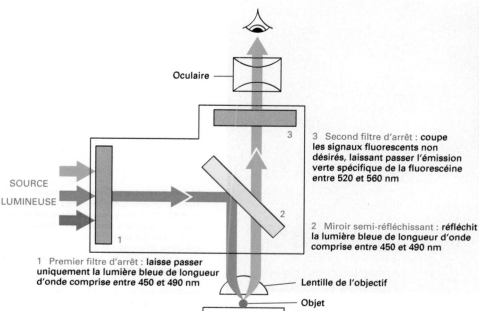

Oculaire

SOURCE
LUMINEUSE

3 Second filtre d'arrêt : coupe les signaux fluorescents non désirés, laissant passer l'émission verte spécifique de la fluorescéine entre 520 et 560 nm

2 Miroir semi-réfléchissant : réfléchit la lumière bleue de longueur d'onde comprise entre 450 et 490 nm

1 Premier filtre d'arrêt : laisse passer uniquement la lumière bleue de longueur d'onde comprise entre 450 et 490 nm

Lentille de l'objectif

Objet

Figure 9-12 Système optique d'un microscope à fluorescence. Jeu de filtres composé de deux filtres d'arrêt (1 et 3) et d'un miroir de fractionnement du faisceau (semi-réfléchissant) (2). Cet exemple montre le filtre qui détecte la fluorescéine, une molécule fluorescente. Les lentilles d'objectif à forte ouverture numérique sont particulièrement importantes dans ce type de microscope parce que, pour un grossissement donné, la brillance de l'image fluorescente est proportionnelle au quart de la puissance de l'ouverture numérique (*voir aussi Figure 9-6*).

fluorescence rouge profond lorsqu'elle est excitée par une lumière vert-jaune (Figure 9-13). En couplant un anticorps à la fluorescéine et un autre à la rhodamine, on peut comparer la distribution de différentes macromolécules dans une même cellule ; ces deux molécules sont visualisées séparément en microscopie par le passage entre deux jeux de filtres, chacun spécifique à un des colorants. Comme nous le voyons dans la figure 9-14, trois colorants fluorescents peuvent être utilisés pareillement pour distinguer trois types de molécules dans la même cellule. De nombreux colorants fluorescents nouveaux comme le Cy3, le Cy5 et le colorant Alexa ont été spécifiquement développés pour la microscopie à fluorescence (*voir* Figure 9-13).

D'importantes méthodes, abordées ultérieurement dans ce chapitre, permettent d'utiliser la microscopie à fluorescence pour surveiller les variations de concentration et de localisation des molécules spécifiques à l'intérieur des *cellules vivantes* (*voir* p. 574).

Des anticorps permettent de détecter des molécules spécifiques

Les anticorps sont des protéines produites par le système immunitaire des vertébrés pour se défendre contre les infections (*voir* Chapitre 24). Ce sont des protéines très particulières, fabriquées sous des milliards de formes différentes, et dont chacune possède un site de liaison différent qui reconnaît une molécule cible spécifique (ou *antigène*). Cette spécificité antigénique précise des anticorps fait d'eux des instruments puissants pour le biologiste cellulaire. Lorsqu'ils sont marqués par des colorants fluorescents, ils ont une valeur inestimable pour localiser les molécules spécifiques dans la cellule en microscopie à fluorescence (Figure 9-15) ; marqués par des particules denses aux électrons, comme les sphères d'or colloïdales, ils sont utilisés dans ce même but en microscopie électronique (*voir* ci-dessous).

La sensibilité des anticorps en tant que sonde pour la détection et le titrage des molécules spécifiques dans les cellules et les tissus est souvent améliorée par des méthodes chimiques qui amplifient le signal. Par exemple, même si une molécule de marquage, comme un colorant fluorescent, peut s'unir directement à un anticorps utilisé pour la reconnaissance spécifique – l'*anticorps primaire* – on obtient un signal plus fort en utilisant l'anticorps primaire non marqué et en le détectant par un groupe d'*anticorps secondaires* marqués qui se fixent sur lui (Figure 9-16).

Les méthodes d'amplification les plus sensibles utilisent comme molécule de marquage une enzyme fixée sur un anticorps secondaire. Par exemple, la phosphatase alcaline produit, en présence de substances chimiques appropriées, des phosphates inorganiques et entraîne la formation locale d'un précipité coloré. Celui-ci révèle la localisation de l'anticorps secondaire couplé à l'enzyme et ainsi la localisation du complexe antigène-anticorps sur lequel l'anticorps secondaire s'est fixé. Comme

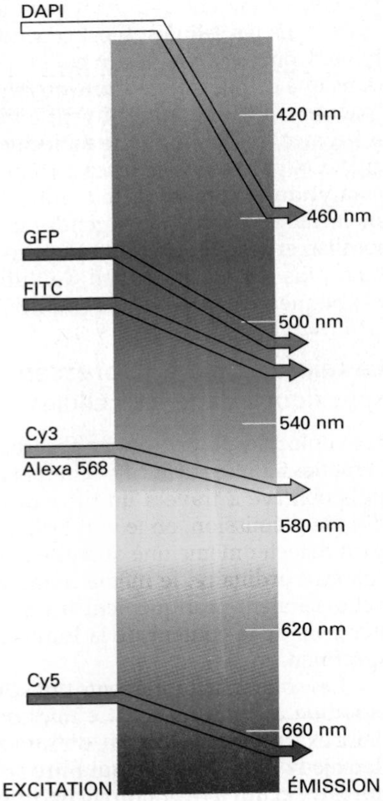

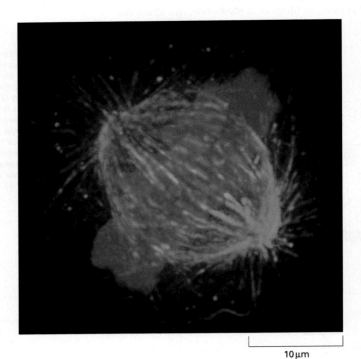

10 μm

Figure 9-13 Colorants fluorescents. Voici les longueurs d'ondes maximales d'excitation et d'émission de divers colorants fluorescents habituellement utilisés et leurs relations avec les couleurs correspondantes du spectre. Le photon émis par une molécule de colorant est nécessairement de plus faible énergie (plus grande longueur d'onde) que le photon absorbé et cela explique la différence entre les pics d'excitation et d'émission. La GFP est une protéine de fluorescence verte, non un colorant, et sera traitée en détail ultérieurement dans ce chapitre. Le DAPI est un colorant fluorescent largement utilisé comme colorant général de l'ADN, qui absorbe la lumière UV et donne une fluorescence bleue brillante. Les autres colorants sont tous couramment utilisés pour marquer à la fluorescence les anticorps et d'autres protéines.

Figure 9-14 Microscopie à multiples sondes fluorescentes. Sur cette microphotographie composite d'une cellule en mitose, trois sondes fluorescentes différentes ont été utilisées pour colorer trois composants cellulaires différents. Les microtubules du fuseau sont révélés par un anticorps *vert* fluorescent, les centromères par un anticorps *rouge* fluorescent et l'ADN des chromosomes condensés par le colorant DAPI, *bleu* fluorescent. (Due à l'obligeance de Kevin F. Sullivan.)

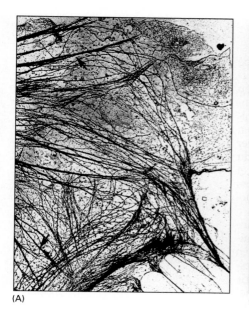

(A)

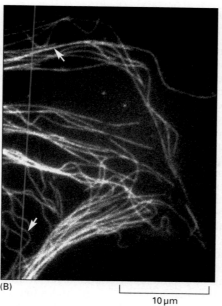

(B)

10 μm

Figure 9-15 Immunofluorescence.
(A) Photographie en microscopie électronique à transmission de la périphérie d'une cellule épithéliale en culture qui montre la distribution des microtubules et des autres filaments. (B) Cette même zone, colorée par des anticorps fluorescents contre la tubuline, la sous-unité protéique des microtubules, en utilisant une technique d'immunocytochimie indirecte (*voir* Figure 9-16). Les *flèches* indiquent les microtubules isolés, facilement reconnaissables dans les deux images. Notez qu'en microscopie optique, du fait des effets de diffraction, les microtubules apparaissent avec une largeur de 0,2 μm plutôt qu'avec leur véritable largeur de 0,025 μm. (D'après M. Osborn, R. Webster et K. Weber, *J. Cell. Biol.* 77 : R27-R34, 1978. © The Rockefeller University Press.)

chaque enzyme agit par catalyse pour engendrer plusieurs milliers de molécules de produits, des quantités minuscules d'antigènes peuvent donc être détectées. Une méthode immuno-enzymatique appelée ELISA (*enzyme-linked immunosorbent assay*), se fonde sur ce principe et est souvent utilisée en médecine comme test de sensibilité – par exemple pour la grossesse ou divers types d'infections. Même si l'amplification enzymatique rend les méthodes de liaison enzymatique très sensibles, la diffusion du précipité coloré loin de l'enzyme signifie que la résolution spatiale de cette méthode est limitée en microscopie et des marqueurs fluorescents sont généralement utilisés lorsqu'on recherche une localisation optique plus précise.

La façon la plus simple de fabriquer des anticorps consiste à injecter plusieurs fois un échantillon d'antigène dans un animal, comme un lapin ou une chèvre, puis de recueillir son sérum riche en anticorps. Cet *antisérum* contient un mélange hétérogène d'anticorps, chacun produit par une cellule sécrétrice d'anticorps différente (un lymphocyte B). Les différents anticorps reconnaissent différentes parties de la molécule d'antigène (les déterminants antigéniques ou épitopes) ainsi que des impuretés de la préparation d'antigènes. Il est possible d'accentuer la spécificité d'un antisérum pour un antigène particulier en enlevant les molécules d'anticorps indésirables qui se fixent sur d'autres molécules ; un antisérum produit contre une protéine X par exemple, peut traverser une colonne d'affinité d'antigènes Y et Z pour retirer tout les anticorps anti-Y et anti-Z contaminants. Même alors, l'hétérogénéité de ces antisérums limite parfois leur utilité. Ce problème est surmonté par l'utilisation des anticorps monoclonaux (*voir* Figure 8-6). Cependant, les anticorps monoclonaux peuvent aussi avoir des problèmes. Comme ce sont des espèces uniques de protéines d'anticorps, elles ont une spécificité presque parfaite pour un seul site ou épitope de l'antigène, mais l'accessibilité à cet épitope, et donc l'utilité de l'anticorps, peut dépendre de la préparation du spécimen. Par exemple, certains anticorps monoclonaux ne réagiront qu'avec les antigènes libres, d'autres seulement après l'utilisation d'un fixateur particulier, et encore d'autres uniquement avec la protéine dénaturée sur des gels de polyacrylamide SDS et non pas avec la protéine sous sa conformation native.

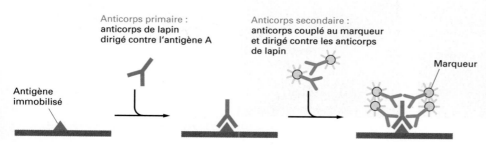

Anticorps primaire :
anticorps de lapin
dirigé contre l'antigène A

Anticorps secondaire :
anticorps couplé au marqueur
et dirigé contre les anticorps
de lapin

Marqueur

Antigène
immobilisé

Figure 9-16 Immunocytochimie indirecte.
Cette méthode de détection est très sensible parce que l'anticorps primaire est lui-même reconnu par de nombreuses molécules d'un anticorps secondaire. L'anticorps secondaire est couplé de façon covalente à une molécule de marquage qui le rend facilement détectable. Les marqueurs couramment utilisés sont des colorants fluorescents (pour la microscopie à fluorescence), une enzyme, la peroxydase du raifort (pour la microscopie optique conventionnelle ou la microscopie électronique), des sphères d'or colloïdal (pour la microscopie électronique) et des enzymes, la phosphatase alcaline et la peroxydase (pour la détection biochimique).

Le microscope optique permet l'imagerie d'objets complexes en trois dimensions

En microscopie optique ordinaire, comme nous l'avons vu, le tissu doit être coupé en fines sections pour être examiné ; plus la coupe est fine, plus l'image est impeccable. Pendant le processus de coupe, les informations sur la troisième dimension sont perdues. Comment peut-on donc obtenir une image de l'architecture tridimensionnelle d'une cellule ou d'un tissu et comment peut-on observer la structure microscopique d'un spécimen qui, pour une raison ou une autre, ne peut être coupé en sections ? Même si le microscope optique est concentré sur un plan focal particulier à l'intérieur des spécimens tridimensionnels complexes, toutes les autres parties du spécimen situées au-dessus et en dessous du plan de la focale sont aussi éclairées et la lumière qui provient de ces régions contribue à l'image en formant un flou «hors focale». L'interprétation des détails de l'image peut donc être très difficile et la structure fine de l'image peut être voilée par la lumière hors focale.

Deux techniques ont été développées pour résoudre ce problème : l'une est informatique, l'autre est optique. Ces méthodes d'imagerie tridimensionnelle en microscopie permettent de se focaliser sur le plan choisi d'un spécimen épais tout en rejetant la lumière qui provient des régions hors focale situées au-dessus et en dessous du plan. On observe ainsi une *coupe optique* fine et précise. À partir d'une série de ces coupes optiques prises à différentes profondeurs et entrées dans un ordinateur, il est facile de reconstruire l'image tridimensionnelle. Ces méthodes font pour l'observateur ce que la tomographie assistée par ordinateur fait (par d'autres moyens) pour le radiologue qui examine le corps humain : ces deux machines donnent des vues en coupes détaillées de l'intérieur d'une structure intacte.

L'approche informatisée est souvent appelée *déconvolution* de l'image. Pour comprendre son mode de fonctionnement, il faut se souvenir de la nature ondulatoire de la lumière qui signifie que le système de lentille du microscope engendre un petit disque flou comme image d'une source lumineuse ponctuelle, et que ce flou augmente si la source ponctuelle réside au-dessus ou en dessous du plan de mise au point. Cette image floue de la source ponctuelle est la *fonction de dispersion du point*. On peut alors considérer que l'image d'un objet complexe est construite par le remplacement de chaque point du spécimen par son disque flou correspondant, ce qui donne une image complètement floue. Pour la «déconvolution», il faut obtenir d'abord une série d'images (floues) en mettant au point le microscope tour à tour sur une série de plans de focale – ce qui résulte en une image tridimensionnelle floue. La pile d'images est alors traitée par un ordinateur qui retire autant de flou que possible. Le programme informatisé utilise essentiellement la fonction de dispersion du point du microscope pour déterminer quels sont les effets du flou sur l'image, puis enlève le «flou» (déconvolution), en transformant l'image tridimensionnelle floue en une série de coupes optiques propres. Le calcul est assez complexe et a de grandes limitantes. Cependant, avec l'apparition d'ordinateurs plus rapides et moins onéreux, cette méthode de déconvolution de l'image gagne en puissance et en popularité. La figure 9-17 en montre un exemple.

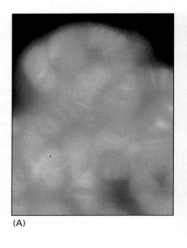
(A)

(B)

5 μm

Figure 9-17 Déconvolution de l'image. (A) Photographie en microscopie optique des chromosomes polyténiques géants de *Drosophila* colorés par un colorant fluorescent se liant à l'ADN. (B) Le même champ, après déconvolution de l'image, révèle clairement le motif en bandes des chromosomes. Chaque bande a environ une épaisseur de 0,25 μm, proche de la limite de résolution de la microscopie optique. (Due à l'obligeance du John Sedat Laboratory.)

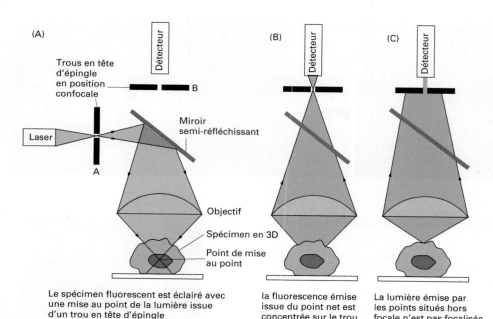

Figure 9-18 Microscope confocal à fluorescence. Ce schéma simplifié montre que la disposition fondamentale des composants optiques est la même que celle du microscope à fluorescence standard montré en figure 9-12, excepté l'utilisation d'un laser pour éclairer un très petit trou (en tête d'épingle) dont l'image est concentrée en un seul point du spécimen (A). La fluorescence émise de ce point du champ dans le spécimen est concentrée sur un deuxième trou en tête d'épingle (confocal) (B). La lumière émise par ailleurs dans le spécimen ne se concentre pas à cet endroit et ne contribue donc pas à l'image finale (C). En balayant le rayon de lumière à travers le spécimen, on obtient une image très précise bidimensionnelle du plan exact du champ qui n'est pas significativement altérée par la lumière issue des autres régions du spécimen.

Le spécimen fluorescent est éclairé avec une mise au point de la lumière issue d'un trou en tête d'épingle

la fluorescence émise issue du point net est concentrée sur le trou en tête d'épingle et atteint le détecteur

La lumière émise par les points situés hors focale n'est pas focalisée au niveau du trou en tête d'épingle et est complètement exclue du détecteur

Le microscope confocal produit des coupes optiques en excluant la lumière hors focale

Le microscope confocal atteint le même résultat que la déconvolution, mais l'obtient par la manipulation de la lumière avant de la mesurer ; il s'agit donc d'une technique analogique et non pas numérique. Les particularités optiques du **microscope confocal** sont complexes, mais son principe fondamental est simple, comme cela est illustré en figure 9-18.

Le microscope est généralement utilisé avec des optiques fluorescentes (*voir* Figure 9-12), mais au lieu d'éclairer la totalité du spécimen en une fois, comme c'est l'habitude, le système optique concentre à chaque instant un spot lumineux sur un seul point à une profondeur spécifique du spécimen. Il faut pour cela une source très brillante d'éclairement en tête d'épingle généralement fournie par un laser dont la lumière traverse un trou en tête d'épingle. La fluorescence émise à partir du matériel illuminé est recueillie et transformée en image au niveau d'un détecteur de lumière adapté. Une ouverture en tête d'épingle est placée en face du détecteur, à une position *confocale* au trou en tête d'épingle qui éclaire – c'est-à-dire précisément là où les rayons émis par le point d'éclairement du spécimen sont au point. La lumière provenant de ce point du spécimen converge ainsi sur cette ouverture et entre dans le détecteur.

À l'opposé, la lumière des régions en dehors du plan de mise au point du spot lumineux se trouve aussi hors de la focale au niveau de l'ouverture en tête d'épingle,

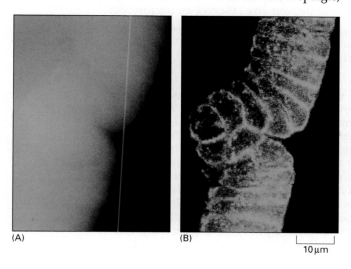

Figure 9-19 Comparaison de la microscopie à fluorescence conventionnelle et de la microscopie confocale. Ces deux microphotographie proviennent du même embryon intact de drosophile au stade gastrula, coloré par une sonde fluorescente pour les filaments d'actine. (A) L'image conventionnelle, non traitée, est floue du fait de la présence de structures fluorescentes au-dessus et en dessous du plan de mise au point. (B) Sur l'image confocale, l'information en dehors du plan de mise au point est absente, ce qui donne une coupe optique précise des cellules de l'embryon. (Due à l'obligeance de Richard Warn et Peter Shaw.)

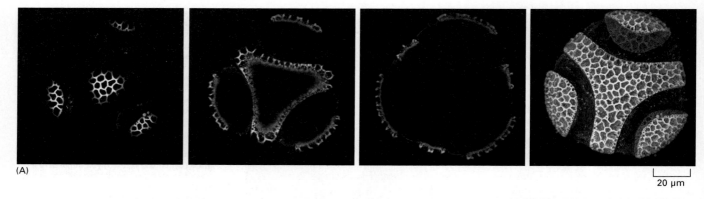

(A)

$\underset{\text{20 μm}}{\vdash\!\!\!-\!\!\!\dashv}$

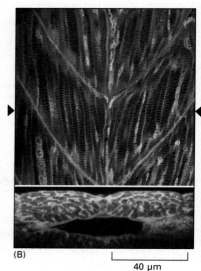

(B)

$\underset{\text{40 μm}}{\vdash\!\!\!-\!\!\!\dashv}$

Figure 9-20 Reconstruction tridimensionnelle à partir des images de microscopie confocale. (A) Les grains de pollen, issus dans ce cas d'une fleur de la passion, ont une paroi cellulaire de structure complexe qui contient des composés fluorescents. Les images obtenues à différentes profondeurs du grain, en utilisant un microscope confocal, sont à nouveau associées pour donner une vue tridimensionnelle de l'ensemble du grain, montrée à droite. À gauche sont présentées trois coupes optiques issues d'un ensemble complet de 30, dont chacune montre peu de rapports avec ses voisines. (B) La région caudale d'un embryon de *Danio rerio* (poisson zèbre) a été colorée par deux colorants fluorescents et observée au microscope confocal. L'image en dessous est une coupe optique transverse de la queue reconstruite de façon numérique par balayage du laser sur une seule ligne (indiquée par les *têtes de flèches*) tout en variant progressivement l'endroit de la mise au point. La cavité noire au centre est la notochorde en développement. (A, due à l'obligeance de Brad Amos ; B, due à l'obligeance de S. Reichelt et W.B. Amos.)

ce qui l'exclut largement du détecteur (Figure 9-19). Pour obtenir une image bidimensionnelle, les données issues de chaque point du plan de focale sont recueillies de façon séquentielle par balayage du champ selon une trame (comme sur un écran de télévision) et sont envoyées sur un écran vidéo. Même si cela n'est pas montré dans la figure 9-18, ce balayage est généralement effectué par déflection du rayon avec un miroir oscillant placé entre le miroir dichroïque et la lentille de l'objectif de telle sorte que le spot lumineux et le trou en tête d'épingle confocal du détecteur restent strictement en ligne.

Le microscope confocal a été utilisé pour obtenir la structure de nombreux objets tridimensionnels complexes (Figure 9-20), y compris les réseaux de fibres du cytosquelette du cytoplasme et la disposition des chromosomes et des gènes dans le noyau.

Les intérêts relatifs des méthodes de déconvolution et de microscopie confocale pour la microscopie optique tridimensionnelle donnent encore matière à discussion. Le microscope confocal est généralement plus facile à utiliser que le système de déconvolution et les coupes optiques finales sont rapidement observables. D'un autre côté, les caméras CDD (appareil à couple de charge) modernes et à refroidissement utilisées dans les systèmes de déconvolution recueillent de façon extrêmement efficace de faibles quantités de lumière et peuvent être utilisées pour tirer des images détaillées tridimensionnelles de spécimens qui sont trop faiblement colorés ou trop facilement lésés par la lumière brillante pour pouvoir être observés au microscope confocal.

Le microscope électronique permet la résolution des fines structures cellulaires

La relation entre la limite de résolution et la longueur d'onde des radiations lumineuses (*voir* Figure 9-6) est vraie pour toute forme de radiation, que ce soit un faisceau de lumière ou un faisceau d'électrons. Grâce aux électrons cependant cette limite de résolution peut être rendue très petite. La longueur d'onde d'un électron diminue avec l'augmentation de sa vitesse. Dans un **microscope électronique** de puissance d'accélération égale à 100 000 volts, la longueur d'onde d'un électron est de 0,004 nm. En théorie la résolution de ce microscope devrait être d'environ 0,002 nm, ce qui est 10 000 fois supérieur à celle du microscope optique. Mais comme les aberrations des lentilles électroniques sont considérablement plus difficiles à corriger que celles des optiques en verre, en pratique le pouvoir de résolution des microscopes électroniques modernes atteint au mieux 0,1 nm (1 Å) (Figure 9-21). Cela s'explique parce que seul le centre de la lentille à électrons peut être utilisé et l'ou-

Figure 9-21 Limites de la résolution du microscope électronique. Cette photographie en microscopie électronique à transmission d'une fine couche d'or montre les rangées séparées des atomes du cristal sous forme de points brillants. La distance entre les rangées des atomes d'or est d'environ 0,2 nm (2 Å). (Due à l'obligeance de Graham Hills.)

verture numérique véritable est minuscule. De plus, les problèmes de préparation des spécimens, le contraste et les lésions provoquées par les radiations ont généralement limité la résolution effective normale des objets biologiques à 2 nm (20 Å). C'est néanmoins environ 100 fois mieux que la résolution de la microscopie optique. De plus depuis quelques années, les performances des microscopes électroniques se sont améliorées par le développement de sources d'éclairement appelées canons à électrons. Ces sources très lumineuses et cohérentes améliorent substantiellement la résolution atteinte. Les étapes majeures du développement de la microscopie électronique sont présentées au tableau 9-II.

Dans sa conception globale, le microscope électronique à transmission (MET) est semblable au microscope optique, même s'il est beaucoup plus gros et de position renversée (Figure 9-22). La source d'éclairement est un filament ou cathode qui émet des

TABLEAU 9-II Événements majeurs du développement du microscope électronique et de ses applications en biologie cellulaire

1897	**Thomson** annonce l'existence de particules de charges négatives, appelées ensuite électrons.
1924	**De Broglie** propose qu'un électron mobile présente des propriétés ondulatoires.
1926	**Busch** prouve qu'il est possible de concentrer un faisceau d'électrons avec une lentille magnétique cylindrique, et établit les fondements de l'optique électronique.
1931	**Ruska** et ses collègues construisent le premier microscope électronique à transmission.
1935	**Knoll** démontre la possibilité d'un microscope électronique à balayage ; trois ans plus tard, **Von Ardenne** construit un prototype.
1939	**Siemens** produit le premier microscope électronique à transmission disponible commercialement.
1944	**Williams** et **Wyckoff** introduisent la technique de l'ombrage métallique.
1945	**Porter, Claude** et **Fullam** utilisent le microscope électronique pour examiner des cellules en culture tissulaire, après fixation et coloration avec de l'oxyde d'osmium (OsO_4).
1948	**Pease** et **Baker** préparent de façon fiable de fines coupes (0,1 à 0,2 µm d'épaisseur) de matériel biologique.
1952	**Palade, Porter** et **Sjöstrand** développent des méthodes de fixation et de coupes fines qui permettent d'observer pour la première fois bon nombre de structures intracellulaires. Dans une des premières applications de ces techniques, **Huxley** montre que le muscle squelettique contient des rangées qui se chevauchent ou filaments protéiques, ce qui conforte l'hypothèse du glissement de filaments dans la contraction musculaire.
1953	**Porter** et **Blum** développent le premier ultramicrotome qui deviendra d'usage courant, en y incorporant de nombreuses caractéristiques auparavant introduites par **Claude** et **Sjöstrand**.
1956	**Glauert** et ses collègues montrent que la résine époxy araldite est très efficace pour y inclure des substances pour la microscopie électronique. **Luft** introduit une autre résine d'inclusion, l'épone, cinq ans plus tard.
1957	**Robertson** décrit la structure trilaminaire des membranes cellulaires, observée pour la première fois en microscopie électronique.
1957	Les techniques de congélation-fracture développées par **Steere** sont perfectionnées par **Moor** et **Mühlethaler**. Ensuite (1966) **Branton** démontre que la cryofracture permet de visualiser l'intérieur de la membrane.
1959	**Singer** utilise des anticorps couplés à la ferritine pour détecter, à l'intérieur des cellules, des molécules en microscopie électronique.
1959	**Brenner** et **Horne** développent la technique de coloration négative, inventée quatre ans auparavant par **Hall**, et en font une technique généralement très utilisée pour visualiser les virus, les bactéries et les filaments protéiques.
1963	**Sabatini, Bensch** et **Barrnett** introduisent le glutaraldéhyde (généralement suivi de OsO_4) comme fixateur pour la microscopie électronique.
1965	Les instruments Cambridge produisent le premier microscope électronique à balayage commercialisé.
1968	**De Rosier** et **Klug** décrivent la technique de reconstruction des structures tridimensionnelles à partir des photographies en microscopie électronique.
1975	**Henderson** et **Unwin** déterminent la première structure d'une protéine membranaire par la reconstruction informatisée à partir de photographies d'échantillons non colorés obtenues par microscopie électronique.
1979	**Heuser, Reese** et leurs collègues développent une technique à haute résolution de décapage profond utilisant une congélation très rapide des spécimens.
Années 1980	**Dubochet** et ses collègues introduisent la congélation rapide en fins films de glace vitreuse pour la microscopie à haute résolution.
1997-	**Crowther, Fuller, Frank** et leurs collègues utilisent la reconstruction à particules isolées pour déterminer les structures des virus et des ribosomes à haute résolution (8-10 Å).

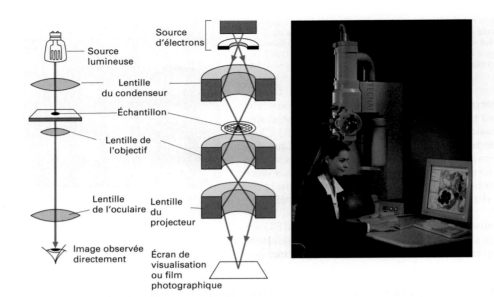

Figure 9-22 Principales caractéristiques du microscope optique et du microscope électronique à transmission. Ces schémas insistent sur les similitudes de la conception générale. Alors que les lentilles du microscope optique sont en verre, celles du microscope électronique sont des anneaux magnétiques. Le microscope électronique nécessite la mise du spécimen dans le vide. La photographie montre un microscope à transmission en cours d'utilisation. (Photographie, due à l'amabilité de la FEI Company Ltd.)

électrons au sommet d'une colonne cylindrique d'environ 2 m de haut. Comme les électrons sont éparpillés par collisions avec les molécules d'air, il faut d'abord évacuer l'air de la colonne par pompage pour créer un vide. Les électrons sont alors accélérés à partir du filament par une anode voisine et envoyés à travers un minuscule trou pour former un faisceau d'électrons qui se déplace vers le bas de la colonne. Des anneaux magnétiques répartis le long de la colonne concentrent le faisceau d'électrons, tout comme les lentilles de verre concentrent la lumière dans le microscope optique. Le spécimen est placé dans le vide, par l'intermédiaire d'un sas pneumatique, sur le trajet du faisceau électronique. Comme dans le microscope optique, le spécimen est généralement coloré – dans ce cas avec un matériau dense aux électrons, comme nous le verrons dans le paragraphe suivant. Certains des électrons qui traversent le spécimen sont éparpillés par les structures colorées par le matériau dense aux électrons ; les autres sont concentrés pour former une image, de façon analogue au mode de formation de l'image dans le microscope optique – soit sur une plaque photographique soit sur un écran phosphorescent. Comme les électrons éparpillés ne se trouvent plus dans le faisceau, les régions denses du spécimen se présentent sur l'image comme des zones de flux électronique réduit, qui apparaissent sombres.

La microscopie électronique nécessite une préparation spéciale des spécimens biologiques

Au début de son application aux matériaux biologiques, le microscope électronique a révélé beaucoup de structures cellulaires jamais imaginées auparavant. Mais avant que ces découvertes ne soient faites, les biologistes qui utilisaient le microscope électronique ont dû développer de nouvelles techniques pour inclure, couper et colorer les tissus.

Comme le spécimen est exposé à un vide très important dans le microscope électronique, il ne peut absolument pas être observé à l'état vivant, humide. Les tissus sont généralement conservés par fixation – d'abord dans du *glutaraldéhyde*, qui relie transversalement et de façon covalente les molécules protéiques voisines puis dans du *tétroxyde d'osmium* qui s'unit aux bicouches lipidiques et aux protéines et les stabilise (Figure 9-23). Comme les électrons ont un pouvoir de pénétration très limité, normalement les coupes des tissus fixés doivent être extrêmement fines (50 à 100 nm d'épaisseur, environ 1/200 de l'épaisseur d'une seule cellule). Cela s'effectue par déshydratation du spécimen et imprégnation dans une résine monomérique qui se polymérise pour former un bloc de plastique solide ; ce bloc est alors coupé avec la fine lame de verre ou de diamant d'un microtome spécifique. Ces *fines sections*, déshydratées et dépourvues d'autres solvants volatils, sont placées sur une petite grille circulaire métallique pour leur observation au microscope (Figure 9-24).

Les étapes nécessaires à la préparation du matériel biologique à observer en microscopie électronique ont défié les biologistes dès le début. Comment pouvons-nous être sûrs que l'image du spécimen fixé, déshydraté et inclus dans une résine et finalement observé, garde une quelconque relation avec le système aqueux biologique délicat présent à l'origine dans les cellules vivantes ? La meilleure approche actuelle de

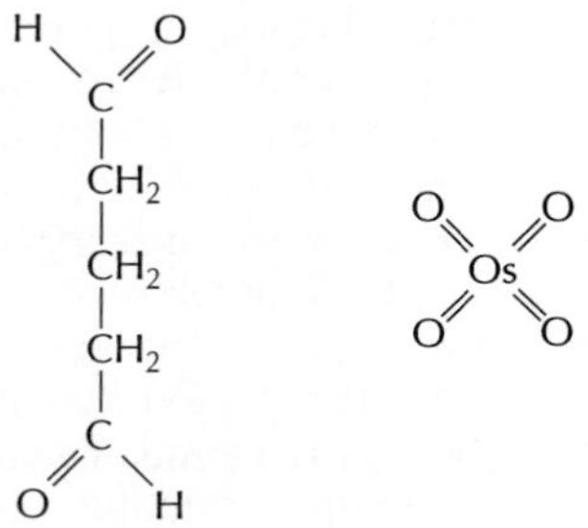

Glutaraldéhyde   Tétroxyde d'osmium

Figure 9-23 Deux des fixateurs chimiques communs utilisés en microscopie électronique. Les deux groupements aldéhydes réactifs du glutaraldéhyde permettent des liaisons croisées entre divers types de molécules, qui forment des liaisons covalentes entre elles. Le tétroxyde d'osmium est réduit par de nombreux composés organiques avec lesquels il forme des complexes par liaisons croisées. Il est particulièrement utile pour fixer les membranes cellulaires, car il réagit avec les doubles liaisons C=C présentes dans beaucoup d'acides gras.

ce problème passe par une congélation rapide. Si un système hydraté est refroidi assez vite à une température assez basse, l'eau et les autres composants à l'intérieur n'ont pas le temps de se modifier eux-mêmes ou de cristalliser en glace. Par contre, l'eau est sous-refroidie dans un état rigide mais non cristallin – un «verre» – appelé glace vitreuse. Cet état est atteint en flanquant le spécimen sur un bloc de cuivre poli et refroidi par de l'hélium liquide, en le plongeant ou en l'arrosant avec un jet de liquide refroidissant comme du propane liquide, ou en le refroidissant à pression élevée.

Certains spécimens congelés peuvent être examinés directement en microscopie électronique à l'aide d'un porte-objet spécifique congelé. Dans d'autres cas, le bloc congelé est fracturé pour mettre en évidence les surfaces internes, ou la glace périphérique est sublimée pour exposer les faces externes. Cependant, nous souhaitons souvent examiner de fines coupes et les colorer pour atteindre un contraste adapté sur l'image de microscopie électronique (nous en reparlerons plus loin). Un compromis consiste donc à effectuer une congélation tissulaire rapide, puis à remettre le tissu dans de l'eau, à le maintenir dans l'état vitreux (verre) à l'aide de solvants organiques puis à l'inclure pour finir dans une résine plastique, effectuer des coupes et les colorer. Bien que techniquement encore difficile, cette approche stabilise et conserve les tissus dans une condition très proche de leur état vivant d'origine.

Le contraste en microscopie électronique dépend du numéro atomique des atomes du spécimen : plus le numéro atomique est élevé, plus les électrons sont éparpillés et le contraste est grand. Les tissus biologiques sont composés d'atomes de très faible numéro atomique (surtout du carbone, de l'oxygène, de l'azote et de l'hydrogène). Pour les visualiser, ils sont généralement imprégnés (avant et après la coupe) de sels de métaux lourds comme l'uranium et le plomb. Les différents constituants cellulaires sont révélés avec divers degrés de contraste selon leur degré d'imprégnation, ou «coloration» avec ces sels. Les lipides, par exemple, ont tendance à se colorer en noir après la fixation d'osmium, ce qui révèle leur localisation dans les membranes cellulaires (Figure 9-25).

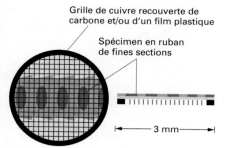

Grille de cuivre recouverte de carbone et/ou d'un film plastique

Spécimen en ruban de fines sections

← 3 mm →

Figure 9-24 Grille de cuivre portant les fines coupes d'un spécimen lors de microscopie électronique à transmission (MET).

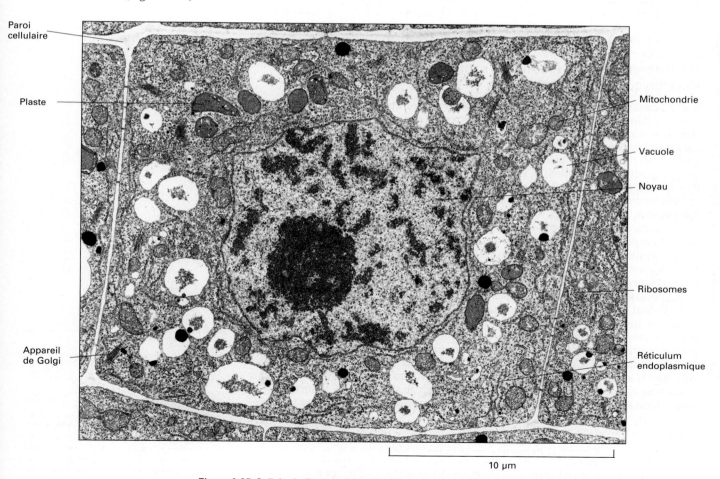

Paroi cellulaire

Plaste

Appareil de Golgi

Mitochondrie

Vacuole

Noyau

Ribosomes

Réticulum endoplasmique

10 μm

Figure 9-25 Cellule de l'extrémité radiculaire colorée par l'osmium et d'autres ions de métaux lourds. La paroi cellulaire, le noyau, les vacuoles, les mitochondries, le réticulum endoplasmique, l'appareil de Golgi et les ribosomes sont facilement visibles sur cette photographie en microscopie électronique. (Due à l'obligeance de Brian Gunning.)

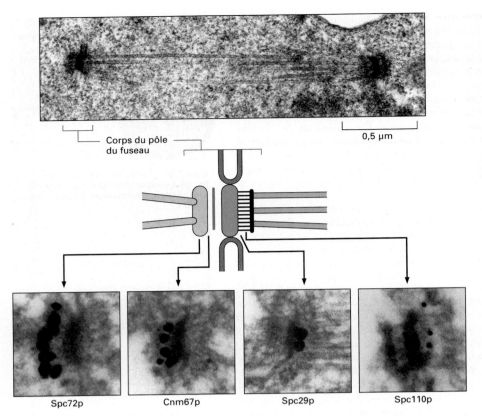

Corps du pôle
du fuseau

0,5 µm

Spc72p Cnm67p Spc29p Spc110p

Figure 9-26 Localisation des protéines en microscopie électronique. La microscopie électronique par immunomarquage à l'or est utilisée ici pour localiser quatre composants protéiques différents dans un site particulier du corps du pôle du fuseau d'une levure. Au sommet se trouve une coupe fine d'un fuseau mitotique de levure montrant les microtubules du fuseau qui traversent le noyau et se connectent à chaque extrémité dans les corps des pôles du fuseau, encastrés dans l'enveloppe nucléaire. Le schéma des composants d'un seul corps du pôle du fuseau est montré en dessous. Des anticorps contre quatre protéines différentes du corps du pôle du fuseau sont utilisés associés à des particules d'or colloïdal (points noirs) pour révéler où se trouve chaque protéine à l'intérieur de la structure complexe.

Les macromolécules spécifiques sont localisées par microscopie électronique à immunomarquage à l'or

Nous avons vu comment les anticorps pouvaient être utilisés, associés à la microscopie à fluorescence, pour localiser les macromolécules spécifiques. Une méthode analogue – la **microscopie électronique à immunomarquage à l'or** – peut être utilisée avec le microscope électronique. La technique usuelle consiste à incuber une fine coupe avec un anticorps primaire spécifique puis avec un anticorps secondaire fixé sur une particule d'or colloïdal. La particule d'or est dense aux électrons et apparaît comme un point noir en microscopie électronique (Figure 9-26).

Les coupes fines ne transmettent souvent pas la disposition tridimensionnelle des composants cellulaires dans le MET et peuvent être très trompeuses : par exemple, une structure linéaire comme un microtubule peut apparaître en coupe comme un objet de type ponctuel, et une section à travers des parties saillantes d'un corps unique solide de forme irrégulière peut donner l'apparence de deux ou de plusieurs objets séparés. La troisième dimension peut être reconstruite à partir de coupes en séries (Figure 9-27) mais cela reste encore un processus long et fastidieux.

Cependant, même les fines coupes ont une profondeur significative comparée à la résolution du microscope électronique et peuvent donc être aussi trompeuses dans le sens contraire. La conception optique du microscope électronique – il utilise de très petites ouvertures – produit une grande profondeur de champ, de telle sorte que l'image vue correspond à la superposition (ou projection) des structures à des profondeurs différentes. Une autre complication de l'immunomarquage à l'or est que les anticorps et les particules d'or colloïdales ne pénètrent pas dans la résine utilisée pour l'inclusion : de ce fait, ils ne détectent que les antigènes situés juste à la surface de la coupe. Cela signifie d'abord que la sensibilité de la détection est faible, car les molé-

Figure 9-27 Reconstruction tridimensionnelle à partir d'une série de coupes. Une seule coupe fine donne des impressions trompeuses. Dans cet exemple, la plupart des coupes à travers une cellule qui contient une mitochondrie ramifiée semblent contenir deux ou trois mitochondries séparées. On peut interpréter de plus sur les coupes 4 et 7, la présence d'une mitochondrie dans un processus de division. La véritable forme tridimensionnelle, cependant, peut être reconstruite à partir d'une série de coupes.

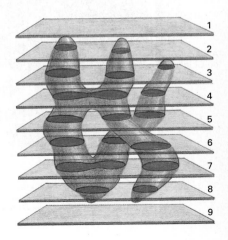

cules d'antigène présentes dans les parties plus profondes de la coupe ne sont pas détectées, et ensuite, qu'on peut avoir une fausse impression concernant les structures qui contiennent l'antigène et celles qui ne le contiennent pas. Une des solutions à ce problème consiste à effectuer le marquage avant l'inclusion du spécimen dans le plastique, lorsque les cellules et les tissus sont encore complètement accessibles aux réactifs de marquage. Les particules d'or extrêmement petites, d'environ 1 nm de diamètre, sont les mieux adaptées à cette technique. Ces petites particules d'or ne sont généralement pas directement visibles dans les coupes finales, de telle sorte qu'il faut noyauter de l'argent ou de l'or supplémentaire autour des particules d'or de 1 nm selon un processus chimique très proche de celui du développement photographique.

La microscopie électronique à balayage permet d'obtenir l'image des surfaces

Le **microscope électronique à balayage** (MEB) produit directement une image de la structure tridimensionnelle de la surface du spécimen. Le MEB est généralement un appareil plus simple, plus petit et moins onéreux que le microscope électronique à transmission. Alors que le MET utilise les électrons qui traversent le spécimen pour former une image, le MEB utilise les électrons qui diffusent ou sont émis à partir de la surface du spécimen. Le spécimen à examiner est fixé, séché et recouvert d'une fine couche d'un métal lourd. Sinon, il peut être rapidement congelé puis transféré à l'état de spécimen refroidi pour son examen direct au microscope. On peut souvent placer un végétal entier ou un petit animal dans le microscope avec très peu de préparation (Figure 9-28). Le spécimen, préparé selon une de ces façons, est alors balayé avec un faisceau très étroit d'électrons. La quantité d'électrons diffusés ou émis lorsque ce faisceau primaire bombarde chaque point successif de la surface métallique est mesurée et utilisée pour contrôler l'intensité d'un deuxième faisceau qui se déplace de façon synchrone avec le faisceau primaire et forme une image sur un écran de télévision. De cette façon, il se forme une image très agrandie de la surface en tant que tout (Figure 9-29).

La technique de MEB fournit une grande profondeur de champ ; de plus, comme la quantité d'électrons diffusés dépend de l'angle de la surface par rapport au faisceau, l'image présente des surbrillances et des ombres qui lui donnent un aspect tridimensionnel (Figures 9-28 et 9-30). Cependant, seules les caractéristiques de surface peuvent être examinées, et dans la plupart des formes de MEB, la résolution atteinte n'est pas très élevée (environ 10 nm, avec un grossissement efficace maximal de 20 000 fois). Il en résulte que cette technique est généralement utilisée pour étudier les cellules et les tissus complets plutôt que les organites subcellulaires. Des MEB à très

1 mm

Figure 9-28 Fleur de blé en développement, ou épi. Ce délicat épi en fleur a été rapidement congelé, recouvert d'un fin film métallique et examiné à l'état congelé au MEB. Cette microphotographie au faible grossissement met en évidence la grande profondeur de mise au point de la MEB. (Due à l'obligeance de Kim Findlay.)

Figure 9-29 Microscope électronique à balayage. Dans le MEB, le spécimen est balayé par un faisceau d'électrons qui se concentre sur un foyer du spécimen par des anneaux électromagnétiques qui agissent comme des lentilles. La quantité d'électrons dispersés ou émis lorsque le faisceau bombarde chaque point successif de la surface du spécimen est mesurée par le détecteur et sert à contrôler l'intensité des points successifs dans l'image rapportée sur un écran vidéo. Le MEB engendre des images saisissantes des objets tridimensionnels avec une grande profondeur de focale et une résolution comprise entre 3 nm et 20 nm en fonction de l'instrument. (Photographie due à l'obligeance de la FEI Company Ltd.)

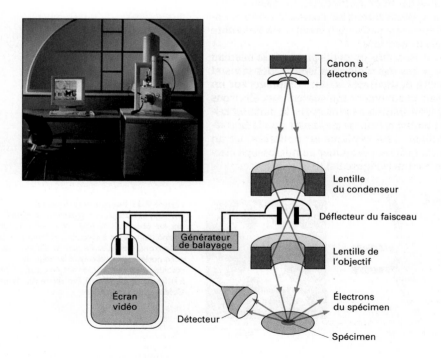

Canon à électrons

Lentille du condenseur

Déflecteur du faisceau

Générateur de balayage

Lentille de l'objectif

Écran vidéo

Électrons du spécimen

Détecteur

Spécimen

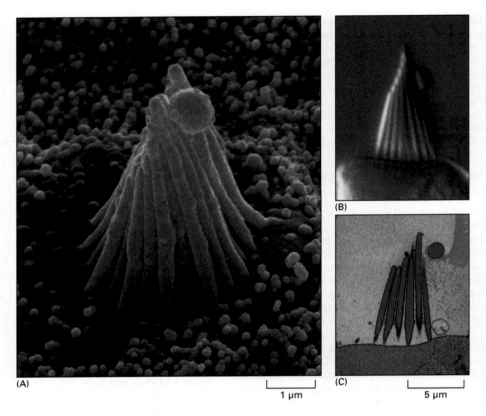

(A)

|—| 1 µm

(B)

(C)

|—| 5 µm

Figure 9-30 Microscopie électronique à balayage. (A) Photographie en microscopie électronique à balayage des stéréocils qui font saillie des poils auditifs de l'oreille interne d'une grenouille taureau. Pour comparaison, la même structure est montrée en (B) avec un microscope optique à contraste d'interférence différentielle et (C) sur une coupe fine en microscopie électronique à transmission. (Due à l'amabilité de Richard Jacobs et James Hudspeth.)

haute résolution ont cependant été développés très récemment avec un canon à électrons à brillance cohérente comme source d'électrons. Ce type de MEB peut produire des images dont la résolution rivalise avec celle des images du MET (Figure 9-31).

L'ombrage métallique permet d'examiner les caractéristiques de surface à haute résolution par microscopie électronique à transmission

La MET est aussi utilisée pour étudier la surface d'un spécimen – avec généralement une meilleure résolution que la MEB – de manière à ne voir que les macromolécules. Comme dans le cas de la microscopie électronique à balayage, un fin film de métal lourd comme le platine est évaporé sur un échantillon déshydraté. Le métal est vaporisé selon un angle oblique et dépose une couverture plus épaisse à certains endroits qu'à d'autres – ce procédé est appelé *ombrage* parce qu'il crée un effet d'ombre qui donne à l'image une apparence en trois dimensions.

Certains spécimens ainsi recouverts sont assez fins ou petits pour que le faisceau d'électrons les traverse directement. C'est le cas des molécules isolées, des virus et des parois cellulaires – qui peuvent tous être déshydratés, avant l'ombrage, sur un film de soutien plat composé d'un matériau relativement transparent aux électrons comme du carbone ou du plastique. Pour les échantillons plus épais, le matériel cellulaire organique doit être dissous après l'ombrage afin de ne laisser que la fine *réplique* métallique de la surface de l'échantillon. Cette réplique est renforcée par un film de carbone pour pouvoir la placer sur la grille et l'examiner au microscope électronique à transmission selon le protocole habituel (Figure 9-32).

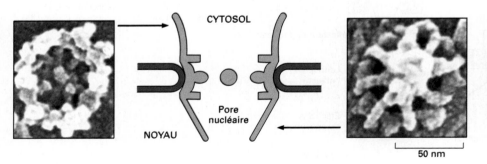

CYTOSOL

Pore
nucléaire

NOYAU

|—| 50 nm

Figure 9-31 Pores nucléaires. Les enveloppes nucléaires rapidement congelées ont été observées au MEB à haute résolution, équipé d'un canon à électrons comme source d'électrons. Ces vues de part et d'autre d'un pore nucléaire représentent la limite de résolution du MEB et doivent être comparées à la figure 12-10. (Due à l'amabilité de Martin Goldberg et Terry Allen.)

La microscopie électronique après cryofracture ou cryodécapage permet d'observer les surfaces intracellulaires

La microscopie électronique après cryofracture permet de visualiser l'intérieur des membranes cellulaires. Les cellules sont congelées (comme cela a été décrit ci-dessus) puis le bloc congelé est coupé avec une lame de couteau. Le plan de fracture traverse souvent le milieu hydrophobe de la bicouche lipidique, et expose ainsi l'intérieur des membranes cellulaires. Les faces fracturées obtenues sont ombrées par du platine, les matières organiques sont dissoutes et les répliques sont dégagées et observées en microscopie électronique (*voir* Figure 9-32). Ces répliques présentent de petites bosses, appelées *particules intramembranaires*, qui représentent les grosses protéines transmembranaires. Cette technique est une méthode pratique et spectaculaire pour visualiser la distribution de ces protéines dans le plan d'une membrane (Figure 9-33).

Une autre méthode d'obtention d'une réplique est la **microscopie électronique par cryodécapage**, qui peut être utilisée pour examiner l'extérieur ou l'intérieur d'une cellule. Selon cette technique, le bloc gelé est brisé avec une lame de couteau comme cela est décrit ci-dessus. Puis la concentration en glace est abaissée autour des cellules (et à un moindre degré à l'intérieur des cellules) par la sublimation de la glace dans du vide lorsque la température est augmentée – un processus appelé *assèchement de la glace*. Les particules cellulaires exposées par cette technique de décapage sont ensuite ombrées comme auparavant pour obtenir une réplique de platine. Cette technique expose les structures à l'intérieur de la cellule et révèle leur organisation tridimensionnelle avec une clarté exceptionnelle (Figure 9-34).

La coloration négative et la cryomicroscopie électronique permettent d'observer les macromolécules à forte résolution

Même si les macromolécules isolées, comme l'ADN ou les grosses protéines, sont facilement visualisées en microscopie électronique après leur ombrage avec un métal lourd pour donner du contraste, on peut observer des détails plus fins avec une **coloration négative**. Selon cette technique, les molécules placées sur un fin film de carbone sont lavées avec une solution concentrée de sels de métaux lourds comme l'acétate d'uranyle. Après séchage de l'échantillon, un très fin film de sel métallique recouvre le film de carbone partout sauf aux endroits où il a été exclu par la présence d'une macromolécule adsorbée. Comme la macromolécule laisse passer beaucoup plus facilement les électrons que la coloration voisine du métal lourd, il se forme une image inverse ou négative de la molécule. La coloration négative est particulièrement utilisée pour observer les grosses macromolécules agrégées comme les virus ou les ribosomes ainsi que la structure des sous-unités des filaments protéiques (Figure 9-35).

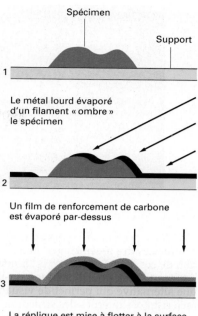

Spécimen

Support

1

Le métal lourd évaporé d'un filament « ombre » le spécimen

2

Un film de renforcement de carbone est évaporé par-dessus

3

La réplique est mise à flotter à la surface d'un solvant puissant qui dissout le spécimen

4

La réplique est lavée et placée sur une grille de cuivre pour son examen

5

Figure 9-32 Préparation d'une réplique par ombrage métallique de la surface d'un spécimen. Notez que l'épaisseur du métal reflète les contours superficiels du spécimen original.

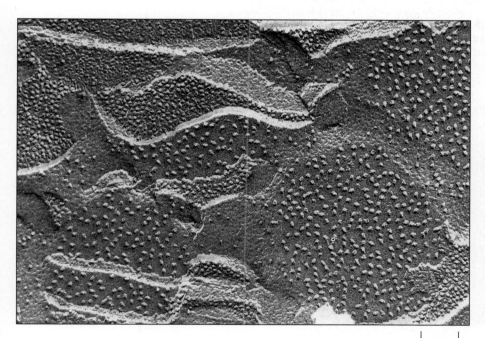

0,1 μm

Figure 9-33 Membranes thylacoïdes du chloroplaste d'une cellule végétale. Sur cette photographie en microscopie électronique après cryofracture, les membranes thylacoïdes, qui effectuent la photosynthèse, sont empilées en de multiples couches (*voir* Figure 14-34). Le plan de fracture se déplace de couche en couche, traverse par le milieu chaque bicouche lipidique et expose les protéines transmembranaires qui ont un volume suffisant à l'intérieur de la bicouche pour former une ombre et qui apparaissent comme des particules intramembranaires dans cette réplique en platine. Les plus grandes particules observées dans la membrane sont le photosystème II complet – un complexe à protéines multiples. (Due à l'obligeance de L.A. Staehelin.)

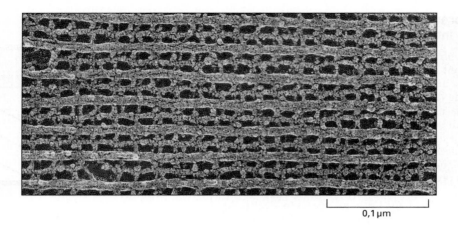

0,1 µm

L'ombrage et la coloration négative peuvent donner des images fortement contrastées des assemblages superficiels de petites macromolécules, mais la résolution de ces deux techniques est limitée par la taille des plus petites molécules métalliques utilisées pour l'ombrage ou la coloration. Des méthodes récentes apportent une alternative qui permet de visualiser directement à forte résolution même les caractéristiques internes des structures tridimensionnelles comme les virus. Cette technique, appelée **cryomicroscopie électronique**, utilise encore une congélation rapide pour former de la glace vitreuse. Un très fin film (environ 100 nm) de suspension aqueuse du virus ou d'un complexe macromoléculaire purifié est préparé sur la grille du microscope. L'échantillon est alors rapidement congelé en le plongeant dans un liquide de refroidissement. Un porte-échantillon spécifique est utilisé pour maintenir ce spécimen hydraté à –160 °C dans le vide du microscope, où il peut être examiné directement sans fixation, coloration ou déshydratation. Contrairement à la coloration négative, au cours de laquelle on observe l'enveloppe d'exclusion du colorant autour de la particule, la cryomicroscopie électronique hydratée produit l'image de la structure macromoléculaire elle-même. Cependant, pour en extraire le maximum d'informations structurelles, il faut utiliser des techniques particulières de traitement de l'image, comme nous le verrons au prochain paragraphe.

L'association de plusieurs images augmente la résolution

Toute image, qu'elle soit produite par un microscope électronique ou par un microscope optique, est faite de particules – électrons ou photons – qui frappent un détecteur de n'importe quelle sorte. Mais ces particules sont gouvernées par la mécanique quantique, de telle sorte que le nombre de particules qui atteint le détecteur n'est prévisible que de façon statistique. Dans la limite d'un très grand nombre de particules, la distribution au niveau du détecteur est précisément déterminée par l'échantillon observé. Cependant, avec un nombre plus petit de particules, cette structure sous-jacente dans l'image est voilée par les fluctuations statistiques du nombre de particules détectées dans chaque région. Cette variabilité aléatoire qui trouble

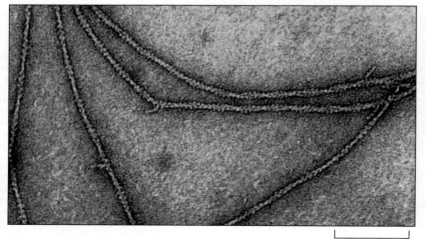

100 nm

l'image sous-jacente du spécimen lui-même s'appelle un bruit parasite. Ce bruit parasite est un problème particulièrement important en microscopie électronique des macromolécules non colorées, mais aussi en microscopie optique à un faible niveau lumineux. Une molécule protéique ne peut tolérer que quelques dizaines d'électrons par nanomètre carré sans lésion et cette dose a une amplitude largement inférieure à ce qui est nécessaire pour définir une image de résolution atomique.

La solution consiste à obtenir des images d'un grand nombre de molécules identiques – peut-être des dizaines de milliers d'images individuelles – et de les associer pour produire une image moyenne qui révèle les détails structuraux cachés par les bruits parasites des images originelles. Cependant, avant d'associer les images individuelles, il faut les aligner les unes aux autres. Il est parfois possible d'induire la formation de rangées de cristaux protéiques ou de complexes, dans lesquelles chaque molécule conserve la même orientation selon une trame régulière. Dans ce cas, le problème d'alignement est facile à résoudre, et bon nombre de structures protéiques ont été déterminées à leur résolution atomique par ce type de cristallographie électronique. En principe cependant, ces rangées cristallines ne sont pas absolument nécessaires. Avec l'aide d'un ordinateur, les images de molécules placées au hasard peuvent être traitées et associées pour obtenir des reconstructions à haute résolution, comme le paragraphe suivant nous l'explique.

L'association de vues dans différentes directions permet une reconstruction tridimensionnelle

Les détecteurs utilisés pour enregistrer les images issues des microscopes électroniques produisent des images bidimensionnelles. Du fait de la forte profondeur de champ du microscope, toutes les parties du spécimen en trois dimensions sont au point et l'image qui en résulte est une projection de la structure dans la direction de l'observation. L'information perdue de la troisième dimension peut être récupérée si nous possédons des vues du même spécimen dans de nombreuses directions différentes. Le traitement informatisé de cette technique a été calculé dans les années 1960 et est largement utilisé en tomographie assistée par ordinateur (TAO). Lors de TAO, le matériel d'imagerie est déplacé autour du patient et engendre les différentes vues. Lors de **tomographie en microscopie électronique**, le porte-objet est incliné dans le microscope ce qui donne le même résultat. On arrive ainsi à la reconstruction tridimensionnelle, dans une orientation standard choisie, en associant un groupe de vues de nombreuses molécules identiques dans le champ d'observation du microscope. Chaque image sera individuellement chargée de parasites, mais ces bruits parasites seront grandement éliminés par la combinaison des images en trois dimensions et le choix d'une moyenne ; on obtient alors une vue claire de la structure moléculaire.

On utilise maintenant largement la tomographie en ME pour déterminer les structures moléculaires, en utilisant des spécimens cristallisés ou non cristallisés, et la structure d'objets plus grands comme lors de fines coupes de cellules et d'organites. C'est une technique particulièrement efficace pour les structures qui présentent une quelconque symétrie intrinsèque, comme les virus hélicoïdaux ou icosaédriques, parce que cela simplifie la tache d'alignement et la rend plus précise. La

Figure 9-36 Tomographie en microscopie électronique (ME). Les enveloppes protéiques sphériques du virus de l'hépatite B sont conservées dans un fin film de glace (A) et observées au microscope électronique à transmission. Des milliers de particules individuelles sont associées par tomographie en ME et produisent la carte tridimensionnelle de la particule icosahédrique montrée en (B). Les deux vues d'un seul dimère protéique (C) qui forment les pics à la surface de l'enveloppe, montrent que la résolution de la reconstruction (7,4 Å) suffit pour observer les repliements complets de la chaîne polypeptidique. (A, due à l'obligeance de B. Böttcher, S.A. Wynne et R.A. Crowther ; B et C, d'après B. Böttcher, S.A. Wynne et R.A. Crowther, *Nature* 386 : 88-91, 1977. © Macmillan Magazines Ltd.)

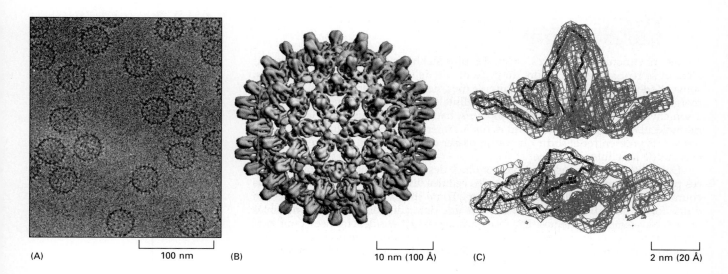

(A)   100 nm   (B)   10 nm (100 Å)   (C)   2 nm (20 Å)

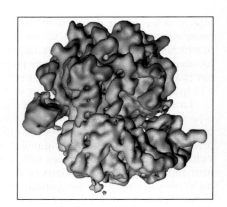

Figure 9-37 Structure tridimensionnelle du ribosome 70S de *E. coli* déterminée par tomographie en microscopie électronique (ME). La petite sous-unité est colorée en *jaune*, la grande sous-unité en *bleu*. La résolution globale est de 11,2 Å. (D'après I.S. Gabashvili et al., *Cell* 100 : 537-549, 2000. © Elsevier.)

figure 9-36 montre la structure d'un virus icosahédrique déterminée à haute résolution par l'association de nombreuses particules et multiples images et la figure 9-37 montre la structure d'un ribosome déterminée de la même façon.

Les rangées cristallines on permis d'atteindre une résolution de 0,3 nm en microscopie électronique – assez pour commencer à voir la disposition atomique interne et rivaliser avec la résolution de la cristallographie aux rayons X. Pour la reconstruction de simples particules, la limite actuelle est d'environ 0,8 nm, assez pour identifier les sous-unités et les domaines protéiques ainsi que les limites des structures protéiques secondaires. Bien que la microscopie électronique ait peu de chances de supplanter la cristallographie aux rayons X (*voir* Chapitre 8) en tant que méthode de détermination de la structure macromoléculaire, elle présente certains avantages évidents. D'abord, elle ne nécessite pas impérativement d'échantillons cristallisés. Ensuite, elle peut observer des complexes extrêmement gros – structures qui sont trop grosses ou trop variables pour cristalliser correctement. La microscopie électronique constitue donc un pont entre l'échelle des molécules unitaires et celle de la cellule entière.

Résumé

Il existe beaucoup de techniques de microscopie optique pour observer les cellules. Les cellules, qui ont été fixées et colorées, sont étudiées avec un microscope optique conventionnel, alors que le microscope à fluorescence peut permettre de localiser dans les cellules des molécules spécifiques marquées par des anticorps couplés à des colorants fluorescents. L'observation des cellules vivantes peut s'effectuer avec des microscopes à contraste de phase, à contraste d'interférence différentielle, à champ noir et à champ clair. Toutes les formes de microscopie optique sont facilitées par les techniques de traitement de l'image, qui améliorent la sensibilité et perfectionnent l'image. La microscopie confocale et la déconvolution de l'image ont toutes deux fourni de fines coupes optiques et sont utilisées pour reconstruire les images en trois dimensions.

La détermination des structures détaillées des membranes et des organites dans les cellules nécessite une résolution supérieure, atteinte par le microscope électronique à transmission. Les macromolécules spécifiques sont localisées avec de l'or colloïdal lié aux anticorps. Des images tridimensionnelles de la surface des cellules et des tissus sont obtenues par la microscopie électronique à balayage. Les formes des macromolécules isolées qui ont été ombrées avec un métal lourd ou délimitées par une coloration négative sont aussi facilement déterminées par microscopie électronique. Par l'utilisation des méthodes informatiques, de multiples images et vues dans des directions différentes, il est possible de produire des reconstructions détaillées des macromolécules et des complexes moléculaires grâce à une technique appelée tomographie en microscopie électronique.

L'OBSERVATION DES MOLÉCULES DANS LES CELLULES VIVANTES

Toutes les structures cellulaires, même les plus stables, s'assemblent, se désassemblent et se réorganisent au cours du cycle de vie de la cellule. D'autres structures, souvent énormes à l'échelle moléculaire, se modifient rapidement, se déplacent et se réorganisent elles-mêmes pendant que la cellule gère ses affaires internes et répond à son environnement. Des parties complexes, hautement organisées de la machinerie moléculaire, déplacent les composants à l'intérieur de la cellule, contrôlant les transports pour entrer et sortir du noyau, passer d'un organite à un autre, ou entrer et sortir de la cellule elle-même.

Dans cette partie, nous décrirons certaines des méthodes utilisées pour étudier ces processus dynamiques à l'intérieur des cellules vivantes. Les méthodes les plus courantes utilisent la microscopie optique. Toute imagerie nécessite l'utilisation d'une forme de radiation, et la lumière est une des radiations les moins nuisibles pour les systèmes organiques. Diverses techniques ont été développées pour permettre de visualiser en microscopie les composants spécifiques de la cellule vivante. La plupart d'entre elles se fondent sur l'utilisation de marqueurs et d'indicateurs fluorescents. La gamme des molécules spécifiques ainsi visibles s'étend des petits ions inorganiques, comme Ca^{2+} ou H^+, aux grosses macromolécules, comme les protéines spécifiques, l'ARN, ou les séquences d'ADN. La microscopie optique n'est pas, cependant la seule approche possible, et les microscopes ne sont pas non plus les seuls appareils nécessaires.

Les variations rapides de la concentration ionique intracellulaire sont mesurées par des indicateurs qui émettent de la lumière

Une des façons d'étudier la chimie d'une cellule vivante particulière consiste à insérer, directement à l'intérieur de la cellule au travers de la membrane plasmique, l'extrémité d'une fine **microélectrode** de verre, sensible aux ions. Cette technique permet de mesurer la concentration intracellulaire des ions inorganiques communs comme H^+, Na^+, K^+, Cl^- et Ca^{2+}. Cependant, les microélectrodes sensibles aux ions ne donnent la concentration ionique qu'à un seul point de la cellule et, s'il n'y a qu'un seul ion, comme Ca^{2+}, présent en très faible concentration, leurs réponses sont lentes et quelque peu erratiques. De ce fait, ces microélectrodes ne sont pas idéales pour enregistrer les modifications rapides et transitoires de la concentration cytosolique en Ca^{2+} dont le rôle primordial permet aux cellules de répondre à des signaux extracellulaires. On utilise donc des **indicateurs sensibles aux ions**, dont l'émission lumineuse reflète la concentration ionique locale, pour analyser ces variations. Certains de ces indicateurs sont luminescents (émettent spontanément de la lumière), tandis que d'autres sont fluorescents (émettent de la lumière lorsqu'ils sont exposés à la lumière).

L'*aequorine* est une protéine luminescente isolée d'une méduse de mer; elle émet de la lumière en présence de Ca^{2+} et répond aux variations de sa concentration dans l'intervalle de 0,5 à 10 µM. Si, par exemple, elle est micro-injectée dans un ovule, l'aequorine émet un flash lumineux en réponse à la libération localisée brutale de Ca^{2+} dans le cytoplasme qui se produit lorsque l'ovule est fécondé (Figure 9-38). Dans des végétaux et d'autres organismes, l'expression transgénique de l'aequorine fournit une méthode de surveillance du Ca^{2+} dans toutes les cellules sans qu'il y ait besoin d'effectuer de micro-injections, qui sont parfois techniquement difficiles.

Les molécules biologiques luminescentes comme l'aequorine émettent une quantité infime de lumière – au plus quelques photons par molécule d'indicateur – difficile à mesurer. Les indicateurs fluorescents qui produisent plus de photons par molécule sont donc plus faciles à mesurer et donnent une meilleure résolution spatiale. Des indicateurs de Ca^{2+} fluorescents qui se fixent solidement sur le Ca^{2+} ont été synthétisés. Lorsqu'ils ne sont pas fixés sur le Ca^{2+}, ils sont excités ou émettent une longueur d'onde légèrement différente, comparativement à celle émise lorsqu'ils sont sous leur forme liée au Ca^{2+}. En mesurant le rapport d'intensité de la fluorescence à deux longueurs d'onde d'excitation ou d'émission, il est possible de déterminer le rapport de concentrations indicateur lié au Ca^{2+} sur indicateur non lié. Cela donne une mesure précise de la concentration en Ca^{2+} libre. Ce type d'indicateur est très utilisé pour surveiller, seconde par seconde, les modifications du Ca^{2+} intracellulaire dans les différentes parties d'une cellule observée en microscopie à fluorescence (Figure 9-39).

Il existe d'autres indicateurs fluorescents similaires pour mesurer les autres ions; certains sont utilisés pour mesurer H^+ par exemple et, par là, le pH intracellulaire. Certains d'entre eux peuvent entrer dans les cellules par diffusion et n'ont donc pas besoin d'être micro-injectés; ils permettent la surveillance simultanée d'un grand nombre de cellules en microscopie à fluorescence. De nouveaux types d'indicateurs, associés aux méthodes modernes de traitement de l'image, fournissent des méthodes tout aussi rapides et précises d'analyse des modifications de la concentration en nombreux types de petites molécules cellulaires.

Il existe différentes façons d'introduire dans les cellules des molécules qui ne peuvent pas traverser la membrane

Il est souvent très utile de pouvoir introduire, dans une cellule vivante, une molécule qui ne peut traverser sa membrane, que ce soient des anticorps qui reconnaissent des protéines intracellulaires, une protéine cellulaire normale marquée par un marqueur fluorescent, ou des molécules qui influencent le comportement cellulaire. Une des méthodes consiste à micro-injecter les molécules dans la cellule à l'aide d'une micropipette de verre. Une technique particulièrement intéressante est la **cytochimie par les analogues fluorescents**, au cours de laquelle une protéine purifiée est cou-

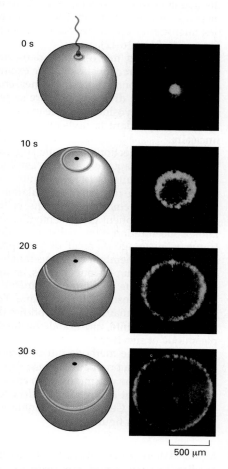

0 s

10 s

20 s

30 s

500 µm

Figure 9-38 L'aequorine, une protéine luminescente. L'aequorine, une protéine luminescente, émet de la lumière en présence de Ca^{2+} libre. Ici, l'aequorine a été injectée dans un ovule de poisson médaka et a diffusé dans tout le cytosol, puis l'ovule a été fécondé par un spermatozoïde et examiné avec un amplificateur d'image. Les quatre photographies ont été prises en regardant par le dessus du site d'entrée du spermatozoïde à des intervalles de 10 secondes. Elles révèlent une onde de libération cytosolique de Ca^{2+} libre à partir des réserves internes situées juste sous la membrane plasmique. Cette onde avance le long de l'ovule en partant du site d'entrée du spermatozoïde, comme cela est indiqué sur les schémas de gauche. (Photographies reproduites à partir de J.C. Gilkey, L.F. Jaffe, E.B. Ridgway et G.T. Reynolds, *J. Cell Biol.* 76 : 448-466, 1978. © The Rockefeller University Press.)

Figure 9-39 Visualisation des concentrations intracellulaires en Ca^{2+} à l'aide d'un indicateur fluorescent. Les ramifications dendritiques d'une cellule de Purkinje du cervelet reçoivent plus de 100 000 synapses des autres neurones. Le signal sortant de la cellule est convoyé le long du seul axone qui quitte le corps cellulaire en bas de la figure. Cette image de la concentration intracellulaire en Ca^{2+} dans une seule cellule de Purkinje (à partir du cerveau du cobaye) a été prise avec une caméra à faible lumière et un indicateur fluorescent sensible au Ca^{2+}, le fura-2. Les concentrations en Ca^{2+} libre sont représentées par les différentes couleurs, *rouge* étant la plus forte et *bleue* la plus basse. Les concentrations maximales en Ca^{2+} se trouvent dans les milliers de ramifications dendritiques. (Due à l'obligeance de D.W. Tank, J.A. Connor, M. Sugimori et R.R. Llinas.)

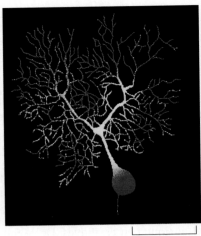

100 µm

plée à un colorant fluorescent, puis micro-injectée dans la cellule. De cette façon, il est possible de suivre le devenir de cette protéine en microscopie à fluorescence tandis que la cellule se développe et se divise. Si, par exemple, on marque la tubuline (la sous-unité des microtubules) avec un colorant à fluorescence rouge, la dynamique des microtubules peut être suivie seconde par seconde dans la cellule vivante (*voir* Figures 18-21 et 16-12).

Des anticorps, micro-injectés dans une cellule, peuvent bloquer la fonction de la molécule qu'ils reconnaissent. Par exemple, des anticorps anti-myosine II injectés dans un œuf fécondé d'oursin de mer, empêchent que la cellule de l'œuf se divise en deux même si la division nucléaire se produit normalement. Cette observation démontre que la myosine a un rôle essentiel dans le processus contractile qui divise le cytoplasme pendant la division cellulaire, mais n'est pas nécessaire à la division nucléaire.

Les micro-injections, bien que largement utilisées, nécessitent une injection individuelle dans chaque cellule ; il n'est donc possible d'étudier au plus que quelques centaines de cellules à la fois. D'autres techniques permettent de perméabiliser simultanément une importante population cellulaire. On peut interrompre en partie la structure de la membrane plasmique cellulaire, par exemple, pour la rendre plus perméable ; cela s'obtient généralement en utilisant un choc électrique puissant ou une faible concentration d'une substance chimique de type détergent. La technique électrique a l'avantage de créer de gros pores dans la membrane plasmique sans endommager les membranes intracellulaires. Ces pores restent ouverts pendant plusieurs minutes ou plusieurs heures, en fonction du type cellulaire et de l'importance du choc électrique. Ils permettent même l'entrée (et la sortie) rapide de macromolécules dans le cytosol. Cette technique d'*électroporation* est également intéressante en génétique moléculaire, pour introduire des molécules d'ADN dans les cellules. Si le traitement est limité, une grande partie des cellules peuvent réparer leur membrane plasmique et survivre.

Une troisième méthode qui permet d'introduire de grosses molécules dans les cellules consiste à provoquer la fusion de vésicules membranaires qui les contiennent avec la membrane plasmique de la cellule. Pour introduire de nouveaux gènes dans le noyau, on peut envoyer à grande vitesse des particules d'or recouvertes d'ADN dans les cellules. Ces méthodes sont largement utilisées en biologie cellulaire et sont illustrées dans la figure 9-40.

L'activation photo-induite de molécules précurseurs « trappées » facilite l'étude de la dynamique intracellulaire

La complexité et la rapidité de nombreux processus intracellulaires comme l'action des molécules de signalisation ou les mouvements des protéines du cytosquelette, les rend difficile à étudier au niveau cellulaire. L'idéal serait de pouvoir introduire n'importe quelle molécule à étudier dans une cellule vivante à un moment précis et dans un endroit précis et de suivre son comportement ultérieur, ainsi que la réponse de la cellule. Les micro-injections sont limitées par la difficulté de contrôle de l'endroit et du moment de la délivrance. Une technique plus puissante implique de synthétiser une forme inactive de la molécule à étudier, de l'introduire dans la cellule puis de l'activer brutalement à un endroit choisi en concentrant dessus un spot lumineux. Il existe des précurseurs inactifs photosensibles de ce type, appelés **molécules trappées**, de diverses petites molécules, y compris Ca^{2+}, l'AMP cyclique, le GTP et l'inositol trisphosphate. Ces molécules trappées sont introduites dans les cellules vivantes par une des méthodes décrites dans la figure 9-40 puis activées par une forte impulsion lumineuse issue d'un laser (Figure 9-41). L'expérimentateur peut utiliser un microscope pour concentrer l'impulsion lumineuse sur n'importe quelle région

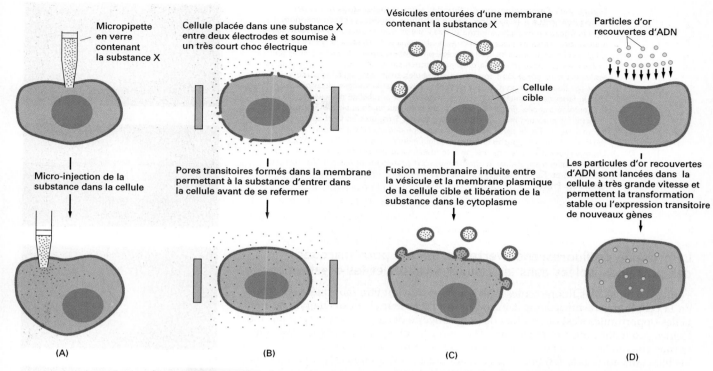

Figure 9-40 Méthodes d'introduction, dans une cellule, d'une substance qui ne peut pas traverser la membrane. (A) La substance est injectée par une micropipette, par application d'une pression ou, si la substance est électriquement chargée, par l'application d'un voltage qui entraîne la substance dans la cellule sous forme d'un courant ionique (technique appelée ionophorèse). (B) La membrane cellulaire est rendue transitoirement perméable à la substance par interruption de sa structure au moyen d'un choc électrique bref mais intense (2 000 V/cm pendant 200 µs par exemple). (C) Des vésicules entourées d'une membrane sont remplies de la substance à introduire puis on induit leur fusion avec la cellule cible. (D) Des particules d'or recouvertes d'ADN sont utilisées pour introduire un nouveau gène dans le noyau.

infime de la cellule, et contrôler ainsi exactement l'endroit et le moment de la libération de la molécule. De cette façon, par exemple, il peut étudier l'effet instantané de la libération intracellulaire de molécules de signalisation dans le cytosol.

Les molécules fluorescentes trappées sont aussi des outils intéressants. Elles sont fabriquées en fixant un colorant fluorescent photosensible sur une protéine purifiée. Il est important que la protéine modifiée reste biologiquement active : contrairement au marquage par les radioisotopes (qui ne modifie que le nombre de neutrons dans le noyau de l'atome marqué), le marquage par un colorant fluorescent trappé ajoute un groupement volumineux à la surface de la protéine, qui peut facilement modifier les propriétés de cette dernière. Le meilleur protocole de marquage est généralement trouvé après plusieurs tâtonnements. Une fois que la protéine biologiquement active est obtenue, son comportement est suivi à l'intérieur de la cellule vivante. Les tubulines marquées par la fluorescéine trappée, par exemple, peuvent s'incorporer dans les microtubules du fuseau mitotique ; lorsqu'une petite région du fuseau est illuminée au laser, les tubulines marquées deviennent fluorescentes, de telle sorte que leurs mouvements le long des microtubules du fuseau sont facilement suivis (Figure 9-42). En principe, cette technique peut s'appliquer à n'importe quelle protéine.

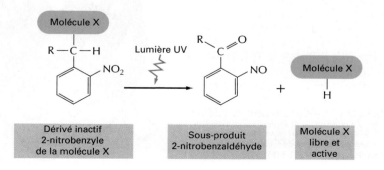

Figure 9-41 Molécules « trappées ». Ce schéma montre comment un dérivé d'une molécule (appelée X) « trappée » photosensible peut être transformé par un flash UV en sa forme active libre. De petites molécules comme l'ATP peuvent être ainsi « trappées ». De même, des ions comme Ca^{2+} peuvent être indirectement « trappés » ; dans ce cas, on utilise un chélateur qui fixe le Ca^{2+}. Il est inactivé par photolyse, et libère alors le Ca^{2+}.

(A) Un fuseau en métaphase formé *in vitro* à partir d'un extrait d'ovules de *Xenopus*
a incorporé trois marqueurs fluorescents : la tubuline marquée à la rhodamine
(*rouge*) qui marque tous les microtubules, un colorant *bleu* de liaison à l'ADN qui
marque les chromosomes et la tubuline marquée par la fluorescéine trappée qui est
également incorporée dans tous les microtubules, mais reste invisible parce qu'elle
n'est pas fluorescente tant qu'elle n'est pas activée par la lumière ultraviolette.
(B) Un faisceau de lumière UV débloque localement la tubuline marquée par la
fluorescéine trappée, en particulier juste du côté gauche de la plaque équatoriale.
Pendant les quelques minutes qui suivent (après 1,5 minutes en C et après
2,5 minutes en D), le signal tubuline-fluorescéine débloquée est observé et se
déplace vers le pôle gauche du fuseau, ce qui indique que la tubuline se déplace
continuellement vers le pôle même si le fuseau (visualisé par la fluorescence rouge
de la tubuline marquée par la rhodamine) n'est pratiquement pas modifié. (D'après
K.E. Sawin et T.J. Mitchison, *J. Cell Biol*, 112 : 941-954, 1991. © The Rockefeller
University Press.)

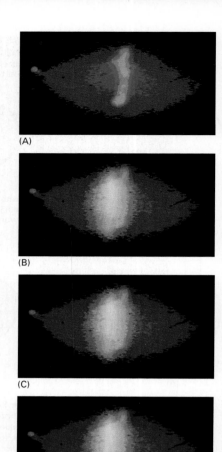

(A)

(B)

(C)

(D)

10 µm

La protéine de fluorescence verte est utilisée pour marquer des protéines isolées dans les cellules vivantes et les organismes

Toutes les molécules fluorescentes déjà abordées doivent être fabriquées en dehors
de la cellule puis artificiellement introduites à l'intérieur. Tout un monde de nouvelles opportunités s'est ouvert lors de la découverte de gènes codant pour des molécules protéiques qui présentent une fluorescence inhérente. Le génie génétique a
permis ensuite la création de lignées cellulaires fabriquant leurs propres marqueurs
visibles sans autre interférence. Ces exhibitionnistes intracellulaires exposent leurs
travaux internes avec une couleur fluorescente brillante.

La **protéine de fluorescence verte** (**GFP** pour *green fluorescent protein*) est la protéine fluorescente la plus employée par les biologistes cellulaires. Elle a été isolée
(comme l'aequorine) de la méduse *Aequoria victoria*. Cette protéine est normalement
codée par un seul gène qui peut être cloné et introduit dans les cellules d'autres espèces. La protéine nouvellement traduite n'est pas fluorescente, mais en une heure
à peu près (moins pour certains allèles du gène, plus pour d'autres) elle subit une
modification post-traductionnelle auto-catalytique qui entraîne l'apparition d'une
zone centrale de fluorescence brillante, protégée à l'intérieur d'une protéine en forme
de tonneau (Figure 9-43). Des mutagenèses étendues de site ont été effectuées sur la
séquence originelle du gène pour obtenir une fluorescence intéressante pour de très
nombreux organismes, que ce soient des animaux, des végétaux, des champignons
ou des microbes. L'efficacité de la fluorescence a été également améliorée et on a engendré des variants qui présentent des modifications du spectre d'absorption et
d'émission dans l'intervalle bleu-vert-jaune. Récemment une famille de protéines
fluorescentes apparentées a été découverte chez les coraux, étendant ainsi le spectre
dans la région du rouge.

Une des utilisations simples de la GFP est celle d'une molécule de reportage qui
permet de surveiller l'expression génique. Un organisme transgénique est fabriqué
en plaçant la séquence codante de la GFP sous contrôle transcriptionnel du promoteur du gène à étudier ; cela donne alors un étalage directement visible du modèle
d'expression génique dans l'organisme vivant. Une autre application consiste à ajouter un signal de localisation peptidique à la GFP pour la diriger vers un compartiment cellulaire particulier comme le réticulum endoplasmique ou une mitochondrie,
afin d'éclairer ces organites qui peuvent être ainsi observés à l'état vivant.

On peut aussi insérer la séquence codante d'ADN de la GFP au début ou à la fin
du gène d'une autre protéine, ce qui engendre un produit chimérique composé de la
protéine fixée sur un domaine GFP. Dans beaucoup de cas, cette protéine de fusion
à la GFP se comporte comme la protéine d'origine, révélant directement sa localisation et son activité (Figure 9-44). Il est souvent possible de prouver que la protéine
de fusion à la GFP est fonctionnellement identique à la protéine non marquée en l'utilisant pour « sauver » un mutant qui ne possède pas cette protéine. Le marquage par

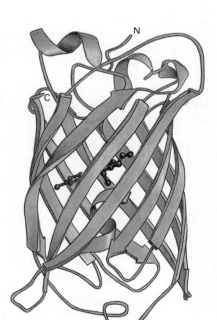

Figure 9-43 Protéine de fluorescence verte (GFP). La structure de la GFP,
schématisée ici, montre les onze feuillets β qui forment les planches d'un tonneau.
Enfoui dans le tonneau se trouve le chromophore actif (*vert foncé*) qui se forme
après la traduction à partir des chaînes latérales saillantes de trois résidus d'acides
aminés. (Adapté d'après M. Ormö et al., *Science* 273 : 1392-1395, 1995.)

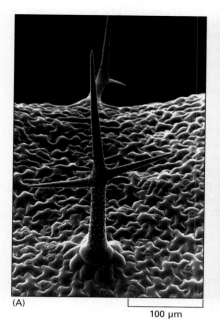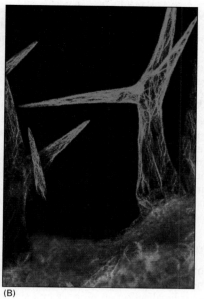

(A)   (B)

|← 100 µm →|

Figure 9-44 Marquage à la GFP.
(A) La face supérieure des feuilles d'*Arabidopsis*, un végétal, est recouverte d'immenses poils monocellulaires qui s'élèvent à partir de la surface de l'épiderme. Ces poils, ou trichomes, sont observables en MEB. (B) Si une plante d'*Arabidopsis* est transformée par une séquence ADN codant pour la taline (une protéine qui se fixe sur l'actine), fusionnée à une séquence ADN codant pour la GFP, la taline fluorescente produite se fixe sur les filaments d'actine de toutes les cellules vivantes du végétal transgénique. La microscopie confocale peut révéler la dynamique du cytosquelette complet d'actine du trichome (*vert*). La fluorescence verte provient de la chlorophylle des cellules situées à l'intérieur de la feuille, sous l'épiderme (A, due à l'obligeance de Paul Linstead; B, due à l'obligeance de Jaideep Mathur.)

la GFP est la façon la plus claire et la moins équivoque de montrer la distribution et la dynamique d'une protéine dans un organisme vivant (Figure 9-45).

Les utilisations de la GFP et des protéines apparentées se multiplient rapidement. Par exemple, on peut marquer les molécules d'ADN ou d'ARN en y incorporant des copies d'une séquence d'oligonucléotides qui est connue pour se lier à une protéine spécifique, et induire l'expression dans la même cellule d'une version marquée à la GFP de cette protéine de liaison. On peut aussi surveiller les interactions entre une protéine et une autre par la *technique FRET* (*fluorescence resonance energy transfer*) (*voir* Figure 8-49). Selon cette technique, les deux molécules à étudier sont chacune marquée par un fluorochrome différent, choisi de telle sorte que le spectre d'émission d'un des fluorochromes chevauche le spectre d'absorption de l'autre. Si les deux protéines se lient et leurs fluorochromes deviennent très rapprochés (plus près que 2 nm), l'énergie de la lumière absorbée est transférée directement d'un fluorochrome à l'autre. De ce fait, lorsque le complexe est illuminé à la longueur d'onde d'excitation du premier fluorochrome, la lumière est émise à la longueur d'onde d'émission du deuxième. Cette méthode peut utiliser deux variants spectraux de la GFP comme fluorochrome pour surveiller certains processus comme les interactions entre les molécules de signalisation et leurs récepteurs.

La lumière permet de manipuler les objets microscopiques et de les visualiser

Les photons portent une petite quantité d'énergie cinétique. Cela signifie qu'un objet qui absorbe ou défléchi un faisceau de lumière subit une petite force. Avec les sources de lumière ordinaire, cette pression de radiation est trop petite pour être significative. Mais elle est importante à l'échelle cosmique (elle permet d'éviter l'affaissement gravitationnel à l'intérieur des étoiles) et plus modestement, dans un laboratoire de biologie cellulaire, où un intense faisceau laser concentré peut exercer

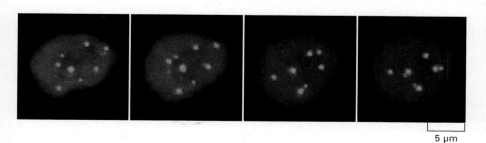

|← 5 µm →|

Figure 9-45 Dynamique d'un marquage à la GFP. Cette séquence de microphotographies montre un groupe d'images tridimensionnelles d'un noyau vivant pris en une heure. Les cellules du tabac ont été transformées de façon stable par fusion de la GFP à une protéine de la machinerie d'épissage concentrée dans de petits corps nucléaires appelés corps de Cajal (*voir* Figure 6-48). Les corps de Cajal fluorescents, facilement visibles dans la cellule vivante en microscopie confocale, sont des structures dynamiques qui se déplacent dans le noyau. (Due à l'obligeance de Kurt Boudonck, Liam Dolan et Peter Shaw.)

assez de forces pour repousser de petits objets dans la cellule. Si le faisceau laser est concentré sur un objet doté d'un indice de réfraction supérieur à celui de son entourage, le faisceau est réfracté, ce qui provoque le changement de direction d'un très grand nombre de photons. La déflection des photons maintient l'objet sur le foyer du laser ; s'il commence à dévier de sa position, il est repoussé dans sa position initiale par la pression des radiations qui agit plus fortement d'un côté que de l'autre. De ce fait, en dirigeant un faisceau laser concentré, en général un laser infrarouge dont l'absorption par les constituants cellulaires est minimale, on peut créer une «pince (ou forceps) optique» qui déplace des objets subcellulaires comme les organites et les chromosomes. Cette méthode permet de mesurer la force exercée par une molécule d'actine-myosine, un microtubule moteur ou par l'ARN polymérase.

Les faisceaux laser concentrés qui sont plus fortement absorbés par les matériaux biologiques sont plutôt utilisés comme couteaux optiques – pour tuer une cellule particulière, pour la couper ou la percer par brûlure, ou pour détacher un composant intracellulaire d'un autre. De cette façon, les appareils optiques fournissent un ensemble d'instruments de base pour la microchirurgie cellulaire.

Des radioisotopes peuvent marquer les cellules

Comme nous l'avons vu, il est souvent important, en biologie cellulaire, de déterminer la concentration intracellulaire des molécules spécifiques et l'endroit où elles se trouvent et de suivre la modification de leur localisation en réponse aux signaux extracellulaires. La gamme des molécules à étudier s'étend des petits ions inorganiques, comme Ca^{2+} ou H^+, aux grosses macromolécules comme les protéines spécifiques, l'ARN ou les séquences d'ADN. Nous avons montré jusqu'à présent comment on pouvait utiliser des méthodes sensibles de fluorescence pour le titrage de ces diverses molécules, et pour suivre le comportement dynamique de beaucoup d'entre elles dans les cellules vivantes. Nous finirons ce chapitre par la description du mode d'utilisation des radioisotopes pour suivre le trajet intracellulaire de molécules spécifiques.

La plupart des éléments naturels sont un mélange d'*isotopes* légèrement différents. Ils diffèrent les uns des autres par la masse de leur noyau atomique, mais comme ils ont le même nombre de protons et d'électrons, ils possèdent les mêmes propriétés chimiques. Dans les isotopes radioactifs, ou radioisotopes, le noyau est instable et subit des désintégrations aléatoires qui produisent un atome différent. Au cours de ces désintégrations, ils émettent des particules sub-atomiques énergétiques, comme les électrons, ou des radiations, comme des rayons gamma. Par le biais de la synthèse chimique qui permet d'incorporer un ou plusieurs de ces atomes radioactifs dans la molécule à étudier, on peut suivre sa destinée pendant une réaction biologique.

Même si les radioisotopes naturels sont rares (à cause de leur instabilité), ils peuvent être produits en grande quantité dans des réacteurs nucléaires, à l'intérieur desquels des atomes stables sont bombardés par des particules riches en énergie. Il est donc facile de disposer de radioisotopes d'un grand nombre d'éléments majeurs (Tableau 9-III). Les radiations qu'ils émettent sont détectées de diverses façons. Les électrons (particules bêta) sont détectés dans un *compteur Geiger* par l'ionisation qu'ils produisent dans un gaz, ou sont mesurés sur un *compteur à scintillation* par les petits flashs lumineux qu'ils induisent dans le liquide de scintillation. Ces méthodes permettent de mesurer avec précision quelle est la quantité d'un radioisotope particulier présente dans un spécimen biologique. En utilisant un microscope optique ou

TABLEAU 9-III Quelques radioisotopes fréquemment utilisés dans la recherche biologique

ISOTOPE	DEMI-VIE
^{32}P	14 jours
^{131}I	8,1 jours
^{35}S	87 jours
^{14}C	5 570 ans
^{45}Ca	164 jours
^{3}H	12,3 ans

Les isotopes sont disposés par ordre décroissant d'énergie des radiations β (électrons) qu'ils émettent. Le ^{131}I émet aussi des radiations γ. La demi-vie est le temps nécessaire à la désintégration de 50 p. 100 des atomes d'un isotope.

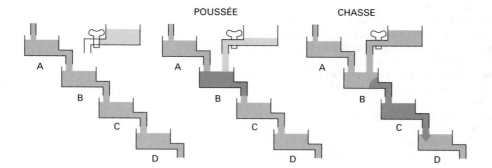

POUSSÉE   CHASSE

A   A   A
B   B   B
C   C   C
D   D   D

Figure 9-46 Logique d'une expérience typique de *pulse-chase* (ou «poussée-chasse») utilisant des radioisotopes. Les chambres marquées A, B, C et D représentent différents compartiments de la cellule (détectés par autoradiographie ou par des expériences de fractionnement cellulaire), ou différents composés chimiques (détectés par chromatographie ou d'autres méthodes chimiques). Les résultats d'une véritable expérience de «poussée-chasse» sont observés en figure 9-47.

électronique, il est également possible de localiser un radioisotope dans un échantillon par *autoradiographie*, comme nous le décrirons ci-dessous. Toutes ces méthodes de détection sont extrêmement sensibles : dans des circonstances favorables il est possible de détecter presque toute désintégration – et donc tout atome radioactif qui se dégrade.

Des radioisotopes sont utilisés pour suivre les molécules dans une cellule ou un organisme

Une des premières utilisations de la radioactivité en biologie fut de suivre le trajet chimique du carbone pendant la photosynthèse. Des algues vertes unicellulaires étaient maintenues dans une atmosphère contenant du CO_2 radioactif ($^{14}CO_2$), puis exposées à la lumière solaire ; leur contenu soluble était ensuite séparé par chromatographie sur papier, à différents moments. Les petites molécules contenant des atomes de ^{14}C dérivés du CO_2 étaient détectées sur une feuille de film photographique placée sur le chromatogramme sur papier une fois sec. La plupart des principaux composants de la voie de la photosynthèse, qui permet le passage du CO_2 aux sucres, ont été identifiés de cette façon.

Les molécules radioactives permettent de suivre l'évolution des processus cellulaires. Une expérience typique consiste à fournir aux cellules un précurseur moléculaire sous forme radioactive. Les molécules radioactives se mélangent à celles non marquées préexistantes ; elles sont toutes deux traitées pareillement par la cellule car elles ne diffèrent que par la masse de leur noyau atomique. Les variations de la localisation ou de la forme chimique des molécules radioactives sont alors suivies en fonction du temps. La résolution de ce type d'expérience est souvent meilleure lorsqu'on utilise un protocole de marquage **pulse-chase** (ou «poussée-chasse»), au cours duquel le matériel radioactif (la «*poussée*») n'est ajouté que pendant une très courte période puis éliminé par lavage et remplacé par les molécules non radioactives (la «*chasse*»). Les échantillons sont prélevés à intervalles réguliers et la forme chimique ou la localisation de la radioactivité est identifiée dans chaque échantillon (Figure 9-46). Les expériences de poussée-chasse, associées à l'autoradiographie, ont été importantes, par exemple, pour élucider la voie biologique suivie par les protéines issues du RE et sécrétées à l'extérieur de la cellule (Figure 9-47).

Figure 9-47 Autoradiographie en microscopie électronique. Résultats d'une expérience de «poussée-chasse» au cours de laquelle les cellules B du pancréas sont alimentées avec de la ^{3}H-leucine pendant 5 minutes (la poussée) suivie d'un excès de leucine non marquée (la chasse). L'acide aminé s'incorpore largement dans l'insuline destinée à être sécrétée. Après une chasse de 10 minutes, la protéine marquée s'est déplacée du RE rugueux aux citernes de Golgi (A) où sa position est révélée par les grains d'argent noirs de l'émulsion photographique. Au bout de 45 minutes supplémentaires de chasse, la protéine marquée se trouve dans les granules sécréteurs denses aux électrons (B). Les petits grains d'argent arrondis sont produits par l'utilisation d'un révélateur photographique particulier et ne doivent pas être confondus avec les points noirs d'aspect similaire observés dans les méthodes d'immunomarquage à l'or (par ex. Figure 9-26). Des expériences, semblables à celle-ci, ont été importantes pour établir la voie biologique intracellulaire des protéines de sécrétion néosynthétisées. (Due à l'amabilité de L. Orci, d'après *Diabetes* 31 : 518-565, 1982. © American Diabetes Association, Inc.)

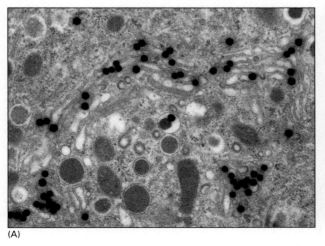

(A)

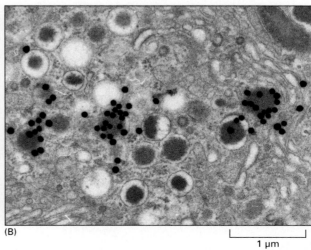

(B)

1 µm

Le marquage par les radioisotopes est une méthode particulièrement précieuse qui permet de distinguer des molécules chimiquement identiques mais dont l'historique est différent – par exemple, celles qui ne sont pas synthétisées au même moment. Par exemple, cette méthode a démontré que pratiquement toutes les molécules d'une cellule vivante sont dégradées et remplacées continuellement même lorsque la cellule n'est pas en croissance et se trouve apparemment dans un état d'équilibre. Ce renouvellement (*turnover*) parfois très lent, aurait été pratiquement impossible à détecter sans les radioisotopes.

Actuellement, toutes les petites molécules communes, ou presque, sont commercialement disponibles sous leur forme radioactive et toute molécule biologique, quel que soit son degré de complexité, peut virtuellement être marquée par radioactivité. Il est possible de fabriquer des composés en y incorporant des atomes radioactifs dans des positions spécifiques de leur structure pour suivre la destinée propre des différentes parties d'une même molécule pendant les réactions biologiques (Figure 9-48).

Comme nous l'avons déjà mentionné, une des principales utilisations de la radioactivité en biologie cellulaire est de localiser par **autoradiographie** un composé radioactif dans des coupes cellulaires ou tissulaires totales. Cette technique consiste à exposer brièvement les cellules vivantes à une impulsion d'un composé radioactif spécifique. Après incubation, pendant une période variable – qui leur laisse le temps d'incorporer le composé – les cellules sont fixées et traitées pour pouvoir être observées en microscopie optique ou électronique. Chaque préparation est ensuite recouverte d'un fin film d'une émulsion photographique puis laissée plusieurs jours dans le noir, pour que le radioisotope se dégrade. L'émulsion est ensuite développée et la position de la radioactivité dans chaque cellule est indiquée par la position des granules d'argent développés (*voir* Figure 5-33). Si, par exemple, les cellules sont exposées à de la ^{3}H-thymidine, un précurseur radioactif de l'ADN, on peut montrer que l'ADN est fabriqué dans le noyau et y reste. Par contre, si les cellules sont exposées à de la ^{3}H-uridine, un précurseur radioactif de l'ARN, on observe que l'ARN est initialement fabriqué dans le noyau puis se déplace rapidement dans le cytoplasme. On peut aussi détecter les molécules radiomarquées par autoradiographie après leur sé-

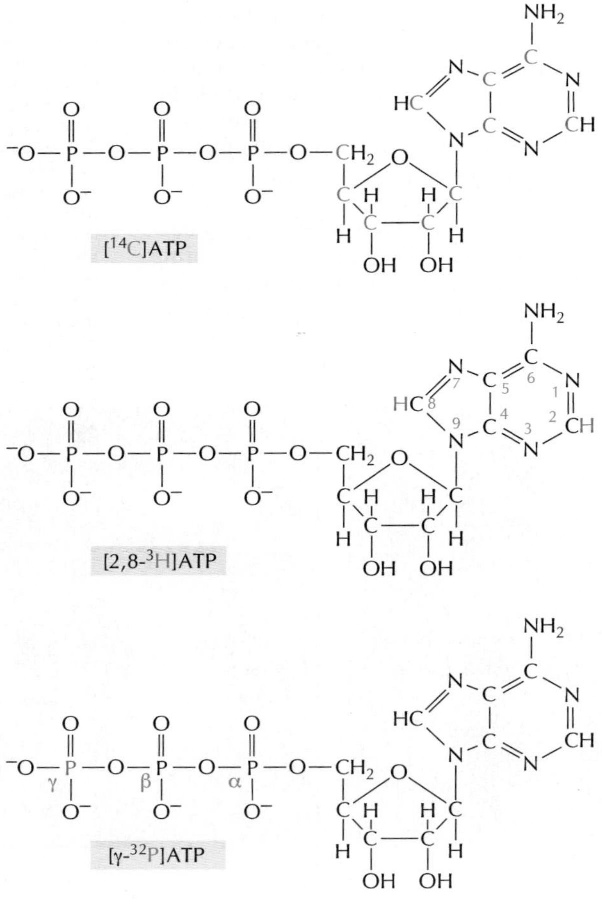

Figure 9-48 Molécules marquées par des radioisotopes. Trois formes d'ATP radioactif commercialement disponibles et dont les atomes radioactifs sont marqués en *rouge*. La nomenclature utilisée pour identifier la position et le type des atomes radioactifs est également présentée.

paration des autres molécules par électrophorèse sur gel ; les positions des protéines (*voir* Figure 8-17) et des acides nucléiques (*voir* Figure 8-23) sont fréquemment détectées de cette façon sur le gel.

Résumé

Nous disposons maintenant de techniques pour détecter, mesurer et suivre presque toutes les molécules souhaitées dans une cellule vivante. Par exemple, on peut introduire des indicateurs fluorescents pour mesurer la concentration en ions spécifiques dans des cellules isolées ou dans différentes parties d'une cellule. Le comportement dynamique d'un grand nombre de molécules peut être suivi dans une cellule vivante par la fabrication d'un précurseur inactif « trappé » introduit dans la cellule, puis instantanément activé dans une région particulière de celle-ci par une réaction stimulée par la lumière. La protéine de fluorescence verte (GFP) est une protéine particulièrement polyvalente qui peut être fixée sur d'autres protéines par des manipulations génétiques. Il est virtuellement possible de manipuler génétiquement n'importe quelle protéine que l'on souhaite étudier pour former une protéine de fusion à la GFP, observable dans les cellules vivantes en microscopie à fluorescence. Les isotopes radioactifs de divers éléments sont aussi utilisés pour suivre la destinée des molécules spécifiques à la fois sur le plan biochimique et en microscopie.

Bibliographie

Généralités

Celis JE (ed) (1998) Cell Biology: A Laboratory Handbook, 2nd edn. San Diego: Academic Press.

Lacey AJ (ed) (1999) Light Microscopy in Biology: A Practical Approach, 2nd edn. Oxford: Oxford University Press.

Paddock SW (ed) (1999) Methods in Molecular Biology, vol 122: Confocal Microscopy Methods and Protocols. Totowa, NJ: Humana Press.

Watt IM (1997) The Principles and Practice of Electron Microscopy, 2nd edn, Cambridge: Cambridge University Press.

L'observation des structures cellulaires en microscopie

Agard DA & Sedat JW (1983) Three-dimensional architecture of a polytene nucleus. *Nature* 302, 676–681.

Agard DA, Hiraoka Y, Shaw P & Sedat JW (1989) Fluorescence microscopy in three dimensions. In Methods in Cell Biology, vol 30: Fluorescence Microscopy of Living Cells in Culture, part B (DL Taylor, Y-L Wang eds). San Diego: Academic Press.

Allen RD (1985) New observations on cell architecture and dynamics by video-enhanced contrast optical microscopy. *Annu. Rev. Biophys. Chem.* 14, 265–290.

Allen TD & Goldberg MW (1993) High resolution SEM in cell biology. *Trends Cell Biol.* 3, 203–208.

Boon ME & Driver JS (1986) Routine Cytological Staining Methods. London: Macmillan.

Böttcher B, Wynne SA & Crowther RA (1997) Determination of the fold of the core protein of hepatits B virus by electron cryomicroscopy. *Nature* 386, 88–91.

Celis JE (ed) (1998) Cell Biology: A Laboratory Handbook, 2nd edn, vol 3, part 1—Histology and Histochemistry, pp 219–248. San Diego: Academic Press.

Celis JE (ed) (1998) Cell Biology: A Laboratory Handbook, 2nd edn, vol 2, part 6—Immunocytochemistry, pp 457–494. San Diego: Academic Press.

Celis JE (ed) (1998) Cell Biology: A Laboratory Handbook, 2nd edn, vol 3, part 9—Electron Microscopy, pp 249–362. San Diego: Academic Press.

Dubochet J, Adrian M, Chang J-J et al. (1988) Cryoelectron microscopy of vitrified specimens. *Q. Rev. Biophys.* 21, 129–228.

Everhart TE & Hayes TL (1972) The scanning electron microscope. *Sci. Am.* 226, 54–69.

Fowler WE & Aebi U (1983) Preparation of single molecules and supramolecular complexes for high resolution metal shadowing. *J. Ultrastruct. Res.* 83, 319–334.

Gabashvili IS, Agrawal RK, Spahn CMT et al. (2000) Solution structure of the *E. coli* 70S ribosome at 11.5 Å resolution. *Cell* 100, 537–549.

Griffiths G (1993) Fine Structure Immunocytochemistry. Heidelberg: Springer-Verlag.

Harlow E & Lane D (1988) Antibodies. A Laboratory Manual. Cold Spring Harbor: Cold Spring Harbor Laboratory.

Haugland RP (ed) (1996) Handbook of Fluorescent Probes and Research Chemicals, 8th edn. Eugene, OR: Molecular Probes, Inc. (Available online at http://www.probes.com/)

Hayat MA (1978) Introduction to Biological Scanning Electron Microscopy. Baltimore: University Park Press.

Hayat MA (1981) Fixation for Electron Microscopy. New York: Academic Press.

Hayat MA (1989) Cytochemical Methods. New York: Wiley-Liss.

Hayat MA (2000) Principles and Techniques of Electron Microscopy, 4th edn. Cambridge: Cambridge University Press.

Hecht E (2002) Optics, 4th edn. Reading, MA: Addison-Wesley.

Heitlinger E, Peter M, Haner M et al. (1991) Expression of chicken lamin B2 in *Escherichia coli*: characterization of its structure, assembly and molecular interactions. *J. Cell Biol.* 113, 485–495.

Heuser J (1981) Quick-freeze, deep-etch preparation of samples for 3-D electron microscopy. *Trends Biochem. Sci.* 6, 64–68.

Hoenger A & Aebi U (1996) Three-dimensional reconstructions from ice-embedded and negatively stained macromolecular assemblies: a critical comparison. *J. Struct. Biol.* 117, 99–116.

Inoué S & Spring HR (1997) Video Microscopy, 2nd edn. New York: Plenum Press.

Kuhlbrandt W, Wang DN & Fujiyoshi Y (1994) Atomic model of plant light-harvesting complex by electron crystallography. *Nature* 367, 614–621.

Mancini EJ, Clarke M, Gowen BE, Rutten T & Fuller SD (2000) Cryo-electron microscopy reveals the functional organization of an enveloped virus. Semliki Forest virus. *Mol. Cell* 5, 255–266.

Maunsbach AB (1998) Immunolabelling and staining of ultrathin sections in biological electron microscopy. In Cell Biology: A Laboratory Handbook, vol 3 (JE Celis ed), pp 268–276. San Diego: Academic Press.

Minsky M (1988) Memoir on inventing the confocal scanning microscope. *Scanning* 10, 128–138.

Pawley JB (ed) (1995) Handbook of Biological Confocal Microscopy, 2nd edn. New York: Plenum Press.

Pease DC & Porter KR (1981) Electron microscopy and ultramicrotomy. *J. Cell Biol.* 91, 287s–292s.

Petran M, Hadravsky M, Egger MD & Galambos R (1968) Tandem-scanning reflected light microscope. *J. Opt. Soc. Am.* 58, 661–664.

Ploem JS & Tanke HJ (1987) Introduction to Fluorescence Microscopy. Royal Microscopical Society Microscopy Handbook, No 10. Oxford: Oxford University Press.

Shotton DM (1998) Freeze fracture and freeze etching. In Cell Biology: A Laboratory Handbook, vol 3 (JE Celis ed), pp 310–322. San Diego: Academic Press.

Shotton DM (ed) (1990) Electronic Light Microscopy: Techniques in Modern Biomedical Microscopy. New York: Wiley-Liss.

Slayter EM & Slayter HS (1992) Light and Electron Microscopy. Cambridge: Cambridge University Press.

Taylor DL & Wang Y-L (eds) (1989) Methods in Cell Biology, vols 29 & 30: Fluorescence Microscopy of Living Cells in Culture, parts A & B. San Diego: Academic Press.

Unwin PNT & Henderson R (1975) Molecular structure determination by electron microscopy of unstained crystal specimens. J. Mol. Biol. 94, 425–440.

Weiss DG, Maile W, Wick RA & Steffen W (1999) Video microscopy. In Light Microscopy in Biology: A Practical Approach, 2nd edn (AJ Lacey ed). Oxford: Oxford University Press.

White JG, Amos WB & Fordham M (1987) An evaluation of confocal versus conventional imaging of biological structures by fluorescence light microscopy. J. Cell Biol. 105, 41–48.

Wigge PA, Jensen ON, Holmes S et al. (1998) Analysis of the Saccharomyces spindle pole by matrix-assisted laser desorption/ionization (MALDI) mass spectrometry. J. Cell Biol. 141, 967–977.

Wilson L & Matsudaira P (eds) (1993) Methods in Cell Biology, vol 37: Antibodies in Cell Biology. New York: Academic Press.

Zernike F (1955) How I discovered phase contrast. Science 121, 345–349.

L'observation des molécules dans les cellules vivantes

Ammann D (1986) Ion-Selective Microelectrodes: Principles, Design and Application. Berlin: Springer-Verlag.

Celis JE (ed) (1998) Cell Biology: A Laboratory Handbook, 2nd edn, vol 4: part 13—Transfer of Macromolecules and Small Molecules, pp 3–183. San Diego: Academic Press. (This contains many descriptions of the variety of methods that are used in various different cell types for different purposes, including microinjection, electroporation, liposome delivery, biolistic bombardment and other methods.)

Celis JE (ed) (1998) Cell Biology: A Laboratory Handbook, 2nd edn, vol 3, part 10—Intracellular Measurements, pp 363–386. San Diego: Academic Press.

Chalfie M, Tu Y, Euskirchen G, Ward WW & Prasher DC (1994) Green fluorescent protein as a marker for gene expression. Science 263, 802–805.

Haseloff J, Dormand E-L & Brand A (1999) Live imaging with green fluorescent protein. In Methods in Molecular Biology, vol 122: Confocal Microscopy Methods and Protocols (SW Paddock ed). Totowa, NJ: Humana Press.

Mitchison TJ & Salmon ED (1992) Kinetochore fiber movement contributes to anaphase-A in newt lung cells. J. Cell Biol. 119, 569–582.

Neher E (1992) Ion channels for communication between and within cells. Science 256, 498–502.

Ormo M, Cubitt AB, Kallio et al. (1966) Crystal structure of the Aequoria victoria green fluorescent protein. Science 273, 1392–1395.

Parton RM & Read ND (1999) Calcium and pH imaging in living cells. In Light Microscopy in Biology. A Practical Approach, 2nd edn (Lacey AJ ed). Oxford: Oxford University Press.

Sakmann B (1992) Elementary steps in synaptic transmission revealed by currents through single ion channels. Science 256, 503–512.

Sawin KE, Theriot JA & Mitchison TJ (1999) Photoactivation of fluorescence as a probe for cytoskeletal dynamics in mitosis and cell motility. In Fluorescent and Luminescent Probes for Biological Activity, 2nd edn (Mason WT ed). San Diego: Academic Press.

Sheetz MP (ed) (1997) Methods in Cell Biology, vol 55: Laser Tweezers in Cell Biology. San Diego: Academic Press.

Theriot JA, Mitchison TJ, Tilney LG & Portnoy DA (1992) The rate of actin-based motility of intracellular Listeria monocytogenes equals the rate of actin polymerization. Nature 357, 257–260.

Tsien RY (1989) Fluorescent probes of cell signaling. Ann. Rev. Neorosci. 12, 227–253.

ORGANISATION INTERNE DE LA CELLULE

L'organisation cytoplasmique. Cette coupe fine traverse les microvillosités de la surface apicale de cellules épithéliales intestinales et montre les principes généraux de l'organisation des cellules eucaryotes. Les filaments du cytosquelette (actine) composent la structure interne des microvillosités, le cytosol est rempli de vésicules et de compartiments entourés d'une membrane, et les cellules adjacentes sont ancrées les unes aux autres par des jonctions. (D'après P.T. Matsudaira et D.R. Burgess, *Cold Spring Harbor Symp. Quant. Biol.* 46 : 845-854, 1985.)

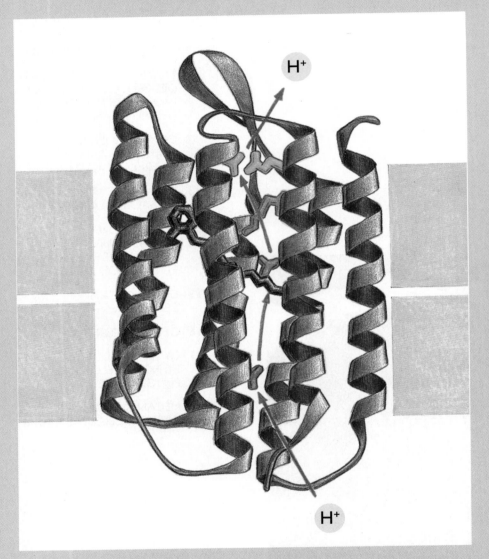

H⁺

H⁺

Une protéine membranaire. Des protéines spécifiques, insérées dans la membrane cellulaire, forment des pores qui sont traversés par des molécules. La protéine bactérienne montrée ici, utilise l'énergie de la lumière (photons) pour activer le pompage des protons au travers de la membrane plasmique. (Adapté de H. Luecke et al., *Science* 286 : 255-260, 1999.)

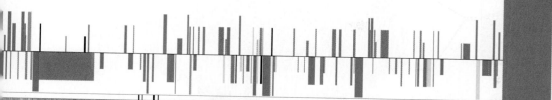

STRUCTURE MEMBRANAIRE

LA BICOUCHE LIPIDIQUE

PROTÉINES MEMBRANAIRES

10

Les membranes cellulaires sont cruciales pour la vie de la cellule. La **membrane plasmique** entoure la cellule, définit ses limites et maintient les différences essentielles entre le cytosol et l'environnement extracellulaire. À l'intérieur de la cellule eucaryote, les membranes du réticulum endoplasmique, de l'appareil de Golgi, des mitochondries et des autres organites entourés d'une membrane maintiennent les différences caractéristiques entre le contenu de chaque organite et le cytosol. Les gradients ioniques de part et d'autre de la membrane, établis par les activités de protéines membranaires spécifiques, peuvent être utilisés pour synthétiser de l'ATP, actionner les mouvements transmembranaires de certains solutés, ou produire et transmettre des signaux électriques dans les nerfs et les cellules musculaires. Dans toutes les cellules, la membrane plasmique contient également des protéines qui agissent comme des capteurs de signaux externes et permettent à la cellule de modifier son comportement en réponse aux signaux de l'environnement ; ces capteurs protéiques ou *récepteurs*, transfèrent une information – et non pas des ions ou des molécules – à travers la membrane.

En dépit de leurs différentes fonctions, toutes les membranes biologiques ont une structure générale commune : chacune est constituée d'un très fin film de lipides et de protéines qui sont maintenus ensemble principalement par des interactions non covalentes. Les membranes cellulaires sont des structures dynamiques et fluides, et la plupart de leurs molécules peuvent se déplacer dans le plan membranaire. Les molécules lipidiques sont disposées en une double couche continue dont l'épaisseur est d'environ 5 nm (Figure 10-1). Cette *bicouche lipidique* fournit la structure fluide fondamentale de la membrane et constitue une barrière relativement imperméable qui s'oppose au passage de la plupart des molécules hydrosolubles. Les molécules protéiques qui enjambent la bicouche lipidique servent d'intermédiaires à presque toutes les autres fonctions de la membrane ; elles permettent, par exemple, la traver-

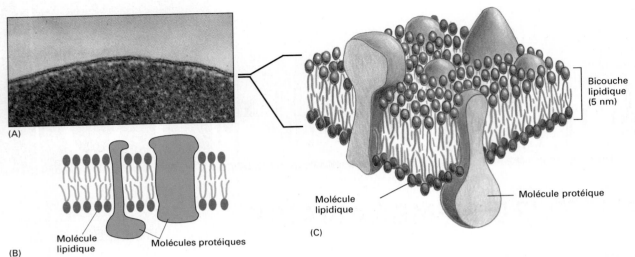

Figure 10-1 Trois vues d'une membrane cellulaire. (A) Photographie en microscopie électronique d'une membrane plasmique (d'une hématie humaine) observée en coupe. (B et C) Ces schémas montrent une vue bidimensionnelle et tridimensionnelle d'une membrane cellulaire. (A, due à l'obligeance de Daniel S. Friend.)

sée de molécules spécifiques ou catalysent des réactions associées à la membrane, comme la synthèse de l'ATP. Dans la membrane plasmique, certaines protéines servent de chaînons structuraux qui relient le cytosol, au travers de la bicouche lipidique, à la matrice extracellulaire ou à une cellule adjacente, tandis que d'autres servent de récepteurs qui détectent et transmettent les signaux chimiques dans l'environnement cellulaire. Comme on pourrait s'y attendre, pour que la cellule fonctionne et interagisse avec son environnement, il faut un grand nombre de protéines membranaires différentes. En fait, on estime qu'environ 30 p. 100 des protéines codées dans le génome d'une cellule animale sont des protéines membranaires.

Dans ce chapitre, nous verrons la structure et l'organisation des deux principaux constituants des membranes biologiques – les lipides et les protéines membranaires. Même si nous nous focaliserons surtout sur la membrane plasmique, la plupart des concepts que nous aborderons s'appliquent aussi aux diverses membranes internes de la cellule. Nous traiterons des fonctions des membranes cellulaires dans les chapitres suivants. Par exemple, le chapitre 14 traitera de leur rôle dans la synthèse de l'ATP; le chapitre 11 abordera leur rôle dans le transport membranaire de petites molécules; et les chapitres 15 et 19 traiteront respectivement de leurs rôles dans la signalisation cellulaire et l'adhésion cellulaire. Dans les chapitres 12 et 13 nous verrons les membranes internes de la cellule et le transport protéique au travers et entre elles.

LA BICOUCHE LIPIDIQUE

Il a été fermement établi que la **bicouche lipidique** représentait la structure de base universelle des membranes cellulaires. Elle est facilement observable en microscopie électronique, même si des techniques spécifiques, comme la diffraction des rayons X et la microscopie électronique après cryofracture, sont nécessaires pour révéler les particularités de son organisation. La structure de la bicouche est attribuable aux propriétés spécifiques des molécules lipidiques qui s'assemblent en une bicouche même dans de simples conditions artificielles.

Les lipides membranaires sont des molécules amphipathiques qui forment, pour la plupart, spontanément une bicouche

Les molécules lipidiques – ou de graisse – constituent environ 50 p. 100 de la masse de la plupart des membranes cellulaires animales, et presque tout le reste est constitué de protéines. On compte approximativement 5×10^6 molécules lipidiques dans une surface de $1\,\mu m \times 1\,\mu m$ de bicouche lipidique, soit près de 10^9 molécules lipidiques dans la membrane plasmique d'une petite cellule animale. Toutes les molécules lipidiques des membranes cellulaires sont **amphipathiques** (ou amphiphiliques) – c'est-à-dire qu'elles possèdent une extrémité **hydrophile** (qui «aime» l'eau) ou *polaire* et une extrémité **hydrophobe** (qui «hait» l'eau) ou *non polaire*.

Les **phospholipides** sont les lipides membranaires les plus abondants. Ils possèdent une tête polaire et deux *queues hydrocarbonées* hydrophobes. Les queues sont généralement des acides gras dont la longueur peut être différente (elles contiennent normalement entre 14 et 24 atomes de carbone). Une des queues possède en général une ou plusieurs double liaison *cis* (elle est *insaturée*) alors que l'autre n'en a pas (elle est *saturée*). Comme cela est montré dans la figure 10-2, chaque double liaison crée un petit coude sur la queue. Les différences de longueur et de saturation des queues d'acide gras sont importantes parce qu'elles influencent la capacité des molécules de phospholipides à se tasser les unes contre les autres, ce qui affecte la fluidité de la membrane (*voir* ci-dessous).

C'est la forme et la nature amphipathique des molécules lipidiques qui provoquent la formation spontanée des bicouches dans un environnement aqueux. Comme cela a été traité au chapitre 2, les molécules hydrophiles se dissolvent facilement dans l'eau parce qu'elles contiennent des groupements chargés ou des groupements polaires non chargés qui peuvent former des interactions électrostatiques favorables ou des liaisons hydrogène avec les molécules d'eau. Les molécules hydrophobes, par contre, sont insolubles dans l'eau parce que tous leurs atomes, ou presque, ne sont ni chargés ni polaires et ne peuvent donc pas former d'interactions énergétiquement favorables avec les molécules d'eau. Si les molécules hydrophobes sont dispersées dans l'eau, elles forcent les molécules d'eau adjacentes à se réorganiser pour former des cages de type glace qui les entourent (Figure 10-3). Comme ces structures de type cage sont plus ordonnées que l'eau environnante, leur formation augmente l'énergie libre. Ce coût en énergie libre est minimisé, cependant, si les molécules hydrophobes (ou les portions hydrophobes des molécules amphipathiques) s'agglutinent pour toucher un nombre minimal de molécules d'eau.

Pour les raisons citées ci-dessus, les molécules lipidiques s'agrègent spontanément pour enfouir leurs queues hydrophobes vers l'intérieur et exposer leurs têtes hydrophiles vers l'eau. En fonction de leur forme, elles peuvent le faire de deux façons : elles peuvent former des *micelles* sphériques et placer leurs queues vers l'intérieur ou former des feuillets bimoléculaires, ou *bicouches*, en coinçant leurs queues hydrophobes entre les têtes hydrophiles (Figure 10-4).

Comme elles sont cylindriques, les molécules de phospholipides forment spontanément des bicouches dans un environnement aqueux. Dans cette disposition, la plus favorable énergétiquement, les têtes hydrophiles font face à l'eau au niveau de chaque surface de la bicouche et les queues hydrophobes sont placées à l'intérieur et

Figure 10-2 Les parties d'une molécule de phospholipide. Cet exemple est une phosphatidylcholine, représentée (A) schématiquement, (B) par sa formule, (C) par son modèle compact, et (D) par son symbole. Le coude résultant de la double liaison *cis* est volontairement exagéré.

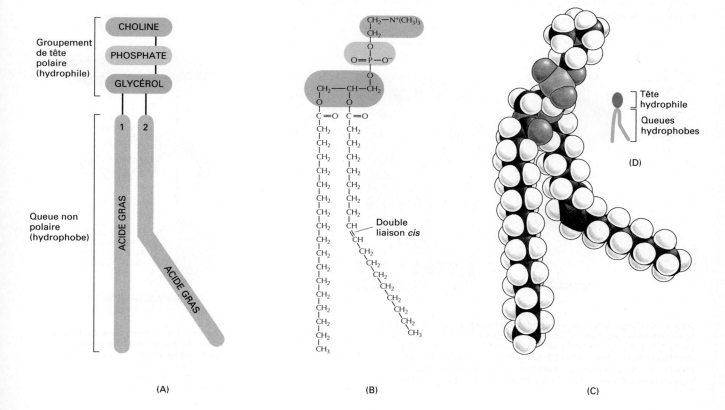

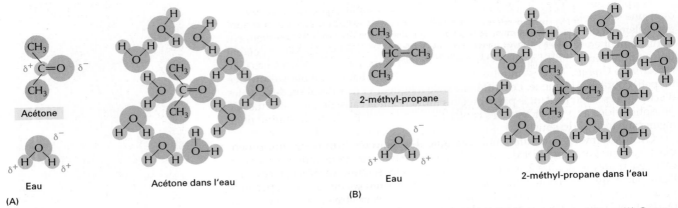

Figure 10-3 Les molécules hydrophiles et hydrophobes interagissent différemment avec l'eau. (A) Comme l'acétone est polaire, elle peut former des interactions électrostatiques favorables avec les molécules d'eau qui sont également polaires. L'acétone se dissout ainsi rapidement dans l'eau. (B) Par contre, le 2-méthyl-propane est totalement hydrophobe. Il ne peut former d'interactions favorables avec l'eau et force les molécules d'eau adjacentes à se réorganiser en une structure en cage de type glace, qui augmente l'énergie libre. Ce composé est donc virtuellement insoluble dans l'eau. Le symbole δ⁻ indique une charge partielle négative, et δ⁺ indique une charge partielle positive. Les atomes polaires sont montrés en couleur et les groupements non polaires sont montrés en *gris*.

protégées de l'eau. Les mêmes forces qui obligent les phospholipides à former des bicouches fournissent aussi les propriétés d'auto-cicatrisation. Les petites déchirures de la bicouche engendrent un bord libre avec l'eau, ce qui est énergétiquement défavorable, et les lipides se replacent spontanément pour l'éliminer. (Dans les membranes plasmiques des eucaryotes, les plus grandes déchirures sont réparées par fusion de vésicules intracellulaires.) Cette prohibition de la formation de bords libres a une conséquence importante : la bicouche n'a qu'une seule façon d'éviter de présenter de tels bords, c'est de se refermer sur elle-même pour former des compartiments hermétiques (Figure 10-5). Ce comportement remarquable, fondamental à la création d'une cellule vivante, est la conséquence directe de la forme et de la nature amphipathique des molécules de phospholipides.

En plus de ses propriétés d'auto-fermeture, la bicouche lipidique présente d'autres caractéristiques qui font d'elle une structure idéale pour une membrane cellulaire. Une des plus importantes est sa fluidité, qui est cruciale à de nombreuses fonctions membranaires.

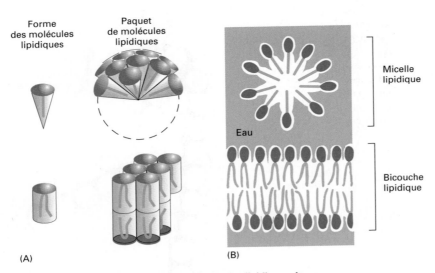

Figure 10-4 Disposition en paquet des molécules lipidiques dans un environnement aqueux. (A) Les molécules lipidiques en forme de cône (*en haut*) forment des micelles, alors que les molécules lipidiques en forme de cylindre (*en bas*) forment des bicouches. (B) Un micelle lipidique et une bicouche lipidique, observés en coupe transversale. Les molécules lipidiques forment spontanément l'une ou l'autre de ces structures dans l'eau selon leur forme.

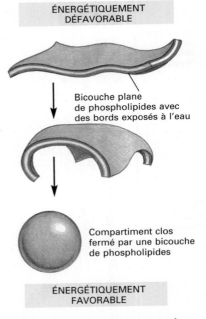

Figure 10-5 La fermeture spontanée d'une bicouche lipidique forme un compartiment clos. La structure fermée est stable parce qu'elle évite l'exposition des queues hydrocarbonées hydrophobes, ce qui serait énergétiquement défavorable.

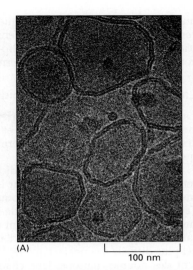

Figure 10-6 Liposomes. (A) Photographie en microscopie électronique de vésicules de phospholipides non fixées, non colorées – les liposomes – dans l'eau, rapidement congelées à la température de l'azote liquide. La structure en bicouche des liposomes est facilement visible. (B) Schéma d'un petit liposome sphérique observé en coupe transversale. Les liposomes sont fréquemment utilisés comme modèle de membrane lors d'étude expérimentale. (A, due à l'obligeance de Jean Lepault.)

(A)

100 nm

La bicouche lipidique est un fluide bidimensionnel

Ce n'est que vers 1970 que les chercheurs ont pour la première fois reconnu que chaque molécule lipidique, prise individuellement, pouvait diffuser librement dans la bicouche lipidique. La première démonstration a été faite lors d'études de bicouches lipidiques synthétiques. Deux types de préparations ont été très utiles dans ces études : (1) les bicouches faites sous forme de vésicules sphériques appelées **liposomes** dont la taille peut varier de 25 nm à 1 µm de diamètre en fonction de leur mode de production (Figure 10-6) et (2) les bicouches planes, appelées **membranes «noires»**, formées au travers d'un trou dans une cloison séparant deux compartiments aqueux (Figure 10-7).

Diverses techniques ont été utilisées pour mesurer les déplacements de chaque molécule lipidique et de leurs différentes parties. Il est possible de fabriquer, par exemple, une molécule lipidique dont la tête polaire porte une «marque de rotation», comme un groupement nitroxyle ($>$N–O); celui-ci contient un électron impair dont la rotation crée un signal paramagnétique détecté par spectroscopie ESR (pour *electron spin resonance* ou résonance de rotation électronique). (Le principe de cette technique est semblable à celui de la résonance magnétique nucléaire, décrit au chapitre 8.) Le mouvement et l'orientation d'un lipide à «marque de rotation» dans une bicouche peuvent être déduits de son spectre ESR. Ces études montrent que les molécules de phospholipides des bicouches synthétiques migrent très rarement d'une monocouche (ou *feuillet*) à l'autre. Ce processus appelé «flip-flop» se produit moins d'une fois par mois pour chaque molécule. Par contre, les molécules lipidiques échangent facilement leur place avec leurs voisines à l'intérieur d'une même monocouche (~10^7 fois par seconde). Cela crée une diffusion latérale rapide avec un coefficient de diffusion (D) d'environ 10^{-8}cm²/s, ce qui signifie qu'une molécule lipidique moyenne diffuse sur toute la longueur d'une grosse cellule bactérienne (~2 µm) en 1 seconde environ. Ces études ont également montré que chaque molécule lipidique effectue des rotations très rapides le long de son grand axe et que ses chaînes hydrocarbonées sont souples (Figure 10-8).

Des études similaires ont été effectuées avec des molécules lipidiques marquées situées dans des membranes biologiques isolées et dans des cellules vivantes. Les résultats sont généralement identiques à ceux des bicouches synthétiques, et démontrent que la composante lipidique d'une membrane biologique est un liquide bidimensionnel formé de molécules qui peuvent se déplacer librement latéralement. Comme dans les bicouches synthétiques, chaque molécule phospholipidique reste normalement confinée à sa propre monocouche. Ce confinement pose un problème pour leur synthèse. Les phospholipides ne sont fabriqués que dans une des monocouches d'une membrane, principalement dans la monocouche cytosolique de la membrane du réticulum endoplasmique (RE). Si aucune de ces molécules néosynthétisées ne pouvait migrer assez rapidement dans la monocouche non cytosolique,

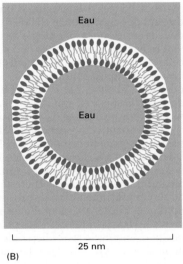

Eau

Eau

25 nm

(B)

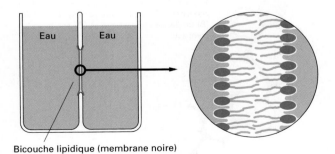

Eau   Eau

Bicouche lipidique (membrane noire)

Figure 10-7 Vue d'une coupe transversale d'une bicouche lipidique synthétique, la membrane noire. Cette bicouche plane apparaît en noir lorsqu'elle se forme au travers d'un petit trou dans une cloison qui sépare deux compartiments aqueux. Les membranes noires sont utilisées pour mesurer les propriétés de perméabilité de membranes synthétiques.

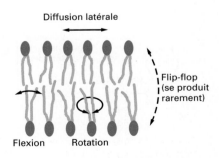

Diffusion latérale

Flip-flop (se produit rarement)

Flexion   Rotation

Figure 10-8 Mobilité des phospholipides. Les types de mouvement possibles des molécules de phospholipides dans une bicouche lipidique.

aucune nouvelle bicouche lipidique ne pourrait être fabriquée. Ce problème est résolu par une classe spécifique d'enzymes liées à la membrane, les *translocateurs des phospholipides*, qui catalysent le flip-flop rapide des phospholipides d'une monocouche à l'autre comme nous le verrons au chapitre 12.

La fluidité de la bicouche lipidique dépend de sa composition

La fluidité des membranes cellulaires doit être régulée avec précision. Certains processus de transport membranaire et certaines activités enzymatiques, par exemple, cessent lorsqu'on augmente expérimentalement la viscosité de la bicouche pour qu'elle dépasse un niveau seuil.

La fluidité de la bicouche lipidique dépend à la fois de sa composition et de sa température, comme les études sur les bicouches synthétiques le démontrent facilement. Une bicouche synthétique composée d'un seul type de phospholipide passe de l'état liquide à l'état cristallin rigide bidimensionnel (ou gel) à un point de congélation caractéristique. Ce changement d'état est appelé *transition de phase* et la température à laquelle il se produit est d'autant plus basse (c'est-à-dire que la membrane est plus difficile à congeler) que les chaînes hydrocarbonées sont courtes ou présentent des doubles liaisons. Une chaîne plus courte réduit la tendance des queues hydrocarbonées à interagir les unes avec les autres et les doubles liaisons *cis* produisent des coudes de la chaîne hydrocarbonée, qui se tasse donc plus difficilement, de telle sorte que la membrane reste fluide à des températures plus basses (Figure 10-9). Les bactéries, les levures et d'autres organismes dont la température fluctue avec celle de leur environnement ajustent la composition en acides gras de leurs membranes lipidiques pour maintenir une fluidité relativement constante. Lorsque la température s'abaisse, par exemple, ils synthétisent des acides gras présentant plus de doubles liaisons *cis*, afin d'éviter la baisse de la fluidité de la bicouche qui sinon se serait produite à cause de cette baisse de température.

Cependant la bicouche lipidique de bon nombre de membranes cellulaires n'est pas exclusivement composée de phospholipides ; elle contient souvent aussi du *cholestérol* et des *glycolipides*. Les membranes plasmiques des eucaryotes renferment une quantité particulièrement importante de **cholestérol** (Figure 10-10) – qui peut atteindre une molécule de cholestérol par molécule de phospholipide. Les molécules de cholestérol améliorent les propriétés de perméabilité/barrière de la double couche lipidique. Elles s'orientent d'elles-mêmes dans la bicouche en plaçant leurs groupements hydroxyle près des têtes polaires des molécules phospholipidiques. Dans cette position, leur cycle stéroïdien rigide, qui forme une plaque, interagit avec les régions de la chaîne hydrocarbonée les plus proches des têtes polaires et les immobilise en partie (Figure 10-11). En diminuant la mobilité des quelques premiers groupements CH_2 des chaînes hydrocarbonées des phospholipides, le cholestérol rend cette région de la bicouche lipidique moins déformable et diminue ainsi sa perméabilité aux petites molécules hydrophiles. Même si, aux fortes concentrations observées dans la plupart des membranes plasmiques eucaryotes, le cholestérol a tendance à diminuer la fluidité de la bicouche lipidique, il empêche aussi le rapprochement et la cristallisation des chaînes hydrocarbonées. Il inhibe ainsi les possibles transitions de phase.

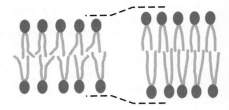

Chaînes hydrocarbonées instaurées avec des doubles liaisons *cis*

Chaînes hydrocarbonées saturées

Figure 10-9 Influence des doubles liaisons *cis* dans les chaînes hydrocarbonées. Les doubles liaisons augmentent la difficulté de tassage des chaînes entre elles, et rendent ainsi la bicouche lipidique plus difficile à congeler. De plus, comme les chaînes d'acides gras des lipides insaturés sont plus écartées, les bicouches lipidiques qui les contiennent sont plus fines que les bicouches formées exclusivement de lipides saturés.

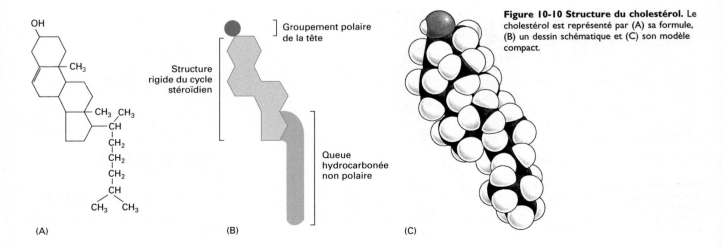

(A)   (B)   (C)

Figure 10-10 Structure du cholestérol. Le cholestérol est représenté par (A) sa formule, (B) un dessin schématique et (C) son modèle compact.

Les compositions des lipides de diverses membranes biologiques sont comparées dans le tableau 10-I. Les membranes plasmiques bactériennes sont souvent composées d'un type principal de phospholipides et ne contiennent pas de cholestérol ; leur stabilité mécanique est améliorée par la paroi cellulaire sus-jacente (*voir* Figure 11-17). La membrane plasmique de la plupart des cellules eucaryotes, à l'opposé, est plus variable, non seulement parce qu'elle contient de grandes quantités de cholestérol, mais aussi parce qu'elle contient un mélange de différents phospholipides.

Quatre phospholipides majeurs prédominent dans la membrane plasmique de nombreuses cellules de mammifères : la *phosphatidylcholine*, la *phosphatidyléthanolamine*, la *phosphatidylsérine* et la *sphingomyéline*. Les structures de ces molécules sont montrées dans la figure 10-12. Notez que seule la phosphatidylsérine porte une charge négative nette, dont l'importance sera traitée ultérieurement ; les trois autres sont électriquement neutres au pH physiologique, et portent une charge positive et une charge négative. L'ensemble de ces quatre phospholipides constitue plus de la moitié de la masse des lipides de la plupart des membranes (*voir* Tableau 10-I). D'autres phospholipides, comme les *inositol phospholipides*, se trouvent en faibles quantités mais ont un rôle fonctionnel très important. Les inositol phospholipides, par exemple, ont un rôle crucial dans la signalisation cellulaire, comme nous le verrons au chapitre 15.

On pourrait se demander pourquoi les membranes eucaryotes contiennent une telle variété de phospholipides, dont les têtes diffèrent par leur taille, leur forme et leur charge. On entrevoit un début de réponse si on considère que les membranes lipidiques forment un solvant bidimensionnel pour les protéines de la membrane, tout comme l'eau forme un solvant tridimensionnel pour les protéines en solution aqueuse. Certaines protéines membranaires ne peuvent fonctionner qu'en présence de phospholipides pourvus de têtes spécifiques, tout comme beaucoup d'enzymes en solution aqueuse nécessitent un ion particulier pour être actives. De plus, certaines enzymes du cytosol se fixent sur des groupements spécifiques de la tête des phospholipides exposés à la face cytosolique de la membrane et sont ainsi recrutées et concentrées sur des sites membranaires spécifiques.

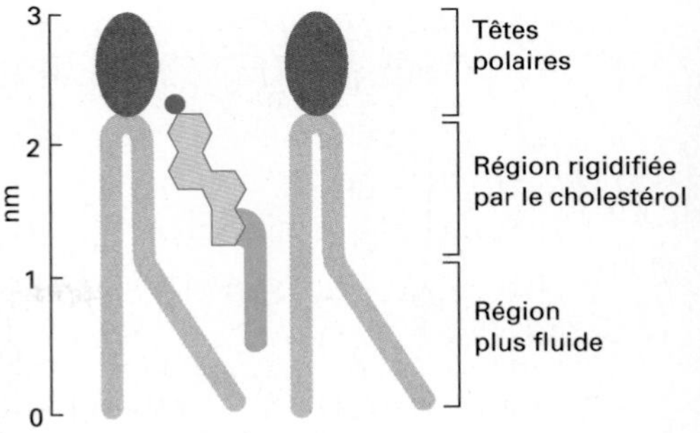

Figure 10-11 Cholestérol dans une bicouche lipidique. Schéma d'une molécule de cholestérol qui interagit avec deux molécules de phospholipides dans la monocouche d'une bicouche lipidique.

La membrane plasmique contient des radeaux lipidiques (*lipid rafts* ou microdomaines lipidiques) enrichis en sphingolipides, cholestérol et certaines protéines membranaires

Dans les membranes cellulaires, la plupart des types de molécules lipidiques sont mélangés de façon aléatoire dans la monocouche lipidique dans laquelle ils résident. Les forces d'attraction de Van der Waals entre les queues voisines d'acides gras ne sont pas assez sélectives pour maintenir ensemble des groupes de molécules de ce type. Pour certaines molécules lipidiques cependant, comme les sphingolipides (présentés ultérieurement) qui ont tendance à posséder de longues chaînes hydrocarbonées saturées, les forces d'attraction peuvent être juste assez fortes pour maintenir transitoirement des molécules adjacentes en petits microdomaines. Ces **microdomaines lipidiques**, ou **radeaux lipidiques** (*lipid rafts*), sont des sortes de séparations transitoires de phase de la bicouche lipidique fluide, où se concentrent les sphingolipides.

On pense que la membrane plasmique des cellules animales contient beaucoup de ces minuscules radeaux lipidiques (~70 nm de diamètre), qui sont enrichis à la fois

TABLEAU 10-I Composition lipidique approximative des différentes membranes cellulaires

POURCENTAGE TOTAL DE LIPIDES PAR POIDS						
LIPIDE	MEMBRANE PLASMIQUE DES HÉPATOCYTES	MEMBRANE PLASMIQUE DES HÉMATIES	MYÉLINE	MITOCHONDRIES (MEMBRANES INTERNES ET EXTERNES)	RÉTICULUM ENDOPLASMIQUE	BACTÉRIE *E. COLI*
Cholestérol	17	23	22	3	6	0
Phosphatidyléthanolamine	7	18	15	25	17	70
Phosphatidylsénine	4	7	9	2	5	Traces
Phosphatidylcholine	24	17	10	39	40	0
Sphingomyéline	19	18	8	0	5	0
Glycolipides	7	3	28	Traces	Traces	0
Autres	22	13	8	21	27	30

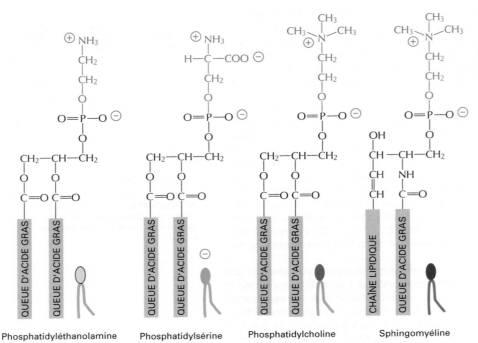

Figure 10-12 Les quatre phospholipides principaux des membranes plasmiques des mammifères. Notez que les différentes têtes sont représentées par différentes couleurs. Toutes les molécules lipidiques montrées dérivent du glycérol sauf la sphingomyéline qui dérive de la sérine.

Phosphatidyléthanolamine Phosphatidylsérine Phosphatidylcholine Sphingomyéline

en sphingolipides et en cholestérol. Comme les chaînes hydrocarbonées des lipides qui s'y concentrent sont plus longues et plus droites que les chaînes d'acides gras de la plupart des lipides membranaires, ces microdomaines sont plus épais que les autres parties de la bicouche (*voir* Figure 10-9) et sont plus aptes à recevoir certaines protéines membranaires, qui ont donc tendance à s'y accumuler (Figure 10-13). De cette façon, on pense que ces microdomaines lipidiques facilitent l'organisation de ces protéines – soit en les concentrant pour leur transport dans de petites vésicules, soit en permettant aux protéines de fonctionner ensemble, comme lorsqu'elles transforment les signaux extracellulaires en signaux intracellulaires (*voir* Chapitre 15).

La plupart des molécules lipidiques d'une des monocouches de la double couche lipidique se déplacent indépendamment de celles de l'autre monocouche. Dans les microdomaines lipidiques cependant, les longues chaînes hydrocarbonées des sphingolipides d'une monocouche interagissent avec celles de l'autre monocouche. Les deux monocouches communiquent ainsi dans le radeau lipidique par leurs queues lipidiques.

L'asymétrie de la bicouche lipidique a une importance fonctionnelle

La composition lipidique des deux monocouches de la double couche lipidique de nombreuses membranes est étonnamment différente. Dans la membrane des hématies humaines, par exemple, presque toutes les molécules lipidiques qui possèdent de la choline – $(CH_3)_3N^+CH_2CH_2OH$ – dans leur tête (phosphatidylcholine et sphingomyéline) se trouvent dans la monocouche externe, alors que presque toutes les molécules de phospholipides qui contiennent un groupement terminal amine primaire (phosphatidyléthanolamine et phosphatidylsérine) se trouvent dans la monocouche interne (Figure 10-14). Comme les phosphatidylsérines négativement chargées sont localisées dans la monocouche interne, il existe une différence significative de charge entre les deux moitiés de la double couche. Nous verrons au chapitre 12 comment cette asymétrie lipidique est engendrée et maintenue par les translocateurs de phospholipides liés à la membrane.

L'asymétrie lipidique est fonctionnellement importante. Beaucoup de protéines cytosoliques se fixent sur des groupements spécifiques de la tête des lipides placés dans la monocouche cytosolique de la bicouche lipidique. Une enzyme, par exemple, la *protéine kinase C (PKC)*, est activée en réponse à divers signaux extracellulaires. Elle se fixe sur la face cytosolique de la membrane plasmique où se concentrent les phosphatidylsérines et nécessite ces lipides de charge négative pour son activité.

Dans d'autres cas, le groupement de tête du lipide doit d'abord être modifié pour que les sites de liaison aux protéines se forment à un moment et à un endroit particuliers. Les *phosphatidylinositols*, par exemple, sont des phospholipides mineurs concentrés dans la monocouche cytosolique de la membrane cellulaire. Diverses

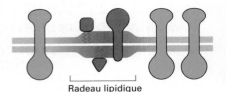

Radeau lipidique

Figure 10-13 Radeau lipidique (*lipid raft* ou microdomaine lipidique). Les microdomaines lipidiques sont de petites zones spécialisées de la membrane où certains lipides (en particulier les sphingolipides et le cholestérol) et des protéines (en *vert*) se concentrent. Comme la bicouche lipidique est un peu plus épaisse dans les radeaux lipidiques, certaines protéines membranaires s'y accumulent. Une vue plus détaillée d'un radeau lipidique est montrée dans la figure 13-63.

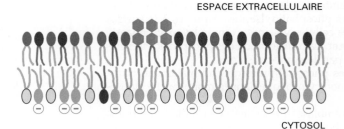

CYTOSOL

Figure 10-14 Distribution asymétrique des phospholipides et des glycolipides dans la bicouche lipidique des hématies humaines. Les couleurs utilisées pour les têtes des phospholipides sont celles introduites dans la figure 10-12. En plus, les glycolipides sont dessinés avec une tête polaire hexagonale (*bleu*). On pense que le cholestérol (non montré) se distribue pareillement dans les deux monocouches.

lipide-kinases peuvent ajouter un groupement phosphate dans différentes positions au noyau d'inositol. Les inositol phospholipides phosphorylés fonctionnent alors comme des sites de liaison qui recrutent dans la membrane des protéines spécifiques issues du cytosol. La *phosphatidylinositol kinase (PI 3-kinase)* est une de ces lipide-kinases importantes ; elle est activée en réponse à des signaux extracellulaires et facilite le recrutement des protéines spécifiques intracellulaires de signalisation sur la face cytosolique de la membrane plasmique (Figure 10-15A). Des lipide-kinases similaires phosphorylent les inositol phospholipides des membranes intracellulaires et facilitent ainsi le recrutement des protéines qui guident le transport membranaire.

Les phospholipides de la membrane plasmique sont également utilisés d'une autre façon pour répondre aux signaux extracellulaires. La membrane plasmique contient diverses *phospholipases,* activées par des signaux extracellulaires, qui coupent des molécules de phospholipides spécifiques pour former des fragments qui agissent comme des médiateurs intracellulaires à courte durée de vie (Figure 10-15). La *phospholipase C*, par exemple, coupe un inositol phospholipide de la monocouche cytosolique de la membrane plasmique et engendre deux fragments : un reste dans la membrane et facilite l'activation de la protéine-kinase C tandis que l'autre est libéré dans le cytosol et stimule la libération de Ca^{2+} à partir du réticulum endoplasmique (*voir* Figure 15-36).

Les animaux exploitent l'asymétrie des phospholipides de leurs membranes plasmiques pour différencier les cellules mortes des vivantes. Lorsque les cellules animales subissent une mort cellulaire programmée, ou apoptose (*voir* Chapitre 17), les phosphatidylsérines, qui restent normalement confinées dans la monocouche cyto-

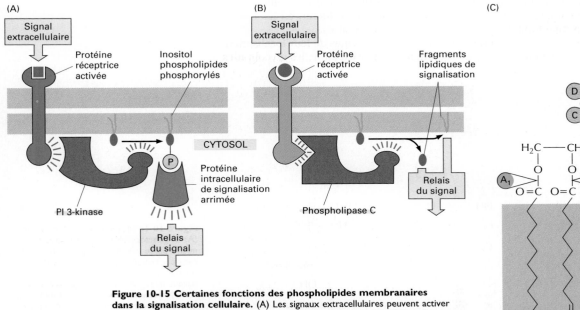

Figure 10-15 Certaines fonctions des phospholipides membranaires dans la signalisation cellulaire. (A) Les signaux extracellulaires peuvent activer la PI 3-kinase, qui phosphoryle les inositol phospholipides de la membrane plasmique. Diverses molécules intracellulaires de signalisation se fixent alors sur ces lipides phosphorylés et sont ainsi recrutées dans la membrane où elles peuvent interagir et faciliter le relais du signal dans la cellule. (B) D'autres signaux extracellulaires activent les phospholipases qui coupent les phospholipides. Les fragments lipidiques agissent alors comme des molécules de signalisation pour relayer le signal dans la cellule. (C) Schéma des différents sites où les différentes classes de phospholipases coupent les phospholipides. Comme cela est indiqué, les phospholipases A_1 et A_2 coupent les liaisons ester alors que les phospholipases C et D coupent les liaisons phosphoester.

solique de la bicouche lipidique de la membrane plasmique, se déplacent rapidement dans la monocouche extracellulaire. Ces phosphatidylsérines exposées à la surface cellulaire servent de signal induisant les cellules voisines, comme les macrophages, à phagocyter la cellule morte et à la digérer. La translocation des phosphatidylsérines dans les cellules en apoptose s'effectue par deux mécanismes :

1. L'inactivation du translocateur des phospholipides qui, normalement, transporte ce lipide de la monocouche non cytosolique dans la monocouche cytosolique.

2. L'activation d'une enzyme, la « scramblase » (*to scramble* = brouiller), qui transfère non spécifiquement les phospholipides dans les deux directions entre les deux monocouches.

On retrouve des glycolipides à la surface de toutes les membranes plasmiques

Les molécules lipidiques qui présentent l'asymétrie la plus extrême de leur distribution membranaire sont celles qui contiennent un sucre et sont appelées **glycolipides**. Ces molécules intrigantes sont présentes exclusivement dans la monocouche non cytosolique de la bicouche lipidique, où on pense qu'elles se répartissent préférentiellement dans les microdomaines lipidiques (*lipid rafts*). Les glycolipides ont tendance à s'auto-associer, en partie par la formation de liaisons hydrogène entre leurs sucres et partiellement par l'intermédiaire des forces de Van der Waals entre leurs longues chaînes hydrocarbonées qui sont surtout saturées. La distribution asymétrique des glycolipides dans la bicouche résulte de l'addition de groupements glucidiques à la molécule lipidique dans la lumière de l'appareil de Golgi, qui est topographiquement équivalente à l'extérieur de la cellule (*voir* Chapitre 12). Dans la membrane plasmique, les groupements glucidiques sont exposés à la surface cellulaire (*voir* Figure 10-14), où ils jouent un rôle important dans les interactions entre la cellule et son entourage.

Les glycolipides existent probablement dans toutes les membranes plasmiques cellulaires, où ils forment généralement 5 p. 100 environ des molécules lipidiques de la monocouche externe. On les retrouve également dans certaines membranes intracellulaires. Les glycolipides les plus complexes, ou **gangliosides**, contiennent des oligosaccharides contenant un ou plusieurs résidus d'acide sialique, qui leur donnent une charge négative nette (Figure 10-16). Plus de 40 gangliosides différents ont été identifiés. Ils sont plus abondants dans la membrane plasmique des cellules nerveuses, où ils constituent 5 à 10 p. 100 de la masse lipidique totale ; on les trouve aussi, en quantités bien moindres, dans d'autres types cellulaires.

Les hypothèses sur les fonctions des glycolipides sont issues de leur localisation. Dans la membrane plasmique des cellules épithéliales, par exemple, les glycolipides

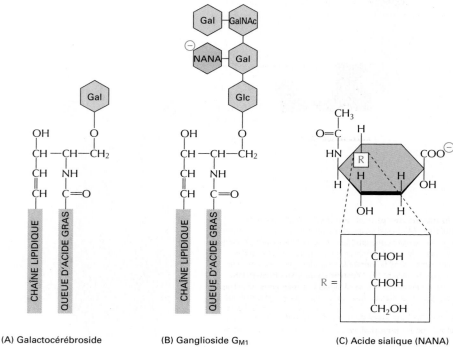

Figure 10-16 Molécules de glycolipides.
(A) Le galactocérébroside est un *glycolipide* neutre parce que le sucre qui forme sa tête n'est pas chargé. (B) Un ganglioside contient toujours un ou plusieurs résidus d'acide sialique négativement chargé (appelé aussi acide N-acétylneuraminique ou NANA) dont la structure est montrée en (C). Alors que dans les bactéries et les végétaux presque tous les glycolipides dérivent du glycérol, comme la plupart des phospholipides, dans les cellules animales ils sont presque toujours produits à partir de la sérine, comme c'est le cas pour le phospholipide appelé sphingomyéline (*voir* Figure 10-12).
Gal = galactose ; Glc = glucose, GalNAc = N-acétylgalactosamine ; ces trois sucres ne sont pas chargés.

(A) Galactocérébroside   (B) Ganglioside G_{M1} (C) Acide sialique (NANA)

sont confinés à la surface apicale exposée, où ils peuvent aider à protéger la membrane des conditions difficiles souvent rencontrées à cet endroit (comme un bas pH et des enzymes de dégradation). Les glycolipides chargés, comme les gangliosides, peuvent jouer un rôle important par leurs effets électriques : leur présence modifie le champ électrique de part et d'autre de la membrane et les concentrations ioniques – en particulier celle du Ca^{2+} – à la surface membranaire. On pense aussi que les glycolipides fonctionnent dans les processus de reconnaissance cellulaire, au cours desquels des protéines de liaison aux glucides, liées à la membrane (*lectines*), se fixent sur les groupements glucidiques des glycolipides et des glycoprotéines pendant le processus d'adhésion entre les cellules. Il est surprenant cependant que des souris mutantes, chez qui tous les gangliosides complexes sont déficients, ne présentent aucune anomalie évidente, même si les mâles ne peuvent transporter la testostérone normalement dans les testicules et sont par conséquent stériles.

Quelles que soient leurs fonctions normales, certains glycolipides fournissent des points d'entrée pour certaines toxines bactériennes. Le ganglioside G_{M1} (*voir* Figure 10-16), par exemple, agit comme un récepteur cellulaire de surface de la toxine bactérienne qui provoque la diarrhée débilitante du choléra. La toxine cholérique se fixe uniquement sur les cellules qui présentent le G_{M1} à leur surface, y compris les cellules épithéliales intestinales et ne pénètre qu'à l'intérieur de celles-ci. Son entrée dans la cellule conduit à l'augmentation prolongée de la concentration intracellulaire en AMP cyclique (*voir* Chapitre 15), ce qui provoque à son tour une sortie importante de Na^+ et d'eau dans l'intestin.

Résumé

Les membranes biologiques sont composées d'une double couche continue de molécules lipidiques dans laquelle sont encastrées les protéines membranaires. La bicouche lipidique est fluide, chaque molécule lipidique pouvant diffuser rapidement à l'intérieur de sa propre monocouche. Les molécules lipidiques membranaires sont amphipathiques. Les plus nombreuses sont les phospholipides. Lorsqu'ils sont placés dans l'eau, ils s'assemblent spontanément en bicouches et forment des compartiments clos qui se ressoudent s'ils sont déchirés.

Il y a trois classes principales de molécules lipidiques membranaires – les phospholipides, le cholestérol et les glycolipides. La composition lipidique de la monocouche interne est différente de celle de la monocouche externe, ce qui reflète les différentes fonctions des deux faces de la membrane cellulaire. Les membranes des cellules de différents types présentent des mélanges différents de lipides, de même que les diverses membranes d'une seule cellule eucaryote. Certaines enzymes liées à la membrane nécessitent des groupements spécifiques de la tête lipidique pour fonctionner. Les groupements de la tête de certains lipides forment des sites d'amarrage pour des protéines spécifiques du cytosol. Certains signaux extracellulaires qui agissent par l'intermédiaire d'un récepteur membranaire protéique activent des phospholipases qui coupent certains phospholipides de la membrane plasmique, engendrant ainsi des fragments qui agissent comme des molécules de signalisation intracellulaire.

PROTÉINES MEMBRANAIRES

Bien que la structure fondamentale des membranes biologiques soit la bicouche lipidique, ce sont les protéines qui effectuent la plupart des fonctions spécifiques de la membrane. Ce sont donc elles qui donnent à chaque type de membrane de la cellule ses propriétés fonctionnelles caractéristiques. Par conséquent la quantité et le type de protéines dans une membrane sont très variables. Dans la membrane myélinique, qui sert principalement d'isolation électrique des axones des cellules nerveuses, moins de 25 p. 100 de la masse membranaire est constituée de protéines. Par contre, dans les membranes impliquées dans la production d'ATP (comme les membranes internes des mitochondries et des chloroplastes), près de 75 p. 100 sont des protéines. Une membrane plasmique typique se trouve entre les deux, avec 50 p. 100 de sa masse composée de protéines.

Comme les molécules lipidiques sont petites, comparées aux molécules protéiques, il y a toujours dans une membrane beaucoup plus de molécules lipidiques que de molécules protéiques – environ 50 molécules lipidiques par molécule protéique dans une membrane dont la masse est à 50 p. 100 protéique. Tout comme les lipides membranaires, les protéines membranaires présentent souvent des chaînes d'oligosaccharides qui y sont fixées, dirigées vers l'extérieur de la cellule. De ce fait, la surface que la cellule présente à l'extérieur est riche en glucides, et ceux-ci forment un *manteau cellulaire*, comme nous le verrons par la suite.

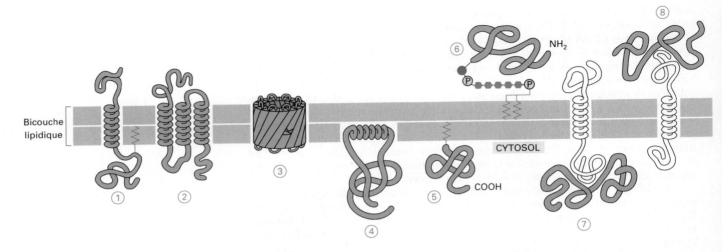

Figure 10-17 Différents modes d'association des protéines membranaires et de la bicouche lipidique.
On pense que la plupart des protéines transmembranaires traversent la bicouche sous forme (1) d'une seule hélice α,
(2) de multiples hélices α ou (3) de feuillets β enroulés (un tonneau β). Certaines de ces protéines «à un domaine
transmembranaire» ou «à multiples domaines transmembranaires» présentent une chaîne d'acide gras fixée de façon
covalente et insérée dans la monocouche lipidique cytosolique (1). D'autres protéines membranaires ne sont exposées
que d'un côté de la membrane. (4) Certaines sont amarrées à la surface cytosolique par une hélice α amphipathique qui
se répartit dans la monocouche cytosolique de la bicouche lipidique par la face hydrophobe de l'hélice α. (5) D'autres
sont fixées à la bicouche uniquement par une chaîne lipidique située dans la monocouche cytosolique et reliée de façon
covalente — soit une chaîne d'acide gras soit un groupement prényle ou (6) via un oligosaccharide de liaison à un
phosphatidylinositol situé dans la monocouche non cytosolique. (7, 8). Enfin beaucoup de protéines sont fixées
à la membrane uniquement par des interactions non covalentes avec d'autres protéines membranaires. Le mode
de formation de la structure de (5) est illustré dans la figure 10-18. Les particularités du mode d'association
des protéines membranaires avec la bicouche lipidique sont traitées au chapitre 12.

Les protéines membranaires sont diversement associées
à la bicouche lipidique

Les différentes protéines membranaires sont associées à la membrane de différentes
façons, comme le montre la figure 10-17. Beaucoup traversent la bicouche lipidique,
laissant une partie de leur masse de chaque côté (exemples 1, 2 et 3, Figure 10-17).
Comme leurs lipides voisins, ces **protéines transmembranaires** sont amphipathiques, composées de régions hydrophobes et de régions hydrophiles. Les régions
hydrophobes traversent la membrane et interagissent avec les queues hydrophobes
des molécules lipidiques placées à l'intérieur de la bicouche, où elles sont séquestrées loin de l'eau. Les régions hydrophiles sont exposées à l'eau de chaque côté de
la membrane. Le caractère hydrophobe de certaines de ces molécules transmembranaires est augmenté par la fixation covalente d'une chaîne d'acide gras qui s'insère dans la monocouche cytosolique de la double couche lipidique (exemple 1,
Figure 10-17).

Les autres protéines membranaires sont entièrement localisées dans le cytosol et
sont associées à la monocouche cytosolique de la double couche lipidique soit par
une hélice α amphipathique exposée à la surface de la protéine (exemple 4, Figure 10-
17) soit par une ou plusieurs chaînes lipidiques fixées de façon covalente et qui peuvent être des chaînes d'acide gras ou des *groupements prényles* (exemple 5,
Figure 10-17 et Figure 10-18). D'autres protéines membranaires sont totalement exposées à la surface cellulaire externe, fixées à la bicouche lipidique uniquement par leur
liaison covalente (via un oligosaccharide spécifique) à un phosphatidylinositol de la
monocouche lipidique externe de la membrane plasmique (exemple 6, Figure 10-17).

Dans l'exemple 5 de la figure 10-17, les protéines liées aux lipides ont été fabriquées dans le cytosol sous forme de protéines solubles, puis dirigées vers la membrane
par la fixation covalente d'un groupement lipidique (*voir* Figure 10-18). Dans l'exemple
6 cependant, la protéine a été fabriquée sous forme d'une protéine à un seul domaine
transmembranaire dans le RE. Alors qu'elle se trouve encore dans le RE, son segment
transmembranaire est coupé et une **ancre de glycosylphosphatidylinositol (GPI)** est
ajoutée, laissant la protéine fixée à la surface non cytosolique de la membrane uniquement par cette ancre (*voir* Chapitre 12). Les protéines liées à la membrane plasmique par une ancre de GPI sont facilement différenciées à l'aide d'une enzyme, la

phospholipase C spécifique du phosphatidylinositol. Cette enzyme effectue une coupure de ces protéines au niveau de leur ancre et les libère ainsi de la membrane.

Certaines protéines membranaires ne s'étendent pas du tout dans l'intérieur hydrophobe de la bicouche lipidique ; elles sont par contre reliées à une des deux faces de la membrane par des interactions non covalentes avec d'autres protéines membranaires (exemples 7 et 8, Figure 10-17). Beaucoup de protéines de ce type peuvent être libérées de la membrane par des techniques d'extraction relativement douces, comme l'exposition à des solutions de très haute ou de très faible force ionique ou de pH extrême, qui interfèrent avec les interactions entre protéines mais laissent la bicouche lipidique intacte. Ces protéines sont appelées **protéines membranaires périphériques**. Les protéines transmembranaires, ainsi que beaucoup de protéines maintenues dans la bicouche par des groupements lipidiques et certaines protéines maintenues sur la membrane par des liaisons inhabituellement solides à d'autres protéines ne peuvent être ainsi libérées. Elles sont appelées **protéines membranaires intégrales**.

La façon dont une protéine membranaire s'associe avec la bicouche lipidique reflète ses fonctions. Seules les protéines transmembranaires peuvent fonctionner des deux côtés de la bicouche ou transporter des molécules au travers d'elle. Les récepteurs cellulaires de surface sont des protéines transmembranaires qui fixent une molécule de signalisation dans l'espace extracellulaire et engendrent des signaux intracellulaires différents du côté opposé de la membrane plasmique. Par contre, les protéines qui ne fonctionnent que d'un côté de la bicouche lipidique sont souvent associées exclusivement à la monocouche lipidique ou à un domaine protéique situé de ce côté. Certaines protéines impliquées dans la signalisation intracellulaire, par exemple, sont liées à la moitié cytosolique de la membrane plasmique par un ou plusieurs groupements lipidiques fixés de façon covalente.

Dans la plupart des protéines transmembranaires la chaîne polypeptidique traverse la bicouche lipidique sous une conformation en hélice α

Une protéine transmembranaire a toujours une orientation spécifique dans la membrane. Cela reflète à la fois son mode asymétrique de synthèse et d'insertion dans la bicouche lipidique du RE et les différentes fonctions de ses domaines cytosolique et non cytosolique. Ces domaines sont séparés par les segments de la chaîne polypeptidique qui traversent la membrane, entrent en contact avec l'environnement hydrophobe de la bicouche lipidique et sont largement composés de résidus d'acides aminés à chaînes latérales non polaires. Comme les liaisons peptidiques elles-mêmes sont polaires et qu'il n'y a pas d'eau, toutes les liaisons peptidiques à l'intérieur de

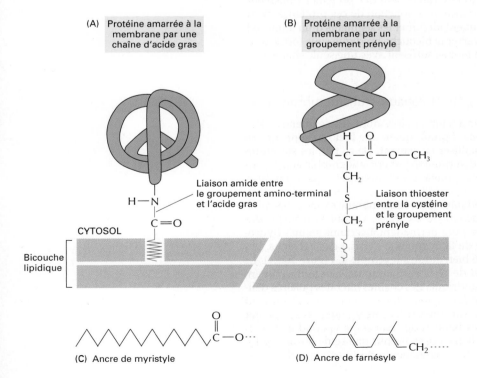

(A) Protéine amarrée à la membrane par une chaîne d'acide gras

(B) Protéine amarrée à la membrane par un groupement prényle

Liaison amide entre le groupement amino-terminal et l'acide gras

Liaison thioester entre la cystéine et le groupement prényle

CYTOSOL

Bicouche lipidique

(C) Ancre de myristyle

(D) Ancre de farnésyle

Figure 10-18 Amarrage des protéines membranaires par une chaîne d'acide gras ou un groupement prényle. La fixation covalente d'un de ces deux types de lipides peut faciliter la localisation d'une protéine hydrosoluble dans une membrane après sa synthèse dans le cytosol. (A) Une chaîne d'acide gras (acide myristique) est reliée via une liaison amide sur une glycine N-terminale. (B) Un groupement prényle (soit un groupement farnésyle ou géranylgéranyle plus long) est relié via une liaison thioester à un résidu cystéine, initialement localisé à quatre résidus de l'extrémité C-terminale de la protéine. Après cette prénylation, les trois acides aminés terminaux sont coupés et la nouvelle extrémité C-terminale est méthylée avant d'être insérée dans la membrane. L'acide palmitique, un acide gras saturé à 18 carbones, peut aussi être fixé à certaines protéines via des liaisons thioester formées avec des chaînes latérales internes de cystéine. Cette modification est souvent réversible et permet le recrutement des protéines dans la membrane seulement en cas de besoin. Les structures des deux ancres lipidiques sont montrées en dessous : (C) une ancre de myristyle (une chaîne d'acide gras saturée à 14 carbones) et (D) une ancre de farnésyle (une chaîne hydrocarbonée insaturée à 15 carbones).

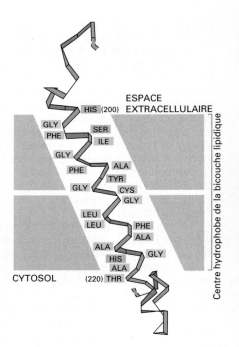

Figure 10-19 Segment d'une chaîne polypeptidique transmembranaire traversant la bicouche lipidique sous forme d'hélice α. Seul le squelette α-carboné de la chaîne polypeptidique est montré ici, avec les acides aminés hydrophobes en *vert* et *jaune*. Ce segment polypeptidique fait partie du centre de réaction photosynthétique bactérien illustré dans la figure 10-38, dont la structure a été déterminée par diffraction des rayons X. (Basé sur des données issues de J. Deisenhofer et al., *Nature* 318 : 618-624, 1985 et H. Michel et al., *EMBO J.* 5 : 1149-1158, 1986.)

la bicouche sont amenées à former des liaisons hydrogène les unes avec les autres. Les liaisons hydrogène entre les liaisons peptidiques sont optimisées si la chaîne polypeptidique forme une hélice α régulière lorsqu'elle traverse la bicouche et on pense que c'est ainsi que la grande majorité des segments qui enjambent la membrane traversent la bicouche (Figure 10-19).

Dans le cas des **protéines à un seul domaine transmembranaire**, le polypeptide traverse une seule fois (*voir* exemple 1, Figure 10-17) alors que dans le cas des **protéines à plusieurs domaines transmembranaires**, la chaîne polypeptidique traverse plusieurs fois (*voir* exemple 2, Figure 10-17). La liaison peptidique de la bicouche lipidique peut satisfaire le besoin de liaisons hydrogène en disposant les multiples segments transmembranaires de la chaîne polypeptidique sous forme de feuillets β, ce qui forme un tonneau fermé (ou *tonneau β*; *voir* exemple 3, Figure 10-17). Ce type de structure à multiples domaines transmembranaires s'observe dans les protéines de type *porine*, que nous aborderons ultérieurement. Cette forte poussée vers l'optimisation de la formation de liaisons hydrogène en l'absence d'eau signifie également que la chaîne polypeptidique qui pénètre dans la bicouche risque de la traverser complètement avant de changer de direction, car la courbure d'une chaîne entraîne la perte des interactions normales par liaisons hydrogène.

Comme il est de notoriété que les protéines transmembranaires sont difficiles à cristalliser, relativement peu ont été totalement étudiées par cristallographie aux rayons X. La structure tridimensionnelle repliée de presque toutes les autres n'est pas connue avec certitude. Cependant les techniques de clonage et de séquençage de l'ADN ont révélé la séquence en acides aminés de bon nombre de protéines transmembranaires et il est souvent possible de prédire, d'après l'analyse de la séquence protéique, quelles sont les parties de la chaîne polypeptidique qui traversent la bicouche lipidique. Des segments de 20 à 30 acides aminés environ, qui présentent un fort degré d'hydrophobie, sont assez longs pour enjamber une bicouche lipidique sous forme d'une hélice α et sont souvent identifiés par le *tracé d'hydropathie* (Figure 10-20). D'après ces tracés, il est possible de prédire la proportion de protéines transmembranaires fabriquée par un organisme. Chez les levures bourgeonnantes, par exemple, où l'on connaît la séquence nucléotidique de la totalité du génome, on a pu identifier que 20 p. 100 des protéines environ étaient des protéines transmembranaires, ce qui met l'accent sur l'importance de la fonction de ces protéines membranaires. Les tracés d'hydropathie ne peuvent identifier les segments d'un tonneau β qui traversent la membrane car pour traverser la bicouche lipidique sous forme d'un feuillet β allongé, 10 acides aminés, voire moins, suffisent avec une seule chaîne latérale d'acide aminé hydrophobe sur deux.

Certains tonneaux β forment de grands canaux transmembranaires

Les protéines à plusieurs domaines transmembranaires dont les segments transmembranaires sont disposés en un *tonneau β* plutôt qu'en une hélice α sont comparativement rigides et ont tendance à cristalliser facilement. De ce fait, les structures d'un certain nombre d'entre elles ont été déterminées par cristallographie aux rayons X. Le nombre de brins β est très variable, pouvant être aussi petit que 8 ou aussi grand que 22 (Figure 10-21).

Les protéines en tonneau β sont abondantes dans la membrane externe des mitochondries, des chloroplastes et de beaucoup de bactéries. Certaines forment des pores, qui créent des canaux remplis d'eau qui permettent à certains solutés hydrophiles de traverser la bicouche lipidique de la membrane externe des bactéries. Les porines en sont des exemples qui ont été bien étudiés (exemple 3, Figure 10-21). Le tonneau de porine est formé d'un feuillet de 16 brins β antiparallèles suffisamment large pour s'enrouler en une structure cylindrique. Les chaînes latérales polaires délimitent le canal aqueux interne, alors que les chaînes latérales non polaires forment des projections qui partent de l'extérieur du tonneau et interagissent avec le cœur hydrophobe de la bicouche lipidique. Des boucles de chaînes polypeptidiques font souvent saillie dans la lumière du canal, le rétrécissant pour que seuls certains solutés le traversent. Certaines porines sont donc hautement sélectives : la *maltoporine*,

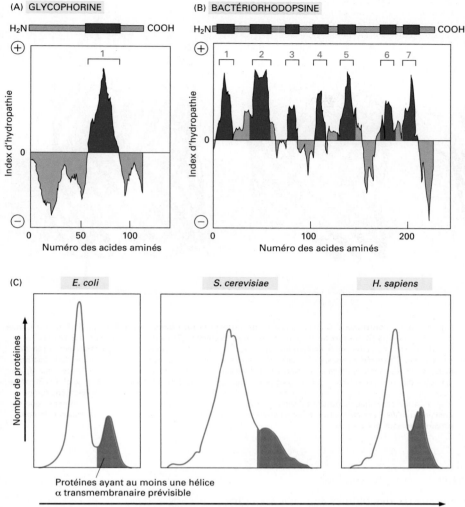

(A) GLYCOPHORINE

(B) BACTÉRIORHODOPSINE

(C) E. coli   S. cerevisiae   H. sapiens

Protéines ayant au moins une hélice α transmembranaire prévisible

Hydrophobicité du segment de 20 acides aminés le plus hydrophobe de chaque protéine

Figure 10-20 Utilisation de tracés d'hydropathie pour localiser, dans la chaîne polypeptidique, les segments potentiels d'hélices α qui traversent la membrane. L'énergie libre nécessaire pour transférer, d'un solvant non polaire à l'eau, des segments successifs d'une chaîne polypeptidique, est calculée à partir de la composition en acides aminés de chaque segment en utilisant des données obtenues à partir d'un composé modèle. Ce calcul est fait pour des segments d'une taille fixe (en général autour de 10 à 20 acides aminés) en commençant par chaque acide aminé successif de la chaîne. L'«index d'hydropathie» du segment est placé sur l'axe y d'un graphique en fonction de sa localisation dans la chaîne. Une valeur positive indique qu'il faut de l'énergie libre pour son transfert dans l'eau (le segment est hydrophobe) et la valeur assignée est l'index de la quantité d'énergie nécessaire. Des pics de l'index d'hydropathie se produisent au niveau des segments hydrophobes de la séquence en acides aminés. (A et B) Voici deux exemples de protéines membranaires abordés ultérieurement dans ce chapitre. La glycophorine (A) présente une seule hélice α qui traverse la membrane et un seul pic correspondant sur le tracé d'hydropathie. La bactériorhodopsine (B) a sept hélices α qui traversent la membrane et présente sept pics correspondants sur le tracé d'hydropathie. (C) Proportion prévisible des protéines membranaires dans le génome d'*E. coli*, *S. cerevisiae* et de l'homme. L'aire colorée en *vert* indique la fraction de protéines qui contient au moins une hélice transmembranaire prévisible. Les courbes d'*E. coli* et de *S. cerevisiae* représentent le génome complet ; la courbe des protéines humaines représente un jeu incomplet ; dans chaque cas, l'aire sous la courbe est proportionnelle au nombre de gènes analysés. (A, adapté de D. Eisenberg, *Annu. Rev. Biochem* 53 : 595-624, 1984 ; C, adapté d'après D. Boyd et al., *Protein Sci.* 7 : 201-205, 1998.)

par exemple, permet au maltose et à ses oligomères de traverser préférentiellement la membrane externe d'*E. coli*.

La *protéine FepA* est un autre exemple, plus complexe, de ce type de protéine de transport (exemple 4, Figure 10-21). Elle transporte les ions fer à travers la membrane bactérienne externe. Son gros tonneau est constitué de 22 brins β et un gros domaine globulaire remplit complètement l'intérieur du tonneau. Les ions fer se fixent sur ce domaine qui, pense-t-on, subit une modification importante de sa conformation pour faire passer le fer à travers la membrane.

Toutes les protéines en tonneau β ne sont pas des protéines de transport. Certaines forment de plus petits tonneaux complètement remplis par des chaînes latérales d'acides aminés qui se projètent en son centre. Ces protéines fonctionnent comme des récepteurs ou des enzymes (exemples 1 et 2, Figure 10-21) ; dans ce cas, le tonneau sert surtout d'ancre rigide qui maintient la protéine dans la membrane et oriente les régions cytosoliques en boucles qui forment les sites de liaison aux molécules intracellulaires spécifiques.

Bien que les tonneaux β aient plusieurs buts, ils sont largement confinés aux membranes externes des bactéries, des mitochondries et des chloroplastes. La grande majorité des protéines à plusieurs domaines transmembranaires des cellules eucaryotes et des membranes plasmiques bactériennes sont formées d'hélices α transmembranaires. À l'intérieur de ces protéines, les hélices peuvent glisser l'une contre l'autre, permettant à la protéine de subir des modifications de conformation qui peuvent être exploitées pour ouvrir et fermer les canaux ioniques, transporter des solutés ou transformer les signaux extracellulaires en signaux intracellulaires. Dans les protéines en tonneau β, par contre, chaque feuillet β est fixé de façon rigide à son voisin par des liaisons hydrogène, ce qui rend les modifications de conformation du tonneau lui-même peu probables.

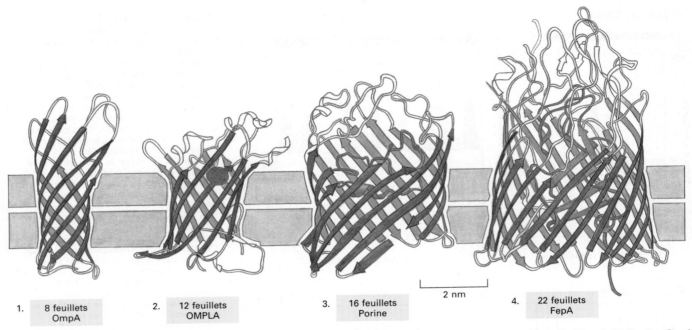

1. **8 feuillets OmpA**
2. **12 feuillets OMPLA**
3. **16 feuillets Porine**
4. **22 feuillets FepA**

2 nm

Figure 10-21 Tonneaux β formés à partir de différents nombres de feuillets β. (1) Protéine OmpA d'*E. coli* (8 feuillets β) qui sert de récepteur à un virus bactérien. (2) La protéine OMPLA d'*E. coli* (12 feuillets β) est une lipase qui hydrolyse les molécules lipidiques. Les acides aminés qui catalysent la réaction enzymatique (montrés en *rouge*) font saillie à la surface externe du tonneau. (3) Porine issue de la bactérie *Rhodobacter capsulatus* qui forme des pores remplis d'eau à travers la membrane externe (16 feuillets β). Le diamètre du canal est restreint par des boucles (montrées en *bleu*) qui font saillie dans le canal. (4) Protéine FepA d'*E. coli* (22 feuillets β) qui transporte les ions fer. L'intérieur du tonneau est complètement rempli d'un domaine protéique globulaire (montré en *bleu*) qui contient un site de liaison au fer. On pense que ce domaine modifie sa conformation pour transporter le fer fixé, mais les particularités moléculaires de cette variation ne sont pas connues.

Beaucoup de protéines membranaires sont glycosylées

La majeure partie des protéines transmembranaires des cellules animales sont glycosylées. Comme dans les glycolipides, les résidus glucidiques sont ajoutés dans la lumière du RE et de l'appareil de Golgi (*voir* Chapitres 12 et 13). C'est pourquoi, les chaînes d'oligosaccharides sont toujours présentes du côté non cytosolique de la membrane. Une autre différence entre les protéines (ou les parties de protéines) situées de part et d'autre de la membrane résulte de l'environnement réducteur du cytosol. Du fait de cet environnement, la possibilité qu'il se forme des liaisons disulfure intracaténaires ou intercaténaires du côté cytosolique de la membrane diminue. Ces liaisons intracaténaires et intercaténaires se forment du côté non cytosolique où elles peuvent jouer un rôle important, de stabilisation, respectivement de la structure repliée de la chaîne polypeptidique et de son association avec d'autres chaînes polypeptidiques (Figure 10-22).

Les protéines membranaires peuvent être solubilisées et purifiées dans des détergents

En général les protéines transmembranaires (et certaines autres protéines membranaires solidement fixées) ne peuvent être solubilisées que par des substances qui rompent les associations hydrophobes et détruisent la bicouche lipidique. Les plus intéressantes pour les biochimistes membranaires sont les **détergents**, ces petites

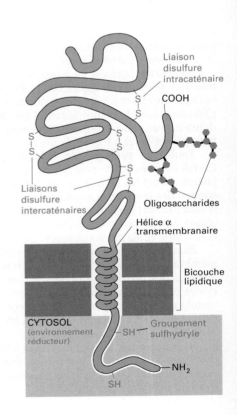

Figure 10-22 Protéine à un seul domaine transmembranaire. Notez que la chaîne polypeptidique traverse la bicouche lipidique avec l'hélice α tournée vers la droite et que les chaînes d'oligosaccharides et les liaisons disulfure sont toutes sur la face non cytosolique de la membrane. Les groupements sulfhydryle du domaine cytosolique de la protéine ne forment pas normalement de liaisons disulfure parce que l'environnement réducteur du cytosol maintient ces groupements sous leur forme réduite (–SH).

molécules amphipathiques qui ont tendance à former des micelles dans l'eau (Figure 10-23). Lorsqu'ils sont mélangés à la membrane, les extrémités hydrophobes des détergents se fixent sur les régions hydrophobes des protéines membranaires et déplacent ainsi les molécules lipidiques. Comme l'autre extrémité de la molécule de détergent est polaire, cette liaison a tendance à mettre les protéines membranaires en solution sous forme d'un complexe détergent-protéine (bien que certaines molécules lipidiques restent fixées à la protéine) (Figure 10-24). Les extrémités polaires (hydrophiles) des détergents peuvent être chargées (ioniques), comme le *sodium dodécyl sulfate (SDS)*, ou non chargées (non ioniques) comme le *Triton*. Les structures de ces deux détergents fréquemment utilisés sont présentées dans la figure 10-25.

Avec les détergents ioniques puissants, comme le SDS, il est possible de solubiliser même les protéines membranaires les plus hydrophobes. Cela permet de les analyser par *électrophorèse sur gel de polyacrylamide-SDS* (*voir* Chapitre 8), technique qui a révolutionné l'étude des protéines membranaires. Ces détergents forts déplient (dénaturent) les protéines en se liant sur leur «cœur hydrophobe», ce qui les rend inactives et inutilisables pour leurs études fonctionnelles. Néanmoins, ces protéines peuvent être facilement purifiées sous leur forme dénaturée liée au SDS. Dans certains cas, l'élimination du détergent permet la renaturation de la protéine purifiée et la récupération de son activité fonctionnelle.

Beaucoup de protéines membranaires hydrophobes peuvent être solubilisées puis purifiées sous une forme active, bien que non totalement normale, à l'aide de détergents doux comme le Triton X-100, qui recouvre les segments protéiques qui enjambent la membrane. Il est ainsi possible de reconstituer des systèmes protéiques fonctionnellement actifs à partir des composants purifiés, ce qui fournit un moyen puissant d'analyse de leur activité (Figure 10-26).

La face cytosolique des protéines de la membrane plasmique peut être étudiée à partir de membranes d'hématies vides ou *ghosts*

La membrane plasmique des hématies humaines est la membrane eucaryote la plus connue (Figure 10-27). Il y a plusieurs raisons à cela. Les hématies (ou érythrocytes) sont disponibles en grand nombre (dans les banques du sang, par exemple), relativement peu contaminées par d'autres types cellulaires. Comme elles n'ont ni noyau

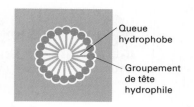

Figure 10-23 Coupe transversale d'un micelle de détergent dans l'eau. Comme elles ont à la fois une extrémité polaire et une extrémité non polaire, les molécules de détergent sont amphipathiques. Comme elles sont cunéiformes, elles forment des micelles plutôt que des bicouches (*voir* Figure 10-4).

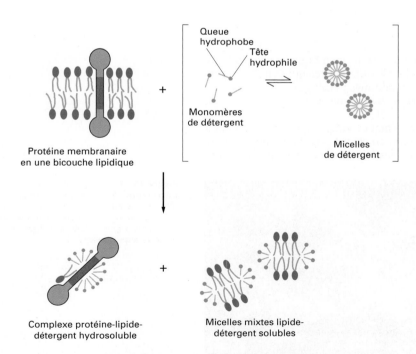

Figure 10-24 Solubilisation des protéines membranaires avec un détergent léger. Le détergent rompt la bicouche lipidique et met les protéines en solution sous forme de complexe protéine-lipide-détergent. Les phospholipides membranaires sont aussi solubilisés par le détergent.

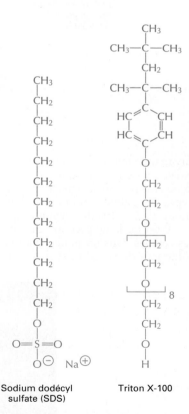

Figure 10-25 Structure de deux détergents d'utilisation fréquente. Le sodium dodécyl sulfate (SDS) est un détergent anionique et le Triton X-100 un détergent non ionique. La portion hydrophobe de chaque détergent est montrée *en vert* et la portion hydrophile en *bleu*. La portion entre crochets du Triton X-100 est répétée environ huit fois.

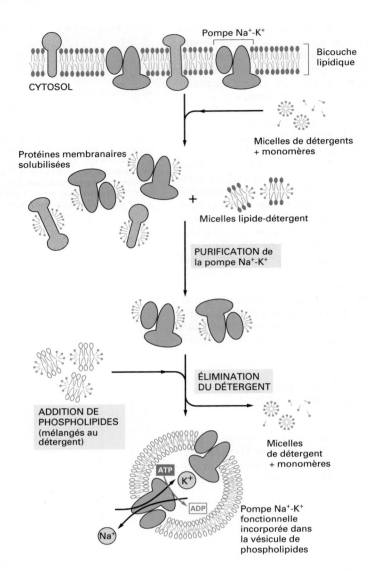

CYTOSOL

Pompe Na⁺-K⁺

Bicouche
lipidique

Micelles de détergents
+ monomères

Protéines membranaires
solubilisées

+

Micelles lipide-détergent

PURIFICATION de
la pompe Na⁺-K⁺

ÉLIMINATION
DU DÉTERGENT

ADDITION DE
PHOSPHOLIPIDES
(mélangés au
détergent)

Micelles
de détergent
+ monomères

ATP

K⁺

ADP

Na⁺

Pompe Na⁺-K⁺
fonctionnelle
incorporée dans
la vésicule de
phospholipides

Figure 10-26 Utilisation de détergents faibles pour solubiliser, purifier et reconstituer les systèmes protéiques membranaires fonctionnels. Dans cet exemple, les molécules fonctionnelles de la pompe Na⁺-K⁺ sont purifiées et incorporées dans des vésicules de phospholipides. La pompe Na⁺-K⁺ est une pompe ionique présente dans la membrane plasmique de la plupart des cellules animales : elle utilise l'énergie de l'hydrolyse de l'ATP pour pomper le Na⁺ hors de la cellule et le K⁺ dans la cellule, comme nous le verrons au chapitre 11.

ni organite interne, la membrane plasmique est leur seule membrane et elle peut être isolée sans être contaminée par d'autres membranes internes (ce qui évite le sérieux problème rencontré dans les préparations de membranes plasmiques issues d'autres types de cellules eucaryotes, dans lesquelles la membrane plasmique représente moins de 5 p. 100 des membranes cellulaires).

Il est facile de préparer des membranes d'hématies vides, ou *ghosts*, en mettant les cellules dans un milieu dont la concentration en sel est plus faible que celle de l'intérieur de la cellule. L'eau rentre alors dans les hématies et provoque leur gon-

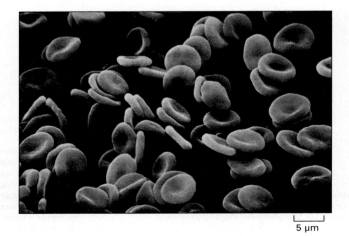

Figure 10-27 Photographie en microscopie électronique à balayage d'hématies humaines. Les cellules ont une forme biconcave et sont dépourvues de noyau et d'autres organites. (Due à l'obligeance de Bernadette Chailley.)

5 µm

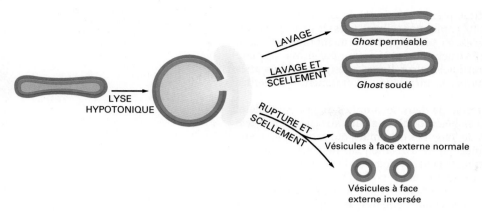

Figure 10-28 Préparation de *ghosts* d'hématies (ou membranes d'hématies vides) soudés et non soudés et de vésicules à face externe normale ou inversée (face interne à l'extérieur). Comme cela est indiqué les hématies ont tendance à se rompre en un seul endroit, donnant naissance à des *ghosts* dotés d'une seule perforation. Les plus petites vésicules sont produites par la rupture mécanique du *ghost*; dans ces vésicules, l'orientation de la membrane peut être soit normale (face externe à l'extérieur) soit inversée (face interne à l'extérieur), en fonction des conditions ioniques utilisées pendant les procédures de rupture et de scellement.

flement et leur éclatement (lyse), ce qui libère l'hémoglobine et les autres protéines cytosoliques solubles. Les *ghosts* membranaires sont alors étudiés pendant qu'ils sont encore perméables (dans ce cas tout réactif peut interagir avec les molécules sur les deux faces de la membrane) ou on les laisse se ressouder de telle sorte que les réactifs hydrosolubles ne puissent plus atteindre la face interne. De plus, il est possible de préparer des vésicules ressoudées face interne à l'extérieur à partir des *ghosts* (Figure 10-28), et donc d'étudier séparément les faces externe et interne (cytosolique) de la membrane. L'utilisation des *ghosts* ressoudés et non ressoudés a permis de mettre en évidence pour la première fois que certaines protéines membranaires traversaient la bicouche lipidique (*voir* ci-dessous) et que la composition lipidique des deux moitiés de la bicouche était différente. Comme pour la plupart des principes fondamentaux démontrés initialement dans les hématies, ces observations ont été par la suite étendues aux diverses membranes des cellules nucléées et des bactéries.

Le «côté membranaire» d'une protéine membranaire peut être déterminé de plusieurs façons. Une des méthodes consiste à utiliser un réactif de marquage covalent (comme un marqueur radioactif ou fluorescent) hydrosoluble qui ne peut donc pas pénétrer dans la bicouche lipidique : ce marqueur se fixe de façon covalente uniquement sur la portion de la protéine située du côté exposé de la membrane. Les membranes sont alors solubilisées par un détergent et les protéines sont séparées par électrophorèse sur gel de polyacrylamide SDS. Les protéines marquées sont détectées soit par leur radioactivité (par autoradiographie sur gel) soit par leur fluorescence (exposition du gel à la lumière ultraviolette). En utilisant ces *marquages vectoriels*, il est possible de déterminer l'orientation dans la membrane d'une protéine particulière, détectée par une bande sur un gel : par exemple, si elle est marquée à la fois du côté externe (lorsque les cellules intactes ou les *ghosts* ressoudés sont marqués) et interne (cytosolique) (lorsque des vésicules soudées de façon inverse sont marquées), alors ce doit être une protéine transmembranaire. Une autre approche consiste à exposer la face externe ou la face interne à des enzymes protéolytiques qui ne peuvent traverser la membrane : si une protéine est partiellement digérée sur les deux faces, ce doit être une protéine transmembranaire. De plus, on peut utiliser des anticorps marqués qui ne se fixent que sur une partie de la protéine pour déterminer si cette partie de la protéine transmembranaire est exposée d'un côté de la membrane ou de l'autre.

Lorsque les protéines de la membrane plasmique des hématies humaines sont étudiées par électrophorèse sur gel de polyacrylamide SDS, on détecte environ 15 bandes de protéines majeures, dont la masse moléculaire varie de 15 000 à 250 000 daltons. Trois de ces protéines – la *spectrine*, la *glycophorine* et la *bande 3* – représentent plus de 60 p. 100 (par masse) des protéines membranaires totales (Figure 10-29). Chacune de ces protéines est disposée différemment dans la membrane. Nous les utiliserons donc comme exemple pour illustrer les trois types majeurs d'association des protéines aux membranes, non seulement dans les hématies mais aussi dans toutes les autres cellules.

La spectrine est une protéine du cytosquelette associée de façon non covalente à la face cytosolique de la membrane des hématies

La plupart des molécules protéiques associées à la membrane des hématies sont des protéines membranaires périphériques reliées au côté cytosolique de la bicouche lipidique. La protéine la plus abondante est la **spectrine**, long bâtonnet fin et souple,

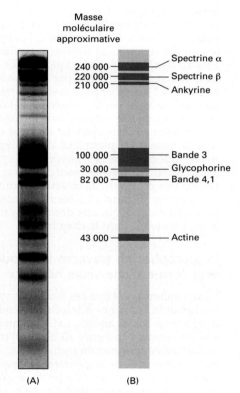

Masse
moléculaire
approximative

240 000 — Spectrine α
220 000 — Spectrine β
210 000 — Ankyrine

100 000 — Bande 3
30 000 — Glycophorine
82 000 — Bande 4,1

43 000 — Actine

(A)　　　　　(B)

Figure 10-29 Bandes d'électrophorèse sur gel de polyacrylamide-SDS des protéines membranaires des hématies humaines. (A) Le gel est coloré au bleu de Coomassie. (B) La position de certaines protéines majeures du gel sont indiquées sur le schéma. La glycophorine est montrée en *rouge* pour la distinguer de la protéine de bande 3. Les autres bandes du gel ne sont pas placées sur le schéma. La grande quantité de glucides négativement chargés des molécules de glycophorine ralentit leur migration de telle sorte qu'elles se déplacent presque aussi lentement que les protéines de bande 3 bien plus grosses. (A, due à l'obligeance de Ted Steck.)

de 100 nm de long environ, qui constitue près de 25 p. 100 de la masse protéique associée à la membrane (environ $2,5 \times 10^5$ copies par cellule). C'est le principal composant du réseau protéique (le *cytosquelette*) sous-jacent à la membrane cellulaire des hématies, qui maintient l'intégrité structurelle et la forme biconcave de cette membrane (*voir* Figure 10-26). Si le cytosquelette est dissocié des *ghosts* d'hématies par des solutions de faible force ionique, la membrane se fragmente en petites vésicules.

La spectrine est un hétérodimère formé de deux sous-unités de grande taille et de structure similaire (Figure 10-30). Les hétérodimères s'auto-associent tête-à-tête pour former des tétramères de 200 nm de long. Les extrémités qui forment la queue de quatre ou cinq tétramères sont réunies par leur fixation sur de courts filaments d'actine et sur d'autres protéines du cytosquelette (y compris la *protéine de la bande 4,1*) en un «complexe jonctionnel». Le résultat final est un filet réticulé, déformable, sous-jacent à la totalité de la surface cytosolique de la membrane (Figure 10-31). C'est ce cytosquelette à base de spectrine qui permet aux hématies de supporter la tension exercée sur ses membranes lorsqu'elle traverse de force d'étroits capillaires. Les souris et les hommes qui présentent des anomalies génétiques de la spectrine sont anémiques et leurs hématies sont sphériques (et non pas concaves) et fragiles ; la gravité de l'anémie augmente avec l'importance de la carence en spectrine.

La principale protéine responsable de la fixation du cytosquelette de spectrine sur la membrane plasmique des hématies a été identifiée en suivant la fixation de la spectrine radiomarquée sur la membrane d'hématies dont on avait éliminé la spectrine et diverses autres protéines périphériques. Ces expériences ont montré que la fixation de la spectrine dépend d'une grosse protéine intracellulaire de fixation appelée **ankyrine**, qui se fixe à la fois sur la spectrine et sur les domaines cytosoliques de la protéine transmembranaire de *bande 3* (*voir* Figure 10-31). En reliant certaines molécules de la bande 3 à la spectrine, l'ankyrine relie le réseau de spectrine à la membrane ; elle réduit aussi fortement la vitesse de diffusion des molécules de bande 3 liées au sein de la bicouche lipidique. Le cytosquelette à base de spectrine est également fixé sur la membrane par un deuxième mécanisme, qui dépend de la protéine de bande 4,1 mentionnée ci-dessus. Cette protéine, qui se fixe sur la spectrine et l'actine, se fixe aussi sur les domaines cytosoliques de la protéine de bande 3 et de la *glycophorine*, l'autre protéine transmembranaire majeure des hématies.

Un réseau de cytosquelette analogue mais bien plus élaboré et complexe se trouve sous la membrane plasmique de la plupart des autres cellules de notre corps. Ce réseau, qui constitue la région corticale (ou *cortex*) du cytosol est riche en filaments d'actine qui, pense-t-on, sont fixés sur la membrane plasmique de nombreuses façons. Des protéines, de structure homologue à celle de la spectrine, de l'ankyrine et la protéine de bande 4,1, sont présentes dans le cortex des cellules nucléées. Nous parlerons du cytosquelette des cellules nucléées et de ses interactions avec la membrane plasmique dans le chapitre 16.

La glycophorine traverse la bicouche lipidique des hématies sous forme d'une seule hélice α

La **glycophorine** est une des deux principales protéines exposées à la surface externe des hématies humaines. Elle a été la première protéine membranaire dont la séquence complète en acides aminés a été déterminée. Comme la protéine transmembranaire modèle montrée en figure 10-22, la glycophorine est une petite glycoprotéine à un seul domaine transmembranaire (131 acides aminés) dont la majeure partie se situe sur la face externe de la membrane où est localisée son extrémité N-terminale hydrophile. C'est cette partie de la protéine qui porte tous les glucides (environ 100 résidus glucidiques sous forme de 16 chaînes d'oligosaccharides séparées) qui représente 60 p. 100 de la masse moléculaire. En fait, les molécules de glycophorine portent la grande majorité des glucides de surface des hématies (y compris plus de 90 p. 100 de l'acide sialique et donc la plupart de la charge négative de surface). La queue C-terminale hydrophile de la glycophorine est exposée sur la face cytosolique tandis qu'un segment hydrophobe d'hélice α de 23 acides aminés de long traverse la bicouche lipidique (*voir* Figure 10-20A).

Bien qu'il y ait presque un million de molécules de glycophorine par cellule, leur fonction reste inconnue. En effet, les individus dont les hématies sont dépourvues d'un sous-groupe majeur de ces molécules semblent parfaitement sains. Même si la glycophorine elle-même n'est retrouvée que dans les hématies, sa structure est représentative d'une classe fréquente de protéines membranaires qui traversent la bicouche lipidique sous forme d'une seule hélice α. Beaucoup de récepteurs cellulaires de surface, par exemple, appartiennent à cette classe.

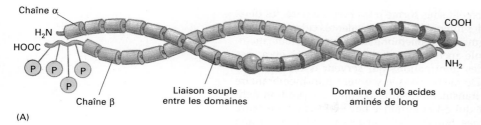

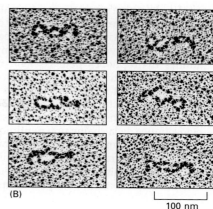

Figure 10-30 Molécules de spectrine des hématies humaines. Cette protéine est montrée (A) schématiquement et (B) sur des photographies en microscopie électronique. Chaque hétérodimère de spectrine est formé de deux chaînes polypeptidiques antiparallèles, lâchement entrelacées et souples, appelées α et β. Elles sont fixées de façon non covalente l'une à l'autre en de multiples points, y compris les deux extrémités. L'extrémité phosphorylée de la «tête» où deux dimères se sont associés pour former un tétramère, se trouve à gauche. Les deux chaînes α et β sont largement composées de domaines répétitifs de 106 acides aminés de long. Sur les photographies en microscopie, les molécules de spectrine ont été ombrées au platine. (A, adapté de D.W. Speicher et V.T. Marchesi, *Nature* 311 : 177-180, 1984; B, due à l'obligeance de D.M. Shotton, avec l'autorisation de D.M. Shotton, B.E. Burke et D. Branton, *J. Mol. Biol.* 131 : 303-329, 1979. © Academic Press Inc. [London] Ltd.)

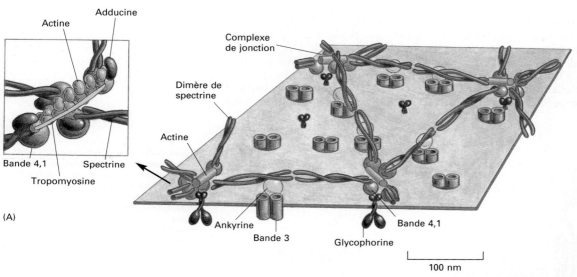

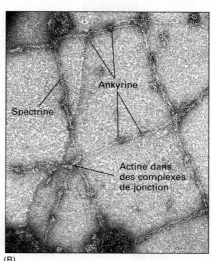

Figure 10-31 Cytosquelette à base de spectrine du côté cytosolique de la membrane des hématies humaines. La structure est montrée (A) schématiquement et (B) sur une photographie en microscopie électronique. La disposition montrée sur le dessin a surtout été déduite de l'étude des interactions des protéines purifiées *in vitro*. Les dimères de spectrine sont reliés en un filet réticulé par des complexes de jonction (agrandis dans l'encadré de *gauche*) composés de courts filaments d'actine (contenant 13 monomères d'actine), de la protéine de bande 14,1, de l'adducine et d'une molécule de tropomyosine qui détermine probablement la longueur des filaments d'actine. Le cytosquelette est relié à la membrane par la fixation indirecte de tétramères de spectrine sur certaines protéines de bande 3 via des molécules d'ankyrine, ainsi que par la fixation de protéines de bande 4,1 à la fois sur les protéines de bande 3 et la glycophorine (non montré). La photographie en microscopie électronique montre le cytosquelette du côté cytosolique d'une membrane d'hématie après fixation et coloration négative. Le réseau de spectrine a été volontairement étiré pour permettre de visualiser les particularités de sa structure. Dans une cellule normale, le réseau montré serait beaucoup plus encombré et n'occuperait qu'environ un dixième de cette zone. (B, due à l'obligeance de T. Byers et D. Branton, *Proc. Natl. Acad. Sci. USA* 82 : 6153-6157, 1985. © National Academy of Sciences.)

La glycophorine se trouve normalement sous forme d'un homodimère, les deux chaînes identiques reliées surtout par des interactions non covalentes entre les hélices α transmembranaires. De ce fait, le segment transmembranaire d'une protéine membranaire est souvent plus qu'une simple ancre hydrophobe : la séquence en acides aminés hydrophobes peut contenir des informations qui servent d'intermédiaire pour les interactions entre protéines. De même chaque segment transmembranaire d'une protéine à multiples domaines transmembranaires occupe une position définie dans la structure protéique repliée qui est déterminée par les interactions entre les hélices α transmembranaires voisines. Souvent les boucles cytosoliques ou non cytosoliques de la chaîne polypeptidique qui relient les segments transmembranaires des protéines à multiples domaines transmembranaires peuvent être coupées par des protéases et les fragments qui en résultent restent ensemble et fonctionnent normalement. Dans certains cas, les parties peuvent être exprimées séparément dans la cellule et s'assembler correctement pour former une protéine fonctionnelle (Figure 10-32).

La protéine de bande 3 des hématies est une protéine à multiples domaines transmembranaires qui catalyse le transport couplé des anions

Contrairement aux glycophorines, on sait que la **protéine de bande 3** a un rôle important dans le fonctionnement des hématies. Elle tire son nom de sa position par rapport aux autres protéines membranaires lors d'électrophorèse sur gel de polyacrylamide-SDS (*voir* Figure 10-29). Comme la glycophorine, la bande 3 est une protéine transmembranaire, mais c'est une protéine à multiples domaines transmembranaires, qui traverse la membrane en une conformation très repliée. On pense que la chaîne polypeptidique (de 930 acides aminés de long environ) traverse la bicouche 12 fois.

La fonction principale des hématies est de transporter l'O_2 issu des poumons jusqu'aux tissus et d'aider au transport du CO_2 des tissus aux poumons. La protéine de bande 3 est primordiale pour cette deuxième fonction. Comme le CO_2 n'est que modérément soluble dans l'eau, il est transporté dans le plasma sanguin sous forme de bicarbonate (HCO_3^-), qui est formé et dégradé à l'intérieur des hématies par une enzyme qui catalyse la réaction $H_2O + CO_2 \Leftrightarrow HCO_3^- + H^+$. La protéine de bande 3 agit comme un *transporteur d'anions* qui permet à HCO_3^- de traverser la membrane

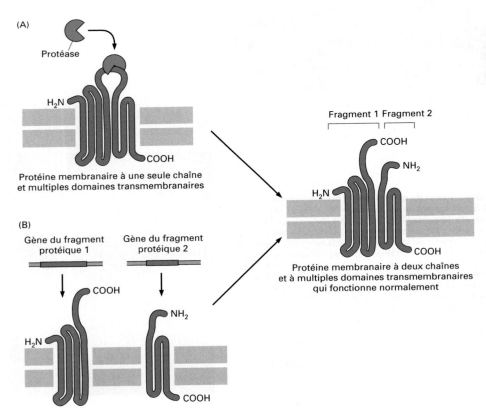

Figure 10-32 Transformation d'un seule chaîne protéique à multiples domaines transmembranaires en une protéine à deux chaînes et à multiples domaines transmembranaires. (A) La coupure protéolytique d'une boucle crée deux fragments qui restent ensemble et fonctionnent normalement. (B) L'expression de ces deux mêmes fragments à partir de gènes séparés donne naissance à une protéine similaire qui fonctionne normalement.

en échange de Cl⁻. En rendant la cellule perméable à HCO_3^-, ce transporteur augmente la quantité de CO_2 délivrée aux poumons par le sang.

On peut voir les protéines de bande 3 comme des *particules intramembranaires* distinctes si on utilise la technique de **microscopie électronique par cryofracture**. Cette technique consiste à congeler les cellules dans de l'azote liquide et le bloc de glace obtenu est fracturé avec un couteau. Le plan de fracture a tendance à traverser le cœur hydrophobe des bicouches lipidiques membranaires et à les séparer en leurs deux monocouches (Figure 10-33). Les faces fracturées exposées sont ensuite ombrées au platine et la réplique de platine obtenue est examinée en microscopie électronique. Lorsqu'elles sont ainsi examinées, les membranes des hématies humaines apparaissent garnies de particules intramembranaires de taille relativement homogène (7,5 nm de diamètre) réparties au hasard (Figure 10-34). On pense que ces particules sont principalement des protéines de bande 3. Lorsque les bicouches lipidiques synthétiques sont reconstituées avec des protéines purifiées de bande 3, on observe des particules typiques intramembranaires de 7,5 nm lorsque les bicouches sont fracturées. La figure 10-35 illustre pourquoi les protéines de bande 3 sont observées en microscopie électronique après cryofracture des membranes des hématies contrairement aux molécules de glycophorine.

Pour transférer les petites molécules hydrophiles au travers d'une membrane, la protéine de transport membranaire doit perforer la barrière de perméabilité hydrophobe de la bicouche lipidique et fournir un passage que les molécules hydrophiles traversent. Tout comme celle des protéines en tonneau β qui forment des pores dont nous avons parlé, l'architecture moléculaire des protéines à multiples domaines transmembranaires est idéalement adaptée à cette tâche. Dans beaucoup de protéines à multiples domaines transmembranaires, certaines hélices α transmembranaires contiennent des chaînes latérales d'acides aminés hydrophobes et d'autres hydrophiles. Les chaînes latérales hydrophobes résident d'un côté de l'hélice, celui exposé aux lipides de la membrane. Les chaînes latérales hydrophiles sont concentrées de l'autre côté, où elles tapissent en partie le pore hydrophile créé par le tassement de plusieurs hélices α amphipathiques côte à côte en un anneau situé dans le cœur hydrophobe de la bicouche lipidique.

Dans le chapitre 11, nous verrons pourquoi on suppose que ces protéines à multiples domaines transmembranaires sont les intermédiaires des transports sélectifs de petites molécules hydrophiles au travers de la membrane. Mais pour comprendre dans les détails comment fonctionne véritablement une protéine de transport membranaire il faut avoir des informations précises sur sa structure tridimensionnelle à l'intérieur de la bicouche. La *bactériorhodopsine* est une protéine de transport de la membrane plasmique pour laquelle ces informations sont connues. C'est une protéine de la membrane plasmique de certaines archéobactéries qui sert de pompe à protons (H⁺) activée par la lumière. La structure de la bactériorhodopsine est similaire à celle de beaucoup d'autres protéines membranaires et mérite ici une brève digression.

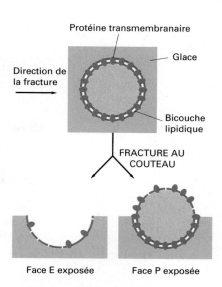

Figure 10-33 Microscopie électronique après cryofracture. Ce schéma montre comment cette technique fournit l'image de l'intérieur hydrophobe de la moitié cytosolique de la bicouche (la face P) et de l'intérieur hydrophobe de la moitié externe de la bicouche (la face E). Après le processus de fracture, les faces fracturées exposées sont ombrées au platine et au carbone, le matériel organique est digéré et la réplique de platine résultante est examinée en microscopie électronique (*voir aussi* Figure 9-32).

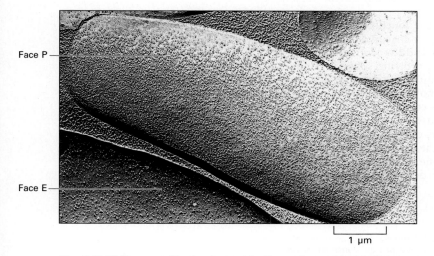

Figure 10-34 Photographie en microscopie électronique après cryofracture d'une hématie humaine. Notez que la densité des particules intramembranaires de la face cytosolique (P) est supérieure à celle de la face externe (E). (Due à l'obligeance de L. Engstrom et D. Branton.)

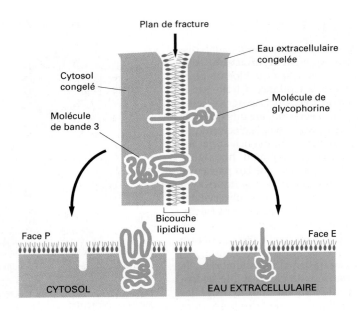

Plan de fracture

Eau extracellulaire congelée

Cytosol congelé

Molécule de glycophorine

Molécule de bande 3

Bicouche lipidique

Face P

Face E

CYTOSOL

EAU EXTRACELLULAIRE

La bactériorhodopsine est une pompe à protons qui traverse la bicouche lipidique par sept hélices α

La «membrane pourpre» de l'archéobactérie *Halobacterium salinarum* est une zone spécifique de la membrane plasmique qui contient une seule espèce de protéine, la **bactériorhodopsine** (Figure 10-36). Chaque molécule de bactériorhodopsine contient un seul groupement qui absorbe la lumière, ou chromophore (appelé *rétinal*), qui donne à la protéine sa couleur pourpre. Le rétinal est la vitamine A sous sa forme aldéhyde et est identique au chromophore de la *rhodopsine* des cellules photoréceptrices des yeux des vertébrés (*voir* Chapitre 15). Le rétinal est lié de façon covalente à une chaîne latérale de lysine de la bactériorhodopsine. Lorsqu'il est activé par un seul photon lumineux, le chromophore excité change de forme et provoque une série de petites variations de conformation au sein de la protéine qui entraîne le transfert d'un H+ de l'intérieur vers l'extérieur de la cellule (Figure 10-37). En lumière vive, chaque molécule de bactériorhodopsine peut pomper plusieurs centaines de protons par seconde. Le transfert de protons actionné par la lumière établit un gradient de H+ au travers de la membrane plasmique qui entraîne à son tour la production d'ATP par une deuxième protéine de la membrane plasmique cellulaire ainsi que d'autres processus qui utilisent l'énergie mise en réserve dans le gradient de H+. La bactériorhodopsine fait donc partie des transducteurs d'énergie solaire qui fournissent l'énergie à la cellule bactérienne.

Pour comprendre les détails moléculaires de la fonction d'une protéine à multiples domaines transmembranaires, il faut localiser chacun de ses atomes avec précision, ce qui nécessite généralement des études de diffraction des rayons X sur des cristaux tridimensionnels bien ordonnés de cette protéine. Mais de par leur nature amphipathique, ces protéines ne sont solubles que dans des solutions détergentes et sont difficiles à cristalliser. Les nombreuses molécules de bactériorhodopsine de la membrane pourpre sont cependant disposées en un cristal plan bidimensionnel. Ce positionnement régulier a permis la détermination de la structure tridimensionnelle et de l'orientation de la bactériorhodopsine dans la membrane avec une forte résolution (3 Å) par le biais d'une autre approche, qui associe la microscopie électronique et l'analyse de la diffraction électronique. Cette technique appelée **cristallographie des électrons** est analogue à l'étude des cristaux tridimensionnels des

Figure 10-36 Schéma d'une archéobactérie, *Halobacterium salinarum*, montrant les zones de membrane pourpre qui contiennent les molécules de bactériorhodopsine. Ces archéobactéries, qui vivent dans les mares d'eau salée où elles sont exposées à la lumière solaire, ont développé diverses protéines activées par la lumière, dont la bactériorhodopsine de la membrane plasmique, qui est une pompe à protons, activée par la lumière.

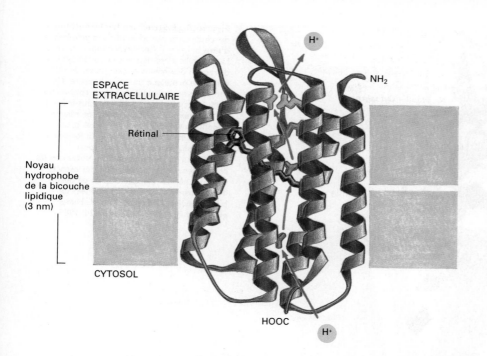

ESPACE
EXTRACELLULAIRE

Rétinal

Noyau
hydrophobe
de la bicouche
lipidique
(3 nm)

CYTOSOL

NH₂

HOOC

Figure 10-37 Structure tridimensionnelle de la molécule de bactériorhodopsine.
La chaîne polypeptidique traverse sept fois la bicouche lipidique sous forme d'hélices α. Ce schéma montre la localisation du chromophore de rétinal (en *pourpre*) et la voie métabolique probable prise par les protons pendant le cycle de pompage activé par la lumière. La première étape clé est le passage d'un H⁺ issu du chromophore sur la chaîne latérale de l'acide aspartique 85 (en *rouge*, localisé à côté du chromophore) qui se produit lors de l'absorption d'un photon par le chromophore. Ensuite, d'autres transferts de H⁺ — qui utilisent les chaînes latérales d'acides aminés hydrophiles qui tapissent un passage à travers la membrane — complètent le cycle de pompage et remettent l'enzyme dans son état primitif. Code couleur : acide glutamique (*orange*), acide aspartique (*rouge*), arginine (*bleu*). (Adapté d'après H. Luecke et al., *Science* 286 : 255-260, 1999.)

protéines solubles par l'analyse de diffraction des rayons X. La structure obtenue par cristallographie des électrons a été ensuite confirmée et sa résolution a été augmentée par cristallographie aux rayons X. Ces études ont montré que chaque molécule de bactériorhodopsine est repliée en sept hélices α très rapprochées (chacune contenant 25 acides aminés environ) qui traversent la bicouche lipidique sous des angles légèrement différents (*voir* Figure 10-37). Par la congélation des cristaux protéiques à de très basses températures, il a été possible de connaître la structure de certaines conformations intermédiaires adoptées par la protéine pendant son cycle de pompage.

La bactériorhodopsine est un membre d'une grande superfamille de protéines membranaires dotées de structures similaires mais de fonctions différentes. Par exemple, la rhodopsine des cellules en bâtonnet de la rétine des vertébrés ainsi que beaucoup de récepteurs protéiques cellulaires de surface qui fixent les molécules de signalisation extracellulaires sont également construits à partir de sept hélices α transmembranaires. Ces protéines sont plutôt des transducteurs de signaux que des transporteurs : chacune répond au signal extracellulaire en activant une autre protéine à l'intérieur de la cellule qui engendre un signal chimique dans le cytosol, comme nous le verrons au chapitre 15. Même si les structures de la bactériorhodopsine et des récepteurs de signaux des mammifères sont particulièrement semblables, elles ne présentent aucune similarité de séquence et appartiennent donc probablement à deux branches distantes d'un point de vue évolutif d'une ancienne famille protéique.

Les protéines membranaires fonctionnent souvent sous forme de gros complexes

Certaines protéines membranaires fonctionnent en tant que partie d'un complexe à multiples composants. Quelques-uns de ces complexes ont été étudiés par cristallographie aux rayons X. Le *centre de réaction photosynthétique* des bactéries a été le premier complexe de protéines transmembranaires à être cristallisé et analysé par diffraction des rayons X. Les résultats de cette analyse ont été d'une grande importance générale pour la biologie membranaire parce qu'ils ont montré pour la première fois comment s'associaient de multiples polypeptides dans une membrane pour former une machinerie protéique complexe (Figure 10-38). Dans le chapitre 14, nous verrons comment ces complexes photosynthétiques fonctionnent pour capturer l'énergie lumineuse et l'utiliser pour pomper les H⁺ à travers la membrane. Nous verrons également la structure et la fonction de complexes protéiques membranaires encore plus gros que le centre de réaction photosynthétique. Les protéines membranaires sont souvent disposées en gros complexes, non seulement pour l'exploitation des diverses formes d'énergie, mais aussi pour la transduction des signaux extracellulaires en signaux intracellulaires (*voir* Chapitre 15).

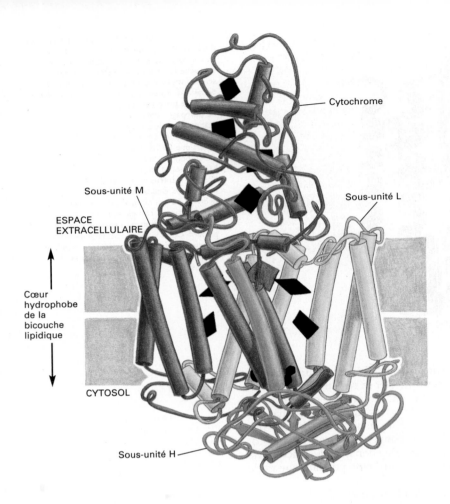

Figure 10-38 Structure tridimensionnelle du centre de réaction photosynthétique d'une bactérie, *Rhodopseudomonas viridis*. La structure a été déterminée par analyse de diffraction des rayons X d'un cristal de ce complexe protéique transmembranaire. Ce complexe est composé de quatre sous-unités L, M, H, et un cytochrome. Les sous-unités L et M forment le cœur du centre de réaction et contiennent chacune cinq hélices α qui traversent la bicouche lipidique. La localisation des diverses coenzymes de transport d'électrons est montrée en *noir*. Notez que les coenzymes sont disposées dans des espaces entre les hélices. (Adapté d'après un dessin de J. Richardson basé sur les données de J. Deisenhofer, O. Epp, K. Miki, R. Huber et H. Michel, *Nature* 318 : 618-624, 1985.)

Cytochrome

Sous-unité M

Sous-unité L

ESPACE EXTRACELLULAIRE

Cœur hydrophobe de la bicouche lipidique

CYTOSOL

Sous-unité H

Beaucoup de protéines membranaires diffusent dans le plan de la membrane

Tout comme les lipides membranaires, les protéines membranaires ne basculent pas à travers la bicouche lipidique (*flip-flop*), mais effectuent des rotations selon un axe perpendiculaire au plan de la bicouche (*diffusion par rotation*). En plus, beaucoup de protéines membranaires peuvent se déplacer latéralement à l'intérieur de la membrane (*diffusion latérale*). La première preuve directe de la mobilité de certaines protéines plasmatiques dans le plan membranaire a été apportée par une expérience. Au cours de celle-ci, des cellules de souris ont été artificiellement fusionnées avec des cellules humaines pour former des cellules hybrides (*hétérocaryons*). Deux différents anticorps marqués ont été utilisés pour différencier certaines des protéines de la membrane plasmique de l'homme et de la souris. Même si, au départ, les protéines humaines et de souris restaient confinées à leur propre moitié de l'hétérocaryon néoformé, les deux groupes de protéines ont fini par diffuser et se sont mélangés sur toute la surface cellulaire en une demi-heure environ (Figure 10-39).

La vitesse de diffusion latérale des protéines membranaires peut être mesurée par l'utilisation de la technique *FRAP* (pour *fluorescence recovery after photobleaching* ou récupération d'une fluorescence après photoblanchiment). Cette méthode implique généralement le marquage des protéines membranaires à étudier par un groupement fluorescent spécifique. Il s'effectue par le biais d'un ligand fluorescent comme un anticorps qui se fixe sur la protéine ou d'une technologie d'ADN recombinant qui permet l'expression de la protéine fusionnée à la protéine de fluorescence verte (GFP) (*voir* Chapitre 9). Le groupement fluorescent est alors blanchi au niveau d'une petite zone avec un faisceau laser et on mesure le temps mis pour que les protéines membranaires adjacentes portant les ligands non blanchis ou la GFP diffusent dans la zone blanchie (Figure 10-40A). La *FLIP* (pour *fluorescence loss in photobleaching* ou perte de fluorescence par photoblanchiment) est une technique complémentaire. Dans ce cas, un faisceau laser irradie continuellement une petite zone afin de blanchir toutes les molécules fluorescentes qui y diffusent, vidant ainsi graduellement la membrane voisine de molécules marquées par la fluorescence (Figure 10-40B). À partir de ces mesures, il est possible de calculer le coefficient de diffusion des protéines de surfaces spécifiques qui sont marquées. Les valeurs des coefficients de diffusion des différentes protéines de membrane dans différentes cellules varient fortement parce que les interactions avec d'autres protéines empêchent plus ou moins la diffusion des protéines. Les mesures faites sur les protéines qui sont le moins gênées de cette façon ont indiqué que les membranes cellulaires ont une viscosité comparable à celle de l'huile d'olive.

Les cellules peuvent confiner les protéines et les lipides dans des domaines spécifiques à l'intérieur de la membrane

Une avancée majeure dans la compréhension de la structure et de la fonction membranaires a été de reconnaître que les membranes biologiques étaient des liquides bidimensionnels. Cependant, il est devenu clair qu'il est bien trop simple d'imaginer la membrane comme une mer lipidique dans laquelle toutes les protéines flottent librement. Beaucoup de cellules ont les moyens de confiner les protéines membranaires dans des domaines spécifiques de la bicouche lipidique continue. Dans les cellules épithéliales, comme celles qui tapissent les intestins ou les tubules rénaux, certaines enzymes et protéines de transport de la membrane plasmique restent confinées à la surface apicale des cellules tandis que d'autres sont confinées aux surfaces basales et latérales (Figure 10-41). Cette distribution asymétrique des protéines membranaires est souvent essentielle à la fonction de l'épithélium, comme nous le verrons au chapitre 19. La composition lipidique de ces deux domaines membranaires est également différente, ce qui démontre que les cellules épithéliales peuvent éviter la diffusion des lipides et des protéines entre ces domaines. Cependant, des expé-

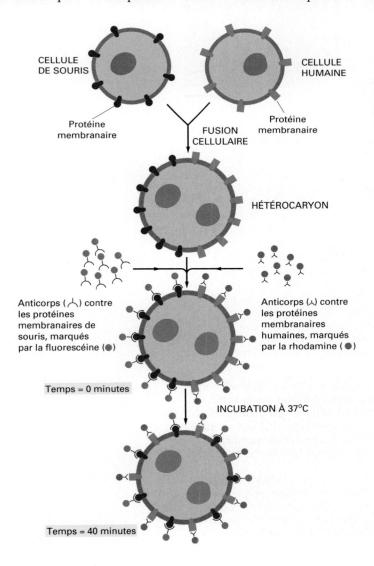

Figure 10-39 **Expérience démontrant le mélange des protéines de la membrane plasmique dans des cellules hybrides souris-homme.** Les protéines de souris et d'homme restent initialement confinées dans leur propre moitié de membrane plasmique de l'hétérocaryon néoformé, mais se mélangent avec le temps. Les deux anticorps utilisés pour visualiser les protéines peuvent être différenciés en microscopie à fluorescence parce que la fluorescéine est verte alors que la rhodamine est rouge. (D'après les observations de L.D. Frye et M. Edidin, *J. Cell Sci.* 7 : 319-335, 1970. © The Company of Biologists.)

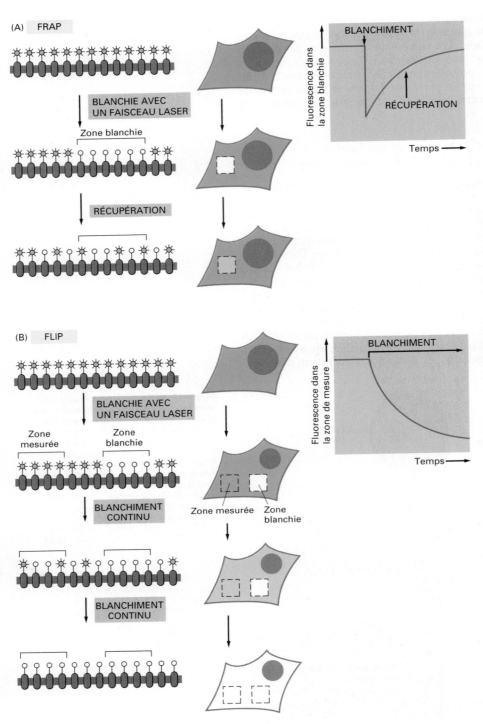

(A) FRAP

BLANCHIE AVEC
UN FAISCEAU LASER

Zone blanchie

RÉCUPÉRATION

BLANCHIMENT

RÉCUPÉRATION

Fluorescence dans
la zone blanchie

Temps →

(B) FLIP

BLANCHIE AVEC
UN FAISCEAU LASER

Zone
mesurée

Zone
blanchie

BLANCHIMENT
CONTINU

BLANCHIMENT
CONTINU

Zone mesurée   Zone
blanchie

Zone mesurée   Zone
blanchie

BLANCHIMENT

Fluorescence dans
la zone de mesure

Temps →

Figure 10-40 Mesure de la vitesse de diffusion latérale d'une protéine membranaire par les techniques de *photobleaching* (photoblanchiment). La protéine spécifique à étudier peut être marquée avec un anticorps fluorescent (comme cela est montré ici) ou peut être exprimée sous forme d'une protéine de fusion avec la protéine de fluorescence verte (GFP) qui est intrinsèquement fluorescente. (A) Dans la technique FRAP, les molécules fluorescentes sont blanchies dans une petite zone utilisant un faisceau laser. L'intensité de la fluorescence est récupérée lorsque les molécules blanchies sortent par diffusion de la zone irradiée et que les molécules non blanchies y entrent par diffusion (montrée ici dans les vues latérales et du haut). Le coefficient de diffusion est calculé à partir de la courbe de la vitesse de récupération: plus le coefficient de diffusion membranaire est grand, plus la récupération est rapide. (B) Dans la technique FLIP, une zone de la membrane est irradiée de façon continue et la fluorescence est mesurée dans une autre zone. La fluorescence de la deuxième zone diminue progressivement tandis que les protéines fluorescentes en sortent par diffusion et que les molécules blanchies y entrent par diffusion; pour finir, toutes les molécules protéiques fluorescentes seront blanchies pour autant qu'elles soient mobiles et non ancrées de façon permanente au cytosquelette ou à la matrice extracellulaire.

riences menées avec des lipides marqués suggèrent que seules les molécules lipidiques de la monocouche externe de la membrane sont confinées de la sorte. On pense que la séparation des protéines et des molécules lipidiques est maintenue, du moins en partie, par des barrières formées par un type spécifique de jonction intercellulaire (les *jonctions serrées*, *voir* Chapitre 19). En clair, les protéines membranaires qui forment ces jonctions intercellulaires ne peuvent diffuser latéralement dans les membranes qui interagissent.

Une cellule peut aussi créer des domaines sans utiliser de jonctions intercellulaires. Le spermatozoïde de mammifère, par exemple, est une cellule unique composée de diverses parties structurellement et fonctionnellement distinctes, recouvertes d'une membrane plasmique continue. Lorsqu'un spermatozoïde est examiné en microscopie par immunofluorescence avec divers anticorps, dont chacun réagit avec

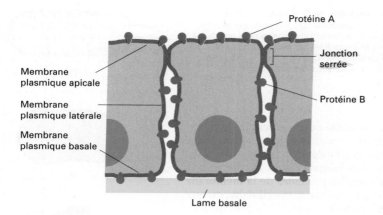

Membrane plasmique apicale

Membrane plasmique latérale

Membrane plasmique basale

Protéine A

Jonction serrée

Protéine B

Lame basale

Figure 10-41 Une protéine de la membrane plasmique peut être restreinte à un domaine membranaire particulier. Sur ce schéma d'une cellule épithéliale, la protéine A (de la membrane apicale) et la protéine B (de la membrane basale et latérale) peuvent diffuser latéralement dans leur propre domaine mais ne peuvent entrer dans les autres domaines, en partie à cause de jonctions cellulaires spécifiques appelées jonctions serrées. Les molécules lipidiques de la monocouche externe (non cytosolique) de la membrane plasmique sont aussi incapables de diffuser ente les deux domaines ; les lipides dans la monocouche interne (cytosolique), cependant, peuvent le faire (non montré ici).

une molécule spécifique de la surface cellulaire, on trouve que la membrane plasmique est composée d'au moins trois domaines distincts (Figure 10-42). Certaines molécules membranaires peuvent diffuser librement dans les limites de leur propre domaine. On ne connaît pas la nature moléculaire des «barrières» qui empêchent que les molécules ne quittent leur domaine. Beaucoup d'autres cellules présentent des barrières membranaires similaires qui restreignent la diffusion des protéines membranaires à certains domaines membranaires. La membrane plasmique des cellules nerveuses, par exemple, contient un domaine qui entoure le corps cellulaire et les dendrites et un autre qui entoure l'axone. Dans ce cas, on pense qu'une ceinture de filaments d'actine est solidement associée à la membrane plasmique au niveau de la jonction corps cellulaire-axone et forme une partie de la barrière.

Dans tous ces exemples, la diffusion des molécules protéiques et lipidiques est confinée à des domaines spécialisés situés à l'intérieur d'une membrane plasmique continue. On sait que les cellules peuvent immobiliser leurs protéines membranaires de diverses façons. Les molécules de bactériorhodopsine de la membrane pourpre d'*Halobacterium* s'assemblent en de gros cristaux bidimensionnels dans lesquels chaque protéine est relativement fixe par rapport à l'autre ; ce type de gros agrégat

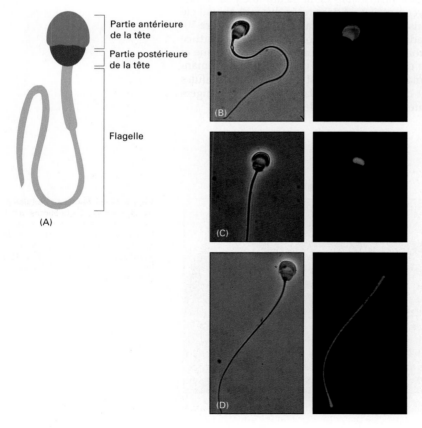

Partie antérieure de la tête

Partie postérieure de la tête

Flagelle

(A)

(B)

(C)

(D)

Figure 10-42 Trois domaines de la membrane plasmique d'un spermatozoïde de cobaye. (A) Schéma fondamental d'un spermatozoïde de cobaye. Dans les trois paires de microphotographies, celles prises en microscopie à contraste de phase sont *à gauche*, et la même cellule est montrée avec une coloration immuno-fluorescente de la surface cellulaire *à droite*. Différents anticorps monoclonaux marquent sélectivement les molécules de la surface cellulaire sur (B) la partie antérieure de la tête, (C) la partie postérieure de la tête et (D) le flagelle. (Microphotographies, dues à l'obligeance de Selena Carroll et Diana Myles.)

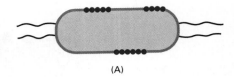

Figure 10-43 Les quatre modes de restriction de la mobilité latérale de protéines spécifiques de la membrane plasmique. (A) Les protéines peuvent s'auto-assembler en de gros agrégats (comme la bactériorhodopsine de la membrane pourpre de *Halobacterium*); elles peuvent être attachées par des interactions avec des assemblages de macromolécules (B) à l'extérieur ou (C) à l'intérieur de la cellule; ou elles peuvent interagir avec les protéines de la surface d'une autre cellule (D).

(A)

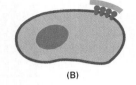

(B)

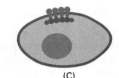

(C)

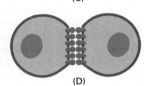

(D)

diffuse très lentement. Une autre méthode plus fréquente pour restreindre la mobilité latérale des protéines membranaires spécifiques consiste à les attacher à des assemblages macromoléculaires situés à l'intérieur ou à l'extérieur de la cellule. Nous avons vu que certaines protéines membranaires des hématies sont ancrées sur le cytosquelette interne. Dans d'autres types cellulaires, les protéines de la membrane plasmique peuvent être ancrées au cytosquelette, à la matrice extracellulaire, ou aux deux. La figure 10-43 résume les quatre moyens connus d'immobilisation de protéines spécifiques membranaires.

La surface cellulaire est recouverte de résidus de sucre

En règle générale, il n'y a pas de protrusion de protéines dénudées de la membrane plasmique à l'extérieur de la cellule. Elles sont généralement ornées de glucides qui recouvrent la surface de toutes les cellules eucaryotes. Ces glucides sont des chaînes d'oligosaccharides reliées de façon covalente aux protéines membranaires (glycoprotéines) et aux lipides membranaires (glycolipides). Ils forment également les chaînes polysaccharidiques de molécules membranaires intégrales qu'on appelle protéoglycanes. Les *protéoglycanes*, qui sont de longues chaînes polysaccharidiques reliées de façon covalente à un noyau protéique, se trouvent surtout à l'extérieur de la cellule et font partie de la matrice extracellulaire (*voir* Chapitre 19). Mais pour certains protéoglycanes, le noyau protéique s'étend au travers de la bicouche lipidique ou est fixé à la bicouche par une ancre de glycosylphophatidylinositol (GPI).

Le terme de **manteau cellulaire**, ou **glycocalyx**, est souvent utilisé pour décrire cette zone riche en glucides de la surface cellulaire. Elle peut être visualisée par divers colorants, comme le rouge de ruthénium (Figure 10-44), ainsi que par son affinité pour les protéines de liaison aux glucides, les **lectines**, qui peuvent être marquées par un colorant fluorescent ou certains autres marqueurs visibles. Même si la plupart des glucides sont fixés aux molécules intrinsèques de la membrane plasmique, le glycocalyx contient également des glycoprotéines et des protéoglycanes qui ont été sécrétés dans l'espace extracellulaire puis adsorbés à la surface cellulaire (Figure 10-45). Beaucoup de ces macromolécules adsorbées sont des composants de la matrice extracellulaire, de telle sorte que l'endroit où se termine la membrane plasmique et où commence la matrice extracellulaire est pour beaucoup une question de sémantique. Une des fonctions probables du manteau cellulaire est de protéger les cellules des lésions mécaniques et chimiques et de maintenir à distance les corps étrangers et les autres cellules, afin d'éviter les interactions indésirables entre protéines.

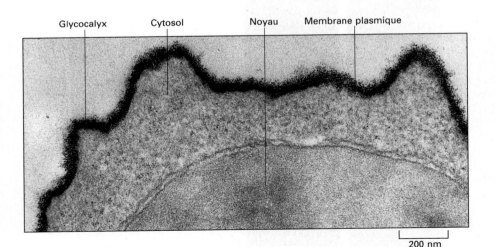

Figure 10-44 Manteau cellulaire ou glycocalyx. Cette photographie en microscopie électronique de la surface d'un lymphocyte coloré avec du rouge de ruthénium met l'accent sur l'épaisseur de la couche glucidique qui entoure la cellule. (Due à l'obligeance de Audrey M. Glauert et G.M.W. Cook.)

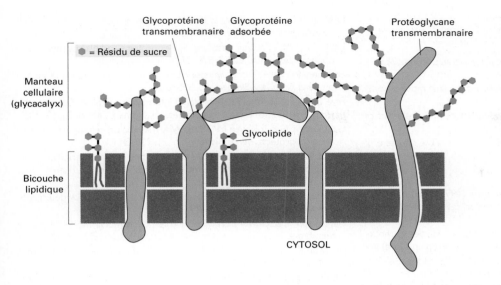

Figure 10-45 Schéma simplifié du manteau cellulaire (glycocalyx). Le manteau cellulaire est constitué des chaînes latérales oligosaccharidiques des glycolipides et des glycoprotéines intégrales de membrane et des chaînes polysaccharidiques des protéoglycanes intégrales de membrane. En plus, des glycoprotéines adsorbées et des protéoglycanes adsorbés (non montrés ici) contribuent à la formation du glycocalyx dans de nombreuses cellules. Notez que tous les glucides se trouvent sur la face non cytosolique de la membrane.

Les chaînes latérales oligosaccharidiques des glycoprotéines et des glycolipides sont excessivement variées du point de vue de la disposition des sucres. Bien qu'elles contiennent généralement moins de 15 sucres, elles sont souvent ramifiées et les sucres peuvent être reliés par diverses liaisons covalentes – contrairement aux acides aminés des chaînes polypeptidiques qui sont tous reliés par des liaisons peptidiques identiques. Trois sucres peuvent être reliés pour former des centaines de trisaccharides différents. En principe, la diversité et la position exposée des oligosaccharides à la surface cellulaire les rendent particulièrement bien adaptés à agir dans les processus spécifiques de reconnaissance cellulaire. Pendant plusieurs années, il existait peu de preuves de cette fonction suspectée. Mais récemment, on a identifié des lectines liées à la membrane plasmique qui reconnaissent des oligosaccharides spécifiques sur les glycolipides et les glycoprotéines de la surface cellulaire. Comme nous le verrons au chapitre 19, on sait maintenant que ces lectines sont les intermédiaires de divers processus d'adhésion intercellulaire transitoire, y compris ceux qui se produisent au cours des interactions spermatozoïde-ovule, de la coagulation sanguine, de la recirculation des lymphocytes et de la réponse inflammatoire.

Résumé

Alors que la bicouche lipidique détermine la structure fondamentale des membranes biologiques, les protéines sont responsables de la plupart des fonctions membranaires, servant de récepteurs spécifiques, d'enzymes, de protéines de transport et ainsi de suite. Beaucoup de protéines membranaires traversent la bicouche lipidique. Dans certaines de ces protéines transmembranaires, la chaîne polypeptidique traverse la bicouche sous forme d'une seule hélice α (protéines à un domaine transmembranaire). Dans d'autres, y compris celles responsables du transport transmembranaire des ions et d'autres molécules hydrosolubles, la chaîne polypeptidique traverse la bicouche de multiples fois – sous forme d'une série d'hélices α ou d'un feuillet β qui forme un tonneau fermé (protéines à multiples domaines transmembranaires). D'autres protéines associées à la membrane n'enjambent pas la bicouche mais sont, par contre, fixées d'un côté ou de l'autre de la membrane. Beaucoup d'entre elles sont reliées par des interactions non covalentes aux protéines transmembranaires mais d'autres sont reliées via des groupements lipidiques fixés de façon covalente. Tout comme les molécules lipidiques de la bicouche, beaucoup de protéines membranaires peuvent diffuser rapidement dans le plan de la membrane. Cependant, les cellules ont des moyens d'immobiliser des protéines membranaires spécifiques et de confiner ces protéines et les molécules lipidiques membranaires dans des domaines particuliers au sein d'une bicouche lipidique continue.

Dans la membrane plasmique de toutes les cellules eucaryotes, la plupart des protéines exposées à la surface de la cellule et certaines molécules lipidiques de la monocouche lipidique externe sont reliées à des chaînes d'oligosaccharides fixées de façon covalente. Les membranes plasmiques contiennent également des molécules de protéoglycanes intégrales dont les chaînes polysaccharidiques sont exposées à la surface. On pense que le manteau glucidique qui en résulte protège la surface cellulaire des lésions mécaniques et chimiques. En plus, certaines chaînes d'oligosaccharides sont reconnues par les protéines de liaison aux glucides de surface cellulaire (lectines) qui servent d'intermédiaires à l'adhérence intercellulaire.

Bibliographie

Généralités

Bretscher MS (1985) The molecules of the cell membrane. *Sci. Am.* 253(4), 100–109.

Jacobson K, Sheets ED & Simson R (1995) Revisiting the fluid mosaic model of membranes. *Science* 268, 1441–1442.

Lipowsky R & Sackmann E (eds) (1995) The Structure and Dynamics of Membranes. Amsterdam: Elsevier.

Singer SJ & Nicolson GL (1972) The fluid mosaic model of the structure of cell membranes. *Science* 175, 720–731.

La bicouche lipidique

Bevers EM, Comfurius P, Dekkers DW & Zwaal RF (1999) Lipid transloca- tion across the plasma membrane of mammalian cells. *Biochim. Biophys. Acta* 1439, 317–330.

Chapman D & Benga G (1984) Biomembrane fluidity – studies of model and natural membranes. In Biological Membranes (Chapman D ed) Vol 5, pp 1–56. London: Academic Press.

Devaux PF (1993) Lipid transmembrane asymmetry and flip-flop in bio- logical membranes and in lipid bilayers. *Curr. Opin. Struct. Biol.* 3, 489–494.

Dowhan W (1997) Molecular basis for membrane phospholipid diversity: why are there so many lipids? *Annu. Rev. Biochem.* 66, 199–232.

Hakomori S (1986) Glycosphingolipids. *Sci. Am.* 254(4), 44–53.

Harder T & Simons K (1997) Caveolae, DIGs, and the dynamics of sphin- golipid-cholesterol microdomains. *Curr. Opin. Cell Biol.* 9, 534–542.

Ichikawa S & Hirabayashi Y (1998) Glucosylceramide synthase and gly- cosphingolipid synthesis. *Trends Cell Biol.* 8, 198–202.

Jain MK & White HBD (1977) Long-range order in biomembranes. *Adv. Lipid Res.* 15, 1–60.

Kornberg RD & McConnell HM (1971) Lateral diffusion of phospholipids in a vesicle membrane. *Proc. Natl. Acad. Sci. USA* 68, 2564–2568.

Menon AK (1995) Flippases. *Trends Cell Biol.* 5, 355–360.

Rothman J & Lenard J (1977) Membrane asymmetry. *Science* 195, 743–753.

Simons K & Ikonen E (1997) Functional rafts in cell membranes. *Nature* 387, 569–572.

Tanford C (1980) The Hydrophobic Effect: Formation of Micelles and Bio- logical Membranes. New York: Wiley.

van Meer G (1989) Lipid traffic in animal cells. *Annu. Rev. Cell Biol.* 5, 247–275.

Protéines membranaires

Bennett V & Baines A (2001) Spectrin and ankyrin-based pathways: meta- zoan inventions for integrating cells into tissues. *Physiol. Rev.* 81, 1353–1392.

Branden C & Tooze J (1999) Introduction to Protein Structure, 2nd edn. New York: Garland.

Bretscher MS & Raff MC (1975) Mammalian plasma membranes. *Nature* 258, 43–49.

Buchanan SK (1999) β-Barrel proteins from bacterial outer membranes: structure, function and refolding. *Curr. Opin. Struct. Biol.* 9, 455–461.

Cross GA (1990) Glycolipid anchoring of plasma membrane proteins. *Annu. Rev. Cell Biol.* 6, 1–39.

Deisenhofer J & Michel H (1991) Structures of bacterial photosynthetic reaction centers. *Annu. Rev. Cell Biol.* 7, 1–23.

Drickamer K & Taylor ME (1993) Biology of animal lectins. *Annu. Rev. Cell Biol.* 9, 237–264.

Driscoll PC & Vuidepot AL (1999) Peripheral membrane proteins: FYVE sticky fingers. *Curr. Biol.* 9, R857–R860.

Edidin M (1992) Patches, posts and fences: proteins and plasma membrane domains. *Trends Cell Biol.* 2, 376–380.

Eisenberg D (1984) Three-dimensional structure of membrane and surface proteins. *Annu. Rev. Biochem.* 53, 595–623.

Frye LD & Edidin M (1970) The rapid intermixing of cell surface antigens after formation of mouse–human heterokaryons. *J. Cell Sci.* 7, 319–335.

Gahmberg CG & Tolvanen M (1996) Why mammalian cell surface proteins are glycoproteins. *Trends Biochem. Sci.* 21, 308–311.

Haupts U, Tittor J & Oesterhelt D (1999) Closing in on bacteriorhodopsin: progress in understanding the molecule. *Annu. Rev. Biophys. Biomol. Struct.* 28, 367–399.

Helenius A & Simons K (1975) Solubilization of membranes by detergents. *Biochim. Biophys. Acta* 415, 29–79.

Henderson R & Unwin PNT (1975) Three-dimensional model of purple membrane obtained by electron microscopy. *Nature* 257, 28–32.

Jacobson K & Vaz WLC (1992) Domains in biological membranes. *Comm. Mol. Cell. Biophys.* 8, 1–114.

Kyte J & Doolittle RF (1982) A simple method for displaying the hydro- pathic character of a protein. *J. Mol. Biol.* 157, 105–132.

Leevers SJ, Vanhaesebroeck B & Waterfield MD (1999) Signalling through phosphoinositide 3-kinases: the lipids take centre stage. *Curr. Opin. Cell Biol.* 11, 219–225.

Marchesi VT, Furthmayr H & Tomit M (1976) The red cell membrane. *Annu. Rev. Biochem.* 45, 667–698.

Pumplin DW & Bloch RJ (1993) The membrane skeleton. *Trends Cell Biol.* 3, 113–117.

Reithmeier RAF (1993) The erythrocyte anion transporter (band 3). *Curr. Opin. Cell Biol.* 3, 515–523.

Rodgers W & Glaser M (1993) Distributions of proteins and lipids in the erythrocyte membrane. *Biochemistry* 32, 12591–12598.

Sharon N & Lis H (1995) Lectins – proteins with a sweet tooth: functions in cell recognition. *Essays Biochem.* 30, 59–75.

Sheets ED, Simson R & Jacobson K (1995) New insights into membrane dynamics from the analysis of cell surface interactions by physical meth- ods. *Curr. Opin. Cell Biol.* 7, 707–714.

Sheetz MP (1995) Cellular plasma membrane domains. *Mol. Membr. Biol.* 12, 89–91.

Silvius JR (1992) Solubilization and functional reconstitution of biomem- brane components. *Annu. Rev. Biophys. Biomol. Struct.* 21, 323–348.

Steck TL (1974) The organization of proteins in the human red blood cell membrane. *J. Cell Biol.* 62, 1–19.

Stevens TJ & Arkin IT (1999) Are membrane proteins "inside-out" proteins? *Proteins: Struct. Funct. Genet.* 36, 135–143.

Subramaniam S (1999) The structure of bacteriorhodopsin: an emerging consensus. *Curr. Opin. Struct. Biol.* 9, 462–468.

Viel A & Branton D (1996) Spectrin: on the path from structure to func- tion. *Curr. Opin. Cell Biol.* 8, 49–55.

Vince JW & Reithmeier RA (1996) Structure of the band 3 transmembrane domain. *Cell Mol. Biol. (Noisy-le-Grand)* 42, 1041–1051.

Wallin E & von Heijne G (1998) Genome-wide analysis of integral mem- brane proteins from eubacterial, archaean, and eukaryotic organisms. *Pro- tein Sci.* 7, 1029–1038.

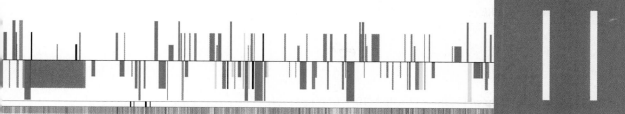

TRANSPORT MEMBRANAIRE DES PETITES MOLÉCULES ET PROPRIÉTÉS ÉLECTRIQUES DES MEMBRANES

Du fait de son cœur hydrophobe, la double couche lipidique des membranes cellulaires s'oppose au passage de la plupart des molécules polaires. Cette fonction de barrière est d'une importance cruciale parce qu'elle permet à la cellule de maintenir dans son cytosol des concentrations en solutés, différentes de celles du liquide extracellulaire et de celles de chacun des compartiments intracellulaires entourés d'une membrane. Pour utiliser cette barrière, cependant, les cellules ont dû développer des modes de transfert de molécules hydrosolubles spécifiques à travers leurs membranes pour pouvoir ingérer des nutriments essentiels, excréter les produits de déchet métaboliques et réguler la concentration ionique intracellulaire. Le transport des ions inorganiques et des petites molécules organiques hydrosolubles à travers la bicouche lipidique s'effectue par des protéines transmembranaires spécialisées, chacune responsable du transfert spécifique d'un ion, d'une molécule ou d'un groupe de molécules ou d'ions apparentés. Les cellules peuvent aussi transférer des macromolécules et même de plus grosses particules à travers leurs membranes, mais les mécanismes impliqués dans la plupart de ces cas sont différents de ceux utilisés pour le transfert des petites molécules et seront traités dans les chapitres 12 et 13. L'importance du transport membranaire se reflète, chez tous les organismes, par le nombre important de gènes qui codent pour les protéines de transport qui, dans toutes les cellules, constituent entre 15 et 30 p. 100 des protéines membranaires. Certaines cellules spécialisées de mammifères dédient jusqu'aux deux tiers de leur consommation totale d'énergie métabolique aux processus de transport membranaire.

Nous commencerons ce chapitre en considérant certains principes généraux du mode de traversée des membranes cellulaires par les petites molécules hydrosolubles. Nous verrons ensuite, l'une après l'autre, les deux principales classes de protéines membranaires qui servent d'intermédiaire à ce transfert : les *protéines porteuses* qui possèdent des parties mobiles et font traverser la membrane à certaines molécules et les *protéines des canaux* qui forment un pore étroit hydrophile et permettent le déplacement passif surtout des petits ions inorganiques. Les protéines porteuses peuvent être couplées à une source d'énergie qui catalyse un transport actif. Cette association entre une perméabilité passive sélective et un transport actif crée de grandes différences de composition entre le cytosol et le liquide extracellulaire (Tableau 11-I) ou le liquide enfermé à l'intérieur des organites entourés d'une membrane. En engendrant des différences de concentrations à travers la bicouche lipi-

COMPOSANT	CONCENTRATION INTRACELLULAIRE (mM)	CONCENTRATION EXTRACELLULAIRE (mM)
Cations		
Na$^+$	5-15	145
K$^+$	140	5
Mg^{2+}	0,5	1-2
Ca^{2+}	10^{-4}	1-2
H$^+$	7 × 10^{-5} (10$^{-7,2}$ M ou pH 7,2)	4 × 10^{-5} (10$^{-7,4}$ M ou pH 7,4)
Anions*		
Cl$^-$	5-15	110

*Les cellules doivent contenir la même quantité de charges positives et négatives (c'est-à-dire être électriquement neutres). Donc, en plus de Cl$^-$, les cellules contiennent beaucoup d'autres anions non cités dans ce tableau ; en fait la plupart des constituants cellulaires sont chargés négativement (HCO$_3^-$, PO$_4^{3-}$, les protéines, les acides nucléiques, les métabolites porteurs de groupements phosphate et carboxyle, etc.). Les concentrations en Ca^{2+} et en Mg^{2+} données sont pour les ions libres. Il y a au total environ 20 mM de Mg^{2+} et 1 à 2 mM de Ca^{2+} dans les cellules mais ils sont surtout reliés aux protéines et autres substances et, pour le Ca^{2+}, mis en réserve dans divers organites.

dique, les membranes cellulaires peuvent mettre en réserve de l'énergie potentielle sous forme de gradients électrochimiques qui sont utilisés pour entraîner divers processus de transport, transmettre les signaux électriques dans les cellules électriquement excitables et (dans les mitochondries, chloroplastes et bactéries) fabriquer la majeure partie de l'ATP cellulaire. Nous focaliserons notre discussion principalement sur le transport à travers la membrane plasmique mais des mécanismes similaires opèrent à travers les autres membranes des cellules eucaryotes, comme nous le verrons dans les chapitres ultérieurs.

Dans la dernière partie de ce chapitre, nous nous concentrerons principalement sur les fonctions des canaux ioniques dans les neurones (cellules nerveuses). Dans ces cellules, les protéines des canaux travaillent à leur plus fort niveau de perfectionnement, permettant à des réseaux de neurones d'effectuer tous les exploits étonnants dont le cerveau humain est capable.

PRINCIPES DU TRANSPORT MEMBRANAIRE

Nous commencerons cette partie par la description des propriétés de perméabilité de bicouches lipidiques synthétiques dépourvues de protéines. Nous introduirons ensuite certains termes utilisés pour décrire les diverses formes de transport membranaire ainsi que certaines stratégies utilisées pour caractériser les protéines et les processus impliqués.

Les bicouches lipidiques dépourvues de protéines sont fortement imperméables aux ions

Si on leur laisse assez de temps, pratiquement toutes les molécules diffuseront à travers une bicouche lipidique dépourvue de protéines selon leur gradient de concentration. La vitesse de cette diffusion, cependant, varie énormément, en partie en fonction de la taille de la molécule, mais surtout de sa solubilité relative dans l'huile. En général, plus la molécule est petite et plus elle est soluble dans l'huile (ou plus hydrophobe, ou non polaire), plus elle diffusera rapidement à travers la bicouche lipidique. Les petites molécules non polaires, comme O_2 et CO_2, se dissolvent facilement dans les bicouches lipidiques et les traversent donc rapidement par diffusion. Les petites molécules polaires non chargées, comme l'eau ou l'urée, diffusent aussi à travers la bicouche, mais beaucoup plus lentement (Figure 11-1). Par contre, les bicouches lipidiques sont fortement imperméables aux molécules chargées (ions), quelle que soit leur petitesse ; la charge et le fort degré d'hydratation de ces molécules empêchent leur entrée dans la phase hydrocarbonée de la double couche. De ce fait, les doubles couches synthétiques sont 10^9 fois plus perméables à l'eau qu'aux ions, même aussi petits que Na$^+$ ou K$^+$ (Figure 11-2).

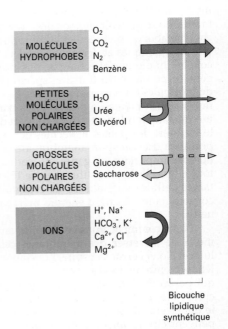

MOLÉCULES HYDROPHOBES	O$_2$, CO$_2$, N$_2$, Benzène
PETITES MOLÉCULES POLAIRES NON CHARGÉES	H$_2$O, Urée, Glycérol
GROSSES MOLÉCULES POLAIRES NON CHARGÉES	Glucose, Saccharose
IONS	H$^+$, Na$^+$, HCO$_3^-$, K$^+$, Ca^{2+}, Cl$^-$, Mg^{2+}

Bicouche lipidique synthétique

Figure 11-1 Perméabilité relative d'une bicouche lipidique synthétique vis-à-vis de différentes classes de molécules. Plus les molécules sont petites et, surtout, moins elles sont associées fortement à l'eau, plus elles diffusent rapidement au travers de la bicouche.

Il existe deux principales classes de protéines de transport membranaire : les protéines porteuses et les protéines des canaux

Tout comme les bicouches lipidiques synthétiques, les membranes cellulaires permettent le passage par simple diffusion des molécules d'eau et non polaires. Les membranes cellulaires, cependant, doivent aussi laisser passer diverses molécules polaires, comme les ions, les sucres, les acides aminés, les nucléotides et beaucoup de métabolites cellulaires qui ne traversent que très lentement la bicouche lipidique. Des **protéines de transport membranaire** spécifiques sont responsables du transfert de ces solutés au travers des membranes cellulaires. Ces protéines existent sous plusieurs formes et dans tous les types de membranes biologiques. Chaque protéine transporte une classe particulière de molécules (un ion, un sucre ou un acide aminé) et souvent seules certaines molécules de cette classe. Cette spécificité des protéines de transport membranaire a été révélée pour la première fois au milieu des années 1950 lors d'études qui ont permis de démontrer que des mutations d'un seul gène abolissaient la capacité des bactéries à transporter des sucres spécifiques au travers de leur membrane plasmique. Des mutations similaires ont depuis été découvertes chez des personnes atteintes de diverses maladies héréditaires qui affectent le transport de solutés spécifiques dans le rein, les intestins et bien d'autres types cellulaires. Les individus atteints d'une maladie héréditaire, la *cystinurie*, par exemple, sont incapables de transporter certains acides aminés (dont la cystine, un dimère de cystéine relié par liaison disulfure) de l'urine ou de l'intestin vers le sang ; il en résulte une accumulation de cystine dans l'urine qui conduit à la formation de calculs rénaux de cystine.

Toutes les protéines de transport membranaire étudiées de façon détaillée se sont avérées être des protéines à plusieurs domaines transmembranaires – c'est-à-dire que leur chaîne polypeptidique traverse plusieurs fois la bicouche lipidique. En formant un passage protéique continu à travers la membrane, ces protéines permettent à des solutés hydrophiles spécifiques de traverser la membrane sans qu'ils entrent en contact direct avec l'intérieur hydrophobe de la bicouche lipidique.

Les protéines porteuses et les protéines des canaux sont les deux principales classes de protéines de transport membranaire. Les **protéines porteuses** (aussi appelées *protéines de transport* ou *perméases*) fixent les solutés spécifiques à transporter et subissent une série de modifications de conformation leur permettant de transférer le soluté lié au travers de la membrane (Figure 11-3). Les **protéines des canaux**, à l'opposé, interagissent avec le soluté à transporter bien plus faiblement. Elles forment des pores remplis d'eau qui traversent la bicouche lipidique ; lorsque ces pores sont ouverts, ils laissent traverser les solutés spécifiques (en général des ions inorganiques de taille et de charge appropriées) qui traversent ainsi la membrane (*voir* Figure 11-3). Il n'est pas surprenant que le transport au travers d'une protéine de canal s'effectue bien plus vite que le transport par l'intermédiaire d'une protéine porteuse.

Le transport actif s'effectue par l'intermédiaire de protéines porteuses couplées à une source d'énergie

Toutes les protéines des canaux et beaucoup de protéines porteuses ne laissent passer les solutés que passivement à travers la membrane (« vers l'aval »), un processus appelé **transport passif** ou **diffusion facilitée**. Dans le cas du transport d'une seule molécule non chargée, c'est la seule différence de concentration de part et d'autre de la membrane – son *gradient de concentration* – qui entraîne le transport passif et détermine sa direction (Figure 11-4A).

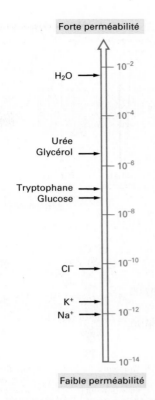

Figure 11-2 Coefficients de perméabilité pour le passage de diverses molécules au travers des bicouches lipidiques synthétiques. La vitesse du flux d'un soluté au travers de la bicouche est directement proportionnelle à la différence de sa concentration de part et d'autre de la membrane. En multipliant cette différence de concentration (en mol/cm^3) par le coefficient de perméabilité (en cm/s) on obtient le flux des solutés en moles par seconde par centimètre carré de membrane. Une différence de concentration en tryptophane de 10^{-4} mol/cm^3 ($10^{-4}/10^{-3}$ l = 0,1 M) par exemple, engendrera un flux de 10^{-4} mol/cm$^3 \times 10^{-7}$ cm/s = 10^{-11} mol/s à travers 1 cm^2 de membrane ou 6×10^4 molécules/s à travers 1 µm^2 de membrane.

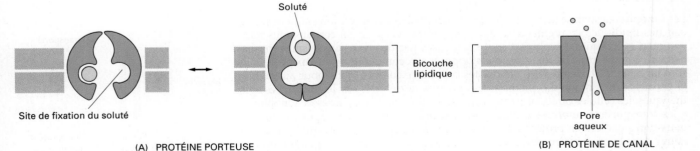

Figure 11-3 Protéines porteuses et protéines des canaux. (A) Une protéine porteuse alterne entre deux conformations, de telle sorte que le site de fixation du soluté est séquentiellement accessible d'un côté de la bicouche puis de l'autre. (B) Par contre, une protéine de canal forme un pore rempli d'eau au sein de la bicouche au travers duquel les solutés spécifiques peuvent diffuser.

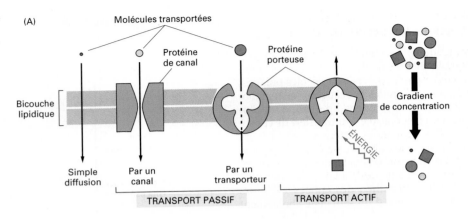

(A)

Molécules transportées

Protéine de canal

Protéine porteuse

Bicouche lipidique

Gradient de concentration

ÉNERGIE

Simple diffusion

Par un canal

Par un transporteur

TRANSPORT PASSIF

TRANSPORT ACTIF

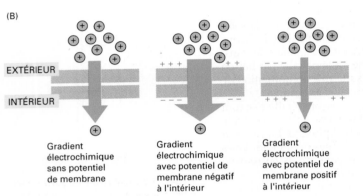

(B)

EXTÉRIEUR

INTÉRIEUR

Gradient électrochimique sans potentiel de membrane

Gradient électrochimique avec potentiel de membrane négatif à l'intérieur

Gradient électrochimique avec potentiel de membrane positif à l'intérieur

Figure 11-4 Comparaison entre les transports actif et passif. (A) Le transport passif suit un gradient électrochimique et se produit spontanément soit par simple diffusion à travers la bicouche lipidique soit par diffusion facilitée à travers les canaux et les protéines porteuses passives. À l'opposé, le transport actif nécessite un apport d'énergie métabolique et s'effectue toujours par l'intermédiaire de porteurs qui exploitent l'énergie métabolique pour pomper les solutés contre leur gradient électrochimique. (B) Le gradient électrochimique associe le potentiel de membrane et le gradient de concentration qui peuvent s'additionner pour augmenter la force d'entraînement sur les ions au travers de la membrane (*au centre*) ou peuvent agir l'un contre l'autre (*à droite*).

Cependant, si le soluté porte une charge nette, son transport est influencé à la fois par son gradient de concentration et la différence du potentiel électrique de part et d'autre de la membrane, ou *potentiel membranaire*. Le gradient de concentration et le gradient électrique peuvent être associés pour calculer la force nette d'entraînement, ou **gradient électrochimique**, de chaque soluté chargé (Figure 11-4B). Nous verrons cela plus en détail dans le chapitre 14. En fait, presque toutes les membranes plasmiques ont une différence de potentiel électrique (un gradient de voltage) entre leurs deux faces, l'intérieur étant généralement négatif par rapport à l'extérieur. Cette différence de potentiel favorise l'entrée dans la cellule des ions de charge positive mais s'oppose à l'entrée des ions de charge négative.

Les cellules ont également besoin de protéines de transport pour pomper activement certains solutés au travers de la membrane contre leur gradient électrochimique (« vers l'amont ») ; ce processus, appelé **transport actif**, s'effectue par l'intermédiaire de porteurs, ou *pompes*. Lors de transport actif, l'activité de pompage de la protéine porteuse est directionnelle parce qu'elle est solidement couplée à une source d'énergie métabolique, comme l'hydrolyse de l'ATP ou à un gradient ionique, comme nous le verrons ultérieurement. De ce fait, le transport par les protéines porteuses peut être actif ou passif, alors que le transport par les protéines des canaux est toujours passif.

Les ionophores augmentent la perméabilité des membranes vis-à-vis de certains ions spécifiques

Les **ionophores** sont de petites molécules hydrophobes qui se dissolvent dans les bicouches lipidiques et augmentent leur perméabilité vis-à-vis de certains ions inorganiques spécifiques. La plupart sont synthétisés par des microorganismes (probablement comme arme biologique pour s'opposer aux compétiteurs ou aux proies). Ils sont largement utilisés par les biologistes cellulaires comme outils pour augmenter la perméabilité ionique des membranes au cours des études sur les bicouches synthétiques, les cellules ou les organites cellulaires. Il existe deux classes de ionophores – les **transporteurs mobiles d'ions** et ceux **formant des canaux** (Figure 11-5). Ces deux types opèrent en protégeant la charge de l'ion transporté pour qu'il puisse pénétrer dans le cœur hydrophobe de la bicouche lipidique. Comme les ionophores ne sont pas couplés à des sources d'énergie, ils permettent le déplacement net des ions uniquement vers l'aval selon leur gradient électrochimique.

La *valinomycine* est un exemple de transporteur mobile d'ions. C'est un polymère en forme d'anneau qui transporte K+ selon son gradient électrochimique : il prend le

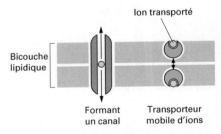

Ion transporté

Bicouche lipidique

Formant un canal

Transporteur mobile d'ions

Figure 11-5 Deux ionophores : formant un canal et transporteur mobile d'ions. Dans les deux cas, le flux net d'ions ne se produit que selon le gradient électrochimique.

K+ d'un côté de la membrane, diffuse à travers la bicouche et libère K+ de l'autre côté. De même, le *FCCP*, un transporteur mobile d'ions qui rend les membranes sélectivement perméables à H+, est souvent utilisé pour dissiper le gradient électrochimique de H+ présent au travers de la membrane mitochondriale interne, bloquant ainsi la production mitochondriale d'ATP. L'*A23187* est un autre exemple de transporteur mobile d'ions qui transporte des cations divalents comme Ca2+ et Mg2+. Lorsque les cellules sont exposées au A23187, Ca2+ entre dans le cytosol à partir du liquide extracellulaire selon un gradient électrochimique très pentu. De ce fait, cet ionophore est largement utilisé pour augmenter la concentration en Ca2+ libre du cytosol, mimant ainsi certains mécanismes de signalisation cellulaire (*voir* Chapitre 15).

La *gramicidine A* est un exemple de ionophore formant un canal. C'est un composé dimérique à deux peptides linéaires (de 15 acides aminés hydrophobes chacun) qui s'enroulent l'un sur l'autre pour former une double hélice. On pense que deux dimères de gramicidine s'associent bout à bout au travers de la bicouche lipidique pour former probablement le plus simple de tous les canaux transmembranaires. Celui-ci laisse passer sélectivement des cations monovalents selon leur gradient électrochimique. La gramicidine est fabriquée par certaines bactéries, peut-être pour tuer d'autres microorganismes en faisant s'effondrer leurs gradients de H+, Na+ et K+ qui sont essentiels à leur survie, et s'est avérée être un antibiotique utile.

Résumé

Les bicouches lipidiques sont hautement imperméables à la plupart des molécules polaires. Pour transporter les petites molécules hydrosolubles à l'intérieur et à l'extérieur des cellules ou des compartiments intracellulaires entourés d'une membrane, les membranes cellulaires contiennent diverses protéines de transport membranaire dont chacune est responsable du transfert, au travers de la membrane, d'un soluté particulier ou d'une classe de soluté. Il y a deux classes de protéines de transport membranaire — les protéines porteuses et les protéines des canaux. Elles forment toutes deux des passages protéiques continus au travers de la bicouche lipidique. Tandis que le transport par les protéines porteuses peut être actif ou passif, les solutés traversent toujours passivement les protéines des canaux. Les ionophores, qui sont de petites molécules hydrophobes fabriquées par les microorganismes, peuvent servir à augmenter la perméabilité des membranes cellulaires vis-à-vis de certains ions inorganiques spécifiques.

PROTÉINES PORTEUSES ET TRANSPORT MEMBRANAIRE ACTIF

Le processus qui permet à une protéine porteuse de transférer une molécule de soluté au travers de la bicouche lipidique ressemble à une réaction enzyme-substrat, et par beaucoup d'aspects, les transporteurs se comportent comme des enzymes. Cependant, contrairement aux réactions enzyme-substrat ordinaires, la protéine porteuse ne modifie pas de façon covalente le soluté transporté mais par contre le libère non modifié de l'autre côté de la membrane.

Chaque type de protéine porteuse présente un ou plusieurs sites de liaison spécifiques pour son soluté (substrat). Elle transfère le soluté à travers la bicouche lipidique en subissant des modifications réversibles de conformation qui exposent le site de liaison au soluté alternativement d'un côté de la membrane puis de l'autre. Le modèle schématique du mode d'action supposé d'une protéine porteuse est montré

Figure 11-6 Modèle expliquant comment les modifications de conformation d'une protéine porteuse permettent le transport passif d'un soluté. La protéine porteuse montrée ici peut exister sous deux conformations : dans l'état A, le site de liaison pour le soluté est exposé à l'extérieur de la bicouche lipidique ; dans l'état B, ce même site est exposé de l'autre côté de la bicouche. La transition entre les deux états peut se produire de façon aléatoire. Elle est totalement réversible et ne dépend pas de l'occupation du site de liaison par le soluté. De ce fait, si la concentration en soluté est supérieure à l'extérieur de la bicouche, une plus grande quantité de soluté se fixera sur la protéine porteuse dans sa conformation A que dans sa conformation B et il y aura un transport net de soluté selon le gradient de concentration (ou, si le soluté est un ion, selon le gradient électrochimique).

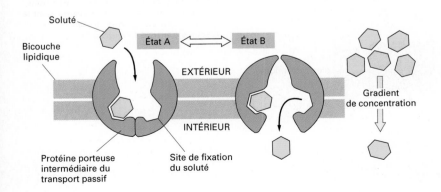

Soluté

Bicouche lipidique

État A ⟷ État B

EXTÉRIEUR

INTÉRIEUR

Gradient de concentration

Protéine porteuse intermédiaire du transport passif

Site de fixation du soluté

dans la figure 11-6. Lorsque la protéine porteuse est saturée (c'est-à-dire lorsque tous ses sites de liaison au soluté sont occupés), la vitesse de transport est maximale. Cette vitesse, appelée V_{max}, est caractéristique du transporteur spécifique et reflète la vitesse à laquelle le transporteur passe d'une de ses conformations à l'autre. En plus, chaque protéine de transport a une constante de liaison caractéristique pour son soluté, la K_m, égale à la concentration en soluté lorsque la vitesse de transport est égale à la moitié de sa valeur maximale (Figure 11-7). Comme pour les enzymes, la fixation d'un soluté peut être bloquée spécifiquement par des inhibiteurs compétitifs (qui entrent en compétition pour le même site de liaison et peuvent être transportés ou non par le transporteur) ou des inhibiteurs non compétitifs (qui se fixent ailleurs et modifient spécifiquement la structure du transporteur).

Comme nous le verrons par la suite, la réunion de la protéine porteuse à une source d'énergie pour pomper le soluté dans le sens inverse, contre son gradient électrochimique, ne nécessite que des modifications relativement mineures du modèle montré en figure 11-6. Les cellules effectuent ce type de transport actif principalement de trois façons (Figure 11-8) :

1. Les *transporteurs couplés* associent le transport d'un soluté dans le sens inverse au travers de la membrane au transport d'un autre dans le bon sens.
2. Les *pompes actionnées par l'ATP* couplent le transport en sens inverse à l'hydrolyse de l'ATP.
3. Les *pompes actionnées par la lumière* sont surtout retrouvées dans les cellules bactériennes et couplent le transport inverse à un apport d'énergie lumineuse, comme la bactériorhodopsine (*voir* Chapitre 10).

Les comparaisons des séquences en acides aminés suggèrent que, dans bien des cas, l'aspect moléculaire des protéines porteuses qui servent d'intermédiaire au transport actif et celui des protéines porteuses servant d'intermédiaire au transport passif présentent de fortes similitudes. Certains transporteurs bactériens, par exemple, utilisent l'énergie stockée dans le gradient de H^+ au travers de la membrane plasmique pour entraîner l'absorption active de divers sucres, et ressemblent structurellement aux transporteurs qui effectuent le transport passif du glucose dans la plupart des cellules animales. Cela suggère une relation évolutive entre les diverses protéines porteuses ; et étant donné l'importance des petits métabolites et des sucres en tant que source énergétique, il n'est pas surprenant que la superfamille des transporteurs soit ancienne.

Nous commencerons notre débat sur le transport actif en envisageant les protéines porteuses actionnées par un gradient ionique. Ces protéines ont un rôle crucial dans le transport des petits métabolites au travers de la membrane dans toutes les cellules. Nous verrons ensuite des pompes actionnées par l'ATP, y compris la pompe à Na^+ présente dans la membrane plasmique de presque toutes les cellules.

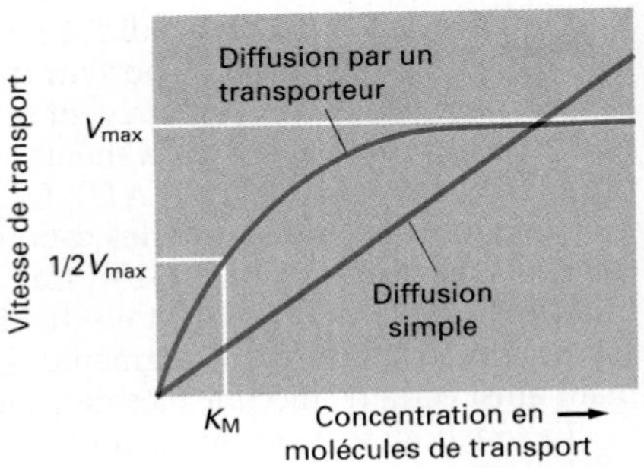

Le transport actif peut être actionné par des gradients ioniques

Certaines protéines porteuses transportent un seul soluté d'un côté de la membrane à l'autre à une vitesse déterminée comme ci-dessus par la V_{max} et la K_m ; on les appelle des **uniports**. D'autres ont une cinétique plus complexe et fonctionnent comme des *transporteurs couplés*, pour lesquels le transfert d'un soluté dépend strictement du transport d'un deuxième soluté. Ce transport couplé implique soit le transfert simultané du deuxième soluté dans la même direction, effectué par des **symports**, soit le transfert du deuxième soluté dans la direction opposée, effectué par des **antiports** (Figure 11-9).

Figure 11-7 Cinétique de la diffusion simple et de la diffusion par l'intermédiaire d'un transporteur. Alors que la vitesse de la première est toujours proportionnelle à la concentration en soluté, la vitesse de la deuxième atteint un maximum (V_{max}) lorsque la protéine porteuse est saturée. La concentration en soluté lorsque le transport est à la moitié de sa valeur maximale approche la constante de liaison (K_m) du transporteur pour le soluté et est analogue à la K_m d'une enzyme pour son substrat. Cette courbe s'applique au cas d'un transporteur d'un seul soluté ; la cinétique d'un transport couplé de deux solutés ou plus (*voir* le texte) est plus complexe mais présente fondamentalement les mêmes phénomènes.

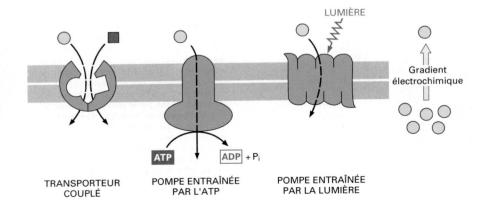

Figure 11-8 Trois modes d'entraînement d'un transport actif. La molécule subissant le transport actif est montrée en *jaune* et la source d'énergie en *rouge*.

TRANSPORTEUR COUPLÉ

POMPE ENTRAÎNÉE PAR L'ATP

POMPE ENTRAÎNÉE PAR LA LUMIÈRE

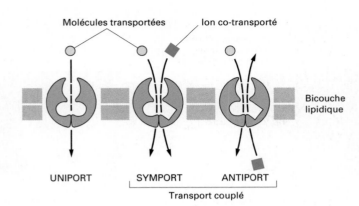

Molécules transportées   Ion co-transporté

Bicouche
lipidique

UNIPORT   SYMPORT   ANTIPORT

Transport couplé

Figure 11-9 Trois types de transport par transporteurs. Ce schéma montre des protéines porteuses fonctionnant comme uniport, symport et antiport.

Ce couplage étroit entre le transport de deux solutés permet à ces transporteurs d'exploiter l'énergie stockée dans le gradient électrochimique d'un soluté, typiquement un ion, pour transporter l'autre. De cette façon, l'énergie libre libérée pendant le déplacement d'un ion inorganique selon son gradient électrochimique est utilisée comme force d'entraînement pour pomper l'autre soluté en sens contraire, contre son gradient électrochimique. Ce principe peut fonctionner dans n'importe quelle direction : certains transporteurs couplés fonctionnent comme des symports, d'autres comme des antiports. Dans la membrane plasmique d'une cellule animale, Na^+ est l'ion habituellement co-transporté et son gradient électrochimique fournit une force d'entraînement importante pour le transport actif d'une deuxième molécule. Le Na^+ qui entre dans la cellule pendant le transport est ensuite pompé vers l'extérieur par une pompe à Na^+ de la membrane plasmique, actionnée par l'ATP (nous le verrons ultérieurement) qui, en maintenant le gradient de Na^+ actionne indirectement le transport. (C'est pourquoi on dit que les transporteurs actionnés par les ions effectuent les *transports actifs secondaires* alors que les transporteurs actionnés par l'ATP effectuent les *transports actifs primaires*.) Les cellules épithéliales intestinales et rénales par exemple contiennent divers systèmes de symports actionnés par le gradient de Na^+ au travers de la membrane plasmique ; chaque système est spécifique de l'importation d'un petit groupe de sucres ou d'acides aminés apparentés dans la cellule. Dans ces systèmes, le soluté et le Na^+ se fixent sur des sites différents de la protéine porteuse. Comme Na^+ a tendance à se déplacer dans la cellule selon son gradaent électrochimique, le sucre ou l'acide aminé est, dans un sens, « entraîné » dans la cellule avec lui. Plus le gradient électrochimique du Na^+ est important, plus la vitesse d'entrée du soluté est grande ; à l'inverse, si la concentration en Na^+ du liquide extracellulaire est réduite, le transport du soluté diminue (Figure 11-10).

Figure 11-10 Un des modes d'entraînement d'un transporteur de glucose par un gradient de Na^+. Comme dans le modèle montré en figure 11-6, le transporteur oscille alternativement entre deux états, A et B. Dans l'état A, la protéine est ouverte vers l'espace extracellulaire ; dans l'état B elle est ouverte vers le cytosol. La liaison de Na^+ et de glucose est coopérative – c'est-à-dire que la liaison d'un des ligands entraîne une modification de la conformation qui augmente fortement l'affinité de la protéine pour l'autre ligand. Comme la concentration en Na^+ est beaucoup plus forte dans l'espace extracellulaire que dans le cytosol, le glucose a plus de chances de se fixer sur le transporteur dans son état A. De ce fait, Na^+ et le glucose entrent dans la cellule (via la transition A → B) bien plus souvent qu'ils n'en sortent (via la transition B → A). Le résultat global est une entrée nette à la fois de Na^+ et de glucose dans la cellule. Notez que comme la liaison est coopérative, s'il manque un des deux solutés, l'autre ne se fixe pas sur le transporteur. De ce fait, le transporteur ne subit le passage d'un état à l'autre que si les deux solutés sont fixés ou si aucun des deux solutés n'est fixé.

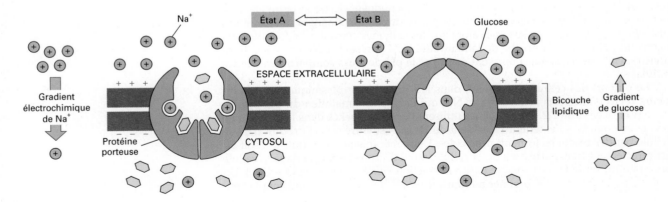

Na^+ État A ⟷ État B   Glucose

ESPACE EXTRACELLULAIRE

Gradient
électrochimique
de Na^+

Bicouche   Gradient
lipidique   de glucose

Protéine
porteuse   CYTOSOL

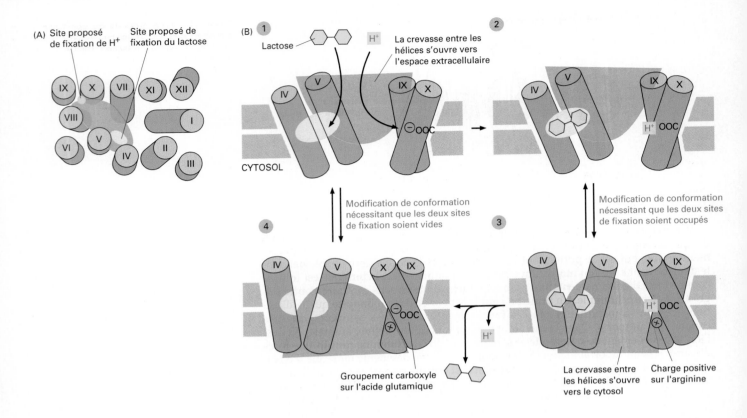

(A) Site proposé de fixation de H⁺ · Site proposé de fixation du lactose

(B)
1. Lactose · H⁺ · La crevasse entre les hélices s'ouvre vers l'espace extracellulaire · CYTOSOL
2. Modification de conformation nécessitant que les deux sites de fixation soient occupés
3. La crevasse entre les hélices s'ouvre vers le cytosol · Charge positive sur l'arginine
4. Modification de conformation nécessitant que les deux sites de fixation soient vides · Groupement carboxyle sur l'acide glutamique

Dans les bactéries et les levures, ainsi que dans beaucoup d'organites entourés d'une membrane des cellules animales, la plupart des systèmes de transport actif actionnés par un gradient ionique dépendent d'un gradient de H⁺ plutôt que de Na⁺, ce qui reflète la prédominance des pompes à H⁺ et l'absence virtuelle des pompes à Na⁺ dans ces membranes. Le transport actif de bon nombre de sucres et d'acides aminés dans les cellules bactériennes, par exemple, est actionné par le gradient électrochimique de H⁺ au travers de la membrane plasmique. La **lactose perméase** est un symport actionné par H⁺ bien étudié ; il transporte le lactose au travers de la membrane plasmique d'*E. coli*. Même si la structure repliée de la perméase n'est pas connue, des études biophysiques et des analyses poussées de protéines mutantes ont conduit à un modèle détaillé du mode de fonctionnement de ce symport. La perméase est constituée de 12 hélices α transmembranaires lâchement resserrées. Pendant le cycle de transport, certaines hélices subissent des mouvements de glissement qui provoquent leur inclinaison. Ces mouvements ouvrent et ferment alternativement une crevasse entre les hélices et exposent les sites de liaison au lactose et à H⁺, d'abord d'un côté de la membrane puis de l'autre (Figure 11-11).

Les protéines porteuses actionnées par Na⁺ de la membrane plasmique régulent le pH du cytosol

La structure et la fonction de beaucoup de macromolécules sont fortement influencées par le pH et presque toutes les protéines fonctionnent de façon optimale à un pH particulier. Les enzymes lysosomiales, par exemple, fonctionnent mieux au bas pH (~5) présent dans les lysosomes alors que les enzymes cytosoliques fonctionnent mieux au pH neutre ou proche de la neutralité (~7,2) présent dans le cytosol. Il est donc crucial que les cellules puissent contrôler le pH de leurs compartiments intracellulaires.

La plupart des cellules possèdent, dans leur membrane plasmique, un ou plusieurs types d'antiports actionnés par Na⁺ qui facilitent le maintien du pH cytosolique (pH_i) à environ 7,2. Ces protéines utilisent l'énergie stockée dans le gradient de Na⁺ pour pomper à l'extérieur l'excédent de H⁺ qui est entré ou est produit dans la cellule par des réactions formant des acides. Deux mécanismes sont utilisés : soit H⁺ est directement transporté hors de la cellule, soit HCO_3^- est apporté dans la cellule pour neutraliser le H⁺ cytosolique (selon la réaction $HCO_3^- + H^+ \rightarrow H_2O + CO_2$). Un des antiports qui utilise le premier mécanisme est l'*échangeur Na⁺-H⁺* qui couple l'en-

Figure 11-11 Modèle de mécanisme d'action moléculaire de la lactose perméase bactérienne. (A) Disposition membranaire proposée des 12 hélices transmembranaires prévisibles vue par le cytosol. Les boucles qui relient les hélices de part et d'autre de la membrane ont été enlevées pour plus de clarté. Un acide glutamique sur l'hélice X fixe H⁺ et les acides aminés apportés par les hélices IV et V fixent le lactose. (B) Pendant un cycle de transport, le transporteur oscille entre deux conformations : dans l'une, les sites de liaison à H⁺ et au lactose sont accessibles par l'espace extracellulaire (1 et 2) ; dans l'autre, ils sont exposés vers le cytosol (3 et 4). Le déchargement des solutés sur la face cytosolique (3 et 4) est favorisé parce que le site de fixation du lactose est partiellement détruit et l'apport d'une charge positive par l'arginine de l'hélice IX déplace le H⁺ de l'acide glutamique sur l'hélice X. (A, adapté d'après H.R. Kaback et J. WU, *Accts. Chem. Res.* 32 : 805-813, 1999.)

trée de Na⁺ à la sortie de H⁺. L'*échangeur Cl⁻-HCO₃⁻ actionné par Na⁺* utilise lui les deux mécanismes associés : il couple l'entrée de Na⁺ et HCO₃⁻ à la sortie de Cl⁻ et H⁺ (de telle sorte que $NaHCO_3$ entre et HCl sort). L'échangeur Cl⁻-HCO₃⁻ actionné par Na⁺ est deux fois plus efficace que l'échangeur Na⁺-H⁺, en ce sens qu'il fait sortir un H⁺ et en neutralise un autre à chaque entrée d'un Na⁺ dans la cellule. Si HCO₃⁻ est disponible, ce qui est généralement le cas, cet antiport est la protéine porteuse de régulation du pH la plus importante. Ces deux échangeurs sont régulés par le pH et augmentent leur activité lorsque le pH du cytosol s'abaisse.

Un *échangeur Cl⁻-HCO₃⁻ indépendant du Na⁺* joue également un rôle important dans la régulation du pH. Tout comme les transporteurs dépendant du Na⁺, l'échangeur Cl⁻-HCO₃⁻ est régulé par le pH mais les déplacements de HCO₃⁻, dans ce cas, s'effectuent normalement vers l'extérieur de la cellule, selon le gradient électrochimique. La vitesse de sortie de HCO₃⁻ et d'entrée de Cl⁻ augmente lorsque le pH_i augmente, ce qui abaisse le pH_i dès que le cytosol devient trop alcalin. L'échangeur Cl⁻-HCO₃⁻ est similaire à la protéine de bande 3 de la membrane des hématies dont nous avons parlé au chapitre 10. Dans les hématies, la protéine de bande 3 facilite la libération rapide de CO_2 lorsque la cellule traverse les capillaires pulmonaires.

Les pompes à H⁺ actionnées par l'ATP servent aussi à contrôler le pH de bon nombre de compartiments intracellulaires. Comme nous le verrons au chapitre 13, le faible pH des lysosomes, des endosomes et des vésicules sécrétrices est maintenu par ces pompes à H⁺ qui utilisent l'énergie de l'hydrolyse de l'ATP pour faire entrer les H⁺ dans ces organites à partir du cytosol.

La distribution asymétrique des protéines porteuses dans les cellules épithéliales assure le transport transcellulaire des solutés

Dans les cellules épithéliales, comme celles impliquées dans l'absorption des nutriments à partir de l'intestin, les protéines porteuses ne sont pas distribuées uniformément dans la membrane plasmique et contribuent ainsi au **transport transcellulaire** des solutés absorbés. Comme le montre la figure 11-12, les symports couplés à Na⁺ sont localisés dans le domaine apical (d'absorption) de la membrane plasmique

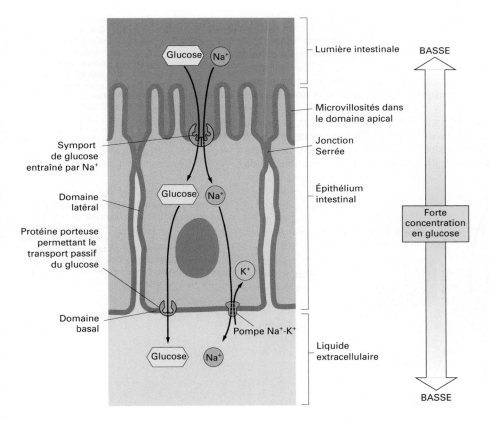

Figure 11-12 Transport transcellulaire. Le transport transcellulaire du glucose au travers des cellules épithéliales intestinales dépend de la distribution non uniforme des protéines de transport dans la membrane plasmique cellulaire. Le processus montré ici entraîne le transport du glucose de la lumière intestinale au liquide extracellulaire (à partir duquel il passe dans le sang). Le glucose est pompé dans la cellule à travers le domaine apical de la membrane par un symport de glucose actionné par Na⁺. Le glucose sort de la cellule (selon son gradient de concentration) par transport passif grâce à une protéine porteuse de glucose différente, située dans les domaines latéraux et basal de la membrane plasmique. Le gradient de Na⁺ entraîné par le symport de glucose est maintenu par une pompe à Na⁺ dans les domaines latéraux et basal de la membrane plasmique qui maintiennent une faible concentration interne en Na⁺. Les cellules adjacentes sont reliées par des jonctions serrées imperméables qui ont une double fonction dans le processus de transport illustré : elles empêchent que les solutés ne traversent l'épithélium entre les cellules, ce qui permet de maintenir un gradient de concentration en glucose au travers des feuillets cellulaires, et servent aussi de barrières de diffusion à l'intérieur de la membrane plasmique, ce qui facilite le confinement des diverses protéines porteuses dans leurs domaines membranaires respectifs (*voir* Figure 10-41).

et transportent activement les nutriments dans la cellule, créant des gradients de concentration substantiels de ces solutés au travers de la membrane plasmique. Des protéines de transport, indépendantes du Na$^+$, dans les domaines basal et latéraux (ou domaine basolatéral) permettent aux nutriments de quitter passivement la cellule selon leur gradient de concentration.

Dans beaucoup de ces cellules épithéliales, l'aire de la membrane plasmique est fortement augmentée par la formation de milliers de microvillosités qui s'étendent sous forme de fines projections digitées à partir de la surface apicale de chaque cellule (*voir* Figure 11-12). Ces microvillosités peuvent augmenter 25 fois l'aire totale d'absorption d'une cellule, améliorant ainsi ses capacités de transport.

Même si, comme nous l'avons vu, les gradients ioniques jouent un rôle crucial dans l'entraînement de nombreux processus de transport cellulaire essentiels, les pompes ioniques qui utilisent l'énergie de l'hydrolyse de l'ATP sont surtout responsables de l'établissement et du maintien de ces gradients, comme nous le verrons ci-dessous.

La pompe Na$^+$-K$^+$ de la membrane plasmique est une ATPase

La concentration en K$^+$ est typiquement 10 à 20 fois supérieure à l'intérieur des cellules qu'à l'extérieur, ce qui est l'inverse pour Na$^+$ (*voir* Tableau 11-I, p. 616). Ces différences de concentration sont maintenues par une **pompe Na$^+$-K$^+$** ou **pompe à Na$^+$** virtuellement présente dans la membrane plasmique de toutes les cellules animales. La pompe fonctionne comme antiport, faisant sortir activement le Na$^+$ de la cellule, contre son important gradient électrochimique, et rentrer le K$^+$. Comme la pompe hydrolyse l'ATP pour faire sortir le Na$^+$ et rentrer le K$^+$ on l'appelle aussi **Na$^+$-K$^+$ ATPase** (Figure 11-13).

Nous avons vu que le gradient de Na$^+$ produit par la pompe actionnait le transport de la plupart des nutriments dans les cellules animales et avait également un rôle crucial dans la régulation du pH cytosolique. Comme nous le verrons ci-dessous, la pompe régule aussi le volume cellulaire de par son effet osmotique ; en effet, elle empêche l'éclatement de bon nombre de cellules animales. Une cellule animale typique consomme presque un tiers de ses besoins énergétiques pour alimenter cette pompe. Dans les cellules nerveuses électriquement actives, qui, comme nous le verrons, gagnent de petites quantités de Na$^+$ et perdent de petites quantités de K$^+$ à répétition pendant la propagation des influx nerveux, cette consommation approche les deux tiers du besoin énergétique de la cellule.

Une des caractéristiques essentielles de la pompe Na$^+$-K$^+$ est que le cycle de transport dépend de l'autophosphorylation de la protéine. Le groupement phosphate terminal de l'ATP est transféré sur un résidu d'acide aspartique de la pompe puis en est éliminé comme cela est expliqué dans la figure 11-4. Les différents états de la pompe sont ainsi différenciés par la présence ou l'absence du groupement phosphate. Les pompes ioniques qui s'auto-phosphorylent ainsi sont appelées *ATPase de transport de type P*. Elles constituent une famille de protéines, apparentées structurellement et fonctionnellement, qui incluent diverses pompes à Ca^{2+} et à H$^+$ que nous verrons ci-dessous.

Comme toute enzyme, la pompe Na$^+$-K$^+$ peut fonctionner à l'envers, pour produire, dans ce cas, de l'ATP. Lorsqu'on augmente expérimentalement les gradients de Na$^+$ et de K$^+$ jusqu'au point où l'énergie stockée dans leur gradient électrochimique est supérieure à l'énergie chimique de l'hydrolyse de l'ATP, ces ions se dé-

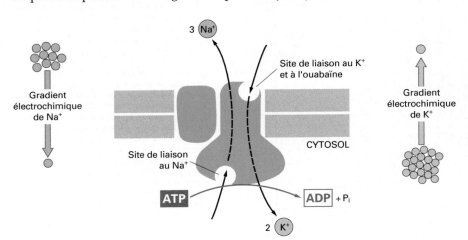

Figure 11-13 Pompe Na$^+$-K$^+$. Cette protéine porteuse pompe activement Na$^+$ vers l'extérieur et K$^+$ vers l'intérieur de la cellule contre leur gradient électrochimique. Pour chaque molécule d'ATP hydrolysée à l'intérieur de la cellule, trois Na$^+$ sortent et deux K$^+$ entrent. Un inhibiteur spécifique, la ouabaïne, et le K$^+$ entrent en compétition sur le même site du côté extracellulaire de la pompe.

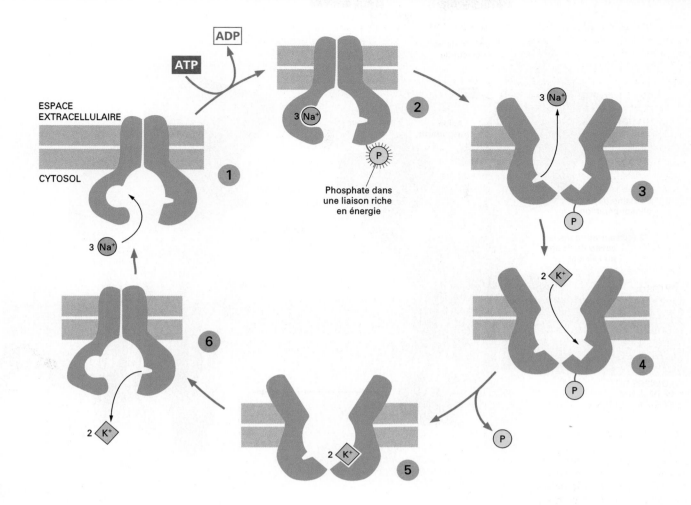

ESPACE EXTRACELLULAIRE

CYTOSOL

Phosphate dans une liaison riche en énergie

placent selon leur gradient électrochimique et l'ATP est synthétisé à partir d'ADP et de phosphate par la pompe Na⁺-K⁺. De ce fait, la forme phosphorylée de la pompe (étape 2, Figure 11-14) peut se relâcher soit en donnant son phosphate à l'ADP (étape 2 vers étape 1) soit en modifiant sa conformation (étape 2 vers étape 3). L'utilisation de la variation globale d'énergie libre pour synthétiser l'ATP ou faire sortir le Na⁺ de la cellule dépend des concentrations relatives en ATP, en ADP et en phosphate ainsi que des gradients électrochimiques de Na⁺ et K⁺.

Certaines pompes à Ca²⁺ et H⁺ sont aussi des ATPases de transport de type P

En plus de la pompe Na⁺-K⁺, la famille des ATPases de transport de type P comprend des *pompes à Ca²⁺* qui retirent le Ca²⁺ du cytosol après des événements de signalisation et la *pompe H⁺-K⁺* qui sécrète l'acide issu des cellules épithéliales spécialisées qui bordent l'estomac. Les pompes à Ca²⁺ revêtent une importance particulière. Les cellules eucaryotes maintiennent de très basses concentrations en Ca²⁺ libre dans leur cytosol (~10⁻⁷ M) en face de très hautes concentrations extracellulaires en Ca²⁺ (~10⁻³ M). Une entrée en Ca²⁺, même faible, augmente significativement la concentration en Ca²⁺ libre dans le cytosol et le flux de Ca²⁺ selon cet important gradient de concentration en réponse aux signaux extracellulaires est un des moyens de transmission rapide des signaux au travers de la membrane plasmique (*voir* Chapitre 15). Le maintien d'un fort gradient de Ca²⁺ est donc important pour la cellule. Ce gradient de Ca²⁺ est maintenu par des transporteurs de Ca²⁺ de la membrane plasmique qui véhiculent activement le Ca²⁺ hors de la cellule. L'un d'entre eux est une Ca²⁺ ATPase de type P ; l'autre est un antiport (appelé *échangeur Na⁺-Ca²⁺*) actionné par le gradient électrochimique de Na⁺ (*voir* Figure 15-38A).

L'ATPase de transport de type P la mieux connue est la **pompe à Ca²⁺** ou **Ca²⁺ ATPase**, de la membrane du *réticulum sarcoplasmique* des cellules du muscle squelettique. Le réticulum sarcoplasmique est un réticulum endoplasmique spécialisé qui

Figure 11-14 Un modèle du cycle de pompage de la pompe Na⁺-K⁺. (1) La liaison de Na⁺ et (2) la phosphorylation consécutive par l'ATP de la face cytoplasmique de la pompe induisent une modification de conformation de la protéine qui (3) transfère Na⁺ à travers la membrane et le libère à l'extérieur. (4) Ensuite, la liaison de K⁺ sur la surface extracellulaire et (5) la déphosphorylation consécutive remettent la protéine dans sa conformation originale, ce qui (6) transfère K⁺ à travers la membrane et le libère dans le cytosol. Ces modifications de conformation sont analogues aux transitions A ↔ B montrées dans la figure 11-6 excepté que, dans ce cas, la phosphorylation Na⁺-dépendante et la déphosphorylation K⁺-dépendante de la protéine provoquent l'apparition ordonnée de la transition de la conformation, permettant à la protéine de faire un travail utile. Même si, pour plus de simplicité, nous avons montré un seul site de liaison au Na⁺ et au K⁺, dans la véritable pompe on pense qu'il y a trois sites de liaison au Na⁺ et deux sites de liaison au K⁺. De plus, la pompe montrée alterne seulement entre deux états conformationnels, mais en fait il y a des preuves qu'elle passe par une série plus complexe de modifications de conformation pendant son cycle de pompage.

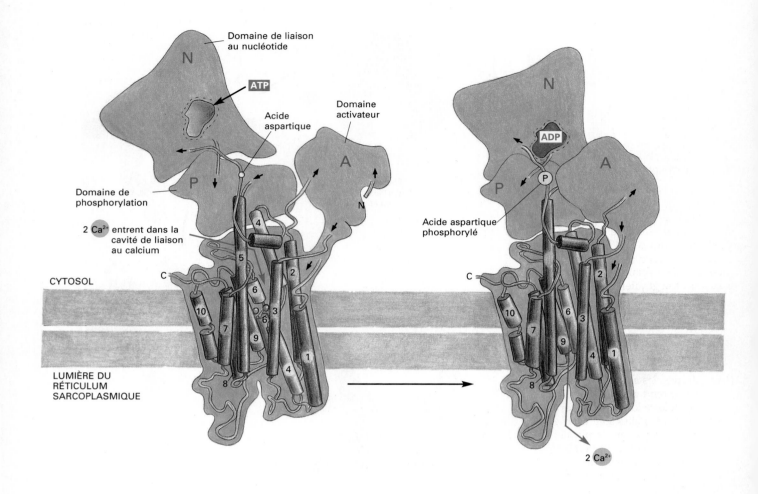

forme un réseau de sacs tubulaires dans le cytosol des cellules musculaires et sert de réserve intracellulaire de Ca^{2+}. (Lorsque le potentiel d'action dépolarise la membrane des cellules musculaires, Ca^{2+} est libéré dans le cytosol à partir du réticulum sarcoplasmique par les canaux de libération du Ca^{2+}, ce qui stimule la contraction musculaire comme nous le verrons au chapitre 16.) La pompe à Ca^{2+} qui représente environ 90 p. 100 des protéines membranaires de cet organite est responsable du retour du Ca^{2+} issu du cytosol dans le réticulum sarcoplasmique. Le réticulum endoplasmique des cellules non musculaires contient une pompe à Ca^{2+} similaire mais en de plus faibles quantités.

La structure tridimensionnelle de la pompe calcique du réticulum sarcoplasmique a été déterminée à une forte résolution. Cette structure associée à l'analyse d'une pompe à H^+ fongique apparentée a fourni les premiers aperçus des ATPases de transport de type P, dont les structures sont, semble-t-il, similaires. Elles contiennent 10 hélices α transmembranaires, dont trois tapissent un canal central qui traverse la bicouche lipidique. Lorsque la pompe calcique est à l'état non phosphorylé, deux de ces hélices sont interrompues et forment une cavité accessible par la face cytosolique de la membrane ; elles fixent deux ions Ca^{2+}. La fixation d'ATP sur un site de liaison du même côté membranaire et la phosphorylation consécutive d'un domaine adjacent entraînent un réarrangement drastique des hélices transmembranaires. Ce réarrangement rompt les sites de liaison au Ca^{2+} et libère les ions Ca^{2+} de l'autre côté de la membrane, dans la lumière du réticulum sarcoplasmique (Figure 11-15).

La pompe Na^+-K^+ est nécessaire pour maintenir l'équilibre osmotique et stabiliser le volume cellulaire

Comme la pompe Na^+-K^+ entraîne la sortie cellulaire de trois ions chargés positivement à chaque fois qu'elle en fait entrer deux, elle est *électrogène*. Elle engendre un courant net à travers la membrane et a tendance à créer un potentiel électrique, l'intérieur de la cellule étant chargé plus négativement que l'extérieur. L'effet électro-

Figure 11-15 Un modèle du mode de déplacement du Ca^{2+} du réticulum sarcoplasmique par la pompe à Ca^{2+}. La structure de l'état non phosphorylé lié au Ca^{2+} est fondée sur la structure par cristallographie aux rayons X de la pompe. La structure de l'état phosphorylé, non lié au Ca^{2+} (*à droite*) est fondée sur la structure à plus faible résolution déterminée par microscopie électronique et, par conséquent, la disposition des hélices transmembranaires est hypothétique. Les hélices 4 et 6 sont rompues dans l'état phosphorylé et forment le site de liaison au Ca^{2+} du côté cytosolique de la membrane. La liaison de l'ATP et son hydrolyse provoquent des variations drastiques de conformation, qui rapprochent fortement les domaines de liaison au nucléotide (N) et de phosphorylation (P). On pense que cette modification provoque la rotation de 90° du domaine activateur (A), ce qui conduit au réarrangement des hélices transmembranaires. Ce réarrangement élimine les cassures des hélices 4 et 6, ce qui abolit les sites de liaison au Ca^{2+} et libère les ions Ca^{2+} de l'autre côté de la membrane dans la lumière du réticulum sarcoplasmique. (Adapté d'après C. Toyoshima et al., *Nature* 405 : 647-655, 2000.)

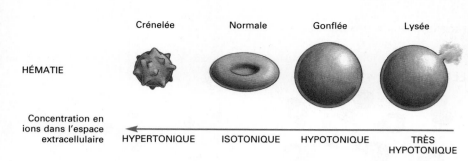

Crénelée   Normale   Gonflée   Lysée

HÉMATIE

Concentration en ions dans l'espace extracellulaire

HYPERTONIQUE   ISOTONIQUE   HYPOTONIQUE   TRÈS HYPOTONIQUE

gène de cette pompe, cependant, contribue rarement à plus de 10 p. 100 du potentiel membranaire. Les 90 p. 100 restant, comme nous le verrons ultérieurement, ne dépendent qu'indirectement de la pompe Na^+-K^+.

D'un autre côté, la pompe Na^+-K^+ a un rôle direct et crucial dans la régulation du volume cellulaire. Elle contrôle la concentration en soluté à l'intérieur de la cellule et régule ainsi l'**osmolarité** (ou *tonicité*) qui peut entraîner le gonflement d'une cellule ou son rétrécissement (Figure 11-16). Comme la membrane plasmique est peu perméable à l'eau, l'eau passe lentement à l'intérieur ou à l'extérieur de la cellule en suivant son gradient de concentration, un processus appelé *osmose*. Si les cellules sont placées dans une *solution hypotonique* (c'est-à-dire une solution qui contient une faible concentration en soluté et par conséquent une forte concentration en eau), il y aura un déplacement net de l'eau vers l'intérieur des cellules, ce qui provoquera leur gonflement et leur éclatement (lyse). À l'inverse, si les cellules sont placées dans une *solution hypertonique*, elles vont rétrécir (*voir* Figure 11-16). Beaucoup de cellules animales contiennent également dans leur membrane plasmique des *canaux à eau* spécifiques, les *aquaporines*, qui facilitent le flux osmotique d'eau.

On se rend compte de l'importance de la pompe Na^+-K^+ dans le contrôle du volume cellulaire lorsqu'on observe que beaucoup de cellules animales gonflent et souvent éclatent si elles sont traitées à l'*ouabaïne*, qui inhibe cette pompe Na^+-K^+. Comme cela est expliqué dans la planche 11-1, les cellules contiennent une forte concentration en solutés, y compris de nombreuses molécules organiques de charge négative qui restent confinées à l'intérieur de la cellule (appelées *anions fixes*) ainsi que les cations qui les accompagnent et sont nécessaires à l'équilibre des charges. Cela a tendance à créer un fort gradient osmotique qui, s'il n'était pas équilibré, aurait tendance à attirer l'eau dans la cellule. Dans les cellules animales, cet effet est contrecarré par un gradient osmotique opposé dû à une forte concentration en ions inorganiques – en particulier Na^+ et Cl^- – dans le liquide extracellulaire. La pompe Na^+-K^+ maintient l'équilibre osmotique en pompant hors de la cellule le Na^+ qui rentre du fait de son gradient électrochimique important. Le Cl^- est maintenu à l'extérieur par le potentiel membranaire.

La cellule peut, bien sûr, résoudre ses problèmes osmotiques de bien d'autres façons. Les cellules végétales et beaucoup de bactéries n'éclatent pas à cause de la présence d'une paroi cellulaire semi-rigide qui entoure leur membrane plasmique. Chez les amibes, l'excédent d'eau qui entre par osmose est recueilli dans des vacuoles contractiles qui déchargent périodiquement leur contenu à l'extérieur (*voir* Planche 11-1). Les bactéries ont aussi développé des stratégies qui leur permettent de perdre rapidement des ions, et même des macromolécules, lorsqu'elles sont soumises à un choc osmotique. Mais pour la plupart des cellules animales, la pompe Na^+-K^+ reste cruciale.

Les enzymes liées à la membrane qui synthétisent l'ATP sont des ATPases de transport qui fonctionnent sur le mode inverse

La membrane plasmique des bactéries, la membrane interne des mitochondries et la membrane thylacoïde des chloroplastes contiennent toutes des ATPases de transport. Celles-ci, cependant, appartiennent à la famille des **ATPases de type F**, structurellement très différentes des ATPases de type P. Ce sont des structures qui ressemblent à des turbines construites à partir de multiples sous-unités protéiques différentes. Nous les verrons plus en détail au chapitre 14.

Les ATPases de type F sont appelées *ATP synthases* parce qu'elles fonctionnent normalement sur le mode inverse : au lieu que l'hydrolyse de l'ATP actionne le transport des ions, c'est le gradient de H^+ au travers de ces membranes qui actionne la synthèse d'ATP à partir d'ADP et de phosphate. Les gradients de H^+ sont engendrés pendant les étapes de transport des ions de la phosphorylation oxydative (dans les bactéries aérobies et les mitochondries) ou de la photosynthèse (dans les chloroplastes) ou par la pompe à H^+ activée par la lumière (bactériorhodopsine) des *Halobacterium*.

SOURCES D'OSMOLARITÉ INTRACELLULAIRE

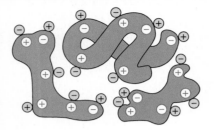

Les macromolécules elles-mêmes contribuent très peu à l'osmolarité de l'intérieur de la cellule car, en dépit de leur grande taille, chacune compte uniquement pour une seule molécule, et il y en a relativement peu comparé au nombre de petites molécules intracellulaires. Cependant, la plupart des macromolécules biologiques sont fortement chargées et attirent beaucoup d'ions inorganiques de charge opposée. Du fait de leur grand nombre, ces contre-ions contribuent fortement à l'osmolarité intracellulaire.

LE PROBLÈME

À cause des facteurs ci-dessus, une cellule qui ne fait rien pour contrôler son osmolarité présentera une plus forte concentration en solutés à l'intérieur qu'à l'extérieur. Il en résultera que la concentration de l'eau sera supérieure à l'extérieur de la cellule par rapport à l'intérieur. Cette différence de concentration d'eau à travers la membrane plasmique provoquera le déplacement continu de l'eau dans la cellule par osmose et entraînera sa rupture.

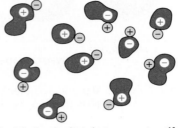

Du fait du résultat du transport actif et des processus métaboliques, la cellule contient une forte concentration en petites molécules organiques, comme des sucres, des acides aminés et des nucléotides vis-à-vis desquels la membrane plasmique est imperméable. Comme la plupart de ces métabolites sont chargés, ils attirent aussi des contre-ions. Les petits métabolites et leurs contre-ions contribuent également fortement à l'osmolarité intracellulaire.

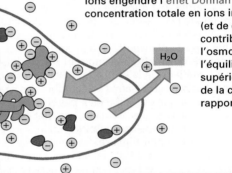

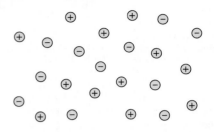

L'osmolarité du liquide extracellulaire est généralement surtout due aux petits ions inorganiques. Ils entrent lentement dans la cellule en traversant la membrane plasmique. S'ils n'étaient pas pompés vers l'extérieur et s'il n'y avait pas d'autres molécules à l'intérieur de la cellule qui interagissaient avec eux pour influencer leur distribution, ils finiraient par arriver à l'équilibre, avec une concentration identique à l'intérieur et à l'extérieur de la cellule. Cependant, la présence dans la cellule de macromolécules chargées et de métabolites qui attirent ces ions engendre l'effet Donnan : la concentration totale en ions inorganiques (et de ce fait leur contribution à l'osmolarité) à l'équilibre est supérieure à l'intérieur de la cellule par rapport à l'extérieur.

LA SOLUTION

Les cellules animales et les bactéries contrôlent leur osmolarité intracellulaire en pompant activement les ions inorganiques hors de la cellule, comme le Na^+, de telle sorte que leur cytoplasme contient une concentration totale en ions inorganiques plus faible que le liquide extracellulaire, ce qui compense leur excédent de solutés organiques. Les cellules végétales ne peuvent gonfler du fait de leur paroi rigide et donc peuvent tolérer une différence osmotique à travers leur membrane plasmique : il se forme une pression de turgescence interne qui, à l'équilibre, fait sortir de force autant d'eau qu'il en entre. Beaucoup de protozoaires évitent le gonflement par l'eau malgré la différence osmotique au travers de leur membrane plasmique en déchargeant périodiquement de l'eau à partir de vacuoles contractiles spécifiques.

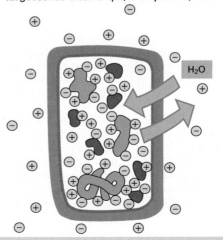

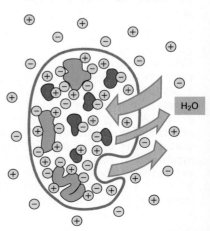

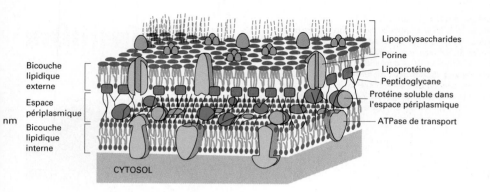

Bicouche
lipidique
externe

Espace
périplasmique

nm

Bicouche
lipidique
interne

CYTOSOL

Lipopolysaccharides
Porine
Lipoprotéine
Peptidoglycane
Protéine soluble dans
l'espace périplasmique
ATPase de transport

Figure 11-17 Petite coupe de la double membrane d'une bactérie, *E. coli*. La membrane interne est la membrane plasmique cellulaire. Entre les membranes à double couche lipidique interne et externe se trouve un peptidoglycane très poreux et rigide composé de protéines et de polysaccharides qui constitue la paroi cellulaire bactérienne. Il est fixé aux molécules lipoprotéiques de la membrane externe et remplit l'espace périplasmique (seuls quelques peptidoglycanes sont montrés ici). Cet espace contient aussi diverses molécules protéiques solubles. Les fils en pointillés (montrés en *vert*) en haut représentent les chaînes de polysaccharides de molécules spécifiques de lipopolysaccharides qui forment la monocouche externe de la membrane externe ; pour plus de clarté, seules quelques-unes de ces chaînes sont montrées ici. Les bactéries à double membrane sont appelées *à Gram négatif* parce qu'elles ne gardent pas le colorant bleu foncé utilisé dans la coloration de Gram. Les bactéries à une seule membrane (mais à paroi cellulaire plus épaisse) comme les staphylocoques et les streptocoques gardent la coloration bleue et sont donc appelées *à Gram positif* ; leur membrane unique est analogue à la membrane interne (plasmique) des bactéries à Gram négatif.

Les ATP synthases peuvent, comme les ATPases de transport de type P, fonctionner dans les deux directions : lorsque le gradient électrochimique à travers leur membrane tombe en dessous d'une valeur seuil, elles hydrolysent l'ATP et pompent des H$^+$ à travers la membrane. Structurellement apparentée aux ATPases de type F, existe une famille distincte d'ATPases de type V qui pompe normalement les protons de cette façon. Certains organites comme les lysosomes, les vésicules synaptiques et les vacuoles végétales contiennent des ATPases de transport de type V qui pompent les H$^+$ dans l'organite et sont donc responsables de l'acidification de leur contenu.

Les transporteurs ABC forment la plus grande famille de protéines de transport membranaire

Le dernier type de protéines porteuses que nous aborderons est une famille d'ATPases de transport qui ont une grande importance clinique, même si on commence juste à découvrir leurs fonctions normales dans les cellules eucaryotes. La première de ces protéines caractérisée a été retrouvée dans les bactéries. Nous avons déjà vu que les membranes plasmiques de toutes les bactéries contenaient des protéines porteuses qui utilisent le gradient de H$^+$ au travers de la membrane pour pomper divers nutriments dans la cellule. Beaucoup possèdent aussi des ATPases de transport qui utilisent l'énergie de l'hydrolyse de l'ATP pour importer certaines petites molécules. Dans les bactéries comme *E. coli*, pourvues d'une double membrane (Figure 11-17), les ATPases de transport sont localisées dans la membrane interne et il existe un mécanisme auxiliaire qui capture les nutriments et les délivre au transporteur (Figure 11-18).

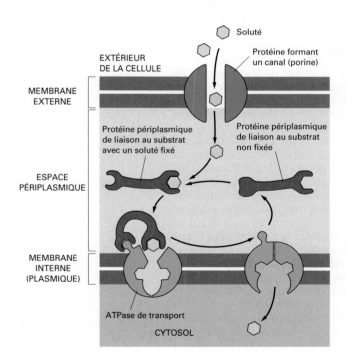

Soluté

EXTÉRIEUR
DE LA CELLULE

Protéine formant
un canal (porine)

MEMBRANE
EXTERNE

Protéine périplasmique
de liaison au substrat
avec un soluté fixé

Protéine périplasmique
de liaison au substrat
non fixée

ESPACE
PÉRIPLASMIQUE

MEMBRANE
INTERNE
(PLASMIQUE)

ATPase de transport

CYTOSOL

Figure 11-18 Système auxiliaire de transport associé aux ATPases de transport des bactéries à double membrane. Les solutés diffusent à travers des protéines formant un canal (*porines*) de la membrane externe et se fixent sur une *protéine périplasmique de liaison au substrat*. Il en résulte que celle-ci subit une modification de conformation qui lui permet de se lier à un transporteur ABC dans la membrane plasmique qui prélève alors le soluté et le transfère activement au travers de la bicouche selon une réaction entraînée par l'hydrolyse de l'ATP. Le peptidoglycane n'est pas représenté pour plus de simplicité ; sa structure poreuse permet le déplacement des protéines de liaison au substrat et des solutés hydrosolubles à travers lui, par simple diffusion.

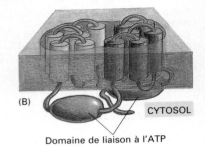

Figure 11-19 Transporteur ABC typique. (A) Schéma topologique. (B) Disposition hypothétique de la chaîne polypeptidique dans la membrane. Le transporteur est composé de quatre domaines : deux domaines très hydrophobes, chacun pourvu de six segments putatifs traversant la membrane et qui forment la voie de translocation, et deux domaines catalytiques de liaison à l'ATP (ou cassettes). Dans certains cas, les deux moitiés du transporteur sont formées d'un seul polypeptide (comme cela est montré ici) alors que dans d'autres cas, elles sont formées de deux ou plusieurs polypeptides séparés qui s'assemblent en une structure similaire (*voir* Figure 10-32).

(A)

(B)

CYTOSOL

Domaine de liaison à l'ATP

Les ATPases de transport de la membrane plasmique des bactéries appartiennent à la famille la plus grande et la plus variée de protéines de transport connue. On l'appelle **superfamille des transporteurs ABC** parce que chaque membre contient deux cassettes de liaison à l'ATP hautement conservées (Figure 11-19). La fixation d'ATP entraîne la dimérisation des deux domaines de liaison à l'ATP et l'hydrolyse d'ATP conduit à leur dissociation. On pense que les modifications structurelles de ces domaines cytosoliques sont transmises aux segments transmembranaires et entraînent des cycles de variations de conformation qui exposent alternativement les sites de liaison au substrat d'un côté ou de l'autre de la membrane. Les transporteurs ABC utilisent ainsi la fixation de l'ATP et son hydrolyse pour transporter des molécules au travers de la bicouche.

Chez *E. coli*, 78 gènes (5 p. 100 des gènes de cette bactérie, ce qui est étonnant) codent pour les transporteurs ABC et les cellules animales en contiennent encore plus. Même si on suppose que chacun est spécifique pour un substrat ou une classe de substrats particuliers, la variété des substrats transportés par cette superfamille est importante et inclut des acides aminés, des sucres, des ions inorganiques, des polypeptides, des peptides et même des protéines. Alors que les transporteurs ABC bactériens sont utilisés pour l'import et l'export, ceux décrits chez les eucaryotes semblent surtout être spécialisés dans l'export. Les transporteurs ABC catalysent également le passage (flip-flop) des lipides d'une face de la bicouche lipidique à l'autre et jouent donc ainsi un rôle important dans la biogenèse et l'entretien de la membrane, ce qui sera traité au chapitre 12. Lorsque les substrats sont des lipides ou des molécules globalement hydrophobes, les sites de liaison doivent être exposés sur la face du transporteur en contact avec l'intérieur hydrophobe de la bicouche lipidique.

En vérité, les premiers transporteurs ABC eucaryotes identifiés ont pu être découverts du fait de leur capacité à pomper hors du cytosol des médicaments hydrophobes. L'un d'entre eux est la **protéine de résistance multiple aux médicaments** (MDR pour *multidrug resistance*) dont la surexpression dans les cellules cancéreuses humaines peut rendre ces cellules simultanément résistantes à divers médicaments cytotoxiques sans parenté chimique qui sont largement utilisés en chimiothérapie anticancéreuse. Le traitement par n'importe lequel de ces médicaments peut résulter dans la sélection de cellules qui présentent une surexpression de la protéine de transport MDR. Le transporteur pompe le médicament à l'extérieur de la cellule, ce qui réduit sa toxicité et confère une résistance à une large gamme de substances thérapeutiques. Certaines études indiquent que près de 40 p. 100 des cancers humains développent une résistance multiple aux médicaments, ce qui est un obstacle majeur dans la bataille contre le cancer.

Un phénomène apparenté aussi grave se produit chez le protiste *Plasmodium falciparum* responsable de la malaria. Plus de 200 millions d'individus sont infectés par ce parasite qui demeure l'une des causes majeures de décès chez l'homme, tuant plus d'un million de personnes par an. Le contrôle de la malaria est entravé par le développement d'une résistance à la *chloroquine*, un antimalarien, et il a été démontré que les *P. falciparum* résistants présentent une amplification d'un gène codant pour un transporteur ABC qui pompe la *chloroquine* à l'extérieur.

Dans les levures, un transporteur ABC est responsable de l'exportation d'une phéromone d'accouplement (un peptide de 12 acides aminés) au travers de la membrane plasmique de la levure. Dans la plupart des cellules des vertébrés, un transporteur ABC du réticulum endoplasmique (RE) transporte activement divers peptides, produits par la dégradation protéique, du cytosol dans le RE. C'est la première étape d'une voie métabolique de grande importance dans la surveillance des cellules par le système immunitaire (*voir* Chapitre 24). Les fragments protéiques transportés, qui sont entrés dans le RE, sont finalement transportés à la surface de la cellule où ils sont exposés pour être examinés par les lymphocytes T cytotoxiques qui tueront la cellule si ces fragments semblent étrangers (comme ils le font s'ils dérivent d'un virus ou d'un autre microorganisme caché dans le cytosol).

Un autre membre de la famille ABC a été découvert lors de l'étude d'une maladie génétique fréquente, la *mucoviscidose*. Cette maladie est provoquée par la mutation d'un gène codant pour un transporteur ABC qui fonctionne comme régulateur d'un canal à Cl⁻ de la membrane plasmique des cellules épithéliales. Une personne sur 27 de race blanche porte le gène mutant codant pour cette protéine ; et chez 1 sur 2 500 les deux copies du gène sont mutantes et provoquent la maladie. On ne sait pas encore avec certitude comment le transporteur ABC fonctionne pour réguler la conductance de Cl⁻ au travers de la membrane.

Résumé

Les protéines porteuses fixent des solutés spécifiques et les transfèrent au travers de la bicouche lipidique en subissant des modifications de conformation qui exposent le site de liaison au soluté séquentiellement d'un côté de la membrane puis de l'autre. Certaines protéines porteuses transportent simplement un seul soluté selon son gradient alors que d'autres agissent comme des pompes et transportent les solutés dans le sens inverse, opposé à leur gradient électrochimique. Elles utilisent pour cela l'énergie fournie soit par l'hydrolyse de l'ATP, soit par le flux d'un autre soluté (comme Na⁺ ou H⁺) dans le sens de son gradient, soit par la lumière pour entraîner de façon ordonnée la série requise de modifications de conformation. Les protéines porteuses sont regroupées en un petit nombre de familles. Chaque famille contient des protéines dont la séquence en acides aminés est similaire et qui, pense-t-on, auraient évolué à partir d'une protéine ancestrale commune et opéreraient selon des mécanismes similaires. La famille des ATPases de transport de type P, qui incluent la pompe ubiquiste Na⁺-K⁺, en est un exemple important ; chacune de ces ATPases se phosphoryle de façon séquentielle et se déphosphoryle elle-même pendant son cycle de pompage. La superfamille des transporteurs ABC est la plus grande famille de protéines de transport membranaire et elle est particulièrement importante cliniquement. Elle comprend des protéines responsables de la mucoviscidose ainsi que de la résistance aux médicaments des cellules cancéreuses et des parasites responsables de la malaria.

CANAUX IONIQUES ET PROPRIÉTÉS ÉLECTRIQUES DES MEMBRANES

Contrairement aux protéines porteuses, les protéines des canaux forment des pores hydrophiles au travers des membranes. Une des classes de ces protéines de canal qui est virtuellement retrouvée chez tous les animaux forme les *nexus* (*gap junctions* ou jonctions de type gap) entre deux cellules adjacentes ; chaque membrane plasmique contribue identiquement à la formation du canal, qui relie le cytoplasme de deux cellules. Ces canaux, abordés au chapitre 19, ne seront pas présentés dans ce chapitre. Les *nexus* et les *porines*, les protéines qui forment les canaux de la membrane externe des bactéries, des mitochondries et des chloroplastes (voir Chapitre 10) forment des pores relativement larges et perméables, ce qui serait désastreux s'ils connectaient directement l'intérieur de la cellule à l'espace extracellulaire. En effet, c'est exactement ce que font beaucoup de toxines bactériennes pour tuer les autres cellules (voir Chapitre 25).

Par contre, la plupart des protéines des canaux de la membrane plasmique des animaux et des cellules végétales qui connectent le cytosol à l'extérieur de la cellule forment, par nécessité, des pores étroits hautement sélectifs qui peuvent s'ouvrir et se fermer. Comme ces protéines sont spécifiquement concernées par le transport des ions inorganiques, elles sont appelées **canaux ioniques**. En ce qui concerne l'efficacité du transport, les canaux ont un avantage sur les transporteurs du fait que 100 millions d'ions peuvent traverser un canal ouvert chaque seconde – vitesse 10^5 fois supérieure à la vitesse maximale de transport obtenue par l'intermédiaire de n'importe quelle protéine porteuse. Cependant les canaux ne peuvent être couplés à une source énergétique pour effectuer un transport actif. Par conséquent le transport qu'ils permettent est toujours passif (« vers l'aval »). La fonction des canaux ioniques est donc de permettre la diffusion rapide, au travers de la bicouche lipidique, d'ions inorganiques spécifiques – en particulier Na⁺, K⁺, Ca²⁺ ou Cl⁻ – selon leur gradient électrochimique. Comme nous le verrons, la capacité à contrôler le flux ionique au travers de ces canaux est essentielle à bon nombre de fonctions cellulaires. Les cellules nerveuses (neurones), en particulier, sont devenues des spécialistes de l'utilisation des canaux ioniques et nous verrons comment elles utilisent plusieurs de ces canaux pour recevoir, conduire et transmettre les signaux.

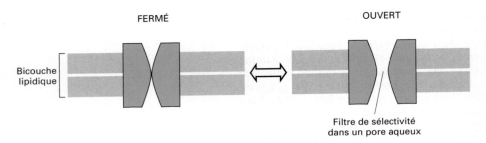

FERMÉ   OUVERT

Bicouche lipidique

Filtre de sélectivité
dans un pore aqueux

Figure 11-20 Canal ionique typique fluctuant entre les conformations ouverte et fermée. La protéine de canal, montrée ici en coupe, forme un pore hydrophile au travers de la bicouche lipidique uniquement dans son état de conformation « ouvert ». On pense que des groupements polaires tapissent les parois du pore tandis que des chaînes latérales hydrophobes d'acides aminés interagissent avec la bicouche lipidique (non montré). Le pore se rétrécit à des dimensions atomiques dans une région (le filtre de sélectivité) qui détermine complètement la sélectivité ionique du canal.

Les canaux ioniques sont ion-sélectifs et fluctuent entre les états ouvert et fermé

Deux propriétés importantes distinguent les canaux ioniques des simples pores aqueux. D'abord ils présentent une *sélectivité ionique*, et permettent le passage de certains ions inorganiques mais pas d'autres. Cela suggère que leurs pores doivent être assez étroits par endroits pour forcer les ions qui y pénètrent à entrer en contact étroit avec la paroi du canal pour que seuls passent les ions de taille et de charge appropriées. Les ions qui peuvent entrer doivent laisser la majeure partie de leurs molécules d'eau associées pour passer, souvent en file indienne, à travers la partie la plus étroite du canal, qui est appelée *filtre de sélectivité* ; cela limite leur vitesse de passage. Lorsque la concentration ionique augmente, le flux des ions à travers le canal augmente proportionnellement puis se stabilise (saturation) à une vitesse maximale.

La deuxième différence importante entre les canaux ioniques et les simples pores aqueux est que les canaux ioniques ne sont pas continuellement ouverts. Ils possèdent, par contre, une « *porte* » qui leur permet de s'ouvrir rapidement puis de se refermer (Figure 11-20). Dans la plupart des cas, la porte s'ouvre en réponse à un stimulus spécifique. Les principaux types de stimuli connus pour provoquer l'ouverture des canaux ioniques sont la variation de voltage au travers de la membrane (*canaux à ouverture contrôlée par le voltage*), un stress mécanique (*canaux à activation mécanique*) ou la fixation d'un ligand (*canaux à ouverture contrôlée par un ligand*). Ce ligand peut être soit un médiateur extracellulaire – spécifiquement un neurotransmetteur (*canaux à ouverture contrôlée par un transmetteur*) – soit un médiateur intracellulaire comme un ion (*canaux à ouverture contrôlée par un ion*), ou un nucléotide (*canaux à ouverture contrôlée par un nucléotide*) (Figure 11-21). L'activité de nombreux canaux ioniques est régulée, en plus, par la phosphorylation et la déphosphorylation de la protéine ; ce type de régulation du canal est traité, dans le chapitre 15, en même temps que les canaux ioniques à ouverture contrôlée par un nucléotide. De plus, lors de stimulation prolongée (chimique ou électrique), la plupart des canaux entrent dans un état « désensibilisé » ou « inactivé » dans lequel ils sont réfractaires à toute autre ouverture jusqu'à ce que le stimulus soit éliminé, comme nous le verrons ensuite.

Plus de 100 types de canaux ioniques ont été décrits jusqu'à présent et de nouveaux s'ajoutent encore à la liste. Ils sont responsables de l'excitabilité électrique des

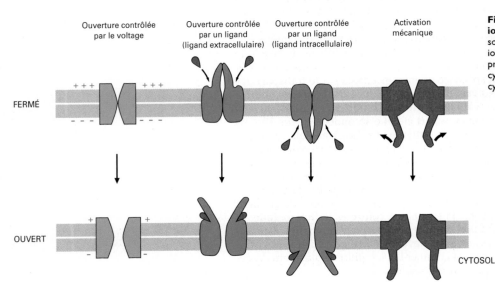

Ouverture contrôlée par le voltage   Ouverture contrôlée par un ligand (ligand extracellulaire)   Ouverture contrôlée par un ligand (ligand intracellulaire)   Activation mécanique

FERMÉ

OUVERT

CYTOSOL

Figure 11-21 « Portes » des canaux ioniques. Ce schéma montre les différentes sortes de stimuli qui ouvrent les canaux ioniques. Les canaux activés mécaniquement présentent souvent des extensions cytoplasmiques qui relient le canal au cytosquelette (non représenté ici).

cellules musculaires et transmettent la majeure partie des signaux électriques du système nerveux. Un seul neurone peut contenir typiquement 10 sortes de canaux ioniques, voire plus, localisés dans différents domaines de sa membrane plasmique. Cependant les canaux ioniques ne sont pas confinés aux cellules électriquement excitables. Ils sont présents dans toutes les cellules animales et sont retrouvés dans les cellules végétales et les microorganismes. Ils propagent la réponse de fermeture de la feuille du mimosa, par exemple, et permettent à *Paramecium*, un organisme monocellulaire, de changer de direction après une collision.

Les canaux ioniques peut-être les plus fréquents sont surtout ceux perméables au K^+. Ils sont retrouvés dans la membrane plasmique de presque toutes les cellules animales. Un important sous-groupe de ces canaux à K^+ restent ouverts même dans une cellule non stimulée ou « au repos » et sont donc parfois appelés **canaux de fuite du K^+**. Même si ce terme couvre différents canaux à K^+ selon le type cellulaire, ils ont un but commun. Ils jouent un rôle crucial dans le maintien du potentiel de membrane au travers de toutes les membranes plasmiques en rendant cette membrane bien plus perméable aux K^+ qu'aux autres ions.

Le potentiel de membrane des cellules animales dépend principalement des canaux de fuite du K^+ et du gradient de K^+ au travers de la membrane plasmique

Il se forme un **potentiel de membrane** lorsqu'il y a une différence de charge électrique de part et d'autre de cette membrane, due à un léger excédent d'ions positifs par rapport aux ions négatifs d'un côté et à un léger déficit de l'autre côté. Ces différences de charges peuvent résulter d'un pompage électrogène actif (*voir* p. 626) et d'une diffusion passive des ions. Comme nous le verrons au chapitre 14, la majeure partie du potentiel de membrane des mitochondries est engendré par les pompes électrogènes à H^+ de la membrane interne mitochondriale. Les pompes électrogènes engendrent également la majeure partie du potentiel électrique de la membrane plasmique des végétaux et des champignons. Dans les cellules animales typiques, cependant, les mouvements passifs des ions contribuent fortement au potentiel électrique de la membrane plasmique.

Comme nous l'avons déjà expliqué, la pompe Na^+-K^+ facilite le maintien d'un équilibre osmotique au travers de la membrane cellulaire animale en gardant la concentration intracellulaire en Na^+ basse. Comme il y a peu de Na^+ dans la cellule, les autres cations doivent y être très nombreux pour équilibrer les charges portées par les anions cellulaires fixes – les molécules organiques de charge négative qui sont confinées à l'intérieur de la cellule. Ce rôle d'équilibrage est largement tenu par K^+ qui est activement pompé dans la cellule par la pompe Na^+-K^+ et peut aussi se déplacer librement en entrant et sortant par les *canaux de fuite du K+* de la membrane plasmique. Du fait de la présence de ces canaux, le K^+ arrive presque à l'équilibre où la force électrique exercée par l'excédent de charges négatives attirant K^+ dans la cellule équilibre la tendance de K^+ à sortir selon son gradient de concentration. Le potentiel de membrane est la manifestation de cette force électrique et sa valeur d'équilibre peut être calculée à partir de l'importance du gradient de concentration de K^+. Voici des arguments qui peuvent éclaircir ce fait.

Supposons qu'initialement il n'y ait pas de gradient de voltage à travers la membrane plasmique (le potentiel de membrane est égal à zéro), mais la concentration en K^+ est élevée dans la cellule et faible au dehors. K^+ a donc tendance à quitter la cellule à travers les canaux de fuite du K^+, entraîné par son gradient de concentration. Lorsque K^+ sort, il laisse derrière une charge négative non équilibrée, et crée ainsi un champ électrique ou potentiel de membrane qui a tendance à s'opposer à la poursuite de la fuite de K^+. La sortie nette de K^+ s'arrête lorsque le potentiel de membrane atteint une valeur pour laquelle cette force d'entraînement électrique de K^+ équilibre exactement les effets du gradient de concentration – c'est-à-dire lorsque le gradient électrochimique de K^+ est égal à zéro. Bien que les ions Cl^- s'équilibrent aussi au travers de la membrane, le potentiel de membrane garde la plupart de ces ions à l'extérieur de la cellule parce que leur charge est négative.

La condition d'équilibre, pour laquelle il n'y a pas de flux net d'ions à travers la membrane plasmique, définit le **potentiel membranaire de repos** pour cette cellule idéale. Une formule simple mais très importante, l'**équation de Nernst**, exprime quantitativement la condition d'équilibre et, comme cela est expliqué dans la planche 11-2, permet de calculer le potentiel membranaire de repos théorique si on connaît le rapport des concentrations ioniques interne et externe. Comme la membrane plasmique d'une véritable cellule n'est pas exclusivement perméable à K^+ et Cl^-, cepen-

L'ÉQUATION DE NERNST ET LE FLUX IONIQUE

Le flux d'un ion au travers d'une protéine de canal membranaire est actionné par son gradient électrochimique. Ce gradient représente l'association de deux influences : le gradient de voltage et le gradient de concentration de l'ion au travers de la membrane. Lorsque ces deux influences s'équilibrent juste l'une l'autre, le gradient électrochimique de l'ion est égal à zéro et il n'y a pas de flux net de l'ion au travers du canal. Le gradient de voltage (potentiel de membrane) pour lequel l'équilibre est atteint est appelé potentiel d'équilibre de cet ion. Il peut être calculé à partir d'une équation présentée ci-dessous, appelée équation de Nernst.

L'équation de Nernst est :

$$V = \frac{RT}{zF} \ln \frac{C_o}{C_i}$$

avec

$V =$ potentiel d'équilibre en volts (potentiel interne moins potentiel externe)

C_o et $C_i =$ concentrations ioniques externe et interne, respectivement

$R =$ constante des gaz (2 cal mol^{-1} K^{-1})

$T =$ température absolue (K)

$F =$ constante de Faraday (2,3 × 10^4 cal V^{-1} mol^{-1})

$z =$ valence (charge) de l'ion

$\ln =$ logarithme de base e

L'équation de Nernst est établie comme suit :

Une molécule en solution (un soluté) a tendance à se déplacer d'une région de forte concentration vers une région de faible concentration, simplement du fait des mouvements aléatoires des molécules, ce qui entraîne leur équilibre. Par conséquent les mouvements selon le gradient de concentration s'accompagnent d'une variation d'énergie libre favorable ($\Delta G < 0$) alors que le mouvement opposé au gradient de concentration s'accompagne d'une variation d'énergie libre défavorable ($\Delta G > 0$). (L'énergie libre est introduite et traitée dans la planche 14-1, p. 784). La variation d'énergie libre par mole de soluté déplacé au travers de la membrane plasmique (ΔG_{conc}) est égale à $-RT \ln C_o / C_i$. Si le soluté est un ion, son déplacement à travers la membrane pour entrer dans une cellule dont l'intérieur est à un voltage V par rapport à l'extérieur provoquera une variation supplémentaire d'énergie libre (par mole de soluté déplacée) de $\Delta G_{volt} = zFV$. Lorsque les gradients de concentration et de voltage s'équilibrent juste, $\Delta G_{conc} + \Delta G_{volt} = 0$ et que la distribution de l'ion est à l'équilibre au travers de la membrane, on a :

$$zFV - RT \ln \frac{C_o}{C_i} = 0$$

Et par conséquent :

$$V = \frac{RT}{zF} \ln \frac{C_o}{C_i} = 2,3 \frac{RT}{zF} \log_{10} \frac{C_o}{C_i}$$

Pour un ion univalent,

$$2,3 \frac{RT}{F} = 58 \text{ mV à } 20\ °C \quad \text{et} \quad 61,5 \text{ mV à } 37\ °C$$

Donc, pour cet ion à 37 °C, $V = +61,5$ mV pour $C_o / C_i = 10$ alors que $V = 0$ pour $C_o / C_i = 1$.

Le potentiel de K$^+$ à l'équilibre (V_K), par exemple, est de 61,5 $\log_{10}([K^+]_o / [K^+]_i)$ millivolts (–89 mV pour une cellule typique où $[K^+]_o = 5$ mM et $[K^+]_i = 140$ mM). À V_K, il n'y a pas de flux net de K$^+$ à travers la membrane. De même, lorsque le potentiel membranaire a une valeur de 61,5 $\log_{10}([Na^+]_o / [Na^+]_i)$, le potentiel d'équilibre de Na$^+$ (V_{Na}), il n'y a pas de flux net de Na$^+$.

Pour n'importe quel potentiel de membrane particulier, V_M, la force nette qui tend à entraîner un type particulier d'ion hors de la cellule, est proportionnelle à la différence entre V_M et le potentiel d'équilibre pour cet ion : d'où pour K$^+$ c'est $V_M - V_K$ et pour Na$^+$ c'est $V_M - V_{Na}$.

Le nombre d'ions qui part pour former la couche de charges adjacente à la membrane est minuscule comparé au nombre total à l'intérieur de la cellule. Par exemple, le mouvement de 6 000 ions Na$^+$ à travers 1 µm^2 de membrane fournira suffisamment de charges pour décaler le potentiel de membrane d'environ 100 mV. Comme il y a environ 3 × 10^7 ions Na$^+$ dans une cellule typique (1 µm^3 de volume cytoplasmique), ce mouvement de charges aura généralement un effet négligeable sur le gradient de concentration ionique au travers de la membrane.

dant, le potentiel membranaire de repos réel n'est généralement pas exactement égal à celui prédit par l'équation de Nernst pour K$^+$ et Cl$^-$.

Le potentiel de repos ne se dégrade que lentement lorsque la pompe Na$^+$-K$^+$ n'est plus en action

Le nombre d'ions qui doivent se déplacer à travers la membrane plasmique pour établir le potentiel de membrane est minuscule. De ce fait, on peut considérer que le potentiel de membrane se forme par des mouvements de charge qui laissent les *concentrations* ioniques pratiquement inchangées et n'entraînent qu'une très légère différence du nombre d'ions positifs et négatifs de part et d'autre de la membrane (Figure 11-22). De plus, ces mouvements de charge sont généralement rapides, ne prenant que quelques millisecondes ou moins.

Il est très intéressant de considérer ce qui se produit sur le potentiel membranaire dans une vraie cellule si la pompe Na$^+$-K$^+$ est soudainement inactivée. Il se produit immédiatement une légère baisse du potentiel membranaire. Ceci tient au fait que cette pompe est électrogène et, lorsqu'elle est active, apporte une légère contribution directe au potentiel membranaire en pompant vers l'extérieur trois Na$^+$ pour chaque K$^+$ qu'elle fait entrer. Cependant, l'arrêt de la pompe n'abolit pas la composante majeure du potentiel de repos qui est engendré par le mécanisme d'équilibre du K$^+$ présenté ci-dessus. Cette composante persiste aussi longtemps que la concentration en Na$^+$ à l'intérieur de la cellule reste basse et que la concentration en ions K$^+$ reste élevée – typiquement plusieurs minutes. Mais la membrane plasmique est quelque peu perméable à tous les petits ions, y compris Na$^+$. De ce fait sans la pompe Na$^+$-K$^+$, le gradient ionique établi par le pompage finit par s'effondrer et le potentiel membranaire établi par diffusion à travers les canaux de fuite du K$^+$ finit par tomber également. Lorsque Na$^+$ entre dans la cellule, l'équilibre osmotique est renversé et l'eau s'infiltre dans la cellule (*voir* Planche 11-1, p. 628-629). Si la cellule n'éclate pas, elle finit par entrer dans un nouvel état de repos où Na$^+$, K$^+$ et Cl$^-$ sont tous à l'équilibre de part et d'autre de la membrane. Dans cet état, le potentiel de membrane est bien plus faible qu'il ne l'était dans les cellules normales ayant une pompe Na$^+$-K$^+$ active.

La différence de potentiel de part et d'autre de la membrane plasmique d'une cellule animale au repos varie entre –20 mV et –200 mV, selon l'organisme et la cellule. Bien que le gradient de K$^+$ ait une influence majeure sur ce potentiel, les gradients des autres ions (et les effets déséquilibrants des pompes ioniques) ont également un effet significatif : plus la membrane est perméable à un ion donné, plus le potentiel de membrane a tendance à être entraîné fortement vers l'équilibre en cet ion. Par conséquent, les variations de la perméabilité membranaire vis-à-vis d'un ion peuvent provoquer des variations significatives du potentiel membranaire. C'est un des principes fondamentaux qui relie l'excitabilité électrique des cellules à l'activité des canaux ioniques.

Pour comprendre comment les canaux ioniques choisissent leurs ions et comment ils s'ouvrent et se ferment, il faut connaître leur structure atomique. Le premier canal ionique cristallisé et étudié par diffraction des rayons X a été un canal à K$^+$ bactérien. Les particularités de sa structure ont révolutionné notre compréhension des canaux ioniques.

Figure 11-22 Base ionique du potentiel membranaire. Un petit flux d'ions porte assez de charges pour provoquer une importante variation du potentiel de membrane. Les ions qui engendrent le potentiel de membrane résident dans une fine couche superficielle (< 1 nm) proche de la membrane, et y sont maintenus par leur attraction électrique vis-à-vis de leur contrepartie de charge opposée (contre-ions) située de l'autre côté de la membrane. Pour une cellule typique, une charge de 1 micro-coulomb (6 x 10^{12} ions monovalents) par centimètre carré de membrane, transférée d'un côté de la membrane à l'autre, modifie grossièrement le potentiel membranaire de 1 V. Cela signifie, par exemple, que dans une cellule sphérique d'un diamètre de 10 μm, le nombre d'ions K$^+$ qui doit sortir pour modifier le potentiel de membrane de 100 mV n'est seulement que de 1/100 000 du nombre total d'ions K$^+$ du cytosol.

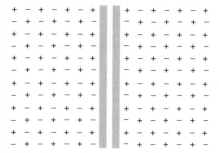

Équilibre exact des charges de chaque côté de la membrane. Potentiel de membrane = 0

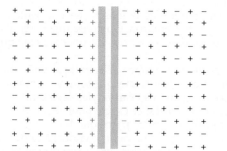

Quelques ions positifs (en *rouge*) ont traversé la membrane de droite à gauche, laissant derrière eux leurs contre-ions négatifs (en *rouge*) ; cela établit un potentiel de membrane différent de zéro

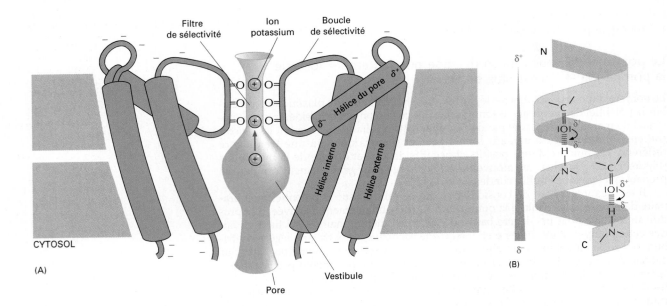

Figure 11-23 Structure d'un canal à K⁺

Filtre de sélectivité · **Ion potassium** · **Boucle de sélectivité**

Hélice du pore · **Hélice interne** · **Hélice externe**

CYTOSOL

(A)

Pore · Vestibule

N · C

(B)

La structure tridimensionnelle d'un canal à K⁺ bactérien montre comment fonctionne un canal ionique

La capacité remarquable des canaux ioniques à associer une sélectivité ionique extrême à une forte conductance a longtemps laissé les scientifiques perplexes. Les canaux de fuite du K⁺, par exemple, conduisent le K⁺ 10 000 fois mieux que le Na⁺, alors que ces deux ions sont des sphères de diamètre similaire (0,133 nm et 0,095 nm respectivement) sans aucune caractéristique. Une seule substitution d'un acide aminé dans le pore d'un canal à K⁺ peut entraîner la perte de la sélectivité ionique et la mort cellulaire. La sélectivité normale ne peut s'expliquer par la taille des pores parce que Na⁺ est plus petit que K⁺. De plus, la très grande vitesse de conductance est incompatible avec un canal présentant des sites de liaison sélectifs et de haute affinité pour K⁺, car la fixation des ions K⁺ sur un tel site ralentirait fortement leur passage.

L'énigme a été résolue lorsque la structure d'un *canal à K⁺ bactérien* a été déterminée par cristallographie aux rayons X. Ce canal est formé de quatre sous-unités transmembranaires identiques qui s'associent pour former un pore central qui traverse la membrane (Figure 11-23). Les acides aminés de charge négative sont concentrés au niveau de l'entrée cytosolique du pore et on pense qu'ils attirent les cations et repoussent les anions, rendant le canal sélectif aux cations. Chaque sous-unité apporte deux hélices transmembranaires, inclinées vers l'extérieur dans la membrane, qui forment un cône dont la partie évasée fait face à l'extérieur de la cellule, là où les ions K⁺ sortent du canal. La chaîne polypeptidique qui relie les deux hélices transmembranaires forme une courte hélice α (*hélice du pore*) et une boucle essentielle qui fait saillie dans la zone large du cône et forme le **filtre de sélectivité**. Les boucles de sélectivité issues des quatre sous-unités forment un pore court, rigide et étroit, tapissé par les atomes d'oxygène des carbonyles de leur squelette polypeptidique. Comme les boucles de sélectivité de tous les canaux ioniques à K⁺ connus ont une séquence en acides aminés similaire, il y a des chances qu'elles forment une structure très semblable. La structure du cristal montre deux ions K⁺ en une seule file à l'intérieur du filtre de sélectivité, séparés par 8 Å environ. On pense que la répulsion mutuelle entre deux ions facilite leur déplacement au travers du pore vers le liquide extracellulaire.

La structure du filtre de sélectivité explique l'extrême sélectivité ionique du canal. Pour qu'un ion K⁺ entre dans le filtre, il doit perdre presque toutes ses molécules d'eau liées et interagir à la place avec les oxygènes des carbonyles tapissant le filtre de sélectivité qui sont espacés strictement par la distance exacte pour recevoir un ion K⁺. Un ion Na⁺, par contre, ne peut entrer dans le filtre parce que les oxygènes des carbonyles sont trop éloignés pour que l'ion Na⁺, plus petit, compense la dépense énergétique associée à la perte des molécules d'eau nécessaire à son entrée (Figure 11-24).

Les études structurelles du canal à K⁺ bactérien ont indiqué comment il s'ouvre et se ferme. Les boucles qui forment le filtre de sélectivité sont rigides et ne changent

Figure 11-23 Structure d'un canal à K⁺ bactérien. (A) Seuls deux des quatre sous-unités identiques sont montrées ici. En partant du côté cytosolique, le pore s'ouvre dans un vestibule au milieu de la membrane. Ce vestibule facilite le transport en permettant aux ions K⁺ de rester hydratés même s'ils ont traversé la moitié de la membrane. Le filtre de sélectivité étroit relie le vestibule à l'extérieur de la cellule. Les oxygènes des carbonyles tapissent la paroi du filtre de sélectivité et forment des sites de liaison transitoires pour les ions K⁺ déshydratés. Les positions des ions K⁺ dans le pore ont été déterminées par trempage de cristaux de la protéine de canal dans une solution contenant des ions rubidium, plus denses aux électrons mais juste légèrement plus gros que les ions K⁺ ; à partir des différences dans les modèles de diffraction entre les ions K⁺ et les ions rubidium dans le canal, les positions des ions ont pu être calculées. Deux ions K⁺ occupent des sites dans le filtre de sélectivité, alors qu'un troisième ion K⁺ est localisé au centre du vestibule, où il est stabilisé par des interactions électriques avec les extrémités chargées plus négativement des hélices du pore. Les extrémités des quatre hélices du pore pointent précisément vers le centre du vestibule, guidant ainsi les ions K⁺ vers le filtre de sélectivité. (B) Du fait de la polarité des liaisons hydrogène (en *rouge*) qui relient des tours adjacents d'une hélice α, chaque hélice α présente un dipôle électrique le long de son axe avec une extrémité C-terminale chargée plus négativement (δ⁻) et une extrémité N-terminale chargée plus positivement (δ⁺). (A, adapté d'après D.A. Doyle et al., *Science* 280 : 69-77, 1998.)

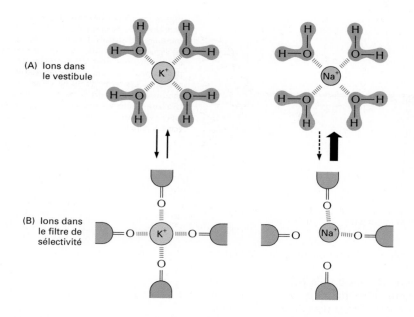

(A) Ions dans le vestibule

(B) Ions dans le filtre de sélectivité

Figure 11-24 Spécificité du filtre de sélectivité d'un canal à K⁺. Le schéma montre des ions K⁺ et Na⁺ (A) dans le vestibule et (B) dans le filtre de sélectivité du pore, vus en coupe. Dans le vestibule, les ions sont hydratés. Dans le filtre de sélectivité, les oxygènes des carbonyles sont placés précisément pour recevoir un ion K⁺ déshydraté. La déshydratation des ions K⁺ nécessite de l'énergie, équilibrée précisément par l'énergie récupérée par l'interaction de l'ion avec les oxygènes des carbonyles qui remplacent les molécules d'eau. Comme l'ion Na⁺ est trop petit pour interagir avec les oxygènes, il ne pourrait entrer dans le filtre de sélectivité qu'en dépensant énormément d'énergie. Le filtre sélectionne ainsi les ions K⁺ avec une forte spécificité. (Adapté d'après D.A. Doyle et al., *Science* 280 : 69-77, 1998.)

pas de conformation lorsque le canal s'ouvre et se ferme. Par contre, les hélices transmembranaires internes et externes qui tapissent le reste du pore se réarrangent lorsque le canal se ferme et provoquent la constriction du pore comme un diaphragme au niveau de son extrémité cytosolique (Figure 11-25). Bien que les pores ne se ferment pas complètement, les petites ouvertures qui restent sont tapissées de chaînes latérales d'acides aminés hydrophobes qui bloquent l'entrée des ions.

Les neurones sont les cellules qui utilisent le plus les canaux ioniques. Avant de parler de cette utilisation, nous devons faire une digression pour présenter rapidement l'organisation d'un neurone typique.

La fonction d'une cellule nerveuse dépend de sa structure allongée

La tâche fondamentale d'un **neurone**, ou **cellule nerveuse**, est de recevoir, conduire et transmettre des signaux. Pour effectuer ces fonctions, les neurones sont souvent extrêmement allongés. Chez l'homme, par exemple, une seule cellule nerveuse qui s'étend de la moelle épinière à un muscle du pied peut mesurer jusqu'à 1 mètre. Chaque neurone est composé d'un corps cellulaire (contenant le noyau) et de plusieurs processus fins qui partent de lui et irradient vers l'extérieur. En général un long **axone** conduit les signaux du corps cellulaire vers une cible distante et plusieurs **dendrites** ramifiés plus courts s'étendent à partir du corps cellulaire comme des antennes et fournissent une aire de surface importante pour recevoir des signaux provenant des axones d'autres cellules nerveuses (Figure 11-26). Le corps cellulaire lui-même reçoit également des signaux. Un axone typique se divise à son extrémité la plus éloignée en plusieurs ramifications et transmet simultanément son message à plusieurs cellules cibles. De même, l'étendue des ramifications des dendrites peut

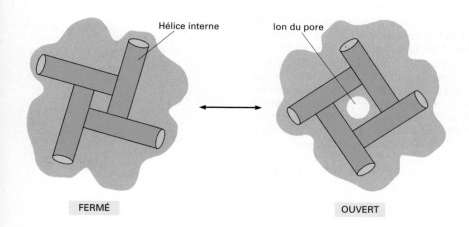

Hélice interne

Ion du pore

FERMÉ

OUVERT

Figure 11-25 Un modèle de la porte d'un canal à K⁺ bactérien. Le canal est vu en coupe transversale. Pour adopter la conformation « fermée », les quatre hélices transmembranaires internes qui tapissent le pore du côté cytosolique du filtre de sélectivité (*voir* Figure 11-22) se replacent pour fermer l'entrée cytosolique du canal. (Adapté d'après E. Perozo et al., *Science* 285 : 73-78, 1999.)

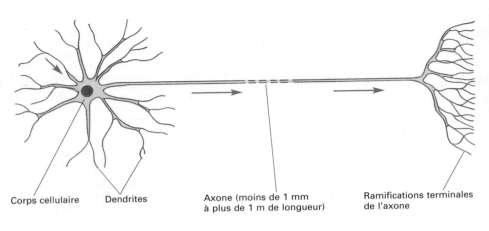

Figure 11-26 Un neurone typique de vertébré. Les flèches indiquent la direction du transport des signaux. L'axone unique conduit les signaux à partir du corps cellulaire tandis que les multiples dendrites reçoivent les signaux provenant des axones des autres neurones. Les terminaisons nerveuses aboutissent sur les dendrites ou sur le corps cellulaire d'autres neurones, ou sur d'autres types cellulaires comme les muscles ou les glandes salivaires.

Corps cellulaire   Dendrites

Axone (moins de 1 mm à plus de 1 m de longueur)

Ramifications terminales de l'axone

être très importante – dans certains cas, suffisante pour recevoir jusqu'à 100 000 influx sur un seul neurone.

En dépit de la signification variée des signaux transportés par les différentes classes de neurones, la forme du signal est toujours la même, et consiste en une modification du potentiel électrique au travers de la membrane plasmique du neurone. La communication se produit parce qu'une perturbation électrique formée dans une partie de la cellule se dissémine à d'autres parties. Cette perturbation s'affaiblit avec l'augmentation de la distance à partir de la source, à moins que de l'énergie ne soit dépensée pour l'amplifier durant son déplacement. Sur les courtes distances, cette atténuation est sans importance ; en fait, beaucoup de petits neurones conduisent leur signal passivement, sans amplification. Pour les communications sur de longues distances, cependant, la propagation passive n'est pas adaptée. De ce fait, les plus gros neurones utilisent un mécanisme actif de signalisation qui est une de leurs plus surprenantes caractéristiques. Un stimulus électrique qui dépasse un certain seuil déclenche une explosion d'activité électrique qui est rapidement propagée le long de la membrane plasmique du neurone et est soutenue par une amplification automatique tout le long du chemin. Cette onde de déplacement de l'excitation électrique, appelée **potentiel d'action**, ou *influx nerveux*, peut transporter des messages sans atténuation d'une extrémité d'un neurone à l'autre à une vitesse pouvant atteindre 100 mètres par seconde voire plus. Les potentiels d'action sont la conséquence directe des propriétés des canaux à cations à ouverture contrôlée par le voltage comme nous le verrons dans le paragraphe suivant.

Les canaux à cations à ouverture contrôlée par le voltage engendrent des potentiels d'action dans les cellules électriquement excitables

La membrane plasmique de toutes les cellules électriquement excitables – non seulement les neurones mais aussi les muscles, les cellules endocrines et les ovules – contient des **canaux à cations à ouverture contrôlée par le voltage** qui sont responsables de la formation de potentiels d'action. Un potentiel d'action est déclenché par la *dépolarisation* de la membrane plasmique – c'est-à-dire par le décalage du potentiel de membrane vers une valeur moins négative (nous verrons plus tard comment cela peut être provoqué par l'action d'un neurotransmetteur). Dans les cellules nerveuses et du muscle squelettique, un stimulus qui provoque une dépolarisation suffisante cause l'ouverture rapide des **canaux à Na+ à ouverture contrôlée par le voltage**, ce qui permet l'entrée de faibles quantités de Na+ dans la cellule selon le gradient électrochimique. Cette entrée de charge positive dépolarise la membrane encore plus et ouvre ainsi encore plus de canaux à Na+ qui laissent entrer plus d'ions Na+, ce qui augmente encore la dépolarisation. Ce processus se poursuit selon un mode d'auto-amplification jusqu'à ce que, en une fraction de milliseconde, le potentiel électrique local de la région membranaire soit passé de sa valeur de repos de –70 mV à une valeur presque aussi élevée que le potentiel d'équilibre du Na+, soit +50 mV environ (*voir* Planche 11-2, p. 634). À ce point, lorsque la force d'entraînement électrochimique nette pour le flux du Na+ est presque égale à zéro, la cellule devrait entrer dans un nouvel état de repos, avec tous ses canaux à Na+ ouverts en permanence, si la conformation ouverte du canal était stable. Deux mécanismes qui agissent simultanément sauvent la cellule d'un tel spasme électrique : l'inactivation des canaux à Na+ et l'ouverture des canaux à K+ à ouverture contrôlée par le voltage.

Les canaux à Na⁺ possèdent un mécanisme d'inactivation automatique qui provoque la fermeture rapide des canaux même si la membrane est encore dépolarisée. Les canaux à Na⁺ restent dans cet état *inactivé*, et ne peuvent se rouvrir que quelques millisecondes après le retour du potentiel membranaire à sa valeur négative initiale. Le canal à Na⁺ existe donc sous trois états distincts – fermé, ouvert et inactivé. La figure 11-27 montre comment ils contribuent à l'augmentation puis à la chute du potentiel d'action.

La description du potentiel d'action que nous venons de donner ne concerne qu'une petite zone de la membrane plasmique. La dépolarisation de cette zone qui s'auto-amplifie, cependant, suffit pour dépolariser les régions voisines de la membrane qui suivent alors le même cycle. De cette façon, le potentiel d'action se dissémine comme une onde de déplacement à partir du site initial de dépolarisation pour impliquer la totalité de la membrane plasmique, comme cela est montré dans la figure 11-28.

Dans la plupart des cellules nerveuses, les **canaux à K⁺ à ouverture contrôlée par le voltage** fournissent un deuxième mécanisme qui facilite le retour plus rapide de la membrane plasmique activée à son potentiel négatif initial, prête à transmettre un autre influx. Ces canaux s'ouvrent, de telle sorte que l'entrée transitoire de Na⁺ est rapidement comblée par la sortie de K⁺ qui amène rapidement la membrane à retrouver son potentiel d'équilibre de K⁺, avant même que l'inactivation des canaux à Na⁺ soit terminée. Ces canaux à K⁺ répondent aux modifications du potentiel membranaire comme les canaux à Na⁺, mais avec une cinétique légèrement plus lente ; c'est pourquoi ils sont parfois appelés *canaux à K⁺ retardés*.

Comme les canaux à Na⁺, les canaux à K⁺ à ouverture contrôlée par le voltage peuvent s'inactiver. L'étude de canaux à K⁺ mutants montre que les 20 acides aminés N-terminaux de la protéine du canal sont nécessaires à l'inactivation rapide du canal. Si cette région est modifiée, la cinétique de l'inactivation du canal est modifiée et, si elle est complètement retirée, l'inactivation est abolie. Il est surprenant que, dans le dernier cas, l'inactivation puisse être restaurée en exposant la surface cytoplasmique de la membrane plasmique à un petit peptide synthétique qui correspond aux acides aminés terminaux manquants. Cette observation suggère que l'extrémité amine de chaque sous-unité du canal à K⁺ agit comme une balle attachée qui ferme la terminaison cytoplasmique du pore peu de temps après son ouverture et inactive ainsi le canal (Figure 11-29). On pense qu'un mécanisme similaire opère dans l'inactivation rapide des canaux à Na⁺ à ouverture contrôlée par le voltage (que nous aborderons ultérieurement), même s'il semble qu'un segment différent de la protéine soit impliqué.

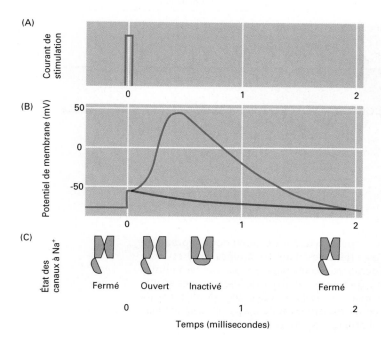

Figure 11-27 Potentiel d'action. (A) Un potentiel d'action est déclenché par une brève impulsion de courant qui (B) dépolarise partiellement la membrane comme cela est montré sur le tracé du potentiel de membrane en fonction du temps. La *courbe verte* montre comment le potentiel de membrane se serait simplement relâché à sa valeur de repos après le stimulus initial de dépolarisation s'il n'y avait pas eu de canal ionique à ouverture contrôlée par le voltage dans la membrane ; ce retour relativement lent du potentiel membranaire à sa valeur initiale de −70 mV en l'absence de canal à Na⁺ ouvert se produit à cause de la sortie de K⁺ par le canal à K⁺, qui s'ouvre en réponse à la dépolarisation de la membrane et force la membrane à revenir au potentiel d'équilibre de K⁺. La *courbe rouge* montre l'évolution du potentiel d'action causée par l'ouverture et l'inactivation consécutive des canaux à Na⁺ contrôlés par le voltage dont l'état est montré en (C). La membrane ne peut décharger un deuxième potentiel d'action avant que les canaux à Na⁺ ne soient retournés à leur conformation « fermée » ; sinon, la membrane est réfractaire à la stimulation.

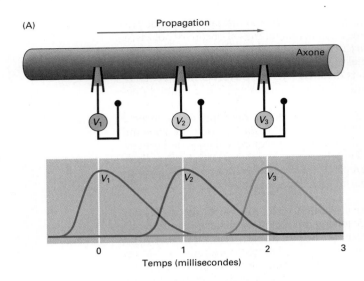

Figure 11-28 Propagation d'un potentiel d'action le long d'un axone. (A) Voltages qui sont enregistrés à partir d'un ensemble d'électrodes intracellulaires espacées le long d'un axone. (B) Variations des canaux à Na⁺ et flux du courant (*flèches oranges*) engendrant les perturbations du potentiel membranaire qui se propagent. La région de l'axone dont une membrane est dépolarisée est ombrée en *bleu*. Notez que le potentiel d'action ne peut se déplacer que vers l'avant du site de dépolarisation car l'inactivation du canal à Na⁺ empêche que la dépolarisation se fasse en arrière (*voir aussi* Figure 11-30). Sur les axones myélinisés, les agrégats de canaux à Na⁺ peuvent être espacés de quelques millimètres les uns des autres.

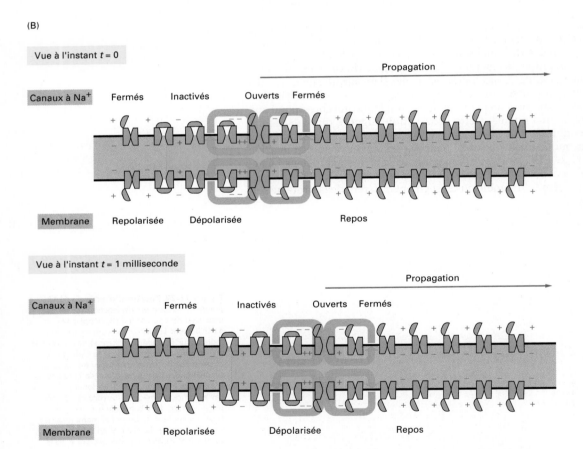

Le mécanisme électrochimique du potentiel d'action a été établi pour la première fois par une fameuse série d'expériences effectuées dans les années 1940 et 1950. Comme les techniques d'étude des événements électriques dans les petites cellules n'avaient pas encore été développées, les expériences ont exploité les neurones géants du calmar. En dépit des nombreuses avancées techniques effectuées depuis lors, la logique des analyses originelles continue de servir de modèle aux travaux actuels. La planche 11-3 présente certaines des premières expériences clés.

La myélinisation augmente la vitesse et l'efficacité de la propagation des potentiels d'action dans les cellules nerveuses

Beaucoup de neurones des vertébrés ont leur axone isolé par une **gaine de myéline** qui augmente fortement la vitesse de propagation du potentiel d'action par l'axone. Les maladies démyélinisantes, comme la sclérose en plaques, démontrent de façon spectaculaire l'importance de la myélinisation : au cours de celles-ci les gaines de myéline de certaines régions du système nerveux central sont détruites. Lorsque cela se produit, la propagation des influx nerveux est fortement ralentie, entraînant souvent des conséquences neurologiques dévastatrices.

La myéline est formée de cellules de soutien spécifiques, les **cellules de la glie**. Les **cellules de Schwann** myélinisent les axones des nerfs périphériques et les **oligodendrocytes** font de même dans le système nerveux central. Ces cellules de la glie s'enroulent autour de l'axone en une spirale serrée, couche après couche, à partir de leur propre membrane plasmique (Figure 11-30), isolant ainsi la membrane de l'axone pour que très peu de courant puisse en sortir. La gaine de myéline est interrompue au niveau d'*étranglements de Ranvier*, régulièrement espacés, où sont concentrés

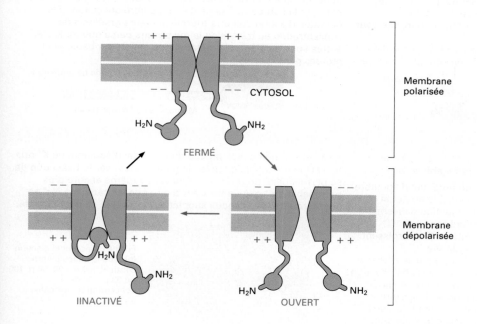

Figure 11-29 Modèle en « balle et chaîne » de l'inactivation rapide d'un canal à K⁺ à ouverture contrôlée par le voltage. Lorsque le potentiel de membrane est dépolarisé, le canal s'ouvre et commence à conduire les ions. Si la dépolarisation est maintenue, le canal ouvert adopte une conformation inactive dans laquelle le pore est fermé par les 20 acides aminés N-terminaux, ou « balle », qui sont reliés au canal lui-même par un segment de chaîne polypeptidique non repliée qui sert de « chaîne ». Pour plus de simplicité, seules deux balles sont montrées ; en fait il y en a quatre, une pour chaque sous-unité. On pense qu'un mécanisme similaire, utilisant un autre segment de la chaîne polypeptidique, opère dans l'inactivation du canal à Na⁺. Des forces internes stabilisent chaque état vis-à-vis des faibles perturbations mais une collision suffisamment violente avec d'autres molécules peut provoquer le basculement du canal d'un état à l'autre. L'état de plus faible énergie dépend du potentiel de membrane parce que les différentes conformations présentent différentes distributions de charges. Lorsque la membrane est au repos (fortement polarisée), la conformation fermée possède la plus basse énergie libre et est donc plus stable ; lorsque la membrane est dépolarisée, l'énergie de la conformation ouverte est plus faible, de telle sorte que la probabilité d'ouverture du canal est forte. Mais l'énergie libre de la conformation inactivée est encore plus faible ; de ce fait, après une période passée à l'état ouvert, qui varie de façon aléatoire, le canal s'inactive. La conformation ouverte correspond ainsi à un état métastable qui ne peut exister que transitoirement. Les *flèches rouges* indiquent les séquences qui suivent une soudaine dépolarisation ; la *flèche noire* indique le retour à la conformation originelle d'état de plus faible énergie une fois que la membrane s'est repolarisée.

1. Les potentiels d'action sont enregistrés avec une électrode intracellulaire

L'axone géant du calmar mesure environ 0,5 à 1 mm de diamètre et plusieurs centimètres de long. Une électrode sous forme d'un tube capillaire de verre contenant une solution conductrice peut être enfoncée dans l'axe de l'axone de telle sorte que son extrémité se trouve en profondeur dans le cytoplasme. Grâce à elle, il est possible de mesurer la différence de voltage entre l'intérieur et l'extérieur de l'axone – c'est-à-dire le potentiel de membrane – lorsqu'un potentiel d'action se déplace rapidement après l'électrode. Le potentiel d'action est déclenché par un bref stimulus électrique à l'extrémité de l'axone. Peu importe quelle extrémité, car l'excitation peut se déplacer dans n'importe quel sens ; et peu importe l'intensité du stimulus, tant qu'il dépasse un certain seuil ; le potentiel d'action fonctionne en « tout ou rien ».

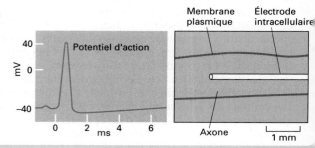

2. Les potentiels d'action ne dépendent que de la membrane plasmique neuronale et des gradients de Na⁺ et de K⁺ au travers d'elle

Les trois ions les plus nombreux, à l'intérieur comme à l'extérieur de l'axone sont K^+, Na^+ et Cl^-. Comme dans les autres cellules, la pompe Na^+-K^+ maintient le gradient de concentration : la concentration en Na^+ est d'environ 9 fois plus faible à l'intérieur de l'axone qu'à l'extérieur alors que la concentration en K^+ est 20 fois supérieure environ à l'intérieur par rapport à l'extérieur. Quels sont les ions importants pour le potentiel d'action ?

L'axone géant du calmar est si gros et robuste qu'il est possible d'en sortir le cytoplasme, comme de la pâte dentifrice de son tube, puis de perfuser à l'intérieur des solutions artificielles pures de Na^+, K^+, et Cl^- ou SO_4^{2-}. Remarquons que si (et seulement si) les concentrations en Na^+ et K^+ à l'intérieur et à l'extérieur s'approchent de celles observées naturellement, l'axone propagera encore les potentiels d'action sous la forme normale. La partie importante de la cellule pour le signal électrique doit donc être la membrane plasmique ; les ions importants sont Na^+ et K^+ ; et la source suffisante d'énergie libre qui actionne le potentiel d'action doit être fournie par leurs gradients de concentration au travers de la membrane parce que toutes les autres sources d'énergie métabolique ont été probablement retirées par la perfusion.

3. Au repos la membrane est surtout perméable à K⁺ ; pendant le potentiel d'action, elle devient transitoirement perméable à Na⁺

Au repos, le potentiel de membrane est proche du potentiel d'équilibre de K^+. Lorsque la concentration externe en K^+ change, le potentiel de repos se modifie grossièrement en accord avec l'équation de Nernst pour K^+ *(voir* Planche 11-2). Au repos donc, la membrane est principalement perméable à K^+ : les canaux de fuite de K^+ fournissent la principale voie de passage au travers de la membrane.
Si la concentration externe en Na^+ est modifiée, il n'y a pas d'effet sur le potentiel de repos. Cependant, la hauteur du pic du potentiel d'action varie grossièrement en accord avec l'équation de Nernst pour Na^+. Pendant le potentiel d'action, donc, la membrane apparaît surtout perméable à Na^+ : les canaux à Na^+ se sont ouverts. Immédiatement après le potentiel d'action, le potentiel de membrane s'inverse pour atteindre une valeur négative qui dépend de la concentration externe

en K^+ et est même plus proche du potentiel d'équilibre de K^+ que ne l'est le potentiel de repos ; la membrane a perdu beaucoup de sa perméabilité pour Na^+ et est devenue même encore plus perméable à K^+ qu'avant – c'est-à-dire que les canaux à Na^+ se sont fermés et des canaux supplémentaires à K^+ se sont ouverts.

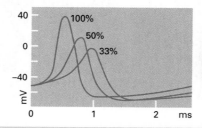

Forme du potentiel d'action lorsque le milieu externe contient 100 p. 100, 50 p. 100 ou 33 p. 100 de la concentration normale en Na^+

4. Le « clampage » du voltage révèle comment le potentiel de membrane contrôle l'ouverture et la fermeture des canaux ioniques

Le potentiel de membrane peut être maintenu constant (« clampage » du voltage) tout le long de l'axone en faisant passer un courant adapté au travers d'un fil métallique nu inséré dans l'axe de l'axone tout en suivant le potentiel membranaire avec une autre électrode intracellulaire. Lorsque la membrane est brutalement déviée de son potentiel de repos et maintenue dans un état dépolarisé (A), les canaux à Na^+ s'ouvrent rapidement jusqu'à ce que la perméabilité au Na^+ de la membrane devienne bien supérieure à la perméabilité à K^+ ; ils se referment alors spontanément même si le potentiel de membrane est clampé et non modifié. Les canaux à K^+ s'ouvrent alors mais avec un retard, de telle sorte que la perméabilité à K^+ augmente avec la baisse de la perméabilité à Na^+ (B). Si l'expérience est ensuite très rapidement répétée, en remettant brièvement la membrane dans son potentiel de repos puis en la dépolarisant à nouveau rapidement, la réponse est différente : la dépolarisation prolongée a provoqué l'entrée du canal à Na^+ dans un état inactivé, de telle sorte que la deuxième dépolarisation n'arrive pas à provoquer une augmentation et une diminution

similaires à la première. La récupération de cet état nécessite un temps relativement long – 10 millisecondes environ – passé avec un potentiel de membrane repolarisé (repos).
Dans un axone normal non clampé, l'afflux de Na^+ au travers d'un canal à Na^+ ouvert produit le pic du potentiel d'action ; l'inactivation des canaux à Na^+ et l'ouverture des canaux à K^+ remettent rapidement la membrane dans son potentiel de repos.

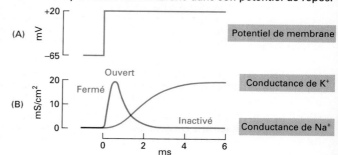

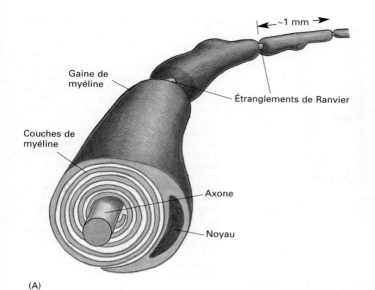

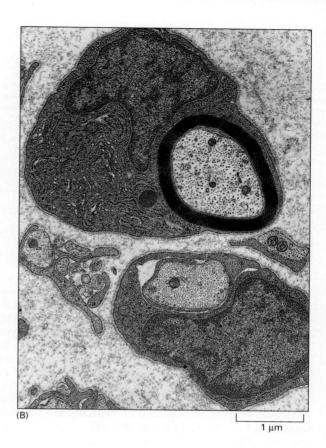

Figure 11-30 Myélinisation. (A) Axone myélinisé issu d'un nerf périphérique. Chaque cellule de Schwann enroule sa membrane plasmique de façon concentrique autour de l'axone pour former un segment de gaine de myéline d'environ 1 mm de long. Pour plus de clarté, les couches de myéline de ce schéma ne sont pas montrées aussi compactes qu'en réalité (*voir* partie B). (B) Photographie en microscopie électronique d'une coupe d'un nerf de la patte d'un jeune rat. Deux cellules de Schwann peuvent être observées : celle proche du bas de l'image commence juste à myéliniser son axone ; celle du dessus a presque formé une gaine de myéline mature. (B, d'après Cedric S. Raine, *in* Myelin [P. Morell, ed.]. New York : Plenum, 1976).

presque tous les canaux à Na⁺. Comme les portions non gainées de la membrane axonale ont d'excellentes propriétés de conduction (en d'autres termes, elles se conduisent électriquement à peu près comme les câbles télégraphiques sous-marins bien étudiés), la dépolarisation de la membrane au niveau d'un étranglement se propage presque immédiatement passivement jusqu'à l'étranglement suivant. Le potentiel d'action se propage ainsi le long d'un axone myélinisé en sautant d'un étranglement à l'autre, un processus appelé *conduction saltatoire*. Ce type de conduction présente deux avantages principaux : les potentiels d'action se déplacent plus vite et l'énergie métabolique est conservée parce que l'excitation active reste confinée aux petites régions de la membrane plasmique axonale des étranglements de Ranvier.

L'enregistrement local (*patch-clamp recording*) indique que chaque canal à porte s'ouvre selon le mode du « tout ou rien »

Les membranes plasmiques des neurones et des cellules du muscle squelettique contiennent plusieurs milliers de canaux à Na⁺ à ouverture contrôlée par le voltage et le courant qui traverse la membrane est la somme des courants qui traversent tous ces canaux. Cette somme de courant peut être mesurée par une microélectrode intracellulaire, comme cela est montré dans la figure 11-28. Remarquons cependant qu'il est aussi possible d'enregistrer le courant qui passe à travers chaque canal. Cela s'effectue par l'**enregistrement local** (ou *patch-clamp recording*), une méthode qui a révolutionné l'étude des canaux ioniques en permettant aux chercheurs d'examiner le transport au travers d'une seule protéine de canal dans une petite zone membranaire couvrant l'extrémité d'une micropipette (Figure 11-31). Cette technique, simple mais puissante, permet d'étudier les particularités des propriétés des canaux ioniques dans toutes les sortes de types cellulaires. Ce travail a conduit à la découverte que les cellules, même si elles ne sont pas électriquement excitables, possèdent généralement divers canaux ioniques à porte dans leur membrane plasmique. Bon nombre de ces cellules, comme les levures, sont trop petites pour être étudiées par les méthodes traditionnelles d'électrophysiologie qui consistent à placer une microélectrode intracellulaire.

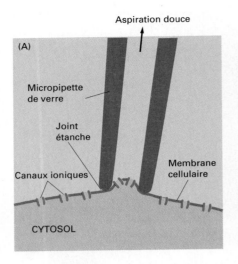

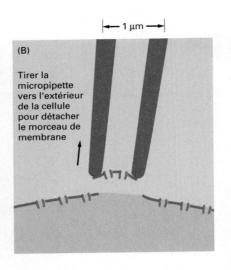

Aspiration douce

(A)

Micropipette
de verre

Joint
étanche

Canaux ioniques

CYTOSOL

|← 1 μm →|

(B)

Tirer la
micropipette
vers l'extérieur
de la cellule
pour détacher
le morceau de
membrane

Membrane
cellulaire

Figure 11-31 Technique d'enregistrement local (*patch–clamp recording*). Du fait de l'importante étanchéité entre la micropipette et la membrane, le courant ne peut entrer et sortir de la micropipette qu'en passant par les canaux du morceau (*patch*) de membrane qui recouvre son extrémité. Le terme de *clamp* est utilisé parce qu'un appareil électronique est utilisé pour maintenir (« clamper ») le potentiel de membrane à une valeur établie pendant l'enregistrement du courant ionique au travers de chaque canal. L'enregistrement du courant à travers ces canaux peut s'effectuer avec le morceau encore fixé au reste de la cellule comme en (A) ou détaché, comme en (B). L'avantage de détacher le morceau est qu'il est plus facile de modifier la composition de la solution de part et d'autre de la membrane pour tester les effets de divers solutés sur le comportement du canal. Un morceau détaché peut aussi être produit avec une orientation opposée, de telle sorte que la surface cytoplasmique de la membrane fait face à l'intérieur de la pipette.

Les enregistrements locaux indiquent que chaque canal à Na⁺ à ouverture contrôlée par le voltage s'ouvre selon le mode du « tout ou rien ». Les moments d'ouverture et de fermeture des canaux sont aléatoires mais une fois ouvert, le canal présente toujours cette même conductance importante qui permet le passage de plus d'une cellule entière n'indique pas le *degré* d'ouverture d'un canal typique mais plutôt le *nombre total* de canaux de sa membrane qui sont ouverts à un moment donné (Figure 11-32).

Ce phénomène de porte contrôlée par le voltage se comprend par des principes physiques simples. L'intérieur d'un neurone ou d'une cellule musculaire au repos a un potentiel électrique d'environ 50 à 100 mV plus négatif que le milieu externe. Bien que cette différence de potentiel semble faible, il est présent au travers d'une membrane plasmique dont l'épaisseur n'est que de 5 nm, de telle sorte que le gradient de voltage qui en résulte est d'environ 100 000 V/cm. Les protéines membranaires sont ainsi soumises à un champ électrique très important. Ces protéines, comme toutes les autres, possèdent un certain nombre de groupements chargés ainsi que des liaisons polarisées entre leurs divers atomes. Le champ électrique exerce donc des forces sur la structure moléculaire. Pour beaucoup de protéines membranaires, les effets d'une modification du champ électrique membranaire sont probablement insignifiants, mais les canaux ioniques à porte contrôlée par le voltage peuvent adopter un certain nombre de conformations différentes dont la stabilité dépend de la force du champ. Les canaux à Na⁺, K⁺ et Ca²⁺ à ouverture contrôlée par le voltage, par exemple, présentent des acides aminés caractéristiques, positivement chargés, dans un de leurs segments transmembranaires et qui répondent à la dépolarisation en se déplaçant vers l'extérieur, ce qui déclenche des modifications de conformation qui ouvrent le canal. Chaque conformation peut « basculer » dans une autre si elle reçoit une secousse suffisante par les mouvements thermiques aléatoires de l'environnement et c'est cette stabilité relative des conformations ouverte, fermée et inactivée vis-à-vis du « basculement » qui est modifiée par les variations du potentiel membranaire (*voir* légende de la figure 11-29).

Figure 11-32 Mesures d'enregistrement local d'un seul canal à Na⁺ à ouverture contrôlée par le voltage. Un morceau minuscule de membrane plasmique a été détaché d'une cellule musculaire embryonnaire de rat, comme dans la figure 11-31. (A) La membrane a été dépolarisée par un changement brutal de potentiel. (B) Les trois enregistrements électriques à partir de ces expériences sont effectués sur le même morceau de membrane. Chaque modification importante de courant en (B) représente l'ouverture et la fermeture d'un seul canal. La comparaison des trois enregistrements montre que, alors que la durée d'ouverture et de fermeture du canal varie fortement, la vitesse à laquelle le courant traverse un canal ouvert reste pratiquement constante. Les fluctuations mineures des enregistrements électriques proviennent des bruits électriques de l'appareil d'enregistrement. Le courant est mesuré en pico-ampères (pA). (C) Somme des courants mesurés dans 144 répétitions de la même expérience. Ce courant total est équivalent au courant habituel de Na⁺ observé traversant une région relativement large de membrane contenant 144 canaux. La comparaison de (B) et (C) révèle que l'évolution en fonction du temps du courant total reflète la probabilité que chaque canal individuel se trouve dans l'état ouvert ; cette probabilité diminue avec le temps lorsque les canaux de la membrane dépolarisée adoptent leur conformation inactive. (Données issues de J. Patlak et R. Horn, *J. Gen. Physiol.* 79 : 333-351, 1982. © The Rockefeller University Press.)

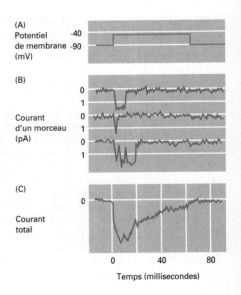

(A)
Potentiel
de membrane
(mV)

-40

-90

(B)

Courant
d'un morceau
(pA)

0
1
0
1
0
1

(C)

Courant
total

0

0   40   80

Temps (millisecondes)

Les canaux à cations à ouverture contrôlée par le voltage sont apparentés du point de vue évolutif et structurellement

Les canaux à Na^+ ne sont pas le seul type de canal à cations à ouverture contrôlée par le voltage qui peuvent engendrer un potentiel d'action. Les potentiels d'action de certaines cellules musculaires, ovules et cellules endocrines, par exemple, dépendent plutôt des *canaux à Ca^{2+} à ouverture contrôlée par le voltage* que des canaux à Na^+. De plus on trouve dans certains types cellulaires qui ne sont normalement pas actifs électriquement, des canaux à Na^+, Ca^{2+} et K^+ à ouverture contrôlée par le voltage, dont la fonction reste inconnue.

Il existe une quantité surprenante de variétés structurelles et fonctionnelles dans chacune de ces trois classes, engendrée à la fois par de multiples gènes et par l'épissage alternatif des transcrits d'ARN produits à partir d'un même gène. Néanmoins les séquences en acides aminés des canaux à Na^+, K^+ et Ca^{2+} à ouverture contrôlée par le voltage connus montrent d'étonnantes similitudes, ce qui suggère qu'ils appartiennent tous à une très importante superfamille de protéines apparentées évolutivement et structurellement et qu'ils ont en commun bon nombre de principes de conception. Tandis que la levure monocellulaire *S. cerevisiae* ne contient qu'un seul gène codant pour un canal à K^+ à ouverture contrôlée par le voltage, le génome du ver *C. elegans* contient 68 gènes qui codent pour des canaux à K^+ différents mais apparentés. Cette complexité indique que, même un système nerveux simple, constitué seulement de 302 neurones, utilise beaucoup de canaux ioniques différents pour calculer ses réponses.

Les hommes qui héritent de gènes mutants codant pour les protéines des canaux ioniques peuvent souffrir de diverses maladies nerveuses, musculaires, cérébrales ou cardiaques, selon l'endroit où s'exprime le gène. Des mutations de gènes codant pour les canaux à Na^+ à ouverture contrôlée par le voltage des cellules des muscles squelettiques, par exemple, peuvent provoquer une *myotonie*, maladie au cours de laquelle le relâchement musculaire qui fait suite à une contraction volontaire est fortement retardée, ce qui provoque des spasmes musculaires douloureux. Dans certains cas, les canaux anormaux ne peuvent s'inactiver normalement ; il en résulte que l'entrée de Na^+ se poursuit après la fin du potentiel d'action et initie à répétition la dépolarisation de la membrane et la contraction musculaire. De même des mutations qui affectent les canaux à Na^+ ou K^+ du cerveau peuvent provoquer l'*épilepsie*, au cours de laquelle l'excitation excessive synchronisée d'un grand groupe de cellules nerveuses provoque des crises épileptiques (convulsions).

Les canaux ioniques à ouverture contrôlée par un transmetteur transforment les signaux chimiques en signaux électriques au niveau des synapses chimiques

Les signaux neuronaux sont transmis de cellule à cellule au niveau de sites de contact spécifiques appelés **synapses**. Le mécanisme habituel de transmission est indirect. Les cellules sont électriquement isolées les unes des autres, la cellule présynaptique étant séparée de la cellule post-synaptique par une fente synaptique étroite. La modification du potentiel électrique de la cellule présynaptique déclenche la libération de petites molécules de signalisation, les **neurotransmetteurs**, qui sont stockées dans des vésicules synaptiques entourées d'une membrane et libérées par exocytose. Ces neurotransmetteurs diffusent rapidement au travers de la fente synaptique et provoquent une modification électrique dans la cellule post-synaptique en se fixant sur les canaux ioniques à ouverture contrôlée par un transmetteur (Figure 11-33). Une fois le neurotransmetteur excrété, il est rapidement éliminé : il est soit détruit par des enzymes spécifiques dans la fente synaptique, soit absorbé par la terminaison nerveuse qui le libère ou par les cellules de la glie de l'environnement. La réabsorption s'effectue par l'intermédiaire de diverses protéines de transport des neurotransmetteurs Na^+-dépendantes ; les neurotransmetteurs sont ainsi recyclés, ce qui permet aux

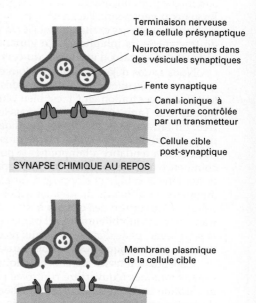

Terminaison nerveuse de la cellule présynaptique

Neurotransmetteurs dans des vésicules synaptiques

Fente synaptique

Canal ionique à ouverture contrôlée par un transmetteur

Cellule cible post-synaptique

SYNAPSE CHIMIQUE AU REPOS

Membrane plasmique de la cellule cible

SYNAPSE CHIMIQUE ACTIVE

Figure 11-33 Synapse chimique. Lorsqu'un potentiel d'action atteint la terminaison nerveuse d'une cellule présynaptique, il stimule la terminaison qui libère son neurotransmetteur. Les molécules de neurotransmetteur sont contenues dans des vésicules synaptiques et sont libérées à l'extérieur de la cellule lorsque les vésicules fusionnent avec la membrane plasmique de la terminaison nerveuse. Les neurotransmetteurs libérés se fixent sur les canaux ioniques à ouverture contrôlée par un transmetteur, concentrés dans la membrane plasmique des cellules cibles post-synaptiques au niveau de la synapse, et les ouvrent. Le flux ionique qui en résulte modifie le potentiel de membrane de la cellule cible, et transmet ainsi le signal issu du nerf excité.

cellules de maintenir de fortes vitesses de libération. L'élimination rapide assure une précision à la fois temporelle et spatiale du signal au niveau de la synapse. Elle diminue le risque que le neurotransmetteur influence les cellules voisines et vide la fente synaptique avant la libération de l'impulsion suivante de neurotransmetteurs, afin de pouvoir communiquer avec précision à la cellule post-synaptique la chronologie de signaux rapides et répétés. Comme nous le verrons, la signalisation par l'intermédiaire des synapses chimiques est bien plus polyvalente et modulable que le couplage électrique direct via les nexus (*gap junctions*) au niveau des synapses électriques (voir Chapitre 19), également utilisé par les neurones mais de façon moindre.

Les **canaux ioniques à ouverture contrôlée par un transmetteur** se sont spécialisés dans la transformation rapide des signaux chimiques extracellulaires en signaux électriques au niveau des synapses chimiques. Les canaux sont concentrés dans la membrane plasmique des cellules post-synaptiques dans la région de la synapse et s'ouvrent transitoirement en réponse à la fixation de molécules de neurotransmetteurs, ce qui engendre une brève modification de la perméabilité membranaire (*voir* Figure 11-33). Contrairement aux canaux à ouverture contrôlée par le voltage responsables des potentiels d'action, les canaux à ouverture contrôlée par un transmetteur sont relativement insensibles au potentiel membranaire et ne peuvent donc pas produire d'eux-mêmes une excitation qui s'auto-amplifie. Par contre, ils produisent des modifications locales de la perméabilité et, ainsi, des modifications du potentiel membranaire, dont l'intensité dépend du nombre de neurotransmetteurs libérés au niveau de la synapse et de la durée de leur persistance à cet endroit. Un potentiel d'action ne peut être déclenché à partir de ce site que si le potentiel membranaire local augmente suffisamment pour ouvrir assez de canaux à cations à ouverture contrôlée par le voltage, situés au voisinage, dans la même membrane cellulaire cible.

Les synapses chimiques peuvent être excitatrices ou inhibitrices

Les canaux ioniques à ouverture contrôlée par les transmetteurs diffèrent fortement les uns des autres. Tout d'abord, en tant que récepteurs, ils possèdent un site de liaison hautement sélectif pour le neurotransmetteur libéré par la terminaison nerveuse présynaptique. Deuxièmement, en tant que canal, ils sont sélectifs sur le type d'ion qu'ils laissent traverser ; cela détermine la nature de la réponse post-synaptique. Les **neurotransmetteurs excitateurs** ouvrent les canaux à cations, ce qui provoque l'entrée de Na^+ et dépolarise la membrane post-synaptique jusqu'au potentiel seuil qui déclenche le potentiel d'action. Les **neurotransmetteurs inhibiteurs**, à l'opposé, ouvrent les canaux à Cl^- ou les canaux à K^+ qui suppriment l'excitation en augmentant la difficulté de la dépolarisation de la membrane post-synaptique par les influences excitatrices. Beaucoup de transmetteurs peuvent être soit excitateurs soit inhibiteurs en fonction de l'endroit de leur libération, du récepteur sur lequel ils se fixent et des conditions ioniques qu'ils rencontrent. L'*acétylcholine*, par exemple, peut soit exciter soit inhiber, en fonction du type de récepteur à l'acétylcholine sur lequel elle se fixe. En général, cependant, l'acétylcholine, le *glutamate* et la *sérotonine* sont utilisés comme neurotransmetteurs excitateurs et l'*acide γ-aminobutyrique (GABA)* et la *glycine* servent de transmetteurs inhibiteurs. Le glutamate, par exemple, est l'intermédiaire de la plupart des signaux d'excitation du cerveau des vertébrés.

Nous avons déjà vu comment l'ouverture des canaux à cations dépolarisait une membrane. Les effets de l'ouverture des canaux à Cl^- peuvent être compris comme suit. La concentration en Cl^- est bien plus élevée à l'extérieur de la cellule qu'à l'intérieur (*voir* Tableau 11-I, p. 616), mais le potentiel de membrane s'oppose à son entrée. En fait, pour beaucoup de neurones, le potentiel d'équilibre de Cl^- est proche du potentiel de repos – voire même plus négatif. C'est pourquoi, l'ouverture des canaux à Cl^- a tendance à tamponner le potentiel de membrane ; lorsque la membrane commence à se dépolariser, un plus grand nombre d'ions Cl^- de charge négative entre dans la cellule et s'oppose à cet effet. De ce fait, l'ouverture des canaux à Cl^- augmente la difficulté de dépolarisation de la membrane et ainsi d'excitation de la cellule. L'ouverture des canaux à K^+ a un effet semblable. L'importance des neurotransmetteurs inhibiteurs se voit par les effets des toxines qui bloquent leurs actions : la strychnine, par exemple, se lie aux récepteurs à glycine et bloque l'action de la glycine, ce qui provoque des spasmes musculaires, des convulsions et la mort.

Cependant tous les signaux chimiques du système nerveux n'opèrent pas par les canaux ioniques à ouverture contrôlée par un ligand. Beaucoup de molécules de signalisation sécrétées par les terminaisons nerveuses, y compris une grande variété de neuropeptides, se fixent sur des récepteurs qui ne régulent qu'indirectement les canaux ioniques. Ces *récepteurs couplés aux protéines G* et *couplés aux enzymes* seront traités en détail au chapitre 15. Alors que les signaux qui passent par la fixation de neurotransmetteurs excitateurs et inhibiteurs sur les canaux ioniques à ouverture contrôlée par un transmetteur sont généralement immédiats, simples et brefs, les signaux transmis par les ligands qui se fixent sur des récepteurs couplés aux protéines G et sur des récepteurs couplés à des enzymes ont tendance à être bien plus lents et plus complexes, et leurs conséquences durent plus longtemps.

Les récepteurs à l'acétylcholine de la jonction neuromusculaire sont des canaux à cations à ouverture contrôlée par un transmetteur

L'exemple le mieux étudié de canal ionique à ouverture contrôlée par un transmetteur est le *récepteur à l'acétylcholine* des cellules du muscle squelettique. L'acétylcholine, libérée de la terminaison nerveuse au niveau d'une **jonction neuromusculaire** – la synapse chimique spécialisée située entre un neurone moteur et une cellule du muscle squelettique (Figure 11-34) – ouvre transitoirement ce canal. Cette synapse a été intensivement étudiée car elle est facilement accessible aux études électrophysiologiques, contrairement à la plupart des synapses du système nerveux central.

Le **récepteur à l'acétylcholine** a une place particulière dans l'historique des canaux ioniques. C'est le premier canal ionique purifié, le premier dont la séquence en acides aminés a été complètement déterminée, le premier fonctionnellement reconstitué dans une bicouche lipidique synthétique et le premier pour lequel il a été possible d'enregistrer le signal électrique d'un seul canal ouvert. Son gène a été aussi le premier gène de canal ionique cloné et séquencé et c'est le seul canal à ouverture contrôlée par un ligand dont la structure tridimensionnelle est déterminée, mais seulement à moyenne résolution. Il y a au moins deux raisons qui expliquent les progrès rapides dans la purification et la caractérisation de ce récepteur. D'abord, il existe une source inhabituellement riche en récepteurs à l'acétylcholine dans les organes électriques des poissons électriques et des raies (ces organes sont des muscles modifiés destinés à délivrer un important choc électrique à leur proie). Deuxièmement, certaines neurotoxines (comme l'*α-bungarotoxine*) du venin de certains serpents se fixent avec une forte affinité ($K_a = 10^9$ litres/mole) et spécificité sur ces récepteurs et peuvent être ainsi utilisées pour les purifier par chromatographie d'affinité. L'α-bungarotoxine fluorescente ou radiomarquée peut servir également à localiser et dénombrer les récepteurs à l'acétylcholine. De cette façon, on a pu montrer que les récepteurs étaient fortement tassés dans la membrane plasmique des cellules musculaires au niveau de la jonction neuromusculaire (environ 20 000 récepteurs par μm^2), et relativement peu nombreux ailleurs dans la même membrane.

Le récepteur à l'acétylcholine du muscle squelettique est composé de cinq polypeptides transmembranaires, deux d'une sorte et trois d'une autre, codés par quatre gènes séparés. Ces quatre gènes ont des séquences étonnamment similaires, ce qui implique qu'ils ont évolué à partir d'un seul gène ancestral. Les deux polypeptides identiques du pentamère présentent chacun des sites de liaison pour l'acétylcholine. Lorsque deux molécules d'acétylcholine se fixent sur le complexe pentamérique, elles induisent une modification de conformation qui ouvre le canal. Lié à son ligand, le canal oscille encore entre son état ouvert ou fermé mais la probabilité qu'il se trouve maintenant à l'état ouvert est de 90 p. 100. Cet état se poursuit jusqu'à ce que la concentration en acétylcholine soit suffisamment basse du fait de son hydrolyse par une enzyme spécifique (l'acétylcholinestérase), localisée dans la jonction neuromusculaire. Une fois libéré de son neurotransmetteur fixé, le récepteur à l'acétylcholine retourne à son état de repos initial. Si la présence d'acétylcholine persiste longtemps, du fait d'une stimulation nerveuse excessive, le canal s'inactive (Figure 11-35).

La forme générale du récepteur à l'acétylcholine et la disposition probable de ses sous-unités ont été déterminées par microscopie électronique (Figure 11-36). Les cinq sous-unités sont disposées en un anneau qui forme le canal transmembranaire rempli d'eau, composé d'un pore étroit qui traverse la bicouche lipidique et s'élargit en un vestibule à chaque extrémité. Des agrégats d'acides aminés de charge négative, situés de chaque côté du pore, facilitent l'exclusion des ions négatifs et encouragent la traversée de tout ion positif de diamètre inférieur à 0,65 nm. Le transport normal est composé principalement de Na^+ et K^+, associé à Ca^{2+}. De ce fait, contrairement aux canaux à cations à ouverture contrôlée par le voltage, comme le canal à K^+ traité précédemment, la sélectivité entre les cations est faible et la contribution relative des différents cations au courant qui traverse le canal dépend principalement de leur concentration et de leur force d'entraînement électrochimique. Lorsque la membrane des cellules musculaires est à son potentiel de repos, la force d'entraînement nette du K^+ est proche de zéro, car le gradient de voltage équilibre presque le gradient de concentration de K^+ au travers de la membrane (*voir* Planche 11-2, p. 634). Pour Na^+, au contraire, le gradient de voltage et le gradient de concentration agissent tous les

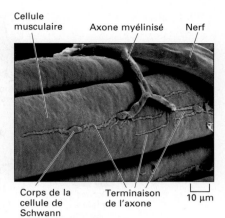

Cellule musculaire   Axone myélinisé   Nerf

Corps de la cellule de Schwann   Terminaison de l'axone   10 μm

Figure 11-34 Photographie en microscopie électronique à balayage à faible grossissement d'une jonction neuromusculaire de grenouille. La terminaison d'un seul axone sur une cellule de muscle squelettique est présentée ici. (D'après J. Desaki et Y. Uehara, *J. Neurocytol.* 10 : 101-110, 1981. © Kluwer Academic Publisher.)

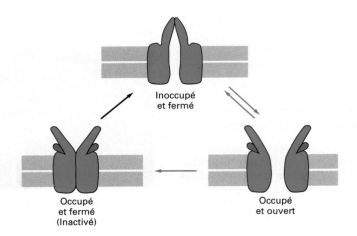

Figure 11-35 Trois conformations du récepteur de l'acétylcholine. La fixation de deux molécules d'acétylcholine ouvre ce canal ionique à ouverture contrôlée par un transmetteur. La probabilité pour qu'il reste ouvert demeure alors forte jusqu'à ce que l'acétylcholine soit hydrolysée. Si l'acétylcholine persiste, cependant, le canal s'inactive (se désensibilise). Normalement l'acétylcholine est rapidement hydrolysée et le canal se ferme en une milliseconde environ, bien avant qu'une désensibilisation significative ne se produise. La désensibilisation se produit 20 millisecondes environ après en présence continue d'acétylcholine.

deux dans la même direction et entraînent l'entrée de l'ion dans la cellule. (C'est également vrai pour Ca^{2+} mais la concentration extracellulaire en Ca^{2+} est tellement plus faible que celle en Na$^+$ que Ca^{2+} n'apporte qu'une petite contribution au courant entrant total.) De ce fait, l'ouverture des récepteurs canalaires à l'acétylcholine conduit à une entrée nette de Na$^+$ (la vitesse maximale [pic] est d'environ 30 000 ions par canal à chaque milliseconde). Cet influx provoque la dépolarisation de la membrane qui signale au muscle de se contracter, comme nous le verrons ci-dessous.

Les canaux ioniques à ouverture contrôlée par un transmetteur sont les cibles majeures des médicaments qui agissent sur l'activité mentale

Les canaux ioniques qui s'ouvrent directement en réponse aux neurotransmetteurs comme l'acétylcholine, la sérotonine, le GABA et la glycine contiennent des sous-unités structurellement identiques, ce qui suggère qu'ils sont évolutivement apparentés et forment probablement des pores transmembranaires de la même façon, même si la spécificité de leur liaison aux neurotransmetteurs et leur sélectivité ionique sont différentes. Ces canaux semblent avoir une structure globale similaire, formée dans chaque cas de sous-unités polypeptidiques homologues, qui s'assemblent probablement sous forme d'un pentamère qui ressemble au récepteur à l'acétylcholine. Les canaux ioniques à ouverture contrôlée par le glutamate sont construits à partir d'une famille de sous-unités distinctes et on pense qu'ils forment un tétramère, comme les canaux à K$^+$ traités précédemment.

Pour chaque classe de canal ionique à ouverture contrôlée par un transmetteur, chaque type de sous-unités existe sous d'autres formes, soit codées par des gènes distincts soit engendrées par l'épissage alternatif de l'ARN du même produit génique. Ces types s'associent pour donner différents variants qui forment un groupe extrêmement varié de différents sous-types de canaux, d'affinités différentes pour le ligand, de conductance canalaire différente, de vitesses d'ouverture et de fermeture différentes et de sensibilités différentes aux médicaments et aux toxines. Les neurones des

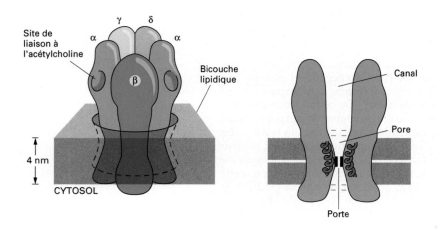

Figure 11-36 Un modèle de la structure du récepteur à l'acétylcholine. Cinq sous-unités homologues (α, α, β, γ et δ) s'associent pour former un pore transmembranaire rempli d'eau. Ce pore est tapissé par un anneau de cinq hélices α transmembranaires, une donnée par chaque sous-unité. Dans sa conformation fermée, on pense que le pore est fermé par les chaînes latérales hydrophobes de cinq leucines, une issue de chaque hélice α qui forme une porte proche du centre de la bicouche lipidique. Les chaînes latérales de charge négative à chaque extrémité du pore assurent la traversée du canal par les seuls ions de charge positive. Les deux sous-unités α contiennent un site de liaison à l'acétylcholine ; lorsque l'acétylcholine se fixe sur les deux sites, le canal subit une modification de conformation qui ouvre la porte, et provoque probablement le déplacement des leucines vers l'extérieur. (Adapté d'après N. Unwin, *Cell/Neuron* 72/10 [Suppl.] : 31-41, 1993.)

vertébrés, par exemple, possèdent des canaux ioniques à ouverture contrôlée par l'acétylcholine différents de ceux des cellules musculaires parce qu'ils sont généralement formés à partir de deux sous-unités d'un type et de trois d'un autre type ; mais il existe au moins neuf gènes qui codent pour les différentes versions du premier type de sous-unités et au moins trois qui codent pour les différentes versions du deuxième type, avec une diversité supplémentaire due à l'épissage alternatif de l'ARN. Des sous-groupes de neurones sensibles à l'acétylcholine qui effectuent différentes fonctions dans le cerveau sont caractérisés par différentes associations de ces sous-unités. C'est ce qui permet, en principe, et d'une certaine manière déjà en pratique, de concevoir des médicaments ciblés sur des groupes étroitement définis de neurones ou de synapses, pour influencer spécifiquement certaines fonctions cérébrales particulières.

En effet, les canaux ioniques à ouverture contrôlée par un transmetteur ont été depuis longtemps des cibles importantes de médicaments. Un chirurgien, par exemple, peut entraîner la relaxation des muscles pendant la durée d'une opération en bloquant les récepteurs à l'acétylcholine des cellules des muscles squelettiques avec du *curare*, un médicament issu d'une plante utilisée à l'origine par les indiens d'Amérique du Sud pour empoisonner les flèches. La plupart des médicaments utilisés pour traiter l'insomnie, l'anxiété, la dépression et la schizophrénie exercent leurs effets au niveau des synapses chimiques et beaucoup d'entre eux agissent en se fixant sur les canaux à ouverture contrôlée par un transmetteur. Les barbituriques et les tranquillisants comme le Valium® et le Librium®, par exemple, se fixent sur les récepteurs du GABA et potentialisent l'action inhibitrice du GABA en permettant l'ouverture des canaux à Cl^- par de plus faibles concentrations en ce neurotransmetteur. Les nouveautés de la biologie moléculaire des canaux ioniques, qui ont révélé à la fois leur diversité et les particularités de leur structure, apportent l'espoir de pouvoir concevoir une nouvelle génération de médicaments actifs sur l'état mental qui agiraient plus sélectivement pour soulager les souffrances des maladies mentales.

En plus des canaux ioniques, beaucoup d'autres composants de la machinerie de signalisation synaptique sont des cibles potentielles des médicaments à visée psychique. Comme nous l'avons vu précédemment, beaucoup de neurotransmetteurs sont éliminés de la fente synaptique après leur libération par des transporteurs actionnés par le Na^+. L'inhibition de ces transporteurs prolonge les effets des transmetteurs et renforce ainsi la transmission synaptique. Beaucoup de médicaments antidépresseurs, comme le Prozac®, par exemple, agissent par l'inhibition de l'absorption de la sérotonine ; d'autres inhibent l'absorption de la sérotonine et de la norépinéphrine.

Les canaux ioniques sont les composants moléculaires fondamentaux qui édifient les systèmes neuronaux de signalisation et de calcul. Pour fournir un aperçu de la sophistication de ces systèmes, nous envisagerons certains exemples qui montrent comment des groupes de canaux ioniques agissent ensemble dans les communications synaptiques entre les cellules électriquement excitables.

La transmission neuromusculaire implique l'activation séquentielle de cinq groupes différents de canaux ioniques

L'importance des canaux ioniques pour les cellules électriquement excitables peut être illustrée en suivant le processus de stimulation d'une cellule musculaire à contracter par l'influx nerveux. Cette réponse apparemment simple nécessite l'activation séquentielle d'au moins cinq groupes différents de canaux ioniques, tous en quelques millisecondes (Figure 11-37).

1. Le processus commence lorsque l'influx nerveux atteint la terminaison nerveuse et dépolarise la membrane plasmique de cette terminaison. La dépolarisation ouvre transitoirement les canaux à Ca^{2+} à ouverture contrôlée par le voltage de cette membrane. Lorsque la concentration en Ca^{2+} à l'extérieur de la cellule est plus de 1 000 fois supérieure à celle en Ca^{2+} libre à l'intérieur, le Ca^{2+} s'écoule dans la terminaison nerveuse. L'augmentation de la concentration en Ca^{2+} dans le cytosol de la terminaison nerveuse déclenche la libération localisée d'acétylcholine dans la fente synaptique.

2. L'acétylcholine libérée se fixe sur les récepteurs à l'acétylcholine de la membrane plasmique musculaire et ouvre transitoirement les canaux à cations qui leur sont associés. L'entrée de Na^+ qui en résulte provoque la dépolarisation localisée de la membrane.

3. La dépolarisation locale de la membrane plasmique des cellules musculaires ouvre les canaux à Na^+ à ouverture contrôlée par le voltage de cette membrane, ce qui permet l'entrée de plus de Na^+ et poursuit la dépolarisation de la membrane. Cela ouvre à son tour les canaux à Na^+ à ouverture contrôlée par le vol-

tage situés au voisinage et entraîne l'autopropagation de la dépolarisation (un potentiel d'action) qui se dissémine et implique la totalité de la membrane plasmique (*voir* Figure 11-28).

4. La dépolarisation généralisée de la membrane plasmique de la cellule musculaire active les canaux à Ca^{2+} à ouverture contrôlée par le voltage dans des régions spécifiques (les tubules [T] transverses – *voir* Chapitre 16) de cette membrane.

5. Cela provoque à son tour l'ouverture transitoire de *canaux de libération du* Ca^{2+} placés dans une région adjacente de la membrane du réticulum sarcoplasmique, qui libèrent dans le cytosol le Ca^{2+} mis en réserve dans le réticulum sarcoplasmique. C'est l'augmentation brutale de la concentration en Ca^{2+} du cytosol qui provoque la contraction des myofibrilles musculaires. On ne connaît pas avec certitude le mode d'activation des canaux à Ca^{2+} à ouverture contrôlée par le voltage de la membrane des tubules T qui conduit à l'ouverture des canaux de libération du Ca^{2+} dans la membrane du réticulum sarcoplasmique. Cependant, ces deux membranes sont apposées, et les deux types de canaux sont réunis dans une structure spécifique (*voir* Figure 16-74). Il est donc possible qu'une modification de la conformation du canal à Ca^{2+} de la membrane plasmique, induite par le voltage, ouvre directement le canal de libération du Ca^{2+} du réticulum sarcoplasmique par l'intermédiaire d'un mécanisme couplé.

Même si l'activation de la contraction musculaire par un neurone moteur est complexe, il faut des interactions encore plus complexes des canaux ioniques pour qu'un neurone intègre un grand nombre de signaux entrants au niveau de ses synapses et calcule le signal de sortie adapté, comme nous allons le voir maintenant.

Chaque neurone est un appareil de calcul complexe

Dans le système nerveux central, un seul neurone peut recevoir des influx provenant de milliers d'autres neurones et peut, à son tour, former des synapses avec des milliers d'autres cellules. Plusieurs milliers de terminaisons nerveuses, par exemple, forment des synapses au niveau d'un neurone moteur moyen de la moelle épinière ; ces synapses recouvrent presque entièrement son corps cellulaire et ses dendrites (Figure 11-38). Certaines de ces synapses transmettent des signaux issus du cerveau ou de la moelle épinière ; d'autres apportent des informations sensorielles provenant des muscles ou de la peau. Les neurones moteurs doivent associer les informations issues de toutes ces sources et réagir soit par la libération de potentiels d'action le long de son axone soit en restant tranquilles.

Parmi les nombreuses synapses d'un neurone, certaines ont tendance à l'exciter, d'autre à l'inhiber. Les neurotransmetteurs libérés au niveau d'une synapse excitatrice provoquent une faible dépolarisation de la membrane post-synaptique, appelée *potentiel post-synaptique excitateur* (*PSP excitateur*) tandis que les neurotransmetteurs libérés dans une synapse inhibitrice provoquent généralement une petite hyperpolarisation appelée *PSP inhibiteur*. La membrane des dendrites et du corps cellulaire de la plupart des neurones contient une densité relativement faible de canaux à Na^+ à ouverture contrôlée par le voltage, et un seul PSP excitateur est généralement trop

Figure 11-37 Système des canaux ioniques d'une jonction neuromusculaire. Ces canaux ioniques à porte sont essentiels pour la stimulation de la contraction musculaire par un influx nerveux. Les divers canaux sont numérotés selon leur séquence d'activation, comme cela est décrit dans le texte.

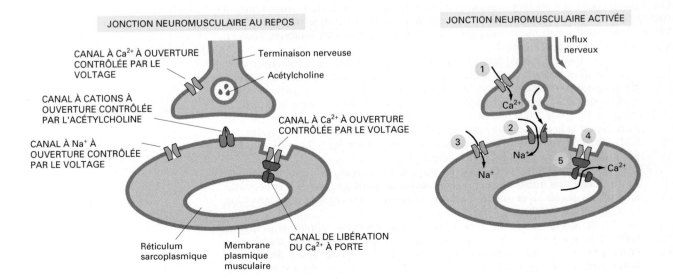

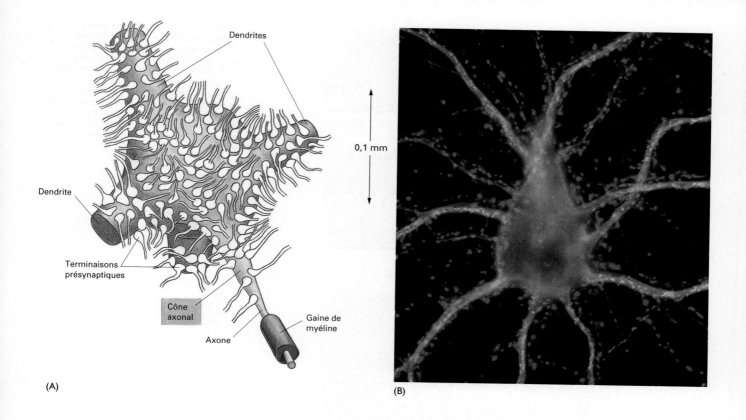

(A)

Dendrites

Dendrite

Terminaisons
présynaptiques

Cône
axonal

Axone

Gaine de
myéline

0,1 mm

(B)

Figure 11-38 Corps d'une cellule d'un neurone moteur de la moelle épinière.
(A) Plusieurs milliers de synapses de terminaisons nerveuses sur le corps cellulaire et les dendrites. Elles délivrent les signaux issus d'autres parties de l'organisme pour contrôler la décharge des potentiels d'action le long du seul axone de cette grosse cellule.
(B) Photographie en microscopie montrant un corps de cellule nerveuse et ses dendrites colorés par un anticorps fluorescent qui reconnaît une protéine du cytosquelette (en *vert*). Des milliers de terminaisons axonales (en *rouge*) issues d'autres cellules nerveuses (non visibles) forment des synapses sur le corps cellulaire et les dendrites ; elles sont colorées par un anticorps fluorescent qui reconnaît une protéine des vésicules synaptiques. (B, due à l'obligeance de Olaf Mundigl et Pietro de Camilli.)

faible pour déclencher un potentiel d'action. Par contre chaque signal entrant est réfléchi dans un PSP local d'amplitude calibrée, qui diminue avec la distance à partir du site de la synapse. Si les signaux arrivent simultanément sur plusieurs synapses de la même région de l'arbre dendritique, le PSP total dans ce voisinage sera grossièrement la somme des PSP individuels, avec les PSP inhibiteurs apportant une contribution négative au total. Les PSP de chaque voisinage se disséminent passivement et convergent dans le corps cellulaire. Comme le corps cellulaire est petit comparé à l'arbre dendritique, son potentiel membranaire est grossièrement uniforme et est un composite des effets de tous les signaux empiétant sur la cellule, pondéré par la distance entre les synapses et le corps cellulaire. Le *PSP combiné* du corps cellulaire représente donc ainsi **la somme spatiale** de tous les stimuli reçus. Si les influx excitateurs prédominent, le PSP combiné est une dépolarisation ; si les influx inhibiteurs prédominent, c'est généralement une hyperpolarisation.

Tandis que la somme spatiale associe les effets des signaux reçus sur différents sites de la membrane, la **somme temporelle** associe les effets des signaux reçus à différents moments. Si un potentiel d'action arrive sur une synapse et déclenche la libération d'un neurotransmetteur avant que le PSP précédent au niveau de cette synapse se soit complètement dégradé, le deuxième PSP s'additionne au restant du premier. Si beaucoup de potentiels d'action arrivent en succession rapide, chaque PSP s'ajoute à la queue du PSP précédent et édifie un PSP moyen soutenu important dont l'amplitude reflète la vitesse de déclenchement du neurone présynaptique (Figure 11-39). C'est l'essence de la somme temporelle : elle traduit la *fréquence* des signaux entrant en l'*amplitude* d'un PSP net.

Les sommes temporelles et spatiales fournissent toutes deux un moyen par lequel la vitesse de déclenchement de nombreux neurones présynaptiques contrôle le potentiel de membrane dans le corps d'une seule cellule post-synaptique. L'étape finale du calcul neuronal effectué par la cellule post-synaptique est la formation d'un signal de sortie, en général un potentiel d'action qui relaie le signal aux autres cellules. Tandis que le PSP est continuellement calibré de façon variable, les potentiels d'action sont cependant toujours d'un type « tout ou rien » et de taille uniforme. La seule variable dans la signalisation par les potentiels d'action est l'intervalle de temps entre un potentiel d'action et le suivant. Pour des transmissions sur de longues distances, l'amplitude des PSP est donc traduite, ou *codée*, en une *fréquence* de déclenchement des potentiels d'action (Figure 11-40). Ce codage s'effectue par un groupe spécifique

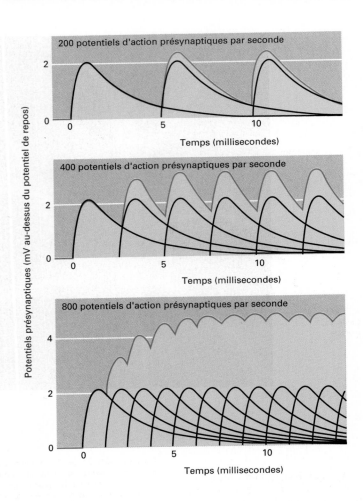

Figure 11-39 Principe de la somme temporale. Chaque potentiel d'action présynaptique qui arrive sur une synapse produit un petit potentiel post-synaptique, ou PSP (*lignes noires*). Lorsque des potentiels d'action successifs arrivent sur la même synapse, chaque PSP produit s'additionne à la queue du PSP précédent et produit un PSP plus grand d'association (*lignes vertes*). Plus la fréquence des potentiels d'action entrant est grande, plus la taille du PSP combiné est grande.

de canaux ioniques à porte, présents en forte densité à la base de l'axone, adjacente au corps cellulaire, dans une région appelée le cône axonal (*voir* Figure 11-38).

Le calcul neuronal nécessite l'association d'au moins trois sortes de canaux à K⁺

Nous avons vu que, pour les transmissions sur de longues distances, l'intensité des stimulations reçues par un neurone était déterminée par la fréquence des potentiels d'action déclenchés par les neurones : plus la stimulation est forte, plus la fréquence des potentiels d'action est élevée. Les potentiels d'action partent au niveau du **cône axonal**, une région spécifique de chaque neurone où les canaux à Na⁺ à ouverture contrôlée par le voltage sont très nombreux. Mais pour effectuer cette fonction spécifique de codage, la membrane du cône axonal contient aussi au moins quatre autres classes de canaux ioniques – trois sélectifs au K⁺ et un sélectif au Ca²⁺. Les trois variétés de canaux à K⁺ ont des propriétés différentes ; nous les appellerons les *canaux à K⁺ retardés, précoces* et *activés par le Ca²⁺*.

Pour comprendre cette nécessité de multiples types de canaux, il faut d'abord considérer ce qui se produirait si les seuls canaux ioniques à ouverture contrôlée par le voltage présents dans les nerfs étaient des canaux à Na⁺. En dessous d'un certain seuil de stimulation synaptique, la dépolarisation de la membrane du cône axonal serait insuffisante pour déclencher le potentiel d'action. Avec l'augmentation graduelle de la stimulation, ce seuil serait dépassé, les canaux à Na⁺ s'ouvriraient et le potentiel d'action serait déclenché. Ce potentiel d'action se terminerait normalement par l'inactivation des canaux à Na⁺. Avant qu'un autre potentiel d'action puisse être émis, ces canaux devraient récupérer de leur inactivation. Mais cela nécessiterait le retour du voltage membranaire à des valeurs très négatives, ce qui ne se produit pas tant qu'un fort stimulus de dépolarisation (issu du PSP) est maintenu. Il faut donc un autre type de canal pour repolariser la membrane après chaque potentiel et préparer la cellule à se réactiver.

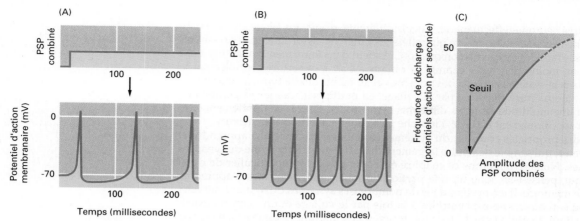

Figure 11-40 L'axone code les PSP combinés sous forme de fréquence de décharge des potentiels d'action. La comparaison de (A) et (B) montre comment la fréquence de décharge d'un axone augmente avec l'augmentation du PSP combiné, tandis que (C) résume la relation générale.

Cette tâche s'effectue par les **canaux à K+ retardés** dont nous avons parlé en relation avec la propagation du potentiel d'action (*voir* p. 639). Leur ouverture est contrôlée par le voltage, mais du fait de leur cinétique plus lente, ils ne s'ouvrent que pendant la phase descendante du potentiel d'action, lorsque les canaux à Na+ sont inactifs. Leur ouverture permet la sortie de K+ qui amène la membrane à retrouver son potentiel d'équilibre de K+ ; celui-ci est si négatif que les canaux à Na+ récupèrent rapidement de leur inactivation. La repolarisation de la membrane provoque aussi la fermeture des canaux à K+ ; retardés. Le cône axonal est maintenant réinitialisé de telle sorte qu'un stimulus dépolarisant issu de l'influx synaptique peut déclencher un autre potentiel d'action. De cette façon la stimulation soutenue des dendrites et du corps cellulaire conduit à des décharges répétitives de l'axone.

Ces décharges répétitives en elles-mêmes ne suffisent pas cependant. La fréquence des décharges doit refléter l'intensité de la stimulation et un système simple composé de canaux à Na+ et de canaux à K+ retardés n'est pas adapté à ce but. En dessous d'un certain niveau seuil de stimulation stable, la cellule ne déchargera plus rien du tout ; au-dessus du seuil, elle commencera brutalement à se déclencher à une vitesse relativement rapide. Les **canaux à K+ précoces** résolvent ce problème. Leur ouverture dépend également du voltage et ils s'ouvrent lorsque la membrane est dépolarisée, mais leur sensibilité spécifique au voltage et leur cinétique d'inactivation sont telles qu'elles agissent pour réduire la fréquence des déclenchements à des niveaux de stimulation juste supérieurs au seuil nécessaire pour la décharge. Ainsi ils éliminent la discontinuité de la relation entre la vitesse de décharge et l'intensité de la stimulation. Il en résulte une vitesse de décharge proportionnelle à la force du stimulus de dépolarisation sur un intervalle important (*voir* Figure 11-40).

Le processus de codage est, en général, encore plus modulé par les deux autres types de canaux ioniques du cône axonal mentionnés au départ, les *canaux à Ca2+ à ouverture contrôlée par le voltage* et les *canaux à K+ activés par Ca2+*. Ils agissent ensemble pour diminuer la réponse des cellules à une stimulation prolongée qui ne change pas – une baisse appelée **adaptation**. Ces canaux à Ca2+ sont similaires aux canaux à Ca2+ qui permettent la libération de neurotransmetteurs à partir des terminaisons présynaptiques des axones ; ils s'ouvrent lorsqu'un potentiel d'action est émis, permettant l'entrée transitoire de Ca2+ dans le cône axonal.

Le **canal à K+ activé par Ca2+** est structurellement et fonctionnellement différent de tous les types de canaux déjà décrits. Il s'ouvre en réponse à l'augmentation de la concentration en Ca2+ sur la face cytoplasmique de la membrane des cellules nerveuses. Supposons qu'un fort stimulus dépolarisant soit appliqué longtemps, déclenchant un long train de potentiels d'action. Chaque potentiel d'action permet l'entrée brève de Ca2+ par les canaux à Ca2+ à ouverture contrôlée par le voltage, de telle sorte que la concentration intracellulaire en Ca2+ augmente graduellement jusqu'à ce qu'elle soit assez haute pour ouvrir les canaux à K+ activés par le Ca2+. Comme l'augmentation de perméabilité de la membrane au K+ qui en résulte rend la membrane plus difficile à dépolariser, elle augmente le retard entre un potentiel d'action et le suivant. De cette façon un neurone continuellement stimulé pendant une période prolongée répond graduellement de moins en moins au stimulus constant.

Cette adaptation, qui peut aussi se produire par d'autres mécanismes, permet à un neurone – et en fait au système nerveux en général – de réagir de façon sensitive aux *variations*, même en face d'un fort niveau de stimulation constante en arrière-fond. C'est une de ces stratégies qui nous permet, par exemple, de sentir un léger effleurement de l'épaule tout en ignorant la pression constante de nos vêtements. Nous parlerons de l'adaptation en tant que caractéristique générale de la transmission des signaux de façon plus détaillée au chapitre 15.

D'autres neurones effectuent des calculs différents, réagissant à leur influx synaptique d'une myriade de façons, ce qui reflète les différents assortiments des membres des diverses familles de canaux ioniques qui résident dans leurs membranes. Il y a par exemple, au moins cinq types connus de canaux à Ca^{2+} à ouverture contrôlée par le voltage dans le système nerveux des vertébrés et au moins quatre types connus de canaux à K^+ à ouverture contrôlée par le voltage. La multiplicité des gènes permet évidemment une multitude de types différents de neurones, dont le comportement électrique est spécifiquement accordé à la tâche particulière qu'il doivent effectuer.

Une des propriétés cruciales du système nerveux est sa capacité à apprendre et à se souvenir, qui semble dépendre largement de variations à long terme de synapses spécifiques. Nous terminerons ce chapitre en parlant d'un type particulier de canal ionique qui, pense-t-on, joue un rôle particulier dans certaines formes d'apprentissage et de mémoire. Il est présent dans de nombreuses synapses du système nerveux central où son ouverture est contrôlée à la fois par le voltage et un neurotransmetteur excitateur, le glutamate. C'est aussi le site d'action d'une drogue psychoactive, la phencyclidine ou poussière d'ange (pentachlorophénol).

La potentialisation à long terme (LTP) de l'hippocampe des mammifères dépend de l'entrée de Ca^{2+} par les canaux à récepteur du NMDA

Pratiquement tous les animaux peuvent apprendre mais les mammifères semblent apprendre exceptionnellement bien (ou c'est ce que nous aimons à penser). Dans le cerveau des mammifères, la région appelée *hippocampe* a un rôle particulier dans l'apprentissage. Lorsqu'elle est détruite des deux côtés du cerveau, la capacité de nouvelle mémorisation est fortement perdue, même si la mémoire établie depuis longtemps persiste. De façon correspondante, certaines synapses de l'hippocampe montrent des altérations fonctionnelles marquées lorsqu'elles sont utilisées à répétiton ; alors que des potentiels d'action uniques et occasionnels dans les cellules présynaptiques ne laissent pas de traces, une courte explosion de stimulations répétitives provoque une **potentialisation à long terme** (**LTP**) de telle sorte que des potentiels d'action ultérieurs isolés dans les cellules présynaptiques suscitent une forte augmentation de la réponse dans les cellules post-synaptiques. Les effets durent des heures, des jours, des semaines selon le nombre et l'intensité des explosions de stimulations répétitives. Seules les synapses activées présentent une LTP ; les synapses de la même cellule post-synaptique qui sont restées au repos ne sont pas affectées. Cependant, si, pendant que la cellule reçoit une explosion de stimulations répétitives via un groupe de synapses, un seul potentiel d'action arrive sur *une autre* synapse de sa surface, cette dernière synapse connaîtra aussi une LTP, même si un seul potentiel d'action délivré à cet endroit à un autre moment n'aurait laissé aucune trace aussi persistante.

La règle sous-jacente de ces synapses semble être que *des LTP se produisent à n'importe quelle occasion dès qu'une cellule présynaptique se décharge (une fois ou plus) au moment où la membrane post-synaptique est très dépolarisée* (du fait d'une stimulation récente répétitive sur la même cellule présynaptique ou d'une autre façon). Cette règle reflète le comportement d'une classe particulière de canaux ioniques de la membrane post-synaptique. Le glutamate est le principal neurotransmetteur excitateur du système nerveux central des mammifères et les canaux ioniques à ouverture contrôlée par le glutamate sont les principaux canaux à ouverture contrôlée par un transmetteur du cerveau. Dans l'hippocampe, comme ailleurs, la majeure partie du courant dépolarisant responsable des PSP excitateurs est transportée par les canaux ioniques à ouverture contrôlée par le glutamate qui opèrent de façon standard. Mais le courant a en plus une composante plus complexe, qui passe par l'intermédiaire d'une sous-classe séparée de canaux ioniques à ouverture contrôlée par le glutamate appelée **récepteurs du NMDA**, ainsi nommés parce qu'ils sont sélectivement activés par un analogue artificiel du glutamate, le N-méthyl-D-aspartate. Les canaux à récepteur du NMDA ont une double porte, qui ne s'ouvre que lorsque deux conditions sont satisfaites simultanément : le glutamate doit être lié au récepteur et la membrane doit être fortement dépolarisée. La deuxième condition est nécessaire pour libérer le Mg^{2+} qui bloque normalement le canal au repos. Cela signifie que les récepteurs du NMDA ne sont normalement activés que lorsque les canaux ioniques à ouverture contrôlée par le glutamate conventionnels sont également activés et dépolarisent la membrane. Les récepteurs du NMDA sont critiques pour la LTP. S'ils sont sélectivement bloqués par un inhibiteur spécifique, les LTP ne se produisent pas, même si la transmission synaptique ordinaire continue. Un animal traité par cet inhibiteur présentera des déficits spécifiques de sa capacité d'apprentissage mais se comportera presque normalement par ailleurs.

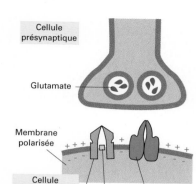
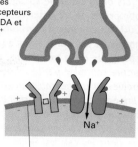
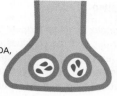
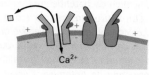

Cellule présynaptique

Glutamate

Le glutamate libéré par les terminaisons nerveuses présynaptiques activées ouvre les canaux à récepteurs au glutamate non-NMDA et permet l'entrée de Na⁺ qui dépolarise la membrane post-synaptique

Membrane polarisée

Cellule post-synaptique

Récepteur du NMDA Mg^{2+} Récepteurs au glutamate non-NMDA

Membrane dépolarisée

Na^+

La dépolarisation enlève le Mg^{2+} qui bloque les canaux à récepteurs du NMDA, qui (avec le glutamate lié) permettent au Ca^{2+} d'entrer dans les cellules post-synaptiques

Ca^{2+}

L'augmentation du Ca^{2+} dans le cytosol amène la cellule présynaptique à insérer de nouveaux récepteurs au glutamate non NMDA dans la membrane plasmique, ce qui augmente la sensibilité de la cellule au glutamate

Comment les récepteurs du NMDA sont-ils les intermédiaires d'un effet si remarquable ? La réponse tient au fait que ces canaux, lorsqu'ils sont ouverts, sont hautement perméables au Ca^{2+} qui agit comme un médiateur intracellulaire dans la cellule post-synaptique, et déclenche une cascade de modifications responsables de la LTP. De ce fait la LTP ne se produit pas lorsque les concentrations en Ca^{2+} sont maintenues artificiellement basses dans la cellule post-synaptique par l'injection intracellulaire d'un chélateur du Ca^{2+}, l'EDTA, et peut être induite par l'augmentation artificielle intracellulaire des concentrations en Ca^{2+}. Parmi les modifications à long terme qui augmentent la sensibilité des cellules post-synaptiques au glutamate, citons l'insertion de nouveaux récepteurs conventionnels du glutamate dans la membrane plasmique (Figure 11-41). Il y a des preuves qui indiquent également que des modifications peuvent se produire dans la cellule présynaptique, de telle sorte qu'elle libère plus de glutamate que la normale lorsqu'elle est ensuite activée.

Il a été prouvé que les récepteurs du NMDA jouent un rôle important dans l'apprentissage et les phénomènes apparentés dans d'autres parties du cerveau, ainsi que dans l'hippocampe. Dans le chapitre 21, nous verrons également que les récepteurs du NMDA jouent un rôle crucial dans l'ajustement des patrons anatomiques des connections synaptiques au vu d'expériences effectuées au cours du développement du système nerveux central.

De ce fait, les neurotransmetteurs libérés au niveau des synapses relaient des signaux électriques transitoires et peuvent aussi changer les concentrations des médiateurs intracellulaires qui modifient de façon durable l'efficacité des transmissions synaptiques. Cependant on ne comprend pas encore avec certitude comment ces modifications peuvent persister des semaines, des mois ou toute la vie du fait du renouvellement normal des constituants cellulaires.

Certaines familles de canaux ioniques dont nous avons parlé sont présentées dans le tableau 11-II.

Figure 11-41 Événements de signalisation de la potentialisation à long terme. Bien que non représentées ici, des preuves suggèrent que des modifications peuvent aussi se produire dans les terminaisons nerveuses présynaptiques lors de LTP, qui peuvent être stimulées par des signaux rétrogrades issus de la cellule post-synaptique.

TABLEAU 11-II Quelques familles de canaux ioniques

FAMILLE*	SOUS-FAMILLES REPRÉSENTATIVES	
Canaux à cations à ouverture contrôlée par le voltage	Canaux à Na⁺ à ouverture contrôlée par le voltage Canaux à K⁺ à ouverture contrôlée par le voltage (y compris les canaux retardés et précoces) Canaux à Ca²⁺ à ouverture contrôlée par le voltage	
Canaux ioniques à ouverture contrôlée par un transmetteur	Canaux à cations à ouverture contrôlée par l'acétylcholine Canaux à Ca²⁺ à ouverture contrôlée par le glutamate Canaux à cations à ouverture contrôlée par la sérotonine	Excitateurs
	Canaux à Cl⁻ à ouverture contrôlée par le GABA Canaux à Cl⁻ à ouverture contrôlée par la glycine	Inhibiteurs

*Les membres d'une famille ont une séquence en acides aminés similaire et on pense donc qu'ils dérivent d'un ancêtre commun ; à l'intérieur des sous-familles, les ressemblances sont généralement encore plus fortes.

CANAUX IONIQUES ET PROPRIÉTÉS ÉLECTRIQUES DES MEMBRANES

Résumé

Les canaux ioniques forment des pores aqueux au travers de la bicouche lipidique et permettent à des ions inorganiques de taille et de charge appropriées de traverser cette membrane selon leur gradient électrochimique à des vitesses 1 000 fois supérieures environ à celles atteintes par n'importe quel transporteur connu. Les canaux sont « à porte » et s'ouvrent en général transitoirement en réponse à une perturbation spécifique de la membrane, comme une modification du potentiel membranaire (canaux à ouverture contrôlée par le voltage) ou la liaison d'un neurotransmetteur (canaux à ouverture contrôlée par un neurotransmetteur).

Les canaux de fuite sélective du K+ jouent un rôle important dans la détermination des potentiels de membrane de repos au travers de la membrane plasmique de la plupart des cellules animales. Les canaux à cations à ouverture contrôlée par le voltage sont responsables de la formation de potentiels d'action qui s'auto-amplifient dans les cellules électriquement excitables, comme les neurones et les cellules du muscle squelettique. Les canaux ioniques à ouverture contrôlée par un transmetteur transforment les signaux chimiques en signaux électriques au niveau des synapses chimiques. Les neurotransmetteurs excitateurs, comme l'acétylcholine et le glutamate, ouvrent les canaux à cations à ouverture contrôlée par un transmetteur et dépolarisent ainsi la membrane post-synaptique jusqu'au niveau seuil de déclenchement du potentiel d'action. Les neurotransmetteurs inhibiteurs, comme le GABA et la glycine, ouvrent les canaux à Cl⁻ ou à K+ à ouverture contrôlée par un transmetteur et suppriment ainsi la décharge en maintenant polarisée la membrane post-synaptique. Une sous-classe de canaux ioniques à ouverture contrôlée par le glutamate, les canaux à récepteurs du NMDA, sont fortement perméables au Ca²⁺ et peuvent déclencher des modifications à long terme dans les synapses qui, pense-t-on, sont impliquées dans certaines formes d'apprentissage et de mémoire.

Les canaux ioniques agissent ensemble de façon complexe pour contrôler le comportement des cellules électriquement excitables. Un neurone typique, par exemple, reçoit des milliers d'influx excitateurs et inhibiteurs qui sont associés par les sommes spatiale et temporale pour produire un potentiel post-synaptique (PSP) dans le corps cellulaire. L'amplitude du PSP est traduite en vitesse de décharge des potentiels d'action par le mélange des canaux à cations de la membrane du cône axonal.

Bibliographie

Généralités

Martonosi AN (ed) (1985) The Enzymes of Biological Membranes, vol 3: Membrane Transport, 2nd edn. New York: Plenum Press.

Stein WD (1990) Channels, Carriers and Pumps: An Introduction to Membrane Transport. San Deigo: Academic Press.

Principes du transport membranaire

Higgins CF (1999) Membrane permeability transporters and channels: from disease to structure and back. *Curr. Opin. Cell Biol.* 11, 495.

Sansom MS (1998) Models and simulations of ion channels and related membrane proteins. *Curr. Opin. Struct. Biol.* 8, 237–244.

Tanford C (1983) Mechanism of free energy coupling in active transport. *Annu. Rev. Biochem.* 52, 379–409.

Protéines porteuses et transport membranaire actif

Almers W & Stirling C (1984) Distribution of transport proteins over animal cells. *J. Membr. Biol.* 77, 169–186.

Ames GFL (1986) Bacterial periplasmic transport systems: structure, mechanism and evolution. *Annu. Rev. Biochem.* 55, 397–425.

Auer M, Scarborough GA & Kühlbrandt W (1998) Three-dimensional map of the plasma membrane H⁺-ATPase in the open conformation. *Nature* 392, 840–843.

Boyer PD (1997) The ATP synthase—a splendid molecular machine. *Annu. Rev. Biochem.* 66, 717–749.

Carafoli E & Brini M (2000) Calcium pumps: structural basis for and mechanism of calcium transmembrane transport. *Curr. Opin. Chem. Biol.* 4, 152–161.

Dean M & Allikmets R (1995) Evolution of ATP-binding cassette transporter genes. *Curr. Opin. Genet. Dev.* 5, 779–785.

Graf J & Haussinger D (1996) Ion transport in hepatocytes: mechanisms and correlations to cell volume, hormone actions and metabolism. *J. Hepatol.* 24(Suppl 1), 53–77.

Henderson PJ (1993) The 12-transmembrane helix transporters. *Curr. Opin. Cell Biol.* 5, 708–721.

Higgins CF (1992) ABC transporters: from microorganisms to man. *Annu. Rev. Cell Biol.* 8, 67–113.

Junge W, Lill H & Engelbrecht S (1997) ATP synthase: an electrochemical transducer with rotatory mechanics. *Trends Biochem. Sci.* 22, 420–423.

Kaback HR, Voss J & Wu J (1997) Helix packing in polytopic membrane proteins: the lactose permease of *Escherichia coli. Curr. Opin. Struct. Biol.* 7, 537–542.

Kühlbrandt W, Auer M & Scarborough GA (1998) Structure of the P-type ATPases. *Curr. Opin. Struct. Biol.* 8, 510–516.

Linton KJ & Higgins CF (1998) The *Escherichia coli* ATP-binding cassette (ABC) proteins. *Mol. Microbiol.* 28, 5–13.

Lodish HF (1988) Anion-exchange and glucose transport proteins: structure, function and distribution. *Harvey Lect.* 82, 19–46.

Romero MF & Boron WF (1999) Electrogenic Na⁺/HCO₃⁻ cotransporters: cloning and physiology. *Annu. Rev. Physiol.* 61, 699–723.

Saier MH, Jr (2000) Families of transmembrane sugar transport proteins. *Mol. Microbiol.* 35, 699–710.

Scarborough GA (1999) Structure and function of the P-type ATPases. *Curr. Opin. Cell Biol.* 11, 517–522.

Weber J & Senior AE (2000) ATP synthase: what we know about ATP hydrolysis and what we do not know about ATP synthesis. *Biochim. Biophys. Acta* 1458, 300–309.

Canaux ioniques et propriétés électriques des membranes

Armstrong C (1998) The vision of the pore. *Science* 280, 56–57.

Betz H (1990) Ligand-gated ion channels in the brain: the amino acid receptor family. *Neuron* 5, 383–392.

Biggin PC, Roosild T & Choe S (2000) Potassium channel structure: domain by domain. *Curr. Opin. Struct. Biol.* 10, 456–461.

Choe S, Kreusch A & Pfaffinger PJ (1999) Towards the three-dimensional structure of voltage-gated potassium channels. *Trends Biochem. Sci.* 24, 345–349.

Doyle DA, Cabral JM, Pfuetzner RA et al. (1998) The structure of the potassium channel: molecular basis of K⁺ conduction and selectivity. *Science* 280, 69–77.

Franks NP & Lieb WR (1994) Molecular and cellular mechanisms of general anaesthesia. *Nature* 367, 607–614.

Hall ZW (1992) An Introduction to Molecular Neurobiology, pp 33–178. Sunderland, MA: Sinauer.

Hille B (1992) Ionic Channels of Excitable Membranes, 2nd edn. Sunderland, MA: Sinauer.

Hodgkin AL & Huxley AF (1952) A quantitative description of membrane current and its application to conduction and exictation in the nerve. *J. Physiol.* 117, 500–544.

Hodgkin AL & Huxley AF (1952) Currents carried by sodium and potassium ions through the membrane of the giant axon of Loligo. *J. Physiol. (Lond.)* 117, 449–472.

Jessell TM & Kandel ER (1993) Synaptic transmission: a bidirectional and self-modifiable form of cell-cell communication. *Cell* 72(Suppl), 1–30.

Kandel ER, Schwartz JH & Jessell TM (2000) Principles of Neural Science, 4th edn. New York: McGraw-Hill.

Karlin A (1991) Exploration of the nicotinic acetylcholine receptor. *Harvey Lect.* 85, 71–107.

Katz B (1966) Nerve, Muscle and Synapse. New York: McGraw-Hill.

Kim JH & Huganir RL (1999) Organization and regulation of proteins at synapses. *Curr. Opin. Cell Biol.* 11, 248–254.

MacKinnon R, Cohen SL, Kuo A et al. (1998) Structural conservation in prokaryotic and eukaryotic potassium channels. *Science* 280, 106–109.

Malenka RC & Nicoll RA (1999) Long-term potentiation—a decade of progress? *Science* 285, 1870–1874.

Neher E & Sakmann B (1992) The patch clamp technique. *Sci. Am.* 266(3), 28–35.

Nicholls JG, Fuchs PA, Martin AR & Wallace BG (2000) From Neuron to Brain, 4th edn. Sunderland, MA: Sinauer.

Numa S (1989) A molecular view of neurotransmitter receptors and ionic channels. *Harvey Lect.* 83, 121–165.

Perozo E, Cortes DM & Cuello LG (1999) Structural rearrangements underlying K⁺-channel activation gating. *Science* 285, 73–78.

Roux B & MacKinnon R (1999) The cavity and pore helices in the KcsA K⁺ channel: electrostatic stabilization of. monovalent cations. *Science* 285, 100–102.

Sargent PB (1993) The diversity of neronal nicotinic acetylcholine receptors. *Annu. Rev. Neurosci.* 16, 403–443.

Sather WA, Yang J & Tsien RW (1994) Structural basis of ion channel permeation and selectivity. *Curr. Opin. Neurobiol.* 4, 313–323.

Seeberg PH (1993) The molecular biology of mammalian glutamate receptor channels. *Trends Neurosci.* 16, 359–365.

Snyder SH (1996) Drugs and the Brain. New York: WH Freeman/Scientific American Books.

Stevens CF & Sullivan J (1998) Synaptic plasticity. *Curr. Biol.* 8, R151–R153.

Tsien RW (1988) Multiple types of neuronal calcium channels and their selective modulation. *Trends Neurosci.* 11, 431–438.

Unwin N (1998) The nicotinic acetylcholine receptor of the Torpedo electric ray. *J. Struct. Biol.* 121, 181–190.

Utkin Yu N, Tsetlin VI & Hucho F (2000) Structural organization of nicotinic acetylcholine receptors. *Membr. Cell Biol.* 13, 143–164.

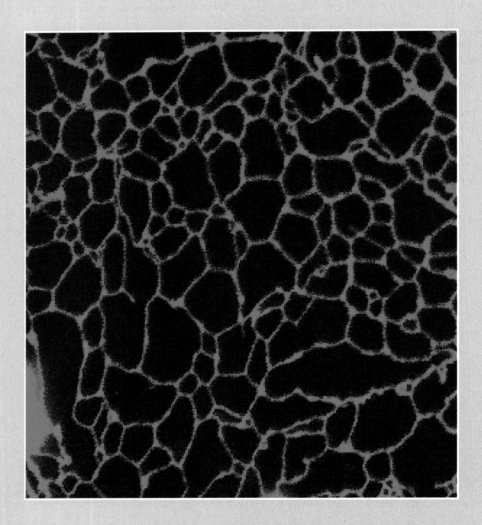

Le réticulum endoplasmique (RE). Dans cette cellule de tabac, une protéine résidente du RE qui a été couplée au marqueur protéique de fluorescence verte révèle le réseau cortical intracellulaire complexe des feuillets et des tubules du RE. (Due à l'obligeance de Petra Boevink et Chris Hawes.)

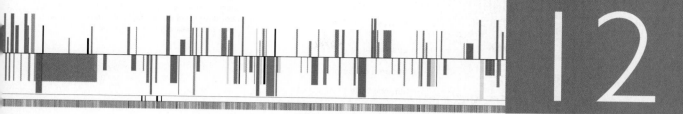

COMPARTIMENTS INTRACELLULAIRES ET TRI DES PROTÉINES

Contrairement à la bactérie, généralement constituée d'un seul compartiment intracellulaire entouré d'une membrane plasmique, une cellule eucaryote est subdivisée, de façon complexe, en compartiments fonctionnellement distincts entourés d'une membrane. Chaque compartiment, ou **organite**, contient son propre ensemble caractéristique d'enzymes et d'autres molécules spécialisées et des systèmes complexes de distribution transportent spécifiquement des produits d'un compartiment à l'autre. Pour comprendre la cellule eucaryote, il est essentiel de connaître ce qui se produit à l'intérieur de chacun de ces compartiments, de savoir comment les molécules se déplacent entre eux et comment ils sont eux-mêmes formés et entretenus.

Les protéines de chaque compartiment lui confèrent ses caractéristiques structurelles et ses propriétés fonctionnelles. Elles catalysent les réactions qui se produisent dans chaque organite et transportent sélectivement les petites molécules en les faisant entrer ou sortir de son espace interne, ou **lumière**. Les protéines servent également de marqueurs de surface spécifiques de l'organite qui dirigent les nouveaux apports protéiques et lipidiques vers l'organite approprié.

Une cellule animale contient environ 10 milliards (10^{10}) de molécules protéiques de 10 000 à 20 000 sortes, peut-être, et pour presque toutes, leur synthèse commence dans le cytosol. Chaque protéine néosynthétisée est délivrée spécifiquement dans le compartiment cellulaire qui en a besoin. Le transport intracellulaire des protéines est le thème central de ce chapitre et du suivant. En suivant le transport protéique d'un compartiment à l'autre, on peut commencer à donner un sens au labyrinthe déroutant des membranes intracellulaires.

COMPARTIMENTS CELLULAIRES

Dans cette partie d'introduction, nous présenterons un bref aperçu global des compartiments cellulaires et de leurs interrelations. Par cela, nous organiserons les organites de façon conceptuelle en un petit nombre de familles et nous verrons comment les protéines sont dirigées spécifiquement dans un organite et comment elles traversent les membranes de ces organites.

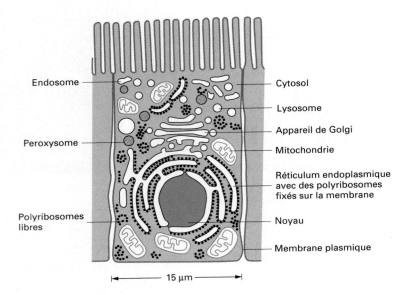

Endosome

Cytosol

Lysosome

Peroxysome

Appareil de Golgi

Mitochondrie

Réticulum endoplasmique
avec des polyribosomes
fixés sur la membrane

Polyribosomes
libres

Noyau

Membrane plasmique

15 μm

Figure 12-1 Principaux compartiments intracellulaires des cellules animales. Le cytosol (en *gris*), le réticulum endoplasmique, l'appareil de Golgi, le noyau, les mitochondries, les endosomes, les lysosomes et les peroxysomes sont des compartiments distincts, isolés du reste de la cellule par au moins une membrane sélectivement perméable.

Toutes les cellules eucaryotes possèdent le même ensemble fondamental d'organites entourés d'une membrane

Beaucoup de processus biochimiques vitaux s'effectuent à l'intérieur des membranes ou à leur surface. Le métabolisme lipidique, par exemple, est principalement catalysé par des enzymes fixées sur la membrane et la phosphorylation oxydative et la photosynthèse nécessitent, toutes deux, une membrane pour coupler le transport de H$^+$ à la synthèse d'ATP. Le système des membranes intracellulaires cependant, ne sert pas simplement à augmenter l'aire membranaire : il crée des compartiments fermés séparés du cytosol et fournit ainsi aux cellules des espaces remplis d'eau, fonctionnellement spécialisés. Comme la bicouche lipidique des membranes des organites est imperméable à la plupart des molécules hydrophiles, la membrane de chaque organite doit contenir des protéines de transport membranaire qui permettent l'importation et l'exportation de métabolites spécifiques. Chaque membrane des organites doit aussi posséder un mécanisme d'importation des protéines spécifiques qui rendent cet organite unique et d'incorporation de celles-ci dans l'organite.

Les principaux compartiments intracellulaires communs aux cellules eucaryotes sont présentés dans la figure 12-1. Le *noyau* contient le génome principal et est le principal site de synthèse de l'ADN et de l'ARN. Le **cytoplasme** périphérique est composé du cytosol et contient les organites cytoplasmiques en suspension. Le **cytosol**, qui constitue un peu plus de la moitié du volume total de la cellule, est le site de la synthèse et de la dégradation des protéines. Il effectue également la majeure partie du métabolisme intermédiaire de la cellule – c'est-à-dire les nombreuses réactions qui permettent la dégradation de certaines petites molécules et la synthèse d'autres qui fournissent les éléments de construction des macromolécules (*voir* Chapitre 2).

Environ la moitié de la surface membranaire totale d'une cellule eucaryote entoure les espaces labyrinthiques du *réticulum endoplasmique (RE)*. Le RE possède de nombreux ribosomes fixés sur sa face cytosolique : ils sont engagés dans la synthèse des protéines intégrales de membrane et des protéines solubles, dont la plupart sont destinées soit à être sécrétées à l'extérieur de la cellule soit aux autres organites. Nous verrons que, alors que les protéines sont transloquées dans les autres organites seulement lorsque leur synthèse est terminée, elles sont transloquées dans le RE pendant leur synthèse. Cela explique pourquoi la membrane du RE est particulière et reliée à des ribosomes. Le RE produit également la plupart des lipides pour le reste de la cellule et fonctionne comme une réserve d'ions Ca^{2+}. Le RE envoie beaucoup de ses protéines et de ses lipides dans l'*appareil de Golgi*. L'appareil de Golgi est composé de piles de compartiments (ou dictyosomes) en forme de disques appelés *citernes de Golgi* ; il reçoit les lipides et les protéines issus du RE et les distribue dans diverses destinations, en les modifiant souvent « en route » de façon covalente.

Les *mitochondries* et (pour les végétaux) les *chloroplastes* forment la plupart de l'ATP utilisé par les cellules pour actionner les réactions qui nécessitent un apport d'énergie libre ; les chloroplastes sont une version spécialisée des *plastes* qui ont aussi d'autres fonctions dans les cellules végétales comme celle de réserve d'aliments ou de molécules pigmentaires. Les *lysosomes* contiennent des enzymes digestives qui

TABLEAU 12-I Volume relatif occupé par les principaux compartiments intracellulaires dans une cellule hépatique (hépatocyte)

COMPARTIMENT INTRACELLULAIRE	POURCENTAGE DU VOLUME CELLULAIRE TOTAL
Cytosol	54
Mitochondries	22
Citernes du RE rugueux	9
Citernes du RE lisse plus citernes de Golgi	6
Noyau	6
Peroxysomes	1
Lysosomes	1
Endosomes	1

dégradent les organites intracellulaires morts ainsi que les macromolécules et les particules prises à l'extérieur de la cellule par endocytose. Sur le chemin qui le mène à son lysosome, le matériel absorbé par endocytose doit d'abord traverser une série d'organites appelés *endosomes*. Les *peroxysomes* sont de petits compartiments vésiculaires qui contiennent des enzymes utilisées dans diverses réactions oxydatives.

En général, chaque organite entouré d'une membrane effectue le même groupe de fonctions fondamentales dans tous les types cellulaires. Mais pour servir aux fonctions spécifiques de ces cellules, l'abondance de ces organites peut varier et ils peuvent avoir des propriétés supplémentaires qui diffèrent d'un type cellulaire à l'autre.

En moyenne, tous les compartiments entourés d'une membrane occupent à peu près la moitié du volume d'une cellule (Tableau 12-I) et il faut une grande quantité de membrane intracellulaire pour les fabriquer. Dans les cellules hépatiques et pancréatiques, par exemple, la surface totale du réticulum endoplasmique est respectivement égale à 25 fois et 12 fois celle de la membrane plasmique (Tableau 12-II). En termes d'aire et de masse, la membrane plasmique n'est qu'une membrane mineure dans la plupart des cellules eucaryotes (Figure 12-2).

Les organites entourés d'une membrane occupent souvent des positions caractéristiques dans le cytosol. Dans la plupart des cellules, par exemple, l'appareil de Golgi est localisé près du noyau alors que le réseau de tubules du RE part du noyau et traverse la totalité du cytosol. Ces caractéristiques de distribution dépendent des interactions des organites avec le cytosquelette. La localisation du RE et de l'appareil de

TABLEAU 12-II Quantités relatives des types de membrane dans deux types de cellules eucaryotes

TYPE DE MEMBRANE	POURCENTAGE DE LA MEMBRANE CELLULAIRE TOTALE	
	HÉPATOCYTE DU FOIE*	CELLULE EXOCRINE DU PANCRÉAS*
Membrane plasmique	2	5
Membrane du RE rugueux	35	60
Membrane du RE lisse	16	< 1
Membrane de l'appareil de Golgi	7	10
Mitochondries		
Membrane externe	7	4
Membrane interne	32	17
Noyau		
Membrane interne	0,2	0,7
Membrane des vésicules sécrétoires	Non déterminé	3
Membrane des lysosomes	0,4	Non déterminé
Membrane des peroxysomes	0,4	Non déterminé
Membrane des endosomes	0,4	Non déterminé

*Ces deux cellules sont de tailles très différentes : le volume moyen d'un hépatocyte est de 5 000 μm^3 environ, comparé aux 1 000 μm^3 des cellules exocrines du pancréas. L'aire totale des membranes de chaque cellule est estimée respectivement à environ 110 000 μm^2 et 13 000 μm^2.

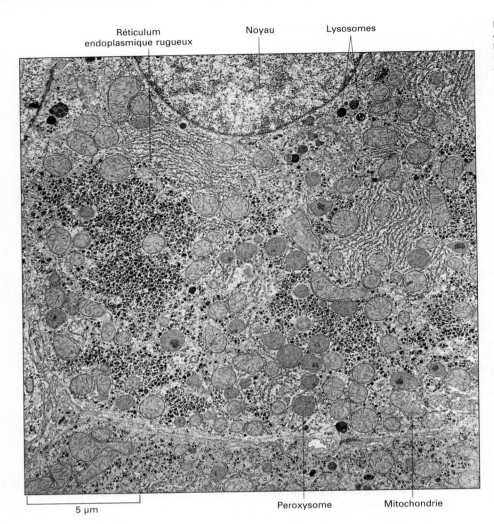

Réticulum
endoplasmique rugueux   Noyau   Lysosomes

5 µm

Peroxysome   Mitochondrie

Figure 12-2 Photographie en microscopie électronique d'une partie d'un hépatocyte vue en coupe transversale. Des exemples de la plupart des principaux compartiments intracellulaires sont indiqués. (Due à l'obligeance de Daniel S. Friend.)

Golgi, par exemple, dépend d'une disposition correcte des microtubules ; si les microtubules sont expérimentalement dépolymérisés par une substance chimique, l'appareil de Golgi se fragmente et se disperse dans tout le cytosol et le réseau du RE se regroupe au centre de la cellule (*voir* Chapitre 16).

L'origine évolutive des organites entourés d'une membrane permet d'interpréter leurs relations topologiques

Pour comprendre les relations entre les compartiments d'une cellule, il est utile de considérer comment ils ont pu évoluer. On pense que les précurseurs des premières cellules eucaryotes étaient de simples organismes qui ressemblaient aux bactéries, généralement dotées d'une membrane plasmique mais pas de membranes internes. La membrane plasmique de ces cellules effectue donc toutes les fonctions dépendantes de la membrane, y compris le pompage des ions, la synthèse de l'ATP, la sécrétion des protéines et la synthèse des lipides. Les cellules eucaryotes actuelles typiques ont une dimension linéaire 10 à 30 fois plus importante et un volume 1 000 à 10 000 fois supérieur à celui d'une bactérie typique comme *E. coli*. On peut considérer que la profusion de membranes internes est, du moins en partie, une adaptation à cette augmentation de taille : les cellules eucaryotes ont un rapport surface sur volume bien plus faible et la surface de leur membrane plasmique est probablement trop petite pour supporter les nombreuses fonctions vitales effectuées par les membranes. Le système membranaire interne étendu des cellules eucaryotes soulage donc ce déséquilibre.

L'évolution des membranes internes s'accompagne de façon évidente d'une spécialisation de la fonction membranaire. Considérons par exemple la formation des *vésicules thylacoïdes* dans les chloroplastes. Elles se forment pendant le développement des chloroplastes à partir des *proplastes* des feuilles vertes des végétaux. Les proplastes sont de petits organites précurseurs, présents dans toutes les cellules végétales immatures. Ils sont entourés d'une double membrane et se développent selon les besoins des cellules différenciées. Ils se développent en chloroplastes dans les cellules des feuilles, par exemple, et en organites de réserve d'amidon, de graisses ou de pigments dans d'autres types cellulaires (Figure 12-3A). Lors du processus de différenciation en chloroplaste, il se forme des morceaux de membrane spécialisés qui se séparent par pincement à partir de la membrane interne du proplaste. Les vésicules qui se séparent par pincement forment un nouveau compartiment spécialisé, le *thylacoïde*, qui porte toute la machinerie de photosynthèse du chloroplaste (Figure 12-3B).

Les autres compartiments des cellules eucaryotes ont pu se former selon ce même principe (Figure 12-4A). La séparation par pincement de structures membranaires intracellulaires spécialisées à partir de la membrane plasmique, par exemple, pourrait créer des organites dont l'intérieur est d'un point de vue topologique, équivalent à l'extérieur de la cellule. Nous verrons que cette relation topologique est valable pour tous les organites impliqués dans les voies sécrétoires et d'endocytose, y compris le RE, l'appareil de Golgi, les endosomes et les lysosomes. Nous pouvons donc penser que tous ces organites sont les membres d'une même famille. Comme nous le verrons en détail dans le chapitre suivant, leurs lumières communiquent de façon extensive les unes avec les autres et avec l'extérieur de la cellule via des *vésicules de transport* qui bourgeonnent d'un organite et fusionnent avec un autre (Figure 12-5).

Comme nous le verrons au chapitre 14, les mitochondries et les plastes diffèrent des autres organites entourés d'une membrane parce qu'ils contiennent leur propre génome. La nature de ces génomes et la proche ressemblance des protéines de ces organites avec celles de certaines bactéries actuelles, suggèrent fortement que les mitochondries et les plastes ont évolué à partir de bactéries englouties par d'autres cellules et dans lesquelles elles vivaient initialement en symbiose (*voir* Chapitres 1 et 14). Selon le schéma hypothétique montré dans la figure 12-4B, la membrane interne des mitochondries et des plastes correspond à la membrane plasmique d'origine de la bactérie alors que la lumière de ces organites s'est développée à partir du cytosol bactérien. Comme on pourrait s'y attendre, du fait de cette origine endocytaire, ces deux organites sont entourés d'une double membrane, et restent isolés du transport vésiculaire intense qui relie les unes aux autres et avec l'extérieur de la cellule, les lumières de la plupart des autres organites entourés d'une membrane.

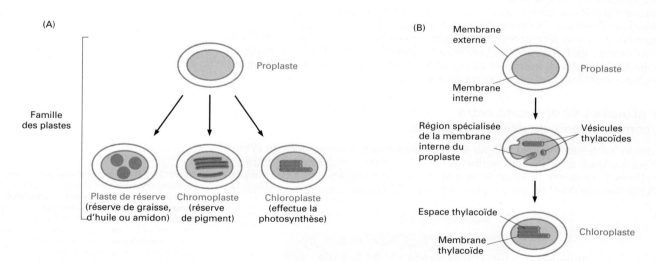

Figure 12-3 Développement des plastes. (A) Les proplastes sont transmis avec le cytoplasme des cellules reproductrices végétales. Lorsque les cellules végétales immatures se différencient, les proplastes se développent selon le besoin en cellules spécialisées : ils peuvent devenir des chloroplastes (dans les cellules des feuilles vertes), des plastes de réserve qui accumulent l'amidon (dans les tubercules de pomme de terre), des gouttelettes lipidiques ou de l'huile (par exemple dans les graines oléagineuses), ou des chromoplastes qui portent des pigments (dans les pétales de fleurs). (B) Développement des thylacoïdes. Lorsque les chloroplastes se développent, des morceaux invaginés de membrane spécialisée issus de la membrane interne des proplastes se séparent par pincement pour former des vésicules thylacoïdes qui se développent ensuite pour former le thylacoïde mature. La membrane thylacoïde forme un compartiment séparé, l'espace thylacoïde, structurellement et fonctionnellement distinct du reste du chloroplaste. Les thylacoïdes peuvent croître et se diviser de façon autonome lorsque les chloroplastes prolifèrent.

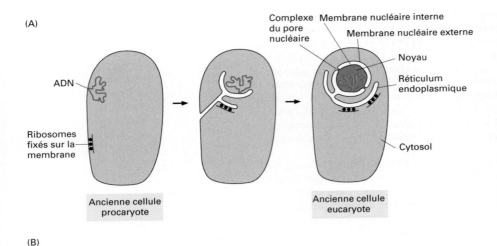

(A)

ADN

Ribosomes
fixés sur la
membrane

Ancienne cellule
procaryote

Complexe Membrane nucléaire interne
du pore
nucléaire
Membrane nucléaire externe

Noyau

Réticulum
endoplasmique

Cytosol

Ancienne cellule
eucaryote

(B)

Cellule pré-eucaryote
anaérobie

Noyau

Membranes
internes

Première cellule
eucaryote aérobie

Membrane cellulaire

Cellule procaryote aérobie

Membrane dérivée
de la cellule eucaryote

Mitochondries

Figure 12-4 Schéma hypothétique des origines évolutives de certains organites entourés d'une membrane. Les origines des mitochondries, des chloroplastes, du RE et du noyau cellulaire peuvent expliquer les relations topologiques de ces compartiments intracellulaires dans les cellules eucaryotes.

(A) Une des voies métaboliques possibles de l'évolution du noyau cellulaire et du RE. Dans certaines bactéries, l'unique molécule d'ADN est fixée sur une invagination de la membrane plasmique. Il est possible que cette invagination dans une cellule procaryote très ancienne se soit replacée pour former une enveloppe autour de l'ADN tout en permettant à l'ADN d'avoir accès au cytosol de la cellule (ce qui est nécessaire pour que l'ADN dirige la synthèse protéique). On pense que cette enveloppe s'est éventuellement détachée complètement par pincement de la membrane plasmique et a produit un compartiment nucléaire entouré d'une double membrane.

Comme cela est montré, l'enveloppe nucléaire est traversée de canaux communicants, les complexes du pore nucléaire. Comme le compartiment nucléaire est entouré par deux membranes qui sont en continuité à l'endroit où pénètrent les pores, il a une topologie équivalente à celle du cytosol; en fait, durant la mitose, le contenu nucléaire se mélange au cytosol. La lumière du RE est continue avec l'espace situé entre les membranes nucléaires interne et externe et a une topologie équivalente à l'espace extracellulaire.

(B) On pense que les mitochondries (et les plastes) se sont formées lorsqu'une bactérie a été engloutie par une cellule pré-eucaryote plus grande. Elles gardent leur autonomie. Cela peut expliquer pourquoi les lumières de ces organites restent isolées du transport membranaire qui interconnecte les lumières de beaucoup d'autres compartiments intracellulaires.

Le schéma évolutif décrit ci-dessus divise les compartiments intracellulaires des cellules eucaryotes en quatre familles distinctes : (1) le noyau et le cytosol qui communiquent par les *complexes du pore nucléaire* et sont donc continus du point de vue topologique (bien que fonctionnellement distincts); (2) tous les organites qui fonctionnent dans la voie sécrétoire et endocytaire – y compris le RE, l'appareil de Golgi, les endosomes, les lysosomes, les nombreuses classes d'intermédiaires de transport comme les vésicules de transport et probablement les peroxysomes; (3) les mitochondries; et (4) les plastes (seulement chez les végétaux).

Les protéines se déplacent entre les compartiments de différentes façons

Toutes les protéines commencent par être synthétisées sur les ribosomes du cytosol sauf les quelques-unes qui sont synthétisées sur les ribosomes des mitochondries et des plastes. Leur destin ultérieur dépend de leur séquence en acides aminés qui peut contenir des **signaux de tri** qui dirigent leur délivrance dans des localisations

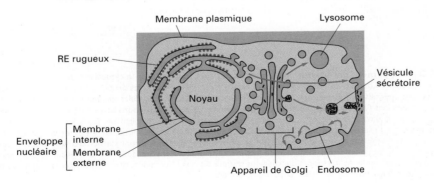

Membrane plasmique

Lysosome

RE rugueux

Noyau

Vésicule
sécrétoire

Enveloppe
nucléaire

Membrane
interne

Membrane
externe

Appareil de Golgi   Endosome

Figure 12-5 Relations topologiques entre les compartiments de la voie sécrétoire et de la voie de l'endocytose des cellules eucaryotes. Les espaces de topologie équivalente sont montrés en *rouge*. En principe des cycles de bourgeonnement membranaire et de fusion membranaire permettent que la lumière de n'importe lequel de ces organites communique avec celle de n'importe quel autre ainsi qu'avec l'extérieur de la cellule par l'intermédiaire des vésicules de transport. Les *flèches bleues* montrent le réseau étendu des voies de transport en partance et d'arrivée, que nous aborderons au chapitre 13. Certains organites, plus particulièrement les mitochondries et les plastes (des végétaux) ne prennent pas part à cette communication et sont isolés du transport entre les organites montré ici.

Figure 12-6 «Carte routière» simplifiée du transport protéique. Les protéines peuvent se déplacer d'un compartiment à l'autre par le transport via une «porte» (en *rouge*), le transport transmembranaire (en *bleu*) ou le transport vésiculaire (en *vert*). Les signaux qui dirigent un mouvement donné d'une protéine par ces systèmes et déterminent ainsi sa localisation éventuelle dans la cellule sont contenus dans la séquence en acides aminés de chaque protéine. Le voyage commence par la synthèse d'une protéine sur un ribosome dans le cytosol et se termine lorsque la destination finale est atteinte. À chaque station intermédiaire (*cases*), une décision est prise pour savoir si la protéine doit être conservée dans ce compartiment ou transportée dans un autre. En principe un signal pourrait être nécessaire pour chaque rétention ou sortie d'un compartiment. Nous utiliserons cette figure de façon répétitive comme un guide tout au long de ce chapitre et du suivant, en mettant en évidence par des couleurs les voies particulières que nous verrons.

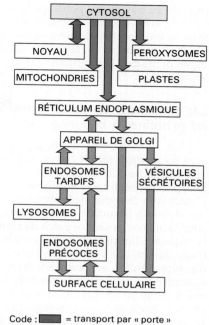

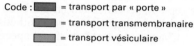

Code : ▮▮ = transport par « porte »

▮▮ = transport transmembranaire

▮▮ = transport vésiculaire

extérieures au cytosol. La plupart des protéines n'ont pas de signal de tri et par conséquent restent dans le cytosol comme résident permanent. Beaucoup d'autres, cependant, présentent des signaux de tri spécifiques qui dirigent leur transport du cytosol au noyau, au RE, aux mitochondries, aux plastes ou aux peroxysomes ; les signaux de tri peuvent aussi diriger le transport des protéines du RE vers d'autres destinations intracellulaires.

Pour comprendre les principes généraux qui permettent aux signaux de tri d'opérer, il est important de différencier trois modes fondamentalement différents de déplacement des protéines d'un compartiment à l'autre. Ces trois mécanismes sont décrits ci-dessous et leurs sites d'action intracellulaires sont présentés dans la figure 12-6. Les deux premiers mécanismes sont détaillés dans ce chapitre alors que le troisième (*flèches vertes* de la figure 12-6) est le sujet du chapitre 13.

1. Dans le **transport par porte**, le transport protéique entre le cytosol et le noyau se produit entre des espaces, de topologie équivalente, qui sont en continuité par l'intermédiaire des complexes du pore nucléaire. Ces complexes fonctionnent comme une porte sélective qui transporte activement des macromolécules spécifiques et des assemblages macromoléculaires, même s'ils permettent aussi la diffusion libre de molécules plus petites.

2. Lors de **transport transmembranaire**, les *translocateurs protéiques* liés à la membrane transportent directement des protéines spécifiques à travers la membrane entre le cytosol et un espace de topologie distincte. Les protéines transportées doivent en général se déplier pour traverser en rampant le translocateur. Le transport initial de certaines protéines du cytosol dans la lumière du RE ou du cytosol aux mitochondries par exemple, se produit ainsi.

3. Lors de **transport vésiculaire**, des intermédiaires de transport entourés d'une membrane – qui peuvent être de petites vésicules de transport sphériques ou de plus gros fragments d'organites de forme irrégulière – transportent les protéines d'un compartiment à l'autre. Les vésicules de transport et les fragments se chargent d'une cargaison de molécules issues de la lumière d'un compartiment en se détachant par pincement de sa membrane ; ils libèrent leur cargaison dans le deuxième compartiment en fusionnant avec lui (Figure 12-7). Le transfert des protéines solubles du RE à l'appareil de Golgi, par exemple, se produit de cette façon. Comme les protéines transportées ne traversent pas de membrane, le transport vésiculaire ne peut déplacer les protéines qu'entre des compartiments qui ont une topologie équivalente (*voir* Figure 12-5). Nous parlerons du transport vésiculaire de façon détaillée au chapitre 13.

Chacun des trois modes de transfert protéique est généralement guidé par les signaux de tri de la protéine transportée, reconnus par des récepteurs protéiques complémentaires. Si une grosse protéine doit être importée dans le noyau, par exemple, elle doit posséder un signal de tri, reconnu par un récepteur protéique qui

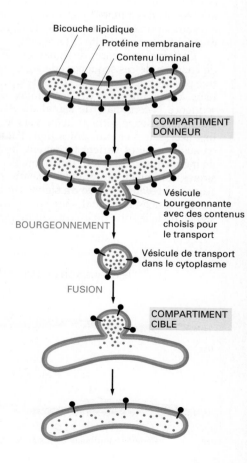

Figure 12-7 Bourgeonnement et fusion vésiculaires pendant le transport vésiculaire. Les vésicules de transport bourgeonnent à partir d'un compartiment (le donneur) et fusionnent avec un autre (la cible). Par ce processus, les composant solubles (*points rouges*) sont transférés d'une lumière à une autre. Notez que la membrane est également transférée et que l'orientation originelle des protéines et des lipides dans la membrane du compartiment donneur est conservée dans la membrane du compartiment cible. De ce fait, les membranes protéiques gardent leur orientation asymétrique, les mêmes domaines faisant toujours face au cytosol.

la guide au travers des pores nucléaires. Si une protéine doit être transférée directement à travers une membrane, elle doit posséder un signal de tri reconnu par la protéine de translocation de la membrane à traverser. De même, si une protéine doit être placée dans un certain type de vésicule ou retenue dans un certain organite, son signal de tri doit être reconnu par un récepteur complémentaire dans la membrane appropriée.

Les séquences de signal et les patchs de signal dirigent les protéines à la bonne adresse cellulaire

Il existe au moins deux types de signaux de tri dans les protéines. Un type réside dans un segment continu d'une séquence en acides aminés, longue généralement de 15 à 60 résidus. Certaines de ces **séquences de signal** sont éliminées de la protéine finie par des **peptidases de signal** spécifiques dès que le processus de tri est terminé. L'autre type de signal est la formation d'une disposition spécifique tridimensionnelle des atomes à la surface de la protéine lors de son repliement. Les résidus d'acides aminés qui composent ce **patch de signal** peuvent être distants les uns des autres sur la séquence linéaire en acides aminés et persistent généralement dans la protéine finale (Figure 12-8). Les séquences de signal sont utilisées pour diriger les protéines du cytosol au RE, aux mitochondries, aux chloroplastes et aux peroxysomes et sont également utilisées pour transporter les protéines du noyau au cytosol et de l'appareil de Golgi au RE. Les signaux de tri qui dirigent les protéines du cytosol au noyau peuvent être soit de courtes séquences de signal soit de plus longues séquences qui se replient certainement en patch de signal. Les patchs de signal dirigent aussi les enzymes de dégradation néosynthétisées dans les lysosomes.

Chaque séquence de signal spécifie une destination particulière dans la cellule. Les protéines destinées à être initialement transférées dans le RE présentent généralement une séquence de signal à leur extrémité N-terminale qui inclut de façon caractéristique une séquence composée d'environ 5 à 10 acides aminés hydrophobes. Beaucoup de ces protéines passeront ensuite du RE à l'appareil de Golgi, mais celles qui présentent une séquence spécifique de quatre acides aminés à leur extrémité C-terminale seront reconnues comme des résidents du RE et seront renvoyées au RE. Les protéines destinées aux mitochondries présentent des séquences de signal d'un autre type encore, dans lesquelles les acides aminés chargés positivement alternent avec des acides aminés hydrophobes. Enfin beaucoup de protéines destinées aux peroxysomes possèdent un peptide de signal de trois acides aminés caractéristiques au niveau de leur extrémité C-terminale.

Certaines séquences de signal sont présentées dans le tableau 12-III. L'importance de chacune de ces séquences de signal pour l'adressage des protéines a été démontrée par des expériences au cours desquelles les peptides étaient transférés d'une protéine à une autre par des techniques de génie génétique. La mise en place de la séquence N-terminale de signal du RE au début d'une protéine cytosolique, par exemple, redirige cette protéine vers le RE. Les séquences de signal sont donc à la fois nécessaires et suffisantes pour l'adressage protéique. Même si leurs séquences en acides aminés varient fortement, les séquences de signal de toutes les protéines de même destination sont fonctionnellement interchangeables, et les propriétés physiques, comme l'hydrophobicité, semblent être souvent plus importantes dans le processus de reconnaissance du signal que la séquence exacte en acides aminés.

Les patchs de signal sont bien plus difficiles à analyser que les séquences de signal, de telle sorte qu'on connaît moins leur structure. Comme ils résultent souvent

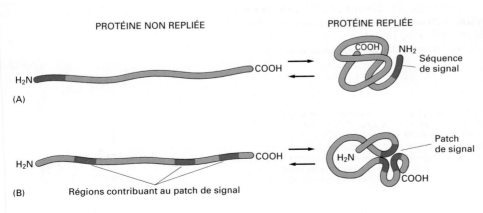

PROTÉINE NON REPLIÉE

PROTÉINE REPLIÉE

(A)

(B)

Régions contribuant au patch de signal

Figure 12-8 Deux modes d'insertion d'un signal de tri dans une protéine. (A) Le signal réside dans un seul petit segment de la séquence en acides aminés, appelé séquence de signal, qui est exposé dans la protéine repliée. Les séquences de signal se trouvent souvent à l'extrémité de la chaîne polypeptidique (comme cela est montré ici), mais peuvent aussi être localisées à l'intérieur. (B) Un patch de signal peut être formé par la juxtaposition d'acides aminés issus de régions physiquement séparées avant que la protéine ne se replie (comme cela est montré ici). Sinon, des patchs séparés situés à la surface de la protéine repliée sont espacés d'une distance fixe et peuvent former le signal.

TABLEAU 12-III **Certaines séquences de signal typiques**

FONCTION DES SÉQUENCES DE SIGNAL	EXEMPLES DE SÉQUENCES DE SIGNAL
Importation dans le noyau	-Pro-Pro-Lys-Lys-Lys-Arg-Lys-Val-
Exportation du noyau	-Leu-Ala-Leu-Lys-Leu-Ala-Gly-Leu-Asp-Ile-
Importation dans les mitochondries	NH_3^+-Met-Leu-Ser-Leu-Arg-Gln-Ser-Ile-Arg-Phe-Phe-Lys-Pro-Ala-Thr-Arg-Thr-Leu-Cys-Ser-Ser-Arg-Tyr-Leu-Leu-
Importation dans les plastes	NH_3^+-Met-Val-Ala-Met-Ala-Met-Ala-Ser-Leu-Gln-Ser-Ser-Met-Ser-Ser-Leu-Ser-Leu-Ser-Ser-Asn-Ser-Phe-Leu-Gly-Gln-Pro-Leu-Ser-Pro-Ile-Thr-Leu-Ser-Pro-Phe-Leu-Gln-Gly-
Importation dans les peroxysomes	-Ser-Lys-Leu-COO⁻
Importation dans le RE	NH_3^+-Met-Met-Ser-Phe-Val-Ser-Leu-Leu-Leu-Val-Gly-Ile-Leu-Phe-Trp-Ala-Thr-Glu-Ala-Glu-Gln-Leu-Thr-Lys-Cys-Glu-Val-Phe-Gln-
Retour au RE	-Lys-Asp-Glu-Leu-COO⁻

Certains aspects caractéristiques des différentes classes de séquences de signal sont soulignés par de la couleur. Lorsqu'on sait qu'ils sont importants pour la fonction de la séquence de signal, les acides aminés chargés positivement sont montrés en *rouge* et les acides aminés chargés négativement sont montrés en *vert*. De même, les acides aminés hydrophobes importants sont montrés en *jaune* et les acides aminés hydroxylés sont en *bleu*. NH_3^+ indique l'extrémité N-terminale de la protéine ; COO⁻ indique l'extrémité C-terminale.

d'un type de repliement protéique tridimensionnel complexe, ils ne peuvent être facilement transférés expérimentalement d'une protéine à l'autre.

Les deux types de signaux de tri sont reconnus par des récepteurs de tri complémentaires qui guident les protéines vers leur destination adaptée où ils déchargent leur cargaison. Les récepteurs fonctionnent de façon catalytique ; après avoir terminé un cycle d'adressage, ils retournent à leur point d'origine et sont réutilisés. La plupart des récepteurs de tri reconnaissent plutôt des classes de protéines qu'une espèce protéique particulière. Ils peuvent donc être considérés comme des systèmes de transport public dédiés à la livraison de groupes de composants dans leur localisation correcte intracellulaire.

Les principales méthodes d'étude du mode d'adressage des protéines du cytosol vers un compartiment spécifique et du mode de leur translocation à travers la membrane sont illustrées dans la planche 12-1.

La plupart des organites entourés d'une membrane ne peuvent être construits à partir de rien : ils nécessitent des informations sur l'organite lui-même

Quand une cellule se reproduit par division, elle doit dupliquer ses organites entourés d'une membrane. En général, les cellules agrandissent les organites existants en y incorporant de nouvelles molécules. Les organites agrandis se divisent en général et se distribuent aux deux cellules filles. De ce fait, chaque cellule fille hérite de sa mère d'un groupe complet de membranes cellulaires spécialisées. Cet héritage est essentiel parce qu'une cellule ne peut fabriquer ces membranes en partant de rien. Si le RE est complètement retiré d'une cellule, par exemple, comment la cellule pourrait-elle le reconstruire ? Comme nous le verrons ultérieurement, les protéines membranaires qui définissent le RE et effectuent bon nombre de ses fonctions sont elles-mêmes des produits du RE. Un nouveau RE ne pourrait pas se fabriquer sans un RE préexistant ou du moins, sans une membrane qui contient spécifiquement les protéines de translocation nécessaires à l'importation de certaines protéines du cytosol au RE (y compris les protéines de translocation spécifiques du RE elles-mêmes). C'est également vrai pour les mitochondries, les plastes et les peroxysomes (*voir* Figure 12-6).

De ce fait, il semble que les informations nécessaires pour construire un organite entouré d'une membrane ne résident pas exclusivement dans l'ADN qui spécifie les protéines de cet organite. Il faut également une information *épigénétique* sous forme d'au moins une protéine distincte qui préexiste dans la membrane de l'organite, et cette information est transmise de la cellule parentale à la descendance sous forme de l'organite lui-même. Ces informations sont probablement essentielles à la propagation de l'organisation des compartiments de la cellule tout comme l'information de l'ADN est essentielle à la propagation des séquences nucléotidiques et en acides aminés de la cellule.

UTILISATION DE LA TRANSFECTION POUR DÉFINIR LES SÉQUENCES DE SIGNAL

Une des méthodes qui montrent qu'une séquence de signal est nécessaire et suffisante pour adresser une protéine à un compartiment cellulaire spécifique consiste à créer une protéine de fusion dans laquelle la séquence de signal est fixée par une technique de génie génétique à une protéine normalement résidente dans le cytosol. Lorsque l'ADNc qui code pour cette protéine est transfecté dans les cellules, la localisation de la protéine de fusion est déterminée par immunocoloration ou fractionnement.

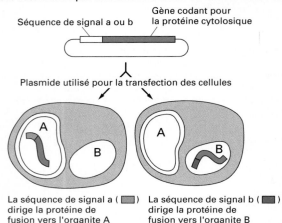

La séquence de signal a (▢) dirige la protéine de fusion vers l'organite A   La séquence de signal b (▢) dirige la protéine de fusion vers l'organite B

L'altération des séquences de signal par une mutagenèse dirigée sur le site permet de déterminer les caractéristiques structurelles importantes pour cette fonction.

ÉTUDE BIOCHIMIQUE DU MÉCANISME DE TRANSLOCATION DES PROTÉINES

Dans cette étude, une protéine marquée contenant une séquence de signal spécifique est transportée dans des organites isolés *in vitro*. La protéine marquée est généralement produite par la traduction acellulaire d'un ARNm purifié codant pour cette protéine ; des acides aminés radioactifs sont utilisés pour marquer la protéine néosynthétisée afin qu'elle puisse être distinguée des nombreuses autres protéines présentes dans le système de traduction *in vitro*. Trois méthodes sont habituellement utilisées pour tester si la protéine marquée a été transloquée dans cet organite :

1. Co-fractionnement de la protéine marquée avec l'organite pendant la centrifugation

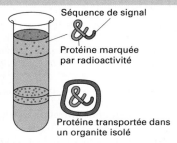

2. Coupure de la séquence de signal par une protéase spécifique présente à l'intérieur de l'organite

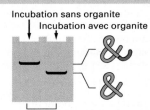

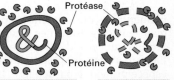

3. La protéine est protégée de la digestion lorsque des protéases sont ajoutées au milieu d'incubation mais y est sensible si un détergent est d'abord ajouté pour rompre la membrane de l'organite.

L'exploitation de ces tests *in vitro* permet de déterminer quels sont les composants (protéine, ATP, GTP, etc.) nécessaires au processus de translocation.

ÉTUDE GÉNÉTIQUE DU MÉCANISME DE TRANSLOCATION DES PROTÉINES

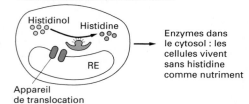

Cellule de levure de type sauvage

Enzymes dans le cytosol : les cellules vivent sans histidine comme nutriment

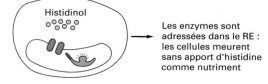

Cellule de levure modifiée par génie génétique

Les enzymes sont adressées dans le RE : les cellules meurent sans apport d'histidine comme nutriment

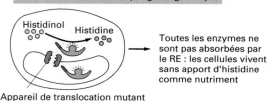

Cellule mutante modifiée par génie génétique

Toutes les enzymes ne sont pas absorbées par le RE : les cellules vivent sans apport d'histidine comme nutriment

Des cellules de levure ayant des mutations dans les gènes qui codent pour les composants de la machinerie de translocation ont été utilisées pour étudier l'adressage des protéines. Comme les cellules mutantes ne peuvent pas transloquer les protéines au travers de leurs membranes et meurent, le but est de concevoir une stratégie qui permette d'isoler de légères mutations qui ne provoquent qu'une anomalie partielle de la translocation de la protéine.

Une des méthodes utilise le génie génétique pour concevoir une cellule de levure particulière. Une enzyme, l'histidinol déshydrogénase, par exemple, réside normalement dans le cytosol où elle sert à produire un acide aminé essentiel, l'histidine, à partir de son précurseur l'histidinol. On établit une souche de levure dans laquelle le gène de l'histidinol déshydrogénase est remplacé par un gène modifié par génie génétique, codant pour une protéine de fusion sur laquelle une séquence de signal a été ajoutée et qui dirige cette enzyme par erreur dans le réticulum cytoplasmique (RE). Lorsque cette cellule est mise en culture sans histidine, elle meurt parce que son histidinol déshydrogénase reste séquestrée dans le RE où elle n'a pas d'utilité. Cependant, les cellules qui présentent une mutation qui inactive partiellement le mécanisme de translocation des protéines du cytosol au RE, survivent parce qu'il y a assez de déshydrogénase dans le cytosol pour produire de l'histidine. Souvent on obtient une cellule dans laquelle la protéine mutante fonctionne encore partiellement à température normale mais est complètement inactive à de plus fortes températures. Une cellule qui présente cette mutation thermosensible meurt aux températures élevées qu'il y ait ou non de l'histidine car elle ne peut pas transporter n'importe quelle protéine dans le RE. Cela permet d'identifier le gène normal inactivé par mutation en transfectant la cellule mutante avec un vecteur de plasmide de levure dans lequel des fragments d'ADN génomique de levure pris au hasard ont été clonés : le fragment spécifique d'ADN qui sauve la cellule mutante lorsqu'elle est mise en culture à une température élevée doit coder pour la version de type sauvage du gène mutant.

Comme nous le verrons de façon plus détaillée dans le chapitre 13 cependant, le RE perd un flot constant de vésicules membranaires qui n'incorporent que des protéines spécifiques et de ce fait ont une composition différente du RE lui-même. De même, la membrane plasmique produit constamment des vésicules endocytaires spécialisées. De ce fait, certains compartiments entourés d'une membrane peuvent se former à partir d'autres organites et n'ont pas besoin d'être transmis au moment de la division cellulaire.

Résumé

Les cellules eucaryotes contiennent des membranes intracellulaires qui entourent presque la moitié du volume total de la cellule pour former des compartiments intracellulaires séparés appelés organites. Les principaux types d'organites entourés d'une membrane et présents dans toutes les cellules eucaryotes sont le réticulum endoplasmique, l'appareil de Golgi, le noyau, les mitochondries, les lysosomes, les endosomes et les peroxysomes ; les cellules végétales contiennent aussi des plastes comme les chloroplastes. Chaque organite contient un groupe distinct de protéines qui permettent sa fonction particulière.

Chaque protéine néosynthétisée d'un organite doit trouver son chemin entre le ribosome cytosolique où elle est fabriquée et l'organite où elle fonctionne. Elle effectue cela en suivant une voie spécifique, guidée par des signaux de sa séquence en acides aminés qui fonctionnent comme des séquences de signal ou des patchs de signal. Les séquences et les patchs de signal sont reconnus par des récepteurs de tri complémentaires qui délivrent la protéine dans le bon organite cible. Les protéines qui fonctionnent dans le cytosol ne contiennent pas de signal de tri et restent donc sur place après leur synthèse.

Pendant la division cellulaire, les organites comme le RE et les mitochondries sont répartis intacts dans chaque cellule fille. Ces organites contiennent des informations nécessaires à leur édification de telle sorte qu'ils ne peuvent être fabriqués à partir de rien.

TRANSPORT DES MOLÉCULES ENTRE LE NOYAU ET LE CYTOSOL

L'**enveloppe nucléaire** entoure l'ADN et définit le *compartiment nucléaire*. Cette enveloppe est composée de deux membranes concentriques traversées par les complexes du pore nucléaire (Figure 12-9). Bien que les enveloppes nucléaires internes et externes soient continues, elles gardent une composition protéique différente. La **membrane nucléaire interne** contient des protéines spécifiques qui agissent comme des sites de liaison pour la chromatine et le réseau protéique de la *lamina nucléaire* qui forme le soutien structurel de cette membrane. La membrane interne est entourée par la **membrane nucléaire externe**, continue avec la membrane du RE. Tout comme la membrane du RE qui sera décrite ultérieurement dans ce chapitre, la membrane nucléaire externe est garnie de ribosomes engagés dans la synthèse protéique. Les protéines fabriquées sur ces ribosomes sont transportées dans l'espace situé entre les membranes nucléaires interne et externe (l'*espace périnucléaire*), continu avec la lumière du RE (*voir* Figure 12-9).

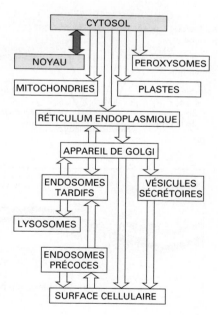

Un transport bidirectionnel s'effectue continuellement entre le cytosol et le noyau. Les nombreuses protéines qui fonctionnent dans le noyau – y compris les histones, les ADN et ARN polymérases, les protéines régulatrices de gènes et les protéines de maturation de l'ARN – sont sélectivement importées du cytosol, où elles sont fabriquées, au compartiment nucléaire. Au même moment, les ARNt et les ARNm sont synthétisés dans le compartiment nucléaire, puis exportés dans le cytosol. Tout comme le processus d'importation, le processus d'exportation est sélectif ; les ARNm par exemple, ne sont exportés qu'après avoir été correctement modifiés par les réactions de maturation de l'ARN dans le noyau. Dans certains cas, le processus de transport est complexe : les protéines ribosomiques, par exemple, sont fabriquées dans le cytosol, importées dans le noyau – où elles s'assemblent en particules avec l'ARN ribosomique néoformé – puis de nouveau exportées dans le cytosol en tant que partie des sous-unités ribosomiques. Chacune de ces étapes nécessite un transport sélectif au travers de l'enveloppe nucléaire.

Les complexes du pore nucléaire perforent l'enveloppe nucléaire

L'enveloppe nucléaire de tous les eucaryotes est perforée de grosses structures complexes appelées **complexes du pore nucléaire**. Dans les cellules animales, chaque complexe a une masse moléculaire estimée de 125 millions et on pense qu'il est com-

Figure 12-9 Enveloppe nucléaire. Cette enveloppe à double membrane est perforée par les complexes du pore nucléaire et est continue avec celle du réticulum endoplasmique. Les ribosomes, normalement fixés sur la face cytosolique de la membrane du RE et sur la membrane nucléaire externe, ne sont pas représentés. La lamina nucléaire est un réseau fibreux sous-jacent à la membrane interne.

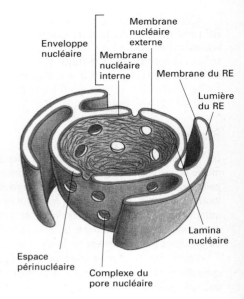

posé de plus de 50 protéines différentes, les **nucléoporines**, disposées selon une symétrie octogonale étonnante (Figure 12-10).

En général, plus le noyau est transcriptionnellement actif, plus le nombre de complexes du pore nucléaire est important dans son enveloppe. L'enveloppe nucléaire d'une cellule typique de mammifères contient entre 3000 et 4000 complexes du pore. Si la cellule synthétise de l'ADN, elle doit importer du cytosol environ 10^6 molécules d'histones toutes les 3 minutes pour empaqueter l'ADN néosynthétisé dans la chromatine. Cela signifie qu'en moyenne, chaque complexe du pore doit transporter 100 molécules histones par minute. Si la cellule a une croissance rapide, chaque pore doit aussi transporter environ 6 petites et grandes sous-unités riboso-

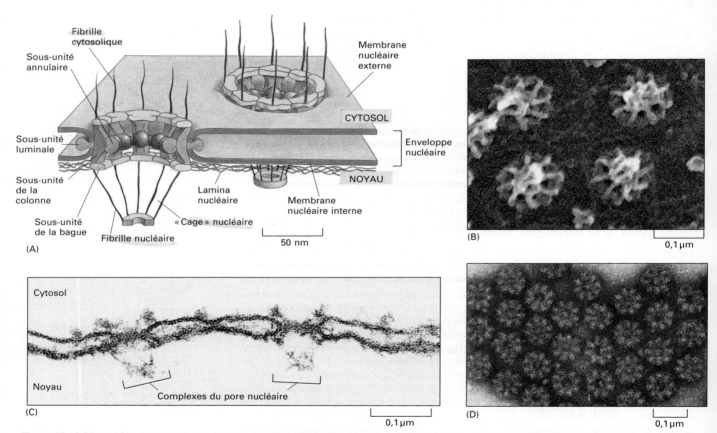

Figure 12-10 Disposition des complexes du pore nucléaire dans l'enveloppe nucléaire. (A) Une petite région de l'enveloppe nucléaire. En coupe transversale, le complexe du pore nucléaire semble être composé de quatre unités de construction structurelles : les sous-unités de la colonne qui forment la plus grosse partie de la paroi du pore ; les sous-unités annulaires, qui étendent des rayons (non représentés) vers le centre du pore ; les sous-unités luminales contenant des protéines transmembranaires qui amarrent le complexe à la membrane nucléaire ; les sous-unités de la bague, qui forment les faces cytosolique et nucléaire du complexe. En plus, des fibrilles font saillie à partir des faces cytosolique et nucléaire du complexe. Sur la face nucléaire, les fibrilles convergent pour former une structure en «cage». Les études de localisation, qui utilisent des techniques de microscopie immuno-électroniques, ont montré que les protéines qui constituent le cœur du complexe du pore nucléaire ont une distribution symétrique au travers de l'enveloppe nucléaire de telle sorte que les faces cytosolique et nucléaire semblent identiques. Cela est en contraste avec les protéines qui constituent les fibrilles, qui sont différentes de chaque côté de la face cytosolique ou de la face nucléaire. (B) Photographie en microscopie électronique à balayage de la face nucléaire de l'enveloppe nucléaire d'un ovocyte. (C) La continuité de la membrane nucléaire interne avec la membrane nucléaire externe au niveau du pore est visible sur cette photographie en microscopie électronique d'une fine coupe, qui montre une vue latérale de deux complexes du pore nucléaire (*crochets*). (D) Cette photographie en microscopie électronique montre une vue de face de complexes du pore nucléaire en coloration négative ; les membranes ont été extraites par un détergent. (B, d'après M.W. Goldberg et T.D. Allen, *J. Cell Biol.* 119 : 1429-1140, 1992. © The Rockefeller University Press ; C, due à l'obligeance de Werner Franke et Ulrich Scheer ; D, due à l'obligeance de Ron Milligan.)

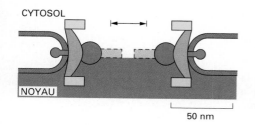

CYTOSOL

NOYAU

50 nm

Taille des protéines
qui entrent dans
le noyau par
diffusion libre

Taille des protéines
qui entrent dans
le noyau par transport
actif

Figure 12-11 Les voies possibles de la diffusion libre au travers du complexe du pore nucléaire. Ce schéma montre un diaphragme hypothétique (en *gris*) inséré dans le pore pour restreindre la taille du canal ouvert à 9 nm, la taille du pore, estimée d'après des mesures de diffusion. Neuf nanomètres représentent un diamètre beaucoup plus petit que celui de l'ouverture centrale qui apparaît sur les images des complexes du pore nucléaire issues de photographie en microscopie électronique. Il est également plus petit que l'ouverture estimée pendant le transport actif, lorsque les pores se dilatent pour permettre le transport de particules allant jusqu'à 26 nm de diamètre (*flèche*). De ce fait, il est probable que certains composants du complexe du pore soient perdus pendant la préparation des spécimens à observer en microscopie électronique et que ceux-ci restreignent normalement la diffusion libre au travers de l'ouverture centrale. Ces composants peuvent former un diaphragme (ou obturateur) qui s'ouvre et se ferme pour permettre le passage des gros objets pendant le transport actif, qui dépend des signaux de tri (*voir plus loin*). Bien qu'on ait pu observer ces obturateurs dans certaines préparations, on ne sait pas clairement s'ils sont des composants du complexe du pore ou un matériau transporté à travers lui. Des reconstructions tridimensionnelles informatisées suggèrent que les canaux qui permettent la diffusion libre seraient localisés près de la bordure du complexe du pore, entre les sous-unités de la colonne et non pas au centre (*voir* Figure 12-10A) ; cela signifierait que la diffusion passive et le transport actif s'effectuent dans différents endroits du complexe.

miques nouvellement assemblées par minute du noyau, où elles sont produites, au cytosol, où elles sont utilisées. Et ce n'est qu'une très petite partie du transport total qui s'effectue au travers des complexes du pore.

Chaque complexe du pore contient un ou plusieurs canaux ouverts remplis d'eau au travers desquels diffusent passivement les petites molécules hydrosolubles. La taille réelle de ces canaux a été déterminée par injection de molécules hydrosolubles marquées de différentes tailles dans le cytosol et mesure de leur vitesse de diffusion dans le noyau. Les petites molécules (inférieures ou égales à 5 000 daltons) diffusent si rapidement que l'on peut considérer que l'enveloppe nucléaire leur est librement perméable. Une protéine de 17 000 daltons met 2 minutes pour atteindre l'équilibre entre le cytosol et le noyau alors que les protéines de taille supérieure à 60 000 daltons entrent difficilement dans le noyau. L'analyse quantitative de ces données suggère que les complexes du pore nucléaire contiennent une voie de diffusion libre équivalente à un canal cylindrique rempli d'eau qui mesure 9 nm de diamètre et 15 nm de long environ ; ce canal n'occuperait qu'une petite partie du volume total du complexe du pore (Figure 12-11).

Comme beaucoup de protéines cellulaires sont trop grandes pour diffuser au travers du complexe du pore, l'enveloppe nucléaire permet que les compartiments nucléaires et cytosoliques gardent des groupes différents de protéines. Les ribosomes cytosoliques matures, par exemple, mesurent environ 30 nm de diamètre et ne peuvent donc pas diffuser au travers des canaux de 9 nm ; leur exclusion du noyau assure que la synthèse protéique reste confinée au cytosol. Mais comment le noyau peut-il exporter les sous-unités ribosomiques néosynthétisées ou importer des molécules plus grosses, comme l'ADN et l'ARN polymérases dont les masses moléculaires des sous-unités sont de 100 000 à 200 000 daltons ? Comme nous le verrons, ces protéines et beaucoup d'autres, de même que les molécules d'ARN, se fixent sur des récepteurs protéiques spécifiques qui les transportent activement au travers des complexes du pore nucléaire.

Les signaux de localisation nucléaire dirigent les protéines nucléaires vers le noyau

Lorsque les protéines sont expérimentalement extraites du noyau et réintroduites dans le cytosol (par une perforation expérimentalement induite de la membrane plasmique), même les plus grosses protéines se réaccumulent efficacement dans le noyau. La sélectivité de ce processus d'importation nucléaire réside dans les **signaux de localisation nucléaire (NLS** pour *nuclear localization signal*) qui n'existent que sur les protéines nucléaires. Ces signaux ont été définis avec précision dans de nombreuses protéines nucléaires en utilisant des techniques d'ADN recombinant (Figure 12-12). Comme nous l'avons mentionné, il peut s'agir soit de séquences de signal soit de

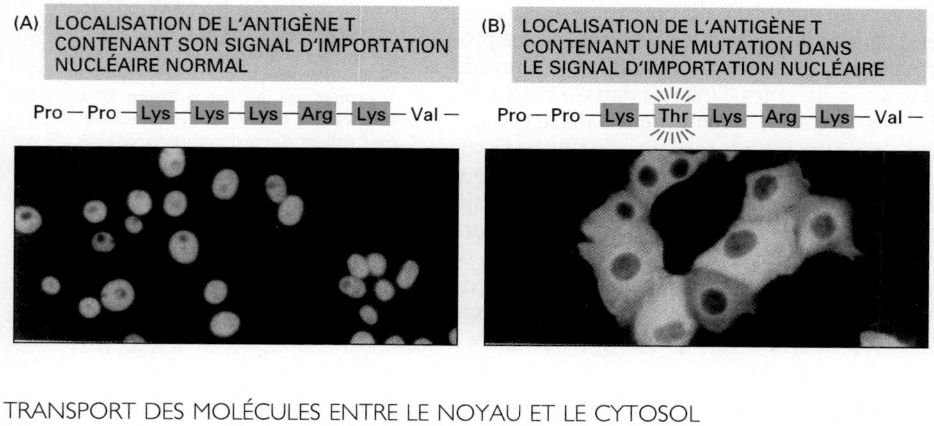

(A) LOCALISATION DE L'ANTIGÈNE T CONTENANT SON SIGNAL D'IMPORTATION NUCLÉAIRE NORMAL

Pro — Pro — Lys — Lys — Lys — Arg — Lys — Val —

(B) LOCALISATION DE L'ANTIGÈNE T CONTENANT UNE MUTATION DANS LE SIGNAL D'IMPORTATION NUCLÉAIRE

Pro — Pro — Lys — Thr — Lys — Arg — Lys — Val —

Figure 12-12 Fonction d'un signal de localisation nucléaire. Photographies en microscopie à immunofluorescence montrant la localisation cellulaire de l'antigène T du virus SV40 contenant ou non un court peptide qui sert de signal de localisation nucléaire. (A) La protéine antigène T normale contient la séquence riche en lysine indiquée et est importée vers son site d'action dans le noyau, comme cela est montré par la coloration par immunofluorescence à l'aide d'un anticorps anti-antigène T. (B) L'antigène T pourvu d'un signal de localisation nucléaire altéré (une thréonine remplace une lysine) reste dans le cytosol. (D'après D. Kalderon, B. Roberts, W. Richardson et A. Smith, *Cell* 39 : 499-509, 1984. © Elsevier.)

patchs de signal. Dans beaucoup de protéines nucléaires, ce sont une ou deux séquences riches en lysine et arginine, des acides aminés de charge positive (*voir* Tableau 12-III, p. 667), dont la séquence précise varie entre les différentes protéines nucléaires. D'autres protéines nucléaires contiennent des signaux différents, dont certains ne sont pas encore caractérisés.

Les signaux jusqu'à présent caractérisés peuvent être situés n'importe où dans la séquence en acides aminés et on pense qu'ils forment des boucles ou des patchs à la surface de la protéine. Beaucoup fonctionnent même lorsqu'ils sont reliés sous forme de courts peptides à une chaîne latérale de lysine de la surface d'une protéine cytosolique, ce qui suggère que la localisation précise du signal à l'intérieur de la séquence en acides aminés de la protéine nucléaire n'a pas d'importance.

Le transport des protéines nucléaires au travers des complexes du pore nucléaire peut être directement visualisé en recouvrant des particules d'or avec le signal de localisation nucléaire, en les injectant dans le cytosol puis en suivant leur destin en microscopie électronique (Figure 12-13). Des études faites avec diverses tailles de billes d'or indiquent que l'ouverture peut se dilater pour atteindre un diamètre de 26 nm pendant le processus de transport. Une structure, située au centre du complexe du pore nucléaire, semble fonctionner comme un diaphragme bien ajusté qui s'ouvre juste à la bonne largeur pour permettre le passage du substrat à transporter (*voir* Figure 12-11). La base moléculaire du mécanisme d'ouverture reste un mystère.

Le mécanisme du transport des macromolécules au travers des complexes du pore nucléaire est fondamentalement différent du mécanisme de transport impliqué dans le transfert protéique au travers des membranes des autres organites, parce qu'il se produit au travers d'un gros pore rempli d'eau plutôt que par l'intermédiaire d'une protéine de transport enjambant une ou plusieurs bicouches lipidiques. C'est pourquoi les protéines nucléaires peuvent être transportées au travers du complexe du pore lorsqu'elles sont dans leur conformation complètement repliée. De même les sous-unités ribosomiques néoformées sont transportées à l'extérieur du noyau sous forme de la particule assemblée. Par contre, les protéines doivent être largement dépliées pour leur transport dans la plupart des autres organites, comme nous le verrons ultérieurement. En microscopie électronique, cependant, les très grosses particules qui traversent le complexe du pore semblent se rétrécir fortement lorsqu'elles se faufilent au travers du complexe, ce qui indique qu'au moins certaines d'entre elles subissent une restructuration pendant leur transport. Cela a été étudié surtout pour l'exportation de certains très gros ARNm comme nous l'avons vu au chapitre 6 (*voir* Figure 6-39).

Les récepteurs d'importation nucléaire se fixent sur les signaux de localisation nucléaire et les nucléoporines

Pour initier l'importation nucléaire, la plupart des signaux de localisation nucléaire doivent être reconnus par les **récepteurs d'importation nucléaire**, qui sont codés par une famille de gènes apparentés. Chaque membre de la famille code pour une protéine réceptrice spécialisée dans le transport d'un groupe de protéines nucléaires qui présentent des signaux de localisation nucléaire structurellement semblables (Figure 12-14A).

Les récepteurs d'importation sont des protéines cytosoliques solubles qui se fixent à la fois sur les signaux de localisation nucléaire de la protéine à transporter et sur les nucléoporines, dont certaines forment des fibrilles qui ressemblent à des tentacules qui s'étendent dans le cytosol en partant de l'extérieur des complexes du pore nucléaire. Les fibrilles et beaucoup d'autres nucléoporines contiennent un grand nombre de courtes répétitions d'acides aminés à base de phénylalanine et de glycine, appelées de ce fait *répétitions FG* (d'après le code à une lettre des acides aminés, vu au chapitre 5). Les répétitions FG servent de site de liaison aux récepteurs d'importation. On pense qu'elles tapissent la voie empruntée au travers du complexe du pore nucléaire par les récepteurs d'importation chargés de leur cargaison protéique. Ces complexes protéiques se déplacent le long de la voie en se fixant, se dissociant et se fixant à nouveau de façon répétitive sur les séquences répétitives adjacentes. Une fois dans le noyau, les récepteurs d'importation se dissocient de leur cargaison et retournent dans le cytosol.

Les récepteurs d'importation nucléaire ne se fixent pas toujours directement sur les protéines nucléaires. Ils utilisent parfois des protéines adaptatrices supplémentaires qui forment un pont entre le récepteur d'importation et les signaux de localisation nucléaire de la protéine à transporter. Ces protéines adaptatrices sont étonnamment proches, structurellement, des récepteurs d'importation nucléaire, ce qui suggère qu'ils ont une origine évolutive commune. L'utilisation combinée de récepteurs d'importation et d'adaptateurs permet à la cellule de reconnaître le large éventail de signaux de localisation nucléaire, présents sur les protéines nucléaires.

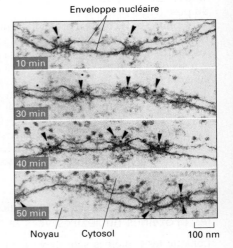

Figure 12-13 Visualisation de l'importation active à travers un complexe du pore nucléaire. Cette série de photographies en microscopie électronique montre des sphères d'or colloïdal (*têtes de flèches*) recouvertes de peptides contenant des signaux de localisation nucléaire qui entrent dans le noyau par l'intermédiaire des complexes du pore nucléaire. Les particules d'or ont été injectées dans les cellules vivantes. Celles-ci ont été ensuite fixées et préparées pour la microscopie électronique, divers moments après l'injection. Au premier point temps (10 minutes), les particules d'or sont visibles à proximité des fibrilles cytosoliques des complexes du pore nucléaire. Elles migrent alors vers le centre des complexes où elles sont visibles d'abord exclusivement sur la face cytosolique (30 et 40 minutes) puis apparaissent ensuite sur la face nucléaire (50 minutes). Ces particules d'or ont un diamètre bien plus gros que celui des canaux de diffusion des complexes du pore, ce qui implique que les pores se sont élargis après induction pour permettre leur passage. (D'après N. Panté et U. Aebi, *Science* 273 : 1179-1732, 1996. © AAAS.)

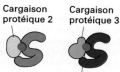

Cargaison protéique | Cargaison protéique 2 | Cargaison protéique 3

Récepteur d'importation nucléaire

Signal de localisation nucléaire

(A)

Protéine adaptatrice d'importation nucléaire

Cargaison protéique 4

(B)

Figure 12-14 Récepteurs d'importation nucléaire. (A) Beaucoup de récepteurs d'importation nucléaire se fixent à la fois sur les nucléoporines et sur un signal de localisation nucléaire porté par le chargement protéique qu'ils transportent. Les cargaisons protéiques 1, 2 et 3 de cet exemple contiennent différents signaux de localisation nucléaire qui entraînent la fixation de chacune sur un récepteur nucléaire d'importation différent. (B) La cargaison protéique 4 montrée ici nécessite une protéine adaptatrice pour se fixer sur son récepteur d'importation nucléaire. Ces adaptateurs sont structurellement apparentés aux récepteurs d'importation nucléaire et reconnaissent les signaux de localisation nucléaires situés sur les cargaisons protéiques. Ils contiennent également un signal de localisation nucléaire qui les fixe sur un récepteur d'importation.

L'exportation nucléaire s'effectue comme l'importation nucléaire, mais dans le sens inverse

L'exportation nucléaire des molécules de grande taille, comme les nouvelles sous-unités ribosomiques et les molécules d'ARN, se produit également au travers des complexes du pore nucléaire et dépend d'un système de transport sélectif. Ce système de transport repose sur des **signaux d'exportation nucléaire** présents sur les macromolécules à exporter ainsi que sur des **récepteurs d'exportation nucléaire** complémentaires. Ces récepteurs se fixent à la fois sur les signaux d'exportation et sur les nucléoporines pour guider leur cargaison jusqu'au cytosol au travers du complexe du pore.

Les récepteurs d'exportation nucléaire sont structurellement proches des récepteurs d'importation nucléaire et sont codés par une même famille de gènes, celle des **récepteurs de transport nucléaire**, ou *caryophérines*. Dans les levures, il existe 14 gènes qui codent pour les membres de cette famille ; dans les cellules animales, ce nombre est significativement supérieur. D'après leur seule séquence en acides aminés, il est souvent impossible de savoir si un membre particulier de cette famille fonctionne comme un récepteur d'importation nucléaire ou comme un récepteur d'exportation nucléaire. Il n'est donc pas surprenant que les systèmes d'importation et d'exportation fonctionnent de façon similaire mais dans la direction opposée : les récepteurs d'importation fixent leur cargaison protéique dans le cytosol, la libèrent dans le noyau puis sont exportés dans le cytosol pour être réutilisés, alors que les récepteurs d'exportation fonctionnent en sens inverse.

Si des sphères d'or identiques à celles utilisées dans les expériences montrées dans la figure 12-13 sont recouvertes de petites molécules d'ARN (ARNt ou ARN 5S ribosomique) et injectées dans le noyau d'une cellule en culture, elles sont rapidement transportées dans le cytosol au travers des complexes du pore nucléaire. Si on utilise deux tailles de particules d'or, une recouverte d'ARN et injectée dans le noyau et l'autre recouverte de signaux de localisation nucléaire et injectée dans le cytosol, on peut montrer qu'un seul complexe du pore nucléaire permet le passage dans les deux directions. On ne sait pas comment un complexe du pore peut coordonner le flux bidirectionnel des macromolécules pour éviter les encombrements et les collisions de face.

La GTPase Ran actionne le transport directionnel au travers du complexe du pore nucléaire

L'importation des protéines nucléaires au travers du complexe du pore concentre des protéines spécifiques dans le noyau, et augmente ainsi l'ordre dans la cellule, ce qui consomme de l'énergie (*voir* Chapitre 2). On pense que cette énergie provient de l'hydrolyse d'un GTP par une GTPase monomérique appelée **Ran**. Ran est retrouvée à la fois dans le cytosol et dans le noyau et est nécessaire aux systèmes d'importation et d'exportation.

Comme les autres GTPases, Ran est un commutateur moléculaire qui existe sous deux conformations, selon qu'un GTP ou un GDP y est fixé (*voir* Chapitre 3). La conversion entre les deux états est déclenchée par deux protéines régulatrices spécifiques du Ran : une *protéine d'activation de la GTPase* (*GAP*, pour *GTPase-activating protein*) cytosolique qui déclenche l'hydrolyse du GTP et transforme ainsi Ran-GTP en Ran-GDP et un *facteur d'échange de la guanine* (*GEF* pour *guanine exchange factor*) nucléaire qui favorise l'échange du GDP en GTP et transforme ainsi Ran-GDP en Ran-GTP. Comme la *Ran-GAP* est localisée dans le cytosol et le *Ran-GEF* dans le noyau, le cytosol contient surtout de la Ran-GDP et le noyau surtout de la Ran-GTP (Figure 12-15).

Ce gradient des deux conformations de Ran entraîne le transport nucléaire dans la bonne direction (Figure 12-16). L'arrimage des récepteurs d'importation nucléaire

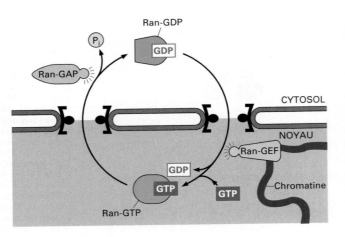

Figure 12-15 Maintien de Ran-GTP et de Ran-GDP dans des compartiments différents. La localisation de Ran-GDP dans le cytosol et de Ran-GTP dans le noyau résulte de la localisation de deux protéines régulatrices du Ran : la protéine d'activation de la GTPase du Ran (Ran-GAP) est localisée dans le cytosol et le facteur d'échange du nucléotide guanine du Ran (Ran-GEF) est fixé sur la chromatine et n'est donc exclusivement présent que dans le noyau. Une autre protéine, appelée protéine de liaison au Ran (non représentée ici pour plus de clarté), collabore avec la Ran-GAP pour activer l'hydrolyse du GTP.

aux répétitions FG du côté cytosolique du complexe du pore nucléaire, par exemple, ne se produit que quand ces récepteurs sont chargés de la bonne cargaison. Les récepteurs d'importation reliés à leurs protéines se déplacent alors le long d'un chemin délimité par les séquences répétitives FG jusqu'à ce qu'ils atteignent la face nucléaire du pore où la fixation de Ran-GTP provoque la libération de la cargaison par les récepteurs d'importation (Figure 12-17). En favorisant dans le cytosol la mise en place dépendant de la cargaison des récepteurs d'importation sur les répétitions FG et la libération dans le noyau du chargement dépendant de Ran-GTP, la localisation nucléaire de Ran-GTP impose la direction.

Après avoir déchargé sa cargaison dans le noyau, le récepteur d'importation vide relié au Ran-GTP est transporté à nouveau dans le cytosol par le complexe du pore. Là, deux protéines cytosoliques, la *protéine de liaison à Ran* et la Ran-GAP, collaborent pour transformer la Ran-GTP en Ran-GDP. La protéine de liaison à Ran déplace d'abord la Ran-GTP du récepteur d'importation, ce qui permet à la Ran-GAP d'activer Ran pour qu'elle hydrolyse son GTP fixé. La Ran-GDP se dissocie alors de la protéine de liaison à Ran et est réimportée dans le noyau pour terminer le cycle.

L'exportation nucléaire se produit selon un mécanisme similaire, sauf que la Ran-GTP du noyau favorise la fixation de la cargaison sur le récepteur d'exportation et la fixation du récepteur chargé sur la face nucléaire du complexe du pore. Une fois dans le cytosol, Ran rencontre la Ran-GAP et la protéine de liaison à Ran et hydrolyse son GTP fixé. Le récepteur d'exportation libère alors à la fois sa cargaison et la Ran-GDP dans le cytosol et se dissocie du complexe du pore, et les récepteurs d'exportation libres retournent dans le noyau pour terminer le cycle (*voir* Figure 12-16).

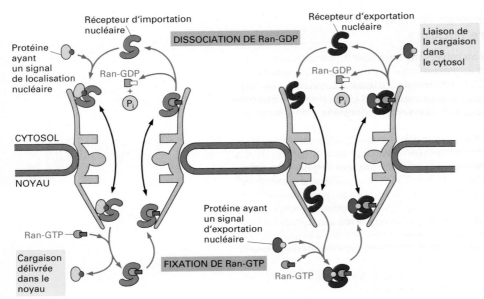

Figure 12-16 Modèle expliquant comment l'hydrolyse du GTP par Ran donne la direction du transport nucléaire. Le déplacement au travers du complexe du pore nucléaire des récepteurs de transport nucléaire chargés peut se produire par une diffusion guidée le long des répétitions FG exposées par les nucléoporines. La localisation différentielle de la Ran-GTP dans le noyau et de la Ran-GDP dans le cytosol donne la direction (*flèches rouges*) de l'importation nucléaire (*à gauche*) et de l'exportation nucléaire (*à droite*). L'hydrolyse du GTP qui produit la Ran-GDP s'effectue par l'intermédiaire de la Ran-GAP et de la protéine de liaison à Ran du côté cytosolique du complexe du pore nucléaire.

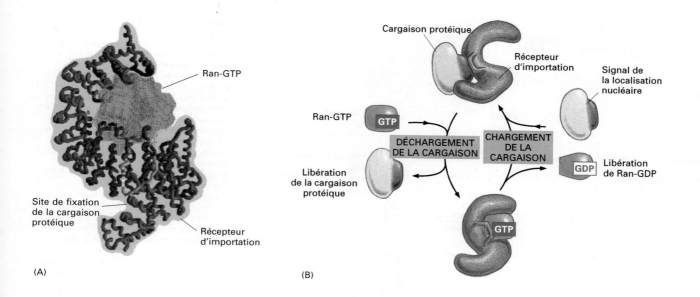

(A)

(B)

Le transport entre le noyau et le cytosol est régulé par le contrôle de l'accès à la machinerie de transport

Certaines protéines, comme celles qui se fixent sur les ARNm néoformés du noyau, contiennent à la fois des signaux de localisation nucléaire et des signaux d'exportation. Ces protéines font continuellement la navette entre le noyau et le cytosol. La localisation à l'équilibre de ces *navettes protéiques* est déterminée par la vitesse relative de leur importation et de leur exportation. Si la vitesse d'importation dépasse la vitesse d'exportation, la protéine se localisera surtout dans le noyau. Par contre, si la vitesse d'exportation dépasse la vitesse d'importation, la protéine se localisera principalement dans le cytosol. De ce fait, la modification de la vitesse d'importation, d'exportation, ou des deux, peut modifier la localisation d'une protéine.

Certaines navettes protéiques se déplacent continuellement en entrant et sortant du noyau. Dans d'autres cas, cependant, le transport est strictement contrôlé. Comme nous l'avons vu au chapitre 7, l'activité de certaines protéines régulatrices de gènes est contrôlée par leur maintien à l'extérieur du compartiment nucléaire jusqu'à ce qu'elles soient nécessaires à cet endroit (Figure 12-18). Dans beaucoup de cas, ce contrôle dépend de la régulation des signaux de localisation nucléaire et d'exportation ; ils peuvent être activés ou inactivés, souvent par phosphorylation des acides aminés adjacents (Figure 12-19).

D'autres protéines régulatrices de gènes sont fixées sur des protéines cytosoliques inhibitrices qui les amarrent au cytosol (par des interactions avec le cytosquelette ou des organites spécifiques) ou masquent leurs signaux de localisation nucléaire de telle sorte qu'elles soient incapables d'interagir avec les récepteurs d'importation nucléaire. Lorsque la cellule reçoit un stimulus approprié, la protéine régulatrice est libérée de son ancrage cytosolique ou de son masquage et est transportée dans le noyau. La protéine régulatrice de gènes latents en est un exemple important : elle contrôle l'expression des protéines impliquées dans le métabolisme du cholestérol. La protéine est fabriquée puis stockée sous forme inactive dans le RE en tant que protéine transmembranaire. Lorsque la cellule manque de cholestérol, elle active des protéases spécifiques qui coupent la protéine et libèrent son domaine cytosolique. Ce domaine est alors importé dans le noyau où il active la transcription des gènes nécessaires à l'importation et à la synthèse du cholestérol.

Les cellules contrôlent de même l'exportation de l'ARN à partir du noyau. L'ARN messager se fixe sur des protéines, placées sur l'ARN au moment de la transcription et de l'épissage. Ces protéines contiennent des signaux d'exportation nucléaire recon-

Figure 12-17 Modèle expliquant comment la fixation de Ran-GTP peut provoquer la libération de la cargaison par les récepteurs d'importation nucléaire. (A) Les récepteurs de transport nucléaire sont composés de répétitions d'hélices α qui s'empilent soit dans de grosses arches soit dans des enroulements en colimaçon, en fonction du récepteur ou de l'adaptateur particulier. Les cargaisons protéiques et la Ran-GTP se fixent sur différentes régions de la face interne de l'arche. Dans un co-cristal d'un récepteur d'importation nucléaire fixé à la Ran-GTP, une boucle conservée (en *rouge*) du récepteur se recouvre de Ran-GTP liée, ce qui, dans l'état du récepteur non fixé sur la Ran est, pense-t-on, important pour la fixation de la séquence de signal. (B) Cycle de chargement dans le cytosol et de déchargement dans le noyau d'un récepteur d'importation nucléaire. (A, adapté d'après Y.M. Chook et G. Blobel, *Nature* 399 : 230-237, 1999.)

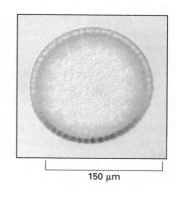

Figure 12-18 Contrôle du développement de l'embryon d'une mouche par le transport nucléaire. La protéine régulatrice du gène *dorsal* est exprimée uniformément dans tout ce très jeune embryon de *Drosophila*, montré en coupe transversale. Elle n'est active que dans les cellules du côté ventral (*en bas*) de l'embryon où on la trouve dans le noyau. La protéine dorsale est visualisée par sa coloration avec un anticorps couplé à une enzyme qui forme un produit coloré. (Due à l'obligeance de Siegfried Roth).

150 µm

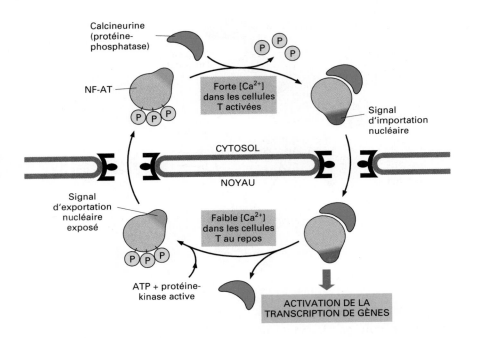

Figure 12-19 Contrôle de l'importation nucléaire pendant l'activation des lymphocytes T. Le facteur nucléaire des lymphocytes T activés (NF-AT) est une protéine régulatrice de gène qui, dans le lymphocyte T au repos, se trouve à l'état phosphorylé dans le cytosol. Lorsque les lymphocytes T sont activés, la concentration intracellulaire en Ca^{2+} augmente. Lorsque Ca^{2+} est élevé, une protéine-phosphatase, la calcineurine, se fixe sur le NF-AT. La fixation de calcineurine déphosphoryle le NF-AT et expose un ou plusieurs signaux d'importation nucléaire et peut aussi bloquer un signal d'exportation nucléaire. Le complexe NF-AT fixé sur la calcineurine est alors importé dans le noyau où le NF-AT active la transcription de nombreux gènes de cytokines et de protéines cellulaires de surface nécessaires à la réponse immunitaire correcte. Pendant l'inactivation de la réponse, la baisse de la concentration en Ca^{2+} conduit à la libération de la calcineurine. La rephosphorylation du NF-AT inactive le signal d'importation nucléaire et expose de nouveau le signal d'exportation nucléaire du NF-AT, ce qui provoque le retour du NF-AT dans le cytosol. Certains médicaments immunosuppresseurs très puissants, comme la ciclosporine A et le FK506, inhibent la capacité de la calcineurine à déphosphoryler le NF-AT ; ces médicaments bloquent ainsi l'accumulation nucléaire du NF-AT.

nus par les récepteurs d'exportation qui guident l'ARN à l'extérieur du noyau au travers des complexes du pore nucléaire. Lors de l'entrée dans le cytosol, la protéine qui recouvre l'ARN est éliminée et retourne rapidement dans le noyau. D'autres ARN, comme les ARNsn et les ARNt sont exportés par différents groupes de récepteurs d'exportation nucléaire.

Les pré-ARNm, dont la maturation n'est pas complète, sont activement retenus dans le noyau et amarrés à la machinerie de transcription nucléaire et d'épissage qui ne libère la molécule d'ARN que lorsque sa maturation est terminée. Des études génétiques dans les levures montrent que des pré-ARNm mutants qui ne peuvent s'engager correctement dans la machinerie d'épissage sont exportés de façon incorrecte sous forme de molécules non épissées.

L'enveloppe nucléaire se désassemble pendant la mitose

La **lamina nucléaire** est formée d'un réseau de sous-unités protéiques interconnectées appelées **lamines nucléaires**. Les lamines sont une classe particulière de filaments protéiques intermédiaires (*voir* Chapitre 16) qui se polymérisent en formant un treillis bidimensionnel (Figure 12-20). La lamina nucléaire donne sa forme et sa stabilité à l'enveloppe nucléaire sur laquelle elle s'amarre en se fixant à la fois sur les complexes du pore nucléaire et sur des protéines intégrales de la membrane nucléaire interne. La lamina interagit aussi directement avec la chromatine qui interagit elle-même avec les protéines intégrales de la membrane nucléaire interne. Avec la lamina, ces protéines de membrane forment des liaisons structurales entre l'ADN et l'enveloppe nucléaire.

Lorsqu'un noyau se désassemble pendant la mitose, la lamina nucléaire se dépolymérise. Ce désassemblage est, du moins en partie, une conséquence de la phosphorylation directe des lamines nucléaires par une kinase cycline-dépendante activée au début de la mitose (*voir* Chapitre 17). Au même moment, les protéines de la membrane nucléaire interne sont phosphorylées et les complexes du pore nucléaire se désassemblent et se dispersent dans le cytosol. Les protéines de membrane de l'enveloppe nucléaire – qui ne sont plus accrochées aux complexes du pore, à la lamina et à la chromatine – diffusent dans toute la membrane du RE. L'ensemble de ces événements dégrade la barrière qui sépare normalement le noyau du cytosol et les protéines nucléaires qui ne sont plus fixées sur les membranes ou les chromosomes se mélangent complètement avec le cytosol de la cellule en division (Figure 12-21).

Ultérieurement au cours de la mitose (à la fin de l'anaphase) l'enveloppe nucléaire se réassemble à la surface des chromosomes, lorsque les protéines de la membrane nucléaire interne et les lamines déphosphorylés se refixent sur la chromatine. Les membranes du RE s'enroulent autour des groupes de chromosomes et poursuivent leur fusion jusqu'à ce qu'une enveloppe nucléaire scellée se reforme. Pendant ce processus, les complexes du pore nucléaire se réassemblent aussi et com-

Figure 12-20 Lamina nucléaire. Photographie en microscopie électronique d'une portion de lamina nucléaire d'un ovocyte de *Xenopus* préparé par cryo-séchage et ombrage métallique. La lamina est formée d'un treillis régulier de filaments intermédiaires spécialisés. (Due à l'obligeance de Ueli Aebi.)

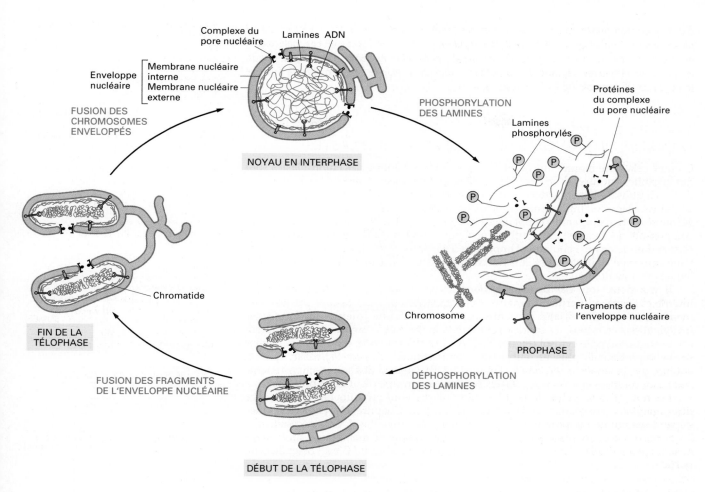

FUSION DES CHROMOSOMES ENVELOPPÉS

Complexe du pore nucléaire — Lamines — ADN

Enveloppe nucléaire — Membrane nucléaire interne — Membrane nucléaire externe

NOYAU EN INTERPHASE

PHOSPHORYLATION DES LAMINES

Lamines phosphorylés

Protéines du complexe du pore nucléaire

Fragments de l'enveloppe nucléaire

Chromosome

PROPHASE

Chromatide

FIN DE LA TÉLOPHASE

FUSION DES FRAGMENTS DE L'ENVELOPPE NUCLÉAIRE

DÉBUT DE LA TÉLOPHASE

DÉPHOSPHORYLATION DES LAMINES

mencent activement la réimportation des protéines qui contiennent des signaux de localisation nucléaire. Comme l'enveloppe nucléaire est au départ fortement appliquée à la surface des chromosomes, le noyau néoformé exclut toutes les protéines sauf celles initialement liées aux chromosomes mitotiques et celles sélectivement importées au travers des complexes du pore nucléaire. De cette façon, toutes les autres grosses protéines sont maintenues hors du noyau qui vient de s'assembler.

Les signaux de localisation nucléaire ne sont pas coupés après le transport dans le noyau. C'est probablement parce que les protéines nucléaires doivent être importées de façon répétée, une fois après chaque division cellulaire. Par contre, une fois qu'une molécule protéique a été importée dans n'importe quel autre organite entouré d'une membrane, elle se transmet d'une génération à l'autre à l'intérieur de ce compartiment et n'a jamais besoin d'être déplacée ; la séquence de signalisation sur ces molécules est souvent éliminée lorsque la protéine arrive à destination.

Figure 12-21 Dégradation et néoformation de l'enveloppe nucléaire durant la mitose. On pense que la phosphorylation des lamines déclenche le désassemblage de la lamina nucléaire qui, à son tour, provoque la dégradation de l'enveloppe nucléaire. On pense que la déphosphorylation des lamines facilite le processus inverse.

Résumé

L'enveloppe nucléaire est composée d'une membrane interne et d'une membrane externe. La membrane externe est continue avec la membrane du RE et l'espace entre elle et la membrane interne est continu avec la lumière du RE. Les molécules d'ARN fabriquées dans le noyau et les sous-unités ribosomiques qui s'y assemblent sont exportées dans le cytosol tandis que toutes les protéines qui fonctionnent dans le noyau sont synthétisées dans le cytosol, puis importées. Le transport intense de matériaux entre le noyau et le cytosol se produit au travers des complexes du pore nucléaire qui fournissent une voie de passage directe qui traverse l'enveloppe nucléaire.

Les protéines qui contiennent les signaux de localisation nucléaire sont activement transportées à l'intérieur du noyau au travers des complexes du pore nucléaire, tandis que les molécules d'ARN et les sous-unités ribosomiques néoformées contiennent des signaux d'exportation nucléaire qui dirigent leur transport actif vers l'extérieur au travers de ces mêmes complexes. Certaines protéines, y compris les récepteurs d'importation et d'exportation nucléaires, font continuellement la navette entre le cytosol et le noyau. La GTPase Ran donne la direction du transport nucléaire. Le transport des protéines nucléaires et des molécules d'ARN au travers des complexes du pore peut être régulé en empêchant l'accès de ces molécules à la machinerie de transport. Comme les signaux de localisation nucléaire ne sont pas retirés, les protéines nucléaires peuvent être importées à répétition selon le besoin à chaque fois que le noyau se re-assemble après la mitose.

TRANSPORT DES PROTÉINES DANS LES MITOCHONDRIES ET LES CHLOROPLASTES

Comme cela a été montré au chapitre 14, les mitochondries et les chloroplastes sont des organites entourés d'une double membrane. Ils sont spécialisés dans la synthèse de l'ATP utilisant l'énergie dérivée du transport d'électrons et de la phosphorylation oxydative dans les mitochondries et de la photosynthèse dans les chloroplastes. Même si ces deux organites contiennent leur propre ADN, des ribosomes et d'autres composants nécessaires à la synthèse protéique, la plupart de leurs protéines sont codées dans le noyau cellulaire et importées à partir du cytosol. De plus, chaque protéine importée doit atteindre le sous-compartiment particulier de l'organite dans lequel elle fonctionne.

Il y a deux sous-compartiments dans les mitochondries : l'**espace matriciel** interne et l'**espace intermembranaire**. Ces compartiments sont formés par les deux membranes mitochondriales concentriques : la **membrane interne** qui forme des invaginations étendues, les *crêtes*, et entoure la matrice et la **membrane externe** qui est en contact avec le cytosol (Figure 12-22A). Les chloroplastes ont les deux mêmes sous-compartiments plus un autre sous-compartiment, l'*espace thylacoïde*, qui est entouré par la *membrane thylacoïde* (Figure 12-22B). Chacun des sous-compartiments des mitochondries et des chloroplastes contient un groupe distinct de protéines.

Les nouvelles mitochondries et les chloroplastes sont produits par la croissance des organites préexistants suivie par la scission (*voir* Chapitre 14). Leur croissance dépend surtout de l'importation de protéines à partir du cytosol. Cela nécessite que les protéines soient déplacées à travers un certain nombre de membranes successives et arrivent à leur place appropriée. Comment cela se produit-il ? C'est l'objet de cette partie.

La translocation dans la matrice mitochondriale dépend d'une séquence de signal et de protéines de translocation

Les protéines importées dans la matrice des **mitochondries** sont généralement prises à partir du cytosol dans les secondes ou les minutes qui suivent leur libération des ribosomes. De ce fait, contrairement à la translocation protéique dans le RE que nous verrons plus tard, les protéines mitochondriales sont d'abord complètement synthétisées sous forme de précurseurs protéiques dans le cytosol puis transloquées dans les mitochondries par un *mécanisme post-traductionnel*. La plupart des **protéines précurseurs mitochondriales** ont une séquence de signal à leur extrémité N-terminale qui est rapidement retirée après leur importation par une protéase (la *signal-peptidase*) de la matrice mitochondriale. Les séquences de signal sont nécessaires et suffisantes pour importer les protéines qui les contiennent ; par l'utilisation des techniques de

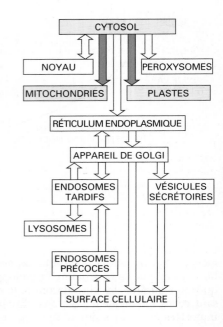

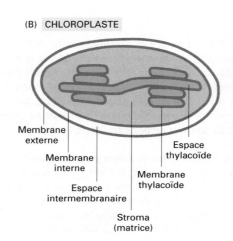

(A) MITOCHONDRIE

Membrane externe
Matrice
Espace intermembranaire
Membrane interne

(B) CHLOROPLASTE

Membrane externe
Membrane interne
Espace intermembranaire
Membrane thylacoïde
Espace thylacoïde
Stroma (matrice)

Figure 12-22 Sous-compartiment des mitochondries et des chloroplastes. Contrairement aux crêtes des mitochondries (A), les thylacoïdes des chloroplastes (B) ne sont pas reliés à la membrane interne et forment de ce fait un compartiment ayant un espace interne séparé (*voir* Figure 12-3).

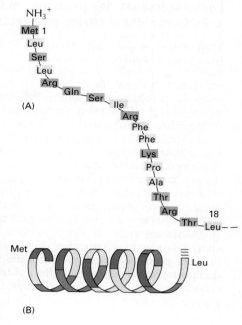

Figure 12-23 Séquence de signal d'importation des protéines mitochondriales. La cytochrome oxydase est un gros complexe multiprotéique localisé dans la membrane mitochondriale interne, dont la fonction est d'être l'enzyme terminale de la chaîne de transport des électrons (*voir* Chapitre 14). (A) Les 18 premiers acides aminés du précurseur de la sous-unité IV de cette enzyme servent de séquence de signal d'importation de cette sous-unité dans les mitochondries. (B) Lorsque la séquence de signal est repliée en une hélice α, les résidus de charge positive (en *rouge*) sont regroupés sur une des faces de l'hélice tandis que les résidus non polaires (en *jaune*) sont surtout regroupés sur la face opposée. Les séquences d'adressage dans la matrice mitochondriale peuvent toujours former ce type d'hélice α amphipathique, qui est reconnue par des récepteurs protéiques spécifiques de la surface mitochondriale.

génie génétique, ces signaux peuvent être liés à n'importe quelle protéine cytosolique pour diriger les protéines dans la matrice mitochondriale. Les comparaisons de séquences et les études physiques des différentes séquences de signal de matrice suggèrent que leur caractéristique commune est la propension à se replier en une hélice α amphipathique, dans laquelle les résidus de charge positive sont regroupés d'un côté de l'hélice tandis que les résidus hydrophobes non chargés sont regroupés du côté opposé (Figure 12-23). Cette configuration – plutôt qu'une séquence précise en acides aminés – est reconnue par un récepteur spécifique protéique qui initie la translocation protéique.

La translocation protéique à travers la membrane mitochondriale est effectuée par l'intermédiaire de complexes protéiques à sous-unités multiples qui fonctionnent comme des **protéines de translocation** : le **complexe TOM** fonctionne à travers la membrane externe et les deux **complexes TIM** (TIM23 et TIM22) fonctionnent à travers la membrane interne (Figure 12-24). TOM et TIM signifient respectivement translocase des membranes mitochondriales externe (*outer*) et interne. Ces complexes contiennent certains composants qui agissent comme des récepteurs des protéines précurseurs mitochondriales et d'autres composants qui forment le canal de translocation. Le complexe TOM est nécessaire pour l'importation de toutes les protéines mitochondriales codées dans le noyau. Il transporte initialement leurs séquences de signal dans l'espace intermembranaire et aide à insérer les protéines transmembranaires dans la membrane externe. Le complexe TIM23 transporte alors certaines de ces protéines dans la matrice, tout en aidant à insérer les protéines transmembranaires dans la membrane interne. Le complexe TIM22 sert d'intermédiaire pour l'insertion d'une sous-classe de protéines de la membrane interne, y compris la protéine de transport qui transporte l'ADP, l'ATP et les phosphates. Une troisième protéine de translocation de la membrane mitochondriale interne, le **complexe OXA**, sert d'intermédiaire à l'insertion de protéines de la membrane interne qui sont synthétisées à l'intérieur de la mitochondrie. Il aide aussi à insérer certaines protéines qui sont initialement transportées dans la matrice par les complexes TIM et TOM.

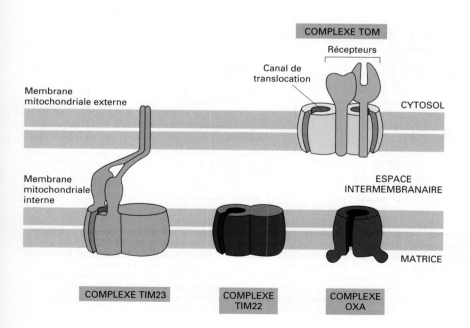

Figure 12-24 Trois protéines de translocation des membranes mitochondriales. Les complexes TOM et TIM et le complexe OXA sont des assemblages de protéines membranaires multimériques qui catalysent le transport protéique au travers des membranes mitochondriales. Les composants protéiques des complexes TIM22 et TIM23 qui tapissent le canal d'importation sont structurellement apparentés, ce qui suggère qu'ils ont une origine évolutive commune. Comme cela est indiqué, un des composants au cœur du complexe TIM23 contient une extension hydrophobe en hélice α qui s'insère dans la membrane mitochondriale externe ; ce complexe est donc particulier car il enjambe simultanément deux membranes.

Les précurseurs des protéines mitochondriales sont importés sous forme d'une chaîne polypeptidique dépliée

Presque tout ce que nous savons sur les mécanismes moléculaires de l'importation des protéines dans les mitochondries provient de l'analyse de systèmes de transport acellulaires reconstitués. Les mitochondries doivent d'abord être purifiées par centrifugation différentielle de cellules homogénéisées puis incubées avec des précurseurs des protéines mitochondriales radiomarqués qui sont généralement absorbés rapidement et efficacement. En modifiant les conditions d'incubation, il est possible d'établir leurs besoins biochimiques pour le transport.

Les précurseurs des protéines mitochondriales ne se replient pas dans leur structure initiale après leur synthèse ; par contre ils restent dépliés dans le cytosol du fait d'interactions avec d'autres protéines. Certaines des protéines qui interagissent sont des *protéines chaperons* générales de la *famille hsp70* (*voir* Chapitre 6) alors que d'autres sont spécifiques des précurseurs des protéines mitochondriales et se fixent directement sur leurs séquences de signal. Toutes ces protéines qui interagissent permettent d'éviter que les précurseurs protéiques forment des agrégats ou se replient spontanément avant de s'engager dans le complexe TOM de la membrane mitochondriale externe. La première étape du processus d'importation consiste en la fixation des précurseurs des protéines mitochondriales sur les récepteurs protéiques d'importation du complexe TOM qui reconnaissent les séquences de signal mitochondriales. Les protéines qui interagissent sont ensuite détachées et la chaîne polypeptidique est entraînée – séquence de signal d'abord – dans le canal de translocation.

Les précurseurs des protéines mitochondriales sont importés dans la matrice au niveau de sites de contact qui relient les membranes interne et externe

En principe une protéine pourrait atteindre la matrice mitochondriale en traversant les deux membranes soit une par une, soit les deux à la fois. Pour différencier ces deux possibilités, un système d'importation mitochondrial acellulaire a été refroidi à basse température, ce qui a stoppé les protéines à une étape intermédiaire du processus de translocation. Les protéines qui s'accumulent à ce niveau ont déjà perdu leur séquence de signal N-terminale retirée par la signal-peptidase de la matrice, ce qui indique que leur extrémité N-terminale doit se trouver dans l'espace matriciel. Cependant, la masse protéique peut encore être attaquée depuis l'extérieur de la mitochondrie si on y ajoute des enzymes protéolytiques (Figure 12-25). Cela démontre que le précurseur de la protéine peut traverser les deux membranes mitochondriales à la fois pour entrer dans la matrice (Figure 12-26). On pense que le complexe TOM transporte d'abord le signal de ciblage mitochondrial au travers de la membrane externe. Une fois qu'il a atteint l'espace intermédiaire, le signal de ciblage se fixe à un complexe TIM et ouvre son canal, ce qui permet à la chaîne polypepti-

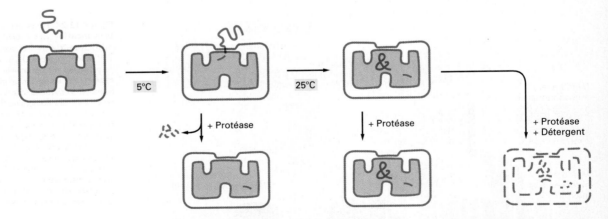

Figure 12-25 Les protéines enjambent transitoirement les membranes mitochondriales externe et interne pendant leur translocation dans la matrice. Lorsque des mitochondries isolées sont incubées à 5 °C en présence d'un précurseur protéique, celui-ci ne subit qu'une translocation partielle. La séquence de signal de l'extrémité N-terminale (en *rouge*) est coupée dans la matrice ; mais la majeure partie de la chaîne polypeptidique reste à l'extérieur de la mitochondrie où elle reste accessible aux enzymes protéolytiques. Si on réchauffe à 25 °C, la translocation est complète. Une fois à l'intérieur de la mitochondrie, la chaîne polypeptidique est protégée des enzymes protéolytiques qui sont ajoutées à l'extérieur. L'ajout de détergents qui rompent les membranes mitochondriales sert de témoin : dans ce cas les protéines importées sont facilement digérées par le même traitement aux protéases.

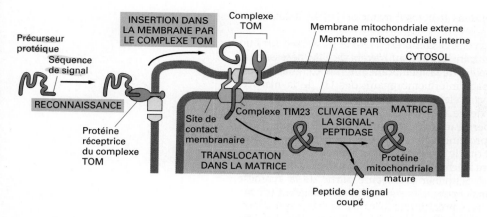

Figure 12-26 Importation des protéines par les mitochondries. La séquence de signal N-terminale du précurseur protéique est reconnue par les récepteurs du complexe TOM. On pense que la protéine est transloquée à travers les deux membranes mitochondriales au niveau d'un site de contact spécifique ou à son voisinage. La séquence de signal est coupée par une signal-peptidase de la matrice pour former la protéine mature. La séquence de signal libérée est alors rapidement dégradée (non montré ici).

dique soit d'entrer dans la matrice soit de s'insérer dans la membrane interne. L'observation en microscopie électronique a permis aux biologistes de repérer de nombreux *sites de contact* au niveau desquels les membranes mitochondriales internes et externes sont apposées et il est probable que la translocation s'effectue au niveau de ces sites ou à proximité.

Bien que les fonctions des complexes TOM et TIM soient généralement couplées pour permettre le transport protéique au travers des deux membranes en même temps, ces deux translocateurs protéiques peuvent agir indépendamment. Le complexe TOM de membranes externes isolées, par exemple, peut effectuer la translocation de la séquence de signal des précurseurs protéiques au travers de la membrane. De même, si la membrane externe des mitochondries a été interrompue expérimentalement, ce qui expose le complexe TIM23 à la surface, l'importation des précurseurs protéiques s'effectue efficacement dans l'espace matriciel. Malgré les rôles fonctionnels indépendants des translocateurs TOM et TIM, les deux membranes mitochondriales situées au niveau des sites de contact peuvent être en permanence reliées ensemble par le complexe TIM23, qui s'étend au travers de ces deux membranes (*voir* Figure 12-24).

L'hydrolyse de l'ATP et un gradient de H⁺ entraînent l'importation des protéines dans les mitochondries

Le transport directionnel nécessite de l'énergie. Dans la plupart des systèmes biologiques, l'hydrolyse de l'ATP fournit cette énergie. L'importation des protéines mitochondriales est alimentée par une hydrolyse d'ATP au niveau de deux petits sites, l'un situé à l'extérieur de la mitochondrie et l'autre dans la matrice (Figure 12-27). Il faut en plus, une autre source d'énergie sous forme d'un gradient électrochimique de H⁺ au travers de la membrane mitochondriale interne.

L'énergie est nécessaire au cours de l'étape initiale du processus de translocation, lorsque les précurseurs des protéines, dépliés et associés aux protéines chaperons, interagissent avec les récepteurs d'importation mitochondriaux. Comme nous l'avons vu au chapitre 6, l'hydrolyse de l'ATP est nécessaire pour libérer les polypeptides néosynthétisés des protéines chaperons de la famille hsp70. Expérimentalement, il est possible de court-circuiter les besoins en hsp70 et en ATP si la protéine

Figure 12-27 Rôle de l'énergie dans l'importation protéique dans la matrice mitochondriale. (1) La *hsp70 cytosolique* fixée est libérée de la protéine au cours d'une étape qui dépend de l'hydrolyse de l'ATP. Après l'insertion initiale de la séquence de signal et de portions adjacentes de la chaîne polypeptidique dans le complexe TOM, la séquence de signal interagit avec un complexe TIM. (2) La séquence de signal est alors transloquée dans la matrice selon un processus qui nécessite un gradient électrochimique de H⁺ au travers de la membrane interne, ce qui place la chaîne polypeptidique non repliée dans une position qui enjambe transitoirement les deux membranes. (3) La *hsp70 mitochondriale* se fixe sur les régions de la chaîne polypeptidique qui sont exposées dans la matrice, «tirant» ainsi la protéine dans la matrice. L'hydrolyse de l'ATP enlève alors l'hsp70 mitochondriale, ce qui permet à la protéine importée de se replier.

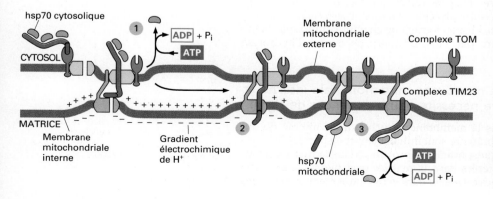

précurseur est artificiellement dépliée dans le cytosol avant de l'ajouter aux mitochondries purifiées.

Lorsque la séquence de signal a traversé le complexe TOM et s'est fixée sur l'un des complexes TIM, la poursuite de la translocation au travers de TIM nécessite un gradient électrochimique de H$^+$ au travers de la membrane interne. Ce gradient est maintenu par le pompage dans l'espace intermembranaire des H$^+$ de la matrice, entraîné par un processus de transport d'électrons dans la membrane interne. Par contre, la membrane mitochondriale externe, comme celle des bactéries à Gram négatif (*voir* Figure 11-17), est librement perméable aux ions inorganiques et aux métabolites (mais pas à la plupart des protéines) parce qu'elle contient une porine, protéine qui forme un pore, ce qui fait que le gradient ionique ne peut être maintenu de part et d'autre. L'énergie du gradient électrochimique de H$^+$ au travers de la membrane interne ne sert pas seulement à actionner la majeure partie de la synthèse d'ATP; elle actionne également la translocation des signaux d'adressage au travers du complexe TIM. On ne connaît pas avec précision le mécanisme précis qui le permet, mais il est possible que les composants électriques du gradient (le potentiel de membrane, *voir* Figure 14-13) facilitent l'entraînement de la séquence de signal, de charge positive, dans la matrice par électrophorèse.

Les protéines chaperons hsp70 de la matrice jouent également un rôle dans le processus de translocation et nous verrons qu'elles représentent la troisième étape du processus d'importation qui consomme de l'ATP.

L'importation se termine par des cycles répétés d'hydrolyse de l'ATP par l'hsp70 mitochondriale

Nous savons que l'**hsp70 mitochondriale** est d'une importance cruciale pour le processus d'importation, parce que les mitochondries qui contiennent des formes mutantes de cette protéine ne peuvent importer les précurseurs protéiques. Tout comme sa cousine cytosolique, l'hsp70 mitochondriale présente une forte affinité pour les chaînes polypeptidiques non repliées et se fixe solidement aux protéines importées dès qu'elles sortent du translocateur et entrent dans la matrice. L'hsp70 libère alors la protéine selon un processus qui dépend de l'ATP. On pense que ce cycle énergie-dépendant de fixation suivie de libération fournit la force d'entraînement finale nécessaire à la fin de l'importation protéique une fois que la protéine s'est placée dans le complexe TIM23 (*voir* Figure 12-27).

Deux modèles ont été proposés pour expliquer comment l'hydrolyse de l'ATP par l'hsp mitochondriale entraînait l'importation protéique. Dans ces deux modèles, les protéines hsp70 sont associées de près au complexe TIM23, qui les dépose sur la chaîne polypeptidique subissant la translocation au moment où elle sort dans la matrice. Selon le modèle de l'*encliquetage thermique* (Figure 12-28A), la chaîne qui émerge glisse d'arrière en avant dans le canal de translocation du TIM23 par des mouvements thermiques. À chaque fois qu'une portion suffisamment longue de la chaîne est exposée dans la matrice, une molécule de hsp70 s'y fixe, ce qui évite le retour en arrière et donne une direction à ce mouvement. La fixation de multiples protéines hsp70, une à la suite de l'autre, transloque la chaîne polypeptidique dans la matrice. Selon le modèle de l'*encliquetage après traversée* (Figure 12-28B), les protéines hsp70 se fixent sur la chaîne polypeptidique qui émerge et subissent une modification de conformation entraînée par l'hydrolyse de l'ATP, ce qui tire activement un segment de la chaîne polypeptidique dans la matrice. Une nouvelle molécule de hsp70 se fixe alors sur le segment qui vient d'être tiré et le cycle se répète. Selon ces deux modèles, donc, l'hsp70 fonctionne comme un cliquet qui évite le glissement en arrière de la chaîne polypeptidique qui sort.

Après leur interaction initiale avec l'hsp70 mitochondriale, beaucoup de protéines importées sont transmises à une autre protéine chaperon, l'*hsp60 mitochondriale*. Comme nous l'avons vu au chapitre 6, l'hsp60 forme une chambre qui fixe la chaîne polypeptidique dépliée puis la libère par l'intermédiaire de cycles d'hydrolyse d'ATP, ce qui facilite son repliement.

Le transport protéique dans la membrane mitochondriale interne et dans l'espace intermembranaire nécessite deux séquences de signal

Les protéines qui sont intégrées dans la membrane mitochondriale interne ou qui fonctionnent dans l'espace intermembranaire sont initialement transportées du cytosol par les mêmes mécanismes qui transportent les protéines dans la matrice. Dans certains cas, elles sont d'abord transférées dans la matrice (*voir* Figure 12-26). Une séquence d'acides aminés hydrophobes est, cependant, stratégiquement placée après

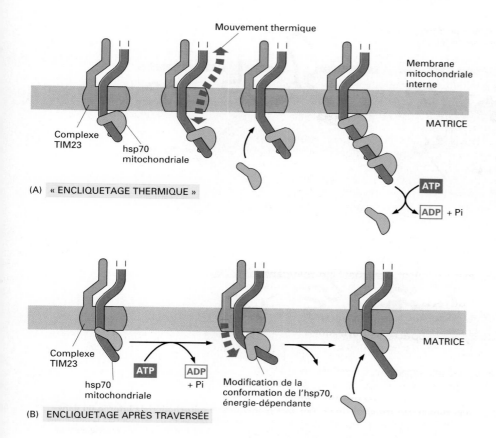

Figure 12-28 Deux modèles plausibles du mode d'entraînement de l'importation protéique par l'hsp70. (A) Selon le modèle de l'encliquetage thermique, la chaîne polypeptidique qui subit la translocation glisse d'arrière en avant, entraînée par le mouvement thermique et est successivement trappée dans la matrice par la fixation des hsp70. (B) Selon le modèle de l'encliquetage après traversée, une modification de conformation de l'hsp70 tire activement la chaîne dans la matrice. Dans les deux modèles, l'hsp70 se fixe sur le complexe TIM23 qui la place ensuite sur la chaîne polypeptidique qui subit la translocation au moment où elle sort du complexe et entre dans la matrice.

la séquence de signal N-terminale qui guide l'importation dans la matrice. Une fois que la séquence de signal N-terminale a été éliminée par la signal-peptidase de la matrice, cette séquence hydrophobe fonctionne comme une nouvelle séquence de signal N-terminale pour la translocation des protéines de la matrice à l'intérieur de la membrane interne ou au travers de celle-ci par l'intermédiaire du complexe OXA (*voir* Figure 12-24). Le complexe de translocation OXA sert aussi à insérer dans la membrane interne les protéines codées dans les mitochondries (Figure 12-29A). Des translocateurs apparentés sont retrouvés dans la membrane plasmique des bactéries et dans la thyalcoïde des chloroplastes, où on pense qu'ils facilitent l'insertion des protéines membranaires selon un mécanisme similaire.

Une autre voie vers la membrane interne évite l'entrée dans la matrice (Figure 12-29B). Dans ce cas, le translocateur TIM23 de la membrane interne se fixe sur la séquence hydrophobe qui suit la séquence de signal N-terminale et initie l'importation. Elle agit donc comme une *séquence d'arrêt de transfert* qui empêche la poursuite de la translocation au travers de la membrane interne. Une fois que la séquence de signal N-terminale a été éliminée, le reste de la protéine est tiré dans l'espace intermembranaire au travers du complexe TOM de la membrane externe. Différentes protéines utilisent l'une ou l'autre de ces deux voies pour aller vers l'espace intermembranaire ou la membrane interne.

Les protéines destinées à l'espace intermembranaire sont d'abord insérées via leur séquence de signal hydrophobe dans la membrane interne puis coupées dans l'espace intermembranaire par une signal-peptidase qui libère la chaîne polypeptidique mature sous forme d'une protéine soluble (Figure 12-29C). Beaucoup de ces protéines se fixent sur la surface externe de la membrane interne en tant que protéines membranaires périphériques où elles constituent des sous-unités de complexes protéiques qui contiennent également des protéines transmembranaires.

Les mitochondries sont le principal site intracellulaire de la synthèse d'ATP, mais elles contiennent aussi beaucoup d'enzymes métaboliques comme celles du cycle de l'acide citrique. De ce fait, en plus des protéines, les mitochondries doivent aussi transporter de petits métabolites au travers de leur membrane. Alors que la membrane externe contient des porines qui la rendent librement perméable aux petites molécules, la membrane interne n'en possède pas. Par contre, le transport d'un grand nombre de petites molécules à travers la membrane interne se fait par l'intermédiaire

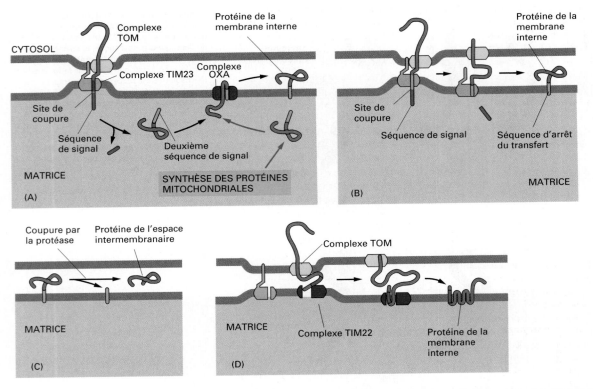

Figure 12-29 Importation des protéines du cytosol dans la membrane mitochondriale interne ou dans l'espace intermembranaire. (A) On pense que la voie qui déplace certaines protéines du cytosol vers la membrane interne nécessite l'utilisation de deux séquences de signal et de deux translocations. Les précurseurs protéiques sont d'abord importés dans la matrice (*voir* Figure 12-26). La coupure de la séquence de signal (en *rouge*) utilisée pour la translocation initiale, cependant, démasque une séquence de signal hydrophobe adjacente (*orange*) située à la nouvelle extrémité N-terminale. Ce signal dirige alors la protéine dans la membrane interne, probablement par la même voie OXA-dépendante utilisée pour l'insertion des protéines codées par le génome mitochondrial. (B) Dans certains cas, la séquence hydrophobe qui suit le signal d'adressage dans la matrice se fixe sur le translocateur TIM23 de la membrane interne et arrête la translocation. Le reste de la protéine est alors tiré dans l'espace intermembranaire au travers du translocateur TOM de la membrane externe et la séquence hydrophobe est libérée dans la membrane interne. (C) Certaines protéines solubles de l'espace intermembranaire peuvent aussi utiliser les voies montrées en (A) et (B) avant d'être libérées dans l'espace intermembranaire par une deuxième signal-peptidase dont le site actif se trouve dans l'espace intermembranaire et qui retire la séquence de signal hydrophobe. (D) La voie d'importation utilisée pour insérer les protéines de transport des métabolites dans la membrane mitochondriale interne passe par le complexe TIM22, spécialisé dans la translocation des protéines à multiples domaines transmembranaires.

d'une famille de transporteurs, spécifiques des métabolites. Dans les cellules de levure, ces protéines font partie d'une famille de 35 protéines différentes parmi lesquelles les plus importantes sont celles qui transportent l'ADP et l'ATP, ou le phosphate. Ces protéines de transport de la membrane interne sont des protéines à multiples domaines transmembranaires, dépourvues de séquence de signal à éliminer de leur extrémité N-terminale mais qui contiennent par contre des séquences de signal internes. Elles traversent le complexe TOM de la membrane externe et sont insérées dans la membrane interne par le complexe TIM22 (Figure 12-29D). Leur intégration dans la membrane interne nécessite le gradient électrochimique de H$^+$, mais pas d'hsp70 mitochondriale ou d'ATP. La répartition énergétiquement favorable des régions transmembranaires hydrophobes de la membrane interne entraîne probablement cette intégration.

Deux séquences de signal sont nécessaires pour diriger les protéines vers la membrane thylacoïde des chloroplastes

Le transport des protéines dans les **chloroplastes** ressemble beaucoup au transport dans les mitochondries. Ces deux processus sont post-traductionnels, utilisent des complexes de translocation séparés dans chaque membrane, se produisent sur des sites de contact, nécessitent de l'énergie et utilisent des séquences de signal N-terminales amphipathiques éliminées après leur utilisation. À part certaines molécules chaperons, cependant, les composants protéiques qui forment les complexes de translocation sont différents. De plus, alors que les mitochondries se servent de leur gradient électrochimique de H+ au travers de leur membrane interne pour actionner le transport, les chloroplastes, qui possèdent un gradient électrochimique de H+ au travers de leur membrane thylacoïde mais pas de leur membrane interne, utilisent l'hydrolyse du GTP et de l'ATP pour entraîner l'importation au travers de leur double membrane. Les similitudes fonctionnelles résulteraient donc d'une évolution convergente qui refléterait les besoins communs de translocation au travers d'un système à double membrane.

Même si les séquences de signal de l'importation dans les chloroplastes ressemblent superficiellement à celles de l'importation dans les mitochondries, les mitochondries et les chloroplastes sont tous deux présents dans la même cellule végétale, de telle sorte qu'il faut que les protéines puissent choisir correctement entre eux. Dans les végétaux, par exemple, il est possible de diriger spécifiquement une enzyme bactérienne dans les mitochondries si elle est expérimentalement réunie à la séquence de signal N-terminale d'une protéine mitochondriale ; cette même enzyme réunie à la séquence de signal N-terminale d'une protéine de chloroplaste aboutira dans les chloroplastes. Les récepteurs d'importation de chaque organite peuvent donc différencier les différentes séquences de signal.

Les chloroplastes possèdent un compartiment supplémentaire entouré d'une membrane, les **thylacoïdes**. Beaucoup de protéines du chloroplaste, y compris les sous-unités protéiques du système photosynthétique et de l'ATP synthase (*voir* Chapitre 14), sont incluses dans la membrane thylacoïde. Tout comme les précurseurs de certaines protéines mitochondriales, ces protéines sont transportées du cytosol à leur destination définitive en deux étapes. D'abord, elles traversent la double membrane au niveau des sites de contact et passent dans la matrice du chloroplaste, appelé **stroma**, puis elles sont transloquées dans la membrane thylacoïde (ou dans l'espace thylacoïde au travers de cette membrane) (Figure 12-30A). Les précurseurs

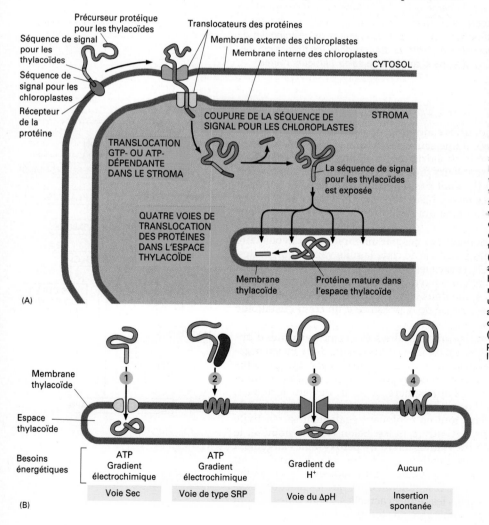

(A)

(B)

Figure 12-30 Translocation d'un précurseur protéique dans l'espace thylacoïde d'un chloroplaste. (A) Le précurseur protéique contient une séquence de signal N-terminale pour le chloroplaste (en *rouge*) suivie immédiatement d'une séquence de signal pour les thylacoïdes (*orange*). La séquence de signal pour le chloroplaste initie la translocation dans le stroma au travers d'un site de contact selon un mécanisme similaire à celui de la translocation dans la matrice mitochondriale. La séquence de signal est alors coupée, ce qui démasque la séquence de signal pour les thylacoïdes et initie la translocation au travers de la membrane thylacoïde. (B) La translocation dans l'espace thylacoïde ou la membrane thylacoïde s'effectue par une de ces quatre voies : (1) La voie Sec, ainsi nommée parce qu'elle utilise des composants homologues de la protéine Sec, qui sert d'intermédiaire à la translocation au travers de la membrane plasmique bactérienne (traité ultérieurement) ; (2) la voie de type SRP, ainsi nommée parce qu'elle utilise un homologue chloroplastique de la particule de reconnaissance du signal, ou SRP (traité ultérieurement) ; (3) la voie du ΔpH, appelée ainsi parce qu'elle est entraînée par le gradient de H+ au travers de la membrane thylacoïde ; et (4) la voie d'insertion spontanée qui ne semble pas nécessiter de translocateur protéique pour l'intégration membranaire.

de ces protéines possèdent une séquence de signal hydrophobe de la thylacoïde qui fait suite à la séquence de signal N-terminale du chloroplaste. Une fois que la séquence de signal N-terminale a été utilisée pour importer les protéines dans le stroma, elle est éliminée par une signal-peptidase stromale (analogue à la signal-peptidase de la matrice des mitochondries). Cette coupure démasque la séquence de signal des thylacoïdes qui initie alors le transport au travers de la membrane thylacoïdes. Les protéines peuvent emprunter au moins quatre chemins pour traverser ou s'intégrer dans la membrane thylacoïde, qui sont différenciés par différents besoins en chaperons dans le stroma et en sources d'énergie (Figure 12-30B).

Résumé

Même si les mitochondries et les chloroplastes possèdent leur propre système génétique, ils ne produisent qu'une petite partie de leurs propres protéines. Par contre, ces deux organites importent la plupart de leurs protéines à partir du cytosol, grâce à des mécanismes similaires. Dans les deux cas, les protéines sont importées à l'état déplié. Elles sont transloquées dans la matrice mitochondriale en traversant les complexes TOM et TIM au niveau de sites d'adhésion entre les membranes externe et interne appelés sites de contact. La translocation dans les mitochondries est entraînée à la fois par l'hydrolyse de l'ATP et un gradient électrochimique de H^+ au travers de la membrane interne, alors que la translocation dans les chloroplastes est entraînée uniquement par l'hydrolyse de GTP et d'ATP.

Des protéines chaperons de la famille hsp70 maintiennent les précurseurs protéiques sous forme dépliée, l'état adapté à la translocation. Un deuxième groupe de protéines hsp70 situées dans la matrice ou le stroma se fixe sur les chaînes polypeptidiques qui entrent et les tire dans l'organite. Seules les protéines qui contiennent une séquence de signal spécifique sont transloquées dans les mitochondries ou les chloroplastes. La séquence de signal, habituellement localisée à l'extrémité N-terminale, est coupée après l'importation. Certaines protéines importées contiennent également une séquence de signal interne qui guide la suite de leur transport. Le transport au travers de la membrane interne ou à l'intérieur de celle-ci peut représenter la deuxième étape si une séquence de signal hydrophobe est démasquée lors de l'élimination de la première. Dans les chloroplastes, l'importation à partir du stroma dans les thylacoïdes nécessite aussi une deuxième séquence de signal et peut se produire selon plusieurs routes.

PEROXYSOMES

Les **peroxysomes** diffèrent des mitochondries et des chloroplastes de plusieurs points de vue. En particulier, ils sont entourés d'une seule membrane et ne contiennent ni ADN ni ribosomes. Comme pour les mitochondries et les chloroplastes, cependant, on pense que les peroxysomes acquièrent leurs protéines par leur importation sélective à partir du cytosol. Mais comme ils n'ont pas de génome, ils doivent importer *toutes* leurs protéines. Les peroxysomes ressemblent donc au RE, dans ce sens que ce sont des organites entourés d'une membrane qui s'auto-répliquent et existent sans un génome propre.

Comme nous ne parlerons pas des peroxysomes par ailleurs, nous devons faire une digression pour envisager certaines fonctions de cette famille variée d'organites, avant de parler de leur biosynthèse. On trouve les peroxysomes dans toutes les cellules eucaryotes. Ils contiennent des enzymes oxydatives comme la *catalase* et l'*urate oxydase* à des concentrations si élevées que dans certaines cellules les peroxysomes ressortent en microscopie électronique à cause de la présence d'un cœur cristalloïde (Figure 12-31).

Les peroxysomes font partie, comme les mitochondries, des principaux sites d'utilisation de l'oxygène. Une des hypothèses est qu'ils sont un vestige d'un ancien organite qui effectuait la totalité du métabolisme de l'oxygène dans les ancêtres primitifs des cellules eucaryotes. Lorsque en oxygène produit par les bactéries photosynthétiques a commencé à s'accumuler dans l'atmosphère, il serait devenu fortement toxique pour la plupart des cellules. Les peroxysomes auraient servi à abaisser la concentration intracellulaire en oxygène, tout en exploitant également sa réactivité chimique pour effectuer des réactions oxydatives utiles. Selon cette hypothèse, le développement ultérieur des mitochondries aurait rendu les peroxysomes largement obsolètes parce que beaucoup de réactions identiques – effectuées au départ dans les peroxysomes sans produire de l'énergie – sont maintenant couplées à la formation d'ATP grâce à la phosphorylation oxydative. Il semblerait donc que les réactions oxydatives effectuées par les peroxysomes dans les cellules actuelles soient celles qui ont des fonctions importantes et ne sont pas effectuées par les mitochondries.

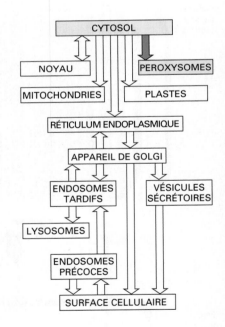

Les peroxysomes utilisent l'oxygène moléculaire et le peroxyde d'hydrogène pour effectuer les réactions oxydatives

Les peroxysomes sont nommés ainsi parce qu'ils contiennent habituellement une ou plusieurs enzymes qui utilisent l'oxygène moléculaire pour éliminer des atomes d'hydrogène de substances organiques spécifiques (désignées ici par R) selon une réaction oxydative qui produit du *peroxyde d'hydrogène* (H_2O_2) :

$$RH_2 + O_2 \rightarrow R + H_2O_2$$

La *catalase* utilise le H_2O_2 engendré par d'autres enzymes dans l'organite pour oxyder divers autres substrats – y compris les phénols, l'acide formique, le formaldéhyde et l'alcool – selon la réaction de «peroxydation» : $H_2O_2 + R'H_2 \rightarrow R' + 2H_2O$. Ce type de réaction oxydative est particulièrement important dans les cellules du foie et des reins où les peroxysomes détoxifient diverses molécules toxiques qui entrent dans le courant sanguin. Environ 25 p. 100 de l'éthanol que nous buvons est ainsi oxydé en acétaldéhyde. De plus, lorsque l'excès d'H_2O_2 s'accumule dans la cellule, la catalase le transforme en H_2O par la réaction :

$$2H_2O_2 \rightarrow 2H_2O + O_2$$

Une des fonctions majeures des réactions oxydatives effectuées dans les peroxysomes est la dégradation des molécules d'acide gras. Selon un processus appelé *β-oxydation*, les chaînes alkyle des acides gras sont raccourcies séquentiellement par blocs de deux atomes de carbone à la fois, ce qui transforme les acides gras en acétyl CoA. L'acétyl CoA est alors exporté dans le cytosol pour être réutilisé dans les réactions de biosynthèse. Dans les cellules des mammifères, la β-oxydation se produit à la fois dans les mitochondries et les peroxysomes; dans les cellules des levures et des végétaux, cependant, cette réaction essentielle se produit exclusivement dans les peroxysomes.

Une des fonctions biosynthétiques essentielles des peroxysomes des animaux est la catalyse de la première réaction de la formation des *plasmalogènes*, la classe de phospholipides la plus abondante de la myéline (Figure 12-32). La carence en plasmalogènes provoque de profondes anomalies de mylélinisation des cellules nerveuses, ce qui est une des raisons qui explique pourquoi beaucoup de maladies peroxysomiques conduisent à des maladies neurologiques.

Les peroxysomes sont des organites particulièrement variés et, même au sein des divers types cellulaires d'un seul organisme, ils peuvent contenir différents groupes d'enzymes. Ils peuvent aussi s'adapter de façon remarquable aux modifications des conditions. Les cellules de levure cultivées en présence de sucre par exemple, ont de petits peroxysomes. Mais lorsque certaines levures sont cultivées en présence de méthanol, elles développent de gros peroxysomes qui oxydent le méthanol; et lorsqu'elles sont cultivées en présence d'acides gras, elles développent de gros peroxysomes qui dégradent les acides gras en acétyl CoA par β-oxydation.

Les peroxysomes sont également importants dans les végétaux. Deux types différents ont été largement étudiés. Un de ces types est présent dans les feuilles où il catalyse l'oxydation d'un produit dérivé de la réaction cruciale qui fixe le CO_2 dans les glucides (Figure 12-33A). Comme nous le verrons au chapitre 14, ce processus est appelé *photorespiration* parce qu'il utilise l'O_2 et libère du CO_2. L'autre type de peroxysome se trouve dans les graines en germination, où ils ont un rôle essentiel dans la conversion des acides gras stockés dans les lipides des graines en sucres nécessaires à la croissance du jeune plant. Comme cette conversion des graisses en sucres s'accomplit par une série de réactions appelées *cycle du glyoxylate*, ces peroxysomes sont aussi appelés *glyoxysomes* (Figure 12-33B). Dans le cycle du glyoxylate, deux molécules d'acétyl CoA produites par la dégradation des acides gras dans les peroxysomes servent à fabriquer de l'acide succinique qui quitte ensuite le peroxysome pour être transformé en glucose. Le cycle du glyoxylate ne se produit pas dans les cellules animales et les animaux sont donc incapables de convertir les acides gras des graisses en glucides.

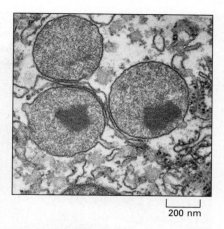

Figure 12-31 Photographie en microscopie électronique de trois peroxysomes dans un hépatocyte de rat. Les inclusions paracristallines denses aux électrons sont composées d'une enzyme, l'urate-oxydase. (Due à l'obligeance de Daniel S. Friend.)

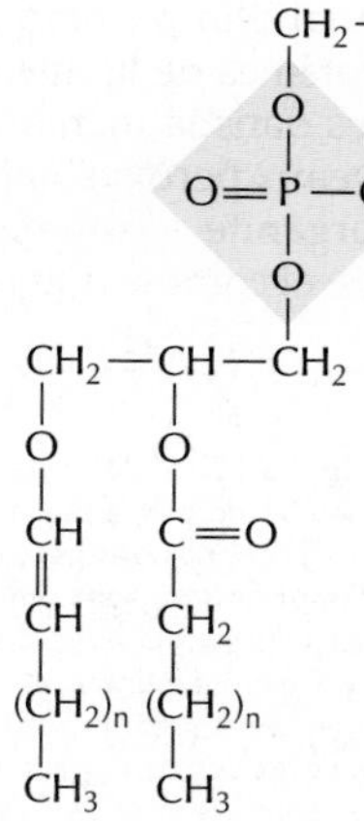

200 nm

Figure 12-32 Structure d'un plasmalogène. Les plasmalogènes sont très abondants dans les gaines de myéline qui isolent les axones des cellules nerveuses. Ils constituent entre 80 et 90 p. 100 des phospholipides de la membrane de myéline. En plus d'une tête éthanolamine et d'une longue chaîne d'acide gras fixée sur le même squelette glycérol-phosphate que celui utilisé pour les phospholipides, les plasmalogènes contiennent un alcool gras inhabituel, fixé par une liaison éther (*en bas à gauche*).

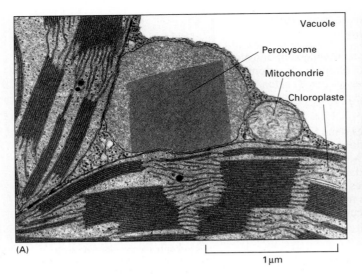

(A)

1 µm

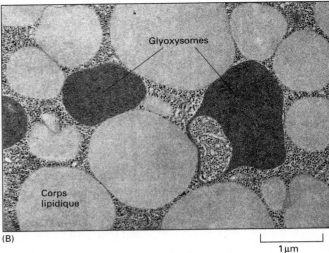

Glyoxysomes

Corps
lipidique

(B)

1 µm

Une courte séquence de signal dirige l'importation des protéines dans les peroxysomes

Une séquence spécifique de trois acides aminés, localisée à l'extrémité C-terminale de beaucoup de protéines des peroxysomes, fonctionne comme un signal d'importation (*voir* Tableau 12-III). D'autres protéines des peroxysomes contiennent une séquence de signal proche de l'extrémité N-terminale. Si l'une ou l'autre de ces séquences est expérimentalement fixée sur une protéine cytosolique, celle-ci est importée dans le peroxysome. Le processus d'importation est encore mal compris, même si l'on sait qu'il implique des récepteurs protéiques solubles du cytosol qui reconnaissent les signaux d'adressage ainsi que des protéines d'amarrage à la surface cytosolique du peroxysome. Il y a au moins 23 protéines distinctes, appelées **peroxines**, qui participent, en tant que composant, à ce processus, entraîné par l'hydrolyse de l'ATP. Les protéines oligomériques n'ont pas besoin de se déplier pour être importées dans les peroxysomes, ce qui indique que le mécanisme est différent de celui utilisé par les mitochondries et les chloroplastes et il y a au moins un récepteur d'importation soluble, la *peroxine Pex5*, qui accompagne sa cargaison sur tout son trajet vers le peroxysome puis retourne vers le cytosol une fois sa cargaison libérée pour finir le cycle. Ces aspects de l'importation des protéines peroxysomiques ressemblent au transport protéique dans le noyau.

L'importance de ce processus d'importation et des peroxysomes est mise en évidence par une maladie héréditaire humaine, le *syndrome de Zellweger*, au cours de laquelle une anomalie des protéines d'importation dans les peroxysomes conduit à une déficience grave des peroxysomes. Ces individus, dont les cellules contiennent des peroxysomes «vides», présentent de sévères anomalies du cerveau, du foie et des reins et meurent peu après leur naissance. Il a été démontré qu'une des formes de cette maladie était due à une mutation du gène codant pour une protéine intégrale de la membrane des peroxysome, la peroxine Pex2, impliquée dans l'importation protéique. Une maladie héréditaire moins grave est provoquée par une anomalie d'un récepteur du signal d'importation N-terminal.

La plupart des protéines de la membrane des peroxysomes sont fabriquées dans le cytosol puis insérées dans la membrane des peroxysomes préexistants. De ce fait, on pense que les nouveaux peroxysomes sont issus de ceux qui préexistent, par croissance et fission de l'organite – comme nous l'avons déjà mentionné pour les mitochondries et les plastes, et comme nous le décrirons ci-après pour le RE (Figure 12-34).

Figure 12-33 Deux photographies en microscopie électronique de deux types de peroxysomes observés dans les cellules végétales. (A) Peroxysome avec un cœur paracristallin dans une cellule du mésophylle d'une feuille de tabac. On pense que son rapprochement des chloroplastes facilite l'échange de matériaux entre ces organites pendant la photorespiration. (B) Peroxysomes d'une cellule de cotylédon à réserve lipidique d'une graine de tomate 4 jours après la germination. Dans ce cas, les peroxysomes (glyoxysomes) sont associés aux corps lipidiques où est stockée la graisse, ce qui reflète leur rôle central dans la mobilisation des graisses et la néoglucogenèse pendant la germination de la graine. (A, d'après S.E. Frederick et E.H. Newcomb, *J. Cell Biol.* 43 : 343-353, 1969. © The Rockefeller Press ; B, d'après W.P. Wergin, P.J. Gruber et E.H. Newcomb, *J. Ultrastruct. Res.* 30 : 533-557, 1970. © Academic Press.)

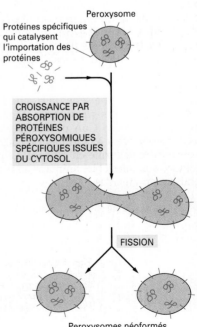

Peroxysome

Protéines spécifiques qui catalysent l'importation des protéines

CROISSANCE PAR ABSORPTION DE PROTÉINES PÉROXYSOMIQUES SPÉCIFIQUES ISSUES DU CYTOSOL

FISSION

Peroxysomes néoformés

Figure 12-34 Modèle pour la production de nouveaux peroxysomes. La membrane des peroxysomes contient des récepteurs protéiques d'importation. Les protéines des peroxysomes, y compris les nouvelles copies des récepteurs d'importation, sont synthétisées par les ribosomes cytosoliques, puis importées dans l'organite. Il est probable que les lipides nécessaires à la fabrication de la nouvelle membrane du peroxysome soient aussi importés. (Nous verrons ultérieurement comment les lipides fabriqués dans le RE peuvent être transportés vers les autres organites en traversant le cytosol.) Selon ce modèle, on pense que les peroxysomes se forment uniquement à partir de peroxysomes préexistants selon un processus de croissance et de fission.

Résumé

Les peroxysomes sont spécialisés dans les réactions oxydatives qui utilisent l'oxygène moléculaire. Ils engendrent du peroxyde d'hydrogène qu'ils utilisent dans un but oxydatif – détruisant le surplus par la catalase qu'ils contiennent. Les peroxysomes jouent aussi un rôle important dans la synthèse de phospholipides spécifiques nécessaires à la myélinisation des cellules nerveuses. On pense que les peroxysomes sont des organites qui s'auto-répliquent, comme les mitochondries et les plastes. Ils ne contiennent pas d'ADN ni de ribosomes cependant, et ils doivent donc importer leurs protéines à partir du cytosol. Une séquence spécifique de trois acides aminés proche de l'extrémité C-terminale d'un grand nombre de ces protéines fonctionne comme un signal d'importation peroxysomique. Le mécanisme de l'importation protéique est différent de celui des mitochondries et des chloroplastes et les protéines oligomériques peuvent être transportées dans les peroxysomes sans être dépliées.

RÉTICULUM ENDOPLASMIQUE

Toutes les cellules eucaryotes possèdent un **réticulum endoplasmique (RE)**. Sa membrane forme typiquement plus de la moitié de la membrane totale d'une cellule animale moyenne (*voir* Tableau 12-II). Le RE est organisé en un labyrinthe réticulé de tubules qui se ramifient et de sacs aplatis qui s'étendent dans tout le cytosol (Figure 12-35). On pense que tous les tubules et les sacs sont interconnectés de telle sorte que la membrane du RE forme un feuillet continu qui n'enferme qu'un seul espace interne. Cet espace, extrêmement complexe, est appelé **lumière du RE** ou *citerne du RE* et occupe souvent plus de 10 p. 100 du volume cellulaire total (*voir* Tableau 12-I). La membrane du RE sépare la lumière du RE du cytosol et sert d'intermédiaire au transfert sélectif de molécules entre ces deux compartiments.

Le RE joue un rôle central dans la biosynthèse des lipides et des protéines. Sa membrane est le site de production de toutes les protéines et lipides transmembranaires de la plupart des organites cellulaires, y compris le RE lui-même, l'appareil de Golgi, les lysosomes, les endosomes, les vésicules sécrétrices et la membrane plasmique. Les membranes du RE contribuent largement aux membranes des mitochondries et des peroxysomes en produisant la majeure partie de leurs lipides. De plus, presque toutes les protéines qui seront sécrétées à l'extérieur de la cellule – plus celles destinées à la lumière du RE, de l'appareil de Golgi et des lysosomes – sont initialement libérées dans la lumière du RE.

Les ribosomes liés à la membrane définissent le RE rugueux

Le RE capture certaines protéines cytosoliques alors qu'elles sont en train d'être synthétisées. Ces protéines sont de deux types : les *protéines transmembranaires*, qui ne sont qu'en partie transloquées au travers de la membrane du RE et y sont incluses et les *protéines hydrosolubles* qui sont totalement transloquées au travers de la membrane du RE et sont libérées dans sa lumière. Certaines protéines transmembranaires fonctionnent dans le RE mais beaucoup sont destinées à résider dans la membrane plasmique ou la membrane d'un autre organite. Les protéines hydrosolubles sont destinées à la lumière d'un organite ou à être sécrétées. Toutes ces protéines, quel que soit leur destin ultérieur, sont dirigées dans la membrane du RE par la même

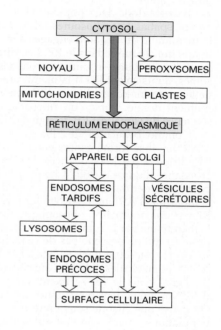

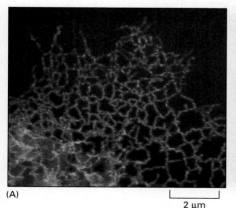

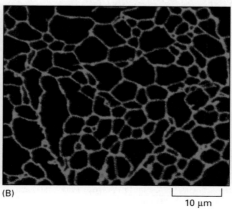

Figure 12-35 Deux photographies en microscopie à fluorescence du réticulum endoplasmique. (A) Une partie du réseau du RE d'une cellule de mammifère en culture, colorée par un anticorps qui se fixe sur une protéine maintenue dans le RE. Le RE s'étend dans tout le cytosol comme un réseau de telle sorte que toutes les régions du cytosol sont proches d'une partie de la membrane du RE. (B) Une partie du réseau du RE d'une cellule végétale vivante qui a été génétiquement modifiée pour exprimer une protéine fluorescente dans le RE. (A, due à l'obligeance de Hugh Pelham ; B, due à l'obligeance de Petra Boevink et Chris Hawes.)

(A)　2 µm

(B)　10 µm

sorte de séquence de signal et sont transloquées à travers elle par des mécanismes similaires.

Dans les cellules de mammifères, l'importation des protéines dans le RE commence avant que la chaîne polypeptidique ne soit totalement synthétisée – c'est-à-dire que l'importation est un processus **co-traductionnel**. Cela distingue ce processus de l'importation des protéines dans les mitochondries, les chloroplastes, le noyau et les peroxysomes, qui est **post-traductionnelle**. Comme une des extrémités de la protéine est généralement transloquée dans le RE tandis que le reste de la chaîne polypeptidique se fabrique, la protéine n'est jamais libérée dans le cytosol et ne risque donc jamais de se replier avant d'atteindre le translocateur de la membrane du RE. De ce fait, contrairement à l'importation post-traductionnelle des protéines dans les mitochondries et les chloroplastes, les protéines chaperons ne sont pas nécessaires pour maintenir la protéine dépliée. Le ribosome qui synthétise la protéine est directement fixé sur la membrane du RE. Ces ribosomes fixés sur la membrane recouvrent la surface du RE et forment des régions appelées **réticulum endoplasmique rugueux** ou **RE rugueux** (Figure 12-36A).

Il existe donc deux populations de ribosomes cytosoliques séparées d'un point de vue spatial. Les **ribosomes reliés à la membrane**, fixés sur la face cytosolique de la membrane du RE, sont engagés dans la synthèse des protéines qui sont en même temps transloquées dans le RE. Les **ribosomes libres**, non fixés sur une membrane, synthétisent toutes les autres protéines codées par le génome nucléaire. Les ribosomes, qu'ils soient liés à la membrane ou libres, sont structurellement et fonctionnellement identiques. Ils ne diffèrent que par les protéines qu'ils fabriquent à un moment donné. Lorsqu'un ribosome doit fabriquer une protéine pourvue d'une séquence de signal du RE, le signal dirige le ribosome sur la membrane du RE.

Comme beaucoup de ribosomes peuvent se fixer sur une seule molécule d'ARNm, il se forme généralement un **polyribosome** qui s'unit à la membrane du RE, dirigé là par les séquences de signal des multiples chaînes polypeptidiques en croissance (Figure 12-36B). Chaque ribosome associé à ce type de molécule d'ARNm peut retourner dans le cytosol lorsqu'il a fini sa traduction près de l'extrémité 3' de la molécule d'ARNm. L'ARNm lui-même, cependant, reste fixé sur la membrane du RE par une population ribosomique changeante, chacun maintenu transitoirement à la membrane par le translocateur. Par contre, si la molécule d'ARNm code pour une protéine qui ne possède pas de séquence de signal pour le RE, le polyribosome qui se forme reste libre dans le cytosol et la protéine produite y est libérée. De ce fait, seules les molécules d'ARNm qui codent pour les protéines pourvues d'une séquence de signal pour le RE se fixent sur la membrane du RE rugueux; les molécules d'ARNm qui codent pour toutes les autres protéines restent libres dans le cytosol. On pense que chaque sous-unité ribosomique se déplace au hasard entre ces deux populations séparées de molécules d'ARNm (Figure 12-37).

Figure 12-36 Le RE rugueux.
(A) Photographie en microscopie électronique du RE rugueux dans une cellule du pancréas exocrine qui fabrique et sécrète de grandes quantités d'enzymes digestives chaque jour. Le cytosol est rempli de feuillets tassés de membranes du RE garnies de ribosomes. En haut à gauche on voit une partie du noyau et de l'enveloppe nucléaire; notez que la membrane nucléaire externe est en continuité avec le RE et est aussi garnie de ribosomes. (B) Photographie en microscopie électronique d'une fine coupe de polyribosomes fixés sur la membrane du RE. Dans certains endroits, le plan de coupe traverse le RE grossièrement parallèlement à la membrane, ce qui donne une vue de face de l'aspect en rosette des polyribosomes. (A, due à l'obligeance de Lelio Orci; B, due à l'obligeance de George Palade.)

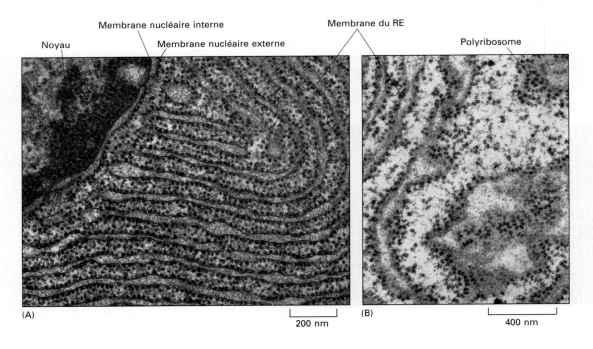

Noyau
Membrane nucléaire interne
Membrane nucléaire externe
Membrane du RE
Polyribosome

(A)
(B)
200 nm
400 nm

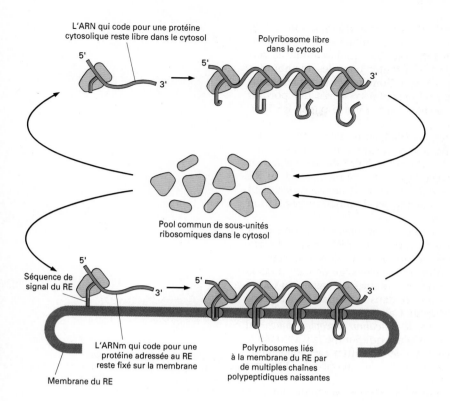

L'ARN qui code pour une protéine cytosolique reste libre dans le cytosol

5'
3'

Polyribosome libre dans le cytosol

5'
3'

Pool commun de sous-unités ribosomiques dans le cytosol

Séquence de signal du RE

5'
3'

L'ARNm qui code pour une protéine adressée au RE reste fixé sur la membrane

5'
3'

Polyribosomes liés à la membrane du RE par de multiples chaînes polypeptidiques naissantes

Membrane du RE

Figure 12-37 Ribosomes libres et liés à la membrane. Le pool commun de ribosomes sert à synthétiser les protéines qui restent dans le cytosol et celles qui sont transportées dans le RE. La séquence de signal du RE sur les chaînes polypeptidiques néoformées dirige le ribosome engagé sur la membrane du RE. La molécule d'ARNm reste fixée en permanence au RE en tant que partie du polyribosome tandis que les ribosomes qui se déplacent sont recyclés ; à la fin de chaque cycle de synthèse protéique, les sous-unités ribosomiques sont libérées et rejoignent le pool commun du cytosol.

Le RE lisse est abondant dans certaines cellules spécialisées

Les régions du RE dépourvues de ribosomes liés forment le **réticulum endoplasmique lisse**, ou **RE lisse**. Dans la grande majorité des cellules, ces régions sont peu abondantes et souvent partiellement lisses et partiellement rugueuses. Elles sont parfois appelées *RE de transition* parce qu'elles contiennent des *sites de sortie du RE* à partir desquels des vésicules de transport, qui contiennent des protéines néosynthétisées et des lipides, bourgeonnent pour aller vers l'appareil de Golgi. Dans certaines cellules spécialisées cependant, le RE lisse est abondant et a des fonctions supplémentaires. En particulier, il est généralement développé dans les cellules spécialisées dans le métabolisme lipidique. Les cellules qui synthétisent les hormones stéroïdes à partir du cholestérol par exemple, possèdent un important compartiment de RE lisse qui contient les enzymes nécessaires à la fabrication du cholestérol et à sa modification en hormones (Figure 12-38A).

Le principal type cellulaire du foie, l'*hépatocyte*, est une autre cellule qui possède un RE lisse abondant. C'est le principal site de production des particules de lipoprotéines qui transportent les lipides, via le courant sanguin, aux autres parties du corps. Les enzymes qui synthétisent les composants lipidiques des lipoprotéines sont localisées dans la membrane du RE lisse qui contient également celles qui catalysent une série de réactions de détoxification de substances chimiques liposolubles et de divers composants nuisibles produits par le métabolisme. Les réactions de *détoxifi-*

Figure 12-38 Le RE lisse. (A) L'abondance du RE lisse dans une cellule sécrétrice d'une hormone stéroïde. Cette photographie en microscopie électronique est celle d'une cellule de Leydig, sécrétrice de testostérone, d'un testicule humain. (B) Reconstruction tridimensionnelle d'une région de RE lisse et de RE rugueux d'une cellule hépatique. Le RE rugueux forme des piles orientées de citernes plates, dont chacune a un espace luminal de 20 à 30 nm de large. La membrane du RE lisse est reliée à ces citernes et forme un fin réseau de tubules de 30 à 60 nm de diamètre. (A, due à l'obligeance de Daniel S. Friend ; B, d'après R.V. Krstić, Ultrastructure of the Mammalian Cell. New York : Springer-Verlag, 1979.)

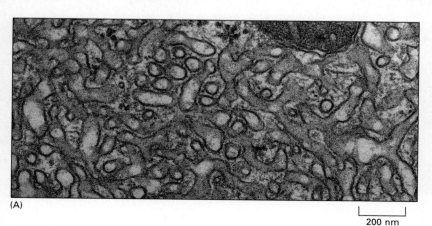

(A)

200 nm

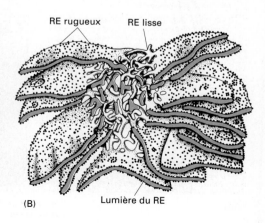

RE rugueux   RE lisse

(B)

Lumière du RE

cation les plus étudiées sont effectuées par la famille enzymatique du *cytochrome P450*, qui catalyse une série de réactions qui rendent suffisamment hydrosolubles les substances chimiques ou les métabolites non hydrosolubles pour qu'ils quittent la cellule et soient excrétés dans l'urine au lieu de s'accumuler dans les membranes cellulaires jusqu'à atteindre des concentrations toxiques. Comme le RE rugueux seul ne peut contenir assez de ces enzymes et des autres qui sont nécessaires, une portion majeure de la membrane des hépatocytes est normalement formée par le RE lisse (Figure 12-38B ; *voir* Tableau 12-II).

Lorsque certains composants, comme le phénobarbital, entrent en grande quantité dans la circulation, les enzymes de détoxification sont synthétisées dans le foie en quantité particulièrement grande et le RE lisse double l'aire de sa surface en quelques jours. Lorsque cette substance a disparu, l'excédent de membrane du RE lisse est spécifiquement et rapidement éliminé par un processus d'*autophagocytose* qui dépend des lysosomes (*voir* Chapitre 13). On ne connaît pas le mode de régulation de ces variations spectaculaires.

Une autre fonction du RE de la plupart des cellules eucaryotes est de séquestrer le Ca^{2+} issu du cytosol. La libération cytosolique du Ca^{2+} issu du RE et sa réabsorption ultérieure sont impliquées dans de nombreuses réponses rapides aux signaux extracellulaires comme nous le verrons au chapitre 15. Le stockage de Ca^{2+} dans la lumière du RE est facilité par la forte concentration en protéines de liaison au Ca^{2+} à cet endroit. Dans certains types cellulaires, et peut-être dans la plupart, des régions spécifiques du RE sont spécialisées dans le stockage du Ca^{2+}. Les cellules musculaires, par exemple, ont un abondant RE lisse spécialisé, le *réticulum sarcoplasmique*, qui séquestre le Ca^{2+} issu du cytosol grâce à une Ca^{2+}-ATPase qui pompe le Ca^{2+} dans la lumière. La libération et la réabsorption de Ca^{2+} par le réticulum sarcoplasmique déclenchent respectivement la contraction et le relâchement des myofibrilles à chaque cycle de contraction musculaire (*voir* Chapitre 16).

Revenons maintenant aux deux rôles principaux du RE : la synthèse des protéines et leurs modifications et la synthèse lipidique.

La centrifugation permet de séparer les régions rugueuses et lisses du RE

Pour étudier les fonctions et la biochimie du RE il faut isoler sa membrane. Cette tâche peut sembler désespérée car le RE est intrinsèquement intercalé aux autres composants du cytosol. Heureusement, lorsque les tissus ou les cellules sont rompus par homogénéisation, le RE se fragmente et se ressoude en de nombreuses petites vésicules fermées (~100 à 200 nm de diamètre), les **microsomes**, qui sont relativement faciles à purifier. Les microsomes dérivés du RE rugueux sont garnis de ribosomes et appelés *microsomes rugueux*. Ces ribosomes se trouvent toujours sur la face externe, de telle sorte que l'intérieur du microsome est biochimiquement équivalent à l'espace luminal du RE (Figure 12-39). Comme ils peuvent être facilement purifiés sous leur forme fonctionnelle, les microsomes rugueux sont particulièrement intéressants

Figure 12-39 Isolement de microsomes rugueux et lisses purifiés à partir du RE. (A) Lorsqu'ils sédimentent à l'équilibre dans un gradient de saccharose, les deux types de microsomes se séparent l'un de l'autre en fonction de leur différence de densité. (B) Fine coupe en microscopie électronique d'une fraction du RE rugueux purifié montrant l'abondance de vésicules garnies de ribosomes. (B, due à l'obligeance de George Palade.)

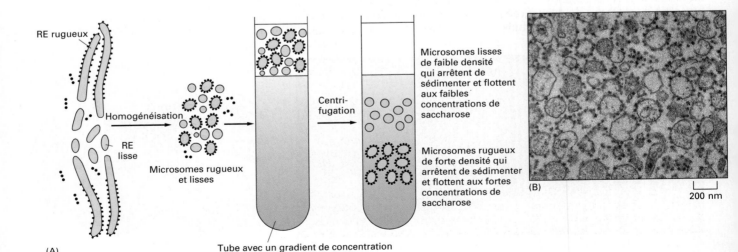

pour l'étude des nombreux processus effectués par le RE rugueux. Pour le biochimiste, ils représentent d'authentiques versions de petite taille du RE rugueux, encore capables de synthétiser les protéines, de les glycosyler, d'absorber le Ca^{2+} et de synthétiser les lipides.

On trouve également dans ces homogénats beaucoup de vésicules de même taille que celle des microsomes rugueux, mais dépourvues de ribosomes. Ces *microsomes lisses* dérivent en partie des portions lisses du RE et en partie de fragments vésiculés de la membrane plasmique, de l'appareil de Golgi, des endosomes et des mitochondries (le rapport dépendant du tissu). Par conséquent, alors que les microsomes rugueux proviennent des portions rugueuses du RE, les origines des microsomes lisses ne peuvent être aussi facilement assignées, sauf dans le cas des microsomes hépatiques. En raison de la quantité particulièrement importante de RE lisse dans les hépatocytes, la plupart des microsomes lisses des homogénats hépatiques proviennent du RE lisse.

Les ribosomes fixés sur les microsomes rugueux les rendent plus denses que les microsomes lisses (Figure 12-39B). Il en résulte que les microsomes lisses et rugueux peuvent être séparés les uns des autres par centrifugation à l'équilibre (*voir* Figure 12-39A). Lorsqu'on compare les propriétés de l'activité enzymatique ou de la composition polypeptidique des microsomes hépatiques lisses et rugueux une fois séparés, elles sont très semblables, mais non identiques ; apparemment la plupart des composants de la membrane du RE peuvent diffuser librement entre les régions lisses et rugueuses, comme on pouvait s'y attendre du fait que cette membrane est fluide et continue. Les microsomes rugueux contiennent cependant plus de 20 protéines qui sont absentes des microsomes lisses ; il doit donc exister certains mécanismes de séparation pour un sous-groupe de protéines de membrane du RE. Certaines protéines de ce sous-groupe facilitent la fixation des ribosomes sur le RE rugueux, tandis que d'autres produisent probablement la forme aplatie de cette partie du RE (*voir* Figure 12-38B). On ne sait pas clairement si ces protéines membranaires sont confinées au RE rugueux parce qu'elles forment de gros assemblages bidimensionnels dans la bicouche lipidique ou si elles y sont maintenues par des interactions avec le réseau de protéines structurelles situé sur l'une ou l'autre face de la membrane du RE rugueux.

Les séquences de signal ont d'abord été découvertes sur les protéines importées dans le RE rugueux

Les séquences de signal (et la stratégie du tri protéique par les séquences de signal) ont été d'abord découvertes au début des années 1970 dans des protéines sécrétées dont la translocation au travers de la membrane du RE représentait la première étape de leur élimination éventuelle de la cellule. Une des expériences décisives a consisté à traduire *in vitro*, par les ribosomes, l'ARNm codant pour une protéine sécrétée. Lorsque les microsomes étaient éliminés de ce système acellulaire, les protéines synthétisées étaient légèrement plus grandes que les protéines normales sécrétées, cette longueur supplémentaire étant le peptide «leader» de l'extrémité N-terminale. En présence de microsomes issus du RE rugueux, cependant, on obtenait une protéine de taille correcte. Ces résultats s'expliquaient par l'*hypothèse du signal*, qui postule que le «leader» sert de **séquence de signal pour le RE** qui dirige la protéine sécrétée vers la membrane du RE, puis est coupé par une *signal-peptidase* de la membrane du RE avant la fin de la synthèse de la chaîne polypeptidique (Figure 12-40).

Selon cette hypothèse du signal, la protéine sécrétée doit être expulsée dans la lumière du microsome pendant sa synthèse *in vitro*. Cela se démontre par un traitement à la protéase : une protéine néosynthétisée fabriquée en l'absence de microsome est dégradée lorsqu'on ajoute une protéase au milieu alors que cette même protéine fabriquée en présence de microsomes reste intacte parce qu'elle est protégée par la membrane microsomale. Lorsqu'une protéine dépourvue de séquence de signal pour le RE est synthétisée de même *in vitro*, elle n'est pas importée dans le microsome et est donc dégradée par le traitement à la protéase.

L'hypothèse du signal a été largement testée par des expériences génétiques et biochimiques et on a trouvé qu'elle s'appliquait aux cellules végétales et animales, ainsi qu'à la translocation protéique au travers de la membrane plasmique bactérienne et, comme nous l'avons vu, au travers des membranes des mitochondries, des chloroplastes et des peroxysomes. Les séquences de signal de l'extrémité N-terminale ne servent pas à guider uniquement les protéines solubles sécrétées, mais également les précurseurs de toutes les autres protéines fabriquées par les ribosomes reliés à la membrane du RE, y compris les protéines membranaires. La fonction de signalisation de ces peptides a été démontrée directement grâce aux techniques de

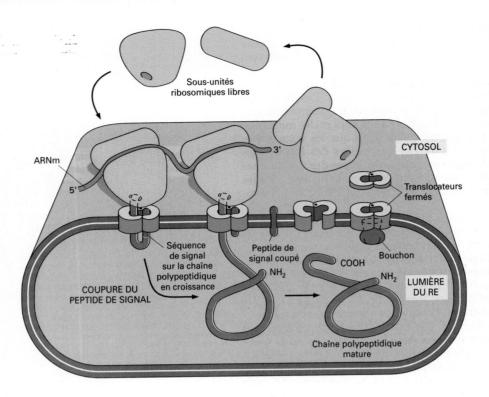

Sous-unités
ribosomiques libres

CYTOSOL

ARNm

5'
3'

Translocateurs
fermés

Séquence
de signal
sur la chaîne
polypeptidique
en croissance

Peptide de
signal coupé

Bouchon

COOH

COUPURE DU
PEPTIDE DE SIGNAL

NH₂

NH₂

LUMIÈRE
DU RE

Chaîne polypeptidique
mature

Figure 12-40 Hypothèse du signal. Vue simplifiée de la translocation protéique au travers de la membrane du RE, proposée à l'origine. Lorsque la séquence de signal du RE émerge du ribosome, elle dirige le ribosome vers un translocateur sur la membrane du RE qui forme un pore membranaire au travers duquel le polypeptide est transloqué. La séquence de signal est coupée pendant la traduction par une signal-peptidase et la protéine mature est libérée dans la lumière du RE immédiatement après avoir été synthétisée. Nous savons maintenant que cette hypothèse est correcte mais nécessite des composants supplémentaires en plus de ceux montrés dans cette figure.

Figure 12-41 Particule de reconnaissance du signal (SRP). (A) La SRP de mammifère est un complexe allongé qui contient six sous-unités protéiques et une molécule d'ARN (ARN SRP). Une des extrémités de la SRP se fixe sur la séquence de signal d'une chaîne polypeptidique en croissance, tandis que l'autre se fixe sur le ribosome lui-même et arrête la traduction. L'ARN de la particule peut être l'intermédiaire d'une interaction avec l'ARN ribosomique. (B) Structure cristalline du domaine de fixation sur la séquence de signal d'une sous-unité SRP bactérienne. Le domaine contient une grande poche accessible de liaison, tapissée par des acides aminés hydrophobes, dont beaucoup sont des méthionines. Les limites de la poche sont *ombrées en gris* pour insister sur sa localisation. Les chaînes latérales souples de la méthionine sont idéalement adaptées à l'édification de sites de liaison hydrophobes qui s'adaptent aux autres protéines. La calmoduline, par exemple (*voir* Chapitre 15), se fixe sur de nombreuses protéines-cibles différentes et, comme la SRP, contient des patchs de méthionine qui s'agrippent sur des cibles de formes différentes (*voir* Figure 15-40). (A, adapté de V. Siegel et P. Walter, *Nature* 320 : 82-84, 1986; B, adapté de Keenan et al., *Cell* 94 : 181-191, 1998.)

l'ADN recombinant qui permet de fixer les séquences de signal du RE sur des protéines qui normalement n'en ont pas ; les protéines de fusion obtenues sont dirigées vers le RE.

Les systèmes acellulaires, dans lesquels les protéines sont importées dans les microsomes, ont fourni de puissantes techniques de titrage qui ont permis d'identifier, de purifier et d'étudier les différents composants de la machinerie moléculaire responsable du processus d'importation dans le RE.

Une particule de reconnaissance du signal (SRP pour *signal-recognition particle*) dirige les séquences de signal du RE vers un récepteur spécifique de la membrane du RE rugueux

Deux composants au moins guident la séquence de signal du RE vers la membrane du RE : une **particule de reconnaissance du signal** (**SRP** pour *signal-recognition particle*), qui passe de façon cyclique de la membrane du RE au cytosol et se fixe sur la séquence de signal, et le **récepteur SRP** de la membrane du RE. La SRP est une particule complexe, composée de six chaînes polypeptidiques différentes fixées sur une seule petite molécule d'ARN (Figure 12-41A). Des homologues de la SRP et de son récepteur ont été retrouvés dans tous les organismes étudiés, ce qui indique que ce mécanisme d'adressage protéique est apparu très tôt au cours de l'évolution et a été conservé.

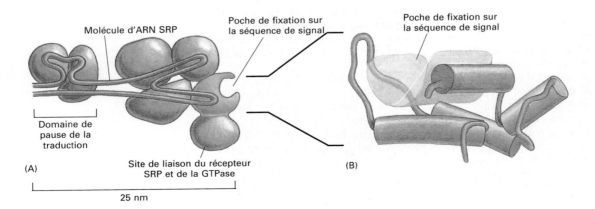

Molécule d'ARN SRP

Poche de fixation sur
la séquence de signal

Poche de fixation sur
la séquence de signal

Domaine de
pause de la
traduction

Site de liaison du récepteur
SRP et de la GTPase

(A)

(B)

25 nm

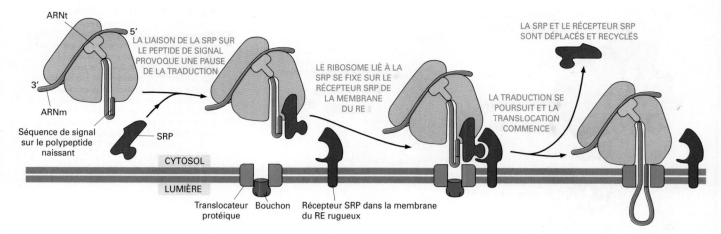

LA LIAISON DE LA SRP SUR
LE PEPTIDE DE SIGNAL
PROVOQUE UNE PAUSE
DE LA TRADUCTION

LA SRP ET LE RÉCEPTEUR SRP
SONT DÉPLACÉS ET RECYCLÉS

LE RIBOSOME LIÉ À LA
SRP SE FIXE SUR LE
RÉCEPTEUR SRP DE
LA MEMBRANE
DU RE

LA TRADUCTION SE
POURSUIT ET LA
TRANSLOCATION
COMMENCE

3'

ARNm

Séquence de signal
sur le polypeptide
naissant

SRP

CYTOSOL

LUMIÈRE

Translocateur Bouchon
protéique

Récepteur SRP dans la membrane
du RE rugueux

Figure 12-42 La séquence de signal du RE et la SRP dirigent les ribosomes sur la membrane du RE. On pense que la SRP et son récepteur agissent ensemble. La SRP se fixe à la fois sur la séquence de signal du RE exposée et sur le ribosome, induisant ainsi une pause de la traduction. Le récepteur SRP de la membrane du RE, composé de deux chaînes polypeptidiques différentes, se fixe sur le complexe ribosome-SRP et le dirige vers le translocateur. Selon une réaction mal comprise, la SRP et le récepteur SRP sont ensuite libérés, laissant le ribosome fixé sur le translocateur de la membrane du RE. Le translocateur insère alors la chaîne polypeptidique dans la membrane et la transfère à travers la bicouche lipidique. Comme une des protéines SRP et les deux chaînes du récepteur SRP contiennent des domaines de liaison au GTP, on pense que des modifications de conformation se produisent pendant les cycles de liaison au GTP et d'hydrolyse (*voir* Chapitre 15) et permettent que la libération de la SRP ne se produise qu'une fois que le ribosome s'est associé correctement au translocateur de la membrane du RE. Le translocateur est fermé (indiqué schématiquement par le bouchon luminal du RE) jusqu'à ce que le ribosome s'y fixe afin de toujours maintenir la barrière de perméabilité de la membrane du RE.

Les séquences de signal du RE sont très variables, mais chacune possède en son centre au moins huit acides aminés non polaires (*voir* Tableau 12-III, p. 667). Comment la SRP se fixe-t-elle sur de si nombreuses séquences différentes? La réponse provient de la structure du cristal de la protéine SRP, qui montre que le site de fixation sur la séquence de signal est une grande poche hydrophobe tapissée de méthionines (Figure 12-41B). Comme les méthionines possèdent des chaînes latérales souples non ramifiées, la poche est suffisamment souple pour recevoir diverses séquences de signal hydrophobes de formes différentes.

La SRP se fixe sur la séquence de signal du RE dès que le peptide émerge du ribosome. Cela provoque une pause de la synthèse protéique, qui donne probablement assez de temps au ribosome pour se fixer sur la membrane du RE avant de terminer la synthèse de la chaîne polypeptidique, et s'assure que la protéine n'est pas libérée dans le cytosol. Ce système de sécurité est particulièrement important pour les hydrolases sécrétées et celles qui font partie des lysosomes, qui pourraient engendrer des dégâts dans le cytosol; cependant, les cellules qui sécrètent de grandes quantités d'hydrolases prennent une précaution supplémentaire qui est de posséder de fortes concentrations intracytosoliques en inhibiteurs des hydrolases.

Une fois formé, le complexe SRP-ribosome se fixe sur le récepteur SRP, une protéine intégrale de membrane, exposée uniquement sur la face cytosolique de la membrane du RE rugueux. Cette interaction mène le complexe SRP-ribosome sur un translocateur protéique. La SRP et son récepteur sont alors libérés et la chaîne polypeptidique en croissance est transférée à travers la membrane (Figure 12-42).

La chaîne polypeptidique traverse un pore aqueux du translocateur

Il a longtemps été débattu sur le fait que les chaînes polypeptidiques étaient transférées au travers de la membrane du RE en restant en contact direct avec la bicouche lipidique ou en traversant un pore d'un translocateur protéique. Ce débat s'est terminé lorsque le translocateur protéique a été purifié et qu'il a été mis en évidence qu'il formait un pore rempli d'eau au travers de la membrane traversée par la chaîne polypeptidique. Ce translocateur, ou **complexe Sec61**, est composé de trois ou quatre complexes protéiques, chacun composé de trois protéines transmembranaires qui s'assemblent en une structure en forme de beignet.

Lorsqu'un ribosome se fixe, l'orifice central du translocateur s'aligne sur le tunnel de la grande sous-unité ribosomique par lequel sort la chaîne polypeptidique en croissance (Figure 12-43). Le ribosome fixé se scelle solidement au translocateur, de telle sorte que l'espace interne du ribosome soit continu avec la lumière du RE et

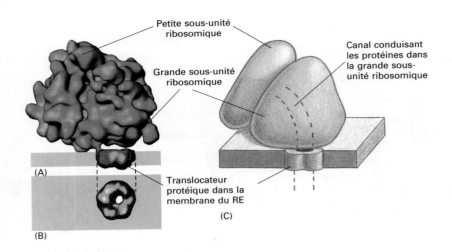

Figure 12-43 Un ribosome fixé sur le translocateur protéique Sec61. (A) Reconstruction du complexe à partir d'images en microscopie électronique vues par le côté. (B) Vue du translocateur par le dessus (en regardant la membrane vers le bas). (C) Schéma d'un ribosome lié à la membrane fixé sur le translocateur. Le pore central du translocateur est aligné avec le tunnel de la grande sous-unité ribosomique, au travers duquel sort la chaîne polypeptidique en croissance (voir Figure 6-68C). (A et B, d'après R. Beckmann et al., Science 278 : 2123-2126, 1997. © AAAS.)

qu'aucune molécule ne puisse s'échapper du RE (Figure 12-44). Cependant, le pore du translocateur n'est pas ouvert de façon permanente ; s'il l'était, il se produirait une fuite de Ca²⁺ à l'extérieur du RE lors du détachement du ribosome. On pense qu'une protéine luminale du RE sert de bouchon ou que le translocateur lui-même peut se réarranger pour fermer son pore lorsque le ribosome n'y est pas fixé. De ce fait, le pore est une structure dynamique qui ne s'ouvre que transitoirement lorsqu'un ribosome avec sa chaîne polypeptidique en croissance se fixe sur la membrane du RE.

On pense que la séquence de signal de la chaîne polypeptidique en croissance déclenche l'ouverture du pore : lorsque la séquence de signal est libérée de la SRP et que la chaîne polypeptidique a atteint une longueur suffisante, elle se fixe sur un site spécifique à l'intérieur du pore lui-même, et l'ouvre. La séquence de signal du RE est donc reconnue deux fois ; d'abord par la SRP cytosolique, puis par un site de liaison interne du translocateur protéique du RE. Cela permet de s'assurer que seules les bonnes protéines entrent dans la lumière du RE.

La translocation au travers de la membrane du RE ne nécessite pas toujours que l'élongation de la chaîne polypeptidique se poursuive

Comme nous l'avons vu, la translocation des protéines dans les mitochondries, les chloroplastes et les peroxysomes est post-traductionnelle, et se produit une fois que la protéine a été fabriquée et libérée dans le cytosol. Par contre la translocation au travers de la membrane du RE se produit en général pendant la traduction (co-traductionnelle). Cela explique pourquoi des ribosomes sont fixés sur le RE mais pas en général sur les autres organites.

Certaines protéines, cependant, sont importées dans le RE une fois que leur synthèse est terminée, ce qui démontre que la translocation ne nécessite pas obligatoirement une traduction en cours. La translocation post-traductionnelle des protéines est particulièrement fréquente au travers de la membrane du RE des cellules de levures et au travers de la membrane plasmique bactérienne (qui pense-t-on est reliée

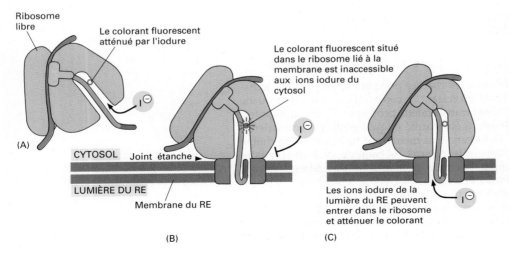

Figure 12-44 Un pore aqueux continu joint la lumière du RE et l'intérieur du ribosome. Lors de cette expérience, un colorant fluorescent est fixé sur une portion de la chaîne polypeptidique en croissance qui est encore située à l'intérieur du ribosome. (A) Dans les ribosomes libres, le colorant est accessible aux ions iodure en solution dans le cytosol. Ces ions atténuent la fluorescence lorsqu'ils rentrent en contact avec le colorant. (B) Par contre, lorsqu'un ribosome est fixé sur la membrane, un joint solide se forme entre le ribosome et la membrane du RE qui empêche l'accès au colorant par les ions iodure. (C) Lorsque les ions iodure sont ajoutés à la lumière du RE, ils peuvent diffuser au travers du translocateur jusqu'au tunnel du ribosome et atténuent le colorant à l'intérieur du ribosome lié à la membrane.

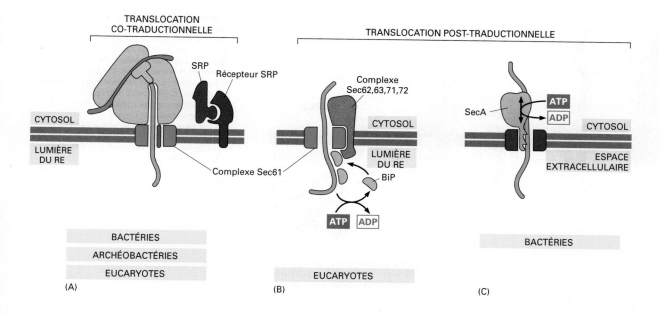

TRANSLOCATION POST-TRADUCTIONNELLE

SRP

Récepteur SRP

Complexe Sec62,63,71,72

ATP
ADP

SecA

CYTOSOL

LUMIÈRE DU RE

CYTOSOL

LUMIÈRE DU RE

CYTOSOL

ESPACE EXTRACELLULAIRE

BiP

Complexe Sec61

ATP ADP

BACTÉRIES

ARCHÉOBACTÉRIES

EUCARYOTES

EUCARYOTES

BACTÉRIES

(A)

(B)

(C)

évolutivement au RE ; *voir* Figure 12-4). Pour permettre la translocation post-traductionnelle, le translocateur nécessite des protéines accessoires qui engouffrent la chaîne polypeptidique dans le pore et entraînent la translocation (*voir* Figure 12-45). Dans les bactéries, une protéine motrice de translocation, la *SecA ATPase*, se fixe du côté cytosolique du translocateur, où elle subit des modifications cycliques de conformation entraînées par l'hydrolyse de l'ATP. À chaque hydrolyse d'un ATP, une portion de la protéine SecA s'insère dans le pore du translocateur, poussant avec elle un court segment de la protéine passagère. Il résulte de ce mécanisme de cliquet que la protéine SecA pousse la chaîne polypeptidique de la protéine qu'elle transporte au travers de la membrane.

Les cellules eucaryotes utilisent un autre groupe de protéines accessoires qui s'associent au complexe Sec61. Ces protéines, qui enjambent la membrane du RE, utilisent un petit domaine du côté luminal de la membrane du RE pour déposer une protéine chaperon de type hsp70 (appelée *BiP* pour *binding protein*) sur la chaîne polypeptidique dès qu'elle émerge du pore dans la lumière du RE. Cette translocation unidirectionnelle est entraînée par des cycles de liaison et de libération de BiP comme nous l'avons déjà décrit avec les protéines hsp70 mitochondriales qui tirent les protéines au travers des membranes mitochondriales.

Les protéines transportées dans le RE par un mécanisme post-traductionnel sont d'abord libérées dans le cytosol où elles se lient à des protéines chaperons, ce qui les empêche de se replier, tout comme nous l'avons vu pour les protéines destinées aux mitochondries et aux chloroplastes. Dans tous les cas où la translocation se produit sans qu'un ribosome ne scelle le pore, on ne sait toujours pas comment la chaîne polypeptidique peut glisser au travers du pore du translocateur sans laisser passer d'ions ou d'autres molécules.

La séquence de signal du RE est éliminée de la plupart des protéines solubles après la translocation

Nous avons vu que dans les chloroplastes et les mitochondries, la séquence de signal était coupée des précurseurs protéiques une fois qu'elle avait traversé la membrane. De même, les séquences de signal N-terminales du RE sont éliminées par une signal-peptidase de la face luminale de la membrane du RE. La séquence de signal elle-même, cependant, ne suffit pas à signaler sa coupure par la peptidase ; il faut que le site de coupure adjacent soit spécifiquement reconnu par la peptidase. Nous verrons ultérieurement que des séquences de signal du RE qui se trouvent dans la chaîne polypeptidique – et non pas à l'extrémité N-terminale – ne possèdent pas ces sites de reconnaissance et ne sont jamais coupées ; par contre, elles peuvent servir à maintenir les protéines transmembranaires dans la bicouche lipidique à la fin du processus de translocation.

La séquence de signal du RE de l'extrémité N-terminale d'une protéine soluble a deux fonctions de signalisation. Elle dirige la protéine sur la membrane du RE et sert de **signal de début du transfert** (ou peptide de début du transfert) qui ouvre le

Figure 12-45 Trois modes d'entraînement de la translocation protéique au travers de translocateurs de structure similaire. (A) Translocation co-traductionnelle. Le ribosome est amené sur la membrane par la SRP et le récepteur SRP et forme un joint étanche avec le translocateur protéique Sec61. La chaîne polypeptidique en croissance est enfilée au travers de la membrane pendant sa synthèse. Aucune énergie supplémentaire n'est nécessaire, car la seule voie disponible pour la chaîne en croissance est la traversée de la membrane. (B) Translocation post-traductionnelle dans les cellules eucaryotes. Un autre complexe composé des protéines Sec62, Sec63, Sec71 et Sec72 est fixé sur le translocateur Sec61 et dépose des molécules BiP sur la chaîne en translocation lorsqu'elle émerge dans la lumière du RE. Des cycles de liaison et de libération de BiP, actionnés par l'ATP, tirent la protéine dans la lumière, un mécanisme qui ressemble fort au modèle de l'encliquetage thermique de l'importation mitochondriale de la figure 12-28. (C) Translocation post-traductionnelle des bactéries. La chaîne polypeptidique complète est introduite dans le translocateur par la face cytosolique de la membrane plasmique par la SecA ATPase. Les modifications de conformation entraînées par l'hydrolyse de l'ATP actionnent un mouvement de type piston dans la SecA, chaque cycle poussant environ 20 acides aminés de la chaîne protéique au travers du pore du translocateur. La voie Sec utilisée pour la translocation des protéines au travers de la membrane thylacoïde des chloroplastes utilise un mécanisme semblable (*voir* Figure 12-30B).

Alors que le translocateur Sec61, la SRP et le récepteur SRP sont retrouvés dans tous les organismes, la SecA ne se trouve exclusivement que dans les bactéries, et les protéines Sec62, Sec63, Sec71 et Sec72 que dans les cellules eucaryotes. (Adapté d'après P. Walter et A.E. Johnson, *Annu. Rev. Cell Biol.* 10 : 87-119, 1994).

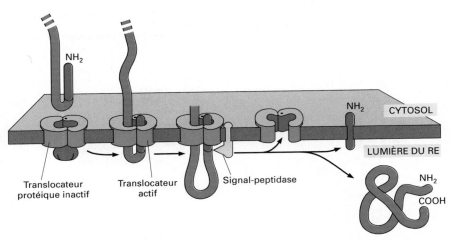

Figure 12-46 Modèle du mode de translocation des protéines solubles dans la membrane du RE. En fixant une séquence de signal du RE (qui agit comme un signal de début de transfert), le translocateur ouvre son pore et permet le transfert de la chaîne polypeptidique au travers de la bicouche sous forme d'une boucle. Lorsque la protéine est totalement transloquée, le pore se ferme mais le translocateur s'ouvre alors latéralement dans la bicouche lipidique, et permet à la séquence de signal hydrophobe de diffuser dans la bicouche, où elle est rapidement dégradée. (Dans cette figure et les trois suivantes les ribosomes ne sont pas représentés pour plus de clarté.)

pore. Même après qu'elle a été coupée par la signal-peptidase, on pense que cette séquence de signal reste fixée sur le translocateur pendant que le reste de la protéine est enfilé continuellement au travers de la membrane sous forme d'une grande boucle. Lorsque l'extrémité C-terminale de la protéine a traversé la membrane, la protéine transloquée est libérée dans la lumière du RE (Figure 12-46). La séquence de signal est libérée du pore et rapidement dégradée en ses acides aminés par les autres protéases du RE.

Pendant qu'elles sont liées au pore de translocation, les séquences de signal sont en contact non seulement avec le complexe Sec61 qui forme les parois du pore mais aussi avec le cœur lipidique hydrophobe de la membrane. Cela a été démontré au cours d'expériences de liaison croisée lorsque les séquences de signal et les chaînes hydrocarbonées des lipides sont reliées de façon covalente. Pour libérer la séquence de signal dans la membrane, le translocateur doit s'ouvrir latéralement. Il possède donc des portes dans deux directions : il peut s'ouvrir pour former un pore à travers la membrane qui laisse les portions hydrophiles de la protéine traverser la bicouche lipidique et s'ouvrir latéralement à l'intérieur de la membrane pour laisser les portions hydrophobes de la protéine se répartir dans la bicouche. Ce mécanisme de porte latérale est crucial pour l'insertion des protéines transmembranaires dans la bicouche lipidique, comme nous le verrons dans le paragraphe suivant.

Dans les protéines à un seul domaine transmembranaire, une seule séquence de signal pour le RE interne reste dans la bicouche lipidique et forme l'hélice α qui traverse la membrane

Le processus de translocation des protéines destinées à rester dans la membrane est plus complexe que celui des protéines solubles car certaines parties de la chaîne polypeptidique sont transloquées au travers de la membrane lipidique tandis que d'autres ne le sont pas. Néanmoins, on peut considérer que tous les modes d'insertion des protéines membranaires sont des variantes de la séquence d'événements que nous venons de décrire lors du transfert d'une protéine soluble dans la lumière du RE. Nous commencerons par décrire les trois modes d'insertion dans le RE des **protéines à un seul domaine transmembranaire** (*voir* Figure 10-17).

Dans le cas le plus simple, la séquence de signal N-terminale initie la translocation tout comme pour les protéines solubles, mais un autre segment hydrophobe de la chaîne polypeptidique arrête ce processus de transfert avant que tout le polypeptide n'ait été transloqué. Ce **signal d'arrêt du transfert** ancre la protéine dans la membrane une fois que la séquence de signal du RE (le signal de début du transfert) a été libérée du translocateur et coupée (Figure 12-47). La séquence d'arrêt du transfert est transférée dans la bicouche par le mécanisme de porte latérale et y reste sous forme d'un seul segment en hélice α qui traverse la membrane, l'extrémité N-terminale de la protéine se trouvant du côté luminal de la membrane et son extrémité C-terminale du côté cytosolique.

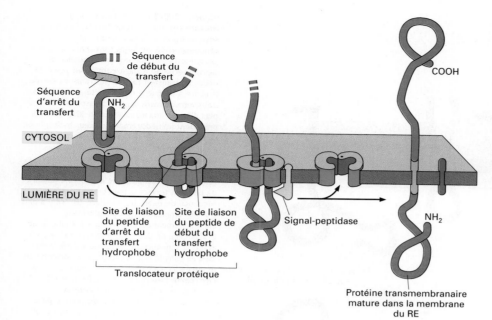

Figure 12-47 Protéine à un seul domaine transmembranaire dont la séquence de signal a été coupée est intégrée dans la membrane du RE. Dans cette protéine hypothétique, le processus de translocation co-traductionnel est initié par une séquence de signal N-terminale (*rouge*) du RE qui fonctionne comme un signal de début du transfert, comme dans la figure 12-46. En plus de cette séquence de début du transfert, cependant, la protéine contient aussi une séquence d'arrêt du transfert (*orange*). Lorsque cette séquence d'arrêt entre dans le translocateur et interagit avec un site de liaison, le translocateur modifie sa conformation et libère la protéine latéralement dans la bicouche lipidique.

Dans les deux autres cas, la séquence de signal est interne, et non pas à l'extrémité N-terminale de la protéine. Tout comme les séquences de signal du RE N-terminales, la séquence de signal interne est reconnue par une SRP qui amène le ribosome synthétisant la protéine sur la membrane du RE et sert aussi de signal de début du transfert qui initie la translocation de la protéine. Après sa libération du translocateur, la séquence interne de début de transfert reste dans la bicouche lipidique sous forme d'une unique hélice α qui traverse la membrane.

Les séquences internes de début du transfert peuvent se fixer sur l'appareil de translocation dans deux orientations, et cette orientation détermine à son tour le segment protéique (celui qui précède ou celui qui suit la séquence de début du transfert) qui est déplacé dans la lumière du RE au travers de la membrane. Dans un cas, la protéine membranaire qui en résulte a son extrémité C-terminale du côté luminal (Figure 12-48A) tandis que dans l'autre, elle a son extrémité N-terminale du côté luminal (Figure 12-48B). L'orientation de la séquence de début du transfert dépend de la distribution des acides aminés chargés qui sont placés à côté, comme cela est décrit dans la légende de la figure.

L'association des signaux de début de transfert et de fin de transfert détermine la topologie des protéines à multiples domaines transmembranaires

Dans les **protéines à multiples domaines transmembranaires**, la chaîne polypeptidique traverse d'avant en arrière à plusieurs reprises la bicouche lipidique (*voir* Figure 10-17). On pense que, dans ces protéines, une séquence de signal interne sert de signal de début du transfert qui initie la translocation, qui se poursuit jusqu'à ce qu'une séquence de signal de fin de transfert soit atteinte. Dans les protéines à deux domaines transmembranaires, par exemple, le polypeptide peut alors être libéré dans la bicouche (Figure 12-49). Dans les protéines plus complexes à multiples domaines, dans lesquelles de nombreuses hélices α hydrophobes traversent la bicouche, une deuxième séquence de début du transfert réinitialise ensuite la translocation de la chaîne polypeptidique jusqu'à ce que la séquence suivante de fin de transfert provoque la libération du polypeptide et ainsi de suite avec d'autres séquences de début du transfert et de fin de transfert (Figure 12-50).

Le fait qu'une séquence de signal hydrophobe fonctionne comme une séquence de début de transfert ou de fin de transfert doit dépendre de sa localisation sur la chaîne polypeptidique, car sa fonction peut être commutée si on change sa localisation intraprotéique par des techniques d'ADN recombinant. Ainsi la distinction entre les séquences de début du transfert et de fin de transfert résulte surtout de leur ordre relatif par rapport à la chaîne polypeptidique en croissance. Il semble que la SRP commence à examiner la chaîne polypeptidique dépliée pour rechercher les segments hydrophobes à son extrémité N-terminale et procède dans la direction C-terminale

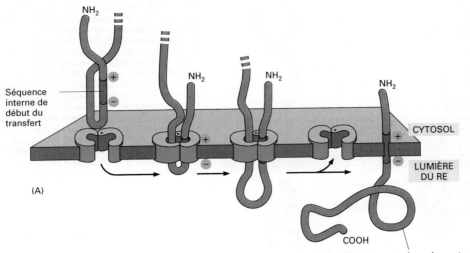

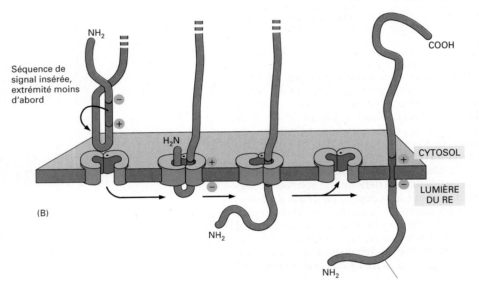

Séquence interne de début du transfert

NH₂

CYTOSOL

LUMIÈRE DU RE

(A)

COOH

Protéine transmembranaire mature dans la membrane du RE

Séquence de signal insérée, extrémité moins d'abord

NH₂

H₂N

CYTOSOL

LUMIÈRE DU RE

(B)

NH₂

COOH

NH₂

Protéine transmembranaire mature dans la membrane du RE

Figure 12-48 Intégration dans la membrane du RE d'une protéine à un seul domaine transmembranaire avec une séquence de signal interne. Dans ces protéines hypothétiques, une séquence de signal interne du RE agit comme un signal de début du transfert fixé sur le translocateur de manière à ce que son extrémité chargée plus positivement reste dans le cytosol. (A) S'il y a plus d'acides aminés chargés positivement qui précèdent immédiatement le cœur hydrophobe de la séquence de début de transfert qu'il y en a qui la suivent, la séquence de début du transfert est insérée dans le translocateur selon l'orientation montrée ici. La partie de l'extrémité C-terminale de la protéine passera de ce fait à travers la membrane jusqu'à la séquence de début du transfert. (B) S'il y a plus d'acides aminés chargés positivement immédiatement après le cœur hydrophobe de la séquence de début du transfert qu'il y en a avant, la séquence de début du transfert sera insérée dans le translocateur dans l'orientation montrée ici. La partie de la protéine située à l'extrémité N-terminale de la séquence de début du transfert traversera donc la membrane. Comme la translocation ne peut commencer avant qu'une séquence de début de translocation n'apparaisse à l'extérieur des ribosomes, la translocation de la portion N-terminale de la protéine montrée en (B) ne peut se produire qu'une fois que cette portion a été complètement synthétisée.

Notez qu'il existe deux modes d'insertion d'une protéine à un seul domaine transmembranaire dont l'extrémité N-terminale est localisée dans la lumière du RE : celle montrée en figure 12-47 et celle montrée ici en (B).

de la synthèse protéique. En reconnaissant le premier segment hydrophobe approprié qui sort du ribosome, la SRP met en place le «cadre de lecture» : si la translocation commence, le segment suivant hydrophobe approprié est reconnu comme une séquence de fin de transfert, ce qui provoque l'enfilage de la région de la chaîne polypeptidique comprise entre ces deux segments au travers de la membrane. Ce même processus d'examen se poursuit jusqu'à ce que toutes les régions hydrophobes de la protéine aient été insérées dans la membrane.

Comme les protéines membranaires sont toujours insérées à partir du côté cytosolique du RE selon ce mode programmé, toutes les copies de la même chaîne polypeptidique ont la même orientation dans la bicouche lipidique. Cela engendre une membrane de RE asymétrique dans laquelle les domaines protéiques exposés d'un côté sont différents des domaines exposés de l'autre. Cette asymétrie est conservée au cours des nombreux événements de bourgeonnement et de fusion qui transportent les protéines fabriquées dans le RE vers les autres membranes cellulaires (*voir* Chapitre 13). De ce fait, le mode d'insertion d'une protéine néosynthétisée dans la membrane du RE détermine aussi son orientation dans toutes les autres membranes.

Lorsque les protéines sont dissociées d'une membrane et sont reconstituées ensuite dans des vésicules lipidiques artificielles, on obtient un mélange aléatoire des protéines orientées avec le côté normal vers l'extérieur et de celles inversées, côté intérieur vers l'extérieur. De ce fait, l'asymétrie protéique observée dans les membranes cellulaires ne semble pas être une propriété inhérente aux protéines mais résulte seulement du processus d'insertion des protéines cytosoliques dans la membrane du RE.

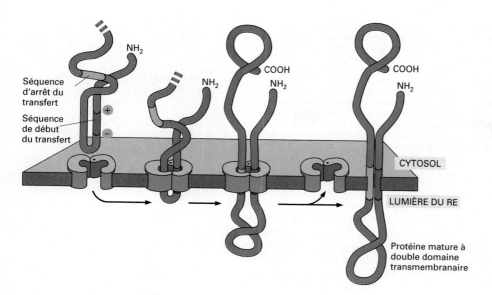

Figure 12-49 Intégration d'une protéine à double domaine transmembranaire ayant une séquence de signal interne dans la membrane du RE. Dans cette protéine hypothétique, la séquence de signal interne du RE agit comme un signal de début du transfert (comme dans la figure 12-48) et initie le transfert de la partie C-terminale de la protéine. Une fois que la séquence d'arrêt du transfert est entrée dans le translocateur, le translocateur libère à un certain endroit la séquence latéralement dans la membrane.

Les chaînes polypeptidiques transloquées se replient et s'assemblent dans la lumière du RE rugueux

Beaucoup de protéines de la lumière du RE sont en transit, en route pour d'autres destinations ; d'autres cependant, sont des résidentes normales et sont présentes en grandes concentrations. Ces **protéines résidentes du RE** contiennent des **signaux de rétention dans le RE** au niveau de leur extrémité C-terminale, formés de quatre acides aminés, et qui sont responsables de leur maintien dans le RE (*voir* Tableau 12-III et Chapitre 13). Certaines de ces protéines fonctionnent comme des catalyseurs qui aident les nombreuses protéines transloquées dans le RE à se replier et à s'assembler correctement.

La *disulfure isomérase des protéines (PDI)* est une protéine importante résidente du RE qui catalyse l'oxydation des groupements sulfhydryle (SH) libres de la cystéine pour former des ponts disulfure (S–S). Presque toutes les cystéines des domaines protéiques exposés soit dans l'espace extracellulaire soit dans la lumière des organites des voies métaboliques sécrétrices ou endocytaires présentent des ponts disulfure ; les liaisons disulfure ne se forment pas cependant dans les domaines cytosoliques exposés à cause de l'environnement réducteur à cet endroit.

Une autre protéine résidente du RE est la protéine chaperon **BiP**. Nous avons déjà vu comment BiP agissait pour tirer les protéines après leur traduction dans le RE par l'intermédiaire du translocateur du RE. Comme les autres chaperons, BiP reconnaît les protéines mal repliées ainsi que les sous-unités protéiques qui ne se sont pas encore assemblées dans leur complexe oligomérique final. Pour cela, elle se fixe sur les séquences d'acides aminés exposées qui devraient normalement être enfouies à

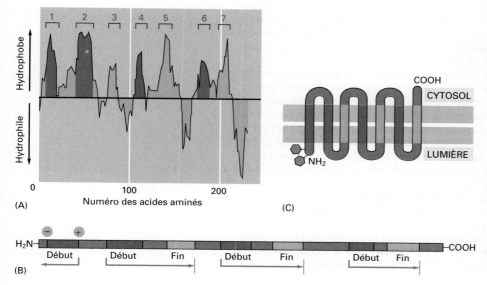

Figure 12-50 Insertion de la rhodopsine, une protéine à multiples domaines transmembranaires, dans la membrane du RE. La rhodopsine est la protéine sensible à la lumière des cellules photoréceptrices en bâtonnet de la rétine des mammifères (*voir* Chapitre 15). (A) Le tracé d'hydrophobicité identifie sept courtes régions hydrophobes dans la rhodopsine. (B) La région la plus N-terminale sert de séquence de début du transfert qui provoque la traversée de la membrane du RE par la portion N-terminale précédente de la protéine. Les séquences suivantes hydrophobes fonctionnent en alternance comme des séquences de début de transfert et de fin de transfert. (C) La rhodopsine finalement intégrée présente son extrémité N-terminale dans la lumière du RE et son extrémité C-terminale dans le cytosol. Les *hexagones bleus* représentent les oligosaccharides fixés de façon covalente. Les *flèches* indiquent les parties de la protéine insérées dans le translocateur.

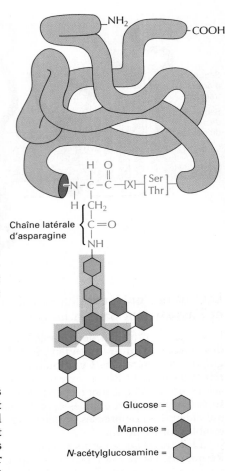

Figure 12-51 Précurseur oligosaccharidique lié à l'asparagine (par liaison *N*-osidique) ajouté à la plupart des protéines dans la membrane du RE rugueux. Les cinq sucres dans l'*encadré gris* forment le «cœur» de cet oligosaccharide. Pour beaucoup de glycoprotéines, seuls les sucres du «cœur» survivent au processus étendu de grignotage des oligosaccharides qui s'effectue dans l'appareil de Golgi. Seule l'asparagine de la séquence Asn-X-Ser et Asn-X-Thr (où X est n'importe quel acide aminé sauf la proline) est glycosylée. Ces deux séquences se produisent bien moins fréquemment dans les glycoprotéines que dans les protéines cytosoliques non glycosylées; il est évident qu'il y a eu une pression de sélection vis-à-vis de ces séquences au cours de l'évolution des protéines, probablement parce qu'une glycosylation sur un trop grand nombre de sites interférerait avec le repliement protéique.

Glucose =

Mannose =

N-acétylglucosamine =

l'intérieur des chaînes polypeptidiques correctement repliées ou assemblées. Un des exemples de site de fixation de BiP est un segment composé d'une alternance d'acides aminés hydrophobes et hydrophiles qui devrait normalement être enfoui dans un feuillet de type β. Une fois fixée, BiP empêche la protéine de s'agréger et facilite son maintien dans le RE (et donc en dehors de l'appareil de Golgi et des autres parties de la voie sécrétoire). Tout comme la famille protéique hsp70, qui se fixe sur les protéines non repliées du cytosol et facilite leur importation dans les mitochondries et les chloroplastes, BiP hydrolyse l'ATP qui lui fournit l'énergie nécessaire à son rôle dans le repliement protéique et l'importation post-traductionnelle dans le RE.

La plupart des protéines synthétisées dans le RE rugueux sont glycosylées par addition d'un oligosaccharide commun lié par une liaison *N*-osidique

L'addition covalente de sucres sur les protéines est une des fonctions biosynthétiques majeures du RE. La plupart des protéines solubles reliées à la membrane qui sont fabriquées dans le RE – y compris celles destinées à être transportées vers l'appareil de Golgi, les lysosomes, la membrane plasmique ou l'espace extracellulaire – sont des **glycoprotéines**. À l'opposé, très peu de protéines cytosoliques sont glycosylées et celles qui le sont portent une modification par un sucre bien plus simple, à savoir l'addition d'un seul groupement N-acétylglucosamine sur une sérine ou un résidu thréonine de la protéine.

Un des progrès importants dans la compréhension du **processus de glycosylation** des protéines a été la découverte du transfert «en bloc» d'un *précurseur oligosaccharidique* préformé (composé de N-acétylglucosamine, de mannose et de glucose et contenant 14 sucres au total) sur les protéines du RE. Comme cet oligosaccharide est transféré sur le groupement NH_2 de la chaîne latérale d'un acide aminé asparagine de la protéine, on dit qu'il est *lié par une liaison N-osidique* ou *lié à l'asparagine* (Figure 12-51). Ce transfert est catalysé par une enzyme fixée sur la membrane, une *oligosaccharyl transférase*, dont le site actif est exposé du côté luminal de la membrane du RE; cela explique pourquoi les protéines cytosoliques ne sont pas glycosylées de cette façon. Le précurseur oligosaccharidique est maintenu dans la membrane du RE par une molécule lipidique spéciale, le **dolichol**, puis est transféré sur l'asparagine cible par une seule étape enzymatique dès que cet acide aminé émerge dans la lumière du RE lors de la translocation protéique (Figure 12-52). Comme la plupart des protéines sont importées co-traductionnellement dans le RE, les oligosaccharides unis par liaison N-osidique sont presque toujours ajoutés pendant la synthèse protéique.

Le précurseur oligosaccharidique est fixé sur le lipide dolichol par une liaison pyrophosphate riche en énergie qui fournit l'énergie d'activation entraînant la réaction de glycosylation illustrée dans la figure 12-52. Tout le précurseur oligosaccharidique est construit sucre par sucre sur cette molécule lipidique fixée sur la membrane avant d'être transféré sur la protéine. Les sucres sont d'abord activés dans le cytosol par la formation d'un *intermédiaire nucléotide-sucre* qui donne ensuite son sucre (directement ou indirectement) au lipide selon une séquence ordonnée. Avant que ce processus ne se termine, l'oligosaccharide relié au lipide du côté cytosolique bascule du côté luminal de la membrane du RE (Figure 12-53).

Toute la diversité de structures des oligosaccharides fixés par liaison N-osidique sur les glycoprotéines matures résulte de la dernière modification du précurseur oligosaccharidique d'origine. Tout en étant encore dans le RE, trois glucoses (*voir* Figure 12-51) et un mannose sont rapidement éliminés de l'oligosaccharide de la plupart des glycoprotéines. Nous reverrons bientôt l'importance de ce «grignotage» des glucoses. Ce grignotage des oligosaccharides ou «maturation» se poursuit dans l'appareil de Golgi et sera traité au chapitre 13.

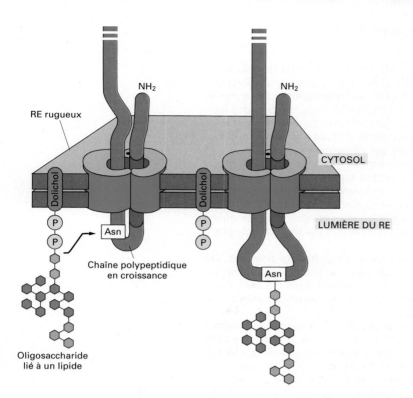

RE rugueux

NH₂ — NH₂

CYTOSOL

Dolichol — Dolichol

LUMIÈRE DU RE

P — P

Asn

Chaîne polypeptidique en croissance

Asn

Oligosaccharide lié à un lipide

Figure 12-52 Glycosylation des protéines dans le RE rugueux. Dès qu'une chaîne polypeptidique entre dans la lumière du RE, elle est glycosylée sur l'asparagine, l'acide aminé cible. Le précurseur oligosaccharidique montré en figure 12-51 est transféré sur l'asparagine sous forme d'une unité intacte selon une réaction catalysée par une enzyme liée à la membrane, l'*oligosaccharyl transférase*. Tout comme pour la signal-peptidase, une copie de cette enzyme est associée à chaque translocateur protéique dans la membrane du RE. (Le ribosome n'est pas montré ici pour plus de clarté.)

Les oligosaccharides fixés par liaison *N*-osidique sont de loin les plus communs trouvés sur les glycoprotéines. Plus rarement, des oligosaccharides sont reliés au groupement hydroxyle de la chaîne latérale d'un acide aminé sérine, thréonine ou hydroxylysine. Ces *oligosaccharides fixés par liaison O-osidique* se forment dans l'appareil de Golgi par des voies métaboliques qui ne sont pas encore totalement comprises.

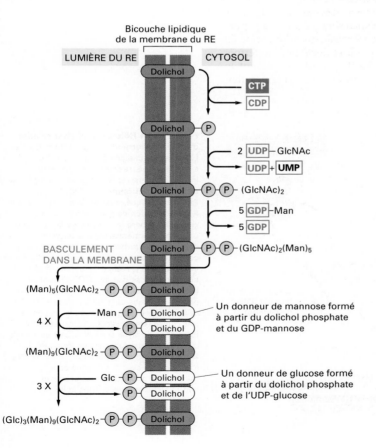

Bicouche lipidique de la membrane du RE

LUMIÈRE DU RE   CYTOSOL

Dolichol

CTP
CDP

Dolichol — P

2 UDP — GlcNAc
UDP + UMP

Dolichol — P — P — (GlcNAc)₂

5 GDP — Man
5 GDP

Dolichol — P — P — (GlcNAc)₂(Man)₅

BASCULEMENT DANS LA MEMBRANE

(Man)₅(GlcNAc)₂ — P — P — Dolichol

Man — P — Dolichol
P — Dolichol

4 X

Un donneur de mannose formé à partir du dolichol phosphate et du GDP-mannose

(Man)₉(GlcNAc)₂ — P — P — Dolichol

Glc — P — Dolichol
P — Dolichol

3 X

Un donneur de glucose formé à partir du dolichol phosphate et de l'UDP-glucose

(Glc)₃(Man)₉(GlcNAc)₂ — P — P — Dolichol

Figure 12-53 Synthèse du précurseur oligosaccharidique lié au lipide dans la membrane du RE rugueux. L'oligosaccharide est assemblé sucre par sucre sur un transporteur lipidique, le dolichol (un polyisoprénoïde ; *voir* Planche 2-5, p. 118-119). Le dolichol est long et très hydrophobe : ses 22 unités à cinq carbones peuvent s'étendre sur l'épaisseur d'une bicouche lipidique plus de trois fois de telle sorte que l'oligosaccharide fixé est solidement ancré dans la membrane. Le premier sucre est lié au dolichol par un pont pyrophosphate. Cette liaison riche en énergie active l'oligosaccharide pour son éventuel transfert du lipide à la chaîne latérale d'asparagine d'un polypeptide naissant du côté luminal du RE rugueux. Comme cela est indiqué, la synthèse de l'oligosaccharide commence du côté cytosolique de la membrane du RE et se poursuit donc sur la face luminale une fois que l'intermédiaire lipidique, le (Man)₅(GlcNAc)₂, a été basculé au travers de la bicouche par une protéine de transport. Toutes les réactions suivantes de transfert du glycosyle, du côté luminal du RE, impliquent un transfert à partir du dolichol-P-glucose et du dolichol-P-mannose ; ces monosaccharides activés liés au lipide sont synthétisés à partir du dolichol phosphate et de l'UDP-glucose ou du GDP-mannose (selon le cas) du côté cytosolique du RE puis on pense qu'ils basculent au travers de la membrane du RE. GlcNAc = *N*-acétylglucosamine ; Man = mannose ; Glc = glucose.

Les oligosaccharides servent de marqueurs de l'état de repliement protéique

On s'est longtemps demandé pourquoi la glycosylation était une modification si fréquente des protéines qui entrent dans le RE. Une observation particulièrement curieuse était que certaines protéines nécessitaient la N-glycosylation pour se replier correctement dans le RE, mais que la localisation précise des oligosaccharides fixés à la surface protéique ne semblait pas être importante. Une indication sur le rôle de la glycosylation dans le repliement protéique est venue d'études sur deux protéines chaperons du RE, la **calnexine** et la **calréticuline**, qui nécessitent toutes deux le Ca^{2+} pour leur activité, d'où leur nom. Ces chaperons sont des lectines qui se fixent sur les oligosaccharides des protéines non complètement repliées et les maintiennent dans le RE. Comme les autres chaperons, elles empêchent les protéines non totalement repliées de s'agréger irréversiblement. La calnexine et la calréticuline favorisent aussi l'association des protéines non complètement formées avec les autres chaperons du RE, qui se fixent sur les cystéines qui n'ont pas encore formé de ponts disulfure.

La calnexine et la calréticuline reconnaissent les oligosaccharides fixés par liaison N-osidique qui contiennent un seul glucose terminal, et se fixent ainsi sur les protéines uniquement lorsque deux des trois glucoses initialement fixés ont été enlevés par les glucosidases du RE. Lorsque le troisième glucose est éliminé, la protéine se dissocie de son chaperon et peut quitter le RE.

Comment la calnexine et la calréticuline peuvent-elles distinguer les protéines repliées de celles qui ne le sont pas complètement? La réponse réside dans une autre enzyme du RE, une glycosyltransférase qui continue à ajouter un glucose sur les oligosaccharides ayant perdu leur dernier glucose. Elle n'ajoute ce glucose cependant, que sur les oligosaccharides fixés sur des protéines non repliées. Ainsi une protéine non repliée subit des cycles continus de grignotage (par les glucosidases) et d'addition (par la glycosyltransférase) de glucoses et garde une affinité pour la calnexine et la calréticuline jusqu'à ce qu'elle atteigne son état complètement replié (Figure 12-54).

Les protéines mal repliées sont exportées du RE et dégradées dans le cytosol

Malgré toute l'aide des chaperons, beaucoup de molécules protéiques (plus de 80 p. 100 de certaines protéines) transloquées dans le RE ne peuvent atteindre leur état de repliement correct ou état oligomérique. Ces protéines sont à nouveau exportées du RE dans le cytosol où elles sont dégradées. Cette rétrotranslocation, appelée aussi *luxation*, s'effectue par le même translocateur (le complexe Sec61) qui a permis l'entrée au départ des protéines dans le RE, même si d'autres protéines aident le translocateur à fonctionner à l'envers. On ne sait pas comment ces protéines mal

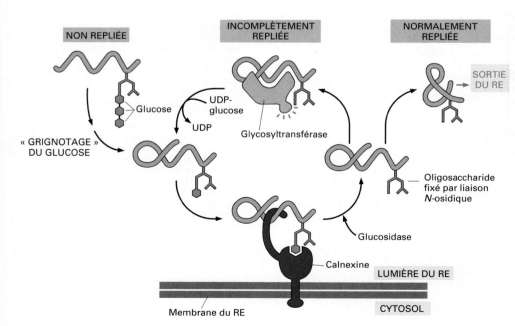

Figure 12-54 Rôle de la N-glycosylation dans le repliement des protéines du RE. La calnexine, une protéine chaperon liée à la membrane, se fixe sur les protéines incomplètement repliées contenant un glucose terminal sur les oligosaccharides fixés par liaison N-osidique, piégeant la protéine dans le RE. L'élimination du glucose terminal par une glucosidase libère la protéine de la calnexine. La glycosyltransférase est une enzyme cruciale qui détermine si la protéine se replie correctement ou pas : si la protéine est encore incomplètement repliée, l'enzyme transfère un nouveau glucose issu de l'UDP-glucose sur l'oligosaccharide, ce qui renouvelle son affinité pour la calnexine et le retient dans le RE. Ce cycle se répète jusqu'à ce que la protéine se soit complètement repliée. La calréticuline fonctionne de façon semblable, sauf qu'il s'agit d'une protéine soluble, résidente du RE. Un autre chaperon du RE, le REp57 (non montré ici), collabore avec la calnexine et la calréticuline pour retenir les protéines non totalement repliées dans le RE.

Labels in figure: NON REPLIÉE — INCOMPLÈTEMENT REPLIÉE — NORMALEMENT REPLIÉE — Glucose — UDP-glucose — UDP — Glycosyltransférase — SORTIE DU RE — « GRIGNOTAGE » DU GLUCOSE — Oligosaccharide fixé par liaison N-osidique — Glucosidase — Calnexine — LUMIÈRE DU RE — Membrane du RE — CYTOSOL

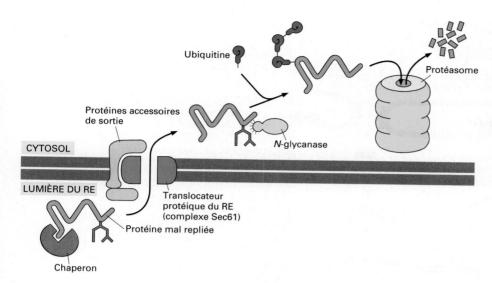

Figure 12-55 Exportation et dégradation des protéines du RE mal repliées. Les protéines solubles mal repliées de la lumière du RE sont à nouveau transloquées dans le cytosol où elles sont déglycosylées, ubiquitinylées et dégradées dans les protéasomes. Les protéines membranaires mal repliées suivent une voie métabolique similaire. Les protéines mal repliées sont exportées au travers des mêmes types de translocateurs qui servent d'intermédiaires à leur importation; les protéines accessoires qui sont associées au translocateur lui permettent d'opérer dans la direction de l'export.

repliées qui ne possèdent plus leur séquence de signal du RE sont reconnues ou transférées.

Une fois que la protéine mal repliée a atteint le cytosol, ses oligosaccharides sont éliminés. Cette déglycosylation est catalysée par une *N*-glycanase, qui élimine la chaîne oligosaccharidique en coupant la liaison amide entre le groupement carbonyle et le groupement amine de l'asparagine d'origine sur lequel était fixé l'oligosaccharide. Le polypeptide déglycosylé est rapidement ubiquitinylé par les enzymes de conjugaison de l'ubiquitine fixés sur la membrane du RE puis introduits dans le protéasome (*voir* Chapitre 6) où il est dégradé (Figure 12-55).

Les protéines mal repliées du RE activent une réponse aux protéines dépliées

Les cellules surveillent attentivement la quantité de protéines mal repliées qu'elles contiennent dans les divers compartiments. L'accumulation de protéines mal repliées dans le cytosol, par exemple, déclenche une *réponse de choc thermique* (*voir* Chapitre 6) qui stimule la transcription des gènes codant pour les chaperons cytosoliques qui facilitent le repliement protéique. De même, l'accumulation de protéines mal repliées dans le RE déclenche une **réponse aux protéines dépliées**, qui induit l'augmentation de la transcription des gènes codant pour les chaperons et les enzymes du RE impliquées dans la dégradation des protéines du RE.

Comment les protéines mal repliées du cytosol ou du RE transmettent-elles le signal au noyau? La voie métabolique allant du RE au noyau est particulièrement bien comprise dans les cellules de levure et est remarquable. Une protéine-kinase transmembranaire du RE est activée par les protéines mal repliées qui provoquent son oligomérisation et son autophosphorylation. (Les facteurs de croissance extracellulaires activent pareillement leurs récepteurs dans la membrane plasmique comme nous le verrons au chapitre 15.) L'oligomérisation de la kinase du RE active un domaine de l'endoribonucléase contenu dans la même molécule. Cette nucléase coupe une molécule d'ARN cytosolique spécifique au niveau de deux positions, ce qui excise un intron. Les exons séparés sont ensuite reliés par une ARN ligase, ce qui forme un ARNm épissé qui, après avoir été traduit sur les ribosomes, produit une protéine régulatrice. Cette protéine migre dans le noyau et active la transcription de gènes codant pour des protéines qui servent d'intermédiaires de la réponse aux protéines dépliées (Figure 12-56).

Certaines protéines membranaires acquièrent une ancre de glycosylphosphatidylinositol (GPI), fixée de façon covalente

Comme cela a été décrit au chapitre 10, diverses enzymes cytosoliques catalysent l'addition covalente d'une seule chaîne d'acide gras ou de groupement prényle sur certaines protéines. Les lipides fixés dirigent ces protéines sur les membranes cellulaires.

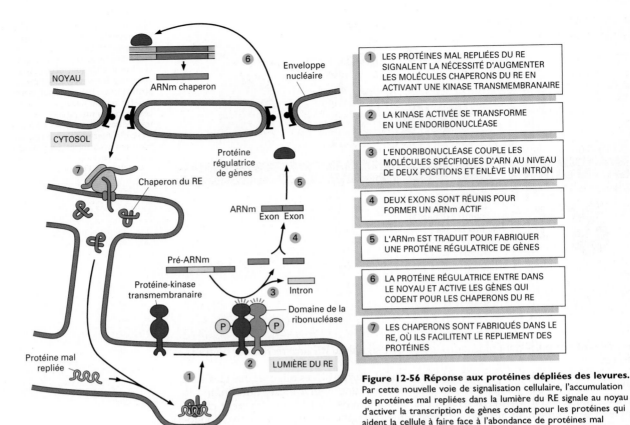

ARNm chaperon

Enveloppe nucléaire

CYTOSOL

7

Chaperon du RE

Protéine régulatrice de gènes

5

ARNm

Exon Exon

4

Protéine-kinase transmembranaire

Pré-ARNm

3   Intron

Domaine de la ribonucléase

P   P

2   LUMIÈRE DU RE

Protéine mal repliée

1

1	LES PROTÉINES MAL REPLIÉES DU RE SIGNALENT LA NÉCESSITÉ D'AUGMENTER LES MOLÉCULES CHAPERONS DU RE EN ACTIVANT UNE KINASE TRANSMEMBRANAIRE
2	LA KINASE ACTIVÉE SE TRANSFORME EN UNE ENDORIBONUCLÉASE
3	L'ENDORIBONUCLÉASE COUPLE LES MOLÉCULES SPÉCIFIQUES D'ARN AU NIVEAU DE DEUX POSITIONS ET ENLÈVE UN INTRON
4	DEUX EXONS SONT RÉUNIS POUR FORMER UN ARNm ACTIF
5	L'ARNm EST TRADUIT POUR FABRIQUER UNE PROTÉINE RÉGULATRICE DE GÈNES
6	LA PROTÉINE RÉGULATRICE ENTRE DANS LE NOYAU ET ACTIVE LES GÈNES QUI CODENT POUR LES CHAPERONS DU RE
7	LES CHAPERONS SONT FABRIQUÉS DANS LE RE, OÙ ILS FACILITENT LE REPLIEMENT DES PROTÉINES

Figure 12-56 Réponse aux protéines dépliées des levures. Par cette nouvelle voie de signalisation cellulaire, l'accumulation de protéines mal repliées dans la lumière du RE signale au noyau d'activer la transcription de gènes codant pour les protéines qui aident la cellule à faire face à l'abondance de protéines mal repliées dans le RE.

Un processus apparenté est catalysé par les enzymes du RE, qui fixent de façon covalente une **ancre de glycosylphosphatidylinositol** à l'extrémité C-terminale de certaines protéines membranaires destinées à la membrane plasmique. Cette liaison se forme dans la lumière du RE, où, au même moment, le segment transmembranaire de la protéine est coupé (Figure 12-57). Beaucoup de protéines de la membrane plasmique sont ainsi modifiées. Comme elles ne sont attachées à l'extérieur de la membrane plasmique que par leur ancre de GPI, elles peuvent en principe être libérées des cellules sous forme soluble en réponse à des signaux qui activent une phospholipase spécifique de la membrane plasmique. Certains parasites, comme par exemple les trypanosomes, utilisent ce mécanisme pour perdre leur enveloppe constituée de protéines de surface ancrées au GPI s'ils sont attaqués par le système immunitaire. Les ancres de GPI sont aussi utilisées pour diriger les protéines de la membrane plasmique dans les *radeaux lipidiques* (*lipid rafts*) et pour faire ainsi la ségrégation entre ces protéines et d'autres protéines membranaires, comme nous le verrons au chapitre 13.

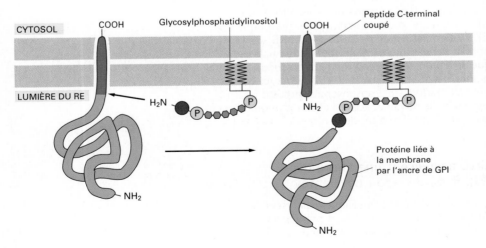

CYTOSOL

COOH

Glycosylphosphatidylinositol

LUMIÈRE DU RE

H2N   P   P

NH2

COOH

Peptide C-terminal coupé

NH2

P   P

NH2

Protéine liée à la membrane par l'ancre de GPI

Figure 12-57 Fixation d'une ancre de GPI sur une protéine dans le RE. Dès que la synthèse protéique s'est terminée, la protéine précurseur reste ancrée dans la membrane du RE par une séquence C-terminale hydrophobe de 15 à 20 acides aminés ; le reste de la protéine se trouve dans la lumière du RE. En moins d'une minute, une enzyme du RE coupe la protéine, ce qui la libère de son extrémité C-terminale fixée et attache simultanément sa nouvelle extrémité C-terminale sur un groupement amine d'un intermédiaire GPI pré-assemblé. Le signal qui spécifie cette modification est contenu à l'intérieur de la séquence C-terminale et de quelques acides aminés qui lui sont adjacents et sont placés du côté luminal de la membrane du RE ; si ce signal est ajouté à d'autres protéines, elles se modifient également de cette façon. À cause de l'ancre lipidique reliée de façon covalente, la protéine reste fixée sur la membrane et expose initialement tous ses acides aminés du côté luminal du RE puis finalement à l'extérieur de la cellule.

La plupart des membranes lipidiques bicouches sont assemblées dans le RE

La membrane du RE synthétise presque toutes les principales classes de lipides, y compris les phospholipides et le cholestérol, nécessaires à la production de nouvelles membranes cellulaires. Le principal phospholipide fabriqué est la *phosphatidylcholine* (appelée aussi *lécithine*) qui peut être formée en trois étapes à partir de la choline, de deux acides gras et de glycérolphosphate (Figure 12-58). Chaque étape est catalysée par des enzymes de la membrane du RE dont le site actif fait face au cytosol, là où se trouvent tous les métabolites nécessaires. De ce fait, la synthèse de phospholipides se produit exclusivement dans le feuillet cytosolique de la membrane du RE. Dans la première étape, l'acyltransférase ajoute successivement deux acides gras au glycérolphosphate pour produire de l'acide phosphatidique, un composé suffisamment insoluble dans l'eau pour rester dans la bicouche lipidique après sa synthèse. C'est cette étape qui agrandit la bicouche lipidique. Les étapes suivantes déterminent la tête des molécules lipidiques néoformées et donc la nature chimique de la bicouche, mais ne produisent pas de croissance nette de la membrane. Les deux autres phospholipides membranaires majeurs – la phosphatidyléthanolamine et la phsophatidylsérine – ainsi que le phosphatidylinositol (PI), un phospholipide mineur, sont tous synthétisés de cette façon.

Comme la synthèse des phospholipides s'effectue dans la moitié cytosolique de la bicouche du RE, il est nécessaire qu'il y ait un mécanisme qui transfère certaines molécules de phospholipides néoformées dans le feuillet luminal de la bicouche. Dans une bicouche lipidique synthétique, les lipides n'effectuent pas ce transfert (« flip-flop ») de cette façon. Dans le RE cependant, les phospholipides s'équilibrent en quelques minutes entre les membranes, ce qui est presque 100 000 fois plus rapide que ce qui peut être noté lors de « flip-flop » spontané. On pense que ce mouvement rapide au travers de la bicouche s'effectue par un translocateur de phospholipides, ou *scramblase*, qui équilibre les phospholipides entre les deux feuillets de la bicouche

Figure 12-58 Synthèse de la phosphatidylcholine. Ce phospholipide est synthétisé à partir d'acyl-coenzyme A (acyl-CoA), de glycérol 3-phosphate et de cytidine-diphosphocholine (CDP-choline)

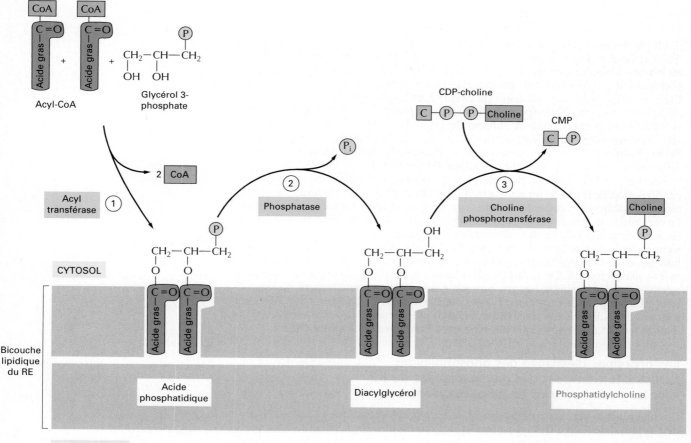

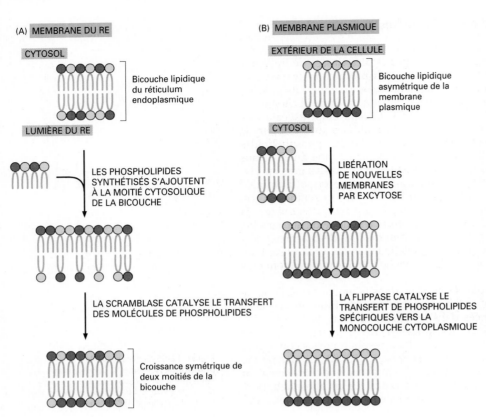

(A) MEMBRANE DU RE

CYTOSOL

Bicouche lipidique du réticulum endoplasmique

LUMIÈRE DU RE

LES PHOSPHOLIPIDES SYNTHÉTISÉS S'AJOUTENT À LA MOITIÉ CYTOSOLIQUE DE LA BICOUCHE

LA SCRAMBLASE CATALYSE LE TRANSFERT DES MOLÉCULES DE PHOSPHOLIPIDES

Croissance symétrique de deux moitiés de la bicouche

(B) MEMBRANE PLASMIQUE

EXTÉRIEUR DE LA CELLULE

Bicouche lipidique asymétrique de la membrane plasmique

CYTOSOL

LIBÉRATION DE NOUVELLES MEMBRANES PAR EXCYTOSE

LA FLIPPASE CATALYSE LE TRANSFERT DE PHOSPHOLIPIDES SPÉCIFIQUES VERS LA MONOCOUCHE CYTOPLASMIQUE

Figure 12-59 Rôle des translocateurs des phospholipides dans la synthèse de la bicouche lipidique. (A) Comme les nouvelles molécules lipidiques ne sont ajoutées que sur la moitié cytosolique de la bicouche et que les molécules lipidiques ne passent pas spontanément d'une monocouche à l'autre, il faut un translocateur de phospholipides fixé sur la membrane (une scramblase) pour transférer les molécules lipidiques de la moitié cytosolique à la moitié luminale afin que la membrane se développe comme une bicouche. La scramblase n'est pas spécifique d'une tête de phospholipide particulière et, de ce fait, équilibre les différents phospholipides entre les deux monocouches. (B) Alimentée par l'hydrolyse de l'ATP, une flippase de la membrane plasmique, spécifique d'une tête, fait passer activement la phosphatidylsérine et la phosphatidyléthanolamine de façon unidirectionnelle du feuillet extracellulaire au feuillet cytosolique, créant la bicouche lipidique asymétrique caractéristique de la membrane plasmique des cellules animales (*voir* Figure 10-14). Il existe aussi une scramblase dans la membrane plasmique qui permet aux deux monocouches de garder une population lipidique égale ; l'action continue des flippases est donc nécessaire pour maintenir l'asymétrie des phospholipides.

lipidique (Figure 12-59). On pense que les différents types de phospholipides se distribuent ainsi de façon uniforme entre les deux feuillets de la membrane du RE. La membrane plasmique contient, en plus de la scramblase, un translocateur de phospholipides d'un type différent, qui appartient à la famille des transporteurs ABC (*voir* Chapitre 11). Ces *flippases* éliminent spécifiquement les phospholipides contenant des groupements amines libres (phosphatidylsérine et phosphatidyléthanolamine) à partir du feuillet extracellulaire et utilisent l'énergie de l'hydrolyse de l'ATP pour les faire basculer directionnellement dans le feuillet qui fait face au cytosol. La membrane plasmique a donc une composition en phospholipides fortement asymétrique, activement maintenue par les flippases (*voir* Figure 10-14).

Le RE produit aussi du cholestérol et du céramide. Le *céramide* est fait par la condensation de la sérine, un acide aminé, avec un acide gras, ce qui forme un amino-alcool, la *sphingosine* ; un second acide gras est alors ajouté pour former le céramide. Le céramide est exporté dans l'appareil de Golgi où il sert de précurseur à la synthèse de deux types de lipides : des chaînes d'oligosaccharides lui sont ajoutées pour former des *glycosphingolipides* (glycolipides) et des têtes de phosphocholine sont transférées de la phosphatidylcholine sur les autres molécules de céramide pour former la *sphingomyéline*. De ce fait les glycolipides et la sphingomyéline sont produits relativement tardivement lors du processus de synthèse membranaire. Comme ils sont produits par des enzymes exposées dans la lumière de l'appareil de Golgi et ne sont pas des substrats des translocateurs lipidiques, ils sont retrouvés exclusivement dans le feuillet non cytosolique des bicouches lipidiques qui les contiennent.

Les protéines d'échange des phospholipides facilitent le transport des phospholipides du RE vers les mitochondries et les peroxysomes

Comme nous le verrons au chapitre 13, la membrane plasmique et les membranes de l'appareil de Golgi, des lysosomes et des endosomes forment toutes une partie d'un système membranaire qui communique avec le RE au moyen de vésicules de transport qui transfèrent les protéines et les lipides. Les mitochondries, les plastes et probablement les peroxysomes cependant, n'appartiennent pas à ce système et nécessitent donc des mécanismes différents pour importer les protéines et les lipides pour leur croissance. Nous avons déjà vu que la plupart des protéines dans ces organites étaient importées du cytosol. Bien que les mitochondries modifient certains lipides qu'elles importent, elles ne synthétisent pas de lipides en partant de rien ; par contre leurs lipides doivent être importés du RE directement ou indirectement, par le biais d'autres membranes cellulaires. Dans ce cas, il faut des mécanismes spécifiques pour ce transfert.

Des protéines porteuses hydrosolubles appelées **protéines d'échange des phospholipides** (ou *protéines de transfert des phospholipides*) transfèrent chaque molécule de phospholipide au travers de la membrane. Chaque protéine d'échange ne reconnaît que certains types spécifiques de phospholipides. Elle fonctionne en extrayant une molécule de phospholipide adaptée de la membrane et en diffusant avec le phospholipide enfoui à l'intérieur de son site de liaison au lipide. Lorsqu'elle rencontre une autre membrane, la protéine d'échange a tendance à libérer la molécule de phospholipide liée dans la nouvelle bicouche lipidique (Figure 12-60). Il a été proposé que la phosphatidylsérine était ainsi importée dans les mitochondries, où elle est alors décarboxylée pour fournir la phosphatidyléthanolamine. La phosphatidylcholine, par contre, est importée intacte.

La protéine d'échange agit en distribuant les phospholipides au hasard entre toutes les membranes présentes. En principe ce processus d'échange au hasard pourrait provoquer un transport net des lipides d'une membrane riche en lipides vers une membrane pauvre en lipides, ce qui permettrait à la phosphatidylcholine et à la phosphatidylsérine, par exemple, d'être transférées du RE où elles sont synthétisées vers une membrane mitochondriale ou peroxysomique. Il se peut que les mitochondries et les peroxysomes soient les seuls organites pauvres en lipides du cytosol et que cet échange soit suffisant. En microscopie électronique, les mitochondries sont souvent observées fortement juxtaposées à la membrane du RE et il pourrait exister des mécanismes spécifiques de transfert lipidique qui opéreraient sur de telles régions de proximité.

Résumé

Le réseau étendu du RE sert d'usine pour produire presque tous les lipides cellulaires. En plus, une portion majeure de la synthèse des protéines cellulaires se produit sur la face cytosolique du RE : toutes les protéines destinées à la sécrétion et toutes celles destinées au RE lui-même, à l'appareil de Golgi, aux lysosomes, aux endosomes et à la membrane plasmique sont d'abord importées dans le RE à partir du cytosol. Dans la lumière du RE, elles se replient et s'oligomérisent, les ponts disulfure sont formés et des oligosaccharides y sont ajoutés par des liaisons N-osidiques. La N-glycosylation sert à indiquer l'étendue du repliement protéique, de telle sorte que les protéines ne quittent le RE que lorsqu'elles sont correctement repliées. Les protéines qui ne se replient pas ou ne s'oligomérisent pas correctement sont transloquées à nouveau dans le cytosol où elles sont déglycosylées, ubiquitinylées et dégradées dans les protéasomes. Si des protéines dépliées s'accumulent de façon importante dans le RE, elles déclenchent une réponse aux protéines dépliées, qui active des gènes appropriés dans le noyau pour aider le RE à faire face à ce problème.

Seules les protéines qui portent une séquence de signal spécifique du RE y sont importées. La séquence de signal est reconnue par une particule de reconnaissance du signal (SRP), qui se fixe à la fois sur la chaîne polypeptidique en croissance et sur un ribosome et les dirige sur un récepteur protéique de la face cytosolique de la membrane du RE rugueux. Cette fixation sur la membrane du RE initie le processus de translocation en enfilant une boucle de la chaîne polypeptidique dans la membrane du RE au travers du pore hydrophile d'un translocateur protéique transmembranaire.

Les protéines solubles – destinées à la lumière du RE, à la sécrétion ou au transfert dans la lumière d'autres organites – passent complètement dans la lumière du RE. Les protéines transmembranaires destinées au RE ou aux autres membranes cellulaires sont transloquées à moitié au travers de la membrane du RE et y restent ancrées par une ou plusieurs régions d'hélice α dont la chaîne polypeptidique traverse la membrane. Ces portions hydrophobes de la protéine peuvent agir comme un signal soit de début du transfert soit d'arrêt du transfert pendant le processus de translocation. Lorsqu'un polypeptide contient de multiples signaux alternants de début de transfert et d'arrêt de transfert, il passera d'avant en arrière au travers de la bicouche de multiples fois et formera une protéine à multiples domaines transmembranaires.

L'asymétrie de l'insertion protéique et de la glycosylation dans le RE établit la position des faces des membranes de tous les autres organites dont le RE fournit les protéines membranaires.

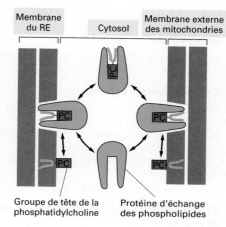

Membrane du RE — Cytosol — Membrane externe des mitochondries

Groupe de tête de la phosphatidylcholine — Protéine d'échange des phospholipides

Figure 12-60 Protéines d'échange des phospholipides. Comme les phospholipides sont insolubles dans l'eau, leur passage entre les membranes nécessite des protéines de transport. Les protéines d'échange des phospholipides sont des protéines hydrosolubles qui portent une seule molécule phospholipidique à la fois ; elles peuvent prendre une molécule lipidique à partir d'une membrane et la libérer dans une autre, redistribuant ainsi les phospholipides entre les compartiments entourés d'une membrane. Le transfert net de phosphatidylcholine (PC) entre le RE et les mitochondries se produit sans apport énergétique supplémentaire parce que la concentration en PC est élevée dans la membrane du RE (où elle est fabriquée) et basse dans la membrane mitochondriale externe. On peut prédire l'existence d'un translocateur lipidique dans la membrane mitochondriale externe qui équilibre les lipides entre les deux feuillets de cette bicouche et il doit aussi exister un mécanisme qui transfère les lipides entre les membranes mitochondriales externe et interne. Ces voies métaboliques hypothétiques, cependant, n'ont pas encore été découvertes.

Bibliographie

Généralités

Palade G (1975) Intracellular aspects of the process of protein synthesis. *Science* 189, 347–358.

Compartiments cellulaires

Blobel G (1980) Intracellular protein topogenesis. *Proc. Natl. Acad. Sci. USA* 77, 1496–1500.

Martoglio B & Dobberstein B (1998) Signal sequences: more than just greasy peptides. *Trends Cell Biol.* 8, 410–415.

von Heijne G (1990) Protein targeting signals. *Curr. Opin. Cell Biol.* 2, 604–608.

Warren G & Wickner W (1996) Organelle inheritance. *Cell* 84, 395–400.

Transport des molécules entre le noyau et le cytosol

Adam SA (1999) Transport pathways of macromolecules between the nucleus and the cytoplasm. *Curr. Opin. Cell Biol.* 11, 402–406.

Arts G-J, Fornerod M & Mattaj IW (1998) Identification of a nuclear export receptor for tRNA. *Curr. Biol.* 8, 305–314.

Blobel G & Wozniak RW (2000) Proteomics for the pore. *Nature* 403, 835–836.

Gant TM & Wilson KL (1997) Nuclear assembly. *Annu. Rev. Cell Dev. Biol.* 13, 669–695.

Görlich D & Mattaj IW (1996) Nucleocytoplasmic transport. *Science* 271, 1513–1518.

Kaffman A & O'Shea EK (1999) Regulation of nuclear localization: a key to a door. *Annu. Rev. Cell Dev. Biol.* 15, 291–339.

Kalderon D, Roberts BL, Richardson WD & Smith AE (1984) A short amino acid sequence able to specify nuclear location. *Cell* 39, 499–509.

Lyman SK & Gerace L (2001) Nuclear pore complexes: dynamics in unexpected places. *J. Cell Biol.* 154, 17–20.

Mattaj IW & Conti E (1999) Snail mail to the nucleus. *Nature* 399, 208–210.

Politz JC & Pederson T (2000) Review: movement of mRNA from transcription site to nuclear pores. *J. Struct. Biol.* 129, 252–257.

Stoffler D, Fahrenkrog B & Aebi U (1999) The nuclear pore complex: from molecular architecture to functional dynamics. *Curr. Opin. Cell Biol.* 11, 391–401.

Weis K (1998) Importins and exportins: how to get in and out of the nucleus. *Trends Biochem. Sci.* 23, 185–189.

Wente SR (2000) Gatekeepers of the nucleus. *Science* 288, 1374–1377.

Transport des protéines dans les mitochondries et les chloroplastes

Chen X & Schnell DJ (1999) Protein import into chloroplasts. *Trends Cell Biol.* 9, 222–227.

Cline K & Henry R (1996) Import and routing of nucleus-encoded chloroplast proteins. *Annu. Rev. Cell Dev. Biol.* 12, 1–26.

Dalbey RE & Robinson C (1999) Protein translocation into and across the bacterial plasma membrane and the plant thylakoid membrane. *Trends Biochem. Sci.* 24, 17–22.

Haucke V & Schatz G (1997) Import of proteins into mitochondria and chloroplasts. *Trends Cell Biol.* 7, 103–106.

Jensen RE & Johnson AE (1999) Protein translocation: is Hsp70 pulling my chain? *Curr. Biol.* 9, R779–R782.

Neupert W (1997) Protein import into mitochondria. *Annu. Rev. Biochem.* 66, 863–917.

Rassow J & Pfanner N (2000) The protein import machinery of the mitochondrial membranes. *Traffic* 1, 457–464.

Schwartz MP & Matouschek A (1999) The dimensions of the protein import channels in the outer and inner mitochondrial membranes. *Proc. Natl. Acad. Sci. USA* 96, 13086–13090.

Peroxysomes

Purdue PE & Lazarow PB (2001) Peroxisome biogenesis. *Annu. Rev. Cell Dev. Biol.* 17, 701–752.

Tabak HF, Braakman I & Distel B (1999) Peroxisomes: simple in function but complex in maintenance. *Trends Cell Biol.* 9, 447–453.

Réticulum endoplasmique

Adelman MR, Sabatini DD & Blobel G (1973) Ribosome-membrane interaction: nondestructive dissembly of rat liver rough microsomes into ribosomal and membranous components. *J. Cell Biol.* 56, 206–229.

Bergeron JJ, Brenner MB, Thomas DY & Williams DB (1994) Calnexin: a membrane-bound chaperone of the endoplasmic reticulum. *Trends Biochem. Sci.* 19, 124–128.

Bishop WR & Bell RM (1988) Assembly of phospholipids into cellular membranes: biosynthesis, transmembrane movement and intracellular translocation. *Annu. Rev. Cell Biol.* 4, 579–610.

Blobel G & Dobberstein B (1975) Transfer of proteins across membranes. *J. Cell Biol.* 67, 835–851.

Borgese N, Mok W, Kreibich G & Sabatini DD (1974) Ribosomal-membrane interaction: in vitro binding of ribosomes to microsomal membranes. *J. Mol. Biol.* 88, 559–580.

Daleke DL & Lyles JV (2000) Identification and purification of aminophospholipid flippases. *Biochim. Biophys. Acta* 1486, 108–127.

deDuve C (1971) Tissue fractionation—past and present. *J. Cell Biol.* 50, 20d–55d.

Deshaies RJ, Sanders SL, Feldhiem DA & Schekman R (1991) Assembly of yeast Sec proteins involved in translocation into the endoplasmic reticulum into a membrane-bound multisubunit complex. *Nature* 349, 806–808.

Ellgaard L & Helenius A (2001) ER quality control: towards an understanding at the molecular level. *Curr. Opin. Cell Biol.* 13, 431–437.

Ferguson MA (1992) Colworth Medal Lecture. Glycosylphosphatidylinositol membrane anchors: the tale of a tail. *Biochem. Soc. Trans.* 20, 243–256.

Gething MJ (1999) Role and regulation of the ER chaperone BiP. *Semin. Cell Dev. Biol.* 10, 465–472.

Görlich D, Prehn S, Hartmann E et al. (1992) A mammalian homolog of SEC61p and SECYp is associated with ribosomes and nascent polypeptides during translocation. *Cell* 71, 489–503.

Johnson AE & van Waes MA (1999) The translocon: a dynamic gateway at the ER membrane. *Annu. Rev. Cell Dev. Biol.* 15, 799–842.

Keenan RJ, Freymann DM, Stroud RM & Walter P (2001) The signal recognition particle. *Annu. Rev. Biochem.* 10, 755–775.

Milstein C, Brownlee G, Harrison T & Mathews MB (1972) A possible precursor of immunoglobulin light chains. *Nature New Biol.* 239, 117–120.

Muniz M & Riezman H (2000) Intracellular transport of GPI-anchored proteins. *EMBO J.* 19, 10–15.

Parodi AJ (2000) Role of N-oligosaccharide endoplasmic reticulum processing reactions in glycoprotein folding and degradation. *Biochem. J.* 348, 1–13.

Plemper RK & Wolf DH (1999) Retrograde protein translocation: ERADication of secretory proteins in health and disease. *Trends Biochem. Sci.* 24, 266–270.

Rogers DP & Bankaitis VA (2000) Phospholipid transfer proteins and physiological functions. *Int. Rev. Cytol.* 197, 35–81.

Römisch K (1999) Surfing the Sec61 channel: bidirectional protein translocation across the ER membrane. *J. Cell Sci.* 112, 4185–4191.

Sidrauski C, Chapman R & Walter P (1998) The unfolded protein response: an intracellular signalling pathway with many surprising features. *Trends Cell Biol.* 8, 245–249.

Simon SM & Blobel G (1991) A protein-conducting channel in the endoplasmic reticulum. *Cell* 65, 371–380.

Staehelin LA (1997) The plant ER: a dynamic organelle composed of a large number of discrete functional domains. *The Plant Journal* 11, 1151–1165.

von Heijne G (1995) Membrane protein assembly: rules of the game. *Bioessays* 17, 25–30.

Yan Q & Lennarz WJ (1999) Oligosaccharyltransferase: a complex multisubunit enzyme of the endoplasmic reticulum. *Biochem. Biophys. Res. Commun.* 266, 684–689.

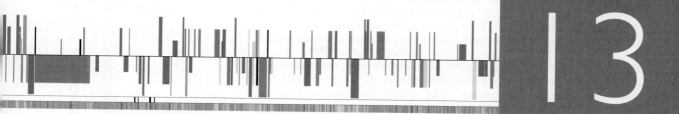

TRANSPORT VÉSICULAIRE INTRACELLULAIRE

Chaque cellule doit s'alimenter et communiquer avec le monde qui l'entoure. Dans une cellule procaryote, toute l'alimentation et la communication s'effectuent au travers de la membrane plasmique. La cellule sécrète des enzymes digestives à l'extérieur de la cellule, par exemple au travers de la membrane plasmique. Elle transporte ensuite dans le cytosol, au travers de la même membrane, les petits métabolites de l'espace extracellulaire formés par la digestion. Les cellules eucaryotes, par contre, ont développé un système membranaire interne complexe qui leur permet d'absorber les macromolécules selon un processus d'*endocytose* et de les délivrer aux enzymes digestives stockées dans les lysosomes intracellulaires. Par conséquent, les métabolites formés par la digestion des macromolécules sont directement délivrés dans le cytosol par les lysosomes dès qu'ils sont produits. En plus de permettre l'ingestion des macromolécules par la *voie de l'endocytose*, le système des membranes internes permet aux cellules eucaryotes de réguler la délivrance des protéines, des glucides et des lipides néosynthétisés à l'extérieur de la cellule. La *voie de la biosynthèse-sécrétion* permet à la cellule de modifier les molécules qu'elle produit par une série d'étapes, de les stocker jusqu'à ce qu'elles soient utilisées puis de les délivrer à l'extérieur par l'intermédiaire d'un domaine cellulaire de surface spécifique selon un processus appelé *exocytose*. Les grandes lignes des voies de l'endocytose et de la biosynthèse-sécrétion, qui relient finalement la membrane plasmique au réticulum endoplasmique (RE) profondément dans la cellule, sont montrées dans la figure 13-1.

L'espace intérieur ou *lumière* de chaque compartiment entouré d'une membrane le long des voies de la biosynthèse-sécrétion et de l'endocytose est équivalent, d'un point de vue topologique, à la lumière de n'importe quel autre compartiment. De plus, ces compartiments sont en communication constante, les molécules passant du compartiment donneur au compartiment cible grâce à de nombreux *paquets de transport* entourés d'une membrane. Certains de ces paquets sont de petites vésicules sphériques tandis que d'autres sont de grandes vésicules irrégulières ou des fragments des compartiments donneurs. Nous utiliserons le terme de *vésicule de transport* pour toutes ces formes de paquets.

Les vésicules bourgeonnent continuellement d'une membrane pour fusionner avec une autre, et transportent des composants membranaires et des molécules solubles appelées *chargement* (Figure 13-2). Ce transport membranaire suit un flux directionnel hautement organisé qui permet à la cellule de sécréter et de s'alimenter. La voie de la biosynthèse-sécrétion conduit à l'extérieur et part du RE, passe par l'appareil de Golgi et la surface cellulaire, avec une voie annexe qui conduit aux lysosomes tandis que la voie de l'endocytose conduit à l'intérieur et part de la membrane plasmique (Figure 13-3). Dans chaque cas, le flux des membranes entre les compartiments est équilibré, avec les voies d'élimination équilibrant le flux de direction opposée, qui rapporte des membranes et certaines protéines dans le compartiment d'origine.

Pour effectuer cette fonction, chaque vésicule de transport qui bourgeonne à partir d'un compartiment doit être sélective. Elle ne doit prendre que des protéines adaptées et ne fusionner qu'avec la membrane cible appropriée. Une vésicule qui transporte son chargement de l'appareil de Golgi à la membrane plasmique, par exemple, doit exclure les protéines qui doivent rester dans l'appareil de Golgi et ne fusionner qu'avec la membrane plasmique et non pas avec un autre organite.

Nous commencerons ce chapitre par les mécanismes moléculaires de bourgeonnement et de fusion qui sous-tendent tout transport. Nous verrons ensuite les problèmes fondamentaux sur le mode de conservation des différences entre les compartiments face à ce transport. Enfin nous considérerons les fonctions de l'appareil de Golgi, des lysosomes, des vésicules de sécrétion et des endosomes et nous retracerons les voies qui relient ces organites.

MÉCANISMES MOLÉCULAIRES DU TRANSPORT MEMBRANAIRE ET ENTRETIEN DE LA DIVERSITÉ DES COMPARTIMENTS

Les processus de transport permettent l'échange continu de composants entre les dix compartiments chimiquement distincts entourés d'une membrane, parfois plus, qui englobent collectivement les voies de la biosynthèse-sécrétion et de l'endocytose. En présence de cet échange important, comment chaque compartiment garde-t-il son caractère spécifique ? Pour répondre à cette question, nous devons d'abord envisager ce qui définit le caractère d'un compartiment. Par dessus tout, c'est la composition de la membrane qui l'entoure : des marqueurs moléculaires exposés à la surface cytosolique de cette membrane servent de signal de guidage au transport entrant et assurent que les vésicules de transport ne fusionnent qu'avec le bon compartiment, dictant ainsi le type de transport entre un compartiment et un autre. Beaucoup de marqueurs membranaires, cependant se trouvent sur plusieurs organites et, par conséquent, c'est la combinaison de ces marqueurs qui donne à chaque organite son adresse moléculaire unique.

Comment ces marqueurs membranaires sont-ils maintenus en forte concentration sur un compartiment et en faible concentration sur un autre ? Pour répondre à cette question, nous devons envisager comment des morceaux de membrane, enrichis ou appauvris en certains composants spécifiques, bourgeonnent à partir d'un

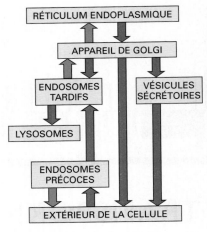

Figure 13-1 Voies de l'endocytose et de la biosynthèse-sécrétion. Dans cette « carte routière » du transport de la biosynthèse des protéines, qui a été introduite au chapitre 12, les voies de l'endocytose et de la biosynthèse-sécrétion sont illustrées respectivement par des *flèches vertes* et *rouges*. En plus, des *flèches bleues* montrent la voie de recapture qui maintient un flux de retour de certains composants (*voir aussi* Figure 13-3).

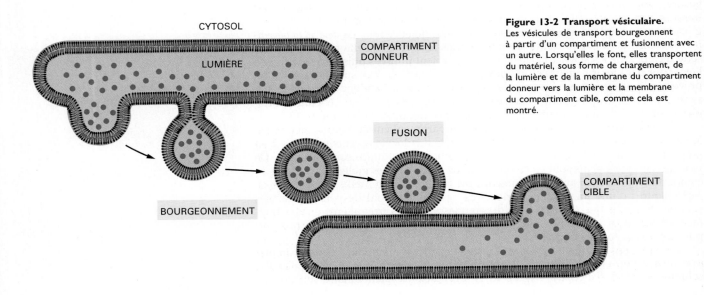

Figure 13-2 Transport vésiculaire. Les vésicules de transport bourgeonnent à partir d'un compartiment et fusionnent avec un autre. Lorsqu'elles le font, elles transportent du matériel, sous forme de chargement, de la lumière et de la membrane du compartiment donneur vers la lumière et la membrane du compartiment cible, comme cela est montré.

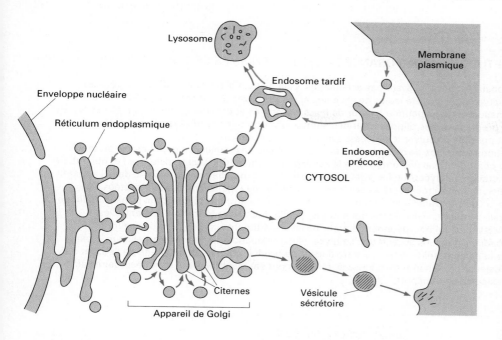

Lysosome

Endosome tardif

Membrane
plasmique

Enveloppe nucléaire

Réticulum endoplasmique

Endosome
précoce

CYTOSOL

Citernes

Vésicule
sécrétoire

Appareil de Golgi

Figure 13-3 Compartiments intracellulaires des cellules eucaryotes impliqués dans les voies de la biosynthèse-sécrétion et de l'endocytose. Chaque compartiment enferme un espace, appelé lumière, qui a la même topologie que l'extérieur de la cellule et tous les compartiments montrés communiquent les uns avec les autres et avec l'extérieur de la cellule par les vésicules de transport. Dans la voie de la biosynthèse-sécrétion (*flèches rouges*), les molécules protéiques sont transportées du RE à la membrane plasmique ou (via les endosomes tardifs) aux lysosomes. Dans la voie de l'endocytose (*flèches vertes*), les molécules sont ingérées dans des vésicules issues de la membrane plasmique et sont délivrées aux endosomes précoces puis (via les endosomes tardifs) aux lysosomes. Beaucoup de molécules qui ont subi une endocytose sont recapturées à partir des endosomes précoces et retournent à la surface cellulaire pour y être réutilisées ; de même, certaines molécules sont recapturées à partir des endosomes tardifs et retournent à l'appareil de Golgi et certaines sont recapturées de l'appareil de Golgi et retournent dans le RE. Toutes ces voies de recapture sont montrées avec des *flèches bleues* (*voir aussi* Figure 13-1).

compartiment et sont transférés sur un autre. Dans cette partie, nous décrirons comment cela s'effectue. Certaines stratégies biochimiques et génétiques fondamentales utilisées pour étudier la machinerie moléculaire impliquée dans le transport vésiculaire sont présentées dans la planche 13-1.

Nous commencerons notre discussion par les événements de tri qui sous-tendent la ségrégation des protéines dans des domaines membranaires séparés. Ce tri dépend de l'assemblage d'une enveloppe protéique spécifique sur la face cytosolique de la membrane donneuse. Nous verrons donc comment se forment ces enveloppes, de quoi elles sont constituées et comment elles permettent d'extraire des composants spécifiques d'une membrane pour les délivrer sur une autre. Enfin, nous verrons comment les vésicules de transport arrivent sur la bonne membrane cible et fusionnent avec elle pour libérer leur contenu dans l'organite cible.

Il y a différents types de vésicules recouvertes d'un manteau

La plupart des vésicules de transport se forment à partir de régions membranaires spécifiques recouvertes d'un manteau. Elles bourgeonnent sous forme de **vésicules recouvertes d'un manteau** qui possèdent une cage protéique particulière recouvrant leur face cytosolique. Avant que ces vésicules ne fusionnent avec la membrane cible, leur manteau est éliminé, pour permettre aux deux surfaces membranaires cytosoliques d'interagir directement et de fusionner.

On pense que le manteau a deux fonctions principales. D'abord il concentre des protéines membranaires spécifiques dans une zone membranaire spécialisée qui donne alors naissance aux membranes des vésicules. Il facilite ainsi la sélection de molécules appropriées au transport. Ensuite, l'assemblage du manteau protéique en un treillis incurvé comme un panier déforme la zone membranaire et modèle ainsi la vésicule en formation, ce qui explique pourquoi les vésicules qui possèdent le même type de manteau ont une taille relativement uniforme.

Il existe trois types bien caractérisés de vésicules recouvertes d'un manteau : les vésicules *recouvertes de clathrine*, de *COP I* et de *COP II* (Figure 13-4). Chaque type sert à une étape différente du transport intracellulaire. Les vésicules recouvertes de clathrine, par exemple, servent d'intermédiaire au transport qui part de l'appareil de Golgi et de la membrane plasmique, alors que les vésicules recouvertes de COP I et de COP II sont plus souvent les intermédiaires du transport qui part du RE et des citernes du Golgi (Figure 13-5). Il existe cependant bien plus de variétés que cette courte liste ne le suggère. Comme nous le verrons ci-dessous, il existe au moins trois types de vésicules recouvertes de clathrine, chacune spécialisée dans une étape différente du transport et les vésicules recouvertes de COP I sont également variées. De plus, d'autres manteaux ont été observés en microscopie électronique, dont la composition moléculaire et la fonction ne sont pas encore connues.

SYSTÈMES ACELLULAIRES POUR L'ÉTUDE DES COMPOSANTS ET DES MÉCANISMES DE TRANSPORT VÉSICULAIRE

Le transport vésiculaire peut être reconstitué dans des systèmes acellulaires. Cela a été effectué la première fois pour les dictyosomes golgiens. Lorsque des dictyosomes ont été isolés des cellules et incubés avec du cytosol et de l'ATP comme source d'énergie, les vésicules de transport ont bourgeonné à partir de leurs extrémités et ont transporté des protéines entre les citernes. En suivant la maturation progressive des oligosaccharides sur une glycoprotéine tandis qu'elle se déplace d'un compartiment de Golgi à l'autre, il est possible de suivre le processus de transport vésiculaire.

Pour suivre le transport, deux populations distinctes de dictyosomes ont été incubées ensemble. La population « donneuse » est isolée de cellules mutantes qui ne possèdent pas une enzyme, la N-acétylglucosamine (GlcNAc) transférase I et qui ont été infectées par un virus ; du fait de la mutation, la glycoprotéine virale majeure n'est pas modifiée par la GlcNAc dans l'appareil de Golgi des cellules mutantes. Les dictyosomes « receveurs » sont isolés de cellules de type sauvage, non infectées, et contiennent ainsi une bonne copie de la GlcNAc transférase I mais ne possèdent pas la glycoprotéine virale. Dans le mélange des dictyosomes, la glycoprotéine virale acquiert la GlcNAc, ce qui indique qu'elle doit avoir été transportée entre les dictyosomes – probablement par les vésicules qui bourgeonnent à partir des compartiments *cis*-golgiens donneurs et fusionnent avec les compartiments *médians* golgiens accepteurs. La glycosylation dépendante du transport est suivie par la mesure du transfert de ^{3}H-GlcNAc sur la glycoprotéine virale. Le transport ne se produit que lorsqu'on ajoute de l'ATP et du cytosol. En fractionnant le cytosol, plusieurs protéines cytosoliques spécifiques ont été identifiées qui sont nécessaires au bourgeonnement et à la fusion des vésicules de transport.

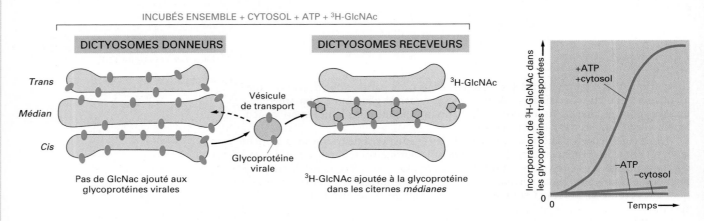

INCUBÉS ENSEMBLE + CYTOSOL + ATP + ^{3}H-GlcNAc

Des systèmes acellulaires similaires ont été utilisés pour étudier le transport du réseau *médian* de Golgi au réseau *trans*-golgien, du réseau *trans*-golgien à la membrane plasmique, des endosomes aux lysosomes et du réseau *trans*-golgien aux endosomes tardifs.

APPROCHES GÉNÉTIQUES DE L'ÉTUDE DU TRANSPORT VÉSICULAIRE

Des études génétiques de cellules de levure mutantes présentant une sécrétion déficiente à de hautes températures ont identifié plus de 25 gènes impliqués dans la voie de la sécrétion. Beaucoup de gènes mutants codent pour des protéines *thermosensibles*. Elles fonctionnent normalement à 25 °C mais lorsque les cellules mutantes sont placées à 35 °C, certaines ne transportent plus les protéines du RE à l'appareil de Golgi, d'autres d'une citerne golgienne à une autre et d'autres encore de l'appareil de Golgi aux vacuoles (les lysosomes de levure) ou à la membrane plasmique.

Une fois qu'une protéine nécessaire à la sécrétion a été ainsi identifiée, il est possible d'identifier le gène codant pour les protéines qui interagissent avec elle en utilisant un système nommé *suppression multi-copies*. Une protéine mutante thermosensible placée sous des températures élevées présente souvent une affinité trop basse pour les protéines avec lesquelles elle interagit normalement pour s'y fixer. Si les protéines qui interagissent sont produites à des concentrations bien plus hautes que la normale cependant, la fixation devient suffisante pour guérir cet effet. C'est pourquoi les cellules de levure qui présentent une mutation thermosensible dans un gène impliqué dans le transport vésiculaire sont souvent transfectées avec un vecteur plasmidique de levure dans lequel des fragments d'ADN génomiques de levure pris au hasard ont été clonés. Comme ce plasmide est gardé dans les cellules sous de très nombreuses copies, ceux qui portent les gènes intacts produiront en excès le produit normal du gène, et permettront à de rares cellules de survivre à de fortes températures. Les fragments d'ADN pertinents codant probablement pour les protéines qui interagissent avec la protéine mutante d'origine, peuvent alors être isolés des clones de cellules survivantes.

Les approches génétiques et biochimiques se complètent l'une l'autre et beaucoup de protéines impliquées dans le transport vésiculaire ont été identifiées indépendamment par les études biochimiques des systèmes acellulaires de mammifères et par des études génétiques dans la levure.

LES PROTÉINES DE FUSION À LA GFP ONT RÉVOLUTIONNÉ L'ÉTUDE DU TRANSPORT INTRACELLULAIRE

Une des façons de suivre la localisation d'une protéine dans les cellules vivantes est de fabriquer des protéines de fusion, dans lesquelles la protéine de fluorescence verte (GFP) est fixée par génie génétique sur la protéine à étudier. Lorsqu'un ADNc codant pour cette protéine de fusion est exprimé dans une cellule, la protéine est facilement visible en microscopie à fluorescence, de telle sorte qu'elle peut être suivie dans les cellules vivantes en temps réel. Heureusement, pour la plupart des protéines étudiées, l'addition de la GFP à la protéine ne perturbe pas sa fonction.

Les protéines de fusion à la GFP sont largement utilisées pour étudier la localisation et le mouvement des protéines dans la cellule. La GFP fusionnée aux protéines qui font la navette entre l'intérieur et l'extérieur du noyau, par exemple, permet d'étudier le transport nucléaire et sa régulation. La GFP fusionnée aux protéines mitochondriales ou de l'appareil de Golgi permet d'étudier le comportement de ces organites. La GFP fusionnée aux protéines de la membrane plasmique sert à mesurer la cinétique de leurs mouvements à partir du RE par la voie de la sécrétion. Des exemples spectaculaires de ces expériences peuvent être observés sous forme de films sur le CD qui accompagne cet ouvrage.

L'étude des protéines de fusion à la GFP est souvent associée aux techniques FRAP et FLIP (*voir* Chapitre 10), dans lesquelles la GFP de certaines régions de la cellule est blanchie par une forte lumière laser. La vitesse de diffusion des protéines de fusion à la GFP non blanchies dans cette zone est alors déterminée et fournit la mesure de la diffusion des protéines ou du transport dans la cellule. De cette façon, par exemple, on a pu déterminer que beaucoup d'enzymes golgiennes étaient recyclées entre l'appareil de Golgi et le RE.

(A–D *à droite,* dues à l'obligeance de Jennifer Lippincott-Schwartz Lab.)

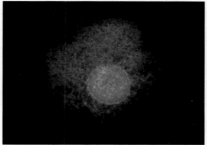

(A) Dans cette expérience, la GFP fusionnée à la protéine d'enveloppe du virus de la stomatite vésiculeuse a été exprimée dans des cellules en culture. La protéine virale est une protéine intégrale de membrane qui se déplace normalement, par la voie de la sécrétion, du RE vers la surface cellulaire où le virus s'assemble si les cellules expriment également les autres composants viraux. La protéine virale contient une mutation qui permet son exportation à partir du RE uniquement à basse température. De ce fait, à la forte température montrée, la protéine de fusion marque le RE.

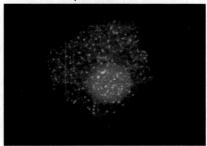

(B) Lorsque la température s'abaisse, la protéine de fusion à la GFP s'accumule rapidement dans le RE au niveau des sites de sortie.

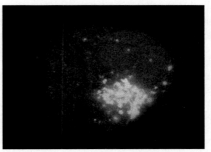

(C) La protéine de fusion se déplace ensuite dans l'appareil de Golgi.

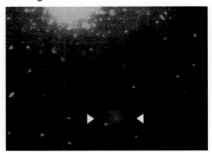

(D) Enfin, la protéine de fusion est libérée dans la membrane plasmique. D'après ces études, il est possible de déterminer la cinétique de chaque étape de cette voie.

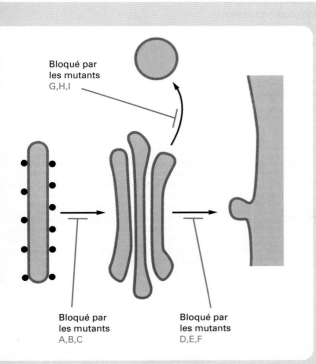

Bloqué par les mutants G,H,I

Bloqué par les mutants A,B,C

Bloqué par les mutants D,E,F

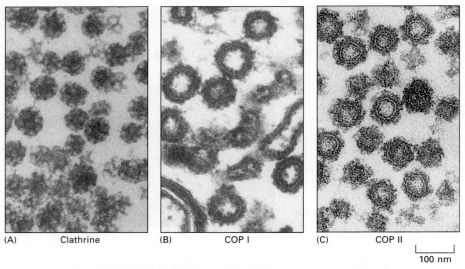

(A) Clathrine   (B) COP I   (C) COP II

|— 100 nm —|

Figure 13-4 Photographies en microscopie électronique de vésicules à manteau de clathrine, à manteau de COP I et à manteau de COP II. Toutes sont montrées en microscopie électronique à la même échelle. (A) Vésicules à manteau de clathrine. (B) Citernes de Golgi issues d'un système acellulaire dans lequel bourgeonnent les vésicules à manteau de COP I dans un tube à essai. (C) Vésicules à manteau de COP II. Notez que les vésicules à manteau de clathrine ont une structure plus régulière. (A et B, dues à l'obligeance de Lelio Orci, d'après L. Orci, B. Glick et J. Rothman, *Cell* 46 : 171-184, 1986. © Elsevier ; C, due à l'obligeance de Charles Barlowe et Lelio Orci.)

L'assemblage d'un manteau de clathrine entraîne la formation d'une vésicule

Les **vésicules recouvertes de clathrine** ont été les premières à être découvertes et les plus largement étudiées. Elles fournissent un bon exemple du mode de formation des vésicules. Le composant protéique majeur des vésicules recouvertes de clathrine est la **clathrine** elle-même. Chaque sous-unité de clathrine est composée de trois grosses chaînes polypeptidiques et de trois petites qui forment ensemble une structure à trois bras appelée *triskélion* ou *étoile à trois branches*. Les triskélions de clathrine s'assemblent en un réseau convexe en panier constitué d'hexagones et de pentagones et forment des puits recouverts sur la face cytosolique de la membrane (Figure 13-6). Dans des conditions adaptées, des triskélions isolés s'auto-assemblent spontanément dans un tube à essai en une cage typique polyhédrique, même en l'absence des vésicules membranaires normalement enfermées dans ces cages (Figure 13-7). De ce fait, la géométrie de la cage de clathrine n'est déterminée que par les triskélions de clathrine.

Une deuxième protéine majeure du manteau des vésicules recouvertes de clathrine est un complexe à multiples sous-unités appelé **adaptine**. Il est nécessaire pour unir le manteau de clathrine à la membrane et pour trapper diverses protéines transmembranaires, y compris les récepteurs transmembranaires qui capturent les molécules de chargement solubles à l'intérieur de la vésicule – et sont appelés les *récepteurs du chargement*.

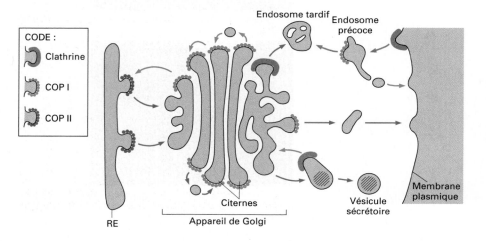

Figure 13-5 Utilisation des différents manteaux dans le transport vésiculaire. Les différents manteaux protéiques choisissent différents chargements et façonnent les vésicules de transport qui assurent les diverses étapes des voies de biosynthèse-sécrétion et d'endocytose. Lorsque les mêmes manteaux fonctionnent dans différents endroits de la cellule, ils peuvent incorporer différentes sous-unités protéiques de manteau qui modifient leurs propriétés (non montré ici). Beaucoup de cellules différenciées présentent d'autre voies en plus de celles montrées dans cette figure, y compris une voie de tri qui part du réseau *trans*-golgien et va vers la surface apicale des cellules polarisées et une voie de recyclage particulière des protéines des vésicules synaptiques dans les synapses des neurones.

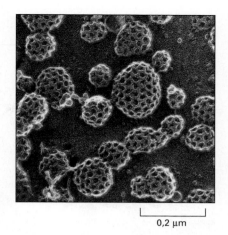

Figure 13-6 Puits et vésicules recouverts de clathrine. Cette photographie en microscopie électronique après cryodécapage rapide et profond montre de nombreux puits et vésicules recouverts de clathrine sur la face interne de la membrane plasmique de fibroblastes en culture. Les cellules ont été rapidement congelées dans de l'hélium liquide, fracturées puis ombrées rapidement pour exposer la face cytoplasmique de la membrane plasmique. (D'après J. Heuser, *J. Cell Biol.* 84 : 560-583, 1980. © The Rockefeller University Press.)

0,2 µm

Un groupe sélectionné de protéines membranaires et de protéines solubles qui interagissent avec elles est ainsi placé dans chaque vésicule de transport recouverte de clathrine néoformée (Figure 13-8).

Il existe au moins quatre types d'adaptines, chacune spécifique d'un groupe différent de récepteurs du chargement. Les vésicules recouvertes de clathrine bourgeonnent de différentes membranes et utilisent différentes adaptines pour placer différentes molécules de récepteurs et de chargements. La formation de puits recouverts de clathrine est actionnée par des forces engendrées par l'assemblage successif des adaptines et du manteau de clathrine sur la face cytosolique de la membrane. Les interactions latérales entre les adaptines et les molécules de clathrine facilitent ensuite la formation du bourgeonnement.

La séparation par pincement et la perte du manteau des vésicules recouvertes sont deux processus régulés

Lorsqu'un bourgeonnement recouvert de clathrine se forme, des protéines cytoplasmiques solubles, dont la **dynamine**, s'assemblent en un anneau qui entoure le col de chaque bourgeonnement. La dynamine est une GTPase qui régule la vitesse de séparation des vésicules par constriction membranaire. Au cours du processus de déta-

Figure 13-7 Structure d'un manteau de clathrine. Photographie en microscopie électronique montrant des triskélions (étoiles à trois branches) de clathrine ombrés au platine. Bien que cette caractéristique ne puisse être vue sur ces microphotographies, chaque triskélion est composé de trois chaînes lourdes de clathrine et de 3 chaînes légères de clathrine. (B) Dessin schématique de la disposition probable des triskélions sur la face cytosolique d'une vésicule recouverte de clathrine. Deux triskélions sont montrés, avec les chaînes lourdes de l'un d'entre eux en *rouge* et de l'autre en *gris* ; les chaînes légères sont montrées en *jaune*. La disposition qui se chevauche des bras souples des triskélions fournit à la fois la force mécanique et la souplesse. Notez que l'extrémité de chaque bras du triskélion est tournée vers l'intérieur, de telle sorte que son domaine N-terminal forme une enveloppe intermédiaire. (C) Photographie en cryomicroscopie électronique d'un manteau de clathrine composé de 36 triskélions organisés dans un réseau de 12 pentagones et de 6 hexagones. Les bras entrelacés des triskélions de clathrine forment une enveloppe externe dans laquelle les domaines N-terminaux des triskélions font saillie pour former une couche interne visible par les orifices. C'est cette couche interne qui entre en contact avec les protéines adaptatrices (adaptines) montrées dans la figure suivante. Même si le manteau montré ici est trop petit pour enfermer une vésicule membranaire, le manteau de clathrine qui recouvre les vésicules est construit de façon similaire à partir de 12 pentagones plus un grand nombre d'hexagones, et ressemble à l'architecture d'un ballon de football. (A, d'après E. Ungewickell et D. Branton, *Nature* 289 : 420-422, 1981. © Macmillan Magazines Ltd ; B ; d'après I.S. Nathke et al., *Cell* 68 : 899-910, 1992. © Elsevier ; C, due à l'obligeance de B.M.F. Pearse, d'après C.J. Smith et al., *EMBO J.* 17 : 4943-4953, 1998.)

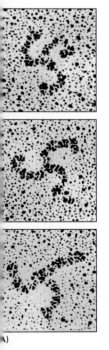

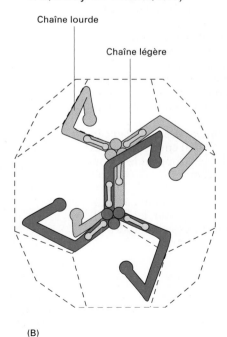

Chaîne lourde

Chaîne légère

(A)

(B)

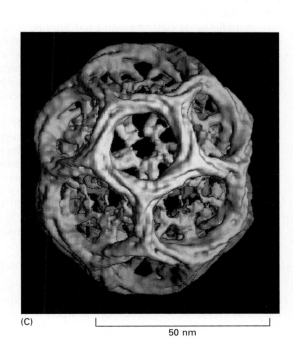

(C)

50 nm

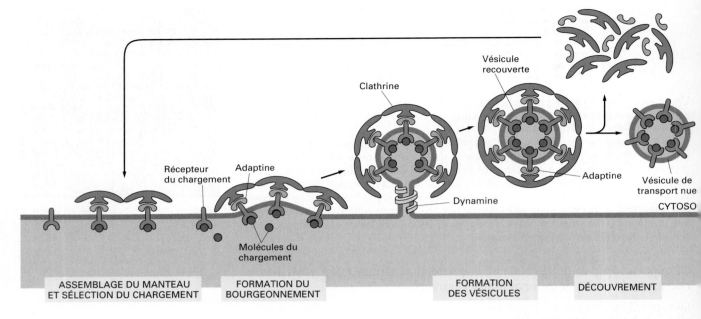

Clathrine

Vésicule
recouverte

Récepteur
du chargement

Adaptine

Adaptine

Vésicule de
transport nue

CYTOSO

Dynamine

Molécules du
chargement

ASSEMBLAGE DU MANTEAU
ET SÉLECTION DU CHARGEMENT

FORMATION DU
BOURGEONNEMENT

FORMATION
DES VÉSICULES

DÉCOUVREMENT

chement par pincement, les deux feuillets non cytosoliques de la membrane sont amenés à proximité puis fusionnent, scellant la vésicule en formation (Figure 13-9). Pour effectuer cette tâche, la dynamine recrute d'autres protéines et les amène vers le col de la vésicule bourgeonnante. Associées à la dynamine, elles facilitent la courbure de la membrane, soit en distordant directement la structure bicouche localement, soit en modifiant sa composition lipidique, soit en utilisant les deux processus. La modification locale de la composition lipidique peut résulter de l'action d'enzymes qui modifient les lipides et sont recrutées dans les complexes de dynamine.

Une fois que la vésicule est libérée de la membrane, le manteau de clathrine est rapidement éliminé. Une protéine chaperon de la famille des hsp70 fonctionne comme une ATPase de découvrement qui utilise l'énergie de l'hydrolyse de l'ATP pour enlever le manteau. On pense qu'une autre protéine, l'*auxilline*, qui est attachée sur la vésicule, active l'ATPase. Comme le bourgeon recouvert persiste plus longtemps que le manteau sur la vésicule, il doit exister des mécanismes de contrôle supplémentaires qui évitent d'une certaine façon que le manteau ne soit retiré avant d'avoir formé une vésicule (*voir* ci-après).

Bien qu'il y ait de nombreuses similitudes dans le bourgeonnement des vésicules à diverses localisations cellulaires, chaque membrane cellulaire pose son propre défi. La membrane plasmique, par exemple, est comparativement plate et rigide, du fait de sa composition riche en cholestérol et du cytosquelette cortical sous-jacent. De ce fait, le manteau de clathrine doit produire une force considérable pour induire une courbure, en particulier au niveau du col du bourgeonnement où la dynamine associée à ses protéines facilite la courbure importante nécessaire à la séparation par pincement de la vésicule. Par contre, le bourgeonnement vésiculaire de nombreuses membranes intracellulaires se produit préférentiellement dans des régions où les membranes sont déjà recourbées, comme les extrémités des citernes de Golgi ou les tubules membranaires.

Les **vésicules recouvertes de COP I** et **de COP II** transportent des matériaux au début de la voie de la sécrétion : les vésicules recouvertes de COP II enveloppent des bourgeonnements issus du RE et celles recouvertes de COP I enveloppent les bourgeonnements issus des compartiments pré-golgiens et des citernes de Golgi (*voir* Figure 13-5). Les manteaux des vésicules recouvertes de COP I et COP II sont composés, en partie, de gros complexes protéiques formés de sept sous-unités individuelles de protéines de manteau pour le COP I et de quatre pour le COP II. Certaines sous-unités protéiques de manteau COP I présentent des similitudes de séquences avec l'adaptine, ce qui suggère une origine évolutive commune.

Toutes les vésicules de transport ne sont pas sphériques

Les vésicules de transport existent sous diverses tailles et formes. Lorsque des cellules vivantes, génétiquement modifiées pour exprimer des composants membranaires fluorescents, sont observées en microscopie, on voit que les endosomes et le réseau *trans*-golgien émettent continuellement de longs tubules. Les protéines du

Figure 13-8 Assemblage et désassemblage du manteau de clathrine. On pense que l'assemblage du manteau introduit une courbure dans la membrane qui conduit à son tour à la formation de bourgeonnements recouverts de taille uniforme. Les adaptines se fixent à la fois sur les triskélions de clathrine et sur les récepteurs du chargement liés à la membrane, étant ainsi les intermédiaires du recrutement sélectif des molécules de membrane et du chargement dans la vésicule. La séparation par pincement du bourgeonnement pour former une vésicule implique la fusion des membranes ; cela est facilité par une protéine de liaison au GTP, la dynamine, qui s'assemble autour du col du bourgeonnement. Le manteau des vésicules recouvertes de clathrine est rapidement retiré peu après la formation de la vésicule.

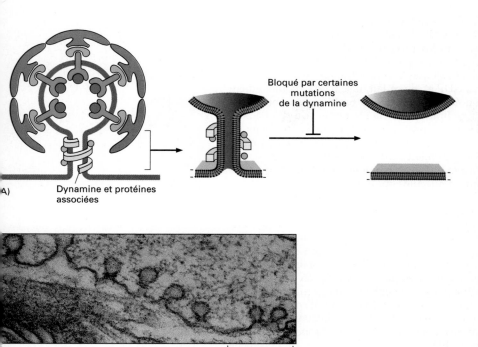

Figure 13-9 Rôle de la dynamine dans la séparation membranaire par pincement des vésicules recouvertes de clathrine. (A) La dynamine se fixe sur un bourgeon en formation de la membrane et s'assemble pour former un anneau autour du col du bourgeonnement. On pense que l'anneau de dynamine est une matrice qui recrute d'autres protéines sur le col vésiculaire. Celles-ci, associées à la dynamine, déstabilisent la membrane pour que les feuillets non cytoplasmiques des bicouches lipidiques s'écoulent ensemble. La vésicule néoformée se sépare alors par pincement. Des mutations spécifiques de la dynamine peuvent augmenter ou bloquer le processus de séparation par pincement. (B) La dynamine a été découverte en tant que protéine anormale chez un mutant *shibire* de *Drosophila*. Ces mouches mutantes se paralysent parce que l'endocytose par l'intermédiaire de la clathrine s'arrête et la membrane synaptique des vésicules n'arrive pas à se recycler, bloquant le signal synaptique. Il se forme des puits recouverts de clathrine très invaginés sur les cellules nerveuses de la mouche, avec un anneau qui s'assemble autour du col et est constitué, pense-t-on, de dynamine mutante, comme cela est montré sur cette fine coupe observée en microscopie électronique. Le processus s'arrête alors parce que la fusion membranaire ne s'effectue pas. (B, d'après J.H. Koenig et K. Ikeda, *J. Neurosci.* 9 : 3844-3860, 1989. © Society of Neuroscience.)

manteau s'assemblent sur ces tubules et facilitent le recrutement du chargement spécifique. Les tubules peuvent alors se retirer ou se séparer par pincement à l'aide de protéines de type dynamine et servir ainsi de vésicules de transport. En fonction de l'efficacité relative de la tubulation membranaire et de la séparation, des portions de tailles différentes de l'organite donneur peuvent se séparer par pincement.

Les tubules ont un rapport surface sur volume bien plus élevé que les organites dont ils sont issus. Ils sont donc relativement plus riches en protéines membranaires qu'en protéines solubles de chargement. Comme nous le verrons plus tard, cette propriété des tubules sert à trier les protéines dans les endosomes. De ce fait, le transport vésiculaire ne se produit pas nécessairement uniquement par des vésicules sphériques de taille uniforme mais peut impliquer des portions plus grosses de l'organite donneur.

Des GTPases monomériques contrôlent l'assemblage du manteau

Le transport vésiculaire qui s'effectue par les vésicules recouvertes de clathrine et de COP dépend de diverses protéines de liaison au GTP qui contrôlent à la fois les aspects spatiaux et temporels de l'échange membranaire. Comme nous l'avons vu au chapitre 3, de grandes familles de protéines de liaison au GTP régulent divers processus intracellulaires. Ces protéines agissent comme des commutateurs moléculaires qui passent d'un état actif lié au GTP à un état inactif lié au GDP. Deux classes de protéines régulent ce passage : les *facteurs d'échange des nucléotides guanyliques (GEF pour guanine-nucleotide-exchange factor)* activent la protéine en catalysant l'échange du GDP en GTP, et les *protéines d'activation de la GTPase (GAP pour GTPase-activating protein)* inactivent la protéine en déclenchant l'hydrolyse du GTP lié en GDP (*voir* Figure 3-72). Même si les protéines monomériques de liaison au GTP (GTPases monomériques) et les protéines trimériques de liaison au GTP (protéines G) ont toutes deux des rôles essentiels dans le transport vésiculaire, les rôles des GTPases monomériques sont mieux compris et nous concentrerons notre discussion sur elles.

Pour que le transport membranaire partant d'un organite soit équilibré avec celui entrant dans un organite, les protéines du manteau ne doivent s'assembler que lorsqu'elles sont nécessaires et là où elles sont nécessaires. Des *GTPases de recrutement du manteau*, qui sont des membres de la famille des GTPases monomériques, ont généralement cette fonction. Elles incluent les **protéines ARF** responsables de l'assemblage du manteau de COP I et du manteau de clathrine sur les membranes du Golgi et la **protéine Sar1** responsable de l'assemblage du manteau de COP II au niveau de la membrane du RE. On pense que l'assemblage du manteau de clathrine sur la membrane plasmique implique aussi une GTPase, dont l'identité reste inconnue.

La concentration cytosolique en GTPases de recrutement du manteau est généralement forte dans leur état inactif lié au GDP. Lorsqu'une vésicule recouverte de COP II doit bourgeonner de la membrane du RE, un GEF spécifique inclus dans cette membrane se fixe sur la Sar1 cytosolique, provoque la libération de son GDP et la fixation d'un GTP à sa place (souvenez-vous que la concentration en GTP est bien plus élevée dans le cytosol que celle du GDP et, de ce fait, il se fixera spontanément après la libération du GDP). Dans son état lié au GTP, la Sar1 expose une queue hydrophobe qui s'insère dans la bicouche lipidique de la membrane du RE. La Sar1 solidement fixée recrute alors les sous-unités protéiques du manteau sur la membrane du RE et initie le bourgeonnement (Figure 13-10). D'autres GEF et GTPases de recrutement du manteau opèrent de façon similaire sur d'autres membranes.

Certaines sous-unités protéiques du manteau interagissent également, quoique plus faiblement, avec les têtes de certaines molécules lipidiques, en particulier l'acide phosphatidique et les phosphoinositides, ainsi qu'avec les queues cytoplasmiques de certaines protéines membranaires qu'elles recrutent dans le bourgeonnement. Des GTPases de recrutement du manteau, activées sur le site de formation des bourgeonnements, peuvent localement activer la phospholipase D qui transforme certains phospholipides en acide phosphatidique, ce qui augmente la fixation des protéines du manteau. L'association des interactions protéine-protéine et protéine-lipide fixe solidement le manteau à la membrane, ce qui provoque la déformation de celle-ci en un bourgeonnement, qui se sépare ensuite par pincement en une vésicule recouverte.

Les GTPases de recrutement du manteau jouent également un rôle dans le désassemblage du manteau. L'hydrolyse du GTP lié en GDP modifie la conformation de la GTPase de telle sorte que sa queue hydrophobe sorte de la membrane et provoque le désassemblage du manteau vésiculaire. Bien qu'on ne sache pas ce qui déclenche le processus d'hydrolyse du GTP, il a été proposé que les GTPases agissaient comme des minuteurs, qui hydrolysent le GTP à une vitesse lente mais prévisible. Les manteaux de COP II, par exemple, accélèrent l'hydrolyse du GTP par la Sar1, et déclenchent ainsi le désassemblage du manteau à un certain moment après le début de son assemblage. De ce fait, la formation complète d'une vésicule ne se produit que lorsque le bourgeonnement se forme plus vite que son processus de désassemblage minuté; sinon, le désassemblage se déclenche avant que la vésicule ne se sépare par pincement et le processus doit recommencer à un moment plus opportun et dans un autre endroit. La fin du recouvrement ou le contact avec les membranes cibles peut aussi déclencher le désassemblage du manteau.

Les protéines SNARE et les GTPases d'adressage guident le transport membranaire

Pour s'assurer que le transport membranaire s'effectue de façon ordonnée, les vésicules de transport doivent être très sélectives pour reconnaître la membrane cible correcte avec laquelle elles doivent fusionner. Du fait de la diversité des systèmes membranaires, une vésicule a des chances de rencontrer beaucoup de membranes cibles potentielles avant de trouver la bonne. La spécificité de l'adressage est assurée par l'affichage, sur toutes les vésicules de transport, de marqueurs de surface qui les identifient selon leur origine et leur type de chargement, tandis que les mem-

Figure 13-10 Modèle courant de la formation de vésicules recouvertes de COP II. (A) La protéine Sar1 est une GTPase de recrutement du manteau. La Sar1–GDP inactive et soluble se fixe sur un GEF (appelé Sec12) de la membrane du RE, provoquant la libération du GDP par la Sar1 et la fixation d'un GTP. La modification de conformation de Sar1, déclenchée par le GTP, expose sa chaîne hydrophobe, qui s'insère dans la membrane du RE. (B) La Sar1-GTP active, liée à la membrane, recrute les sous-unités de COP II sur la membrane. Cela provoque la formation d'un bourgeonnement membranaire qui inclut certaines protéines. La fusion ultérieure de la membrane entraîne la séparation par pincement et la libération de la vésicule recouverte. On pense que d'autres vésicules recouvertes se forment pareillement. Contrairement à la Sar1, la GTPase de recrutement du manteau ARF contient une chaîne d'acide gras fixée de façon covalente qui fonctionne de façon similaire à la queue hydrophobe de la Sar1, comme une ancre membranaire régulée : elle se rétracte dans l'état lié au GDP et est exposée dans l'état lié au GTP. Comme nous le verrons ultérieurement dans ce chapitre, les protéines Rab régulent leurs attaches membranaires d'une manière semblable (*voir* Figure 13-14).

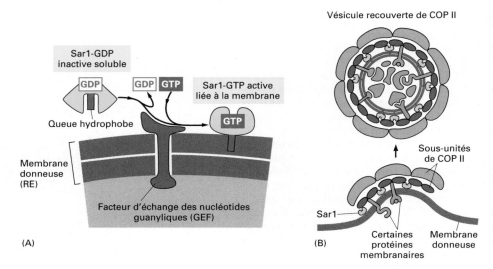

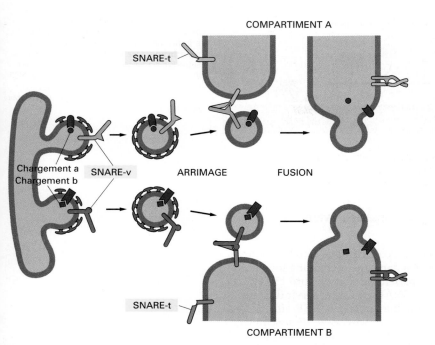

COMPARTIMENT A

SNARE-t

Chargement a
Chargement b

SNARE-v

ARRIMAGE

FUSION

SNARE-t

COMPARTIMENT B

Figure 13-11 Rôle hypothétique des SNARE dans le guidage du transport vésiculaire. Des groupes complémentaires de SNARE de vésicule (SNARE-v) et de SNARE de membrane cible (SNARE-t) contribuent à la sélectivité de l'arrimage et de la fusion des vésicules de transport. Les SNARE-v sont réunies aux protéines du manteau au cours du bourgeonnement des vésicules de transport issues de la membrane donneuse et se fixent sur les SNARE-t complémentaires de la membrane cible. Après la fusion, les SNARE-v et les SNARE-t restent associées dans un complexe solide. Le complexe doit se dissocier avant que les SNARE-t acceptent une nouvelle vésicule ou que les SNARE-v puissent être recyclées dans le compartiment donneur pour participer à un nouveau cycle de transport vésiculaire. Comme cela est montré ici, différentes SNARE-v peuvent être placées avec différentes molécules de chargement (par l'association avec d'autres protéines ; non représenté ici) lorsqu'elles quittent le compartiment donneur. Dans ce cas, les deux groupes de chargements seront délivrés à des SNARE-t différentes et donc à des membranes cibles différentes.

branes cibles affichent des récepteurs complémentaires qui reconnaissent les marqueurs appropriés. On pense que cette étape cruciale de reconnaissance est contrôlée principalement par deux classes de protéines : les *SNARE* et les GTPases d'adressage appelées *Rab*. Les protéines SNARE semblent jouer un rôle central en fournissant la spécificité et en catalysant la fusion des vésicules avec les membranes cibles. Les Rab semblent agir en association avec d'autres protéines pour réguler l'amarrage initial et l'attache de la vésicule sur la membrane cible.

Il existe au moins 20 **SNARE** différentes dans les cellules animales, chacune associée à un organite particulier entouré d'une membrane et impliqué dans la voie de la biosynthèse-sécrétion ou de l'endocytose. Ces protéines transmembranaires existent sous forme de groupes complémentaires – les SNARE des membranes des vésicules, appelées **SNARE-v** et les SNARE des membranes cibles appelées **SNARE-t** (t pour *target*) (Figure 13-11 et 13-12). Les SNARE-v et les SNARE-t possèdent des domaines en hélice caractéristiques. Lorsqu'une SNARE-v interagit avec une SNARE-t, les domaines hélicoïdaux de l'une s'enveloppent autour des domaines hélicoïdaux de l'autre pour former des *complexes trans-SNARE* stables qui bloquent ensemble les deux membranes. Nous verrons ultérieurement comment nous supposons que les complexes trans-SNARE contribuent à la fusion membranaire. La spécificité de l'interaction des SNARE détermine la spécificité de l'arrimage vésiculaire et de la fusion. Les SNARE spécifient ainsi l'identité des compartiments et gouvernent le transfert ordonné de matériaux au cours du transport vésiculaire.

Les SNARE ont été caractérisées principalement dans les cellules nerveuses, où elles servent d'intermédiaire à l'arrimage et à la fusion des vésicules synaptiques au niveau de la membrane plasmique des terminaisons nerveuses (*voir* Figure 13-12). Les complexes SNARE des terminaisons neuronales sont les cibles de neurotoxines puissantes sécrétées par les bactéries responsables du tétanos et du botulisme. Ces

Figure 13-12 Structure des appariements de SNARE. Les SNARE responsables de l'arrimage des vésicules synaptiques au niveau de la membrane plasmique des terminaisons nerveuses sont composées de trois protéines. La SNARE-v *synaptobrévine* et la SNARE-t *syntaxine* sont toutes deux des protéines transmembranaires qui apportent chacune une hélice α dans le complexe. La SNARE-t *Snap25* est une protéine membranaire périphérique qui apporte deux hélices α au faisceau de quatre hélices. Les complexes trans-SNARE sont toujours constitués de quatre hélices α solidement entrelacées, dont trois sont apportées par la SNARE-t et une par la SNARE-v. La SNARE-t est composée de multiples chaînes : une est toujours une protéine transmembranaire qui apporte une hélice, et une ou deux chaînes légères supplémentaires peuvent être des protéines transmembranaires ou non et contribuent aux deux autres hélices du faisceau à quatre hélices du complexe trans-SNARE. La structure du cristal d'un complexe stable de quatre hélices α entrelacées formées par ces protéines est représentée ici dans le contexte des protéines complètes. Les hélices α sont montrées sous forme de bâtonnets pour plus de simplicité. (Adapté de R.B. Sutton et al., *Nature* 395 : 347-353, 1998.)

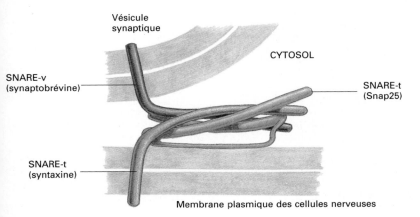

Vésicule synaptique

CYTOSOL

SNARE-v
(synaptobrévine)

SNARE-t
(Snap25)

SNARE-t
(syntaxine)

Membrane plasmique des cellules nerveuses

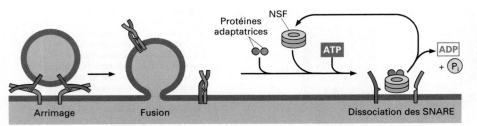

Figure 13-13 Dissociation des appariements de SNARE par la NSF à la fin du cycle de fusion d'une membrane. Une fois que les SNARE-v et les SNARE-t ont servi d'intermédiaires de fusion d'une vésicule sur une membrane cible, la NSF se fixe sur le complexe SNARE, via des protéines adaptatrices, et hydrolyse l'ATP pour détacher les SNARE.

toxines sont des protéases hautement spécifiques qui entrent dans les neurones spécifiques, coupent les protéines SNARE dans les terminaisons nerveuses et bloquent ainsi la transmission synaptique, souvent de façon fatale.

Les SNARE qui interagissent doivent être séparées avant de pouvoir fonctionner à nouveau

La plupart des protéines SNARE des cellules ont déjà participé à de nombreux cycles d'adressage membranaire et sont parfois présentes dans une membrane sous forme d'un complexe stable avec un ou deux SNARE partenaires (*voir* Figure 13-11). Ces complexes doivent se désassembler avant que les SNARE puissent servir d'intermédiaire à de nouveaux cycles de transport. Une protéine capitale, la **NSF**, effectue des cycles entre les membranes et le cytosol et catalyse le processus de désassemblage. C'est une ATPase qui ressemble structurellement à une classe mineure de protéines chaperons cytosoliques qui utilisent l'énergie de l'hydrolyse de l'ATP pour solubiliser et faciliter ainsi le repliement de protéines dénaturées. De même, la NSF utilise l'ATP pour démêler les interactions du superenroulement entre les domaines hélicoïdaux des protéines SNARE en utilisant diverses protéines adaptatrices qui se fixent sur les SNARE (Figure 13-13).

La nécessité du désassemblage des SNARE peut aider à expliquer pourquoi les membranes ne fusionnent pas sans discrimination dans les cellules. Si les SNARE-t d'une membrane cible étaient toujours actives, alors toutes les membranes contenant une SNARE-v appropriée fusionneraient à chaque fois que ces deux membranes entreraient en contact. La nécessité de la réactivation des SNARE par l'intermédiaire de la NSF permet à la cellule de contrôler quand et où les membranes doivent fusionner. De plus, les SNARE-t des membranes cibles sont souvent associées à des protéines inhibitrices qui doivent être libérées avant que les SNARE-t puissent fonctionner. Cette étape de libération pourrait être contrôlée par des GTPases d'adressage, ce que nous aborderons dans le paragraphe suivant.

Les protéines Rab assurent la spécificité de l'arrimage des vésicules

Les **protéines Rab** contribuent fortement à la spécificité du transport vésiculaire. Ce sont des GTPases monomériques qui, avec plus de 30 membres connus, constituent la plus grande sous-famille de ces GTPases. Comme les SNARE, chaque protéine Rab se distribue de façon caractéristique sur les membranes cellulaires et chaque organite possède au moins une protéine Rab sur sa face cytosolique (Tableau 13-I). On pense que les protéines Rab facilitent et régulent la vitesse de l'arrimage vésiculaire et la correspondance entre les SNARE-v et les SNARE-t, nécessaire à la fusion membranaire.

TABLEAU 13-I Localisations subcellulaires de certaines protéines Rab

PROTÉINE	ORGANITE
Rab1	RE et complexe de Golgi
Rab2	Réseau *cis*-golgien
Rab3A	Vésicules synaptiques, granules sécrétoires
Rab4	Endosomes précoces
Rab5A	Membrane plasmique, vésicules recouvertes de clathrine
Rab5C	Endosomes précoces
Rab6	Citernes de Golgi *médiane* et *trans*
Rab7	Endosomes tardifs
Rab8	Vésicules sécrétoires (basolatérales)
Rab9	Endosomes tardifs, réseau *trans*-golgien

Comme les GTPases de recrutement du manteau, que nous avons vues précédemment (*voir* Figure 13-10), les protéines Rab effectuent un cycle entre une membrane et le cytosol. Dans leur état lié au GDP, elles sont intracytosoliques et inactives et, dans leur état lié au GTP, elles sont actives et associées à la membrane d'un organite ou d'une vésicule de transport (Figure 13-14). Beaucoup de vésicules de transport ne se forment que si un ensemble adéquat de protéines SNARE et Rab se trouve inclus dans la membrane comme pour permettre à la vésicule de s'arrimer et de fusionner correctement.

Les séquences en acides aminés des protéines Rab sont particulièrement dissemblables près de la queue C-terminale. Des expériences d'échange de queue indiquent que la queue détermine la localisation intracellulaire de chaque membre de la famille protéique, probablement en permettant à la protéine de s'unir à des protéines complémentaires, comme le GEF, à la surface de l'organite adapté. Une fois liée au GTP et reliée à la membrane par l'intermédiaire d'une ancre lipidique, on pense qu'une protéine Rab s'unit à d'autres protéines (les effecteurs Rab) qui facilitent le processus d'arrimage.

Contrairement à la structure hautement conservée des protéines Rab, la structure des **effecteurs Rab** varie largement d'une protéine Rab à l'autre. Un effecteur Rab par exemple, peut être un gros complexe protéique qui dirige les vésicules sur un site spécifique de la membrane plasmique pour l'exocytose. La fusion vésiculaire est limitée à la région où se trouve ce complexe, même si les SNARE-t nécessaires sont distribuées uniformément dans la membrane. Certains effecteurs Rab sont de longues protéines filamenteuses en forme de longe qui peuvent restreindre le mouvement des vésicules entre les citernes de Golgi adjacentes. D'autres se fixent sur les protéines Rab dans leur état activé lié au GTP et empêchent l'hydrolyse prématurée du GTP. D'autres encore sont des protéines motrices qui propulsent les vésicules le long des filaments d'actine ou des microtubules vers leur cible correcte.

Même si les protéines Rab et leurs effecteurs utilisent des mécanismes moléculaires très différents pour influencer le transport vésiculaire, ils ont une fonction en commun. Ils facilitent la concentration et l'attachement des vésicules près de leur site

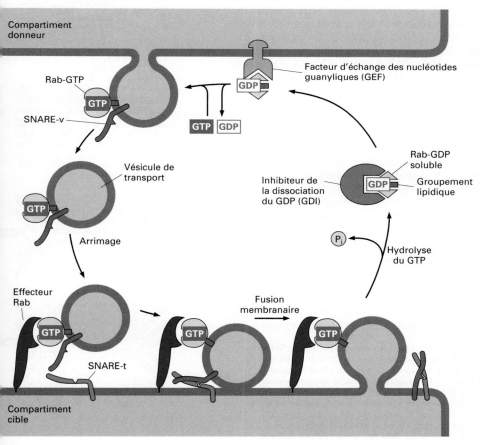

Compartiment donneur

Rab-GTP

SNARE-v

Facteur d'échange des nucléotides guanyliques (GEF)

GDP

GTP GDP

Vésicule de transport

GTP

Arrimage

Effecteur Rab

GTP

SNARE-t

Rab-GDP soluble

GDP

Groupement lipidique

Inhibiteur de la dissociation du GDP (GDI)

P$_i$

Hydrolyse du GTP

GTP   GTP   GTP

Fusion membranaire

Compartiment cible

Figure 13-14 Rôle hypothétique des protéines Rab dans la facilitation de l'arrimage des vésicules de transport. Un GEF de la membrane du donneur reconnaît une protéine Rab spécifique et l'induit à échanger son GDP pour un GTP. La fixation de GTP modifie la conformation de la protéine Rab qui expose un groupement lipidique fixé de façon covalente, ce qui facilite son ancrage sur la membrane. Souvenez-vous qu'un mécanisme analogue facilite le fixation des GTPases de recrutement du manteau sur ces membranes, bien que ce soit un autre GEF qui soit impliqué (*voir* Figure 13-10). La Rab-GTP reste fixée sur la surface de la vésicule de transport une fois qu'elle s'est retirée par pincement de la membrane donneuse puis se fixe sur diverses protéines effectrices Rab de la membrane cible. La protéine Rab et ses effecteurs facilitent l'arrimage de la vésicule et par là l'appariement des SNARE-v et des SNARE-t adaptées. Une fois que la vésicule a fusionné avec la membrane cible, la protéine Rab hydrolyse son GTP lié, ce qui libère la Rab-GDP dans le cytosol où elle peut être réutilisée pour un nouveau cycle de transport. Comme cela est montré, la Rab-GDP du cytosol est liée à un inhibiteur de la dissociation du GDP (le GDI) qui empêche que la Rab libère son GDP lié jusqu'à ce qu'elle interagisse avec des protéines appropriées de la membrane du donneur. Pour plus de clarté, nous avons omis sur cette figure toutes les protéines du manteau de la vésicule (*voir* Figure 13-10).

cible et déclenchent la libération des protéines de contrôle SNARE. De cette façon, les protéines Rab accélèrent le processus qui permet aux protéines SNARE adaptées dans les deux membranes de se trouver. Certaines protéines Rab agissent sur la vésicule alors que d'autres agissent sur la membrane cible. L'appariement des SNARE-v et des SNARE-t verrouille alors la vésicule arrimée sur la membrane cible, et la prépare à la fusion que nous aborderons ci-après. Après la fusion, la protéine Rab hydrolyse son GTP lié et la protéine inactive liée au GDP retourne dans le cytosol pour participer à un autre cycle de transport.

Les SNARE peuvent servir d'intermédiaire à la fusion membranaire

Une fois qu'une vésicule de transport a reconnu sa membrane cible et s'y est arrimée, elle décharge son chargement par fusion membranaire. La fusion n'est cependant pas toujours immédiate. Comme nous le verrons ultérieurement, au cours du processus d'exocytose régulée, la fusion est retardée jusqu'à ce qu'elle soit déclenchée par un signal extracellulaire spécifique.

De ce fait, l'arrimage et la fusion sont deux processus distincts et séparés. L'arrimage ne nécessite que le rapprochement suffisant des deux membranes pour que les protéines émettent des protrusions à partir des bicouches lipidiques pour interagir et adhérer. La fusion nécessite une approche bien plus importante, qui rapproche les bicouches lipidiques à une distance de 1,5 nm l'une de l'autre pour qu'elles puissent se réunir. Lorsque l'apposition des membranes est réalisée, les lipides peuvent passer d'une bicouche à l'autre. Pour que ce rapprochement soit si important, l'eau doit être déplacée de la surface membranaire hydrophile – un processus très défavorable énergétiquement. Il est probable que toutes les fusions membranaires intracellulaires sont catalysées par des protéines de fusion spécialisées qui permettent de surmonter cette barrière énergétique. Nous avons déjà parlé du rôle de la dynamine dans une tâche apparentée pendant le bourgeonnement des vésicules recouvertes de clathrine (*voir* Figure 13-9).

On pense que les SNARE jouent un rôle central dans la fusion membranaire. La formation du complexe SNARE peut agir comme un treuil, qui utilise l'énergie libérée lors de l'enroulement l'une sur l'autre des hélices qui interagissent, pour réunir les faces membranaires, tout en extrayant simultanément les molécules d'eau de l'interface (Figure 13-15). Lorsque les liposomes contenant des SNARE-v purifiées sont mélangés à des liposomes contenant les SNARE-t correspondantes, leurs membranes fusionnent, quoique lentement. Dans la cellule, il est probable que d'autres protéines recrutées sur le site de fusion coopèrent avec les SNARE pour initier la fusion. De plus, il est possible que des protéines inhibitrices soient libérées pour permettre l'attachement complet, comme une fermeture Éclair, de la paire de SNARE. Dans certains cas, comme lors d'exocytose régulée (abordé ultérieurement), l'entrée localisée de Ca^{2+} déclenche le processus de fusion.

Les protéines de fusion virale et les SNARE peuvent utiliser les mêmes stratégies

En dehors de la fusion vésiculaire, la fusion membranaire est importante dans d'autres processus. Citons, par exemple, la fusion des membranes plasmiques du spermatozoïde et de l'ovule qui se produit au moment de la fécondation (*voir* Chapitre 20) et la fusion des myoblastes pendant le développement des cellules musculaires (*voir* Chapitre 21). Toutes les fusions des membranes cellulaires nécessitent des protéines spécifiques et sont soumises à des contrôles importants qui assurent que seules les membranes adéquates fusionnent. Les contrôles sont primordiaux pour le maintien de l'identité cellulaire et de l'individualité de chaque type de compartiment intracellulaire.

Les fusions membranaires catalysées par les protéines de fusion virales sont les mieux comprises. Ces protéines jouent un rôle crucial en permettant l'entrée de virus enveloppés (*voir* Chapitres 5 et 25, CD). Par exemple, les virus – comme le virus de l'immunodéficience de l'homme (VIH) qui provoque le SIDA – se fixent sur les récep-

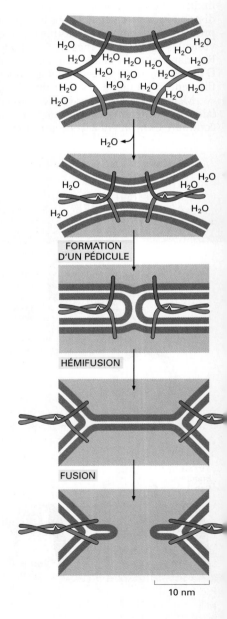

FORMATION D'UN PÉDICULE

HÉMIFUSION

FUSION

10 nm

Figure 13-15 Modèle du mode de concentration des protéines SNARE lors de fusion membranaire. On a proposé que la fusion de la bicouche se produise en de multiples étapes. L'appariement solide des SNARE force les bicouches lipidiques à s'apposer fortement de telle sorte que les molécules d'eau soient rejetées de l'interface. Les lipides des deux feuillets des bicouches qui interagissent s'écoulent alors entre les membranes pour former un pédicule de connexion. Les lipides des deux autres feuillets entrent alors en contact et forment une nouvelle bicouche qui élargit la zone de fusion (*hémifusion*, ou demi-fusion). La rupture de la nouvelle bicouche termine la réaction de fusion.

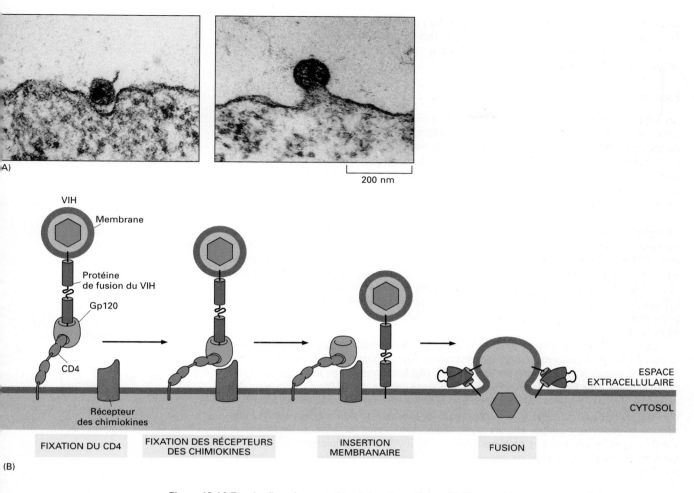

(A)

200 nm

(B)

FIXATION DU CD4

FIXATION DES RÉCEPTEURS DES CHIMIOKINES

INSERTION MEMBRANAIRE

FUSION

VIH
Membrane
Protéine de fusion du VIH
Gp120
CD4
Récepteur des chimiokines
ESPACE EXTRACELLULAIRE
CYTOSOL

Figure 13-16 Entrée d'un virus enveloppé dans les cellules. (A) Photographie en microscopie électronique qui montre comment le VIH entre dans une cellule par fusion de sa membrane avec la membrane plasmique de la cellule. (B) Modèle du processus de fusion de la membrane pour le VIH. Le VIH se fixe d'abord à la protéine CD4 de la surface d'un lymphocyte. Cette interaction passe par une protéine virale gp120 liée à la protéine de fusion du VIH. Une deuxième protéine cellulaire de surface sur la cellule hôte, qui sert normalement de récepteur au chimiokines (*voir* Chapitre 24), interagit alors avec la gp120. Cette interaction libère la protéine de fusion du VIH de la gp120 et permet au peptide de fusion hydrophobe, auparavant enfoui, de s'insérer dans la membrane plasmique. La protéine de fusion, qui est un trimère (non montré ici), s'ancre alors transitoirement en tant que protéine intégrale de membrane dans les deux membranes en opposition. La protéine de fusion se réarrange spontanément, en s'affaissant pour former un faisceau solidement empaqueté de six hélices. L'énergie libérée par ce réarrangement en multiples copies de la protéine de fusion sert à réunir les deux membranes en surmontant la forte barrière d'énergie d'activation qui empêche normalement la fusion membranaire. Ainsi, comme un piège à souris, la protéine de fusion du VIH contient un réservoir d'énergie potentielle libéré et mis au service d'un travail mécanique. (A, d'après B.S. Stein et al., *Cell* 49 : 659-668, 1987. © Elsevier ; B, adapté d'après un schéma par Wayne Hendrickson.)

teurs cellulaires de surface puis les membranes plasmiques et virales fusionnent (Figure 13-16). Cette fusion permet l'entrée de l'acide nucléique viral dans le cytosol, où il se réplique. D'autres virus, comme les virus influenza, entrent d'abord dans la cellule par une endocytose contrôlée par les récepteurs (traité ultérieurement) puis sont libérés dans les endosomes. Dans ce cas, le bas pH des endosomes active une protéine de fusion de l'enveloppe virale qui catalyse la fusion des membranes virale et endosomique. Cela libère également l'acide nucléique viral dans le cytosol.

Les structures tridimensionnelles des protéines de fusion des virus influenza et VIH fournissent des aperçus intéressants des mécanismes moléculaires de la fusion membranaire, catalysés par ces protéines. L'exposition de la protéine de fusion de influenza au bas pH ou de la protéine de fusion du VIH à des récepteurs sur les membranes des cellules cibles, découvre des régions hydrophobes auparavant enfouies. On observe que ces régions, appelées peptides de fusion, s'insèrent alors directement dans le cœur hydrophobe de la bicouche lipidique de la membrane cible. Les protéines de fusion virales deviennent ainsi, pendant un instant, des protéines intégrales de membrane dans deux bicouches lipidiques séparées. Des réarrangements structuraux des protéines de fusion rapprochent alors très fortement ces deux bicouches lipidiques et les déstabilisent pour qu'elles fusionnent (*voir* Figure 13-16). Les protéines de fusion sont les seuls composants requis pour la fusion virale, ce qui conforte la possibilité que les SNARE jouent aussi un rôle central dans le processus de fusion des bicouches dans les cellules.

Résumé

Les différences entre les divers compartiments entourés d'une membrane d'une cellule eucaryote sont conservées par un transport dirigé et sélectif des composants membranaires particuliers d'un compartiment à l'autre. Les vésicules de transport, qui peuvent être sphériques ou tubulaires, bourgeonnent à partir de régions spécifiques, recouvertes d'un manteau, de la membrane du donneur. L'assemblage du manteau facilite le recueil de molécules membranaires spécifiques et de molécules de chargement solubles pour leur transport et dirige la formation de la vésicule.

Parmi les divers types de vésicules recouvertes d'un manteau, les mieux caractérisées sont les vésicules recouvertes de clathrine, qui servent d'intermédiaire au transport à partir de la membrane plasmique et du réseau trans-golgien ainsi que les vésicules recouvertes de COP I et de COP II qui servent d'intermédiaire au transport entre le RE et l'appareil de Golgi et entre les citernes de Golgi. Pour les vésicules recouvertes de clathrine, des adaptines unissent la clathrine à la membrane de la vésicule et attrapent également les molécules de chargement spécifiques pour les mettre dans la vésicule. Le manteau est rapidement perdu après le bourgeonnement, ce qui est nécessaire pour que la vésicule fusionne avec sa membrane cible appropriée.

Des GTPases monomériques facilitent la régulation des diverses étapes du transport vésiculaire, y compris le bourgeonnement des vésicules et leur arrimage. Les GTPases de recrutement du manteau, dont les protéines Sar1 et ARF, régulent l'assemblage du manteau et son désassemblage. Une famille de protéines Rab fonctionne comme des GTPases d'adressage des vésicules. Leur incorporation, avec les SNARE-v, dans les vésicules de transport en bourgeonnement, permet aux protéines Rab d'assurer que les vésicules ne délivrent leur contenu que dans le compartiment adapté entouré d'une membrane : celui qui présente les protéines SNARE-t complémentaires. Les protéines SNARE-v et SNARE-t complémentaires forment un complexe trans-SNARE stable, qui appose fortement leurs membranes bicouches et permet leur fusion.

TRANSPORT DU RE AU TRAVERS DE L'APPAREIL DE GOLGI

Comme nous l'avons abordé au chapitre 12, les protéines néosynthétisées entrent dans la voie de la biosynthèse-sécrétion par le RE et traversent sa membrane à partir du cytosol. Pendant la poursuite de leur transport, du RE à l'appareil de Golgi et de l'appareil de Golgi à la surface cellulaire ou ailleurs, ces protéines traversent une série de compartiments où elles sont successivement modifiées. Le transfert d'un compartiment au suivant implique un équilibre délicat entre les voies de transport vers l'avant et vers l'arrière (recapture). Certaines vésicules de transport choisissent des molécules de chargement et les véhiculent jusqu'au compartiment suivant de la voie alors que d'autres recapturent les protéines qui se sont échappées et les remettent dans le compartiment antérieur où elles fonctionnent normalement. De ce fait, la voie entre le RE et la surface cellulaire implique plusieurs étapes de tri qui choisissent continuellement des protéines membranaires et luminales solubles pour les empaqueter et les transporter – dans des vésicules ou des fragments d'organites qui bourgeonnent à partir du RE et de l'appareil de Golgi.

Dans cette partie nous nous concentrerons principalement sur l'**appareil de Golgi** (appelé aussi **complexe de Golgi**). C'est un des sites principaux de la synthèse des glucides ainsi qu'une station de tri et de répartition des produits issus du RE. Beaucoup de polysaccharides de la cellule sont fabriqués dans l'appareil de Golgi, y compris la pectine et l'hémicellulose de la paroi cellulaire des végétaux et la plupart des glycosaminoglycanes de la matrice extracellulaire des animaux (*voir* Chapitre 19). Mais l'appareil de Golgi est aussi placé sur la route de sortie du RE et beaucoup de glucides qu'il fabrique sont fixés sous forme de chaînes latérales d'oligosaccharides sur les protéines et les lipides que le RE lui envoie. Un sous-groupe de ces oligosaccharides sert de marqueur dirigeant les protéines spécifiques dans des vésicules qui les transportent alors dans les lysosomes. Mais la plupart des protéines et des lipides, une fois qu'ils ont acquis leurs oligosaccharides adaptés dans l'appareil de Golgi, sont reconnus autrement et sont adressés aux vésicules de transport qui se dirigent vers d'autres destinations.

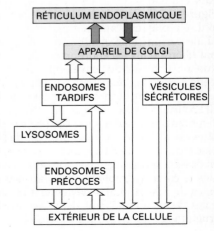

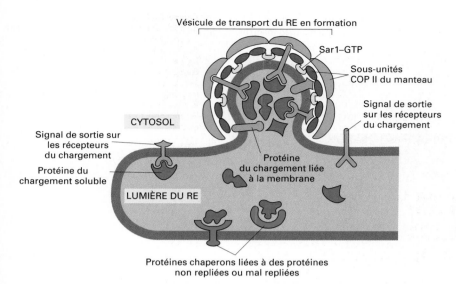

Figure 13-17 Recrutement des molécules de chargement dans les vésicules de transport du RE. En se fixant sur le manteau de COP II, les protéines de membrane et de chargement se concentrent dans les vésicules de transport lorsqu'elles quittent le RE. Les protéines membranaires sont placées dans les vésicules de transport en bourgeonnement par l'interaction des signaux de sortie sur leur queue cytosolique avec le manteau de COP II. Certaines protéines membranaires attrapées par le manteau fonctionnent à leur tour comme des récepteurs du chargement, fixant les protéines solubles de la lumière et facilitant leur mise en place dans les vésicules. Une vésicule de transport typique de 50 nm contient environ 200 protéines membranaires qui peuvent être de différents types. Comme cela est indiqué, les protéines non repliées ou incomplètement assemblées sont fixées sur des chaperons et donc retenues dans le compartiment du RE.

Les protéines quittent le RE dans des vésicules de transport recouvertes de COP II

Pour commencer leur voyage le long de la voie de la biosynthèse-sécrétion, les protéines entrées dans le RE et qui sont destinées à l'appareil de Golgi ou au-delà sont d'abord placées dans de petites vésicules de transport recouvertes de COP II. Celles-ci bourgeonnent à partir de régions spécifiques du RE appelées *sites de sortie du RE*, dont les membranes ne présentent pas de ribosomes fixés. Dans la plupart des cellules animales, les sites de sortie du RE semblent être dispersés au hasard dans tout le réseau du RE.

Au départ on pensait que toutes les protéines qui n'étaient pas attachées au RE entraient dans les vésicules de transport par défaut. Cependant, il est clair maintenant que la mise en place dans les vésicules qui quittent le RE peut aussi être un processus sélectif. Certaines protéines de chargement sont activement recrutées dans ces vésicules où elles se concentrent. On pense que ces protéines de chargement présentent des signaux de sortie (transport) à leur surface qui sont reconnus par des protéines réceptrices complémentaires enfermées dans la vésicule en bourgeonnement par l'interaction avec les composants du manteau de COP II (Figure 13-17). À une vitesse beaucoup plus faible, les protéines qui ne présentent pas ces signaux de sortie sont aussi placées dans les vésicules de telle sorte que même des protéines qui fonctionnent normalement dans le RE (appelées *protéines résidentes du RE*) s'en échappent doucement. De même, les protéines sécrétoires qui sont fabriquées en grande quantité peuvent quitter le RE sans l'aide de récepteurs de tri.

On ne connaît pas la majeure partie des signaux de sortie qui dirigent les protéines vers l'extérieur du RE pour qu'elles soient transportées dans l'appareil de Golgi et au-delà. Il existe cependant une exception. La protéine ERGIC53 semble servir de récepteur pour la mise en place de certaines protéines sécrétoires dans les vésicules recouvertes de COP II. Son rôle dans le transport protéique a pu être identifié parce que les hommes qui en sont dépourvus, suite à une mutation héréditaire, présentent une plus faible concentration sérique en deux facteurs de la coagulation sanguine sécrétés (le facteur V et le facteur VIII) et saignent donc excessivement. L'ERGIC53 est une lectine qui fixe le mannose et on pense qu'elle reconnaît ce sucre dans les protéines des facteurs V et VIII, et les place ainsi dans les vésicules de transport dans le RE.

Seules les protéines correctement repliées et assemblées peuvent quitter le RE

Pour sortir du RE, les protéines doivent être correctement repliées et, s'il s'agit de sous-unités de complexes protéiques multimériques, elles doivent être totalement assemblées. Celles qui sont mal repliées ou incomplètement assemblées restent dans le RE où elles sont liées à des protéines chaperons (*voir* Chapitre 6) comme la *BiP* ou la *calnexine*. Ces chaperons peuvent recouvrir le signal de sortie ou ancrer d'une quelconque façon la protéine dans le RE (Figure 13-18). Ces protéines ratées sont finalement transportées à nouveau dans le cytosol où elles sont dégradées dans les protéasomes (*voir* Chapitre 12). Cette étape de contrôle de qualité est importante car

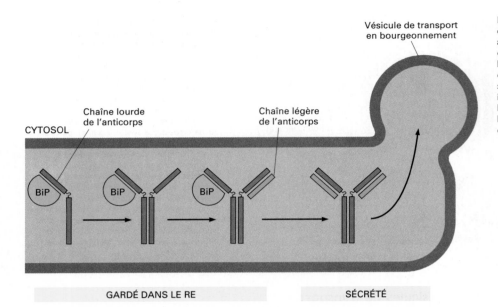

Figure 13-18 Rétention dans le RE de molécules d'anticorps non totalement assemblées. Les anticorps sont constitués de deux chaînes lourdes et de deux chaînes légères (*voir* Chapitre 24), qui s'assemblent dans le RE. On pense que le chaperon BiP se fixe sur toutes les molécules d'anticorps incomplètement assemblées et recouvre le signal de sortie. De ce fait, seuls les anticorps totalement assemblés quittent le RE et sont sécrétés.

Chaîne lourde de l'anticorps

Chaîne légère de l'anticorps

CYTOSOL

Vésicule de transport en bourgeonnement

BiP   BiP   BiP

GARDÉ DANS LE RE   SÉCRÉTÉ

les protéines mal repliées ou mal assemblées pourraient potentiellement interférer avec les fonctions des protéines normales si elles étaient transportées plus loin. L'importance de cette activité de correction est étonnamment grande. Plus de 90 p. 100 des sous-unités néosynthétisées des récepteurs des lymphocytes T (*voir* Chapitre 24) et des récepteurs de l'acétylcholine (*voir* Chapitre 11) par exemple, sont normalement dégradées dans la cellule sans avoir jamais atteint la surface cellulaire où elles agissent. De ce fait, la cellule doit fabriquer un fort excédent de nombreuses protéines au sein duquel elle choisit les quelques-unes qui se replient et s'assemblent correctement.

Cependant, ce mécanisme de contrôle de qualité est parfois préjudiciable. Les mutations prédominantes qui provoquent la mucoviscidose, une maladie héréditaire fréquente, produisent une protéine de la membrane plasmique, dont le rôle est important dans le transport de Cl⁻, et qui est très légèrement mal repliée. Alors que cette protéine mutante pourrait fonctionner tout à fait normalement si elle atteignait la membrane plasmique, elle reste dans le RE. Cette maladie ravageuse se produit alors, non pas parce que la mutation inactive la protéine, mais parce que la protéine active est éliminée avant d'atteindre la membrane plasmique.

Le transport du RE à l'appareil de Golgi passe par des agrégats tubulaires vésiculaires

Lorsque les vésicules de transport ont bourgeonné à partir d'un site de sortie du RE et ont perdu leur manteau, elles commencent à fusionner l'une avec l'autre. Cette fusion de membranes issues d'un même compartiment est appelée *fusion homotypique*, pour la différencier de la *fusion hétérotypique*, au cours de laquelle une membrane d'un compartiment fusionne avec la membrane d'un compartiment différent. Comme dans le cas des fusions hétérotypiques, la fusion homotypique nécessite un jeu de SNARE correspondant. Dans ce cas, cependant, l'interaction est symétrique, et les SNARE-v et les SNARE-t sont apportées par les deux membranes (Figure 13-19).

Figure 13-19 Fusion membranaire homotypique. Au cours de l'étape 1, des paires identiques de SNARE-v et SNARE-t des deux membranes sont séparées par le NSF (*voir* Figure 13-13). Au cours de la deuxième et de la troisième étapes, les SNARE correspondantes séparées sur les membranes identiques adjacentes interagissent, ce qui conduit à la fusion de la membrane et à la formation d'un compartiment continu. Ensuite, ce compartiment grossit de plus en plus par fusion homotypique avec des vésicules ayant le même type de membrane et présentant des SNARE correspondantes. La fusion homotypique n'est pas restreinte à la formation des agrégats vésiculaires tubulaires; selon un processus similaire, des endosomes fusionnent pour engendrer de plus gros endosomes. Les protéines Rab facilitent la régulation de l'étendue de la fusion homotypique et ainsi la taille des compartiments de la cellule (non montré ici).

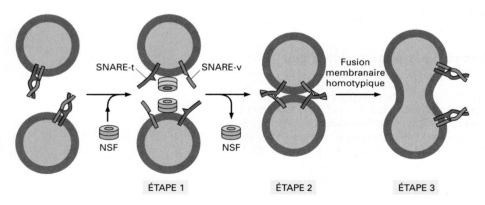

SNARE-t   SNARE-v

NSF   NSF

Fusion membranaire homotypique

ÉTAPE 1   ÉTAPE 2   ÉTAPE 3

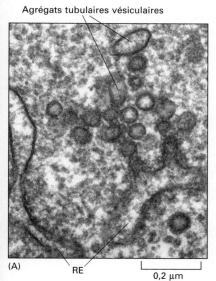

Agrégats tubulaires vésiculaires

(A)   RE   0,2 µm

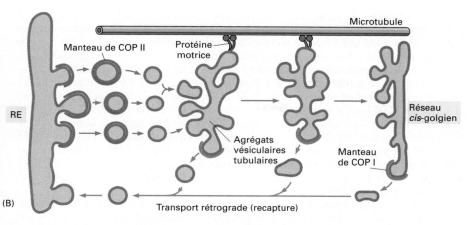

Manteau de COP II

Protéine motrice

Microtubule

RE

Agrégats vésiculaires tubulaires

Réseau *cis*-golgien

Manteau de COP I

(B)

Transport rétrograde (recapture)

Figure 13-20 Agrégats tubulaires vésiculaires. (A) Photographie en microscopie électronique d'une coupe d'agrégats tubulaires vésiculaires se formant à partir de la membrane du RE. Beaucoup de structures de type vésicules observées sur cette microphotographie sont des coupes transversales de tubules qui s'étendent au-dessus et en dessous du plan de cette fine coupe et sont interconnectés. (B) Les agrégats tubulaires vésiculaires se déplacent le long des microtubules pour transporter les protéines du RE à l'appareil de Golgi. Les manteaux de COP I permettent le bourgeonnement des vésicules qui retournent au RE à partir de ces agrégats. Comme cela est indiqué, les manteaux se désassemblent rapidement après la formation de la vésicule. (A, due à l'obligeance de William Balch.)

Les structures formées lors de la fusion des vésicules dérivées du RE sont appelées *agrégats tubulaires vésiculaires*, du fait de leur aspect convoluté en microscopie électronique (Figure 13-20A). Ces agrégats forment un nouveau compartiment séparé du RE et dépourvu de nombreuses protéines qui fonctionnent dans le RE. Ils se forment continuellement et fonctionnent comme des colis de transport qui apportent le matériel du RE à l'appareil de Golgi. Les agrégats ont une demi-vie relativement courte parce qu'ils se déplacent rapidement le long des microtubules jusqu'à l'appareil de Golgi où ils fusionnent et délivrent leur contenu (Figure 13-20B).

Dès qu'un agrégat vésiculaire tubulaire se forme, il commence à bourgeonner pour former des vésicules de lui-même. Contrairement aux vésicules recouvertes de COP II qui bourgeonnent à partir du RE, celles-ci sont recouvertes de COP I. Elles ramènent à nouveau au RE les protéines résidentes qui s'en sont échappées ainsi que les protéines qui ont participé à la réaction de bourgeonnement du RE et doivent y retourner. Ce processus de recapture met en évidence les mécanismes de contrôle très sensibles qui régulent les réactions d'assemblage du manteau. L'assemblage du manteau de COP I ne commence que quelques secondes après l'élimination des manteaux de COP II. Le mode de contrôle de ce changement d'assemblage du manteau reste un mystère.

Le *transport de recapture* (ou *rétrograde*) se poursuit tandis que les agrégats vésiculaires tubulaires se déplacent dans l'appareil de Golgi. De ce fait, les agrégats subissent une maturation continue, qui modifie graduellement leur composition tandis que certaines protéines retournent dans le RE. Un processus similaire de recapture se poursuit dans l'appareil de Golgi, une fois que les agrégats vésiculaires tubulaires ont délivré leur cargaison.

La voie rétrograde vers le RE utilise des signaux de tri

La voie rétrograde qui ramène au RE les protéines qui s'en sont échappées dépend de *signaux de recapture dans le RE*. Les protéines membranaires résidentes du RE, par exemple, contiennent des signaux qui se fixent directement sur les manteaux de COP I et sont ainsi placées dans les vésicules de transport recouvertes de COP I qui les ramènent dans le RE. Un des signaux de ce type bien caractérisé est composé de deux lysines suivies de deux autres acides aminés identiques au niveau de l'extrémité C-terminale de la protéine de membrane du RE. Ce signal est appelé *séquence KKXX* en fonction du code à une lettre des acides aminés.

Les protéines résidentes solubles du RE, comme la BiP, contiennent aussi un autre court signal de recapture au niveau de leur extrémité C-terminale : il est composé d'une séquence Lys-Asp-Glu-Leu ou similaire. Si ce signal (appelé *séquence KDEL*) est enlevé de la BiP par génie génétique, la protéine est lentement sécrétée par la cellule. Si le signal est transféré sur une protéine normalement sécrétée, la protéine retourne alors efficacement dans le RE où elle s'accumule.

Contrairement au signal de recapture des protéines membranaires du RE qui peut interagir directement avec le manteau de COP I, les protéines résidentes solubles doivent se fixer sur une protéine réceptrice spécifique comme le *récepteur KDEL* – une protéine à multiples domaines transmembranaires qui se fixe sur les séquences KDEL et place toutes les protéines qui présentent cette séquence dans des vésicules de transport rétrograde recouvertes de COP I. Pour accomplir cette tâche, le récepteur KDEL lui-même doit effectuer un cycle entre le RE et l'appareil de Golgi et son affinité pour la séquence KDEL doit être différente dans ces deux compartiments. Le récepteur doit avoir une forte affinité pour la séquence KDEL dans les agrégats tubulaires vésiculaires et l'appareil de Golgi pour pouvoir capturer les protéines résidentes du RE qui se sont échappées et se trouvent dans ces compartiments à faible concentration. Il doit avoir une faible affinité pour la séquence KDEL dans le RE, cependant, pour décharger son chargement en dépit d'une très forte concentration en protéines résidentes contenant la KDEL dans le RE.

Comment cette affinité du récepteur KDEL se modifie-t-elle selon le compartiment dans lequel il réside ? La réponse peut être liée aux différentes valeurs de pH établies dans les différents compartiments et régulées par les pompes à H+ de leurs membranes. Le récepteur KDEL pourrait se lier à la séquence KDEL dans les conditions légèrement acides des agrégats tubulaires vésiculaires et du compartiment de Golgi mais la libérer au pH neutre du RE. Comme nous le verrons ultérieurement, ces interactions protéine-protéine sensibles au pH sont à la base de nombreuses étapes du tri cellulaire (Figure 13-21).

La plupart des protéines membranaires qui fonctionnent à l'interface entre le RE et l'appareil de Golgi, y compris les SNARE-t et les SNARE-v et certains récepteurs de chargement, entrent dans la voie rétrograde vers le RE. Alors que le recyclage de certaines de ces protéines passe par un signal comme nous venons de le décrire, pour d'autres, aucun signal spécifique ne semble être nécessaire. De plus, tandis que les signaux de recapture augmentent l'efficacité des processus de récupération, certaines protéines – y compris certaines enzymes de l'appareil de Golgi – entrent de façon aléatoire dans les vésicules en bourgeonnement, destinées au RE et sont ramenées au RE à une vitesse plus lente. Ces enzymes de l'appareil de Golgi effectuent un cycle constant entre le RE et l'appareil de Golgi mais leur vitesse de retour au RE est suffisamment lente pour que la plupart de ces protéines soient retrouvées dans l'appareil de Golgi.

Beaucoup de protéines sont sélectivement conservées dans les compartiments dans lesquels elles fonctionnent

La voie KDEL de recapture n'explique qu'en partie comment les protéines résidentes du RE y sont maintenues. Comme on peut s'y attendre, les cellules qui expriment des protéines résidentes génétiquement modifiées, dans lesquelles la séquence KDEL a été expérimentalement éliminée, sécrètent ces protéines. Mais cette sécrétion s'effectue à une vitesse beaucoup plus lente que pour une protéine normalement sécré-

Figure 13-21 Modèle de la recapture de protéines résidentes du RE. Ces protéines résidentes du RE qui s'en sont échappées sont renvoyées au RE par transport vésiculaire. (A) Le récepteur KDEL présent dans les agrégats vésiculaires tubulaires et dans l'appareil de Golgi capture les protéines résidentes solubles du RE et les ramène au RE dans les vésicules de transport recouvertes de COP I. Le récepteur KDEL fixe ses ligands dans cet environnement de bas pH, et peut en plus modifier sa conformation pour faciliter son recrutement dans les vésicules en bourgeonnement recouvertes de COP I. (B) La recapture des protéines dans le RE commence dans les agrégats tubulaires vésiculaires et se poursuit dans toutes les parties de l'appareil de Golgi. Dans l'environnement de pH neutre du RE, les protéines du RE se dissocient du récepteur KDEL qui est alors renvoyé dans l'appareil de Golgi pour être réutilisé.

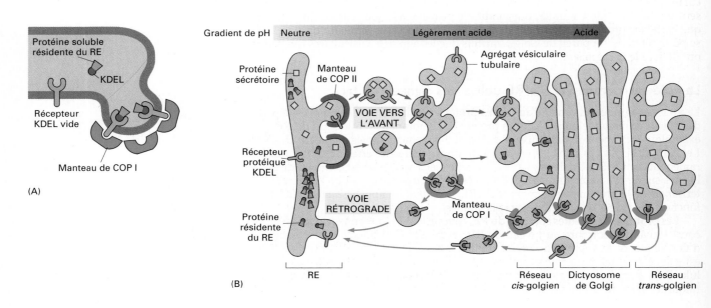

tée. Il semble que les protéines résidentes du RE y soient ancrées par un mécanisme indépendant de leur signal KDEL et que seules les protéines qui échappent à cette rétention soient capturées et récupérées via le récepteur KDEL. Un des mécanismes hypothétiques de rétention passe par l'union entre elles des protéines résidentes du RE, qui forment ainsi des complexes trop gros pour entrer dans les vésicules de transport. Comme les protéines résidentes du RE s'y trouvent à des concentrations très élevées (estimées comme étant millimolaires), il suffit d'interactions d'affinité relativement faible pour placer la plupart des protéines dans de tels complexes.

L'agrégation des protéines qui fonctionnent dans le même compartiment – appelée *reconnaissance kin* – est un mécanisme général utilisé par les compartiments pour organiser et conserver leurs protéines résidentes. Les enzymes de Golgi qui fonctionnent ensemble, par exemple, se fixent également l'une à l'autre et ne peuvent donc pas entrer dans les vésicules de transport.

La longueur de la région transmembranaire des enzymes de l'appareil de Golgi détermine leur localisation dans la cellule

Les vésicules qui quittent l'appareil de Golgi des cellules animales et sont destinées à la membrane plasmique sont riches en cholestérol. Le cholestérol remplit l'espace entre les chaînes hydrocarbonées coudées des lipides de la double couche, les forçant à un alignement plus serré et augmentant la séparation entre les têtes des lipides des deux feuillets de la bicouche (*voir* Figure 10-11). La bicouche lipidique des vésicules dérivées du cholestérol est donc plus épaisse que celle de la membrane de Golgi elle-même. Les protéines transmembranaires doivent posséder des segments transmembranaires suffisamment longs pour traverser cette épaisseur si elle doivent entrer dans les vésicules de transport riches en cholestérol qui bourgeonnent à partir de l'appareil de Golgi et sont destinées à la membrane plasmique. Les protéines dont les segments transmembranaires sont plus courts sont exclues.

On pense que cette exclusion explique pourquoi les protéines membranaires qui résident normalement dans l'appareil de Golgi et le RE ont des segments transmembranaires plus courts (environ 15 acides aminés) que les protéines de la membrane plasmique (environ 20 à 25 acides aminés). Lorsque les segments transmembranaires des protéines de l'appareil de Golgi sont allongés par les techniques de l'ADN recombinant, les protéines ne restent plus dans l'appareil de Golgi mais sont par contre transportées dans la membrane plasmique. De ce fait, il semble que certaines protéines, au moins, de l'appareil de Golgi y restent principalement parce qu'elles ne peuvent entrer dans les vésicules de transport qui conduisent à la membrane plasmique.

L'appareil de Golgi est formé d'une série ordonnée de compartiments

Du fait de sa structure régulière de grande taille, l'appareil de Golgi a été l'un des premiers organites décrits par les premiers utilisateurs de microscope. Il est composé d'une série de *citernes* aplaties entourées d'une membrane, qui ressemblent quelque peu à un empilement de crêpes. Chacun de ces empilements (ou dictyosomes) est généralement composé de quatre à six citernes (Figure 13-22) même si certains flagellés monocellulaires peuvent en compter 60. Dans les cellules animales, beaucoup de dictyosomes sont réunis par des connexions tubulaires entre les citernes correspondantes, ce qui forme un seul complexe localisé en général près du noyau de la cellule, à côté du centrosome (Figure 13-23A). Cette localisation dépend des microtubules. Si les microtubules sont expérimentalement dépolymérisés, l'appareil de Golgi se réorganise en dictyosomes séparés répartis dans tout le cytoplasme, près des sites de sortie du RE. Dans certaines cellules, y compris la plupart des cellules végétales, des centaines de dictyosomes séparés sont normalement dispersés dans tout le cytoplasme (Figure 13-23B).

Pendant leur traversée de l'appareil de Golgi, les molécules transportées subissent une série ordonnée de modifications covalentes. Chaque dictyosome présente deux faces distinctes : une **face cis** (ou face d'entrée) et une **face trans** (ou face de sortie). Les faces *cis* et *trans* sont associées à des compartiments spécifiques, chacun composé d'un réseau de structures interconnectées de type citernes et tubules : respectivement le **réseau cis-golgien** (appelé aussi *compartiment intermédiaire*) et le **réseau trans-golgien**. Les protéines et les lipides entrent dans le réseau *cis*-golgien par les agrégats tubulaires vésiculaires qui viennent du RE et sortent par le réseau *trans*-golgien relié en direction de la surface de la cellule ou d'un autre compartiment. On pense que ces deux réseaux sont importants pour le tri protéique. Comme nous

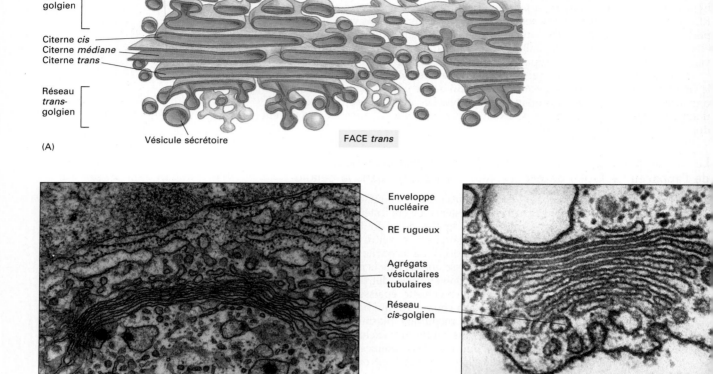

FACE *cis*

Vésicule de Golgi

Réseau *cis*-golgien

Citerne *cis*
Citerne *médiane*
Citerne *trans*

Réseau *trans*-golgien

Vésicule sécrétoire

FACE *trans*

(A)

Enveloppe nucléaire

RE rugueux

Agrégats vésiculaires tubulaires

Réseau *cis*-golgien

(B)

(C)

1 μm

Figure 13-22 L'appareil de Golgi. (A) Reconstruction tridimensionnelle à partir de photographies en microscopie électronique de l'appareil de Golgi d'une cellule sécrétrice animale. La face *cis* du dictyosome de Golgi est la plus proche du RE. (B) Photographie en microscopie électronique d'une fine coupe qui insiste sur la zone de transition entre le RE et l'appareil de Golgi dans une cellule animale. (C) Photographie en microscopie électronique d'un appareil de Golgi dans une cellule végétale (l'algue verte *Chlamydomonas*) observée en coupe transversale. Dans les cellules végétales l'appareil de Golgi est généralement plus distinct et plus clairement séparé des autres membranes intracellulaires que dans les cellules animales. (A, redessiné d'après A. Rambourg et Y. Clermont, *Eur. J. Cell Biol.* 51 : 189-200, 1990 ; B, due à l'obligeance de Brij J. Gupta ; C, due à l'obligeance de George Palade.)

l'avons vu, les protéines qui entrent dans le réseau *cis*-golgien peuvent soit continuer leur déplacement dans l'appareil de Golgi soit être renvoyées dans le RE. De même, les protéines qui sortent du réseau *trans*-golgien peuvent soit se déplacer vers l'avant et être adressées, selon leur destinée, aux lysosomes, aux vésicules sécrétoires, ou à la surface cellulaire, soit être renvoyées à un compartiment antérieur.

L'appareil de Golgi est particulièrement développé dans les cellules spécialisées dans la sécrétion, comme les cellules caliciformes de l'épithélium intestinal qui sécrètent de grandes quantités de mucus riche en polysaccharides dans l'intestin (Figure 13-24). Dans ces cellules, des vésicules particulièrement grosses sont observées du côté *trans* de l'appareil de Golgi qui fait face au domaine de la membrane plasmique où se produit la sécrétion.

Figure 13-23 Photographie en microscopie optique de l'appareil de Golgi. (A) L'appareil de Golgi dans un fibroblaste en culture coloré par un anticorps fluorescent qui reconnaît une protéine résidente de l'appareil de Golgi. L'appareil de Golgi est polarisé, faisant face à la direction dans laquelle la cellule se déplaçait avant sa fixation. (B) L'appareil de Golgi d'une cellule végétale qui exprime une protéine de fusion constituée d'une enzyme résidente de l'appareil de Golgi fusionnée à la protéine de fluorescence verte. Les *points verts brillants* sont les dictyosomes de Golgi. Le réseau *vert pâle* est le RE qui contient certaines enzymes de l'appareil de Golgi qui sont constamment renvoyées au RE à partir de l'appareil de Golgi via la voie rétrograde. (A, due à l'obligeance de John Henley et Mark McNiven ; B, due à l'obligeance de Chris Hawes.)

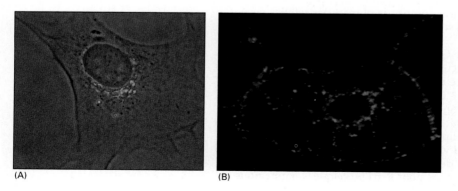

(A)

(B)

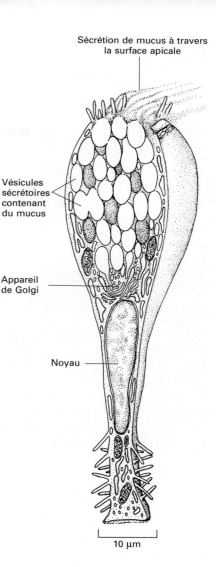

Figure 13-24 Cellule caliciforme de l'intestin grêle. Cette cellule est spécialisée dans la sécrétion de mucus, un mélange de glycoprotéines et de protéoglycanes synthétisés dans le RE et l'appareil de Golgi. Comme toutes les cellules épithéliales, les cellules caliciformes sont hautement polarisées, avec le domaine apical de leur membrane plasmique faisant face à la lumière intestinale et le domaine basolatéral faisant face à la lame basale. L'appareil de Golgi est aussi fortement polarisé, ce qui facilite la libération de mucus par exocytose au niveau du domaine apical de la membrane plasmique. (D'après R.V. Krstić, Illustrated Encyclopedia of Human Histology. New York : Springer-Verlag, 1984.)

Sécrétion de mucus à travers la surface apicale

Vésicules sécrétoires contenant du mucus

Appareil de Golgi

Noyau

10 μm

Les chaînes d'oligosaccharides subissent une maturation dans l'appareil de Golgi

Comme cela a été décrit au chapitre 12, un seul type d'**oligosaccharides liés par liaison *N*-osidique** est attaché «en bloc» sur de nombreuses protéines dans le RE puis ensuite grignoté pendant que la protéine est encore dans le RE. D'autres modifications et additions se produisent dans l'appareil de Golgi, en fonction de la protéine. Le résultat est qu'on retrouve deux grandes classes d'oligosaccharides fixés par liaison *N*-osidique, les *oligosaccharides complexes* et les *oligosaccharides riches en mannose*, fixés sur les glycoprotéines des mammifères (Figure 13-25). Ces deux types sont parfois fixés (à différents endroits) sur la même chaîne polypeptidique.

Les **oligosaccharides complexes** sont engendrés par l'association du « grignotage » de l'oligosaccharide d'origine, ajouté dans le RE, et l'addition d'autres sucres. Par contre, les **oligosaccharides riches en mannose** ne présentent pas de nouveaux

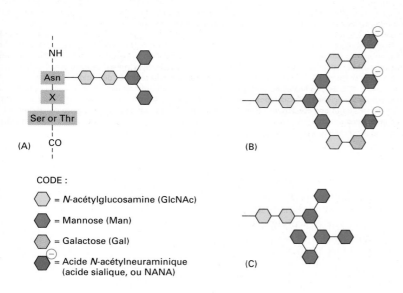

CODE :

⬡ = *N*-acétylglucosamine (GlcNAc)

⬢ = Mannose (Man)

⬡ = Galactose (Gal)

⊖⬢ = Acide *N*-acétylneuraminique (acide sialique, ou NANA)

Figure 13-25 Deux principales classes d'oligosaccharides liées à l'asparagine trouvées dans les glycoprotéines mûres. (A) Les oligosaccharides complexes et les oligosaccharides riches en mannose partagent une *région centrale* (cœur) commune dérivée de l'oligosaccharide originel ajouté dans le RE et contenant typiquement deux *N*-acétylglucosamines (GlcNAc) et trois mannoses (Man). (B) Chaque oligosaccharide complexe est composé d'une *région centrale* (le cœur), associée à une région terminale qui contient un nombre variable de copies d'une unité particulière de trisaccharides (*N-acétylglucosamine-galactose-acide sialique*) liée aux mannoses centraux. Souvent, la région terminale est tronquée et contient seulement du GlcNAc. En plus, un résidu fucose peut être ajouté, en général au cœur GlcNAc fixé à l'asparagine (Asn). De ce fait, même si les étapes du traitement et de l'addition ultérieure de sucres sont ordonnées de façon rigide, les oligosaccharides complexes peuvent être hétérogènes. De plus, bien que les oligosaccharides complexes montrés ici possèdent trois ramifications terminales, la présence de deux ou de quatre ramifications est aussi fréquente, en fonction de la glycoprotéine et de la cellule dans laquelle elle est fabriquée. (C) Les oligosaccharides riches en mannose ne sont pas grignotés sur toute la région allant jusqu'au cœur et contiennent des résidus de mannose supplémentaires. On trouve également des oligosaccharides hybrides (non montrés ici) avec une ramification Man et une ramification GlcNAc et Gal.
Les trois acides aminés indiqués en (A) constituent la séquence reconnue par l'enzyme oligosaccharyl transférase qui ajoute l'oligosaccharide initial à la protéine. Ser = sérine ; Thr = thréonine ; X = n'importe quel acide aminé.

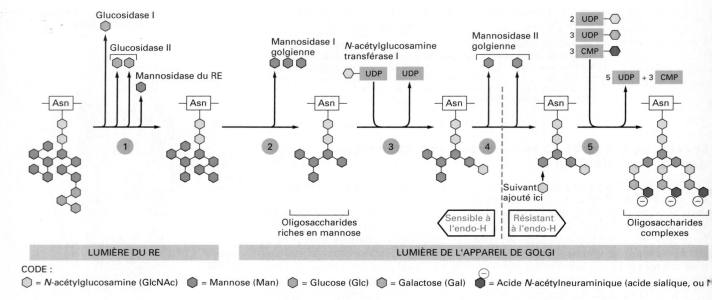

CODE :

○ = *N*-acétylglucosamine (GlcNAc) ● = Mannose (Man) ○ = Glucose (Glc) ○ = Galactose (Gal) ⊖ = Acide *N*-acétylneuraminique (acide sialique, ou N

Figure 13-26 Maturation des oligosaccharides dans le RE et l'appareil de Golgi. La voie est hautement ordonnée de telle sorte que chaque étape montrée ici dépend de la précédente. La maturation commence dans le RE par l'élimination des glucoses de l'oligosaccharide initialement transféré sur la protéine. Une mannosidase de la membrane du RE enlève alors un mannose spécifique. L'étape restante se produit dans les dictyosomes de Golgi où les mannosidases I golgiennes retirent d'abord trois mannoses supplémentaires et la *N*-acétylglucosamine transférase I ajoute ensuite un *N*-acétylglucosamine, qui permet à la mannosidase II d'éliminer deux mannoses supplémentaires. Cela forme le cœur définitif à trois mannoses présent dans un oligosaccharide complexe. À cette étape, la liaison entre les deux *N*-acétylglucosamines dans le cœur devient résistante à l'attaque par les endoglycosidases hautement spécifiques (*endo-H*). Comme l'ensemble des dernières structures de la voie sont aussi endo-H résistantes, le traitement par cette enzyme est largement utilisé pour distinguer les oligosaccharides complexes de ceux riches en mannose. Finalement, comme cela est montré dans la figure 13-24, des *N*-acétylglucosamines, des galactoses et des acides sialiques supplémentaires sont ajoutés. Ces étapes finales de la synthèse d'un oligosaccharide complexe se produisent dans les compartiments des citernes golgiennes. Trois types d'enzymes, des glycosyltransférases, agissent séquentiellement en utilisant leurs substrats de sucre qui ont été activés par la liaison au nucléotide indiqué. La membrane de la citerne golgienne contient des protéines de transport spécifiques qui permettent à chaque sucre nucléotide d'entrer en échange du nucléoside phosphate qui est libéré après la fixation du sucre sur la protéine à la face luminale.

sucres ajoutés dans l'appareil de Golgi. Ils contiennent juste deux *N*-acétylglucosamines et de nombreux résidus de mannose dont le nombre approche souvent celui du précurseur oligosaccharidique d'origine, lié au lipide et ajouté dans le RE. Les oligosaccharides complexes peuvent contenir plus que les deux *N*-acétylglucosamines initiaux ainsi qu'un nombre variable de résidus de galactose et d'acide sialique et dans certains cas de fucose. L'acide sialique a une importance particulière parce que c'est le seul sucre des glycoprotéines qui porte une charge négative. La position dans la protéine d'un oligosaccharide donné détermine largement s'il reste riche en mannoses ou s'il subit une maturation. Si l'oligosaccharide est accessible aux enzymes de traitement dans l'appareil de Golgi, il a des chances d'être transformé en une forme complexe ; s'il est inaccessible parce que ses sucres sont solidement maintenus à la surface de la protéine, il a des chances de rester sous la forme riche en mannoses. La maturation qui engendre les chaînes d'oligosaccharides complexes suit la voie hautement ordonnée montrée dans la figure 13-26.

Les protéoglycanes sont assemblés dans l'appareil de Golgi

Les chaînes oligosaccharidiques liées aux protéines par liaison *N*-osidique ne sont pas les seules à être modifiées lorsque la protéine qui vient du RE traverse les citernes de Golgi pour sa destination finale ; beaucoup de protéines sont également modifiées autrement. Des sucres sont ajoutés sur le groupement OH de certaines chaînes latérales de sérines ou de thréonines de certaines protéines. Cette **O-glycosylation**, comme l'extension des chaînes d'oligosaccharides des liaisons *N*-osidiques, est catalysée par une série d'enzymes, les glycosyl transférases, qui utilisent les sucres nucléotides présents dans la lumière de l'appareil de Golgi pour ajouter un par un des résidus sucres sur une protéine. En général, le *N*-acétylgalactosamine est ajouté en premier, suivi d'un nombre variable d'autres résidus sucres, qui va de quelques-uns à 10 ou plus.

La plus forte glycosylation dans l'appareil de Golgi s'effectue sur les *cœurs protéiques des protéoglycanes*, qui sont modifiés pour produire les **protéoglycanes**. Comme nous le verrons au chapitre 19, ce traitement implique la polymérisation d'une ou de plusieurs chaînes de *glycosaminoglycanes* (longs polymères non ramifiés composés d'unités disaccharidiques répétitives) via une liaison de xylose sur des sérines de la protéine centrale. Beaucoup de protéoglycanes sont sécrétés et deviennent des composants de la matrice extracellulaire tandis que d'autres restent ancrés dans la membrane plasmique. D'autres encore forment un des composants majeurs des matériaux visqueux, comme le mucus, sécrétés pour former un manteau protecteur sur de nombreux épithéliums.

Les sucres incorporés dans les glycosaminoglycanes sont fortement sulfatés dans l'appareil de Golgi, immédiatement après la fabrication des polymères, ce qui ajoute une partie significative de leur forte charge négative caractéristique. Certains résidus tyrosines de la protéine sont également sulfatés peu de temps avant de sortir de l'appareil de Golgi. Dans les deux cas, la sulfatation dépend du donneur de sulfate, le 3'-phosphoadénosine-5'phosphosulfate, ou PAPS, qui est transporté du cytosol dans la lumière du réseau *trans*-golgien.

Quel est l'intérêt de cette glycosylation?

Il y a une différence importante entre la construction d'un oligosaccharide et la synthèse des autres macromolécules comme l'ADN, l'ARN et les protéines. Alors que les acides nucléiques et les protéines sont copiés à partir d'une matrice par une série répétée d'étapes identiques qui utilisent les mêmes enzymes ou groupes d'enzymes, les glucides complexes utilisent une enzyme différente à chaque étape, chaque produit étant reconnu en tant que substrat exclusif par l'enzyme suivante de la série. Étant donné cette voie complexe qui s'est développée pour leur synthèse, il est probable que les oligosaccharides des glycoprotéines et des glycosphingolipides ont d'importantes fonctions, mais celles-ci ne sont pas connues dans la majorité des cas.

La *N*-glysosylation, par exemple, est répandue chez tous les eucaryotes, y compris les levures mais n'existe pas chez les procaryotes. Comme il existe un ou plusieurs oligosaccharides fixés par *N*-glycosylation sur la plupart des protéines transportées au travers du RE et de l'appareil de Golgi – une voie qui est particulière aux cellules eucaryotes – on pourrait penser que leur fonction est de faciliter le repliement et le processus de transport. Nous avons déjà donné un certains nombre de cas pour lesquels c'était vrai – par exemple, l'utilisation d'un glucide comme marqueur pendant le repliement protéique dans le RE (*voir* Chapitre 12), et l'utilisation des lectines qui se fixent sur les glucides pour guider le transport du RE vers l'appareil de Golgi. Comme nous le verrons ultérieurement, les lectines participent aussi au tri protéique dans le réseau *trans*-golgien.

Comme les chaînes de sucres ont une souplesse limitée, un oligosaccharide fixé par *N*-glycosylation même de petite taille fait protrusion à partir de la surface d'une glycoprotéine (Figure 13-27) et limite donc l'approche des autres macromolécules sur la surface protéique. La présence d'oligosaccharides a ainsi tendance, par exemple, à rendre les glycoprotéines plus résistantes à la digestion par les protéases. Il est possible que les oligosaccharides de la surface cellulaire aient servi à l'origine, dans les

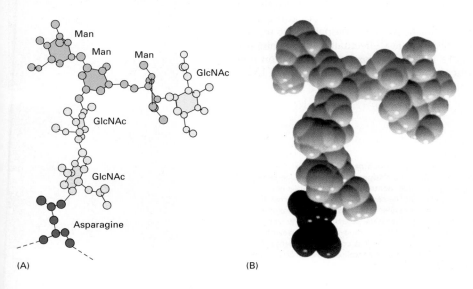

Figure 13-27 Structure tridimensionnelle d'un petit oligosaccharide fixé par *N*-glycosylation. La structure a été déterminée par l'analyse en cristallographie aux rayons X d'une glycoprotéine. Cet oligosaccharide ne contient que six résidus sucres alors qu'il y a 14 résidus sucres dans l'oligosaccharide initialement transféré sur les protéines dans le RE (*voir* Figure 12-51). (A) Modèle squelettique montrant tous les atomes sauf ceux d'hydrogène. (B) Modèle compact, avec l'asparagine indiquée par les atomes noirs. (B, due à l'obligeance de Richard Feldmann.)

cellules eucaryotes ancestrales, de manteau protecteur qui, contrairement à la paroi cellulaire bactérienne rigide, laissait à la cellule la liberté de modifier sa forme et de se déplacer. Mais si c'était le cas, ces chaînes de sucres se sont encore modifiées pour servir également d'autres buts. Les oligosaccharides attachés sur certaines protéines cellulaires de surface, par exemple, sont reconnus par des lectines transmembranaires, appelées *sélectines*, qui fonctionnent dans les processus d'adhérence intercellulaire comme nous le verrons au chapitre 19.

La glycosylation peut aussi jouer un rôle régulateur important. La signalisation par l'intermédiaire des récepteurs de signaux de surface cellulaire Notch, par exemple, est importante pour la détermination du destin propre de la cellule pendant le développement. Notch est une protéine transmembranaire *O*-glycosylée par l'addition d'un seul fucose sur certaines sérines, thréonines et hydroxylysines. Certains types cellulaires expriment une glycosyltransférase supplémentaire qui ajoute un *N*-acétylglucosamine sur chaque fucose dans l'appareil de Golgi. Cette addition sensibilise le récepteur Notch et permet ainsi à ces cellules de répondre sélectivement à des stimuli d'activation. La glycosylation est ainsi devenue importante pour établir les frontières spatiales des tissus en développement.

Les citernes golgiennes sont organisées en une série de compartiments de traitement

Les protéines exportées à partir du RE entrent dans le premier compartiment de traitement golgien (le compartiment *cis*-golgien) après avoir traversé le réseau *cis*-golgien. Elles se déplacent alors jusqu'au compartiment suivant (le compartiment médian, composé des citernes centrales du dictyosome) pour finir dans le compartiment *trans* où la glycosylation se termine. On pense que la lumière des compartiments *trans* est continue avec le réseau *trans*-golgien où les protéines sont séparées dans différents colis de transport et distribuées à leur destination définitive – la membrane plasmique, les lysosomes ou les vésicules sécrétoires.

Les étapes du traitement des oligosaccharides se produisent sous forme d'une séquence organisée correspondante dans les dictyosomes golgiens, avec chaque citerne contenant une quantité caractéristique d'enzymes de traitement. Les protéines sont modifiées par étapes successives tandis qu'elles se déplacent d'une citerne à l'autre au travers du dictyosome, de telle sorte que le dictyosome forme une unité de traitement multi-étapes. Cette compartimentalisation peut sembler inutile car chaque enzyme de traitement des oligosaccharides ne peut accepter une glycoprotéine comme substrat que lorsque celle-ci a subit un traitement correct par l'enzyme précédente. Néanmoins, il est clair que le traitement se produit selon une séquence spatiale et biochimique : les enzymes qui catalysent les premières étapes du traitement sont concentrées dans les citernes proches de la face *cis* des dictyosomes alors que les enzymes qui catalysent les étapes de traitement ultérieures sont concentrées dans les citernes proches de la face *trans*.

Les différences fonctionnelles entre les subdivisions *cis*, *médiane* et *trans* de l'appareil de Golgi ont été découvertes par la localisation des enzymes impliquées dans le traitement des oligosaccharides fixés par *N*-glycosylation dans les différentes régions de l'organite, à la fois par fractionnement physique de l'organite et par marquage des enzymes par des anticorps sur les coupes observées en microscopie électronique. Il a été démontré que l'élimination des résidus mannose et l'addition des *N*-acétylglucosamines, par exemple, se produisait dans le compartiment médian, tandis que l'addition de galactose et d'acide sialique s'effectuait dans le compartiment *trans* et le réseau *trans*-golgien (Figure 13-28). La compartimentalisation fonctionnelle de l'appareil de Golgi est résumée schématiquement dans la figure 13-29.

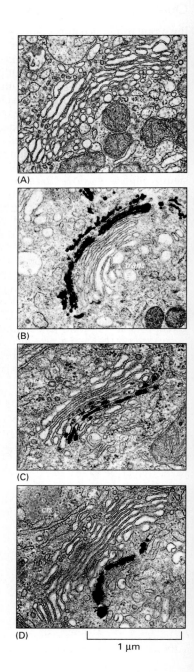

(A)

(B)

(C)

(D)

1 μm

Figure 13-28 Colorations histochimiques mettant en évidence la compartimentalisation biochimique de l'appareil de Golgi. Une série de photographie en microscopie électronique montre l'appareil de Golgi non coloré (A), coloré à l'osmium (B), préférentiellement réduit dans les citernes du compartiment *cis*, et (C et D) coloré pour révéler la localisation d'une enzyme spécifique. Cette enzyme, la nucléoside diphosphatase, se trouve dans les citernes *trans*-golgiennes (C) alors que la phosphatase acide se trouve dans le réseau *trans*-golgien (D). Notez qu'en général il y a plusieurs citernes colorées. On pense donc que les enzymes sont fortement enrichies plutôt que localisées avec précision dans une citerne spécifique. (Due à l'obligeance de Daniel S. Friend.)

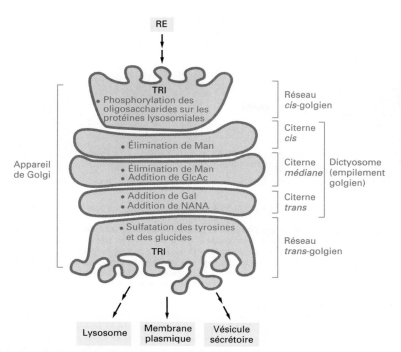

Les divisions fonctionnelles et structurelles des dictyosomes golgiens posent deux questions importantes. Comment les molécules sont-elles transportées d'une citerne de Golgi à l'autre et comment les protéines résidentes de Golgi restent-elles à leur place correcte ?

Figure 13-29 Compartimentalisation fonctionnelle de l'appareil de Golgi. La localisation de chaque étape de traitement montrée à été déterminée par l'association de techniques incluant un sub-fractionnement biochimique des membranes de l'appareil de Golgi et une microscopie électronique après coloration par des anticorps spécifiques de certaines enzymes de traitement. La localisation de nombreuses autres réactions de traitement n'a pas été déterminée. Même si jusqu'à présent trois compartiments distincts des citernes ont pu être mis en évidence, chacun d'eux consiste parfois en un groupe composé de deux ou plusieurs citernes. Il est probable que chaque enzyme de traitement n'est pas totalement confinée à une citerne particulière mais que sa distribution est graduelle au travers des dictyosomes — de telle sorte que les enzymes qui agissent au départ soient surtout présentes dans les citernes golgiennes ne *cis* et celles qui agissent plus tardivement se trouvent surtout dans les citernes golgiennes *trans*.

Le transport au travers de l'appareil de Golgi peut se produire par transport vésiculaire ou maturation des citernes

Le mode d'obtention et de maintien de la structure polarisée de l'appareil de Golgi n'est pas encore très clair de même que la façon dont se déplacent les molécules d'une citerne à l'autre. Des preuves fonctionnelles issues de titrages de transport *in vitro* et l'observation de vésicules de transport abondantes au voisinage des citernes de Golgi avaient conduit initialement à penser que ces vésicules transportaient les protéines entre les citernes, bourgeonnant d'une citerne et fusionnant dans la suivante. Selon ce **modèle de transport vésiculaire**, l'appareil de Golgi est une structure relativement statique, dont les enzymes sont maintenues en place, tandis que les molécules en transit sont véhiculées au travers des citernes de façon séquentielle, transportées dans des citernes (Figure 13-30A). Le flux rétrograde récupère les protéines échappées du RE et de l'appareil de Golgi et les rapporte aux compartiments précédents. Le flux directionnel s'effectue lorsque les molécules de chargement, qui se déplacent vers l'avant, sont sélectivement placées dans des vésicules se déplaçant vers l'avant, tandis que les protéines à récupérer sont sélectivement placées dans des vésicules rétrogrades. Même si ces deux types de vésicules sont certainement recouverts de COP I, ce manteau peut contenir différentes protéines adaptatrices qui confèrent la sélectivité de l'entrée des molécules de chargement. Une autre hypothèse est que les vésicules de transport qui font la navette entre les citernes de Golgi ne sont pas du tout directionnelles, et transportent le matériau de chargement de façon aléatoire vers l'avant ou l'arrière ; le flux directionnel se produit alors à cause d'une entrée continue au niveau des citernes *cis* et d'une sortie au niveau des citernes *trans*. Dans les deux cas, le mouvement des vésicules qui partent de chaque citerne et vont vers celle qui lui est adjacente est favorisé par un tour ingénieux : les vésicules en bourgeonnement restent attachées par des protéines filamenteuses qui restreignent leur mouvement, ce qui facilite leur fusion avec la bonne membrane cible.

Selon une autre hypothèse, appelée **modèle de maturation des citernes**, l'appareil de Golgi est considéré comme une structure dynamique dans laquelle les citernes elles-mêmes se déplacent au travers du dictyosome. Les agrégats tubulaires vésiculaires qui proviennent du RE fusionnent les uns aux autres pour devenir le réseau *cis*-golgien et ce réseau subit alors une maturation progressive pour devenir une citerne *cis*, puis une citerne *médiane* et ainsi de suite. Par conséquent, à la face *cis* d'un dictyosome golgien, de nouvelles citernes se forment continuellement puis migrent à travers le dictyosome tandis qu'elles mûrissent (Figure 13-30B). Ce modèle est

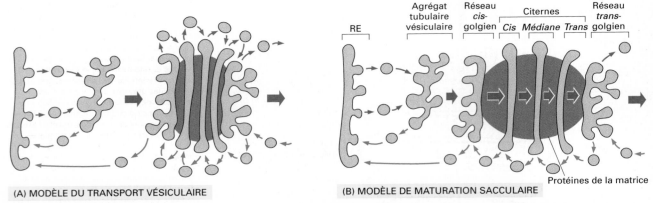

(A) MODÈLE DU TRANSPORT VÉSICULAIRE

(B) MODÈLE DE MATURATION SACCULAIRE

Protéines de la matrice

Figure 13-30 Deux modèles possibles expliquant l'organisation de l'appareil de Golgi et le transport des protéines d'une citerne à la suivante. Il est probable que le transport au travers de l'appareil de Golgi dans la direction centrifuge (*flèches rouges*) implique des éléments des deux schémas représentés ici. (A) Dans le modèle de transport vésiculaire, les citernes golgiennes sont des organites statiques qui contiennent un groupe caractéristique d'enzymes résidentes. Le passage des molécules au travers de l'appareil de Golgi s'accomplit par des vésicules de transport qui se déplacent vers l'avant, bourgeonnent à partir d'une citerne et fusionnent avec la suivante dans une direction *cis-trans*. (B) Selon l'autre modèle de maturation des citernes, chaque citerne golgienne subit une maturation tandis qu'elle migre de façon centrifuge au travers du dictyosome. À chaque étape, les protéines résidentes de l'appareil de Golgi qui sont transportées vers l'avant dans une citerne sont renvoyées de façon rétrograde vers les compartiments précédents dans des vésicules recouvertes de COP I. Lorsqu'une citerne néoformée avance en position médiane, par exemple, les enzymes golgiennes *cis* restantes sont extraites et transportées de façon rétrograde jusqu'à une nouvelle citerne *cis* en arrière. De même, les enzymes médianes seraient reçues par transport rétrograde à partir des citernes juste en avant. De cette façon, une citerne *cis* deviendrait une citerne *médiane* mature lorsqu'elle se déplace.

conforté par des observations en microscopie qui mettent en évidence que les grosses structures comme les tiges de collagène des fibroblastes et les écailles de certaines algues – qui sont beaucoup trop grosses pour se placer dans des vésicules de transport classiques – se déplacent progressivement au travers des dictyosomes.

Selon le modèle de maturation, la distribution caractéristique des enzymes de Golgi s'explique par le flux rétrograde. Chaque chose se déplace continuellement vers l'avant avec les citernes en maturation, y compris les enzymes de traitement qui en font partie au début de l'appareil de Golgi. Mais les vésicules recouvertes de COP I qui bourgeonnent recueillent continuellement les enzymes correctes, dont la plus grande partie sont des protéines membranaires, et les transportent de façon rétrograde dans les premières citernes où elles fonctionnent. Une citerne *cis* néoformée recevrait ainsi la totalité normale de ses enzymes résidentes principalement des citernes placées juste en avant d'elle et les transmettrait ensuite de façon rétrograde à la citerne *cis* suivante qui se formerait.

Comme nous le verrons ultérieurement, lorsqu'une citerne finit par se déplacer pour devenir une partie du réseau *trans*-golgien, divers types de vésicules recouvertes bourgeonnent à partir d'elle jusqu'à ce que le réseau disparaisse, pour être remplacé par la citerne en maturation juste derrière elle. Au même moment, d'autres vésicules de transport retirent continuellement des membranes provenant des compartiments post-golgiens et les ramènent dans le réseau *trans*-golgien.

Le transport vésiculaire et le modèle de maturation des citernes ne s'excluent pas mutuellement. En effet, des preuves suggèrent que le transport peut se produire par l'association de ces deux mécanismes, dans lesquels certains chargements se déplacent rapidement vers l'avant dans des vésicules de transport tandis que d'autres chargements se déplacent vers l'avant plus lentement tandis que l'appareil de Golgi se renouvelle constamment lui-même par maturation des citernes.

Les protéines de la matrice forment un échafaudage dynamique qui facilite l'organisation de l'appareil

L'architecture particulière de l'appareil de Golgi dépend à la fois des microtubules du cytosquelette, comme nous l'avons déjà vu, et des protéines de la matrice golgienne cytoplasmique qui forment un échafaudage entre les citernes adjacentes et donnent au dictyosome son intégrité structurelle. Certaines protéines matricielles forment de longues attaches filamenteuses qui, pense-t-on, retiennent les vésicules de transport golgiennes proches de cet organite. Lorsque les cellules se préparent à se diviser, les protéine-kinases mitotiques phosphorylent les protéines matricielles golgiennes, provoquant la fragmentation de l'appareil de Golgi et sa dispersion dans l'ensemble du cytosol. Pendant ce désassemblage, les enzymes golgiennes sont renvoyées au RE dans des vésicules tandis que d'autres fragments golgiens se répartissent dans les deux cellules filles. Là, les protéines de la matrice sont déphosphorylées, ce qui conduit au réassemblage de l'appareil de Golgi.

Remarquons que les protéines de la matrice golgienne peuvent s'assembler dans des dictyosomes correctement localisés proches du centrosome même lorsqu'on empêche expérimentalement les protéines membranaires de l'appareil de Golgi de quitter le RE. Cette observation suggère que les protéines matricielles sont largement responsables de la structure et de la localisation de l'appareil de Golgi.

Résumé

Les protéines correctement repliées et assemblées dans le RE sont placées dans des vésicules de transport recouvertes de COP II qui se séparent par pincement à partir de la membrane du RE. Peu de temps après le manteau est éliminé et la vésicule fusionne avec une autre pour former les agrégats vésiculaires tubulaires, qui se déplacent en suivant les microtubules vers l'appareil de Golgi. Beaucoup de protéines résidentes du RE s'échappent lentement mais sont ramenées dans le RE à partir des agrégats tubulaires vésiculaires et de l'appareil de Golgi par le transport rétrograde dans des vésicules recouvertes de COP I.

L'appareil de Golgi, contrairement au RE, contient beaucoup de sucre-nucléotides utilisés par diverses enzymes, les glycosyl transférases, pour effectuer les réactions de glycosylation sur les lipides et les protéines lorsqu'elles traversent l'appareil de Golgi. Les oligosaccharides fixés par N-glycosylation qui sont ajoutés aux protéines dans le RE sont souvent initialement grignotés par l'élimination de mannoses, puis des sucres y sont ajoutés. De plus, l'appareil de Golgi est le site de l'O-glycosylation et celui où sont ajoutées des chaînes de glycosaminoglycanes sur des noyaux protéiques pour former des protéoglycanes. La sulfatation des sucres des protéoglycanes et de certaines tyrosines de protéines se produit également dans les derniers compartiments de l'appareil de Golgi.

L'appareil de Golgi distribue les nombreuses protéines et les lipides qu'il reçoit du RE et modifie ensuite la membrane plasmique, les lysosomes et les vésicules sécrétoires. C'est une structure polaire constituée d'un ou plusieurs dictyosomes (ou empilement) formés de citernes en forme de disques, chaque dictyosome étant organisé en une série d'au moins trois compartiments fonctionnellement distincts, nommés citernes cis, médiane et trans. Les citernes cis et trans sont toutes deux connectées à des stations de tri spécifiques, appelées respectivement réseau cis-golgien et réseau trans-golgien. Les protéines et les lipides traversent les dictyosomes dans la direction cis vers trans. Ce mouvement peut se produire par transport vésiculaire, par maturation progressive des citernes cis qui migrent continuellement au travers du dictyosome ou par l'association de ces deux mécanismes. On pense que les enzymes qui fonctionnent dans chaque région spécifique du dictyosome y sont maintenues par un transport vésiculaire rétrograde continu à partir des citernes plus distales. Les nouvelles protéines sont finies dans le réseau trans-golgien, qui les place dans des vésicules de transport et les distribue à leurs destination cellulaire spécifique.

TRANSPORT DU RÉSEAU *TRANS*-GOLGIEN AUX LYSOSOMES

Toutes les protéines qui traversent l'appareil de Golgi, sauf celles qui y sont maintenues en tant que résidents permanents, sont triées dans le réseau *trans*-golgien vers leur destination finale. Ce mécanisme de tri est particulièrement bien compris pour les protéines destinées à la lumière des lysosomes et, dans cette partie de chapitre, nous verrons ce processus de transport sélectif. Nous commencerons par un bref compte rendu de la structure et de la fonction des lysosomes.

Les lysosomes sont le site principal de la digestion intracellulaire

Les **lysosomes** sont des compartiments entourés d'une membrane et remplis d'enzymes d'hydrolyse qui servent pour la digestion intracellulaire contrôlée des macromolécules. Ils contiennent environ 40 types d'enzymes hydrolytiques, dont des protéases, des nucléases, des glycosidases, des lipases, des phospholipases, des phosphatases et des sulfatases. Ce sont toutes des **hydrolases acides**. Pour que leur activité soit optimale, elles nécessitent un environnement acide et les lysosomes le leur fournissent en maintenant dans leur lumière un pH d'environ 5,0. De cette façon, le contenu du cytosol est doublement protégé de l'attaque par le système de digestion

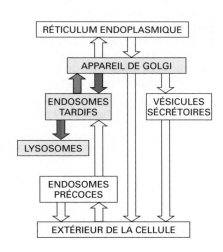

propre à la cellule. Les membranes du lysosome maintiennent normalement les enzymes digestives en dehors du cytosol et, même si elles devaient s'en échapper, elles feraient peu de dommages parce que le pH cytosolique est de 7,2 environ.

Comme tous les autres organites intracellulaires, les lysosomes ne contiennent pas seulement une collection spécifique d'enzymes mais sont également entourés d'une membrane spécifique. Les protéines de transport de cette membrane permettent aux produits terminaux de la digestion des macromolécules – comme les acides aminés, les sucres et les nucléotides – d'être transportés dans le cytosol, à partir duquel ils peuvent être soit excrétés soit réutilisés par la cellule. Une pompe à H$^+$ de la membrane lysosomiale utilise l'énergie de l'hydrolyse de l'ATP pour pomper les H$^+$ dans le lysosome, maintenant ainsi le pH acide dans la lumière (Figure 13-31). On pense qu'une *H$^+$ ATPase vacuolaire* similaire ou identique acidifie tous les organites endocytaires et exocytaires, y compris les lysosomes, les endosomes, certains compartiments de l'appareil de Golgi et beaucoup de vésicules de transport ou sécrétoires. La plupart des protéines membranaires lysosomiales sont particulièrement glycosylées, ce qui facilite leur protection vis-à-vis des protéases lysosomiales de la lumière.

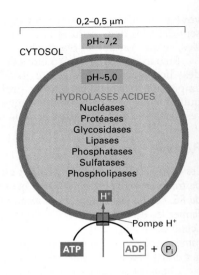

Figure 13-31 Lysosomes. Les hydrolases acides sont des enzymes hydrolytiques qui sont actives sous des conditions acides. La lumière est maintenue à un pH acide par une H$^+$ ATPase membranaire qui pompe les H$^+$ dans les lysosomes.

Les lysosomes sont hétérogènes

Les lysosomes ont été initialement découverts par fractionnement biochimique des extraits cellulaires ; ce n'est que plus tard qu'ils ont été clairement observés en microscopie électronique. Bien que de forme et de taille extraordinairement variées, ils peuvent être identifiés comme des membres d'une seule famille d'organite par leur coloration par des anticorps spécifiques. Ils peuvent aussi être identifiés par leur activité biochimique, en utilisant des précipités produits par l'action d'une hydrolase acide sur son substrat qui indiquent les organites qui contiennent cette hydrolase (Figure 13-32). Par ce critère, on a trouvé des lysosomes dans toutes les cellules eucaryotes.

L'hétérogénéité de la morphologie des lysosomes contraste avec la structure relativement uniforme de la plupart des autres organites cellulaires. Cette diversité reflète la grande variété des fonctions digestives sous l'influence des hydrolases acides, y compris la dégradation des débris intra- et extracellulaires, la destruction des microorganismes phagocytés et la production de nutriments pour la cellule. C'est pourquoi les lysosomes sont parfois considérés comme une collection hétérogène d'organites distincts dont la caractéristique commune est leur forte teneur en enzymes hydrolytiques. Il est particulièrement difficile d'appliquer une définition plus précise que cette dernière dans les cellules végétales, comme nous le verrons dans le prochain paragraphe.

Les vacuoles végétales et fongiques sont des lysosomes remarquablement polyvalents

La plupart des cellules végétales et fongiques (y compris les levures) contiennent une ou plusieurs vésicules très grosses remplies de liquide et appelées **vacuoles**. Elles occupent typiquement plus de 30 p. 100 du volume cellulaire et près de 90 p. 100 dans certains types cellulaires (Figure 13-33). Les vacuoles sont apparentées aux lysosomes des cellules animales, et contiennent diverses enzymes hydrolytiques mais leurs fonctions sont remarquablement variées. Les vacuoles végétales peuvent agir comme des organites de réserve de nutriments et de produits de déchets, de compartiments de dégradation, de voie économique d'augmentation de la taille cellulaire (Figure 13-34) et de contrôle de la *pression de turgescence* (pression osmotique qui repousse vers l'extérieur la paroi cellulaire et empêche le flétrissement du végétal). Des vacuoles différentes de fonctions distinctes (par ex. digestion et stockage) sont souvent présentes dans la même cellule.

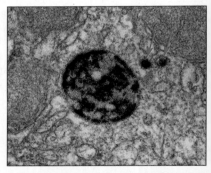

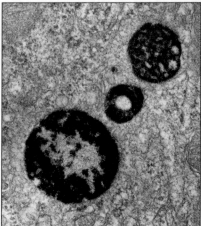

Figure 13-32 Mise en évidence histochimique des lysosomes. Ces photographies en microscopie électronique montrent deux coupes d'une cellule, colorées pour montrer la localisation de la phosphatase acide, une enzyme de marquage des lysosomes. Les grands organites entourés d'une membrane contenant des précipités denses de phosphate de plomb sont des lysosomes. Leurs morphologies diverses reflètent les variations de la quantité et de la nature du matériau qu'elles digèrent. Les précipités sont produits lorsque les tissus fixés par du glutaraldéhyde (pour fixer les enzymes sur place) sont incubés avec un substrat phosphatase en présence d'ions plomb. Deux petites vésicules qui, pense-t-on, transportent des hydrolases acides issues de l'appareil de Golgi sont indiquées par les *flèches rouges* sur la photographie du haut. (Due à l'obligeance de Daniel S. Friend.)

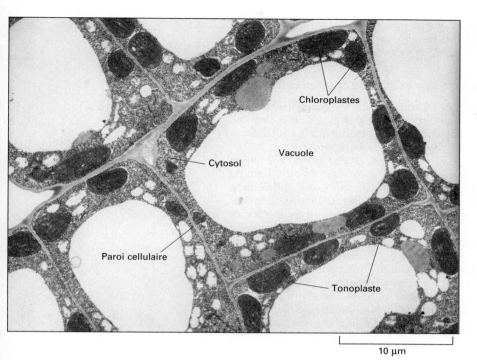

Figure 13-33 Vacuole d'une cellule végétale. Cette photographie en microscopie électronique d'une cellule d'une jeune feuille de tabac montre le cytosol formant une fine couche qui contient des chloroplastes comprimés contre la paroi cellulaire par une énorme vacuole. La membrane de la vacuole est appelée le tonoplaste. (Due à l'obligeance de J. Burgess.)

Chloroplastes

Vacuole

Cytosol

Paroi cellulaire

Tonoplaste

10 μm

La vacuole est un important outil homéostatique qui permet à la cellule végétale de résister aux fortes variations de son environnement. Lorsque le pH de l'environnement s'effondre, par exemple, le flux de H$^+$ dans le cytosol est équilibré, du moins en partie par l'augmentation du transport de H$^+$ dans les vacuoles qui maintient le pH cytosolique constant. De même, beaucoup de cellules végétales maintiennent une pression de turgescence presque constante en face de fortes variations de la tonicité des liquides de leur environnement immédiat. Elles le font en modifiant la pression osmotique du cytosol et des vacuoles – en partie par la dégradation contrôlée et la néosynthèse de polymères comme les polyphosphates dans les vacuoles, et en partie par la modification de la vitesse de transport des sucres, des acides aminés et d'autres métabolites au travers de la membrane plasmique et de la membrane des vacuoles. La pression de turgescence contrôle ces flux en régulant les activités de différents groupes de transporteurs dans chaque membrane.

Les substances stockées dans les vacuoles végétales sont souvent recueillies pour leur utilisation humaine : dans les différentes espèces, la gamme de ces substances s'étend du caoutchouc à l'opium et à l'arôme de l'ail. Beaucoup de produits stockés ont une fonction métabolique. Les protéines par exemple, peuvent être conservées pendant des années dans les vacuoles des cellules de réserve de nombreuses graines, comme celles des pois et des haricots. Lorsque la graine germe, ces protéines sont hydrolysées et les acides aminés résultant fournissent l'apport de nourriture pour l'embryon en développement. Les pigments d'anthocyanine conservés dans les

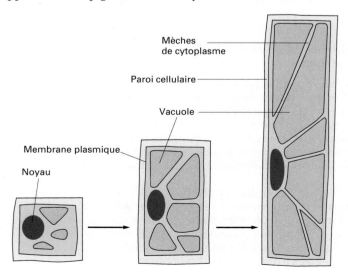

Figure 13-34 Rôle des vacuoles dans le contrôle de la taille d'une cellule végétale. Une forte augmentation du volume cellulaire peut être obtenue sans augmenter le volume du cytosol. Le fléchissement localisé de la paroi cellulaire oriente l'hypertrophie cellulaire induite par la turgescence qui accompagne l'absorption d'eau dans une vacuole qui s'étend. Le cytosol est finalement confiné à une fine couche périphérique, reliée à la région nucléaire par des mèches cytosoliques, stabilisées par des faisceaux de filaments d'actine (non représentés ici).

Mèches de cytoplasme

Paroi cellulaire

Vacuole

Membrane plasmique

Noyau

vacuoles colorent les pétales de nombreuses fleurs pour attirer les insectes pollinisateurs, tandis que les molécules nocives libérées des vacuoles d'une plante qui est mangée ou lésée fournissent un mécanisme de défense contre les prédateurs.

Les matériaux sont délivrés aux lysosomes par de multiples voies

Les lysosomes sont généralement des lieux de rencontre où convergent plusieurs courants de transport intracellulaire. Les enzymes digestives y sont délivrées par une voie centrifuge issue du réticulum via l'appareil de Golgi tandis que les substances à digérer y sont placées par au moins trois voies, selon leur origine.

La voie la mieux étudiée de la dégradation dans les lysosomes est celle suivie par les macromolécules absorbées par *endocytose* du liquide extracellulaire. Comme nous le verrons ultérieurement en détail, les molécules endocytées sont initialement placées dans des vésicules puis apportées à des organites intracellulaires de petite taille et de forme irrégulière appelés *endosomes précoces*. Certaines de ces molécules ingérées sont sélectivement recapturées et recyclées dans la membrane plasmique tandis que d'autres passent dans les **endosomes tardifs**. C'est là que le matériel endocyté rencontre pour la première fois les hydrolases lysosomiales qui sont libérées dans les endosomes à partir de l'appareil de Golgi. L'intérieur d'un endosome tardif est moyennement acide (pH ~6) et c'est là que commence la digestion par hydrolyse des molécules endocytées. Les lysosomes mûrs se forment à partir des endosomes tardifs et cette formation s'accompagne de la poursuite de la baisse du pH interne. On pense que les lysosomes sont produits par un processus de maturation graduel au cours duquel les protéines de la membrane des endosomes sont sélectivement retirées des lysosomes en développement par des vésicules de transport qui délivrent ces protéines de façon rétrograde aux endosomes ou au réseau *trans*-golgien.

Une deuxième voie de dégradation dans les lysosomes est utilisée par tous les types cellulaires pour éliminer les parties obsolètes de la cellule elle-même – un processus appelé **autophagie**. Dans une cellule hépatique (hépatocyte) par exemple, la durée de vie moyenne d'une mitochondrie est d'environ 10 jours et les images en microscopie électronique des cellules normales révèlent des lysosomes qui contiennent (et digèrent probablement) des mitochondries ainsi que d'autres organites. Ce processus semble commencer par l'enfermement d'un organite par des membranes d'origine inconnue, ce qui crée un *autophagosome* qui fusionne alors avec un lysosome (ou un endosome tardif). Ce processus est hautement régulé et certains composants cellulaires peuvent être marqués d'une quelconque façon pour leur destruction lysosomiale pendant le remodelage cellulaire. Le RE lisse qui prolifère dans un hépatocyte en réponse à un médicament, le phénobarbital (*voir* Chapitre 12) par exemple, est sélectivement éliminé par autophagie après l'arrêt du médicament.

Comme nous le verrons ultérieurement, la troisième voie qui apporte les matériaux aux lysosomes pour leur dégradation se trouve surtout dans les cellules spécialisées dans la *phagocytose* de grosses particules et de microorganismes. Ces phagocytes professionnels (les macrophages et les neutrophiles des vertébrés) engloutissent des objets pour former un *phagosome* qui est alors transformé en lysosome selon le mode décrit pour les autophagosomes. Ces trois voies sont résumées dans la figure 13-35.

Un récepteur du mannose 6-phosphate reconnaît les protéines lysosomiales dans le réseau *trans*-golgien

Envisageons maintenant les voies qui délivrent aux lysosomes les hydrolases lysosomiales et les protéines membranaires. Ces deux classes de protéines sont synthétisées dans le RE rugueux puis transportées à travers l'appareil de Golgi dans le réseau *trans*-golgien. Les vésicules de transport qui délivrent ces protéines dans les endosomes tardifs (qui formeront ensuite les lysosomes) bourgeonnent à partir du réseau *trans*-golgien. Ces vésicules incorporent les protéines lysosomiales et excluent les nombreuses autres protéines qui sont placées dans les différentes vésicules de transport pour être véhiculées ailleurs.

Comment les protéines lysosomiales reconnaissent-elles et choisissent-elles le réseau *trans*-golgien avec la précision requise? On connaît la réponse en ce qui concerne les hydrolases lysosomiales. Elles transportent un marqueur particulier sous forme de groupements *mannose 6-phosphate* (*M6P*) qui sont exclusivement ajoutés sur les oligosaccharides fixés par liaison *N*-osidique de ces enzymes lysosomiales solubles lorsqu'elles traversent la lumière du réseau *cis*-golgien (Figure 13-36). Les groupements

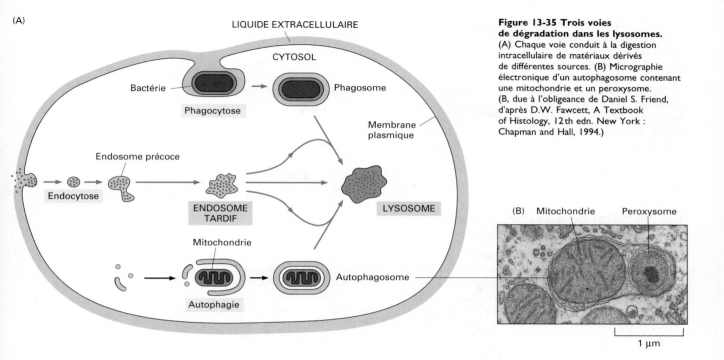

(A)

LIQUIDE EXTRACELLULAIRE

CYTOSOL

Bactérie

Phagosome

Phagocytose

Membrane plasmique

Endosome précoce

Endocytose

ENDOSOME TARDIF

LYSOSOME

Mitochondrie

Autophagosome

Autophagie

Figure 13-35 Trois voies de dégradation dans les lysosomes. (A) Chaque voie conduit à la digestion intracellulaire de matériaux dérivés de différentes sources. (B) Micrographie électronique d'un autophagosome contenant une mitochondrie et un peroxysome. (B, due à l'obligeance de Daniel S. Friend, d'après D.W. Fawcett, A Textbook of Histology, 12th edn. New York : Chapman and Hall, 1994.)

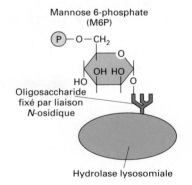

(B) Mitochondrie   Peroxysome

1 µm

M6P sont reconnus par les **récepteurs protéiques membranaires du M6P** qui se trouvent dans le réseau *trans*-golgien. Ces récepteurs se fixent sur les hydrolases lysosomiales du côté luminal de la membrane et sur les adaptines du manteau de clathrine qui s'assemblent du côté cytosolique. Elles aident ainsi à mettre en place les hydrolases dans les vésicules recouvertes de clathrine qui bourgeonnent à partir du réseau *trans*-golgien. Les vésicules délivrent ensuite leur contenu dans les endosomes tardifs.

Le récepteur M6P fait la navette entre des membranes spécifiques

Le récepteur protéique du M6P se fixe sur son oligosaccharide spécifique à un pH compris entre 6,5 et 6,7 dans le réseau *trans*-golgien et le libère au pH de 6, qui se trouve à l'intérieur des endosomes tardifs. De ce fait, les hydrolases lysosomiales se dissocient du récepteur M6P dans les endosomes tardifs. Lorsque le pH diminue encore plus au cours de la maturation endosomique, les hydrolases commencent à digérer le matériel endocyté délivré par les endosomes précoces. Après avoir libéré son enzyme, le récepteur M6P est renvoyé à la membrane du réseau *trans*-golgien pour être réutilisé (Figure 13-37). Le transport dans ces deux directions nécessite des peptides de signal dans la queue cytoplasmique du récepteur du M6P qui spécifient le transport de cette protéine vers les endosomes tardifs ou son retour dans l'appareil de Golgi. De ce fait, le recyclage du récepteur du M6P ressemble fortement au recyclage du récepteur KDEL, que nous avons vu.

Les molécules d'hydrolase marquées par le M6P pour être délivrées dans les lysosomes n'arrivent pas toutes à destination. Certaines s'échappent à leur placement spécifique dans le réseau *trans*-golgien et sont transportées « par défaut » à la surface cellulaire, où elles sont sécrétées dans le liquide extracellulaire. Certains récepteurs du M6P font cependant aussi un détour dans la membrane plasmique où ils recapturent les hydrolases lysosomiales échappées et les ramènent par *endocytose récepteur-induite* dans les lysosomes via les endosomes précoces et tardifs. Comme les hydrolases lysosomiales nécessitent un milieu acide pour fonctionner, elles sont très peu nocives dans le liquide extracellulaire qui a généralement un pH neutre.

Un patch de signal de la chaîne polypeptidique de l'hydrolase fournit le signal d'addition des M6P

Le système de tri qui sépare les hydrolases lysosomiales et les distribue aux endosomes tardifs fonctionne parce que les groupements M6P ne sont ajoutés que sur les bonnes glycoprotéines dans l'appareil de Golgi. Cela nécessite une reconnaissance spécifique des hydrolases par les enzymes golgiennes responsables de l'addition des M6P. Comme toutes les glycoprotéines quittent le RE avec la même chaîne d'oligo-

Mannose 6-phosphate (M6P)

Oligosaccharide fixé par liaison *N*-osidique

Hydrolase lysosomiale

Figure 13-36 Structure d'un mannose 6-phosphate sur une enzyme lysosomiale.

saccharides fixée par liaison *N*-osidique, le signal de l'addition des unités M6P à l'oligosaccharide doit résider quelque part dans la chaîne polypeptidique de chaque hydrolase. Des expériences de génie génétique ont révélé que ce signal de reconnaissance était un agrégat d'acides aminés voisins sur chaque surface protéique, appelé *patch de signal*.

Deux enzymes agissent séquentiellement pour catalyser l'addition des groupements M6P sur les hydrolases lysosomiales. La première est une GlcNAc phosphotransférase qui fixe spécifiquement l'hydrolase et ajoute un GlcNAc-phosphate sur un ou deux résidus mannose de chaque chaîne oligosaccharidique (Figure 13-38). Une deuxième enzyme coupe alors les résidus GlcNAc, laissant derrière un marqueur M6P nouvellement créé. Comme la plupart des hydrolases lysosomiales contiennent de multiples oligosaccharides, elles acquièrent beaucoup de résidus M6P, ce qui leur apporte une forte affinité pour les récepteurs du M6P.

Les anomalies de la GlcNAc phosphotransférase provoquent une maladie lysosomiale de stockage chez l'homme

Les **maladies lysosomiales de stockage** sont provoquées par des anomalies génétiques qui affectent une ou plusieurs hydrolases lysosomiales. L'anomalie entraîne l'accumulation de substrats non digérés dans les lysosomes avec des conséquences pathologiques sévères, la plupart du temps du système nerveux central. Dans la plupart des cas, il existe une mutation d'un gène structurel qui code pour une hydrolase lysosomiale particulière. Cela se produit dans la *maladie de Hurler* par exemple, au cours de laquelle l'enzyme nécessaire à la dégradation des glycosaminoglycanes est anormale ou absente. La forme la plus sévère de maladie lysosomiale de stockage, cependant, est une maladie très rare appelée *maladie à cellules I* (I pour *inclusion*). Au cours de cette maladie, presque toutes les enzymes hydrolytiques sont absentes des lysosomes des fibroblastes et les substrats non digérés s'accumulent dans les lysosomes qui forment, par conséquent, de grosses « inclusions » dans les cellules du patient. La maladie à cellules I est due à une seule anomalie génique et comme la plupart des autres carences enzymatiques, elle est récessive – c'est-à-dire qu'elle n'est

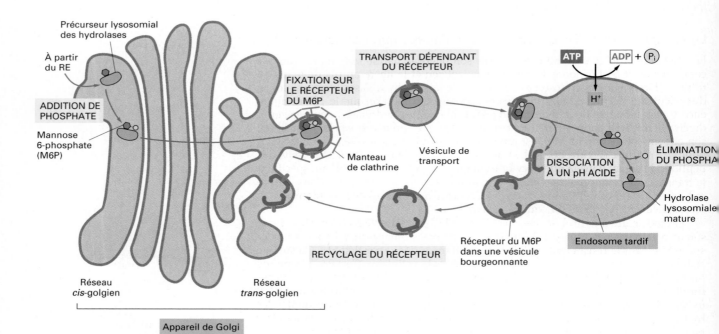

Figure 13-37 Transport vers les lysosomes des hydrolases lysosomiales néosynthétisées. Les précurseurs des hydrolases lysosomiales sont modifiés de façon covalente par l'addition de groupements mannose 6-phosphate (M6P) dans le réseau *cis*-golgien. Ils sont ensuite séparés des autres types de protéines dans le réseau *trans*-golgien parce que les adaptines du manteau de clathrine se fixent sur les récepteurs du M6P qui, à leur tour, se fixent sur les hydrolases lysosomiales modifiées. Les vésicules recouvertes de clathrine produisent des bourgeonnements à partir du réseau *trans*-golgien et fusionnent avec les endosomes tardifs. Au bas pH des endosomes tardifs, les hydrolases se dissocient des récepteurs du M6P et les récepteurs vides sont recyclés dans l'appareil de Golgi pour d'autres cycles de transport. On ne sait pas quel type de manteau permet le bourgeonnement des vésicules dans la voie de recyclage des récepteurs du M6P. Dans les endosomes tardifs, le phosphate est retiré des sucres mannose fixés sur les hydrolases, assurant encore plus que les hydrolases ne retournent pas dans l'appareil de Golgi avec le récepteur.

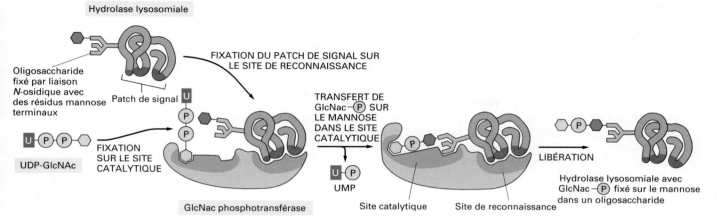

Figure 13-38 Reconnaissance d'une hydrolase lysosomiale.
La phosphotransférase GlcNAc, une enzyme qui reconnaît les hydrolases lysosomiales dans l'appareil de Golgi, présente des sites séparés de catalyse et de reconnaissance. Le site catalytique fixe à la fois des oligosaccharides fixés par liaison *N*-osidique riches en mannose et de l'UDP-GlcNAc. Le site de reconnaissance se fixe sur un patch de signal présent uniquement à la surface des hydrolases lysosomiales. Le GlcNAc est coupé par une deuxième enzyme, laissant le M6P exposé (non représenté ici).

observée que chez les individus qui possèdent deux copies anormales du gène. Chez les patients atteints de maladie à cellules I, toutes les hydrolases absentes des lysosomes sont retrouvées dans le sang. Comme elles n'ont pas pu être triées correctement dans l'appareil de Golgi, elles sont sécrétées et non pas transportées dans les lysosomes. Cette erreur de tri a été suivie et a permis de remonter jusqu'à une GlcNAc-phosphotransférase anormale ou absente. Comme les enzymes lysosomiques ne sont pas phosphorylées dans le réseau *cis*-golgien, elles ne sont pas réparties par les récepteurs du M6P dans les vésicules de transport appropriées dans le réseau *trans*-golgien. Par contre, elles sont transportées à la surface cellulaire et sécrétées par défaut.

Lors de maladie à cellules I, les lysosomes de certains types cellulaires, comme les hépatocytes, contiennent un ensemble normal d'enzymes lysosomiales, ce qui implique qu'il existe une autre voie d'adressage des hydrolases dans les lysosomes, utilisée par certains types cellulaires mais pas par d'autres. On ne connaît pas la nature de cette voie indépendante des M6P. De même, les protéines membranaires des lysosomes sont triées pour aller du réseau *trans*-golgien aux endosomes tardifs par une voie indépendante des M6P dans toutes les cellules et sont donc normales lors de maladie à cellules I. Ces protéines membranaires sortent du réseau *trans*-golgien dans des vésicules à manteau de clathrine différentes de celles qui transportent les hydrolases marquées par le M6P.

On se sait pas vraiment pourquoi les cellules utilisent plusieurs voies de triage pour édifier leurs lysosomes, bien qu'il ne soit peut-être pas surprenant que différents mécanismes opèrent pour trier en particulier les protéines lysosomiales solubles et celles liées à la membrane, car – contrairement au récepteur du M6P – ces protéines membranaires sont des résidentes lysosomiales et n'ont donc pas besoin d'être renvoyées dans le réseau *trans*-golgien.

Certains lysosomes peuvent subir une exocytose

L'adressage de matériaux dans les lysosomes n'est pas nécessairement la fin de la voie. La *sécrétion lysosomiale* (appelée aussi défécation) du contenu non digéré permet à toutes les cellules d'éliminer les débris non digestibles. Pour la plupart des cellules, cela semble être une voie mineure, utilisée seulement lorsque les cellules sont stressées. Certains types cellulaires, cependant, contiennent des lysosomes spécialisés qui ont acquis la machinerie nécessaire à la fusion avec la membrane plasmique. Les *mélanocytes* cutanés, par exemple, produisent et stockent les pigments dans leurs lysosomes. Ces *mélanosomes* qui contiennent des pigments les déchargent dans l'espace extracellulaire par exocytose. Les pigments sont alors absorbés par les kératinocytes, ce qui donne la pigmentation normale de la peau. Dans certains troubles génétiques, ce processus de transfert est bloqué du fait d'anomalies de l'exocytose des mélanosomes et cela conduit à des formes d'hypopigmentation (albinisme).

Résumé

Les lysosomes sont spécialisés dans la digestion intracellulaire des macromolécules. Ils contiennent des protéines membranaires spécifiques et une large variété d'enzymes hydrolytiques qui opèrent de façon optimale à un pH de 5, le pH interne des lysosomes. Ce bas pH est maintenu par une pompe à H+ entraînée par l'ATP, située dans la membrane lysosomiale. Les protéines lysosomiales néosynthétisées sont transférées dans la lumière du RE, transportées au travers de l'appareil de Golgi puis du réseau trans-golgien aux endosomes tardifs par le biais de vésicules de transport recouvertes de clathrine.

Les hydrolases lysosomiales contiennent des oligosaccharides fixés par liaison N-osidique qui sont modifiés spécifiquement de façon covalente dans le réseau cis-golgien afin que leurs résidus mannose soient phosphorylés. Ces groupements mannose 6-phosphate sont reconnus par un récepteur protéique du M6P dans le réseau trans-golgien qui sépare les hydrolases et facilite leur mise en place dans les vésicules de transport bourgeonnantes qui délivrent leur contenu dans les endosomes tardifs (organites dont la maturation donne des lysosomes). Les récepteurs du M6P font la navette entre le réseau trans-golgien et ces endosomes. Le bas pH des endosomes tardifs dissocie les hydrolases lysosomiales de ces récepteurs, et rend ce transport d'hydrolases unidirectionnel. Un système de transport séparé utilise les vésicules recouvertes de clathrine pour délivrer les protéines membranaires lysosomiales résidentes à partir du réseau trans-golgien.

TRANSPORT INTRACELLULAIRE À PARTIR DE LA MEMBRANE PLASMIQUE : L'ENDOCYTOSE

Les voies qui conduisent à l'intérieur de la cellule, de la surface aux lysosomes, commencent par le processus d'**endocytose**, au cours duquel les cellules absorbent les macromolécules, les substances sous forme de particules et même, dans certains cas spécifiques, d'autres cellules. Au cours de ce processus, les matériaux ingérés sont progressivement enfermés par une petite portion de la membrane plasmique qui commence par s'invaginer puis se détache par pincement pour former une vésicule d'endocytose qui contient la substance ou la particule ingérée. Les deux principaux types d'endocytose sont différenciés sur la base de la taille des vésicules d'endocytose formées. Un des types est appelé *phagocytose* (« qui donne à manger à la cellule ») et implique l'ingestion de grosses particules comme les microorganismes ou les cellules mortes via de grosses vésicules appelées *phagosomes* (en général d'un diamètre > 250 nm). L'autre type est la *pinocytose* (« qui donne à boire à la cellule ») et implique l'ingestion de liquides et de solutés via de petites vésicules de pinocytose (d'environ 100 nm de diamètre). La plupart des cellules eucaryotes ingèrent continuellement des liquides et des solutés par pinocytose ; les grosses particules sont plus efficacement ingérées par des cellules phagocytaires spécialisées.

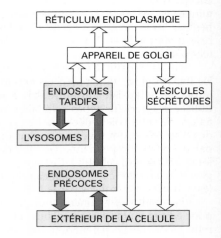

Des cellules phagocytaires spécialisées peuvent ingérer de grosses particules

La **phagocytose** est une forme particulière d'endocytose au cours de laquelle de grosses particules comme les microorganismes ou les cellules mortes sont ingérées par de grosses vésicules endocytaires appelées **phagosomes**. Chez les protozoaires, la phagocytose est une forme d'alimentation : les grosses particules absorbées dans les phagosomes se terminent dans les lysosomes et les produits des processus de digestion formés passent dans le cytosol et servent de nourriture. Cependant, peu de cellules des organismes multicellulaires peuvent ingérer ces grosses particules efficacement. Dans l'intestin des animaux, par exemple, les particules alimentaires sont dégradées à l'extérieur des cellules et les produits de leur hydrolyse sont importés dans les cellules.

La phagocytose est importante chez la plupart des animaux pour des raisons qui ne sont pas alimentaires et elle s'effectue principalement par des cellules spécialisées – appelées *phagocytes professionnels*. Chez les mammifères, trois classes de leucocytes sont des phagocytes professionnels – les **macrophages**, les **neutrophiles** et les **cellules dendritiques**. Toutes ces cellules se sont développées à partir de cellules souches hématopoïétiques (*voir* Chapitre 22) et nous défendent contre les infections en ingérant les microorganismes invasifs. Les macrophages jouent également un rôle important dans l'élimination des cellules sénescentes et des cellules mortes par apoptose (*voir* Chapitre 17). En termes quantitatifs, cette dernière fonction est de loin la plus importante : nos macrophages phagocytent plus de 10^{11} hématies sénescentes dans chacun d'entre nous chaque jour par exemple.

Tandis que les vésicules d'endocytose impliquées dans la pinocytose sont petites et uniformes, le diamètre des **phagosomes** est déterminé par la taille des particules ingérées et ils peuvent être presque aussi gros que la cellule phagocytaire elle-même (Figure 13-39). Les phagosomes fusionnent avec les lysosomes à l'intérieur de la cellule et les matériaux ingérés sont alors dégradés. Toute substance non digestible reste dans les lysosomes et forme les *corps résiduels*. Certains composants de la membrane

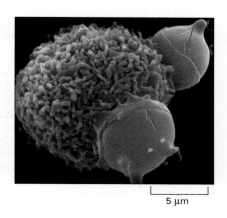

Figure 13-39 Phagocytose par un macrophage. Photographie en microscopie électronique à balayage d'un macrophage de souris en train de phagocyter deux hématies chimiquement modifiées. Les *flèches rouges* pointent sur les rebords de fins processus (pseudopodes) des macrophages qui s'étendent en forme de collier pour englober l'hématie. (Due à l'obligeance de Jean Paul Revel.)

5 µm

plasmique internalisés n'atteignent jamais les lysosomes parce qu'ils sont éliminés des phagosomes dans des vésicules de transport et retournent dans la membrane plasmique.

Pour être phagocytées, les particules doivent d'abord se fixer sur la surface des phagocytes. Cependant toutes les particules qui s'y fixent ne sont pas ingérées. Les phagocytes présentent divers récepteurs de surface spécifiques qui sont fonctionnellement liés à la machinerie phagocytaire de la cellule. Contrairement à la pinocytose, qui est un processus constitutif se produisant continuellement, la phagocytose est un processus déclenché nécessitant l'activation des récepteurs qui transmettent alors le signal à l'intérieur de la cellule et initient la réponse. Les déclencheurs les mieux caractérisés sont les anticorps qui nous protègent en se fixant sur la surface des microorganismes infectieux pour former un manteau dans lequel la partie caudale de chaque molécule d'anticorps, ou région Fc, est exposée vers l'extérieur (*voir* Chapitre 24). Ce manteau d'anticorps est reconnu par des *récepteurs Fc* spécifiques de la surface des macrophages et des neutrophiles dont la fixation induit la formation de pseudopodes, par la cellule phagocytaire, qui englobent la particule et fusionnent à leurs extrémités pour former un phagosome (Figure 13-40).

Diverses autres classes de récepteurs qui facilitent la phagocytose ont été caractérisées. Certains reconnaissent des composants du *complément* qui collaborent avec les anticorps pour adresser les microbes dans un système de destruction (*voir* Chapitre 25). D'autres reconnaissent directement les oligosaccharides de la surface de certains microorganismes. D'autres encore reconnaissent les cellules qui sont mortes par apoptose. Les cellules apoptiques perdent la répartition phospholipidique asymétrique de leurs membranes plasmiques. Il s'ensuit que les phosphatidylsérines de charge négative, normalement confinées au feuillet cytosolique de la bicouche lipidique, se trouvent maintenant exposées à l'extérieur de la cellule où elles déclenchent la phagocytose des cellules mortes.

Il faut remarquer que les macrophages phagocytent également diverses particules inanimées – comme du verre, des billes de latex ou des fibres d'amiante – alors qu'ils ne phagocytent pas les cellules animales vivantes. Il semble que ces cellules animales vivantes exposent des signaux «ne pas manger» sous forme de protéines cellulaires de surface qui se fixent sur des récepteurs inhibiteurs de la surface des macrophages. Ces récepteurs inhibiteurs recrutent des tyrosine-phosphatases qui s'opposent aux événements de signalisation intracellulaire nécessaires pour initier la phagocytose, ce qui inhibe localement le processus de phagocytose. De ce fait, la phagocytose comme beaucoup d'autres processus cellulaires, dépend d'un équilibre entre les signaux positifs qui l'activent et les signaux négatifs qui l'inhibent.

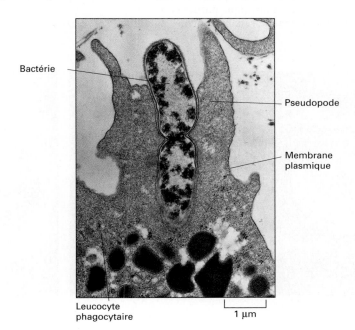

Bactérie

Pseudopode

Membrane plasmique

Leucocyte phagocytaire

1 µm

Figure 13-40 Phagocytose par un neutrophile. Photographie en microscopie électronique d'un neutrophile en train de phagocyter une bactérie qui subit un processus de division. (Due à l'obligeance de Dorothy F. Bainton, *Phagocytic Mechanisms in Health and Disease*. New York : Intercontinental Book Corporation, 1971.)

Les vésicules de pinocytose se forment à partir de puits recouverts (ou *coated pits*) de la membrane plasmique

Virtuellement toutes les cellules eucaryotes ingèrent continuellement des parties de leurs membranes plasmiques sous forme de petites vésicules de pinocytose (d'endocytose) qui sont ensuite renvoyées à la surface cellulaire. La vitesse à laquelle la membrane plasmique est internalisée dans ce processus de **pinocytose** varie selon le type cellulaire mais est en général étonnamment élevée. Un macrophage, par exemple, ingère 25 p. 100 de son propre volume liquidien chaque heure. Cela signifie qu'il doit ingérer 3 p. 100 de sa membrane plasmique chaque minute ou 100 p. 100 en environ une demi-heure. L'endocytose des fibroblastes a une vitesse légèrement inférieure (1 p. 100 par minute) tandis que certaines amibes ingèrent leur membrane plasmique encore plus vite. Comme l'aire et le volume de la surface cellulaire ne sont pas modifiés durant ce processus, il est clair que la même quantité de membrane éliminée par endocytose est ajoutée à la surface cellulaire par *exocytose*, le processus inverse que nous aborderons ultérieurement. Dans ce sens, l'endocytose et l'exocytose sont des processus liés qui peuvent être considérés comme constituant un *cycle endocyto-exocytaire*.

La partie endocytaire de ce cycle commence souvent dans un **puits recouvert de clathrine**. Ces régions spécialisées occupent typiquement environ 2 p. 100 de l'aire totale de la membrane plasmique. Le temps de vie d'un puits recouvert de clathrine est court : environ une minute après sa formation, il s'invagine dans la cellule et s'en sépare par pincement pour former une vésicule recouverte de clathrine (Figure 13-41). Il a été estimé qu'environ 2 500 vésicules recouvertes de clathrine quittent la membrane plasmique d'un fibroblaste en culture chaque minute. Ces vésicules recouvertes sont même encore plus transitoires que les puits recouverts : dans les quelques secondes qui suivent leur formation, elles perdent leur manteau et peuvent fusionner avec les endosomes précoces. Comme le liquide extracellulaire est enfermé dans les puits recouverts de clathrine lorsqu'ils s'invaginent pour former les vésicules recouvertes, toute substance dissoute dans le liquide extracellulaire est internalisée – processus appelé *endocytose en phase liquide*.

Les vésicules de pinocytose ne sont pas toutes recouvertes de clathrine

En plus des puits et vésicules recouverts de clathrine, il existe d'autres mécanismes moins bien compris par lesquels les cellules forment des vésicules de pinocytose. Un de ceux-ci commence au niveau des **caveolae** (du latin, « petites cavités »), reconnues au départ par leur capacité à transporter des molécules au travers des cellules endothéliales qui forment la bordure interne des vaisseaux sanguins. Les caveolae se trouvent dans la membrane plasmique de la plupart des types cellulaires et dans certains d'entre eux elles apparaissent en microscopie électronique comme des fioles profondément invaginées (Figure 13-42). On pense qu'elles se forment à partir des radeaux lipidiques (*lipid rafts*), qui sont des plaques de membrane plasmique particulièrement riches en cholestérol, glycosphingolipides et protéines membranaires ancrées au GPI

Figure 13-41 Formation d'une vésicule recouverte de clathrine à partir de la membrane plasmique. Ces photographies en microscopie électronique illustrent la séquence probable des événements qui se produisent lors de la formation d'une vésicule recouverte de clathrine à partir d'un puits recouvert de clathrine. Les puits et les vésicules recouverts de clathrine montrés ici sont plus gros que ceux observés dans les cellules de taille normale. Ils sont impliqués dans l'absorption de particules de lipoprotéines dans un très gros ovocyte de poule pour former le jaune. Les particules de lipoprotéines fixées sur leurs récepteurs liés à la membrane peuvent être observées sous forme d'une couche dense et floue à la surface extracellulaire de la membrane plasmique – qui est la face interne de la vésicule. (Due à l'obligeance de M.M. Perry et A.B. Gilbert, *J. Cell Sci.* 39 : 257-272, 1979. © The Company of Biologists.)

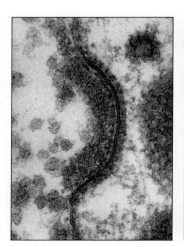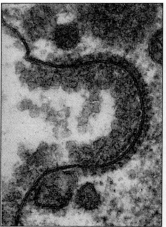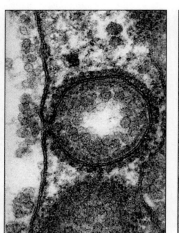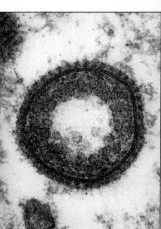

0,1 μm

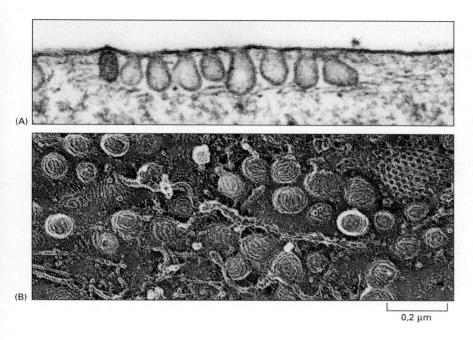

Figure 13-42 Caveolae de la membrane plasmique d'un fibroblaste. (A) Cette photographie en microscopie électronique montre une membrane plasmique de caveolae de très forte densité. Notez qu'aucun manteau cytosolique n'est visible. (B) Cette image après cryodécapage rapide et profond met en évidence la texture caractéristique en « choux-fleurs » de la face cytosolique de la membrane des caveolae. On pense que cette texture régulière résulte de l'agrégation de caveoline dans la membrane. Un puits recouvert de clathrine est également visible en haut à droite. (Due à l'obligeance de R.G.W. Anderson, d'après K.G. Rothberg et al., *Cell* 68 : 673-682, 1992. © Elsevier.)

0,2 µm

(*voir* Figure 12-57). La protéine structurale majeure des caveolae est la **caveoline**, une protéine intégrale de membrane à plusieurs domaines transmembranaires, membre d'une famille protéique hétérogène.

Contrairement aux vésicules recouvertes de clathrine et recouvertes de COP I ou de COP II, on pense que les caveolae s'invaginent et récupèrent les protéines de chargement en vertu de la composition lipidique de la membrane cavéolaire, plutôt que par l'assemblage d'une protéine de manteau cytosolique. Les caveolae se détachent par pincement de la membrane plasmique et peuvent libérer leur contenu dans les compartiments de type endosomes ou (selon un processus appelé transcytose que nous aborderons ultérieurement) à la membrane plasmique du côté opposé d'une cellule polarisée. Certains virus animaux pénètrent également dans la cellule dans des vésicules dérivées des caveolae. Ces virus sont d'abord délivrés dans un compartiment de type endosome, d'où ils sont véhiculés jusqu'au RE. Dans le RE, ils font sortir leur génome par extrusion dans le cytosol et commencent leur cycle infectieux. On ne sait toujours pas comment le matériel endocyté dans des vésicules dérivées des caveolae peut disparaître dans des localisations cellulaires aussi différentes.

Les cellules importent certaines macromolécules extracellulaires par une endocytose couplée à des récepteurs

Dans la plupart des cellules animales, les puits et les vésicules recouverts de clathrine fournissent une voie efficace d'absorption de macromolécules spécifiques à partir du liquide extracellulaire. Selon ce processus, appelé **endocytose couplée à des récepteurs**, les macromolécules se fixent sur des récepteurs protéiques transmembranaires complémentaires, s'accumulent dans les puits recouverts puis pénètrent dans la cellule sous forme de complexes macromolécule-récepteur dans les vésicules recouvertes de clathrine (*voir* Figure 13-41). L'endocytose couplée aux récepteurs fournit un mécanisme de concentration sélectif qui augmente, de plus de cent fois, l'efficacité de l'internalisation de ligands spécifiques, de telle sorte que même des composants mineurs du liquide extracellulaire peuvent être spécifiquement absorbés en grandes quantités sans prélever un volume aussi important de liquide extracellulaire. Un exemple particulièrement bien compris et physiologiquement important est le processus qui permet aux cellules de mammifères d'absorber le cholestérol.

Beaucoup de cellules animales absorbent le cholestérol par une endocytose couplée à des récepteurs et acquièrent ainsi la plus grande partie du cholestérol dont elles ont besoin pour fabriquer de nouvelles membranes. Si l'absorption est bloquée, le cholestérol s'accumule dans le sang et peut contribuer à la formation, dans les parois des vaisseaux sanguins, de *plaques athérosclérotiques*, dépôts de lipides et de tissus fibreux qui peuvent provoquer des attaques et des crises cardiaques par blocage du flux sanguin. En fait, c'est par une étude faite sur des patients présentant une forte prédisposition à l'*athérosclérose* que le mécanisme de l'endocytose couplée à des récepteurs a été éclairci.

La majeure partie du cholestérol est transportée dans le sang sous forme d'esters de cholestéryle dans des particules lipides-protéines appelées **lipoprotéines de faible densité** (**LDL** pour *low density lipoproteins*) (Figure 13-43). Lorsqu'une cellule a besoin de cholestérol pour la synthèse de sa membrane, elle fabrique des récepteurs protéiques transmembranaires aux LDL et les insère dans sa membrane plasmique. Une fois dans la membrane plasmique, ces récepteurs aux LDL diffusent jusqu'à ce qu'ils s'associent à des puits recouverts de clathrine en formation (Figure 13-44A). Comme les puits recouverts se séparent continuellement par pincement pour former des vésicules recouvertes, toute particule LDL fixée à un récepteur aux LDL dans un puits recouvert est rapidement internalisée dans la vésicule recouverte. Après la perte du manteau de clathrine, la vésicule délivre son contenu dans un endosome précoce localisé près de la périphérie cellulaire. Lorsque la LDL et son récepteur rencontrent le bas pH de l'endosome, la LDL est libérée de son récepteur et est délivrée dans les lysosomes via les endosomes tardifs. Là, les esters de cholestéryle de la particule de LDL sont hydrolysés en cholestérol libre, qui devient alors disponible pour la cellule qui synthétise de nouvelles membranes. S'il y a trop de cholestérol libre qui s'accumule dans la cellule, la cellule arrête sa propre synthèse de cholestérol et la synthèse des protéines réceptrices des LDL de telle sorte qu'elle cesse de fabriquer ou d'absorber le cholestérol.

Cette voie régulée de l'absorption du cholestérol est interrompue chez les sujets qui héritent d'un gène anormal codant pour les récepteurs protéiques des LDL. La forte concentration sanguine en cholestérol qui en découle prédispose ces individus au développement prématuré d'athérosclérose et beaucoup meurent jeunes d'une crise cardiaque résultant d'une pathologie coronarienne. Dans certains cas, on observe une absence totale de récepteurs. Dans d'autres, ils sont anormaux – soit au niveau du site extracellulaire de liaison au LDL, soit au niveau du site intracellulaire de liaison qui fixe le récepteur sur le manteau des puits recouverts de clathrine (*voir* Figure 13-44B). Dans ce dernier cas, il y a un nombre normal de récepteurs protéiques fixant les LDL mais ils ne peuvent se localiser dans les régions recouvertes de clathrine de la membrane plasmique. Même si les LDL se fixent à la surface de ces cellules mutantes, elles ne sont pas internalisées, ce qui démontre directement l'importance des puits recouverts de clathrine dans l'endocytose couplée aux récepteurs du cholestérol.

On connaît plus de 25 récepteurs différents qui participent à l'endocytose couplée aux récepteurs de différents types de molécules, et ils utilisent apparemment tous la même voie des puits recouverts de clathrine. Beaucoup de ces récepteurs, comme les récepteurs des LDL, entrent dans les puits recouverts qu'ils soient fixés ou non à leurs ligands spécifiques. D'autres entrent préférentiellement lorsqu'ils sont fixés sur leur ligand spécifique, ce qui suggère qu'il faut une modification de conformation induite par le ligand pour qu'ils activent la séquence-signal qui les guide vers les puits. Comme la majeure partie des protéines de la membrane plasmique n'arrive pas à se concentrer dans les puits recouverts de clathrine, ces puits doivent fonctionner comme des filtres moléculaires, recueillant préférentiellement certaines protéines de la membrane plasmique (récepteurs) parmi d'autres.

Des peptides de signal guident les protéines transmembranaires dans les puits recouverts de clathrine en se fixant sur les adaptines. Malgré une fonction commune,

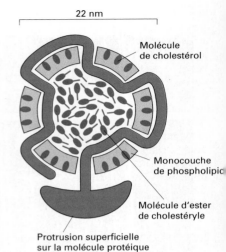

Figure 13-43 Particule de lipoprotéine de faible densité (LDL pour *low density lipoprotein*). Chaque particule sphérique a une masse de 3×10^6 daltons. Elle contient un cœur composé d'environ 1 500 molécules de cholestérol estérifiées sur de longues chaînes d'acides gras, entouré d'une monocouche lipidique composée d'environ 800 molécules de phospholipides et 500 molécules de cholestérol non estérifiées. Une seule molécule protéique de 500 000 daltons organise la particule et sert d'intermédiaire de fixation spécifique des LDL sur un récepteur de la surface cellulaire.

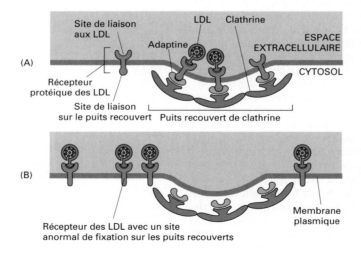

Figure 13-44 Récepteurs des LDL normaux et mutants. (A) Des récepteurs protéiques des LDL se fixent sur un puits recouvert de la membrane plasmique d'une cellule normale. Le récepteur des LDL de l'homme est une glycoprotéine d'environ 840 acides aminés à un seul domaine transmembranaire. Seuls 50 d'entre eux se trouvent sur la face cytoplasmique de la membrane. (B) Cellule mutante dans laquelle les récepteurs des LDL sont anormaux et ne présentent pas le site du domaine cytoplasmique qui leur permet de se lier aux adaptines dans les puits recouverts de clathrine. Ces cellules fixent les LDL mais ne peuvent les ingérer. Dans la plupart des populations humaines, 1 individu sur 500 hérite d'un gène anormal codant pour le récepteur des LDL et, il en résulte qu'il présente un risque accru de crise cardiaque provoquée par l'athérosclérose.

leur séquence en acides aminés varie. Un des signaux fréquents d'endocytose est composé de quatre acides aminés seulement, Y-X-X-Ψ, Y étant une tyrosine, X un acide aminé polaire, et Ψ un acide aminé hydrophobe. Ce court peptide, présent dans beaucoup de récepteurs, se fixe directement sur une des adaptines des puits recouverts de clathrine. Par contre, la queue cytosolique des récepteurs aux LDL contient un signal particulier (Asn-Pro-Val-Tyr) qui se fixe apparemment sur les mêmes adaptines.

Les études en microscopie électronique de cultures cellulaires exposées simultanément à différents ligands marqués mettent en évidence que plusieurs sortes de récepteurs peuvent s'agréger dans le même puits recouvert de clathrine. La membrane plasmique d'un puits recouvert de clathrine peut probablement recevoir jusqu'à 1 000 récepteurs différents. Même si tous les complexes ligand-récepteur qui utilisent cette voie d'endocytose sont apparemment délivrés dans le même compartiment endosomique, les destins ultérieurs des molécules endocytées varient, comme nous le verrons dans le paragraphe suivant.

Les matériaux endocytés non éliminés des endosomes finissent dans les lysosomes

Les compartiments des endosomes d'une cellule peuvent être complexes. Il peuvent être observés en microscopie électronique si on ajoute dans le milieu extracellulaire une molécule de traçage facilement détectable comme la peroxydase, une enzyme, et qu'on laisse les cellules pendant différents laps de temps pour qu'elles l'absorbent par endocytose. La distribution de la molécule après son absorption révèle que les compartiments des endosomes sont des ensembles de tubes hétérogènes entourés d'une membrane, qui s'étendent de la périphérie de la cellule à la région périnucléaire où ils sont souvent proches de l'appareil de Golgi. Deux ensembles séquentiels d'endosomes sont facilement différenciés dans ces expériences de marquage. La molécule de traçage apparaît au bout d'une minute environ dans les endosomes précoces, situés juste sous la membrane plasmique. Au bout de 5 à 15 minutes, elle se déplace dans les endosomes tardifs, proches de l'appareil de Golgi et près du noyau. Les endosomes précoces et tardifs diffèrent par leur composition protéique ; ils sont associés à différentes protéines Rab par exemple.

Comme nous l'avons déjà mentionné, l'intérieur du compartiment des endosomes est maintenu acide (pH ~6) par une H⁺ ATPase vacuolaire membranaire qui pompe les H⁺ dans la lumière à partir du cytosol. En général les endosomes plus tardifs sont encore plus acides que les endosomes précoces. L'environnement acide a un rôle crucial dans la fonction de ces organites.

Nous avons déjà vu comment les matériaux endocytés qui atteignent les endosomes tardifs sont mélangés à des hydrolases acides néosynthétisées et finissent par être dégradés dans les lysosomes. Beaucoup de molécules, cependant, sont spécifiquement déviées de ce voyage vers la destruction. Elles sont recyclées à partir des endosomes précoces et retournent dans la membrane plasmique via des vésicules de transport. Seules les molécules qui ne sont pas éliminées des endosomes de cette façon sont libérées dans les lysosomes pour être dégradées.

Des protéines spécifiques sont retirées des endosomes précoces et retournent dans la membrane plasmique

Les **endosomes précoces** forment un compartiment qui agit comme une station de tri principale de la voie d'endocytose, tout comme les réseaux *cis-* et *trans*-golgiens ont ce rôle dans la voie de la biosynthèse-sécrétion. Dans l'environnement acide des endosomes précoces, beaucoup de récepteurs protéiques internalisés modifient leur conformation et libèrent leur ligand, tout comme les récepteurs des M6P déchargent leurs chargements d'hydrolases acides dans les endosomes tardifs encore plus acides. Les ligands endocytés qui se dissocient de leurs récepteurs dans les endosomes précoces sont généralement condamnés à être détruits dans les lysosomes en même temps que le reste du contenu soluble de l'endosome. Certains autres ligands endocytés restent cependant liés à leurs récepteurs et connaissent ainsi le destin de leurs récepteurs.

Le destin des récepteurs – et de tout ligand qui y reste fixé – varie selon le type spécifique de récepteur. (1) La plupart des récepteurs sont recyclés et retournent dans le domaine même de la membrane plasmique d'où ils proviennent ; (2) certains se dirigent vers un autre domaine de la membrane plasmique, et servent ainsi d'inter-

Figure 13-45 Destins possibles des récepteurs protéiques transmembranaires endocytés. Les trois voies qui partent du compartiment des endosomes sont montrées ici dans une cellule épithéliale. Les récepteurs retirés sont renvoyés (1) dans le domaine même de la membrane plasmique dont ils sont issus (*recyclage*) ou (2) dans un domaine différent de la membrane plasmique (*transcytose*). (3) Les récepteurs qui ne sont pas spécifiquement recapturés des endosomes suivent la voie qui conduit des endosomes aux lysosomes où ils sont dégradés (*dégradation*). La formation d'agrégats oligomériques dans la membrane des endosomes peut être un des signaux qui guide les récepteurs dans la voie de la dégradation. Si le ligand endocyté reste relié à son récepteur dans l'environnement acide de l'endosome, il suit les mêmes voies que le récepteur ; sinon il est apporté aux lysosomes.

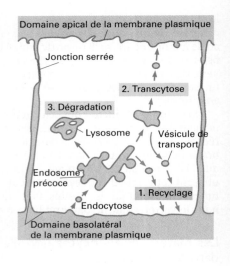

médiaire à un autre processus appelé *transcytose* ; et (3) d'autres vont vers les lysosomes où ils sont dégradés (Figure 13-45).

Le récepteur des LDL suit la première voie. Il se dissocie de son ligand LDL dans les endosomes précoces et est recyclé dans la membrane plasmique pour être réutilisé, laissant le LDL déchargé pour qu'il soit transporté dans le lysosome (Figure 13-46). Les vésicules de recyclage bourgeonnent à partir de longs tubules étroits qui s'étendent à partir des endosomes précoces. Il est probable que la géométrie de ces tubules facilite le processus de tri. Comme les tubules ont une aire membranaire importante qui entoure un petit volume, les protéines membranaires ont tendance à s'y accumuler. Les vésicules de transport qui retournent des matériaux à la membrane plasmique commencent à bourgeonner à partir des tubules, mais les portions tubulaires des endosomes précoces se détachent aussi par pincement et fusionnent les unes avec les autres pour former des *endosomes de recyclage*, une « gare » intermédiaire du transport entre les endosomes précoces et la membrane plasmique. Pendant ce processus, les tubules puis les endosomes de recyclage perdent continuellement des vésicules qui retournent dans la membrane plasmique.

Le **récepteur de la transferrine** suit une voie de recyclage similaire mais recycle également son ligand. La transferrine est une protéine soluble qui transporte le fer dans le sang. Les récepteurs de la transferrine de la surface des cellules délivrent la transferrine liée à son fer dans les endosomes précoces par une endocytose couplée aux récepteurs. Le bas pH des endosomes induit la libération du fer par la transferrine, mais la transferrine non liée au fer (l'apotransferrine) reste elle-même liée à son récepteur. Le complexe récepteur-apotransferrine entre dans les extensions tubulaires des endosomes précoces et est recyclé pour retourner dans la membrane plasmique (Figure 13-47). Lorsque l'apotransferrine retourne vers le pH neutre du liquide extracellulaire, elle se dissocie de son récepteur puis est libérée pour prélever à nou-

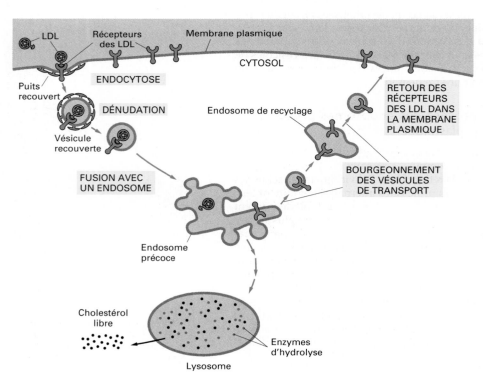

Figure 13-46 Endocytose par l'intermédiaire des récepteurs des LDL. Notez que la LDL se dissocie de son récepteur dans l'environnement acide des endosomes. Après un certain nombre d'étapes (*voir* Figure 13-48), la LDL finit dans un lysosome où elle est dégradée pour libérer du cholestérol libre. Par contre, les protéines réceptrices des LDL retournent dans la membrane plasmique via des vésicules de transport recouvertes de clathrine qui bourgeonnent à partir de la région tubulaire des endosomes précoces comme cela est montré ici. Pour plus de simplicité, un seul récepteur des LDL entre ici dans la cellule et retourne dans la membrane plasmique. Qu'il soit occupé ou non, un récepteur des LDL effectue typiquement ce cycle de déplacement dans la cellule et revient dans la membrane plasmique toutes les 10 minutes, effectuant au total plusieurs centaines de voyages pendant les 20 heures que dure sa vie.

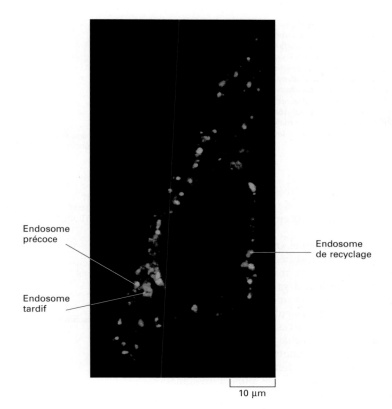

Endosome
précoce

Endosome
tardif

Endosome
de recyclage

10 μm

Figure 13-47 Le tri des protéines membranaires dans la voie endocytaire. Les récepteurs de la transferrine servent d'intermédiaire à l'absorption de nutriments et effectuent un cycle constitutif entre les endosomes et la membrane plasmique. Par contre, les récepteurs des opiacés sont des récepteurs de signal qui – après la fixation du ligand – subissent une régulation négative par leur endocytose suivie de leur dégradation dans les lysosomes. L'endocytose des deux récepteurs commence dans les mêmes puits recouverts de clathrine. Ils sont ensuite délivrés dans les mêmes endosomes précoces où leur voyage se sépare : les récepteurs de la transferrine sont adressés vers les endosomes de recyclage tandis que les récepteurs des opiacés sont adressés dans les endosomes tardifs. La microphotographie montre ces deux récepteurs – marqués par des colorants fluorescents différents – 30 minutes après l'endocytose (les récepteurs des transferrines sont marqués en *rouge* et les récepteurs des opiacés sont marqués en *vert*). À cet instant, certains endosomes précoces contiennent encore les deux récepteurs et apparaissent sous forme d'une structure *jaune* (le jaune résulte du chevauchement des lumières rouges et vertes émises par les colorants fluorescents). Par contre, les endosomes de recyclage et tardifs sont sélectivement enrichis respectivement en récepteurs des transferrines ou en récepteurs des opiacés – et apparaissent donc comme des structures distinctes rouges et vertes. (Due à l'obligeance de Mark von Zastrow.)

veau du fer et recommencer le cycle. De ce fait, la transferrine fait la navette entre le liquide extracellulaire et le compartiment des endosomes, en évitant les lysosomes et en délivrant dans la cellule le fer nécessaire à la croissance cellulaire.

La deuxième voie qui peut être suivie par les récepteurs endocytés dans les endosomes est suivie par les récepteurs des opiacés (*voir* Figure 13-47) et par les récepteurs qui fixent le *facteur de croissance épidermique (EGF* pour *epidermal growth factor*). L'EGF est une petite protéine de signalisation extracellulaire qui stimule la division des cellules épidermiques et de divers autres types cellulaires. Contrairement aux récepteurs des LDL, les récepteurs des EGF ne s'accumulent dans les puits recouverts de clathrine qu'après avoir fixé l'EGF et la plupart d'entre eux ne sont pas recyclés mais dégradés dans les lysosomes en même temps que l'EGF ingéré. La fixation d'EGF active donc d'abord des voies de signalisation intracellulaires puis conduit à une baisse de la concentration en récepteurs des EGF à la surface cellulaire, un processus appelé *régulation négative* des récepteurs qui réduit la sensibilité ultérieure à l'EGF (*voir* Chapitre 15).

Les corps multivésiculaires se forment sur la voie qui conduit aux endosomes tardifs

Le mode de déplacement des molécules endocytées entre les endosomes précoces et les endosomes tardifs qui se termine dans les lysosomes n'est pas encore connu avec certitude. Une des hypothèses courantes est qu'une partie des endosomes précoces migre lentement le long des microtubules vers l'intérieur des cellules, perdant des tubules de matériaux à recycler dans la membrane plasmique. Les endosomes en migration enferment de grandes quantités de membranes invaginées et de vésicules internes qui se sont séparées par pincement et sont donc appelées **corps multivésiculaires** (Figure 13-48). On ne sait pas si ces corps multivésiculaires finissent par fusionner avec le compartiment des endosomes tardifs ou s'ils fusionnent les uns avec les autres pour devenir des endosomes tardifs. À la fin de cette voie, les endosomes tardifs sont transformés en lysosomes par leur fusion avec des vésicules de transport qui contiennent les hydrolases issues du réseau *trans*-glogien et l'augmentation de leur acidification (Figure 13-49).

Les corps multivésiculaires transportent des protéines membranaires spécifiques endocytées qui doivent être dégradées mais excluent celles qui doivent être recyclées. En tant que partie du processus d'adressage des protéines, des protéines spécifiques – comme les récepteurs des EGF occupés, décrits précédemment – se répartissent sélec-

Corps multivésiculaires

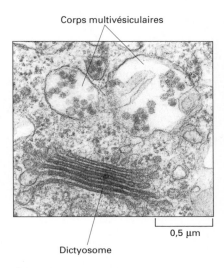

0,5 μm

Dictyosome

Figure 13-48 Photographie en microscopie électronique d'un corps multivésiculaire d'une cellule végétale. Une grande quantité de membrane interne est délivrée dans une vacuole, l'équivalent des lysosomes pour les végétaux, pour être digérée.

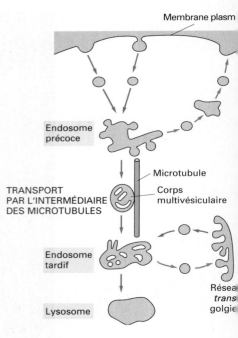

Figure 13-49 La voie de l'endocytose depuis la membrane plasmique jusqu'aux lysosomes. La maturation qui transforme les endosomes précoces en endosomes tardifs se produit par la formation de corps multivésiculaires qui contiennent de grandes quantités de membranes invaginées et de vésicules internes (d'où leur nom). Ces corps se déplacent vers l'intérieur le long des microtubules et le recyclage des composants vers la membrane plasmique se poursuit pendant leur déplacement. Les corps multivésiculaires se transforment graduellement en endosomes tardifs soit en fusionnant les uns avec les autres soit en fusionnant avec des endosomes tardifs préexistants. Les endosomes tardifs n'envoient plus de vésicules vers la membrane plasmique mais communiquent avec le réseau *trans*-golgien via des vésicules de transport qui délivrent les protéines qui transformeront les endosomes tardifs en lysosomes.

tivement dans les membranes invaginées des corps multivésiculaires (Figure 13-50). De cette façon, ces récepteurs, tout comme les protéines de signalisation qui y sont solidement fixées, sont rendus pleinement accessibles aux enzymes digestives qui les dégradent (*voir* Figure 13-50).

Les protéines membranaires triées dans les vésicules internes entourées d'une membrane d'un corps multivésiculaire sont d'abord modifiées de façon covalente par une petite protéine, l'ubiquitine. Contrairement à la multiubiquitinylation qui adresse typiquement les substrats protéiques pour leur dégradation dans les protéasomes (*voir* Chapitre 6), le marquage par l'ubiquitine pour le tri dans les vésicules internes entourées d'une membrane d'un corps multivésiculaire nécessite l'addition d'une seule molécule d'ubiquitine sur les récepteurs activés alors qu'ils sont encore sur la membrane plasmique. Ce marquage par l'ubiquitine facilite l'absorption des récepteurs dans les vésicules d'endocytose puis est reconnu à nouveau par les protéines qui servent d'intermédiaire au processus de tri dans les vésicules internes entourées d'une membrane des corps multivésiculaires. De plus, l'invagination membranaire dans les corps multivésiculaires est régulée par une lipide-kinase qui phosphoryle le phosphatidylinositol. On pense que les têtes phosphorylées de ces lipides servent de site d'amarrage pour les protéines qui permettent le processus d'invagination. Les modifications locales des molécules lipidiques représentent donc une autre façon d'induire des patchs membranaires spécifiques pour modifier leur forme et leur destinée.

En plus des protéines membranaires endocytées, les corps multivésiculaires contiennent également la plupart des contenus solubles des endosomes précoces destinés à être digérés dans les lysosomes.

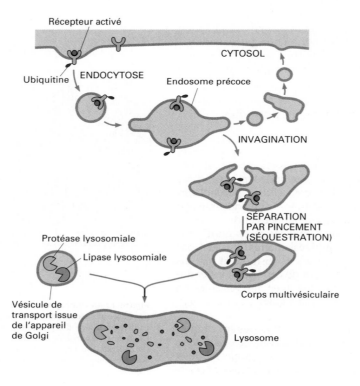

Figure 13-50 Séquestration des protéines endocytées dans les membranes internes des corps multivésiculaires. Finalement, toutes les membranes internes produites par les invaginations montrées sont digérées par les protéases et les lipases dans les lysosomes. L'invagination est essentielle pour permettre la digestion complète des protéines membranaires endocytées. Comme la membrane externe du corps multivésiculaire devient continue avec la membrane lysosomiale, les hydrolases lysosomiales ne pourraient pas digérer les domaines cytosoliques des protéines transmembranaires, comme les récepteurs des EGF montrés ici, s'il ne se produisait pas d'invaginations auparavant.

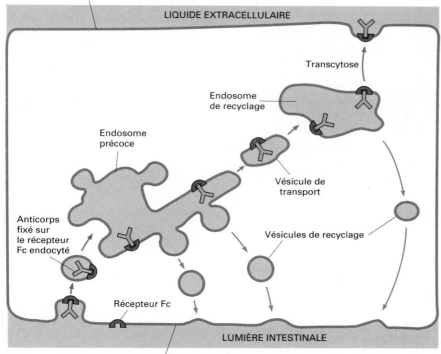

Domaine basolatéral de la membrane plasmique

LIQUIDE EXTRACELLULAIRE

Transcytose

Endosome
de recyclage

Endosome
précoce

Vésicule de
transport

Anticorps
fixé sur
le récepteur
Fc endocyté

Vésicules de recyclage

Récepteur Fc

LUMIÈRE INTESTINALE

Domaine apical de la membrane plasmique

Figure 13-51 Transcytose. Les endosomes de recyclage forment une gare intermédiaire sur la voie de la transcytose. Dans l'exemple montré ici, un récepteur d'anticorps d'une cellule épithéliale intestinale fixe un anticorps puis est endocyté. Il transporte finalement l'anticorps dans la membrane plasmique basolatérale en contact avec la matrice extracellulaire qui est infiltrée de vaisseaux sanguins. Ce récepteur est appelé récepteur Fc parce qu'il fixe la partie Fc de l'anticorps (*voir* Chapitre 24).

Des macromolécules peuvent être transférées au travers des feuillets cellulaires épithéliaux par transcytose

Certains récepteurs de la surface des cellules épithéliales polarisées transfèrent des macromolécules spécifiques d'un espace extracellulaire à l'autre par **transcytose** (Figure 13-51). Ces récepteurs sont endocytés puis suivent une voie qui part des endosomes jusqu'à un autre domaine de la membrane plasmique (*voir* Figure 13-46). Un rat nouveau-né par exemple, obtient ses anticorps du lait de sa mère (qui l'aident à se protéger des infections) par leur transport au travers de l'épithélium intestinal. La lumière intestinale est acide et, à ce bas pH, les anticorps du lait se fixent sur des récepteurs spécifiques de la surface apicale (d'absorption) des cellules épithéliales intestinales. Les complexes récepteur-anticorps sont internalisés via les puits et les vésicules recouverts de clathrine et sont délivrés aux endosomes précoces. Ces complexes restent intacts et sont repris dans des vésicules de transport qui bourgeonnent à partir des endosomes précoces puis fusionnent avec le domaine basolatéral de la membrane plasmique. Du fait de leur exposition au pH neutre du liquide extracellulaire qui baigne la surface basolatérale des cellules, les anticorps se dissocient de leurs récepteurs et finissent par entrer dans le courant sanguin du nouveau-né.

La voie de la transcytose qui va des endosomes précoces à la membrane plasmique n'est pas directe. Les récepteurs se déplacent d'abord des endosomes précoces vers un compartiment endosomique intermédiaire, les **endosomes de recyclage** déjà décrits (*voir* Figure 13-51). La diversité des voies suivies par différents récepteurs à partir des endosomes implique que, en plus des sites de liaison à leurs ligands et des sites de liaison aux puits recouverts, beaucoup de récepteurs possèdent aussi des signaux d'adressage qui les guident dans les types appropriés de vésicules de transport quittant les endosomes et ainsi sur la bonne cible membranaire de la cellule.

Une des propriétés particulières des endosomes de recyclage est que la sortie des protéines membranaires de ce compartiment peut être régulée. De ce fait, les cellules peuvent ajuster selon le besoin le flux de protéines par cette voie de transcytose. Bien que les mécanismes de la régulation soient incertains, ils donnent aux endosomes de recyclage un rôle important dans l'ajustement des concentrations en protéines membranaires spécifiques. Les cellules adipeuses et les cellules musculaires par exemple, contiennent d'importants pools intracellulaires de transporteurs de glucose qui sont responsables de l'absorption du glucose au travers de la membrane plasmique. Ces protéines sont mises en réserve dans des endosomes de recyclage spécialisés jusqu'à ce que la cellule soit stimulée par une hormone, l'insuline, pour augmenter sa vitesse

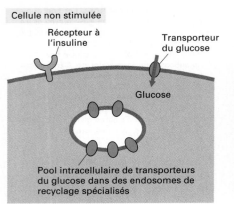

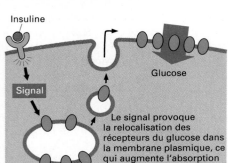

Cellule non stimulée

Récepteur à l'insuline

Transporteur du glucose

Glucose

Pool intracellulaire de transporteurs du glucose dans des endosomes de recyclage spécialisés

Cellule stimulée par l'insuline

Insuline

Signal

Glucose

Le signal provoque la relocalisation des récepteurs du glucose dans la membrane plasmique, ce qui augmente l'absorption du glucose dans la cellule

Figure 13-52 Stockage des protéines de la membrane plasmique dans les endosomes de recyclage. Les endosomes de recyclage peuvent servir de pool intracellulaire de protéines spécifiques de la membrane plasmique, et permettre leur mobilisation selon la demande. Dans l'exemple montré ici, l'insuline en se liant sur son récepteur déclenche une voie de signalisation qui provoque l'insertion rapide des transporteurs du glucose dans la membrane plasmique d'une cellule adipeuse ou musculaire, ce qui augmente fortement l'absorption du glucose.

d'absorption de glucose. Des vésicules de transport bourgeonnent ensuite à partir des endosomes de recyclage et délivrent de grandes quantités de transporteurs du glucose dans la membrane plasmique qui augmentent fortement la vitesse d'absorption du glucose dans la cellule (Figure 13-52).

Les cellules épithéliales possèdent deux compartiments différents d'endosomes précoces mais un compartiment commun d'endosomes tardifs

Dans les cellules épithéliales polarisées, l'endocytose se produit à partir du *domaine basolatéral* et du *domaine apical* de la membrane plasmique. Les matériaux endocytés à partir de chaque domaine commencent par entrer dans le compartiment des endosomes précoces propre à chaque domaine. Cet arrangement permet aux récepteurs endocytés d'être recyclés dans leur domaine membranaire d'origine, sauf s'ils contiennent un signal qui les marque pour subir une transcytose vers l'autre domaine. Les molécules endocytées à partir de chaque domaine de la membrane plasmique qui ne sont pas recapturées des endosomes précoces finissent dans le compartiment commun des endosomes tardifs proches du centre de la cellule et sont finalement dégradées dans les lysosomes (Figure 13-53).

Le fait que les cellules contiennent quelques compartiments d'endosomes connectés ou de nombreux compartiments d'endosomes non connectés semble dépendre du type cellulaire et de l'état physiologique de la cellule. Comme beaucoup d'autres organites entourés d'une membrane, les endosomes d'un même type peuvent facilement fusionner les uns avec les autres (un exemple de fusion homotypique déjà abordé) pour former de gros endosomes continus.

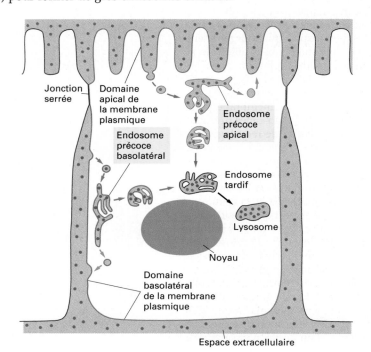

Jonction serrée

Domaine apical de la membrane plasmique

Endosome précoce basolatéral

Endosome précoce apical

Endosome tardif

Lysosome

Noyau

Domaine basolatéral de la membrane plasmique

Espace extracellulaire

Figure 13-53 Les deux compartiments différents des endosomes précoces d'une cellule épithéliale. Les domaines basolatéral et apical de la membrane plasmique communiquent avec des compartiments différents d'endosomes précoces. Mais les molécules endocytées issues des deux domaines qui ne contiennent pas le signal de recyclage ou de transcytose se retrouvent dans le compartiment commun des endosomes tardifs avant d'être digérées dans les lysosomes.

Résumé

Les cellules ingèrent des liquides, des molécules et des particules par endocytose, au cours de laquelle des régions localisées de la membrane plasmique s'invaginent et se séparent par pincement pour former des vésicules d'endocytose. Beaucoup de molécules et de particules endocytées finissent dans les lysosomes où elles sont dégradées. L'endocytose est constitutive mais est aussi une réponse déclenchée par un signal extracellulaire. L'endocytose est si étendue dans de nombreuses cellules qu'une grande partie de la membrane plasmique est internalisée chaque heure. Pour que cela soit possible, la plupart des composants de la membrane plasmique (protéines et lipides) qui sont endocytés sont renvoyés continuellement à la surface cellulaire par exocytose. Ce cycle endocytose-exocytose à grande échelle s'effectue largement par l'intermédiaire des puits et des vésicules recouverts de clathrine.

Beaucoup de récepteurs de la surface cellulaire qui fixent des macromolécules extracellulaires spécifiques se localisent dans les puits recouverts de clathrine. Il en résulte qu'eux et leurs ligands sont efficacement internalisés dans des vésicules recouvertes de clathrine, un processus appelé endocytose couplée à des récepteurs. Les vésicules d'endocytose recouvertes perdent rapidement leur manteau de clathrine et fusionnent avec les endosomes précoces.

La plupart des ligands se dissocient de leurs récepteurs dans l'environnement acide des endosomes et finissent dans les lysosomes, tandis que la plupart des récepteurs sont recyclés, via les vésicules de transport, à nouveau à la surface cellulaire pour être réutilisés. Mais les complexes récepteur-ligand peuvent suivre d'autres voies à partir du compartiment endosomique. Dans certains cas, les récepteurs et les ligands finissent par être dégradés dans les lysosomes, ce qui entraîne la régulation négative des récepteurs. Dans d'autres cas, ils sont tous deux transférés dans un autre domaine membranaire et le ligand est ainsi libéré par exocytose sur une surface cellulaire différente de celle d'où il provient, un processus appelé transcytose. La voie de la transcytose comprend des endosomes de recyclage où les protéines de la membrane plasmique endocytées peuvent être mises en réserve jusqu'à leur utilisation.

TRANSPORT DU RÉSEAU *TRANS*-GOLGIEN À L'EXTÉRIEUR DE LA CELLULE : L'EXOCYTOSE

Après avoir considéré le système digestif interne de la cellule et les divers types de transports membranaires entrant qui convergent dans les lysosomes, retournons maintenant à l'appareil de Golgi et examinons les voies sécrétoires qui conduisent à l'extérieur de la cellule. Les vésicules de transport destinées à la membrane plasmique quittent normalement le réseau *trans*-golgien selon un courant continu. Les protéines membranaires et les lipides de ces vésicules fournissent les nouveaux composants de la membrane plasmique de la cellule tandis que les protéines solubles à l'intérieur des vésicules sont sécrétées dans l'espace extracellulaire. La fusion des vésicules avec la membrane plasmique est appelée **exocytose**. De cette façon, par exemple, les cellules produisent et sécrètent la plupart des protéoglycanes et des glycoprotéines de la *matrice extracellulaire*, que nous aborderons au chapitre 19.

Toutes les cellules nécessitent cette **voie sécrétoire constitutive**. Des cellules sécrétrices spécifiques présentent cependant une deuxième voie sécrétoire au cours de laquelle des protéines solubles et d'autres substances sont initialement mises en réserve dans des vésicules sécrétoires puis ultérieurement libérées. Il s'agit de la **voie sécrétoire régulée**, observée principalement dans les cellules spécialisées dans la sécrétion rapide de produits sur demande – comme des hormones, des neurotransmetteurs ou des enzymes digestives (Figure 13-54). Dans cette partie de chapitre nous verrons le rôle de l'appareil de Golgi dans ces deux voies sécrétoires et nous comparerons ces deux mécanismes de sécrétion.

Beaucoup de protéines et de lipides semblent être transportés automatiquement de l'appareil de Golgi à la surface cellulaire

Dans une cellule capable de sécrétion régulée, trois classes de protéines au moins doivent être séparées avant de quitter le réseau *trans*-golgien – celles destinées aux lysosomes (via les endosomes tardifs), celles destinées aux vésicules sécrétoires et celles destinées à être immédiatement libérées à la surface cellulaire. Nous avons déjà noté que les protéines destinées aux lysosomes étaient marquées pour être placées dans des vésicules spécifiques en partance (par le mannose-6-phosphate pour les hydrolases lysosomiales) et on pense que des signaux analogues dirigent les *protéines sécrétoires* dans les vésicules sécrétoires. La plupart des autres protéines sont transportées directement à la surface cellulaire par la voie sécrétoire constitutive non sélective.

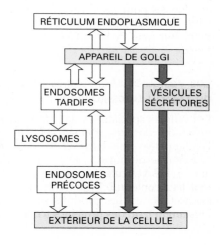

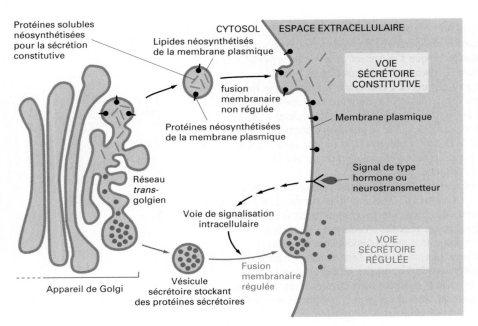

Protéines solubles
néosynthétisées
pour la sécrétion
constitutive

CYTOSOL   ESPACE EXTRACELLULAIRE

Lipides néosynthétisés
de la membrane plasmique

VOIE
SÉCRÉTOIRE
CONSTITUTIVE

fusion
membranaire
non régulée

Protéines néosynthétisées
de la membrane plasmique

Membrane plasmique

Réseau
trans-
golgien

Signal de type
hormone ou
neurostransmetteur

Voie de signalisation
intracellulaire

VOIE
SÉCRÉTOIRE
RÉGULÉE

Fusion
membranaire
régulée

Appareil de Golgi

Vésicule
sécrétoire stockant
des protéines sécrétoires

Figure 13-54 **Voies sécrétoires constitutive et régulée.** Ces deux voies divergent dans le réseau *trans*-golgien. La voie sécrétoire constitutive opère dans toutes les cellules. Beaucoup de protéines solubles sont continuellement sécrétées à partir de la cellule par cette voie qui fournit aussi les lipides et les protéines néosynthétisés à la membrane plasmique. Des cellules sécrétoires spécialisées présentent également une voie sécrétoire régulée, par laquelle des protéines sélectionnées dans le réseau *trans*-golgien sont dirigées dans des vésicules sécrétoires où elles se concentrent et sont mises en réserve jusqu'à ce qu'un signal extracellulaire stimule leur sécrétion. La sécrétion régulée de petites molécules comme l'histamine se produit par une voie similaire; ces molécules sont activement transportées dans des vésicules sécrétoires préformées à partir du cytosol. Là elles sont souvent placées dans des complexes avec des macromolécules spécifiques (des protéoglycanes pour l'histamine) pour pouvoir être mises en réserve à de fortes concentrations sans engendrer de pression osmotique excessive.

Comme l'entrée dans cette voie ne nécessite pas de signal particulier, on l'appelle aussi **voie par défaut** (Figure 13-55). De ce fait, dans une cellule non polarisée comme les leucocytes sanguins ou les fibroblastes, il semble que toutes les protéines de la lumière de l'appareil de Golgi soient automatiquement transportées par la voie constitutive à la surface cellulaire sauf si elles sont spécifiquement ramenées au RE, maintenues sous forme d'une protéine résidente dans l'appareil de Golgi lui-même, ou choisies pour les voies qui conduisent à la sécrétion régulée ou aux lysosomes. Dans les cellules polarisées, où différents produits doivent être apportés dans différents domaines de la surface cellulaire, nous verrons que les options sont plus complexes.

Les vésicules sécrétoires bourgeonnent à partir du réseau *trans*-golgien

Les cellules spécialisées dans la sécrétion rapide de certains de leurs produits sur demande concentrent et stockent ces produits dans des **vésicules sécrétoires** (souvent appelées *granules sécrétoires* ou *vésicules à cœur dense* parce qu'elles apparaissent sous forme de noyaux denses lorsqu'elles sont observées en microscopie électronique). Les vésicules sécrétoires se forment à partir du réseau *trans*-golgien et libèrent leur contenu à l'extérieur de la cellule par exocytose en réponse aux signaux extracellulaires. Les produits sécrétés peuvent être des petites molécules (comme l'histamine), ou des protéines (comme des hormones ou des enzymes digestives).

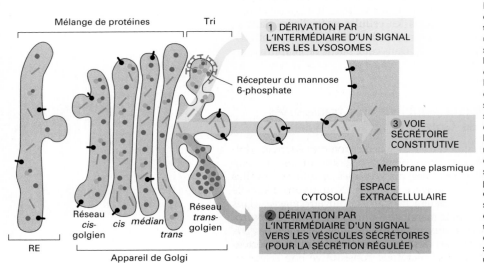

Mélange de protéines   Tri

1 DÉRIVATION PAR
L'INTERMÉDIAIRE D'UN SIGNAL
VERS LES LYSOSOMES

Récepteur du mannose
6-phosphate

3 VOIE
SÉCRÉTOIRE
CONSTITUTIVE

Membrane plasmique

ESPACE
EXTRACELLULAIRE

CYTOSOL

Réseau
cis-
golgien

cis *médian*
trans

Réseau
trans-
golgien

RE

Appareil de Golgi

2 DÉRIVATION PAR
L'INTERMÉDIAIRE D'UN SIGNAL
VERS LES VÉSICULES SÉCRÉTOIRES
(POUR LA SÉCRÉTION RÉGULÉE)

Figure 13-55 **Les trois voies les mieux connues de tri protéique dans le réseau *trans*-golgien.** (1) Les protéines qui ont un marqueur mannose 6-phosphate (M6P) sont dirigées vers les lysosomes (via les endosomes tardifs) dans des vésicules de transport recouvertes de clathrine (*voir* Figure 13-37). (2) Les protéines qui présentent des signaux qui les dirigent vers les vésicules sécrétoires en tant que partie de la voie sécrétoire régulée ne se trouvent que dans des cellules sécrétoires spécialisées. (3) Dans les cellules non polarisées, les protéines qui n'ont pas de caractéristiques spécifiques sont délivrées à la surface cellulaire par la voie sécrétoire constitutive. Dans les cellules polarisées cependant, les protéines sécrétées et de la membrane plasmique sont sélectivement dirigées vers les domaines apical ou basolatéral de la membrane plasmique de telle sorte qu'au moins une de ces deux voies doit s'effectuer par l'intermédiaire d'un signal spécifique, comme nous le verrons ultérieurement.

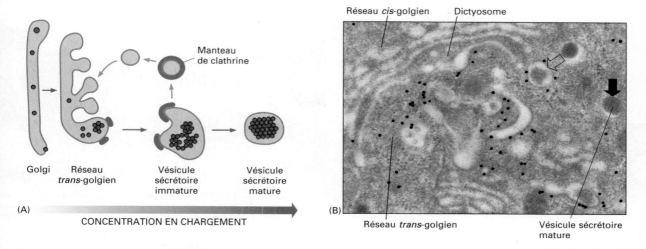

Figure 13-56 Formation des vésicules sécrétoires. (A) Les protéines sécrétoires sont séparées et fortement concentrées dans des vésicules sécrétoires selon deux mécanismes. Premièrement, elles s'agrègent dans l'environnement ionique du réseau *trans*-golgien ; souvent les agrégats se condensent plus lorsque les vésicules sécrétoires mûrissent et que leur lumière s'acidifie. Deuxièmement, les excédents des contenus membranaire et luminal présents dans les vésicules sécrétoires immatures sont recapturés dans des vésicules recouvertes de clathrine lorsque la vésicule sécrétoire mûrit. (B) Cette photographie en microscopie électronique montre des vésicules sécrétoires se formant à partir du réseau *trans*-golgien dans une cellule β pancréatique sécrétrice d'insuline. Un anticorps conjugué à des sphères d'or (*points noirs*) a été utilisé pour localiser les molécules de clathrine. Les vésicules sécrétoires immatures (*flèche évidée*) qui contiennent des précurseurs protéiques de l'insuline (proinsuline) contiennent des patchs de clathrine. Les manteaux de clathrine ne sont plus observables sur les vésicules sécrétoires matures qui présentent un noyau très condensé (*flèche pleine*). (Due à l'obligeance de Lelio Orci.)

Les protéines destinées aux vésicules sécrétoires (appelées *protéines sécrétoires*) sont placées dans les bonnes vésicules dans le réseau *trans*-golgien selon un mécanisme qui, pense-t-on, implique l'agrégation sélective des protéines sécrétoires. Des amas de matériaux denses aux électrons et agrégés peuvent être détectés en microscopie électronique dans la lumière du réseau *trans*-golgien. On ne connaît pas le signal qui dirige les protéines sécrétoires dans ces agrégats mais on pense qu'il est composé de patchs de signal communs aux protéines de cette classe. Lorsqu'un gène codant pour une protéine sécrétoire est transféré dans une cellule sécrétoire qui ne fabrique pas normalement cette protéine, la protéine étrangère est correctement placée dans les vésicules sécrétoires. Cette observation montre que même si les protéines exprimées par chaque cellule individuelle qui sont placées dans la vésicule sécrétoire sont différentes, elles contiennent toutes des signaux de tri communs qui fonctionnent correctement même si les protéines sont exprimées dans des cellules qui ne les fabriquent pas normalement.

On ne sait pas clairement comment les agrégats de protéines sécrétoires sont répartis dans les vésicules sécrétoires. Les vésicules sécrétoires présentent des protéines particulières dans leurs membranes dont certaines pourraient servir de récepteurs pour les protéines agrégées dans le réseau *trans*-golgien. Les agrégats sont bien trop gros cependant pour que chaque molécule protéique sécrétée soit fixée par son propre récepteur de chargement, comme cela a été proposé pour le transport des enzymes lysosomiales. L'absorption des agrégats dans les vésicules sécrétoires doit donc fortement ressembler à l'absorption des particules par phagocytose à la surface cellulaire, où la membrane plasmique se referme rapidement autour de grosses structures.

Au départ la plupart des membranes des vésicules sécrétoires qui quittent le réseau *trans*-golgien ne sont que lâchement placées autour des amas d'agrégats de protéines sécrétoires. Morphologiquement, ces **vésicules sécrétoires immatures** ressemblent à des citernes *trans*-golgiennes dilatées qui se sont séparées par pincement des dictyosomes. Lorsque la vésicule mûrit, son contenu se concentre (Figure 13-56), probablement du fait du retrait continu de membranes qui sont recyclées dans les endosomes tardifs et de l'acidification progressive de la lumière de la vésicule qui résulte de la concentration progressive de pompes à H^+ entraînées par l'ATP dans la membrane de la vésicule. Le degré de concentration des protéines pendant la formation et la maturation des protéines sécrétoires est faible, cependant, comparé à la concentration totale 200 à 400 fois supérieure présente une fois qu'elles ont quitté le RE. Les protéines sécrétoires et membranaires se concentrent lorsqu'elles se déplacent du RE au travers de l'appareil de Golgi à cause d'un processus étendu de recap-

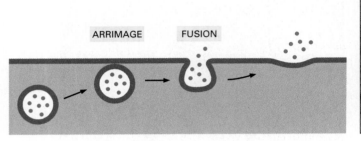

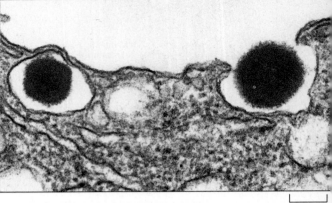

Figure 13-57 Exocytose des vésicules sécrétoires. La photographie en microscopie électronique montre la libération de l'insuline à partir d'une vésicule sécrétoire d'une cellule β du pancréas. (Due à l'obligeance de Lelio Orci, d'après L. Orci, J.-D. Vassali et A. Perrelet, *Sci. Am.* 256 : 85-94, 1998.)

ture rétrograde qui s'effectue par l'intermédiaire de vésicules recouvertes de COP I et qui les exclut (*voir* Figure 13-21).

Le recyclage membranaire est important pour le retour des composants golgiens dans l'appareil de Golgi ainsi que pour la concentration du contenu des vésicules sécrétoires. Les vésicules qui servent d'intermédiaire à cette récupération proviennent de bourgeonnements recouverts de clathrine à la surface des vésicules sécrétoires immatures, que l'on observe souvent même sur les vésicules sécrétoires bourgeonnantes qui ne se sont pas encore séparées des dictyosomes golgiens (*voir* Figure 13-56B).

Comme les vésicules sécrétoires mûres finales sont remplies d'un contenu très dense, les cellules sécrétoires peuvent dégorger de grandes quantités de substances rapidement par exocytose lorsqu'elles sont activées (Figure 13-57).

Les protéines subissent souvent un traitement protéolytique pendant la formation des vésicules sécrétoires

La condensation n'est pas le seul traitement effectué sur les protéines sécrétoires lorsque la vésicule sécrétoire mûrit. Beaucoup d'hormones polypeptidiques et de neuropeptides ainsi que beaucoup d'enzymes hydrolytiques sécrétées sont synthétisés sous forme de précurseurs protéiques inactifs à partir desquels les molécules actives sont libérées par protéolyse. Ce clivage commence dans le réseau *trans*-golgien et se poursuit dans les vésicules sécrétoires et parfois dans le liquide extracellulaire une fois que la sécrétion s'est produite. Beaucoup de polypeptides sécrétés ont, par exemple, un *propeptide N-terminal* qui est coupé pour donner la protéine mature. Ces protéines sont donc synthétisées sous forme de *pré-pro-protéines*, le *prépeptide* étant composé du peptide de signal au RE coupé auparavant dans le RE rugueux (*voir* Figure 12-40). Dans d'autres cas, les molécules à peptide de signalisation sont fabriquées sous forme de *polyprotéines* qui contiennent de multiples copies de la même séquence en acides aminés. Dans des cas encore plus complexes, diverses molécules peptidiques de signalisation sont synthétisées en tant que partie d'une seule polyprotéine qui agit comme un précurseur de multiples produits terminaux, individuellement coupés à partir de la chaîne polypeptidique initiale. La même polyprotéine peut être traitée de diverses façons pour produire différents peptides dans différents types cellulaires (Figure 13-58).

Pourquoi le traitement protéolytique est-il si fréquent dans la voie sécrétoire? Certains peptides produits ainsi, comme les *enképhalines* (neuropeptides à 5 acides aminés ayant une activité de type morphine) sont sans aucun doute trop courts sous leur forme mature pour être transportés co-traductionnellement dans la lumière du

Figure 13-58 Différentes voies de traitement d'une prohormone, la pro-opiomélanocortine. Les coupures initiales sont effectuées par des protéases qui effectuent une coupure après des paires d'acides aminés de charge négative (paires Lys-Arg, Lys-Lys, Arg-Lys ou Arg-Arg). Les réactions de raccourcissement produisent ensuite les produits terminaux sécrétés. Différents types cellulaires produisent différentes concentrations en chaque enzyme de traitement de telle sorte que le même précurseur prohormonal coupé produit différentes hormones peptidiques. Dans le lobe antérieur de l'hypophyse, par exemple, seule la corticotropine (ACTH) et la lipotropine β sont produites à partir de la pro-opiomélanocortine alors que dans le lobe intermédiaire de l'hypophyse ce sont surtout l'hormone de stimulation des mélanocytes α (MSH α), la lipotropine γ, la MSH β et l'endorphine β qui sont produites.

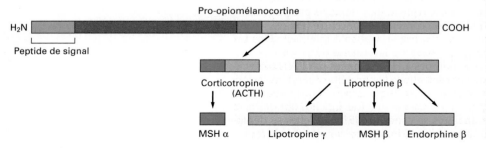

RE ou pour inclure le signal nécessaire à leur mise en place dans des vésicules sécrétoires. De plus, pour les enzymes hydrolytiques sécrétées – ou n'importe quelle protéine dont l'activité pourrait être nuisible à l'intérieur de la cellule qui la fabrique – le retard de l'activation de la protéine jusqu'à ce qu'elle atteigne la vésicule sécrétoire ou qu'elle soit sécrétée présente clairement un avantage. Il l'empêche d'agir prématurément à l'intérieur de la cellule dans laquelle elle est synthétisée.

Les vésicules sécrétoires attendent près de la membrane plasmique jusqu'à ce qu'elles reçoivent le signal de libérer leur contenu

Une fois chargée, une vésicule sécrétoire doit aller sur le site de sécrétion qui, dans certaines cellules, est éloigné de l'appareil de Golgi. Les cellules nerveuses constituent l'exemple le plus extrême. Les vésicules sécrétoires, comme les neurotransmetteurs peptidiques (neuropeptides), qui doivent être libérées des terminaisons nerveuses à l'extrémité de l'axone, sont fabriquées et placées dans des vésicules dans le corps cellulaire où sont localisés les ribosomes, le RE et l'appareil de Golgi. Elles doivent ensuite voyager le long de l'axone jusqu'à la terminaison nerveuse qui peut être éloignée de plus d'un mètre. Comme nous le verrons au chapitre 16, les protéines motrices propulsent les vésicules le long des microtubules axonaux dont l'orientation uniforme guide les vésicules dans la bonne direction. Les microtubules guident aussi les vésicules à la surface cellulaire pour l'exocytose constitutive.

Alors que les vésicules qui contiennent le matériel pour la libération constitutive fusionnent avec la membrane plasmique une fois qu'elles y arrivent, les vésicules sécrétoires de la voie régulée attendent au niveau de la membrane jusqu'à ce que la cellule reçoive un signal pour les sécréter puis pour fusionner. Ce signal est souvent un messager chimique comme une hormone, qui se fixe sur des récepteurs à la surface cellulaire. L'activation des récepteurs qui en résulte engendre des signaux intracellulaires qui comprennent souvent une augmentation transitoire de la concentration en Ca^{2+} libre dans le cytosol. Dans les terminaisons nerveuses, le signal initial de l'exocytose est généralement une excitation électrique (un potentiel d'action) déclenchée par un transmetteur chimique qui se fixe sur un récepteur, quelque part sur la même surface cellulaire. Lorsque le potentiel d'action atteint la terminaison nerveuse, il provoque une entrée de Ca^{2+} à travers les canaux à Ca^{2+} à ouverture contrôlée par le voltage. La fixation des ions Ca^{2+} sur des capteurs spécifiques déclenche alors la fusion des vésicules sécrétoires (appelées vésicules synaptiques) avec la membrane plasmique et la libération de leur contenu dans l'espace extracellulaire.

La vitesse de la libération des transmetteurs indique que les protéines qui servent d'intermédiaires à la réaction de fusion ne subissent pas de réarrangements complexes à multiples étapes. Une fois que les vésicules se sont amarrées à la membrane plasmique présynaptique, elles subissent une étape d'amorçage qui les prépare à la fusion rapide. Les SNARE peuvent être partiellement appariées mais leurs hélices ne sont pas totalement enroulées dans le faisceau final à quatre hélices nécessaire à la fusion (*voir* Figure 13-12). On pense que d'autres protéines maintiennent les SNARE pour qu'elles ne finissent pas la réaction de fusion jusqu'à ce que l'entrée de Ca^{2+} libère ce frein. Dans une synapse typique, seules quelques vésicules arrimées semblent être amorcées et prêtes à l'exocytose. L'utilisation de quelques vésicules à la fois permet à chaque synapse de « se déclencher » encore et encore successivement et rapidement. À chaque « tir », de nouvelles vésicules synaptiques sont amorcées pour remplacer celles qui ont fusionné et libéré leur contenu.

L'exocytose régulée peut être une réponse localisée de la membrane plasmique et de son cytoplasme sous-jacent

L'histamine est une petite vésicule sécrétée dans les **mastocytes**. Elle est libérée par la voie régulée en réponse à des ligands spécifiques qui se fixent sur les récepteurs de la surface des mastocytes. L'histamine est responsable de nombreux symptômes déplaisants qui accompagnent les réactions allergiques, comme les démangeaisons et les éternuements. Lorsque les mastocytes sont mis en incubation dans un liquide contenant un stimulant soluble, il se produit une exocytose massive sur toute la surface cellulaire (Figure 13-59). Mais si le ligand stimulant est artificiellement fixé sur des billes solides de telle sorte qu'il ne peut interagir qu'avec une région localisée de la surface des mastocytes, l'exocytose est alors restreinte à la région où la cellule entre en contact avec la bille (Figure 13-60).

Cette expérience montre que des segments individuels de la membrane plasmique peuvent fonctionner indépendamment lors d'exocytose régulée. Il en résulte

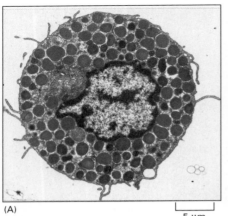
(A)

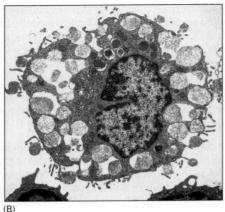
(B)

5 μm

Figure 13-59 Photographie en microscopie électronique d'un mastocyte de rat. (A) Mastocyte non stimulé. (B) Cette cellule a été activée par un stimulant extracellulaire soluble pour sécréter son histamine de réserve. Les vésicules sécrétoires contenant de l'histamine sont en *noir* alors que celles qui ont libéré leur histamine sont *claires*. Le matériau qui reste dans les vésicules utilisées est composé du réseau de protéoglycanes sur lequel les histamines de réserve étaient liées. Une fois que la vésicule sécrétoire a fusionné avec la membrane plasmique, sa membrane sert souvent de cible sur laquelle fusionnent d'autres vésicules sécrétoires. De ce fait, la cellule en (B) contient plusieurs grosses cavités tapissées des membranes fusionnées des nombreuses vésicules sécrétoires utilisées, qui sont maintenant en continuité avec la membrane plasmique. Cette continuité n'est pas toujours visible sur un plan passant par une coupe transversale de la cellule. (D'après D. Lawson, C. Fewtrell, B. Gomperts et M. Raff, *J. Exp. Med.* 142 : 391-402, 1975. © The Rockefeller University Press.)

que les mastocytes, contrairement aux cellules nerveuses, ne répondent pas en tant que tout lorsqu'ils sont activés ; l'activation des récepteurs, les signaux intracellulaires qui en résultent et l'exocytose qui en découle sont tous localisés dans des régions spécifiques de la cellule qui a été excitée. Cette exocytose localisée permet à un lymphocyte *killer* (tueur) par exemple de libérer les protéines qui induisent la mort d'une seule cellule cible infectée, de façon précise, sans mettre en danger les cellules normales voisines (*voir* Figure 16-97).

Les composants membranaires des vésicules sécrétoires sont rapidement éliminés de la membrane plasmique

Lorsqu'une vésicule sécrétoire fusionne avec la membrane plasmique, son contenu est libéré de la cellule par exocytose et sa membrane devient une partie de la membrane plasmique. Même si cela augmente fortement la surface de la membrane plasmique, cela n'est que transitoire parce que les composants membranaires sont éliminés de la surface par endocytose presque aussi vite qu'ils sont ajoutés par exocytose, une réminiscence du cycle exocytose-endocytose traité auparavant. Après leur élimination de la membrane plasmique, on pense que les protéines de la membrane de la vésicule sécrétoire sont envoyées dans les lysosomes pour être dégradées. La quantité de membrane des vésicules sécrétoires qui est temporairement additionnée à la membrane plasmique peut être énorme : dans une cellule acineuse pancréatique qui libère les enzymes digestives dans la lumière intestinale, près de 900 μm² de membrane vésiculaire sont insérés dans la membrane plasmique apicale (dont l'aire est 30 μm²) lorsque la cellule est stimulée pour sécréter.

Le contrôle du transport membranaire a donc un rôle majeur dans le maintien de la composition des diverses membranes de la cellule. Pour conserver à une taille constante chaque compartiment entouré d'une membrane dans les voies sécrétoires et de l'endocytose, l'équilibre entre les flux centrifuge et rétrograde de la membrane doit être régulé avec précision. Pour que les cellules se développent, le flux centrifuge doit être supérieur au flux rétrograde, de telle sorte que la membrane augmente son aire. Pour les cellules qui gardent une taille constante, les flux centrifuge et rétrograde doivent être égaux. Nous en savons encore peu sur les mécanismes qui coordonnent ces flux.

Les cellules polarisées dirigent les protéines du réseau *trans*-golgien vers le domaine approprié de la membrane plasmique

La plupart des cellules des tissus sont *polarisées* et ont deux (et parfois plus) domaines distincts de leur membrane plasmique vers lesquels différents types de vésicules doivent être dirigés. Cela accentue le problème général du mode d'organisation de la délivrance des membranes à partir de l'appareil de Golgi afin de maintenir les différences entre un domaine de la surface cellulaire et un autre. Une cellule épithéliale typique présente un *domaine apical* qui fait face à la lumière et présente souvent des caractéristiques spécifiques comme des cils ou une bordure en brosse de microvillosités ; elle possède aussi un *domaine basolatéral* qui recouvre le reste de la cellule. Ces deux domaines sont séparés par un anneau de *jonctions serrées* (*voir* Figure 19-3) qui empêche que les protéines et les lipides (du feuillet externe de la bicouche lipidique)

Noyau

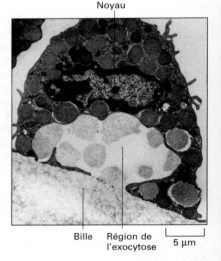

Bille   Région de   5 μm
         l'exocytose

Figure 13-60 L'exocytose peut être une réponse localisée. Cette photographie en microscopie électronique montre un mastocyte qui a été activé pour sécréter son histamine par un stimulant couplé à une grosse bille solide. L'exocytose ne s'est produite que dans la région de la cellule en contact avec la bille. (D'après D. Lawson, C. Fewtrell et M. Raff, *J. Cell Biol.* 79 : 394-400, 1978. © The Rockefeller University Press.)

diffusent entre les deux domaines afin que les compositions de ces deux domaines restent différentes.

La cellule nerveuse est une autre cellule polarisée. La membrane plasmique de son axone et de ses terminaisons nerveuses est spécialisée dans la signalisation aux autres cellules tandis que la membrane plasmique de son corps cellulaire et de ses dendrites est spécialisée dans la réception des signaux issus d'autres cellules nerveuses. Les deux domaines ont une composition protéique distincte. Des études sur le transport protéique dans les cellules nerveuses en culture suggèrent que, en ce qui concerne le transport vésiculaire entre le réseau *trans*-golgien et la surface cellulaire, la membrane plasmique du corps et des dendrites des cellules nerveuses ressemble à la membrane baso-latérale d'une cellule épithéliale polarisée, tandis que la membrane plasmique de l'axone et des terminaisons nerveuses ressemble à la membrane apicale d'une telle cellule (Figure 13-61). De ce fait, certaines protéines qui sont adressées vers un domaine spécifique dans la cellule épithéliale sont aussi adressées au domaine correspondant dans la cellule nerveuse.

Des signaux de tri cytoplasmiques guident sélectivement les protéines membranaires vers la membrane plasmique basolatérale

En principe les différences entre les domaines de la membrane plasmique n'ont pas besoin de dépendre de la délivrance ciblée des composants membranaires appropriés. Par contre, les composants membranaires pourraient être délivrés vers toutes les régions de la surface cellulaire sans discrimination, puis être sélectivement stabilisés dans certaines localisations et sélectivement éliminés dans d'autres. Bien que cette stratégie de la délivrance aléatoire suivie d'une rétention ou d'une élimination sélective semble être utilisée dans certains cas, l'apport est souvent spécifiquement dirigé vers le domaine membranaire approprié. Les cellules épithéliales, par exemple, sécrètent fréquemment un groupe de produits – des enzymes digestives ou le mucus dans les cellules qui tapissent l'intestin – au niveau de leur face apicale et un autre groupe de produits – des composants de la lame basale – sur leur face basolatérale. De ce fait, les cellules doivent pouvoir diriger les vésicules qui transportent différentes cargaisons vers différents domaines de la membrane plasmique.

L'examen de cellules épithéliales polarisées en culture a permis de trouver que les protéines issues du RE et destinées à différents domaines se déplaçaient ensemble jusqu'à ce qu'elles atteignent le réseau *trans*-golgien. Là elles se séparaient et étaient distribuées dans des vésicules sécrétoires ou de transport vers le domaine approprié de la membrane plasmique (Figure 13-62).

Les protéines membranaires destinées à être délivrées dans la membrane baso-latérale contiennent des signaux de tri dans leur queue cytoplasmique. Deux de ces signaux sont connus, l'un contient une tyrosine conservée caractéristique et l'autre deux leucines adjacentes. Lorsqu'ils se trouvent dans un contexte structural approprié, ces acides aminés sont reconnus par les protéines du manteau qui les placent dans des vésicules de transport appropriées dans le réseau *trans*-golgien. Ces mêmes signaux basolatéraux qui sont reconnus dans le réseau *trans*-golgien fonctionnent aussi dans les endosomes et redirigent les protéines vers la membrane plasmique basolatérale après leur endocytose.

Les radeaux lipidiques (*lipid rafts*) peuvent servir d'intermédiaire de tri des glycosphingolipides et des protéines à ancre de GPI vers la membrane plasmique apicale

La membrane plasmique apicale de la plupart des cellules est fortement enrichie en glycosphingolipides qui la protègent des lésions – par les enzymes digestives et le bas pH dans des sites comme l'estomac ou la lumière intestinale, par exemple. Les protéines de la membrane plasmique qui sont reliées à la bicouche lipidique par une ancre de glycosylphosphatidylinositol (GPI) se trouvent aussi exclusivement dans la membrane plasmique apicale. Si des techniques d'ADN recombinant sont utilisées pour attacher une ancre de GPI sur une protéine qui doit normalement être délivrée sur la face basolatérale, cette protéine est au lieu de cela délivrée sur la face apicale.

On pense que les *protéines à ancre de GPI* sont dirigées sur la membrane apicale parce qu'elles s'associent aux glycosphingolipides des **radeaux lipidiques** qui se forment dans la membrane du réseau *trans*-golgien et de la membrane plasmique lorsque les glycosphingolipides et le cholestérol s'auto-associent en micro-agrégats (*voir* Figure 10-13). Les protéines membranaires qui ont des domaines transmembranaires particulièrement longs s'accumulent aussi dans ces microdomaines lipi-

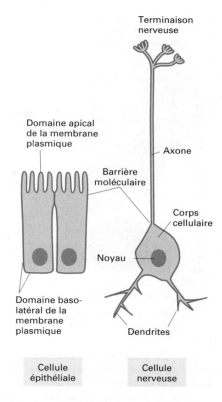

Figure 13-61 Comparaison de deux types de cellules polarisées. Si on considère le mécanisme utilisé pour diriger les protéines vers elle, la membrane plasmique du corps cellulaire et des dendrites des nerfs ressemble au domaine basolatéral de la membrane plasmique d'une cellule épithéliale polarisée, tandis que la membrane plasmique de l'axone et de ses terminaisons nerveuses ressemble au domaine apical d'une cellule épithéliale. Les différents domaines membranaires des cellules épithéliales et des cellules nerveuses sont séparés par une barrière moléculaire, constituée d'un filet de protéines membranaires solidement associées au cytosquelette d'actine sous-jacent ; cette barrière appelée jonction serrée dans la cellule épithéliale et cône axonal dans les neurones – empêche les protéines membranaires de diffuser entre deux domaines différents.

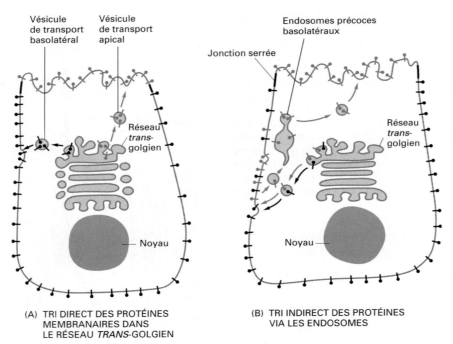

Vésicule
de transport
basolatéral

Vésicule
de transport
apical

Endosomes précoces
basolatéraux

Jonction serrée

Réseau
trans-
golgien

Réseau
trans-
golgien

Noyau

Noyau

(A) TRI DIRECT DES PROTÉINES
MEMBRANAIRES DANS
LE RÉSEAU *TRANS*-GOLGIEN

(B) TRI INDIRECT DES PROTÉINES
VIA LES ENDOSOMES

Figure 13-62 Deux modes de triage des protéines de la membrane plasmique dans une cellule épithéliale polarisée. Les protéines néosynthétisées peuvent atteindre leur propre domaine de la membrane plasmique par (A) la voie directe ou (B) la voie indirecte. Dans la voie indirecte, la protéine est recapturée du domaine inapproprié de la membrane plasmique par endocytose puis transportée dans le domaine correct par les endosomes précoces – à savoir par transcytose. On sait que la voie indirecte est utilisée dans les hépatocytes pour délivrer les protéines dans le domaine apical qui tapisse les canaux biliaires. Cependant dans d'autres cas, la voie directe est empruntée comme cela est décrit pour les cellules épithéliales intestinales.

diques. De plus, ces microdomaines contiennent préférentiellement des protéines à ancre de GPI et certaines protéines qui se lient aux glucides (lectines) qui pourraient faciliter la stabilisation de l'assemblage (Figure 13-63).

Après avoir sélectionné un groupe particulier de molécules de chargement, les microdomaines lipidiques bourgeonnent alors du réseau *trans-*golgien dans des vésicules de transport destinées à la membrane plasmique apicale.

Les vésicules synaptiques peuvent se former directement à partir des vésicules d'endocytose

Les cellules nerveuses (et certaines vésicules endocriniennes) contiennent deux types de vésicules sécrétoires. Comme toutes les cellules sécrétoires, celles-ci placent les protéines et les peptides dans des vésicules sécrétoires à cœur dense selon le mode standard de libération par la voie sécrétoire régulée. Elles utilisent en plus, cependant, une autre classe spécialisée de minuscules vésicules sécrétoires (~50 nm de diamètre) appelées **vésicules synaptiques** et engendrées autrement. Dans les cellules nerveuses, ces vésicules mettent en réserve de petites molécules de neurotransmetteurs comme l'acétylcholine, le glutamate, la glycine et l'acide γ-aminobutyrique (GABA) qui sont les intermédiaires d'une signalisation rapide de cellule à cellule au niveau des synapses chimiques. Comme nous l'avons vu précédemment, les vésicules sont déclenchées pour libérer leur contenu en une fraction de milliseconde lors-

Figure 13-63 Modèle des radeaux lipidiques (*lipid rafts*) dans le réseau *trans-*golgien. On pense que les glycosphingolipides et le cholestérol forment des microdomaines lipidiques dans la bicouche lipidique. Les protéines membranaires qui ont des segments transmembranaires assez longs se répartissent préférentiellement dans ces radeaux lipidiques et sont par conséquent triées dans les vésicules de transport. Ces radeaux sont ensuite placés dans des vésicules de transport qui les transportent dans le domaine apical de la membrane plasmique. Les protéines qui se fixent sur les glucides (lectines) dans la lumière du réseau *trans-*golgien facilitent la stabilisation des radeaux comme cela est montré ici.

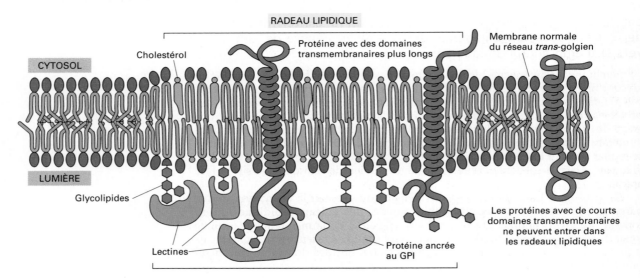

RADEAU LIPIDIQUE

Cholestérol

Protéine avec des domaines transmembranaires plus longs

Membrane normale
du réseau *trans-*golgien

CYTOSOL

LUMIÈRE

Glycolipides

Lectines

Protéine ancrée
au GPI

Les protéines avec de courts domaines transmembranaires ne peuvent entrer dans les radeaux lipidiques

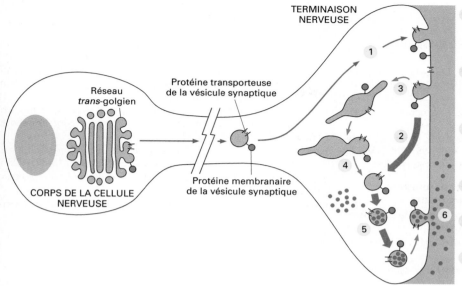

1 DÉLIVRANCE DES
COMPOSANTS DE
LA VÉSICULE
SYNAPTIQUE DANS
LA MEMBRANE PLASMIQUE

2 ENDOCYTOSE DES COMPOSANTS
DE LA VÉSICULE SYNAPTIQUE
POUR FORMER DIRECTEMENT
DE NOUVELLES VÉSICULES
SYNAPTIQUES

3 ENDOCYTOSE DU
CONTENU DES VÉSICULES
SYNAPTIQUES ET
DÉLIVRANCE AUX
ENDOSOMES

4 BOURGEONNEMENT DES
VÉSICULES SYNAPTIQUES
À PARTIR DES ENDOSOMES

5 CHARGEMENT DES
NEUROTRANSMETTEURS DANS
LES VÉSICULES SYNAPTIQUES

6 SÉCRÉTION DES
NEUROTRANSMETTEURS PAR
EXOCYTOSE EN RÉPONSE À
UN POTENTIEL D'ACTION

qu'un potentiel d'action arrive sur la terminaison nerveuse. Certains neurones tirent plus de 1 000 fois par seconde, libérant des neurotransmetteurs à chaque fois. Cette libération rapide est possible parce que certaines vésicules sont arrimées et amorcées pour leur fusion qui ne se produit que lorsqu'un potentiel d'action provoque l'entrée de Ca^{2+} dans la terminaison.

Seule une petite proportion des vésicules synaptiques de la terminaison nerveuse fusionne avec la membrane plasmique en réponse à chaque potentiel d'action. Mais pour que la terminaison nerveuse réponde rapidement et de façon répétitive, les vésicules utilisées doivent être remplies très rapidement après leur vidange. De ce fait, la plupart des vésicules synaptiques sont engendrées non pas à partir de la membrane golgienne du corps de la cellule nerveuse mais par un recyclage local à partir de la membrane plasmique de la terminaison nerveuse. On pense que les composants membranaires des vésicules synaptiques sont initialement délivrés à la membrane plasmique par la voie sécrétoire constitutive puis retirés par endocytose. Mais au lieu de fusionner avec les endosomes, la plupart des vésicules d'endocytose se remplissent immédiatement de neurotransmetteurs pour devenir des vésicules synaptiques.

Les composants membranaires d'une vésicule synaptique incluent des protéines de transport spécialisées dans la capture des neurotransmetteurs à partir du cytosol où sont synthétisées les petites molécules de neurotransmetteurs qui permettent une signalisation rapide. Une fois remplies de neurotransmetteurs, ces vésicules retournent dans la membrane plasmique où elles attendent jusqu'à ce que la cellule soit stimulée. Lorsqu'elles ont libéré leur contenu, leurs composants membranaires sont retirés de la même façon et réutilisés (Figure 13-64).

Figure 13-64 Formation des vésicules synaptiques. Ces minuscules vésicules uniformes ne se trouvent que dans les cellules nerveuses où elles mettent en réserve et sécrètent de petites molécules de neurotransmetteurs. L'importation de neurotransmetteurs directement dans les petites vésicules endocytaires qui se forment à partir de la membrane plasmique passe par l'intermédiaire de protéines de transport membranaires qui fonctionnent comme des antiports, entraînées par un gradient de H^+ maintenu par une pompe à protons de la membrane des vésicules.

Résumé

Les protéines peuvent être sécrétées à partir des cellules par exocytose de façon soit constitutive soit régulée. Selon la voie régulée, les molécules sont stockées soit dans des vésicules sécrétoires soit dans des vésicules synaptiques qui ne fusionnent avec la membrane plasmique pour libérer leur contenu que lorsqu'elles reçoivent un signal approprié. Les vésicules sécrétoires bourgeonnent à partir du réseau trans-golgien. Les protéines sécrétoires qu'elles contiennent se condensent pendant la formation et la maturation des vésicules sécrétoires. Les vésicules synaptiques qui sont confinées aux cellules nerveuses et certaines cellules endocrines se forment à partir de vésicules d'endocytose et à partir des endosomes et sont responsables de la sécrétion régulée de petites molécules de neurotransmetteurs. Tandis que la voie régulée opère uniquement dans des cellules sécrétoires spécifiques, la voie sécrétoire constitutive opère dans toutes les cellules eucaryotes, par l'intermédiaire d'un transport vésiculaire continu qui part du réseau trans-golgien et va vers la membrane plasmique.

Les protéines sont amenées du réseau trans-golgien à la membrane plasmique par la voie constitutive sauf si elles sont dirigées vers d'autres voies ou maintenues dans l'appareil de Golgi. Dans les cellules polarisées, les voies de transport du réseau trans-golgien à la membrane plasmique opèrent sélectivement pour assurer que différents groupes de protéines membranaires, de protéines sécrétées et de lipides sont délivrés dans les différents domaines de la membrane plasmique.

Bibliographie

Généralités

Mellman I & Warren G (2000) The road taken: past and future foundations of membrane traffic. *Cell* 100, 99–112.

Pelham HR (1999) The Croonian Lecture 1999. Intracellular membrane traffic: getting proteins sorted. *Philos. Trans. R. Soc. Lond. B. Biol. Sci.* 354(1388), 1471–1478.

Rothman JE & Wieland FT (1996) Protein sorting by transport vesicles. *Science* 272, 227–234.

Schekman RW (1996) Regulation of membrane traffic in the secretory pathway. In The Harvey Lectures Series 90 1994–95 (RM Evans, C Guthrie, LH Hartwell et al. eds), pp 41–57. New York: John Wiley.

Mécanismes moléculaires du transport membranaire et entretien de la diversité des compartiments

Chavrier P & Goud B (1999) The role of ARF and Rab GTPases in membrane transport. *Curr. Opin. Cell Biol.* 11, 466–475.

Kirchhausen T (1999) Adaptors for clathrin-mediated traffic. *Annu. Rev. Cell Dev. Biol.* 15, 705–732.

Kreis TE, Lowe M & Pepperkok R (1995) COPs regulating membrane traffic. *Annu. Rev. Cell Dev. Biol.* 11, 677–706.

Novick P & Zerial M (1997) The diversity of Rab proteins in vesicle transport. *Curr. Opin. Cell Biol.* 9, 496–504.

Nuoffer C & Balch WE (1994) GTPases: multifunctional molecular switches regulating vesicular traffic. *Annu. Rev. Biochem.* 63, 949–990.

Pelham HR (1999) SNAREs and the secretory pathway—lessons from yeast. *Exp. Cell Res.* 247, 1–8.

Pelham HR (2001) SNAREs and the specificity of membrane fusion. *Trends Cell Biol.* 11, 99–101.

Schekman R & Orci L (1996) Coat proteins and vesicle budding. *Science* 271, 1526–1533.

Schmid SL (1997) Clathrin-coated vesicle formation and protein sorting: an integrated process. *Annu. Rev. Biochem.* 66, 511–548.

Weber T, Zemelman BV, McNew JA et al. (1998) SNAREpins: minimal machinery for membrane fusion. *Cell* 92, 759–772.

Transport du RE au travers de l'appareil de Golgi

Bannykh SI, Rowe T & Balch WE (1996) The organization of endoplasmic reticulum export complexes. *J. Cell Biol.* 135, 19–35.

Comer FI & Hart GW (1999) O-GlcNAc and the control of gene expression. *Biochim. Biophys. Acta* 1473, 161–171.

Ellgaard L, Molinari M & Helenius A (1999) Setting the standards: quality control in the secretory pathway. *Science* 286, 1882–1888.

Farquhar MG & Palade GE (1998) The Golgi apparatus: 100 years of progress and controversy. *Trends Cell Biol.* 8, 2–10. (Part of a special issue on the Golgi)

Fortoni ME (2000) Fringe benefits to carbohydrates. *Nature* 406, 357–358.

Glick BS (2000) Organization of the Golgi apparatus. *Curr. Opin. Cell Biol.* 12, 450–456.

Klumperman J (2000) Transport between ER and Golgi. *Curr. Opin. Cell Biol.* 12, 445–449.

Ladinsky MS, Mastronarde DN, McIntosh JR et al. (1999) Golgi structure in three dimensions: functional insights from the normal rat kidney cell. *J Cell Biol.* 144, 1135–1149.

Orci L, Stamnes M, Ravazzola M et al. (1997) Bidirectional transport by distinct populations of COPI-coated vesicles. *Cell* 90, 335–349.

Ruoslahti E (1988) Structure and biology of proteoglycans. *Annu. Rev. Cell Biol.* 4, 229–255.

Warren G & Malhotra V (1998) The organisation of the Golgi apparatus. *Curr. Opin. Cell Biol.* 10, 493–498.

Waters MG & Pfeffer SR (1999) Membrane tethering in intracellular transport. *Curr. Opin. Cell Biol.* 11, 453–459.

Transport du réseau *trans*-golgien aux lysosomes

Amara J, Cheng SH & Smith A (1992) Intracellular protein trafficking defects in human disease. *Trends Cell Biol.* 2, 145–149.

Andrews NW (2000) Regulated secretion of conventional lysosomes. *Trends Cell Biol.* 10, 316–321.

Bainton D (1981) The discovery of lysosomes. *J. Cell Biol.* 91, 66s–76s.

Kornfeld S & Mellman I (1989) The biogenesis of lysosomes. *Annu. Rev. Cell Biol.* 5, 483–525.

Mizushima N, Yamamoto A, Hatano M et al. (2001) Dissection of autophagosome formation using Apg5-deficient mouse embryonic stem cells. *J. Cell Biol.* 152, 657–668.

Munier-Lehmann H, Mauxion F & Hoflack B (1996) Function of the two mannose 6-phosphate receptors in lysosomal enzyme transport. *Biochem. Soc. Trans.* 24, 133–136.

Storrie B & Desjardins M (1996) The biogenesis of lysosomes: is it a kiss and run, continuous fusion and fission process? *Bioessays* 18, 895–903.

Tjelle TE, Lovdal T & Berg T (2000) Phagosome dynamics and function. *Bioessays* 22, 255–263.

von Figura K (1991) Molecular recognition and targeting of lysosomal proteins. *Curr. Opin. Cell Biol.* 3, 642–646.

Transport intracellulaire à partir de la membrane plasmique : l'endocytose

Anderson RG (1998) The caveolae membrane system. *Annu. Rev. Biochem.* 67, 199–225.

Béron W, Alvarez-Dominguez C, Mayorga L & Stahl PD (1995) Membrane trafficking along the phagocytic pathway. *Trends Cell Biol.* 5, 100–104. (Part of a special issue on phagocytosis)

Brown MS & Goldstein JL (1986) A receptor-mediated pathway for cholesterol homeostasis. *Science* 232, 34–47.

Fujita M, Reinhart F & Neutra M (1990) Convergence of apical and basolateral endocytic pathways at apical late endosomes in absorptive cells of suckling rat ileum *in vivo*. *J. Cell Sci.* 97, 385–394.

Hicke L (2001) A new ticket for entry into budding vesicles—ubiquitin. *Cell* 106, 527–530.

Marks MS, Ohno H, Kirchhausen T & Bonifacino JS (1997) Protein sorting by tyrosine-based signals: adapting to the Ys and wherefores. *Trends Cell Biol.* 7, 124–128

Mellman I (1996) Endocytosis and molecular sorting. *Annu. Rev. Cell Dev. Biol.* 12, 575–625.

Mostov KE, Verges M & Altschuler Y (2000) Membrane traffic in polarized epithelial cells. *Curr. Opin. Cell Biol.* 12, 483–490.

Odorizzi G, Babst M & Emr SD (2000) Phosphoinositide signaling and the regulation of membrane trafficking in yeast. *Trends Biochem. Sci.* 25, 229–235.

Transport du réseau *trans*-golgien à l'extérieur de la cellule : l'exocytose

Burgess TL & Kelly RB (1987) Constitutive and regulated secretion of proteins. *Annu. Rev. Cell Biol.* 3, 243–294.

Jacobson K & Dietrich C (1999) Looking at lipid rafts? *Trends Cell Biol.* 9, 87–91.

Jarousse N & Kelly RB (2001) Endocytotic mechanisms in synapses. *Curr. Opin. Cell Biol.* 13, 461–469.

Keller P & Simons K (1997) Post-Golgi biosynthetic trafficking. *J. Cell Sci.* 110, 3001–3009.

Klenchin VA & Martin TFJ (2000) Priming in exocytosis: attaining fusion-competence after vesicle docking. *Biochimie* 82, 399–407.

Lawson D, Fewtrell C & Raff M (1978) Localized mast cell degranulation induced by concanavalin A-sepharose beads, implications for the Ca²⁺ hypothesis of stimulus-secretion coupling. *J. Cell Biol.* 79, 394–400.

Martin TFJ (1997) Stages of regulated exocytosis. *Trends Cell Biol.* 7, 271–276.

Simons K & Ikonen E (1997) Functional rafts in cell membranes. *Nature* 387, 569–572.

Südhof TC (1995) The synaptic vesicle cycle: a cascade of protein–protein interactions. *Nature* 375, 645–653.

Traub LM & Kornfeld S (1997) The trans-Golgi network: a late secretory sorting station. *Curr. Opin. Cell Biol.* 9, 527–533.

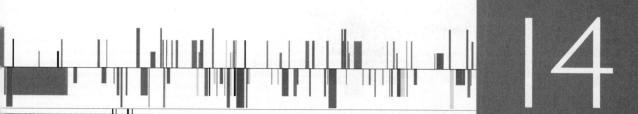

CONVERSION ÉNERGÉTIQUE : MITOCHONDRIES ET CHLOROPLASTES

Un ensemble de réactions intracytosoliques permet d'utiliser l'énergie dérivée de l'oxydation partielle des molécules glucidiques riches en énergie pour former de l'ATP, l'unité d'énergie chimique de la cellule (*voir* Chapitre 2). Mais une méthode beaucoup plus efficace de formation énergétique est apparue très précocement dans l'histoire de la vie. Ce processus, qui se fonde sur les membranes, permet aux cellules d'acquérir de l'énergie à partir d'une large variété de sources. Il est, par exemple, au centre de la conversion de l'énergie lumineuse en énergie de liaison chimique lors de la photosynthèse et au cœur de la respiration anaérobie qui nous permet d'utiliser l'oxygène pour produire de grandes quantités d'ATP à partir de molécules alimentaires.

La membrane utilisée pour produire l'ATP chez les procaryotes est la membrane plasmique. Mais dans les cellules eucaryotes, cette membrane est réservée aux processus de transport décrits au chapitre 11. Par contre, ces cellules utilisent des membranes spécialisées à l'intérieur d'*organites de conversion énergétique* pour produire l'ATP. Ces organites entourés d'une membrane sont les **mitochondries**, présentes dans les cellules de tous les organismes eucaryotes (y compris les champignons, les animaux et les végétaux) et les **plastes** – en particulier les **chloroplastes** – que l'on ne trouve que dans les végétaux. En microscopie électronique, la caractéristique morphologique la plus étonnante des mitochondries et des chloroplastes est la grande quantité de membranes internes qu'ils renferment. Cette membrane interne constitue l'échafaudage d'un ensemble complexe de processus de transport d'électrons qui produisent la majeure partie de l'ATP cellulaire.

Les mitochondries, les chloroplastes et les procaryotes utilisent une voie commune pour produire de l'énergie dans un but biologique : ce processus s'appelle le **couplage chimio-osmotique** et reflète l'enchaînement des réactions qui forment une liaison engendrant l'ATP («chimio») et des processus de transport membranaire («osmotique»). Ce processus de couplage se produit au cours de deux étapes liées, qui s'effectuent par des complexes protéiques inclus dans la membrane.

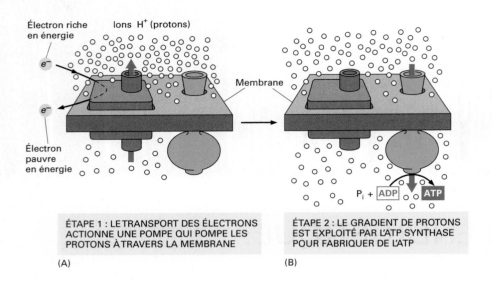

Figure 14-1 Exploitation de l'énergie pour la vie. (A) Les besoins essentiels de la chimio-osmose sont une membrane – dans laquelle se trouve incluse une pompe protéique et une ATP synthase plus une source d'électrons riches en énergie (e⁻). Les protons (H⁺) montrés sont librement disponibles à partir des molécules d'eau. La pompe exploite l'énergie du transfert d'électrons (les détails ne sont pas montrés ici) pour pomper les protons, ce qui forme un gradient de protons à travers la membrane. (B) Ce gradient de protons sert de réserve d'énergie qui peut être utilisée pour actionner la synthèse d'ATP par l'ATP synthase, une enzyme. La *flèche rouge* montre la direction du mouvement des protons à chaque étape.

Étape 1. Les électrons riches en énergie (dérivés de l'oxydation des molécules alimentaires par l'action de la lumière solaire, ou par d'autres sources que nous aborderons ultérieurement) sont transférés par une série de transporteurs d'électrons inclus dans la membrane. Ces transferts d'électrons libèrent de l'énergie, utilisée pour pomper des protons (H⁺, dérivés de l'eau qui est ubiquiste dans les cellules) au travers de la membrane et engendrer ainsi un *gradient électrochimique de protons*. Comme nous l'avons abordé au chapitre 11, ce gradient ionique au travers d'une membrane est une forme de stockage d'énergie qui peut être recueillie pour effectuer un travail utile lorsque les ions refluent librement au travers de la membrane selon leur gradient électrochimique.

Étape 2. H⁺ reflue selon son gradient électrochimique au travers d'une machinerie protéique appelée *ATP synthase*, qui catalyse la synthèse, énergie-dépendante, d'ATP à partir d'ADP et de phosphate inorganique (Pᵢ). Cette enzyme ubiquiste joue le rôle d'une turbine qui permet au gradient de protons d'actionner la production d'ATP (Figure 14-1).

Le gradient électrochimique de protons sert également à actionner d'autres machineries protéiques incluses dans la membrane (Figure 14-2). Chez les eucaryotes, certaines protéines couplent le flux de H⁺ «vers l'aval» au transport de métabolites spécifiques à l'intérieur et à l'extérieur des organites. Chez les bactéries, le gradient électrochimique de protons ne sert pas seulement à actionner la synthèse d'ATP et les processus de transport ; en tant que réserve d'énergie directement utilisable, il actionne aussi la rotation rapide du flagelle bactérien qui permet à la bactérie de nager.

Il est intéressant de comparer les processus de transport des électrons dans les mitochondries, qui convertissent l'énergie issue de combustibles chimiques, à ceux qui s'effectuent dans les chloroplastes et qui convertissent l'énergie issue de la lumière solaire (Figure 14-3). Dans les mitochondries, les électrons – libérés d'une molécule glucidique alimentaire au cours de sa dégradation en CO₂ – sont transférés au travers de la membrane par une chaîne de transporteurs d'électrons, qui finissent par réduire l'oxygène gazeux (O₂) pour former de l'eau. L'énergie libre libérée lorsque les électrons se déplacent le long de cette voie et passent d'un état riche en énergie à un état pauvre en énergie, sert à actionner une série de trois pompes à H⁺ dans la membrane mitochondriale interne et c'est la troisième pompe de la série qui catalyse le transfert des électrons sur O₂ (*voir* Figure 14-3A).

Ce mécanisme de transport des électrons peut être comparé à une cellule électrique qui entraîne un courant au travers d'un ensemble de moteurs électriques. Cependant, dans les systèmes biologiques, les électrons sont transportés d'un site à un autre, non par des fils conducteurs mais par des molécules qui peuvent diffuser et prélever des électrons dans un endroit pour les délivrer dans un autre. Dans les mitochondries, le premier de ces transporteurs d'électrons est le NAD⁺ qui prend deux électrons (plus un H⁺) pour devenir NADH, une petite molécule hydrosoluble qui transporte les électrons depuis les sites de dégradation des molécules alimentaires jusqu'à la membrane interne mitochondriale. L'ensemble complet des protéines membranaires, associées aux petites molécules impliquées dans la séquence ordonnée du transfert des électrons, forme une **chaîne de transport des électrons**.

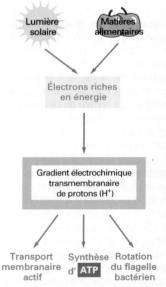

Figure 14-2 Couplage chimio-osmotique. L'énergie de la lumière solaire ou de l'oxydation des matières alimentaires est d'abord utilisée pour créer un gradient électrochimique de protons à travers la membrane. Ce gradient sert de réserve énergétique polyvalente, utilisée pour actionner diverses réactions nécessitant de l'énergie dans les mitochondries, les chloroplastes et les bactéries.

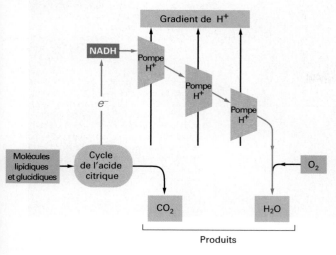

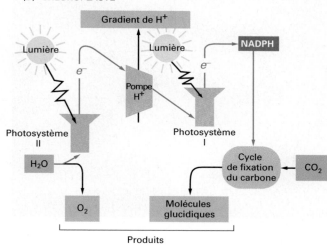

Même si on peut décrire les chloroplastes par des termes similaires, et que plusieurs composants principaux sont semblables à ceux des mitochondries, la membrane des chloroplastes contient certains composants primordiaux absents de la membrane mitochondriale. Les principaux sont les *photosystèmes*, dans lesquels un pigment vert, la chlorophylle, capture l'énergie lumineuse et l'utilise pour actionner le transfert des électrons, un peu comme les cellules photoélectriques des panneaux solaires que nous fabriquons et qui absorbent l'énergie lumineuse pour former un courant électrique. La force électromotrice engendrée par les photosystèmes des chloroplastes actionne le transfert des électrons dans la direction opposée à celle qui se produit dans les mitochondries ; les électrons sont *retirés* de l'eau et produisent O_2 puis sont *donnés* (via le NADPH, un composé proche du NADH) au CO_2 pour synthétiser des glucides. De ce fait, les chloroplastes engendrent de l'O_2 et des glucides alors que les mitochondries les consomment (*voir* Figure 14-3B).

On pense généralement que les organites des eucaryotes qui convertissent l'énergie ont évolué à partir de procaryotes qui furent engloutis par des cellules eucaryotes primitives et développèrent une relation symbiotique avec elles. Cela expliquerait pourquoi les mitochondries et les chloroplastes contiennent leur propre ADN, qui code pour certaines de leurs protéines. Depuis leur absorption initiale par la cellule hôte, ces organites ont perdu une grande partie de leur propre génome et sont devenus très dépendants de protéines codées par les gènes du noyau, synthétisées dans le cytosol puis importées dans ces organites. À l'opposé, les cellules hôtes sont devenues dépendantes de ces organites qui leur fournissent une grande partie de l'ATP qu'elles utilisent pour leur biosynthèse, le pompage des ions et les mouvements ; elles sont aussi devenues dépendantes de certaines réactions biosynthétiques qui se produisent à l'intérieur de ces organites.

Figure 14-3 Processus de transport des électrons. (A) Les mitochondries convertissent l'énergie issue des carburants chimiques. (B) Les chloroplastes convertissent l'énergie issue de la lumière solaire. Les apports sont en *vert clair*, les produits sont en *bleu* et la voie du flux des électrons est indiquée par des *flèches rouges*. Chaque complexe protéique (*orange*) est inclus dans une membrane. Notez que la force électromotrice engendrée par les deux photosystèmes des chloroplastes permet à celui-ci d'actionner un transfert d'électrons de H_2O aux glucides, qui est à l'opposé de la direction énergétiquement favorable du transfert d'électrons dans une mitochondrie. De ce fait, tandis que les molécules de glucides et O_2 sont des apports pour les mitochondries, ce sont des produits dans les chloroplastes.

MITOCHONDRIES

Les **mitochondries** occupent une partie substantielle du volume cytoplasmique des cellules eucaryotes et ont été essentielles pour l'évolution des animaux complexes. Sans mitochondries, les cellules animales actuelles dépendraient de la glycolyse anaérobie pour la totalité de leur ATP. Lorsque le glucose est converti en pyruvate par glycolyse, cela ne libère qu'une très petite fraction de l'énergie libre totale potentiellement disponible issue du glucose. Dans les mitochondries, le métabolisme des sucres se termine : le pyruvate est importé dans les mitochondries et oxydé par O_2 en CO_2 et H_2O. Cela permet de fabriquer 15 fois plus d'ATP que ce que produirait la glycolyse seule.

Les mitochondries sont généralement dépeintes comme des cylindres allongés et rigides, de diamètre compris entre 0,5 et 1 µm, qui ressemblent à une bactérie. La microcinématographie des cellules vivantes, à intervalles de temps, montre cependant que les mitochondries sont des organites remarquablement mobiles et souples, dont la forme change constamment (Figure 14-4) et qui fusionnent même les unes avec les autres puis se séparent à nouveau. Lorsqu'elles se déplacent dans le cytoplasme, elles

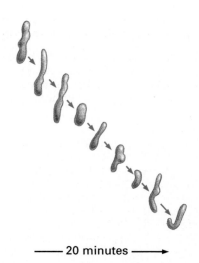

— 20 minutes —→

Figure 14-4 Plasticité mitochondriale. On observe de rapides modifications de forme lorsqu'une mitochondrie isolée est suivie dans une cellule vivante.

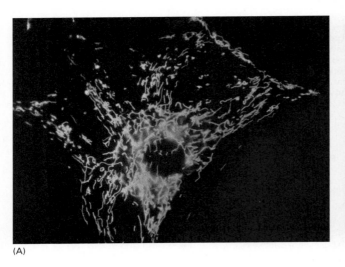
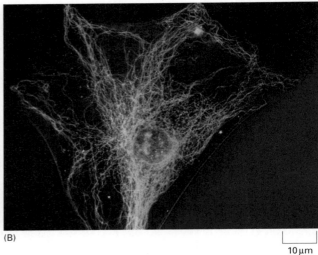

(A)

(B)

10 µm

Figure 14-5 Relation entre les mitochondries et les microtubules. (A) Photographie en microscopie optique de chaînes de mitochondries allongées dans une cellule vivante de mammifères en culture. La cellule a été colorée par un colorant fluorescent (rhodamine 123) qui marque spécifiquement les mitochondries dans les cellules vivantes. (B) Photographie en microscopie à immunofluorescence de la même cellule colorée (après fixation) avec des anticorps fluorescents qui se fixent sur les microtubules. Notez que les mitochondries ont tendance à être alignées le long des microtubules. (Due à l'obligeance de Lan Bo Chen.)

semblent être souvent associées à des microtubules (Figure 14-5), qui peuvent déterminer leur orientation particulière et leur distribution dans les différents types cellulaires. De ce fait, les mitochondries de certaines cellules forment de longs filaments ou des chaînes qui se déplacent. Dans d'autres, elles restent fixées dans une position pour fournir directement l'ATP dans un site qui en consomme particulièrement – par exemple, elles sont placées entre des microfibrilles adjacentes dans les cellules du muscle cardiaque ou enroulées solidement autour du flagelle dans les spermatozoïdes (Figure 14-6).

Les mitochondries sont assez grosses pour être observables en microscopie optique et ont été identifiées pour la première fois au cours du dix-neuvième siècle. La véritable avancée dans la compréhension de leur fonction a pourtant dépendu de techniques, développées en 1948, qui ont permis l'isolement de mitochondries intactes. Pour des raisons techniques, beaucoup de ces études biochimiques ont été effectuées avec des mitochondries purifiées du foie ; chaque cellule hépatique contient entre 1 000 et 2 000 mitochondries qui occupent au total un cinquième du volume cellulaire.

Les mitochondries contiennent une membrane externe, une membrane interne et deux compartiments internes

Chaque mitochondrie est limitée par deux membranes hautement spécialisées, de fonctions très différentes. Elles forment à elles deux, deux compartiments mitochondriaux séparés : la **matrice interne** et l'**espace intermembranaire** beaucoup plus étroit. Si des mitochondries purifiées sont doucement rompues puis fractionnées pour sé-

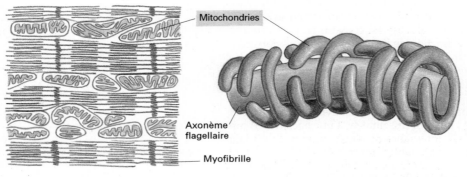

Mitochondries

Axonème flagellaire

Myofibrille

MUSCLE CARDIAQUE

QUEUE D'UN SPERMATOZOÏDE

Figure 14-6 Localisation des mitochondries près des sites de forte utilisation d'ATP dans le muscle cardiaque et dans la queue d'un spermatozoïde. Pendant le développement du flagelle de la queue d'un spermatozoïde, les microtubules s'enroulent de façon hélicoïdale autour des axonèmes où on pense qu'ils aident à localiser les mitochondries dans la queue ; ces microtubules disparaissent ensuite et les mitochondries fusionnent les unes avec les autres pour former la structure montrée.

Figure 14-7 Fractionnement biochimique d'une mitochondrie purifiée en ses composants séparés. Ces techniques ont permis l'étude des différentes protéines de chaque compartiment mitochondrial. La méthode montrée ici permet le traitement d'un grand nombre de mitochondries en même temps. Elle tire avantage du fait que, dans une solution de faible force osmotique, l'eau rentre dans les mitochondries et augmente grandement l'espace de la matrice *(jaune)*. Tandis que les crêtes de la membrane interne se déplient pour s'adapter à l'expansion, la membrane externe – qui ne présente pas de replis – se casse, libérant une structure composée uniquement de la membrane interne et de la matrice.

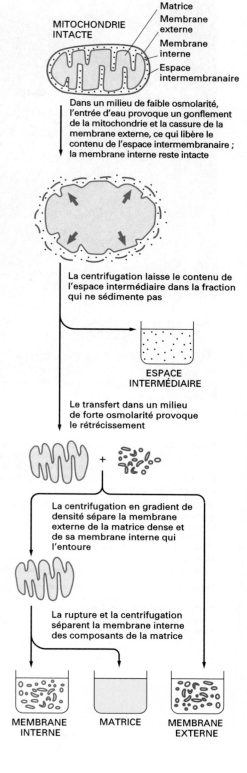

parer leurs compartiments (Figure 14-7), il est possible de déterminer la composition biochimique de chaque membrane et des espaces qu'elle entoure. Comme cela est décrit dans la figure 14-8, chacun contient un ensemble particulier de protéines.

La **membrane externe** contient de nombreuses copies d'une protéine de transport, la *porine* *(voir* Chapitre 11), qui forme de gros canaux remplis d'eau au travers de la bicouche lipidique. Cette membrane ressemble donc à un tamis perméable à toutes les molécules de moins de 5 000 daltons, y compris les petites protéines. Ces molécules peuvent entrer dans l'espace intermembranaire, mais la plupart d'entre elles ne peuvent pas traverser la membrane interne imperméable. De ce fait, alors que l'espace intermédiaire est chimiquement équivalent au cytosol du point de vue des petites molécules qu'il contient, la matrice contient un ensemble fortement spécifique de ces molécules.

Comme nous l'expliquerons en détail ultérieurement, la principale zone de travail des mitochondries est la matrice et la **membrane interne** qui l'entoure. La membrane interne est hautement spécialisée. Sa bicouche lipidique contient une grande quantité d'un phospholipide «double», la *cardiolipine*, formé de quatre acides gras au lieu de deux et qui aide certainement à rendre cette membrane particulièrement imperméable aux ions. Elle contient aussi diverses protéines de transport qui la rendent sélectivement perméable aux petites molécules métabolisées ou nécessaires aux nombreuses enzymes mitochondriales concentrées dans la matrice. Les enzymes de la matrice incluent celles qui métabolisent le pyruvate et les acides gras pour produire l'acétyl CoA et celles qui oxydent l'acétyl CoA dans le *cycle de l'acide citrique*. Les principaux produits finaux de cette oxydation sont le CO_2, libéré de la cellule en tant que déchet et le NADH, principale source d'électrons pour le transport le long de la **chaîne respiratoire** – nom donné à la chaîne de transport des électrons dans les mitochondries. Les enzymes de la chaîne respiratoire sont incluses dans la membrane mitochondriale interne et sont essentielles au processus de *phosphorylation oxydative*, qui engendre la majeure partie de l'ATP des cellules animales.

La membrane interne est généralement très tourmentée et forme une série de repliements internes, les **crêtes**, qui se projettent dans la matrice. Ces crêtes augmentent beaucoup l'aire de la membrane interne de telle sorte que, dans une cellule hépatique, par exemple, elle représente environ un tiers des membranes totales de la cellule. Le nombre de crêtes est trois fois plus grand dans les mitochondries d'une cellule du muscle cardiaque que dans les mitochondries d'une cellule hépatique, probablement à cause de la plus forte demande en ATP des cellules cardiaques. Il existe aussi des différences substantielles dans les enzymes mitochondriales des différents types cellulaires. Dans ce chapitre, nous laisserons largement de côté ces différences et nous nous concentrerons par contre sur les enzymes et les propriétés communes à toutes les mitochondries.

Les électrons riches en énergie sont engendrés via le cycle de l'acide citrique

Comme nous l'avons déjà mentionné, sans mitochondries, les eucaryotes actuels seraient dépendants d'un processus de glycolyse, relativement inefficace *(voir* Chapitre 2), pour produire la totalité de leur ATP et il semble peu probable que les organismes pluricellulaires complexes aient pu fonctionner de cette façon. Lorsque le glucose est transformé en pyruvate par la glycolyse, cela libère moins de 10 p. 100 de l'énergie libre totale potentiellement disponible issue du glucose. Dans les mitochondries, le métabolisme des sucres s'achève et l'énergie libérée est si efficacement exploitée que 30 molécules d'ATP environ sont produites par molécule de glucose oxydé. Par contre, la glycolyse seule ne produit que 2 molécules d'ATP par molécule de glucose.

Les mitochondries peuvent utiliser le pyruvate et les acides gras comme combustible. Le pyruvate provient du glucose et d'autres sucres tandis que les acides gras

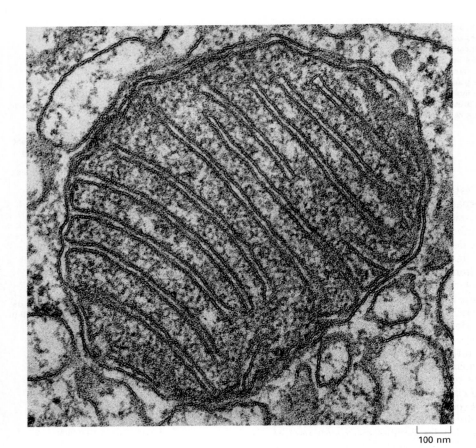

Figure 14-8 Organisation générale d'une mitochondrie. Dans le foie, on estime que 67 p. 100 des protéines totales de la mitochondrie sont localisées dans la matrice, 21 p. 100 dans la membrane interne, 6 p. 100 dans la membrane externe et 6 p. 100 dans l'espace intermembranaire. Comme cela est indiqué ci-dessous, chacune de ces quatre régions contient un groupe particulier de protéines qui ont des fonctions spécifiques. (Due à l'obligeance de Daniel S. Friend.)

100 nm

Matrice. Cet important espace interne contient un mélange très concentré de centaines d'enzymes, y compris celles nécessaires à l'oxydation des pyruvates et des acides gras et au cycle de l'acide citrique. La matrice contient aussi diverses copies identiques du génome de l'ADN mitochondrial, des ribosomes mitochondriaux spécifiques, des ARNt et diverses enzymes nécessaires à l'expression des gènes mitochondriaux.

Membrane interne. La membrane interne (*rouge*) est repliée en de nombreuses crêtes, ce qui augmente fortement l'aire totale de sa surface. Elle contient des protéines ayant trois types de fonctions : (1) celles qui effectuent les réactions d'oxydation de la chaîne de transport des électrons, (2) l'ATP synthase qui fabrique l'ATP dans la matrice et (3) les protéines de transport qui permettent l'entrée et la sortie des métabolites de la matrice. Un gradient électrochimique de H^+, qui actionne l'ATP synthase, s'établit au travers de cette membrane, de telle sorte que la membrane est imperméable aux ions et à la plupart des petites molécules chargées.

Membrane externe. Comme elle contient une grosse protéine formant des canaux (appelée porine), la membrane externe est perméable à toutes les molécules de moins de 5 000 daltons. D'autres protéines de cette membrane incluent des enzymes impliquées dans la synthèse des lipides mitochondriaux et des enzymes qui convertissent les substrats lipidiques dans des formes ensuite métabolisées dans la matrice.

Espace intermembranaire. Cet espace (*blanc*) contient plusieurs enzymes qui utilisent l'ATP qui traverse la matrice pour phosphoryler d'autres nucléotides.

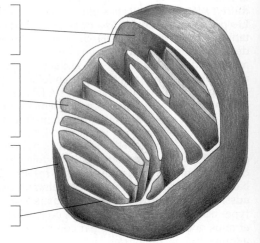

proviennent des lipides. Ces deux molécules de carburant sont transportées à travers la membrane mitochondriale interne puis converties en un métabolite intermédiaire primordial, l'*acétyl CoA*, par des enzymes localisées dans la matrice mitochondriale. Les groupements acétyle de l'acétyl CoA sont ensuite oxydés dans la matrice via le **cycle de l'acide citrique**, décrit au chapitre 2. Ce cycle convertit les atomes de carbone de l'acétyl CoA en CO_2 qui est éliminé de la cellule en tant que déchet. Ce qui est important c'est que ce cycle produit des électrons riches en énergie, transportés par les molécules de transport NADH et $FADH_2$ (Figure 14-9). Ces électrons riches en énergie sont ensuite transférés dans la membrane mitochondriale interne où ils entrent dans la chaîne de transport des électrons ; la perte des électrons à partir du NADH et du $FADH_2$ régénère aussi le NAD^+ et le FAD qui sont nécessaires à la poursuite du métabolisme oxydatif. La séquence complète des réactions est présentée dans la figure 14-10.

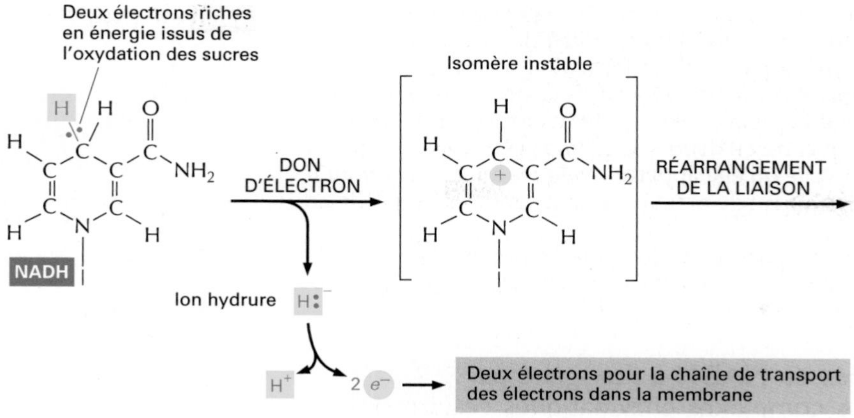

Deux électrons riches
en énergie issus de
l'oxydation des sucres

Isomère instable

RÉARRANGEMENT
DE LA LIAISON

DON
D'ÉLECTRON

NADH

NAD⁺

Ion hydrure   H:⁻

H⁺   2 e^- →   Deux électrons pour la chaîne de transport
des électrons dans la membrane

Figure 14-9 Le NADH donne des électrons. Dans ce schéma, les électrons riches en énergie sont montrés sous forme de deux *points rouges* sur un atome d'hydrogène *jaune*. Un ion hydrure (H⁻ : un atome d'hydrogène et un électron supplémentaire) est éliminé du NADH et est converti en un proton et deux électrons riches en énergie : H⁻ → H⁺ + 2e⁻. Seul le cycle qui porte les électrons dans une liaison riche en énergie est montré ici ; pour la structure complète et la reconversion de NAD⁺ en NADH, *voir* la structure du NADPH apparenté dans la figure 2-60. Les électrons sont aussi transportés de façon similaire par FADH₂ dont la structure est montrée en figure 2-80.

Un processus chimio-osmotique convertit l'énergie de l'oxydation en ATP

Bien que le cycle de l'acide citrique soit considéré comme une partie du métabolisme aérobie, il n'utilise pas en lui-même l'oxygène. Ce n'est que lors des réactions cataboliques finales qui s'effectuent dans la membrane mitochondriale interne que l'oxygène moléculaire est directement consommé. Presque toute l'énergie disponible de la combustion des glucides, des graisses et des autres denrées alimentaires est initialement sauvegardée au cours des premières étapes de l'oxydation sous forme d'électrons riches en énergie enlevés des substrats par NAD⁺ et FAD. Ces électrons, transportés par NADH et FADH₂, sont alors combinés à l'O₂ par le biais de la chaîne respiratoire incluse dans la membrane mitochondriale interne. L'importante quantité d'énergie libérée est exploitée par la membrane interne pour activer la conver-

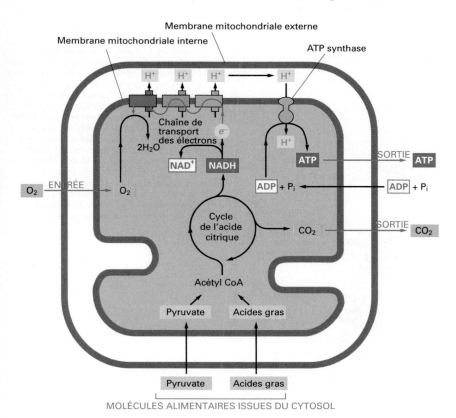

Figure 14-10 Résumé du métabolisme qui engendre de l'énergie dans les mitochondries. Le pyruvate et les acides gras entrent dans les mitochondries (*en bas*) et sont dégradés en acétyl CoA. L'acétyl CoA est alors métabolisé par le cycle de l'acide citrique qui réduit NAD⁺ en NADH (et FAD en FADH₂, non montré ici). Dans le processus de phosphorylation oxydative, les électrons riches en énergie issus du NADH (et de FADH₂) sont ensuite véhiculés le long de la chaîne de transport des électrons dans la membrane interne jusqu'à l'oxygène (O₂). Ce transport d'électrons engendre un gradient de protons au travers de la membrane interne qui sert à entraîner la production d'ATP par l'ATP synthase (*voir* Figure 14-1).

Le NADH engendré par la glycolyse dans le cytosol passe aussi des électrons à la chaîne respiratoire (non montré ici). Comme le NADH ne peut pas traverser la membrane mitochondriale interne, le transfert d'électrons à partir du NADH cytosolique doit s'effectuer indirectement par un des nombreux systèmes de «navette» qui transporte dans les mitochondries un autre composé réduit ; après son oxydation ce composé est ramené dans le cytosol où il est à nouveau réduit par le NADH.

sion ADP + P$_i$ en ATP. C'est pourquoi on emploie le terme de **phosphorylation oxy-dative** pour décrire la dernière série de réactions (Figure 14-11).

Comme nous l'avons mentionné auparavant, la formation d'ATP par la phosphorylation oxydative via la chaîne respiratoire dépend d'un processus chimio-osmotique. Lorsqu'il fut proposé pour la première fois en 1961, ce mécanisme apporta l'explication d'un casse-tête sur lequel butait depuis longtemps la biologie cellulaire. Néanmoins, cette idée était si nouvelle qu'elle apparut quelques années avant qu'il ne soit possible d'accumuler suffisamment de preuves pour la conforter et qu'elle ne soit universellement acceptée.

Dans la suite de cette partie du chapitre, nous décrirons brièvement les types de réactions qui permettent la phosphorylation oxydative, et nous verrons ultérieurement les particularités de la chaîne respiratoire.

Les électrons sont transférés du NADH à l'oxygène par l'intermédiaire de trois gros complexes enzymatiques respiratoires

Même si le mécanisme qui permet d'exploiter l'énergie par la chaîne respiratoire est différent de celui des autres réactions cataboliques, le principe est le même. La réaction énergétiquement favorable $H_2 + \frac{1}{2}O_2 \rightarrow H_2O$ s'effectue par de nombreuses petites étapes afin que la majeure partie de l'énergie libérée puisse être mise en réserve et non pas perdue dans l'environnement sous forme de chaleur. Les atomes d'hydrogène sont d'abord séparés en protons et en électrons. Les électrons traversent une série de transporteurs d'électrons de la membrane mitochondriale interne. À différentes étapes le long de ce chemin, les protons et les électrons sont transitoirement réassociés. Mais c'est seulement lorsque les électrons atteignent la fin de leur chaîne de transport que les protons sont renvoyés de façon permanente, et sont utilisés pour neutraliser les charges négatives créées par l'addition finale des électrons sur les molécules d'oxygène (Figure 14-12).

Le processus de transport d'électrons commence lorsqu'un ion hydrure est éliminé de NADH (pour régénérer NAD$^+$) et est converti en un proton et deux électrons ($H^- \rightarrow H^+ + 2e^-$). Ces deux électrons sont transmis au premier transporteur d'électrons (sur plus de 15 différents) de la chaîne respiratoire. Les électrons commencent avec une très forte énergie et la perdent graduellement tandis qu'ils se déplacent le long de la chaîne. Pour la plupart, les électrons passent d'un ion métallique à un autre, chacun de ces ions métalliques étant solidement fixé sur une molécule protéique qui modifie l'affinité de l'électron vis-à-vis de lui (traité ultérieurement plus en détail). La plupart des protéines impliquées sont regroupées dans trois gros *complexes enzymatiques respiratoires*, qui contiennent chacun des protéines

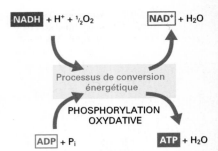

Figure 14-11 Conversion énergétique nette majeure catalysée par les mitochondries. Dans ce processus de phosphorylation oxydative, la membrane mitochondriale interne sert d'appareil qui modifie une forme d'énergie de liaison chimique en une autre en transformant la majeure partie de l'énergie de l'oxydation de NADH (et de FADH$_2$) en une énergie de liaison phosphate dans l'ATP.

Figure 14-12 Comparaison entre les oxydations biologiques et la combustion. (A) La majeure partie de l'énergie serait libérée sous forme de chaleur si l'hydrogène était simplement brûlé. (B) Lors d'oxydation biologique, par contre, la majeure partie de l'énergie libérée est mise en réserve sous une forme très utile pour la cellule par le biais de la chaîne de transport des électrons de la membrane mitochondriale interne (la chaîne respiratoire). Le reste de l'énergie d'oxydation est libéré sous forme de chaleur par les mitochondries. En réalité, les protons et les électrons montrés sont éliminés des atomes d'hydrogène qui sont liés de façon covalente aux molécules de NADH ou de FADH$_2$.

(A) COMBUSTION

(B) OXYDATION BIOLOGIQUE

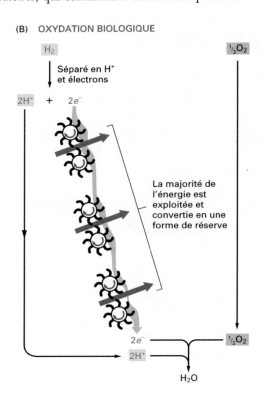

transmembranaires qui les maintiennent fermement dans la membrane mitochondriale interne. Chaque complexe de la chaîne a une plus forte affinité pour les électrons que son prédécesseur et les électrons passent séquentiellement d'un complexe à l'autre jusqu'à ce qu'ils soient finalement transférés sur l'oxygène qui présente la plus grande affinité de tous pour les électrons.

Tandis que les électrons se déplacent le long de la chaîne respiratoire, l'énergie est mise en réserve sous forme d'un gradient électrochimique de protons au travers de la membrane interne

La phosphorylation oxydative peut s'effectuer car les transporteurs d'électrons et les molécules protéiques sont très proches. Les protéines guident les électrons le long de la chaîne respiratoire de telle sorte que les électrons se déplacent séquentiellement d'un complexe enzymatique à l'autre – sans court-circuit. De plus, et c'est encore plus important, le transfert d'électrons est couplé à l'absorption et la libération orientées de H⁺ ainsi qu'à des modifications allostériques des pompes protéiques de conversion énergétique. Il en résulte un pompage de H⁺ au travers de la membrane interne – de la matrice à l'espace intermembranaire, actionné par le flux énergétiquement favorable d'électrons. Ce mouvement de H⁺ a deux conséquences majeures :

1. Il engendre un gradient de pH à travers la membrane mitochondriale interne, le pH étant supérieur dans la matrice par rapport au cytosol, où il est généralement proche de 7. (Comme les petites molécules s'équilibrent librement au travers de la membrane externe des mitochondries, le pH de l'espace intermembranaire est le même que celui du cytosol.)
2. Il engendre un gradient de voltage (*potentiel membranaire*) à travers la membrane mitochondriale interne, l'intérieur étant négatif et l'extérieur positif (du fait du flux net de sortie d'ions positifs).

Le gradient de pH (ΔpH) active le retour de H⁺ dans la matrice et la sortie de OH⁻ de la matrice, renforçant ainsi les effets du potentiel de membrane (ΔV), qui attire tout ion positif dans la matrice et repousse tout ion négatif vers l'extérieur. On dit que le ΔpH et le ΔV forment ensemble un **gradient électrochimique de protons** (Figure 14-13).

Le gradient électrochimique de protons exerce une **force proton-motrice** qui peut être mesurée en unités de millivolts (mV). Comme chaque ΔpH de 1 unité de pH a un effet équivalent à un potentiel de membrane de 60 mV environ, la force proton-motrice totale est égale à ΔV – 60 (ΔpH). Dans une cellule typique, la force proton-motrice au travers de la membrane interne d'une mitochondrie qui respire est d'environ 200 mV et est constituée d'un potentiel membranaire de 140 mV environ et d'un gradient de pH de –1 unité de pH environ.

Le gradient de protons actionne la synthèse d'ATP

Le gradient électrochimique de proton à travers la membrane mitochondriale interne sert à actionner la synthèse d'ATP au cours du processus critique de la phosphorylation oxydative (Figure 14-14). Cela est possible grâce à une enzyme liée à la

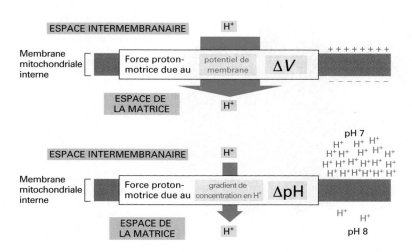

Figure 14-13 Les deux composants du gradient électrochimique de protons. La force totale proton-motrice au travers de la membrane mitochondriale interne est composée d'une force importante due au potentiel de membrane (traditionnellement désignée Δψ par les spécialistes mais désignée par ΔV dans le texte) et d'une force plus faible due au gradient de concentration en H⁺ (ΔpH). Ces deux forces agissent pour entraîner H⁺ dans la matrice.

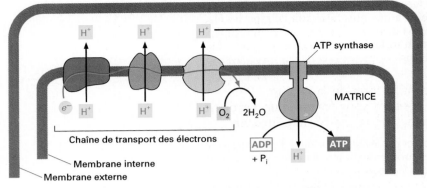

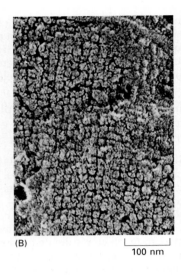

100 nm

(B)

Figure 14-14 Mécanisme général de la phosphorylation oxydative.
(A) Lorsqu'un électron riche en énergie passe le long de la chaîne de transport des électrons, une partie de l'énergie libérée est utilisée pour actionner les trois complexes enzymatiques respiratoires qui pompent H^+ pour les sortir de la matrice. Le gradient électrochimique de protons à travers la membrane interne entraîne les H^+ et les ramène à travers l'ATP synthase, un complexe protéique transmembranaire qui utilise l'énergie du flux de H^+ pour synthétiser, dans la matrice, l'ATP à partir de l'ADP et du P_i. (B) Photographie en microscopie électronique de la surface interne de la membrane mitochondriale d'une cellule végétale. Des particules très rapprochées sont visibles, dues aux portions saillantes de l'ATP synthase et des complexes enzymatiques respiratoires. (Microphotographie due à l'obligeance de Brian Wells.)

membrane, l'**ATP synthase**, déjà mentionnée. Cette enzyme crée une voie hydrophile au travers de la membrane mitochondriale interne qui permet aux protons de s'écouler selon leur gradient électrochimique. Tandis que ces ions se faufilent sur leur chemin qui traverse l'ATP synthase, ils sont utilisés pour actionner la réaction énergétiquement défavorable qui fabrique l'ATP à partir d'ADP et de P_i (*voir* Figure 2-27). Les ATP synthases ont une origine ancienne; ces mêmes enzymes se trouvent dans les mitochondries des cellules animales, les chloroplastes des végétaux et des algues et la membrane plasmique des bactéries et des archéobactéries.

La structure de l'ATP synthase est montrée dans la figure 14-15. Elle est aussi appelée la F_0F_1 ATPase et c'est une protéine à multiples sous-unités de masse supérieure à 500000 daltons. Une grosse portion enzymatique, dont la forme ressemble à la tête d'une sucette, est composée d'un anneau de 6 sous-unités et se projette du côté de la matrice de la membrane mitochondriale interne. Cette tête est maintenue en place par une tige allongée qui s'y fixe et l'attache à un groupe de protéines transmembranaires qui forment un « stator » intramembranaire. Ce stator est en contact avec un « rotor », formé par un anneau de 10 à 14 sous-unités protéiques transmembranaires identiques. Lorsque les protons traversent le canal étroit formé à l'interface stator-rotor, leur mouvement provoque le tournoiement de l'anneau du rotor. Cette rotation fait également tourner une tige fixée sur le rotor (*bleue* dans la figure 14-15B)

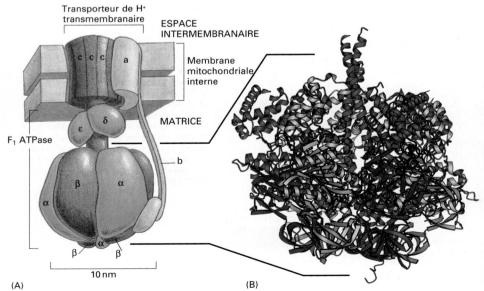

(A)   (B)

Figure 14-15 ATP synthase. (A) Cette enzyme est composée d'une tête appelée F_1 ATPase et d'un transporteur transmembranaire de H^+, appelé F_0. F_1 et F_0 sont tous deux formés de multiples sous-unités comme cela est indiqué. Une tige rotative tourne avec un rotor formé par un anneau de 10 à 14 sous-unités « c » dans la membrane (en *rouge*). Le stator (en *vert*) est formé d'une sous-unité « a » transmembranaire, attachée aux autres sous-unités et qui forme un bras allongé. Ce bras fixe le stator à un anneau de sous-unités 3α et 3β qui forment la tête. (B) Structure tridimensionnelle de la F_1 ATPase, déterminée par cristallographie aux rayons X. Cette partie de l'ATP synthase tire son nom de sa capacité à effectuer l'inverse de la réaction de synthèse d'ATP – à savoir l'hydrolyse d'ATP en ADP et P_i, lorsqu'elle est détachée de la portion transmembranaire. (B, due à l'obligeance de John Walker, d'après J.P. Abrahams et al., *Nature* 370 : 621-628, 1994. © Macmillan Magazines Ltd.)

qui se met alors à tourner rapidement à l'intérieur de la tête de la sucette. Il en résulte que l'énergie du flux des protons selon leur gradient a été transformée en énergie mécanique de deux groupes de protéines frottant l'une contre l'autre : les protéines de la tige en rotation poussant contre l'anneau statique des protéines de la tête.

Trois sous-unités sur les six de la tête contiennent des sites de liaison pour l'ADP et les phosphates inorganiques. Ils sont activés pour former de l'ATP lorsque l'énergie mécanique est convertie en énergie de liaison chimique par l'intermédiaire de modifications répétées de la conformation protéique engendrées par la tige en rotation. De cette façon, l'ATP synthase est capable de produire plus de 100 molécules d'ATP par seconde. Trois ou quatre protons doivent traverser ce merveilleux instrument pour fabriquer chaque molécule d'ATP.

Le gradient de protons actionne un transport couplé au travers de la membrane interne

La synthèse d'ATP n'est pas le seul processus actionné par le gradient électrochimique de protons. Dans les mitochondries, beaucoup de petites molécules chargées, comme le pyruvate, l'ADP et le P_i sont pompées dans la matrice à partir du cytosol tandis que d'autres, comme l'ATP, doivent être déplacées dans la direction opposée. Les protéines de transport qui fixent ces molécules peuvent coupler leur transport au flux énergétiquement favorable de H^+ dans la matrice mitochondriale. De ce fait, par exemple, le pyruvate et les phosphates inorganiques (P_i) sont co-transportés à l'intérieur avec H^+ lorsque H^+ entre dans la matrice.

À l'opposé, l'ADP est co-transporté avec l'ATP dans des directions opposées par une seule protéine de transport. Comme la molécule d'ATP possède une charge négative supplémentaire par rapport à l'ADP, chaque échange de nucléotide s'accompagne du déplacement d'une charge négative totale vers l'extérieur de la mitochondrie. Ce co-transport ADP-ATP est ainsi entraîné par la différence de voltage à travers la membrane (Figure 14-16).

Dans les cellules eucaryotes, le gradient de protons sert ainsi à actionner la formation d'ATP et le transport de certains métabolites à travers la membrane mitochondriale interne. Dans les bactéries, le gradient de protons à travers la membrane mitochondriale interne est mis au service de ces deux types de fonctions. Et dans la membrane plasmique des bactéries mobiles, le gradient actionne également la rotation rapide du flagelle bactérien qui propulse la bactérie (Figure 14-17).

Le gradient de protons produit la majeure partie de l'ATP de la cellule

Comme nous l'avons déjà établi, la glycolyse seule produit un gain net de 2 molécules d'ATP pour chaque molécule de glucose métabolisée et c'est l'énergie totale produite pour les processus de fermentation qui s'effectuent en l'absence d'O_2 (*voir*

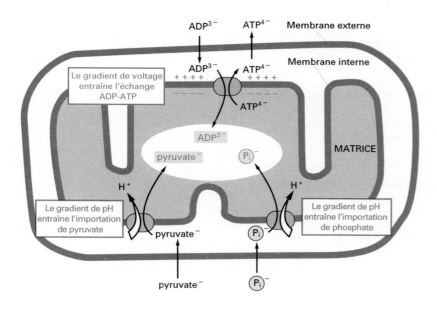

Figure 14-16 Quelques processus de transport actif actionnés par le gradient électrochimique de protons à travers la membrane mitochondriale interne. Le pyruvate, les phosphates inorganiques (P_i) et l'ADP sont déplacés dans la matrice, tandis que l'ATP est pompé à l'extérieur. La charge de chaque molécule transportée est indiquée pour sa comparaison avec le potentiel de membrane qui est négatif à l'intérieur comme cela est montré ici. La membrane externe est librement perméable à tous ces composés. Le transport actif des molécules à travers la membrane par les protéines de transport est traité au chapitre 11.

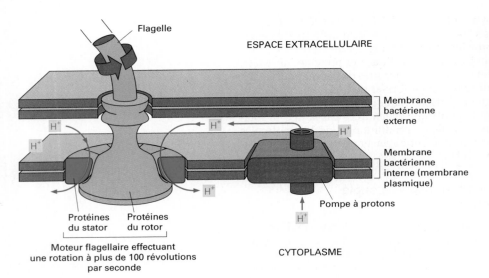

Figure 14-17 Rotation du flagelle bactérien actionnée par le flux de H+. Le flagelle est fixé sur une série d'anneaux protéiques (*orange*), qui sont inclus dans les membranes externe et interne et tournent avec le flagelle. La rotation est actionnée par un flux de protons à travers un anneau externe de protéines (le stator) selon des mécanismes qui pourraient ressembler à ceux utilisés par l'ATP synthase, même s'ils ne sont pas encore compris.

Labels de la figure :

Flagelle

ESPACE EXTRACELLULAIRE

Membrane bactérienne externe

Membrane bactérienne interne (membrane plasmique)

Pompe à protons

Protéines du stator   Protéines du rotor

Moteur flagellaire effectuant une rotation à plus de 100 révolutions par seconde

CYTOPLASME

Chapitre 2). Pendant la phosphorylation oxydative, on pense que chaque paire d'électrons donnée par le NADH produit dans les mitochondries fournit l'énergie pour former 2,5 molécules d'ATP environ, après avoir soustrait l'énergie nécessaire au transport de cet ATP vers le cytosol. La phosphorylation oxydative produit aussi 1,5 molécule d'ATP par paire d'électrons à partir de $FADH_2$ ou des molécules de NADH produites par glycolyse dans le cytosol. À partir des produits fournis par la glycolyse et le cycle de l'acide citrique, résumés au tableau 14-IA, on peut calculer que l'oxydation complète d'une molécule de glucose – qui commence par la glycolyse et se termine par la phosphorylation oxydative – donne un rendement net de 30 ATP environ.

En conclusion, la majeure partie de l'ATP produit à partir de l'oxydation du glucose dans une cellule animale est produit par des mécanismes chimio-osmotiques dans la membrane mitochondriale. La phosphorylation oxydative dans les mitochondries donne aussi une grande quantité d'ATP à partir de NADH et $FADH_2$ qui dérivent de l'oxydation des graisses (Tableau 14-IB; *voir aussi* Figure 2-78).

Les mitochondries maintiennent un fort rapport ATP/ADP dans les cellules

À cause des protéines de transport de la membrane mitochondriale interne qui échangent l'ATP par l'ADP, les molécules d'ADP produites dans le cytosol par l'hydrolyse de l'ATP entrent rapidement dans les mitochondries pour être rechargées, tandis que les molécules d'ATP formées dans la matrice mitochondriale par phosphorylation

TABLEAU 14-I Produits issus de l'oxydation des sucres et des graisses

A. PRODUITS NETS ISSUS DE L'OXYDATION D'UNE MOLÉCULE DE GLUCOSE

Dans le cytosol (glycolyse)
    1 glucose → 2 pyruvate + 2 NADH + 2 ATP
Dans les mitochondries (pyruvate déshydrogénase et cycle de l'acide citrique)
    2 pyruvate → 2 acétyl CoA + 2 NADH
    2 acétyl CoA → 6 NADH + 2 $FADH_2$ + 2 GTP
Résultat net dans les mitochondries
    2 pyruvate → 8 NADH + 2 $FADH_2$ + 2 GTP

B. PRODUITS NETS ISSUS DE L'OXYDATION D'UNE MOLÉCULE DE PALMITOYL CoA (FORME ACTIVÉE DU PALMITATE, UN ACIDE GRAS)

Dans les mitochondries (oxydation des acides gras et cycle de l'acide citrique)
    1 palmitoyl CoA → 8 acétyl CoA + 7 NADH + 7 $FADH_2$
    8 acétyl CoA → 24 NADH + 8 $FADH_2$
Résultat net dans les mitochondries
    1 palmitoyl CoA → 31 NADH + 15 $FADH_2$

oxydative sont rapidement pompées dans le cytosol, où elles sont utilisées. Une molécule d'ATP typique du corps humain fait la navette en sortant et en rentrant (sous forme d'ADP) dans les mitochondries pour être rechargée plus d'une fois par minute, ce qui maintient la concentration intracellulaire en ATP 10 fois supérieure environ à celle en ADP.

Comme nous l'avons abordé au chapitre 2, les enzymes de la biosynthèse actionnent souvent des réactions énergétiquement défavorables en les couplant à l'hydrolyse énergétiquement favorable d'ATP (*voir* Figure 2-56). Le pool d'ATP sert ainsi pour actionner des processus cellulaires tout comme une batterie est utilisée pour actionner des engins électriques. Si l'activité des mitochondries est bloquée, la concentration en ATP chute et la batterie de la cellule s'arrête; finalement les réactions énergétiquement défavorables ne sont plus actionnées et la cellule meurt. Le cyanure est un poison qui bloque le transport des électrons dans la membrane mitochondriale interne et provoque la mort exactement de cette façon.

On pourrait croire que les processus cellulaires ne devraient s'arrêter que lorsque la concentration en ATP atteint zéro; mais en fait, la vie est bien plus exigeante: elle dépend du maintien par les cellules d'une concentration en ATP élevée par rapport à celles en ADP et P_i. Pour expliquer pourquoi, nous devons envisager certains principes élémentaires de thermodynamique.

L'ATP est utile pour la cellule du fait de la forte valeur négative de la ΔG de son hydrolyse

Dans le chapitre 2, nous avons parlé du concept d'énergie libre (G). La variation d'énergie libre d'une réaction, ΔG, détermine si celle-ci se produira dans une cellule. Nous avons montré p. 80 que la ΔG d'une réaction donnée pouvait être écrite comme la somme de deux parties: la première, appelée la *variation d'énergie libre standard*, $\Delta G°$, dépend des caractères intrinsèques des molécules qui réagissent; la deuxième dépend de leurs concentrations. Pour la réaction simple A → B,

$$\Delta G = \Delta G° + RT \ln \frac{[B]}{[A]}$$

où [A] et [B] sont les concentrations en A et en B, et ln est le logarithme naturel. $\Delta G°$ est de ce fait uniquement une valeur de référence, égale à la valeur de ΔG lorsque les concentrations molaires en A et en B sont égales (ln 1 = 0).

Dans le chapitre 2, l'ATP était décrit comme la «molécule de transport active majeure» des cellules. La forte variation d'énergie libre favorable (ΔG largement négative) de son hydrolyse est utilisée, par l'intermédiaire de *réactions couplées,* pour actionner d'autres réactions chimiques qui ne se produiraient pas autrement (*voir* p. 82-85). L'hydrolyse de l'ATP produit deux produits, l'ADP et le phosphate inorganique (P_i); elle est donc du type A → B + C, où, comme cela est décrit en figure 14-18,

$$\Delta G = \Delta G° + RT \ln \frac{[B][C]}{[A]}$$

Lorsque l'ATP est hydrolysé en ADP et P_i sous les conditions intracellulaires normales, la variation d'énergie libre est grossièrement de –11 à –13 kcal/mole. Cette ΔG extrêmement favorable dépend de la présence d'une forte concentration intracellulaire en ATP par rapport aux concentrations en ADP et P_i. Lorsque les concentrations en ATP, ADP et P_i sont toutes égales à 1 mole/litre (les conditions standard), la ΔG de l'hydrolyse de l'ATP est égale à la variation d'énergie libre standard ($\Delta G°$), soit seulement – 7,3 kcal/mole. Si les concentrations en ATP sont bien plus basses que celles en ADP et P_i, ΔG devient égale à zéro. À ce point, la vitesse à laquelle l'ADP et le P_i se rejoignent pour former de l'ATP sera égale à la vitesse à laquelle l'ATP s'hydrolyse pour former de l'ADP et du P_i. En d'autres termes, lorsque $\Delta G = 0$, la réaction est à l'*équilibre* (*voir* Figure 14-18).

C'est ΔG, et non pas $\Delta G°$, qui indique où se trouve une réaction par rapport à l'équilibre et détermine si elle peut servir à actionner d'autres réactions. Comme la conversion efficace d'ADP en ATP dans les mitochondries maintient une concentration très élevée en ATP par rapport à celles en ADP et P_i, la réaction d'hydrolyse de l'ATP dans les cellules est maintenue très loin de son équilibre et la ΔG qui lui correspond est très négative. Sans ce fort déséquilibre, l'hydrolyse de l'ATP ne pourrait pas servir à actionner des réactions dans la cellule; avec de faibles concentrations en ATP, la plupart des réactions de biosynthèse s'effectueraient par exemple, dans le sens inverse, plutôt que vers l'avant.

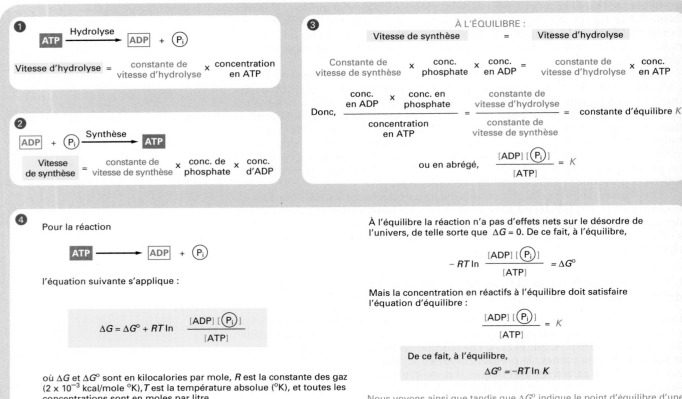

1 ATP $\xrightarrow{\text{Hydrolyse}}$ ADP + P$_i$

Vitesse d'hydrolyse = $\dfrac{\text{constante de}}{\text{vitesse d'hydrolyse}}$ × $\dfrac{\text{concentration}}{\text{en ATP}}$

2 ADP + P$_i$ $\xrightarrow{\text{Synthèse}}$ ATP

$\dfrac{\text{Vitesse}}{\text{de synthèse}}$ = $\dfrac{\text{constante de}}{\text{vitesse de synthèse}}$ × $\dfrac{\text{conc. de}}{\text{phosphate}}$ × $\dfrac{\text{conc.}}{\text{d'ADP}}$

3 À L'ÉQUILIBRE :

Vitesse de synthèse = Vitesse d'hydrolyse

$\dfrac{\text{Constante de}}{\text{vitesse de synthèse}}$ × $\dfrac{\text{conc.}}{\text{phosphate}}$ × $\dfrac{\text{conc.}}{\text{en ADP}}$ = $\dfrac{\text{constante de}}{\text{vitesse d'hydrolyse}}$ × $\dfrac{\text{conc.}}{\text{en ATP}}$

Donc, $\dfrac{\dfrac{\text{conc.}}{\text{en ADP}} \times \dfrac{\text{conc. en}}{\text{phosphate}}}{\dfrac{\text{concentration}}{\text{en ATP}}}$ = $\dfrac{\dfrac{\text{constante de}}{\text{vitesse d'hydrolyse}}}{\dfrac{\text{constante de}}{\text{vitesse de synthèse}}}$ = constante d'équilibre K

ou en abrégé, $\dfrac{[\text{ADP}]\,[\text{P}_i]}{[\text{ATP}]} = K$

4 Pour la réaction

ATP $\longrightarrow$ ADP + P$_i$

l'équation suivante s'applique :

$$\Delta G = \Delta G^\circ + RT \ln \dfrac{[\text{ADP}]\,[\text{P}_i]}{[\text{ATP}]}$$

où ΔG et ΔG° sont en kilocalories par mole, R est la constante des gaz (2 × 10^{-3} kcal/mole °K), T est la température absolue (°K), et toutes les concentrations sont en moles par litre.

Lorsque la concentration de tous les réactifs est de 1 M, $\Delta G = \Delta G^\circ$ (car $RT \ln 1 = 0$). ΔG° est donc une constante définie comme la variation d'énergie libre *standard* de la réaction.

À l'équilibre la réaction n'a pas d'effets nets sur le désordre de l'univers, de telle sorte que $\Delta G = 0$. De ce fait, à l'équilibre,

$$-RT \ln \dfrac{[\text{ADP}]\,[\text{P}_i]}{[\text{ATP}]} = \Delta G^\circ$$

Mais la concentration en réactifs à l'équilibre doit satisfaire l'équation d'équilibre :

$$\dfrac{[\text{ADP}]\,[\text{P}_i]}{[\text{ATP}]} = K$$

De ce fait, à l'équilibre,

$$\Delta G^\circ = -RT \ln K$$

Nous voyons ainsi que tandis que ΔG° indique le point d'équilibre d'une réaction, ΔG révèle l'éloignement de la réaction de son point d'équilibre. ΔG est une mesure de la « force d'actionnement » de toute réaction chimique, tout comme la force proton-motrice est la force qui actionne la translocation des protons.

L'ATP synthase peut aussi fonctionner en sens inverse pour hydrolyser l'ATP et pomper des H⁺

En plus d'exploiter le flux de H⁺ dans le sens du gradient électrochimique de protons pour fabriquer de l'ATP, l'ATP synthase peut fonctionner dans le sens inverse : elle peut utiliser l'énergie de l'hydrolyse de l'ATP pour pomper des H⁺ à travers la membrane mitochondriale interne (Figure 14-19). Elle agit ainsi comme un *appareil de couplage réversible*, qui effectue une interconversion entre le gradient électrochimique de protons et l'énergie des liaisons chimiques. À chaque instant, la direction de l'action dépend de l'équilibre entre la pente du gradient électrochimique et la ΔG locale de l'hydrolyse de l'ATP, comme nous l'expliquerons de suite.

Même si nous ne savons pas exactement combien il faut de protons pour fabriquer chaque molécule d'ATP, nous supposons que l'ATP synthase fabrique une molécule d'ATP à chaque fois que 3 protons la traversent. À chaque instant le fait que l'ATP synthase agit dans la direction de la synthèse d'ATP ou de l'hydrolyse d'ATP dépend, dans ce cas, de l'équilibre exact entre la variation favorable d'énergie libre du déplacement dans la matrice de ces trois protons à travers la membrane, ΔG_{3H^+} (qui est inférieure à zéro), et la variation défavorable d'énergie libre de la synthèse d'ATP dans la matrice, $\Delta G_{\text{synthèse ATP}}$ (qui est supérieure à zéro). Comme nous venons de le voir, la valeur de la $\Delta G_{\text{synthèse ATP}}$ dépend de la concentration exacte des trois réactifs ATP, ADP et P$_i$ dans la matrice mitochondriale (*voir* Figure 14-18). La valeur de ΔG_{3H^+} à l'opposé, est directement proportionnelle à la valeur de la force proton-motrice au travers de la membrane mitochondriale interne. L'exemple suivant nous aidera à expliquer comment l'équilibre entre ces deux variations d'énergie libre modifie la synthèse d'ATP.

Comme cela est expliqué dans la légende de la figure 14-19, un seul H⁺ qui se déplace dans la matrice selon son gradient électrochimique de 200 mV libère 4,6 kcal/mole d'énergie libre, tandis que le mouvement de trois protons libère trois fois plus d'énergie libre (ΔG_{3H^+} = −13,8 kcal/mole). De ce fait, si la force proton-motrice reste constante à 200 mV, l'ATP synthase synthétise de l'ATP jusqu'à ce que le

Figure 14-18 Relations fondamentales entre les variations de l'énergie libre et l'équilibre dans les réactions d'hydrolyse de l'ATP. Les constantes de vitesse dans les encadrés 1 et 2 sont déterminées d'après des expériences mesurées en fonction du temps. L'unité de la constante d'équilibre montrée ici, K, est les moles par litre. (*Voir* Planche 2-7, p. 122-123, pour la discussion sur l'énergie libre et p. 160 pour la discussion sur la constante d'équilibre.)

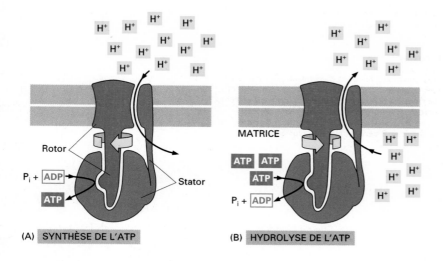

(A) SYNTHÈSE DE L'ATP   (B) HYDROLYSE DE L'ATP

L'ATP synthase peut soit (A) synthétiser l'ATP en exploitant la force proton-motrice ou (B) pomper des protons contre leur gradient électrochimique par l'hydrolyse de l'ATP. Comme cela est expliqué dans le texte, la direction des opérations à tout instant donné dépend de la variation d'énergie nette (ΔG) des processus couplés de la translocation de H^+ à travers la membrane et de la synthèse d'ATP à partir d'ADP et de P_i. La mesure du couple que l'ATP synthase peut produire lorsqu'elle hydrolyse l'ATP révèle que la synthase peut pomper 60 fois plus fort qu'un moteur diesel de poids égal.

Nous avons montré précédemment comment la variation d'énergie libre (ΔG) de l'hydrolyse de l'ATP dépendait de la concentration des trois réactifs ATP, ADP et P_i (*voir* Figure 14-18); la ΔG de la synthèse de l'ATP est la négative de cette valeur. La ΔG de la translocation des protons à travers la membrane est proportionnelle à la force proton-motrice. Le facteur de conversion entre eux est le faraday. De ce fait $\Delta G_{H^+} = -0,023$ (force proton-motrice), où ΔG_{H^+} est en kcal/mole et la force proton-motrice en mV. Pour un gradient électrochimique de protons (force proton-motrice) de 200 mV, $\Delta G_{H^+} = -4,6$ kcal/mole.

rapport ATP sur ADP et P_i atteigne la valeur où la $\Delta G_{\text{synthèse ATP}}$ est juste égale à +13,8 kcal/mole (dans ce cas $\Delta G_{\text{synthèse ATP}} + \Delta G_{3H^+} = 0$). À ce point, il n'y a plus ni synthèse nette d'ATP ni hydrolyse par l'ATP synthase.

Supposons qu'une grande quantité d'ATP soit soudainement hydrolysée par des réactions nécessitant de l'énergie dans le cytosol, ce qui provoque la baisse du rapport ATP/ADP dans la matrice. La valeur de la $\Delta G_{\text{synthèse ATP}}$ s'abaisse alors (*voir* Figure 14-18) et l'ATP synthase commence à synthétiser de nouveau de l'ATP pour restaurer le rapport ATP/ADP d'origine. D'un autre côté, si la force proton-motrice chute soudainement et est maintenue à une valeur constante de 160 mV, la ΔG_{3H^+} devient égale à –11,0 kcal/mole. Il en résulte que l'ATP synthase commence à hydrolyser certains ATP de la matrice jusqu'à ce qu'un nouvel équilibre de l'ATP sur l'ADP et le P_i soit atteint (où $\Delta G_{\text{synthèse ATP}} = +11,0$ kcal/mole), et ainsi de suite.

Dans beaucoup de bactéries, l'ATP synthase s'inverse de façon routinière lors de la transition entre les métabolismes aérobie et anaérobie, comme nous le verrons ultérieurement. Ce même type de réversibilité s'effectue par d'autres protéines de transport membranaire qui couplent le mouvement transmembranaire d'un ion à la synthèse ou l'hydrolyse d'ATP. La pompe Na^+-K^+ et la pompe à Ca^{2+} décrites au chapitre 11, par exemple, hydrolysent normalement l'ATP et utilisent l'énergie libérée pour déplacer leurs ions spécifiques à travers la membrane. Cependant, si une de ces pompes est exposée à un gradient particulièrement pentu de l'ion qu'elle transporte, elle agira en sens inverse – synthétisant l'ATP à partir de l'ADP et du P_i au lieu de l'hydrolyser. De ce fait, l'ATP synthase n'est pas la seule à pouvoir transformer l'énergie électrochimique stockée dans un gradient ionique transmembranaire directement en une énergie de liaison phosphate dans l'ATP.

Résumé

Les mitochondries effectuent la plupart des oxydations cellulaires et produisent la masse de l'ATP des cellules animales. La matrice mitochondriale contient une grande variété d'enzymes, y compris celles qui convertissent le pyruvate et les acides gras en acétyl CoA et celles qui oxydent cet acétyl CoA en CO_2 par le cycle de l'acide citrique. Ces réactions d'oxydation produisent de grandes quantités de NADH (et de $FADH_2$).

L'énergie disponible de l'association de l'oxygène moléculaire aux électrons réactifs transportés par NADH et $FADH_2$ est exploitée par une chaîne de transport d'électrons de la membrane mitochondriale interne appelée chaîne respiratoire. Cette chaîne respiratoire pompe les H^+ pour les sortir de la matrice, ce qui crée un gradient électrochimique transmembranaire de protons (H^+) qui participe à la formation d'un potentiel de membrane et d'une différence de pH. La grande quantité d'énergie libre libérée lorsqu'un H^+ reflue dans la matrice (à travers la membrane interne) fournit les fondements de la production d'ATP dans la matrice par le biais d'une machinerie protéique remarquable – l'ATP synthase. Le gradient électrochimique transmembranaire sert également à actionner le transport actif de certains métabolites à travers la membrane mitochondriale interne, y compris un échange ATP-ADP efficace entre les mitochondries et le cytosol qui maintient un pool cellulaire d'ATP très élevé. Le fort rapport entre l'ATP et ses produits d'hydrolyse qui en résulte rend la variation d'énergie libre de l'hydrolyse d'ATP extrêmement favorable, et permet à cette réaction d'actionner un grand nombre de processus cellulaires énergie-dépendants.

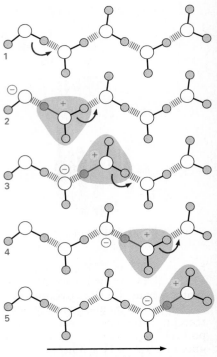

Figure 14-20 Comportement des protons dans l'eau. (A) Les protons se déplacent très rapidement le long de la chaîne de molécules d'eau reliées par l'hydrogène. Dans ce schéma, les sauts de protons sont indiqués par les *flèches bleues* et les ions hydronium par les *ombres vertes*. Comme cela a été traité au chapitre 2, les protons nus existent rarement en tant que tels ; ils sont par contre associés à des molécules d'eau sous la forme d'ions hydronium H_3O^+. Au pH neutre (pH 7,0) la concentration en ions hydronium est de 10^{-7} M. Cependant, pour plus de simplicité, on s'y réfère généralement en parlant d'une concentration en H^+ de 10^{-7} M (*voir* Planche 2-2, p. 112-113). (B) Le transfert d'électrons peut entraîner le transfert d'un atome complet d'hydrogène, parce que les protons sont facilement acceptés par l'eau ou donnés à l'eau à l'intérieur de la cellule. Dans cet exemple, A prend un électron plus un proton lorsqu'il est réduit et B perd un électron plus un proton lorsqu'il est oxydé.

Mouvement rapide des protons
le long de la chaîne des molécules
d'eau

(A)

LES CHAÎNES DE TRANSPORT DES ÉLECTRONS ET LEURS POMPES À PROTONS

Après avoir vu de façon générale comment les mitochondries utilisaient le transport des électrons pour créer un gradient électrochimique de protons, il nous faut examiner les mécanismes qui sous-tendent le processus de conversion énergétique fondé sur les membranes. Par cela, nous atteignons également un objectif plus important. Nous avons insisté au début de ce chapitre sur le fait que des mécanismes chimioosmotiques très semblables sont utilisés par les mitochondries, les chloroplastes, les archéobactéries et les bactéries. En fait ces mécanismes sous-tendent la fonction de presque tous les organismes vivants – y compris les anaérobies qui tirent l'énergie du transfert des électrons entre deux molécules inorganiques. Il est de ce fait plutôt humiliant pour les scientifiques de se rappeler que l'existence de la chimio-osmose n'a été reconnue qu'il y a 40 ans.

Nous commencerons par décrire certains principes sous-jacents au processus de transport d'électrons, pour pouvoir expliquer comment il est en mesure de pomper des protons à travers la membrane.

Les protons sont particulièrement faciles à déplacer

Même si les protons ressemblent à d'autres ions positifs comme le Na^+ et le K^+ en ce qui concerne leurs déplacements au travers des membranes, sur certains points ils sont uniques. Les atomes d'hydrogène sont de loin les atomes les plus abondants dans les organismes vivants ; ils sont très abondants non seulement dans toutes les molécules biologiques qui contiennent du carbone mais aussi dans les molécules d'eau qui les entourent. Les protons de l'eau sont hautement mobiles, oscillant à travers le réseau de liaisons hydrogène des molécules d'eau, se dissociant rapidement d'une molécule d'eau pour s'associer à sa voisine, comme cela est illustré dans la figure 14-20A. On pense que les protons se déplacent au travers d'une pompe protéique incluse dans une bicouche lipidique de façon similaire ; ils se transfèrent d'une chaîne latérale d'acide aminé à une autre, et suivent un canal particulier à travers la protéine.

Les protons sont aussi particuliers du point de vue du transport des électrons. À chaque fois qu'une molécule réduite acquiert un électron (e^-), l'électron apporte avec lui une charge négative. Dans de nombreux cas, cette charge est rapidement neutralisée par l'addition d'un proton issu de l'eau (H^+) de telle sorte que l'effet net de la réduction est le transfert d'un atome d'hydrogène complet $H^+ + e^-$ (Figure 14-20B). De même, lorsqu'une molécule est oxydée, l'atome d'hydrogène éliminé peut être facilement dissocié en ses constituants, électron et proton – ce qui permet le transfert séparé de l'électron sur une molécule receveuse d'électrons tandis que le proton est donné à l'eau. De ce fait, dans une membrane que les électrons traversent le long d'une chaîne de transport d'électrons, le pompage des protons d'un côté de la membrane vers l'autre peut être relativement simple. Le transporteur d'électrons a simplement besoin d'être placé dans la membrane de façon à pouvoir prendre un proton d'un côté de la membrane lorsqu'il accepte un électron et de libérer ce proton de l'autre côté de la membrane lorsqu'il transmet l'électron sur la molécule de transport suivante de la chaîne (Figure 14-21).

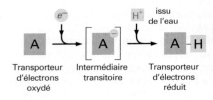

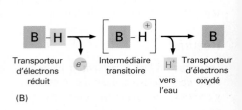

(B)

Le potentiel redox est une mesure de l'affinité des électrons

Au cours des réactions biochimiques tout électron éliminé d'une molécule est toujours transmis à une autre de telle sorte qu'à chaque fois qu'une molécule est oxydée, une autre est réduite. Comme toute autre réaction chimique, la tendance d'une telle réaction d'oxydation-réduction ou **réaction redox** à s'effectuer spontanément dépend de la variation d'énergie libre (ΔG) du transfert des électrons, qui dépend elle-même de l'affinité relative des deux molécules pour les électrons.

Comme les transferts d'électrons fournissent la majorité de l'énergie des êtres vivants, il est important de passer quelque temps pour les comprendre. Beaucoup de lecteurs sont déjà familiarisés aux acides et aux bases, qui donnent et acceptent des protons (*voir* Planche 2-2, p. 112-113). Les acides et les bases existent sous forme de couples acide-base conjugués dans lesquels l'acide est facilement converti en sa base par la perte d'un proton. Par exemple l'acide acétique (CH_3COOH) est converti en sa base conjuguée (CH_3COO^-) au cours de la réaction :

$$CH_3COOH \leftrightharpoons CH_3COO^- + H^+$$

Exactement de la même façon les couples de composés comme NADH et NAD^+ sont appelés **couples redox**, car le NADH est converti en NAD^+ par la perte d'électrons au cours de la réaction :

$$NADH \leftrightharpoons NAD^+ + H^+ + 2e^-$$

NADH est un fort donneur d'électrons : comme ses électrons sont maintenus dans une liaison riche en énergie, la variation d'énergie libre lors de la transmission d'électrons à de nombreuses autres molécules est favorable (*voir* Figure 14-9). Il est difficile de former une liaison riche en énergie. De ce fait, le partenaire redox, NAD^+, est par nécessité un faible receveur d'électrons. La tendance à transférer des électrons de n'importe quel couple redox peut se mesurer expérimentalement. Il faut simplement former un circuit électrique reliant un mélange 1:1 (équimolaire) du couple redox à un second couple redox, arbitrairement choisi comme référence standard, de telle sorte que la différence de voltage puisse être mesurée entre eux (Planche 14-1, p. 784). Cette différence de voltage est définie comme le **potentiel redox**; selon la définition, les électrons se déplacent spontanément d'un couple redox comme NADH/NAD^+ de faible potentiel redox (une faible affinité pour les électrons) à un couple redox de type O_2/H_2O de fort potentiel redox (une forte affinité pour les électrons). De ce fait, NADH est une bonne molécule pour donner des électrons à la chaîne respiratoire, tandis que O_2 est bien adapté pour «engloutir» les électrons à la fin de la voie métabolique. Comme nous l'expliquons dans la planche 14-1, la différence de potentiel redox, $\Delta E_0'$, est une mesure directe de la variation standard d'énergie libre ($\Delta G°$) du transfert d'un électron d'une molécule à une autre.

Les transferts d'électrons libèrent de grandes quantités d'énergie

Comme nous venons de le voir, les couples de composés qui ont les potentiels redox les plus négatifs ont la plus faible affinité pour les électrons et contiennent donc les transporteurs qui ont la plus forte tendance à donner des électrons. À l'inverse, les couples qui ont le potentiel redox le plus positif ont la plus forte affinité pour les électrons et de ce fait contiennent les transporteurs qui ont la plus forte tendance à accepter des électrons. Le mélange 1:1 de NADH et NAD^+ a un potentiel redox de $-320\,mV$, ce qui indique que NADH a une forte tendance à donner des électrons; le mélange 1:1 de H_2O et $\frac{1}{2}O_2$ a un potentiel redox de $+820\,mV$, ce qui indique que O_2 a une forte tendance à accepter des électrons. La différence de potentiel redox est de 1,14 volts ($1\,140\,mV$) et signifie que le transfert de chaque électron de NADH à O_2 dans ces conditions standard est excessivement favorable, avec $\Delta G° = -26{,}2\,kcal/mole$ ($-52{,}4\,kcal/mole$ pour les deux électrons transférés par molécule de NADH; *voir* Planche 14-1). Si nous comparons cette variation d'énergie libre avec celle de la formation des liaisons phosphoanhydride de l'ATP ($\Delta G° = -7{,}3\,kcal/mol$; *voir* Figure 2-75) nous voyons qu'il y a plus d'énergie que nécessaire libérée par l'oxydation d'une molécule de NADH pour synthétiser plusieurs molécules d'ATP à partir d'ADP et de P_i.

Les systèmes vivants pourraient certainement avoir développé des enzymes qui permettraient à NADH de donner directement des électrons à O_2 pour fabriquer de l'eau dans la réaction :

$$2H^+ + 2e^- + \frac{1}{2}O_2 \rightarrow H_2O$$

Mais à cause de l'énorme baisse de l'énergie libre, cette réaction s'effectuerait avec une force presque explosive et presque toute l'énergie serait libérée sous forme

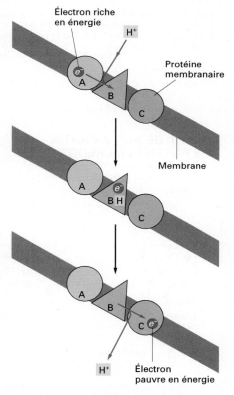

Figure 14-21 Les protons peuvent être pompés à travers la membrane. Lorsqu'un électron passe le long d'une chaîne de transport d'électrons incluse dans une bicouche lipidique membranaire, il peut fixer et libérer un proton à chaque étape. Dans ce diagramme, le transporteur d'électrons B prend un proton (H^+) d'un côté de la membrane lorsqu'il accepte un électron (e^-) du transporteur A; il libère le proton de l'autre côté de la membrane lorsqu'il donne son électron au transporteur C.

COMMENT MESURER LES POTENTIELS REDOX ?

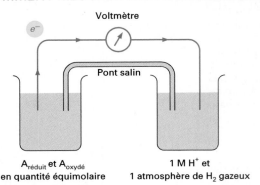

$A_{réduit}$ et $A_{oxydé}$
en quantité équimolaire

1 M H$^+$ et
1 atmosphère de H$_2$ gazeux

Un récipient (*gauche*) contient la substance A avec un mélange équimolaire des membres réduits ($A_{réduit}$) et oxydé ($A_{oxydé}$) de son couple redox. L'autre récipient contient le standard de référence de l'hydrogène ($2H^+ + 2e^- \rightleftharpoons H_2$), dont le potentiel redox est arbitrairement assigné à zéro par convention internationale. (Un pont salin formé par une solution concentrée de KCl permet aux ions K$^+$ et Cl$^-$ de se déplacer entre les deux récipients, ce qui est nécessaire pour neutraliser les charges de chaque récipient lorsque les électrons passent entre eux.) Le fil métallique (*rouge*) fournit une voie sans résistance pour les électrons et un voltmètre mesure alors le potentiel redox de la substance A. Si les électrons passent de $A_{réduit}$ à H$^+$, comme cela est indiqué ici, on dit que le couple redox formé par la substance A a un potentiel redox négatif. S'ils passent par contre de H$_2$ à $A_{oxydé}$, on dit que le couple redox a un potentiel redox positif.

CERTAINS POTENTIELS REDOX STANDARD À pH7

Par convention, le potentiel redox d'un couple redox est désigné par E. Pour l'état standard, avec tous les réactifs à la concentration de 1M, y compris H$^+$, on peut déterminer un potentiel redox standard, désigné par E_0. Comme les réactions biologiques se produisent à pH7, les biologistes utilisent un état standard différent pour lequel $A_{réduit} = A_{oxydé}$ et H$^+ = 10^{-7}$ M. Ce potentiel redox standard est désigné par E'_0. Quelques exemples ayant un intérêt particulier pour la phosphorylation oxydative sont donnés ici.

Réactions redox	Potentiel redox E'_0
NADH $\rightleftharpoons$ NAD$^+$ + H$^+$ + 2e$^-$	–320 mV
Ubiquinone réduite $\rightleftharpoons$ ubiquinone oxydée + 2H$^+$ + 2e$^-$	+30 mV
Cytochrome c réduit $\rightleftharpoons$ Cytochrome c oxydé + e$^-$	+230 mV
H$_2$O $\rightleftharpoons$ ½O$_2$ + 2H$^+$ + 2e$^-$	+820 mV

CALCUL DE $\Delta G°$ À PARTIR DES POTENTIELS REDOX

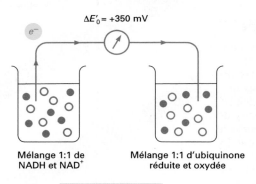

$\Delta E'_0 = +350$ mV

Mélange 1:1 de NADH et NAD$^+$

Mélange 1:1 d'ubiquinone réduite et oxydée

$$\Delta G° = -8 \text{ kcal/mole}$$

$\Delta G° = -n(0,023) \Delta E'_0$, où n est le nombre d'électrons transférés avec une variation de potentiel redox de $\Delta E'_0$ millivolts (mV).

Exemple : le transfert d'un électron de NADH à l'ubiquinone a une $\Delta G°$ favorable de –8,0 kcal/mole alors que le transfert d'un électron de l'ubiquinone à l'oxygène a une $\Delta G°$ encore plus favorable de –18,2 kcal/mole. La valeur de $\Delta G°$ du transfert d'un électron de NADH à l'oxygène est la somme de ces deux valeurs, –26,2 kcal/mole.

LES EFFETS DES VARIATIONS DE CONCENTRATION

La variation réelle d'énergie libre d'une réaction, ΔG, dépend de la concentration en réactifs et est généralement différente de la variation d'énergie libre standard, $\Delta G°$. Les potentiels redox standard sont ceux d'un mélange 1:1 du couple redox. Par exemple, le potentiel redox standard de –320 mV est celui d'un mélange 1:1 de NADH et NAD$^+$. Mais lorsqu'il y a un excès de NADH par rapport à NAD$^+$, le transfert d'électrons de NADH sur un accepteur d'électrons devient plus favorable. Cela se reflète par un potentiel redox plus négatif et une ΔG plus négative pour le transfert d'électrons.

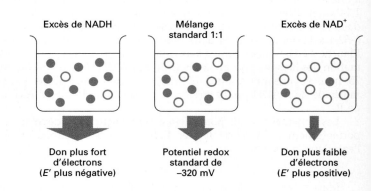

Excès de NADH — Don plus fort d'électrons (E' plus négative)

Mélange standard 1:1 — Potentiel redox standard de –320 mV

Excès de NAD$^+$ — Don plus faible d'électrons (E' plus positive)

de chaleur. Les cellules effectuent cette réaction mais beaucoup plus graduellement en transmettant des électrons riches en énergie de NADH à O_2 via les nombreux transporteurs d'électrons de la chaîne de transport des électrons. Comme chaque transporteur successif de la chaîne maintient plus solidement son électron, la réaction très énergétiquement favorable $2H^+ + 2e^- + 1/2 O_2 \rightarrow H_2O$ s'effectue en plusieurs petites étapes. Cela permet de mettre en réserve presque la moitié de l'énergie, au lieu de la perdre dans l'environnement sous forme de chaleur.

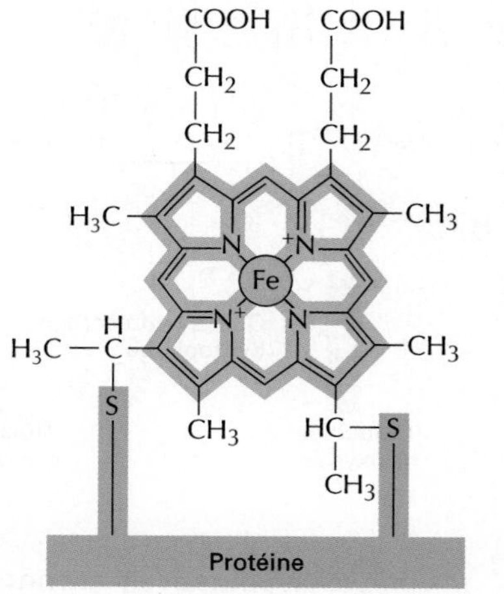

Des méthodes de spectroscopie ont été utilisées pour identifier de nombreux transporteurs d'électrons de la chaîne respiratoire

Bon nombre de transporteurs d'électrons de la chaîne respiratoire absorbent la lumière visible et modifient leur couleur lorsqu'ils sont oxydés ou réduits. En général, chacun a un spectre d'absorption et une réactivité assez distincts pour permettre de suivre leur comportement en spectroscopie, même dans les mélanges bruts. Il a donc été possible de purifier ces composants longtemps avant de connaître leurs fonctions exactes. Les **cytochromes** ont ainsi été découverts en 1925 en tant que composés subissant une oxydation et une réduction rapides dans des organismes vivants aussi disparates que les bactéries, les levures et les insectes. L'observation des cellules et des tissus au spectroscope avait permis d'identifier trois types de cytochromes selon leurs spectres d'absorption différents qui furent nommés cytochromes *a*, *b* et *c*. Cette nomenclature a survécu même si on sait maintenant que les cellules contiennent divers cytochromes de chaque type et que la classification en types n'est pas fonctionnellement importante.

Les cytochromes constituent une famille de protéines colorées apparentées par la présence d'un *groupement hème* lié, dont l'atome de fer passe d'un état oxydé ferrique (Fe^{3+}) à un état oxydé ferreux (Fe^{2+}) à chaque fois qu'il accepte un électron. Le groupement hème est composé d'un *anneau de porphyrine* solidement relié à un atome de fer maintenu par quatre atomes d'azote à chaque coin d'un carré (Figure 14-22). L'anneau de porphyrine similaire relié au fer dans l'hémoglobine est responsable de la couleur rouge du sang et celui relié au magnésium dans la chlorophylle est responsable de la couleur verte des feuilles.

Les *protéines fer-soufre* forment la deuxième grande famille de transporteurs d'électrons. Dans ces protéines, deux ou quatre atomes de fer sont reliés à un nombre identique d'atomes de soufre et à des chaînes latérales de cystéine, ce qui forme un **centre fer-soufre** sur la protéine (Figure 14-23). Il y a plus de centres fer-soufre que de cytochromes dans la chaîne respiratoire. Mais leur détection par spectroscopie nécessite une spectroscopie ESR (pour *electron spin resonance*) et leur caractérisation est moins complète. Comme les cytochromes, ces centres transportent un électron à la fois.

Le plus simple des transporteurs d'électrons de la chaîne respiratoire – et le seul qui ne fasse pas partie d'une protéine – est une petite molécule hydrophobe librement mobile dans la bicouche lipidique, appelée *ubiquinone*, ou *coenzyme Q*. Une **quinone (Q)** peut prendre ou donner un ou deux électrons; lorsqu'elle subit une réduction, elle prend un proton du milieu avec chaque électron qu'elle transporte (Figure 14-24).

En plus des six hèmes différents liés aux cytochromes, des sept centres fer-soufre et de l'ubiquinone, il y a aussi deux atomes de cuivre et une flavine qui servent de transporteurs d'électrons solidement fixés aux protéines de la chaîne respiratoire dans la voie qui va du NADH à l'oxygène. Cette voie implique plus de 60 protéines différentes en tout.

Figure 14-22 Structure du groupement hème fixé de façon covalente sur le cytochrome c. L'anneau de porphyrine est montré en *bleu*. Il y a cinq cytochromes différents dans la chaîne respiratoire. Comme les hèmes des différents cytochromes ont des structures légèrement différentes et sont maintenus par leurs protéines respectives de différentes façons, l'affinité de chaque cytochrome pour un électron est différente.

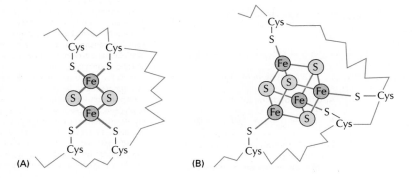

Figure 14-23 Structure de deux types de centres fer-soufre. (A) Centre de type 2Fe2S. (B) Centre de type 4Fe4S. Bien qu'ils contiennent de multiples atomes de fer, chaque centre fer-soufre ne peut transporter qu'un électron à la fois. Il y a plus de sept centres fer-soufre différents dans la chaîne respiratoire.

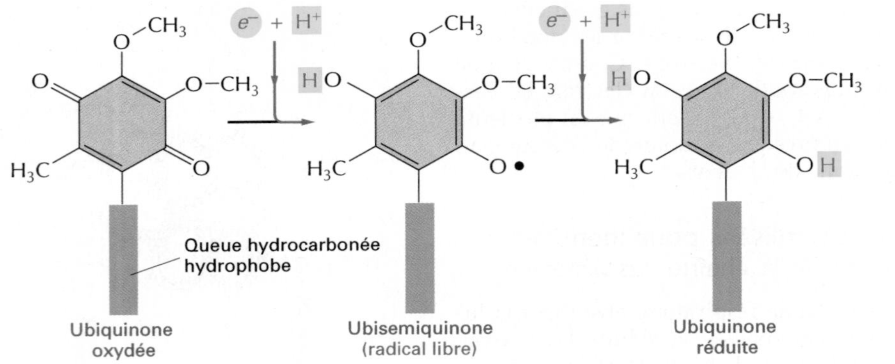

Figure 14-24 Transporteurs d'électrons de type quinone. L'ubiquinone de la chaîne respiratoire prend un H⁺ de l'environnement aqueux pour chaque électron qu'elle accepte et peut transporter un ou deux électrons en tant que partie d'un atome d'hydrogène (*jaune*). Lorsque l'ubiquinone réduite donne son électron au transporteur suivant de la chaîne, ces protons sont libérés. La longue queue hydrophobe confine l'ubiquinone à la membrane et est composée de 6 à 10 unités isoprène à 5 carbones, le nombre dépendant de l'organisme. Le transporteur d'électrons correspondant des membranes photosynthétiques des chloroplastes est la plastoquinone, de structure presque identique. Pour plus de simplicité l'ubiquinone et la plastoquinone sont désignées dans ce chapitre par le terme quinone (abrégé en Q).

Comme on pourrait s'y attendre, l'affinité des transporteurs d'électrons pour les électrons augmente de plus en plus (potentiels redox supérieurs) lorsqu'on se déplace le long de la chaîne respiratoire. Les potentiels redox ont été réglés avec précision pendant l'évolution par la liaison de chaque transporteur d'électrons à un contexte protéique particulier, qui peut modifier son affinité normale pour les électrons. Cependant, comme les centres fer-soufre ont une affinité relativement faible pour les électrons, ils prédominent dans les parties précoces de la chaîne respiratoire ; à l'opposé, les cytochromes prédominent plus bas dans la chaîne, où une plus forte affinité pour les électrons est requise.

L'ordre de chaque transporteur d'électrons dans la chaîne a été déterminé par des mesures sophistiquées de spectroscopie (Figure 14-25) et beaucoup de protéines ont été au départ isolées et caractérisées comme des polypeptides individuels. Une des avancées majeures dans notre compréhension de la chaîne respiratoire cependant a été de réaliser par la suite que la plupart des protéines étaient organisées en trois gros complexes enzymatiques.

La chaîne respiratoire comprend trois gros complexes enzymatiques encastrés dans la membrane interne

Les protéines membranaires sont difficiles à purifier sous forme de complexes intacts parce que ces derniers sont insolubles en solution aqueuse et certains détergents nécessaires à leur solubilisation peuvent détruire les interactions normales protéine-protéine. Au début des années 1960, cependant, on a trouvé que des détergents ioniques relativement légers, comme le désoxycholate, pouvaient solubiliser certains composants de la membrane mitochondriale interne dans leur forme native. Cela a permis l'identification et la purification des trois principaux **complexes enzymatiques respiratoires** liés à la membrane de la voie allant du NADH à l'oxygène (Figure 14-26). Comme nous le verrons dans ce paragraphe, chacun de ces complexes agit comme une pompe à H⁺ actionnée par le transport d'électrons ; cependant, ils furent initialement caractérisés par les transporteurs d'électrons avec lesquels ils interagissent et qu'ils contiennent.

1. Le **complexe de la NADH déshydrogénase** (généralement connu comme complexe I) est le plus gros des complexes enzymatiques respiratoires, et contient plus de 40 chaînes polypeptidiques. Il accepte des électrons provenant du NADH et les transmet au travers d'une flavine et d'au moins sept centres fer-

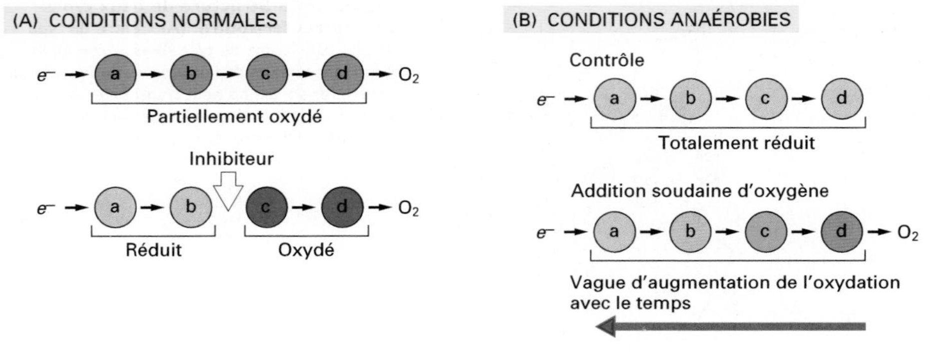

Figure 14-25 Méthodes générales utilisées pour déterminer la voie des électrons le long de leur chaîne de transport. L'importance de l'oxydation des transporteurs d'électrons a, b c et d est continuellement suivie par le biais de leurs spectres distincts, qui diffèrent selon l'état oxydé ou réduit. Dans ce schéma, l'augmentation du degré d'oxydation est indiquée par un *rouge plus foncé*. (A) Dans les conditions normales d'abondance d'oxygène, tous les transporteurs sont dans un état partiellement oxydé. L'addition d'un inhibiteur spécifique provoque l'augmentation de l'oxydation des transporteurs en aval (*rouge*) et l'augmentation de la réduction des transporteurs en amont. (B) En l'absence d'oxygène, tous les transporteurs sont dans un état totalement réduit (*gris*). L'addition soudaine d'oxygène transforme chaque transporteur en sa forme partiellement oxydée avec un retard d'autant plus prononcé que le transporteur se situe plus en aval.

(A) CONDITIONS NORMALES

(B) CONDITIONS ANAÉROBIES

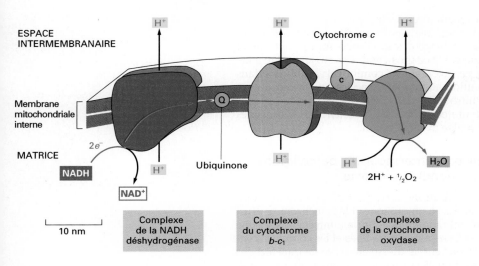

ESPACE
INTERMEMBRANAIRE

Membrane
mitochondriale
interne

MATRICE

$2e^-$

NADH

NAD$^+$

Cytochrome c

Q

Ubiquinone

H$^+$ H$^+$ H$^+$

H$^+$ H$^+$ H$^+$ H$^+$ H$_2$O

2H$^+$ + $^1/_2$O$_2$

10 nm

Complexe
de la NADH
déshydrogénase

Complexe
du cytochrome
b-c$_1$

Complexe
de la cytochrome
oxydase

Figure 14-26 Voie des électrons à travers les trois complexes des enzymes respiratoires. La taille relative et la forme de chaque complexe sont montrées. Pendant le transfert des électrons du NADH à l'oxygène (*lignes rouges*), l'ubiquinone et le cytochrome c servent de transporteurs mobiles qui transportent les électrons d'un complexe au suivant. Comme cela est indiqué, les protons sont pompés à travers la membrane par chaque complexe enzymatique respiratoire.

soufre à l'ubiquinone. L'ubiquinone transfère alors ses électrons à un deuxième complexe enzymatique respiratoire, le complexe du cytochrome b-c_1.

2. Le **complexe du cytochrome b-c_1** contient au moins 11 chaînes polypeptidiques différentes et fonctionne comme un dimère. Chaque monomère contient trois hèmes reliés aux cytochromes et à une protéine fer-soufre. Le complexe accepte les électrons de l'ubiquinone et les transmet au cytochrome c qui transporte ses électrons au complexe de la cytochrome oxydase.

3. Le **complexe de la cytochrome oxydase** fonctionne aussi comme un dimère ; chaque monomère contient 13 chaînes polypeptidiques différentes, incluant deux cytochromes et deux atomes de cuivre. Le complexe accepte un électron à la fois du cytochrome c et les transmet par quatre sur un oxygène.

Les cytochromes, les centres fer-soufre et les atomes de cuivre peuvent transporter un seul électron à la fois. Cependant chaque NADH donne deux électrons et chaque molécule de O_2 doit recevoir quatre électrons pour produire de l'eau. Il y a plusieurs points de recueil et de dispersion des électrons le long de leur chaîne de transport où s'effectuent les modifications du nombre d'électrons. Le plus évident parmi ceux-ci est la cytochrome oxydase.

Un centre fer-cuivre de la cytochrome oxydase catalyse efficacement la réduction d'O_2

Comme l'oxygène a une forte affinité pour les électrons, il libère une grande quantité d'énergie libre lorsqu'il est réduit pour former de l'eau. De ce fait, l'évolution de la respiration cellulaire, au cours de laquelle O_2 est transformé en eau, permet aux organismes d'exploiter beaucoup plus d'énergie que ce qu'ils peuvent dériver du métabolisme anaérobie. C'est probablement pourquoi tous les organismes supérieurs respirent. La capacité des systèmes biologiques à utiliser ainsi l'O_2 cependant, nécessite une chimie très complexe. Nous pouvons tolérer O_2 dans l'air que nous respirons parce qu'il a des difficultés à prendre son premier électron ; ce fait permet de contrôler de près la réaction initiale dans la cellule par catalyse enzymatique. Mais une fois qu'une molécule d'O_2 a pris un électron pour former un radical superoxyde (O_2^-), elle devient dangereusement réactive et prend rapidement les trois électrons supplémentaires dès qu'elle les trouve. La cellule peut utiliser O_2 pour sa respiration uniquement parce que la cytochrome oxydase maintient l'oxygène dans un centre spécifique bimétallique où il reste fixé entre un atome de fer relié à l'hème et un atome de cuivre jusqu'à ce qu'il ait attrapé un total de quatre électrons. C'est seulement à ce moment que les deux atomes d'oxygène de la molécule d'oxygène peuvent être libérés sans danger sous forme de deux molécules d'eau (Figure 14-27).

On estime que la réaction de la cytochrome oxydase représente 90 p. 100 de l'absorption totale d'oxygène dans la plupart des cellules. Ce complexe protéique est donc crucial pour la vie aérobie. Le cyanure et l'azide sont extrêmement toxiques parce qu'ils se fixent solidement sur le complexe de la cytochrome oxydase des cellules et arrêtent le transport d'électrons, réduisant ainsi fortement la production d'ATP.

Bien que la cytochrome oxydase des mammifères contienne 13 sous-unités protéiques différentes, la plupart d'entre elles semblent avoir un rôle subsidiaire, facilitant la régulation de l'activité ou de l'assemblage des trois sous-unités qui forment le cœur de l'enzyme. La structure complexe de ce gros complexe enzymatique a été récemment déterminée par cristallographie aux rayons X comme cela est illustré dans la figure 14-28. Les structures de résolution atomique, associées aux études mécaniques des effets de mutations précises introduites dans l'enzyme par des techniques de génie génétique des protéines de levure et de bactéries révèlent les mécanismes détaillés de cette machinerie protéique réglée avec précision.

Les transferts d'électrons se font par l'intermédiaire de collisions aléatoires dans la membrane mitochondriale interne

Les deux composants qui transportent les électrons entre les trois principaux complexes enzymatiques de la chaîne respiratoire – l'ubiquinone et le cytochrome c – diffusent rapidement dans le plan de la membrane mitochondriale interne. La vitesse attendue de collisions aléatoires entre ces transporteurs mobiles et les complexes enzymatiques qui diffusent plus lentement joue sur la vitesse observée de transfert des électrons (chaque complexe donne et reçoit un électron une fois toutes les 5 à 20 millisecondes environ). De ce fait, il n'y a pas besoin de postuler l'existence d'une chaîne ordonnée structurellement de protéines de transfert des électrons dans la bicouche lipidique ; en fait, les trois complexes enzymatiques semblent exister sous forme d'entités indépendantes dans le plan de la membrane interne, et sont présents en différents rapports dans différentes mitochondries.

Le transfert ordonné des électrons le long de la chaîne respiratoire est dû entièrement à la spécificité des interactions fonctionnelles entre les composants de la chaîne : chaque transporteur d'électrons ne peut interagir qu'avec le transporteur qui lui est adjacent selon la séquence montrée dans la figure 14-26, sans court-circuit.

Les électrons se déplacent entre les molécules qui les transportent dans les systèmes biologiques non seulement en se déplaçant le long des liaisons covalentes à l'intérieur d'une molécule, mais aussi en sautant à travers un trou aussi large que 2 nm. Ces sauts se produisent par l'effet tunnel des électrons, une propriété de la mé-

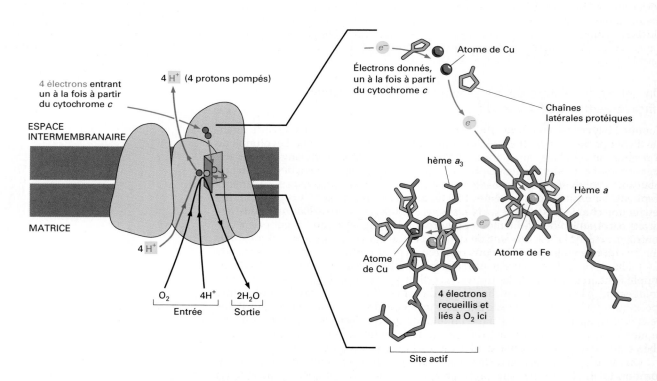

Figure 14-27 Réaction de l'O$_2$ avec les électrons dans la cytochrome oxydase. Comme cela est indiqué, les atomes de fer de l'hème a servent de point où les électrons font la queue : cet hème place quatre électrons dans une molécule d'O$_2$ maintenue dans le site actif du centre bimétallique, qui est formé par les autres atomes de fer liés à l'hème et un atome de cuivre très proche. Notez que quatre protons sont pompés à l'extérieur de la matrice pour chaque molécule d'O$_2$ qui subit la réaction $4e^- + 4H^+ + O_2 \rightarrow 2H_2O$.

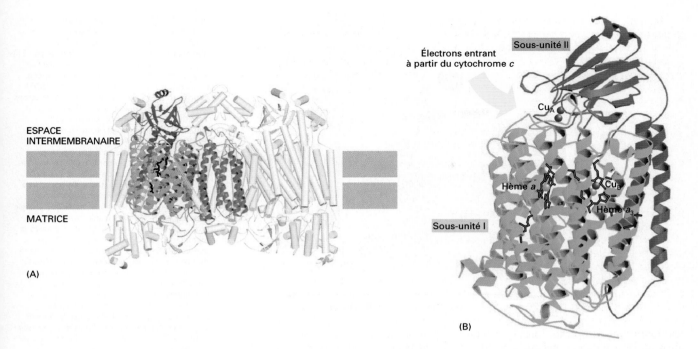

ESPACE
INTERMEMBRANAIRE

MATRICE

(A)

Électrons entrant
à partir du cytochrome *c*

Sous-unité II

Cu_A

Hème *a*

Cu_B

Hème a_3

Sous-unité I

(B)

Figure 14-28 Structure moléculaire de la cytochrome oxydase. Cette protéine est un dimère issu d'un monomère de 13 sous-unités protéiques différentes (masse du monomère de 204 000 daltons). Les trois sous-unités colorées sont codées par le génome mitochondrial et forment le cœur fonctionnel de l'enzyme. Lorsque les électrons traversent cette protéine sur la voie de leur liaison sur la molécule d'O_2, ils provoquent le pompage de protons par la protéine à travers la membrane (*voir* Figure 14-27). (A) La protéine complète est montrée, positionnée dans la membrane mitochondriale interne. (B) Les transporteurs d'électrons sont localisés dans les sous-unités I et II, comme cela est indiqué.

canique quantique qui est critique pour les processus dont nous parlons. L'isolement est nécessaire pour éviter les courts-circuits qui se produiraient autrement si un transporteur d'électrons de bas potentiel redox entrait en collision avec un transporteur de fort potentiel redox. Cet isolement semble être fourni par le transport des électrons assez profondément à l'intérieur d'une protéine pour éviter ces interactions par effet tunnel avec un partenaire inadapté.

Dans le paragraphe suivant nous verrons comment les modifications du potentiel redox d'un transporteur d'électrons à l'autre sont exploitées pour pomper les protons à l'extérieur de la matrice mitochondriale.

La baisse importante du potentiel redox à travers chacun des trois complexes enzymatiques respiratoires fournit l'énergie pour pomper les H⁺

Nous avons vu auparavant comment le potentiel redox reflétait les affinités des électrons (*voir* p. 783). La figure 14-29 présente un schéma des potentiels redox mesurés le long de la chaîne respiratoire. Ces potentiels s'abaissent en trois grandes étapes, une à travers chaque principal complexe respiratoire. La variation du potentiel redox entre chaque paire de transporteurs d'électrons est directement proportionnelle à l'énergie libre libérée lorsqu'un électron est transféré entre eux. Chaque complexe enzymatique agit comme un appareil de conversion énergétique qui exploite certaines variations d'énergie libre pour pomper des H⁺ à travers la membrane interne, créant ainsi un gradient électrochimique de protons lorsque les électrons le traversent. Cette conversion peut être démontrée si on purifie chaque complexe enzymatique respiratoire et qu'on l'incorpore séparément dans des liposomes : lorsqu'on ajoute un donneur et un receveur d'électrons appropriés pour que les électrons puissent traverser le complexe, H⁺ subit une translocation à travers la membrane du liposome.

Les particularités atomiques du mécanisme de pompage des H⁺ seront bientôt comprises

Certains complexes enzymatiques respiratoires pompent un H⁺ par électron à travers la membrane mitochondriale interne, tandis que d'autres en pompent deux. Les mécanismes détaillés par lesquels ce transport d'électrons est couplé au pompage de H⁺ sont différents pour chacun des trois complexes enzymatiques. Dans le complexe du cytochrome b-c_1, les quinones jouent clairement un rôle. Comme nous l'avons déjà mentionné, les quinones prélèvent un H⁺ dans le milieu aqueux en même temps qu'elles transportent chaque électron et le libèrent lorsqu'elles libèrent l'électron (*voir* Figure 14-24). Comme l'ubiquinone est librement mobile dans la bicouche lipidique, elle pourrait accepter des électrons proches de la face intérieure de la membrane et

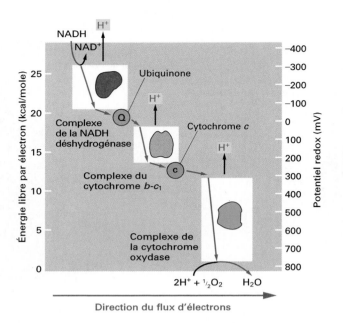

Figure 14-29 Le potentiel redox se modifie le long de la chaîne mitochondriale de transport des électrons. Le potentiel redox (désigné par E'_0) augmente lorsque les électrons s'écoulent le long de la chaîne respiratoire vers l'oxygène. La variation standard de l'énergie libre, $\Delta G°$, pour le transfert de chaque doublet d'électrons donné par une molécule de NADH s'obtient à partir de l'ordonnée de gauche ($\Delta G = -n(0,023) \Delta E'_0$, où n représente le nombre d'électrons transférés pour une variation de potentiel redox de $\Delta E'_0$ mV. Les électrons s'écoulent à travers un complexe enzymatique respiratoire en passant de façon séquentielle par les multiples transporteurs d'électrons de chaque complexe. Comme cela est indiqué, une partie des variations favorables de l'énergie libre est exploitée par chaque complexe enzymatique pour pomper des H+ à travers la membrane mitochondriale interne. On pense que la NADH déshydrogénase et le complexe du cytochrome b-c_1 pompent chacun deux H+ par électron tandis que le complexe de la cytochrome oxydase n'en pompe qu'un.

Il faudrait noter que NADH n'est pas la seule source d'électrons de la chaîne respiratoire. La flavine $FADH_2$ est également engendrée par l'oxydation des acides gras (*voir* Figure 2-77) et par le cycle de l'acide citrique (*voir* Figure 2-79). Ses deux électrons sont transmis directement à l'ubiquinone, court-circuitant la NADH déshydrogénase; ils engendrent ainsi moins de pompage de H+ que les deux électrons transportés à partir de NADH.

les donner au complexe du cytochrome b-c_1 proche de la face externe, transférant ainsi un H+ à travers la bicouche pour chaque électron transporté. Cependant, deux protons sont pompés par électron dans le complexe du cytochrome b-c_1, et il y a de bonnes preuves de l'existence d'un cycle, le *cycle Q*, au cours duquel l'ubiquinone est recyclée au travers du complexe d'une façon ordonnée qui permet ces deux formes de transfert. Il est maintenant possible de déduire la façon dont cela se produit au niveau atomique parce que la structure complète du complexe du cytochrome b-c_1 a été déterminée par cristallographie aux rayons X (Figure 14-30).

Les variations allostériques de la conformation protéique, entraînées par le transport électronique, peuvent aussi pomper des H+, tout comme H+ est pompé lorsque

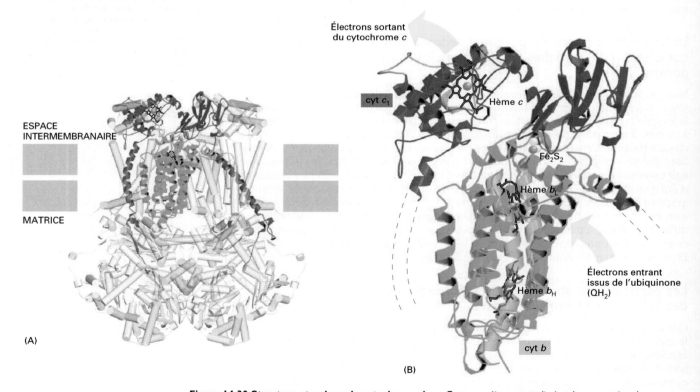

Figure 14-30 Structure atomique du cytochrome b-c_1. Cette protéine est un dimère. Le monomère de 204 000 daltons est composé de 11 molécules protéiques différentes chez les mammifères. Les trois protéines colorées forment le cœur fonctionnel de l'enzyme : le cytochrome b (en *vert*), le cytochrome c_1 (en *bleu*) et la protéine de Rieske contenant un centre fer-soufre (en *violet*). (A) Interactions de ces protéines entre les deux monomères. (B) Leurs transporteurs d'électrons, ainsi que les sites d'entrée et de sortie des électrons.

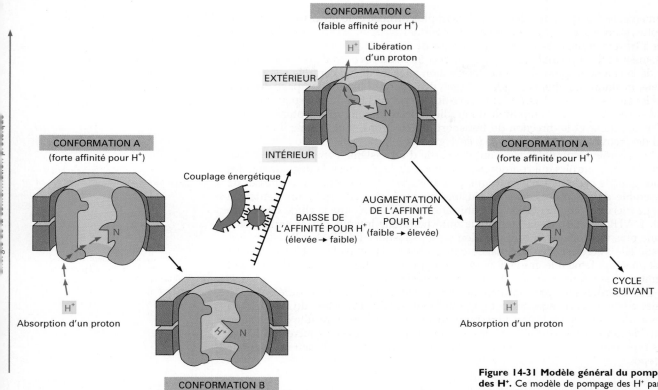

CONFORMATION C
(faible affinité pour H⁺)

H⁺ Libération d'un proton

EXTÉRIEUR

N

INTÉRIEUR

CONFORMATION A
(forte affinité pour H⁺)

N

Couplage énergétique

BAISSE DE
L'AFFINITÉ POUR H⁺
(élevée → faible)

AUGMENTATION
DE L'AFFINITÉ
POUR H⁺
(faible → élevée)

CONFORMATION A
(forte affinité pour H⁺)

N

CYCLE
SUIVANT

H⁺
Absorption d'un proton

H⁺
Absorption d'un proton

N

H⁺

CONFORMATION B
(forte affinité pour H⁺)

Figure 14-31 Modèle général du pompage des H⁺. Ce modèle de pompage des H⁺ par une protéine transmembranaire se fonde sur des mécanismes qui, pense-t-on, sont utilisés par la cytochrome oxydase et la pompe à protons des procaryotes actionnée par la lumière. La protéine est actionnée par un cycle de trois conformations A, B et C. Comme cela est indiqué par leur espacement vertical, ces conformations protéiques ont différentes énergies. Dans la conformation A, la protéine a une forte affinité pour les H⁺ ce qui fait qu'elle absorbe un H⁺ à l'intérieur de la membrane. Dans la conformation C, la protéine a une faible affinité pour les H⁺, ce qui fait qu'elle libère un H⁺ à l'extérieur de la membrane. La transition entre la conformation B et la conformation C qui libère le H⁺ est énergétiquement défavorable et ne se produit que parce qu'elle est actionnée en étant couplée de façon allostérique à une réaction énergétiquement favorable qui se produit autre part dans la protéine (*flèche bleue*). Les deux autres modifications de conformation, A → B et C → A conduisent à des états de plus basse énergie et s'effectuent spontanément.

Comme le cycle global A → B → C → A → B → C libère de l'énergie libre, H⁺ est pompé de l'intérieur (la matrice dans les mitochondries) vers l'extérieur (l'espace intermembranaire dans les mitochondries). Pour la cytochrome oxydase, l'énergie nécessaire à la transition B → C est fournie par le transport d'électrons tandis que pour la bactériorhodopsine, cette énergie est fournie par la lumière (*voir* Figure 10-37). Pour les autres pompes à protons, l'énergie dérive de l'hydrolyse de l'ATP.

l'ATP est hydrolysé par l'ATP synthase qui fonctionne en sens inverse. Pour le complexe de la NADH déshydrogénase et le complexe de la cytochrome oxydase, il semble probable que le transport d'électrons entraîne des modifications allostériques séquentielles de la conformation protéique qui provoquent le pompage des H⁺ par une partie de la protéine à travers la membrane mitochondriale interne. Un mécanisme général de ce type de pompage des H⁺ est présenté dans la figure 14-31.

Les ionophores à H⁺ découplent le transport des électrons de la synthèse d'ATP

Depuis les années 1940, on sait que diverses substances – comme le 2,4-dinitrophénol – agissent comme des *agents découplants* qui découplent le transport des électrons de la synthèse d'ATP. L'addition de ces composés organiques de faible masse moléculaire aux cellules arrête la synthèse d'ATP par les mitochondries sans bloquer leur absorption d'oxygène. En présence d'un agent découplant, le transport des électrons et le pompage de H⁺ se poursuivent rapidement, mais aucun gradient de H⁺ n'est engendré. Ce fait s'explique d'une façon à la fois simple et élégante : les agents découplants sont des acides faibles liposolubles qui agissent comme des transporteurs de H⁺ (ionophores à H⁺), et ils fournissent une voie pour le flux de H⁺ à travers la membrane mitochondriale interne qui court-circuite l'ATP synthase. Il résulte de ce court-circuitage que la force proton-motrice se dissipe totalement et que l'ATP ne peut plus être fabriqué.

Le contrôle respiratoire restreint normalement le flux d'électrons qui traverse la chaîne

Lorsqu'on ajoute aux cellules un agent découplant comme le dinitrophénol, les mitochondries augmentent substantiellement leur absorption d'oxygène à cause d'une augmentation de la vitesse du transport des électrons. Cette augmentation reflète l'existence d'un **contrôle respiratoire**. On pense que ce contrôle agit via une influence inhibitrice directe du gradient électrochimique de protons sur la vitesse de transport des électrons. Lorsque le gradient s'effondre par un agent découplant, le transport d'électrons est laissé libre, à sa vitesse maximale, sans contrôle. Lorsque le gradient augmente, le transport des électrons devient plus difficile et le processus se ralentit. De plus, si on crée expérimentalement un important gradient électrochimique de protons à travers la membrane interne, le transport normal des électrons s'arrête complètement et il est possible de détecter un *flux inverse d'électrons* dans certaines parties de la chaîne respiratoire. Cette observation suggère que le contrôle respiratoire reflète un simple équilibre entre la variation de l'énergie libre du pompage des protons lié au transport d'électrons et la variation d'énergie libre du transport des électrons – c'est-à-dire que l'amplitude du gradient électrochimique de protons affecte à la fois la vitesse et la direction du transport des électrons, tout comme il affecte le sens de l'activité de l'ATP synthase (*voir* Figure 14-19).

Le contrôle respiratoire n'est qu'une partie d'un système complexe d'engrènement de rétrocontrôles qui coordonnent la vitesse de la glycolyse, la dégradation des acides gras, le cycle de l'acide citrique et le transport des électrons. Les vitesses de l'ensemble de ces processus sont ajustées au rapport ATP/ADP, augmentant à chaque fois que l'augmentation de l'utilisation d'ATP provoque la chute de ce rapport. L'ATP synthase de la membrane mitochondriale interne, par exemple, fonctionne plus vite lorsque la concentration en ses substrats, l'ADP et le P_i, augmente. Lorsqu'elle s'accélère, l'enzyme laisse entrer plus de H^+ dans la matrice et dissipe ainsi plus rapidement le gradient électrochimique de protons. La chute du gradient augmente à son tour la vitesse du transport des électrons.

Des contrôles similaires, incluant des rétrocontrôles inhibiteurs de différentes enzymes clés par l'ATP, agissent pour ajuster la vitesse de production du NADH à sa vitesse d'utilisation par la chaîne respiratoire et ainsi de suite. Il résulte de ces nombreux mécanismes de contrôle que le corps oxyde les graisses et les sucres 5 à 10 fois plus rapidement pendant une période d'exercice vigoureux que durant une période de repos.

Des agents découplants naturels transforment les mitochondries de la graisse brune en des machines génératrices de chaleur

Dans certaines cellules adipeuses spécialisées, la respiration mitochondriale est normalement découplée de la synthèse d'ATP. Dans ces cellules appelées cellules de la graisse brune, la majeure partie de l'énergie d'oxydation se dissipe sous forme de chaleur et n'est pas convertie en ATP. Les membranes internes des grosses mitochondries de ces cellules contiennent une protéine de transport spécifique qui permet aux protons de se déplacer selon leur gradient électrochimique, en court-circuitant l'ATP synthase. Il en résulte que ces cellules oxydent leurs réserves adipeuses rapidement et produisent plus de chaleur que l'ATP. Les tissus qui contiennent de la graisse brune servent de «coussinet chauffant», et aident à faire revenir à la vie les animaux en hibernation et à protéger du froid les zones sensibles des enfants nouveau-nés.

Les bactéries utilisent aussi les mécanismes chimio-osmotiques pour exploiter l'énergie

Les bactéries utilisent des sources énergétiques extrêmement variées. Certaines, comme les cellules animales, sont aérobies; elles synthétisent l'ATP à partir des sucres qu'elles oxydent en CO_2 et H_2O par la glycolyse, le cycle de l'acide citrique et une chaîne respiratoire de leur membrane plasmique, semblable à celle de la membrane mitochondriale interne. D'autres sont des anaérobies strictes, et dérivent leur énergie de la glycolyse seule (par fermentation) ou d'une chaîne de transport d'électrons qui emploie une autre molécule que l'oxygène comme receveur final d'électrons. Les autres receveurs d'électrons peuvent être un composé azoté (nitrate ou nitrite), un composé soufré (sulfate ou sulfite) ou un composé carboné (fumarate ou carbonate) par exemple. Les électrons sont transférés sur ces receveurs par une série de transporteurs d'électrons de la membrane plasmique comparables à ceux de la chaîne respiratoire mitochondriale.

En dépit de cette diversité, la membrane plasmique de beaucoup de bactéries contient une ATP synthase très semblable à celle des mitochondries. Dans les bactéries qui utilisent une chaîne de transport d'électrons pour exploiter l'énergie, le transport d'électrons pompe les H^+ à l'extérieur de la cellule et établit ainsi une force proton-motrice à travers la membrane plasmique qui actionne l'ATP synthase pour qu'elle fabrique de l'ATP. Dans d'autres bactéries, l'ATP synthase agit à l'envers, utilisant l'ATP produit par la glycolyse pour pomper des H^+ et établir un gradient de protons à travers la membrane plasmique. L'ATP utilisé pour ce processus est engendré par les processus de fermentation (*voir* Chapitre 2).

Figure 14-32 Importance du transport entraîné par H⁺ pour les bactéries.
Une force motrice protonique engendrée à travers la membrane plasmique pompe les nutriments dans la cellule et rejette Na⁺. (A) Chez les bactéries aérobies, la chaîne respiratoire produit un gradient électrochimique de protons à travers la membrane plasmique qui est utilisé pour transporter certains nutriments dans la cellule pour fabriquer de l'ATP. (B) La même bactérie qui se développe dans des conditions anaérobies peut dériver son ATP de la glycolyse. Une partie de cet ATP est hydrolysée par l'ATP synthase pour établir un gradient électrochimique de protons qui actionne les mêmes processus de transport dépendant de la chaîne respiratoire en (A).

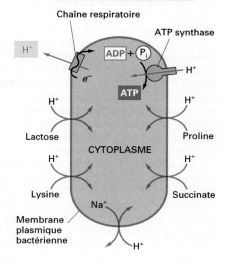

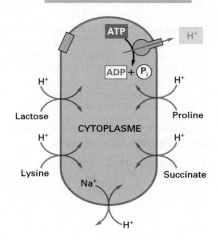

De ce fait, la plupart des bactéries, y compris les anaérobies strictes, maintiennent un gradient de protons à travers leur membrane plasmique. Il peut être exploité pour actionner un moteur flagellaire ; il est utilisé pour pomper le Na⁺ vers l'extérieur de la bactérie via un antiport Na⁺-K⁺ qui remplace la pompe Na⁺-K⁺ des cellules eucaryotes. Ce gradient est également utilisé pour le transport actif des nutriments vers l'intérieur de la bactérie, comme la plupart des acides aminés et de nombreux sucres : chaque nutriment est entraîné dans la cellule en même temps qu'un ou plusieurs H⁺ par l'intermédiaire d'un symport spécifique (Figure 14-32). Dans les cellules animales, à l'opposé, la majeure partie du transport d'entrée à travers la membrane plasmique est actionnée par le gradient de Na⁺ établi par la pompe Na⁺-K⁺.

Certaines bactéries particulières se sont adaptées pour vivre dans un environnement très alcalin et doivent ainsi maintenir leur cytoplasme à un pH physiologique. Pour ces cellules, toute tentative pour engendrer un gradient électrochimique de H⁺ serait contrée par un fort gradient de concentration en H⁺ dans la mauvaise direction (plus de H⁺ dans la cellule qu'à l'extérieur). C'est probablement pour cette raison que certaines de ces bactéries substituent Na⁺ à H⁺ dans tous leurs mécanismes chimio-osmotiques. La chaîne respiratoire pompe Na⁺ vers l'extérieur de la cellule, les systèmes de transport et le moteur flagellaire sont actionnés par un flux d'entrée de Na⁺ et une ATP synthase actionnée par Na⁺ synthétise l'ATP. L'existence de ces bactéries démontre que le principe de la chimio-osmose est plus fondamental que la force proton-motrice sur laquelle il se fonde normalement.

Résumé

La chaîne respiratoire de la membrane mitochondriale interne contient trois complexes enzymatiques respiratoires au travers desquels passent les électrons sur le chemin qui les mène de NADH à O₂.

Après les avoir purifiés et insérés dans des vésicules lipidiques synthétiques on a pu montrer qu'ils pompaient les H⁺ lorsqu'ils transportent les électrons au travers d'eux. Dans la membrane intacte, l'ubiquinone et le cytochrome c, des transporteurs d'électrons mobiles, complètent la chaîne de transport des électrons en faisant la navette entre les complexes enzymatiques. La voie du flux des électrons est NADH → complexe NADH déshydrogénase → ubiquinone → complexe du cytochrome b-c₁ → cytochrome c → complexe de la cytochrome oxydase → oxygène moléculaire (O₂).

Les complexes enzymatiques respiratoires couplent le transport énergétiquement favorable des électrons au pompage de H⁺ à l'extérieur de la matrice. Le gradient électrochimique de protons qui en résulte est exploité pour fabriquer de l'ATP par un autre complexe protéique transmembranaire, l'ATP synthase, à travers lequel les H⁺ s'écoulent pour rentrer dans la matrice. L'ATP synthase est un appareil de couplage réversible qui convertit normalement un flux de retour de H⁺ en une énergie de liaison phosphate dans l'ATP en catalysant la réaction ADP + P_i → ATP, mais elle peut également fonctionner dans la direction inverse et hydrolyser l'ATP pour pomper des H⁺ si le gradient électrochimique de protons est suffisamment réduit. Sa présence universelle dans les mitochondries, les chloroplastes et les procaryotes témoigne de son importance centrale dans les mécanismes chimio-osmotiques intracellulaires.

CHLOROPLASTES ET PHOTOSYNTHÈSE

Tous les animaux et la plupart des microorganismes comptent sur leur absorption continue de grandes quantités de composés organiques issus de leur environnement. Ces composés fournissent les squelettes carbonés pour la biosynthèse et l'énergie métabolique qui actionne les processus cellulaires. On pense que les premiers organismes sur la Terre primitive avaient accès à ces composés organiques produits en abondance par les processus géochimiques mais que la plupart de ces composés originels s'épuisèrent il y a des milliards d'années. Depuis lors, beaucoup de matériaux organiques nécessaires aux êtres vivants ont été produits par des *organismes photosynthétiques*, y compris de nombreux types de bactéries photosynthétiques.

Les bactéries photosynthétiques les plus avancées sont les cyanobactéries qui ont des besoins nutritifs minimaux. Elles utilisent les électrons issus de l'eau et l'énergie du soleil pour convertir le CO_2 atmosphérique en composés organiques – processus appelé *fixation du carbone*. Au cours de la séparation de l'eau [par la réaction globale $nH_2O + nCO_2 \xrightarrow{\text{lumière}} (CH_2O)n + nO_2$] elles libèrent aussi dans l'atmosphère l'oxygène nécessaire à la phosphorylation oxydative. Comme nous le voyons dans ce paragraphe, on pense que l'évolution des cyanobactéries à partir des bactéries photosynthétiques plus primitives a finalement permis le développement des très nombreuses formes de vie aérobies.

Dans les végétaux et les algues, qui se sont développés bien plus tard, la photosynthèse se produit dans des organites intracellulaires spécialisés – les **chloroplastes**. Les chloroplastes effectuent la photosynthèse durant les heures du jour. Les produits immédiats de la photosynthèse, le NADPH et l'ATP, sont utilisés par les cellules photosynthétiques pour produire de nombreuses molécules organiques. Chez les végétaux, les produits incluent un sucre de faible masse moléculaire (en général le saccharose) qui est exporté pour répondre aux besoins métaboliques des nombreuses cellules non photosynthétiques de l'organisme.

Des preuves biochimiques et génétiques suggèrent fortement que les chloroplastes sont des descendants des bactéries photosynthétiques productrices d'oxygène qui furent endocytées et vécurent en symbiose avec les cellules eucaryotes primitives. On pense généralement aussi que les mitochondries sont des descendantes d'une bactérie endocytée. On pense que les nombreuses différences entre les chloroplastes et les mitochondries reflètent leurs différents ancêtres bactériens, ainsi que leur divergence évolutive ultérieure. Néanmoins, les mécanismes fondamentaux impliqués dans la synthèse d'ATP activée par la lumière dans les chloroplastes ressemblent fortement à ceux que nous avons déjà abordés pour la synthèse d'ATP activée par la respiration dans les mitochondries.

Le chloroplaste est un organite membre de la famille des plastes

Les chloroplastes sont les membres les plus importants d'une famille d'organite, les **plastes**. Les plastes existent dans toutes les cellules végétales vivantes, chaque type de cellule ayant sont propre ensemble caractéristique. Tous les plastes ont certaines caractéristiques communes. En particulier, tous ceux d'une espèce végétale spécifique contiennent de multiples copies du même génome, relativement petit. En plus, chacun est entouré d'une enveloppe composée de deux membranes concentriques.

Comme nous l'avons dit au chapitre 12 (*voir* Figure 12-3), tous les plastes se sont développés à partir de *proplastes*, petits organites des cellules immatures des méristèmes végétaux (Figure 14-33A). Les proplastes se développent selon les besoins de chaque cellule différenciée et le type présent est déterminé en grande partie par le génome nucléaire. Si une feuille se développe dans le noir, ses proplastes augmentent de taille et se développent en *étioplastes*, qui ont des rangées semi-cristallines dans leurs membranes internes contenant un précurseur jaune de la chlorophylle au

Figure 14-33 Diversité des plastes.
(A) Proplaste issu d'une cellule de l'extrémité de la racine d'un plant de haricot. Notez la double membrane ; la membrane interne a aussi engendré les membranes internes relativement éparses existantes. (B) Trois amyloplastes (une forme de leucoplastes) ou plastes de réserve d'amidon, dans une cellule de l'extrémité radiculaire d'un germe de soja. (D'après B. Gunning et M. Steer, Plant Cell Biology: Structure and Function. Sudbury, MA : Jones & Bartlett, 1996. © Jones & Bartlett Publishers.)

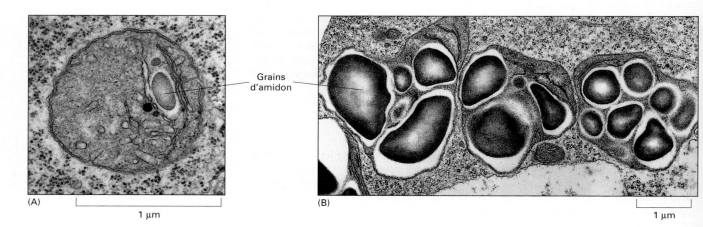

Grains d'amidon

(A) 1 µm

(B) 1 µm

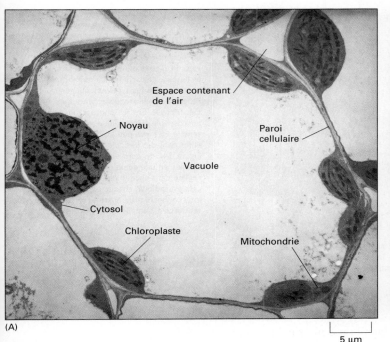

(A)

5 µm

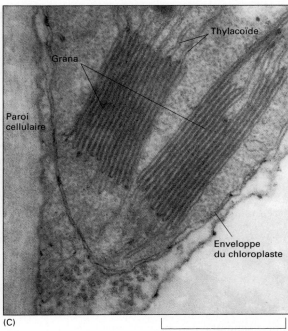

(C)

0,5 µm

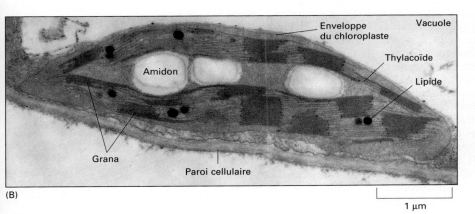

(B)

1 µm

Figure 14-34 Photographie en microscopie électronique des chloroplastes. (A) Dans une cellule de feuille de blé, un mince anneau de cytoplasme — contenant les chloroplastes, le noyau et les mitochondries — entoure une grosse vacuole. (B) Fine coupe d'un seul chloroplaste montrant son enveloppe, les granules d'amidon et les gouttelettes lipidiques (graisse) qui se sont accumulées dans le stroma du fait de la biosynthèse qui s'y produit. (C) Vue au fort grossissement de deux grana. Un granum est un empilement de thylacoïdes. (Due à l'obligeance de K. Plaskitt.)

lieu de la chlorophylle. Lorsqu'ils sont exposés à la lumière, les étioplastes se développent rapidement en chloroplastes en transformant ces précurseurs en chlorophylle et en synthétisant de nouveaux pigments membranaires, des enzymes photosynthétiques et des composants de la chaîne de transport des électrons.

Les *leucoplastes* sont des plastes présents dans de nombreux tissus épidermiques et internes qui ne deviennent ni verts ni photosynthétiques. Ils sont légèrement plus gros que les proplastes. Une des formes fréquentes de leucoplaste est l'*amyloplaste* (Figure 14-33B) qui accumule un polysaccharide, l'amidon, dans les tissus de réserve – une source de sucre pour l'utilisation ultérieure. Dans certains végétaux, comme les pommes de terre, les amyloplastes peuvent se développer et devenir aussi gros qu'une cellule animale moyenne.

Il est important de réaliser que les plastes ne sont pas seulement des sites de photosynthèse et de dépôt de matériaux de stockage. Les végétaux ont aussi utilisé leurs plastes pour compartimentaliser leur métabolisme intermédiaire. La synthèse des purines et pyrimidines, celle de la plupart des acides aminés et celle de la totalité des acides gras des végétaux s'effectuent dans les plastes, alors que dans les cellules animales ces composés sont produits dans le cytosol.

Le chloroplaste ressemble à une mitochondrie mais possède un compartiment supplémentaire

Les chloroplastes effectuent leur interconversion énergétique par des mécanismes chimio-osmotiques d'une façon assez semblable aux mitochondries. Bien que beaucoup plus gros (Figure 14-34A), ils sont organisés sur les mêmes principes. Ils ont

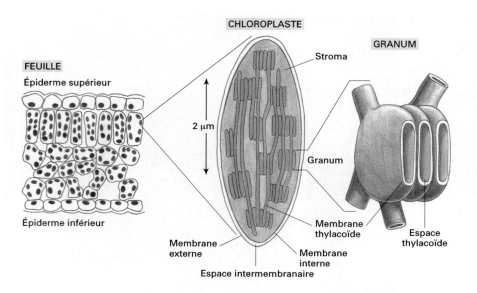

FEUILLE

Épiderme supérieur

Épiderme inférieur

CHLOROPLASTE

Stroma

2 μm

Granum

Membrane
thylacoïde

Membrane
externe

Membrane
interne

Espace intermembranaire

GRANUM

Espace
thylacoïde

Figure 14-35 Chloroplaste. Cet organite photosynthétique contient trois membranes distinctes (la membrane externe, la membrane interne et la membrane thylacoïde) qui définissent trois compartiments internes séparés (l'espace intermembranaire, le stroma et l'espace thylacoïde). La membrane thylacoïde contient tous les systèmes qui génèrent l'énergie du chloroplaste, y compris sa chlorophylle. Sur les photographies en microscopie électronique, cette membrane semble être rompue en unités séparées qui enferment des vésicules aplaties séparées (*voir* Figure 14-34), mais elles sont probablement réunies en une seule membrane fortement repliée dans chaque chloroplaste. Comme cela est indiqué, chaque thylacoïde est interconnecté à un autre et les thylacoïdes ont tendance à s'empiler pour former des grana.

une membrane externe hautement perméable ; une membrane interne beaucoup moins perméable dans laquelle sont incluses des protéines de transport membranaire ; et un étroit espace intermembranaire entre elles. Ces trois membranes forment ensemble l'enveloppe du chloroplaste (Figure 14-34B,C). La membrane interne entoure un grand espace appelé le **stroma** qui est analogue à la matrice mitochondriale et contient beaucoup d'enzymes métaboliques. Comme les mitochondries, les chloroplastes possèdent leur propre génome et système génétique. Le stroma contient donc aussi un groupe de ribosomes, d'ARN et d'ADN spécifiques du chloroplaste.

Il y a cependant une différence importante entre l'organisation des mitochondries et celle des chloroplastes. La membrane interne des chloroplastes n'est pas repliée en crêtes et ne contient pas de chaîne de transport des électrons. Par contre, les chaînes de transport des électrons, les systèmes photosynthétiques de capture de la lumière et l'ATP synthase sont tous contenus dans la *membrane thylacoïde*, une troisième membrane distincte qui forme un ensemble de sacs aplatis discoïdes, les *thylacoïdes* (Figure 14-35). On pense que la lumière de chaque thylacoïde est connectée à celle des autres, définissant ainsi un troisième compartiment interne appelé l'*espace thylacoïde*, séparé par la membrane thylacoïde du stroma qui l'entoure.

Les similitudes et les différences structurelles entre les mitochondries et les chloroplastes sont illustrées dans la figure 14-36. La tête de l'ATP synthase du chloroplaste où l'ATP est fabriquée fait protrusion dans le stroma à partir de la membrane thylacoïde, alors qu'elle fait protrusion dans la matrice à partir de la membrane mitochondriale interne.

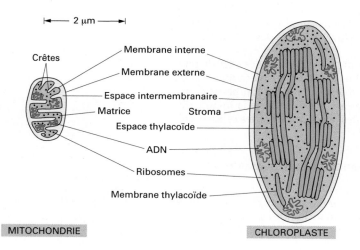

2 μm

Crêtes

Membrane interne

Membrane externe

Espace intermembranaire

Matrice

Stroma

Espace thylacoïde

ADN

Ribosomes

Membrane thylacoïde

MITOCHONDRIE

CHLOROPLASTE

Figure 14-36 Comparaison entre une mitochondrie et un chloroplaste. Un chloroplaste est généralement bien plus gros qu'une mitochondrie et contient, en plus de ses membranes interne et externe, une membrane thylacoïde entourant un espace thylacoïde. Contrairement à la membrane interne des chloroplastes, la membrane mitochondriale interne est repliée en crêtes pour augmenter sa surface.

Les chloroplastes capturent l'énergie de la lumière solaire et l'utilisent pour fixer le carbone

Les nombreuses réactions qui se produisent pendant la photosynthèse des végétaux peuvent être regroupées en deux grandes catégories.

1. Dans les **réactions photosynthétiques de transfert d'électrons** (appelées aussi « réactions lumineuses »), l'énergie dérivée de la lumière solaire donne de l'énergie à un électron dans un pigment organique vert, la *chlorophylle*; cela permet aux électrons de se déplacer le long d'une chaîne de transport des électrons dans la membrane thylacoïde d'une façon assez semblable à celle des électrons qui se déplacent le long de la chaîne respiratoire dans les mitochondries. La chlorophylle obtient son électron de l'eau (H_2O) et produit O_2 comme produit dérivé. Pendant le processus de transport des électrons, H^+ est pompé à travers la membrane thylacoïde et le gradient électrochimique de protons qui en résulte actionne la synthèse d'ATP dans le stroma. L'étape finale de cette série de réactions charge les électrons riches en énergie (en même temps que H^+) sur $NADP^+$, le transformant en NADPH. Toutes ces réactions sont confinées au chloroplaste.

2. Au cours des **réactions de fixation du carbone** (appelées « réactions obscures »), l'ATP et le NADPH produits par les réactions photosynthétiques de transfert des électrons servent respectivement de source d'énergie et de pouvoir réducteur pour actionner la conversion de CO_2 en glucides. Les réactions de fixation du carbone, qui commencent dans le stroma des chloroplastes et se poursuivent dans le cytosol, produisent du saccharose et beaucoup d'autres molécules organiques dans les feuilles du végétal. Le saccharose est exporté aux autres tissus en tant que source à la fois de molécules organiques et d'énergie pour la croissance.

De ce fait la formation d'ATP, de NADPH et de O_2 (qui nécessite directement l'énergie de la lumière) et la conversion du CO_2 en glucides (qui nécessite indirectement l'énergie lumineuse seulement) sont des processus séparés (Figure 14-37), bien que des mécanismes de rétrocontrôles complexes les interconnectent. Plusieurs enzymes des chloroplastes nécessaires à la fixation du carbone, par exemple, sont inactivées dans l'obscurité et réactivées par les processus de transport d'électrons stimulés par la lumière.

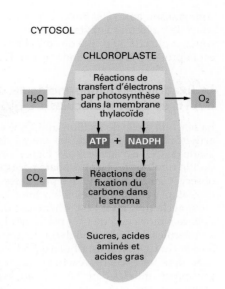

Figure 14-37 Réactions de la photosynthèse dans un chloroplaste. L'eau est oxydée et l'oxygène est libéré au cours des réactions de transfert d'électrons de la photosynthèse, tandis que le dioxyde de carbone est assimilé (fixé) pour produire des sucres et diverses autres molécules organiques au cours des réactions de fixation du carbone.

La ribulose bisphosphate carboxylase catalyse la fixation du carbone

Nous avons vu précédemment dans ce chapitre comment les cellules produisaient de l'ATP en utilisant la grande quantité d'énergie libre libérée lors de l'oxydation des glucides en CO_2 et H_2O. Il est clair de ce fait que la réaction inverse, l'association de CO_2 et d'H_2O pour fabriquer des glucides, doit être très défavorable et ne se produit que si elle est couplée à une autre réaction très favorable qui l'entraîne.

La réaction centrale de la **fixation du carbone**, au cours de laquelle un atome de carbone inorganique est converti en carbone organique, est illustrée dans la figure 14-38 : le CO_2 issu de l'atmosphère se combine à un composé à cinq carbones, le ribulose 1,5-bisphosphate et à de l'eau pour produire deux molécules d'un composé à trois carbones, le 3-phosphoglycérate. Cette réaction de « fixation du carbone », découverte en 1948, est catalysée dans le stroma des chloroplastes par une grosse enzyme, la *ribulose bisphosphate carboxylase*. Comme chaque molécule du complexe fonctionne lentement (traitant seulement 3 molécules de substrat par seconde par

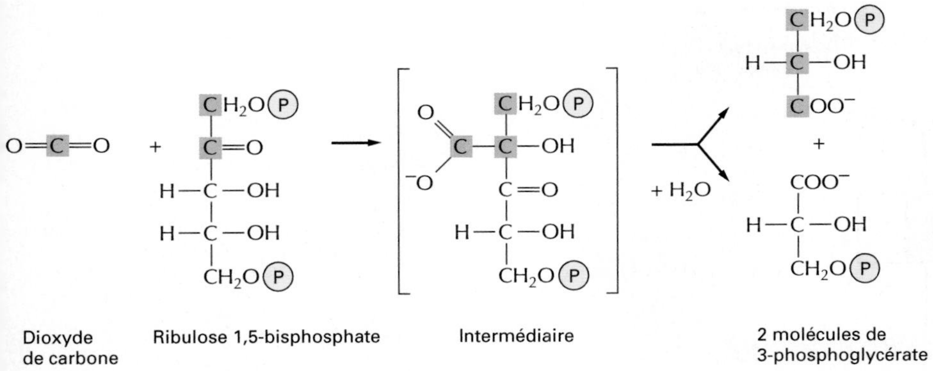

Figure 14-38 Réaction initiale de fixation du carbone. Cette réaction, au cours de laquelle le dioxyde de carbone est converti en carbone organique, est catalysée dans le stroma des chloroplastes par une enzyme abondante, la ribulose bisphosphate carboxylase. Le produit obtenu est le 3-phosphoglycérate qui est aussi un intermédiaire de la glycolyse. Les deux atomes de carbone *ombrés en bleu* servent à produire du phosphoglycolate lorsque la même enzyme ajoute de l'oxygène à la place du CO_2 (*voir le texte*).

Dioxyde de carbone · Ribulose 1,5-bisphosphate · Intermédiaire · 2 molécules de 3-phosphoglycérate

comparaison aux 1 000 molécules par seconde d'une enzyme typique), il faut beaucoup de molécules enzymatiques. La ribulose bisphosphate carboxylase représente souvent plus de 50 p. 100 des protéines totales des chloroplastes et on pense qu'elle est la protéine la plus abondante sur Terre.

La fixation de chaque molécule de CO_2 consomme trois molécules d'ATP et deux molécules de NADPH

La réaction réelle de fixation du CO_2 est énergétiquement favorable à cause de la réactivité d'un composé riche en énergie, le *ribulose 1,5-bisphosphate*, auquel chaque molécule de CO_2 est ajoutée (*voir* Figure 14-38). La voie métabolique complexe qui produit le ribulose 1,5-bisphosphate nécessite à la fois du NADPH et de l'ATP. Elle fut observée au cours d'une des premières applications réussies de l'utilisation des radioisotopes comme traceurs biochimiques. Ce **cycle de fixation du carbone** (appelé aussi **cycle de Calvin**) est schématisé dans la figure 14-39. Il commence par la fixation de 3 molécules de CO_2 par la ribulose bisphosphate carboxylase pour produire 6 molécules de 3-phosphoglycérate (contenant $6 \times 3 = 18$ atomes de carbone en tout ; 3 issus du CO_2 et 15 du ribulose 1,5-bisphosphate). Les 18 atomes de carbone subissent alors un cycle de réactions qui régénère les 3 molécules du ribulose 1,5-bisphosphate utilisées dans l'étape initiale de fixation du carbone (contenant $3 \times 5 = 15$ atomes de carbone). Cela donne 1 molécule de *glycéraldéhyde 3-phosphate* (3 atomes de carbone) en gain net.

Au total 3 molécules d'ATP et 2 molécules de NADPH sont consommées lors de la conversion de chaque molécule de CO_2 en glucide. L'équation nette est :

$$3 CO_2 + 9 ATP + 6 NADPH + eau \rightarrow$$
$$glycéraldéhyde \; 3\text{-}phosphate + 8 P_i + 9 ADP + 6 NADP^+$$

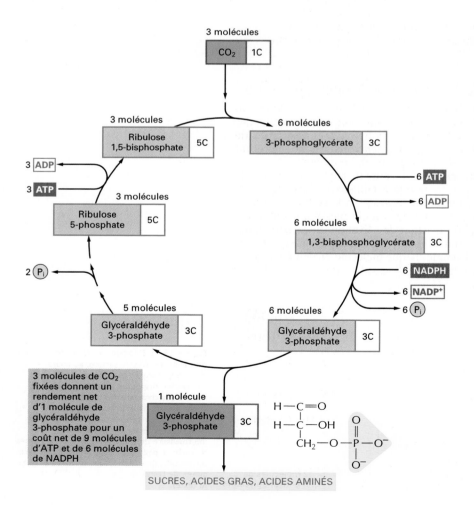

Figure 14-39 Cycle de fixation du carbone qui forme des molécules organiques à partir de CO_2 et d'H_2O. Le nombre d'atomes de carbone de chaque type de molécules est indiqué dans la *case blanche*. Il y a de nombreux intermédiaires entre le glycéraldéhyde 3-phosphate et le ribulose 5-phosphate, mais ils n'ont pas été signalés ici pour plus de clarté. L'entrée d'eau dans le cycle n'est également pas représentée.

De ce fait il faut à la fois une *énergie de liaison phosphate* (sous forme d'ATP) et un *pouvoir réducteur* (sous forme de NADPH) pour former des molécules organiques à partir de CO_2 et H_2O. Nous reviendrons sur ce point ultérieurement.

Le glycéraldéhyde 3-phosphate produit dans les chloroplastes par le cycle de fixation du carbone est un sucre à trois carbones qui sert aussi d'intermédiaire central de la glycolyse. La majeure partie est exportée dans le cytosol, où elle peut être convertie en fructose 6-phosphate et en glucose 1-phosphate par l'inversion de diverses réactions de la glycolyse (*voir* Planche 2-8, p. 124-125). Le glucose 1-phosphate est alors converti en un sucre nucléotide, l'UDP-glucose, qui se combine au fructose 6-phosphate pour former du saccharose phosphate, le précurseur immédiat du saccharose, un disaccharide. Le **saccharose** est la forme majeure de transport des sucres entre les cellules végétales ; tout comme le glucose est transporté dans le sang des animaux, le saccharose est exporté des feuilles, via les faisceaux vasculaires, et fournit les glucides nécessaires au reste du végétal.

La majeure partie du glycéraldéhyde 3-phosphate qui reste dans les chloroplastes est convertie en *amidon* dans le stroma. Comme le glycogène des cellules animales, l'**amidon** est un gros polymère du glucose qui sert de réserve glucidique (*voir* Figure 14-33B). La production d'amidon est régulée pour qu'il soit produit et conservé sous forme de gros grains dans le stroma des chloroplastes pendant les périodes de rendement excessif de photosynthèse. Cela se produit par l'intermédiaire de réactions stromales qui sont l'inverse de celles de la glycolyse ; elles convertissent le glycéraldéhyde 3-phosphate en glucose 1-phosphate qui est alors utilisé pour produire le sucre nucléotide ADP-glucose, précurseur immédiat de l'amidon. La nuit, l'amidon est dégradé pour aider à soutenir les besoins métaboliques du végétal. L'amidon constitue une part importante de la nourriture de tous les animaux qui mangent des végétaux.

Dans certains végétaux la fixation du carbone s'effectue dans certains compartiments pour faciliter la croissance sous de faibles concentrations en CO_2

Bien que la ribulose bisphosphate carboxylase ajoute préférentiellement du CO_2 au ribulose 1,5-bisphosphate, elle peut utiliser O_2 comme substrat à la place du CO_2 et l'ajouter au ribulose 1,5-bisphosphate : c'est ce qui se produit si la concentration en CO_2 est faible (*voir* Figure 14-38). C'est la première étape d'une voie appelée **photorespiration**, dont l'effet final est d'utiliser l'O_2 et de libérer le CO_2 sans produire de réserves énergétiques utiles. Dans beaucoup de végétaux, un tiers du CO_2 fixé, environ, est à nouveau perdu sous forme de CO_2 à cause de la photorespiration.

La photorespiration peut être un sérieux handicap pour les végétaux dans les conditions de chaleur et de sécheresse qui provoquent la fermeture de leurs stomates (pores d'échange des gaz de leurs feuilles) pour éviter la perte excessive d'eau. Cela provoque à son tour la baisse précipitée de la concentration en CO_2 dans les feuilles, ce qui favorise la photorespiration. Il se produit cependant une adaptation spécifique, dans les feuilles de nombreux végétaux, comme le blé et la canne à sucre qui vivent dans les environnements chauds et secs. Dans ces végétaux, le cycle de fixation du carbone se produit uniquement dans les chloroplastes de cellules spécifiques, les *cellules de la gaine*, qui contiennent la totalité de la ribulose bisphosphate carboxylase du végétal. Ces cellules sont protégées de l'air et entourées d'une couche spécifique de *cellules du mésophylle* qui utilisent l'énergie recueillie par leurs chloroplastes pour pomper le CO_2 vers les cellules de la gaine. Cela apporte une forte concentration en CO_2 à la ribulose bisphosphate carboxylase, et réduit ainsi fortement la photorespiration.

La pompe à CO_2 est produite par un cycle de réactions qui commence dans le cytosol des cellules du mésophylle. Une des étapes de la fixation du CO_2 est catalysée par une enzyme qui fixe le dioxyde de carbone (sous forme de bicarbonate) et le combine à une molécule à trois carbones activée pour produire une molécule à quatre carbones. La molécule à quatre carbones diffuse dans les cellules de la gaine, où elle est dégradée pour libérer son CO_2 et engendrer une molécule à trois carbones. Ce cycle de pompage se termine lorsque cette molécule à trois carbones est renvoyée dans les cellules du mésophylle et est reconvertie en sa forme activée d'origine. Comme le CO_2 est initialement capturé par sa conversion en un composé à quatre carbones, les végétaux qui pompent le CO_2 sont appelés *végétaux C_4*. Tous les autres végétaux sont appelés *végétaux C_3* parce qu'ils capturent le CO_2 dans un composé à trois carbones, le 3-phosphoglycérate (Figure 14-40).

Comme pour tout processus de transport vectoriel, le pompage de CO_2 dans les cellules de la gaine des végétaux C_4 coûte de l'énergie. Dans les environnements

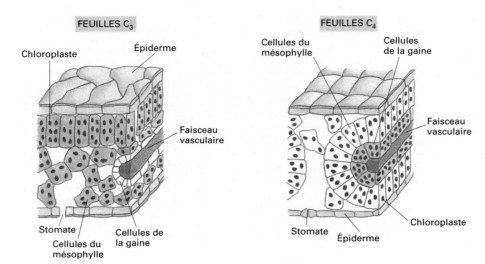

FEUILLES C₃ / **FEUILLES C₄**

Chloroplaste — Épiderme — Faisceau vasculaire — Stomate — Cellules du mésophylle — Cellules de la gaine

Cellules du mésophylle — Cellules de la gaine — Faisceau vasculaire — Chloroplaste — Stomate — Épiderme

Figure 14-40 Anatomie comparative des feuilles d'un végétal C₃ et d'un végétal C₄. Les cellules pourvues d'un cytosol *vert* à l'intérieur de la feuille contiennent de la chlorophylle qui effectue le cycle normal de fixation du carbone. Dans les végétaux C₄, les cellules du mésophylle sont spécialisées dans le pompage du CO_2 plutôt que dans la fixation du carbone et elles créent de ce fait un fort rapport CO_2/O_2 dans les cellules de la gaine qui sont les seules cellules de ce végétal où s'effectue le cycle de fixation du carbone. Les faisceaux vasculaires transportent vers les autres tissus le saccharose fabriqué dans la feuille.

chauds et secs, cependant, ce coût peut être bien moindre que l'énergie perdue par la photorespiration des végétaux C₃ de telle sorte que les végétaux C₄ présentent un avantage potentiel. De plus, comme les végétaux C₄ peuvent effectuer la photosynthèse avec une plus faible concentration en CO_2 à l'intérieur des feuilles, ils ont moins souvent besoin d'ouvrir leurs stomates et peuvent donc fixer près de deux fois plus de carbone net que les végétaux C₃ par unité de perte d'eau. Même si la grande majorité des espèces végétales sont des végétaux C₃, les végétaux C₄ comme le blé et la canne à sucre sont bien plus efficaces pour convertir la lumière solaire en biomasse que les végétaux C₃ comme les graines de céréales. Ils sont de ce fait particulièrement importants dans le monde de l'agriculture.

La photosynthèse dépend de la photochimie des molécules de chlorophylle

Après avoir parlé des réactions de fixation du carbone, voyons maintenant comment les réactions photosynthétiques de transfert des électrons dans les chloroplastes engendrent l'ATP et le NADPH nécessaires pour actionner la production de glucides à partir du CO_2 et d'H_2O. L'énergie requise provient de la lumière solaire absorbée par les molécules de **chlorophylle** (Figure 14-41). Le processus de conversion énergétique commence lorsqu'une molécule de chlorophylle est excitée par un quantum de lumière (un photon) et qu'un électron est déplacé d'une orbite moléculaire à une autre de plus grande énergie. Comme cela est illustré dans la figure 14-42, ces molécules excitées sont instables et ont tendance à retourner à leur état d'origine non excité d'une de ces trois façons :

1. En effectuant la conversion de l'énergie supplémentaire en chaleur (mouvements moléculaires) ou en une certaine combinaison de chaleur et de lumière d'une plus grande longueur d'onde (fluorescence), ce qui se produit lorsque l'énergie lumineuse est absorbée par une molécule de chlorophylle isolée en solution.
2. En transférant cette énergie – mais pas les électrons – directement sur une molécule de chlorophylle voisine par un processus appelé *transfert d'énergie par résonance*.
3. En transférant leurs électrons riches en énergie sur une autre molécule voisine, un *receveur d'électrons* puis en prenant les électrons de basse énergie issue d'une autre molécule, un *donneur d'électrons* pour retourner à leur état d'origine.

Ces deux derniers mécanismes sont exploités pendant le processus de photosynthèse.

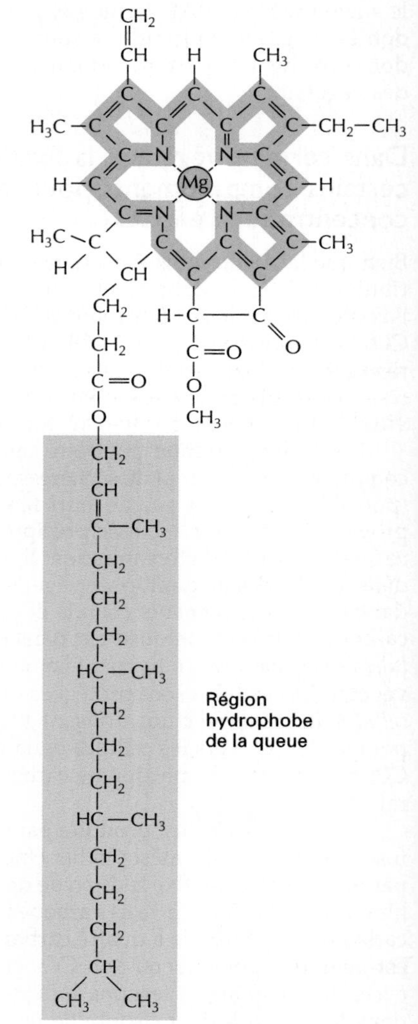

Un photosystème est composé d'un centre de réaction et d'un complexe formant antenne

Des complexes multiprotéiques, les **photosystèmes**, catalysent la conversion de l'énergie lumineuse capturée dans les molécules de chlorophylle excitées en des formes utilisables. Un photosystème est constitué de deux composants fortement reliés : un complexe formant antenne, composé d'un important ensemble de molécules pigmentaires qui capturent l'énergie lumineuse et l'envoient dans le centre de réac-

Région hydrophobe de la queue

Figure 14-41 Structure de la chlorophylle. Un atome de magnésium est maintenu dans un cycle de porphyrine apparenté au cycle de porphyrine qui fixe le fer dans l'hème (*voir* Figure 14-22). Les électrons sont délocalisés sur les liaisons montrées en *bleu*.

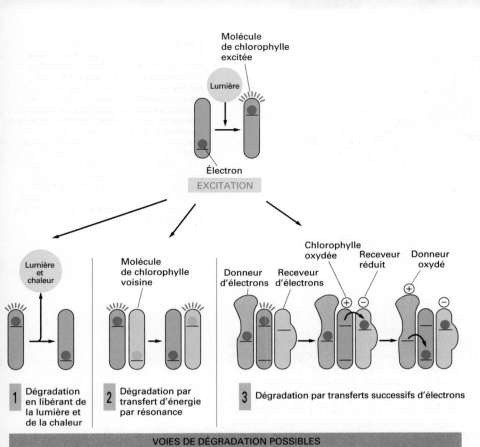

tion ; et un centre de réaction photochimique, composé d'un complexe de protéines et de molécules de chlorophylle qui permettent de convertir l'énergie lumineuse en énergie chimique (Figure 14-43).

Ce **complexe formant antenne** est important pour la capture de la lumière. Dans les chloroplastes, il est composé de plusieurs complexes différents de protéines membranaires (les complexes de recueil de la lumière) ; ces protéines fixent ensemble plusieurs centaines de molécules de chlorophylle par centre de réaction, les orientant avec précision dans la membrane thylacoïde. Selon le végétal, des pigments accessoires, localisés dans chaque complexe en quantités différentes, et appelés *caroténoïdes*, protègent la chlorophylle de l'oxydation et facilitent le recueil de lumière ayant une autre longueur d'onde. Lorsqu'une molécule de chlorophylle de l'antenne est excitée, l'énergie passe rapidement d'une molécule à l'autre par transfert énergétique par résonance jusqu'à ce qu'elle atteigne un couple particulier de molécules de

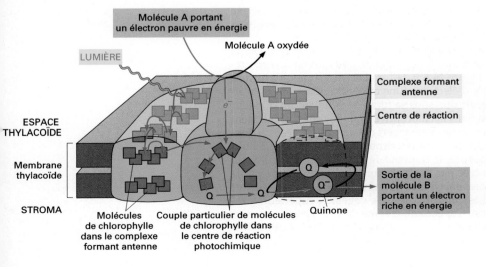

Figure 14-43 Antenne et centre de réaction photochimique d'un photosystème. Le complexe formant antenne collecte l'énergie lumineuse sous forme d'électrons excités. L'énergie des électrons excités est canalisée, à travers une série de transferts d'énergie par résonance sur un couple particulier de molécules de chlorophylle situé dans le centre de réaction photochimique. Ce centre de réaction produit alors un électron riche en énergie qui peut être transmis rapidement sur la chaîne de transport des électrons de la membrane thylacoïde, via une quinone.

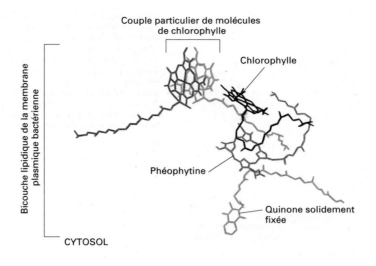

Couple particulier de molécules
de chlorophylle

Chlorophylle

Bicouche lipidique de la membrane
plasmique bactérienne

Phéophytine

Quinone solidement
fixée

CYTOSOL

Figure 14-44 Disposition des transporteurs d'électrons d'un centre de réaction photochimique bactérien, déterminée par cristallographie aux rayons X. Les molécules de pigment montrées sont maintenues à l'intérieur de la protéine transmembranaire et entourées par la bicouche lipidique de la membrane plasmique bactérienne. Un électron de ce couple particulier de molécules de chlorophylle est excité par résonance à partir d'une chlorophylle du complexe formant antenne puis est transféré par étapes de ce couple particulier à une quinone (*voir aussi* Figure 14-45). On observe une disposition similaire des transporteurs d'électrons dans les centres de réaction des végétaux.

chlorophylle situé dans le centre de réaction photochimique. Chaque antenne agit ainsi comme un entonnoir, qui collecte l'énergie lumineuse et la dirige sur un site spécifique où elle peut être utilisée avec efficacité (*voir* Figure 14-43).

Le **centre de réaction photochimique** est un complexe pigment-protéine transmembranaire situé au cœur de la photosynthèse. On pense qu'il s'est développé, il y a plus de trois milliards d'années, dans les bactéries photosynthétiques primitives. Le couple particulier de molécules de chlorophylle du centre de réaction agit comme un piège irréversible des quanta d'excitation parce que l'électron excité est immédiatement introduit dans la chaîne de receveurs d'électrons placée avec précision au voisinage, à l'intérieur du même complexe protéique (Figure 14-44). En déplaçant rapidement l'électron riche en énergie loin des chlorophylles, le centre de réaction photochimique le transfère dans un environnement où il est beaucoup plus stable. L'électron est donc apte aux réactions suivantes qui nécessitent plus de temps pour s'effectuer.

Dans un centre de réaction, l'énergie lumineuse capturée par la chlorophylle engendre un donneur d'électrons puissant à partir d'un faible

Les transferts d'électrons impliqués dans les réactions photochimiques que nous venons de décrire ont été intensément analysés par des méthodes rapides de spectroscopie. Beaucoup d'informations détaillées sont disponibles sur le photosystème de la bactérie pourpre qui est un peu plus simple que les photosystèmes, apparentés du point de vue évolutif, des chloroplastes. Le centre de réaction du photosystème est un gros complexe pigment-protéine qui peut être solubilisé par un détergent et purifié sous forme active. En 1985, sa structure tridimensionnelle complète fut déterminée par cristallographie aux rayons X (*voir* Figure 10-38). Cette structure, associée aux données cinétiques, a fourni la meilleure description que nous avons des réactions initiales de transfert d'électrons qui sous-tendent la photosynthèse.

La séquence des transferts d'électrons qui s'effectue dans le centre de réaction de la bactérie pourpre est montrée dans la figure 14-45. Comme nous l'avons décrit précédemment dans le cas général (*voir* Figure 14-43), la lumière provoque un transfert net d'électrons entre un donneur faible d'électrons (une molécule ayant une forte affinité pour ses électrons) et une molécule qui, sous sa forme réduite, est un donneur fort d'électrons. L'énergie d'excitation dans la chlorophylle qui devrait normalement être libérée sous forme de fluorescence ou de chaleur sert donc plutôt à créer un donneur fort d'électrons (une molécule qui porte un électron riche en énergie) là où il n'y en avait pas. Dans la bactérie pourpre, le donneur faible d'électrons qui sert à remplir le trou déficient en électrons créé par la séparation de charge induite par la lumière est un cytochrome (*voir* la *case orange* de la figure 14-45); le donneur fort d'électrons formé est une quinone. Les chloroplastes des végétaux supérieurs produisent une quinone de la même façon. Cependant, comme nous le verrons ensuite, l'eau est le donneur faible d'électrons initial, ce qui explique pourquoi la photosynthèse des végétaux libère de l'oxygène.

La photophosphorylation non cyclique produit du NADPH et de l'ATP

La photosynthèse des végétaux et des cyanobactéries produit directement de l'ATP et du NADPH par un processus en deux étapes appelé **photophosphorylation non cyclique**. Comme deux photosystèmes – les photosystèmes I et II – sont utilisés en série pour donner de l'énergie à un électron, celui-ci peut être transféré de l'eau jusqu'au NADPH. Lorsque les électrons riches en énergie traversent les photosystèmes couplés pour engendrer du NADPH, une partie de leur énergie est aspirée pour synthétiser de l'ATP.

Le premier des deux photosystèmes – paradoxalement le *photosystème II*, ainsi nommé pour des raisons historiques – a la capacité particulière de retirer des électrons de l'eau. Les oxygènes de deux molécules d'eau se fixent sur un amas d'atomes de manganèse dans une enzyme de séparation de l'oxygène mal connue. Cette enzyme permet de retirer un par un les électrons de l'eau, ce qui est nécessaire pour remplir les trous dépourvus d'électrons créés par la lumière dans les molécules de chlorophylle du centre de réaction. Dès que quatre électrons ont été retirés des deux molécules d'eau (ce qui nécessite quatre quanta de lumière), O_2 est libéré. Le photosystème II catalyse donc la réaction $2H_2O + 4$ photons $\rightarrow 4H^+ + 4e^- + O_2$. Comme nous l'avons vu pour la chaîne de transport des électrons des mitochondries qui utilise O_2 et produit de l'eau, les mécanismes assurent qu'aucune molécule d'eau partiellement oxydée n'est libérée sous forme de radicaux oxygènes dangereux très réactifs. Tout l'oxygène de l'atmosphère terrestre a été essentiellement produit ainsi.

Le cœur du centre de réaction du photosystème II est homologue au centre de réaction bactérien que nous venons de décrire et il produit également des donneurs forts d'électrons sous forme de molécules de quinone réduites dissoutes dans la bicouche lipidique de la membrane. Les quinones passent leurs électrons à une pompe à H^+, le *complexe du cytochrome b_6-f*, qui ressemble au complexe du cytochrome b-c_1 de la chaîne respiratoire des mitochondries. Ce complexe du cytochrome b_6-f pompe les H^+ dans l'espace thylacoïde à travers la membrane thylacoïde (ou, dans les cyanobactéries, à l'extérieur du cytosol à travers la membrane plasmique) et le gradient électrochimique qui en résulte actionne la synthèse d'ATP par une ATP synthase (Figure 14-46).

Le receveur final d'électrons de cette chaîne de transport d'électrons est le deuxième photosystème, le *photosystème I*, qui accepte un électron dans un trou dépourvu d'électrons créé par la lumière dans une molécule de chlorophylle de son centre de réaction. Chaque électron qui entre dans le photosystème I est finalement relancé dans un niveau d'énergie très élevé qui lui permet de passer dans le centre

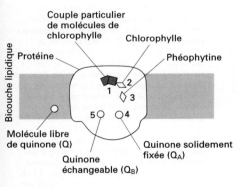

Figure 14-45 Transferts d'électrons qui se produisent dans le centre de réaction photochimique d'une bactérie pourpre. Un ensemble similaire de réactions se produit dans le photosystème II des végétaux, apparenté du point de vue évolutif. En haut à gauche se trouve un schéma d'orientation qui montre les molécules qui transportent les électrons : ce sont celles de la figure 14-44 plus une quinone échangeable (Q_B) et une quinone librement mobile (Q) dissoutes dans la bicouche lipidique. Les transporteurs d'électrons 1 à 5 sont chacun fixés dans une position spécifique sur une protéine transmembranaire de 596 acides aminés formée de deux sous-unités séparées (*voir* Figure 10-38). Après l'excitation par un photon de lumière, un électron riche en énergie passe d'une molécule de pigment à une autre, créant très rapidement une séparation de charges, comme cela est montré en dessous dans la séquence des étapes A à C, au cours de laquelle la molécule de pigment qui transporte l'électron riche en énergie est colorée en *rouge*. Les étapes D et E se produisent alors progressivement. Lorsqu'un deuxième photon a répété cette séquence avec un deuxième électron, la quinone échangeable est libérée dans la bicouche. Elle perd rapidement sa charge en prenant deux protons (*voir* Figure 14-24).

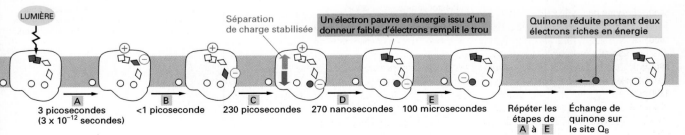

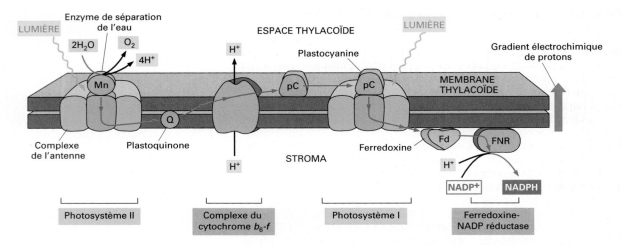

Figure 14-46 Flux des électrons pendant la photosynthèse dans la membrane thylacoïde. Les transporteurs mobiles d'électrons de la chaîne sont la plastoquinone (qui ressemble beaucoup à l'ubiquinone des mitochondries), la plastocyanine (une petite protéine contenant du cuivre) et la ferredoxine (une petite protéine contenant un centre fer-soufre). Le complexe du cytochrome b_6-f ressemble au complexe du cytochrome b-c_1 des mitochondries et au complexe b-c des bactéries (*voir* Figure 14-71) : ces trois complexes acceptent des électrons des quinones et pompent les H$^+$ à travers la membrane. Le H$^+$ libéré par l'oxydation de l'eau dans l'espace thylacoïde et celui consommé pendant la formation de NADPH dans le stroma contribuent également à engendrer le gradient électrochimique de H$^+$. Ce gradient actionne la synthèse d'ATP par l'ATP synthase présente dans la même membrane (non montré ici).

fer-soufre de la ferredoxine puis dans le NADP$^+$ pour engendrer du NADPH (Figure 14-47).

Le schéma de la photosynthèse que nous venons de voir est appelé *schéma en Z*. Par ces deux étapes qui donnent de l'énergie aux électrons, une catalysée par chaque photosystème, un électron passe de l'eau, qui maintient normalement ses électrons très fermement (potentiel redox = +820 mV) au NADPH qui maintient normalement ses électrons très lâchement (potentiel redox = –320 mV). Il n'y a pas assez d'éner-

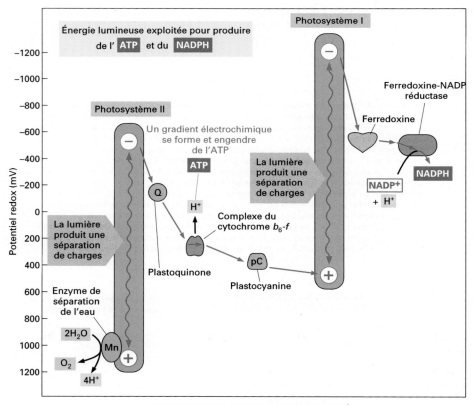

Figure 14-47 Variations du potentiel redox pendant la photosynthèse. Le potentiel redox de chaque molécule est indiqué par sa position le long de l'axe vertical. Dans le photosystème II, la chlorophylle excitée du centre de réaction a un potentiel redox suffisamment haut pour retirer des électrons de l'eau au moyen d'une amas organisé spécifique de quatre atomes de manganèse. Le photosystème II ressemble beaucoup au centre de réaction des bactéries pourpres et transmet les électrons de sa chlorophylle excitée à une chaîne de transport des électrons qui conduit au photosystème I. Le photosystème I transmet alors les électrons de sa chlorophylle excitée à une série de centres fer-soufre solidement reliés. Le flux net des électrons qui traverse les deux photosystèmes en série va de l'eau au NADP$^+$ et produit du NADPH et de l'ATP.

L'ATP est synthétisé par une ATP synthase qui exploite le gradient électrochimique de protons produit par les trois sites d'activité de H$^+$ qui sont soulignés dans la figure 14-46. Ce schéma en Z de la production d'ATP est appelé phosphorylation non cyclique pour le différencier du schéma cyclique qui utilise seulement le photosystème I (*voir* le texte).

gie dans un seul quantum de lumière visible pour activer un électron sur toute la voie, du bas du photosystème II au sommet du photosystème I, qui représente probablement la variation d'énergie nécessaire pour transférer efficacement un électron de l'eau au NADP⁺. Mais du fait de l'utilisation de deux photosystèmes séparés en série, l'énergie de deux quanta de lumière est disponible dans ce but. En plus, il y a assez d'énergie en surplus pour permettre à la chaîne de transport d'électrons qui relie les deux photosystèmes de pomper des H⁺ au travers de la membrane thylacoïde (ou de la membrane plasmique des cyanobactéries) de telle sorte que l'ATP synthase puisse exploiter une partie de l'énergie dérivée de la lumière pour produire de l'ATP.

Les chloroplastes peuvent fabriquer de l'ATP par photophosphorylation sans fabriquer de NADPH

Dans le schéma de photophosphorylation non cyclique que nous venons de traiter, les électrons riches en énergie qui quittent le photosystème II sont exploités pour engendrer de l'ATP et sont transmis au photosystème I pour actionner la production de NADPH. Cela produit légèrement plus d'une molécule d'ATP pour chaque couple d'électrons qui passe de H_2O à NAD⁺ pour créer une molécule de NADPH. Mais il faut 1,5 molécules d'ATP par NADPH pour fixer le carbone (*voir* Figure 14-39). Pour produire l'ATP supplémentaire, les chloroplastes de certaines espèces végétales peuvent commuter le photosystème I en son mode cyclique de telle sorte qu'il produise de l'ATP au lieu de NADPH. Selon ce processus, appelé *photophosphorylation cyclique*, les électrons riches en énergie, issus du photosystème I, sont transférés dans le complexe du cytochrome b_6-f et non pas transmis au NADP⁺. À partir du complexe b_6-f, les électrons sont ramenés au photosystème I à une basse énergie. Le seul résultat net, en plus de la conversion d'une partie de l'énergie lumineuse en chaleur, est le pompage de H⁺ à travers la membrane thylacoïde par le complexe b_6-f lorsque les électrons le traversent, ce qui augmente le gradient électrochimique de protons qui actionne l'ATP synthase. (C'est analogue au côté droit du schéma des bactéries pourpres non soufrées de la figure 14-71, ci-après.)

Pour résumer, la photophosphorylation cyclique implique uniquement le photosystème I et produit de l'ATP sans former de NADPH ni d'O_2. L'activité relative des flux d'électrons cyclique et non cyclique peut être régulée par la cellule pour déterminer la quantité d'énergie lumineuse qui est convertie en pouvoir réducteur (NADPH) et celle qui est convertie en liaisons phosphate riches en énergie (ATP).

Les photosystèmes I et II ont des structures apparentées et ressemblent également aux photosystèmes bactériens

Les mécanismes des processus cellulaires fondamentaux comme la réplication de l'ADN ou la respiration se trouvent être identiques dans les cellules eucaryotes et les bactéries, même si le nombre de composants protéiques impliqués est considérablement supérieur chez les eucaryotes. Les eucaryotes ont évolué à partir des procaryotes et les protéines supplémentaires ont été probablement sélectionnées pendant l'évolution parce qu'elles apportaient une efficacité supérieure et/ou une régulation très utile pour la cellule.

Les photosystèmes sont un exemple clair de ce type d'évolution. Le photosystème II par exemple est formé de plus de 25 sous-unités protéiques différentes, ce qui engendre un important assemblage dans la membrane thylacoïde avec une masse d'environ 1 million de daltons. Les structures atomiques des photosystèmes eucaryotes sont en train d'être révélées par l'association de la cristallographie électronique et aux rayons X. Cette tâche est ardue parce que les complexes sont de grande taille et encastrés dans la bicouche lipidique. Néanmoins, comme cela est illustré dans la figure 14-48, les relations étroites entre le photosystème I, le photosystème II et le centre de réaction photochimique de la bactérie pourpre ont été clairement mises en évidence à partir de ces analyses à un niveau atomique.

La force proton-motrice est la même dans les mitochondries et les chloroplastes

La présence de l'espace thylacoïde sépare un chloroplaste en trois compartiments et non pas en deux comme les mitochondries. L'effet net de la translocation de H⁺ dans ces deux organites est, cependant, similaire. Comme cela est illustré en figure 11-49, dans les chloroplastes, H⁺ est pompé à l'extérieur du stroma (pH 8) dans l'espace thy-

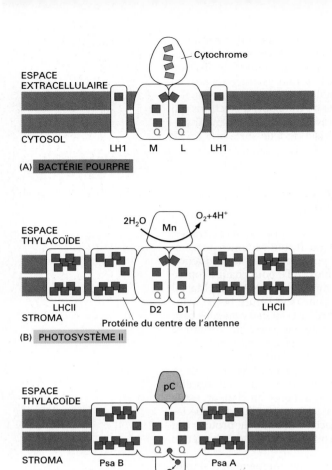

ESPACE
EXTRACELLULAIRE

Cytochrome

CYTOSOL

LH1   M   L   LH1

(A) BACTÉRIE POURPRE

2H₂O   Mn   O₂+4H⁺

ESPACE
THYLACOÏDE

LHCII   D2   D1   LHCII

STROMA

Protéine du centre de l'antenne

(B) PHOTOSYSTÈME II

pC

ESPACE
THYLACOÏDE

STROMA   Psa B   Psa A

(C) PHOTOSYSTÈME I

Figure 14-48 Comparaison des trois types de centres de réaction photosynthétique. Les pigments impliqués dans la récolte de la lumière sont colorés en *vert*; ceux impliqués dans les événements photochimiques centraux sont colorés en *rouge*. (A) Le centre de réaction photochimique de la bactérie pourpre, dont la structure détaillée est illustrée en figure 10-38, contient deux sous-unités protéiques apparentées, L et M, qui fixent le pigment impliqué dans le processus central illustré en figure 14-45. Les électrons de basse énergie sont mis dans la chlorophylle excitée par un cytochrome. LH1 est un complexe protéine-pigment impliqué dans le recueil de la lumière. (B) Le photosystème II contient les protéines D1 et D2 qui sont homologues aux sous-unités L et M de (A). Les électrons de basse énergie issus de l'eau sont placés dans les chlorophylles excitées par un agrégat de manganèse. LHCII est un complexe de recueil de la lumière qui place l'énergie dans les protéines situées au centre de l'antenne. (C) Le photosystème I contient les protéines Psa A et Psa B qui sont chacune équivalente à la fusion des protéines D1 ou D2 sur une protéine centrale de l'antenne du photosystème II. Les électrons de basse énergie sont placés dans les chlorophylles excitées par la plastocyanine (pC) lâchement fixée. Comme cela est indiqué dans le photosystème I, les électrons riches en énergie proviennent d'une quinone non mobile (Q) et ont traversé une série de trois centres fer-soufre (*cercles rouges*). (Modifié d'après K. Rhee, E. Morris, J. Barber et W. Kühlbrandt, *Nature* 396 : 283-286, 1998; W. Kühlbrandt, *Nature* 411 : 896-899, 2001.)

lacoïde (pH ~5) ce qui crée un gradient de 3 à 3,5 unités de pH. Cela représente une force proton-motrice d'environ 200 mV à travers la membrane thylacoïde et actionne la synthèse d'ATP par l'ATP synthase encastrée dans cette membrane. La force est la même que celle située à travers la membrane mitochondriale interne, mais presque toute cette force est engendrée par un gradient de pH plutôt que par un potentiel de membrane, contrairement à ce qui se passe dans les mitochondries.

Comme le stroma, la matrice mitochondriale a un pH de 8 environ. Il est créé par le pompage de H⁺ à l'extérieur des mitochondries dans le cytosol (pH ~7) plutôt que dans un espace intérieur dans l'organite. De ce fait, le gradient de pH est relativement faible et la majeure partie de la force proton-motrice de part et d'autre de la membrane mitochondriale interne est donc provoquée par le potentiel de membrane résultant (*voir* Figure 14-13).

Pour les mitochondries et les chloroplastes, le site catalytique de l'ATP synthase est à un pH d'environ 8 et est localisé dans un gros compartiment de l'organite (la matrice ou le stroma) rempli d'enzymes solubles. Par conséquent, c'est là que se fabrique tout l'ATP de l'organite (*voir* Figure 14-49).

Les protéines de transport de la membrane interne des chloroplastes contrôlent l'échange des métabolites avec le cytosol

Si les chloroplastes sont isolés de façon à laisser leur membrane interne intacte, on peut montrer que celle-ci présente une perméabilité sélective, qui reflète la présence de protéines de transport spécifiques. Plus particulièrement, la majeure partie du glycéraldéhyde 3-phosphate produit par la fixation de CO₂ dans le stroma du chloroplaste est transportée à l'extérieur de celui-ci par un système antiport efficace qui échange les sucres phosphate à trois carbones avec un flux entrant de phosphate inorganique.

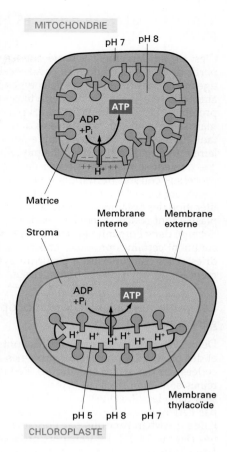

Figure 14-49 Comparaison du flux de H⁺ et de l'orientation de l'ATP synthase dans les mitochondries et les chloroplastes. Les compartiments de même valeur de pH ont été colorés pareillement. La force proton-motrice de part et d'autre de la membrane thylacoïde est composée presque entièrement d'un gradient de pH; la forte perméabilité de cette membrane aux ions Mg^{2+} et Cl^- permet au flux de ces ions de dissiper presque tout le potentiel de membrane. Les mitochondries nécessitent probablement un fort potentiel de membrane parce que sans celui-ci il faudrait un pH de 10 dans la matrice pour engendrer cette force proton-motrice et elles ne pourraient pas le tolérer.

Le glycéraldéhyde 3-phosphate fournit normalement au cytosol une source abondante de glucides utilisée par la cellule comme point de départ de nombreuses autres biosynthèses – y compris la production de saccharose pour l'exportation. Mais ce n'est pas tout ce que cette molécule fournit. Une fois que le glycéraldéhyde 3-phosphate atteint le cytosol, il est facilement converti (en partie par la voie de la glycolyse) en 1,3-phosphoglycérate puis en 3-phosphoglycérate (*voir* p. 97), ce qui engendre une molécule d'ATP et une de NADH. (Une réaction similaire à deux étapes, mais qui fonctionne dans le sens inverse, forme du glycéraldéhyde 3-phosphate au cours du cycle de fixation du carbone; *voir* Figure 14-39). Il en résulte que l'exportation de glycéraldéhyde 3-phosphate à partir du chloroplaste ne fournit pas seulement au reste de la cellule la principale source de carbone fixé mais aussi le pouvoir réducteur et l'ATP nécessaires au métabolisme externe au chloroplaste.

Les chloroplastes effectuent également d'autres biosynthèses cruciales

Les chloroplastes effectuent beaucoup de biosynthèses en plus de la photosynthèse. Tous les acides gras de la cellule et un certain nombre d'acides aminés, par exemple, sont fabriqués par les enzymes du stroma des chloroplastes. De même, le pouvoir réducteur des électrons activés par la lumière actionne la réduction des nitrites (NO_2^-) en ammoniac (NH_3) dans le chloroplaste; cet ammoniac fournit l'azote au végétal qui l'utilise pour la synthèse des acides aminés et des nucléotides. L'importance métabolique des chloroplastes pour les végétaux et les algues s'étend de ce fait bien au-delà de son rôle dans la photosynthèse.

Résumé

Les chloroplastes et les bactéries photosynthétiques obtiennent des électrons riches en énergie grâce aux photosystèmes qui capturent des électrons excités lors de l'absorption de la lumière par les molécules de chlorophylle. Les photosystèmes sont composés du complexe formant antenne qui canalise l'énergie sur le centre de réaction photochimique, dans lequel un complexe de protéines et de pigments, ordonnés avec précision, permet la capture par un transporteur d'électrons de l'énergie d'un électron excité dans la chlorophylle. Le centre de réaction photochimique le mieux compris est celui de la bactérie pourpre photosynthétique, qui ne contient qu'un seul photosystème. Par contre, il y a deux photosystèmes distincts dans les chloroplastes et les cyanobactéries. Ces deux photosystèmes sont normalement reliés en série et transfèrent les électrons de l'eau au NADP⁺ pour former du NADPH, en produisant en même temps un gradient électrochimique transmembranaire de protons. Dans ces photosystèmes liés, l'oxygène moléculaire (O_2) généré est le produit de déchet de l'élimination de quatre électrons de basse énergie à partir de deux molécules d'eau ayant une position spécifique.

Comparés aux mitochondries, les chloroplastes ont une membrane interne supplémentaire (la membrane thylacoïde) et un troisième espace interne (l'espace thylacoïde). Tous les processus de transport des électrons se produisent dans la membrane thylacoïde : pour fabriquer l'ATP, H⁺ est pompé dans l'espace thylacoïde et un flux de retour de H⁺ à travers l'ATP synthase produit alors l'ATP dans le stroma des chloroplastes. Cet ATP est utilisé associé au NADPH fabriqué par photosynthèse pour actionner un grand nombre de réactions biosynthétiques dans le stroma des chloroplastes, y compris le cycle capital de fixation du carbone qui crée un glucide à partir du CO_2. Ce glucide – sous forme de glycéraldéhyde 3-phosphate – est exporté dans le cytosol cellulaire, en même temps que certains autres produits importants du chloroplaste, où il fournit le carbone organique, l'ATP et le pouvoir réducteur au reste de la cellule.

C'est un fait largement accepté que les mitochondries et les plastes aient évolué à partir de bactéries englouties par des cellules nucléées ancestrales. En tant que vestiges de ce passé évolutif, ces deux types d'organites contiennent leur propre génome, ainsi que leur propre machinerie biosynthétique pour fabriquer leur ARN et leurs protéines. Les mitochondries et les plastes ne sont jamais fabriqués à partir de rien mais se forment par croissance et division d'une mitochondrie ou d'un plaste existant. En moyenne, chaque organite doit doubler sa masse à chaque génération cellulaire puis être distribué dans chaque cellule fille. Même les cellules qui ne se divisent pas doivent se réapprovisionner en organites car ceux-ci sont dégradés du fait du processus continu de remplacement des organites (*turnover*) ou produire de nouveaux organites lorsque le besoin se fait sentir. Ce processus de croissance et de prolifération des organites est complexe parce que les protéines des mitochondries et des plastes sont codées dans deux endroits : le génome nucléaire et un génome séparé, hébergé dans l'organite lui-même (Figure 14-50). Dans le chapitre 12, nous avons vu comment certaines protéines et certains lipides étaient importés dans les mitochondries et les chloroplastes à partir du cytosol. Maintenant il nous faut décrire comment les génomes de ces organites sont conservés et contribuent à leur biogenèse.

Les mitochondries et les chloroplastes contiennent un système génétique complet

Deux systèmes génétiques séparés contribuent à la biosynthèse des mitochondries et des plastes. La plupart des protéines des mitochondries et des chloroplastes sont codées par des gènes spécifiques, dédiés à ce but, dans l'ADN nucléaire. Ces protéines sont importées du cytosol dans l'organite une fois qu'elles ont été synthétisées dans les ribosomes cytosoliques. D'autres protéines des organites sont codées par l'ADN de l'organite et synthétisées sur les ribosomes internes de l'organite, à l'aide d'ARNm produits par l'organite pour spécifier leur séquence en acides aminés (Figure 14-51). Le transport protéique entre le cytosol et ces organites semble être unidirectionnel, car on ne connaît aucune protéine qui soit exportée des mitochondries ou des chloroplastes dans le cytosol. Une exception se produit dans des conditions particulières lorsqu'une cellule est sur le point de subir l'apoptose. La libération de protéines de l'espace intermembranaire (y compris le cytochrome *c*) issues des mitochondries à travers la membrane mitochondriale externe fait partie de la voie de signalisation déclenchée dans les cellules qui subissent une mort cellulaire programmée (*voir* Chapitre 17).

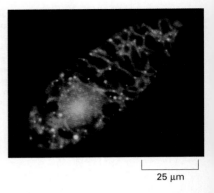

25 μm

Figure 14-50 ADN mitochondrial et nucléaire colorés par un colorant fluorescent. Cette microphotographie montre la distribution du génome nucléaire (en *rouge*) et des multiples petits génomes mitochondriaux (*points jaunes brillants*) dans une cellule d'*Euglena gracilis*. L'ADN est coloré par le bromure d'éthidium, un colorant fluorescent qui émet une lumière rouge. En plus, l'espace de la matrice mitochondriale est coloré par un colorant vert fluorescent qui révèle que la mitochondrie est un réseau ramifié qui s'étend dans tout le cytosol. La superposition de la matrice *verte* et de l'ADN *rouge* donne au génome mitochondrial sa couleur *jaune*. (Due à l'obligeance de Y. Hayashi et K. Ueda, *J. Cell Sci* 93 : 565-570, 1989. © The Company of Biologists.)

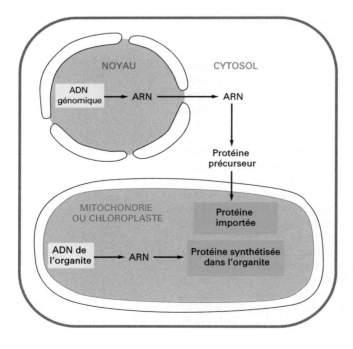

Figure 14-51 Production de protéines mitochondriales et chloroplastiques par deux systèmes génétiques séparés. La plupart des protéines de ces organites sont codées par le noyau et doivent être importées à partir du cytosol.

NOYAU

CYTOSOL

ADN génomique → ARN → ARN

Protéine précurseur

MITOCHONDRIE OU CHLOROPLASTE

Protéine importée

ADN de l'organite → ARN → Protéine synthétisée dans l'organite

Les processus de transcription de l'ADN, de synthèse protéique et de réplication de l'ADN (Figure 14-52) propres à l'organite s'effectuent là où se trouve le génome : dans la matrice des mitochondries et le stroma des chloroplastes. Bien que les protéines qui servent d'intermédiaire à ces processus génétiques soient spécifiques de l'organite, la plupart d'entre elles sont codées par le génome nucléaire. C'est d'autant plus surprenant car la machinerie de synthèse protéique de ces organites ressemble plus à celle des bactéries qu'à celle des eucaryotes. Cette ressemblance est particulièrement proche dans les chloroplastes. Les ribosomes d'un chloroplaste, par exemple, sont très semblables à ceux d'*E. coli*, que ce soit dans leur structure ou leur sensibilité à divers antibiotiques (comme le chloramphénicol, la streptomycine, l'érythromycine et la tétracycline). De plus, la synthèse protéique dans les chloroplastes commence par la N-formyl méthionine, comme dans les bactéries et non pas par la méthionine utilisée dans ce but dans le cytosol des cellules eucaryotes. Même si le système génétique des mitochondries ressemble beaucoup moins à celui des bactéries actuelles que le système génétique des chloroplastes, leurs ribosomes sont aussi sensibles aux antibiotiques antibactériens et la synthèse protéique dans les mitochondries commence aussi par la N-formyl méthionine.

1 µm

Figure 14-52 Photographie en microscopie électronique d'une molécule d'ADN mitochondriale d'un animal pendant son processus de réplication. L'ADN circulaire du génome ne s'est répliqué qu'entre les deux points marqués par des *flèches rouges*. L'ADN néosynthétisé est coloré en *jaune*. (Due à l'obligeance de David A. Clayton.)

La croissance et la division des organites déterminent le nombre de mitochondries et de plastes d'une cellule

Les mitochondries et les plastes sont assez gros pour être observés en microscopie optique dans les cellules vivantes. Les mitochondries, par exemple, peuvent être visualisées par l'expression dans les cellules de la fusion, génétiquement induite, d'une protéine mitochondriale à la protéine de fluorescence verte (GFP). Les cellules peuvent aussi être incubées dans un colorant fluorescent spécifiquement prélevé par les mitochondries du fait d'un gradient électrochimique à travers leurs membranes. À partir de ce type d'images, on observe que les mitochondries des cellules vivantes sont très dynamiques – elles se divisent souvent, fusionnent et changent de forme (Figure 14-53), comme nous l'avions déjà mentionné. La division (fission) et la fusion de ces organites sont des processus topologiquement complexes, parce que ces organites sont entourés d'une double membrane et qu'ils doivent maintenir l'intégrité de leurs différents compartiments (Figure 14-54).

Le nombre de copies et la forme des mitochondries varient de façon spectaculaire dans les différents types cellulaires et même dans un même type cellulaire soumis à des conditions physiologiques différentes, allant de multiples organites sphériques à un seul organite de structure ramifiée (ou réticulum). La disposition est contrôlée par les vitesses relatives de la division et de la fusion des mitochondries, qui sont régulées par des GTPases spécialisées qui résident dans la membrane mitochondriale. La régulation de la morphologie et de la distribution des mitochondries est importante pour la différenciation et la fonction cellulaires. Citons comme exemple les mutations

Figure 14-53 Réticulum mitochondrial dynamique. (A) Dans les cellules de levures, les mitochondries forment un réticulum continu placé sous la membrane plasmique. **(B)** L'équilibre entre la fission et la fusion détermine l'arrangement des mitochondries dans les différentes cellules. **(C)** La microscopie à fluorescence sur un intervalle de temps montre le comportement dynamique du réseau mitochondrial dans une cellule de levure. En plus de ses variations de forme, le réseau est constamment remodelé par fission et fusion (*flèches rouges*). Les photographies ont été prises à des intervalles de 3 minutes. (A et C, d'après J. Nunnari et al., *Mol. Biol. Cell* 8 : 1233-1242, 1997, avec l'aimable autorisation de l'American Society for Cell Biology.)

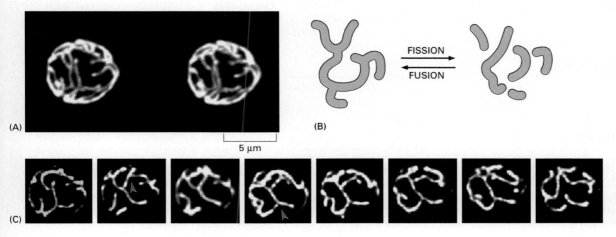

(A)

(B)

FISSION

FUSION

5 µm

(C)

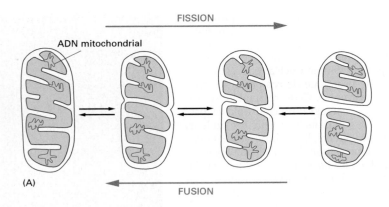

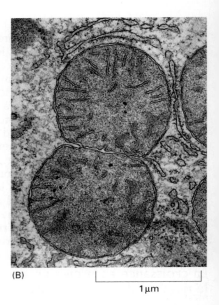

(B)

1 µm

Figure 14-54 Fission et fusion mitochondriales. Ces processus impliquent à la fois les membranes mitochondriales externe et interne. (A) Durant la fusion et la fission, les compartiments de la matrice et de l'espace intermembranaire sont conservés. On pense que différentes machineries de fusion membranaire opèrent au niveau des membranes externe et interne. Par son concept, le processus de fission ressemble à celui de la division d'une cellule bactérienne (*voir* Chapitre 18). La voie montrée a été postulée d'après des vues statiques comme celles montrées en (B). (B) Photographie en microscopie électronique d'une mitochondrie en division dans une cellule hépatique. (B, due à l'obligeance de Daniel S. Friend.)

chez *Drosophila* qui empêchent la fusion mitochondriale et provoquent ainsi une importante fragmentation mitochondriale, bloquant le développement des spermatozoïdes et entraînant la stérilité.

Il peut exister de nombreuses copies du génome mitochondrial ou des plastes dans l'espace entouré par chaque membrane interne de l'organite. Le nombre de ces génomes présents dans un seul organite dépend du degré de fragmentation de l'organite ; souvent beaucoup de génomes sont placés dans le même compartiment (Tableau 14-II). Dans la plupart des cellules, la réplication de l'ADN de l'organite ne se limite pas à la phase S du cycle cellulaire au cours de laquelle l'ADN nucléaire se réplique mais se produit pendant tout le cycle cellulaire – en décalage de phase avec la division cellulaire. Le choix des molécules d'ADN de chaque organite pour la réplication semble se faire au hasard, de telle sorte que dans un cycle cellulaire donné, certaines peuvent se répliquer plusieurs fois et d'autres pas du tout. Néanmoins, sous des conditions constantes, ce processus est régulé pour assurer que le nombre total de molécules d'ADN de l'organite double à chaque cycle cellulaire, ce qui est nécessaire si chaque type cellulaire se doit de maintenir une quantité constante d'ADN de l'organite. Lorsque les conditions se modifient, la masse totale de l'organite par cellule peut être régulée selon le besoin. On observe une forte augmentation des mitochondries (de cinq à dix fois), par exemple, si un muscle squelettique en repos est stimulé de façon répétitive et se contracte pendant une période prolongée.

Dans certaines circonstances, la division des organites peut être contrôlée avec précision par la cellule. Dans certaines algues qui ne contiennent qu'un seul ou que quelques chloroplastes, l'organite se divise juste avant la cellule, dans un plan identique au futur plan de la division cellulaire.

Les génomes des mitochondries et des chloroplastes sont variés

Les multiples copies de l'ADN des mitochondries et des chloroplastes situées à l'intérieur de leur matrice ou de leur stroma sont généralement réparties en plusieurs

TABLEAU 14-II Quantités relatives d'ADN des organites dans certaines cellules et certains tissus

ORGANISME	TYPE TISSULAIRE OU CELLULAIRE	MOLÉCULES D'ADN PAR ORGANITE	ORGANITES PAR CELLULE	ADN DE L'ORGANITE EN TANT QUE POURCENTAGE D'ADN CELLULAIRE TOTAL
ADN MITOCHONDRIAL				
Rat	Foie	5-10	1000	1
Levure*	Végétatif	2-50	1-50	15
Grenouille	Œuf	5-10	10^7	99
ADN DE CHLOROPLASTE				
Chlamydomonas	Végétatif	80	1	7
Maïs	Feuilles	20-40	20-40	15

*L'importante variation du nombre et de la taille des mitochondries par cellule de levure est due à la fusion et à la fission mitochondriales.

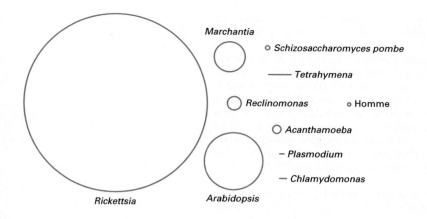

Figure 14-55 Diverses tailles du génome mitochondrial. Les séquences complètes d'ADN de plus de 200 génomes mitochondriaux ont été déterminées. La longueur de quelques-uns de ces ADN mitochondriaux est montrée à l'échelle sous forme de cercles pour les génomes circulaires et de lignes pour les génomes linéaires. Le plus gros cercle représente le génome de *Rickettsia prowazekii*, une petite bactérie pathogène dont le génome ressemble le plus à celui des mitochondries. La taille des génomes mitochondriaux est mal corrélée au nombre de protéines qu'ils codent : tandis que l'ADN mitochondrial de l'homme code pour 13 protéines, l'ADN mitochondrial 22 fois plus gros d'*Arabidopsis* ne code que pour 32 protéines — ce qui est 2,5 fois plus que l'ADN mitochondrial de l'homme. L'ADN supplémentaire qui se trouve dans les mitochondries d'*Arabidopsis*, de *Marchantia* et d'autres végétaux est peut-être de l'ADN « de pacotille ». L'ADN mitochondrial du protozoaire *Reclinomonas americana* possède 97 gènes, plus que les mitochondries de tous les autres organismes analysés jusqu'à présent. (Adapté d'après M.W. Gray et al., *Science* 283 : 1476-1481, 1999.)

agrégats appelés *nucléoïdes*. On pense que ces nucléoïdes sont fixés à la membrane mitochondriale interne. Bien qu'on ne sache pas comment l'ADN est empaqueté, la structure de l'ADN dans les nucléoïdes ressemble certainement à celle des bactéries plutôt qu'à celle de la chromatine eucaryote. Comme dans les bactéries, par exemple, il n'y a pas d'histones. La taille de l'ADN des organites est similaire à celle de l'ADN viral. La taille des molécules d'ADN des mitochondries est comprise entre moins de 6 000 paires de nucléotides chez *Plasmodium falciparum* (le parasite responsable de la malaria de l'homme) et plus de 300 000 paires de nucléotides dans certains végétaux terrestres (Figure 14-55). Comme un génome bactérien typique, la majeure partie de l'ADN mitochondrial est sous forme d'une molécule circulaire même s'il existe aussi des molécules d'ADN mitochondrial linéaires. Chez les mammifères, le génome mitochondrial est un cercle d'ADN d'environ 16 500 paires de bases (moins de 0,001 p. 100 de la taille du génome nucléaire). Il a presque la même taille chez des animaux aussi différents que *Drosophila* et l'oursin de mer. Le génome des chloroplastes des végétaux terrestres a une taille qui s'étend de 70 000 à 200 000 paires de nucléotides et il est circulaire dans tous les organismes examinés jusqu'à présent.

Dans les cellules des mammifères, l'ADN mitochondrial fabrique moins de 1 p. 100 de l'ADN cellulaire total. Dans d'autres cellules cependant, comme les feuilles des végétaux supérieurs ou de très grosses cellules d'œufs d'amphibiens, une fraction bien plus importante d'ADN cellulaire peut se trouver dans les mitochondries ou les chloroplastes (*voir* Tableau 14-II) et une grande partie de la synthèse de l'ARN et des protéines s'y effectue.

Les mitochondries et les chloroplastes ont probablement tous deux évolué à partir de bactéries endosymbiotiques

Le caractère procaryote du système génétique des organites, particulièrement frappant dans les chloroplastes, suggère que les mitochondries et les chloroplastes se sont développés à partir de bactéries endocytées il y a plus d'un milliard d'années. Selon l'*hypothèse de l'endosymbionte*, les cellules eucaryotes étaient à l'origine des organismes anaérobies dépourvus de mitochondries ou de chloroplastes puis ont établi une relation endosymbiotique stable avec une bactérie dont ils ont subverti le système de phosphorylation oxydatif pour leur utilisation propre (Figure 14-56). On présume que l'endocytose qui a conduit au développement des mitochondries s'est produite lorsque l'oxygène est entré dans l'atmosphère en quantités substantielles, il y a environ $1,5 \times 10^9$ ans, avant que les animaux et les végétaux ne se séparent (*voir* Figure 14-69).

Les chloroplastes des végétaux et des algues semblent avoir dérivé ultérieurement d'une endocytose impliquant une bactérie photosynthétique productrice d'oxygène. Pour expliquer les différents pigments et propriétés des chloroplastes trouvés dans les végétaux supérieurs actuels et dans les algues, on suppose habituellement qu'il s'est produit trois événements endosymbiotiques indépendants.

La plupart des gènes qui codent pour les protéines des mitochondries et des chloroplastes actuels se trouvent dans le noyau de la cellule. De ce fait, un important transfert de gènes de l'ADN de l'organite à l'ADN nucléaire a dû se produire pendant l'évolution des eucaryotes. Par contre, le génome actuel des organites est stable, ce qui indique que la réussite d'un transfert est un processus évolutif rare. On pouvait s'y attendre parce qu'un gène déplacé de l'ADN d'un organite doit se modifier pour devenir un gène nucléaire fonctionnel : il doit s'adapter aux besoins de la transcription et de la traduction nucléaires et cytoplasmiques, et acquérir aussi une séquence de signal pour que les protéines codées puissent être délivrées dans l'organite après leur synthèse dans le cytosol.

L'hypothèse du transfert de gènes explique pourquoi beaucoup de gènes nucléaires qui codent pour les protéines mitochondriales et chloroplastiques ressemblent à des gènes bactériens. La séquence en acides aminés d'une enzyme mitochondriale de poulet, la *superoxyde dismutase*, par exemple, ressemble bien plus à l'enzyme bactérienne correspondante qu'à la superoxyde dismutase retrouvée dans le cytosol de la même cellule eucaryote. La découverte de certaines séquences d'ADN non codantes dans l'ADN nucléaire qui semblent avoir une origine mitochondriale récente apporte une autre preuve que ce transfert d'ADN s'est produit pendant l'évolution ; elles se sont apparemment intégrées dans le génome nucléaire en tant qu'ADN «de pacotille».

Le transfert de gènes semble avoir été un processus graduel. Lorsqu'on compare les génomes mitochondriaux codant pour différents nombres de protéines, il en ressort l'existence d'un patron de réductions séquentielles des fonctions mitochondriales codées (Figure 14-57). Les génomes mitochondriaux les plus petits et probablement les plus évolués, par exemple, ne codent que pour quelques protéines de la membrane interne, impliquées dans les réactions de transport d'électrons, plus des ARN ribosomiques et des ARNt. Les génomes mitochondriaux plus complexes contiennent ce même sous-ensemble de gènes plus d'autres. Les génomes les plus complexes sont caractérisés par la présence de nombreux gènes supplémentaires par comparaison aux génomes mitochondriaux des animaux et des levures. Beaucoup de ces gènes codent pour des composants du système génétique des mitochondries comme les sous-unités de l'ARN polymérase et les protéines ribosomiques ; ces gènes sont retrouvés par contre dans le noyau cellulaire des organismes qui ont réduit leur teneur en ADN mitochondrial.

Quel type de bactérie a engendré les mitochondries ? D'après les comparaisons de séquences, il semble que les mitochondries soient des descendantes d'un type particulier de bactérie photosynthétique pourpre qui a auparavant perdu sa capacité d'effectuer la photosynthèse et n'a gardé que sa chaîne respiratoire. Il n'est cependant pas certain que toutes les mitochondries soient issues du même événement d'endosymbiose.

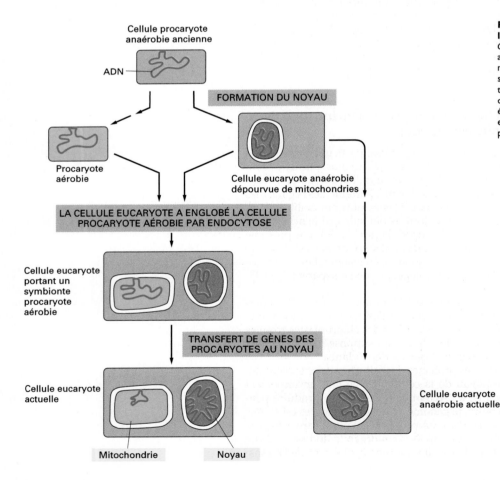

Figure 14-56 Évolution hypothétique de l'origine des mitochondries. *Microsporidia* et *Giardia* sont deux eucaryotes monocellulaires anaérobies actuels (protozoaires) dépourvus de mitochondries. Comme leur séquence d'ARNr suggère qu'ils sont, d'un point de vue évolutif, très éloignés de tous les autres eucaryotes connus, il a été postulé que leurs ancêtres étaient aussi anaérobies et ressemblaient aux eucaryotes qui ont englobé en premier les précurseurs des mitochondries.

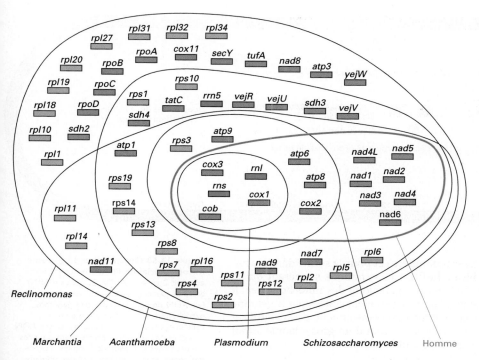

Figure 14-57 Comparaison des génomes mitochondriaux. Les génomes mitochondriaux les moins complexes codent pour des sous-ensembles de protéines et d'ARN ribosomiques qui sont codés par les génomes mitochondriaux plus gros. Les cinq gènes présents dans tous les génomes mitochondriaux connus codent pour des ARN ribosomiques (*rns* et *rnl*), le cytochrome *b* (*cob*) et deux sous-unités de la cytochrome oxydase (*cox*1 et *cox*3). (Adapté d'après M.W. Gray et al., *Science* 283 : 1476-1481, 1999.)

Les génomes mitochondriaux présentent diverses caractéristiques surprenantes

La taille relativement petite du génome mitochondrial de l'homme en a fait une cible particulièrement attractive lors des projets de séquençage de l'ADN et, en 1981, la séquence complète de ses 16 569 nucléotides fut publiée. En comparant cette séquence avec les séquences connues de l'ARNt mitochondrial et avec les séquences partielles en acides aminés disponibles des protéines codées par l'ADN mitochondrial, tous les gènes mitochondriaux humains ont été cartographiés sur la molécule d'ADN circulaire (Figure 14-58).

Si on le compare aux génomes nucléaires, chloroplastiques et bactériens, le génome mitochondrial de l'homme présente plusieurs caractéristiques surprenantes :

1. *Les gènes ont une disposition dense.* Contrairement aux autres génomes, presque tous les nucléotides semblent faire partie d'une séquence codante, soit pour une protéine soit pour l'un des ARNr ou des ARNt. Comme les séquences codantes sont placées directement les unes à côté des autres, il y a très peu de place laissée aux séquences d'ADN régulatrices.

2. *L'utilisation des codons est plus souple.* Alors que 30 ARNt ou plus spécifient les acides aminés dans le cytosol ou les chloroplastes, seuls 22 ARNt sont nécessaires pour la synthèse des protéines mitochondriales. Les règles normales d'appariement codon-anticodon sont assouplies dans les mitochondries de telle sorte que plusieurs molécules d'ARNt reconnaissent un des quatre nucléotides dans la troisième position («flottante»). Cet appariement «2 sur 3» permet à un ARNt de s'apparier avec n'importe lequel des quatre codons et permet de synthétiser les protéines avec moins de molécules d'ARNt.

3. *Le code génétique est différent.* Ce qui a été peut-être le plus surprenant, c'est que la comparaison des séquences géniques des mitochondries et des séquences en acides aminés des protéines correspondantes indique que le code génétique est différent : 4 codons sur les 64 ont une «signification» différente de celle des mêmes codons dans les autres génomes (Tableau 14-III).

L'observation que ce code génétique est presque le même dans tous les organismes apporte de fortes preuves que toutes les cellules ont évolué à partir d'un ancêtre commun. Comment peut-on expliquer alors les quelques différences du code génétique dans de nombreuses mitochondries ? L'observation que le code génétique mitochondrial est différent dans différents organismes constitue une indication. Dans la mitochondrie de la figure 14-57 qui possède le plus grand nombre de gènes, celle du protozoaire *Reclinomonas*, le code génétique est le même que le code génétique standard du noyau de la cellule. Cependant, UGA qui, ailleurs, est un codon stop est lu comme le tryptophane dans les mitochondries des mammifères, des champignons et des invertébrés. De même, le codon AGG qui code normalement pour l'arginine,

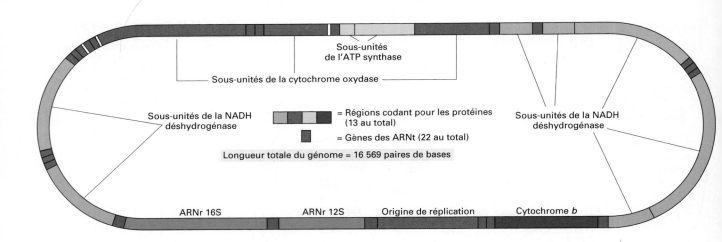

Figure 14-58 Organisation du génome
mitochondrial de l'homme. Le génome
contient 2 gènes d'ARNr, 22 gènes d'ARNt
et 13 séquences codant pour les protéines.
Les ADN de beaucoup d'autres génomes
mitochondriaux animaux ont été aussi
totalement séquencés. La plupart de ces ADN
mitochondriaux codent précisément pour les
mêmes gènes que ceux de l'homme, l'ordre
des gènes étant identique chez des animaux
allant des mammifères aux poissons.

code pour *stop* dans les mitochondries des mammifères et pour la sérine dans les mitochondries de la drosophile (*voir* Tableau 14-III). Ces variations suggèrent qu'un glissement aléatoire peut se produire dans le code génétique des mitochondries. Il est probable que le nombre particulièrement faible de protéines codées par le génome mitochondrial leur a permis de tolérer la modification occasionnelle de la signification d'un codon rare alors que ce type de variation au sein d'un gros génome aurait altéré la fonction de nombreuses protéines et détruit la cellule.

Les mitochondries des animaux contiennent le système génétique le plus simple connu

La comparaison des séquences ADN de différents organismes révèle que la vitesse de substitution des nucléotides pendant l'évolution à été 10 fois plus élevée dans les génomes mitochondriaux que dans les génomes nucléaires, ce qui est probablement dû à la baisse de la fidélité de la réplication de l'ADN mitochondrial ou à l'inefficacité de la réparation de l'ADN ou aux deux. Comme il n'y a que 16 500 nucléotides environ à répliquer et à exprimer sous forme d'ARN et de protéines dans les mitochondries des cellules animales, le taux d'erreur par nucléotide copié lors de la réplication de l'ADN, qui est conservé par la réparation de l'ADN, transcrit par l'ARN polymérase ou traduit en protéines par les ribosomes mitochondriaux, peut être relativement élevé sans endommager un des produits géniques qui sont relativement peu nombreux. Cela pourrait expliquer pourquoi les mécanismes qui effectuent ces processus sont relativement simples par comparaison à ceux utilisés dans le même but ailleurs dans la cellule. On peut s'attendre, par exemple, à ce que la présence de 22 ARNt seulement et la taille particulièrement petite des ARNr (moins des deux tiers de la taille d'un ARNr d'*E. coli*) réduisent la fidélité de la synthèse protéique dans les mitochondries, même si cela n'a pas été correctement vérifié.

La vitesse relativement élevée d'évolution des gènes mitochondriaux rend la comparaison des séquences d'ADN mitochondrial particulièrement utile pour estimer la date d'événements évolutifs relativement récents, comme les étapes de l'évolution des primates.

TABLEAU 14-III Certaines différences entre le code génétique « universel » et les codes mitochondriaux*

		CODES MITOCHONDRIAUX			
CODON	CODE «UNIVERSEL»	MAMMIFÈRES	INVERTÉBRÉS	LEVURES	VÉGÉTAUX
UGA	STOP	*Trp*	*Trp*	*Trp*	STOP
AUA	Ile	*Met*	*Met*	*Met*	Ile
CUA	Leu	Leu	Leu	*Thr*	Leu
AGA	Arg	*STOP*	*Ser*	Arg	Arg
AGG					

* Les caractères en italique et les ombrages de couleur indiquent que le code est différent du code «universel».

Certains gènes des organites contiennent des introns

La maturation des précurseurs d'ARN joue un rôle important dans les deux systèmes mitochondriaux qui ont été les plus étudiés – celui de l'homme et celui de la levure. Dans les cellules de l'homme, les deux brins d'ADN mitochondrial sont transcrits à la même vitesse à partir d'un seul promoteur sur chaque brin, ce qui produit deux molécules d'ARN géantes différentes, chacune contenant une copie de la longueur totale d'un des brins d'ADN. La transcription est donc totalement symétrique. Les transcrits fabriqués sur un brin subissent une maturation étendue par coupure par les nucléases et fournissent les deux ARNr, la plupart des ARNt et 10 ARN environ contenant un poly-A. Par contre, le transcrit de l'autre brin subit une maturation qui ne produit que 8 ARNt et 1 petit ARN contenant un poly-A; les 90 p. 100 restant de ce transcrit ne contiennent apparemment aucune information utile (étant complémentaires aux séquences codantes synthétisées sur l'autre brin) et sont dégradés. Les ARN poly-A sont les ARNm mitochondriaux; même s'ils n'ont pas de structure de coiffe à leur extrémité 5', ils portent une queue poly-A à leur extrémité 3' qui est ajoutée post-transcriptionnellement par une poly-A polymérase mitochondriale.

Contrairement aux gènes mitochondriaux de l'homme, certains gènes mitochondriaux des végétaux et des champignons contiennent des *introns* qui doivent être éliminés par épissage de l'ARN. Des introns ont également été retrouvés dans les gènes des chloroplastes végétaux. Beaucoup d'introns des gènes de ces organites sont composés d'une famille de séquences nucléotidiques apparentées qui peuvent s'auto-épisser à partir des transcrits d'ARN par catalyse par l'intermédiaire de l'ARN (*voir* Chapitre 6), même si ces réactions d'auto-épissage sont généralement facilitées par des protéines. La présence d'introns dans les gènes des organites est surprenante, ceux-ci sont rares dans les gènes des bactéries dont les ancêtres ont certainement donné naissance aux mitochondries et aux chloroplastes des végétaux.

Dans les levures, le même gène mitochondrial peut présenter un intron sur un brin mais pas sur l'autre. Ces «introns optionnels» semblent capables d'entrer et de sortir du génome comme des éléments transposables. Par contre, les introns de certains autres gènes mitochondriaux de levures ont aussi été trouvés, dans une position correspondante, dans les mitochondries d'*Aspergillus* et de *Neurospora*, ce qui implique qu'ils ont été hérités d'un ancêtre commun de ces trois champignons. Il est possible que ces séquences d'introns aient une origine ancienne – remontant à un ancêtre bactérien – et que, bien qu'elles aient été perdues par beaucoup de bactéries, elles ont été préférentiellement conservées dans certains génomes d'organites où l'épissage de l'ARN est régulé pour faciliter le contrôle de l'expression des gènes.

Le génome des chloroplastes des végétaux supérieurs contient 120 gènes environ

Plus de 20 génomes de chloroplastes ont été actuellement séquencés. Les génomes des végétaux, même s'ils sont de parenté distante (comme le tabac et l'hépatique à trois lobes), sont presque identiques, et même ceux des algues vertes sont très apparentés (Figure 14-59). Les gènes des chloroplastes sont impliqués dans quatre types de processus principaux : la transcription, la traduction, la photosynthèse et la biosynthèse de petites molécules comme les acides aminés, les acides gras et les pigments. Les gènes des chloroplastes végétaux codent également pour 40 protéines, au moins, dont les fonctions ne sont pas encore connues; de plus, dans les chloroplastes de certaines algues on trouve près du double de ces gènes de fonction inconnue. Paradoxalement, toutes les protéines connues, codées dans le chloroplaste, font partie d'un plus gros complexe protéique qui contient également une ou plusieurs sous-unités codées dans le noyau. Nous verrons ultérieurement les raisons possibles de ce paradoxe.

Les ressemblances entre les génomes des chloroplastes et des bactéries sont frappantes. Les séquences régulatrices fondamentales, comme les promoteurs de transcription et les régions de terminaison, sont virtuellement identiques dans les deux cas. Les séquences en acides aminés des protéines codées dans les chloroplastes sont facilement reconnaissables comme bactériennes et diverses batteries de gènes de fonctions apparentées (comme ceux codant pour les protéines ribosomiques) sont organisées de la même façon dans le génome des chloroplastes, d'*E. coli* et des cyanobactéries.

La poursuite des comparaisons d'un grand nombre de séquences nucléotidiques homologues devrait nous aider à clarifier la voie évolutive exacte allant des bactéries aux chloroplastes, mais nous pouvons déjà tirer plusieurs conclusions :

1. Les chloroplastes des végétaux supérieurs proviennent de bactéries photosynthétiques.

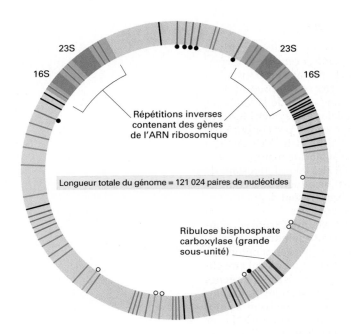

Figure 14-59 Organisation du génome des chloroplastes de l'hépatique à trois lobes. L'organisation du génome du chloroplaste est très semblable chez tous les végétaux supérieurs, même si la taille varie entre les espèces – en fonction de la quantité d'ADN qui entoure les gènes codant les ARN ribosomiques 16S et 23S du chloroplaste, présente dans les deux copies.

23S

16S

23S

16S

Répétitions inverses contenant des gènes de l'ARN ribosomique

Longueur totale du génome = 121 024 paires de nucléotides

Ribulose bisphosphate carboxylase (grande sous-unité)

CODE :

Gènes des ARNt
Gènes des protéines ribosomiques
Gènes du photosystème I
Gènes du photosystème II
Gènes de l'ATP synthase
Gènes du complexe b_6-f
Gènes de l'ARN polymérase
Gènes du complexe de la NADH déshydrogénase

2. Le génome des chloroplastes a été conservé de façon stable pendant au moins plusieurs centaines de millions d'années, le temps estimé pour la divergence entre l'hépatique à trois lobes et le tabac.

3. Beaucoup de gènes de la bactérie d'origine se trouvent maintenant dans le génome nucléaire, où ils se sont intégrés et sont conservés de façon stable. Dans les végétaux supérieurs, par exemple, les deux tiers des quelques 60 protéines ribosomiques des chloroplastes sont codés par le noyau cellulaire : ces gènes ont clairement des ancêtres bactériens et les ribosomes chloroplastiques gardent leurs propriétés bactériennes originelles.

Les gènes mitochondriaux sont transmis par un mécanisme non mendélien

Beaucoup d'expériences sur les mécanismes de la biogenèse mitochondriale ont été effectuées sur *Saccharomyces cerevisiae* (la levure de boulanger). Cette préférence s'explique par plusieurs points. Tout d'abord, lorsqu'elle se développe sur du glucose, cette levure a la capacité de vivre grâce à la seule glycolyse et peut donc survivre avec des mitochondries anormales incapables d'effectuer de phosphorylation oxydative. Cela permet de cultiver des cellules qui présentent des mutations de l'ADN mitochondrial ou nucléaire qui interfèrent avec la fonction mitochondriale ; ces mutations sont létales chez beaucoup d'autres eucaryotes. Deuxièmement, les levures sont des eucaryotes simples monocellulaires faciles à cultiver et à caractériser biochimiquement. Enfin, ces cellules de levure se reproduisent normalement de façon asexuée par bourgeonnement, mais peuvent aussi se reproduire sexuellement. Pendant la reproduction sexuée, deux cellules haploïdes s'accouplent et fusionnent pour former un zygote diploïde qui peut croître par mitose ou se diviser par méiose pour former de nouvelles cellules haploïdes.

La possibilité de contrôler, au laboratoire, l'alternance entre les reproductions sexuée et asexuée a grandement facilité les analyses génétiques. Les mutations des gènes mitochondriaux ne se transmettent pas selon les lois de Mendel qui gouvernent l'héritabilité des gènes nucléaires. De ce fait, longtemps avant que le génome mitochondrial ait pu être séquencé, les études génétiques avaient montré les gènes impliqués dans la fonction mitochondriale des levures qui étaient localisés dans le noyaux et ceux qui étaient localisés dans les mitochondries. La figure 14-60 montre un exemple d'hérédité non mendélienne (cytoplasmique) des gènes mitochondriaux dans une cellule de levure. Dans cet exemple, nous suivons l'hérédité d'un gène mutant qui permet à la synthèse des protéines mitochondriales de résister au chloramphénicol.

Lorsqu'une cellule haploïde résistante au chloramphénicol s'accouple avec une cellule haploïde de type sauvage sensible au chloramphénicol, le zygote diploïde résultant contient un mélange de génomes mutants et de type sauvage. Les deux réseaux mitochondriaux fusionnent dans le zygote pour former un réticulum continu qui contient les génomes des deux cellules parentales. Lorsque le génome subit une mitose, des copies des ADN mitochondriaux de type mutant et de type sauvage sont séparées dans la cellule fille diploïde. Dans le cas de l'ADN nucléaire, chaque cellule fille reçoit exactement deux copies de chaque chromosome, un issu de chaque parent. Par contre, dans le cas de l'ADN mitochondrial, la cellule fille peut hériter d'un nombre supérieur de copies de l'ADN mutant ou de l'ADN de type sauvage. Les divisions mitotiques successives peuvent encore enrichir la cellule en l'un ou l'autre ADN de telle sorte que beaucoup de cellules ultérieures qui se formeront contiendront l'ADN mitochondrial d'une seul génotype. Ce processus stochastique est appelé *ségrégation mitotique*.

Lorsque les cellules diploïdes qui ont ainsi séparé leurs génomes mitochondriaux subissent une méiose pour former quatre cellules filles haploïdes, chacune des quatre filles reçoit les mêmes gènes mitochondriaux. Ce type d'hérédité est appelé hérédité non mendélienne ou *hérédité cytoplasmique* par opposition à l'hérédité mendélienne des gènes nucléaires (*voir* Figure 14-60). L'observation d'une hérédité non mendélienne démontre que le gène en question est localisé à l'extérieur des chromosomes nucléaires.

Bien que les agrégats de molécules d'ADN mitochondriales (nucléoïdes) soient relativement immobiles dans le réticulum mitochondrial du fait de leur ancrage sur la membrane interne, certains nucléoïdes se réunissent occasionnellement. Cela se produit fréquemment, par exemple, sur les sites où les deux réseaux mitochondriaux parentaux fusionnent pendant la formation du zygote. En présence de différents ADN dans le même nucléoïde, une recombinaison génétique peut s'effectuer. Cette recombinaison peut engendrer des génomes mitochondriaux qui contiennent de l'ADN issu des deux cellules parentales, et qui sont transmis de façon stable après leur ségrégation mitotique.

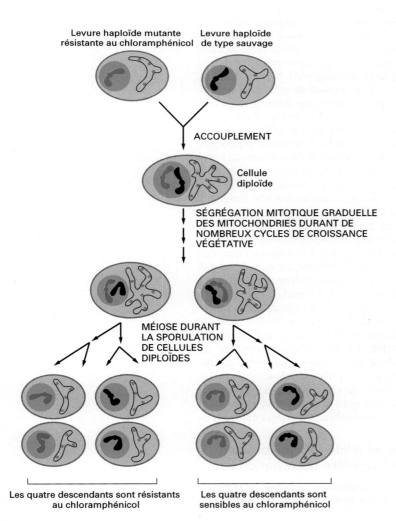

Figure 14-60 Différences de mode de transmission entre les gènes mitochondriaux et les gènes nucléaires des cellules de levure. Pour les gènes nucléaires (hérédité mendélienne) deux des quatre cellules qui résultent de la méiose héritent des gènes issus d'une des cellules parentales haploïdes originelles et les deux autres cellules restantes héritent des gènes issus de l'autre. Par contre, en ce qui concerne les gènes mitochondriaux (hérédité non mendélienne), il est possible que les quatre cellules qui résultent de la méiose héritent leurs gènes mitochondriaux uniquement d'une seule des deux cellules haploïdes originelles. Dans cet exemple, le gène mitochondrial est celui qui, dans sa forme mutante (ADN mitochondrial noté par les *points bleus*) rend la synthèse protéique dans les mitochondries résistante au chloramphénicol – un inhibiteur de la synthèse protéique qui agit spécifiquement sur les ribosomes de type procaryote des mitochondries et des chloroplastes. Les cellules de levure qui contiennent le gène mutant sont détectées par leur capacité à se développer en présence de chloramphénicol sur un substrat, comme le glycérol, qui ne peut être utilisé pour la glycolyse. La glycolyse étant bloquée, l'ATP doit être apporté par les mitochondries fonctionnelles et, par conséquent, les cellules qui portent l'ADN mitochondrial normal (type sauvage) ne peuvent croître (*points verts*).

Levure haploïde mutante résistante au chloramphénicol

Levure haploïde de type sauvage

ACCOUPLEMENT

Cellule diploïde

SÉGRÉGATION MITOTIQUE GRADUELLE DES MITOCHONDRIES DURANT DE NOMBREUX CYCLES DE CROISSANCE VÉGÉTATIVE

MÉIOSE DURANT LA SPORULATION DE CELLULES DIPLOÏDES

Les quatre descendants sont résistants au chloramphénicol

Les quatre descendants sont sensibles au chloramphénicol

Dans beaucoup d'organismes, les gènes des organites sont transmis par la mère

Les conséquences de l'hérédité cytoplasmique sont bien plus profondes chez certains organismes, y compris l'espèce humaine, qu'elles ne le sont chez les levures. Chez celles-ci, lorsque deux cellules haploïdes s'accouplent, elles ont une taille identique et apportent une quantité égale d'ADN mitochondrial au zygote (*voir* Figure 14-60). L'hérédité mitochondriale des levures est donc *biparentale* : les deux parents contribuent pareillement au pool génétique mitochondrial de la descendance (bien que, comme nous venons de le voir, après plusieurs générations de croissance végétative, chaque membre de la descendance contienne souvent des mitochondries issues d'un seul parent). Chez les animaux supérieurs, par contre, l'ovule apporte toujours beaucoup plus de cytoplasme au zygote que le spermatozoïde. On pourrait donc s'attendre à ce que l'hérédité mitochondriale chez les animaux supérieurs soit presque *monoparentale* – ou plus précisément, maternelle. Cette *hérédité maternelle* a été démontrée chez les animaux de laboratoire. Lorsque des animaux portant l'ADN mitochondrial de type A sont croisés avec des animaux portant le type B, la descendance ne contient que le type maternel de l'ADN mitochondrial. De même, en suivant la distribution de variants de séquences d'ADN mitochondriales dans de grandes familles, on a pu démontrer que l'ADN mitochondrial de l'homme était transmis par la mère.

Chez près des deux tiers des végétaux supérieurs, les chloroplastes du parent mâle (contenus dans les grains de pollen) n'entrent pas dans le zygote, de telle sorte que l'ADN des chloroplastes, tout comme celui des mitochondries, est hérité de la mère. Dans d'autres végétaux, les chloroplastes du pollen entrent dans le zygote, ce qui rend la transmission des chloroplastes biparentale. Dans ces végétaux, des chloroplastes anormaux sont la cause de *panachage* : le mélange de chloroplastes normaux et anormaux dans un zygote peut être sélectionné par ségrégation mitotique pendant la croissance et le développement du végétal, produisant ainsi en alternance des zones vertes et blanches dans la feuille. Les zones vertes contiennent les chloroplastes normaux et les zones blanches contiennent les chloroplastes anormaux (Figure 14-61).

L'ovule fécondé d'une femme porte peut-être 2000 copies du génome mitochondrial humain, qui sont toutes sauf peut-être une ou deux héritées de la mère. Un individu qui porte une mutation délétère sur tous ces génomes ne survivra généralement pas. Mais certaines mères portent une population mixte de génomes mitochondriaux normaux et mutants. Leurs filles et fils hériteront de ce mélange d'ADN mitochondrial normal et mutant et seront en bonne santé sauf si le processus de ségrégation mitotique aléatoire résulte en une majorité de mitochondries anormales dans un tissu particulier. Les muscles et le tissu nerveux sont ceux qui présentent le plus haut risque, parce qu'ils ont besoin de quantités particulièrement importantes d'ATP.

Il est possible de reconnaître chez l'homme une maladie héréditaire provoquée par une mutation de l'ADN mitochondrial, par sa transmission de la mère atteinte à ses fils et ses filles, les filles ayant des enfants malades contrairement aux fils, dont les enfants ne sont pas atteints. Comme on peut s'y attendre du fait de la nature aléatoire de la ségrégation mitotique, les symptômes de ces maladies varient fortement entre les différents membres d'une famille – non seulement de par leur gravité et leur âge d'apparition mais aussi de par le tissu atteint.

Considérons par exemple une maladie héréditaire, l'*épilepsie myoclonique à fibres rouges déchiquetées* ou *MERRF* (*myoclonic epilepsy and ragged red fiber disease*) qui peut être provoquée par une mutation d'un des gènes d'ARN de transfert mitochondrial. Cette maladie apparaît lorsque, par hasard, un tissu particulier hérite d'une quantité seuil du génome d'ADN mitochondrial anormal. Au-delà de ce seuil, le pool d'ARNt anormaux provoque la baisse de la synthèse des protéines mitochondriales nécessaires au transport des électrons et à la production d'ATP. Il en résulte une faiblesse musculaire ou des problèmes cardiaques (par des effets sur le muscle cardiaque), des formes d'épilepsie ou de démence (par des effets sur les cellules nerveuses) ou d'autres symptômes. Il n'est pas surprenant qu'une variabilité similaire des phénotypes soit observée dans beaucoup d'autres maladies mitochondriales.

Du fait de la vitesse de mutation particulièrement élevée observée dans les mitochondries, il a également été suggéré que les mutations qui s'accumulent dans les ADN mitochondriaux contribuent aux nombreux problèmes médicaux des personnes âgées.

Les levures mutantes «petite» mettent en évidence l'importance primordiale du noyau cellulaire dans la biogenèse mitochondriale

Les études génétiques des levures ont eu un rôle crucial dans l'analyse de la biogenèse mitochondriale. Un des exemples frappants provient de l'étude de mutants de

Figure 14-61 Une feuille panachée. Dans les zones blanches, les cellules végétales ont hérité d'un chloroplaste anormal. (Due à l'obligeance de la John Innes Foundation.)

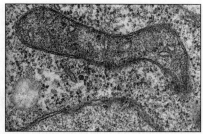

Figure 14-62 Deux photographies en microscopie électronique de cellules de levure. (A) Structure d'une mitochondrie normale. (B) Mitochondries chez le mutant «petite». Dans les levures mutantes «petite», il n'y a aucun produit génique codé par la mitochondrie et l'organite est entièrement façonné à partir des protéines codées par le noyau. (Due à l'obligeance de Barbara Stevens.)

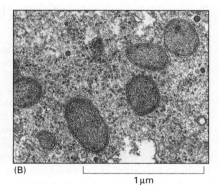

levures qui contiennent d'importantes délétions de leur ADN mitochondrial, de telle sorte que toute la synthèse protéique mitochondriale est abolie. Il n'est pas surprenant que ces mutants ne puissent pas faire respirer leurs mitochondries. Certains de ces mutants ne possèdent pas du tout d'ADN mitochondrial. Comme ils forment en général de petites colonies lorsqu'ils sont cultivés dans un milieu pauvre en glucose, tous les mutants qui présentent ces mitochondries anormales sont appelés *mutants cytoplasmiques «petite»*.

Même si les levures mutantes «petite» ne peuvent pas synthétiser les protéines dans leurs mitochondries et ne peuvent donc pas fabriquer de mitochondries productrices d'ATP, elles contiennent néanmoins des mitochondries. Celles-ci ont une membrane externe normale et une membrane interne présentant des crêtes peu développées (Figure 14-62). Elles contiennent virtuellement toutes les protéines mitochondriales qui sont spécifiées par les gènes nucléaires et importées à partir du cytosol – y compris les ADN et ARN polymérases, toutes les enzymes du cycle de l'acide citrique et la plupart des protéines de la membrane interne – ce qui met en évidence l'importance majeure du noyau dans la biogenèse mitochondriale. Les levures mutantes «petite» montrent aussi qu'un organite qui se divise par fission peut se répliquer indéfiniment dans le cytoplasme de cellules eucaryotes en prolifération, même en l'absence complète de son propre génome. Il est possible que les peroxysomes se répliquent ainsi normalement (*voir* Figure 12-34).

Pour les chloroplastes, l'équivalent le plus proche des levures mutantes «petite» est constitué par les mutants d'algues unicellulaires de type *Euglena*. Les algues mutantes dans lesquelles il ne se produit pas de synthèse des protéines des chloroplastes contiennent encore des chloroplastes et sont parfaitement viables si on leur fournit des substrats oxydables. Cependant, si on bloque chez les végétaux supérieurs le développement des chloroplastes matures, en cultivant le végétal dans l'obscurité ou parce que l'ADN chloroplastique est anormal ou absent, la plante meurt.

Les mitochondries et les plastes contiennent des protéines spécifiques de tissu qui sont codées par le noyau cellulaire

Les mitochondries peuvent avoir des fonctions spécifiques dans des types cellulaires particuliers. Chez les mammifères, par exemple, le *cycle de l'urée* est la voie métabolique centrale qui permet d'éliminer les produits de la dégradation cellulaire qui contiennent de l'azote. Ces produits sont excrétés dans l'urine sous forme d'urée. Des enzymes codées dans le noyau et situées dans la matrice mitochondriale effectuent plusieurs étapes de ce cycle. La synthèse de l'urée ne se produit que dans quelques tissus, comme le foie, et les enzymes requises ne sont synthétisées et importées dans les mitochondries que dans ces tissus.

Les complexes enzymatiques respiratoires de la membrane interne des mitochondries des mammifères contiennent plusieurs sous-unités spécifiques de tissu codées dans le noyau qui, pense-t-on, agissent comme des régulateurs du transport des électrons. De ce fait, certains individus atteints d'une maladie musculaire génétique présentent une sous-unité anormale de la cytochrome oxydase; comme cette sous-unité est spécifique des cellules du muscle squelettique, leurs autres cellules, y compris celles du muscle cardiaque, fonctionnent normalement, et leur permettent de survivre. Comme on pourrait s'y attendre, ces différences spécifiques de tissu sont aussi retrouvées au sein des protéines des chloroplastes codées par le noyau.

Les mitochondries importent la majorité de leurs lipides; les chloroplastes fabriquent la plupart d'entre eux

La biosynthèse de nouvelles mitochondries et de nouveaux chloroplastes nécessite des lipides en plus des acides nucléiques et des protéines. Les chloroplastes ont tendance à fabriquer les lipides dont ils ont besoin. Dans les feuilles d'épinard, par exemple, toute la synthèse cellulaire des acides gras s'effectue dans les chloroplastes, bien que leur dénaturation s'effectue ailleurs. Les principaux glycolipides des chloroplastes sont aussi synthétisés localement.

Les mitochondries, par contre, importent la majeure partie de leurs lipides. Dans les cellules animales, les phospholipides comme les phosphatidylcholines et les phosphatidylsérines, sont synthétisés dans le réticulum endoplasmique puis transférés dans la membrane externe des mitochondries. En plus de la décarboxylation des phosphatidylsérines importées en phosphatidyléthanolamines, la principale réaction de la biosynthèse lipidique catalysée par les mitochondries elles-mêmes est la conversion des lipides importés en cardiolipine (bisphosphatidylglycérol). La cardiolipine est un phospholipide «double» qui contient quatre queues d'acides gras (Figure 14-63). Elle se trouve principalement dans la membrane mitochondriale interne où elle représente environ 20 p. 100 des lipides totaux.

Nous avons vu, au chapitre 12, comment les protéines cytosoliques spécifiques étaient importées dans les mitochondries et les chloroplastes.

Pourquoi les mitochondries et les chloroplastes ont-ils leur propre système génétique?

Pourquoi les mitochondries et les chloroplastes nécessitent-ils leur propre système génétique, alors que d'autres organites situés dans le même cytoplasme, comme les peroxysomes et les lysosomes, n'en ont pas besoin? Cette question n'est pas sans importance, car le maintien d'un système génétique séparé est coûteux : plus de 90 protéines – y compris beaucoup de protéines ribosomiques, d'aminoacyl-ARNt synthases, d'ADN et d'ARN polymérases ainsi que des enzymes de maturation de l'ARN et de modification de l'ARN – doivent être codées par les gènes nucléaires spécifiquement dans ce but (Figure 14-64). Les séquences en acides aminés de la plupart de ces protéines mitochondriales et chloroplastiques diffèrent de celles de leurs contreparties nucléaires et cytosoliques et il semble que ces organites aient relativement peu de protéines en commun avec le reste de la cellule. Cela signifie que le noyau doit fournir au moins 90 gènes juste pour maintenir chaque système génétique de

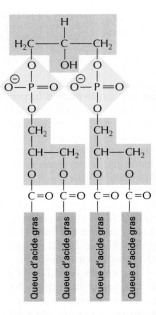

Figure 14-63 Structure de la cardiolipine. La cardiolipine est un lipide particulier de la membrane mitochondriale interne.

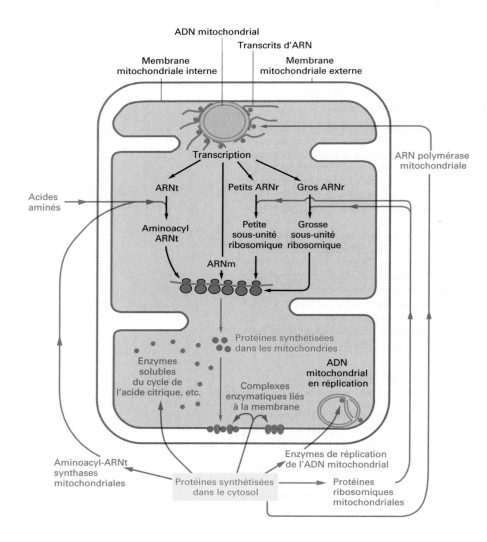

Figure 14-64 Origines des ARN et des protéines mitochondriaux. Les protéines codées dans le noyau et importées à partir du cytosol jouent un rôle majeur en créant le système génétique des mitochondries, en plus de contribuer à la plupart des autres protéines de l'organite. Les autres protéines codées dans le noyau qui régulent l'expression de chaque gène mitochondrial au niveau post-transcriptionnel ne sont pas indiquées sur ce schéma. La mitochondrie en elle-même apporte à son système génétique seulement les ARNm, ARNr et ARNt.

l'organite. On ne connaît pas clairement les raisons de cet arrangement si coûteux et l'espoir que la séquence nucléotidique des génomes mitochondriaux et chloroplastiques fournirait la réponse est resté sans fondement. Nous ne pouvons imaginer de raisons qui obligent ces protéines à être fabriquées dans les mitochondries et les chloroplastes plutôt que dans le cytosol.

Il fut suggéré que certaines protéines étaient fabriquées dans l'organite parce qu'elles étaient trop hydrophobes pour atteindre leur site membranaire à partir du cytosol. Cependant des études plus récentes ont rendu cette explication non plausible. Dans de nombreux cas, certaines sous-unités, même hautement hydrophobes, sont synthétisées dans le cytosol. De plus, même si chacune des sous-unités protéiques des différents complexes enzymatiques mitochondriaux a été fortement conservée au cours de l'évolution, leur site de synthèse ne l'a pas été (*voir* Figure 4-57). La diversité de la localisation des gènes codant pour les sous-unités des protéines fonctionnellement équivalentes dans différents organismes est difficile à expliquer par les hypothèses qui postulent l'existence d'un avantage évolutif spécifique des systèmes génétiques des mitochondries et des chloroplastes actuels.

Peut-être que ces systèmes génétiques des organites marquent un «cul-de-sac» évolutif. Si on se base sur l'hypothèse de l'endosymbionte, cela signifierait que le processus qui a permis aux endosymbiontes de transférer la plupart de leurs gènes dans le noyau s'est arrêté avant la fin. La poursuite du transfert a pu être exclue, en ce qui concerne les mitochondries, du fait des récentes altérations du code génétique mitochondrial qui rendraient les gènes mitochondriaux restants non fonctionnels s'ils étaient transférés dans le noyau.

Résumé

Les mitochondries et les chloroplastes se développent selon un processus coordonné qui nécessite la contribution de deux systèmes génétiques séparés – un dans l'organite et un dans le noyau cellulaire. La plupart des protéines de ces organites sont codées par l'ADN nucléaire, synthétisées dans le cytosol puis importées individuellement dans l'organite. Certaines protéines et certains ARN de l'organite sont codés par l'ADN de l'organite et sont synthétisés à l'intérieur de celui-ci. Le génome mitochondrial humain contient environ 16 500 nucléotides et code pour 2 ARN ribosomiques, 22 ARN de transfert et 13 chaînes polypeptidiques différentes. Le génome des chloroplastes est 10 fois plus gros et contient environ 120 gènes. Mais des organites partiellement fonctionnels se forment en nombre normal même chez les mutants qui ne possèdent pas le génome fonctionnel de l'organite, ce qui démontre l'extrême importance du noyau dans la biogenèse de ces deux organites.

Les ribosomes des chloroplastes ressemblent beaucoup aux ribosomes bactériens, alors que les ribosomes mitochondriaux montrent des similitudes et des différences qui rendent leur origine plus difficile à retracer. Cependant, les similitudes protéiques suggèrent que ces deux organites sont apparus lorsqu'une cellule eucaryote primitive est entrée dans une relation de symbiose stable avec une bactérie. On pense qu'une bactérie pourpre a donné naissance aux mitochondries, et (plus tard) qu'un parent des cyanobactéries a donné naissance aux chloroplastes des végétaux. Bien que beaucoup de gènes de ces anciennes bactéries fonctionnent encore pour fabriquer les protéines de ces organites, la plupart d'entre eux se sont intégrés dans le génome nucléaire, où ils codent pour des enzymes de type bactérien synthétisées sur les ribosomes cytosoliques puis importées dans l'organite.

ÉVOLUTION DES CHAÎNES DE TRANSPORT DES ÉLECTRONS

La majeure partie de la structure, de la fonction et de l'évolution des cellules et des organismes peut être reliée à leurs besoins énergétiques. Nous avons vu que les mécanismes fondamentaux d'exploitation de l'énergie à partir de sources disparates comme la lumière et l'oxydation du glucose étaient les mêmes. Apparemment, la méthode efficace permettant de synthétiser l'ATP est apparue très précocement au cours de l'évolution et a été depuis conservée avec seules quelques variations. Comment les composants individuels primordiaux – l'ATP synthase, les pompes à H^+ actionnées par le potentiel redox et les photosystèmes – sont-ils apparus? Les hypothèses sur les événements qui se sont produits à l'échelle de l'évolution sont difficiles à tester. Mais il existe un foisonnement d'indices sur les différentes chaînes primitives de transport des électrons qui persistent dans certaines bactéries actuelles ainsi que des preuves géologiques sur l'environnement de la Terre il y a des milliards d'années.

Les premières cellules produisaient probablement l'ATP par fermentation

Comme nous l'avons expliqué au chapitre 1, on pense que les premières cellules vivantes sur Terre sont apparues il y a plus de $3,5 \times 10^9$ ans, lorsque la terre n'avait pas plus de 10^9 ans. L'environnement était dépourvu d'oxygène mais probablement riche en molécules organiques produites géochimiquement, et certaines voies métaboliques primitives de la production d'ATP devaient ressembler aux formes actuelles de fermentation.

Au cours du processus de fermentation, l'ATP est fabriqué par une phosphorylation qui exploite l'énergie libérée lorsqu'une molécule organique riche en hydrogène, comme le glucose, est en partie oxydée (*voir* Figure 2-72). Les électrons perdus par les molécules organiques oxydées sont transférés (via NADH ou NADPH) sur une autre molécule organique (ou sur une différente partie de la même molécule) qui devient ainsi plus réduite. À la fin du processus de fermentation, une ou plusieurs de ces molécules organiques produites sont excrétées dans le milieu en tant que produits de déchet métabolique ; d'autres, comme le pyruvate, sont conservées par la cellule pour la biosynthèse.

Les produits finaux excrétés ne sont pas les mêmes dans les différents organismes mais ils ont tendance à être des acides organiques (composés carbonés qui transportent un groupement COOH). Parmi ceux-ci, les principaux produits des cellules bactériennes sont l'acide lactique (qui s'accumule aussi dans la glycolyse anaérobie des mammifères) et les acides formique, acétique, propionique, butyrique et succinique.

Les chaînes de transport des électrons permettent aux bactéries anaérobies d'utiliser des molécules non fermentables comme principale source d'énergie

Les premiers processus de fermentation produisaient non seulement l'ATP mais aussi le pouvoir réducteur (sous forme de NADH ou NADPH) nécessaire aux biosynthèses essentielles. De ce fait, bon nombre de voies métaboliques majeures ont pu se développer lorsque la fermentation était le seul mode de production énergétique. Avec le temps, cependant, les activités métaboliques de ces organismes procaryotes ont dû modifier l'environnement local, forçant ces derniers à développer de nouvelles voies biochimiques. L'accumulation des produits de déchets de la fermentation, par exemple, a pu entraîner la série suivante de modifications :

Étape 1. L'excrétion continue des acides organiques a abaissé le pH de l'environnement, favorisant l'évolution de protéines qui fonctionnent comme des pompes à H^+ transmembranaires qui pompent H^+ et le font sortir de la cellule, ce qui la protège des effets nuisibles de l'acidification intracellulaire. Une de ces pompes a pu utiliser l'énergie disponible de l'hydrolyse de l'ATP et devenir l'ancêtre de la l'ATP synthase actuelle.

Étape 2. Tandis que les acides organiques non fermentables s'accumulaient dans l'environnement et favorisaient l'évolution d'une pompe à H^+ consommant l'ATP, l'apport de nutriments fermentables générés biochimiquement, qui fournissait l'énergie à la pompe et à tous les autres processus cellulaires, était en train de faiblir. Cela favorisa les bactéries qui pouvaient excréter H^+ sans hydrolyser l'ATP, leur permettant de conserver l'ATP pour d'autres activités cellulaires. Ce type de pression de sélection a pu conduire aux premières protéines liées à la membrane qui pouvaient utiliser le transport d'électrons entre des molécules de potentiel redox différent comme source d'énergie pour transporter les H^+ au travers de la membrane plasmique. Certaines de ces protéines auraient trouvé leurs donneurs et leurs receveurs d'électrons parmi les acides organiques non fermentables qui s'étaient accumulés. Beaucoup de ces protéines de transport d'électrons sont retrouvées dans les bactéries actuelles ; certaines bactéries qui se développent dans l'acide formique, par exemple, pompent les H^+ en utilisant la faible quantité d'énergie redox dérivée du transfert d'électrons de l'acide formique au fumarate (Figure 14-65). D'autres possèdent des composants de transport d'électrons dédiés uniquement à l'oxydation et à la réduction de substrats inorganiques (*voir* Figure 14-67, par exemple).

Étape 3. Finalement, certaines bactéries ont développé des systèmes de transport d'électrons pour pomper les H^+ de façon suffisamment efficace pour exploiter une plus grande quantité d'énergie redox qu'il n'en faut pour maintenir leur pH interne. Les bactéries qui possédaient alors ces deux types

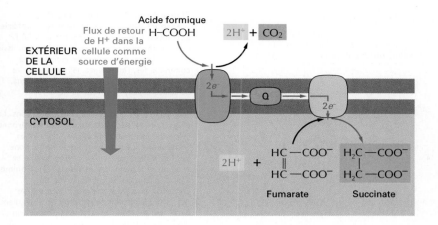

Figure 14-65 Oxydation de l'acide formique dans certaines bactéries actuelles. Dans ces bactéries anaérobies, y compris *E. coli*, l'oxydation s'effectue par l'intermédiaire d'une chaîne de transport d'électrons de la membrane plasmique, qui conserve l'énergie. Comme cela est indiqué, les matériaux de départ sont l'acide formique et le fumarate et les produits sont le succinate et le CO_2. Notez que H^+ est consommé à l'intérieur de la cellule et généré à l'extérieur de la cellule, ce qui est équivalent au pompage des H^+ à l'extérieur de la cellule. De ce fait, ce système de transport des électrons lié à la membrane peut engendrer un gradient électrochimique de protons à travers la membrane plasmique. Le potentiel redox du couple acide formique-CO_2 est de $-420\,mV$ tandis que celui du couple fumarate-succinate est de $+30\,mV$.

de pompe à H^+ présentaient un avantage. Dans ces cellules, le fort gradient électrochimique de protons engendré par l'excès de pompage des H^+ a permis aux protons de refluer dans la cellule à travers les pompes à H^+ actionnées par l'ATP, les faisant ainsi fonctionner à l'envers, comme des ATP synthases pour fabriquer de l'ATP. Comme ces bactéries nécessitaient beaucoup moins de nutriments fermentables dont l'abondance diminuait peu à peu, elles ont proliféré aux dépens de leurs voisines.

Ces trois étapes hypothétiques de l'évolution des mécanismes de phosphorylation oxydative sont résumées dans la figure 14-66.

En fournissant une source intarissable de pouvoir réducteur, les bactéries photosynthétiques ont surmonté un obstacle évolutif majeur

Les étapes évolutives que nous venons de décrire auraient résolu le problème du maintien d'un pH intracellulaire neutre et d'une réserve abondante d'énergie, mais pas un autre problème tout aussi grave. La baisse des nutriments organiques dans l'environnement signifiait que les organismes devaient trouver d'autres sources de carbone pour fabriquer les sucres qui sont les précurseurs de nombreuses autres molécules cellulaires. Bien que le CO_2 de l'atmosphère fournisse une abondante source potentielle de carbone, sa conversion en une molécule organique de type glucide nécessite la réduction du CO_2 fixé par un donneur fort d'électrons, comme le NADH ou le NADPH, qui peut fournir les électrons riches en énergie nécessaires pour générer chaque unité (CH_2O) à partir du CO_2 (*voir* Figure 14-39). Au début de l'évolution cellulaire, les agents réducteurs forts (donneurs d'électrons) étaient très abondants en tant que produits de la fermentation. Mais lorsque l'apport de nutriments fermentables s'est affaibli et que l'ATP synthase liée à la membrane a commencé à produire la majeure partie de l'ATP, cet apport important de NADH et d'autres agents réducteurs a disparu. Il est donc devenu impératif pour les cellules de développer un autre mode de formation d'agents réducteurs forts.

Il est probable que les principaux agents réducteurs encore disponibles soient des acides organiques produits par le métabolisme anaérobie des glucides, des molécules inorganiques comme le sulfure d'hydrogène (H_2S) engendrées géochimiquement et l'eau. Mais le pouvoir réducteur de ces molécules est bien trop faible pour servir à fixer le CO_2. Un des premiers apports de donneurs forts d'électrons a pu être engendré par le gradient électrochimique de protons à travers la membrane plasmique qui aurait actionné un *flux inverse d'électrons*. Cela a nécessité le développement de complexes enzymatiques membranaires ressemblant à la NADH déshydrogénase et des mécanismes de ce type survivent dans le métabolisme anaérobie de certaines bactéries actuelles (Figure 14-67).

Cependant, le principal progrès évolutif du métabolisme énergétique a certainement été le développement des centres de réaction photochimiques qui pouvaient utiliser l'énergie de la lumière du soleil pour produire des molécules comme NADH. On pense que cela s'est produit précocement au cours du processus de l'évolution

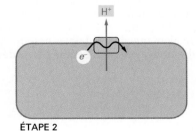

ÉTAPE 1

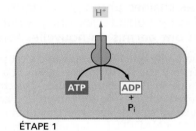

ÉTAPE 2

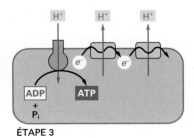

ÉTAPE 3

Figure 14-66 Évolution des mécanismes de phosphorylation oxydative. Voici une séquence possible ; les étapes sont décrites dans le texte.

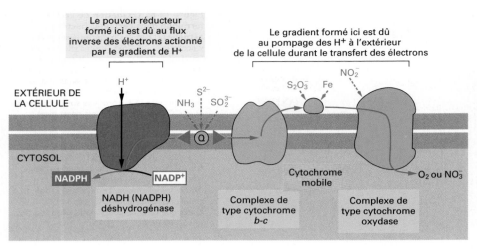

Figure 14-67 Certaines voies de transport des électrons dans les bactéries actuelles. Ces voies engendrent tout l'ATP des cellules ainsi que le pouvoir réducteur issu de l'oxydation des molécules inorganiques comme le fer, l'ammoniac, les nitrites et les composés soufrés. Comme cela est indiqué, certaines espèces peuvent se développer en anaérobiose en substituant le nitrate à l'oxygène comme receveur final d'électrons. La plupart utilisent le cycle de fixation du carbone et synthétisent leurs molécules organiques entièrement à partir du dioxyde de carbone. Les flux d'électrons vers l'aval et inverse se produisent à partir des quinones (Q). Comme dans la chaîne respiratoire, le flux des électrons vers l'aval provoque le pompage des H^+ à l'extérieur de la cellule et le gradient de H^+ qui en résulte entraîne la production d'ATP par une ATP synthase (non montrée). Le NADPH nécessaire à la fixation du carbone est produit par le flux inverse des électrons énergie-dépendant; ce flux est également actionné par le gradient de H^+ comme cela est indiqué.

cellulaire – il y a plus de 3×10^9 ans, dans les ancêtres des bactéries soufrées vertes. Les bactéries soufrées vertes actuelles utilisent l'énergie lumineuse pour transférer les atomes d'hydrogène (sous forme d'un électron plus un proton) d'un H_2S sur le NADPH, créant ainsi le pouvoir réducteur fort nécessaire à la fixation du carbone (Figure 14-68). Comme les électrons éliminés de H_2S sont à un potentiel redox bien plus négatif que ceux de H_2O (–230 mV pour H_2S et +820 mV pour H_2O), un quantum d'énergie absorbé par l'unique photosystème de cette bactérie suffit à atteindre un potentiel redox suffisamment important pour former du NADPH par le biais d'une chaîne de transport des électrons relativement simple.

Les chaînes photosynthétiques de transport des électrons des cyanobactéries ont produit l'oxygène atmosphérique et ont permis de nouvelles formes de vie

On pense que l'étape suivante s'est produite avec le développement des cyanobactéries il y a 3×10^9 ans au moins et a consisté en l'évolution d'organismes capables d'utiliser l'eau comme source d'électrons pour réduire CO_2. Cela a imposé l'évolution d'enzymes de séparation de l'eau et l'addition d'un deuxième photosystème agissant en série avec le premier pour combler l'énorme trou de potentiel redox entre H_2O et NADPH. Les homologies structurelles actuelles entre les photosystèmes suggèrent que cette modification a impliqué la coopération d'un photosystème dérivé de la bactérie verte (photosystème I) avec un photosystème dérivé de la bactérie pourpre (photosystème II). Les conséquences biologiques de cette étape évolutive furent de grande envergure. Pour la première fois, il existait des organismes qui n'avaient que de très faibles besoins chimiques issus de leur environnement. Ces cellules pouvaient se disséminer et se développer selon des voies refusées aux bactéries

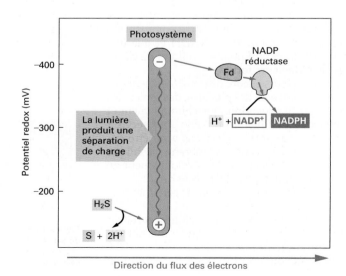

Figure 14-68 Flux général des électrons dans la forme relativement primitive de photosynthèse observée dans les bactéries vertes soufrées actuelles. Le photosystème des bactéries vertes soufrées ressemble aux photosystèmes I des végétaux et des cyanobactéries. Ces deux photosystèmes utilisent une série de centres fer-soufre comme receveurs d'électrons qui finissent par donner leurs électrons riches en énergie à la ferrédoxine (Fd). Un des exemples de ce type bactérien est *Chlorobium tepidum* qui peut se développer sous de fortes températures et une faible intensité lumineuse dans les sources thermales.

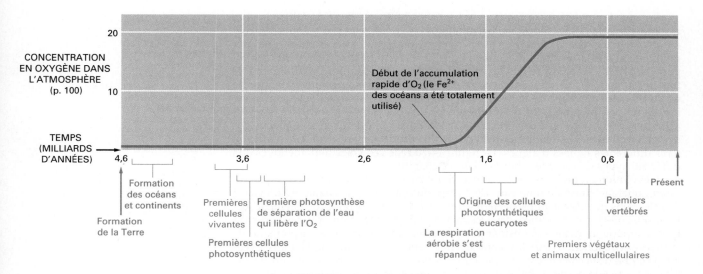

Figure 14-69 Certains événements majeurs qui, pense-t-on, se sont produits pendant l'évolution des organismes vivants sur Terre. Avec l'évolution des processus de photosynthèse fondés sur la membrane, les organismes ont pu fabriquer leurs propres molécules organiques à partir du CO_2 gazeux. Comme cela est expliqué dans le texte, on suppose que le retard de plus de 10^9 ans entre l'apparition des bactéries qui séparent l'eau et libèrent O_2 au cours de la photosynthèse et l'accumulation de fortes concentrations en O_2 dans l'atmosphère, est dû à la réaction initiale de l'oxygène avec les ions ferreux abondants (Fe^{2+}) dissous dans les premiers océans. Ce n'est que lorsque le fer a complètement été utilisé que l'oxygène a commencé à s'accumuler dans l'atmosphère. En réponse à l'augmentation de la concentration en oxygène dans l'atmosphère, sont apparus les organismes non photosynthétiques qui utilisent en oxygène et la concentration en oxygène atmosphérique s'est stabilisée.

photosynthétiques antérieures, qui avaient besoin d'H_2S ou d'acides organiques comme source d'électrons. Par conséquent, une grande quantité de matériaux organiques réduits, biologiquement synthétisés, s'est accumulée. De plus, l'oxygène est entré dans l'atmosphère pour la première fois.

L'oxygène est hautement toxique parce que les réactions d'oxydation qu'il occasionne peuvent modifier de façon aléatoire les molécules biologiques. Beaucoup de bactéries anaérobies actuelles, par exemple, sont rapidement tuées lorsqu'elles sont exposées à l'air. De ce fait, les organismes de la Terre primitive ont dû développer des mécanismes protecteurs vis-à-vis de l'augmentation des concentrations en O_2 de l'environnement. Ceux qui sont arrivés plus tard au cours de l'évolution, comme nous, possèdent de nombreux mécanismes détoxifiants qui protègent nos cellules des dommages de l'oxygène. Même ainsi, on a émis l'hypothèse que l'accumulation de lésions oxydatives sur nos macromolécules était la cause majeure du vieillissement de l'homme.

L'augmentation de l'O_2 atmosphérique a été très lente au départ, ce qui aurait permis l'évolution graduelle des appareils protecteurs. Les premières mers contenaient de grandes quantités de fer à l'état d'oxydation ferreux (Fe^{2+}) et presque tout l'O_2 produit par les premières bactéries photosynthétiques a servi à convertir Fe^{2+} en Fe^{3+}. Cette conversion a causé la précipitation d'une énorme quantité d'oxydes ferriques et les larges bandes de fer dans les roches sédimentaires, qui commencent il y a près de $2,7 \times 10^9$ ans, nous ont aidés à dater la dissémination des cyanobactéries. Il y a environ 2×10^9 années, l'apport de fer ferreux s'est épuisé et le dépôt de précipités ferreux a cessé. Des preuves géologiques suggèrent que la concentration en O_2 de l'atmosphère a alors commencé à s'élever, pour atteindre le niveau actuel, il y a $0,5$ à $1,5 \times 10^9$ ans (Figure 14-69).

La disponibilité de l'O_2 a permis le développement de bactéries qui se fondent sur le métabolisme aérobie pour fabriquer leur ATP. Comme nous l'avons expliqué auparavant, ces organismes ont pu exploiter la grande quantité d'énergie libérée par la dégradation des glucides et d'autres molécules organiques réduites le long de la voie allant au CO_2 et à l'H_2O. Les composants des complexes de transport des électrons préexistants se sont modifiés pour former une cytochrome oxydase pour que les électrons issus des substrats organiques ou inorganiques puissent être transportés sur l'O_2, le receveur final d'électrons. En fonction de la disponibilité de la lumière et de l'O_2, beaucoup de bactéries pourpres photosynthétiques actuelles peuvent commuter entre la synthèse et la respiration, n'ayant besoin que de réorganisations relativement mineures de leurs chaînes de transport des électrons.

Lorsque les matériaux organiques se sont accumulés sur Terre du fait de la photosynthèse, certaines bactéries photosynthétiques (y compris les précurseurs d'*E. coli*) ont perdu leur capacité à survivre avec l'énergie lumineuse seule et ont dû compter uniquement sur la respiration. Comme nous l'avons décrit précédemment (*voir* Figure 14-56), il a été suggéré que les mitochondries sont apparues pour la première fois il y a quelque $1,5 \times 10^9$ ans, lorsqu'une cellule eucaryote primitive a endocyté une bactérie dépendante de la respiration. On pense que les végétaux se sont développés un peu plus tard, lorsqu'un descendant de ces cellules eucaryotes aérobies primitives a endocyté une bactérie photosynthétique qui est devenue le précurseur des chloroplastes. Les chloroplastes actuels ont probablement évolué séparément dans différentes lignées d'algues. La figure 14-70 relie ces voies hypothétiques aux différents types de bactéries abordés dans ce chapitre.

L'évolution est toujours conservatrice, tirant partie de l'ancien pour créer, par addition, quelque chose de nouveau. De ce fait, des parties de la chaîne de transport des électrons qui servaient les bactéries il y a 3 à 4×10^9 ans ont probablement survécu sous une forme modifiée, dans les mitochondries et les chloroplastes des eucaryotes supérieurs actuels. Considérons, par exemple, l'homologie surprenante de structure et de fonction entre le complexe enzymatique qui pompe les H$^+$ dans le segment central de la chaîne respiratoire des mitochondries (le complexe du cytochrome b-c_1) et ses analogues de la chaîne de transport des électrons des bactéries et des chloroplastes (Figure 14-71).

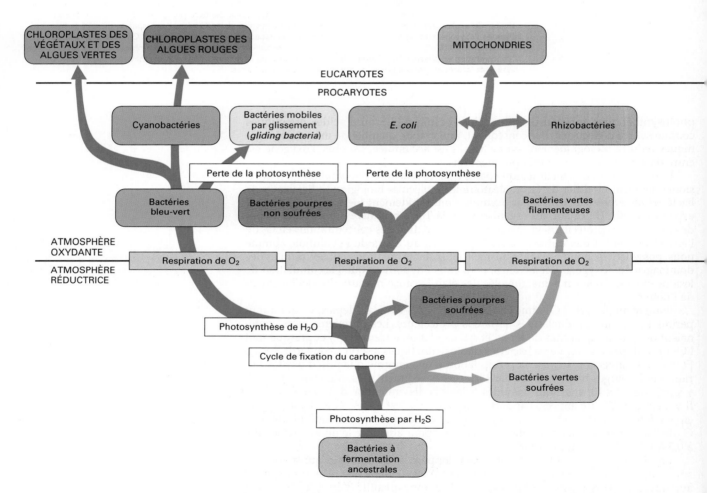

Figure 14-70 Arbre phylogénétique proposé de l'évolution des mitochondries et des chloroplastes et de leurs ancêtres bactériens. On pense que la respiration de l'oxygène a commencé à se développer il y a environ 2×10^9 ans. Comme cela est indiqué, elle semble s'être développée indépendamment dans les lignées vertes, pourpre et bleu-vert (cyanobactéries) de bactéries photosynthétiques. On pense qu'une bactérie pourpre aérobie a perdu sa capacité à effectuer la photosynthèse et a donné naissance aux mitochondries tandis que différentes bactéries bleu-vert ont donné naissance aux chloroplastes. Les analyses de la séquence nucléotidique ont suggéré que les mitochondries se sont développées à partir des bactéries pourpres qui ressemblent aux rhizobactéries, aux agrobactéries et aux rickettsies — trois espèces proches connues pour former des associations intimes avec les cellules eucaryotes actuelles. On ne connaît pas d'archéobactéries contenant les types de photosystèmes décrits dans ce chapitre et elles ne sont donc pas représentées.

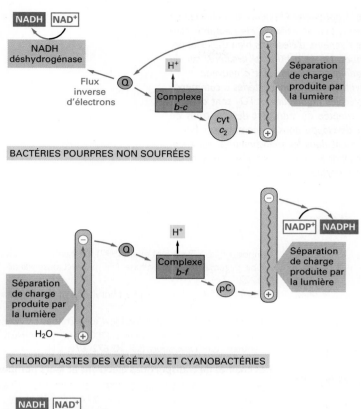

Résumé

On pense que les cellules primitives ont été des organismes de type bactérien, vivant dans un environnement riche en molécules organiques hautement réduites, formées par des processus géochimiques pendant des centaines de millions d'années. Il ont dû former la plus grande partie de leur ATP en convertissant ces molécules organiques réduites en divers acides organiques qui furent libérés comme produits de déchets. En acidifiant l'environnement, ces fermentations ont pu conduire à l'évolution de la première pompe à H⁺ liée à la membrane qui pouvait maintenir un pH neutre à l'intérieur de la cellule en pompant H⁺ à l'extérieur. Les propriétés des bactéries actuelles suggèrent qu'une pompe à H⁺ actionnée par le transport des électrons et qu'une pompe à H⁺ actionnée par l'ATP sont les premières apparues dans cet environnement anaérobie. L'inversion de la pompe actionnée par l'ATP aurait permis son fonctionnement en tant qu'ATP synthase. Lorsque des chaînes de transport d'électrons plus efficaces se sont développées, l'énergie libérée par les réactions redox entre les molécules inorganiques et/ou les composés non fermentables accumulés produits a engendré un fort gradient électrochimique de protons qui a pu être exploité par la pompe actionnée par l'ATP pour produire de l'ATP.

Comme les molécules organiques préformées n'étaient réapprovisionnées que très lentement par les processus géochimiques, la prolifération des bactéries qui les ont utilisées comme source de carbone et de pouvoir réducteur ne pouvaient pas continuer indéfiniment. La réduction des nutriments organiques fermentables a probablement conduit à l'évolution de bactéries qui pouvaient utiliser le CO₂ pour fabriquer des glucides. En associant des parties des chaînes de transport d'électrons qui s'étaient auparavant développées, l'énergie de la lumière a pu être récoltée par un seul photosystème dans les bactéries photosynthétiques pour en-

gendrer le NADPH nécessaire à la fixation du carbone. L'apparition ultérieure des chaînes de transport d'électrons plus complexes des cyanobactéries a permis d'utiliser H_2O comme donneur d'électrons pour former le NADPH, à la place des donneurs d'électrons bien moins abondants, nécessaires aux autres bactéries photosynthétiques. La vie a pu ainsi proliférer sur de grandes zones de la Terre, pour que les molécules organiques s'accumulent à nouveau.

Il y a environ 2×10^9 ans, l'O_2 libéré par la photosynthèse des cyanobactéries a commencé à s'accumuler dans l'atmosphère. Une fois que les molécules organiques et l'O_2 sont devenus abondants, la chaîne de transport des électrons s'est adaptée au transport des électrons de NADPH à O_2 et un métabolisme aérobie efficace s'est développé dans de nombreuses bactéries. Les mêmes mécanismes aérobies opèrent actuellement dans les mitochondries des eucaryotes et il y a de plus en plus de preuves que les mitochondries et les chloroplastes se sont développés à partir de bactéries aérobies qui furent endocytées par les cellules eucaryotes primitives.

Bibliographie

Généralités

Cramer WA & Knaff DB (1990) Energy Transduction in Biological Membranes: A Textbook of Bioenergetics. New York: Springer-Verlag.

Harold FM (1986) The Vital Force: A Study of Bioenergetics. New York: WH Freeman.

Mathews CK, van Holde KE & Ahern K-G (2000) Biochemistry, 3rd edn. San Francisco: Benjamin Cummings.

Nicholls DG & Ferguson SJ (1992) Bioenergetics 2. London: Academic Press.

Zúbay GL (1998) Biochemistry, 4th edn. Dubuque, IO: William C Brown.

Mitochondries

Abrahams JP, Leslie AG, Lutter R & Walker JE (1994) Structure at 2.8Å resolution of F1-ATPase from bovine heart mitochondria. Nature 370, 621–628.

Baldwin JE & Krebs H (1981) The evolution of metabolic cycles. Nature 291, 381–382.

Bereiter-Hahn J (1990) Behavior of mitochondria in the living cell. Int. Rev. Cytol. 122, 1–63.

Berg HC (2000) Constraints on models for the flagellar rotary motor. Philos. Trans. R. Soc. Lond. B. Biol. Sci. 355, 491–501.

Boyer PD (1997) The ATP synthase—a splendid molecular machine. Annu. Rev. Biochem. 66, 717–749.

Ernster L & Schatz G (1981) Mitochondria: a historical review. J. Cell Biol. 91, 227s–255s.

Frey TG & Mannella CA (2000) The internal structure of mitochondria. Trends Biochem. Sci. 25, 319–324.

Harold FM (2001) Gleanings of a chemiosmotic eye. BioEssays 23, 848–855.

Hatefi Y (1985) The mitochondrial electron transport and oxidative phosphorylation system. Annu. Rev. Biochem. 54, 1015–1070.

Klingenberg M & Nelson DR (1994) Structure–function relationships of the ADP/ATP carrier. Biochim. Biophys. Acta 1187, 241–244.

Krstic RV (1979) Ultrastructure of the Mammalian Cell, pp 28–57. New York/Berlin: Springer-Verlag.

Kuan J & Saier MH, Jr (1993) The mitochondrial carrier family of transport proteins: structural, functional, and evolutionary relationships. Crit. Rev. Biochem. Mol. Biol. 28, 209–233.

Mitchell P (1961) Coupling of phosphorylation to electron and hydrogen transfer by a chemi-osmotic type of mechanism. Nature 191, 144–148.

Racker E & Stoeckenius W (1974) Reconstitution of purple membrane vesicles catalyzing light-driven proton uptake and adenosine triphosphate formation. J. Biol. Chem. 249, 662–663.

Racker E (1980) From Pasteur to Mitchell: a hundred years of bioenergetics. Fed. Proc. 39, 210–215.

Rastogi VK & Girvin ME (1999) Structural changes linked to proton translocation by subunit c of the ATP synthase. Nature 402, 263–268.

Sambongi Y, Iko Y, Tanabe M et al. (1999) Mechanical rotation of the c subunit oligomer in ATP synthase (F_0F_1): direct observation. Science 286, 1722–1724.

Saraste M (1999) Oxidative phosphorylation at the fin de siecle. Science 283, 1488–1493.

Scheffler IE (1999) Mitochondria. New York/Chichester: Wiley-Liss.

Stock D, Gibbons C, Arechaga I et al. (2000) The rotary mechanism of ATP synthase. Curr. Opin. Struct. Biol. 10, 672–679.

Les chaînes de transport des électrons et leurs pompes à protons

Beinert H, Holm RH & Munck E (1997) Iron-sulfur clusters: nature's modular, multipurpose structures. Science 277, 653–659.

Berry EA, Guergova-Kuras M, Huang LS & Crofts AR (2000) Structure and function of cytochrome bc complexes. Annu. Rev. Biochem. 69, 1005–1075.

Brand MD & Murphy MP (1987) Control of electron flux through the respiratory chain in mitochondria and cells. Biol. Rev. Camb. Philos. Soc. 62, 141–193.

Brandt U (1997) Proton-translocation by membrane-bound NADH: ubiquinone-oxidoreductase (complex I) through redox-gated ligand conduction. Biochim. Biophys. Acta 1318, 79–91.

Chance B & Williams GR (1955) A method for the localization of sites for oxidative phosphorylation. Nature 176, 250–254.

Edman K, Nollert P, Royant A et al. (1999) High-resolution X-ray structure of an early intermediate in the bacteriorhodopsin photocycle. Nature 401, 822–826.

Gottschalk G (1986) Bacterial Metabolism, 2nd edn. New York: Springer.

Gray HB & Winkler JR (1996) Electron transfer in proteins. Annu. Rev. Biochem. 65, 537–561.

Grigorieff N (1999) Structure of the respiratory NADH:ubiquinone oxidoreductase (complex I) from Escherichia coli. Curr. Opin. Struct. Biol. 9, 476–483.

Keilin D (1966) The History of Cell Respiration and Cytochromes. Cambridge: Cambridge University Press.

Lowell BB & Spiegelman BM (2000) Towards a molecular understanding of adaptive thermogenesis. Nature 404, 652–660.

Michel H, Behr J, Harrenga A & Kannt A (1998) Cytochrome c oxidase: structure and spectroscopy. Annu. Rev. Biophys. Biomol. Struct. 27, 329–356.

Schultz BE & Chan SI (2001) Structures and proton-pumping strategies of mitochondrial respiratory enzymes. Annu. Rev. Biophys. Biomol. Struct. 30, 23–65.

Thauer R, Jungermann K & Decker K (1977) Energy conservation in chemotrophic anaerobic bacteria. Bacteriol. Rev. 41, 100–180.

Tsukihara T, Aoyama H, Yamashita E et al. (1996) The whole structure of the 13-subunit oxidized cytochrome c oxidase at 2.8Å. Science 272, 1136–1144.

Wikstrom M (1998) Proton translocation by bacteriorhodopsin and heme-copper oxidases. Curr. Opin. Struct. Biol. 8, 480–488.

Chloroplastes et photosynthèse

Allen JF & Pfannschmidt T (2000) Balancing the two photosystems: photosynthetic electron transfer governs transcription of reaction centre genes in chloroplasts. *Philos. Trans. R. Soc. Lond. B. Biol. Sci.* 355, 1351–1359.

Allen JP & Williams JC (1998) Photosynthetic reaction centers. *FEBS Lett.* 438, 5–9.

Barber J & Kuhlbrandt W (1999) Photosystem II. *Curr. Opin. Struct. Biol.* 9, 469–475.

Bassham JA (1962) The path of carbon in photosynthesis. *Sci. Am.* 206(6), 88–100.

Bogorad L & Vasil IK (1991) The Molecular Biology of Plastids. San Diego: Academic Press.

Buchanan BB, Gruissem W & Jones RL (2000) Biochemistry and Molecular Biology of Plants. Rockville, MD: American Society of Plant Physiologists.

Deisenhofer J & Michel H (1989) Nobel lecture. The photosynthetic reaction centre from the purple bacterium *Rhodopseudomonas viridis*. *EMBO J.* 8, 2149–2170.

Edwards GE, Furbank RT, Hatch MD & Osmond CB (2001) What does it take to be c(4)? lessons from the evolution of c(4) photosynthesis. *Plant Physiol.* 125, 46–49.

Flugge UI (1998) Metabolite transporters in plastids. *Curr. Opin. Plant Biol.* 1, 201–206.

Golbeck JH (1993) Shared thematic elements in photochemical reaction centers. *Proc. Natl. Acad. Sci. USA* 90, 1642–1646.

Grossman AR, Bhaya D, Apt KE & Kehoe DM (1995) Light-harvesting complexes in oxygenic photosynthesis: diversity, control, and evolution. *Annu. Rev. Genet.* 29, 231–288.

Hartman FC & Harpel MR (1994) Structure, function, regulation, and assembly of D-ribulose-1,5-bisphosphate carboxylase/oxygenase. *Annu. Rev. Biochem.* 63, 197–234.

Hatch MD (1987) C4 photosynthesis: a unique blend of modifed biochemistry, anatomy and ultrastructure. *Biochim. Biophys. Acta* 895, 81–106.

Jordan P, Fromme P, Witt HT et al. (2001) Three-dimensional structure of cyanobacterial photosystem I at 2.5Å resolution. *Nature* 411, 909–917.

Langdale JA & Nelson T (1991) Spatial regulation of photosynthetic development in C4 plants. *Trends Genet.* 7, 191–196.

Nugent JH (1996) Oxygenic photosynthesis. Electron transfer in photosystem I and photosystem II. *Eur. J. Biochem.* 237, 519–531.

Rao K & Hall DO (1999) Photosynthesis. Cambridge: Cambridge University Press.

Rhee KH, Morris EP, Barber J & Kuhlbrandt W (1998) Three-dimensional structure of the plant photosystem II reaction centre at 8Å resolution. *Nature* 396, 283–286.

Rogner M, Boekema EJ & Barber J (1996) How does photosystem 2 split water? The structural basis of efficient energy conversion. *Trends Biochem. Sci.* 21, 44–49.

Zouni A, Witt HT, Kern J et al. (2001) Crystal structure of photosystem II from Synechococcus elongatus at 3.8Å resolution. *Nature* 409, 739–743.

Systèmes génétiques des mitochondries et des plastes

Anderson S, Bankier AT, Barrell BG et al. (1981) Sequence and organization of the human mitochondrial genome. *Nature* 290, 457–465.

Birky CW, Jr (1995) Uniparental inheritance of mitochondrial and chloroplast genes: mechanisms and evolution. *Proc. Natl. Acad. Sci. USA* 92, 11331–11338.

Clayton DA (2000) Vertebrate mitochondrial DNA—a circle of surprises. *Exp. Cell Res.* 255, 4–9.

Contamine V & Picard M (2000) Maintenance and integrity of the mitochondrial genome: a plethora of nuclear genes in the budding yeast. *Microbiol. Mol. Biol. Rev.* 64, 281–315.

de Duve C (1996) The birth of complex cells. *Sci. Am.* 274(4), 50–57.

Douglas SE (1998) Plastid evolution: origins, diversity, trends. *Curr. Opin. Genet. Dev.* 8, 655–661.

Gray MW, Burger G & Lang BF (1999) Mitochondrial evolution. *Science* 283, 1476–1481.

Hermann GJ & Shaw JM (1998) Mitochondrial dynamics in yeast. *Annu. Rev. Cell Dev. Biol.* 14, 265–303.

Kurland CG (1992) Evolution of mitochondrial genomes and the genetic code. *BioEssays* 14, 709–714.

Kuroiwa T, Kuroiwa H, Sakai A et al. (1998) The division apparatus of plastids and mitochondria. *Int. Rev. Cytol.* 181, 1–41.

Martin W & Schnarrenberger C (1997) The evolution of the Calvin cycle from prokaryotic to eukaryotic chromosomes: a case study of functional redundancy in ancient pathways through endosymbiosis. *Curr. Genet.* 32, 1–18.

Ohlrogge J & Jaworski J (1997) Regulation of plant fatty acid biosynthesis. *Annu. Rev. Plant Physiol. Plant Mol. Biol.* 48, 109–136.

Saccone C, Gissi C, Lanave C et al. (2000) Evolution of the mitochondrial genetic system: an overview. *Gene* 261, 153–159.

Sugita M & Sugiura M (1996) Regulation of gene expression in chloroplasts of higher plants. *Plant Mol. Biol.* 32, 315–326.

Wallace DC (1999) Mitochondrial diseases in man and mouse. *Science* 283, 1482–1488.

Yaffe MP (1999) The machinery of mitochondrial inheritance and behavior. *Science* 283, 1493–1497.

Évolution des chaînes de transport des électrons

Blankenship RE & Bauer CE (eds) (1995) Anoxygenic Photosynthetic Bacteria. Dordrecht: Kluwer.

Blankenship RE & Hartman H (1998) The origin and evolution of oxygenic photosynthesis. *Trends Biochem. Sci.* 23, 94–97.

Blankenship RE (1994) Protein structure, electron transfer and evolution of prokaryotic photosynthetic reaction centers. *Antonie Van Leeuwenhoek* 65, 311–329.

Nisbet EG & Sleep NH (2001) The habitat and nature of early life. *Nature* 409, 1083–1091.

Orgel LE (1998) The origin of life—a review of facts and speculations. *Trends Biochem. Sci.* 23, 491–495.

Schafer G, Purschke W & Schmidt CL (1996) On the origin of respiration: electron transport proteins from archaea to man. *FEMS Microbiol. Rev.* 18, 173–188.

Schopf JW (1993) Microfossils of the Early Archean Apex chert: new evidence of the antiquity of life. *Science* 260, 640–646.

Skulachev VP (1994) Bioenergetics: the evolution of molecular mechanisms and the development of bioenergetic concepts. *Antonie Van Leeuwenhoek* 65, 271–284.

Xiong J, Fischer WM, Inoue K et al. (2000) Molecular evidence for the early evolution of photosynthesis. *Science* 289, 1724–1730.

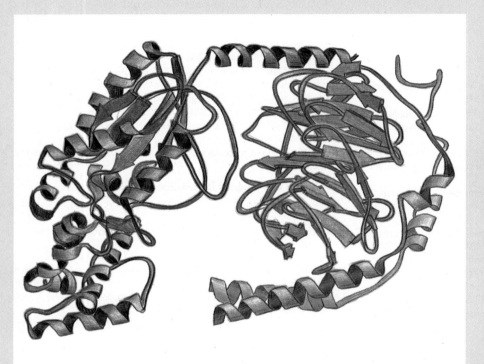

Une protéine trimérique de liaison au GTP, ou protéine G. Ce type de protéine G fonctionne en couplant les récepteurs transmembranaires à des enzymes ou à des canaux ioniques de la membrane plasmique. (D'après D.G. Lombright et al., *Nature* 379 : 311-319, 1996.)

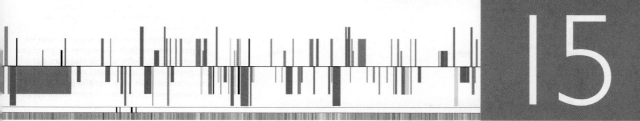

COMMUNICATION CELLULAIRE

Selon le registre des fossiles, il existait sur Terre des organismes monocellulaires complexes ressemblant aux bactéries actuelles, 2,5 milliards d'années environ avant l'apparition du premier organisme multicellulaire. Une des raisons qui expliquent pourquoi la multicellularité a été aussi lente à se développer peut être liée aux difficultés de développement des mécanismes complexes de communication cellulaire dont un organisme multicellulaire a besoin. Ses cellules doivent pouvoir communiquer les unes avec les autres de façon complexe si elles veulent pouvoir gouverner leur propre comportement au profit de l'organisme en tant que tout.

Ces mécanismes de communication dépendent fortement des **molécules de signalisation** extracellulaire produites par les cellules pour informer leurs voisines ou des cellules plus éloignées. Ils dépendent aussi de systèmes complexes de protéines contenus dans chaque cellule qui leur permettent de répondre spécifiquement à un sous-groupe particulier de ces signaux. Ces protéines incluent les *récepteurs* cellulaires de surface qui se fixent sur les molécules de signalisation ainsi que diverses *protéines de signalisation intracellulaire* qui distribuent le signal aux parties appropriées de la cellule. Les protéines de signalisation intracellulaire comportent les kinases, les phosphatases, les protéines de liaison au GTP et beaucoup d'autres protéines avec lesquelles elles interagissent. À la fin de chaque voie de signalisation se trouvent les *protéines cibles* qui sont modifiées lorsque la voie est activée et changent le comportement de la cellule. Selon les effets du signal, ces protéines cibles peuvent être des protéines régulatrices de gènes, des canaux ioniques, des composants d'une voie métabolique, des parties du cytosquelette et ainsi de suite (Figure 15-1).

Nous commencerons ce chapitre en parlant des principes généraux de la communication cellulaire. Nous envisagerons ensuite tour à tour chacune des principales familles de récepteurs cellulaires de surface ainsi que les voies de signalisation intracellulaire qu'elles activent. Le principal centre d'intérêt de ce chapitre est la cellule animale, mais nous le terminerons en décrivant les principales caractéristiques de la communication cellulaire chez les végétaux.

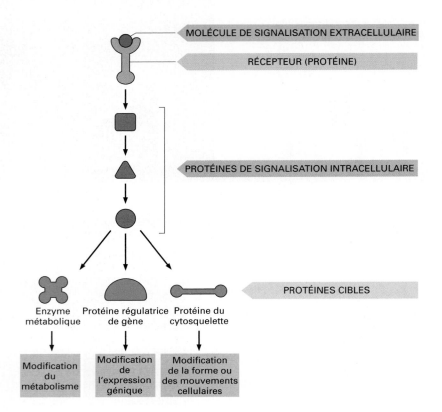

MOLÉCULE DE SIGNALISATION EXTRACELLULAIRE

RÉCEPTEUR (PROTÉINE)

PROTÉINES DE SIGNALISATION INTRACELLULAIRE

PROTÉINES CIBLES

Enzyme métabolique

Protéine régulatrice de gène

Protéine du cytosquelette

Modification du métabolisme

Modification de l'expression génique

Modification de la forme ou des mouvements cellulaires

Figure 15-1 Une voie de signalisation intracellulaire simple activée par une molécule de signalisation extracellulaire. La molécule de signalisation se fixe sur une protéine, ou récepteur (généralement incluse dans la membrane plasmique), et active ainsi une voie de signalisation intracellulaire qui est mise en jeu par l'intermédiaire d'une série de protéines de signalisation. Enfin, une ou plusieurs de ces protéines de signalisation interagit avec une protéine cible, et la modifie pour faciliter le changement de comportement de la cellule.

PRINCIPES GÉNÉRAUX DE LA COMMUNICATION CELLULAIRE

Les mécanismes qui permettent à une cellule d'influencer le comportement d'une autre ont certainement existé dans le monde des organismes monocellulaires longtemps avant que les organismes multicellulaires n'apparaissent sur Terre. L'étude d'eucaryotes unicellulaires actuels comme les levures en apporte la preuve. Bien que ces cellules mènent normalement une vie indépendante, elles peuvent communiquer et influencer le comportement des unes et des autres lors de la préparation à l'accouplement sexuel. Chez la levure bourgeonnante *Saccharomyces cerevisiae*, par exemple, lorsqu'un individu haploïde est prêt à s'accoupler, il sécrète un peptide, le *facteur d'accouplement*, qui signale aux cellules du type d'accouplement opposé d'arrêter de proliférer et de se préparer à l'accouplement (Figure 15-2). La fusion ultérieure des deux cellules haploïdes de type d'accouplement opposé produit une cellule diploïde qui peut alors subir la méiose et sporuler, pour engendrer des cellules haploïdes dotées d'un nouvel assortiment de gènes.

L'étude de levures mutantes incapables de s'accoupler a permis d'identifier de nombreuses protéines nécessaires au processus de signalisation. Ces protéines forment un réseau de signalisation qui comporte des récepteurs protéiques cellulaires de surface, des protéines de liaison au GTP et des protéine-kinases ; et chacune de ces protéines a des proches parents parmi les protéines qui transportent le signal dans les cellules animales. Cependant, du fait de la duplication et de la divergence de gènes, le système de signalisation des animaux est devenu bien plus complexe que celui des levures.

Les molécules de signalisation extracellulaire se fixent sur des récepteurs spécifiques

Les cellules de levure communiquent les unes avec les autres pour s'accoupler en sécrétant quelques différentes sortes de petits peptides. Par contre les cellules des animaux supérieurs communiquent au moyen de centaines de sortes de molécules de signalisation. Elles incluent des protéines, de petits peptides, des acides aminés, des nucléotides, des stéroïdes, des dérivés des acides gras et même des gaz dissous comme le monoxyde d'azote et le monoxyde de carbone. La plupart de ces molécules de signalisation sont sécrétées par exocytose (*voir* Chapitre 13) dans l'espace extracellulaire à partir des *cellules de signalisation*. Les autres sont libérées par diffusion à travers la membrane plasmique, et certaines sont exposées dans l'espace extracellulaire tout en restant solidement fixées à la surface des cellules de signalisation.

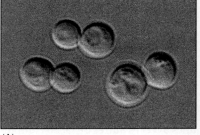

(A)

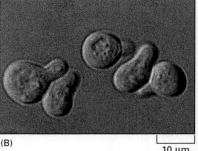

(B)

10 μm

Figure 15-2 Cellules bourgeonnantes de levure répondant au facteur d'accouplement. (A) Les cellules sont normalement sphériques. (B) En réponse au facteur d'accouplement sécrété par des cellules de levure voisines, elles émettent une protrusion vers la source du facteur pour préparer l'accouplement. (Due à l'obligeance de Michael Snyder.)

La plupart des molécules de signalisation sont hydrophiles et donc incapables de traverser directement la membrane plasmique. Par contre, elles se fixent sur des récepteurs de la surface cellulaire qui, à leur tour, engendrent un ou plusieurs signaux à l'intérieur de la cellule cible. Certaines petites molécules de signalisation, par contre, diffusent à travers la membrane plasmique et se fixent sur des récepteurs à l'intérieur de la cellule cible – intracytosoliques ou intranucléaires (comme cela est montré ici). Beaucoup de ces petites molécules de signalisation sont hydrophobes et presque insolubles en solution aqueuse ; elles sont donc transportées dans le courant sanguin ou d'autres liquides extracellulaires une fois fixées sur des protéines de transport dont elles se dissocient avant d'entrer dans la cellule cible.

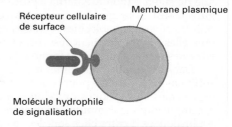

RÉCEPTEURS CELLULAIRES DE SURFACE

Récepteur cellulaire de surface

Membrane plasmique

Molécule hydrophile de signalisation

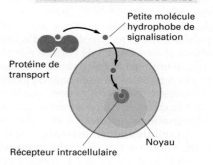

RÉCEPTEURS INTRACELLULAIRES

Petite molécule hydrophobe de signalisation

Protéine de transport

Récepteur intracellulaire

Noyau

Quelle que soit la nature du signal, les cellules cibles répondent par le biais d'une protéine spécifique appelée **récepteur**, qui fixe spécifiquement la molécule de signalisation et initie la réponse dans la cellule cible. Les molécules de signalisation extracellulaire agissent souvent à une très faible concentration (typiquement $\leq 10^{-8}$ M) et les récepteurs qui les reconnaissent les fixent généralement avec une forte affinité (constante d'affinité $K_\alpha \geq 10^8$ litres/mole ; *voir* Figure 3-44). Dans la plupart des cas, ces récepteurs sont des protéines transmembranaires situées à la surface de la cellule cible. Lorsqu'ils fixent la molécule de signalisation extracellulaire (le *ligand*), ils deviennent activés et engendrent une cascade de signaux intracellulaires qui modifient le comportement de la cellule. Dans d'autres cas, les récepteurs sont à l'intérieur de la cible et la molécule de signalisation doit entrer dans la cellule pour les activer : il faut donc que ces molécules de signalisation soient suffisamment petites et hydrophobes pour diffuser au travers de la membrane plasmique (Figure 15-3).

Les molécules de signalisation extracellulaire peuvent agir sur de courtes ou de longues distances

Beaucoup de molécules de signalisation restent fixées à la surface de la cellule de signalisation et n'influencent que les cellules qui entrent en contact avec elles (Figure 15-4). Cette **signalisation contact-dépendante** est particulièrement importante au cours du développement et des réponses immunitaires. Dans la plupart des cas, cependant, les molécules de signalisation sont sécrétées. Ces molécules sécrétées peuvent être transportées très loin et agir sur des cibles à distance ou rester des **média-**

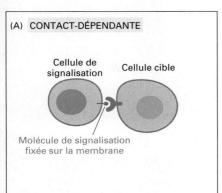

(A) CONTACT-DÉPENDANTE

Cellule de signalisation

Cellule cible

Molécule de signalisation fixée sur la membrane

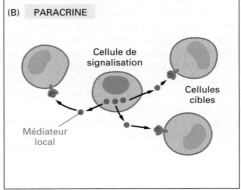

(B) PARACRINE

Cellule de signalisation

Cellules cibles

Médiateur local

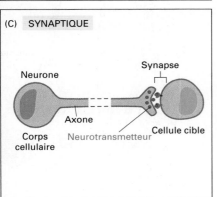

(C) SYNAPTIQUE

Neurone

Synapse

Corps cellulaire

Axone

Neurotransmetteur

Cellule cible

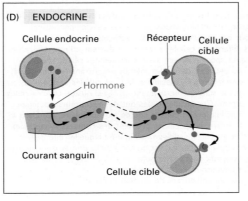

(D) ENDOCRINE

Cellule endocrine

Récepteur

Cellule cible

Hormone

Courant sanguin

Cellule cible

Figure 15-4 Modes de signalisation intercellulaire. (A) La signalisation contact-dépendante nécessite que les cellules soient en contact direct membrane à membrane. (B) La signalisation paracrine dépend de signaux libérés dans l'espace extracellulaire qui agissent localement sur les cellules voisines. (C) La signalisation synaptique s'effectue par les neurones qui transmettent les signaux électriquement le long de leurs axones et libèrent des neurotransmetteurs au niveau des synapses, souvent localisées très loin du corps cellulaire. (D) La signalisation endocrine dépend des cellules endocrines, qui sécrètent dans le courant sanguin des hormones qui sont ensuite réparties largement dans tout le corps. Beaucoup de molécules de signalisation du même type servent à effectuer les signalisations paracrine, synaptique et endocrine ; les différences cruciales résident dans la vitesse et la sélectivité avec lesquelles les signaux sont délivrés à leurs cibles.

teurs locaux, n'affectant que les cellules dans l'environnement immédiat de la cellule de signalisation. Ce dernier processus constitue la **signalisation paracrine** (Figure 15-4B). Pour que les signaux paracrines ne soient délivrés que sur les bonnes cellules cibles, les molécules sécrétées ne doivent pas diffuser trop loin ; c'est pourquoi elles sont rapidement absorbées par les cellules cibles voisines, détruites par les enzymes extracellulaires ou immobilisées par la matrice extracellulaire.

Dans les grands organismes multicellulaires, la signalisation à courte distance ne suffit pas en elle-même pour coordonner le comportement de leurs cellules. Dans ces organismes, des groupes de cellules spécialisées se sont développés et ont un rôle spécifique dans la communication entre des parties très éloignées du corps. Les plus sophistiquées d'entre elles sont les cellules nerveuses ou neurones qui étendent typiquement de longs processus (axones) qui leur permettent d'entrer en contact avec des cellules cibles très éloignées. Lorsqu'un neurone est activé par des signaux issus de l'environnement ou d'une autre cellule nerveuse, il envoie rapidement des impulsions électriques (potentiels d'action) le long de son axone ; lorsque l'impulsion atteint la terminaison de l'axone, elle provoque la sécrétion d'un signal chimique appelé **neurotransmetteur** par la terminaison nerveuse localisée à cet endroit. Ces signaux sont sécrétés au niveau de jonctions cellulaires spécialisées appelées *synapses chimiques* destinées à s'assurer que le neurotransmetteur est délivré spécifiquement dans la cellule cible post-synaptique (Figure 15-4C). Les détails de ce processus de **signalisation synaptique** sont traités au chapitre 11.

La **cellule endocrine** constitue le deuxième type de cellules de signalisation spécialisées qui contrôle le comportement de l'organisme en tant que tout. Ces cellules sécrètent leurs molécules de signalisation, les **hormones**, dans le courant sanguin qui transporte le signal vers les cellules cibles largement réparties dans tout l'organisme (Figure 15-4D).

Les mécanismes qui permettent aux cellules endocriniennes et aux cellules nerveuses de coordonner le comportement cellulaire chez les animaux sont comparées dans la figure 15-5. Comme la signalisation endocrine se fonde sur la diffusion et le flux sanguin, elle est relativement lente. La signalisation synaptique par contre peut être beaucoup plus rapide, et aussi plus précise. Les cellules nerveuses peuvent transmettre des informations sur de longues distances grâce à des impulsions électriques qui voyagent à la vitesse de 100 mètres par seconde ; une fois libéré par la terminaison nerveuse, le neurotransmetteur doit diffuser sur moins de 100 nm jusqu'à la cellule cible, un processus qui s'effectue en moins d'une milliseconde. Une autre différence entre les signalisations endocrine et synaptique réside dans le fait que les hormones sont fortement diluées dans le courant sanguin et le liquide interstitiel et doivent donc pouvoir agir à de très faibles concentrations (typiquement < 10^{-8} M), alors que les neurotransmetteurs sont bien moins dilués et peuvent atteindre localement de très fortes concentrations. La concentration en *acétylcholine* dans la fente synaptique d'une jonction neuromusculuaire activée par exemple est d'environ 5×10^{-4} M. Il s'ensuit que les récepteurs des neurotransmetteurs ont une affinité relativement basse pour leurs ligands, ce qui signifie que les neurotransmetteurs peuvent se dissocier rapidement du récepteur pour arrêter la réponse. De plus, une fois libérés de la terminaison nerveuse, les neurotransmetteurs sont rapidement éliminés de la fente synaptique soit par des enzymes spécifiques d'hydrolyse qui les détruisent, soit par des protéines spécifiques de transport membranaire qui les pompent et les ramènent dans la terminaison nerveuse ou dans les cellules de la glie voisines. De ce fait, la signalisation synaptique est bien plus précise que la signalisation endocrine tant au niveau temporel que spatial.

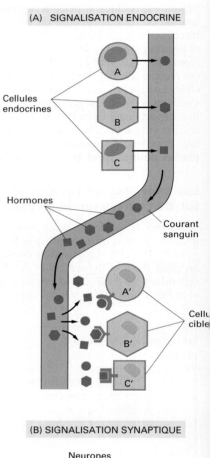

(A) SIGNALISATION ENDOCRINE

Cellules endocrines

Hormones

Courant sanguin

Cellules cibles

(B) SIGNALISATION SYNAPTIQUE

Neurones

Neuro-transmetteur

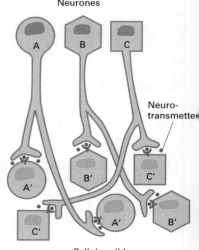

Cellules cibles

Figure 15-5 Différences entre les signalisations endocrine et synaptique. Chez les animaux complexes, les cellules endocrines et les cellules nerveuses fonctionnent ensemble pour coordonner les diverses activités de milliards de cellules. Tandis que les différentes cellules endocrines doivent utiliser différentes hormones pour communiquer spécifiquement avec leurs cellules cibles, les différentes cellules nerveuses peuvent utiliser les mêmes neurotransmetteurs tout en communiquant toujours de façon très spécifique. (A) Les cellules endocrines sécrètent des hormones dans le sang qui ne donnent un signal qu'aux cellules cibles spécifiques qui les reconnaissent. Ces cellules cibles ont des récepteurs qui fixent l'hormone spécifique que la cellule prend dans le liquide extracellulaire. (B) Dans la signalisation synaptique, par contre, la spécificité provient des contacts synaptiques entre une cellule nerveuse et les cellules cibles spécifiques auxquelles elle délivre un signal. En général, seule la cellule cible qui est en communication synaptique avec la cellule nerveuse est exposée aux neurotransmetteurs libérés de la terminaison nerveuse (bien que certains neurotransmetteurs agissent sur le mode paracrine, servant de médiateurs locaux qui influencent de multiples cellules cibles dans une zone).

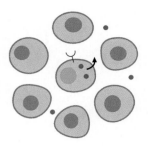

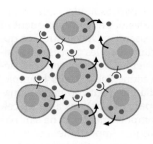

Figure 15-6 La signalisation autocrine. Un groupe de cellules identiques fournit une concentration du signal supérieure à celle fournie par une seule cellule. Lorsque ce signal se fixe par retour sur un récepteur du même type cellulaire, il encourage les cellules à répondre de façon coordonnée, comme un groupe.

La vitesse de la réponse au signal extracellulaire dépend non seulement des mécanismes de délivrance du signal mais aussi de la nature de la réponse dans la cellule cible. Lorsqu'une réponse ne nécessite que la modification de protéines déjà présentes dans la cellule, elle peut se produire en secondes ou même en millisecondes. Lorsque la réponse implique des modifications de l'expression des gènes et la synthèse de nouvelles protéines, elle nécessite cependant en général des heures, quel que soit le mode de délivrance du signal.

La signalisation autocrine peut coordonner des décisions par groupes de cellules identiques

Toutes les formes de signalisation abordées jusqu'à présent permettent à une cellule d'influencer une autre. Souvent la cellule de signalisation et la cellule cible ne sont pas du même type cellulaire. Cependant les cellules peuvent aussi envoyer des signaux aux autres cellules du même type ainsi qu'à elles-mêmes. Dans ce type de **signalisation autocrine**, une cellule sécrète des molécules de signalisation qui peuvent se lier en retour sur ses propres récepteurs. Pendant le développement, par exemple, une fois que la cellule a été dirigée le long d'une voie particulière de différenciation, elle peut commencer à sécréter pour elle-même des signaux autocrines qui renforcent cette décision de développement.

La signalisation autocrine est plus efficace lorsque des cellules voisines du même type l'effectuent simultanément et risque d'être utilisée pour encourager des groupes de cellules identiques à prendre les mêmes décisions de développement. De ce fait, on pense que la signalisation autocrine est un des mécanismes possibles sous-jacents à l'«effet de communauté» observé au début du développement, au cours duquel un groupe de cellules identiques peut répondre à un signal qui induit la différenciation alors qu'une cellule isolée du même type ne le peut pas (Figure 15-6).

Malheureusement, les cellules cancéreuses utilisent souvent la signalisation autocrine pour passer outre le contrôle normal de la prolifération cellulaire et de la survie que nous aborderons ultérieurement. En sécrétant des signaux qui agissent par retour sur leurs propres récepteurs cellulaires, les cellules cancéreuses peuvent stimuler leur propre survie et prolifération et ainsi survivre et proliférer là où les cellules normales du même type ne le peuvent pas. Nous verrons au chapitre 23 comment se produit cette dangereuse perturbation du comportement cellulaire normal.

Les nexus (*gap junctions*) permettent à des cellules voisines de mettre en commun les informations de signalisation

On pense qu'un autre mode de coordination des activités de cellules voisines s'effectue par les **nexus** (*gap junctions*). Ce sont des jonctions intercellulaires spécifiques qui peuvent se former entre des membranes plasmiques fortement apposées et qui connectent directement les cytoplasmes des cellules réunies via des canaux étroits remplis d'eau (*voir* Figure 19-15). Ces canaux permettent l'échange de petites molécules de signalisation intracellulaire (*médiateurs intracellulaires*) comme le Ca^{2+} et l'AMP cyclique (traité ultérieurement) mais pas des macromolécules comme les protéines ou les acides nucléiques. De ce fait, les cellules reliées par les nexus peuvent communiquer directement les unes avec les autres sans avoir à surmonter la barrière représentée par les membranes plasmiques intermédiaires (Figure 15-7).

Comme nous le verrons au chapitre 19, la distribution des connexions par nexus dans un tissu peut être révélée soit électriquement, par des électrodes intracellulaires,

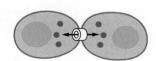

Figure 15-7 La signalisation via les nexus (*gap junctions*). Les cellules reliées par un nexus partagent de petites molécules y compris de petites molécules de signalisation intracellulaire et peuvent donc répondre aux signaux extracellulaires de façon coordonnée.

soit visuellement, après micro-injection de petits colorants hydrosolubles. Les études de ce type indiquent que les cellules d'un embryon en développement fabriquent et cassent les connexions par nexus selon des patrons intéressants et spécifiques, ce qui suggère largement que ces jonctions jouent un rôle important dans les processus de signalisation qui se produisent entre ces cellules. Les souris et les hommes qui sont dépourvus en un type spécifique de protéine de nexus (la connexine 43), par exemple, présentent des anomalies graves du développement cardiaque. Tout comme la signalisation autocrine décrite auparavant, la communication par ces jonctions aide les cellules adjacentes d'un type similaire à coordonner leur comportement. On ne sait pas encore, cependant, quelles sont les petites molécules spécifiques importantes qui transportent les signaux à travers les nexus et on ne connaît pas avec certitude la fonction spécifique de la communication par ces jonctions dans le développement animal.

Chaque cellule est programmée pour répondre à des combinaisons spécifiques de molécules de signalisation extracellulaire

Dans un organisme multicellulaire, une cellule typique est exposée à des centaines de signaux différents dans son environnement. Ces signaux peuvent être solubles, fixés sur la matrice extracellulaire ou sur la surface d'une cellule voisine et peuvent agir selon plusieurs millions de combinaisons. La cellule doit répondre sélectivement à ce brouhaha de signaux, selon le caractère spécifique propre qu'elle a acquis par la spécialisation cellulaire progressive au cours du développement. Une cellule peut être programmée pour répondre à une certaine association de signaux en se différenciant, à une autre combinaison en se multipliant et encore à une autre en effectuant certaines fonctions spécifiques comme la contraction ou la sécrétion.

La plupart des cellules d'un animal complexe sont aussi programmées pour dépendre d'une combinaison spécifique de signaux simplement pour survivre. Lorsque la cellule ne reçoit pas ces signaux (dans une boîte de culture par exemple), elle active un programme de suicide et s'autodétruit – processus appelé *mort cellulaire programmée* ou *apoptose* (Figure 15-8). Comme différents types cellulaires nécessitent différentes combinaisons de signaux de survie, chaque type est restreint à différents environnements dans le corps. Cette capacité à subir l'apoptose est une propriété fondamentale des cellules animales et sera traitée au chapitre 17.

En principe, les centaines de molécules de signal que les animaux fabriquent peuvent être utilisées pour créer un nombre presque illimité de combinaisons de signalisation. L'utilisation de ces combinaisons pour contrôler le comportement cellulaire permet aux animaux de contrôler leurs cellules de façon très spécifique en utilisant une variété limitée de molécules de signalisation.

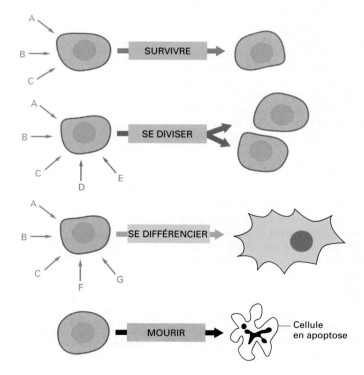

Figure 15-8 Dépendance d'une cellule animale vis-à-vis de multiples signaux extracellulaires. Chaque type cellulaire possède un ensemble de récepteurs qui lui permet de répondre à un groupe correspondant de molécules de signalisation produites par d'autres cellules. Ces molécules de signalisation agissent en association pour réguler le comportement de la cellule. Comme cela est montré, chaque cellule nécessite de multiples signaux pour survivre (*flèches bleues*) et d'autres signaux pour se diviser (*flèches rouges*) ou se différencier (*flèches vertes*). Si on les prive d'un signal de survie approprié, la cellule subira une forme de suicide cellulaire appelée mort cellulaire programmée, ou apoptose.

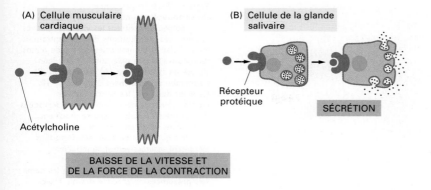

(A) Cellule musculaire cardiaque

Acétylcholine

BAISSE DE LA VITESSE ET DE LA FORCE DE LA CONTRACTION

(B) Cellule de la glande salivaire

Récepteur protéique

SÉCRÉTION

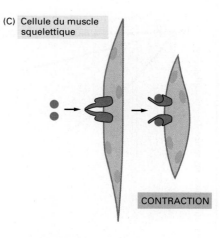

(C) Cellule du muscle squelettique

CONTRACTION

(D) Acétylcholine

$$H_3C - \overset{\overset{\displaystyle O}{\|}}{C} - O - CH_2 - CH_2 - \overset{\overset{\displaystyle CH_3}{|}}{\underset{\underset{\displaystyle CH_3}{|}}{N^+}} - CH_3$$

Figure 15-9 Les diverses réponses induites par l'acétylcholine, un neurotransmetteur. Les différents types cellulaires se sont spécialisés dans une réponse différente à l'acétylcholine. (A et B) Dans ces deux types cellulaires, l'acétylcholine se fixe sur des récepteurs protéiques similaires mais les signaux intracellulaires produits sont interprétés différemment selon la fonction spécifique de la cellule. (C) Cette cellule musculaire produit un autre type de récepteur protéique à l'acétylcholine qui engendre un signal intracellulaire différent de ceux engendrés par les récepteurs montrés en (A) et en (B) et entraîne des effets différents. (D) Structure chimique de l'acétylcholine.

Les différentes cellules peuvent répondre différemment à une même molécule de signalisation extracellulaire

Une cellule réagit à son environnement selon une façon spécifique qui varie. Elle varie selon le groupe de récepteurs que la cellule possède et qui détermine le sous-groupe particulier de signaux auquel elle peut répondre. Elle varie aussi selon la machinerie intracellulaire qui permet à la cellule d'intégrer et d'interpréter les signaux qu'elle reçoit (*voir* Figure 15-1). Une seule molécule de signalisation a donc souvent des effets différents sur les différentes cellules cibles. L'acétylcholine, par exemple, un neurotransmetteur, stimule la contraction des cellules du muscle squelettique mais diminue la vitesse et la force de contraction des cellules du muscle cardiaque. C'est parce que les récepteurs protéiques de l'acétylcholine sur les cellules du muscle squelettique sont différents de ceux situés sur les cellules du muscle cardiaque. Mais les différences des récepteurs n'expliquent pas toujours les effets différents. Dans de nombreux cas, la même molécule de signalisation se fixe sur des récepteurs protéiques identiques et produit cependant des réponses très différentes dans les différents types de cellules cibles, ce qui reflète une différence dans la machinerie interne à laquelle les récepteurs sont couplés (Figure 15-9).

La concentration en une molécule ne peut être ajustée rapidement que si sa durée de vie est courte

Il est naturel de penser aux systèmes de signalisation en termes de modifications produites par la délivrance d'un signal. Mais il est tout aussi important de considérer ce qui se produit lorsque le signal est éliminé. Pendant le développement, des signaux transitoires produisent souvent des effets rémanents : ils peuvent déclencher une modification du développement cellulaire qui persiste indéfiniment grâce aux mécanismes de mémoire cellulaire du type de ceux traités dans les chapitres 7 et 21. Cependant, dans la plupart des cas, dans les tissus adultes, la réponse s'affaiblit lorsque le signal cesse. Les effets sont transitoires parce que le signal exerce ses effets en altérant un groupe de molécules instables, continuellement remplacées. De ce fait, une fois que le signal s'arrête, le remplacement des anciennes molécules par les nouvelles balaye toute trace de son action. Il s'ensuit que la vitesse à laquelle la cellule répond à l'élimination du signal dépend de la vitesse de destruction, ou remplacement (*turnover*) de la molécule affectée par ce signal.

Il est également vrai, bien que cela soit bien moins évident, que cette vitesse de remplacement détermine aussi la promptitude de la réponse lorsque le signal est activé. Considérons, par exemple, deux molécules de signalisation intracellulaire, X et Y, normalement maintenues à une concentration de 1 000 molécules par cellule. La molécule Y est synthétisée et dégradée à la vitesse de 100 molécules par seconde, avec chaque molécule ayant une durée de vie moyenne de 10 secondes. La molécule X a une vitesse de *turnover* 10 fois plus lente que celle de Y : elle est à la fois synthétisée et dégradée à la vitesse de 10 molécules par seconde, de telle sorte que chaque molécule a une durée de vie cellulaire moyenne de 100 secondes. Si un signal agit sur la cellule et augmente les vitesses de synthèse de X et de Y d'un facteur dix sans modifier leur durée de vie moléculaire, au bout d'une seconde la concentration en Y aura augmenté de près de 900 molécules par cellule ($10 \times 100 - 100$) tandis que la concentration en X n'aura augmenté que de 90 molécules par cellule. En fait, après une augmentation ou une baisse brutale de la vitesse de synthèse d'une molécule, le temps nécessaire pour que la molécule effectue la moitié du chemin entre son an-

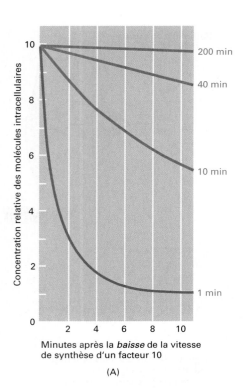

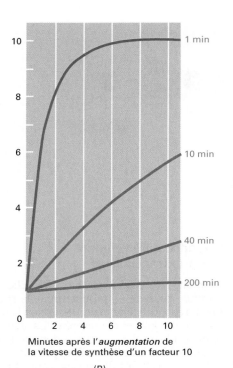

Figure 15-10 Importance du renouvellement (*turnover*) rapide. Les graphiques montrent les vitesses relatives prédites des modifications des concentrations intracellulaires de molécules dotées de temps de renouvellement différents lorsque leur vitesse de synthèse est (A) abaissée ou (B) augmentée soudainement d'un facteur 10. Dans les deux cas, les concentrations en ces molécules normalement vite dégradées dans la cellule (*courbe rouge*) se modifient rapidement tandis que les concentrations en celles qui sont normalement dégradées lentement (*courbes vertes*) se modifient proportionnellement plus lentement.
Les nombres (*en bleu*) à droite sont les demi-vies présumées de chacune des molécules différentes.

(A) Minutes après la *baisse* de la vitesse de synthèse d'un facteur 10

(B) Minutes après l'*augmentation* de la vitesse de synthèse d'un facteur 10

cienne concentration d'équilibre et sa nouvelle est égal à sa demie-vie normale – c'est-à-dire égale au temps qui serait nécessaire pour que sa concentration soit réduite de moitié si toute sa synthèse était stoppée (Figure 15-10).

Les mêmes principes s'appliquent aux protéines et aux petites molécules ainsi qu'aux molécules de l'espace extracellulaire et intracellulaires. Beaucoup de protéines intracellulaires ont une demi-vie courte, certaines survivant moins de 10 minutes. Dans la plupart des cas, ce sont des protéines dotées de rôles régulateurs clés, dont la concentration est rapidement régulée dans la cellule par la modification de leur vitesse de synthèse. De même, toute modification covalente des protéines qui se produit en tant que partie d'un processus de signalisation rapide – le plus souvent, l'addition d'un groupement phosphate sur une chaîne latérale d'un acide aminé – doit être éliminée continuellement et rapidement pour permettre une signalisation rapide.

Nous parlerons de certains de ces événements moléculaires plus en détail ultérieurement, lorsque nous étudierons les voies de signalisation par les récepteurs cellulaires de surface. Mais ces principes sont assez généraux, comme le montre l'exemple suivant.

Le gaz monoxyde d'azote crée un signal en se fixant directement sur une enzyme à l'intérieur de la cellule cible

Même si la plupart des signaux extracellulaires sont des molécules hydrophiles qui se fixent sur des récepteurs de surface des cellules cibles, certaines molécules de signalisation sont assez hydrophobes et/ou assez petites pour traverser facilement la membrane plasmique de la cellule cible. Une fois à l'intérieur, elles régulent directement l'activité d'une protéine intracellulaire spécifique. Un des exemples importants et remarquables est celui d'un gaz, le **monoxyde d'azote (NO)**, qui agit comme une molécule de signalisation chez les animaux et les végétaux. Chez les mammifères, une de ses fonctions est de réguler la contraction des muscles lisses. L'acétylcholine, par exemple, est libérée par des nerfs autonomes dans les parois d'un vaisseau sanguin et provoque le relâchement des cellules musculaires lisses de la paroi de ce vaisseau. L'acétylcholine agit indirectement en induisant la fabrication et la libération de NO par les cellules endothéliales proches qui signalent alors le relâchement des cellules musculaires lisses sous-jacentes. Cet effet de NO sur les vaisseaux sanguins explique le mécanisme d'action de la nitroglycérine, qui a été utilisée il y a environ 100 ans pour traiter les patients atteints d'angine de poitrine (douleur résultant d'un flux sanguin inadapté vers le muscle cardiaque). La nitroglycérine est transformée en NO qui relâche les vaisseaux sanguins. Cela réduit la charge de travail sur le cœur et, par conséquent, réduit les besoins en oxygène du muscle cardiaque.

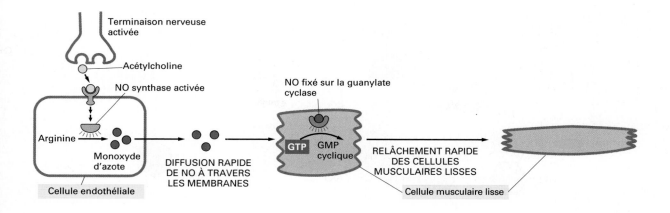

Figure 15-11 Rôle du monoxyde d'azote (NO) dans le relâchement des muscles lisses de la paroi d'un vaisseau sanguin. L'acétylcholine libérée par la terminaison nerveuse dans la paroi des vaisseaux sanguins active la NO synthase des cellules endothéliales qui tapissent ce vaisseau, ce qui entraîne la production de NO par ces cellules. Le NO diffuse à l'extérieur des cellules endothéliales et passe dans les cellules musculaires lisses sous-jacentes où il se fixe sur une guanylate cyclase qu'il active pour produire du GMP cyclique. Le GMP cyclique déclenche une réponse qui provoque le relâchement de la cellule musculaire lisse, augmentant le flux sanguin vasculaire.

Plusieurs types de cellules nerveuses utilisent le NO gazeux pour transmettre un signal à leurs voisines. Le NO libéré par les nerfs autonomes du pénis, par exemple, provoque la dilatation locale des vaisseaux sanguins responsable de son érection. NO est aussi produit comme médiateur local par les macrophages et les neutrophiles activés pour les aider à tuer les microorganismes invasifs. Dans les végétaux, NO est impliqué dans les réponses de défense vis-à-vis des lésions ou des infections.

Le NO gazeux est produit par la désamination d'un acide aminé, l'arginine, catalysée par une enzyme, la *NO synthase*. Comme il traverse facilement les membranes, le NO dissous diffuse rapidement à l'extérieur des cellules qui le produisent et entre dans les cellules voisines. Il n'agit que localement parce que sa demi-vie est courte – de 5 à 10 secondes – dans l'espace extracellulaire avant d'être converti en nitrates et nitrites par l'oxygène et l'eau. Dans beaucoup de cellules cibles, y compris les cellules endothéliales, le NO se fixe sur le fer du site actif d'une enzyme, la *guanylate cyclase*, et la stimule pour qu'elle produise un petit médiateur intracellulaire, le *GMP cyclique*, dont nous reparlerons plus tard (Figure 15-11). Les effets du NO peuvent se produire en quelques secondes parce que la vitesse normale de renouvellement du GMP cyclique est élevée : la dégradation rapide en GMP par la phosphodiestérase équilibre constamment la production de GMP cyclique à partir du GTP par la guanylate cyclase. Un médicament, le Viagra®, inhibe cette phosphodiestérase cyclique dans le pénis, augmentant ainsi le temps où les concentrations en GMP cyclique restent élevées après la production de NO induite par les terminaisons nerveuses locales. Le GMP cyclique, à son tour, maintient les vaisseaux sanguins relâchés et le pénis en érection.

Le *monoxyde de carbone* (CO) est un autre gaz utilisé comme signal intercellulaire. Il peut agir de la même façon que le NO en stimulant la guanylate cyclase. Ces gaz ne sont pas les seules molécules de signalisation qui traversent directement la membrane plasmique des cellules cibles. Un groupe de petites hormones ainsi que des médiateurs locaux hydrophobes et non gazeux pénètrent également de cette manière dans les cellules cibles. Mais au lieu de se fixer sur des enzymes, ils se fixent sur les récepteurs protéiques intracellulaires qui régulent directement la transcription génique, ce que nous verrons dans le paragraphe suivant.

Les récepteurs nucléaires sont des protéines régulatrices de gènes activées par un ligand

Un certain nombre de petites molécules hydrophobes de signalisation diffusent directement à travers la membrane plasmique des cellules cibles et se fixent sur des récepteurs protéiques intracellulaires. Ces molécules de signalisation incluent les *hormones stéroïdes*, les *hormones thyroïdiennes*, les *rétinoïdes* et la *vitamine D*. Même si elles diffèrent grandement les unes des autres du point de vue de leur structure chimique (Figure 15-12) et de leur fonction, elles agissent toutes par un mécanisme similaire. Lorsque ces molécules de signalisation se fixent sur leurs récepteurs protéiques, elles l'activent et celui-ci se fixe sur l'ADN pour réguler la transcription de gènes spécifiques. Les récepteurs sont tous apparentés structurellement, et font partie de la **superfamille des récepteurs nucléaires**. Cette très grande superfamille comprend également certains récepteurs protéiques qui sont activés par des métabolites intracellulaires et non pas par des molécules de signalisation sécrétées. De nombreux membres de cette famille ont été identifiés uniquement par le séquençage de l'ADN et leurs ligands ne sont pas encore connus ; ces protéines sont de ce fait nommées

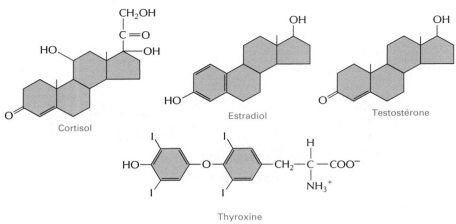

Figure 15-12 Certaines molécules de signalisation qui se fixent sur les récepteurs nucléaires. Notez qu'elles sont toutes petites et hydrophobes. La forme active hydroxylée de la vitamine D$_3$ est montrée ici. L'estradiol et la testostérone sont des hormones sexuelles stéroïdes.

récepteurs nucléaires orphelins. Leur importance chez certains animaux est montrée par le fait que chez le nématode *C. elegans* 1 à 2 p. 100 des gènes codent pour ces récepteurs nucléaires, alors qu'il y en a moins de 50 chez l'homme (*voir* Figure 7-114).

Les hormones stéroïdes – qui comprennent le cortisol, les hormones sexuelles stéroïdes, la vitamine D (chez les vertébrés) et l'ecdysone, une hormone de la mue (chez les insectes) – sont toutes fabriquées à partir du cholestérol. Le *cortisol* est produit dans le cortex de la glande surrénale et influence le métabolisme de nombreux types de cellules. Les hormones sexuelles stéroïdes sont fabriquées dans les testicules et les ovaires et sont responsables des caractéristiques sexuelles secondaires qui différencient les mâles des femelles. La vitamine D est synthétisée dans la peau en réponse à la lumière du soleil ; une fois convertie en sa forme active dans le foie ou les reins, elle régule le métabolisme du Ca^{2+}, favorisant son absorption intestinale et diminuant son excrétion rénale. Les hormones thyroïdiennes qui sont fabriquées à partir d'un acide aminé, la tyrosine, augmentent la vitesse du métabolisme dans une grande variété de types cellulaires tandis que les rétinoïdes comme l'acide rétinoïque sont fabriqués à partir de la vitamine A et jouent un rôle important en tant que médiateurs locaux dans le développement des vertébrés. Bien que toutes ces molécules de signalisation soient relativement insolubles dans l'eau, elles sont rendues solubles pour leur transport dans le courant sanguin et les autres liquides extracellulaires par leur fixation sur des protéines de transport spécifiques dont elles se dissocient avant d'entrer dans la cellule cible (*voir* Figure 15-3).

En plus d'une différence fondamentale dans le mode de signalisation de leurs cellules cibles, la plupart des molécules de signalisation non hydrosolubles diffèrent des molécules hydrosolubles par leur temps de persistance dans le courant sanguin ou les liquides tissulaires. La plupart des hormones hydrosolubles sont éliminées et/ou dégradées dans les minutes qui suivent leur entrée dans le sang et les médiateurs locaux et les neurotransmetteurs sont éliminés de l'espace extracellulaire encore plus vite – en quelques secondes ou millisecondes. Les hormones stéroïdes, à l'opposé, persistent dans le sang pendant des heures et les hormones thyroïdiennes pendant des jours. Par conséquent, les molécules de signalisation hydrosolubles sont en général les intermédiaires de réponses de courte durée tandis que celles qui sont insolubles dans l'eau ont tendance à être les intermédiaires de réponses qui durent plus longtemps.

Les récepteurs intracellulaires des hormones stéroïdes et thyroïdiennes, des rétinoïdes et de la vitamine D se fixent tous sur des séquences d'ADN spécifiques adjacentes aux gènes régulés par le ligand. Certains récepteurs, comme ceux du cortisol, sont surtout localisés dans le cytosol et entrent dans le noyau après avoir fixé leur ligand ; d'autres comme les récepteurs thyroïdiens et des rétinoïdes se fixent sur l'ADN dans le noyau même en l'absence de ligand. Dans les deux cas, les récepteurs inactifs sont liés à des complexes protéiques inhibiteurs et la fixation du ligand altère la conformation du récepteur protéique, ce qui provoque la dissociation du complexe inhibiteur. La fixation du ligand provoque aussi la fixation du récepteur sur des protéines coactivatrices qui induisent la transcription génique (Figure 15-13). La réponse transcriptionnelle s'effectue généralement par étapes successives : l'activation directe d'un petit nombre de gènes spécifiques se produit dans les 30 minutes et constitue la *réponse primaire* ; les produits protéiques de ces gènes activent à leur tour d'autres gènes qui produisent une *réponse retardée secondaire* et ainsi de suite. De cette façon, un déclencheur hormonal simple peut provoquer une modification très complexe du patron d'expression génique (Figure 15-14).

Les réponses aux hormones stéroïdes et thyroïdiennes, à la vitamine D et aux rétinoïdes tout comme les réponses aux signaux extracellulaires en général sont surtout déterminées par la nature de la cellule cible ainsi que par la nature de la molécule de signalisation. De nombreux types de cellules ont des récepteurs intracellulaires identiques, mais le groupe de gènes que les récepteurs régulent est différent dans chaque type cellulaire. C'est parce qu'en général il faut la fixation de plusieurs types de protéines régulatrices sur un gène eucaryote pour activer sa transcription. Un récepteur intracellulaire peut donc activer un gène seulement s'il y a la bonne combinaison des autres protéines régulatrices, et beaucoup d'entre elles sont spécifiques d'un type cellulaire. De ce fait, chacune de ces hormones induit un ensemble caractéristique de réponses dans un animal pour deux raisons. D'abord, seuls certains types de cellules ont des récepteurs pour elle. Deuxièmement, chacun de ces types cellulaires contient une combinaison différente des autres protéines régulatrices spécifiques du type cellulaire qui collaborent avec le récepteur activé pour influencer la transcription de groupes spécifiques de gènes.

Les particularités moléculaires du mode de contrôle de la transcription spécifique des gènes par ces récepteurs nucléaires et les autres protéines régulatrices sont traitées au chapitre 7.

Figure 15-13 Superfamille des récepteurs nucléaires. Tous les récepteurs nucléaires aux hormones se fixent sur l'ADN sous forme d'homodimères ou d'hétérodimères mais pour plus de simplicité nous les montrons ici sous forme de monomères. (A) Tous les récepteurs ont une structure apparentée. Le court domaine de liaison sur l'ADN est montré en *vert*. (B) Un récepteur protéique dans son état inactif est relié à des protéines inhibitrices. Des expériences d'échange de domaine suggèrent que beaucoup de domaines de liaison au ligand, d'activation de la transcription et de liaison à l'ADN de ces récepteurs peuvent fonctionner comme des modules interchangeables. (C) La fixation du ligand sur son récepteur provoque le blocage du domaine de liaison au ligand, en position fermée, autour du ligand, la dissociation de la protéine inhibitrice et la fixation d'un coactivateur protéique sur le domaine d'activation de la transcription du récepteur, ce qui augmente ainsi la transcription génique. (D) Structure tridimensionnelle d'un domaine de fixation au ligand relié (*à droite*) ou non (*à gauche*) à son ligand. Notez que l'hélice α en *bleu* agit comme un couvercle qui se ferme brusquement lorsque le ligand (montré en *rouge*) se fixe, ce qui le piège sur place.

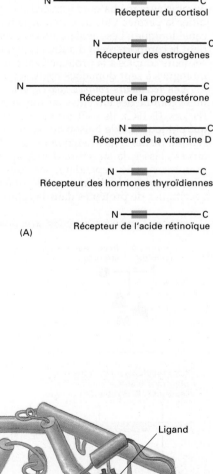

(A)

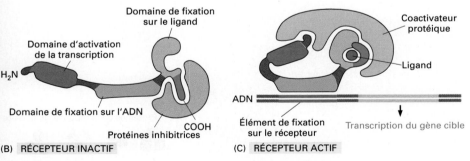

(B) RÉCEPTEUR INACTIF   (C) RÉCEPTEUR ACTIF

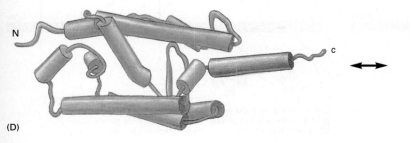

(D)

Les récepteurs couplés aux canaux ioniques, aux protéines G et aux enzymes forment les trois plus grandes classes de récepteurs protéiques cellulaires de surface

Comme nous l'avons déjà mentionné, toutes les molécules de signalisation hydrosolubles (y compris les neurotransmetteurs et toutes les protéines de signalisation) se fixent sur des récepteurs protéiques spécifiques situés à la surface des cellules cibles qu'elles influencent. Ces récepteurs protéiques cellulaires de surface agissent comme des *transducteurs de signal*. Ils convertissent l'événement de fixation du ligand extracellulaire en des signaux intracellulaires qui modifient le comportement des cellules cibles.

La plupart des récepteurs protéiques de surface appartiennent à une des trois classes définies par les mécanismes de transcription qu'elles utilisent. Les **récepteurs couplés aux canaux ioniques**, appelés aussi *canaux ioniques à ouverture contrôlée par les transmetteurs* ou *récepteurs ionotropiques*, sont impliqués dans la signalisation synaptique rapide entre des cellules électriquement excitables (Figure 15-15A). Ce type de signalisation s'effectue par l'intermédiaire d'un petit nombre de neurotransmetteurs qui ouvrent et ferment transitoirement le canal ionique formé par la protéine sur laquelle ils se lient, ce qui modifie brièvement la perméabilité de la membrane plasmique et ainsi l'excitabilité de la cellule post-synaptique. Les récepteurs couplés aux canaux ioniques appartiennent à une grande famille de protéines homologues à plusieurs domaines transmembranaires. Comme ils ont été traités en détail au chapitre 11, nous n'en parlerons pas dans ce chapitre.

Les *récepteurs couplés aux protéines G* régulent directement l'activité d'une autre protéine cible liée à la membrane plasmique, qui peut être soit une enzyme, soit un canal ionique. L'interaction entre le récepteur et sa protéine cible passe par l'intermédiaire d'une troisième protéine, la *protéine trimérique de liaison au GTP (protéine G)* (Figure 15-15B). L'activation de la protéine cible peut modifier la concentration en un ou plusieurs médiateurs intracellulaires (si la protéine cible est une enzyme) ou modifier la perméabilité aux ions de la membrane plasmique (si la protéine cible est un canal ionique). Les médiateurs intracellulaires affectés agissent à leur tour en modifiant le comportement d'autres protéines de signalisation intracellulaire. Tous les récepteurs couplés à la protéine G appartiennent à une grande famille de protéines homologues à sept domaines transmembranaires.

Les *récepteurs couplés aux enzymes*, lorsqu'ils sont activés, fonctionnent directement comme des enzymes ou sont directement associés aux enzymes qu'ils activent (Figure 15-15C). Ils sont formés de protéines à un seul domaine transmembranaire qui ont leur site de liaison au ligand situé à l'extérieur de la cellule et leur site catalytique ou de liaison enzymatique situé à l'intérieur. Comparée à celle des deux autres classes, la structure des récepteurs couplés aux enzymes est hétérogène. La grande majorité, cependant, sont des protéine-kinases, ou sont associés à des protéine-kinases et les ligands qui s'y fixent provoquent la phosphorylation de groupes spécifiques de protéines dans la cellule cible.

Figure 15-14 Réponses induites par l'activation d'un récepteur hormonal nucléaire. (A) Réponse primaire précoce et (B) réponse secondaire retardée à une hormone stéroïde. La figure montre la réponse à une hormone stéroïde mais le même principe s'applique à tous les ligands qui activent cette famille de protéines réceptrices. Certaines protéines de réponse primaire activent la réponse secondaire des gènes, tandis que d'autres inactivent les gènes de la réponse primaire. Le nombre réel de gènes de réponses primaire et secondaire est supérieur à ce qui est montré. Comme on pourrait s'y attendre, les médicaments qui inhibent la synthèse protéique suppriment la transcription des gènes de réponse secondaire mais pas les gènes de réponse primaire, permettant de différencier facilement ces deux classes de réponses par transcription génique.

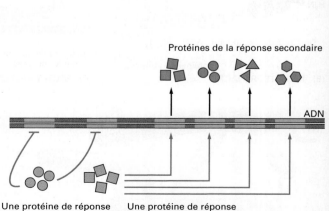

(A) RÉPONSE PRIMAIRE, PRÉCOCE, AUX HORMONES STÉROÏDES

Hormone stéroïde   Récepteur aux hormones stéroïdes

Les complexes « hormone stéroïde-récepteur » activent les gènes de la réponse primaire

ADN

Induction de la synthèse de quelques protéines différentes dans la réponse primaire

(B) RÉPONSE SECONDAIRE, RETARDÉE, AUX HORMONES STÉROÏDES

Protéines de la réponse secondaire

ADN

Une protéine de réponse primaire inactive les gènes de la réponse primaire

Une protéine de réponse primaire active les gènes de la réponse secondaire

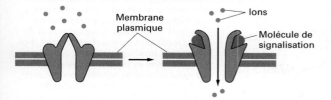

(A) RÉCEPTEURS COUPLÉS AUX CANAUX IONIQUES

Membrane plasmique

Ions

Molécule de signalisation

Figure 15-15 Trois classes de récepteurs cellulaires de surface. (A) Les récepteurs couplés aux canaux ioniques. (B) Les récepteurs couplés aux protéines G et (C) les récepteurs couplés aux enzymes. Bien que beaucoup de récepteurs couplés aux enzymes présentent une activité enzymatique intrinsèque, comme cela est montré à gauche, beaucoup d'autres comptent sur leurs enzymes associées comme cela est montré à droite.

(B) RÉCEPTEURS COUPLÉS AUX PROTÉINES G

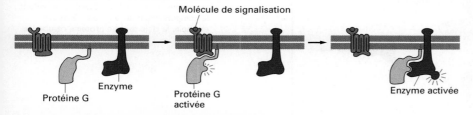

Molécule de signalisation

Protéine G   Enzyme   Protéine G activée   Enzyme activée

(C) RÉCEPTEURS COUPLÉS AUX ENZYMES

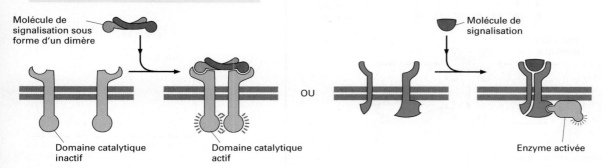

Molécule de signalisation sous forme d'un dimère

Molécule de signalisation

Domaine catalytique inactif   Domaine catalytique actif   OU   Enzyme activée

Certains récepteurs cellulaires de surface ne font partie d'aucune de ces trois classes. Quelques-uns dépendent d'événements protéolytiques intracellulaires pour signaler la cellule et nous en parlerons uniquement après avoir expliqué en détail comment fonctionnent les récepteurs couplés aux protéines G. Mais commençons par certains principes généraux sur la signalisation via les récepteurs cellulaires de surface.

La plupart des récepteurs cellulaires de surface activés relaient les signaux par de petites molécules et un réseau de protéines intracellulaires de signalisation

Les signaux reçus à la surface d'une cellule par les récepteurs couplés aux protéines G ou aux enzymes sont relayés à l'intérieur de celle-ci par l'association de petites et de grosses *molécules de signalisation intracellulaire*. La chaîne d'événements de signalisation cellulaire qui en résulte finit par altérer les *protéines cibles* qui deviennent responsables de la modification du comportement de la cellule (*voir* Figure 15-1).

Les petites molécules de signalisation intracellulaire sont appelées **petits médiateurs intracellulaires** ou **seconds messagers** (les «premiers messagers» étant les signaux extracellulaires). Elles sont engendrées en grand nombre en réponse à l'activation des récepteurs et diffusent rapidement loin de leur source pour transmettre le signal aux autres parties de la cellule. Certaines, comme l'*AMP cyclique* et le *Ca²⁺*, sont hydrosolubles et diffusent dans le cytosol tandis que d'autres, comme le *diacylglycérol*, sont liposolubles et diffusent dans le plan de la membrane plasmique. Dans les deux cas, elles transmettent le signal en se fixant et en modifiant le comportement de certaines protéines de signalisation ou protéines cibles.

Les grosses molécules de signalisation intracellulaire sont des **protéines de signalisation intracellulaire**. Beaucoup d'entre elles relaient le signal dans la cellule soit en activant la protéine de signalisation suivante de la chaîne soit en engendrant de petits médiateurs intracellulaires. Ces protéines peuvent être classées selon leurs fonctions spécifiques mais beaucoup appartiennent à plusieurs catégories (Figure 15-16) :

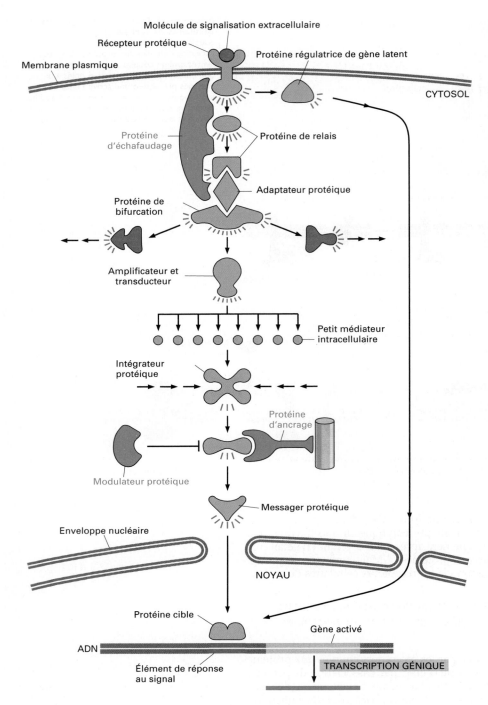

Figure 15-16 Différentes sortes de protéines de signalisation intracellulaire tout au long de la voie de signalisation s'étendant des récepteurs cellulaires de surface au noyau. Dans cet exemple, une série de protéines de signalisation et de petits médiateurs intracellulaires relaient dans la cellule le signal extracellulaire, provoquant la modification de l'expression génique. Le signal est amplifié, modifié (transducteurs) et distribué en route. Beaucoup d'étapes peuvent être modulées par d'autres signaux extracellulaires et intracellulaires de telle sorte que le résultat final d'un signal dépend d'autres facteurs affectant la cellule (*voir* Figure 15-8). Finalement, la voie de signalisation active (ou inactive) les protéines cibles qui modifient le comportement de la cellule. Dans cet exemple, la cible est une protéine régulatrice de gène.

1. Les *protéines de relais* transmettent simplement le message au composant de signalisation suivant de la chaîne.
2. Les *messagers protéiques* transportent le signal d'une partie de la cellule à une autre, par exemple du cytosol au noyau.
3. Les *adaptateurs protéiques* associent une protéine de signalisation à une autre sans convoyer par eux-mêmes de signal.
4. Les *amplificateurs protéiques* qui sont généralement des enzymes ou des canaux ioniques, augmentent fortement le signal qu'ils reçoivent en produisant de grandes quantités de petits médiateurs intracellulaires ou en activant un grand nombre de protéines de signalisation intracellulaire en aval. Lorsqu'il y a de multiples étapes d'amplification dans une chaîne de relais, cette chaîne est souvent appelée **cascade de signalisation**.
5. Les *transducteurs protéiques* convertissent le signal en une autre forme. L'enzyme qui fabrique l'AMP cyclique, par exemple, convertit le signal et l'amplifie, agissant à la fois comme un transducteur et un amplificateur.

6. Les *protéines de bifurcation* disséminent le signal d'une voie de signalisation à une autre.

7. Les *intégrateurs protéiques* reçoivent les signaux à partir d'une ou de plusieurs voies de signalisation et les intègrent avant de relayer le signal plus en avant.

8. Les *protéines régulatrices de gène latent* sont activées à la surface cellulaire par des récepteurs activés puis migrent vers le noyau pour stimuler la transcription génique.

Comme cela est montré en *bleu* dans la figure 15-16, les autres types de protéines intracellulaires jouent aussi des rôles importants dans la signalisation intracellulaire. Les *modulateurs protéiques* modifient l'activité des protéines de signalisation intracellulaire et régulent ainsi la force de la signalisation le long de la voie. Les *protéines d'ancrage* maintiennent les protéines spécifiques de signalisation dans une localisation cellulaire précise en les attachant à une membrane ou au cytosquelette. Les *protéines d'échafaudage* sont des adaptateurs protéiques et/ou des protéines d'ancrage qui relient de multiples protéines de signalisation pour former un complexe fonctionnel et les maintiennent souvent en un point précis.

Certaines protéines de signalisation intracellulaire agissent comme des commutateurs moléculaires

Beaucoup de protéines de signalisation se comportent comme des **commutateurs moléculaires** : lors de la réception d'un signal elles passent d'un état inactif à un état actif tandis que d'autres processus les inactivent. Comme nous l'avons déjà vu, l'inactivation est aussi importante que l'activation. Si une des voies de signalisation est la récupération après la transmission d'un signal pour que le récepteur puisse être prêt à en transmettre un autre, toute molécule activée de la voie doit être remise dans son état inactivé originel.

Il existe deux classes principales de commutation moléculaire qui opèrent de façon différente même si, dans les deux cas, c'est le gain ou la perte du groupement phosphate qui détermine si la protéine est active ou inactive. La plus grande classe est composée des protéines activées ou inactivées par phosphorylation (*voir* Chapitre 3). Pour ces protéines, la commutation est lancée dans une des directions par une protéine-kinase qui ajoute un ou plusieurs groupements phosphate sur la protéine de signalisation et, dans l'autre direction, par une protéine-phosphatase, qui élimine les groupements phosphate de la protéine (Figure 15-17A). On estime qu'un tiers des protéines d'une cellule eucaryote sont phosphorylées à un moment donné.

Beaucoup de protéines de signalisation contrôlées par phosphorylation sont elles-mêmes des protéine-kinases et sont souvent organisées en **cascades de phosphorylations**. Une protéine-kinase activée par phosphorylation, phosphoryle la protéine-kinase suivante de la séquence et ainsi de suite, relayant le signal vers l'avant. Pendant ce processus, elles l'amplifient et le disséminent parfois vers d'autres voies de signalisation. Les deux principaux types de protéine-kinases opèrent comme des protéines de signalisation intracellulaire. La grande majorité sont des *sérine/thréonine-kinases* qui phosphorylent les protéines sur les sérines et (plus rarement) sur les thréonines. D'autres sont des *tyrosine-kinases* qui phosphorylent les protéines sur les tyrosines. Certaines kinases peuvent faire les deux. Le séquençage du génome révèle qu'envi-

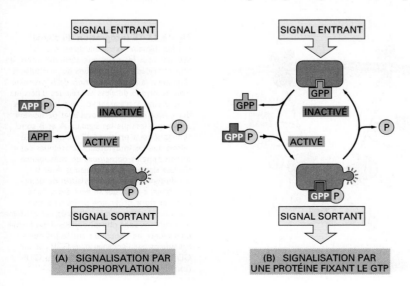

Figure 15-17 Deux types de protéines de signalisation intracellulaire qui fonctionnent comme des commutateurs moléculaires. Dans les deux cas, la protéine de signalisation est activée par l'addition d'un groupement phosphate et inactivée par l'élimination du phosphate. (A) Une protéine-kinase ajoute de façon covalente le phosphate sur la protéine de signalisation. (B) Une protéine de signalisation est induite pour échanger son GDP lié par un GTP. Pour insister sur les similitudes de ces deux mécanismes, l'ATP est écrit APPP, l'ADP est écrit APP, le GTP est noté GPPP et le GDP est noté GPP.

ron 2 p. 100 de nos gènes codent pour des protéine-kinases et on pense qu'il existe des centaines de protéine-kinases différentes dans une cellule typique de mammifère.

L'autre classe principale de commutateurs moléculaires impliqués dans la signalisation est constituée par les **protéines de liaison au GTP** (*voir* Chapitre 3). Elles effectuent la commutation entre un état activé lié au GTP et un état inactivé lié au GDP. Une fois activées elles possèdent une activité GTPasique intrinsèque et s'inactivent elles-mêmes en hydrolysant leur GTP lié en GDP (Figure 15-17B). Il existe deux types principaux de protéines de liaison au GTP – les grosses *protéines trimériques de liaison au GTP* (appelées aussi *protéines G*) qui relaient le signal issu des récepteurs couplés aux protéines G (*voir* Figure 15-15B) et les petites *GTPases monomériques* (appelées aussi *protéines monomériques de liaison au GTP*). Ces dernières facilitent aussi le relais des signaux intracellulaires, mais elles sont en plus impliquées dans la régulation du transport vésiculaire et dans beaucoup d'autres processus dans les cellules eucaryotes.

Nous avons déjà vu que les comportements cellulaires complexes, comme la survie des cellules et la prolifération cellulaire, étaient généralement plutôt stimulés par l'association spécifique de signaux extracellulaires que par un signal unique agissant seul (*voir* Figure 15-8). La cellule doit donc intégrer l'information provenant de signaux séparés pour donner une réponse appropriée – vivre ou mourir, se diviser ou non, et ainsi de suite. Cette intégration dépend généralement d'intégrateurs protéiques (*voir* Figure 15-16) qui équivalent aux microprocesseurs d'un ordinateur : ils nécessitent de multiples signaux d'entrée pour produire un signal de sortie qui provoque l'effet biologique désiré. La figure 15-18 illustre deux exemples qui montrent le mode de fonctionnement de ces intégrateurs protéiques.

Des complexes de signalisation intracellulaire augmentent la vitesse, l'efficacité et la spécificité de la réponse

Un seul type de signal extracellulaire, agissant par l'intermédiaire d'un seul type de récepteur couplé aux protéines G ou à une enzyme, est capable d'activer généralement de nombreuses voies de signalisation parallèles et peut ainsi influencer de multiples aspects du comportement cellulaire – comme la forme, le mouvement, le métabolisme et l'expression génique. En effet, ces deux principales classes de récepteurs cellulaires de surface activent souvent certaines voies de signalisation identiques et il n'y a généralement aucune raison évidente expliquant pourquoi un signal extracellulaire utilise une classe de récepteurs plutôt qu'une autre.

La complexité de ces systèmes de réponse aux signaux, composés de multiples chaînes de protéines de signalisation de relais interactives, est impressionnante. On ne comprend pas clairement comment une cellule, prise individuellement, arrive à émettre des réponses spécifiques à tant de signaux extracellulaires différents, dont beaucoup se fixent sur la même classe de récepteurs et activent de nombreuses voies de signalisation identiques. Une des stratégies utilisées par la cellule pour atteindre cette spécificité implique les **protéines d'échafaudage** (*voir* Figure 15-16) qui organisent en *complexes de signalisation* des groupes de protéines de signalisation interactives (Figure 15-19A). Comme l'échafaudage guide les interactions entre les composants successifs du complexe, le signal peut être relayé avec précision, vitesse et efficacité ;

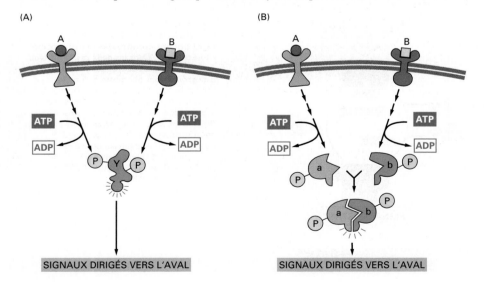

(A)

(B)

SIGNAUX DIRIGÉS VERS L'AVAL

SIGNAUX DIRIGÉS VERS L'AVAL

Figure 15-18 Intégration du signal.
(A) Les signaux extracellulaires A et B activent tous les deux une série différente de phosphorylations protéiques qui conduisent chacune à la phosphorylation de la protéine Y mais au niveau de sites protéiques différents. La protéine Y n'est activée que lorsque ses deux sites sont phosphorylés et ne devient active que lorsque les signaux A et B sont simultanément présents. C'est pour cette raison que les intégrateurs protéiques sont parfois appelés détecteurs de coïncidence. (B) Les signaux extracellulaires A et B conduisent à la phosphorylation de deux protéines, a et b, qui se lient alors l'une à l'autre pour créer une protéine active. Dans les deux exemples illustrés, les protéines elles-mêmes sont phosphorylées. Une forme équivalente de contrôle peut se produire également par l'échange d'un GTP par un GDP sur les protéines de liaison au GTP (*voir* Figure 15-17).

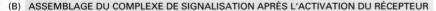

(A) COMPLEXE DE SIGNALISATION
PRÉFORMÉ SUR L'ÉCHAFAUDAGE

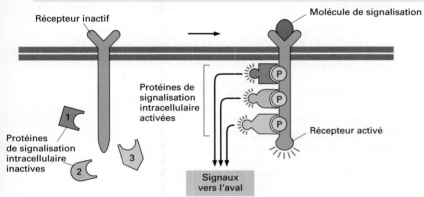

Récepteur inactif

Molécule de signalisation

Récepteur activé

CYTOSOL

Protéine
d'échafaudage

Protéine 1
de signalisation
intracellulaire inactive

Protéine 2
de signalisation
intracellulaire inactive

Protéine 3
de signalisation
intracellulaire inactive

Protéine 1
de signalisation
intracellulaire active

Protéine 2
de signalisation
intracellulaire active

Protéine 3
de signalisation
intracellulaire active

Signaux
vers l'aval

(B) ASSEMBLAGE DU COMPLEXE DE SIGNALISATION APRÈS L'ACTIVATION DU RÉCEPTEUR

Récepteur inactif

Molécule de signalisation

Protéines de
signalisation
intracellulaire
activées

Protéines
de signalisation
intracellulaire
inactives

Récepteur activé

Signaux
vers l'aval

Figure 15-19 Deux types de complexes de signalisation intracellulaire.
(A) Le récepteur et certaines protéines de signalisation intracellulaire qu'il active séquentiellement sont pré-assemblés en un complexe de signalisation par une grande protéine d'échafaudage. (B) Ce gros complexe de signalisation s'assemble une fois que le récepteur a été activé par la liaison d'une molécule de signalisation extracellulaire; dans ce cas, le récepteur activé s'auto-phosphoryle sur de multiples sites qui agissent ensuite comme des sites d'arrimage pour les protéines de signalisation intracellulaire.

de plus, cela évite des diaphonies indésirables entre les voies de signalisation. Cependant pour amplifier le signal et le disséminer aux autres parties de la cellule, certains composants au moins de la plupart des voies de signalisation peuvent certainement diffuser librement.

Dans d'autres cas, des complexes de signalisation ne se forment que transitoirement, tout comme les protéines de signalisation s'assemblent autour d'un récepteur une fois qu'une molécule de signalisation extracellulaire les a activées. Dans certains cas, la queue cytoplasmique du récepteur activé est phosphorylée pendant le processus d'activation et les acides aminés phosphorylés servent alors de sites d'arrimage pour l'assemblage d'autres protéines de signalisation (Figure 15-19B). Dans d'autres cas cependant, l'activation des récepteurs conduit à la production de molécules de phospholipides modifiés dans la membrane plasmique adjacente et ces lipides recrutent alors des protéines de signalisation intracellulaire spécifiques dans cette région de la membrane. Tous ces complexes de signalisation ne se forment que transitoirement et se désassemblent rapidement dès que le ligand extracellulaire se dissocie du récepteur.

Les interactions entre les protéines de signalisation intracellulaire s'effectuent par l'intermédiaire de domaines de liaison modulaires

L'assemblage de complexes de signalisation stables et transitoires dépend de divers petits **domaines de liaison** hautement conservés qui sont retrouvés dans beaucoup de protéines de signalisation intracellulaire. Chacun de ces modules protéiques compacts se fixe sur un motif structural particulier de la protéine (ou du lipide) avec lequel la protéine de signalisation interagit. Du fait de ces domaines modulaires, les protéines de signalisation s'unissent l'une à l'autre en de multiples combinaisons, comme les briques de Lego®, formant souvent un réseau tridimensionnel d'interactions qui détermine le cheminement de la voie de signalisation. L'utilisation de ces domaines de liaison modulaires a probablement facilité l'évolution rapide de nou-

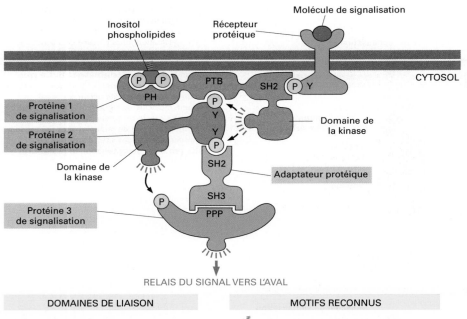

Figure 15-20 Voie de signalisation hypothétique utilisant des domaines de liaison modulaires. La protéine 1 de signalisation contient trois domaines de liaison différents plus un domaine catalytique protéine-kinase. Elle se déplace vers la membrane plasmique lorsque des signaux extracellulaires conduisent à la création de divers sites d'arrimage phosphorylés sur la face cytosolique de la membrane. Son domaine SH2 se lie aux tyrosines phosphorylées du récepteur protéique et son domaine PH se lie aux inositol phospholipides phosphorylés du feuillet interne de la bicouche lipidique. La protéine 1 phosphoryle alors la protéine 2 de signalisation sur des tyrosines, ce qui lui permet de se lier sur le domaine PTB de la protéine 1 et sur le domaine SH2 d'un adaptateur protéique. L'adaptateur protéique relie alors la protéine 2 à la protéine 3, provoquant la phosphorylation de la protéine 3 par la protéine 2. L'adaptateur protéique montré ici est composé de deux domaines de liaison — un domaine SH2 qui se lie à une phosphotyrosine de la protéine 2 et un domaine SH3 qui se lie à un motif riche en proline de la protéine 3.

DOMAINES DE LIAISON

PH = domaine d'homologie à la Pleckstrine
PTB = domaine de liaison à la phosphotyrosine
SH2 = Domaine Src d'homologie 2
SH3 = Domaine Src d'homologie 3

MOTIFS RECONNUS

= Inositol phospholipide phosphorylé
= Phosphotyrosine
= Motif riche en proline

velles voies de signalisation en permettant la réunion de ces domaines préexistants en de nouvelles combinaisons.

Les *domaines Src d'homologie 2 (SH2)* et les *domaines de liaison à la phosphotyrosine (PTB* pour *phosphotyrosine-binding domains)* par exemple, se lient aux tyrosines phosphorylées au niveau d'une séquence peptidique spécifique des récepteurs activés ou des protéines de signalisation intracellulaire. Les *domaines Src d'homologie 3 (SH3)* se lient à une courte séquence en acides aminés riche en proline. Les domaines d'*homologie à la Pleckstrine (PH)* (décrits pour la première fois dans la protéine Pleckstrine des plaquettes sanguines) se lient aux têtes chargées des inositol phospholipides phosphorylés spécifiques formés dans la membrane plasmique en réponse à un signal extracellulaire ; ils permettent ainsi à la protéine dont ils font partie de s'arrimer sur la membrane et d'interagir avec d'autres protéines de signalisation recrutées. Certaines protéines de signalisation ne fonctionnent que comme des adaptateurs qui relient deux autres protéines de la voie de signalisation et ne sont composées que de deux ou plus domaines de liaison (Figure 15-20).

Les protéines d'échafaudage contiennent souvent de multiples *domaines PDZ* (trouvés au départ dans la région d'une synapse appelée densité post-synaptique) dont chacun s'unit à un motif spécifique d'un récepteur ou d'une protéine de signalisation. La protéine d'échafaudage *InaD* des cellules photoréceptrices de *Drosophila* en est un exemple frappant. Elle contient cinq domaines PDZ, dont un se fixe sur un canal ionique activé par la lumière, tandis que les autres se fixent chacun sur une protéine de signalisation différente impliquée dans la réponse de la cellule à la lumière. Si un de ces domaines PDZ manque, la protéine de signalisation correspondante ne peut s'assembler dans le complexe et la vision de la mouche est anormale.

On pense que certains récepteurs cellulaires de surface et certaines protéines de signalisation intracellulaire s'assemblent transitoirement en agrégats dans des microdomaines spécifiques de la bicouche lipidique de la membrane plasmique, enrichis en cholestérol et en glycolipides. Certaines de ces protéines sont dirigées vers ces **radeaux lipidiques** (*lipid rafts*) par des molécules lipidiques fixées de façon covalente. Comme les protéines d'échafaudage, ces lipides d'échafaudage peuvent promouvoir la vitesse et l'efficacité des processus de signalisation en servant de sites d'assemblage de molécules de signalisation qui interagissent (*voir* Figure 10-13).

Les cellules peuvent répondre brusquement à l'augmentation graduelle de la concentration en un signal extracellulaire

Certaines réponses cellulaires aux molécules de signalisation extracellulaire augmentent lentement, petit à petit, simplement en proportion de la concentration en la molécule. Les réponses primaires aux hormones stéroïdes (*voir* Figure 15-14) suivent souvent ce schéma, probablement parce que le récepteur nucléaire hormonal fixe une seule molécule d'hormone et chaque séquence spécifique de reconnaissance de l'ADN des gènes qui répondent aux hormones stéroïdes agit indépendamment. Lorsque la concentration hormonale augmente, la concentration en complexes «récepteur activé-hormone» augmente proportionnellement, tout comme le nombre de complexes liés aux séquences spécifiques de reconnaissance des gènes qui répondent; la réponse de la cellule est donc graduelle et linéaire.

Cependant, beaucoup de réponses aux molécules de signalisation extracellulaire commencent plus brutalement lorsque la concentration en la molécule augmente. Certaines peuvent même se produire d'une façon proche du «tout ou rien», restant indétectables en dessous d'une concentration seuil de la molécule puis atteignant un maximum dès que cette concentration est dépassée. Quelles peuvent être les bases moléculaires de ces réponses si brutales ou de type commutation à ces signaux graduels?

Un des mécanismes qui accentue la réponse est la nécessité de la fixation de plusieurs molécules effectrices intracellulaires ou de plusieurs complexes sur certaines macromolécules cibles pour qu'une réponse soit induite. Dans certaines réponses induites par les hormones stéroïdes, par exemple, il semble que la fixation simultanée de plusieurs complexes «récepteur activé-hormone» sur les séquences régulatrices spécifiques d'ADN soit nécessaire pour activer un gène donné. Il en résulte que lorsque la concentration hormonale s'élève, l'activation du gène débute plus brutalement que s'il suffisait qu'un seul complexe se fixe pour l'activer (Figure 15-21). Un mécanisme coopératif similaire opère souvent dans les cascades de signalisation activées par les récepteurs cellulaires de surface. Comme nous le verrons ultérieurement, il faut, par exemple, la fixation de quatre molécules d'un petit médiateur intracellulaire, l'AMP cyclique, sur chaque molécule de protéine-kinase dépendant de l'AMP cyclique, pour activer cette kinase. Ce type de réponse est d'autant plus brutal que le nombre de molécules coopératives augmente, et si ce nombre est assez grand, on peut atteindre des réponses proches du «tout ou rien» (Figures 15-22 et 15-23).

Les réponses sont également brutales lorsqu'une molécule de signalisation intracellulaire active une enzyme et, en même temps, inhibe l'enzyme qui catalyse la réaction opposée. Un des exemples bien étudié de ce type commun de régulation est la stimulation de la dégradation du glycogène dans les cellules du muscle squelettique induite par une hormone, l'*adrénaline* (épinéphrine). La fixation de l'adrénaline sur un récepteur cellulaire de surface couplé aux protéines G conduit à l'augmentation de la concentration en AMP cyclique intracellulaire qui active l'enzyme favorisant la dégradation du glycogène et inhibe en même temps l'enzyme favorisant la synthèse du glycogène.

Tous ces mécanismes peuvent produire des réponses très franches, mais néanmoins, toujours doucement graduées selon la concentration en molécule de si-

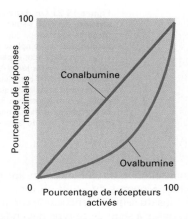

Figure 15-21 Réponse primaire des cellules de l'oviducte de poussin à l'estradiol, une hormone sexuelle stéroïde. Lorsqu'ils sont activés, les récepteurs à l'estradiol activent la transcription de plusieurs gènes. Les courbes dose-réponse de deux de ces gènes sont montrées ici, l'un codant pour la conalbumine et l'autre pour l'ovalbumine, deux protéines de l'œuf. La courbe de réponse linéaire de la conalbumine indique que chaque molécule de récepteur activée qui se fixe sur le gène de la conalbumine augmente l'activité de ce dernier de la même quantité. Par contre, le retard suivi d'une augmentation franche de la courbe de réponse de l'ovalbumine suggère qu'il faut que plusieurs récepteurs activés (dans ce cas deux récepteurs) se fixent simultanément sur le gène de l'ovalbumine pour initier la transcription. (Adapté d'après E.R. Mulvihill et R.D. Palmiter, *J. Biol. Chem.* 252 : 2060-2068, 1997.)

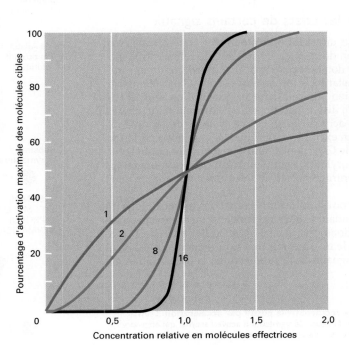

Figure 15-22 Courbes d'activation en fonction de la concentration en molécules de signalisation. Les courbes montrent comment la brutalité de la réponse augmente avec l'augmentation du nombre de molécules effectrices qui doivent se lier simultanément pour activer la macromolécule cible. Les courbes montrées sont celles attendues si l'activation nécessite la fixation simultanée de 1, 2, 8 ou 16 molécules d'effecteurs.

Figure 15-23 Un des mécanismes de signalisation qui présente une réponse abrupte de type seuil. Dans ce cas, la fixation simultanée de huit molécules d'un ligand de signalisation sur un ensemble de huit sous-unités protéiques est nécessaire pour former un complexe protéique actif. La capacité de ces sous-unités à s'assembler en un complexe actif dépend de la modification de conformation allostérique subie par ces sous-unités lorsqu'elles s'unissent à leur ligand. La fixation du ligand dans la formation d'un tel complexe est généralement un processus coopératif, qui provoque une réponse brutale lorsque la concentration en ligand se modifie, comme nous l'avons expliqué dans le chapitre 3. Pour une faible concentration en ligand, le nombre de complexes actifs augmente grossièrement en proportion d'une augmentation de puissance huit de la concentration en ligand.

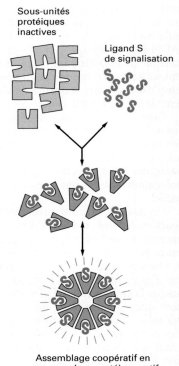

Sous-unités protéiques inactives

Ligand S de signalisation

Assemblage coopératif en un complexe protéique actif

gnalisation extracellulaire. Un autre mécanisme peut cependant produire de véritables réponses du «tout ou rien», de telle sorte que l'augmentation du signal au-dessus du seuil déclenche une commutation soudaine dans la cellule qui répond. Les réponses à seuil de ce type dépendent généralement d'un *rétrocontrôle positif*; par ce mécanisme, les cellules nerveuses et musculaires engendrent des *potentiels d'action* de type «tout ou rien» en réponse aux neurotransmetteurs (*voir* Chapitre 11). Par exemple, l'activation des récepteurs à l'acétylcholine couplés aux canaux ioniques au niveau de la jonction neuromusculaire s'accompagne d'une entrée nette de Na^+ qui dépolarise localement la membrane plasmique musculaire. Cela provoque l'ouverture, dans la même région membranaire, de canaux à Na^+ à ouverture contrôlée par le voltage, qui engendrent une entrée supplémentaire de Na^+ qui dépolarise encore plus la membrane et ouvre d'autres canaux à Na^+. Si la dépolarisation initiale dépasse une certaine valeur seuil, ce rétrocontrôle positif a un effet d'emballement explosif produisant un potentiel d'action qui se propage et implique toute la membrane musculaire.

Un mécanisme de rétrocontrôle positif d'accélération peut aussi opérer par l'intermédiaire de protéines de signalisation qui sont des enzymes et non pas des canaux ioniques. Supposons, par exemple, qu'un ligand de signalisation intracellulaire particulier active une enzyme, localisée en aval de la voie de signalisation et que deux ou plusieurs molécules du produit de la réaction enzymatique se lient par retour sur cette même enzyme pour l'activer encore plus (Figure 15-24). Par conséquent, en l'absence de ligand, la vitesse de synthèse du produit est très faible. Celle-ci augmente lentement avec la concentration en ligand jusqu'à ce que, pour une certaine concentration en ce dernier, il y ait assez de produit synthétisé pour activer l'enzyme qui s'emballe par auto-accélération. La concentration en produit augmente alors soudainement jusqu'à une concentration bien plus élevée. Par ce mécanisme, et par un certain nombre d'autres non traités ici, la cellule traduira souvent une modification graduelle de la concentration en un ligand de signalisation par une modification de type commutation, créant une réponse cellulaire de type «tout ou rien».

Une cellule peut se remémorer les effets de certains signaux

Les effets d'un signal extracellulaire sur une cellule cible peuvent, dans certains cas, persister longtemps après la disparition de celui-ci. Le système de rétrocontrôle positif par accélération enzymatique que nous venons de décrire constitue un des mécanismes qui présente ce type de persistance. Si ce système est activé par le passage de la concentration en ligand d'activation intracellulaire au-dessus d'un seuil, il restera généralement activé même après la disparition du signal extracellulaire; au lieu de refléter fidèlement la concentration actuelle en signal, ce système de réponse expose une mémoire. Nous en verrons un exemple spécifique, lorsque nous parlerons d'une protéine-kinase qui, activée par le Ca^{2+}, peut s'auto-phosphoryler et phosphoryler d'autres protéines; l'auto-phosphorylation maintient la kinase active longtemps après le retour à la normale des concentrations en Ca^{2+}, fournissant une trace mnésique du signal initial.

Des signaux extracellulaires transitoires induisent souvent des modifications intracellulaires à bien plus long terme pendant le développement d'un organisme multicellulaire. Certaines de ces modifications peuvent persister toute la vie de l'organisme. Elles dépendent généralement de mécanismes mnésiques qui s'auto-activent et opèrent plus en aval de la voie de signalisation, au niveau de la transcription gé-

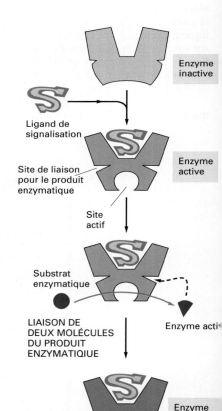

Enzyme inactive

Ligand de signalisation

Site de liaison pour le produit enzymatique

Enzyme active

Site actif

Substrat enzymatique

LIAISON DE DEUX MOLÉCULES DU PRODUIT ENZYMATIQUE

Enzyme acti

Enzyme très active

Figure 15-24 Mécanisme de rétrocontrôle positif par accélération. Dans cet exemple, la fixation initiale du ligand de signalisation active l'enzyme qui engendre un produit qui se fixe à son tour sur l'enzyme, augmentant encore plus son activité.

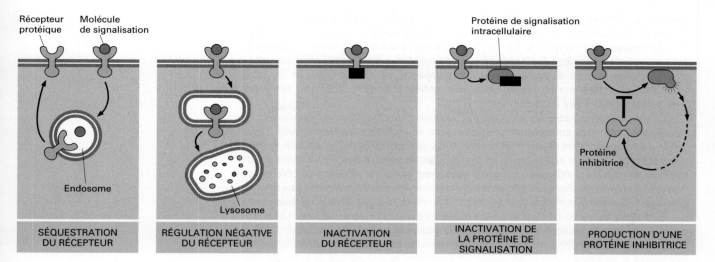

| SÉQUESTRATION DU RÉCEPTEUR | RÉGULATION NÉGATIVE DU RÉCEPTEUR | INACTIVATION DU RÉCEPTEUR | INACTIVATION DE LA PROTÉINE DE SIGNALISATION | PRODUCTION D'UNE PROTÉINE INHIBITRICE |

nique. Les signaux qui déclenchent la transformation d'une cellule en une cellule musculaire, par exemple, activent une série de protéines régulatrices de gènes, spécifiques du muscle, qui stimulent la transcription de leurs propres gènes, ainsi que des gènes produisant de nombreuses autres protéines des cellules musculaires. De cette façon, la décision de devenir une cellule musculaire devient permanente (*voir* Figure 7-72B).

Les cellules peuvent ajuster leur sensibilité à un signal

En répondant à de nombreux types de stimuli, les cellules et les organismes peuvent détecter un même pourcentage de variation d'un signal sur un très grand intervalle d'intensité de stimulus. Cela nécessite que les cellules cibles subissent un processus réversible d'**adaptation** ou de **désensibilisation**, tandis que l'exposition prolongée au stimulus diminue la réponse de la cellule à ce niveau d'exposition. Lors de signalisation chimique, l'adaptation permet aux cellules de répondre aux *variations* de la concentration en ligand de signalisation (plutôt qu'à la concentration absolue en ce ligand) sur une très large gamme de concentrations en ce dernier. Le principe général est celui d'un rétrocontrôle négatif qui opère avec un retard. Une forte réponse modifie la machinerie de fabrication de la réponse de telle sorte que cette machinerie se réinitialise elle-même en position arrêt. Selon le retard cependant, une modification brutale du stimulus peut se faire sentir fortement pendant une courte période avant que le rétrocontrôle négatif ait le temps de la repousser.

La désensibilisation vis-à-vis d'une molécule de signalisation peut se produire de différentes façons. Par exemple, la liaison du ligand sur un récepteur cellulaire de surface peut induire son endocytose et sa séquestration temporaire dans les endosomes. Cette endocytose du récepteur induite par le ligand peut conduire à la destruction du récepteur dans les lysosomes, un processus qui fait référence à la *régulation négative* du récepteur. Dans d'autres cas, la désensibilisation résulte d'une inactivation rapide des récepteurs – par exemple, du fait de la phosphorylation du récepteur qui suit, avec un retard, son activation. La désensibilisation peut aussi être provoquée par une modification de la protéine impliquée dans la transduction du signal ou par la production d'un inhibiteur qui bloque le processus de transduction (Figure 15-25).

Après avoir parlé de certains principes généraux de la signalisation cellulaire, intéressons-nous aux récepteurs couplés aux protéines G. Ils constituent de loin la plus grande classe de récepteurs cellulaires de surface et peuvent permettre de répondre à un grand nombre de signaux extracellulaires. Cette superfamille de récepteurs protéiques n'est pas seulement l'intermédiaire de la communication intercellulaire ; elle est aussi au cœur de la vision, de l'odorat et de la perception du goût.

Figure 15-25 Cinq façons qui permettent à une cellule cible de se désensibiliser vis-à-vis d'une molécule de signalisation. Les mécanismes d'inactivation montrés ici pour le récepteur et la protéine de signalisation intracellulaire impliquent souvent une phosphorylation de la protéine qui est inactivée, même si on sait que d'autres types de modifications se produisent aussi. Lors de chimiotaxie bactérienne, que nous verrons ultérieurement, la désensibilisation dépend de la méthylation du récepteur protéique.

Résumé

Chaque cellule d'un animal multicellulaire a été programmée pendant le développement pour répondre à un ensemble spécifique de signaux extracellulaires produits par d'autres cellules. Ces signaux agissent par des combinaisons variées pour réguler le comportement de la cellule. La plupart des signaux engendrent une forme de signalisation dans laquelle des médiateurs locaux sont sécrétés puis rapidement absorbés, détruits ou immobilisés, de telle sorte qu'ils n'agis-

sent que sur les cellules voisines. D'autres signaux restent fixés sur la surface externe des cellules de signalisation et sont les intermédiaires d'une signalisation contact-dépendante. Le contrôle centralisé est exercé à la fois par la signalisation endocrine, au cours de laquelle les hormones sécrétées par les cellules endocrines sont transportées dans le sang jusqu'aux cellules cibles à travers le corps et par la signalisation synaptique, au cours de laquelle les neuro-transmetteurs sécrétés par les axones des cellules nerveuses agissent localement sur les cellules post-synaptiques que les axones contactent.

La signalisation cellulaire ne nécessite pas seulement des molécules de signalisation ex-tracellulaire, mais aussi un ensemble complémentaire de récepteurs protéiques dans chaque cellule qui leur permettent de se lier et qui répondent aux molécules de signalisation de façon caractéristique. Certaines petites molécules hydrophobes de signal, y compris les hormones sté-roïdes et thyroïdiennes, diffusent à travers la membrane plasmique de la cellule cible et acti-vent des récepteurs protéiques intracellulaires qui régulent directement la transcription de gènes spécifiques. Le monoxyde d'azote et le monoxyde de carbone, des gaz dissous, agissent comme des médiateurs locaux en diffusant à travers la membrane plasmique des cellules cibles et en activant une enzyme intracellulaire – en général la guanylate cyclase, qui produit du GMP cy-clique dans les cellules cibles. Mais la plupart des molécules de signalisation extracellulaire sont hydrophiles et ne peuvent activer les récepteurs protéiques qu'à la surface de la cellule cible ; ces récepteurs agissent comme des transducteurs de signal, convertissant l'événement de la liaison extracellulaire en un signal intracellulaire qui modifie le comportement de la cellule cible.

Il y a trois familles principales de récepteurs cellulaires de surface, qui effectuent chacun différemment la transduction des signaux extracellulaires. Les récepteurs couplés aux canaux ioniques sont des canaux ioniques à ouverture contrôlée par les transmetteurs qui s'ouvrent ou se ferment rapidement en réponse à la liaison d'un neurotransmetteur. Les récepteurs couplés aux protéines G activent ou inactivent indirectement des enzymes liées à la membrane plas-mique ou des canaux ioniques via des protéines trimériques de liaison au GTP (protéines G). Les récepteurs couplés aux enzymes agissent soit directement comme des enzymes soit sont associés à celles-ci ; ces enzymes sont généralement des protéine-kinases qui phosphorylent des protéines spécifiques dans la cellule cible.

Une fois activés, les récepteurs couplés aux enzymes et aux protéines G relaient le signal à l'intérieur de la cellule en activant des chaînes de protéines de signalisation intracellulaire ; certaines effectuent la transduction, l'amplification ou la dissémination du signal lorsqu'elles le relaient, tandis que d'autres intègrent les signaux issus de différentes voies de signalisation. Beaucoup de ces protéines de signalisation fonctionnement comme des commutateurs, transi-toirement activés par phosphorylation ou liaison au GTP. Des complexes de signalisation fonc-tionnels se forment souvent par le biais des domaines de liaison modulaires des protéines de signalisation ; ces domaines permettent également aux assemblages protéiques complexes de fonctionner au sein de réseaux de signalisation.

Les cellules cibles peuvent utiliser divers mécanismes intracellulaires pour répondre bruta-lement à l'augmentation graduelle de la concentration en un signal extracellulaire ou pour convertir un signal de courte durée en une réponse de longue durée. En plus, par l'adaptation, elles peuvent souvent ajuster de façon réversible leur sensibilité à un signal pour permettre aux cellules de répondre aux variations de la concentration en une molécule de signalisation spé-cifique au sein d'une large gamme de concentrations.

LA SIGNALISATION PAR L'INTERMÉDIAIRE DES RÉCEPTEURS CELLULAIRES DE SURFACE COUPLÉS AUX PROTÉINES G

Les **récepteurs couplés aux protéines G** forment la plus grande famille de récepteurs cellulaires de surface retrouvée chez tous les eucaryotes. Environ 5 p. 100 des gènes du nématode *C. elegans* par exemple, codent pour ces récepteurs et des milliers ont déjà été définis chez les mammifères ; chez la souris, il y en a environ 1 000 concer-nés par le seul sens de l'odorat. Les récepteurs couplés à la protéine G permettent de fournir des réponses à une immense diversité de molécules de signalisation, dont des hormones, des neurotransmetteurs et des médiateurs locaux. Les molécules de si-gnalisation qui les activent sont de structures et de fonctions variées : on y trouve des protéines et des petits peptides ainsi que des dérivés des acides aminés et des acides gras. Les mêmes ligands peuvent activer beaucoup de membres différents de cette famille de récepteurs ; 9 récepteurs couplés aux protéines G différents au moins sont activés par l'adrénaline, par exemple, 5 autres par l'acétylcholine et 15 au moins par la sérotonine, un neurotransmetteur.

Malgré cette diversité chimique et fonctionnelle des molécules de signalisation qui se fixent sur eux, tous les récepteurs couplés aux protéines G ont une structure similaire. Ils sont composés d'une seule chaîne polypeptidique qui passe sept fois d'arrière en avant à travers la bicouche lipidique et on les appelle donc les *récepteurs serpentins* (Figure 15-26). En plus de leur orientation caractéristique dans la membrane plasmique, ils présentent les mêmes relations fonctionnelles avec les protéines G qu'ils utilisent pour signaler à l'intérieur de la cellule qu'il y a un ligand extracellulaire.

Comme nous le verrons ultérieurement, cette superfamille de protéines à sept domaines transmembranaires inclut la *rhodopsine*, protéine de l'œil des vertébrés activée par la lumière ainsi que les nombreux récepteurs olfactifs du nez des vertébrés. D'autres membres de cette famille sont retrouvés dans les organismes monocellulaires : les récepteurs des levures qui reconnaissent les facteurs d'accouplement en sont un exemple. De fait, on pense que les récepteurs couplés aux protéines G qui sont les intermédiaires de la signalisation intercellulaire des organismes multicellulaires se sont développés à partir de récepteurs sensoriels présents dans les eucaryotes monocellulaires ancestraux.

Remarquons que près de la moitié de l'ensemble des substances chimiques connues fonctionne par l'intermédiaire des récepteurs couplés aux protéines G. Le projet de séquençage du génome humain révèle encore actuellement beaucoup de nouveaux membres de cette famille, qui sont certainement les cibles de nouvelles substances chimiques non encore découvertes.

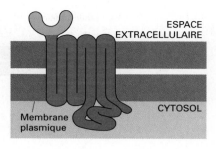

Figure 15-26 Un récepteur couplé aux protéines G. Les récepteurs qui se fixent sur les ligands protéiques possèdent un grand domaine extracellulaire formé par la partie de la chaîne polypeptidique montrée en *vert clair*. Ce domaine associé à certains segments transmembranaires se fixe sur le ligand protéique. Les récepteurs des petits ligands comme l'adrénaline possèdent de petits domaines extracellulaires et le ligand se fixe en général en profondeur dans le plan de la membrane sur un site formé par les acides aminés issus de plusieurs segments transmembranaires.

Les protéines G trimériques se désassemblent pour relayer les signaux issus des récepteurs couplés aux protéines G

Lorsque les molécules de signalisation extracellulaire se lient aux récepteurs serpentins, les récepteurs subissent une modification de conformation qui leur permet d'activer des **protéines de liaison au GTP (protéines G)**. Ces protéines G sont fixées sur la face cytoplasmique de la membrane plasmique où elles servent de molécules de relais, couplant fonctionnellement les récepteurs à des enzymes ou des canaux ioniques intramembranaires. Il existe divers types de protéines G, chacune spécifique d'un ensemble particulier de récepteurs serpentins et d'un ensemble particulier de protéines cibles en aval dans la membrane plasmique. Cependant, elles ont toutes une structure et un mode de fonctionnement similaires.

Les protéines G sont composées de trois sous-unités protéiques – α, β et γ. À l'état non stimulé, la sous-unité α a son GDP lié et la protéine G est inactive (Figure 15-27). Lorsqu'elle est stimulée par un récepteur activé, la sous-unité α libère son GDP lié, permettant au GTP de se lier à sa place. Cet échange provoque la dissociation du trimère en deux composants activés – une *sous-unité α* et un *complexe βγ* (Figure 15-28).

La dissociation de la protéine trimérique active différemment ses deux composants. La liaison du GTP provoque une modification de conformation qui affecte la surface de la sous-unité α associée au complexe βγ dans le trimère. Cette modification provoque la libération du complexe βγ mais également l'adoption d'une nouvelle forme de la sous-unité α qui lui permet d'interagir avec ses protéines cibles. Le complexe βγ ne change pas de conformation mais sa surface, auparavant masquée par la sous-unité α, devient disponible pour interagir avec un deuxième groupe de protéines cibles. Les cibles des composants dissociés de la protéine G sont soit des

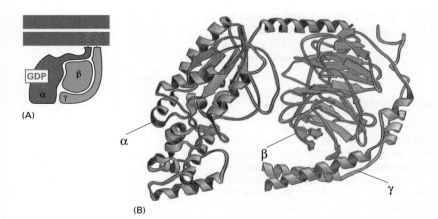

(A)

α

β

γ

(B)

Figure 15-27 Structure d'une protéine G inactive. (A) Notez que des molécules lipidiques sont fixées de façon covalente sur les deux sous-unités α et γ (en *rouge*), ce qui facilite leur fixation sur la membrane plasmique, et qu'un GDP est lié sur la sous-unité α. (B) Structure tridimensionnelle d'une protéine G inactive basée sur la transducine, la protéine G de la transduction visuelle (traité ultérieurement). La sous-unité α contient le domaine de la GTPase et se fixe sur un côté de la sous-unité β, ce qui bloque son domaine GTPasique dans la conformation inactive qui fixe le GDP. La sous-unité γ se fixe sur le côté opposé de la sous-unité β. (B, d'après D.G. Lombright et al., *Nature* 379 : 311-319, 1996.)

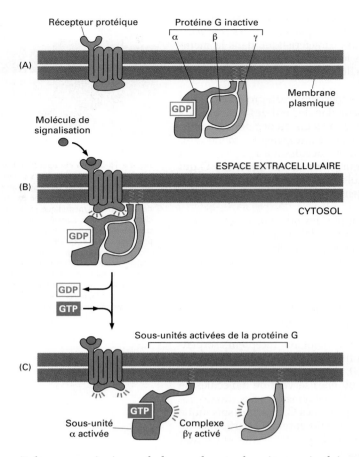

Figure 15-28 Désassemblage d'une protéine G activée en deux composants de signalisation. (A) À l'état non stimulé, le récepteur et la protéine G sont tous deux inactifs. Même s'ils sont montrés ici comme des entités séparées de la membrane plasmique, dans certains cas du moins, ils sont associés en un complexe préformé. (B) La fixation d'un signal extracellulaire sur le récepteur modifie la conformation de celui-ci, ce qui modifie à son tour la conformation de la protéine G qui y est fixée. (C) La modification de la sous-unité α de la protéine G lui permet d'échanger son GDP pour du GTP. Cela provoque la cassure de la protéine G en deux composants actifs — une sous-unité α et un complexe βγ —, qui peuvent tous deux réguler l'activité de protéines cibles dans la membrane plasmique. Le récepteur reste actif tant que la molécule de signal externe y reste fixée et peut donc catalyser l'activation de nombreuses molécules de protéines G.

enzymes soit des canaux ioniques de la membrane plasmique qui relaient le signal vers l'aval.

La sous-unité α est une GTPase et lorsqu'elle hydrolyse son GTP lié en GDP, elle se réassocie avec un complexe βγ pour reformer une protéine G inactive, inversant le processus d'activation (Figure 15-29). Le temps pendant lequel la sous-unité α et le complexe βγ restent séparés et actifs est généralement court et dépend de la rapidité à laquelle la sous-unité α hydrolyse son GTP lié. Une sous-unité α isolée est une GTPase inefficace et si on la laisse se débrouiller, elle ne s'inactivera qu'après plusieurs minutes. Son activation est souvent inversée bien plus rapidement cependant parce que l'activité GTPasique de la sous-unité α est fortement augmentée par la fixation d'une deuxième protéine, qui peut être soit sa protéine cible soit un modulateur spécifique, *le régulateur de la signalisation des protéines G* (RGS pour *regulator of G protein signaling*). Les **protéines RGS** fonctionnent comme des *protéines d'activation de la GTPase* (GAP pour *GTPase activating proteins*) spécifiques de la sous-unité α et on pense qu'elles ont un rôle crucial dans l'inactivation de la réponse passant par les protéines G chez tous les eucaryotes. Il y a environ 25 protéines RGS codées dans le génome humain et on pense que chacune interagit avec un ensemble spécifique de protéines G.

L'importance de l'activité de la GTPase dans l'inactivation de la réponse est facilement démontrable dans un tube à essai. Si les cellules subissent une ouverture de leur membrane plasmique et sont exposées à un analogue du GTP (le GTPγS) dans lequel le phosphate terminal ne peut être hydrolysé, les sous-unités α activées restent très longtemps actives.

La signalisation par certaines protéines G passe par la régulation de la production de l'AMP cyclique

L'**AMP cyclique (AMPc)** a été identifié pour la première fois en 1950 comme petit médiateur intracellulaire. Depuis on s'est aperçu qu'il jouait ce rôle dans toutes les cellules procaryotes et eucaryotes étudiées. La concentration normale en AMP cyclique à l'intérieur des cellules est d'environ 10^{-7}M, mais un signal extracellulaire peut modifier cette concentration d'un facteur supérieur à 20 en quelques secondes (Figure 15-30). Comme nous l'avons expliqué auparavant (Figure 15-10), ce type de réponse rapide nécessite que la synthèse rapide de la molécule soit en équilibre avec sa dégradation ou son élimination rapide. En fait, l'AMP cyclique est synthétisé à partir de l'ATP par une enzyme liée à la membrane, l'**adénylate cyclase**, et il est rapidement et continuellement détruit par une ou plusieurs **AMP cyclique phosphodiestérases** qui hydrolysent l'AMP cyclique en adénosine 5'-monophosphate (5'-AMP) (Figure 15-31).

Beaucoup de molécules de signalisation extracellulaire agissent en augmentant la teneur en AMP cyclique. Pour ce faire, elles augmentent l'activité de l'adénylate cyclase au lieu de diminuer l'activité de la phosphodiestérase. L'adénylate cyclase est une grosse protéine à plusieurs domaines transmembranaires qui présente son domaine catalytique du côté cytosolique de la membrane plasmique. Il existe au moins huit isoformes chez les mammifères, dont la plupart sont régulés à la fois par les protéines G et le Ca^{2+}. Tous les récepteurs qui agissent via l'AMP cyclique sont couplés à une **protéine G stimulatrice (G$_s$)** qui active l'adénylate cyclase et augmente ainsi la concentration en AMP cyclique. Une autre protéine G, la **protéine G inhibitrice (G$_i$)**, inhibe l'adénylate cyclase mais agit surtout en régulant directement les ca-

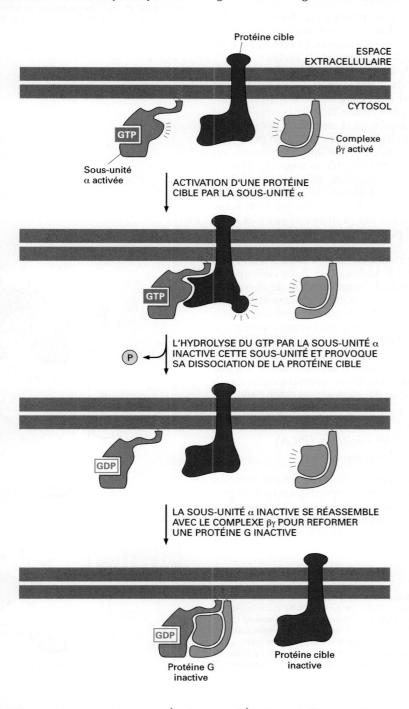

Figure 15-29 Inactivation de la sous-unité α de la protéine G par l'hydrolyse de son GTP lié. Une fois que la sous-unité α de la protéine G a activé sa protéine cible, elle s'auto-inactive en hydrolysant son GTP lié en GDP. Cela inactive la sous-unité α qui se dissocie de la protéine cible et se réassocie avec un complexe βγ pour reformer la protéine G inactive. La liaison sur la protéine cible ou sur une protéine RGS liée à la membrane (non montrée ici) stimule généralement l'activité GTPasique de la sous-unité α; cette stimulation accélère fortement le processus d'inactivation montré ici.

Protéine cible

ESPACE EXTRACELLULAIRE

CYTOSOL

GTP

Complexe βγ activé

Sous-unité α activée

ACTIVATION D'UNE PROTÉINE CIBLE PAR LA SOUS-UNITÉ α

GTP

P

L'HYDROLYSE DU GTP PAR LA SOUS-UNITÉ α INACTIVE CETTE SOUS-UNITÉ ET PROVOQUE SA DISSOCIATION DE LA PROTÉINE CIBLE

GDP

LA SOUS-UNITÉ α INACTIVE SE RÉASSEMBLE AVEC LE COMPLEXE βγ POUR REFORMER UNE PROTÉINE G INACTIVE

GDP

Protéine G inactive

Protéine cible inactive

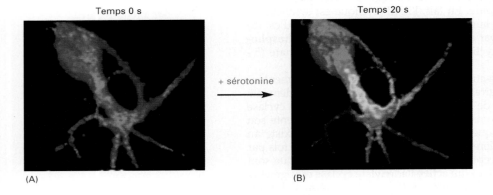

Temps 0 s

Temps 20 s

+ sérotonine

(A)

(B)

Figure 15-30 Augmentation de l'AMP cyclique en réponse à un signal extracellulaire. Cette cellule nerveuse en culture répond à un neurotransmetteur, la sérotonine, qui agit par l'intermédiaire d'un récepteur couplé aux protéines G pour engendrer l'augmentation rapide de la concentration intracellulaire en AMP cyclique. Pour suivre la concentration en AMP cyclique, la cellule a été chargée d'une protéine fluorescente qui modifie sa fluorescence lorsqu'elle se lie à l'AMP cyclique. Le *bleu* indique une faible concentration en AMP cyclique, le *jaune* une concentration intermédiaire et le *rouge* une forte concentration. (A) Dans la cellule au repos, la concentration en AMP cyclique est de 5×10^{-8} M environ. (B) Vingt secondes après l'addition de sérotonine au milieu de culture, la concentration intracellulaire en AMP cyclique a dépassé 10^{-6} M, une augmentation d'un facteur supérieur à 20. (D'après Brian J. Bacskai et al., *Science* 260 : 222-226, 1993. © AAAS.)

naux ioniques (comme nous le verrons ultérieurement) plutôt qu'en diminuant la teneur en AMP cyclique. Bien que ce soit en général la sous-unité α qui régule la cyclase, le complexe βγ le fait aussi, en augmentant ou en diminuant l'activité de l'enzyme, en fonction du complexe βγ spécifique et de l'isoforme de la cyclase.

Les G$_s$ et les G$_i$ sont toutes deux les cibles de certaines toxines bactériennes médicalement importantes. La *toxine cholérique*, produite par la bactérie responsable du choléra, est une enzyme qui catalyse le transfert d'un ADP ribose du NAD$^+$ intracellulaire à la sous-unité α de la G$_s$. Cette ADP-ribosylation modifie la sous-unité α de telle sorte qu'elle ne peut plus hydrolyser son GTP lié et reste donc dans un état actif qui stimule indéfiniment l'adénylate cyclase. Il s'ensuit une élévation prolongée des concentrations en AMP cyclique dans les cellules épithéliales intestinales qui provoque une importante sortie de Cl$^-$ et d'eau dans l'intestin, et engendre la diarrhée grave caractéristique du choléra. La *toxine de la coqueluche*, fabriquée par la bactérie responsable de la coqueluche, catalyse l'ADP-ribosylation de la sous-unité α de la G$_i$, ce qui l'empêche d'interagir avec ces récepteurs. Il en résulte que cette sous-unité garde son GDP lié et est incapable de réguler ses protéines cibles. Ces deux toxines sont largement utilisées en tant qu'outil pour déterminer si la réponse de la cellule à un signal passe par une G$_s$ ou une G$_i$.

Certaines réponses qui passent par l'augmentation de la concentration en AMP cyclique stimulée par la G$_s$ sont présentées dans le tableau 15-I. Il est clair que les différents types cellulaires répondent différemment à l'augmentation de la concentration en AMP cyclique mais qu'un seul type cellulaire répond généralement de la même façon même si différents signaux extracellulaires induisent cette augmentation. Il existe au moins quatre hormones qui activent l'adénylate cyclase dans les cellules adipeuses par exemple et toutes stimulent la dégradation des triglycérides (la forme de réserve lipidique) en acides gras.

Les individus qui présentent une anomalie génétique d'une sous-unité α d'une G$_s$ particulière présentent une baisse de la réponse à certaines hormones. Par conséquent ils présentent des anomalies métaboliques, un développement osseux anormal et un retard mental.

Les protéine-kinases dépendantes de l'AMP cyclique (PKA) engendrent la plupart des effets de l'AMP cyclique

Même si l'AMP cyclique peut directement activer certains types de canaux ioniques de la membrane plasmique de certaines cellules hautement spécifiques, dans la plupart des cellules animales, il exerce surtout ses effets par l'activation d'une **protéine-kinase AMP cyclique-dépendante (PKA)**. Cette enzyme catalyse le transfert du groupement phosphate terminal d'un ATP sur des sérines ou des thréonines spécifiques de certaines protéines cibles, ce qui régule leur activité.

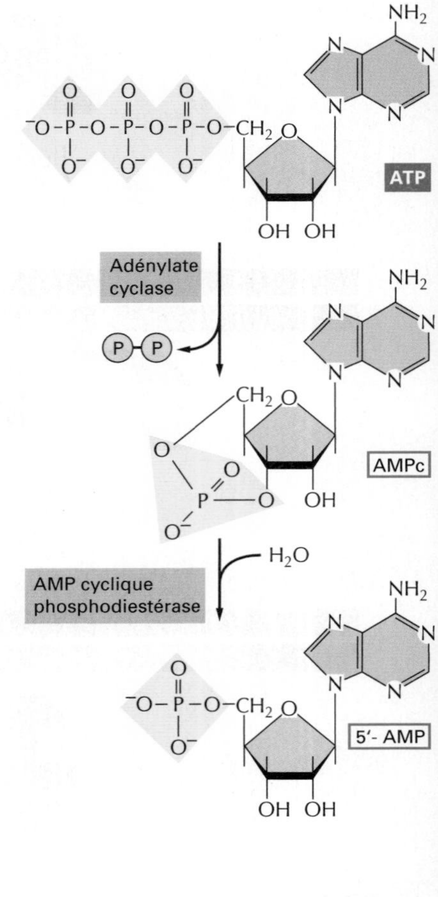

Figure 15-31 Synthèse et dégradation de l'AMP cyclique. Au cours d'une réaction catalysée par une enzyme, l'adénylate cyclase, l'AMP cyclique (AMPc) est synthétisé à partir de l'ATP par cyclisation qui élimine deux groupements phosphate sous forme de pyrophosphate (Ⓟ – Ⓟ) ; une pyrophosphatase actionne cette synthèse par hydrolyse du pyrophosphate libéré en un phosphate (non montré ici). L'AMP cyclique est instable dans la cellule, parce qu'il est lui-même hydrolysé par une phosphodiestérase spécifique pour former le 5'-AMP, comme cela est indiqué.

TABLEAU 15-1 Quelques réponses cellulaires induites par des hormones passant par l'AMP cyclique

TISSU CIBLE	HORMONE	RÉPONSE PRINCIPALE
Thyroïde	Thyréostimuline (TSH pour *thyroid-stimulating hormone*)	Synthèse et sécrétion de l'hormone thyroïde
Cortex de la surrénale	Corticotrophine (ACTH pour *adrenocorticotrophic hormone*)	Sécrétion de cortisol
Ovaire	Hormone lutéinisante (LH pour *luteinizing hormone*)	Sécrétion de progestérone
Muscle	Adrénaline	Dégradation du glycogène
Os	Parathormone	Résorption osseuse
Cœur	Adrénaline	Augmentation du rythme cardiaque et de la force de contraction
Foie	Glucagon	Dégradation du glycogène
Rein	Vasopressine	Réabsorption d'eau
Tissu adipeux	Adrénaline, ACTH, glucagon, TSH	Dégradation des triglycérides

La PKA est retrouvée dans toutes les cellules animales et on pense qu'elle prend part aux effets de l'AMP cyclique dans la plupart de ces cellules. Les substrats de la PKA diffèrent selon les types cellulaires, ce qui explique pourquoi les effets de l'AMP cyclique varient de façon si marquée en fonction du type cellulaire.

À l'état inactif, la PKA est un complexe formé de deux sous-unités catalytiques et de deux sous-unités régulatrices. La fixation d'un AMP cyclique sur la sous-unité régulatrice altère sa conformation et provoque sa dissociation du complexe. La sous-unité catalytique libérée est ainsi activée et peut phosphoryler des substrats protéiques spécifiques (Figure 15-32). La sous-unité régulatrice de la PKA est aussi importante car elle localise les kinases à l'intérieur de la cellule : des *protéines d'ancrage de la PKA* se lient à la fois sur les sous-unités régulatrices et sur une membrane ou un composant du cytosquelette, attachant ainsi le complexe enzymatique sur un compartiment subcellulaire spécifique. Certaines de ces protéines d'ancrage fixent également d'autres kinases et certaines phosphatases pour créer un complexe de signalisation.

Certaines réponses qui s'effectuent par l'intermédiaire de l'AMP cyclique sont rapides alors que d'autres sont lentes. Dans les cellules du muscle squelettique par exemple, la PKA activée phosphoryle les enzymes impliquées dans le métabolisme du glycogène, ce qui déclenche simultanément la dégradation du glycogène en glucose et l'inhibition de la synthèse du glycogène. Cela augmente en quelques secondes la quantité de glucose disponible pour les cellules musculaires (*voir aussi* Figure 15-30). À l'autre extrême, on trouve des réponses qui prennent des heures pour se développer complètement et impliquent des modifications de la transcription de gènes spécifiques. Par exemple, dans les cellules qui sécrètent une hormone peptidique, la *somatostatine*, l'AMP cyclique active les gènes qui codent pour cette hormone. La région régulatrice du gène de la somatostatine contient une courte séquence d'ADN, l'*élément de réponse à l'AMP cyclique* (CRE pour *cyclic AMP response element*), retrouvé également dans la région régulatrice de beaucoup d'autres gènes activés par l'AMP

Figure 15-32 Activation de la protéine-kinase dépendant de l'AMP cyclique (PKA). La fixation de l'AMP cyclique sur les sous-unités régulatrices induit une modification de conformation qui dissocie ces dernières des sous-unités catalytiques, et active ainsi l'activité kinase des sous-unités catalytiques. La libération des sous-unités catalytiques nécessite la fixation de plus de deux molécules d'AMP cyclique sur les sous-unités régulatrices du tétramère. Ce besoin accentue fortement la réponse de la kinase aux modifications de l'AMP cyclique, comme nous l'avons vu précédemment. Les cellules de mammifères possèdent au moins deux types de PKA : le type I se trouve principalement dans le cytosol tandis que le type II est lié, via sa sous-unité régulatrice et ses protéines spécifiques d'ancrage, à la membrane plasmique, la membrane nucléaire, la membrane mitochondriale externe et les microtubules. Dans tous les cas, cependant, une fois que les sous-unités catalytiques sont libérées et actives, elles peuvent migrer dans le noyau (où elles peuvent phosphoryler les protéines régulatrices de gènes), tandis que les sous-unités régulatrices restent dans le cytoplasme. La structure tridimensionnelle du domaine protéine-kinase de la sous-unité catalytique de la PKA est montrée en figure 3-64.

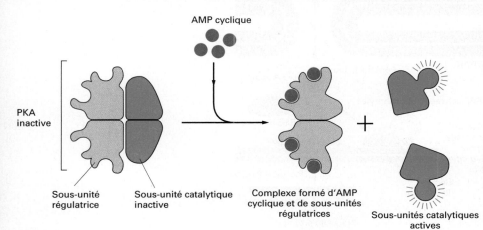

AMP cyclique

PKA inactive

Sous-unité régulatrice · Sous-unité catalytique inactive → Complexe formé d'AMP cyclique et de sous-unités régulatrices + Sous-unités catalytiques actives

cyclique. Une protéine régulatrice de gène spécifique, la **protéine se fixant au CRE** (CREB pour *CRE-binding protein*), reconnaît cette séquence. Lorsque la CREB est phosphorylée par la PKA sur une seule sérine, elle recrute un coactivateur transcriptionnel, la *protéine se fixant à CREB* (CBP pour *CREB-binding protein*) qui stimule la transcription de ces gènes (Figure 15-33). Si cette sérine subit une mutation, la CREB ne peut recruter la CBP et ne stimule plus la transcription génique en réponse à l'élévation de la concentration en AMP cyclique.

Les protéine-phosphatases rendent transitoires les effets de la PKA et des autres protéine-kinases

Comme les effets de l'AMP cyclique sont généralement transitoires, les cellules doivent pouvoir déphosphoryler les protéines phosphorylées par la PKA. En effet, l'activité de toute protéine régulée par phosphorylation dépend de l'équilibre à chaque instant entre l'activité des kinases qui la phosphorylent et des phosphatases qui la déphosphorylent constamment. En général, la déphosphorylation des sérines et des thréonines phosphorylées est catalysée par quatre types de **sérine/thréonine phosphoprotéine-phosphatases** – les protéine-phosphatases I, IIA, IIB et IIC. À part la protéine-phosphatase IIC (qui est une phosphatase mineure non apparentée aux autres), toutes ces phosphatases sont composées d'une sous-unité catalytique homologue complexée à une ou plusieurs sous-unités régulatrices appartenant à un grand ensemble; les sous-unités régulatrices facilitent le contrôle de l'activité phosphatase et permettent à l'enzyme de choisir des cibles spécifiques. La *protéine-phosphatase I* est responsable de la déphosphorylation de nombreuses protéines phosphorylées par la PKA. Elle inactive la CREB par exemple en éliminant son phosphate activateur, inactivant ainsi la réponse transcriptionnelle provoquée par l'augmentation de la concentration en AMP cyclique. La *protéine-phosphatase IIA* a une spécificité étendue

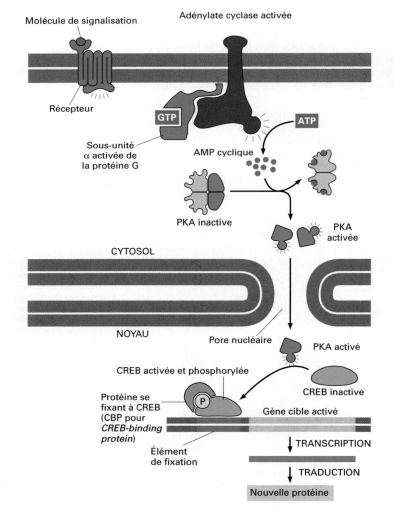

Figure 15-33 Mode d'activation de la transcription génique par l'augmentation de l'AMP cyclique. La fixation d'une molécule de signalisation extracellulaire sur un récepteur couplé aux protéines G conduit à l'activation de l'adénylate cyclase et à l'augmentation de la concentration en AMP cyclique. Cette augmentation active la PKA du cytosol et les sous-unités catalytiques libérées se déplacent alors dans le noyau où elles phosphorylent la protéine régulatrice de gènes CREB. Une fois phosphorylée, CREB recrute le coactivateur CBP qui stimule la transcription génique. Cette voie de signalisation contrôle de nombreux processus cellulaires, allant de la synthèse hormonale dans les cellules endocriniennes à la production, dans le cerveau, de protéines nécessaires à la mémorisation à long terme. Nous verrons ultérieurement que certaines kinases activées par l'augmentation du Ca^{2+} intracellulaire peuvent aussi phosphoryler la protéine CREB pour l'activer.

TABLEAU 15-II Quelques réponses cellulaires au cours desquelles les récepteurs couplés aux protéines G activent la voie de signalisation par les inositol phospholipides

TISSU CIBLE	MOLÉCULE DE SIGNALISATION	RÉPONSE PRINCIPALE
Foie	Vasopressine	Dégradation du glycogène
Pancréas	Acétylcholine	Sécrétion d'amylase
Muscles lisses	Acétylcholine	Contraction
Plaquettes sanguines	Thrombine	Agrégation

et semble être la principale phosphatase responsable de l'inversion de nombreuses phosphorylations catalysées par les sérine-thréonine kinases. La *protéine-phosphatase IIB*, appelée aussi *calcineurine*, est activée par Ca^{2+} et est particulièrement abondante dans le cerveau.

Après avoir vu comment les protéines G trimériques reliaient les récepteurs activés à l'adénylate cyclase, voyons maintenant comment elles couplent les récepteurs activés à une autre enzyme cruciale, la *phospholipase C*. L'activation de cette enzyme conduit à l'augmentation de la concentration cytosolique en Ca^{2+}, qui relaie le signal vers l'avant. Le Ca^{2+} est un médiateur intracellulaire encore plus largement utilisé que l'AMP cyclique.

Certaines protéines G activent la voie de signalisation des inositol phospholipides en activant la phospholipase C-β

Beaucoup de récepteurs couplés aux protéines G exercent leurs effets principalement via des protéines G qui activent une enzyme liée à la membrane plasmique, la **phospholipase C-β**. Plusieurs exemples de réponses activées par ce biais sont présentés dans le tableau 15-II. La phospholipase agit sur un inositol phospholipide (un *phosphoinositide*), le **phosphatidylinositol 4,5-bisphosphate [PI(4,5)P$_2$]**, présent en petites quantités dans la moitié interne de la bicouche lipidique de la membrane plasmique (Figure 15-34). Les récepteurs qui suivent la **voie de signalisation des inositol phospholipides** activent principalement une protéine G appelée **G$_q$** qui active, à son tour,

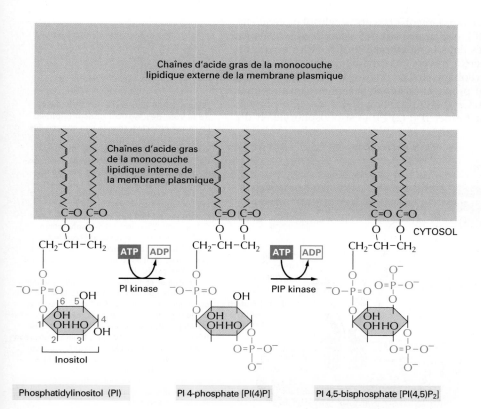

Figure 15-34 Trois types d'inositol phospholipides (phosphoinositides). Les polyphosphoinositides – PI(4)P et PI(4,5)P$_2$ – sont produits respectivement par la phosphorylation du phosphatidylinositol (PI) et de PI(4)P. Même si ces trois inositol phospholipides peuvent être dégradés comme réponse de signalisation, c'est la dégradation de PI(4,5)P$_2$ qui est la plus critique parce qu'elle génère deux médiateurs intracellulaires, comme cela est montré dans les deux figures suivantes. Néanmoins, PI(4,5)P$_2$ est le moins abondant, représentant moins de 10 p. 100 des inositol lipides totaux et moins de 1 p. 100 des phospholipides totaux d'une cellule. La numérotation conventionnelle des atomes de carbone du cycle inositol est montrée par les chiffres *rouges* sur la molécule de PI.

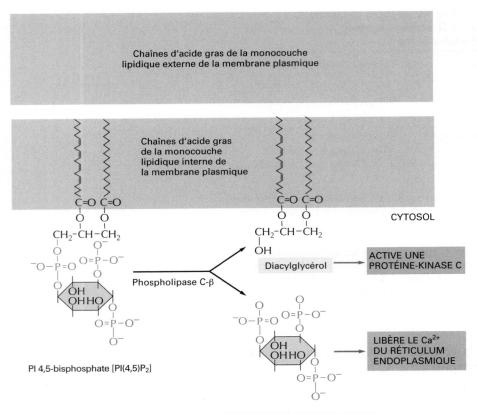

Figure 15-35 Hydrolyse du PI(4,5)P₂ par la phospholipase C-β. Deux médiateurs intracellulaires sont engendrés par l'hydrolyse de PI(4,5)P₂ : l'inositol 1,4,5-trisphosphate (IP₃) qui diffuse à travers le cytosol et libère le Ca²⁺ du RE et le diacylglycérol qui reste dans la membrane et facilite l'activation d'une enzyme, la protéine-kinase C (*voir* Figure 15-36). Il y a au moins trois classes de phospholipase C — β, γ et σ — et c'est la classe β qui est activée par les récepteurs couplés aux protéines G. Nous verrons ultérieurement que la classe γ est activée par une deuxième classe de récepteurs, les récepteurs de la tyrosine-kinase qui activent la voie de signalisation par les inositol phospholipides sans passer par les protéines G.

la phospholipase C-β, presque comme la G_s active l'adénylate cyclase. La phospholipase activée coupe le PI(4,5)P₂ pour générer deux produits : l'*inositol 1,4,5-trisphosphate* et le *diacylglycérol* (Figure 15-35). À cette étape, la voie de signalisation se divise en deux branches.

L'**inositol 1,4,5-trisphosphate (IP₃)** est une petite molécule hydrosoluble qui quitte la membrane plasmique et diffuse rapidement à travers le cytosol. Lorsqu'elle atteint le réticulum endoplasmique (RE), elle se fixe sur des *canaux de libération du Ca²⁺ à ouverture contrôlée par l'IP₃*, situés dans la membrane du RE, et les ouvre. Le Ca²⁺ mis en réserve dans le RE est libéré à travers ces canaux ouverts, ce qui augmente rapidement la concentration cytosolique en Ca²⁺ (Figure 15-36). Nous verrons ultérieurement comment Ca²⁺ agit pour propager le signal. Divers mécanismes opèrent pour terminer la réponse initiale au Ca²⁺ : (1) l'IP₃ est rapidement déphosphorylé par des phosphatases spécifiques pour former IP₂; (2) l'IP₃ est phosphorylé en IP₄

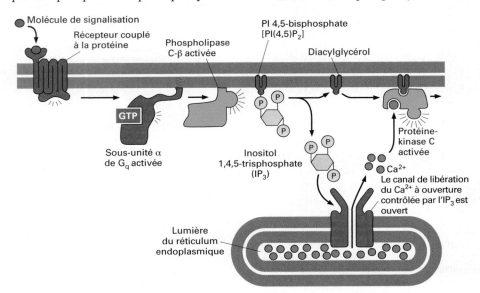

Figure 15-36 Les deux ramifications de la voie des inositol phospholipides. Le récepteur activé stimule une enzyme liée à la membrane, la phospholipase C-β via une protéine G. En fonction de l'isoforme de l'enzyme, il peut être activé par une sous-unité α de G_q comme cela est montré ici, par le complexe βγ d'une autre protéine G ou par les deux. Deux molécules messagers intracellulaires sont produites lors de l'hydrolyse du PI(4,5)P₂ par la phospholipase C-β activée. L'inositol 1,4,5-trisphosphate (IP₃) diffuse à travers le cytosol et libère le Ca²⁺ du réticulum endoplasmique en se fixant sur des canaux de libération du Ca²⁺ à ouverture contrôlée par les IP, situés dans la membrane du réticulum endoplasmique. Le fort gradient électrochimique de Ca²⁺ à travers la membrane provoque l'échappée du Ca²⁺ dans le cytosol. Le diacylglycérol reste dans la membrane plasmique et, associé à la phosphatidylsérine (non montrée ici) et au Ca²⁺, facilite l'activation d'une enzyme, la protéine-kinase C, qui est ramenée du cytosol sur la face cytosolique de la membrane plasmique. Sur les 11 isoformes différents ou plus de la PKC des mammifères, quatre au moins sont activés par le diacylglycérol.

(qui pourrait fonctionner comme un autre médiateur intracellulaire) ; et (3) le Ca^{2+} qui entre dans le cytosol est rapidement pompé à l'extérieur, principalement à l'extérieur de la cellule.

Pendant que l'IP_3 produit par l'hydrolyse du $PI(4,5)P_2$ augmente la concentration cytosolique en Ca^{2+}, l'autre produit de clivage du $Pi(4,5)P_2$, le **diacylglycérol**, exerce différents effets. Le diacylglycérol reste encastré dans la membrane, où il a deux rôles potentiels de signalisation. D'abord il peut être coupé encore plus pour libérer de l'acide arachidonique qui peut agir comme messager par lui-même ou servir à la synthèse d'autres petits messagers lipidiques, les *eicosanoïdes*. Les eicosanoïdes, comme les *prostaglandines*, sont fabriqués par la plupart des types cellulaires des vertébrés et ont une large gamme d'activités biologiques. Ils participent aux réponses douloureuses et inflammatoires, par exemple, et la plupart des médicaments anti-inflammatoires (comme l'aspirine, l'ibuprofène et la cortisone) agissent, du moins en partie, en inhibant leur synthèse.

La deuxième fonction, la plus importante, du diacylglycérol, est d'activer une sérine-thréonine protéine-kinase spécifique, la **protéine-kinase C (PKC)**, ainsi nommée parce qu'elle est Ca^{2+}-dépendante. L'augmentation initiale du Ca^{2+} cytosolique induite par l'IP_3 modifie la PKC de telle sorte qu'elle subit une translocation du cytosol à la face cytoplasmique de la membrane plasmique. Là, elle est activée par l'association de Ca^{2+}, de diacylglycérol et d'un phospholipide membranaire de charge négative, la phosphatidylsérine (*voir* Figure 15-36). Une fois activée, la PKC phosphoryle des protéines cibles qui varient selon le type cellulaire. Les principes sont les mêmes que ceux traités précédemment pour la PKA, même si la plupart des protéines cibles sont différentes.

Chacune des deux ramifications de la voie de signalisation des inositol phospholipides peut être reproduite dans les cellules intactes par l'addition de substances pharmacologiques spécifiques. Les effets de l'IP_3 peuvent être reproduits à l'aide d'un *ionophore à Ca^{2+}*, comme l'A23187 ou l'ionomycine, qui permet au Ca^{2+} de passer dans le cytosol à partir du liquide extracellulaire (*voir* Chapitre 11). Les effets du diacylglycérol peuvent être reproduits par les *esters de phorbol*, produits végétaux qui se fixent sur la PKC et l'activent directement. L'utilisation de ces réactifs a permis de montrer que les deux ramifications de cette voie collaborent souvent pour produire une réponse cellulaire complète. Certains types cellulaires, comme les lymphocytes, par exemple, peuvent être amenés à proliférer en culture lorsqu'ils sont traités à la fois avec un ionophores à Ca^{2+} et un activateur de la PKC, mais pas lorsqu'ils sont traités avec un seul de ces deux réactifs.

Le Ca^{2+} fonctionne comme un messager intracellulaire ubiquiste

Beaucoup de signaux extracellulaires induisent l'augmentation de la concentration en Ca^{2+} cytosolique, en dehors de ceux qui passent par les protéines G. Dans les ovules, par exemple, l'augmentation brutale de la concentration en Ca^{2+} cytosolique, lors de la fécondation par un spermatozoïde, déclenche une onde de Ca^{2+} responsable du commencement du développement embryonnaire (Figure 15-37). Dans les cellules musculaires, Ca^{2+} déclenche des contractions et dans beaucoup de cellules sécrétrices, y compris les cellules nerveuses, il déclenche la sécrétion. Ca^{2+} peut servir ainsi de signal parce que sa concentration est normalement maintenue très basse ($\sim10^{-7}M$) dans le cytosol et élevée ($\sim10^{-3}M$) dans le liquide extracellulaire et la lumière du RE. De ce fait, il existe un fort gradient qui a tendance à entraîner Ca^{2+} dans le cytosol à travers la membrane plasmique et la membrane du RE. Lorsqu'un signal ouvre transitoirement les canaux à Ca^{2+} dans une de ces membranes, Ca^{2+} se précipite dans le cytosol, augmentant la concentration locale en Ca^{2+} par 10 à 20 et déclenchant des protéines de réponse au Ca^{2+} dans la cellule.

Figure 15-37 Fécondation d'un ovule par un spermatozoïde déclenchant une augmentation du Ca^{2+} cytosolique. Cet ovule d'étoile de mer a reçu une injection d'un colorant fluorescent sensible au Ca^{2+} avant d'être fécondé. On observe une onde de Ca^{2+} cytosolique (en *rouge*) libéré du réticulum endoplasmique qui avance rapidement le long de l'ovule à partir du site de pénétration du spermatozoïde (*flèche*). Cette onde de Ca^{2+} provoque la modification de la surface de l'ovule qui empêche l'entrée d'autres spermatozoïdes et initie également le développement embryonnaire (*voir* Chapitre 20). (Due à l'obligeance de Stephen A. Stricker.)

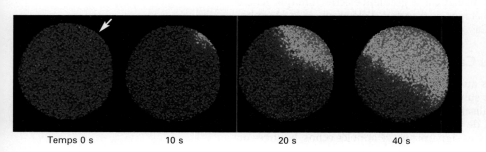

Temps 0 s   10 s   20 s   40 s

Figure 15-38 Principales voies permettant à une cellule eucaryote de maintenir une très basse concentration en Ca²⁺ libre dans son cytosol. (A) Le Ca²⁺ est activement pompé du cytosol vers l'extérieur de la cellule. (B) Le Ca²⁺ est pompé dans le RE et les mitochondries et diverses molécules de la cellule se fixent solidement sur le Ca²⁺ libre.

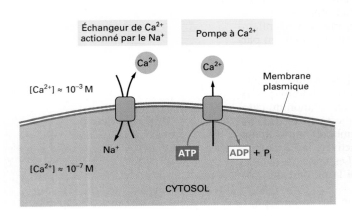

(A)

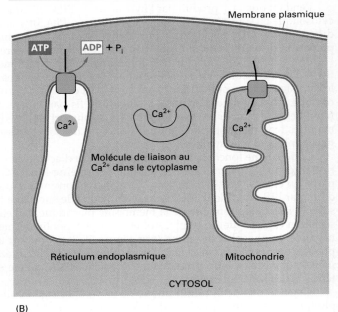

(B)

Il existe trois principaux types de canaux à Ca²⁺ qui peuvent permettre cette signalisation calcique :

1. Les *canaux à Ca²⁺ dépendant du voltage* de la membrane plasmique s'ouvrent en réponse à la dépolarisation de la membrane et permettent, par exemple, au Ca²⁺ d'entrer dans les terminaisons nerveuses activées et de déclencher la sécrétion de neurotransmetteurs.

2. Les *canaux de libération de Ca²⁺ à ouverture contrôlée par l'IP₃* permettent au Ca²⁺ de s'échapper du RE lorsque la voie de signalisation par les inositol phospholipides est activée, comme nous venons de le voir (*voir* Figure 15-36).

3. Les *récepteurs de la ryanodine* (ainsi nommés parce qu'ils sont sensibles à un alcaloïde végétal, la ryanodine) réagissent à une modification du potentiel de la membrane plasmique en libérant le Ca²⁺ du réticulum sarcoplasmique et stimulent ainsi la contraction des cellules musculaires ; ils sont aussi présents dans le RE de nombreuses cellules non musculaires, y compris les neurones, où ils peuvent contribuer à la signalisation par Ca²⁺.

Divers mécanismes maintiennent une faible concentration en Ca²⁺ dans le cytosol des cellules au repos (Figure 15-38). En particulier, toutes les cellules eucaryotes possèdent une pompe à Ca²⁺ dans leur membrane plasmique qui utilise l'énergie de l'hydrolyse de l'ATP pour pomper Ca²⁺ à l'extérieur du cytosol. Les cellules qui utilisent de façon extensive la signalisation par Ca²⁺, comme les cellules nerveuses et musculaires, possèdent une autre protéine de transport de Ca²⁺ (un échangeur) dans leur membrane plasmique qui couple la sortie de Ca²⁺ à l'entrée de Na⁺. Une pompe à Ca²⁺ de la membrane du RE joue aussi un rôle important dans le maintien d'une faible concentration cytosolique en Ca²⁺ : cette pompe à Ca²⁺ permet au RE d'absorber de grandes quantités de Ca²⁺ issu du cytosol contre son important gradient de concentration, même lorsque les concentrations cytosoliques en Ca²⁺ sont faibles. En plus, une pompe à Ca²⁺ de la membrane mitochondriale interne, de faible affinité et de forte capacité, joue un rôle important dans le retour à la normale de la concentration en Ca²⁺ après un signal de Ca²⁺ ; elle utilise le gradient électrochimique généré à travers cette membrane pendant les étapes de transfert d'électrons de la phosphorylation oxydative pour prendre du Ca²⁺ dans le cytosol.

La fréquence des oscillations du Ca²⁺ influence la réponse de la cellule

Des indicateurs fluorescents sensibles au Ca²⁺ comme l'aéquorine ou le fura-2 (*voir* Chapitre 9) sont souvent utilisés pour suivre le Ca²⁺ cytosolique dans chaque cellule après l'activation de la voie de signalisation par les inositol phospholipides. Lorsqu'on l'observe ainsi, le signal initial de Ca²⁺ semble être petit et localisé à une ou plusieurs petites régions de la cellule. Ces signaux ont été appelés échos, bouffées ou étincelles et on pense qu'ils reflètent l'ouverture locale d'un canal de libération du Ca^{2+} (ou d'un petit groupe de canaux) dans le RE et représentent l'unité élémentaire de signalisation par le Ca^{2+}. Si le signal extracellulaire est suffisamment fort et persistant, ce signal localisé peut se propager comme une onde régénératrice de Ca^{2+} à travers le cytosol, de type potentiel d'action dans un axone (*voir* Figure 15-37). Ce pic de Ca^{2+} est souvent suivi d'une série d'autres pics, durant chacun quelques secondes en général (Figure 15-39). Ces oscillations de Ca^{2+} peuvent persister aussi longtemps que les récepteurs sont activés à la surface cellulaire. On pense que les ondes et les oscillations dépendent, du moins en partie, de l'association de rétrocontrôles positifs et négatifs par Ca^{2+} sur les canaux de libération de Ca^{2+} à ouverture contrôlée par l'IP_3 et sur les récepteurs de la ryanodine : la libération initiale de Ca^{2+} induit une nouvelle libération de Ca^{2+}, un processus appelé libération de Ca^{2+} induite par Ca^{2+}. Mais ensuite, lorsque sa concentration devient assez élevée, Ca^{2+} inhibe la poursuite de sa libération.

La fréquence de ces oscillations de Ca^{2+} reflète la force du stimulus extracellulaire (*voir* Figure 15-39) et peut se traduire par une réponse cellulaire dépendant de la fréquence. Dans certains cas, cette réponse fréquence-dépendante est elle-même oscillatoire. Dans les cellules hypophysaires sécrétrices d'hormones, par exemple, la stimulation par un signal extracellulaire induit des pics répétés de Ca^{2+}, dont chacun est associé à une poussée de sécrétion hormonale. La réponse dépendant de la fréquence peut aussi être non oscillatoire. Dans certains types de cellules, par exemple, une fréquence de pics de Ca^{2+} active la transcription d'un groupe de gènes tandis qu'une fréquence supérieure active la transcription d'un groupe différent. Comment les cellules sentent-elles la fréquence des pics de Ca^{2+} et modifient-elles leur réponse en fonction ? Ce mécanisme dépend probablement de protéines sensibles au Ca^{2+} qui modifient leur activité en fonction de la fréquence des pics de Ca^{2+}. Une protéine-kinase dont nous parlerons dans le paragraphe suivant, qui agit comme un instrument mnésique moléculaire, semble avoir cette propriété remarquable.

Les protéine-kinases Ca^{2+}/calmoduline-dépendantes (CaM-kinases) servent d'intermédiaires à de nombreuses actions de Ca^{2+} dans les cellules animales

Les protéines de liaison à Ca^{2+} servent de transducteurs du signal cytosolique de Ca^{2+}. La première découverte de ces protéines a été la *troponine C* des cellules des muscles squelettiques ; son rôle dans la contraction musculaire est traité au chapitre 16. Une protéine de liaison à Ca^{2+} très proche, la **calmoduline**, se retrouve dans toutes les cellules eucaryotes, où elle peut constituer jusqu'à 1 p. 100 de la masse protéique totale. La calmoduline fonctionne comme un récepteur multifonctionnel intracellulaire de Ca^{2+}, qui est l'intermédiaire de nombreux processus régulés par Ca^{2+}. Elle est composée d'une seule chaîne polypeptidique hautement conservée, pourvue de quatre sites de liaison à Ca^{2+} de forte affinité (Figure 15-40A). Lorsqu'elle est activée par la

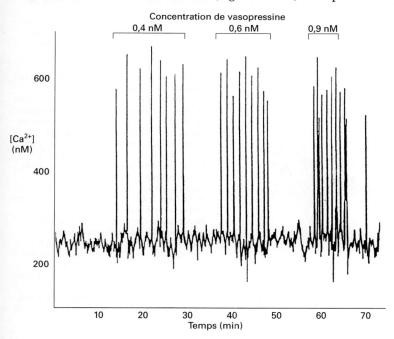

Figure 15-39 Oscillations de Ca^{2+} induites par la vasopressine dans un hépatocyte. La cellule a été chargée d'une protéine sensible au Ca^{2+}, l'aéquorine, puis exposée à une concentration de plus en plus grande en vasopressine. Notez que la fréquence des pics de Ca^{2+} augmente avec l'augmentation de la concentration en vasopressine mais que l'amplitude de ces pics n'est pas modifiée. (Adapté d'après N.M. Woods, K.S.R. Cuthbertson et P.H. Cobbold, *Nature* 319 : 600-602, 1986.)

liaison d'un Ca²⁺, elle subit une modification de conformation. Comme il faut au moins que deux ions Ca²⁺ se soient fixés avant que la calmoduline n'adopte sa conformation active, la protéine répond selon un mode de type commutation à l'augmentation de la concentration en Ca²⁺ (*voir* Figure 15-22) : l'augmentation par dix de la concentration en Ca²⁺ par exemple, provoque typiquement l'augmentation par cinquante de l'activation de la calmoduline.

L'activation allostérique de la calmoduline par Ca²⁺ est analogue à l'activation allostérique de la PKA par l'AMP cyclique, sauf que la molécule Ca²⁺/calmoduline n'a pas d'activité enzymatique propre mais agit par contre en fixant d'autres protéines. Dans certains cas la calmoduline sert de sous-unité de régulation permanente d'un complexe enzymatique, mais la fixation de Ca²⁺ permet surtout à la calmoduline de fixer diverses protéines cibles cellulaires pour modifier leur activité.

Lorsqu'une molécule activée de Ca²⁺/calmoduline se fixe sur sa protéine cible, elle subit une modification marquée de sa conformation (Figure 15-40B). Parmi les cibles régulées par la fixation de la calmoduline se trouvent de nombreuses enzymes et protéines de transport membranaire. Par exemple, la Ca²⁺/calmoduline se fixe et active la pompe à Ca²⁺ de la membrane plasmique qui pompe le Ca²⁺ à l'extérieur de la cellule. De ce fait, à chaque fois que la concentration en Ca²⁺ dans le cytosol s'élève, la pompe est activée, ce qui permet le retour à la normale de la concentration cytosolique en Ca²⁺.

Beaucoup d'effets de Ca²⁺, cependant, sont plus indirects et passent par des phosphorylations protéiques catalysées par une famille de **protéine-kinases Ca²⁺/calmoduline-dépendantes (CaM-kinases)**. Ces kinases, tout comme la PKA et la PKC, phosphorylent les sérines ou les thréonines des protéines et, comme pour la PKA et la PKC, la réponse d'une cellule cible dépend de la protéine cible régulée par la CaM-kinase présente dans la cellule. Les premières CaM-kinases découvertes – la *kinase de la chaîne légère de la myosine*, qui active la contraction des muscles lisses et la *phosphorylase-kinase* qui active la dégradation du glycogène – ont des spécificités étroites de substrat. Un certain nombre de ces CaM-kinases, cependant, ont des spécificités bien plus larges et semblent être responsables de la médiation de nombreuses actions du Ca²⁺ dans les cellules animales. Certaines phosphorylent des protéines régulatrices de gènes comme la protéine CREB dont nous avons parlé et activent ou inhibent ainsi la transcription de gènes spécifiques.

L'exemple le mieux étudié de ce type de *CaM-kinase multifonctionnelle* est la **CaM-kinase II** retrouvée dans toutes les cellules animales, et en particulier dans le système nerveux. Elle constitue jusqu'à 2 p. 100 de la masse protéique totale de certaines régions du cerveau et est très concentrée dans les synapses. La CaM-kinase II présente au moins deux propriétés remarquables apparentées. Premièrement, elle peut fonctionner comme un instrument mnésique moléculaire, passant dans son état actif lorsqu'elle est exposée à la Ca²⁺/calmoduline puis restant active même après l'élimination du signal Ca²⁺. Cela est dû à l'*autophosphorylation* de cette kinase lorsqu'elle est activée par la Ca²⁺/calmoduline, tout comme le font aussi d'autres protéines. Dans son état autophosphorylé, l'enzyme reste active même en l'absence de

Figure 15-40 Structure de la Ca²⁺/calmoduline, fondée sur la diffraction des rayons X et des études RMN. (A) La molécule a la forme d'un haltère avec deux extrémités globulaires reliées par une longue hélice α exposée. Chaque extrémité a deux domaines de liaison au Ca²⁺ constitués chacun d'une boucle de 12 acides aminés dans laquelle les chaînes latérales d'acide aspartique et d'acide glutamique forment des liaisons ioniques avec Ca²⁺. Les deux sites de fixation du Ca²⁺ de la partie carboxyle-terminale de la molécule ont une affinité 10 fois supérieure pour le Ca²⁺ que les deux situés dans la partie amino-terminale. En solution, la molécule est souple, montrant une variété de formes, allant d'allongée (comme cela est montré ici) à plus compacte. (B) La modification structurale majeure de la Ca²⁺/calmoduline qui se produit lorsqu'elle se fixe sur une protéine cible (dans cet exemple, un peptide, composé d'un domaine de liaison à la Ca²⁺/calmoduline d'une protéine-kinase dépendante de la Ca²⁺/calmoduline). Notez que la Ca²⁺/calmoduline s'est «mise en portefeuille» pour entourer le peptide. (A, d'après les données de cristallographie aux rayons X de Y.S. Babu et al., *Nature* 315 : 37-40, 1985 ; B, d'après les données de cristallographie aux rayons X de W.E. Meador, A.R. Means et F.A. Quiocho, *Science* 257 : 1251-1255, 1992 et sur les données de RMN de M. Ikura et al., *Science* 256 : 632-638, 1992. © AAAS.)

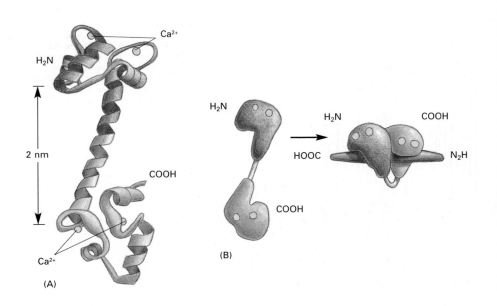

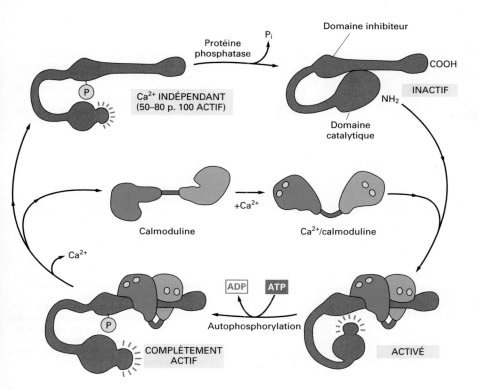

Figure 15-41 Activation de la CaM-kinase II. Cette enzyme est un gros complexe protéique d'environ 12 sous-unités ; aussi, pour plus de simplicité, une seule sous-unité est montrée. Les sous-unités sont de quatre types homologues (α, β, γ et σ) exprimés en différentes proportions dans les différents types cellulaires. En l'absence de Ca²⁺/calmoduline, l'enzyme est inactive du fait d'une interaction entre le domaine inhibiteur et le domaine catalytique. La fixation de Ca²⁺/calmoduline modifie la conformation de la protéine et permet au domaine catalytique de phosphoryler le domaine inhibiteur des sous-unités voisines du complexe ainsi que d'autres protéines de la cellule (non montré ici). L'autophosphorylation du complexe enzymatique (par phosphorylation mutuelle de ses sous-unités) prolonge l'activité enzymatique de deux façons. D'abord elle piège la Ca²⁺/calmoduline de telle sorte qu'elle ne se dissocie pas du complexe enzymatique jusqu'à ce que la concentration cytosolique en Ca²⁺ retourne aux valeurs basales pendant au moins 10 secondes (non montré ici). Deuxièmement, elle convertit l'enzyme en une forme indépendante du Ca²⁺ de telle sorte que la kinase reste active même après la dissociation de la Ca²⁺/calmoduline. Cette activité se poursuit jusqu'à ce que le processus d'autophosphorylation soit annulé par une protéine-phosphatase.

Ca²⁺, ce qui prolonge ainsi la durée de l'activité de la kinase au-delà de celle du signal initial d'activation par le Ca²⁺. Cette activité est maintenue jusqu'à ce que les phosphatases submergent l'activité d'autophosphorylation de l'enzyme et l'inactivent (Figure 15-41). L'activation de la CaM-kinase II peut donc servir de trace mnésique d'une impulsion de Ca²⁺ antérieure et semble jouer un rôle important dans certains types de mémoire et d'apprentissage dans le système nerveux des vertébrés. Les souris mutantes dépourvues de la sous-unité spécifique du cerveau illustrée en figure 15-41 présentent des anomalies spécifiques de leur capacité à se souvenir de la situation des choses dans l'espace. Une mutation ponctuelle dans la CaM-kinase II qui élimine son site d'autophosphorylation, tout en laissant l'activité kinase intacte, produit les mêmes anomalies d'apprentissage, ce qui révèle que l'autophosphorylation est critique chez ces animaux.

La deuxième propriété remarquable de la CaM-kinase II est qu'elle peut utiliser ses mécanismes mnésiques pour agir comme un décodeur de fréquence des oscillations de Ca²⁺. On pense que cette propriété est particulièrement importante au niveau de la synapse des cellules nerveuses, où les modifications des concentrations intracellulaires en Ca²⁺ dans la cellule post-synaptique activée peuvent conduire à des modifications à long terme de l'efficacité ultérieure de cette synapse (*voir* Chapitre 11). Lorsque la CaM-kinase II est immobilisée sur une surface solide et exposée à une protéine phosphatase et à des impulsions répétitives de Ca²⁺/calmoduline à des fréquences différentes qui reproduisent celles observées dans les cellules stimulées, l'activité de l'enzyme augmente par étapes proportionnelles à la fréquence de l'impulsion (Figure 15-42). De plus, la fréquence de la réponse de cette enzyme à multiples sous-unités dépend de sa composition exacte en sous-unités, de telle sorte que la cellule peut adapter sa réponse aux oscillations de Ca²⁺ en fonction de ses besoins spécifiques en ajustant la composition de l'enzyme CaM-kinase II qu'elle fabrique.

Certaines protéines G régulent directement les canaux ioniques

Les protéines G n'agissent pas exclusivement en régulant l'activité des enzymes liées à la membrane qui modifient la concentration en AMP cyclique ou en Ca²⁺ dans le cytosol. La sous-unité α d'un type de protéine G (la G_{12}) par exemple, active une protéine qui convertit une GTPase monomérique de la famille Rho (*voir* Chapitre 16) en sa forme active qui modifie alors le cytosquelette d'actine. Dans d'autres cas, la protéine G active ou inactive directement les canaux ioniques de la membrane plasmique de la cellule cible, modifiant ainsi la perméabilité ionique – et l'excitabilité de la membrane. L'acétylcholine libérée par le nerf vague, par exemple, réduit à la fois la vi-

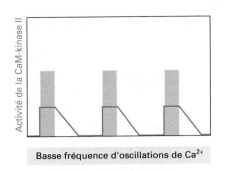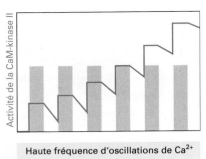

Figure 15-42 La CaM-kinase II est un décodeur de fréquence des oscillations du Ca²⁺.

Figure 15-42 La CaM-kinase II est un décodeur de fréquence des oscillations du Ca²⁺. (A) Aux basses fréquences de pics de Ca²⁺ (*barres grises*), les enzymes deviennent inactives après chaque pic car l'autophosphorylation induite par la fixation de Ca²⁺/calmoduline ne maintient pas l'activité enzymatique assez longtemps pour que l'enzyme reste active jusqu'à ce que le pic suivant de Ca²⁺ arrive. (B) À une fréquence de pics supérieure, cependant, l'enzyme ne peut s'inactiver complètement entre les pics de Ca²⁺ de telle sorte que son activité forme des paliers en augmentant à chaque pic. Si la fréquence des pics était assez haute, cette augmentation progressive de l'activité enzymatique continuerait jusqu'à ce que l'enzyme soit autophosphorylée sur toutes ses sous-unités et soit ainsi activée au maximum. Une fois qu'il y a suffisamment de sous-unités autophosphorylées, l'enzyme peut être maintenue dans cet état hautement actif même avec une fréquence relativement basse de pics de Ca²⁺ (une forme de mémoire cellulaire). La fixation de Ca²⁺/calmoduline sur l'enzyme est améliorée par l'autophosphorylation de la CaM-kinase II (une forme de rétrocontrôle positif), ce qui fait que la réponse de l'enzyme à des pics répétés de Ca²⁺ montre un seuil considérable dans sa fréquence de réponse, comme nous l'avons vu précédemment.

tesse et la force de la contraction des cellules musculaires cardiaques (*voir* Figure 15-9A). Une classe spécifique de récepteurs à l'acétylcholine qui activent la protéine G_i dont nous avons déjà parlé sont les médiateurs de cet effet. Une fois activée, la sous-unité α de G_i inhibe l'adénylate cyclase (comme nous l'avons déjà dit) tandis que le complexe βγ se fixe sur les canaux à K⁺ de la membrane plasmique des cellules musculaires cardiaques pour les ouvrir. L'ouverture de ces canaux à K⁺ augmente la difficulté à dépolariser la cellule, ce qui contribue à l'effet inhibiteur de l'acétylcholine sur le cœur. (Ces récepteurs à l'acétylcholine qui peuvent être activés par un alcaloïde fongique, la muscarine, sont appelés *récepteurs muscariniques à l'acétylcholine* pour les distinguer des *récepteurs nicotiniques à l'acétylcholine* très différents qui sont couplés aux canaux ioniques des muscles squelettiques et des cellules nerveuses et peuvent être activés par la liaison de nicotine ainsi que par l'acétylcholine.)

D'autres protéines G trimériques régulent moins directement l'activité des canaux ioniques en stimulant la phosphorylation des canaux (par la PKA, la PKC ou la CaM-kinase, par exemple) ou en causant la production ou la destruction de nucléotides cycliques qui activent ou inactivent directement les canaux ioniques. Les *canaux ioniques à ouverture contrôlée par les nucléotides cycliques* ont un rôle crucial dans l'odorat (olfaction) et la vision, que nous aborderons dans le paragraphe suivant.

L'odorat et la vision dépendent de récepteurs couplés aux protéines G qui régulent les canaux ioniques à ouverture contrôlée par les nucléotides cycliques

Les hommes peuvent distinguer plus de 10 000 odeurs différentes, détectées par des neurorécepteurs olfactifs spécifiques qui tapissent les narines. Ces cellules reconnaissent les odeurs grâce à des **récepteurs olfactifs** spécifiques couplés aux protéines G qui sont exposés à la surface de cils modifiés qui s'allongent à partir de chaque cellule (Figure 15-43). Ces récepteurs agissent par l'intermédiaire de l'AMP cyclique. Lorsqu'ils sont stimulés par la fixation d'une substance odorante, ils activent une protéine G spécifique de l'olfaction (la G_{olf}) qui active à son tour l'adénylate cyclase. L'augmentation de l'AMP cyclique qui en résulte ouvre les *canaux à cations à ouverture contrôlée par l'AMP cyclique*, ce qui permet l'entrée de Na⁺ qui dépolarise le neurone récepteur olfactif et initie un influx nerveux qui se déplace le long de l'axone jusqu'au cerveau.

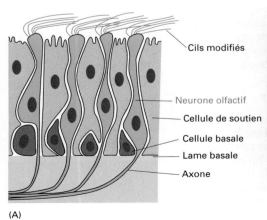

(A)

(B)

Figure 15-43 Neurones récepteurs de l'olfaction. (A) Ce schéma montre une coupe d'un épithélium olfactif nasal. Les neurones récepteurs de l'olfaction possèdent des cils modifiés qui se projettent à partir de la surface de l'épithélium et contiennent les récepteurs olfactifs ainsi que la machinerie de transduction du signal. L'axone, qui s'étend à partir de l'extrémité opposée du neurone récepteur, transporte les signaux électriques jusqu'au cerveau lorsque la cellule est activée par une odeur et produit un potentiel d'action. Les cellules basales agissent comme des cellules souches produisant de nouveaux neurones récepteurs tout au long de la vie, pour remplacer ceux qui meurent. (B) Photographie en microscopie électronique des cils à la surface d'un neurone olfactif. (B, d'après E.E. Morrison et R.M. Costanzo, *J. Comp. Neurol.* 297 : 1–13, 1990. © Wiley-Liss, Inc.)

Cils modifiés
Neurone olfactif
Cellule de soutien
Cellule basale
Lame basale
Axone

Il y a environ 1000 récepteurs olfactifs différents chez une souris, chacun codé par un gène différent et chacun reconnaissant un ensemble différent d'odeurs. Tous ces récepteurs appartiennent à la superfamille des récepteurs couplés aux protéines G. Chaque neurone olfactif récepteur produit un seul de ces 1000 récepteurs et le neurone répond à un ensemble spécifique d'odeurs par l'intermédiaire du récepteur spécifique qu'il expose. Ce même récepteur a aussi un rôle crucial pour diriger l'axone en phase d'allongement de chaque neurone olfactif en développement jusqu'aux neurones cibles spécifiques auxquels il se connectera dans le cerveau. Un autre groupe de plus de 100 récepteurs couplés aux protéines G agit de façon similaire en tant que médiateur de la réponse de la souris aux *phéromones*, ces signaux chimiques détectés dans une autre partie du nez et qui sont utilisés pour la communication entre les membres d'une même espèce.

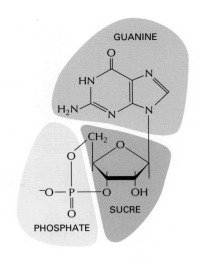

La vision des vertébrés implique un processus de détection des signaux hautement sensible et tout aussi complexe. Les canaux ioniques à ouverture contrôlée par les nucléotides cycliques sont également impliqués mais le nucléotide cyclique crucial est le **GMP cyclique** (Figure 15-44) et non pas l'AMP cyclique. Comme pour l'AMP cyclique, la concentration en GMP cyclique dans les cellules est contrôlée par sa synthèse continue et rapide (par la *guanylate cyclase*) et sa dégradation rapide (par la *GMP cyclique phosphodiestérase*).

Figure 15-44 GMP cyclique.

Lors des réponses de transduction visuelle passant par les protéines G, qui sont les plus rapides connues chez les vertébrés, l'activation des récepteurs provoquée par la lumière conduit à la baisse de la concentration en nucléotide cyclique plutôt qu'à son augmentation. Cette voie a été particulièrement bien étudiée pour les **photorécepteurs des bâtonnets** de la rétine des vertébrés. Les bâtonnets sont responsables de la vision non colorée en faible lumière alors que les *photorécepteurs des cônes* sont responsables de la vision en couleur en lumière vive. Un bâtonnet est une cellule hautement spécialisée qui présente des segments interne et externe, un corps cellulaire et une région synaptique où le signal chimique est transmis à la cellule nerveuse rétinienne ; cette cellule nerveuse relaie à son tour le signal le long de la voie visuelle (Figure 15-45). L'appareil de phototransduction se trouve dans le segment externe qui contient un empilement de *disques*, constitués chacun d'un sac membranaire fermé dans lequel de nombreuses molécules photosensibles de **rhodopsine** sont encastrées. La membrane plasmique qui entoure le segment externe contient des canaux à Na⁺ *à ouverture contrôlée par le GMP cyclique*. Ces canaux sont maintenus ouverts à l'obscurité par le GMP cyclique qui leur est lié. Paradoxalement, la lumière provoque une hyperpolarisation (qui inhibe la signalisation synaptique) plutôt qu'une dépolarisation de la membrane plasmique (qui pourrait stimuler la signalisation synaptique). L'hyperpolarisation (augmentation du potentiel membranaire – *voir* Chapitre 11) qui provient de l'activation par la lumière des molécules de rhodopsine dans la membrane des disques conduit à la chute de la concentration en GMP cyclique et à la *fermeture* des canaux à Na⁺ spécifiques de la membrane plasmique périphérique (Figure 15-46).

La rhodopsine est une molécule à sept domaines transmembranaires homologues aux autres membres de la famille des récepteurs couplés aux protéines G et, comme ses cousines, elle agit par l'intermédiaire d'une protéine G trimérique. Le signal d'activation extracellulaire, cependant, n'est pas une molécule mais un photon lumineux. Chaque molécule de rhodopsine contient un chromophore fixé de façon covalente, le 11-*cis* rétinal, qui s'isomérise presque instantanément en rétinal *all-trans* lorsqu'il absorbe un seul photon. L'isomérisation modifie la forme du rétinal, entraînant de force une modification de conformation de la protéine (opsine). La molécule de rhodopsine activée modifie alors une protéine G, la *transducine* (G_t), ce qui entraîne la dissociation de sa sous-unité α et active la **GMP cyclique phosphodiestérase**. Cette phosphodiestérase hydrolyse alors le GMP cyclique pour baisser la concentration cytosolique en GMP cyclique. Cette chute de la concentration en GMP cyclique conduit à une baisse de la quantité de GMP cyclique fixé sur les canaux à Na⁺ de la membrane plasmique, ce qui permet la fermeture d'un plus grand nombre de ces canaux très sensibles au GMP cyclique. Le signal passe ainsi rapidement des membranes des disques à la membrane plasmique et le signal lumineux est transformé en un signal électrique.

Plusieurs mécanismes opèrent dans les bâtonnets pour permettre aux cellules de retourner rapidement à leur état de repos, celui de l'obscurité, immédiatement après un éclair lumineux – ce qui est nécessaire pour pouvoir percevoir la brièveté de l'éclair. Une *kinase spécifique de la rhodopsine (RK)* phosphoryle la queue cytosolique

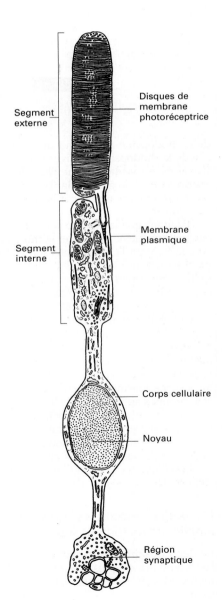

Figure 15-45 Une cellule photoréceptrice en bâtonnet. Il y a environ 1 000 disques dans le segment externe. Les membranes des disques ne sont pas reliées à la membrane plasmique.

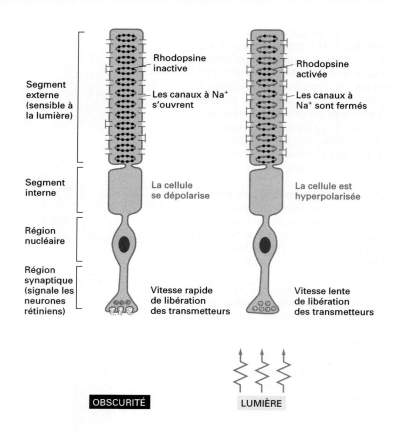

Segment externe (sensible à la lumière)

Rhodopsine inactive

Les canaux à Na⁺ s'ouvrent

Rhodopsine activée

Les canaux à Na⁺ sont fermés

Segment interne

La cellule se dépolarise

La cellule est hyperpolarisée

Région nucléaire

Région synaptique (signale les neurones rétiniens)

Vitesse rapide de libération des transmetteurs

Vitesse lente de libération des transmetteurs

OBSCURITÉ

LUMIÈRE

Figure 15-46 La réponse à la lumière d'un photorécepteur de bâtonnet.
Les molécules de rhodopsine des disques des segments externes absorbent des photons. Cette absorption conduit à la fermeture des canaux à Na⁺ de la membrane plasmique, ce qui hyperpolarise la membrane et réduit la vitesse de libération des neurotransmetteurs à partir de la région synaptique. Comme les neurotransmetteurs agissent pour inhiber beaucoup de neurones rétiniens post-synaptiques, l'illumination permet de libérer les neurones de l'inhibition et ainsi, en effet, de les exciter.

de la rhodopsine activée sur de nombreuses sérines inhibant partiellement la capacité de la rhodopsine à activer la transducine. Une protéine inhibitrice, l'*arrestine*, se fixe alors sur la rhodopsine phosphorylée, ce qui inhibe encore plus l'activité de la transducine. Si le gène codant pour la RK est inactivé par mutation chez une souris ou un homme, la réponse à la lumière est très prolongée et les bâtonnets finissent par mourir.

Pendant que la rhodopsine est inactivée, une protéine RGS (*voir* p. 854) se fixe sur la transducine activée et stimule l'hydrolyse par la transducine de son GTP lié en GDP, ce qui la remet dans son état inactif. De plus, les canaux à Na⁺ qui se ferment en réponse à la lumière sont aussi perméables au Ca²⁺ de telle sorte que lorsqu'ils se ferment, l'entrée normale de Ca²⁺ est inhibée, et la concentration cytosolique en Ca²⁺ chute. Cette baisse de la concentration en Ca²⁺ stimule la guanylate cyclase qui réapprovisionne le GMP cyclique et rétablit rapidement la concentration au niveau où elle était avant que la lumière soit allumée. Une protéine spécifique sensible au Ca²⁺ est l'intermédiaire de l'activation de la guanylate cyclase en réponse à la baisse de la concentration en Ca²⁺. Contrairement à la calmoduline, cette protéine est inactive lorsqu'elle est liée au Ca²⁺ et active lorsqu'elle ne l'est pas. Elle stimule donc la cyclase lorsque la concentration en Ca²⁺ s'effondre après la réponse lumineuse.

Ces mécanismes d'inactivation ne remettent pas simplement le bâtonnet dans son état de repos après un éclair lumineux ; ils permettent aussi aux photorécepteurs de *s'adapter* en réduisant l'intensité de leur réponse lorsqu'ils sont exposés continuellement à la lumière. L'adaptation comme nous l'avons vu précédemment, permet aux cellules réceptrices de fonctionner comme des détecteurs sensibles aux *variations* de l'intensité du stimulus dans une gamme extrêmement large de stimulation de base.

Les diverses protéines G trimériques que nous avons vu dans ce chapitre sont résumées dans le tableau 15-III.

De petits médiateurs intracellulaires ou des cascades enzymatiques amplifient fortement les signaux

En dépit des différences moléculaires, les systèmes de signalisation déclenchés par les récepteurs couplés aux protéines G présentent certaines caractéristiques communes et sont gouvernés par des principes généraux similaires. Ils dépendent de chaînes de relais intracellulaires formées de protéines de signalisation et de petits

TABLEAU 15-III Trois familles majeures de protéines G trimériques*

FAMILLE	QUELQUES MEMBRES DE LA FAMILLE	ACTION EFFECTUÉE PAR L'INTERMÉDIAIRE DE	FONCTIONS
I	G_s	α	Active l'adénylate cyclase ; active les canaux à Ca^{2+}
	G_{olf}	α	Active l'adénylate cyclase dans les neurones sensoriels olfactifs
II	G_i	α	Inhibe l'adénylate cyclase
		βγ	Active les canaux à K^+
	G_o	βγ	Active les canaux à K^+ ; inactive les canaux à Ca^{2+}
		α et βγ	Active la phospholipase C-β
	G_t (transducine)	α	Active la GMP cyclique phosphodiestérase dans les photorécepteurs des bâtonnets des vertébrés
III	G_q	α	Active la phospholipase C-β

*Les familles sont déterminées par la séquence en acides aminés sans relation avec les sous-unités α. Seuls certains exemples sont montrés. Environ 20 sous-unités α et au moins 4 sous-unités β et 7 sous-unités γ ont été décrites chez les mammifères.

médiateurs. Contrairement aux voies de signalisation plus directes utilisées par les récepteurs nucléaires présentés précédemment et par les récepteurs couplés aux canaux ioniques traités au chapitre 11, ces chaînes de relais fournissent de nombreuses opportunités pour amplifier les réponses aux signaux extracellulaires. Par exemple, pendant la cascade de transduction visuelle que nous venons de décrire, une seule molécule de rhodopsine activée catalyse l'activation de centaines de molécules de transducine à la vitesse de 1 000 molécules de transducine par seconde environ. Chaque molécule de transducine activée, active une molécule de GMP cyclique phosphodiestérase, dont chacune hydrolyse 4 000 molécules de GMP cyclique environ par seconde. Cette cascade catalytique dure 1 seconde environ et engendre l'hydrolyse de plus de 10^5 molécules de GMP cyclique par quantum de lumière absorbé et la chute de la concentration en GMP cyclique qui en résulte ferme transitoirement à son tour des centaines de canaux à Na^+ de la membrane plasmique (Figure 15-47). Il s'ensuit qu'un bâtonnet répond à un seul photon de lumière d'une façon hautement reproductible en ce qui concerne le temps et l'amplitude.

De même lorsqu'une molécule de signalisation extracellulaire se fixe sur un récepteur qui active indirectement l'adénylate cyclase via G_s, chaque récepteur protéique peut activer de nombreuses molécules de protéine G_s, dont chacune peut activer une molécule de cyclase. Chaque molécule de cyclase peut catalyser, à son tour, la conversion d'un grand nombre de molécules d'ATP en molécules d'AMP cyclique. Une amplification semblable se produit dans la voie des inositol phospholipides. La modification nanomolaire ($10^{-9}M$) de la concentration en un signal extracellulaire peut donc induire des variations micromolaires ($10^{-6}M$) de la concentration en un petit médiateur intracellulaire comme l'AMP cyclique ou Ca^{2+}. Comme ces médiateurs fonctionnent comme des effecteurs allostériques qui activent des enzymes ou des canaux ioniques spécifiques, une seule molécule de signalisation extracellulaire peut provoquer l'altération de plusieurs milliers de protéines à l'intérieur de la cellule cible.

Toute cascade amplificatrice de ces signaux de stimulation nécessite l'existence d'un mécanisme de contre-balancement à chaque étape de la cascade pour remettre le système à l'état de repos à la fin de la stimulation. De ce fait, les cellules possèdent des mécanismes efficaces qui dégradent rapidement (et resynthétisent) les nucléotides cycliques et qui tamponnent et éliminent le Ca^{2+} cytosolique, et d'autres qui inactivent les enzymes et les canaux ioniques une fois qu'ils ont été activés. Ce n'est pas seulement essentiel pour arrêter la réponse, c'est aussi important pour définir l'état de repos à partir duquel part la réponse. Comme nous l'avons vu précédemment, en général, la réponse à la stimulation peut n'être rapide que si les mécanismes d'inactivation sont également rapides. Chaque protéine de la chaîne de relais du signal peut être une cible séparée pour la régulation, y compris le récepteur. C'est ce que nous traiterons dans le paragraphe suivant.

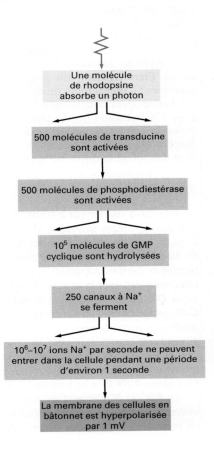

Figure 15-47 Amplification de la cascade catalytique induite par la lumière dans les bâtonnets des vertébrés. Les flèches divergentes indiquent les étapes où se produit l'amplification.

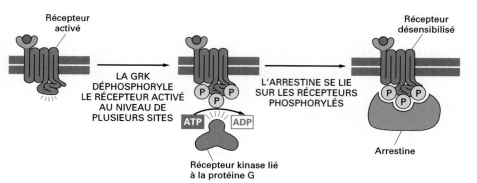

Figure 15-48 Rôles des récepteurs kinases liés aux protéines G (GRK pour *G-protein-linked receptor kinases*) et des arrestines dans la désensibilisation des récepteurs. La liaison d'une arrestine sur le récepteur phosphorylé empêche celui-ci de se fixer sur sa protéine G et peut diriger son endocytose. Les souris qui présentent un déficit d'une des formes de l'arrestine ne peuvent se désensibiliser en réponse à la morphine, par exemple, ce qui témoigne de l'importance de l'arrestine dans la désensibilisation.

La désensibilisation des récepteurs couplés aux protéines G dépend de la phosphorylation des récepteurs

Comme nous l'avons vu précédemment, les cellules cibles utilisent divers mécanismes pour se *désensibiliser*, ou *s'adapter*, lorsqu'elles sont exposées à une forte concentration en ligands stimulants pendant une période prolongée (*voir* Figure 15-25). Nous verrons ici uniquement les mécanismes qui impliquent la modification des récepteurs couplés aux protéines G.

Ces récepteurs peuvent se désensibiliser de trois façons générales :

1. Ils peuvent être modifiés de telle sorte à ne plus pouvoir interagir avec la protéine G (*inactivation du récepteur*).
2. Ils peuvent être déplacés temporairement à l'intérieur de la cellule (internalisés) de telle sorte qu'ils n'ont plus accès à leur ligand (*internalisation des récepteurs*).
3. Ils peuvent être détruits dans les lysosomes après leur internalisation (*régulation négative*).

Dans chaque cas, le processus de désensibilisation dépend de la phosphorylation des récepteurs, par la PKA, la PKC ou un membre de la famille des **kinases des récepteurs couplées aux protéines G** (GRK pour *G-protein-linked receptor kinases*). (Les GRK incluent les kinases spécifiques de la rhodopsine impliquées dans la désensibilisation des photorécepteurs des bâtonnets traitée précédemment.) Les GRK phosphorylent de multiples sérines et thréonines sur un récepteur mais seulement lorsque celui-ci a été activé par la liaison d'un ligand. Comme pour la rhodopsine, une fois que le récepteur a été ainsi phosphorylé, il se fixe avec une forte affinité sur un membre de la famille protéique des **arrestines** (Figure 15-48).

L'arrestine liée contribue au processus de désensibilisation de deux façons au moins. Premièrement, elle inactive le récepteur en évitant son interaction avec les protéines G, un exemple de découplage du récepteur. Deuxièmement, elle peut servir d'adaptateur pour coupler le récepteur à un puits recouvert de clathrine (*voir* Chapitre 13), induisant l'endocytose par l'intermédiaire du récepteur. L'endocytose entraîne la séquestration ou la dégradation (régulation négative) du récepteur, en fonction du récepteur spécifique et du type cellulaire, de la concentration en ligand stimulant et de la durée de la présence du ligand.

Résumé

Les récepteurs couplés aux protéines G peuvent indirectement activer ou inactiver les enzymes liées à la membrane plasmique ou les canaux ioniques via les protéines G. Lorsqu'une protéine G est stimulée par un récepteur activé, elle se désassemble en une sous-unité α et un complexe βγ qui peuvent tous deux réguler directement l'activité de la protéine cible dans la membrane plasmique. Certains récepteurs couplés aux protéines G activent ou inactivent l'adénylate cyclase, modifiant ainsi la concentration intracellulaire en un médiateur intracellulaire, l'AMP cyclique. D'autres activent une phospholipase C spécifique des phosphoinositides (la phospholipase C-β) qui hydrolyse le phosphatidylinositol 4,5-bisphosphate [PI(4,5)P$_2$] et engendre deux petits médiateurs intracellulaires. L'un est l'inositol 1,4,5-trisphosphate (IP$_3$) qui libère le Ca^{2+} du RE et augmente ainsi la concentration cytosolique en Ca^{2+}. L'autre est le diacylglycérol qui reste dans la membrane plasmique et active la protéine-kinase C (PKC). L'élévation de la concentration en AMP cyclique ou en Ca^{2+} affecte surtout les cellules en stimulant respectivement la protéine-kinase A (PKA) et les protéine-kinases dépendantes de la Ca^{2+}/calmoduline (CaM-kinases).

La PKC, la PKA et les CaM-kinases phophorylent des protéines cibles spécifiques sur les sérines et les thréonines et altèrent ainsi l'activité des protéines. Chaque type de cellule possède un ensemble caractéristique de protéines cibles ainsi régulées, ce qui lui permet de faire sa propre réponse particulière aux petits médiateurs intracellulaires. La cascade de signalisation intracellulaire activée par les récepteurs couplés aux protéines G permet d'amplifier fortement la réponse de telle sorte que beaucoup de protéines cibles sont modifiées par la fixation d'une seule molécule de ligand de signalisation extracellulaire sur son récepteur.

Les réponses effectuées par l'intermédiaire des récepteurs couplés aux protéines G sont rapidement inactivées après l'élimination du ligand de signalisation extracellulaire. De ce fait, la sous-unité α de la protéine G est induite pour s'auto-inactiver en hydrolysant son GTP lié en GDP, l'IP$_3$ est rapidement déphosphorylé par une phosphatase (ou phosphorylé par une kinase), les nucléotides cycliques sont hydrolysés par les phosphodiestérases, le Ca^{2+} est rapidement pompé à l'extérieur du cytosol et les protéines phosphorylées sont déphosphorylées par des protéine-phosphatases. Les récepteurs couplés aux protéines G activés sont eux-mêmes phosphorylés par la GRK, ce qui déclenche ainsi la fixation d'arrestine qui découple le récepteur de la protéine G et favorise l'endocytose du récepteur.

LA SIGNALISATION PAR LES RÉCEPTEURS CELLULAIRES DE SURFACE COUPLÉS À UNE ENZYME

Les **récepteurs couplés à une enzyme** représentent le deuxième type principal de récepteurs cellulaires de surface. Ils furent initialement reconnus par leur rôle dans les réponses aux protéines de signalisation extracellulaire qui favorisent la croissance, la prolifération, la différenciation ou la survie des cellules dans les tissus animaux. Ces protéines de signalisation sont souvent collectivement appelées *facteurs de croissance* et agissent généralement à de très faibles concentrations (environ 10^{-9}-10^{-11}M) en tant que médiateurs locaux. Les réponses à ces protéines sont typiquement lentes (de l'ordre de plusieurs heures) et nécessitent généralement de nombreuses étapes de signalisation intracellulaire qui finissent par conduire à des modifications de l'expression génique. On a trouvé depuis que les récepteurs couplés à une enzyme servaient d'intermédiaires à des effets directs et rapides sur le cytosquelette, contrôlant le mode de déplacement de la cellule et les variations de sa forme. Les signaux extracellulaires qui induisent ces réponses rapides ne peuvent souvent pas diffuser mais sont par contre fixés sur la surface sur laquelle glisse la cellule. Les troubles de la prolifération et de la différenciation cellulaires, de la survie et de la migration des cellules sont des événements fondamentaux responsables de cancers et les anomalies de la signalisation qui passe par les récepteurs couplés à une enzyme jouent un rôle majeur dans ce groupe de maladies.

Tout comme les récepteurs couplés aux protéines G, ceux couplés à une enzyme sont des protéines transmembranaires présentant leur domaine de liaison au ligand sur la face externe de la membrane plasmique. Au lieu de posséder un domaine cytosolique associé à une protéine G trimérique, cependant, celui-ci possède une activité enzymatique intrinsèque ou bien est directement associé à une enzyme. Alors que les récepteurs couplés aux protéines G présentent sept segments transmembranaires, chaque sous-unité d'un récepteur couplé à une enzyme n'en possède généralement qu'un.

Jusqu'à présent, six classes de récepteurs couplés à une enzyme ont été identifiées :
1. Les *récepteurs à activité tyrosine-kinase* phosphorylent les tyrosines spécifiques d'un petit groupe de protéines de signalisation intracellulaire.
2. Les *récepteurs associés aux tyrosine-kinases* sont associés à des protéines intracellulaires dotées d'une activité tyrosine-kinase.
3. Les «*récepteurs-like*» à *activité tyrosine-phosphatase* éliminent les groupements phosphate des tyrosines de protéines de signalisation intracellulaire spécifiques. (Ils sont appelés «récepteurs-like» car leurs ligands présumés n'ont pas encore été identifiés et leur fonction de récepteur n'a donc pas été directement démontrée.)
4. Les *récepteurs à activité sérine/thréonine kinase* phosphorylent des sérines ou des thréonines spécifiques sur les protéines régulatrices de gènes latents qui leur sont associées.
5. Les *récepteurs à activité guanylate cyclase* catalysent directement la production de GMP cyclique dans le cytosol.
6. Les *récepteurs associés aux histidine-kinases* activent une voie de signalisation à «deux composantes» au cours de laquelle la kinase s'auto-phosphoryle sur une histidine puis transfère immédiatement le phosphate sur une deuxième protéine de signalisation intracellulaire.

Nous commencerons notre présentation par les récepteurs à activité tyrosine-kinase, qui sont les plus nombreux. Nous verrons ensuite les autres classes tour à tour.

Les récepteurs à activité tyrosine-kinase s'auto-phosphorylent

Les protéines de signalisation extracellulaire qui agissent par les **récepteurs à activité tyrosine-kinase** sont composées de divers facteurs de croissance et de diverses hormones sécrétés par les cellules. Citons certains exemples remarquables, traités par ailleurs dans cet ouvrage, comme le *facteur de croissance épidermique* (EGF pour *epidermal growth factor*), le *facteur de croissance dérivé des plaquettes* (PDGF pour *platelet-derived growth factor*), les *facteurs de croissance des fibroblastes* (FGF pour *fibroblast growth factor*), le *facteur de croissance des hépatocytes* (HGF pour *hepatocyte growth factor*), l'*insuline*, le *facteur de croissance insuline-like de type 1*, (IGF-1 pour *insulin like growth factor-1*), le *facteur de croissance vasculaire endothélial* (VEGF pour *vascular endothelial growth factor*), le *facteur de stimulation des colonies de macrophage* (M-CSF pour *macrophage-colony-stimulating factor*) et toutes les *neurotrophines* dont le *facteur de croissance des nerfs* (NGF pour *nerve growth factor*).

Beaucoup de protéines de signalisation liées à la surface cellulaire agissent aussi par ces récepteurs. Les **éphrines** forment la principale classe d'entre elles, et régulent les réponses d'adhésion et de répulsion cellulaires qui guident la migration des cellules et des axones le long de voies spécifiques pendant le développement animal (*voir* Chapitre 21). Les récepteurs des éphrines, appelés **récepteurs Eph**, sont également les récepteurs à activité tyrosine-kinase les plus nombreux. Les éphrines et les récepteurs Eph sont particuliers parce qu'ils peuvent agir simultanément comme ligand et récepteur : en se liant sur un récepteur Eph, certaines éphrines n'activent pas seulement ce récepteur mais s'activent elles aussi pour transmettre des signaux à l'intérieur de cellules exprimant les éphrines. De cette façon, l'interaction entre une protéine éphrine d'une cellule et une protéine Eph d'une autre cellule peut engendrer une signalisation réciproque bidirectionnelle qui modifie le comportement des deux cellules. Cette *signalisation bidirectionnelle* entre les éphrines et les récepteurs Eph est nécessaire, par exemple, pour empêcher le mélange de cellules situées dans certaines zones du cerveau en phase de développement avec d'autres situées dans les zones voisines.

Les récepteurs à activité tyrosine-kinase peuvent être répartis en plus de 16 sous-familles structurales, chacune dédiée à une famille complémentaire de ligands protéiques. Plusieurs de ces familles qui opèrent chez les mammifères sont montrées dans la figure 15-49 et certains de leurs ligands et fonctions sont donnés au tableau 15-IV. Dans tous les cas, la liaison d'une protéine de signalisation sur le domaine de liaison au ligand situé à l'extérieur de la cellule active le domaine tyrosine-kinase intracellulaire. Une fois activé, ce domaine kinase transfère un groupement phosphate de l'ATP sur certaines chaînes latérales de tyrosine du récepteur protéique lui-même et sur celles de protéines de signalisation intracellulaire qui se fixent ensuite sur les récepteurs phosphorylés.

Comment la liaison d'un ligand extracellulaire peut-elle activer le domaine kinase situé de l'autre côté de la membrane plasmique ? Dans le cas des récepteurs couplés aux protéines G, on pense que la fixation du ligand modifie l'orientation relative de plusieurs hélices α transmembranaires, décalant ainsi la position de boucles cytoplasmiques les unes par rapport aux autres. Il est difficile d'imaginer, cependant, comment une modification de conformation pourrait se propager à travers la bicouche

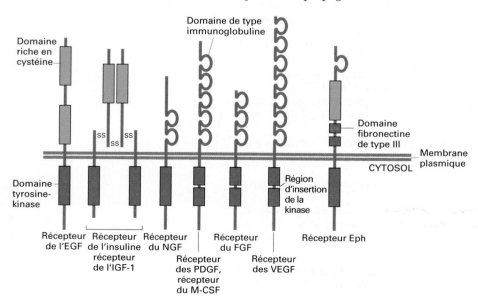

Figure 15-49 Sept sous-familles de récepteurs à activité tyrosine-kinase. Un ou deux membres seulement de chaque sous-famille sont indiqués. Notez que le domaine tyrosine-kinase est interrompu par une « région d'insertion de la kinase » dans certaines de ces sous-familles. On ne connaît pas les rôles fonctionnels de la plupart des domaines riches en cystéine, de type immunoglobuline et fibronectine de type III. Certains ligands et réponses concernant les récepteurs montrés sont présentés dans le tableau 15-IV.

TABLEAU 15-IV Quelques protéines de signalisation agissant via les récepteurs à activité tyrosine-kinase

LIGAND DE SIGNALISATION	RÉCEPTEURS	CERTAINES RÉPONSES
Facteur de croissance épidermique (EGF)	Récepteur de l'EGF	Stimule la prolifération de divers types cellulaires
Insuline	Récepteur de l'insuline	Stimule l'utilisation des glucides et la synthèse des protéines
Facteurs de croissance de type insuline-like (IGF-1 et IGF-2)	Récepteur 1 des IGF	Stimulent la croissance et la survie cellulaires
Facteur de croissance des nerfs (NGF)	Trk A	Stimule la survie et la croissance de certains neurones
Facteurs de croissance dérivés des plaquettes (PDGF AA, BB, AB)	Récepteurs des PDGF (α et β)	Stimulent la survie, la croissance et la prolifération de divers types cellulaires
Facteur de stimulation des colonies de macrophage (M-CSF)	Récepteur du M-CSF	Stimule la prolifération et la différenciation des mococytes/macrophages
Facteurs de croissance des fibroblastes (FGF-1 à FGF-24)	Récepteurs des FGF (FGF-R1–FGF-R4 plus de multiples isoformes de chaque)	Stimulent la prolifération de divers types cellulaires; inhibent la différenciation de certaines cellules précurseurs; inducteurs de signaux lors du développement
Facteur de croissance vasculaire endothélial (VGEF)	Récepteur du VGEF	Stimule l'angiogenèse
Éphrines (types A et B)	Récepteurs Eph (types A et B)	Stimulent l'angiogenèse, guident la migration des cellules et des axones

lipidique par l'intermédiaire d'une seule hélice α transmembranaire. Par contre, dans le cas des récepteurs couplés à une enzyme, deux ou plusieurs chaînes de récepteurs s'assemblent dans la membrane pour former un dimère ou un oligomère supérieur. Dans certains cas, c'est la fixation du ligand qui induit l'oligomérisation. Dans d'autres cas, l'oligomérisation se produit avant la fixation du ligand et celui-ci réoriente les chaînes des récepteurs dans la membrane. Dans les deux cas, le réarrangement induit dans les queues cytosoliques des récepteurs initie le processus de signalisation intracellulaire. Dans le cas des récepteurs à activité tyrosine-kinase, ce réarrangement permet que les domaines kinases voisins des chaînes de récepteurs se phosphorylent entre eux sur de multiples tyrosines, un processus appelé *autophosphorylation*.

Pour activer un récepteur à activité tyrosine-kinase, le ligand doit généralement se fixer simultanément sur deux chaînes de récepteurs adjacents. Le PDGF, par exemple, est un dimère qui relie transversalement deux récepteurs (Figure 15-50). Même certains ligands monomériques, comme l'EGF, se fixent simultanément sur deux récepteurs et les relient directement transversalement. Par contre, les FGF, qui sont aussi des monomères, forment d'abord des polymères en se fixant sur des protéoglycanes héparane-sulfate, soit à la surface de la cellule cible soit dans la matrice extracellulaire. De cette manière, ils peuvent relier transversalement des récepteurs adjacents (Figure 15-50B). Au cours de la signalisation dépendant du contact, les ligands forment des agrégats dans la membrane plasmique des cellules de signalisation et peuvent ainsi relier transversalement les récepteurs situés sur les cellules cibles (Figure 15-50C); de ce fait, alors que les éphrines liées à la membrane activent les récepteurs Eph, les éphrines solubles ne le font que si elles forment des agrégats.

À cause de l'oligomérisation nécessaire des récepteurs à activité tyrosine-kinase, il est relativement facile d'inactiver un récepteur spécifique pour déterminer son importance dans une réponse cellulaire. Pour ce faire, on transfecte les cellules avec un ADN codant pour une forme mutante du récepteur qui peut s'oligomériser normalement mais possède un domaine kinase inactif. Lorsqu'ils sont co-exprimés à une forte concentration avec les récepteurs normaux, ces récepteurs mutants agissent de façon *dominante négative*, et désactivent les récepteurs normaux en formant avec eux des dimères inactifs (Figure 15-51).

L'autophosphorylation de la queue cytosolique des récepteurs à activité tyrosine-kinase contribue au processus d'activation de deux façons. Tout d'abord, la phosphorylation des tyrosines du domaine kinase augmente l'activité kinase de l'enzyme. Deuxièmement, la phosphorylation des tyrosines à l'extérieur du domaine kinase crée des sites d'arrimage de forte affinité pour la fixation de nombreuses protéines de signalisation intracellulaire dans la cellule cible. Chaque type de protéine de signalisation se fixe sur un site phosphorylé différent du récepteur activé parce qu'elle contient un domaine spécifique de liaison à la phosphotyrosine qui reconnaît, en plus de la phosphotyrosine, des caractéristiques périphériques de la chaîne polypeptidique. Une fois liée à la kinase activée, la protéine de signalisation devient elle-même

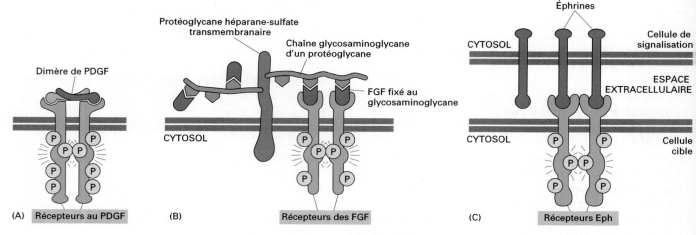

Figure 15-50 Trois voies permettant aux protéines de signalisation de relier les chaînes de récepteurs. Lorsque les chaînes de récepteurs sont reliées, les domaines kinases des récepteurs adjacents se phosphorylent de façon croisée les uns les autres, stimulant l'activité de la kinase du récepteur et créant des sites d'arrimage pour les protéines intracellulaires. (A) Le facteur de croissance dérivé des plaquettes (PDGF) est un dimère, dont les deux chaînes sont liées de façon covalente, doté de deux sites de liaison aux récepteurs de telle sorte qu'il peut directement relier des récepteurs adjacents pour initier le processus de signalisation intracellulaire. Les dimères de PDGF sont composés de différentes combinaisons de chaînes A et B et peuvent activer différentes combinaisons des deux types de chaînes (α et β) de récepteurs au PDGF qui ont des propriétés de signalisation quelque peu différentes. (B) Certains ligands monomériques comme les facteurs de croissance des fibroblastes (FGF) se fixent en agrégats sur les protéoglycanes, ce qui leur permet de relier leurs récepteurs. Les protéoglycanes peuvent être dans la matrice extracellulaire, ou, comme cela est montré ici, sur la surface cellulaire. Il y a plus de 20 types de FGF et plus de 4 types de récepteurs au FGF. (C) Les protéines de signalisation liées aux membranes, comme les éphrines, peuvent relier leurs récepteurs même si elles sont monomériques parce qu'elles s'agrègent dans la membrane plasmique des cellules de signalisation. Certaines éphrines (de type B) sont des protéines transmembranaires (comme cela est montré) tandis que d'autres (de type A) sont liées à la membrane par une ancre de glycosylphosphatidylinositol (*voir* Figure 12-56). Pour la majeure partie, les éphrines de type A activent les récepteurs Eph de type A et les éphrines de type B activent les récepteurs Eph de type B.

phosphorylée sur ses tyrosines et donc active ; parfois, la fixation seule suffit à activer la protéine de signalisation arrimée. En résumé, l'autophosphorylation sert de commutateur qui déclenche l'assemblage transitoire de gros complexes de signalisation intracellulaire, qui transmettent alors les signaux le long de multiples voies vers de nombreuses destinations intracellulaires (Figure 15-52). Comme les différents récepteurs à activité tyrosine-kinase fixent différentes combinaisons de ces protéines de signalisation, ils activent différentes réponses.

Les récepteurs à l'insuline et à l'IGF-1 agissent sur un mode légèrement différent. Au début ce sont des tétramères (*voir* Figure 15-49) et on pense que la fixation du ligand induit le réarrangement des chaînes transmembranaires du récepteur de telle sorte que deux domaines kinases se rapprochent. La plupart des sites d'arrimage des phosphotyrosines engendrés par la fixation du ligand ne se trouvent pas sur le récepteur lui-même mais sur une protéine d'arrimage spécifique, le *substrat-1 du récepteur de l'insuline* (IRS-1 pour *insulin receptor substrate-1*). Le récepteur activé autophosphoryle d'abord ses domaines kinases, qui phosphorylent ensuite l'IRS-1 sur de multiples tyrosines, ce qui forme bien plus de sites d'arrimage que ce qui serait obtenu sur le récepteur seul. D'autres protéines d'arrimage sont utilisées de façon similaire par d'autres récepteurs à activité tyrosine-kinase pour augmenter la taille du complexe de signalisation.

Les tyrosines phosphorylées servent de sites d'arrimage aux protéines à domaine SH2

Une énorme quantité de protéines de signalisation intracellulaire peut se fixer sur les phosphoryrosines des tyrosines kinases activées (ou sur des protéines spécifiques d'arrimage comme l'IRS-1) pour relayer le signal vers l'avant. Certaines protéines arrimées sont des enzymes, comme la **phospholipase C-γ (PLC-γ)** qui fonctionne comme la phospholipase C-β – et active la voie de signalisation par les inositol phospholipides que nous avons vu pour les récepteurs couplés aux protéines G. Par cette voie, les récepteurs à activité tyrosine-kinase peuvent augmenter la concentration cytosolique en Ca^{2+}. Bien plus souvent, ces récepteurs dépendent de chaînes de relais par interactions protéine-protéine. Par exemple, la tyrosine-kinase Src cytoplasmique est une autre enzyme qui s'arrime sur ces récepteurs, et phosphoryle d'autres pro-

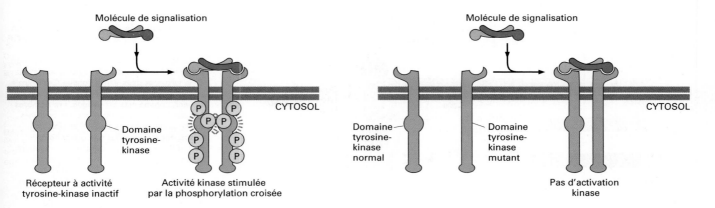

Domaine
tyrosine-
kinase

CYTOSOL

Récepteur à activité
tyrosine-kinase inactif

Activité kinase stimulée
par la phosphorylation croisée

Molécule de signalisation

Domaine
tyrosine-
kinase
normal

Domaine
tyrosine-
kinase
mutant

CYTOSOL

Pas d'activation
kinase

(A) ACTIVATION DES RÉCEPTEURS NORMAUX

(B) INHIBITION DOMINANTE NÉGATIVE PAR LES RÉCEPTEURS MUTANTS

téines de signalisation sur les tyrosines. La *phosphatidylinositol 3'-kinase (PI 3-kinase)* en est encore une autre qui, comme nous le verrons ultérieurement, engendre des molécules lipidiques spécifiques de la membrane plasmique pour y attirer d'autres protéines de signalisation.

Même si les protéines de signalisation intracellulaire qui se fixent sur les phosphotyrosines des récepteurs à activité tyrosine-kinase activés et sur les protéines d'arrimage ont des structures et des fonctions variées, elles ont généralement en commun des domaines de liaison aux phosphotyrosines, hautement conservés. Ce peut être soit des **domaines SH2** (pour *Src homology regions* ou *régions d'homologie avec Src*, qui ont d'abord été trouvées dans la protéine Src) ou plus rarement des *domaines PTB* (pour *phosphotyrosine-binding* ou *liant les tyrosines phosphorylées*). Ces petits domaines, qui reconnaissent des tyrosines phosphorylées spécifiques, servent de modules permettant aux protéines qui les contiennent de se fixer sur les récepteurs à activité tyrosine-kinase activés ainsi que sur de nombreuses autres protéines de signalisation intracellulaire, transitoirement phosphorylées sur des tyrosines (Figure 15-53). Beaucoup de protéines de signalisation contiennent aussi d'autres modules protéiques qui leur permettent d'interagir spécifiquement avec d'autres protéines en tant que partie des processus de signalisation. Il s'agit du *domaine SH3* (également nommé ainsi parce qu'il fut découvert en premier dans les Src) qui se fixe sur les motifs riches en proline de protéines intracellulaires (*voir* Figure 15-20).

Toutes les protéines qui se fixent sur des récepteurs à activité tyrosine-kinase activés via les domaines SH2 relaient le signal vers l'avant. La fonction de certaines est de diminuer le processus de signalisation, ce qui fournit un rétrocontrôle négatif. La protéine *c-Cbl* en est un exemple : elle peut s'arrimer sur certains récepteurs activés et catalyser leur conjugaison à l'ubiquitine. Cette ubiquitinylation favorise l'internalisation et la dégradation des récepteurs, un processus appelé régulation négative des récepteurs (*voir* Figure 15-25).

Certaines protéines de signalisation sont presque entièrement composées de domaines SH2 et SH3 et fonctionnent comme des adaptateurs qui couplent les protéines phosphorylées sur les tyrosines à d'autres protéines dépourvues de domaine SH2 propre (*voir* Figure 15-20). Ces adaptateurs protéiques facilitent le couplage des récepteurs activés sur *Ras*, une protéine de signalisation importante. Comme nous le verrons ensuite, Ras est une protéine de signalisation qui agit comme un transducteur

Figure 15-51 L'excès de récepteurs mutants inhibe la signalisation par les récepteurs à activité tyrosine-kinase normaux. (A) Dans cet exemple, les récepteurs normaux se dimérisent en réponse à la fixation du ligand. Les deux domaines kinases se phosphorylent l'un l'autre de façon croisée, ce qui augmente leur activité et ce qui leur permet d'activer encore plus le dimère récepteur en phosphorylant d'autres sites sur le récepteur. (B) Le récepteur mutant, pourvu d'un domaine kinase inactivé, peut former normalement un dimère mais ne peut phosphoryler de façon croisée un récepteur normal en un dimère. C'est pourquoi les récepteurs mutants, s'ils sont présents en excès, bloquent la signalisation par les récepteurs normaux — un processus appelé *inhibition dominante négative*. Les biologistes cellulaires utilisent fréquemment cette stratégie pour inhiber un type spécifique de récepteurs à activité tyrosine-kinase dans une cellule afin de déterminer sa fonction normale.

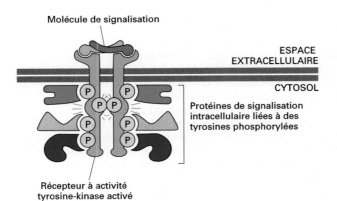

Molécule de signalisation

ESPACE
EXTRACELLULAIRE

CYTOSOL

Protéines de signalisation
intracellulaire liées à des
tyrosines phosphorylées

Récepteur à activité
tyrosine-kinase activé

Figure 15-52 Arrimage de protéines de signalisation intracellulaire sur un récepteur à activité tyrosine-kinase activé. Le récepteur activé et les protéines de signalisation qui lui sont liées forment un complexe de signalisation qui peut transmettre les signaux le long de multiples voies de signalisation.

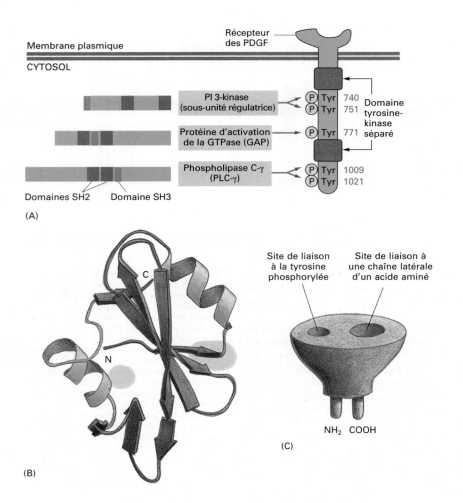

(A)

Membrane plasmique

Récepteur des PDGF

CYTOSOL

PI 3-kinase (sous-unité régulatrice)

P Tyr 740
P Tyr 751

Protéine d'activation de la GTPase (GAP)

P Tyr 771

Phospholipase C-γ (PLC-γ)

P Tyr 1009
P Tyr 1021

Domaine tyrosine-kinase séparé

Domaines SH2   Domaine SH3

(B)

C

N

Site de liaison à la tyrosine phosphorylée

Site de liaison à une chaîne latérale d'un acide aminé

NH₂   COOH

(C)

Figure 15-53 Liaison d'une protéine intracellulaire de signalisation dotée d'un domaine SH2 sur un récepteur des PDGF activé. (A) Ce schéma d'un récepteur des PDGF montre cinq sites d'autophosphorylation des tyrosines, trois dans la région d'insertion de la kinase et deux dans la queue C-terminale, sur lesquels les trois protéines de signalisation se lient, comme cela est indiqué. Les nombres à droite indiquent les positions des tyrosines sur la chaîne polypeptidique. Ces sites de liaison ont été identifiés par la technologie de l'ADN recombinant utilisant des mutations de certaines tyrosines sur le récepteur. Les mutations des tyrosines 1009 et 1021 par exemple, empêchent la fixation et l'activation de la PLC-γ, de telle sorte que l'activation du récepteur ne stimule plus la voie de signalisation par les inositol phospholipides. Les localisations des domaines SH2 (en *rouge*) et SH3 (en *bleu*) des trois protéines de signalisation sont indiquées. (Les autres sites d'autophosphorylation sur ces récepteurs ne sont pas montrés ici, y compris ceux qui servent de sites de liaison à la tyrosine-kinase Src cytoplasmique et aux adaptateurs protéiques Grb2 et Shc, traités ultérieurement). (B) Structure tridimensionnelle d'un domaine SH2 déterminée par cristallographie aux rayons X. La poche de liaison de la tyrosine phosphorylée est montrée en *jaune* à droite et une poche de liaison à une chaîne latérale d'acide aminé spécifique (l'isoleucine dans ce cas) est montrée en *jaune* à gauche (*voir aussi* Figure 3-40). (C) Le domaine SH2 est un module compact, de branchement, qui peut s'insérer presque n'importe où dans une protéine sans perturber le repliement ou la fonction protéique (*voir* Figure 3-19). Comme chaque domaine a des sites distincts de reconnaissance de la tyrosine phosphorylée et de reconnaissance de chaînes latérales particulières d'acides aminés, les différents domaines SH2 reconnaissent les tyrosines phosphorylées dans un contexte de différentes séquences d'acides aminés flanquants. (B, d'après des données issues de G. Waksman et al., *Cell* 72 : 1-20, 1993. © Elsevier.)

ainsi qu'une protéine de bifurcation, qui modifie la nature du signal et le transmet le long de multiples voies vers l'aval, y compris le long d'une voie majeure de signalisation qui facilite la stimulation de la prolifération ou de la différenciation des cellules. Les mutations qui activent cette voie et stimulent ainsi la division cellulaire de façon inappropriée représentent un des facteurs responsables de nombreux types de cancers.

Ras est activée par un facteur d'échange des nucléotides guanyliques

Les **protéines Ras** appartiennent à la grande *superfamille Ras des GTPases monomériques*. Celle-ci contient également deux autres sous-familles : la *famille Rho* impliquée dans le relais des signaux entre les récepteurs cellulaires de surface et l'actine du cytosquelette ou ailleurs (*voir* Chapitre 16) et la *famille Rab*, impliquée dans la régulation du transport des vésicules de transport intracellulaire (*voir* Chapitre 13). Comme presque toutes ces GTPases monomériques, la protéine Ras contient un groupement lipidique fixé de façon covalente qui facilite son ancrage sur une membrane – dans ce cas, sur la face cytoplasmique où elle fonctionne. Il existe de multiples protéines Ras et chaque protéine différente agit sur un type cellulaire différent. Comme elles semblent toutes agir de la même façon, nous les nommerons simplement Ras.

Ras facilite la transmission du signal de la surface cellulaire aux autres parties de la cellule. Elle est souvent utilisée, par exemple, lorsque les récepteurs à activité tyrosine-kinase signalent au noyau de stimuler la prolifération ou la différenciation cellulaires en modifiant l'expression génique. Si la fonction de Ras est inhibée par microinjection d'anticorps anti-Ras neutralisants ou d'un mutant Ras dominant négatif, la réponse de prolifération ou de différenciation cellulaire normalement induite par les récepteurs à activité tyrosine-kinase activés ne se produit pas. Par contre, si un mutant hyperactif de la protéine Ras est introduit dans certaines lignées cellulaires, les effets sur la prolifération ou la différenciation cellulaire sont parfois les mêmes que ceux induits par la fixation d'un ligand sur les récepteurs cellulaires de surface. En fait, Ras a été découverte pour la première fois en tant que produit hyperactif d'un gène *ras* mutant qui favorise le développement de cancers; nous savons maintenant qu'environ 30 p. 100 des tumeurs de l'homme possèdent une mutation *ras* hyperactive.

Comme les autres protéines de liaison au GTP, Ras fonctionne comme un commutateur, oscillant entre deux états conformationnels différents – actif si le GTP est lié et inactif si le GDP est lié (*voir* Figure 15-17). Deux classes de protéines de signalisation régulent l'activité de Ras en influençant sa transition entre ses états actifs et inactifs. Les **facteurs d'échange des nucléotides guanyliques** (**GEF** pour *guanine nucleotide exchange factors*) favorisent l'échange du nucléotide lié en stimulant la dissociation du GDP et l'absorption consécutive de GTP à partir du cytosol, activant ainsi Ras. Les **protéines d'activation de la GTPase** (**GAP** pour *GTPase-activating proteins*) augmentent la vitesse d'hydrolyse par Ras de son GTP lié, ce qui l'inactive (Figure 15-54). Les formes mutantes hyperactives de Ras sont résistantes à la stimulation GTPasique par les GAP et sont bloquées en permanence dans leur état actif, lié au GTP; c'est pourquoi elles favorisent le développement de cancers.

En principe, les récepteurs à activité tyrosine-kinase pourraient activer les Ras soit en activant un GEF soit en inhibant une GAP. Même si certaines GAP se lient directement (via leurs domaines SH2) sur les récepteurs à activité tyrosine-kinase activés (*voir* Figure 15-53), alors que les GEF ne s'y fixent qu'indirectement, c'est le couplage indirect du récepteur sur un GEF qui est responsable du passage de Ras dans son état actif. En fait, la perte de fonction d'un GEF Ras-spécifique a un effet similaire à la perte de fonction de cette Ras. On pense que l'activation d'autres protéines de type Ras, y compris celles de la famille Rho, se produit aussi par l'activation de GEF.

Des études génétiques chez les mouches et les vers, ainsi que des études biochimiques sur les cellules de mammifères indiquent que des adaptateurs protéiques relient les récepteurs à activité tyrosine-kinase à Ras. La **protéine Grb-2** des cellules de mammifères, par exemple, se fixe par l'intermédiaire de son domaine SH2 sur des tyrosines phosphorylées spécifiques de récepteurs à activité tyrosine-kinase activés et par son domaine SH3 sur des motifs riches en proline d'un GEF appelé **Sos**. Certains récepteurs à activité tyrosine-kinase activés, cependant, n'exposent pas les tyrosines phosphorylées spécifiques nécessaires à l'arrimage de Grb-2; ces récepteurs recrutent un autre adaptateur protéique, appelé *Shc*, qui se fixe à la fois sur le récepteur activé et sur le Grb-2, couplant ainsi le récepteur au Sos par une voie plus indirecte. L'assemblage du complexe récepteur–Grb-2–Sos (ou récepteur–Shc–Grb-2–Sos) met Sos dans une position qui active les molécules Ras voisines en stimulant l'échange de leur GDP lié en un GTP (Figure 15-55). L'importance de Grb-2 est visible car on observe que des souris déficientes en Grb-2 meurent au début de l'embryogenèse. On pense que des groupes très semblables de protéines opèrent chez tous les animaux pour activer les Ras.

Cette voie qui part des récepteurs à activité tyrosine-kinase n'est pas le seul moyen d'activer les Ras. D'autres GEF Ras sont activés indépendamment des Sos. Par exemple, on en retrouve un surtout dans le cerveau, qui est activé par Ca^{2+} et le diacylglycérol et peut coupler les récepteurs couplés aux protéines G à l'activation des Ras.

Une fois activée, Ras active à son tour diverses autres protéines de signalisation pour relayer le signal vers l'aval le long de nombreuses voies. Une des voies de signalisation activée par Ras est une cascade de phosphorylation sérine/thréonine hautement conservée dans les cellules eucaryotes, des levures à l'homme. Comme nous le verrons ensuite, un composant crucial de cette cascade est un nouveau type de protéine-kinase, la *MAP-kinase*.

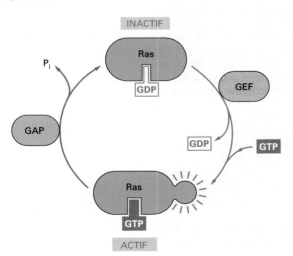

Figure 15-54 Régulation de l'activité de Ras. Les protéines d'activation de la GTPase (GAP) inactivent Ras en la stimulant pour qu'elle hydrolyse son GTP lié; Ras inactivée reste solidement liée à son GDP. Les facteurs d'échange des nucléotides guanyliques (GEF) activent Ras en la stimulant pour qu'elle donne son GDP; la concentration en GTP dans le cytosol est 10 fois supérieure à celle du GDP et Ras fixe rapidement le GTP une fois qu'elle a éjecté son GDP. Plusieurs GAP de régulation de Ras (Ras-GAP) ont été caractérisées dans les cellules de mammifères y compris la *p120GAP* et la *neurofibromine* (appelée ainsi parce qu'elle est codée par un gène qui subit une mutation dans la neurofibromatose, une maladie génétique commune de l'homme associée à des tumeurs des nerfs). Ras GAP maintient la plupart des protéines Ras (~95 p. 100) dans les cellules non stimulées dans leur état inactif lié au GDP.

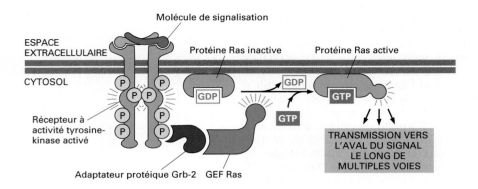

Figure 15-55 Activation de Ras par un récepteur à activité tyrosine-kinase activé. La plupart des protéines de signalisation reliées au récepteur activé n'ont pas été placées pour plus de simplicité. L'adaptateur protéique Grb-2 se fixe sur une tyrosine phosphorylée spécifique du récepteur et sur le facteur d'échange des nucléotides guanyliques (GEF) de Ras qui amène Ras à échanger son GDP lié en un GTP. Ras activée active alors diverses voies de signalisation vers l'aval dont l'une est montrée en figure 15-56.

Les Ras activent une cascade descendante de phosphorylation sérine/thréonine qui inclut une MAP-kinase

Les phosphorylations de la tyrosine et l'activation des Ras déclenchées par les récepteurs à activité tyrosine-kinase activés sont de courte durée. Des protéine-phosphatases, tyrosine-spécifiques (traité ultérieurement), inversent rapidement les phosphorylations et les GAP induisent l'auto-inactivation des Ras activées par l'hydrolyse de leur GTP lié en GDP. Pour stimuler la prolifération des cellules ou leur différenciation, ces événements de signalisation de courte durée doivent être transformés en signaux de plus longue durée qui peuvent maintenir le signal et le relayer vers l'avant jusqu'au noyau pour modifier le patron d'expression génique. Les Ras activées déclenchent cette conversion en initiant une série de phosphorylations descendantes sérine/thréonine qui persistent bien plus longtemps que les phosphorylations des tyrosines. Beaucoup de sérine/thréonine-kinases participent à cette cascade de phosphorylation mais trois d'entre elles en forment le module central. La dernière des trois est appelée la **protéine-kinase activée par les mitogènes** (**MAP-kinase** pour *mitogen-activated protein kinase*).

Une caractéristique inhabituelle de la MAP-kinase est que son activation complète nécessite la phosphorylation d'une thréonine et d'une tyrosine, qui sont séparées dans la protéine par un seul acide aminé. La protéine-kinase qui catalyse ces deux phosphorylations est une *MAP-kinase-kinase*, appelée MEK, dans la voie de signalisation par Ras des mammifères. La nécessité de la phosphorylation à la fois d'une tyrosine et d'une thréonine assure que la MAP-kinase reste inactive tant qu'elle n'est pas spécifiquement activée par la MAP-kinase-kinase, dont le seul substrat est une MAP-kinase. La MAP-kinase-kinase est elle-même activée par phosphorylation, catalysée par la première kinase du module à trois composantes, la *MAP-kinase-kinase-kinase*, appelée **Raf** dans la voie de signalisation par Ras des mammifères. Cette kinase Raf est activée par la Ras activée.

Une fois activée, la MAP-kinase relaie le signal vers l'aval par phosphorylation de diverses protéines cellulaires, y compris les protéines régulatrices de gènes et d'autres protéine-kinases (Figure 15-56). Elle entre dans le noyau, par exemple, et phosphoryle un ou plusieurs composants d'un complexe régulateur de gènes. Cela active la transcription d'un groupe de *gènes précoces immédiats*, appelés ainsi parce qu'ils sont activés dans les minutes qui suivent le moment de la stimulation des cellules par le signal extracellulaire, même si la synthèse protéique est expérimentalement chimiquement bloquée. Certains de ces gènes codent pour d'autres protéines régulatrices de gènes qui activent d'autres gènes, un processus qui nécessite la synthèse protéique et prend plus de temps. De cette façon, la voie de signalisation Ras-MAP-kinase convoie des signaux de la surface cellulaire au noyau et modifie le patron de l'expression génique de façon significative. Parmi les gènes activés par cette voie se trouvent ceux nécessaires à la prolifération cellulaire, comme les gènes codant pour les *cyclines G$_1$* (*voir* Chapitre 17).

L'activation des MAP-kinases n'est généralement que transitoire en réponse à des signaux extracellulaires et la période de temps où elles restent actives peut influencer profondément la nature des réponses. Lorsque l'EGF active ses récepteurs dans une lignée neurale de précurseurs cellulaires, par exemple, l'activité de la MAP-kinase montre un pic au bout de 5 minutes puis décline rapidement et les cellules subissent alors une division. Par contre lorsque le NGF active ses récepteurs sur cette même cellule, l'activité des MAP-kinases reste élevée plusieurs heures, et la cellule arrête de proliférer et se différencie en neurones.

Les MAP-kinases sont inactivées par déphosphorylation et l'élimination spécifique du phosphate de la thréonine ou de la tyrosine suffit à inactiver l'enzyme. Dans cer-

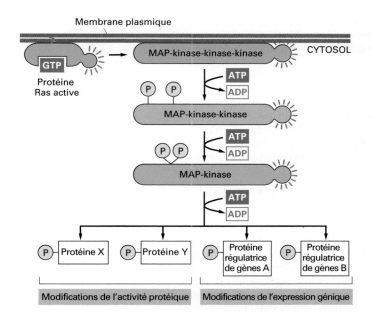

Figure 15-56 La voie de phosphorylation sérine/thréonine MAP-kinase activée par Ras. Beaucoup de ces voies impliquant des protéines apparentées d'un point de vue structurel et fonctionnel opèrent chez tous les eucaryotes, chacune couplant un stimulus extracellulaire à divers signaux de sortie cellulaire. La voie activée par Ras commence par une MAP-kinase-kinase-kinase appelée Raf qui active la MAP-kinase-kinase Mek qui active alors la MAP-kinase appelée Erk. Erk à son tour phosphoryle diverses protéines en aval, y compris d'autres kinases, ainsi que des protéines régulatrices de gènes dans le noyau. Les variations de l'expression génique et de l'activité protéique qui en résultent provoquent des changements complexes du comportement cellulaire.

tains cas, la stimulation par le signal extracellulaire induit l'expression d'une phosphatase à double spécificité qui élimine les deux phosphates et inactive la kinase, fournissant une forme de rétrocontrôle négatif. Dans d'autres cas, la stimulation provoque l'inactivation de la kinase encore plus rapidement par des phosphatases déjà présentes.

Les modules de signalisation à trois composants des MAP-kinases fonctionnent dans toutes les cellules animales, ainsi que dans les levures. Les différents composants assurent des réponses différentes dans une même cellule. Dans les levures bourgeonnantes, par exemple, un de ces modules est l'intermédiaire de la réponse à la phéromone d'accouplement via le complexe βγ d'une protéine G, un autre de la réponse à l'absence de nourriture et encore un autre à la réponse au choc osmotique. Certains de ces modules à trois composants des MAP-kinases utilisent une ou plusieurs kinases identiques et arrivent cependant à activer différents effecteurs protéiques et donc à produire différentes réponses. Comment les cellules évitent-elles les diaphonies entre les différentes voies de signalisation parallèles et assurent-elles la spécificité de chaque réponse? Elles utilisent, par exemple, des protéines d'échafaudage qui relient toutes ou quelques-unes de ces kinases en un module spécifique pour former un complexe, comme cela est illustré dans la figure 15-57 et comme nous l'avons déjà vu (*voir* Figure 15-19A).

Les cellules de mammifères utilisent aussi cette stratégie pour éviter la diaphonie entre les voies de signalisation par les MAP-kinases. Il existe au moins 5 modules MAP-kinases parallèles qui peuvent opérer dans une cellule de mammifère. Ces modules sont composés d'au moins 12 MAP-kinases, de 7 MAP-kinase-kinases et de 7 MAP-kinase-kinase-kinases. Plusieurs de ces modules sont activés par différentes sortes de stress cellulaire comme les irradiations UV, le choc thermique, le stress osmotique et

Figure 15-57 Organisation des voies des MAP-kinases par les protéines d'échafaudage dans les levures bourgeonnantes. Les levures bourgeonnantes ont au moins six modules à trois composants des MAP-kinases impliqués dans divers processus biologiques, y compris les deux réponses présentées ici – une réponse d'accouplement et une réponse à une forte osmolarité.
(A) La réponse d'accouplement est déclenchée lorsqu'un facteur d'accouplement sécrété par une levure du type d'accouplement opposé se fixe sur un récepteur couplé à une protéine G. Cela active la protéine G et le complexe βγ de la protéine G active indirectement la MAP-kinase-kinase-kinase (kinase A), qui relaie alors la réponse vers l'avant. Une fois activée, la MAP-kinase (kinase C) se phosphoryle et active ainsi plusieurs protéines qui sont les intermédiaires de la réponse d'accouplement, au cours de laquelle la cellule de levure arrête de se diviser et se prépare à la fusion. Les trois kinases de ce module sont reliées par une protéine d'échafaudage I. (B) Dans une deuxième réponse, une cellule de levure exposée à un environnement de forte osmolarité est induite pour synthétiser du glycérol pour augmenter son osmolarité interne. Cette réponse passe par l'intermédiaire d'un récepteur protéique transmembranaire sensible à l'osmolarité et par un autre module des MAP-kinases relié à une deuxième protéine d'échafaudage. (Notez que le domaine kinase de la protéine d'échafaudage 2 fournit l'activité MAP-kinase-kinase de ce module.) Même si ces deux voies utilisent la même MAP-kinase-kinase-kinase (la kinase A en *vert*), il n'y a pas de diaphonie entre elles parce que les kinases de chaque module sont solidement fixées sur des protéines d'échafaudage différentes, et que l'osmodétecteur est lié à la même protéine d'échafaudage que la kinase spécifique

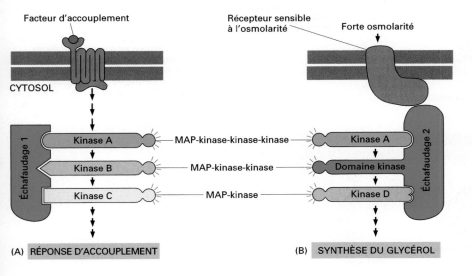

la stimulation par les cytokines inflammatoires. Dans certains de ces modules activés par le stress, au moins, les trois kinases sont maintenues ensemble par leur liaison sur une protéine d'échafaudage commune, comme dans les levures. La stratégie de l'échafaudage fournit de la précision, facilite la création d'une grande variation d'activité des MAP-kinases en réponse à de petites variations de la concentration en molécules de signalisation, et évite la diaphonie. Cependant, elle réduit les opportunités d'amplification et de dissémination du signal aux différentes parties de la cellule, ce qui nécessite que certains composants au moins soient diffusibles (*voir* Figure 15-16).

Lorsque Ras est activée par les récepteurs à activité tyrosine-kinase, elle n'active pas seulement en général la voie de signalisation par les MAP-kinases. Elle facilite aussi l'activation de la *PI 3-kinase* qui peut signaler aux cellules de survivre et se développer.

Les PI 3-kinases produisent des sites d'arrimage pour les inositol phospholipides dans la membrane plasmique

Les protéines de signalisation extracellulaire stimulent la division cellulaire, en partie en activant la voie de la Ras-MAP-kinase que nous venons de voir. Si les cellules se divisent continuellement sans se développer, cependant, elles deviendront de plus en plus petites et finiront par disparaître. De ce fait, pour proliférer, la plupart des cellules ont besoin d'être stimulées pour augmenter de taille (croissance) et aussi pour se diviser. Dans certains cas, la protéine de signalisation fait les deux ; dans d'autres, une protéine de signalisation (un *mitogène*) stimule principalement la division cellulaire tandis qu'une autre (un *facteur de croissance*) stimule surtout la croissance cellulaire. Une des principales voies de signalisation intracellulaire qui conduit à la croissance cellulaire implique la **phosphatidylinositol 3-kinase (PI 3-kinase)**. Cette kinase phosphoryle principalement les inositol phospholipides et non pas les protéines ; elle peut être activée par des récepteurs à activité tyrosine-kinase ainsi que par beaucoup d'autres types de récepteurs cellulaires de surface, y compris certains couplés à des protéines G.

Le *phosphatidylinositol (PI)* est un lipide membranaire bien particulier parce qu'il peut subir une phosphorylation réversible sur de multiples sites qui génère divers inositol phospholipides distincts. Lorsqu'elle est activée, la PI 3-kinase catalyse la phosphorylation des inositol phospholipides sur la position 3 du cycle inositol et génère des lipides appelés *PI(3,4)P$_2$* ou *PI(3,4,5)P$_3$* (Figure 15-58). Le *PI(3,4)P$_2$* et le *PI(3,4,5)P$_3$* servent alors de site d'arrimage aux protéines de signalisation extracellulaire, les rassemblant en des complexes de signalisation qui relaient le signal dans les cellules à partir de la face cytosolique de la membrane plasmique.

Il est important de différencier cette utilisation des inositol phospholipides de celle abordée auparavant. Nous avons vu précédemment comment le PI(4,5)P$_2$ était coupé par la PLC-β (dans le cas des récepteurs couplés aux protéines G) ou par la PLC-γ (dans le cas des récepteurs à activité tyrosine-kinase) pour engendrer des IP$_3$ solubles et du diacylglycérol lié à la membrane. L'IP$_3$ libère le Ca^{2+} du RE tandis que

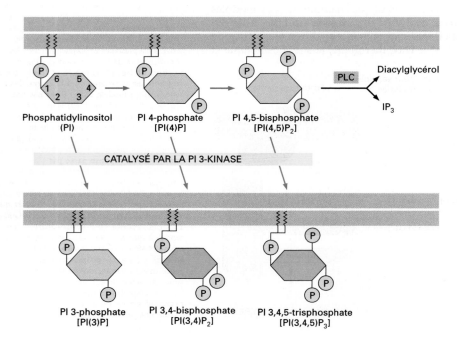

Figure 15-58 Création de sites d'arrimage à inositol phospholipides par la PI 3-kinase. La PI 3-kinase phosphoryle le cycle inositol sur l'atome de carbone 3 pour créer les inositol phospholipides montrés au bas de la figure ; les deux lipides montrés en *rouge* peuvent servir de sites d'arrimage aux protéines de signalisation à domaine PH. Les phosphorylations indiquées par les *flèches vertes* sont catalysées par d'autres inositol phospholipides kinases. Comme nous l'avons vu précédemment, les phospholipases C (PLC-β ou PLC-γ) peuvent couper le PI(4,5)P$_2$ pour produire les deux petites molécules de signalisation, le diacylglycérol et l'inositol 1,4,5-triphosphate (IP$_3$).

Phosphatidylinositol (PI) — PI 4-phosphate [PI(4)P] — PI 4,5-bisphosphate [PI(4,5)P$_2$] — PLC → Diacylglycérol / IP$_3$

CATALYSÉ PAR LA PI 3-KINASE

PI 3-phosphate [PI(3)P] — PI 3,4-bisphosphate [PI(3,4)P$_2$] — PI 3,4,5-trisphosphate [PI(3,4,5)P$_3$]

le diacylglycérol active la PKC (*voir* Figures 15-58 et 15-35). À l'opposé, le PI(3,4)P$_2$ et le PI(3,4,5)P$_3$ ne sont pas coupés par la PLC et restent dans la membrane plasmique jusqu'à ce qu'ils soient déphosphorylés par des *inositol phospholipides phosphatases* spécifiques qui éliminent le phosphate sur les trois positions du cycle inositol. Des mutations qui inactivent ces phosphatases (appelées PTEN) et prolongent ainsi le signal par la PI 3-kinase, favorisent le développement de cancers et se retrouvent dans beaucoup de cancers de l'homme. Ces mutations entraînent la prolongation de la survie cellulaire, ce qui indique que la signalisation par la PI 3-kinase favorise normalement la survie cellulaire, ainsi que la croissance cellulaire.

Il y a divers types de PI 3-kinases. Celle qui est activée par les récepteurs à activité tyrosine-kinase est composée d'une sous-unité catalytique et d'une autre régulatrice. La sous-unité régulatrice est un adaptateur protéique qui se fixe sur les phosphotyrosines des récepteurs à activité tyrosine-kinase activés par son domaine SH2 (voir Figure 15-53). Une autre PI 3-kinase présente une sous-unité régulatrice différente et est activée par le complexe βγ d'une protéine G trimérique lorsque les récepteurs couplés aux protéines G sont activés par leur ligand extracellulaire. La sous-unité catalytique, similaire dans les deux cas, possède aussi un site de liaison à une Ras activée, ce qui permet à Ras de stimuler directement les PI 3-kinases.

Les protéines de signalisation intracellulaire se fixent sur les PI(3,4)P$_2$ et PI(3,4,5)P$_3$ produits par la PI 3-kinase activée surtout par leur **domaine d'homologie à la Pleckstrine (PH)**, d'abord identifié dans la Pleckstrine, une protéine plaquettaire. Les domaines PH sont retrouvés dans 200 protéines environ chez l'homme, y compris Sos (le GEF qui inactive Ras, dont nous avons parlé précédemment) et certaines PKC atypiques qui ne dépendent pas de Ca^{2+} pour leur activation. On se rend compte de l'importance de ces domaines de façon spectaculaire au cours de certaines maladies génétiques d'immunodéficience de l'homme et de la souris, qui s'accompagnent d'une inactivation par mutation du domaine PH d'une tyrosine-kinase cytoplasmique appelée **BTK**. Normalement, lorsque les récepteurs antigéniques des lymphocytes B (cellules B) activent la PI 3-kinase, les sites d'arrimage des inositol phospholipides qui se forment recrutent à la fois la BTK et la PLC-γ sur la face cytoplasmique de la membrane plasmique. Ces deux protéines y interagissent : la BTK phosphoryle et active la PLC-γ qui coupe alors PI(4,5)P$_2$ pour former de l'IP$_3$ et du diacylglycérol pour relayer le signal vers l'avant (Figure 15-59). Comme la BTK mutante ne peut se fixer sur les sites d'arrimage des lipides produits après l'activation

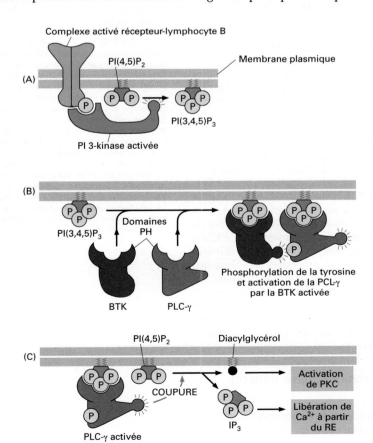

Figure 15-59 Recrutement de protéines de signalisation à domaine PH sur la membrane plasmique pendant l'activation des lymphocytes B. (A) La PI 3-kinase se lie sur une tyrosine phosphorylée du complexe activé récepteur-lymphocyte B et est ainsi activée pour phosphoryler l'inositol phospholipide PI 4,5-bisphosphate [PI(4,5)P$_2$], ce qui forme le PI 3,4,5-trisphosphate [PI(3,4,5)P$_3$]. (B) Le PI 3,4,5-trisphosphate sert de site d'arrimage à deux protéines de signalisation à domaine PH qui interagissent alors l'une avec l'autre. Cela provoque la phosphorylation par la tyrosine-kinase BTK de la PCL-γ au niveau de la membrane, ce qui l'active. (C) La PCL-γ activée coupe alors le PI(4,5)P$_2$ pour former du diacylglycérol et de l'IP$_3$ qui relaient le signal vers l'avant.

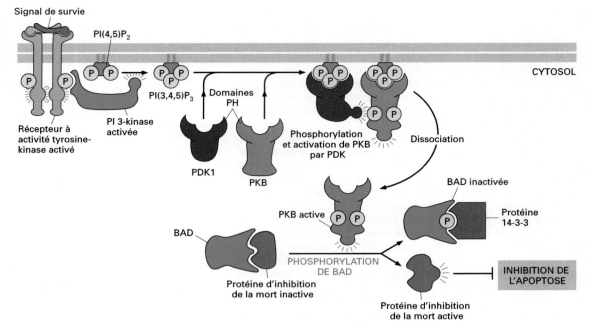

des récepteurs, les récepteurs ne peuvent signaler aux lymphocytes B de proliférer ou de survivre, ce qui résulte en un déficit grave de la production d'anticorps.

La voie de signalisation par les PI 3-kinase/protéine-kinase B peut stimuler la survie et la croissance cellulaires

La PI 3-kinase peut signaler aux cellules de survivre par l'activation indirecte de la **protéine-kinase B** (**PKB**, appelée aussi **Akt**). Cette kinase contient un domaine PH qui la dirige sur la membrane plasmique lorsque la PI 3-kinase y est activée par un signal de survie extracellulaire. Après s'être fixée sur le PI(3,4,5)P$_3$ du côté cytosolique de la membrane, la PKB modifie sa conformation pour pouvoir être alors activée selon un processus qui nécessite sa phosphorylation par une protéine-kinase phosphatidylinositol dépendante appelée **PDK1**, recrutée pareillement sur la membrane. Une fois activée, la PKB retourne dans le cytoplasme et phosphoryle diverses protéines cibles. Parmi elles, la *BAD* est une protéine qui encourage normalement les cellules à subir une mort cellulaire programmée, ou apoptose (déjà mentionnée et traitée en détail au chapitre 17). La PKB inactive BAD en la phosphorylant, ce qui favorise la survie cellulaire (Figure 15-60). La PKB favorise aussi la survie cellulaire par l'inhibition d'autres activateurs de la mort cellulaire, et dans certains cas par l'inhibition de la transcription des gènes qui les codent.

Les voies qui permettent à la PI 3-kinase de signaler aux cellules de se développer (et, d'une façon générale, d'augmenter leur métabolisme) sont complexes et encore mal comprises. Les facteurs de croissance stimulent la croissance cellulaire en augmentant la vitesse de la synthèse protéique par le biais de l'augmentation de l'efficacité avec laquelle les ribosomes traduisent certains ARNm en protéines. Une protéine-kinase, la **S6 kinase**, fait partie d'une des voies de signalisation qui part de la PI 3-kinase aux ribosomes. Elle phosphoryle et active ainsi la sous-unité S6 des ribosomes, ce qui facilite l'augmentation de la traduction d'un sous-ensemble d'ARNm qui codent pour les protéines ribosomiques et d'autres composants de la machinerie de traduction. L'activation de la S6 kinase est elle-même un processus complexe qui dépend de la PDK1 et de la phosphorylation de nombreux sites sur la protéine. La PDK1 peut phosphoryler un de ces sites en réponse à l'activation de la PI 3-kinase.

La figure 15-61 résume les cinq voies de signalisation intracellulaire parallèles dont nous avons jusqu'à présent parlé : celle déclenchée par des récepteurs couplés aux protéines G, les deux déclenchées par les récepteurs à activité tyrosine-kinase et les deux autres déclenchées par les deux types de récepteurs.

L'activité des récepteurs couplés à une tyrosine-kinase dépend de tyrosine-kinases cytoplasmiques

Beaucoup de récepteurs cellulaires de surface dépendent de la phosphorylation de tyrosines pour leur activité mais sont cependant dépourvus d'un domaine tyrosine-

Figure 15-60 Une voie permettant à la signalisation par la PI 3-kinase de favoriser la survie cellulaire. Un signal extracellulaire de survie active un récepteur à activité tyrosine-kinase qui recrute et active la PI 3-kinase. Celle-ci produit du PI(3,4,5)P$_3$ et du PI(3,4)P$_2$ (non montré ici) qui servent tous deux de site d'arrimage à deux sérine/thréonine kinases à domaine PH – la protéine-kinase B (PKB) et la kinase phosphoinositol-dépendante, PDK1. La fixation de PKB sur les inositol lipides altère sa conformation de telle sorte que les protéines peuvent être phosphorylées et activées par la PDK1. La PKB activée se dissocie alors de la membrane plasmique et phosphoryle la protéine BAD qui, lorsqu'elle est déphosphorylée, maintient à l'état inactif une ou plusieurs protéines inhibitrices de la mort. Une fois phosphorylée, BAD libère les protéines inhibitrices, qui peuvent alors bloquer la mort cellulaire programmée (apoptose) et favoriser ainsi la survie cellulaire. Comme cela est montré, une fois phosphorylée, BAD se lie à une protéine cytosolique ubiquiste appelée *14-3-3* qui maintient BAD hors service. Il y a environ 20 protéines 14-3-3 dans les cellules de l'homme, et toutes se fixent sur des motifs spécifiques de protéines contenant une sérine phosphorylée. L'activation des autres voies de signalisation peut aussi conduire à la phosphorylation de BAD et à la promotion de la survie cellulaire (non montré ici).

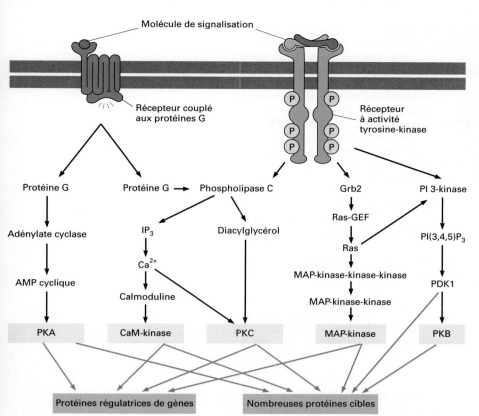

Figure 15-61 Cinq voies de signalisation intracellulaire parallèles activées par les récepteurs couplés aux protéines G, les récepteurs à activité tyrosine-kinase ou les deux. Dans cet exemple schématique, les cinq kinases (surlignées en *jaune*) à la fin de chaque voie phosphorylent des cibles protéiques (surlignées en *rouge*) dont certaines sont phosphorylées par plusieurs kinases. La phospholipase C spécifique activée par les deux types de récepteurs est différente : les récepteurs couplés aux protéines G activent la PLC-β tandis que les récepteurs à activité tyrosine-kinase activent la PLC-γ (non montré).

kinase. Ces récepteurs agissent par l'intermédiaire de **tyrosine-kinases cytoplasmiques**, qui leur sont associées et qui phosphorylent diverses protéines cibles, souvent aussi les récepteurs eux-mêmes, lorsqu'ils se fixent sur leur ligand. Ces récepteurs fonctionnent donc d'une façon assez semblable à ceux pourvus d'une activité tyrosine-kinase, sauf que leur domaine kinase est codé par un gène séparé et n'est pas associé de façon covalente à leur chaîne polypeptidique. Comme les récepteurs à activité tyrosine-kinase, ils doivent s'oligomériser pour fonctionner (Figure 15-62).

Beaucoup de ces récepteurs dépendent de membres de la plus grande famille des tyrosine-kinases cytoplasmiques des mammifères, la **famille Src** des protéine-kinases (*voir* Figure 3-68). Cette famille comprend les membres suivants : *Src, Yes, Fgr, Fyn, Lck, Lyn, Hck et Blk*. Toutes ces protéine-kinases contiennent des domaines SH2 et SH3 et sont localisées du côté cytoplasmique de la membrane plasmique, maintenues en partie par leurs interactions avec les récepteurs protéiques transmembranaires et en partie par des chaînes lipidiques attachées de façon covalente. Les différents membres de la famille sont associés à différents récepteurs et phosphorylent des groupes distincts, quoique se chevauchant, de protéines cibles. Lyn, Fyn et Lck, par exemple, sont chacun associés à différents ensembles de récepteurs sur les lymphocytes. Dans chaque cas, la kinase est activée lorsque le ligand extracellulaire se fixe sur le bon récepteur protéique. Src elle-même, ainsi que plusieurs autres membres de la famille, peut aussi se fixer sur des récepteurs à activité tyrosine-kinase activés ; dans ce cas, la kinase du récepteur et la kinase cytoplasmique stimulent mutuellement leur activité catalytique, ce qui renforce et prolonge le signal.

Un autre type de tyrosine-kinase cytoplasmique est associé aux *intégrines*, la principale famille de récepteurs utilisée par la cellule pour se lier à la matrice extracellulaire (*voir* Chapitre 19). La fixation des composants de la matrice aux intégrines peut activer les voies de signalisation intracellulaire qui influencent le comportement de la cellule. Lorsque les intégrines s'agrègent au niveau des sites de contact avec la matrice, elles favorisent le déclenchement de l'assemblage de jonctions cellule-matrice appelées *contacts focaux* ou *plaques d'adhésion*. Parmi les nombreuses protéines recrutées dans ces jonctions se trouve une tyrosine-kinase cytoplasmique, la **kinase d'adhésion focale** (**FAK** pour *focal adhesion kinase*) qui se fixe sur la queue cytosolique d'une des sous-unités de l'intégrine avec l'aide d'autres protéines du cytosquelette. Les molécules FAK agrégées s'auto-phosphorylent les unes les autres, ce qui forme des sites d'arrimage de phosphotyrosine où la Src kinase peut se fixer. La Src et la FAK se phosphorylent alors l'une l'autre ainsi que d'autres protéines qui s'assemblent dans la jonction, y compris beaucoup de protéines de signalisation utilisées par

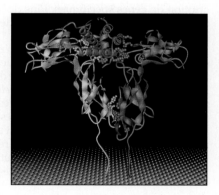

Figure 15-62 Structure tridimensionnelle de l'hormone de croissance de l'homme reliée à son récepteur. L'hormone (en *rouge*) relie deux récepteurs identiques (un montré en *vert* et l'autre en *bleu*). La fixation de l'hormone active les tyrosine-kinases cytoplasmiques qui sont solidement fixées sur les queues cytosoliques du récepteur (non montré ici). Les structures montrées ont été déterminées par des études de cristallographie aux rayons X de complexes formés entre l'hormone et les domaines extracellulaires des récepteurs produits par la technologie de l'ADN recombinant. On ne s'attendait absolument pas à ce qu'un ligand monomérique comme une hormone de croissance relie ses récepteurs car cela nécessite que deux récepteurs identiques reconnaissent des parties différentes de l'hormone. Comme nous l'avons mentionné auparavant, l'EGF fait de même. (D'après A.M. deVos, M. Ultsch et A.A. Kossiakoff, *Science* 255 : 306-312, 1992. © AAAS.)

les récepteurs à activité tyrosine-kinase. De cette façon, ces deux kinases signalent à la cellule qu'elle a adhéré à un support adapté, où elle peut alors survivre, se développer, se diviser, migrer et ainsi de suite. Les souris atteintes d'une déficience en FAK meurent au début du développement et leurs cellules ne migrent pas normalement dans une boîte de culture.

Les *récepteurs des cytokines* constituent une sous-famille de récepteurs couplés à une enzyme dont nous parlerons dans le paragraphe suivant. Ils forment la classe la plus grande et la plus variée de récepteurs qui comptent sur les kinases cytoplasmiques pour relayer les signaux dans les cellules. Ils comprennent les récepteurs de nombreuses sortes de médiateurs locaux (appelés collectivement *cytokines*) ainsi que les récepteurs de certaines hormones, comme l'hormone de croissance (Figure 15-62) et la prolactine. Comme nous le verrons, ces récepteurs sont associés stablement à une classe de tyrosine-kinases cytoplasmiques, les *Jak*, qui activent des protéines régulatrices de gènes latents appelées *STAT*. Les protéines STAT sont normalement inactives, localisées à la surface de la cellule ; la fixation de cytokines ou d'hormones provoque leur migration dans le noyau et active la transcription génique.

Les récepteurs des cytokines activent la voie de signalisation Jak-STAT et fournissent un chemin rapide vers le noyau

Beaucoup de voies de signalisation intracellulaire vont des récepteurs cellulaires de surface au noyau où elles modifient la transcription génique. La **voie de signalisation par Jak-STAT**, cependant, fournit l'un des chemins les plus directs. Elle a été initialement découverte au cours d'études sur les effets des interférons, qui sont des cytokines sécrétées par les cellules (en particulier les leucocytes sanguins) en réponse à une infection virale. Les interférons se fixent sur des récepteurs situés sur les cellules voisines non infectées et amènent celles-ci à produire des protéines qui augmentent leur résistance aux infections virales. Lorsqu'ils sont activés, les récepteurs des interférons activent une nouvelle classe de tyrosine-kinases cytoplasmiques, les **Janus kinases (Jak)** (d'après le dieu romain à deux visages). Les Jak phosphorylent et activent un ensemble de protéines régulatrices de gènes latents appelées **STAT** (pour *signal transducers and activator of transcription* ou transducteurs du signal et activateurs de la transcription) qui se déplacent dans le noyau et stimulent la transcription de gènes spécifiques. Plus de 30 cytokines et hormones activent la voie Jak-STAT en se fixant sur les récepteurs des cytokines, et certaines sont présentées dans le tableau 15-V.

Toutes les STAT ont également un domaine SH2 qui leur permet de s'arrimer sur des tyrosines phosphorylées spécifiques de certains récepteurs à activité tyrosine-kinase activés. Ces récepteurs peuvent directement activer le STAT lié, indépendamment de Jak. En fait, le nématode *C. elegans* utilise STAT pour la signalisation mais ne fabrique pas Jak ni de récepteurs des cytokines, ce qui suggère que STAT s'est développé avant Jak et les récepteurs des cytokines.

Les **récepteurs des cytokines** sont composés de deux ou plusieurs chaînes polypeptidiques. Certaines chaînes de ces récepteurs sont spécifiques d'un récepteur particulier des cytokines, tandis que d'autres sont communes à plusieurs de ces récepteurs. Tous les récepteurs des cytokines, cependant, sont associés à une ou plusieurs

TABLEAU 15-V Quelques protéines de signalisation qui agissent par les récepteurs des cytokines et la voie de signalisation par Jak-STAT

LIGAND DE SIGNALISATION	Jak ASSOCIÉE AU RÉCEPTEUR	STAT ACTIVÉ	CERTAINES RÉPONSES
Interféron γ	Jak1 et Jak2	STAT1	Active les macrophages ; augmente l'expression de la protéine MHC
Interféron α	Tyk2 et Jak2	STAT1 et STAT2	Augmente la résistance des cellules aux infections virales
Érythropoïétine	Jak2	STAT5	Stimule la production des érythrocytes
Prolactine	Jak1 et Jak2	STAT5	Stimule la production de lait
Hormone de croissance	Jak2	STAT1 et STAT5	Stimule la croissance en induisant la production d'IGF-1
GM-CSF	Jak2	STAT5	Stimule la production de granulocytes et de macrophages
IL-3	Jak2	STAT5	Stimule la production des cellules sanguines précoces

Jak. Il existe quatre Jak connues – Jak1, Jak2, Jak3 et Tyk2 – et chacune est associée à des récepteurs des cytokines spécifiques. Les récepteurs de l'interféron α, par exemple, sont associés à Jak1 et Tyk2 tandis que les récepteurs de l'interféron γ sont associés à Jak1 et Jak2 (*voir* Tableau 15-V). Comme on pourrait s'y attendre, les souris dépourvues de Jak1 ne répondent à aucun de ces interférons. Le récepteur de l'*érythropoïétine*, une hormone qui stimule la survie, la prolifération et la différenciation des cellules précurseurs des érythrocytes, n'est associé qu'à Jak2. Chez les souris déficientes en Jak2, il n'y a pas de développement des érythrocytes et la souris meurt au début du développement.

La fixation des cytokines induit soit l'oligomérisation des chaînes du récepteur soit, dans l'oligomère préformé, la réorientation des chaînes. Dans les deux cas, la fixation rapproche suffisamment les Jak associées pour qu'elles s'autophosphorylent l'une l'autre, augmentant ainsi l'activité de leurs domaines tyrosine-kinases. Les Jak phosphorylent alors les tyrosines des récepteurs des cytokines, et créent des sites d'arrimage des phosphotyrosines pour les STAT et d'autres protéines de signalisation.

Il y a sept STAT connus dont chacun a un domaine SH2 qui effectue deux fonctions. D'abord il permet la liaison de la protéine STAT sur le site d'arrimage des tyrosines phosphorylées du récepteur des cytokines activé (ou d'un récepteur à activité tyrosine-kinase); une fois liés, les Jak phosphorylent les STAT sur les tyrosines, ce qui provoque leur dissociation du récepteur. Deuxièmement, le domaine SH2 des STAT libérés sert d'intermédiaire pour leur fixation sur une tyrosine phosphorylée d'une autre molécule STAT, pour former soit un homodimère soit un hétérodimère de STAT. Le dimère de STAT se déplace alors dans le noyau, où, associé à d'autres protéines régulatrices de gènes, il se fixe sur un élément de réponse spécifique de l'ADN de divers gènes et stimule leur transcription (Figure 15-63). En réponse à l'hormone prolactine, par exemple, qui stimule les cellules mammaires à produire du lait, le STAT5 activé stimule la transcription des gènes qui codent pour les protéines du lait.

Les récepteurs des cytokines activent les bonnes protéines STAT parce que le domaine SH2 de ces STAT reconnaît uniquement le site d'amarrage spécifique sur les tyrosines phosphorylées de ces récepteurs. Les récepteurs activés de l'interféron α, par exemple, recrutent à la fois STAT1 et STAT2 tandis que les récepteurs activés de l'interféron γ recrutent uniquement STAT1. Si le domaine SH2 du récepteur de l'interféron α remplace le domaine SH2 du récepteur de l'interféron γ, le récepteur hybride activé recrute à la fois STAT1 et STAT2 comme le récepteur de l'interféron α lui-même.

Figure 15-63 La voie de signalisation par Jak-STAT activée par l'interféron α. La fixation de l'interféron provoque soit la dimérisation de deux chaînes polypeptidiques de récepteurs séparés (comme cela est montré) soit la réorientation des chaînes de récepteurs dans un dimère préformé. Dans les deux cas, les Jak associées sont rapprochées de telle sorte qu'elles puissent s'autophosphoryler l'une l'autre sur tyrosines et commencer le processus de signalisation. Les deux chaînes de récepteurs différentes sont associées à des Jak différentes (Tyk2 et Jak1) et recrutent différents STAT (STAT1 et STAT2). Les STAT se dissocient des récepteurs et forment des hétérodimères lorsqu'ils sont activés par phosphorylation puis se fixent sur des séquences d'ADN spécifiques dans le noyau cellulaire où, associés à d'autres protéines régulatrices de gènes, ils induisent la transcription de gènes adjacents.

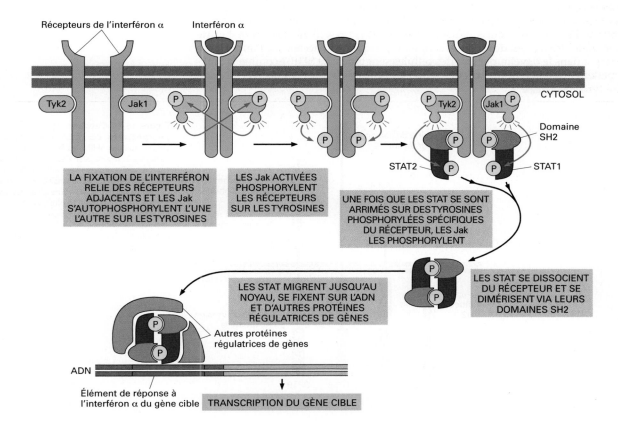

Les réponses permises par STAT sont souvent régulées par un rétrocontrôle négatif. En plus de l'activation de gènes qui codent pour des protéines permettant la réponse induite par les cytokines, les dimères de STAT peuvent aussi activer des gènes qui codent des protéines inhibitrices. Dans certains cas, l'inhibiteur se fixe à la fois sur les récepteurs activés et les protéines STAT, ce qui bloque la poursuite de l'activation de STAT et facilite l'arrêt de la réponse ; dans d'autres cas, l'inhibiteur atteint le même résultat en bloquant la fonction des Jak.

Ces mécanismes de rétrocontrôles négatifs, cependant, ne sont pas en eux-mêmes suffisants pour inactiver les réponses. Les Jak et les STAT activés doivent aussi être inactivés par déphosphorylation de leurs tyrosines phosphorylées. Comme dans toutes les voies de signalisation qui utilisent la phosphorylation des tyrosines, la déphosphorylation s'effectue par des *protéines tyrosine-phosphatases* qui sont aussi importantes dans le processus de signalisation que les protéines tyrosine-kinases qui ajoutent les phosphates.

Certaines protéines tyrosine-phosphatases peuvent agir comme récepteurs cellulaires de surface

Comme nous l'avons vu précédemment, seul un petit nombre de sous-unités catalytiques des sérine/thréonine phosphatases est responsable de l'élimination de groupements phosphate des sérines et des thréonines phosphorylées sur les protéines. Par contre, il y a près de 30 **protéines tyrosine-phosphatases (PTP)** codées dans le génome humain. Comme les tyrosine-kinases, elles se trouvent à la fois sous une forme cytoplasmique et une forme transmembranaire dont aucune n'est structurellement apparentée aux protéine-phosphatases sérine/thréonine. Chaque protéine tyrosine-phosphatase présente une extrême spécificité pour son substrat, n'éliminant les groupements phosphate que sur certaines tyrosines phosphorylées dans un sous-ensemble de protéines à tyrosines phosphorylées. Toutes ces phosphatases assurent que la phosphorylation des tyrosines est de courte durée et que le niveau de phosphorylation des tyrosines dans les cellules au repos est très bas. Elle ne servent cependant pas simplement à inverser continuellement les effets des protéines tyrosine-kinases ; elles sont régulées pour agir seulement au moment opportun de la réponse de signalisation ou au cours du cycle de division cellulaire (*voir* Chapitre 17).

Deux tyrosine-phosphatases cytoplasmiques des vertébrés possèdent des domaines SH2 et sont donc appelées **SHP-1** et **SHP-2** (Figure 15-64). La SHP-1 facilite la terminaison de certaines réponses aux cytokines dans les cellules sanguines en déphosphorylant les Jak activées : les récepteurs mutants de l'érythropoïétine qui ne peuvent recruter de SHP-1, par exemple, activent les Jak2 bien plus longtemps que la normale. De plus, les souris déficientes en SHP-1, présentent des anomalies de presque toutes les lignées des cellules sanguines, ce qui met l'accent sur l'importance de la SHP-1 dans le développement des cellules sanguines. La SHP-1 comme la SHP-2 permettent aussi la terminaison des réponses transmises par certains récepteurs à activité tyrosine-kinase.

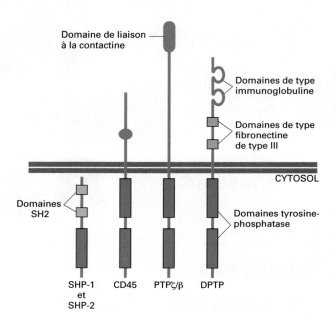

Figure 15-64 Certaines tyrosine-phosphatases. Les tyrosine-phosphatases cytoplasmiques SHP-1 et SHP-2 ont une structure similaire avec deux domaines SH2. Les trois récepteurs-like à activité tyrosine-phosphatase transmembranaires ont deux domaines phosphatases intracellulaires arrangés en tandem, celui placé le plus près de la membrane fournissant la plupart ou la totalité de l'activité catalytique. La DPTP est une protéine de *Drosophila*, les autres présentes dans la figure sont des protéines de mammifères.

Il y a un grand nombre de protéines tyrosine-phosphatases transmembranaires mais la fonction de la plupart d'entre elles reste inconnue. On pense que certaines au moins fonctionnent comme des récepteurs; néanmoins, comme cela n'a pas été directement démontré, ont les appelle les **récepteurs-like à activité tyrosine-phosphatase**. Elles ont toutes un segment transmembranaire et possèdent généralement deux domaines tyrosine-phosphatases du côté cytosolique de la membrane plasmique. La **protéine CD45** en est un exemple important (*voir* Figure 15-64). On la retrouve sur la surface de tous les leucocytes sanguins et son rôle est essentiel dans l'activation des lymphocytes B et T par les antigènes étrangers. On n'a pas encore identifié le ligand présumé se lier sur le domaine extracellulaire de la protéine CD45. Cependant, le rôle de CD45 dans la transduction du signal a été étudié à l'aide de techniques d'ADN recombinant, formant une protéine hybride dotée d'un domaine extracellulaire de liaison à l'EGF et du domaine intracellulaire tyrosine-phosphatase de la CD45. Le résultat est surprenant car la liaison de l'EGF semble inactiver l'activité phosphatase de la protéine hybride au lieu de l'activer.

Cette observation soulève la possibilité que certains récepteurs à activité tyrosine-kinase collaborent avec certains récepteurs à activité tyrosine-phosphatase lorsqu'ils fixent leurs ligands respectifs liés à la surface cellulaire – la kinase ajoutant plus de phosphates et la phosphatase en éliminant un peu moins – afin de stimuler de façon optimale la phosphorylation de tyrosines de certaines protéines de signalisation intracellulaire. Cependant, la signification de l'inhibition induite par les ligands de la phosphatase CD45 est encore incertaine, et il semble peu probable qu'elle représente la totalité de l'histoire; la CD45 a besoin de son activité phosphatase pour jouer son rôle dans l'activation des lymphocytes.

Certains récepteurs-like à activité tyrosine-phosphatase ont des caractéristiques de protéines d'adhésion cellulaire et peuvent même être les intermédiaires des liaisons homophiles entre cellules dans des tests d'adhésion cellulaire (*voir* Figure 19-26). Dans le système nerveux en développement, par exemple, ils peuvent jouer un rôle important dans le guidage des extrémités en croissance des axones en développement des cellules nerveuses vers leurs cibles. Chez la drosophile, les gènes codant pour divers recepteurs-like à activité tyrosine-phosphatase sont exclusivement exprimés dans le système nerveux et lorsque certains d'entre eux sont inactivés par mutation, les axones de certains neurones en développement ne retrouvent pas leur chemin vers leurs cibles normales. Dans certains cas du moins, l'activité phosphatase de la protéine est nécessaire pour contrecarrer l'action d'une tyrosine-kinase cytoplasmique et guider normalement les axones.

Les tyrosine-phosphatases transmembranaires peuvent aussi servir de ligands de signalisation qui activent les récepteurs d'une cellule voisine. Prenons comme exemple la *protéine tyrosine-phosphatase ζ/β* (*voir* Figure 15-64), qui est exprimée sur la surface de certaines cellules de la glie du cerveau des mammifères. Elle se fixe sur un récepteur protéique (la *contactine*) des cellules nerveuses en développement, les stimulant pour qu'elles étendent de longs processus. Il est possible que la phosphatase convoie un signal aux cellules de la glie lors de cette interaction mais ce type de signalisation bidirectionnelle n'a pas été démontré pour les tyrosine-phosphatases transmembranaires.

Après avoir parlé du rôle crucial de la phosphorylation et de la déphosphorylation des tyrosines dans les voies de signalisation intracellulaire activées par de nombreux récepteurs couplés à une enzyme, tournons-nous maintenant vers une classe de récepteurs couplés à une enzyme qui se reposent entièrement sur la phosphorylation des sérines/thréonines. Ces sérine/thréonine-kinases transmembranaires activent une voie de signalisation vers le noyau encore plus directe que la voie par Jak-STAT déjà abordée. Elles phosphorylent directement des protéines régulatrices de gènes latents appelées *Smad* qui migrent alors dans le noyau pour activer la transcription génique.

Les protéines de signalisation de la superfamille des TGF-β agissent par les récepteurs à activité sérine/thréonine-kinase et les Smad

La **superfamille des TGF-β** (pour *transforming growth factor-β*) est composée d'un grand nombre de protéines dimériques, sécrétées et structurellement apparentées. Les TGF-β agissent soit comme des hormones soit, plus souvent, comme des médiateurs locaux pour réguler un large éventail de fonctions biologiques chez tous les animaux. Pendant le développement, ils régulent les schémas d'organisation et influencent différents comportements cellulaires, y compris la prolifération, la différenciation, la production de la matrice extracellulaire et la mort cellulaire. Chez les adultes, ils sont impliqués dans la réparation tissulaire et la régulation immunitaire, ainsi que dans beaucoup d'autres processus. Cette superfamille comprend les *TGF-β* eux-mêmes, les *activines* et les *protéines osseuses impliquées dans la morphogenèse (BMP, bone morphogenetic proteins)*. Les BMP forment la plus grande famille.

Toutes ces protéines agissent par l'intermédiaire de récepteurs couplés à des enzymes. Ces récepteurs sont des protéines à un seul domaine transmembranaire dotées d'un domaine sérine/thréonine-kinase du côté cytosolique de la membrane plasmique. Il y a deux classes de **récepteurs à activité sérine/thréonine-kinase** – le type I et le type II – de structure similaire. Chaque membre de la superfamille des TGF-β se fixe sur une combinaison caractéristique de ces récepteurs de type I et de type II, qui sont tous deux nécessaires à la signalisation. Typiquement, le ligand se lie d'abord à un homodimère du récepteur de type II et l'active ; celui-ci recrute, phosphoryle et active un homodimère du récepteur de type I pour former un complexe tétramérique actif de récepteurs.

Une fois activé, ce complexe de récepteurs utilise une stratégie qui relaie rapidement le signal vers le noyau, très similaire à celle des Jak-STAT utilisée par les récepteurs des cytokines. Cependant, cette voie vers le noyau est même encore plus directe. Le récepteur de type I se fixe directement sur une protéine régulatrice de gènes de la **famille des Smad** (nommée d'après les deux premières identifiées : Sma chez *C. elegans* et Mad chez la drosophile) et la phosphoryle. Les récepteurs des TGF-β et des activines activés phosphorylent Smad2 ou Smad3 tandis que les récepteurs du BMP phosphorylent Smad1, Smad5 ou Smad8. Une fois qu'une de ces Smad a été phosphorylée, elle se dissocie du récepteur et se fixe sur Smad4, qui peut former un complexe avec n'importe laquelle des cinq *Smad activées par le récepteur*. Le complexe Smad se déplace alors dans le noyau où il s'associe avec d'autres protéines régulatrices de gènes, puis se fixe sur des sites spécifiques de l'ADN et active un groupe particulier de gènes cibles (Figure 15-65).

Certains membres de la famille des TGF-β servent de morphogènes progressifs pendant le développement, induisant différentes réponses dans les cellules en développement en fonction de leurs concentrations (*voir* Chapitre 21). Ces différentes réponses peuvent être reproduites si on modifie expérimentalement la quantité de complexes Smad actifs dans le noyau, ce qui suggère que la concentration en ces complexes peut donner une vision directe du niveau d'activation des récepteurs. Si les sites de liaison à l'ADN des différents gènes cibles ont des affinités différentes pour le complexe, alors il est possible que les gènes spécifiques activés reflètent le positionnement de la cellule au sein du gradient de concentration des morphogènes.

Tout comme avec la voie Jak-STAT, la voie Smad est souvent régulée par une

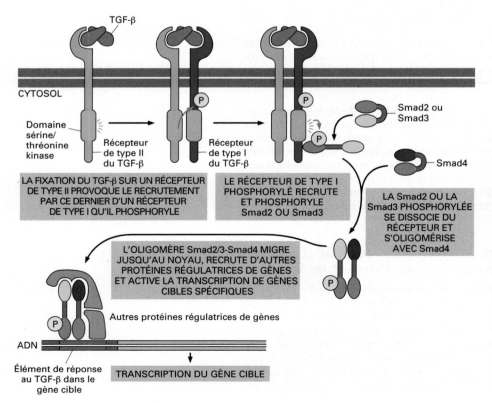

Figure 15-65 Un modèle de la voie de signalisation dépendant des Smad activées par les TGF-β. Notez que le TGF-β est un dimère et que les Smad s'ouvrent pour exposer une surface de dimérisation lorsqu'elles sont phosphorylées. Diverses caractéristiques de la voie ont été omises pour plus de simplicité, dont les suivantes : (1) On pense que les récepteurs protéiques de type I et de type II sont tous deux des dimères. (2) Les récepteurs de type I sont normalement associés à une protéine inhibitrice qui se dissocie lorsque le récepteur de type I est phosphorylé par un récepteur de type II. (3) On pense que chaque Smad est un trimère. (A) Une protéine d'ancrage (appelée SARA pour *Smad anchor for receptor activation*) facilite le recrutement de Smad2 ou Smad3 sur le récepteur de type I activé en se liant au récepteur, à Smad et à des molécules d'inositol phospholipides de la membrane plasmique. (5) La fonction de certaines Smad est régulée par des enzymes qui augmentent leur ubiquitinylation et ainsi leur dégradation.

inhibition par rétrocontrôle. Les gènes qui codent pour des *Smad inhibitrices*, comme Smad6 et Smad7, font partie des gènes cibles activés par les complexes Smad. Ces Smad agissent comme des leurres. Elles se fixent sur les récepteurs activés de type I et empêchent les autres Smad de s'y fixer. Cela bloque la formation des complexes Smad actifs et arrête la réponse aux ligands de la famille des TGF-β. D'autres types de ligands extracellulaires peuvent aussi stimuler la production de Smad inhibitrices pour contrer (antagonisme) la signalisation par les ligands TGF-β; l'interféron γ, par exemple, active la voie Jak-STAT et les dimères STAT activés résultants induisent la production de Smad7 qui inhibent la signalisation par les TGF-β.

En plus de ces inhibiteurs intracellulaires, un certain nombre de protéines inhibitrices extracellulaires sécrétées peuvent aussi neutraliser la signalisation par les membres de la famille des TGF-β. Elles se fixent directement sur les molécules de signalisation et les empêchent d'activer leurs récepteurs sur les cellules cibles. La *noggine* et la *chordine*, par exemple, inhibent la BMP et la *follistatine* inhibe les activines. La noggine et la chordine favorisent l'induction du développement du système nerveux central en empêchant les BMP d'inhiber ce développement (*voir* Chapitre 21). Les membres de la famille des TGF-β, ainsi que certains de leurs inhibiteurs, sont généralement sécrétés sous forme de précurseurs inactifs qui sont ultérieurement activés par coupure protéolytique.

Voyons maintenant les récepteurs couplés à une enzyme qui ne sont ni des kinases ni associés à des kinases. Nous avons vu auparavant que le monoxyde d'azote était une molécule de signalisation largement utilisée, qui diffuse à travers la membrane plasmique de la cellule cible et stimule une guanylate cyclase cytoplasmique pour qu'elle produise un médiateur intracellulaire, le GMP cyclique. Les récepteurs que nous verrons dans le paragraphe suivant sont des protéines transmembranaires à activité guanylate cyclase.

Les récepteurs à activité guanylate cyclase forment directement du GMP cyclique

Les **récepteurs à activité guanylate cyclase** sont des protéines à un seul domaine transmembranaire dotées d'un site de liaison extracellulaire pour la molécule de signalisation et d'un domaine catalytique intracellulaire à activité guanylate cyclase. La fixation de la molécule de signalisation active le domaine cyclase qui produit du GMP cyclique qui se fixe à son tour sur une *protéine-kinase GMP cyclique-dépendante (PKG)* et l'active pour qu'elle phosphoryle des protéines spécifiques sur des sérines ou des thréonines. De ce fait, les récepteurs à activité guanylate cyclase utilisent le GMP cyclique comme médiateur intracellulaire tout comme certains récepteurs couplés aux protéines G utilisent l'AMP cyclique, sauf que la relation entre la fixation du ligand et l'activité cyclase est directe.

Parmi les molécules de signalisation qui utilisent les récepteurs à activité guanylate cyclase, se trouvent les *peptides natriurétiques (NP, natriuretic peptide)*, une famille de peptides de signalisation sécrétés, de structure apparentée, qui régulent l'équilibre entre le sel et l'eau et dilatent les vaisseaux sanguins. Il y a plusieurs types de NP dont l'*ANP (atrial natriuretic peptide* ou NP atrial) et le *BNP (brain natriuretic peptide* ou NP cérébral). Les cellules musculaires des oreillettes sécrètent l'ANP lorsque la pression sanguine s'élève. L'ANP stimule les reins pour qu'ils sécrètent du Na$^+$ et de l'eau et induit le relâchement des cellules musculaires lisses des vaisseaux sanguins. Ces deux effets ont tendance à abaisser la pression sanguine. Lorsqu'on utilise le ciblage des gènes pour inactiver le récepteur à activité guanylate cyclase de l'ANP d'une souris, celle-ci présente une élévation chronique de la pression sanguine qui résulte en une hypertrophie cardiaque progressive.

On découvre de plus en plus de récepteurs à activité guanylate cyclase mais, dans la plupart des cas ce sont des récepteurs orphelins, dont le ligand qui les active normalement est inconnu. Le génome du nématode *C. elegans*, par exemple, code pour 26 de ces récepteurs. La plupart de ceux qui ont été étudiés sont exprimés dans des sous-groupes spécifiques de neurones sensoriels, ce qui suggère qu'ils sont peut-être impliqués dans la détection de molécules spécifiques de l'environnement du ver. Certains récepteurs orphelins des mammifères sont retrouvés dans les neurones sensoriels d'une zone du nez impliquée dans la détection des phéromones.

Toutes les voies de signalisation activées par les récepteurs couplés aux protéines G et couplés à une enzyme dont nous avons parlé jusqu'à présent dépendent de protéine-kinases spécifiques des sérine/thréonine, de protéine-kinases spécifiques des tyrosines ou des deux. Ces kinases sont toutes apparentées structurellement, comme le montre la figure 15-66. Cependant, certains récepteurs couplés à une enzyme dépendent d'un type de protéine-kinase totalement non apparenté, comme nous le verrons dans le paragraphe suivant.

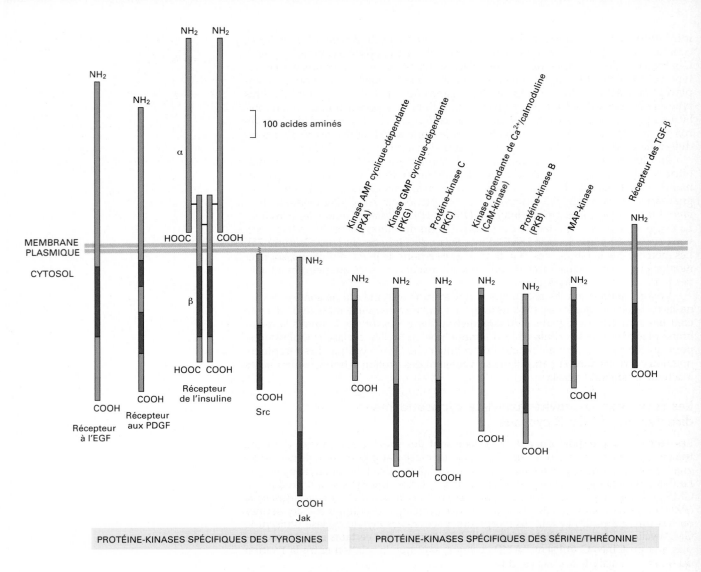

NH₂ ... 100 acides aminés

PROTÉINE-KINASES SPÉCIFIQUES DES TYROSINES

PROTÉINE-KINASES SPÉCIFIQUES DES SÉRINE/THRÉONINE

Récepteur à l'EGF

Récepteur aux PDGF

Récepteur de l'insuline

Src

Jak

Kinase AMP cyclique-dépendante (PKA)

Kinase GMP cyclique-dépendante (PKG)

Protéine-kinase C (PKC)

Kinase dépendante de Ca²⁺/calmoduline (CaM-kinase)

Protéine-kinase B (PKB)

MAP-kinase

Récepteur des TGF-β

MEMBRANE PLASMIQUE — CYTOSOL

La chimiotaxie bactérienne dépend d'une voie de signalisation à deux composantes, activée par des récepteurs associés à des histidine-kinases

Comme nous l'avons fait remarquer précédemment, on pense que beaucoup de mécanismes impliqués dans la signalisation chimique intercellulaire chez les animaux multicellulaires se sont développés à partir de ceux utilisés par les organismes monocellulaires pour répondre aux variations chimiques de leur environnement. En fait, certains de ces médiateurs intracellulaires, comme les nucléotides cycliques et le Ca²⁺, sont utilisés par ces deux types d'organismes. Les réponses chimiotactiques font partie des réactions les mieux étudiées des organismes monocellulaires vis-à-vis des signaux extracellulaires. Au cours de celles-ci, le mouvement cellulaire s'oriente en direction de la source de certaines substances chimiques de l'environnement ou à l'opposé (éloignement). Nous conclurons cette partie sur les récepteurs couplés à une enzyme par une brève description de la chimiotaxie bactérienne, qui dépend d'une **voie de signalisation à deux composantes**, impliquant des **récepteurs à activité histidine-kinase**. Les levures et les végétaux utilisent ce même type de voie de signalisation contrairement, apparemment, aux animaux.

   Les bactéries mobiles nageront vers de plus fortes concentrations en nutriments (*attracteurs*) comme les sucres, les acides aminés et les petits peptides et s'éloigneront des fortes concentrations en diverses substances chimiques nocives (*répulsifs*). Elles nagent grâce à leurs flagelles, qui sont chacun fixés par un court crochet souple basal sur un petit disque protéique encastré dans la membrane bactérienne. Ce disque fait partie d'un moteur minuscule qui utilise l'énergie stockée dans le gradient transmembranaire de H⁺ pour effectuer une rotation rapide et faire tourner le flagelle hélicoïdal (Figure 15-67). Comme le flagelle sur la surface bactérienne possède une

Figure 15-66 Quelques-unes des protéine-kinases traitées dans ce chapitre. La taille et la localisation de leurs domaines catalytiques (*vert foncé*) sont montrées. Dans chaque cas, le domaine catalytique a environ 250 acides aminés de long. Ces domaines ont tous une séquence en acides aminés similaire, ce qui suggère qu'ils se sont tous développés à partir d'une protéine-kinase primitive commune (*voir aussi* Figure 3-65). Notez que toutes les tyrosine-kinases montrées sont liées à la membrane plasmique (les Jak sont liées par leur association aux récepteurs des cytokines), tandis que la plupart des sérine/thréonine kinases sont dans le cytosol.

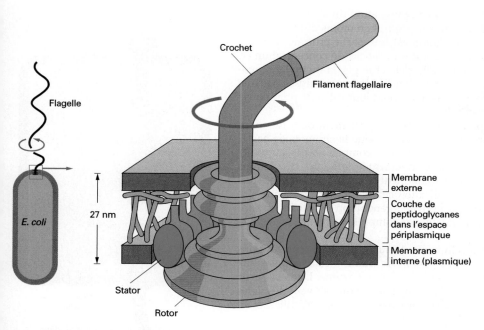

Crochet

Filament flagellaire

Flagelle

E. coli

27 nm

Membrane externe

Couche de peptidoglycanes dans l'espace périplasmique

Membrane interne (plasmique)

Stator

Rotor

Figure 15-67 Moteur flagellaire bactérien. Le flagelle est relié à un crochet souple. Le crochet est fixé sur une série d'anneaux protéiques (montrés en *rouge*) encastrés dans les membranes externe et interne. Les anneaux forment un rotor qui tourne avec le flagelle à plus de 100 révolutions par secondes. La rotation est actionnée par un flux de protons à travers un anneau externe de protéines (*voir* Figure 14-17), le stator, qui contient aussi des protéines responsables du changement de la direction de la rotation. (D'après des données issues de T. Kubori et al., *J. Mol. Biol.* 226 : 443-446, 1992 et N.R. Francis et al., *Proc. Natl. Acad. Sci. USA* 89 : 6304-6308, 1992.)

«orientation» intrinsèque, les différentes directions de rotation ont différents effets sur le mouvement. Les rotations dans le sens inverse des aiguilles d'une montre permettent aux flagelles de se rassembler pour former un faisceau cohérent qui permet à la bactérie de nager uniformément dans une direction. La rotation dans le sens des aiguilles d'une montre provoque la séparation des flagelles, de telle sorte que la bactérie effectue des culbutes chaotiques sans avancer (Figure 15-68). En l'absence de tout stimulus environnemental, la direction de la rotation du disque s'inverse continuellement au bout de quelques secondes, produisant l'aspect caractéristique des mouvements composés d'une nage uniforme en ligne droite, interrompue de modifications brutales et aléatoires de direction provoquées par la culbute.

Les attracteurs et les répulsifs modifient le comportement normal de nage de la bactérie. Ils se fixent sur des récepteurs protéiques spécifiques et changent la fréquence des culbutes par augmentation ou diminution du temps qui s'écoule entre les changements successifs de direction de la rotation flagellaire. Lorsque les bactéries nagent dans une direction favorable (vers une plus forte concentration en un attracteur ou en s'éloignant d'une plus forte concentration en répulsif), elles effectuent moins souvent de culbutes que lorsqu'elles nagent dans une direction non favorable (ou lorsqu'il n'y a pas de gradient). Comme les périodes de nage uniforme sont plus longues lorsque la bactérie se déplace dans la direction favorable, elle avancera peu à peu dans cette direction – s'approchera de l'attracteur ou s'éloignera du répulsif.

Ces réponses passent par l'intermédiaire de **récepteurs de chimiotaxie** associés à une histidine-kinase. Ce sont typiquement des protéines transmembranaires dimériques qui fixent spécifiquement les attracteurs ou les répulsifs à l'extérieur de la membrane plasmique. Les queues cytoplasmiques des récepteurs sont associées stablement à un adaptateur protéique, le *CheW*, et à une histidine-kinase, la *CheA*, qui facilitent le couplage des récepteurs au moteur flagellaire. La fixation du répulsif active les récepteurs tandis que celle des attracteurs les inactive ; un seul récepteur peut se lier à ces deux types de molécules avec des conséquences opposées. La fixation d'un répulsif sur le récepteur active CheA qui s'autophosphoryle sur une histidine et transfère presque immédiatement le phosphate à un acide aspartique sur une protéine messager *CheY*. La CheY phosphorylée se dissocie du récepteur, diffuse à travers le cytosol, se fixe sur le moteur flagellaire et provoque la rotation dans le sens des aiguilles d'une montre du moteur de telle sorte que la bactérie culbute. CheY a une activité phosphatase intrinsèque et se déphosphoryle elle-même selon un processus qui est fortement accéléré par la protéine *CheZ* (Figure 15-69).

La réponse à l'augmentation de la concentration en attracteur ou en répulsif n'est que transitoire, même si la forte concentration en ligand est maintenue du

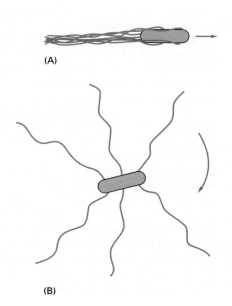

(A)

(B)

Figure 15-68 Positions des flagelles sur *E. coli* pendant la nage. (A) Lorsque les flagelles effectuent une rotation dans le sens inverse des aiguilles d'une montre, ils sont attirés ensemble et forment un seul faisceau qui agit comme un propulseur pour produire une nage uniforme. (B) Lorsque les flagelles tournent dans le sens des aiguilles d'une montre, ils se séparent et engendrent des culbutes.

fait que la bactérie se *désensibilise*, ou *s'adapte* à l'augmentation du stimulus. Tandis que l'effet initial sur les mouvements de culbute se produit en moins d'une seconde, l'adaptation prend quelques minutes. L'adaptation est une partie cruciale de la réponse car elle permet à la bactérie de répondre à des *variations* de concentration en ligand plutôt qu'à des concentrations stables. Elle s'effectue par la méthylation covalente (catalysée par une méthyltransférase) et la déméthylation (catalysée par une méthylase) des récepteurs de la chimiotaxie qui modifient leur capacité de réponse à la fixation du ligand lorsqu'ils sont méthylés.

Tous les gènes et les protéines impliqués dans ce comportement de forte adaptation sont maintenant identifiés. Il semble donc probable que la chimiotaxie bactérienne sera le premier système de signalisation totalement compris au niveau moléculaire. Même dans ce réseau de signalisation relativement simple, des simulations informatisées sont nécessaires pour comprendre comment fonctionne le système sous forme de réseau intégré. Les voies de la signalisation cellulaire fourniront une aire de recherche particulièrement riche pour la nouvelle génération de biologistes informaticiens car leurs propriétés de réseau ne sont pas compréhensibles sans de puissants ordinateurs.

Il y a certains récepteurs protéiques cellulaires de surface qui ne rentrent dans aucune des trois principales classes que nous venons de traiter – ceux couplés aux canaux ioniques, couplés aux protéines G, et couplés à une enzyme. Dans la partie suivante, nous parlerons des récepteurs cellulaires de surface qui activent des voies de signalisation dépendant de la protéolyse. Ces voies ont des rôles particulièrement importants dans le développement animal.

Résumé

Il existe cinq classes connues de récepteurs couplés à une enzyme : (1) les récepteurs à activité tyrosine-kinase, (2) les récepteurs associés aux tyrosine-kinases ; (3) les récepteurs à activité sérine/thréonine kinase, (4) les guanylate cyclases transmembranaires et (5) les récepteurs associés aux histidine-kinases. En plus, on pense que certaines tyrosine-phosphatases transmembranaires, qui éliminent les phosphates des chaînes latérales de tyrosines phosphorylées de protéines spécifiques, agissent comme des récepteurs, bien que la majeure partie de leurs ligands soit inconnue. Les récepteurs des deux premières classes sont de loin les plus nombreux.

La fixation d'un ligand sur un récepteur à activité tyrosine-kinase induit une autophosphorylation croisée des domaines cytoplasmiques des récepteurs sur de multiples tyrosines. Cette autophosphorylation active les kinases et produit également un ensemble de tyrosines phosphorylées qui servent alors de site d'arrimage à un ensemble de protéines de signalisation cellulaire qui se fixent via leurs domaines SH2 (ou PTB). Certaines protéines arrimées servent d'adaptateurs qui couplent le récepteur à une petite GTPase, Ras, activant à son tour une cascade de phosphorylations sérine/thréonine qui convergent sur une MAP-kinase relayant le signal jusqu'au noyau par la phosphorylation sur place de protéines régulatrices de gènes. Ras peut aussi activer une autre protéine qui s'arrime sur des récepteurs à activité tyrosine-kinase activés – la PI 3-kinase – qui engendre des inositol phospholipides spécifiques servant de sites d'arrimage dans la membrane plasmique pour des protéines de signalisation à domaine PH, y compris la protéine-kinase B (PKB).

Les récepteurs associés aux tyrosine-kinases dépendent de diverses tyrosine-kinases cytoplasmiques pour agir. Ces kinases comprennent des membres de la famille Src, qui s'associent à de nombreux types de récepteurs et la Fak (focal adhesion kinase) qui s'associe aux intégrines au niveau des plaques d'adhésion. Les tyrosine-kinases cytoplasmiques phosphorylent alors diverses protéines de signalisation qui relaient le signal vers l'avant. La plus grande famille de récepteurs de cette classe est la famille de récepteurs des cytokines. Lorsqu'ils sont stimulés par la fixation d'un ligand, ces récepteurs activent les tyrosine-kinases cytoplasmiques Jak qui phosphorylent les STAT. Les STAT se dimérisent alors, migrent dans le noyau et activent la transcription de gènes spécifiques. Les récepteurs à activité sérine/thréonine kinase qui sont activés par les protéines de signalisation de la superfamille des TGF-β agissent pareillement ; ils phosphorylent directement et activent les Smad qui forment alors des oligomères avec une autre Smad, migrent dans le noyau et activent la transcription génique.

La chimiotaxie bactérienne s'effectue par l'intermédiaire de récepteurs de chimiotaxie associés aux histidine-kinases. Lorsqu'ils sont activés par la fixation d'un répulsif, les récepteurs stimulent leurs protéine-kinases associées pour qu'elles s'autophosphorylent sur une histidine puis transfèrent ce phosphate sur une protéine messager qui relaie le signal sur le moteur flagellaire et modifie le comportement de nage de la bactérie. Les attracteurs ont l'effet contraire sur cette kinase et donc sur la nage.

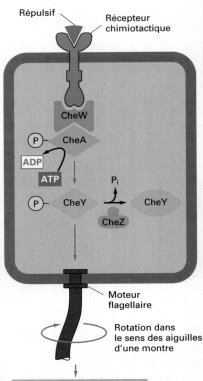

Figure 15-69 La voie de signalisation à double composante permettant aux récepteurs chimiotactiques de contrôler le moteur flagellaire pendant la chimiotaxie bactérienne. L'histidine-kinase CheA est fixée de façon stable sur les récepteurs via l'adaptateur protéique CheW. La fixation d'un répulsif augmente l'activité du récepteur qui stimule CheA pour qu'elle s'autophosphoryle sur une histidine. CheA transfère vite son phosphate, riche en énergie et relié de façon covalente, directement sur CheY pour former un CheY-phosphate qui diffuse, puis se fixe sur le moteur flagellaire et provoque la rotation du moteur dans le sens des aiguilles d'une montre, ce qui entraîne des mouvements de culbute. La fixation d'un attracteur a l'effet opposé : elle abaisse l'activité du récepteur et diminue donc la phosphorylation de CheA et de CheY, ce qui résulte en une rotation flagellaire dans le sens contraire des aiguilles d'une montre et une nage uniforme. CheZ accélère l'autodéphosphorylation de CheY-phosphate, ce qui l'inactive. Chaque intermédiaire phosphorylé est dégradé en 10 secondes environ, permettant à la bactérie de répondre très rapidement à des modifications de son environnement (*voir* Figure 15-10).

LES VOIES DE SIGNALISATION QUI DÉPENDENT D'UNE PROTÉOLYSE RÉGULÉE

Pendant le développement animal, la nécessité d'une signalisation intercellulaire est plus importante que jamais. Chaque cellule embryonnaire doit être guidée le long d'une voie de développement ou d'une autre, selon son historique, sa position et les caractères de ses voisines. À chaque étape de cette voie, elle doit échanger des signaux avec ses voisines pour coordonner son comportement avec elles. La plupart des voies de signalisation déjà traitées sont largement utilisées dans ce but. Mais il en existe également d'autres qui relaient les signaux autrement, des récepteurs cellulaires de surface à l'intérieur de la cellule. Ces voies de signalisation supplémentaires dépendent toutes, du moins en partie, d'une protéolyse régulée. Même si la plupart d'entre elles ont été percées à jour par des études génétiques sur la drosophile, elles ont été hautement conservées pendant l'évolution et sont utilisées, encore et encore, pendant le développement animal. Comme nous le verrons au chapitre 22, elles jouent aussi un rôle crucial dans les nombreux processus développementaux qui se poursuivent dans les tissus adultes.

Nous verrons quatre de ces voies de signalisation dans cette partie : la voie passant par le récepteur protéique *Notch*, la voie activée par les protéines *Wnt* sécrétées, la voie activée par les protéines *Hedgehog* sécrétées et la voie qui dépend de l'activation d'une protéine régulatrice de gènes latents, la *NF-κB*. Toutes ces voies ont des rôles cruciaux dans le développement animal. Si une d'entre elles est inactivée chez une souris, par exemple, le développement est gravement perturbé et la souris meurt *in utero* ou à la naissance. (Nous aborderons les rôles de la signalisation par Notch, Wnt, et Hedgehog dans le développement embryonnaire au chapitre 21.)

Le récepteur protéique Notch est activé par clivage

La signalisation par le récepteur protéique **Notch** est peut-être la plus largement utilisée pendant le développement animal. Comme nous le verrons au chapitre 21, elle a un rôle général dans le contrôle du choix du destin des cellules pendant le développement, en particulier par l'amplification et la consolidation des différences moléculaires entre des cellules adjacentes. Même si la signalisation par Notch est impliquée dans le développement de la plupart des tissus, elle est mieux connue pour son rôle dans la production des cellules nerveuses des drosophiles. Les cellules nerveuses apparaissent généralement sous forme d'une cellule unique isolée à l'intérieur d'un feuillet épithélial de cellules précurseurs. Pendant ce processus, chaque future cellule nerveuse ou précurseur des cellules nerveuses signale à ses voisines immédiates de ne pas se développer de la même manière au même moment, un processus appelé *inhibition latérale*. Dans un embryon de mouche par exemple, les cellules inhibées autour des futurs précurseurs des cellules nerveuses se développent en cellules épithéliales. L'inhibition latérale dépend d'un mécanisme de signalisation contact-dépendant qui passe par une protéine de signalisation appelée **Delta**, exposée à la surface des futures cellules nerveuses. En se fixant sur Notch d'une cellule voisine, Delta signale à cette voisine de ne pas devenir une cellule nerveuse (Figure 15-70). Lorsque ce processus de signalisation est anormal chez la mouche, les cellules voisines des cellules nerveuses se développent aussi en cellules nerveuses, produisant un énorme excès de neurones aux dépens de cellules épidermiques, ce qui est létal. La signalisation entre les cellules adjacentes via Notch et Delta (ou le ligand *Serrate* de type

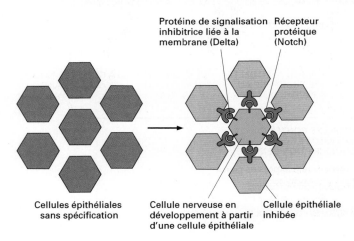

Protéine de signalisation inhibitrice liée à la membrane (Delta)

Récepteur protéique (Notch)

Cellules épithéliales sans spécification

Cellule nerveuse en développement à partir d'une cellule épithéliale

Cellule épithéliale inhibée

Figure 15-70 Pendant le développement des cellules nerveuses de la drosophile, l'inhibition latérale passe par Notch et Delta. Lorsque certaines cellules de l'épithélium commencent à se développer en cellules nerveuses, elles signalent à leurs voisines de ne pas faire de même. Cette signalisation inhibitrice, contact-dépendante, s'effectue par l'intermédiaire du ligand Delta qui apparaît à la surface de la future cellule nerveuse et se fixe sur les protéines Notch des cellules voisines. Dans de nombreux tissus, toutes les cellules d'un agrégat expriment initialement Delta et Notch et entraînent une compétition ; la cellule qui en sort en vainqueur exprime Delta plus fortement et empêche ses voisines de faire de même. Dans d'autres cas, d'autres facteurs interagissent avec Delta ou Notch pour rendre certaines cellules sensibles, et d'autres sourdes, au signal d'inhibition latérale.

Delta) régule le choix du destin d'une grande gamme de tissus et d'animaux, facilitant la création de mosaïques de types cellulaires distincts. Le signal passant par Notch peut avoir d'autres effets en plus de l'inhibition latérale ; dans certains tissus par exemple, il fonctionne sur le mode opposé, provoquant le comportement similaire de cellules voisines.

Notch et Delta sont toutes deux des protéines à un seul domaine transmembranaire qui nécessitent une maturation protéolytique pour fonctionner. Bien qu'on ne comprenne pas encore clairement pourquoi Delta doit être clivée, la coupure de Notch est au cœur du mode d'activation de Notch qui modifie l'expression génique dans le noyau. Lorsqu'elle est activée par la fixation de Delta sur une autre cellule, une protéase intracellulaire découpe la queue cytoplasmique de Notch et cette queue libérée se déplace dans le noyau pour activer la transcription d'un groupe de gènes de réponse à Notch. La queue de Notch se fixe sur une protéine régulatrice de gènes appelée *CSL* (nommée d'après les initiales de son nom chez divers animaux : CBF1 chez les mammifères, Suppressor of Hairless chez la mouche et Lag-1 chez le ver) ; cela transforme CSL qui passe de l'état de répresseur transcriptionnel à l'état d'activateur transcriptionnel. Les produits des principaux gènes directement activés par la signalisation par Notch sont eux-mêmes des protéines régulatrices de gènes, mais leur action est inhibitrice : ils bloquent l'expression des gènes nécessaires à la différenciation nerveuse (dans le système nerveux) et de divers autres gènes dans d'autres tissus.

Le récepteur Notch subit trois coupures protéolytiques, mais seule la dernière dépend de Delta. Lors de la biosynthèse normale de Notch, la *furine*, une protéase, agit sur l'appareil de Golgi pour découper la protéine Notch néosynthétisée au sein de son futur domaine extracellulaire. Cette coupure transforme Notch en un hétérodimère qui est ensuite transporté à la surface cellulaire sous forme d'un récepteur mature. La fixation de Delta sur Notch induit une deuxième coupure dans le domaine extracellulaire, effectuée par une autre protéase. Un dernier clivage s'effectue rapidement ensuite et libère par coupure la queue cytoplasmique du récepteur activé (Figure 15-71).

Figure 15-71 Maturation et activation de Notch par coupure protéolytique. Les *têtes de flèche rouges numérotées* indiquent les sites des coupures protéolytiques. La première étape de maturation protéolytique se produit dans le réseau *trans*-golgien et engendre un récepteur Notch hétérodimérique mature qui est ensuite exposé à la surface cellulaire. La fixation de Delta, exposé sur une cellule voisine, déclenche les deux étapes protéolytiques suivantes. Notez que Notch et Delta interagissent par l'intermédiaire de leurs domaines répétitifs de type EGF. Certaines preuves suggèrent que les tensions exercées sur Notch par la machinerie endocytaire des cellules qui interagissent déclenchent le clivage au niveau du site 2.

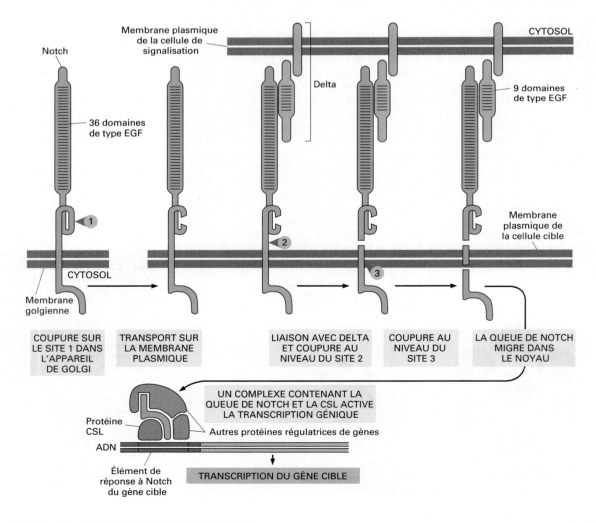

Le clivage de la queue de Notch s'effectue très près de la membrane plasmique, juste à l'intérieur du segment transmembranaire. De ce fait, il ressemble au clivage d'une autre protéine transmembranaire plus sinistre – la *protéine précurseur de l'amyloïde β* (APP pour *β-amyloid precursor protein*) qui s'exprime dans les neurones et est impliquée dans la maladie d'Alzheimer. L'APP est coupée à l'intérieur de son segment transmembranaire, ce qui libère, dans le cerveau, un fragment peptidique dans l'espace extracellulaire et un autre dans le cytosol des neurones. Lors de la maladie d'Alzheimer, ces fragments extracellulaires s'accumulent en quantités excessives et s'agrègent en filaments qui forment des plaques amyloïdes, et on pense que ces dernières lèsent les cellules nerveuses et contribuent à leur perte. La cause génétique la plus fréquente de la maladie d'Alzheimer d'apparition précoce est une mutation du gène de la *préséniline-1 (PS-1)* codant pour une protéine à 8 domaines transmembranaires qui participe à la coupure de l'APP. La mutation de PS-1 provoque la coupure de l'APP en fragments qui forment la plaque amyloïde plus rapidement. Il existe des preuves génétiques chez *C. elegans*, *Drosophila* et la souris qui indiquent que la protéine PS-1 est une composante nécessaire à la voie de signalisation par Notch, en facilitant le dernier clivage qui active Notch. En effet, la signalisation et le clivage par Notch sont fortement gênés dans les cellules déficientes en PS-1.

Il faut remarquer que la signalisation par Notch est régulée par la glycosylation. Les glycosyltransférases de la *famille Fringe* ajoutent des sucres supplémentaires sur les oligosaccharides liés par liaison O-osidique (*voir* Chapitre 13) de Notch, ce qui modifie sa spécificité pour son ligand. Cela a fourni le premier exemple de modulation de la signalisation ligand-récepteur par la glycosylation différentielle des récepteurs.

Les protéines Wnt se lient aux récepteurs Frizzled et inhibent la dégradation des caténines β

Les **protéines Wnt** sont des molécules de signalisation sécrétées qui agissent comme des médiateurs locaux pour contrôler de nombreux aspects du développement chez tous les animaux étudiés jusqu'à présent. Elles ont été découvertes indépendamment chez la mouche et la souris : chez *Drosophila*, le gène *wingless* (*wg*, « sans ailes ») a été mis en évidence du fait de son rôle dans le développement des ailes, tandis que chez la souris, le gène *Int-1* a été trouvé parce qu'il favorisait le développement de tumeurs mammaires lorsqu'il était activé par l'intégration à son côté d'un virus. Les récepteurs cellulaires de surface des Wnt appartiennent à une famille de protéines à sept domaines transmembranaires appelée **Frizzled**. Ils ressemblent aux récepteurs couplés aux protéines G de par leur structure et certains d'entre eux peuvent transmettre le signal par l'intermédiaire de la voie des protéines G et des inositol phospholipides traitée précédemment. Ils signalent principalement, cependant, par l'intermédiaire de voies indépendantes des protéines G qui nécessitent une protéine de signalisation intracellulaire appelée *Dishevelled*.

Les voies de signalisation dépendantes de Dishevelled les mieux caractérisées agissent par la régulation de la protéolyse d'une protéine multifonctionnelle, la **caténine β** (ou Armadillo chez la mouche), qui fonctionne à la fois dans l'adhésion intercellulaire et comme protéine régulatrice de gènes latents. Wnt active cette voie en se fixant à la fois sur une protéine Frizzled et un co-récepteur protéique. Ce co-récepteur protéique est apparenté au récepteur protéique des lipoprotéines de faible densité (LDL pour *low density lipoprotein*) (*voir* Chapitre 13) d'où son nom de *protéine apparentée au récepteur LDL* (LRP pour *LDL-receptor-related protein*). On ne sait pas avec certitude comment les protéines Frizzled et LRP activent Dishevelled, qui relaie le signal vers l'avant.

En l'absence de signalisation par Wnt, la plupart des caténines β sont localisées dans les jonctions serrées intercellulaires où elles sont associées aux *cadhérines*, des protéines d'adhésion transmembranaires. Comme nous le verrons au chapitre 19, les caténines β de ces jonctions facilitent la fixation des cadhérines sur le cytosquelette d'actine. Toute caténine β non associée aux cadhérines est rapidement dégradée dans le cytoplasme. Cette dégradation dépend d'un gros complexe de dégradation qui recrute les caténines β et contient au moins trois autres protéines (Figure 15-72A) :

1. Une sérine/thréonine kinase, la **glycogène synthase kinase-3β (GSK-3β)** phosphoryle la caténine β ce qui la marque pour son ubiquitinylation et sa dégradation rapide dans les protéasomes.
2. L'**APC** (pour *adenomatous polyposis coli*), une protéine de suppression tumorale, nommée ainsi parce que le gène qui la code est souvent muté lors d'un type de tumeur bénigne du côlon (adénome). La tumeur fait saillie dans la lumière sous forme d'un polype qui peut finalement devenir malin. L'APC facilite la promotion de la dégradation de la caténine β en augmentant l'affinité du complexe

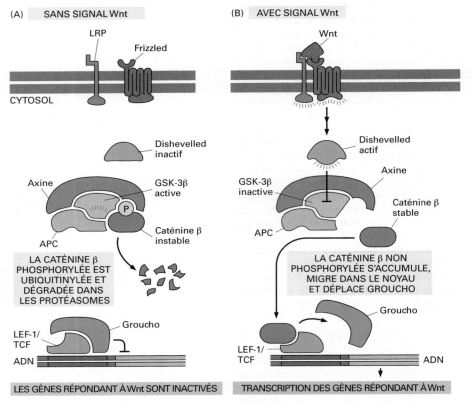

(A) SANS SIGNAL Wnt

LRP
Frizzled
CYTOSOL

Dishevelled
inactif

Axine
GSK-3β
active
APC
P
Caténine β
instable

LA CATÉNINE β
PHOSPHORYLÉE EST
UBIQUITINYLÉE ET
DÉGRADÉE DANS
LES PROTÉASOMES

LEF-1/
TCF
Groucho
ADN

LES GÈNES RÉPONDANT À Wnt SONT INACTIVÉS

(B) AVEC SIGNAL Wnt

Wnt

Dishevelled
actif
Axine
GSK-3β
inactive
Caténine β
stable
APC

LA CATÉNINE β NON
PHOSPHORYLÉE S'ACCUMULE,
MIGRE DANS LE NOYAU
ET DÉPLACE GROUCHO

Groucho

LEF-1/
TCF
ADN

TRANSCRIPTION DES GÈNES RÉPONDANT À Wnt

Figure 15-72 Un modèle de l'activation par Wnt de la voie de signalisation par la caténine β. (A) En l'absence d'un signal Wnt, une partie des caténines β est liée à la queue cytosolique de protéines, les cadhérines (non montrées ici) et toutes les caténines β cytosoliques sont fixées par le complexe de dégradation APC-axine-GSK-3β. Dans ce complexe, la caténine β est phosphorylée par la GSK-3β, ce qui déclenche son ubiquitinylation et sa dégradation dans les protéasomes. Les gènes qui répondent à la Wnt sont maintenus inactifs par le corépresseur protéique Groucho, fixé sur la protéine régulatrice du gène LEF-1/TCF. (B) La fixation de Wnt sur Frizzled et LRP active Dishevelled par un mécanisme inconnu. Un mécanisme tout autant mystérieux qui nécessite la caséine-kinase I (non montré ici) conduit ensuite à l'inactivation de la GSK-3β dans le complexe de dégradation. Il en résulte que la phosphorylation et la dégradation de la caténine β sont inhibées et que cette dernière s'accumule dans le cytoplasme et le noyau. Dans le noyau, la caténine β se fixe sur LEF-1/TCF, déplace Groucho et agit comme un coactivateur qui stimule la transcription des gènes cibles à la Wnt.

de dégradation pour la caténine β, ce qui est nécessaire pour la phosphorylation efficace de la caténine β par la GSK-3β.

3. Une protéine d'échafaudage appelée *axine* qui maintient le complexe protéique.

La fixation d'une protéine Wnt sur les protéines Frizzled et LRP conduit à l'inhibition de la phosphorylation et de la dégradation de la caténine β. Les détails de ce mécanisme ne sont pas connus mais il nécessite la protéine Dishevelled et plusieurs autres protéines de signalisation qui se fixent sur Dishevelled, y compris une sérine/thréonine kinase, la *caséine-kinase 1*. Il s'ensuit l'accumulation de caténines β non phosphorylées dans le cytoplasme et le noyau (Figure 15-72B).

Dans le noyau, les gènes cibles de la signalisation par Wnt sont normalement maintenus silencieux par un complexe inhibiteur de protéines régulatrices qui inclut des protéines de la famille *LEF-1/TCF* liées sur le corépresseur protéique *Groucho* (*voir* Figure 15-72A). La signalisation par Wnt augmente la concentration en caténines β non dégradées, ce qui lui permet d'entrer dans le noyau et de se fixer sur LEF-1/TCF, déplaçant Groucho. La caténine β fonctionne alors comme un coactivateur, et induit la transcription des gènes cibles de la Wnt (*voir* Figure 15-72B).

Parmi les gènes activés par la caténine β se trouve *c-myc*, qui code pour une protéine (c-Myc) qui est un puissant stimulateur de la croissance et de la prolifération cellulaires (*voir* Chapitre 17). Des mutations dans le gène *APC* se produisent dans 80 p. 100 des cancers du côlon de l'homme. Ces mutations inhibent la capacité de cette protéine à fixer la caténine β de telle sorte que cette dernière s'accumule dans le noyau et stimule la transcription de *c-myc* et d'autres gènes cibles de Wnt, même en l'absence de signalisation par Wnt. La prolifération cellulaire incontrôlée qui s'ensuit favorise le développement d'un cancer.

Les protéines Hedgehog agissent par un complexe de récepteurs, Patched et Smoothened, qui s'opposent l'un à l'autre

Comme les protéines Wnt, les protéines **Hedgehog** forment une famille de molécules de signalisation sécrétées qui agissent comme des médiateurs locaux dans beaucoup de processus du développement des vertébrés et des invertébrés. Les anomalies dans la voie de signalisation par Hedgehog pendant le développement peuvent être létales et, dans les cellules adultes, elles peuvent également conduire à des cancers. Les protéines Hedgehog furent découvertes chez *Drosophila* ; chez celle-ci, la mutation du seul gène qui code pour cette protéine produit une larve dotée de processus pointus (denticules) qui ressemble à un hérisson (*hedgehog*). Il existe au moins trois gènes codant pour les protéines Hedgehog chez les vertébrés – *sonic, desert* et *indian hedgehog*. La forme active de toutes les protéines Hedgehog est particulière car elle est couplée de façon covalente au cholestérol, qui permet de restreindre sa diffusion après sa sécrétion. Le cholestérol est ajouté au cours d'une étape de maturation remarquable pendant laquelle la protéine se coupe elle-même. Les protéines sont également modifiées par l'addition d'une chaîne d'acide gras qui, pour des raisons inconnues, semble nécessaire à leur activité de signalisation.

Deux protéines transmembranaires, Patched et Smoothened, servent d'intermédiaires aux réponses par les protéines Hedgehog. On suppose que **Patched** traverse la membrane plasmique 12 fois et que c'est le récepteur qui fixe la protéine Hedgehog. En l'absence d'un signal Hedgehog, Patched inhibe l'activité de **Smoothened**, une protéine à 7 domaines transmembranaires, de structure similaire à celle des protéines Frizzled. Cette inhibition s'arrête lorsqu'une protéine Hedgehog se fixe sur Patched, ce qui permet à Smoothened de relayer le signal dans la cellule. La majeure partie de ce que nous savons sur le reste de la voie de signalisation activée par Smoothened provient d'études génétiques chez la mouche et c'est cette voie que nous résumerons ici.

Sous certains aspects, la voie de signalisation par Hedgehog de la drosophile opère d'une façon semblable à la voie par Wnt. En l'absence d'un signal Hedgehog, une protéine régulatrice de gènes, appelée **Cubitus interruptus (Ci)**, est coupée par protéolyse dans les protéasomes. Au lieu d'être complètement dégradée, cependant, elle subit une maturation qui engendre une protéine plus petite qui s'accumule dans le noyau où elle agit comme répresseur transcriptionnel, facilitant le maintien silencieux de certains gènes de réponse à Hedgehog. La maturation protéolytique de la protéine Ci dépend d'un gros complexe multiprotéique. Ce complexe contient une sérine/thréonine kinase (appelée Fused) de fonction inconnue, une protéine d'ancrage (appelée Costal) qui fixe le complexe sur les microtubules (et maintient la Ci à l'extérieur du noyau) et un adaptateur protéique (appelé *suppressor of Fused* ou sup-

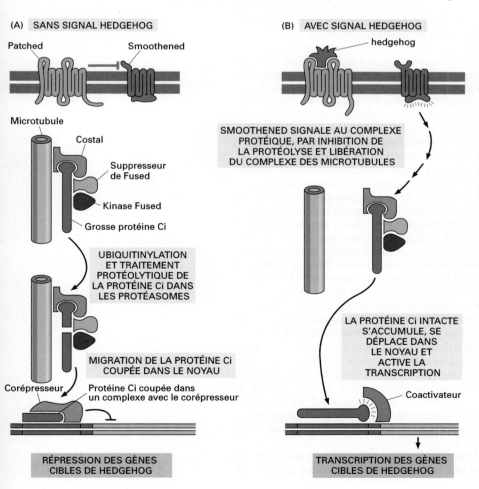

(A) SANS SIGNAL HEDGEHOG

Patched   Smoothened

Microtubule

Costal

Suppresseur de Fused

Kinase Fused

Grosse protéine Ci

UBIQUITINYLATION ET TRAITEMENT PROTÉOLYTIQUE DE LA PROTÉINE Ci DANS LES PROTÉASOMES

MIGRATION DE LA PROTÉINE Ci COUPÉE DANS LE NOYAU

Corépresseur   Protéine Ci coupée dans un complexe avec le corépresseur

RÉPRESSION DES GÈNES CIBLES DE HEDGEHOG

(B)   AVEC SIGNAL HEDGEHOG

hedgehog

SMOOTHENED SIGNALE AU COMPLEXE PROTÉIQUE, PAR INHIBITION DE LA PROTÉOLYSE ET LIBÉRATION DU COMPLEXE DES MICROTUBULES

LA PROTÉINE Ci INTACTE S'ACCUMULE, SE DÉPLACE DANS LE NOYAU ET ACTIVE LA TRANSCRIPTION

Coactivateur

TRANSCRIPTION DES GÈNES CIBLES DE HEDGEHOG

Figure 15-73 Un modèle de la signalisation par Hedgehog chez *Drosophila*. (A) En l'absence de Hedgehog, le récepteur Patched inhibe Smoothened probablement en favorisant la dégradation ou la séquestration intracellulaire de Smoothened. La protéine Ci, localisée dans un complexe protéique, est coupée pour former un répresseur transcriptionnel qui s'accumule dans le noyau et facilite le maintien des gènes cibles de Hedgehog inactifs. Le complexe protéique inclut une sérine/thréonine kinase, Fused, une protéine d'ancrage, Costal (qui fixe le complexe sur les microtubules) et un adaptateur protéique, le suppresseur de Fused. (B) La fixation de Hedgehog sur Patched soulage l'inhibition de Smoothened, qui signale alors au complexe protéique d'arrêter la maturation de Ci, de se dissocier des microtubules et de libérer Ci non mature de telle sorte qu'elle s'accumule dans le noyau et active la transcription des gènes répondant à Hedgehog. La plupart des événements moléculaires de cette voie restent inconnus.

presseur de Fused) (Figure 15-73A). Lorsque Hedgehog se fixe à Patched pour activer la voie de signalisation, la maturation de Ci ne s'effectue plus et la protéine Ci non mature est libérée de son complexe et entre dans le noyau où elle active la transcription des gènes cibles de Hedgehog (Figure 15-73B).

Parmi les gènes activés par Ci se trouve celui qui code pour une protéine Wnt appelée Wingless, qui facilite la combinaison des tissus dans l'embryon de la mouche (*voir* Chapitre 21). Un autre gène cible est *patched* lui-même; il en résulte une augmentation de la protéine Patched à la surface de la cellule qui inhibe la poursuite de la signalisation par Hedgehog – une forme de rétrocontrôle négatif.

Il reste encore beaucoup de «trous» à combler dans la voie de signalisation par Hedgehog. On ne sait pas encore par exemple, comment Patched inhibe Smoothened, comment Smoothened active la voie, comment la protéolyse de Ci est régulée (même si on sait que la phosphorylation de Ci par la PKA est nécessaire pour la maturation) ou comment sont contrôlées la libération du complexe des microtubules et celle de la Ci non mature du complexe.

On en sait encore moins sur la voie par Hedgehog dans les cellules des vertébrés. En plus, il existe au moins trois types de protéines Hedgehog chez les vertébrés, deux formes de Patched et trois protéines de type Ci (*Gli1, Gli2* et *Gli3*). Contrairement à ce qui se passe chez la mouche, la signalisation par Hedgehog stimule la transcription des gènes Gli et on ne sait pas clairement si toutes les protéines Gli subissent une maturation protéolytique, même s'il existe des preuves qu'elle existe pour Gli3. Des mutations inactives d'un des gènes *patched* de l'homme, qui conduisent à une signalisation excessive par Hedgehog, se produisent souvent au cours de la forme la plus commune de cancer de la peau (*épithélioma basocellulaire*), ce qui suggère que Patched permet normalement de mettre en échec la prolifération des cellules cutanées.

Beaucoup de stimuli de stress et pro-inflammatoires agissent par une voie de signalisation dépendante des NF-κB

Les **protéines NF-κB** sont des protéines régulatrices de gènes latents qui résident au cœur de la plupart des réponses inflammatoires. Ces réponses se produisent en tant que réaction aux infections et aux lésions et protègent l'animal et ses cellules de ces stress. Cependant, lorsqu'elles sont excessives ou inappropriées, les réponses inflammatoires peuvent aussi léser les tissus et provoquer une douleur intense, ce qui se produit lors d'arthrite rhumatoïde des articulations, par exemple. Les protéines NF-κB jouent aussi un rôle important dans la signalisation intercellulaire pendant le développement normal des vertébrés, bien que les signaux extracellulaires qui activent les NF-κB dans ces circonstances soient inconnus. Chez *Drosophila* cependant, des études génétiques ont identifié des protéines extracellulaires et intracellulaires qui activent un membre de la famille des NF-κB, *Dorsal*, qui joue un rôle crucial dans la spécification de l'axe dorso-ventral de l'embryon de mouche en développement (*voir* Chapitre 21). Cette même voie de signalisation intracellulaire est aussi impliquée dans la défense de la mouche vis-à-vis des infections, comme chez les vertébrés.

Deux cytokines de vertébrés sont particulièrement importantes dans l'induction de réponses inflammatoires – le *facteur nécrosant des tumeurs α* (TNF-α pour *tumor necrosis factor α*) et l'*interleukine 1 (IL-1)*. Ils sont tous deux fabriqués par les cellules du système immunitaire inné, comme les macrophages, en réponse à une infection ou à une lésion tissulaire. Ces cytokines pro-inflammatoires se fixent sur les récepteurs cellulaires de surface et activent les NF-κB, normalement séquestrées sous une forme inactive dans le cytoplasme de presque toutes nos cellules. Une fois activées, les NF-κB activent la transcription de plus de 60 gènes connus qui participent à la réponse inflammatoire. Bien que les récepteurs du TNF-α et les récepteurs des IL-1 soit structurellement non apparentés, ils opèrent en grande partie de la même façon.

Il y a cinq protéines NF-κB chez les mammifères (RelA, RelB, Rel-c, NF-κB1 et NF-κB2) qui forment divers homodimères et hétérodimères, dont chacun active son propre groupe caractéristique de gènes. Des protéines inhibitrices, les **IκB,** se fixent solidement aux dimères et les maintiennent dans un état inactif à l'intérieur de grands complexes protéiques dans le cytoplasme. Des signaux comme le TNF-α ou IL-2 activent le dimère en déclenchant une voie de signalisation qui conduit à la phosphorylation, l'ubiquitinylation et la dégradation consécutive de l'IκB. La dégradation de l'IκB expose un signal de localisation nucléaire sur les protéines NF-κB qui se déplacent alors dans le noyau et stimulent la transcription de gènes spécifiques. La phosphorylation de l'IκB s'effectue par une sérine/thréonine kinase spécifique, l'**IκB kinase (IKK).**

Le mécanisme qui permet à la fixation d'une cytokine proinflammatoire sur son récepteur cellulaire de surface, d'activer une IκB kinase est illustré dans la figure 15-

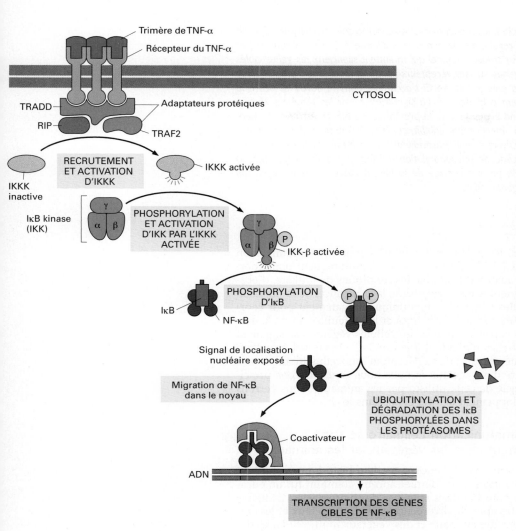

Figure 15-74 Activation des NF-κB par le TNF-α. Le TNF-α et son récepteur sont des trimères. La fixation de TNF-α provoque le réarrangement des queues cytosoliques agrégées des récepteurs qui recrutent alors un certain nombre de protéines de signalisation intracellulaire, y compris la *protéine-kinase d'interaction avec le récepteur* (*RIP* pour *receptor interacting protein kinase*) et deux adaptateurs protéiques, *TRADD* (pour *TNF-associated death domain protein*) et *TRAF2* (pour *TNF-receptor associated factor-2*). Ceux-ci recrutent et activent une kinase non identifiée, l'IκB kinase kinase (IKKK) qui phosphoryle et active l'IκB kinase (IKK). L'IKK est un hétérodimère composé de deux sous-unités kinases (IKK-α et IKK-β) et d'une sous-unité régulatrice adaptatrice appelée IKK-γ. L' IKK-β phosphoryle alors l'IκB sur deux sérines, ce qui marque la protéine pour son ubiquitinylation et sa dégradation dans les protéasomes. Le signal de localisation nucléaire sur le NF-κB libre dirige alors le transport de cette protéine dans le noyau où, en collaboration avec les protéines coactivatrices, elle stimule la transcription de ses gènes cibles. En plus des gènes cibles impliqués dans la réponse inflammatoire, NF-κB active aussi le gène IκB, ce qui fournit un rétrocontrôle négatif (non montré ici). Le rôle de RIP n'est pas clair : même si elle est nécessaire pour la signalisation par le TNF, son domaine kinase ne l'est pas.

74 pour le récepteur du TNF-α. La fixation du ligand provoque le recrutement, par la queue cytosolique des récepteurs agrégés, de divers adaptateurs protéiques et de sérine/thréonine kinases cytoplasmiques. On pense qu'une des kinases recrutées est une *IκB kinase kinase (IKKK)* qui phosphoryle directement et active l'IκB kinase (IKK).

Cependant, toutes les protéines de signalisation recrutées par la queue cytosolique du récepteur du TNF-α ne contribuent pas à l'activation de la NF-κB. Certaines peuvent déclencher une cascade MAP-kinase tandis que d'autres activent une cascade protéolytique qui conduit à l'apoptose (*voir* Chapitre 17).

Jusqu'à présent nous avons parlé de la signalisation cellulaire chez les animaux avec quelques digressions du côté des levures ou des bactéries. Mais le signalement intercellulaire est tout aussi important chez les végétaux que chez les animaux, même si les mécanismes et les molécules utilisés sont différents comme nous le verrons dans la partie suivante.

Résumé

Certaines voies de signalisation particulièrement importantes dans le développement animal dépendent d'une protéolyse pendant une partie de leur action du moins. Les récepteurs Notch sont activés par coupure lorsque Delta (ou un ligand apparenté) situé sur une autre cellule s'y fixe ; la queue cytosolique coupée de Notch migre dans le noyau où elle stimule la transcription génique. Dans la voie de signalisation par Wnt, par contre, la protéolyse d'une protéine régulatrice de gènes latents, la caténine β, est inhibée par la fixation des protéines Wnt sécrétées sur leurs récepteurs ; il en résulte que la caténine β s'accumule dans le noyau et active la transcription des gènes cibles Wnt.

La signalisation par Hedgehog chez les mouches est assez semblable à celle par Wnt; en l'absence d'un signal, une protéine régulatrice de gènes bifonctionnelle, la Ci, est coupée par protéolyse pour former un répresseur transcriptionnel qui maintient silencieux les gènes ciblés par Hedgehog. La fixation de Hedgehog sur ses récepteurs inhibe la maturation protéolytique de Ci; il en résulte que la forme la plus grosse de Ci s'accumule dans le noyau et active la transcription des gènes qui répondent à Hedgehog. La signalisation par les protéines régulatrices de gènes latents NF-κB dépend également de la protéolyse. La NF-κB est normalement maintenue dans un état inactif par une protéine inhibitrice, IκB, à l'intérieur d'un complexe multiprotéique intracytoplasmique. Divers stimuli extracellulaires, y compris les cytokines proin-flammatoires, déclenchent une cascade de phosphorylation qui finit par phosphoryler IκB, la marquant pour sa dégradation. Cela permet l'entrée de la NF-κB libérée dans le noyau qui active ainsi la transcription de ses gènes cibles.

LA SIGNALISATION CHEZ LES VÉGÉTAUX

Chez les végétaux, comme chez les animaux, les cellules sont en communication constante les unes avec les autres. Les cellules végétales communiquent pour coordonner leur activité en réponse aux modifications des conditions de lumière, d'obscurité et de température qui guident le cycle végétal de la croissance, de la floraison et de la fructification. Les cellules végétales communiquent également pour coordonner ce qui doit aller vers leurs racines, leurs tiges et leurs feuilles. Dans la dernière partie de ce chapitre nous verrons comment les cellules végétales se signalent les unes aux autres et comment elles répondent à la lumière. On en sait beaucoup moins sur les récepteurs et les mécanismes de signalisation intracellulaire impliqués dans la communication cellulaire des végétaux et nous nous concentrerons principalement sur ce qui les différencie de ceux utilisés par les animaux. Nous verrons certaines particularités du développement des végétaux dans le chapitre 21.

La multicellularité et la communication cellulaire se sont développées indépendamment chez les végétaux et les animaux

Même si les végétaux et les animaux sont des eucaryotes, leur historique évolutif est séparé par plus d'un milliard d'années. Leur dernier ancêtre commun fut un eucaryote monocellulaire pourvu de mitochondries mais pas de chloroplastes. La lignée végétale a acquis ses chloroplastes après la divergence entre les végétaux et les animaux. Les fossiles les plus anciens des animaux et des végétaux multicellulaires datent de presque 600 millions d'années. De ce fait, il semble que les végétaux et les animaux aient développé leur multicellularité indépendamment, chacun partant d'un eucaryote monocellulaire différent il y a entre 1,6 et 0,6 milliard d'années (Figure 15-75).

Si la multicellularité s'est développée indépendamment chez les végétaux et les animaux, les molécules et les mécanismes utilisés pour la communication cellulaire se sont développés séparément et on peut s'attendre à ce qu'ils soient différents. On attend un certain degré de ressemblance, cependant, car les gènes des végétaux et

Figure 15-75 La divergence proposée des lignées végétale et animale à partir d'un ancêtre eucaryote monocellulaire commun. La lignée végétale a acquis ses chloroplastes après la divergence entre les deux lignées. Ces deux lignées ont donné naissance indépendamment aux organismes multicellulaires — les végétaux et les animaux. (Peintures dues à l'amabilité de la John Innes Foundation.)

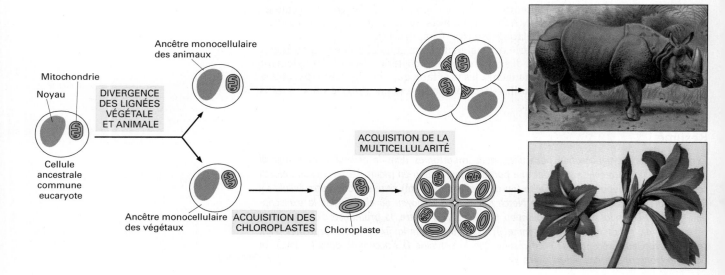

des animaux ont divergé à partir de l'ensemble de gènes contenu dans l'eucaryote unicellulaire qui était leur dernier ancêtre commun. Le monoxyde d'azote et le Ca^{2+} sont largement utilisés pour la signalisation chez les végétaux et les animaux. Cependant, comme le génome d'*Arabidopsis thaliana*, une petite plante à fleurs très étudiée, a été totalement séquencé, nous savons qu'il n'existe pas, dans cet organisme, d'homologues des Wnt, Hedgehog, Notch, Jak/STAT, TGF-β, Ras ou de la famille des récepteurs nucléaires. De même l'AMP cyclique n'a pas été définitivement impliqué dans la signalisation intracellulaire chez les végétaux, même si le GMP cyclique l'est.

Une grande partie de ce que nous savons sur les mécanismes moléculaires impliqués dans la signalisation chez les végétaux provient des études génétiques faites sur *Arabidopsis*. Même si les molécules spécifiques utilisées dans la communication cellulaire des végétaux diffèrent souvent de celles utilisées par les animaux, les stratégies générales sont souvent très semblables. Les récepteurs cellulaires de surface couplés à une enzyme, par exemple, sont utilisés par les deux lignées, comme nous le verrons dans le paragraphe suivant.

Les récepteurs à activité sérine/thréonine kinase fonctionnent comme des récepteurs cellulaires de surface chez les végétaux

Comme les animaux, les végétaux utilisent beaucoup de récepteurs cellulaires de surface. Alors que, chez les animaux, la plupart de ces récepteurs sont couplés à une protéine G, la plupart de ceux retrouvés jusqu'à présent dans les végétaux sont couplés à une enzyme. De plus, alors que la plus grande classe de récepteurs couplés à une enzyme chez les animaux est celle des récepteurs à activité tyrosine-kinase, ce type de récepteurs est extrêmement rare chez les végétaux, même s'ils contiennent de nombreuses tyrosine-kinases cytoplasmiques et si la phosphorylation et la déphosphorylation des tyrosines jouent des rôles importants dans la signalisation végétale. Par contre, les végétaux semblent se reposer sur une grande variété de *récepteurs transmembranaires à activité sérine/thréonine kinase*, différents de ceux utilisés par les cellules animales. Comme les récepteurs animaux cependant, ils possèdent un domaine typique sérine/thréonine kinase cytoplasmique et un domaine extracellulaire de liaison au ligand. Les principaux types identifiés jusqu'à présent présentent une disposition en tandem extracellulaire de répétitions riches en leucine et sont de ce fait appelés **LRR** (pour *leucine-rich repeat* ou **protéines à répétitions riches en leucine**).

Il y a environ 80 récepteurs LRR à activité kinase codés par le génome d'*Arabidopsis*. Un des exemples les mieux étudiés est *CLAVATA 1 (CLV1)*, identifié au départ lors d'études génétiques. Des mutations qui inactivent cette protéine provoquent la production de fleurs pourvues d'un organe floral supplémentaire et d'un élargissement progressif des *méristèmes* des pousses et des fleurs. Ces derniers sont des groupes de cellules souches dotées d'auto-renouvellement, qui produisent les cellules engendrant les tiges, les feuilles et les fleurs (*voir* Chapitre 21). On pense que la molécule de signalisation extracellulaire du récepteur est une petite protéine, la CLV3, sécrétée par les cellules voisines. La fixation de CLV3 sur son récepteur, CLV1, supprime la croissance du méristème, soit par inhibition de la division cellulaire soit, plus certainement, par stimulation de la différenciation cellulaire (Figure 15-77A). La voie de signalisation intracellulaire qui part de CLV1 et se termine par la réponse cellulaire présente de grandes inconnues, mais elle inclut une sérine/thréonine protéine-phosphatase qui inhibe la signalisation par CLV1 ; une petite protéine de liaison au GTP de la classe Rho y est également impliquée ainsi qu'une protéine régulatrice de gènes de parenté éloignée avec les protéines à homéodomaines. Les mutations qui inactivent cette protéine régulatrice s'accompagnent d'effets opposés à

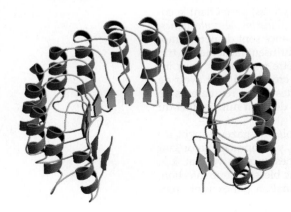

Figure 15-76 Structure tridimensionnelle des répétitions riches en leucine, similaires à celles retrouvées dans les récepteurs LRR à activité sérine/thréonine kinase. (Due à l'obligeance de David Lawson.)

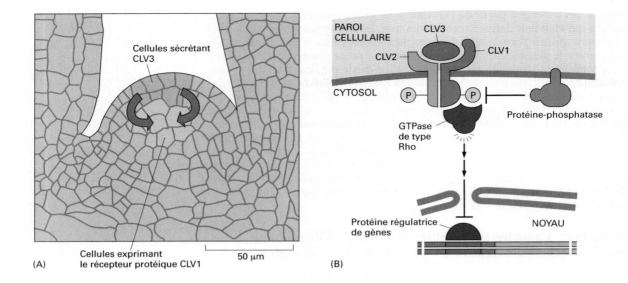

Cellules sécrétant CLV3

Cellules exprimant le récepteur protéique CLV1

50 μm

(A)

PAROI CELLULAIRE

CLV3

CLV2

CLV1

CYTOSOL

P

P

Protéine-phosphatase

GTPase de type Rho

Protéine régulatrice de gènes

NOYAU

(B)

ceux des mutations qui inactivent CLV1 : la division cellulaire est fortement réduite dans le méristème des pousses et le végétal produit des fleurs avec trop peu d'organes. De ce fait, on pense que la voie de signalisation intracellulaire activée par CLV1 stimule normalement la différenciation cellulaire en inhibant la protéine régulatrice de gènes qui inhibe normalement la différenciation cellulaire (Figure 15-77B).

Un autre récepteur LRR à activité kinase appelé *BRI1* agit comme un récepteur de surface cellulaire aux hormones stéroïdes chez *Arabidopsis*. Les végétaux synthétisent une classe de stéroïdes, les *brassinostéroïdes*, parce qu'ils ont été à l'origine identifiés dans la famille des Brassicaceae des moutardes dont fait partie *Arabidopsis*. Pendant le développement, ces régulateurs de la croissance végétale stimulent l'expansion cellulaire et facilitent la médiation des réponses à l'obscurité. Les végétaux mutants qui présentent un déficit en ces récepteurs à activité kinase BRI1 sont insensibles aux brassinostéroïdes. Normalement les *Arabidopsis* qui poussent à l'obscurité sont blanches et herbeuses du fait de la signalisation par les brassinostéroïdes ; en l'absence de cette signalisation, elles deviennent vertes comme si elles poussaient à la lumière et la plante mature est particulièrement rabougrie. Comme pour les autres récepteurs LRR à activité kinase connus chez les végétaux, la nature de la voie de transduction du signal qui conduit du récepteur à la réponse reste un mystère.

Les récepteurs LRR à activité kinase ne sont qu'un type des nombreux récepteurs végétaux à activité sérine/thréonine kinase. Il existe au moins six autres familles, dont chacune a son propre groupe caractéristique de domaines extracellulaires. Les *récepteurs à activité kinase des lectines*, par exemple, possèdent des domaines extracellulaires qui fixent ces molécules de signalisation glucidiques. Le génome d'*Arabidopsis* code pour plus de 300 récepteurs à activité sérine/thréonine kinase, ce qui fait de cette famille de récepteurs la plus grande connue chez les végétaux. Beaucoup d'entre eux sont impliqués dans les réponses de défense vis-à-vis des agents pathogènes.

L'éthylène active une voie de signalisation à deux composantes

Divers **régulateurs de croissance** (appelés aussi *hormones végétales*) permettent la coordination du développement végétal. Il s'agit de l'*éthylène*, l'*auxine*, les *cytokinines*, les *gibberellines* et l'*acide abscisique*. Les régulateurs de croissance sont de petites molécules fabriquées par la plupart des cellules végétales. Ils diffusent facilement à travers les parois cellulaires et peuvent agir localement ou être transportés pour influencer des cellules plus éloignées. Chaque régulateur de croissance peut avoir de multiples effets. Les effets spécifiques varient en fonction des autres régulateurs de croissance qui agissent, des conditions environnementales, de l'état nutritionnel du végétal et de la capacité de réponse de la cellule cible.

L'**éthylène** est un exemple important. Cette petite molécule gazeuse peut influencer le développement des végétaux de diverses façons, y compris en favorisant la maturation des fruits, le découpage des feuilles et la sénescence du végétal. Elle fonctionne aussi comme un signal de stress en réponse à une blessure, une infection, une inondation, etc. Lorsque les pousses d'un plant en germination, par exemple, ren-

Figure 15-77 Un modèle hypothétique de la régulation par le récepteur CVL1 à activité sérine/thréonine kinase de la prolifération cellulaire et/ou de la différenciation dans le méristème des pousses. (A) Les cellules de la couche externe du méristème sécrètent la protéine CLV3 qui se fixe sur le récepteur protéique CLV1 des cellules cibles dans une région adjacente, plus centrale du méristème, ce qui stimule probablement la différenciation des cellules cibles. (B) Certaines parties de la voie de signalisation intracellulaire activée par la liaison de CLV3. On pense que le récepteur protéique CLV1 est un homodimère ou un hétérodimère qui s'auto-phosphoryle sur des sérines et des thréonines, ce qui active le récepteur et conduit à l'activation d'une GTPase de type Rho. Après cela, la voie de signalisation n'est pas claire, mais conduit à l'inhibition d'une protéine régulatrice de gènes dans le noyau, ce qui bloque la transcription de gènes qui, sinon, pourraient inhiber la différenciation. Les phosphatases déphosphorylent le récepteur et régulent ainsi négativement la voie de signalisation.

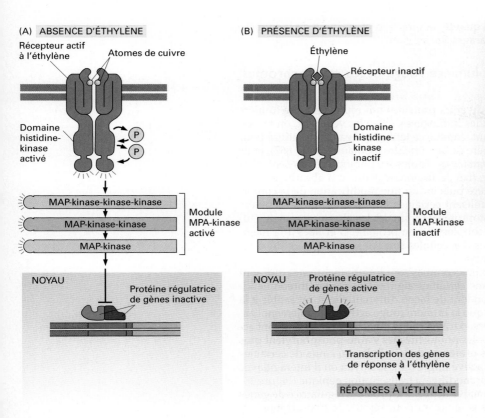

(A) ABSENCE D'ÉTHYLÈNE

Récepteur actif à l'éthylène
Atomes de cuivre

Domaine histidine-kinase activé

P
P

MAP-kinase-kinase-kinase
MAP-kinase-kinase
MAP-kinase

Module MPA-kinase activé

NOYAU

Protéine régulatrice de gènes inactive

(B) PRÉSENCE D'ÉTHYLÈNE

Éthylène

Récepteur inactif

Domaine histidine-kinase inactif

MAP-kinase-kinase-kinase
MAP-kinase-kinase
MAP-kinase

Module MAP-kinase inactif

NOYAU

Protéine régulatrice de gènes active

Transcription des gènes de réponse à l'éthylène

RÉPONSES À L'ÉTHYLÈNE

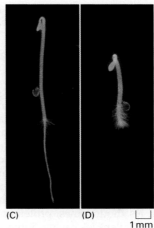

(C)   (D)

1 mm

Figure 15-78 Vue actuelle de la voie à deux composantes de signalisation par l'éthylène. (A) En l'absence d'éthylène, les récepteurs et le module MAP-kinase sont actifs, ce qui conduit, dans le noyau, à l'inhibition de protéines régulatrices de gènes responsables de la transcription des gènes répondant à l'éthylène. (B) En présence d'éthylène, les récepteurs et les modules MAP-kinases sont inactifs, de telle sorte que les gènes répondant à l'éthylène sont transcrits. (C et D) «Triple réponse» qui passe par l'éthylène et se produit lorsque la pousse en croissance d'une graine en germination rencontre un obstacle souterrain. Après cette rencontre (D), la pousse s'épaissit et le crochet protecteur
(au sommet) augmente sa courbure pour protéger l'extrémité de la pousse. (C et D, dues à l'obligeance de Melanie Webb.)

contrent un obstacle, comme des graviers souterrains, le plant répond à cette rencontre de trois façons. Premièrement, il épaissit sa tige, qui peut alors exercer plus de force sur l'obstacle. Deuxièmement, il protège l'extrémité de la pousse en augmentant la courbure d'une structure spécifique en crochet. Troisièmement, il réduit la tendance de la pousse à pousser en s'éloignant de la direction de la gravité pour éviter l'obstacle. Cette «triple réponse» est contrôlée par l'éthylène (Figure 15-78C,D).

Les végétaux possèdent un certain nombre de récepteurs à l'éthylène tous structurellement apparentés. Ce sont des protéines transmembranaires dimériques qui, pense-t-on, fonctionnent comme des *histidine-kinases*. Les récepteurs à l'éthylène ont un domaine extracellulaire pourvu d'un atome de cuivre qui fixe l'éthylène et un domaine intracellulaire de type histidine-kinase. D'une façon similaire à la voie de signalisation à deux composantes impliquée dans la chimiotaxie bactérienne traitée précédemment, le domaine kinase, lorsqu'il est activé, s'auto-phosphoryle sur son histidine puis on suppose qu'il transfère le phosphate sur un acide aspartique d'un autre domaine du récepteur. Lors de chimiotaxie bactérienne, la fixation d'un attracteur inactive le récepteur. De même, la fixation d'éthylène inactive les récepteurs d'éthylène en inhibant le domaine kinase et la voie de signalisation vers l'aval qui émane d'eux. Dans son état actif non lié, le récepteur active le premier composant d'un module de signalisation MAP-kinase (*voir* Figure 15-56). L'activation de la cascade des MAP-kinases conduit à l'*inactivation* de protéines régulatrices de gènes dans le noyau, responsables de la stimulation de la transcription des gènes répondant à l'éthylène. La fixation d'éthylène sur les récepteurs inactive cette voie de signalisation, ce qui active ces gènes (Figure 15-78A,B).

Les systèmes de signalisation à deux composantes opèrent chez les bactéries et les champignons ainsi que chez les végétaux, mais apparemment pas chez les animaux. Pourquoi les animaux ont-ils renoncé à cette voie de signalisation? Nous ne le savons pas.

Le développement végétal est largement influencé par les conditions environnementales. Contrairement aux animaux, les végétaux ne peuvent se déplacer lorsque les conditions deviennent défavorables; ils doivent s'adapter ou mourir. L'influence environnementale la plus importante est la lumière, qui représente leur source d'énergie et joue un rôle majeur pendant la totalité de leur cycle vital – de la germination, en passant par le développement des plants, jusqu'à la floraison et la sénescence. Les végétaux ont développé un important groupe de protéines sensibles à la lumière pour surveiller la quantité, la qualité, la direction et la durée de la lumière et c'est ce que nous verrons dans le paragraphe suivant.

Les phytochromes détectent la lumière rouge et les cryptochromes la lumière bleue

Les végétaux et les animaux utilisent diverses protéines qui répondent à la lumière pour sentir différentes longueurs d'ondes lumineuses. Chez les végétaux, on les appelle souvent *photorécepteurs*. Cependant, comme ce terme est également utilisé pour désigner les cellules sensibles à la lumière de la rétine des animaux (*voir* p. 867), nous utiliserons à la place le terme de *photoprotéines*. Toutes les photoprotéines sentent la lumière au moyen d'un chromophore, fixé de façon covalente, qui absorbe celle-ci, modifie sa forme en réponse à la lumière puis induit une modification de la conformation de la protéine. Les animaux utilisent certaines familles de photorécepteurs qui existent chez les végétaux. Les photoprotéines animales les plus intensément étudiées sont les rhodopsines, protéines couplées à une protéine G et liées à la membrane, qui régulent les canaux ioniques des cellules sensibles à la lumière de la rétine comme nous l'avons vu précédemment.

Les photoprotéines végétales les mieux connues sont les **phytochromes**, qui sont présents dans tous les végétaux et dans certaines algues. Ces sérine/thréonine kinases cytoplasmiques dimériques répondent de façon différentielle et réversible à la lumière rouge et extrême rouge. Alors que la lumière rouge active généralement l'activité kinase du phytochrome, la lumière extrême rouge l'inactive. Lorsqu'ils sont activés par la lumière rouge on pense que les phytochromes s'auto-phosphorylent puis phosphorylent une ou plusieurs autres protéines de la cellule. Au cours de certaines réponses à la lumière, le phytochrome activé migre dans le noyau où il interagit avec des protéines régulatrices de gènes pour modifier la transcription génique (Figure 15-79). Dans d'autres cas, le phytochrome activé active une protéine régulatrice de gènes dans le cytoplasme qui migre alors dans le noyau pour réguler la transcription génique. Dans d'autres cas encore, la photoprotéine déclenche une voie de signalisation intracytosolique qui modifie le comportement cellulaire sans impliquer le noyau.

Même si les cytochromes possèdent une activité sérine/thréonine kinase, des parties de leur structure ressemblent aux histidine-kinases impliquées dans la chimiotaxie bactérienne. Cette observation suggère que les phytochromes végétaux descendent à l'origine d'histidine-kinases bactériennes et n'ont modifié leur spécificité de substrat que plus tardivement au cours de l'évolution pour passer de l'histidine à la sérine et la thréonine.

Les végétaux sont sensibles à la lumière bleue grâce à deux types de photoprotéines, la phototropine et les cryptochromes. La **phototropine** est associée à la mem-

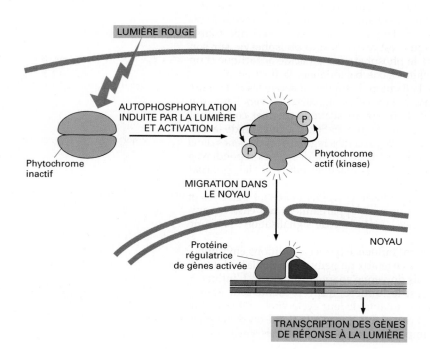

Figure 15-79 Un des modes, selon les considérations actuelles, par lesquels les phytochromes servent d'intermédiaires de la réponse à la lumière dans les cellules végétales. Lorsqu'il est activé par la lumière, le phytochrome, qui est un dimère, s'auto-phosphoryle puis se déplace dans le noyau où il active une protéine régulatrice de gènes pour stimuler la transcription de gènes spécifiques.

LUMIÈRE ROUGE

AUTOPHOSPHORYLATION INDUITE PAR LA LUMIÈRE ET ACTIVATION

Phytochrome inactif

P

P

Phytochrome actif (kinase)

MIGRATION DANS LE NOYAU

Protéine régulatrice de gènes activée

NOYAU

TRANSCRIPTION DES GÈNES DE RÉPONSE À LA LUMIÈRE

brane plasmique et est en partie responsable du *phototropisme*, la tendance des végétaux à croître en direction de la lumière. Le phototropisme se produit par l'allongement cellulaire bidirectionnel, stimulé par l'auxine, un régulateur de croissance, mais on ne connaît pas le lien entre la phototropine et l'auxine.

Les **cryptochromes** sont des flavoprotéines sensibles à la lumière bleue. Ils sont apparentés structurellement à des enzymes sensibles à la lumière bleue, les *photolyases*, impliquées dans la réparation des lésions de l'ADN induites par les ultraviolets chez tous les organismes sauf la plupart des mammifères. Contrairement aux phytochromes, les cryptochromes existent aussi chez les animaux où ils jouent un rôle important dans l'horloge circadienne qui opère dans la plupart des cellules et dont le cycle est rythmé sur 24 heures (*voir* Chapitre 7). Les cryptochromes n'ont pas d'activité de réparation de l'ADN mais on pense qu'ils ont évolué à partir des photolyases.

Dans ce chapitre nous avons parlé de la façon dont les signaux extracellulaires pouvaient influencer le comportement cellulaire. Une des cibles intracellulaires primordiales de ces signaux est le cytosquelette, qui détermine la forme de la cellule et est responsable des mouvements cellulaires comme nous le verrons dans le chapitre suivant.

Résumé

On pense que les végétaux et les animaux ont développé leur multicellularité et leurs mécanismes de communication cellulaire indépendamment, partant chacun d'un eucaryote monocellulaire différent qui, à son tour, avait évolué à partir d'un ancêtre eucaryote monocellulaire commun. Il n'est dont pas surprenant que les mécanismes de signalisation entre les cellules animales et végétales présentent à la fois des similitudes et des différences. Alors que les animaux se reposent surtout sur les récepteurs cellulaires de surface couplés aux protéines G, par exemple, les végétaux se reposent surtout sur des récepteurs couplés à des enzymes du type récepteurs sérine/thréonine, en particulier ceux pourvus de répétitions riches en leucine extracellulaires. Un certain nombre de régulateurs de croissance, y compris l'éthylène, facilitent la coordination du développement végétal. L'éthylène agit par l'intermédiaire de récepteurs à activité histidine-kinase selon une voie de signalisation à deux composantes qui ressemble à celle utilisée dans la chimiotaxie bactérienne. La lumière joue un rôle important dans la régulation du développement végétal. Ces réponses à la lumière passent par diverses photoprotéines sensibles à la lumière, y compris les phytochromes, qui répondent à la lumière rouge et les cryptochromes et phototropines qui sont sensibles à la lumière bleue.

Bibliographie

Généralités

Ari S (ed) (1999) Introduction to Cellular Signal Transduction. New York: Birkhauser.

Heldin C-H & Purton M (eds) (1996) Signal Transduction. Cheltenham, UK: Nelson Thornes.

Krauss G (1999) Biochemistry of Signal Transduction and Regulation. New York: John Wiley & Sons.

Principes généraux de la communication cellulaire

Cohen P (1992) Signal integration at the level of protein kinases, protein phosphatases and their substrates. *Trends Biochem. Sci.* 17, 408–413.

Forman BM & Evans RM (1995) Nuclear hormone receptors activate direct, inverted, and everted repeats. *Ann. N.Y. Acad. Sci.* 761, 29–37.

Gurdon JB, Lemaire P & Kato K (1993) Community effects and related phenomena in development. *Cell* 75, 831–834.

Murad F (1998) Nitric oxide signaling: would you believe that a simple free radical could be a second messenger, autacoid, paracrine substance, neurotransmitter, and hormone? *Recent Prog. Horm. Res.* 53, 43–59; discussion 59–60.

Pawson T & Nash P (2000) Protein–protein interactions define specificity in signal transduction. *Genes Dev.* 14, 1027–1047.

Pawson T & Scott JD (1997) Signalling through scaffold, anchoring, and adaptor proteins. *Science* 278, 2075–2080.

La signalisation par les récepteurs cellulaires de surface couplés aux protéines G

Baylor D (1996) How photons start vision. *Proc. Natl. Acad. Sci. USA* 93, 560–565.

Berridge MJ (1997) Elementary and global aspects of calcium signalling. *J. Physiol.* (Lond). 499, 291–306.

Bourne HR (1997) How receptors talk to trimeric G proteins. *Curr. Opin. Cell Biol.* 9, 134–142.

Buck LB (2000) The molecular architecture of odor and pheromone sensing in mammals. *Cell* 100, 611–618.

Chin D & Means AR (2000) Calmodulin: a prototypical calcium sensor. *Trends Cell Biol.* 10, 322–328.

Cohen PT (1997) Novel protein serine/threonine phosphatases: variety is the spice of life. *Trends Biochem. Sci.* 22, 245–251.

Collins S, Caron MG & Lefkowitz RJ (1992) From ligand binding to gene expression: new insights into the regulation of G-protein-coupled receptors. *Trends Biochem. Sci.* 17, 37–39.

Gilman AG (1995) Nobel Lecture. G proteins and regulation of adenylyl cyclase. *Biosci. Rep.* 15, 65–97.

Irvine RF (1992) Inositol lipids in cell signalling. *Curr. Opin. Cell Biol.* 4, 212–219.

Koninck PD & Schulman H (1998) Sensitivity of CaM kinase II to the frequency of Ca2+ oscillations. *Science* 279, 227–229.

Montminy M (1997) Transcriptional regulation by cyclic AMP. *Annu. Rev. Biochem.* 66, 807–822.

Nishizuka Y (1992) Intracellular signaling by hydrolysis of phospholipids and activation of protein kinase C. *Science* 258, 607–614.

Pitcher JA, Freedman NJ & Lefkowitz RJ (1998) G protein-coupled receptor kinases. *Annu. Rev. Biochem.* 67, 653–692.

La signalisation par les récepteurs cellulaires de surface couplés à une enzyme

Darnell JE, Jr, Kerr IM & Stark GR (1994) Jak-STAT pathways and transcriptional activation in response to IFNs and other extracellular signaling proteins. *Science* 264, 1415–1421.

Downward J (1996) Control of ras activation. *Cancer Surv.* 27, 87–100.

Downward J (1998) Mechanisms and consequences of activation of protein kinase B/Akt. *Curr. Opin. Cell Biol.* 10, 262–267.

Falke JJ, Bass RB, Butler SL et al. (1997) The two-component signaling pathway of bacterial chemotaxis: a molecular view of signal transduction by receptors, kinases, and adaptation enzymes. *Annu. Rev. Cell Dev. Biol.* 13, 457–512.

Gale NW & Yancopoulos GD (1997) Ephrins and their receptors: a repulsive topic? *Cell Tissue Res.* 290, 227–241.

Leevers SJ, Vanhaesebroeck B & Waterfield MD (1999) Signalling through phosphoinositide 3-kinases: the lipids take centre stage. *Curr. Opin. Cell Biol.* 11, 219–225.

Massagué J (1998) TGF-β signal transduction. *Annu. Rev. Biochem.* 67, 753–791.

Neel BG & Tonks NK (1997) Protein tyrosine phosphatases in signal transduction. *Curr. Opin. Cell Biol.* 9, 192–204.

Pawson T (1995) Protein modules and signalling networks. *Nature* 373, 573–580.

Potter LR & Hunter T (2001) Guanylyl cyclase-linked natriuretic peptide receptors: structure and regulation. *J. Biol. Chem.* 276, 6057–6060.

Schlessinger J (2000) Cell signaling by receptor tyrosine kinases. *Cell* 103, 211–225.

Thomas SM & Brugge JS (1997) Cellular functions regulated by Src family kinases. *Annu. Rev. Cell Dev. Biol.* 13, 513–609.

Widmann C, Gibson S, Jarpe B & Johnson GI (1999) Mitogen-activation protein kinase: conservation of a three-kinase module from yeast to human. *Physiol. Rev.* 79, 143–180.

Les voies de signalisation qui dépendent d'une protéolyse régulée

Chan YM & Jan YN (1998) Roles for proteolysis and trafficking in notch maturation and signal transduction. *Cell* 94, 423–426.

Ghosh S, May M & Kopp E (1998) NF-κB and Rel proteins: evolutionarily conserved mediators of immune responses. *Annu. Rev. Immunol.* 16, 225–260.

Hlsken J & Behrens J (2000) The Wnt signalling pathway. *J. Cell Sci.* 113, 3545–3546.

Ingham PW (1998) Transducing Hedgehog: the story so far. *EMBO J.* 17, 3505–3511.

La signalisation chez les végétaux

Ahmad M (1999) Seeing the world in red and blue: insight into plant vision and photoreceptors. *Curr. Opin. Plant Biol.* 2, 230–235.

Buchanan SG & Gay NJ (1996) Structural and functional diversity in the leucine-rich repeat family of proteins. *Prog. Biophys. Mol. Biol.* 65, 1–44.

Chang C & Shockey JA (1999) The ethylene-response pathway: signal perception to gene regulation. *Curr. Opin. Plant Biol.* 2, 352–358.

Iten M, Hoffmann T & Grill E (1999) Receptors and signalling components of plant hormones. *J. Recept. Signal Transduct. Res.* 19, 41–58.

Nagy F & Schäfer E (2000) Nuclear and cytosolic events of light-induced, phytochrome-regulated signaling in higher plants. *EMBO J.* 19, 157–163.

Schumacher K & Chory J (2000) Brassinosteroid signal transduction: still casting the actors. *Curr. Opin. Plant Biol.* 3, 79–84.

Shiu SH & Bleecker AB (2001) Receptor-like kinases from *Arabidopsis* form a monophyletic gene family related to animal receptor kinases. *Proc. Natl. Acad. Sci. USA* 98, 10763–10768.

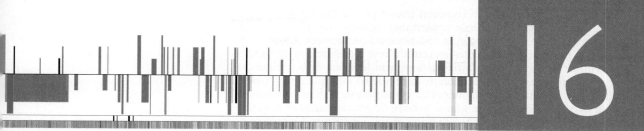

CYTOSQUELETTE

Les cellules doivent s'organiser elles-mêmes dans l'espace et interagir mécaniquement avec leur environnement. Elles doivent avoir une forme correcte, une structure interne adaptée et être résistantes physiquement. Beaucoup d'entre elles doivent également être capables de modifier leur forme et se déplacer d'un endroit à l'autre. Toutes doivent pouvoir réorganiser leurs composants internes lorsqu'elles se développent, se divisent et s'adaptent à diverses circonstances. Les cellules eucaryotes ont développé toutes ces fonctions spatiales et mécaniques à un très haut degré et celles-ci dépendent d'un système remarquable de filaments qu'on appelle le **cytosquelette** (Figure 16-1).

Le cytosquelette sépare les chromosomes lors de la mitose puis divise ensuite la cellule en deux. Il entraîne et guide le transport intracellulaire des organites, et transporte les matériaux d'une partie de la cellule à une autre. Il soutient la membrane plasmique fragile et apporte les engrènements mécaniques qui permettent aux cellules de supporter les stress et les tensions sans se déchirer lorsque l'environnement bouge et se modifie. Il permet à certaines cellules, comme les spermatozoïdes, de nager et à d'autres, comme les fibroblastes et les leucocytes, de migrer au travers de surfaces. Il fournit à la cellule musculaire la machinerie qui lui permet de se contracter, et au neurone celle qui lui permet d'étendre son axone et ses dendrites. Il guide la croissance de la paroi des cellules végétales et contrôle la surprenante diversité de forme des cellules eucaryotes.

Le comportement de trois familles de molécules protéiques, qui s'assemblent pour former les trois principaux types de filaments, est au cœur des fonctions variées du cytosquelette. Chaque type de filament présente des propriétés mécaniques et une dynamique distinctes, mais certains principes fondamentaux sont communs aux trois. Ce sont ces principes qui permettent de comprendre globalement le mode de fonctionnement du cytosquelette.

Dans ce chapitre, nous commencerons par décrire les trois principaux types de filaments, les principes fondamentaux qui sous-tendent leur assemblage et leur désassemblage et leurs particularités individuelles. Nous verrons ensuite comment d'autres protéines interagissent avec les trois principaux systèmes de filaments, pour permettre à la cellule d'établir et de maintenir un ordre intérieur, de façonner et de remodeler sa surface, de déplacer ses organites pour les diriger d'un endroit à un autre et – lorsque cela est approprié – de se déplacer elle-même vers de nouvelles localisations. Les actions merveilleusement coordonnées du cytosquelette dans la division cellulaire seront traitées séparément, dans le chapitre 18.

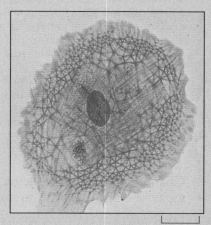

10 μm

Figure 16-1 Le cytosquelette. Une cellule en culture a été fixée et colorée au bleu de Coomassie, un colorant général des protéines. Notez la variété des structures filamenteuses qui s'étendent à travers toute la cellule. (Due à l'obligeance de Colin Smith.)

AUTO-ASSEMBLAGE ET STRUCTURE DYNAMIQUE DES FILAMENTS DU CYTOSQUELETTE

Beaucoup de cellules eucaryotes ont en commun trois types de filaments du cytosquelette qui sont fondamentaux pour leur organisation spatiale. Les *filaments intermédiaires* fournissent la force mécanique et la résistance au cisaillement. Les *microtubules* déterminent la position des organites entourés d'une membrane et dirigent le transport intracellulaire. Les *filaments d'actine* déterminent la forme de la surface cellulaire et sont nécessaires pour la locomotion de la cellule en tant que tout (Planche 16-1). Cependant, pris isolément, ces filaments du cytosquelette seraient inefficaces. Leur utilité pour la cellule dépend d'un grand nombre de *protéines accessoires* qui relient ces filaments aux autres composants cellulaires et aussi entre eux. Ce groupe de protéines accessoires est essentiel pour assembler sous contrôle les filaments du cytosquelette dans une localisation particulière et comprend également les *protéines motrices* qui déplacent les organites le long des filaments ou déplacent les filaments eux-mêmes.

Les systèmes cytosquelettiques sont dynamiques et adaptables, et sont plutôt organisés comme les voies suivies par les fourmis que comme des autoroutes. Le chemin suivi par les fourmis peut persister plusieurs heures, s'étendant de la fourmilière jusqu'à un site de pique-nique délectable mais chaque fourmi qui suit cette piste n'est absolument pas statique. Si la fourmi éclaireur trouve une meilleure source de nourriture, ou si les pique-niqueurs nettoient puis partent, la structure dynamique se réorganise elle-même avec une rapidité étonnante pour faire face à cette nouvelle situation. De même, les structures du cytosquelette à grande échelle peuvent se modifier ou persister, selon le besoin, persistant parfois moins d'une minute ou toute la vie d'une cellule. Chaque composant macromoléculaire qui forme ces structures se trouve dans un état constant de flux. De ce fait, tout comme les modifications du chemin des fourmis, la réorganisation structurale d'une cellule nécessite peu d'énergie supplémentaire pour faire face aux variations de conditions. Dans cette partie, nous verrons les mécanismes remarquables qui permettent aux filaments du cytosquelette d'être dynamiques, et capables ainsi de répondre rapidement à toute éventualité.

La régulation du comportement dynamique et de l'assemblage des filaments du cytosquelette permet aux cellules eucaryotes de construire un large éventail de structures à partir des trois systèmes fondamentaux de filaments. Des microphotographies qui révèlent certaines de ces structures sont montrées dans la planche 16-1. Les microtubules, qui forment souvent une étoile émanant du centre du cytoplasme d'une cellule en interphase, peuvent rapidement se réorganiser eux-mêmes pour former le *fuseau mitotique* bipolaire pendant la division cellulaire. Ils peuvent aussi former des fouets mobiles, appelés *cils* et *flagelles*, à la surface d'une cellule ou des faisceaux serrés et alignés qui servent de chemin pour le transport des matériaux le long des longs axones neuronaux. Les filaments d'actine forment plusieurs types de projections cellulaires de surface. Certaines d'entre elles sont des structures dynamiques, comme les *lamellipodes* et les *filopodes* que les cellules utilisent pour explorer les territoires et faire demi-tour. D'autres sont des structures stables comme les faisceaux réguliers de *stéréocils* à la surface des poils auditifs de l'oreille interne, qui s'inclinent comme des bâtonnets rigides en réponse à un bruit. À l'intérieur des cellules, les filaments d'actine peuvent aussi former des structures stables ou transitoires : l'*anneau contractile*, par exemple, s'assemble transitoirement pour diviser la cellule en deux pendant la cytocinèse ; des formations plus stables permettent aux cellules de se tendre contre un support sous-jacent et aux muscles de se contracter. Les filaments intermédiaires tapissent la face interne de l'enveloppe nucléaire, formant une cage protectrice pour l'ADN cellulaire ; dans le cytosol, ils sont enroulés en câbles résistants qui maintiennent ensemble les feuillets de cellules épithéliales, aident les neurones à étendre leurs longs axones résistants ou nous permettent de former des appendices durs comme les cheveux et les ongles.

Chaque type de filament du cytosquelette est construit à partir de sous-unités protéiques plus petites

Les structures du cytosquelette s'étendent fréquemment sur toute la longueur de la cellule, sur des dizaines ou même des centaines de micromètres. Cependant, chaque molécule protéique du cytosquelette ne mesure généralement que quelques nanomètres. La cellule est capable d'édifier de grosses structures par l'assemblage répétitif d'un grand nombre de petites sous-unités, comme la construction d'un gratte-ciel à partir de briques. Comme ces sous-unités sont de petite taille, elles peuvent diffuser rapidement à l'intérieur du cytoplasme, contrairement aux filaments as-

FILAMENTS D'ACTINE

100 nm

25 nm

es filaments d'actine (appelés aussi *microfilaments*) sont des polymères
élicoïdaux à deux brins d'une protéine, l'actine. Ils apparaissent comme des
ructures souples, d'un diamètre de 5 à 9 nm, et sont organisés en divers
isceaux linéaires, réseaux bidimensionnels et gels tridimensionnels. Bien que
s filaments d'actine soient dispersés dans toute la cellule, ils sont surtout
oncentrés dans le cortex, juste en dessous de la membrane plasmique.

icrophotographies dues à l'obligeance de Roger Craig (i et iv) ; P.T. Matsudaira et D.R. Burgess (ii) ; Keith Burridge (iii).

MICROTUBULES

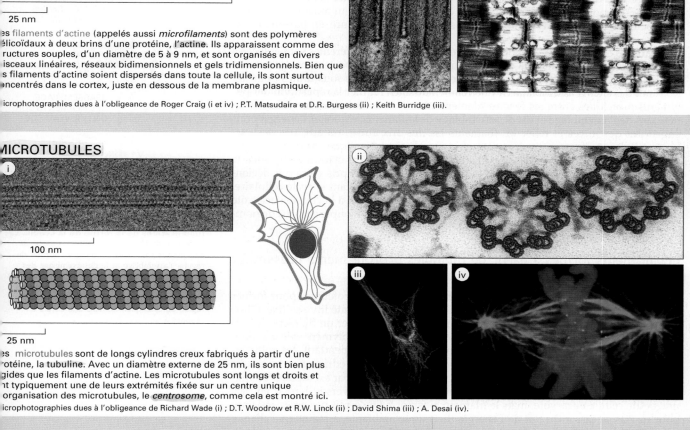

100 nm

25 nm

es microtubules sont de longs cylindres creux fabriqués à partir d'une
rotéine, la tubuline. Avec un diamètre externe de 25 nm, ils sont bien plus
gides que les filaments d'actine. Les microtubules sont longs et droits et
nt typiquement une de leurs extrémités fixée sur un centre unique
organisation des microtubules, le *centrosome*, comme cela est montré ici.

icrophotographies dues à l'obligeance de Richard Wade (i) ; D.T. Woodrow et R.W. Linck (ii) ; David Shima (iii) ; A. Desai (iv).

FILAMENTS INTERMÉDIAIRES

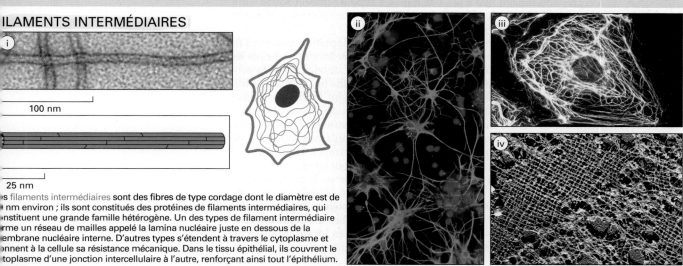

100 nm

25 nm

es filaments intermédiaires sont des fibres de type cordage dont le diamètre est de
nm environ ; ils sont constitués des protéines de filaments intermédiaires, qui
nstituent une grande famille hétérogène. Un des types de filament intermédiaire
rme un réseau de mailles appelé la lamina nucléaire juste en dessous de la
embrane nucléaire interne. D'autres types s'étendent à travers le cytoplasme et
nnent à la cellule sa résistance mécanique. Dans le tissu épithélial, ils couvrent le
toplasme d'une jonction intercellulaire à l'autre, renforçant ainsi tout l'épithélium.

icrophotographies dues à l'obligeance de Roy Quinlan (i) ; Nancy L. Kedersha (ii) ; Mary Osborn (iii) ; Ueli Aebi (iv).

semblés. De cette façon, les cellules peuvent subir des réorganisations structurelles rapides, désassemblant les filaments à un endroit pour les assembler à nouveau plus loin (Figure 16-2).

Les filaments intermédiaires sont fabriqués à partir de sous-unités plus petites, allongées et fibreuses, alors que les filaments d'actine et les microtubules sont formés à partir de sous-unités compactes et globulaires – les *sous-unités d'actine* pour les filaments d'actine, les *sous-unités de tubuline* pour les microtubules. Les sous-unités des trois types de filaments du cytosquelette forment des assemblages hélicoïdaux (*voir* Figure 3-27) qui s'auto-associent, combinant des contacts protéiques bout à bout et côte à côte. Les différences critiques concernant la stabilité et les propriétés mécaniques de chaque type de filament sont produites par les différences de structures des sous-unités et de résistance des forces attractives entre elles.

Beaucoup de polymères biologiques – y compris l'ADN, l'ARN et les protéines – sont maintenus ensemble par des liaisons covalentes entre leurs sous-unités. Par contre, ce sont des interactions faibles non covalentes qui maintiennent ensemble les trois types de polymères du cytosquelette, ce qui signifie que leur assemblage et leur désassemblage peuvent être rapides, sans formation ni rupture de liaisons covalentes.

Dans les cellules, des centaines de protéines accessoires différentes sont associées au cytosquelette et régulent la distribution spatiale et le comportement dynamique des filaments. Ces protéines se fixent sur les filaments ou leurs sous-unités pour déterminer des sites d'assemblage de nouveaux filaments, réguler la répartition des polymères protéiques entre les formes filamenteuses et sous-unitaires, modifier les cinétiques de l'assemblage et du désassemblage des filaments, exploiter l'énergie pour engendrer des forces et relier les filaments les uns aux autres ou aux autres structures cellulaires, comme les organites et la membrane plasmique. Au cours de ces processus, les protéines accessoires mettent les structures du cytosquelette sous le contrôle de signaux extracellulaires et intracellulaires, y compris ceux qui déclenchent les transformations spectaculaires du cytosquelette pendant le cycle cellulaire. Par leur action commune, les protéines accessoires permettent à la cellule eucaryote de maintenir une structure interne hautement organisée mais souple et, dans de nombreux cas, de se déplacer.

Les filaments formés à partir de multiples protofilaments présentent des propriétés avantageuses

En général, on peut imaginer que la réunion des sous-unités protéiques pour former un filament est une simple réaction d'association. Une sous-unité libre se fixe à l'extrémité d'un filament qui contient *n* sous-unités pour engendrer un filament de longueur *n* + 1. L'addition de chaque sous-unité à l'extrémité du polymère crée une nouvelle extrémité sur laquelle se fixe une autre sous-unité. Cependant, les robustes filaments du cytosquelette des cellules vivantes ne sont pas édifiés par ce simple montage de sous-unités en une seule file rectiligne. Il suffirait, par exemple, d'un millier de monomères de tubulines alignés bout à bout, pour traverser de part en part une petite cellule eucaryote, mais le filament ainsi formé ne serait pas assez résistant pour ne pas se casser du fait de l'énergie thermique ambiante, à moins que chaque sous-unité ne soit très solidement liée à ses voisines. Ce type de liaison solide limiterait la vitesse de désassemblage des filaments, et transformerait le cytosquelette en une structure statique moins utile.

Les polymères du cytosquelette associent résistance et adaptation parce qu'ils sont construits à partir de multiples **protofilaments** – longues bandes linéaires de sous-unités réunies bout à bout – qui s'associent l'un à l'autre latéralement. Les protofilaments s'enroulent typiquement l'un sur l'autre en un treillis hélicoïdal. L'addition ou la perte d'une sous-unité à l'extrémité d'un protofilament fabrique ou casse un ensemble de liaisons longitudinales et un ou deux groupes de liaisons latérales. Par contre, une cassure au centre du filament composite nécessite la cassure simultanée de groupes de liaisons longitudinales de plusieurs protofilaments (Figure 16-3). La grande différence d'énergie entre ces deux processus permet à la plupart des filaments du cytosquelette de résister à la cassure thermique, tout en maintenant des extrémités dynamiques qui peuvent subir rapidement l'addition ou la perte de sous-unités.

Tout comme d'autres interactions spécifiques protéine-protéine, les sous-unités d'un filament du cytosquelette sont reliées par un grand nombre d'interactions hydrophobes et de liaisons covalentes faibles (*voir* Figure 3-5). Les localisations et les types de contacts entre les sous-unités diffèrent selon les filaments cytosquelettiques. Les filaments intermédiaires, par exemple, s'assemblent par de solides contacts laté-

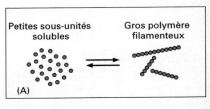

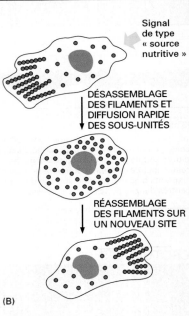

Figure 16-2 Le cytosquelette et les modifications de la forme de la cellule. La formation de filaments protéiques à partir de plus petites sous-unités protéiques permet de réguler l'assemblage et le désassemblage des filaments pour donner une nouvelle forme au cytosquelette. (A) Formation des filaments à partir d'une petite protéine. (B) Réorganisation rapide du cytosquelette dans une cellule en réponse à un signal externe.

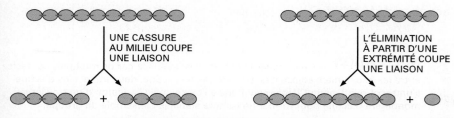

UNE CASSURE
AU MILIEU COUPE
UNE LIAISON

L'ÉLIMINATION
À PARTIR D'UNE
EXTRÉMITÉ COUPE
UNE LIAISON

PROTOFILAMENT ISOLÉ : THERMIQUEMENT INSTABLE

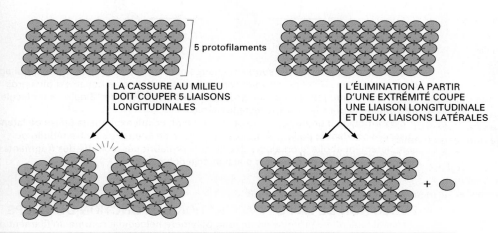

5 protofilaments

LA CASSURE AU MILIEU
DOIT COUPER 5 LIAISONS
LONGITUDINALES

L'ÉLIMINATION À PARTIR
D'UNE EXTRÉMITÉ COUPE
UNE LIAISON LONGITUDINALE
ET DEUX LIAISONS LATÉRALES

PROTOFILAMENTS MULTIPLES : THERMIQUEMENT STABLES

Figure 16-3 Stabilité thermique des filaments du cytosquelette à extrémités dynamiques. La formation d'un filament du cytosquelette à partir de plusieurs profilaments permet aux extrémités d'être dynamiques, tandis que les filaments eux-mêmes sont résistants aux cassures thermiques. Sur cet exemple hypothétique, le filament stable est formé de cinq protofilaments. Les liaisons qui maintiennent les sous-unités entre elles dans le filament sont montrées en *rouge*.

raux entre des superenroulements d'hélices α, qui s'étendent presque sur toute la longueur de chaque sous-unité fibreuse allongée. Comme chaque sous-unité est décalée dans le filament, les filaments intermédiaires tolèrent l'étirement et la courbure, et forment des structures résistantes de type cordage (Figure 16-4). Les microtubules, par contre, sont édifiés à partir de sous-unités globulaires reliées surtout par des liaisons longitudinales alors que les liaisons latérales qui relient les 13 protofilaments sont comparativement faibles. C'est pourquoi, les microtubules cassent bien plus facilement que les filaments intermédiaires.

La nucléation est l'étape qui limite la vitesse de formation d'un polymère du cytosquelette

L'organisation en multiples protofilaments des polymères du cytosquelette a une autre conséquence importante. Les courts oligomères, composés de quelques sous-unités, peuvent s'assembler spontanément mais sont instables et se désassemblent facilement parce que chaque monomère n'est relié qu'à quelques autres monomères. Pour qu'il se forme un nouveau gros filament, les sous-unités doivent s'assembler en

Longues sous-unités décalées : les contacts latéraux dominent

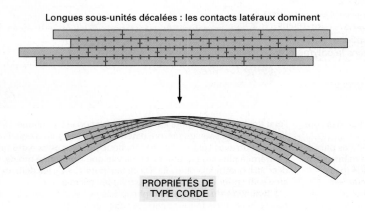

PROPRIÉTÉS DE
TYPE CORDE

Figure 16-4 Filament résistant formé de sous-unités fibreuses allongées pourvues de forts contacts latéraux. Les filaments intermédiaires se forment ainsi et sont par conséquent particulièrement résistants à la courbure ou aux forces d'étirement.

PLANCHE 16–2 La polymérisation de l'actine et de la tubuline

VITESSE D'ASSEMBLAGE (*ON*) ET VITESSE DE DÉSASSEMBLAGE (*OFF*)

Un polymère linéaire de molécules protéiques, comme un filament d'actine ou un microtubule, s'assemble (se polymérise) et se désassemble (dépolymérise) par l'addition et l'élimination de sous-unités à ses extrémités. La vitesse d'addition de ces sous-unités (appelées monomères) est donnée par la constante de vitesse k_{on}, dont l'unité est en $M^{-1} s^{-1}$. La vitesse d'élimination est donnée par k_{off} (unité en s^{-1}).

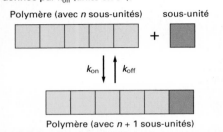

Polymère (avec n sous-unités)   sous-unité

k_{on} k_{off}

Polymère (avec $n + 1$ sous-unités)

NUCLÉATION

Un polymère hélicoïdal est stabilisé par de multiples contacts entre les sous-unités adjacentes. Dans le cas de l'actine, deux molécules d'actine s'unissent relativement faiblement l'une à l'autre, mais l'addition d'un troisième monomère d'actine pour former un trimère stabilise l'ensemble du groupe.

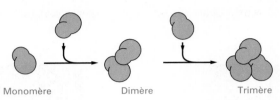

Monomère   Dimère   Trimère

L'addition de monomères supplémentaires peut s'effectuer sur ce trimère, qui agit donc comme un noyau de polymérisation. Pour la tubuline, le noyau est plus gros et a une structure plus complexe (probablement un anneau de 13 ou plus molécules de tubuline) – mais le principe reste le même.

L'assemblage d'un noyau est relativement lent, ce qui explique la phase de latence observée pendant la polymérisation. Cette phase de latence peut être réduite ou complètement abolie si on ajoute des noyaux préfabriqués, comme des fragments de microtubules ou de filaments d'actine déjà polymérisés.

CONCENTRATION CRITIQUE

Le nombre de monomères qui s'ajoutent au polymère (filament d'actine ou microtubule) par seconde sera proportionnel à la concentration de sous-unités libres (k_{on} C) mais les sous-unités quitteront l'extrémité du polymère à une vitesse constante (k_{off}) qui ne dépend pas de C. Lorsque le polymère se développe, les sous-unités s'épuisent et on observe une chute de C jusqu'à ce qu'elle atteigne une valeur constante, appelée la concentration critique (C_c). À cette concentration, la vitesse d'addition des sous-unités est égale à la vitesse d'élimination des sous-unités.

À cet équilibre,

$$k_{on} \, C = k_{off}$$

De telle sorte que
$$C_c = \frac{k_{off}}{k_{on}} = \frac{1}{K}$$

(avec K étant la constante d'équilibre de l'addition des sous-unités ; *voir* Figure 3-44).

ÉVOLUTION DE LA POLYMÉRISATION EN FONCTION DU TEMPS

L'assemblage d'une protéine en un long polymère hélocoïdal comme un filament de cytosquelette ou un flagelle bactérien montre typiquement l'évolution suivante en fonction du temps :

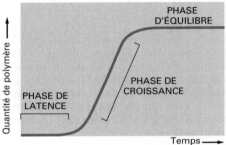

La phase de latence correspond au temps mis pour la nucléation.

La phase de croissance se produit lorsque les monomères s'ajoutent sur les extrémités exposées du filament en croissance et provoquent l'élongation du filament.

La phase d'équilibre ou état d'équilibre est atteinte lorsque la croissance du polymère par l'addition de monomères est précisément équilibrée par la décroissance du polymère due au désassemblage en monomères.

EXTRÉMITÉS PLUS ET MOINS

Les deux extrémités d'un filament d'actine ou d'un microtubule se polymérisent à une vitesse différente. L'extrémité à croissance rapide est appelée extrémité plus tandis que l'extrémité à croissance lente est appelée extrémité moins. La différence de la vitesse de croissance aux deux extrémités est permise par des modifications de la conformation de chaque sous-unité lorsqu'elle entre dans le polymère.

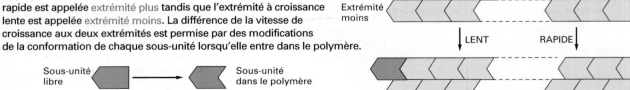

Sous-unité libre → Sous-unité dans le polymère

Extrémité moins   LENT   RAPIDE   Extrémité plus

Cette modification de conformation affecte les vitesses d'addition des sous-unités sur les deux extrémités.

Même si k_{on} et k_{off} ont des valeurs différentes pour les extrémités plus et moins du polymère, le rapport k_{off}/k_{on} – et donc C_c– doit être le même sur les deux extrémités pour une simple réaction de polymérisation (pas d'hydrolyse d'ATP ni de GTP). Cela est dû au fait qu'il y a exactement le même nombre d'interactions entre sous-unités qui sont rompues lorsqu'une sous-unité est perdue sur n'importe quelle extrémité et que

l'état final de la sous-unité après la dissociation est identique. De ce fait, la ΔG de la perte des sous-unités, qui détermine la constante d'équilibre de son association avec l'extrémité, est identique pour les deux extrémités ; si l'extrémité plus croît quatre fois plus vite que l'extrémité moins, elle doit aussi décroître quatre fois plus vite. De ce fait, pour $C > C_c$, les deux extrémités croissent ; pour $C < C_c$, les deux extrémités décroissent.

L'hydrolyse du nucléoside triphosphate qui accompagne la polymérisation de l'actine et de la tubuline élimine cette contrainte.

HYDROLYSE DES NUCLÉOTIDES

Chaque molécule d'actine transporte une molécule d'ATP solidement fixée qui est hydrolysée en une molécule d'ADP solidement fixée peu après son assemblage dans le polymère. De même chaque molécule de tubuline transporte un GTP solidement fixé qui est converti en une molécule de GDP solidement fixée peu après l'assemblage de la molécule dans le polymère.

Monomère libre   Sous-unité dans le polymère

(T = monomère transportant l'ATP ou le GTP)
(D = monomère transportant l'ADP ou le GDP)

L'hydrolyse du nucléotide fixé réduit l'affinité de liaison de la sous-unité pour les sous-unités voisines et augmente la probabilité de la dissociation à partir de l'extrémité du filament (voir figure 16-11 pour un mécanisme possible). C'est généralement la forme ⟨ T ⟩ qui s'ajoute sur le filament et la forme ☐ D qui la quitte.

Considérons les événements seulement à l'extrémité plus :

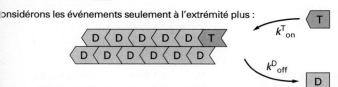

Comme avant, le polymère croîtra jusqu'à ce que $C = C_c$. Pour des raisons d'illustration, nous pouvons ignorer k^D_{on} et k^T_{off} car ils sont habituellement très petits, de telle sorte que la croissance du polymère cesse lorsque

$$k^T_{on} C = k^D_{off} \qquad \text{ou} \qquad C_c = \frac{k^D_{off}}{k^T_{on}}$$

est un état stable et non pas un véritable équilibre, parce que l'ATP ou le GTP hydrolysé doit être réapprovisionné par une réaction d'échange de nucléotide de la sous-unité libre.

).

COIFFES D'ATP ET COIFFES DE GTP

La vitesse d'addition des sous-unités sur un filament d'actine ou un microtubule en croissance peut être plus rapide que la vitesse d'hydrolyse de leur nucléotide fixé. Dans ces conditions, l'extrémité possède une « coiffe » de sous-unités contenant le nucléoside triphosphate – une coiffe d'ATP pour le filament d'actine et une coiffe de GTP pour le microtubule.

Coiffe d'ATP ou de GTP

L'INSTABILITÉ DYNAMIQUE et le TREADMILLING sont deux comportements observés dans les polymères du cytosquelette. Ils sont tous deux associés à l'hydrolyse des nucléosides triphosphates. On pense que l'instabilité dynamique prédomine dans les microtubules alors que le *treadmilling* pourrait prédominer dans les filaments d'actine.

TREADMILLING

Une des conséquences de l'hydrolyse des nucléotides qui accompagne la formation des polymères est de modifier la concentration critique aux deux extrémités du polymère. Comme k^D_{off} et k^T_{on} se réfèrent à des réactions différentes, le rapport k^D_{off}/k^T_{on} n'a pas besoin d'être le même aux deux extrémités du polymère, de telle sorte que

$$C_c \text{ (extrémité moins)} > C_c \text{ (extrémité plus)}$$

De ce fait, si les deux extrémités d'un polymère sont exposées, la polymérisation s'effectue jusqu'à ce que la concentration en monomère libre atteigne une valeur supérieure à C_c pour l'extrémité plus mais inférieure à C_c pour l'extrémité moins. À cet état d'équilibre, les sous-unités subissent, à la même vitesse, un net assemblage à l'extrémité plus et un net désassemblage à l'extrémité moins. Le polymère garde une longueur constante, même s'il y a un flux net de sous-unités à travers le polymère, ce qu'on appelle le *treadmilling* ou « vissage par vis sans fin ».

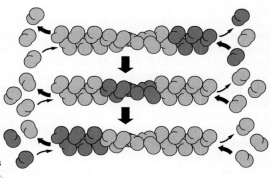

INSTABILITÉ DYNAMIQUE

Les microtubules se dépolymérisent environ 100 fois plus vite à partir d'une extrémité contenant de la GDP-tubuline que d'une extrémité contenant de la GTP- tubuline. Une coiffe de GTP favorise la croissance, mais si elle est perdue, il s'ensuit une dépolymérisation.

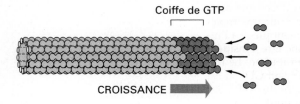

Coiffe de GTP

CROISSANCE   DÉCROISSANCE

Chaque microtubule peut donc alterner entre une période de croissance lente et une période de désassemblage rapide, un phénomène appelé instabilité dynamique.

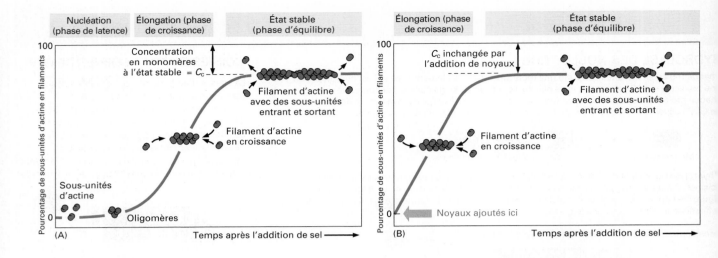

Figure 16-5 Évolution en fonction du temps de la polymérisation d'actine dans un tube à essai. (A) La polymérisation est initiée du fait de l'augmentation de la concentration saline de la solution de sous-unités d'actine pure. (B) La polymérisation est initiée pareillement, mais en présence de fragments préformés de filaments d'actine qui agissent comme des noyaux pour la croissance du filament.

un agrégat initial ou noyau, stabilisé par de nombreux contacts entre les sous-unités, qui peut s'allonger rapidement par l'addition de plusieurs sous-unités. Le processus initial d'assemblage du noyau est appelé *nucléation* du filament et peut prendre assez longtemps, en fonction du nombre de sous-unités devant se réunir pour former le noyau. L'instabilité des petits agrégats crée une barrière cinétique à la nucléation et celle-ci est facilement observée dans une solution pure d'actine ou de tubuline – les sous-unités respectives des filaments d'actine et des microtubules. Lorsqu'on initie la polymérisation dans un tube à essai contenant une solution de sous-unités pures séparées (par augmentation de la température ou de la concentration saline), on observe une phase de latence initiale, sans aucun filament. Pendant cette phase de latence, cependant, des noyaux s'assemblent lentement, de telle sorte que cette phase est suivie d'une phase d'élongation rapide des filaments, pendant laquelle les sous-unités s'ajoutent rapidement aux extrémités des filaments nucléés (Figure 16-5A). Enfin, le système approche un état d'équilibre pour lequel la vitesse d'addition de nouvelles sous-unités aux extrémités d'un filament s'équilibre exactement avec la vitesse de dissociation de sous-unités de ces extrémités. La concentration en sous-unités libres qui restent en solution à cet instant est la *concentration critique*, C_c. Comme cela est expliqué dans la planche 16-2, la valeur de la concentration critique est égale à la constante de vitesse de la perte de sous-unités divisée par la constante de vitesse de l'addition de sous-unités – à savoir $C_c = k_{off}/k_{on}$.

La phase de latence de la croissance des filaments disparaît si on ajoute à la solution des noyaux préexistants (comme des fragments de filaments chimiquement reliés transversalement) au début de la réaction de polymérisation (Figure 16-5B). La cellule profite avantageusement de ce besoin de nucléation : elle utilise des protéines spécifiques pour catalyser la nucléation des filaments sur des sites spécifiques, ce qui détermine la localisation de l'assemblage de nouveaux filaments du cytosquelette. En effet, ce type de régulation de la nucléation des filaments est un des premiers moyens que la cellule utilise pour contrôler sa forme et ses mouvements.

Les sous-unités de tubuline et d'actine s'assemblent « tête à queue » pour créer des filaments polaires

Les microtubules sont formés à partir de sous-unités protéiques de **tubuline**. La sous-unité de tubuline est elle-même un hétérodimère constitué de deux protéines globulaires proches, la *tubuline α* et la *tubuline β,* solidement liées par des liaisons non covalentes (Figure 16-6). Ces deux protéines de tubuline ne sont retrouvées que dans ce complexe. Chaque monomère α ou β possède un site de liaison pour une molécule de GTP. Le GTP lié au monomère de tubuline α est physiquement piégé à l'interface du dimère et n'est jamais hydrolysé ni échangé ; il peut donc être considéré comme une partie intégrante de la structure de l'hétérodimère de tubuline. Le nucléotide de la tubuline β par contre peut être sous la forme soit GTP soit GDP et est échangeable. Comme nous le voyons, au niveau de ce site, l'hydrolyse du GTP pour produire du GDP a un effet important sur la dynamique des microtubules.

Un microtubule est une structure cylindrique creuse et rigide construite à partir de 13 protofilaments parallèles, chacun composé d'une alternance de molécules de

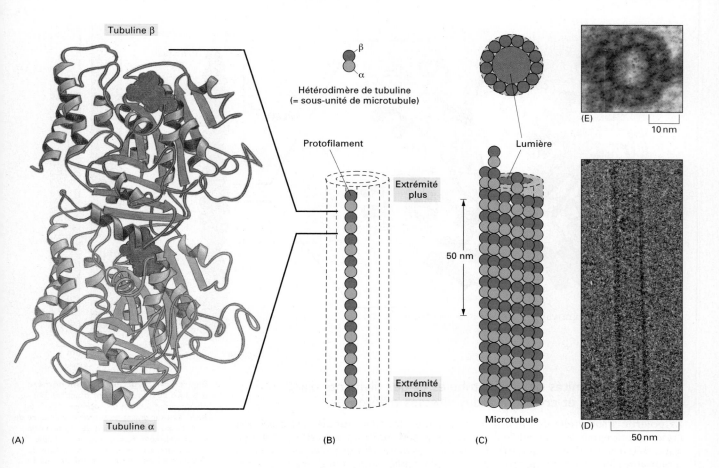

Tubuline β

β
α

Hétérodimère de tubuline
(= sous-unité de microtubule)

Protofilament

Extrémité
plus

50 nm

Extrémité
moins

Tubuline α

Lumière

Microtubule

(E)
10 nm

(D)
50 nm

(A)　　　(B)　　　(C)

tubuline α et de tubuline β. Lorsque les hétérodimères de tubuline s'assemblent pour former le microtubule cylindrique creux, ils génèrent deux nouveaux types de contacts protéine-protéine. Le long de l'axe longitudinal du microtubule, le «haut» d'une molécule de tubuline β forme une interface avec le «bas» de la molécule de tubuline α de la sous-unité du dimère adjacent. Cette interface est très semblable à l'interface qui relie les monomères α et β dans la sous-unité dimérique et l'énergie de liaison est forte. Perpendiculaires à ces interactions, des contacts latéraux se forment entre des protofilaments voisins. Dans cette dimension, les principaux contacts latéraux se forment entre des monomères de même type (α-α et β-β). Ces contacts longitudinaux et latéraux se répètent dans le treillis hélicoïdal régulier des microtubules. Comme la plupart des sous-unités d'un microtubule sont maintenues en place par de multiples contacts à l'intérieur du treillis, l'addition et l'élimination de sous-unités se produit presque exclusivement à l'extrémité des microtubules (*voir* Figure 16-3).

Chaque protofilament d'un microtubule s'assemble à partir de sous-unités qui pointent toutes dans la même direction, et ils sont tous eux-mêmes alignés parallèlement (dans la figure 16-6, par exemple, dans chaque hétérodimère, la tubuline α est en bas et la tubuline β est en haut). De ce fait, le microtubule lui-même a une polarité structurelle distincte, avec les tubulines α exposées à une extrémité et les tubulines β exposées à l'autre.

La sous-unité d'actine est composée d'une seule chaîne globulaire polypeptidique et c'est donc plutôt un monomère qu'un dimère. Comme la tubuline, chaque sous-unité d'actine possède un site de liaison pour un nucléotide, mais dans ce cas le nucléotide est l'ATP (ou l'ADP) et non pas le GTP (ou le GDP) (Figure 16-7). Tout comme les tubulines, les sous-unités d'actine s'assemblent «tête à queue» pour engendrer des filaments ayant une polarité structurale distincte. On peut considérer que le filament d'actine est composé de deux protofilaments parallèles qui s'enroulent l'un autour de l'autre en une hélice tournée vers la droite. Les filaments d'actine sont relativement souples comparés aux microtubules cylindriques creux. Mais, dans une cellule vivante, les filaments d'actine présentent des liaisons croisées et sont regroupés en faisceaux par diverses protéines accessoires (*voir* ci-dessous). Les grosses structures d'actine sont donc bien plus résistantes qu'un seul filament d'actine.

Figure 16-6 Structure d'un microtubule et de ses sous-unités. (A) La sous-unité de chaque protofilament est un hétérodimère de tubuline, formé à partir d'une paire de monomères de tubulines α et β très solidement reliés. La molécule de GTP de la tubuline α est si solidement fixée qu'on peut la considérer comme partie intégrante de la protéine. La molécule de GTP du monomère de tubuline β, cependant, est moins solidement fixée et joue un rôle important dans la dynamique des filaments. Les deux nucléotides sont montrés en *rouge*. (B) représentation schématique d'une sous-unité de tubuline (hétérodimère α-β) et d'un protofilament. Chaque protofilament est composé de nombreuses sous-unités adjacentes de même orientation. (C) Le microtubule est un tube creux rigide formé de 13 protofilaments alignés parallèlement. (D) Court segment de microtubule vu en microscopie électronique. (E) Photographie en microscopie électronique d'une coupe transversale d'un microtubule montrant un anneau de 13 protofilaments distincts. (D, due à l'obligeance de Richard Wade; E, due à l'obligeance de Richard Linck.)

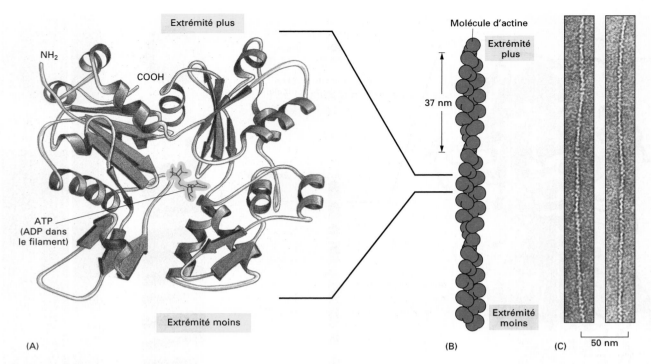

(A) (B) (C) 50 nm

Les deux extrémités des microtubules et des filaments d'actine sont différentes et croissent à des vitesses différentes

La polarité structurelle des filaments d'actine et des microtubules est créée par l'orientation régulière et parallèle de toutes leurs sous-unités. C'est cette orientation qui différencie les deux extrémités de chaque polymère, ce qui a des conséquences importantes sur la vitesse de croissance des filaments. L'addition d'une sous-unité sur l'une ou l'autre extrémité d'un filament de *n* sous-unités forme un filament de *n* + *1* sous-unités. En l'absence d'hydrolyse d'ATP ou de GTP, la différence d'énergie libre, et de ce fait la constante d'équilibre (et la concentration critique), doivent être la même pour l'addition de sous-unités à chaque extrémité du polymère. Dans ce cas, le rapport des constantes de vitesse d'addition et d'élimination, k_{on}/k_{off}, doit être identique aux deux extrémités, même si les valeurs absolues de ces constantes de vitesse peuvent être très différentes à chaque extrémité.

Dans un filament structurellement polaire, la cinétique des constantes de vitesse d'association et de dissociation – respectivement k_{on} et k_{off} – est souvent bien plus grande à une extrémité qu'à l'autre. De ce fait, si on laisse des sous-unités purifiées en excès s'assembler sur des fragments marqués de filaments préformés, une des extrémités de chaque fragment s'allonge bien plus vite que l'autre (Figure 16-8). Si on dilue rapidement les filaments de telle sorte que la concentration en sous-unités libres tombe en dessous de la concentration critique, l'extrémité à croissance rapide se dépolymérise aussi plus vite. La plus dynamique des deux extrémités du filament, pour laquelle la croissance et la décroissance sont les plus rapides, est appelée **extrémité plus** et l'autre est l'**extrémité moins**.

Sur les microtubules, les sous-unités α sont placées du côté de l'extrémité moins et les sous-unités β du côté de l'extrémité plus. Sur les filaments d'actine, les fentes de liaison à l'ATP des monomères pointent vers l'extrémité moins. (Pour des raisons historiques, les extrémités plus des filaments d'actine sont souvent dites «en barbelés» et les extrémités moins sont dites «pointues», à cause de l'aspect en tête de flèche des têtes de myosine lorsqu'elles sont fixées le long des filaments.)

L'élongation des filaments s'effectue spontanément lorsque la variation d'énergie libre (ΔG) pour l'addition d'une sous-unité soluble est inférieure à zéro. C'est le cas lorsque la concentration en sous-unités en solution dépasse la concentration critique. De même, la dépolymérisation des filaments s'effectue spontanément lorsque cette variation d'énergie libre est supérieure à zéro. La cellule peut coupler un processus énergétiquement défavorable à ces processus spontanés; de ce fait, l'énergie libre libérée pendant la polymérisation ou la dépolymérisation spontanée des filaments peut servir à effectuer un travail mécanique – en particulier à pousser ou tirer un chargement fixé. Les microtubules qui s'allongent, par exemple, peuvent aider à repousser les membranes vers l'extérieur et les microtubules qui décroissent

Figure 16-7 Structure d'un monomère d'actine et d'un filament d'actine. (A) Le monomère d'actine a un nucléotide (ATP ou ADP) fixé sur une fente profonde au centre de la molécule. (B) Disposition des monomères dans un filament. Bien que le filament soit souvent décrit comme une unique hélice de monomères, on peut aussi considérer qu'il est composé de deux protofilaments, maintenus ensemble par des contacts latéraux, qui s'enroulent l'un autour de l'autre comme deux brins parallèles d'une hélice, avec une répétition de tour tous les 37 nm. Toutes les sous-unités à l'intérieur du filament ont la même orientation. (C) Photographie en microscopie électronique de filaments d'actine après coloration négative. (C, due à l'obligeance de Roger Craig.)

peuvent aider à tirer les chromosomes mitotiques pour qu'ils se séparent de leurs sœurs pendant l'anaphase. De même, les filaments d'actine qui s'allongent peuvent faciliter la protrusion du bord avant des cellules douées de motilité, comme nous le verrons ultérieurement.

Le *treadmilling* ou «vissage par vis sans fin» et l'instabilité dynamique des filaments sont les conséquences de l'hydrolyse des nucléotides par la tubuline et l'actine

Jusqu'à maintenant, nous avons ignoré dans notre discussion sur la dynamique des filaments un fait primordial qui s'applique aux filaments d'actine et aux microtubules. En plus de leur capacité à former des polymères non covalents, les sous-unités d'actine et de tubuline sont des enzymes qui peuvent catalyser l'hydrolyse d'un nucléoside triphosphate, respectivement l'ATP ou le GTP. Dans les sous-unités libres, cette hydrolyse s'effectue très lentement ; cependant, elle s'accélère lorsque les sous-unités sont incorporées dans les filaments. Peu de temps après l'incorporation d'une sous-unité d'actine ou de tubuline dans un filament, il se produit l'hydrolyse du nucléotide ; le groupement phosphate libre est libéré de chaque sous-unité mais le nucléoside diphosphate reste piégé dans la structure du filament (sur les tubulines, le site de fixation du nucléotide réside à l'interface entre deux sous-unités voisines – *voir* Figure 16-6, alors que dans l'actine, le nucléoside se trouve en profondeur dans une fente proche du centre de la sous-unité – *voir* Figure 16-7). De ce fait, le filament peut présenter deux types de structures différentes, une liée à la «forme T» du nucléotide (ATP pour l'actine ou GTP pour la tubuline), et l'autre liée à la «forme D» (ADP pour l'actine et GDP pour la tubuline).

Lorsque le nucléotide est hydrolysé, la plus grande partie de l'énergie libre libérée par la coupure de la liaison phosphate-phosphate riche en énergie est mise en réserve dans les mailles du polymère, ce qui rend la variation d'énergie libre de la dissociation du polymère de forme D supérieure à celle de la dissociation de la forme T du polymère. Par conséquent, la constante d'équilibre de dissociation $K_D = k_{off}/k_{on}$ du polymère de forme D, numériquement égale à sa concentration critique [$C_c(D)$], est supérieure à la constante d'équilibre correspondant du polymère de forme T. De ce fait $C_c(D)$ est supérieure à $C_c(T)$. Pour certaines concentrations en sous-unités libres, les polymères de forme D rétréciront donc tandis que les polymères de forme T s'allongeront.

Dans les cellules vivantes, la plus grande partie des sous-unités libres sont sous la forme T car la concentration libre en ATP et en GTP est bien plus forte que celle en ADP et en GDP. Plus la sous-unité est restée longtemps dans des mailles de polymère, plus il y a de chances qu'elle ait hydrolysé son nucléotide lié. Le fait que la sous-unité située à l'extrémité d'un filament soit sous la forme T ou la forme D dépendra de la vitesse relative d'hydrolyse et d'addition des sous-unités. Si la vitesse d'addition des sous-unités est grande, c'est-à-dire si le filament croît rapidement, alors il y a des chances qu'une nouvelle sous-unité s'ajoute sur le polymère avant l'hydrolyse du nucléotide de la sous-unité précédente, de telle sorte que l'extrémité du polymère reste sous la forme T et forme une *coiffe d'ATP* ou une *coiffe de GTP*. Cependant, si la vitesse d'addition des sous-unités est lente, l'hydrolyse peut se produire avant l'addition de la sous-unité suivante et l'extrémité du filament sera alors dans la forme D.

La vitesse d'addition d'une sous-unité à l'extrémité d'un filament est le produit de la concentration en sous-unité libre par la constante de vitesse k_{on}. La k_{on} est bien plus rapide à l'extrémité plus d'un filament qu'à l'extrémité moins à cause de la différence de structure entre ces deux extrémités (*voir* Planche 16-2, p. 912-913). À une concentration intermédiaire de sous-unités libres, il est donc possible que la vitesse d'addition en sous-unités soit plus rapide que l'hydrolyse des nucléotides à l'extrémité plus, mais plus lente que l'hydrolyse des nucléotides à l'extrémité moins. Dans ce cas, l'extrémité plus du filament reste dans la conformation T tandis que l'extrémité moins adopte la conformation D. Comme nous venons de l'expliquer, la concentration critique de la forme D est supérieure à celle de la forme T ; en d'autres termes, la forme D est plus encline à se désassembler tandis que la forme T est plus encline à s'assembler. Si la concentration en sous-unités libres en solution se trouve dans l'intervalle intermédiaire – supérieure à la concentration critique de la forme T (c'est-à-dire l'extrémité plus) mais inférieure à la concentration critique de la forme D (c'est-à-dire l'extrémité moins) – le filament ajoute des sous-unités à son extrémité plus et perd simultanément des sous-unités à son extrémité moins. Cela conduit à la propriété remarquable du **treadmilling** (terme pouvant être traduit par «vissage par vis sans fin» ou «tapis roulant») des filaments (Figure 16-9 et Planche 16-2).

Microtubules néoformés

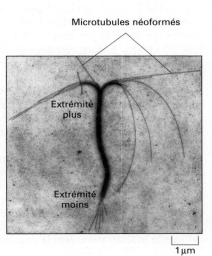

Extrémité plus

Extrémité moins

1 µm

Figure 16-8 Croissance préférentielle des microtubules à l'extrémité plus. Les microtubules et les filaments d'actine se développent plus vite à une extrémité qu'à l'autre. Dans ce cas, un faisceau stable de microtubules obtenu à partir du cœur d'un cil (traité ultérieurement) a été incubé avec des sous-unités de tubuline dans les conditions de polymérisation. Les microtubules s'allongent plus vite à partir de l'extrémité plus du faisceau de microtubules, située *en haut* sur cette microphotographie. (Due à l'obligeance de Gary Borisy.)

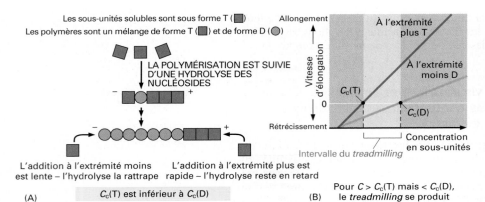

Les sous-unités solubles sont sous forme T (■)
Les polymères sont un mélange de forme T (■) et de forme D (○)

LA POLYMÉRISATION EST SUIVIE
D'UNE HYDROLYSE DES
NUCLÉOSIDES

− ██████████ +

− ○○○○○○○○██ +

L'addition à l'extrémité moins
est lente – l'hydrolyse la rattrape

L'addition à l'extrémité plus est
rapide – l'hydrolyse reste en retard

(A) C_c(T) est inférieur à C_c(D)

Allongement

À l'extrémité
plus T

À l'extrémité
moins D

C_c(T) C_c(D)

Rétrécissement

Intervalle du *treadmilling*

Concentration
en sous-unités

(B) Pour $C > C_c$(T) mais $< C_c$(D),
le *treadmilling* se produit

Figure 16-9 Le *treadmilling* d'un filament d'actine ou d'un microtubule est permis par l'hydrolyse du nucléoside triphosphate qui suit l'addition d'une sous-unité. (A) Explication des différentes concentrations critiques (C_c) aux extrémités plus et moins. Les sous-unités sur lesquelles sont fixés des nucléosides triphosphate (sous-unité de forme T) se polymérisent aux deux extrémités du filament en croissance puis subissent l'hydrolyse du nucléotide dans le réseau filamentaire. Dans cet exemple, lorsque le filament s'allonge, l'élongation est plus rapide que l'hydrolyse à l'extrémité plus et les sous-unités terminales de cette extrémité sont donc toujours sous la forme T. Cependant, l'hydrolyse est plus rapide que l'élongation à l'extrémité moins et donc les sous-unités terminales de cette extrémité sont sous la forme D. (B) Le *treadmilling* se produit pour les concentrations intermédiaires en sous-unités libres. La concentration critique pour la polymérisation d'une extrémité d'un filament de forme T est plus faible que celle pour la polymérisation de l'extrémité d'un filament de forme D. Si la concentration réelle en sous-unités se trouve quelque part entre ces deux valeurs, l'extrémité plus s'allonge tandis que l'extrémité moins décroît, ce qui entraîne un *treadmilling*.

Pendant le *treadmilling*, les sous-unités sont recrutées à l'extrémité plus du polymère qui est dans la forme T et perdues de l'extrémité moins qui est dans la forme D. L'hydrolyse de l'ATP ou du GTP qui se produit pendant ce temps donne naissance à des différences dans l'énergie libre des réactions d'association/dissociation aux extrémités plus et moins du filament d'actine ou du microtubule, ce qui permet le *treadmilling*. À une concentration spécifique en sous-unités, la croissance du filament à l'extrémité plus est exactement équilibrée par la décroissance du filament à l'extrémité moins. Dans ce cas, les sous-unités effectuent un cycle rapide entre l'état libre et filamenteux, tandis que la longueur totale du filament ne change pas. Ce « *treadmilling* d'équilibre » nécessite une consommation constante d'énergie par l'hydrolyse de nucléosides triphosphate. Alors qu'on ne connaît pas l'importance du *treadmilling* à l'intérieur de la cellule, le *treadmilling* de filaments pris isolément a été observé *in vitro* pour l'actine et il est possible d'observer, dans les cellules vivantes, un phénomène qui lui ressemble au sein de microtubules pris individuellement (Figure 16-10).

Les différences cinétiques entre le comportement de la forme T et de la forme D ont une autre conséquence importante pour le comportement des filaments. Si la vitesse de l'addition des sous-unités à une extrémité a la même amplitude que la vitesse d'hydrolyse, il existe une probabilité définie que cette extrémité commence dans une forme T, mais que l'hydrolyse finisse par « rattraper » l'addition et transforme l'extrémité en une forme D. Cette transformation est soudaine et aléatoire avec une certaine probabilité par unité de temps. De ce fait, dans une population de microtubules, à chaque instant certaines extrémités se trouvent sous la forme T et certaines sous la forme D, le rapport entre elles dépendant de la vitesse d'hydrolyse et de la concentration en sous-unités libres.

Supposons que la concentration en sous-unités libres soit intermédiaire entre la concentration critique pour l'extrémité sous forme T et la concentration critique pour l'extrémité sous forme D (c'est-à-dire dans la même gamme de concentrations que celle où s'observe le *treadmilling*). Dans ce cas, toute extrémité qui se trouve sous forme T croîtra, tandis que celles qui se trouvent sous forme D décroîtront. Pour un filament isolé, une des extrémités pourrait croître pendant un certain temps sous la forme T, puis changer soudainement pour la forme D et commencer à décroître rapidement, même si la concentration en sous-unités libres reste constante. Cette interconversion rapide entre l'état de croissance et l'état de décroissance, pour une concentration uniforme en sous-unités libre, s'appelle **instabilité dynamique** (Figure 16-11). La modification vers la décroissance rapide est appelée *catastrophe*, tandis que la modification vers la croissance est appelée *sauvetage*. Dans les cellules, on

Figure 16-10 Le comportement de *treadmilling* d'un microtubule, observé dans une cellule vivante. Une cellule a reçu une injection de tubuline fixée de façon covalente à un colorant fluorescent, la rhodamine, pour qu'environ 1 sous-unité de tubuline sur 20 soit fluorescente. La fluorescence de chaque microtubule est alors observée avec une caméra électronique sensible. Le microtubule montré semble glisser de *gauche* à *droite* mais en fait le réseau de microtubule reste stationnaire (comme cela est montré par la marque noire indiquée par la *tête de flèche rouge*) tandis que l'extrémité plus (*à droite*) s'allonge et l'extrémité moins (*à gauche*) se rétrécit. Au même moment, l'extrémité plus montre une instabilité dynamique. (D'après C.M. Waterman-Storer et E.D. Salmon, *J. Cell Biol.* 139 : 417-434, 1997. © The Rockefeller University Press.)

Temps 0 s

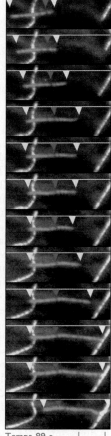

Temps 89 s

2 μm

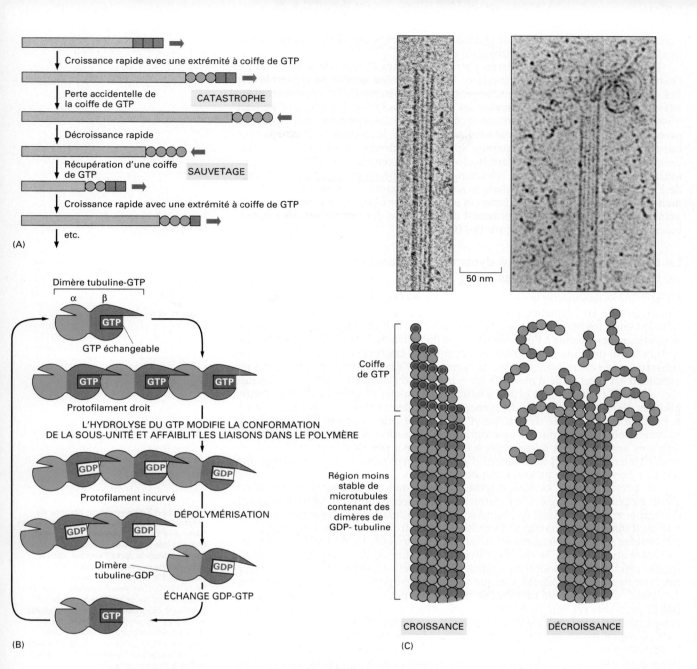

(A)

Croissance rapide avec une extrémité à coiffe de GTP

Perte accidentelle de la coiffe de GTP — **CATASTROPHE**

Décroissance rapide

Récupération d'une coiffe de GTP — **SAUVETAGE**

Croissance rapide avec une extrémité à coiffe de GTP

etc.

(B)

Dimère tubuline-GTP

α β

GTP

GTP échangeable

GTP **GTP** **GTP**

Protofilament droit

L'HYDROLYSE DU GTP MODIFIE LA CONFORMATION DE LA SOUS-UNITÉ ET AFFAIBLIT LES LIAISONS DANS LE POLYMÈRE

GDP **GDP** **GDP**

Protofilament incurvé

DÉPOLYMÉRISATION

GDP **GDP**

Dimère tubuline-GDP

GDP

ÉCHANGE GDP-GTP

GTP

(C)

50 nm

Coiffe de GTP

Région moins stable de microtubules contenant des dimères de GDP- tubuline

CROISSANCE   DÉCROISSANCE

Figure 16-11 L'instabilité dynamique est due aux différences structurelles entre une des extrémités du microtubule qui s'allonge et l'autre qui se rétrécit. (A) Si la concentration en tubuline libre en solution se situe entre les valeurs critiques indiquées dans la figure 16-9, une seule extrémité du microtubule peut subir une transition entre l'état de croissance et l'état de décroissance. Un microtubule en croissance présente des sous-unités pourvues de GTP à son extrémité qui forment une coiffe de GTP. Si l'hydrolyse des nucléotides s'effectue plus rapidement que l'addition des sous-unités, cette coiffe est perdue et le microtubule commence à décroître, un événement appelé «catastrophe». Mais des sous-unités contenant du GTP peuvent encore s'ajouter sur l'extrémité qui se rétrécit et s'il y en a assez qui s'ajoutent pour reformer une nouvelle coiffe, alors le microtubule recommence à croître, un événement appelé «sauvetage». (B) Modèle des conséquences structurelles de l'hydrolyse du GTP dans le réseau de microtubule. L'addition de sous-unités de tubuline contenant du GTP à l'extrémité d'un protofilament provoque la croissance de l'extrémité dans une conformation linéaire qui peut facilement se placer dans la paroi cylindrique du microtubule. L'hydrolyse du GTP après l'assemblage modifie la conformation des sous-unités et a tendance à incurver de force les protofilaments, qui sont alors moins capables de se placer dans la paroi du microtubule. (C) Dans un microtubule intact, les protofilaments fabriqués à partir de sous-unités contenant du GDP sont placés de force dans une conformation linéaire par les nombreuses liaisons latérales à l'intérieur de la paroi du microtubule, donnant ainsi une coiffe stable de sous-unités contenant du GTP. La perte de la coiffe de GTP, cependant, permet aux protofilaments contenant du GDP de se relâcher dans leur conformation plus recourbée. Cela conduit à la rupture progressive du microtubule. Au-dessus des schémas d'un microtubule en croissance et en décroissance, les photographies en microscopie électronique montrent de véritables microtubules dans chacun de ces états, observés sur les préparations dans de la glace vitreuse. Notez particulièrement les protofilaments contenant du GDP, bouclés, qui se désintègrent à l'extrémité du microtubule en décroissance. (C, due à l'obligeance de E.M. Mandelkow, E. Mandelkow et R.A. Milligan, *J. Cell Biol.* 114 : 977-991, 1991. © The Rockefeller University Press.)

pense que l'instabilité dynamique prédomine dans les microtubules, tandis que le *treadmilling* prédomine dans les filaments d'actine.

Pour les microtubules, la différence structurelle entre l'extrémité sous forme T et l'extrémité sous forme D est spectaculaire. Les sous-unités de tubuline qui ont le GTP fixé sur le monomère β produisent des protofilaments droits qui forment des contacts latéraux forts et réguliers les uns avec les autres. Mais l'hydrolyse du GTP en GDP s'associe à une légère modification de la conformation de la protéine, qui incurve les protofilaments. Sur un microtubule à croissance rapide, la coiffe de GTP gêne la courbure du protofilament et les extrémités apparaissent droites. Mais lorsque les sous-unités terminales ont hydrolysé leur nucléotide, cette contrainte se relâche et les protofilaments incurvés se séparent brutalement. Cette libération coopérative d'énergie de l'hydrolyse mise en réserve dans le réseau de microtubule entraîne le détachement rapide des protofilaments incurvés et on observe alors des anneaux et des oligomères incurvés de tubuline contenant du GDP près des extrémités des microtubules qui se dépolymérisent (Figure 16-11C).

Le *treadmilling* et l'instabilité dynamique dépensent de l'énergie mais sont utiles

L'instabilité dynamique et le *treadmilling* permettent à la cellule de maintenir la même teneur globale en filaments, tandis que chaque sous-unité effectue un recyclage constant entre les filaments et le cytosol. Quelle est la dynamique des microtubules et des filaments d'actine à l'intérieur d'une cellule vivante ? De façon typique, un microtubule qui présente des différences structurelles majeures entre ses extrémités en croissance et en décroissance, passe de la croissance à la décroissance peu de fois par minute. Il est donc facile d'observer les extrémités de chaque microtubule en temps réel lorsqu'elles présentent cette instabilité dynamique (Figure 16-12). Par contre, pour les filaments d'actine, la différence entre les deux types d'extrémités n'est pas si extrême et l'instabilité dynamique d'un filament pris isolément ne peut être directement observée en microscopie optique. L'utilisation, cependant, de techniques adaptées fondées sur la microscopie à fluorescence a permis de montrer que le renouvellement (*turnover*) du filament d'actine est typiquement rapide, chaque filament ne persistant que quelques minutes.

Au premier abord, ce comportement dynamique des filaments semble n'être qu'un gaspillage d'énergie. Pour maintenir une concentration constante en filaments d'actine et en microtubules, qui subissent pour la plupart des processus de *treadmilling* ou d'instabilité dynamique, la cellule doit hydrolyser de grandes quantités de nucléosides triphosphate. Comme nous l'avons expliqué, au début de ce chapitre, par notre analogie avec le chemin suivi par les fourmis, l'avantage pour la cellule semble résider dans la souplesse spatiale et temporelle inhérente à ce système structural constamment renouvelé. Chaque sous-unité est petite et peut diffuser très rapidement ; une sous-unité de tubuline ou d'actine peut diffuser pour traverser une cellule eucaryote typique en une ou deux secondes. Comme nous l'avons remarqué, l'étape limitante de la vitesse de formation d'un nouveau filament est sa nucléation ; c'est pourquoi ces sous-unités à diffusion rapide ont tendance à s'assembler soit à l'extrémité d'un filament préexistant soit dans des sites spécifiques où l'étape de nucléation est catalysée par des protéines spécifiques. Dans les deux cas, les nouveaux

Figure 16-12 Observation directe de l'instabilité dynamique des microtubules dans une cellule vivante. Les microtubules d'une cellule épithéliale pulmonaire de triton ont été observés après l'injection dans la cellule d'une petite quantité de tubuline marquée à la rhodamine, comme dans la figure 16-10. L'instabilité dynamique des microtubules sur le bord de la cellule est facilement observable. Quatre microtubules isolés sont mis en évidence pour plus de clarté ; chacun d'entre eux montre une alternance de croissance et de décroissance. (Due à l'obligeance de Wendy C. Salmon et Clare Waterman-Storer.)

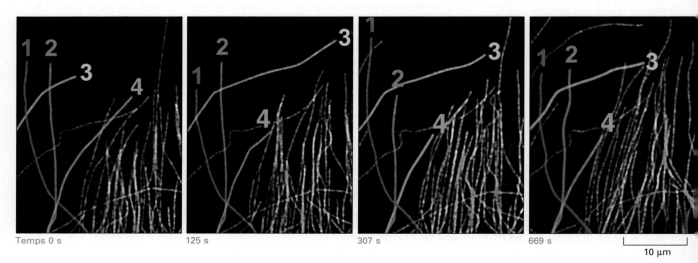

Temps 0 s   125 s   307 s   669 s

10 μm

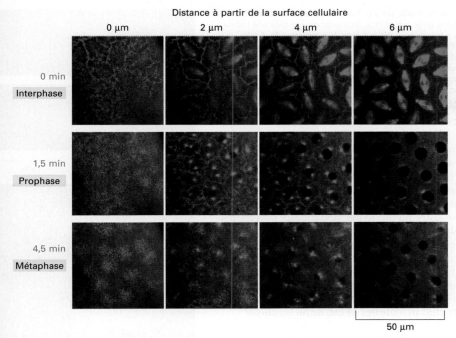

Distance à partir de la surface cellulaire

0 µm   2 µm   4 µm   6 µm

0 min
Interphase

1,5 min
Prophase

4,5 min
Métaphase

50 µm

Figure 16-13 **Figure 16-13 Variations rapides de l'organisation du cytosquelette observées pendant les premiers stades du développement d'un embryon de *Drosophila*.** Dans ces cellules multinucléées géantes, les premières divisions nucléaires se produisent toutes les 10 minutes à peu près dans le cytoplasme commun. Le réarrangement rapide des filaments d'actine (en *rouge*) et des microtubules (en *vert*) vu ici dans un embryon vivant, est nécessaire pour séparer les chromosomes lors de la mitose tout en évitant que chaque noyau entre en collision avec ses voisins. (Due à l'obligeance de William Sullivan.)

filaments sont hautement dynamiques et, s'ils ne sont pas spécifiquement stabilisés, n'ont qu'une existence éphémère. En contrôlant l'endroit où les filaments sont nucléés et sélectivement stabilisés, la cellule peut contrôler la localisation de son système de filament et ainsi sa structure. Il semble que la cellule soit continuellement en train de tester une large gamme de structures internes et ne garde que celles qui lui sont utiles. Lorsque les conditions extérieures se modifient, ou lorsque des signaux internes apparaissent (comme pendant les transitions du cycle cellulaire), la cellule est prête à modifier rapidement sa structure (Figure 16-13).

Dans certaines structures spécifiques, en particulier dans diverses cellules spécifiques d'un organisme multicellulaire, des parties du cytosquelette deviennent moins dynamiques. Dans une cellule totalement différenciée comme un neurone, par exemple, il est souhaitable de maintenir une structure constante dans le temps et beaucoup de filaments d'actine et de microtubules sont stabilisés par leur association avec d'autres protéines. Cependant, lorsque de nouvelles connexions s'effectuent dans le cerveau, comme lorsque vous transférez l'information que vous lisez ici dans votre mémoire à long terme, une cellule même aussi stable qu'un neurone peut développer de nouveaux processus et fabriquer des synapses. Pour cela, le neurone a besoin des activités dynamiques et exploratrices inhérentes à ses filaments du cytosquelette.

D'autres polymères protéiques utilisent aussi l'hydrolyse des nucléotides pour coupler une modification de conformation à des mouvements cellulaires

Il est remarquable que l'actine et la tubuline aient toutes deux développé l'hydrolyse des nucléosides triphosphate pour la même raison fondamentale – leur permettre de se dépolymériser rapidement après leur polymérisation. Les séquences en acides aminés de l'actine et de la tubuline ne sont absolument pas apparentées ; l'actine a une structure de parenté distante avec celle d'une enzyme glycolytique, l'hexokinase, alors que la tubuline présente une parenté distante avec une grande famille de GTPases qui inclut les protéines G hétérodimériques et les GTPases monomériques comme Ras, et dont les structures ont été vues au chapitre 3.

Plusieurs autres types de polymères protéiques fixent et hydrolysent les nucléosides triphosphate. La *dynamine*, par exemple, s'assemble en enroulements hélicoïdaux autour de la base d'invaginations membranaires, et facilite la séparation par pincement de ces invaginations pour former des vésicules (*voir* Figure 13-9). L'hydrolyse du GTP par la dynamine engendre une modification de conformation coopérative de l'enroulement de dynamine et fournit l'énergie de la constriction. Les bactéries et les archéobactéries possèdent un homologue de la tubuline appelé *FtsZ*, essentiel à la division cellulaire. Une bande de protéine FtsZ se forme sur le site du septum, à l'endroit où se formera la nouvelle paroi cellulaire. La constriction et le désassemblage de la bande de FtsZ facilitent alors le pincement des deux cellules

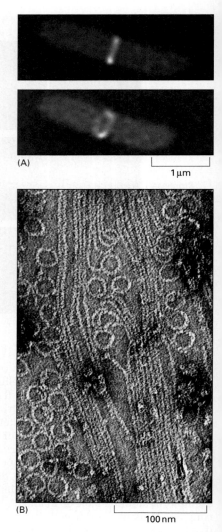

Figure 16-14 La protéine bactérienne FtsZ, un des homologues de la tubuline chez les procaryotes. (A) Une bande de protéine FtsZ forme un anneau dans une cellule bactérienne en division. Cet anneau a été marqué par la fusion de la protéine FtsZ à la protéine de fluorescence verte (GFP) et l'observation d'*E. coli* vivante en microscopie à fluorescence. *En haut*, la vue de profil montre l'anneau sous forme d'une barre au milieu de la cellule en division. *En bas*, la vue après rotation montre la structure en anneau. (B) Filaments et anneaux de FtsZ formés *in vitro* tels qu'ils sont vus en microscopie électronique. Comparez l'image avec celle des microtubules montrés *à droite* dans la figure 16-11. (A, d'après X. Ma, D.W. Ehrhardt et W. Margolin, *Proc. Natl. Acad. Sci. USA* 93 : 12999-13003, 1996. © National Academy of Sciences ; B, d'après H.A. Erickson et al., *Proc. Natl. Acad. Sci. USA* 93 : 519-523, 1996. © National Academy of Sciences.)

(A)

1 µm

(B)

100 nm

filles et leur séparation. *In vitro*, la FtsZ forme des protofilaments et des anneaux qui rappellent la tubuline et fixe et hydrolyse également le GTP (Figure 16-14). L'augmentation de la courbure de l'anneau et le désassemblage des filaments de FtsZ ressemblent au désassemblage des protofilaments de tubuline-GDP incurvés que nous avons décrit (*voir* Figure 16-11) et peut se produire par un mécanisme semblable.

Ces exemples mettent l'accent sur une autre méthode permettant aux polymères protéiques d'utiliser l'énergie de l'hydrolyse des nucléotides pour modifier la structure cellulaire et sa dynamique. Dans un polymère protéique linéaire, une légère modification de conformation de quelques dizaines de nanomètres, liée à l'hydrolyse, dans chaque sous-unité, peut être amplifiée par les milliers de sous-unités qui agissent en parallèle afin d'entraîner des mouvements sur des dizaines ou des centaines de nanomètres. Pour la dynamine et la FtsZ, apparemment, les modifications de conformation GTP-dépendantes ont pour effet de courber la bicouche lipidique.

La tubuline et l'actine ont été extrêmement conservées pendant l'évolution des eucaryotes

On retrouve la tubuline dans toutes les cellules eucaryotes et la FtsZ a été retrouvée chez toutes les bactéries et archéobactéries examinées. Les bactéries en bâtonnet et spiralées contiennent aussi un homologue de l'actine, *MreB*, qui forme des filaments et régule la longueur bactérienne. De ce fait, il semble que les principes de l'organisation de la structure cellulaire par l'auto-association de protéines fixant des nucléotides soient utilisés dans toutes les cellules.

Les molécules de tubuline elles-mêmes existent sous de multiples isoformes. Chez les mammifères, il y a au moins six formes de tubuline α et un nombre égal de tubuline β, chacune codée par un gène différent. Les différentes formes de tubuline sont très semblables et se copolymérisent généralement dans un tube à essai pour former des microtubules mixtes, même si elles ont des localisations intracellulaires distinctes et effectuent des fonctions légèrement différentes. Les microtubules de six neurones spécialisés dans la sensation tactile du nématode *Caenorhabditis elegans* constituent un exemple particulièrement étonnant. Ils contiennent une forme spécifique de tubuline β, et les mutations du gène de cette protéine entraînent la perte de la sensibilité tactile sans aucune autre anomalie apparente des autres fonctions cellulaires.

Les séquences en acides aminés des tubulines de l'homme et des levures sont identiques à 75 p. 100. La plupart des variations entre les différents isoformes des tubulines se trouvent dans les acides aminés proches de l'extrémité C-terminale, qui forment une crête à la surface des microtubules. De ce fait, on peut s'attendre à ce que les variations entre les isoformes affectent surtout les associations entre les protéines accessoires et la surface des microtubules, plutôt que la polymérisation des microtubules en elle-même.

Comme la tubuline, l'actine est présente dans toutes les cellules eucaryotes. La plupart des organismes possèdent de multiples gènes codant pour l'actine ; il y en a six chez l'homme. L'actine est extraordinairement bien conservée parmi les eucaryotes. Les séquences en acides aminés des actines issues de différentes espèces sont habituellement identiques à 90 p. 100. Mais comme pour la tubuline, là encore, les petites variations de séquence en acides aminés peuvent engendrer des différences fonctionnelles significatives. Chez les vertébrés, il existe trois isoformes de l'actine, appelés α, β et γ, qui diffèrent légèrement dans leur séquence en acides aminés. L'actine α n'est exprimée que dans les cellules musculaires, tandis que les actines β et γ sont toutes deux retrouvées dans presque toutes les cellules non musculaires. L'actine des levures et l'actine du muscle de la drosophile sont identiques à 89 p. 100, mais l'expression d'une actine de levure dans une drosophile donne une mouche d'aspect normal mais incapable de voler.

Quelle est l'explication de cette conservation particulièrement stricte de l'actine et de la tubuline au cours de l'évolution des eucaryotes ? La plupart des autres protéines du cytosquelette, y compris celles du filament intermédiaire et l'importante famille des protéines accessoires qui se fixent sur l'actine et la tubuline, ne sont pas particulièrement bien conservées sur le plan de leur séquence en acides aminés. Il est probable que l'explication tienne au fait que la structure de toute la surface d'un filament d'actine ou d'un microtubule présente des contraintes parce qu'il existe énormément d'autres protéines qui doivent pouvoir interagir avec ces deux composants cellulaires ubiquistes et abondants. Une mutation dans l'actine qui pourrait entraîner une modification désirable de ses interactions avec une de ces protéines pourrait causer des modifications indésirables de ses interactions avec beaucoup d'autres protéines qui se fixent à côté ou sur le même site. Des études génétiques et biochimiques sur la levure *Saccharomyces cerevisiae* ont mis en évidence que l'actine interagissait directement avec des douzaines d'autres protéines et indirectement avec un plus grand nombre encore (Figure 16-15). Avec le temps, les organismes qui ont évolué ont trouvé qu'il était plus avantageux de laisser l'actine et la tubuline tranquilles et de modifier plutôt leurs partenaires de liaison.

La structure des filaments intermédiaires dépend d'une fasciculation latérale et de l'enroulement de superenroulements

Toutes les cellules eucaryotes contiennent de l'actine et de la tubuline. Mais le troisième type important de filaments du cytosquelette, le *filament intermédiaire*, ne se trouve que dans certains métazoaires, dont les vertébrés, les nématodes et les mollusques. Même dans ces organismes spécialisés, les filaments intermédiaires ne sont pas nécessaires à tous les types cellulaires. Des cellules spécifiques de la glie (les oligodendrocytes) qui fabriquent la myéline du système nerveux central des vertébrés, par exemple, ne contiennent pas de filaments intermédiaires. Les filaments intermédiaires cytoplasmiques sont apparentés à leurs ancêtres, les *lamines nucléaires* bien plus largement utilisés. Les lamines nucléaires sont des protéines filamenteuses qui forment un réseau qui tapisse la membrane interne de l'enveloppe nucléaire eucaryote et fournissent des sites d'ancrage pour les chromosomes et les pores nucléaires (leur comportement dynamique pendant la division cellulaire est traité au chapitre 12). Plusieurs fois au cours de l'évolution des métazoaires, les gènes des lamines se sont apparemment dupliqués et ces copies ont évolué pour produire les filaments intermédiaires cytoplasmiques en forme de corde. Ceux-ci ont des propriétés mécaniques qui sont particulièrement utiles chez les animaux à corps mou comme les nématodes et les vertébrés dépourvus d'exosquelette. Les filaments intermédiaires sont particulièrement abondants dans le cytoplasme des cellules soumises à des stress mécaniques et leur principale fonction semble être de communiquer une résistance physique aux cellules et aux tissus.

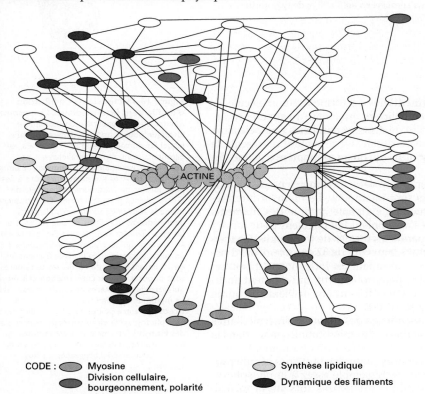

Figure 16-15 L'actine au centre du carrefour. L'actine se lie à un très grand nombre de protéines accessoires dans toutes les cellules eucaryotes. Ce schéma montre la plupart des interactions mises en évidence, grâce à des techniques génétiques ou biochimiques, dans la levure *Saccharomyces cerevisiae*. Les protéines accessoires qui agissent au cours des mêmes processus intracellulaires sont de la même couleur, comme l'indique le code. (Adapté d'après D. Botstein et al., *in* The Molecular and cellular Biology of the Yeast *Saccharomyces* [J.R. Broach, J.R. Pringle, E.W. Jones, eds.], Cold Spring Harbor, NY : Cold Spring Harbor Laboratory Press, 1991.)

CODE :
- Myosine
- Division cellulaire, bourgeonnement, polarité
- Sécrétion, endocytose
- Synthèse lipidique
- Dynamique des filaments
- Autres

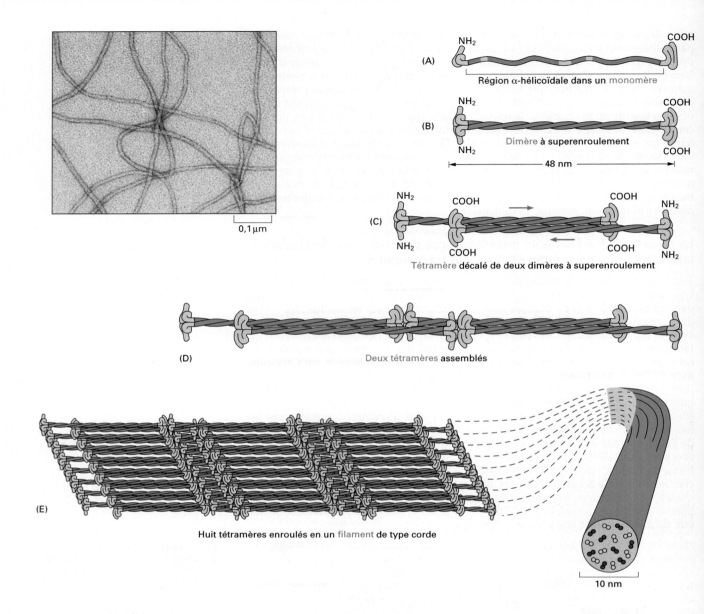

(A) Région α-hélicoïdale dans un monomère

(B) Dimère à superenroulement

48 nm

(C) Tétramère décalé de deux dimères à superenroulement

(D) Deux tétramères assemblés

(E) Huit tétramères enroulés en un filament de type corde

0,1 μm

10 nm

Chaque polypeptide des **filaments intermédiaires** est formé d'une molécule allongée dotée d'un domaine central allongé, en hélice α, qui forme un superenroulement parallèle à un autre monomère. Une paire de dimères parallèles s'associe alors de façon antiparallèle pour former un tétramère décalé. Ce tétramère représente la sous-unité soluble, analogue au dimère de tubuline αβ, ou au monomère d'actine (Figure 16-16).

Comme la sous-unité tétramérique est composée de deux dimères pointant dans des directions opposées, ses deux extrémités sont identiques. Le filament intermédiaire assemblé n'a donc pas la polarité structurelle globale critique des filaments d'actine et des microtubules. Les tétramères s'assemblent latéralement pour former le filament, composé de huit protofilaments parallèles formés de tétramères. Chaque filament intermédiaire a une section transversale composée de 32 enroulements d'hélices α. Tous ces polypeptides sont alignés, et présentent les fortes interactions hydrophobes latérales typiques des protéines à superenroulement, qui donnent au filament intermédiaire son caractère de type cordage. Il peut être facilement courbé mais est extrêmement difficile à rompre (Figure 16-17).

Les mécanismes d'assemblage et de désassemblage des filaments intermédiaires sont moins connus que ceux des filaments d'actine et des microtubules mais, dans la plupart des types cellulaires, il s'agit clairement de structures hautement dynamiques. Dans les conditions normales, la phosphorylation des protéines régule probablement leur désassemblage selon un mode qui ressemble assez à la phosphorylation qui régule le désassemblage des lamines nucléaires lors de la mitose

Figure 16-16 Modèle de l'édification d'un filament intermédiaire. Le monomère montré en (A) s'apparie à un monomère identique pour former un dimère (B) dans lequel les domaines centraux conservés, en bâtonnets, sont alignés parallèlement et s'enroulent ensemble en un superenroulement. (C) Deux dimères s'alignent alors côte à côte pour former un tétramère antiparallèle de quatre chaînes polypeptidiques. Ce tétramère forme la sous-unité soluble des filaments intermédiaires. (D) Dans chaque tétramère, les deux dimères sont décalés l'un par rapport à l'autre, ce qui leur permet de s'associer à un autre tétramère. (E) Dans le filament final de 10 nm en forme de corde, les tétramères sont disposés en une conformation hélicoïdale, qui possède 16 dimères en coupe transversale. La moitié de ces dimères pointe vers une direction, l'autre pointe vers l'autre direction. Une photographie en microscopie électronique des filaments intermédiaires est montrée en haut à gauche. (Photographie en microscopie électronique, due à l'obligeance de Roy Quinlan.)

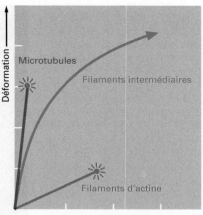

Figure 16-17 Propriétés mécaniques de l'actine, de la tubuline et des polymères de filaments intermédiaires. Des réseaux composés d'une concentration identique en microtubules, en filaments d'actine ou en un type de filaments intermédiaires appelé vimentine, ont été exposés à une force de cisaillement dans un viscomètre et le degré d'étirement résultant a été mesuré. Les résultats montrent que les réseaux de microtubules sont facilement déformés mais qu'ils se cassent (indiqué par l'*astérisque rouge*) et commencent à circuler sans limites lorsqu'ils sont étirés au-delà de 150 p. 100 de leur longueur originelle. Les réseaux de filaments d'actine sont bien plus rigides mais se cassent aussi facilement. Les réseaux de filaments intermédiaires, par contre, ne se déforment pas facilement, et supportent aussi d'importantes tensions et étirements sans se rompre; ils sont de ce fait bien adaptés au maintien de l'intégrité cellulaire. (Adapté d'après P. Janmey et al., *J. Cell Biol.* 113 : 155-160, 1991.)

(Figure 12-20). Leur renouvellement rapide a pu être prouvé par le fait que des sous-unités marquées, micro-injectées dans des cellules tissulaires en culture, s'ajoutent rapidement elles-mêmes sur les filaments intermédiaires préexistant en quelques minutes, alors que l'injection de peptides dérivés d'une région hélicoïdale conservée de la sous-unité induit le désassemblage rapide du réseau de filaments intermédiaires. Il est intéressant de noter que cette dernière injection peut induire le désassemblage des réseaux de microtubules et de filaments d'actine dans certaines cellules dotées de ces trois réseaux, ce qui révèle l'existence, dans ces cellules, d'une intégration mécanique fondamentale entre les différents systèmes du cytosquelette.

Les filaments intermédiaires communiquent une stabilité mécanique aux cellules animales

Il existe une grande variété de types de filaments intermédiaires avec substantiellement plus de variations de séquences des sous-unités des isoformes que celles observées dans les isoformes d'actine ou de tubuline. Un domaine α-hélicoïdal central a environ 40 motifs répétitifs d'heptades qui forment un superenroulement étendu (*voir* Figure 3-11). Ce domaine est similaire dans les différents isoformes, mais les domaines globulaires des extrémités N- et C- terminales sont largement variables.

Différentes familles de filaments intermédiaires s'expriment dans différents types cellulaires (Tableau 16-I). La famille de filaments intermédiaires la plus variée est celle des **kératines** : il y en a environ 20 dans les différents types de cellules épithéliales de l'homme et 10 de plus environ spécifiques des cheveux et des ongles. Une seule cellule épithéliale peut produire de multiples types de kératine et celles-ci se copolymérisent en un seul réseau (Figure 16-18). Chaque filament de kératine est composé d'un mélange égal de chaînes de kératine de type I (acide) et de type II (neutre/alcaline); elles forment des hétérodimères, qui se réunissent par deux pour former la sous-unité tétramérique fondamentale (voir Figure 16-16). Les réseaux de kératine par liaison croisée sont maintenus par des liaisons disulfure et peuvent survivre même à la mort de leurs cellules, formant un revêtement coriace pour les animaux, comme la couche

TABLEAU 16-I Principaux types de protéines des filaments intermédiaires des cellules de vertébrés

TYPES DE FI	COMPOSANTS POLYPEPTIDIQUES	LOCALISATION CELLULAIRE
Nucléaire	Lamines A, B et C	Lamina nucléaire (bordure interne de l'enveloppe nucléaire)
Type vimentine	Vimentine	Nombreuses cellules d'origine mésenchymateuse
	Desmine	Muscle
	Protéine acide des fibrilles de la glie	Cellules de la glie (astrocytes et certaines cellules de Schwann)
	Périphérine	Certains neurones
Épithélial	Kératines de type I (acide) Kératines de type II (alcaline)	Cellules épithéliales et leurs dérivés (poils, cheveux et ongles)
Axonal	Neurofilaments protéiques (NF-L, NF-M et NF-H)	Neurones

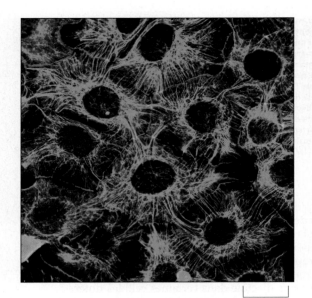

10 μm

cutanée externe et les cheveux, les poils, les ongles, les coussinets et les écailles. La diversité des kératines est cliniquement utile dans le diagnostic des cancers épithéliaux (épithéliomas) car le groupe particulier de kératines exprimé donne une indication sur le tissu épithélial d'origine du cancer et peut ainsi guider le choix thérapeutique.

Les mutations des gènes de kératine provoquent plusieurs maladies chez l'homme. Par exemple, lorsque des kératines anormales sont exprimées dans la couche basocellulaire de l'épiderme, elles provoquent une maladie, l'*épidermolyse bulleuse simple*, au cours de laquelle la peau forme des bulles en réponse à un stress mécanique même léger, avec une rupture des cellules basales (Figure 16-19). D'autres types de maladies bulleuses, parmi lesquelles des pathologies buccales, de la couche tapissant l'œsophage et de la cornée oculaire, sont provoquées par des mutations de différentes kératines dont l'expression est spécifique à ces tissus. Toutes ces maladies s'accompagnent typiquement d'une rupture cellulaire qui est la conséquence d'un traumatisme mécanique ainsi que d'une désorganisation ou d'un regroupement du cytosquelette des filaments d'actine. Bon nombre de mutations responsables de ces maladies modifient les extrémités du domaine central en bâtonnet, ce qui souligne l'importance de cette partie particulière de la protéine dans l'assemblage correct du filament.

Une deuxième famille de filaments intermédiaires, les **neurofilaments**, se trouve en forte concentration le long des axones des neurones des vertébrés (Figure 16-20). Trois types de neurofilaments protéiques (NF-L, NF-M, NF-H) s'assemblent entre eux *in vivo* pour former des hétéropolymères qui contiennent le NF-L plus un des autres. Les protéines NF-H et NF-M possèdent une longue queue C-terminale qui se lie aux filaments voisins et engendre des alignements dotés d'un espace interfilamentaire uniforme. Pendant la croissance axonale, les nouvelles sous-unités de neurofilaments

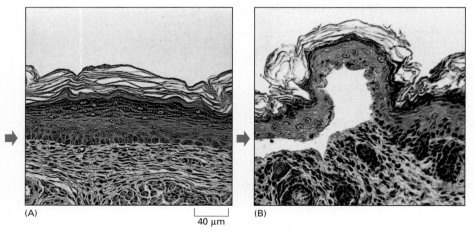

(A)

40 μm

(B)

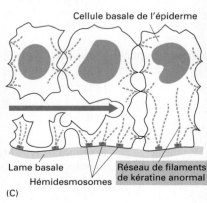

Cellule basale de l'épiderme

Lame basale

Hémidesmosomes

Réseau de filaments de kératine anormal

(C)

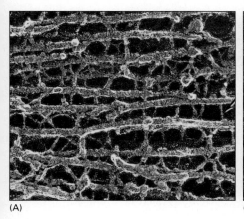
(A)

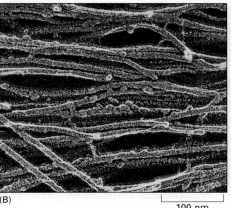
(B)

100 nm

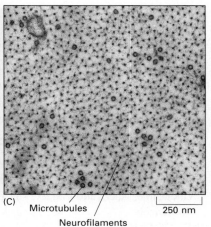
(C)

Microtubules
Neurofilaments

250 nm

Figure 16-20 Deux types de filaments intermédiaires des cellules du système nerveux. (A) Image en microscopie électronique après cryo-décapage de neurofilaments d'un axone de cellule nerveuse, qui montre les liaisons croisées importantes par l'intermédiaire de ponts transversaux entre les protéines – on pense que cette disposition donne à ce long processus cellulaire sa grande puissance d'élasticité. Les ponts croisés sont formés par les longues extensions non hélicoïdales de l'extrémité C-terminale des plus gros neurofilaments protéiques (NF-H). (B) Image après cryo-décapage de filaments gliaux dans les cellules de la glie, montrant que ces filaments intermédiaires sont lisses et présentent peu de liaisons croisées. (C) Photographie en microscopie électronique conventionnelle d'une coupe transversale d'axone qui montre l'espacement régulier entre les côtés des neurofilaments, dont le nombre dépasse largement celui des microtubules. (A et B, dues à l'obligeance de Nobutaka Hirokawa; C, due à l'obligeance de John Hopkins.)

s'incorporent le long de l'axone selon un processus dynamique qui implique l'addition de sous-unités sur toute la longueur du filament ainsi que l'addition de sous-unités à l'extrémité du filament. Une fois que l'axone s'est allongé et connecté à sa cellule cible, son diamètre peut augmenter jusqu'à cinq fois. Le niveau de l'expression génique des neurofilaments semble contrôler directement le diamètre de l'axone qui contrôle à son tour la rapidité du déplacement du signal le long de l'axone.

Une maladie neurodégénérative, la sclérose latérale amyotrophique (SLA) est associée à des anomalies dans l'accumulation et l'assemblage des neurofilaments dans les corps cellulaires des motoneurones et dans les axones, qui peuvent interférer avec le transport normal le long de l'axone. La dégénérescence des axones conduit à une faiblesse musculaire et à une atrophie généralement fatale. La surexpression de la NF-L ou de la NF-H de l'homme chez la souris engendre des souris atteintes d'une maladie de type SLA.

Les filaments de type vimentine forment la troisième famille de filaments intermédiaires. La desmine, un des membres de cette famille, s'exprime dans les muscles cardiaque, squelettiques et lisses. Les souris dépourvues de desmine présentent un développement musculaire initialement normal mais les adultes montrent diverses anomalies des cellules musculaires, parmi lesquelles un mauvais alignement des fibres musculaires.

De ce fait, les filaments intermédiaires semblent servir en général de ligaments pour la cellule, alors que les microtubules et les filaments d'actine semblent servir respectivement d'os et de muscle pour la cellule. Tout comme nous avons besoin que nos ligaments, nos os et nos muscles travaillent ensemble, il faut que ces trois systèmes de filaments du cytosquelette fonctionnent collectivement pour donner à la cellule sa résistance, sa forme et sa capacité à se déplacer.

Des substances chimiques peuvent altérer la polymérisation des filaments

Comme la survie des cellules eucaryotes dépend de l'équilibre entre l'assemblage et le désassemblage des filaments hautement conservés du cytosquelette, formés d'actine et de tubuline, ces deux types de filaments sont souvent la cible de toxines naturelles. Ces toxines sont produites comme système d'autodéfense par les végétaux, les champignons ou les éponges qui ne souhaitent pas être mangés mais ne peuvent s'échapper des prédateurs et elles perturbent généralement les réactions de polymérisation des filaments. Les toxines se fixent solidement sur le polymère sous sa forme filamentaire ou sur ses sous-unités libres, et actionnent les réactions d'assemblage dans le sens qui favorise la forme sur laquelle la toxine se fixe. Par exemple, une des substances, la *latrunculine*, extraite de l'éponge de mer *Latrunculia magnifica*, se fixe sur les monomères d'actine et les stabilise; elle provoque ainsi la dépolymérisation nette des filaments d'actine. À l'opposé, la *phalloïdine*, issue du champignon *Amanita phalloides* (amanite phalloïde), se fixe sur les filaments d'actine et les stabilise, provoquant une nette augmentation de la polymérisation de l'actine. (Un des remèdes de l'empoisonnement par l'amanite consiste à manger une grande quantité de viande crue : la forte concentration en filaments d'actine dans le tissu musculaire fixe la phalloïdine et réduit ainsi sa toxicité.) Ces deux modifications des filaments d'actine sont très toxiques pour la cellule. De même, la *colchicine* issue de la colchique d'automne (ou safran des prés) se fixe sur la tubuline libre et la stabilise, ce qui provoque la dépolymérisation des microtubules. Le *taxol*, extrait de l'écorce d'une espèce rare d'if, se fixe par contre sur les microtubules et les stabilise, ce qui provoque une augmen-

TABLEAU 16-II Substances chimiques affectant les filaments d'actine et les microtubules

SUBSTANCES CHIMIQUES SPÉCIFIQUES DE L'ACTINE	
Phalloïdine	Se fixe sur les filaments et les stabilise
Cytochalasine	Coiffe les extrémités plus des filaments
Swinholide	Sectionne les filaments
Latrunculine	Se fixe sur les sous-unités et empêche leur polymérisation

SUBSTANCES CHIMIQUES SPÉCIFIQUES DES MICROTUBULES	
Taxol	Se fixe sur les microtubules et les stabilise
Colchicine, colcémide	Se fixe sur les sous-unités et empêche leur polymérisation
Vinblastine, vincristine	Se fixe sur les sous-unités et empêche leur polymérisation
Nocodazole	Se fixe sur les sous-unités et empêche leur polymérisation

tation nette de la polymérisation de la tubuline. Ces substances naturelles et certaines autres, fréquemment utilisées par les biologistes cellulaires pour manipuler le cytosquelette, sont regroupées dans le tableau 16-II.

Ce type de substances a un effet rapide et profond sur l'organisation du cytosquelette dans les cellules vivantes (Figure 16-21). Elles prouvent fortement que le cytosquelette est une structure dynamique, maintenue par l'échange rapide et continu de sous-unités entre les formes solubles et filamenteuses et que ce flux de sous-unités est nécessaire à la fonction normale du cytosquelette.

Les substances présentées dans le tableau 16-II ont été très utiles pour les biologistes cellulaires qui ont essayé de tester les rôles de l'actine et des microtubules dans les divers processus cellulaires. Certaines d'entre elles ont été aussi utilisées dans le traitement du cancer. Les médicaments qui dépolymérisent les microtubules comme

Figure 16-21 Effets du taxol sur l'organisation des microtubules. (A) Structure moléculaire du taxol. Récemment, les chimistes organiciens ont réussi à synthétiser cette molécule complexe, largement utilisée dans le traitement anticancéreux. (B) Photographie en microscopie à immunofluorescence qui montre l'organisation des microtubules dans une cellule de l'épithélium hépatique avant l'addition de taxol. (C) Organisation des microtubules dans le même type de cellules après un traitement au taxol. Notez les épais faisceaux circonférentiels de microtubules à la périphérie de la cellule. (D) Un if du pacifique, la source naturelle du taxol. (B, C, d'après N.A. Gloushankova et al., *Proc. Natl. Acad. Sci. USA* 91 : 8597-8601, 1994. © National Academy of Sciences ; D, due à l'obligeance de A.K. Mitchell 2001. © Her Majesty the Queen in Right of Canada, Canadian Forest Service.)

(A) Taxol

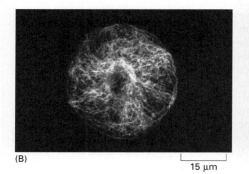

(B)   15 μm

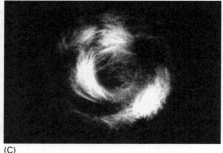

(C)

(D)

la vinblastine et ceux qui polymérisent les tubules comme le taxol tuent préférentiellement les cellules en division, car l'assemblage et le désassemblage des microtubules sont tous deux cruciaux pour le bon fonctionnement du fuseau mitotique (*voir* Chapitre 18). Ces médicaments tuent efficacement certains types de cellules tumorales chez les patients mais pas sans montrer une certaine toxicité pour les cellules normales qui se divisent rapidement, comme celles de la moelle osseuse, de l'intestin et des follicules pileux. Le taxol en particulier a été largement utilisé pour traiter certains cancers spécifiques résistants aux autres médicaments chimiothérapiques.

L'acrylamide, un réactif de laboratoire commun, utilisé comme précurseur dans la fabrication des gels de polyacrylamide qui permettent de séparer les protéines et les acides nucléiques par leur taille (*voir* Figure 8-14) est également une toxine du cytosquelette. Par un mécanisme encore inconnu, il provoque le désassemblage ou le réarrangement des réseaux de filaments intermédiaires. L'acrylamide peut être absorbé à travers la peau et agit comme une puissante neurotoxine en démantelant les faisceaux de neurofilaments des axones des nerfs périphériques. C'est pourquoi il provoque une sensation déplaisante de picotement lorsqu'il se répand sur la peau nue et qu'il faut toujours le manipuler avec précaution.

Résumé

Le cytoplasme des cellules eucaryotes est organisé dans l'espace par un réseau de filaments protéiques appelé cytosquelette. Ce réseau comporte trois types principaux de filaments : les microtubules, les filaments d'actine et les filaments intermédiaires. Ces trois types de filaments se forment à partir d'assemblages hélicoïdaux de sous-unités qui s'auto-associent en combinant des contacts bout à bout et côte à côte. Ce sont les différences de structure des sous-unités et du mode de leur auto-assemblage qui donnent à ces filaments leurs propriétés mécaniques différentes. Les microtubules sont des tubes creux rigides et résistants. Les filaments d'actine sont les plus fins des trois ; ils sont difficiles à étirer mais faciles à casser.

Dans les cellules vivantes, ces trois types de filaments du cytosquelette subissent des remodelages constants par l'assemblage et le désassemblage de leurs sous-unités. Les microtubules et les filaments d'actine ajoutent et perdent des sous-unités uniquement à leurs extrémités, avec une de leurs extrémités (l'extrémité plus) croissant plus rapidement que l'autre. La tubuline et l'actine (les sous-unités respectives des microtubules et des filaments d'actine) fixent et hydrolysent des nucléosides triphosphate (la tubuline fixe le GTP et l'actine l'ATP). L'hydrolyse des nucléotides sous-tend le comportement dynamique caractéristique de ces deux filaments. Dans les cellules, les filaments d'actine semblent subir surtout un treadmilling, lorsqu'un filament s'assemble par une extrémité et se désassemble simultanément par l'autre. Les microtubules montrent surtout une instabilité dynamique dans les cellules, avec une des extrémités du microtubule qui subit des accès par alternance de croissance et de décroissance.

Alors que la tubuline et l'actine ont été fortement conservées pendant l'évolution des eucaryotes, la famille des filaments intermédiaires est très variée. Il existe diverses formes, spécifiques de tissus, parmi lesquelles se trouvent les filaments de kératine des cellules épithéliales, les neurofilaments des cellules nerveuses et les filaments de desmine des cellules musculaires. Dans toutes ces cellules, le travail primaire des filaments intermédiaires est de fournir une résistance mécanique.

LES CELLULES PEUVENT RÉGULER LEURS FILAMENTS CYTOSQUELETTIQUES

Les microtubules, les filaments d'actine et les filaments intermédiaires sont bien plus dynamiques dans les cellules que dans un tube à essai. La cellule régule la longueur et la stabilité de ses filaments du cytosquelette, ainsi que leur nombre et leur géométrie. Elle le fait surtout par le biais de la régulation de leur fixation les uns sur les autres et sur les autres composants de la cellule, de telle sorte que les filaments peuvent former une large gamme de structures d'ordre supérieur. Certaines propriétés des filaments sont régulées par la modification covalente directe de leurs sous-unités, mais la majeure partie de la régulation s'effectue par les protéines accessoires qui se fixent sur les filaments ou leurs sous-unités libres.

Dans cette partie du chapitre nous nous concentrerons sur les voies utilisées par les protéines accessoires pour modifier la dynamique et la structure des filaments du cytosquelette. Nous commencerons notre discussion par le mode de nucléation des microtubules et des filaments d'actine dans les cellules car il joue un rôle majeur dans la détermination de l'organisation générale de l'intérieur de la cellule.

Figure 16-22 Polymérisation de tubulines après leur nucléation par des complexes en anneau de tubuline γ. (A) Modèle de nucléation par le γ-TuRC pour la croissance des microtubules. Les limites *rouges* indiquent une paire de protéines liées à deux molécules de tubuline γ; ce groupe peut être isolé sous forme d'un sous-complexe séparé de l'anneau plus grand. (B) Photographie en microscopie électronique d'un complexe en anneau de tubuline γ purifié (*en haut*) et de microtubules isolés, après leur nucléation à partir de complexes en anneau de tubuline γ purifiée (*milieu et bas*). (A, modifié d'après M. Moritz et al., *Nature Cell Biol.* 2 : 365-370, 2000 ; B, due à l'obligeance de Y. Zheng et al., *Nature* 378 : 578-583, 1994. © Macmillan Magazines Ltd.)

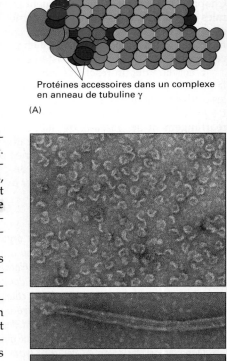

Tubuline γ
Tubuline α
Tubuline β

Protéines accessoires dans un complexe
en anneau de tubuline γ

(A)

La nucléation des microtubules passe par un complexe protéique à base de tubuline γ

Alors que les tubulines α et β représentent les blocs de construction réguliers des microtubules, un autre type de tubulines, les *tubulines γ,* joue un rôle plus spécifique. Présente en quantités bien moindres que les tubulines α et β, cette protéine est impliquée dans la nucléation des microtubules en croissance dans divers organismes, allant des levures à l'homme. La nucléation des microtubules part généralement d'une localisation intracellulaire spécifique, le **centre organisateur du microtubule** (MTOC pour *microtubule-organizing center*). Les anticorps anti-tubulines γ colorent virtuellement le MTOC dans toutes les espèces et tous les types cellulaires examinés jusqu'à maintenant.

La nucléation des microtubules s'effectue par leur extrémité moins, l'extrémité plus croissant vers l'extérieur à partir de chaque MTOC pour créer divers types de dispositions de microtubules. Un **complexe en anneau de tubuline γ** (**γ-TuRC** pour *γ-tubulin ring complex*) a été isolé des cellules des insectes et des vertébrés et entraîne la nucléation des microtubules en croissance avec une efficacité impressionnante dans un tube à essai. Deux protéines, conservées de la levure à l'homme, se fixent directement sur la tubuline γ en même temps que plusieurs autres protéines qui facilitent la création de l'anneau qui peut être observé à l'extrémité moins des microtubules nucléés par le γ-TuRC. On pense donc que cet anneau de molécules de tubuline γ sert de matrice pour la nucléation des microtubules à 13 protofilaments (Figure 16-22).

Dans les cellules animales, les microtubules émanent du centrosome

Dans la plupart des cellules animales, il y a un seul MTOC bien défini, le **centrosome**, localisé près du noyau. À partir de ce point focalisé, les microtubules cytoplasmiques émanent et prennent une conformation en forme d'étoile ou «astrale». La nucléation des microtubules dans le centrosome s'effectue par leur extrémité moins, de telle sorte que l'extrémité plus pointe vers l'extérieur et croît vers la périphérie cellulaire. Le centrosome est composé de la *matrice fibreuse du centrosome* qui contient plus de cinquante copies du γ-TuRC. La plupart des protéines qui forment cette matrice n'ont pas encore été découvertes et on ne sait pas encore comment elles recrutent et activent les γ-TuRC.

Une paire de structures cylindriques, disposées à angle droit en une configuration en forme de L, se trouve encastrée dans le centrosome (Figure 16-23). Ce sont les **centrioles** qui deviennent les corps basaux des cils et des flagelles dans les cel-

(B)

100 nm

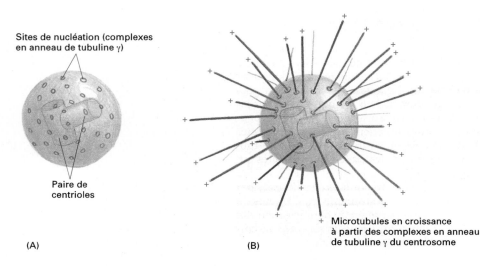

Sites de nucléation (complexes
en anneau de tubuline γ)

Paire de
centrioles

(A)

(B)

Microtubules en croissance
à partir des complexes en anneau
de tubuline γ du centrosome

Figure 16-23 Centrosome. (A) Le centrosome est le principal MTOC des cellules animales. Localisé dans le cytoplasme proche du noyau, il est composé d'une matrice amorphe de protéines contenant les complexes en anneau de tubuline γ qui permettent la nucléation pour la croissance des microtubules. Cette matrice est organisée par une paire de centrioles, comme cela est décrit dans le texte. (B) Un centrosome avec ses microtubules fixés. L'extrémité moins de chaque microtubule est encastrée dans le centrosome, et a poussé à partir d'un complexe en anneau de tubuline γ tandis que l'extrémité plus de chaque microtubule est libre dans le cytoplasme.

lules mobiles (décrit ultérieurement). Les centrioles organisent la matrice du centrosome (aussi appelée matériel péricentriolaire), assurant sa duplication à chaque cycle cellulaire lorsque les centrioles eux-mêmes se répliquent. Comme nous le décrirons au chapitre 18, le centrosome se réplique et se sépare en deux parties égales pendant l'interphase, chaque moitié pourvue d'une paire de centrioles répliqués (*voir* Figure 18-6). Les deux centrosomes fils se déplacent vers les pôles opposés du noyau au début de la mitose et forment les deux pôles du fuseau mitotique (*voir* Figure 18-7). Un centriole est composé d'un petit cylindre de microtubules modifiés associé à un grand nombre de protéines accessoires (Figure 16-24). Les bases moléculaires de sa duplication restent inconnues.

Chez les champignons et les Diatomées, la nucléation des microtubules s'effectue au niveau d'un MTOC encastré dans l'enveloppe nucléaire et forme une petite plaque appelée le *corps du pôle du fuseau*. Dans les cellules des végétaux supérieurs il semble que la nucléation des microtubules s'effectue dans des sites répartis tout autour de l'enveloppe nucléaire. Les cellules des champignons et la plupart des cellules végétales ne contiennent pas de centrioles. Malgré ces différences, toutes ces cellules contiennent de la tubuline γ et semblent l'utiliser pour la nucléation de leurs microtubules.

Dans les cellules animales, la configuration astrale des microtubules est très résistante avec les extrémités plus, dynamiques, pointant vers la périphérie de la cellule et les extrémités moins, stables, regroupées près du noyau. Le système des microtubules irradiant à partir du centrosome agit comme un instrument de surveillance des régions cellulaires périphériques et place le centrosome au centre de la cellule. Il joue ce rôle même dans des enceintes artificielles (Figure 16-25). Dans un fragment cellulaire isolé dépourvu de centrosome, les microtubules dynamiques interagissent avec les organites entourés d'une membrane et les protéines motrices se disposent elles-mêmes en forme d'étoile avec les extrémités moins des microtubules regroupées au centre (Figure 16-26). Cette capacité des microtubules du cytosquelette à retrouver le centre de la cellule établit un système général coordonné utilisé par la suite pour placer de nombreux organites à l'intérieur de la cellule.

La nucléation des filaments d'actine s'effectue souvent au niveau de la membrane plasmique

Contrairement à la nucléation des microtubules, qui se produit surtout en profondeur à l'intérieur du cytoplasme, près du noyau, la nucléation des filaments d'actine se produit surtout au niveau de la membrane plasmique (Figure 16-27). Par conséquent, dans la plupart des cellules, la plus forte densité des filaments d'actine se trouve à la périphérie cellulaire. Ces filaments d'actine de la couche sous-jacente à la membrane plasmique, ou **cortex cellulaire**, déterminent la forme et le mouvement de la surface cellulaire. Par exemple, selon leurs modes de fixation les unes aux autres et à la membrane plasmique, les structures d'actine peuvent former de nombreux types étonnamment différents de projections cellulaires de surface. Il peut s'agir de faisceaux pointus comme les *microvillosités* ou les *filopodes*, de voiles plats saillants appelés *lamellipodes* qui facilitent le déplacement cellulaire sur les supports solides et de cupules de phagocytose des macrophages.

La nucléation des filaments d'actine au niveau de la membrane plasmique est souvent régulée par des signaux externes, qui permettent à la cellule de modifier rapidement sa forme et sa rigidité en réponse à des modifications de son environnement externe. Cette nucléation est catalysée par un complexe de protéines qui inclut deux *protéines apparentées à l'actine* ou *ARP* (pour *actin-related proteins*) dont chacune est à peu près identique à 45 p. 100 à l'actine. De fonction analogue à celle du γ-TuRC,

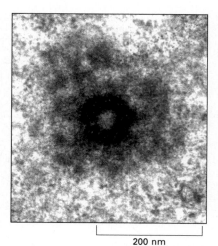

Figure 16-24 Un centriole dans le centrosome. Photographie en microscopie électronique d'une coupe épaisse de centrosome, qui montre l'extrémité d'un centriole. L'anneau de microtubules modifiés du centriole est visible, entouré par la matrice fibreuse du centrosome. (Due à l'obligeance de P. Witt et G.G. Borisy.)

200 nm

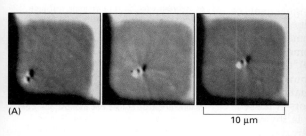

(A)

10 μm

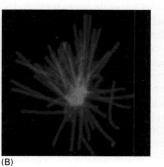

(B)

Figure 16-25 Comportement d'un centrosome à la recherche du centre. (A) De petits puits carrés ont été formés par des micromachines dans un support en plastique. Un seul centrosome a été placé dans un de ces puits en même temps que des sous-unités de tubuline en solution. Lorsque les microtubules se polymérisent, après la nucléation par le centrosome, ils repoussent les parois du puits. La nécessité d'une poussée égale dans toutes les directions pour pouvoir stabiliser la position amène le centrosome au centre du puit. Les trois images ont été prises à un intervalle de 3 minutes. (B) Centrosome identique qui s'est centré lui-même, fixé et coloré, pour montrer la distribution des microtubules qui repoussent les quatre parois de l'enceinte. (D'après T.E. Holy et al., *Proc. Natl. Acad. Sci. USA* 94 : 6228-6231, 1997. © National Academy of Sciences.)

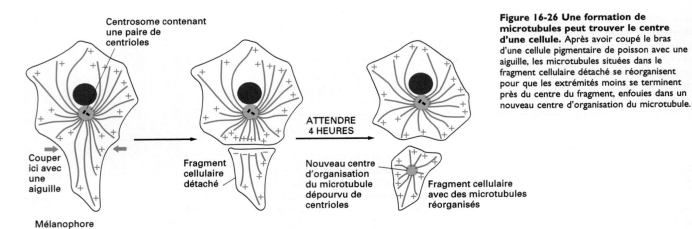

Figure 16-26 Une formation de microtubules peut trouver le centre d'une cellule. Après avoir coupé le bras d'une cellule pigmentaire de poisson avec une aiguille, les microtubules situées dans le fragment cellulaire détaché se réorganisent pour que les extrémités moins se terminent près du centre du fragment, enfouies dans un nouveau centre d'organisation du microtubule.

le **complexe ARP** (ou *complexe Arp 2/3*) effectue la nucléation du filament d'actine en croissance à partir de son extrémité moins, ce qui permet une élongation rapide à l'extrémité plus. Cependant, ce complexe peut aussi se fixer sur le côté d'un autre filament d'actine tout en restant relié à l'extrémité moins du filament en nucléation, et édifie ainsi un réseau ramifié à partir des filaments individuels (Figure 16-28). Le complexe ARP est localisé dans des régions à croissance rapide des filaments d'actine comme les lamellipodes et son activité de nucléation est régulée par des molécules et des composants de signalisation intracellulaire placés à la face cytosolique de la membrane plasmique.

La tubuline γ et l'ARP sont anciens du point de vue de l'évolution et ont été conservés chez une large gamme d'espèces eucaryotes. Il semble que leurs gènes soient apparus par suite d'une duplication précoce respectivement des gènes des sous-unités des microtubules et des filaments d'actine, suivie de la divergence et de la spécialisation de ces copies géniques afin qu'elles codent pour des protéines dotées d'une fonction de nucléation spécifique. Le fait qu'une stratégie similaire se soit développée pour ces deux systèmes séparés du cytosquelette sous-tend l'importance centrale de la nucléation régulée des filaments en tant que principe général de l'organisation intracellulaire.

Des protéines qui se fixent sur les sous-unités libres modifient l'élongation des filaments

Une fois que les filaments du cytosquelette ont été nucléés, ils s'allongent généralement par l'addition de sous-unités solubles. Dans la plupart des cellules non musculaires des vertébrés, environ 50 p. 100 de l'actine se trouve dans des filaments et 50 p. 100 est soluble. La concentration en monomère soluble est typiquement de 50 à 200 µM (2-8 mg/ml), ce qui est étonnamment élevé, étant donné la faible concentration critique observée pour l'actine pure dans un tube à essai (moins de 1 µM). Pourquoi l'actine soluble ne se polymérise-t-elle pas en filaments? Cela s'explique parce que le pool important de sous-unités contient des protéines spécifiques qui se fixent sur les monomères d'actine, et rendent la polymérisation bien moins favorable (cette action est similaire à celle de la latrunculine). Une petite protéine, la *thymosine*, est la plus abondante d'entre elles. Les monomères d'actine fixés sur la thymosine sont bloqués dans un état où ils ne peuvent pas s'associer aux extrémités moins ou plus d'un filament d'actine et ne peuvent pas hydrolyser ni échanger leur nucléotide lié.

Comment les cellules recrutent-elles les monomères d'actine dans ce pool séquestré et les utilisent-elles pour leur polymérisation? On pourrait imaginer une régulation de la thymosine elle-même par des voies de transduction du signal, mais ce n'est pas le cas. Par contre, le recrutement dépend d'une autre protéine qui se fixe sur les monomères, la *profiline*. La profiline se fixe sur la face du monomère d'actine opposée à la fente de fixation de l'ATP, ce qui bloque le côté du monomère qui doit normalement s'associer à l'extrémité moins du filament (Figure 16-29). Cependant, le complexe profiline-actine peut facilement s'ajouter à une extrémité plus libre. Dès que cette addition se produit, cela induit une modification de conformation de l'actine qui réduit son affinité pour la profiline. La profiline se détache alors et laisse le filament d'actine avec une sous-unité supplémentaire. La profiline et la thymosine entrent en compétition pour se fixer sur les monomères d'actine et l'activation locale de molécules de profiline déplace les sous-unités d'actine du pool séquestré, lié à la thymosine, sur les extrémités plus des filaments (Figure 16-30).

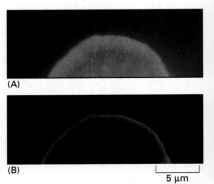

(A)

(B)

5 µm

Figure 16-27 La nucléation du filament d'actine s'effectue à l'extrémité du bord avant d'une cellule. Les fibroblastes en culture ont été délicatement perméabilisés à l'aide d'un détergent non ionique puis ont été incubés avec des molécules d'actine marquées à la rhodamine pour visualiser les filaments d'actine néoformés (en *rouge*). Après 5 minutes, les cellules ont été fixées et colorées avec de la phalloïdine marquée à la fluorescéine qui colore tous les filaments d'actine (en *vert*). (A) Tous les filaments d'actine, dont la plupart étaient formés avant que la cellule ne soit perméabilisée, sont montrés en *vert*. (B) La localisation des nouveaux filaments d'actine (en *rouge*) montre que le bord avant est le site prédominant de l'assemblage des filaments d'actine dans la cellule. D'autres études ont montré que c'est là que se fait constamment la nucléation des nouveaux filaments d'actine. (D'après M.H. Symons et T.J. Mitchison, *J. Cell Biol.* 114 : 503-513, 1991. © The Rockefeller University Press.)

Divers types de mécanismes intracellulaires régulent l'activité de la profiline, parmi lesquels la phosphorylation de la profiline et la fixation de la profiline sur les inositol phospholipides. Ces mécanismes peuvent définir les sites d'action de la profiline. La capacité de la profiline à déplacer les sous-unités d'actine séquestrées sur l'extrémité en croissance des filaments est critique pour l'assemblage des filaments sur la membrane plasmique, par exemple. La profiline est localisée sur la face cytosolique de la membrane plasmique parce qu'elle se fixe sur les phospholipides membranaires acides qui s'y trouvent. À cet endroit, les signaux extracellulaires peuvent engendrer une polymérisation locale explosive de l'actine et l'extension de structures

Figure 16-28 Nucléation et formation du réseau d'actine par le complexe ARP. (A) Structures de l'Arp2 et de l'Arp3, comparées à celle de l'actine. Bien que les faces des molécules d'Arp2 et d'Arp3 équivalentes à l'extrémité plus (*en haut*) soient très semblables à l'extrémité plus de l'actine elle-même, des différences situées sur les côtés et l'extrémité moins (*en bas*) empêchent ces protéines, apparentées à l'actine, de former des filaments par elles-mêmes ou de se co-assembler en filaments avec l'actine. (B) Modèle de la nucléation des filaments d'actine par le complexe ARP. L'Arp2 et l'Arp3 peuvent être maintenues par leurs protéines accessoires dans une orientation qui ressemble à l'extrémité plus d'un filament d'actine. Les sous-unités d'actine peuvent alors s'assembler sur ces structures, court-circuitant l'étape limitante de la vitesse qu'est la nucléation du filament (*voir* Figure 16-5). (C) Le complexe ARP permet une nucléation bien plus efficace des filaments lorsqu'il est fixé latéralement sur un filament d'actine préexistant. Il en résulte une ramification du filament qui croît à une angle de 70° relativement au filament originel. Des cycles répétés de nucléation par ramification forment un réseau arborescent de filaments d'actine. (D) Photographies en microscopie électronique de filaments d'actine ramifiés, formés par le mélange de sous-unités purifiées d'actine avec des complexes ARP purifiés. (D, due à l'obligeance de R.D. Mullins et al., *Proc. Natl. Acad. Sci. USA* 95 : 6181-6186, 1998. © National Academy of Sciences.)

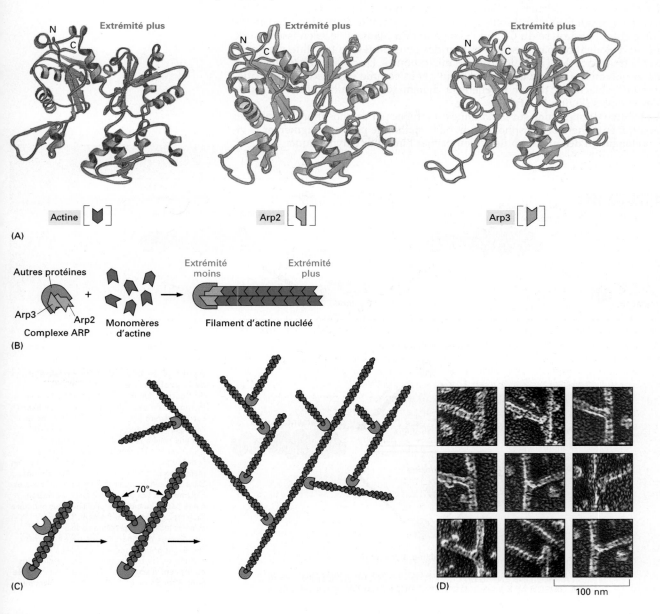

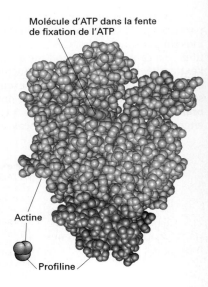

Molécule d'ATP dans la fente de fixation de l'ATP

Actine

Profiline

Figure 16-29 Profiline fixée sur un monomère d'actine. La molécule protéique de profiline est montrée en *bleu* et l'actine en *rouge*. L'ATP est montré en *vert*. La profiline se fixe sur la face de l'actine opposée à la fente de fixation de l'ATP. Cet hétérodimère profiline-actine peut donc se fixer sur l'extrémité plus d'un filament d'actine et l'allonger, mais ne peut, du fait de sa forme, se fixer sur l'extrémité moins. (Due à l'obligeance de Michael Rozycki et Clarence E. Schutt.)

mobiles riches en actine comme les filopodes et les lamellipodes (*voir* ci-dessous). Non seulement la profiline se fixe sur l'actine et les phospholipides, mais elle se fixe aussi sur diverses autres protéines intracellulaires dotées de domaines riches en proline ; ces protéines facilitent également la localisation de la profiline sur des sites où l'assemblage rapide d'actine peut s'avérer nécessaire.

Tout comme les monomères d'actine, les sous-unités non polymérisées de tubuline sont séquestrées dans la cellule pour maintenir un pool de sous-unités à une concentration substantiellement supérieure à la concentration critique. Une molécule d'une petite protéine, la *stathmine*, se fixe sur deux hétérodimères de tubuline et empêche leur addition sur les extrémités des microtubules. La stathmine diminue ainsi la concentration effective en sous-unités de tubuline disponibles pour la polymérisation (l'action est analogue à celle de la colchicine). De fortes concentrations en stathmine active dans une cellule diminuent la vitesse d'élongation des microtubules, car celle-ci est le produit de la concentration en sous-unités disponibles de tubuline par la constante de vitesse k_{on}. Le ralentissement de la vitesse d'élongation a également un deuxième effet remarquable. Comme la transition de l'état de croissance à l'état de décroissance pour un microtubule qui subit une instabilité dynamique dépend de la course entre l'hydrolyse du GTP et l'élongation du filament, le ralentissement de la vitesse d'élongation par la séquestration des sous-unités de tubuline peut augmenter la fréquence de la décroissance des microtubules. De ce fait, une protéine qui inhibe la polymérisation de la tubuline peut avoir, comme effet secondaire, l'augmentation spectaculaire du renouvellement dynamique des microtubules dans les cellules vivantes (Figure 16-31).

La fixation de stathmine sur la tubuline est inhibée par sa phosphorylation, et les signaux qui entraînent la phosphorylation de la stathmine peuvent augmenter la vitesse d'élongation des microtubules et supprimer l'instabilité dynamique.

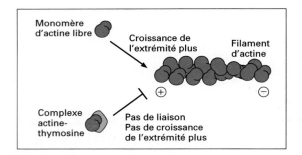

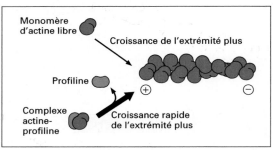

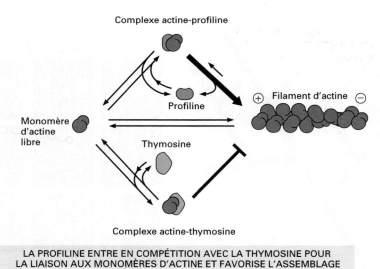

Complexe actine-profiline

Profiline

Filament d'actine ⊕ ⊖

Monomère d'actine libre

Thymosine

Complexe actine-thymosine

LA PROFILINE ENTRE EN COMPÉTITION AVEC LA THYMOSINE POUR LA LIAISON AUX MONOMÈRES D'ACTINE ET FAVORISE L'ASSEMBLAGE

Figure 16-30 Effets de la thymosine et de la profiline sur la polymérisation de l'actine. Un monomère d'actine lié à la thymosine ne peut, de par sa forme, se fixer sur l'extrémité plus d'un filament d'actine et l'allonger. D'un autre côté, un monomère d'actine relié à la profiline est capable d'allonger un filament. La thymosine et la profiline ne peuvent se fixer toutes les deux en même temps sur un seul monomère d'actine. Dans une cellule où la plupart des monomères d'actine sont liés à la thymosine, l'activation d'une petite quantité de profiline peut produire l'assemblage rapide du filament. Comme cela est indiqué, la profiline se fixe sur les monomères d'actine qui sont transitoirement libérés du pool de monomères liés à la thymosine, les transporte sur l'extrémité plus du filament d'actine puis est libérée et recyclée pour d'autres cycles d'élongation du filament.

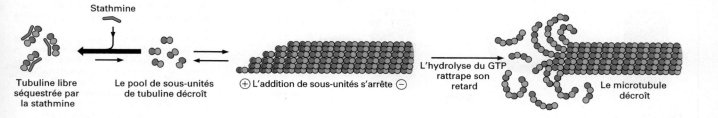

Tubuline libre
séquestrée par
la stathmine

Le pool de sous-unités
de tubuline décroît

⊕ L'addition de sous-unités s'arrête ⊖

L'hydrolyse du GTP
rattrape son
retard

Le microtubule
décroît

Les protéines qui se fixent sur les côtés des filaments peuvent soit les stabiliser soit les déstabiliser

Une fois que le filament du cytosquelette est formé par nucléation et s'est allongé à partir du pool de sous-unités, sa stabilité et ses propriétés mécaniques sont souvent modifiées par un groupe de protéines qui se fixent latéralement sur les polymères. Différentes protéines associées aux filaments utilisent leur énergie de liaison pour abaisser ou augmenter l'énergie libre de l'état polymère ce qui, respectivement, stabilise ou déstabilise le polymère.

Les protéines qui se fixent latéralement sur les microtubules sont collectivement appelées **protéines associées aux microtubules** ou **MAP** (pour *microtubule-associated proteins*). Tout comme le taxol, les MAP peuvent stabiliser les microtubules et s'opposer au désassemblage. Un sous-ensemble de MAP peut aussi servir d'intermédiaire à l'interaction des microtubules avec d'autres composants cellulaires. Ce sous-groupe prédomine dans les neurones, où les faisceaux de microtubules stabilisés forment le cœur des axones et des dendrites qui s'étendent à partir du corps cellulaire (Figure 16-32). Ces MAP possèdent au moins un domaine qui se fixe à la surface des microtubules et un autre qui se projette vers l'extérieur. La longueur des domaines qui se projettent peut déterminer le degré de rapprochement des microtubules recouverts de MAP lorsqu'ils sont placés ensemble, ce qui a été démontré dans des cellules génétiquement modifiées qui produisent différentes MAP en excès. Les cellules qui surexpriment *MAP2* qui possède un long domaine de projection, forment des faisceaux de microtubules stables largement espacés tandis que celles qui surexpriment *tau*, une MAP dotée d'un domaine de projection beaucoup plus court, forment des faisceaux de microtubules bien plus resserrés (Figure 16-33).

Les domaines de liaison aux microtubules de diverses MAP, y compris tau et MAP2, contiennent de multiples copies d'un motif de liaison à la tubuline. Lorsque ces MAP sont ajoutées à une solution de tubuline pure non polymérisée, elles accélèrent fortement la nucléation, probablement parce qu'elles stabilisent les petits oligomères de tubuline qui se forment au début de la polymérisation. Les MAP sont les cibles de plusieurs protéine-kinases et la phosphorylation des MAP qui en résulte peut avoir un rôle primaire dans le contrôle de leur activité et de leur localisation à l'intérieur des cellules.

Alors que MAP2 et tau restent confinées à certains types cellulaires des vertébrés, d'autres MAP semblent jouer un rôle central dans la dynamique des microtubules de presque toutes les cellules eucaryotes. En particulier, une protéine ubiquiste, *XMAP215*, a des homologues proches dans des organismes qui vont des levures à l'homme (XMAP signifie *Xenopus microtubule-associated protein*, et le nombre se réfère à sa masse moléculaire). Cette protéine se fixe latéralement le long des microtubules mais, comme nous le verrons plus tard, a aussi la capacité spécifique de stabiliser les extrémités libres des microtubules et d'inhiber leur passage de l'état de croissance à l'état de décroissance. La phosphorylation de XMAP215 pendant la mitose inhibe cette activité, ce qui contribue substantiellement à l'augmentation par dix de l'instabilité dynamique des microtubules observée pendant la mitose (*voir* Figure 18-12).

Figure 16-31 Effets de la stathmine sur la polymérisation des microtubules. La polymérisation des sous-unités libres de tubuline sur les microtubules est une réaction énergétiquement favorable. Tans que d'abondantes sous-unités libres de tubuline sont disponibles, l'élongation des microtubules se poursuit. Une molécule de stathmine fixe deux hétérodimères αβ de tubuline et séquestre les sous-unités libres de tubuline. Lorsque le pool de sous-unités libres de tubuline diminue, l'élongation des microtubules se ralentit. La vitesse d'hydrolyse du GTP rattrapera probablement la vitesse d'addition des sous-unités et la coiffe de GTP sera perdue, ce qui entraînera la transition du microtubule de l'état de croissance à l'état de décroissance. La stathmine a une deuxième activité qui favorise cette transition et implique une interaction directe avec l'extrémité plus d'un microtubule (non montré ici). La stathmine est aussi appelée «oncoprotéine 18» car son niveau d'expression augmente souvent dans les cellules tumorales, ce qui entraîne l'augmentation du renouvellement des microtubules.

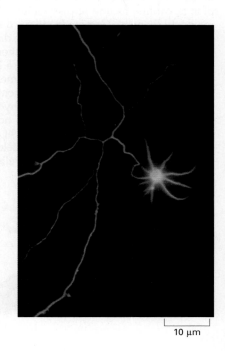

Figure 16-32 Localisation des MAP dans l'axone et les dendrites d'un neurone. Cette photographie en microscopie à immunofluorescence montre la distribution de la coloration de tau (*vert*) et de MAP2 (*orange*) dans un neurone de l'hippocampe en culture. Alors que la coloration de tau est confinée à l'axone (long et ramifié dans ce neurone), la coloration de MAP2 est confinée au corps cellulaire et à ses dendrites. L'anticorps utilisé ici pour détecter tau ne se fixe que sur les tau non phosphorylées ; les tau phosphorylées se trouvent aussi dans les dendrites. (Due à l'obligeance de James W. Mandell et Gary A. Banker.)

10 µm

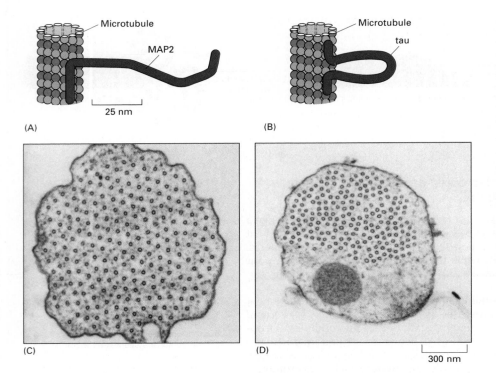

(A)

(B)

(C)

(D)

25 nm

300 nm

Figure 16-33 Organisation des faisceaux de microtubules par les MAP. (A) MAP2 se fixe sur le réseau de microtubules à une extrémité et étend un long bras qui se projette et possède un deuxième domaine de liaison aux microtubules à l'autre extrémité. (B) Tau se fixe sur le réseau de microtubules aux deux extrémités, C-terminale et N-terminale, et forme une courte boucle saillante. (C) Cette photographie en microscopie électronique montre une coupe transversale dans un faisceau de microtubules d'une cellule qui surexprime MAP2. L'espacement régulier des microtubules (MT) dans ce faisceau résulte de la longueur constante des bras qui partent de MAP2. (D) Coupe transversale semblable à travers un faisceau de microtubule dans une cellule qui surexprime tau. Dans ce cas, les microtubules sont moins espacés les uns par rapport aux autres que dans (C) parce que le bras de tau qui se projette est relativement court. (C et D, dues à l'obligeance de V. Chen et al., *Nature* 360 : 647-674, 1992. © Macmillan Magazines Ltd.)

Les filaments d'actine sont aussi fortement affectés par la fixation latérale de protéines accessoires. Dans la plupart des cellules, des filaments d'actine spécifiques sont stabilisés par la fixation de la *tropomyosine*, une protéine allongée qui se fixe simultanément sur sept sous-unités d'actine adjacentes d'un protofilament. La fixation de tropomyosine le long d'un filament d'actine évite que ce filament interagisse avec d'autres protéines ; c'est pourquoi, la régulation de la fixation de tropomyosine est une étape importante dans la contraction musculaire, comme nous le verrons ultérieurement (*voir* Figure 16-74).

Dans toutes les cellules eucaryotes, on trouve une autre protéine importante de liaison aux filaments d'actine, la *cofiline*, qui déstabilise les filaments d'actine. Celle-ci, appelée aussi *facteur de dépolymérisation de l'actine*, est particulière dans le fait qu'elle se fixe sur l'actine sous sa forme filamentaire et sous sa forme de sous-unité libre. La cofiline se fixe sur toute la longueur du filament d'actine, et le force à s'enrouler un peu plus serré (Figure 16-34). Ce stress mécanique affaiblit les contacts entre les sous-unités d'actine dans le filament, ce qui le fragilise et le rend plus facile à couper. En plus la cofiline facilite la dissociation des sous-unités d'ADP-actine de l'extrémité moins du filament. Comme la vitesse du *treadmilling* du filament d'actine est normalement limitée par la faible vitesse de dissociation à l'extrémité moins, la fixation de cofiline provoque une forte augmentation de cette vitesse de *treadmilling*. Il en résulte que la plupart des filaments d'actine à l'intérieur des cellules ont une durée de vie bien plus courte que les filaments formés à partir d'actine pure dans un tube à essai.

La cofiline se fixe préférentiellement sur les filaments d'actine contenant l'ADP plutôt que sur ceux à ATP. Comme l'hydrolyse de l'ATP est généralement plus lente que l'assemblage des filaments, les nouveaux filaments d'actine dans la cellule contiennent encore surtout de l'ATP et sont résistants à la dépolymérisation par la cofiline. De ce fait, la cofiline démantèle efficacement les filaments les plus anciens de la cellule, ce qui assure un renouvellement rapide de tous les filaments d'actine.

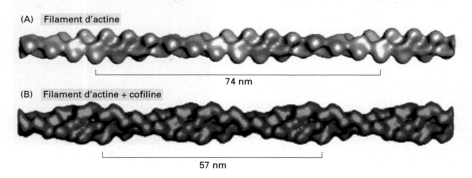

(A) Filament d'actine

74 nm

(B) Filament d'actine + cofiline

57 nm

Figure 16-34 Enroulement d'un filament d'actine induit par la cofiline. (A) Reconstruction tridimensionnelle à partir de photographies en microscopie électronique de filaments constitués d'actine pure. Les crochets montrent l'étendue de deux tours d'hélice d'actine. (B) Reconstruction d'un filament d'actine recouvert de cofiline, qui se fixe avec une stœchiométrie de 1:1 aux sous-unités d'actine tout le long du filament. La cofiline est une petite protéine (14 kilodaltons) comparée à l'actine (43 kilodaltons) et par conséquent le filament ne semble que légèrement plus épais. L'énergie de la liaison de la cofiline sert à déformer le réseau de filaments d'actine, resserrant l'enroulement pour réduire la distance entre deux tours d'hélice. (D'après A. McGough et al., *J. Cell Biol.* 138 : 771-781, 1997. © The Rockefeller University Press.)

Les protéines qui interagissent avec les extrémités des filaments peuvent modifier de façon spectaculaire la dynamique de ces derniers

Comme nous venons de le voir, les protéines qui se fixent latéralement sur les filaments peuvent modifier leur comportement dynamique. Pour que cet effet soit maximal, cependant, ces protéines doivent souvent recouvrir complètement le filament, ce qui signifie qu'elles doivent être présentes à des stœchiométries assez hautes (par exemple, une tropomyosine environ pour chaque groupe de sept sous-unités d'actine, une tau pour chaque groupe de quatre sous-unités de tubuline, ou une cofiline pour chaque sous-unité d'actine). Par contre, les protéines qui se fixent préférentiellement aux extrémités des filaments peuvent avoir des effets spectaculaires sur la dynamique des filaments même lorsqu'elles sont présentes à de très faibles concentrations. Comme l'addition et l'élimination d'une sous-unité se produisent principalement aux extrémités des filaments, il suffit d'une molécule de ce type de protéine par filament d'actine (typiquement une pour 200 à 500 monomères d'actine environ) pour transformer l'architecture d'un réseau de filaments d'actine.

Comme nous l'avons dit précédemment, un filament d'actine qui arrête son élongation et n'est pas spécifiquement stabilisé par la cellule peut se dépolymériser rapidement ; il peut perdre des sous-unités à partir de ses extrémités plus ou moins, une fois que les molécules d'actine de cette extrémité ont hydrolysé leur ATP pour passer dans la forme D. Les modifications les plus rapides, cependant, se produisent à l'extrémité plus. Le filament d'actine peut être stabilisé à son extrémité plus par la fixation d'une *protéine de coiffage* de l'extrémité plus, qui ralentit fortement la vitesse de la croissance et de la dépolymérisation des filaments en inactivant cette extrémité (Figure 16-35). En effet, la plupart des filaments d'actine d'une cellule sont coiffés à leur extrémité plus par des protéines comme *CapZ* (nommée d'après sa localisation dans les bandes Z des muscles, *voir* ci-dessous ; elle est aussi appelée *capping protein* ou protéine de coiffage). À l'extrémité moins, le filament d'actine peut être coiffé s'il reste relié au complexe ARP responsable de sa nucléation, mais il est possible que, dans les cellules typiques, beaucoup d'extrémités moins des filaments d'actine soient libérées des complexes ARP et ne soient pas coiffées.

La régulation locale du niveau de coiffage aide les cellules à assembler et désassembler des parties spécifiques de leur cytosquelette d'actine. L'association des protéines de coiffage aux extrémités des filaments d'actine est régulée par divers signaux intracellulaires localisés. La régulation des protéines de coiffage de l'extrémité plus par l'inositol phospholipide PIP_2 est particulièrement importante : l'augmentation de PIP_2 dans le feuillet cytosolique de la membrane plasmique, provoquée par l'activation d'un récepteur cellulaire de surface approprié (*voir* Chapitre 15), décoiffe les extrémités plus. Ce décoiffage permet aux extrémités plus de s'allonger, et favorise la polymérisation des filaments d'actine à la surface de la cellule.

Dans les cellules musculaires, où les filaments d'actine ont une durée de vie exceptionnellement longue, on sait que les filaments portent une coiffe particulière aux deux extrémités – par la CapZ à l'extrémité plus et la *tropomoduline* à l'extrémité moins. La tropomoduline se fixe uniquement sur les extrémités moins des filaments d'actine recouverts de tropomyosine qui ont donc déjà été quelque peu stabilisés.

L'extrémité d'un microtubule, avec treize protofilaments dans un anneau creux (*voir* Figure 16-6), est une structure bien plus grosse et plus complexe que l'extrémité d'un filament d'actine, et les protéines accessoires ont bien plus de possibilités d'action. Nous avons déjà parlé d'un important complexe de coiffage des microtubules, l'anneau de tubuline γ (γ-TuRC), qui permet la nucléation des microtubules en crois-

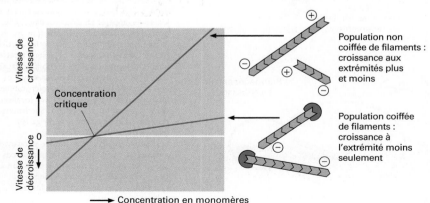

Figure 16-35 Le coiffage des filaments et ses effets sur leur dynamique. Une population de filaments non coiffés ajoute et perd des sous-unités aux deux extrémités, plus et moins, ce qui entraîne une croissance ou une décroissance rapide, en fonction de la concentration en monomères libres disponibles (*ligne verte*). En présence d'une protéine qui coiffe l'extrémité plus (*ligne rouge*), seule l'extrémité moins peut ajouter ou perdre des sous-unités. Par conséquent la croissance du filament est ralentie à toutes les concentrations en monomères situées au-dessus de la concentration critique et la décroissance du filament se ralentit à toutes les concentrations en monomères situées en dessous de la concentration critique. Le type de coiffage de l'extrémité plus est largement utilisé pour les filaments d'actine mais pas pour les microtubules.

sance au niveau d'un centre d'organisation et coiffe leur extrémité moins. Une autre véritable protéine de coiffage des microtubules est le complexe protéique spécifique retrouvé aux extrémités des microtubules dans les cils (traité ultérieurement) où les microtubules ont une longueur uniforme et stable.

Certaines protéines qui agissent aux extrémités des microtubules ont des rôles cruciaux qui dépassent ceux attendus pour une simple protéine de coiffage. En particulier, elles peuvent avoir un effet spectaculaire sur l'instabilité dynamique des microtubules (*voir* Figure 16-11). Elles peuvent influencer la vitesse à laquelle les microtubules passent de l'état de croissance à celui de décroissance (la fréquence des catastrophes) ou de l'état de décroissance à celui de croissance (la fréquence des sauvetages). Par exemple, une famille de protéines apparentées aux kinésines, les *catastrophines*, induisent des catastrophes. Elles se fixent spécifiquement sur les extrémités et semblent séparer les protofilaments, abaissant la barrière d'énergie d'activation normale qui évite que les microtubules forment les protofilaments incurvés caractéristiques de l'état de décroissance (*voir* Figure 16-11C). Les MAP s'opposent à leur action et se fixent préférentiellement sur les extrémités pour favoriser la croissance continue des microtubules (Figure 16-36A). Ces deux groupes de protéines sont régulés et c'est une importante modification de l'équilibre de leur activité qui provoque l'augmentation majeure de la vitesse de renouvellement des microtubules, observée pendant la mitose (*voir* Figure 18-12).

Les protéines qui se fixent sur les extrémités des microtubules servent aussi à contrôler leur positionnement. En plus du γ-TuRC à l'extrémité moins, il existe plusieurs groupes de protéines de liaison à l'extrémité plus qui facilitent la localisation du microtubule en croissance sur des protéines cibles spécifiques dans le cortex cellulaire. Une protéine de fixation sur l'extrémité, qui existe chez les levures et l'homme, par exemple, est essentielle pour le positionnement du fuseau mitotique chez la levure, et dirige les extrémités plus en croissance des microtubules du fuseau de levure vers une région d'arrimage spécifique située dans le bourgeonnement de la levure puis facilite leur ancrage (Figure 16-36B).

Dans les cellules, les filaments sont organisés en structures d'ordre supérieur

Jusqu'à présent, nous avons montré comment les cellules utilisaient les protéines accessoires pour réguler la localisation et le comportement dynamique des filaments

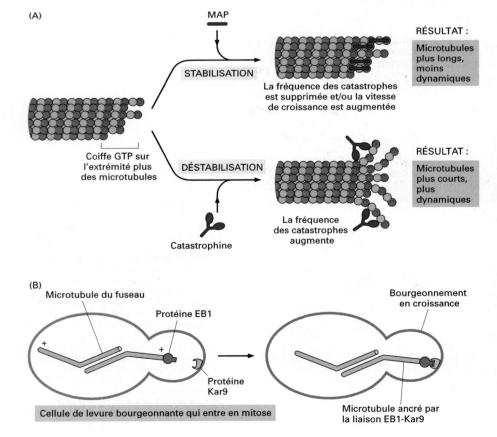

(A)

MAP

STABILISATION

La fréquence des catastrophes est supprimée et/ou la vitesse de croissance est augmentée

RÉSULTAT :
Microtubules plus longs, moins dynamiques

Coiffe GTP sur l'extrémité plus des microtubules

DÉSTABILISATION

La fréquence des catastrophes augmente

RÉSULTAT :
Microtubules plus courts, plus dynamiques

Catastrophine

(B)

Microtubule du fuseau

Protéine EB1

Protéine Kar9

Bourgeonnement en croissance

Cellule de levure bourgeonnante qui entre en mitose

Microtubule ancré par la liaison EB1-Kar9

Figure 16-36 Effets des protéines qui se fixent sur les extrémités des microtubules. (A) Dans les cellules, des protéines spécifiques contrôlent la transition entre la croissance des microtubules et leur décroissance. Une MAP comme la XMAP215 stabilise les extrémités d'un microtubule en croissance par sa liaison préférentielle sur ce site. Des membres de la superfamille des kinésines, appelés ici catastrophines, mais qui possèdent divers autres noms (comme la famille Kin I qui inclut KIF2 de la figure 16-55) (traité ultérieurement) s'opposent à cette action. (B) Les protéines de coiffage facilitent la localisation des microtubules. Dans ce cas, une protéine de coiffage des microtubules, EB1, interagit avec les protéines Kar9 localisées dans la levure bourgeonnante *Saccharomyces cerevisiae*. Cette interaction dirige les microtubules du fuseau dans le bourgeonnement en croissance pendant la mitose. En cas de mutation d'une de ces deux protéines, le fuseau mitotique perd son chemin. La protéine EB1 se trouve également à l'extrémité plus des microtubules des cellules de l'homme.

du cytosquelette. Ces protéines permettent la nucléation de l'assemblage des filaments, se fixent sur les extrémités ou les côtés des filaments, ou sur leurs sous-unités libres. Mais pour que les filaments du cytosquelette forment l'échafaudage intracellulaire utile qui donne à la cellule son intégrité mécanique et détermine sa forme, il faut que les filaments soient organisés et maintenus en structures à plus grande échelle. Le centrosome est un des exemples de ces organisateurs du cytosquelette ; il permet la nucléation des microtubules en croissance et les maintient ensemble de façon géométriquement définie, avec toutes les extrémités moins enfouies dans le centrosome et les extrémités plus pointant vers l'extérieur. Le centrosome crée ainsi la disposition astrale des microtubules, capable de trouver le centre de chaque cellule (*voir* Figure 16-25).

Un autre mécanisme utilisé pour organiser les filaments en de grosses structures est la liaison croisée des filaments. Toute tendance des filaments à se coller les uns aux autres provoque leur alignement parallèle afin d'optimiser les contacts interfilamentaires. Comme nous l'avons déjà vu, certaines MAP peuvent rassembler les microtubules en faisceaux ; elles possèdent deux domaines – un qui se fixe latéralement le long des microtubules (et stabilise ainsi le filament) et l'autre qui se projette vers l'extérieur pour contacter d'autres microtubules recouverts de MAP. En ce qui concerne le cytosquelette d'actine, les fonctions de stabilisation et de liaison croisée sont séparées. La tropomyosine se fixe latéralement sur les filaments d'actine mais ne possède pas de domaine se projetant à l'extérieur. La liaison croisée des filaments passe par l'intermédiaire d'un deuxième groupe de protéines de fixation sur l'actine qui n'ont que cette fonction. Les filaments intermédiaires sont encore différents ; ils s'organisent à la fois par l'auto-association latérale des filaments par eux-mêmes et par l'activité de liaison croisée de protéines accessoires.

La liaison croisée et la fasciculation des filaments intermédiaires engendrent des motifs résistants

Chaque filament intermédiaire forme un long faisceau de sous-unités tétramériques (*voir* Figure 16-16). Beaucoup de filaments intermédiaires se regroupent encore plus, et s'auto-associent eux-mêmes en faisceaux ; par exemple, les neurofilaments protéiques (NF-M et NF-H) contiennent un domaine C-terminal qui s'étend vers l'extérieur à partir de la surface du filament intermédiaire assemblé et se fixe sur un filament voisin. De ce fait, des groupes de neurofilaments forment des motifs parallèles et résistants, maintenus ensemble par de multiples contacts latéraux, et c'est ce qui donne la résistance et la stabilité aux longs processus cellulaires des neurones (*voir* Figure 16-20).

D'autres types de faisceaux de filaments intermédiaires sont maintenus par des protéines accessoires, comme les *filaggrines*, qui entassent les filaments de kératine dans les cellules épidermiques en différenciation pour donner aux couches cutanées les plus externes leur dureté spécifique. La *plectine*, qui place la vimentine en faisceaux, est une protéine de liaison croisée particulièrement intéressante. Non seulement elle place les filaments intermédiaires en faisceaux, mais elle les relie également aux microtubules, aux faisceaux de filaments d'actine et aux filaments d'une protéine motrice, la myosine II (*voir* ci-dessous). Elle facilite aussi la fixation des faisceaux de filaments intermédiaires sur des structures adhésives de la membrane plasmique (Figure 16-37). Des mutations du gène de la plectine provoquent une maladie humaine désastreuse qui associe une épidermolyse bulleuse (provoquée par la rupture des filaments de kératine de la peau), une dystrophie musculaire (provoquée par la rupture des filaments de desmine), et une neuro-dégénérescence (provoquée par la rupture des neurofilaments). Les souris dépourvues d'un gène de plectine fonctionnel meurent dans les quelques jours qui suivent leur naissance avec une peau bulleuse et des muscles squelettiques et cardiaques anormaux. De ce fait, même si la plectine ne semble pas nécessaire à la

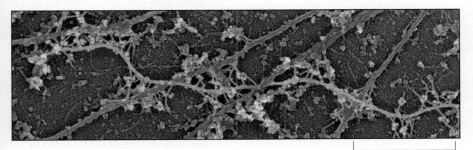

0,5 µm

Figure 16-37 Liaison croisée de divers éléments du cytosquelette par la plectine. La plectine (en *vert*) établit des liaisons croisées entre des filaments intermédiaires (*bleu*) et d'autres filaments intermédiaires, des microtubules (en *rouge*) et des filaments épais de myosine (en *jaune*). Sur cette photographie en microscopie électronique, les points (*jaunes*) sont des particules d'or liées à des anticorps anti-plectine. Le réseau complet de filaments d'actine à été retiré pour révéler ces protéines. (D'après T.M. Svitkina et G.G. Borisy, *J. Cell Biol.*, 135 : 991-1007, 1996. © The Rockefeller University Press.)

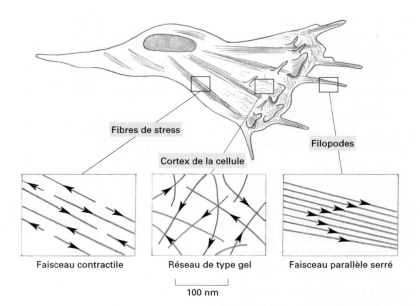

Faisceau contractile   Réseau de type gel   Faisceau parallèle serré

100 nm

Figure 16-38 Disposition de l'actine dans une cellule. Une cellule en migration, dessinée à l'échelle, est montrée avec trois zones agrandies qui présentent la disposition des filaments d'actine. Les filaments d'actine sont en *rouge*, avec les têtes de flèches pointant vers l'extrémité plus. Les fibres de stress sont contractiles et exercent une tension. Les filopodes sont des projections pointues de la membrane plasmique qui permettent à la cellule d'explorer son environnement. Le cortex est sous-jacent à la membrane plasmique.

formation initiale et à l'assemblage des filaments intermédiaires, son action de liaison croisée est nécessaire pour fournir aux cellules la résistance dont elles ont besoin pour résister aux stress mécaniques inhérents à la vie des vertébrés.

Les différents assemblages des filaments d'actine sont organisés par des protéines de liaison croisée dotées de propriétés distinctes

Les filaments d'actine des cellules animales sont organisés en deux types de motifs : les faisceaux et les réseaux de type gel (Figure 16-38). Les protéines de liaison croisée des filaments d'actine sont donc réparties en deux classes, les *protéines de fasciculation* et les *protéines de liaison croisée formant des gels*. Les protéines de fasciculation relient par des liaisons croisées les filaments d'actine en un assemblage parallèle alors que les protéines formant un gel maintiennent deux filaments d'actine selon un grand angle l'un par rapport à l'autre, ce qui crée un réseau plus lâche. Ces deux types de protéines de liaison croisée présentent en général deux sites similaires de fixation aux filaments d'actine. Soit ces deux sites font partie d'une seule chaîne polypeptidique soit chacune des deux chaînes polypeptidiques qui forment le dimère en apporte un. L'espacement et la disposition de ces deux domaines de fixation aux filaments déterminent le type de structure d'actine formé par la protéine de liaison croisée en question (Figure 16-39).

La *fimbrine* et l'*actinine α* sont des protéines de fasciculation de l'actine, largement répandues. La fimbrine est une petite protéine de liaison croisée dont les deux domaines de fixation à l'actine sont rapprochés dans une unique chaîne polypeptidique. Les faisceaux de filaments d'actine parallèles des filopodes sur le bord avant des cellules sont enrichis en cette protéine et elle est probablement responsable de l'association solide de ces filaments d'actine (Figure 16-40). L'actinine α contient deux domaines de fixation à l'actine plus éloignés l'un de l'autre (*voir* Figure 16-40A et B) ; elle est concentrée dans les fibres de stress, où elle est probablement responsable de la liaison croisée relativement lâche des filaments d'actine dans ces faisceaux contractiles. Elle facilite aussi la formation d'une structure qui maintient les extrémités des fibres de stress en *contacts focaux* au niveau de la membrane plasmique (*voir* ci-dessous).

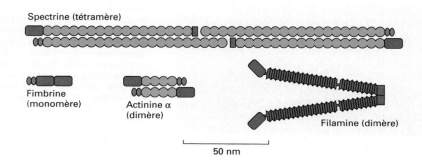

Spectrine (tétramère)

Fimbrine (monomère)

Actinine α (dimère)

Filamine (dimère)

50 nm

Figure 16-39 Structures modulaires de quatre protéines reliant l'actine par liaisons croisées. Chaque protéine montrée possède deux sites de liaison sur l'actine (*rouge*) de séquence apparentée. La fimbrine a ses deux sites de liaison à l'actine directement adjacents, de telle sorte qu'elle maintient les deux filaments d'actine très rapprochés l'un de l'autre (éloignés de 14 nm) alignés selon la même polarité (*voir* Figure 16-40A). Les deux sites de liaison à l'actine de l'actinine α sont séparés par 30 nm de long environ de telle sorte qu'ils forment des faisceaux d'actine moins compacts (*voir* Figure 16-40). La filamine a ses deux sites de liaison à l'actine qui forment entre eux un V, de telle sorte qu'elle relie transversalement les filaments d'actine en un réseau avec les filaments orientés presque toujours à angle droit les uns avec les autres (*voir* Figure 16-42). La spectrine est un tétramère à deux sous-unités α et deux sous-unités β et ce tétramère présente ses deux sites de liaison à l'actine espacés de 200 nm environ (*voir* Figure 10-31).

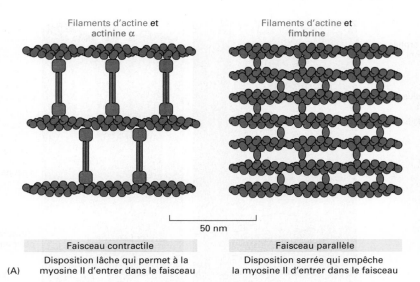

Filaments d'actine **et**
actinine α

Filaments d'actine **et**
fimbrine

50 nm

Faisceau contractile

Disposition lâche qui permet à la
(A) myosine II d'entrer dans le faisceau

Faisceau parallèle

Disposition serrée qui empêche
la myosine II d'entrer dans le faisceau

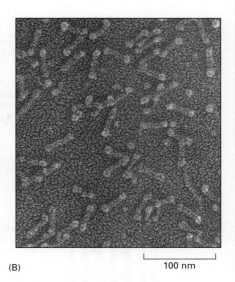

(B)

100 nm

**Figure 16-40 Formation de deux types
de faisceaux de filaments d'actine.**
(A) L'actinine α qui est un homodimère, relie
transversalement les filaments d'actine en
faisceaux lâches, ce qui permet à la protéine
motrice, la myosine II (non montrée ici) de
participer à l'assemblage. La fimbrine relie
transversalement les filaments d'actine en
faisceaux serrés qui excluent la myosine.
La fimbrine et l'actinine α ont tendance
à s'exclure mutuellement à cause des
espacements très différents des faisceaux
de filaments d'actine qu'elles forment.
(B) Photographie en microscopie électronique
de molécules d'actinine α purifiées. (Due à
l'obligeance de John Heuser.)

Chaque type de protéine de fasciculation détermine les molécules qui peuvent interagir avec les filaments d'actine. La myosine II (que nous verrons ultérieurement), qui est la protéine des fibres de stress et d'autres motifs contractiles, est responsable de leur capacité à se contracter. La disposition très serrée des filaments d'actine causée par la fimbrine exclut apparemment la myosine et, par conséquent, les filopodes ne sont pas contractiles ; d'un autre côté, la disposition plus lâche provoquée par l'actinine α permet l'entrée des molécules de myosine, ce qui rend ces fibres contractiles (*voir* Figure 16-40A). Du fait de l'espacement très différent entre les filaments d'actine, la fasciculation par la fimbrine décourage automatiquement la fasciculation par l'actinine α et vice versa, de telle sorte que ces deux types de protéines de fasciculation s'excluent mutuellement.

La *villine* est une autre protéine de fasciculation qui, comme la fimbrine, possède ses deux sites de fixation aux filaments d'actine très rapprochés dans une unique chaîne polypeptidique. La villine (comme la fimbrine) forme des liaisons croisées entre les 20 à 30 filaments d'actine, placés en un faisceau serré, des microvillosités, extensions digitées de la membrane plasmique à la surface de nombreuses cellules épithéliales (Figure 16-41). Une seule cellule épithéliale intestinale humaine permettant l'absorption présente, par exemple, plusieurs milliers de microvillosités à sa surface apicale. Chacune mesure 0,08 µm de large environ et 1 µm de long, ce qui augmente la surface d'absorption d'un facteur 20 environ par rapport à une cellule sans microvillosités. Lorsqu'on introduit de la villine dans des fibroblastes en culture, qui normalement n'en contiennent pas et ne présentent que quelques petites villosités, ces dernières s'allongent fortement puis se stabilisent et de nouvelles villosités sont induites. Le cœur de la microvillosité, formé par les filaments d'actine, est fixé sur la membrane plasmique par les côtés via des bras latéraux constitués de *myosine I* (traité ultérieurement) qui possède un site de liaison pour l'actine filamenteuse à une de ses extrémités et un domaine qui se fixe sur les lipides à l'autre extrémité. Ces deux types de protéines de liaison croisée, l'une reliant les filaments d'actine les uns aux autres et l'autre reliant ces filaments à la membrane, semblent suffire pour former des microvillosités sur les cellules.

Les diverses protéines de fasciculation dont nous avons parlé jusqu'à présent ont des connexions droites et rigides entre leurs deux domaines de fixation sur les filaments d'actine et elles ont tendance à aligner les filaments en des faisceaux parallèles. À l'opposé, les protéines de liaison croisée à l'actine qui ont une connexion courbe, soit souple soit rigide entre leurs deux domaines de liaison, forment des réseaux de filaments d'actine ou des gels plutôt que des faisceaux.

Une protéine bien étudiée formant un gel est la *spectrine*, identifiée pour la première fois dans les hématies. La spectrine est une longue protéine souple constituée de quatre chaînes polypeptidiques allongées (deux sous-unités α et deux sous-unités β) disposées de telle sorte que les deux sites de fixation aux filaments d'actine soient éloignés d'environ 200 nm (par comparaison aux 14 nm pour la fimbrine et aux 30 nm pour l'actinine α, *voir* Figure 16-39). Dans les hématies, la spectrine est concentrée juste en dessous de la membrane plasmique, où elle forme un réseau bidimensionnel maintenu par de courts filaments d'actine ; la spectrine relie ce réseau à la membrane plasmique parce qu'elle possède des sites de liaison séparés pour les protéines membranaires périphériques, qui sont elles-mêmes positionnées près de la bicouche lipi-

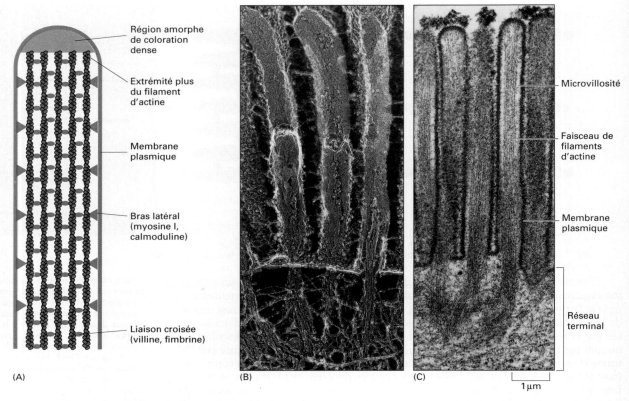

Région amorphe
de coloration
dense

Extrémité plus
du filament
d'actine

Membrane
plasmique

Bras latéral
(myosine I,
calmoduline)

Liaison croisée
(villine, fimbrine)

(A)

(B)

(C)

Microvillosité

Faisceau de
filaments
d'actine

Membrane
plasmique

Réseau
terminal

1 µm

Figure 16-41 Une microvillosité. (A) Un faisceau de filaments d'actine parallèles, reliés transversalement par des protéines de fasciculation d'actine, la villine et la fimbrine, forme le cœur d'une microvillosité. Des bras latéraux (composés de myosine I et d'une protéine de fixation du Ca^{2+}, la calmoduline) relient latéralement le faisceau de filaments d'actine à la membrane plasmique sus-jacente. Toutes les extrémités plus des filaments d'actine se trouvent à l'extrémité de la microvillosité, où elles sont encastrées dans une substance amorphe de coloration dense et de composition inconnue. (B) Cette photographie en microscopie électronique après cryofracture de la surface apicale d'une cellule épithéliale intestinale, montre les microvillosités. Les faisceaux d'actine issus des microvillosités s'étendent vers le bas dans la cellule et sont enracinés dans le réseau terminal, où un groupe complexe de protéines qui comprend la spectrine et la myosine II les relie. Sous le réseau terminal se trouve une couche de filaments intermédiaires. (C) Photographie en microscopie électronique d'une fine coupe de microvillosités. (B, due à l'obligeance de John Heuser ; C, d'après P.T. Matsudaira et D.R. Burgess, *Cold Spring Harbor Symp. Quant. Biol.* 46 :845-854, 1985.)

dique par des protéines membranaires intégrales (*voir* Figure 10-31). Le réseau qui en résulte forme le cortex cellulaire rigide qui fournit un support mécanique à la membrane plasmique sus-jacente, et permet aux hématies de reprendre leur forme d'origine après avoir été comprimées dans un capillaire. On retrouve des protéines apparentées à la spectrine dans le cortex de la plupart des autres types cellulaires des vertébrés, où elles aident à donner forme et rigidité à la surface membranaire.

Toute protéine de liaison croisée dont les deux domaines de liaison à l'actine sont espacés d'une longue liaison courbe peut former des gels d'actine tridimensionnels. La *filamine* (*voir* Figure 16-39) favorise la formation d'un gel lâche hautement visqueux en reliant deux filaments d'actine grossièrement à angle droit (Figure 16-42). Les gels d'actine formés par la filamine sont nécessaires pour que la cellule étende de fines projec-

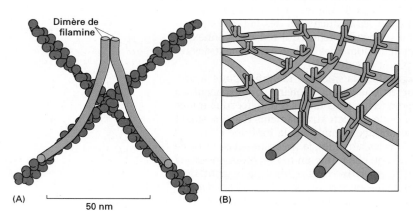

Dimère de
filamine

(A)

50 nm

(B)

Figure 16-42 La filamine relie des filaments d'actine dans un réseau tridimensionnel doté des propriétés physiques d'un gel. (A) Chaque homodimère de filamine mesure 160 nm environ lorsqu'il est totalement étendu et forme une liaison souple à angle droit entre deux filaments d'actine adjacents. (B) Un groupe de filaments d'actine reliés transversalement par la filamine forme un réseau mécaniquement fort ou gel.

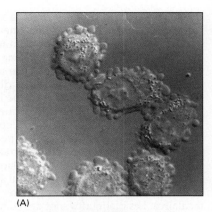
(A)

tions membranaires en feuillet, les *lamellipodes*, qui l'aident à migrer sur des surfaces solides. Certains types de cellules cancéreuses sont dépourvus de filamine, en particulier certains mélanomes malins (cancers des cellules pigmentaires). Ces cellules ne peuvent migrer correctement et émettent à la place des «bulles» membranaires désorganisées (Figure 16-43). La perte de la filamine est une mauvaise nouvelle pour les cellules des mélanomes et une bonne nouvelle pour le patient atteint de mélanome : comme les cellules qui ont perdu l'expression de la filamine sont incapables de migrer, elles sont moins invasives que les mêmes cellules qui expriment encore la filamine, et il en résulte que, dans ce cas, le mélanome a bien moins de chances de métastaser.

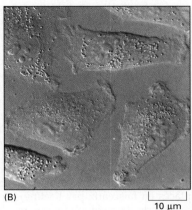
(B)

10 µm

La coupure des protéines régule la longueur et le comportement cinétique des filaments d'actine et des microtubules

Dans certaines situations, une cellule peut casser un long filament existant en de nombreux filaments plus petits. Cela engendre un grand nombre de nouvelles extrémités de filaments : un long filament qui n'a qu'une extrémité plus et une extrémité moins peut être cassé en des douzaines de filaments plus courts chacun doté de ses propres extrémités moins et plus. Sous certaines conditions intracellulaires, ces extrémités néoformées autorisent une nucléation pour l'élongation du filament et dans ce cas, la coupure accélère l'assemblage de nouvelles structures filamenteuses. Sous d'autres conditions, la coupure favorise la dépolymérisation de vieux filaments, et accélère la vitesse de dépolymérisation par dix voire plus (Figure 16-44). De plus, la coupure des filaments modifie les propriétés mécaniques et physiques du cytoplasme : les faisceaux ainsi que les gels épais et rigides deviennent plus fluides lorsque les filaments sont coupés.

Pour sectionner un microtubule, il faut casser treize liaisons longitudinales, une par protofilament. Une protéine, la *katanine*, nommée d'après le mot japonais qui veut dire «sabrer», accomplit cette tâche difficile (Figure 16-45). La katanine est formée de deux sous-unités, une sous-unité plus petite qui hydrolyse l'ATP et effectue la véritable coupe et une autre, plus grosse, qui dirige la katanine sur le centrosome. La katanine libère les microtubules de leurs attaches sur le centre d'organisation des microtubules et on pense qu'elle joue un rôle particulièrement crucial dans la dépolymérisation rapide des microtubules que l'on observe aux pôles du fuseau mitotique au cours de la mitose. On la trouve aussi dans les cellules prolifératives en interphase ainsi que dans des cellules post-mitotiques comme les neurones, où elle peut être impliquée dans la libération et la dépolymérisation des microtubules.

Contrairement à la coupure des microtubules par la katanine, qui nécessite de l'ATP, la coupure des filaments d'actine ne nécessite pas d'apport énergétique supplémentaire. La plupart des protéines qui sectionnent les actines sont des membres de la *superfamille des gelsolines*, dont l'activité de coupure est activée par de fortes concentrations en Ca^{2+} cytosolique. La gelsoline possède des sous-domaines qui se

Figure 16-44 La coupure des filaments et son effet sur leur dynamique. Normalement les filaments peuvent gagner et perdre des sous-unités uniquement à leurs extrémités, ce qui limite la vitesse maximale de croissance et de décroissance de la quantité totale d'actine sous forme filamenteuse (*ligne verte*). Si les filaments sont coupés en petits morceaux, le nombre d'extrémités augmente, de telle sorte que l'augmentation de la masse filamenteuse dans la population peut être plus rapide pour toutes les concentrations en monomères supérieures à la concentration critique et la baisse de la masse du filament dans la population peut aussi être plus rapide à toutes les concentrations en monomères inférieures à la concentration critique (*ligne rouge*). De ce fait, la coupure augmente la vitesse de la dynamique des filaments.

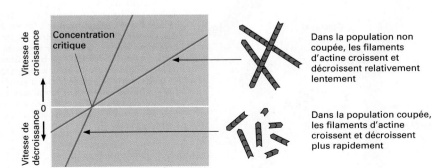

Vitesse de croissance

Concentration critique

0

Vitesse de décroissance

Concentration en monomères →

Dans la population non coupée, les filaments d'actine croissent et décroissent relativement lentement

Dans la population coupée, les filaments d'actine croissent et décroissent plus rapidement

fixent sur deux sites différents de la sous-unité d'actine, le premier exposé à la surface du filament et l'autre normalement caché dans la liaison longitudinale qui l'unit à la sous-unité suivante du protofilament. Selon un des modèles de la section par la gelsoline, il semble que cette protéine se fixe latéralement sur le filament d'actine et attende jusqu'à ce qu'il se produise une fluctuation thermique pour créer un petit trou entre des sous-unités voisines du protofilament ; la gelsoline insinue ainsi son sous-domaine dans le trou, et coupe le filament (Figure 16-46). Une fois que la gelsoline a sectionné le filament d'actine, elle reste fixée sur l'extrémité plus et forme une protéine de coiffage efficace. Cependant, comme plusieurs autres protéines de coiffage des filaments d'actine, elle peut être éliminée de l'extrémité du filament par l'augmentation locale de la concentration en PIP_2.

Le processus d'activation des plaquettes montre comment la cellule peut réguler ses protéines accessoires d'actine qui servent d'intermédiaire à la section, au coiffage et aux liaisons croisées pour engendrer des variations morphologiques rapides et spectaculaires. Les plaquettes sont des cellules minuscules anucléées qui circulent dans le sang et facilitent la formation des caillots sur les sites de blessure. Les plaquettes au repos sont de forme discoïde et contiennent de courts filaments d'actine coiffés par la CapZ et entourés d'un important pool de monomères d'actines liés à la profiline. Lorsque la plaquette est activée par un contact physique avec le bord d'un vaisseau sanguin lésé ou par un signal chimique de coagulation comme la thrombine, une cascade de transduction du signal intracellulaire rapide entraîne l'entrée massive de Ca^{2+} dans le cytosol de la plaquette. Le Ca^{2+} active la gelsoline qui coupe les filaments coiffés en de minuscules fragments, chacun coiffé maintenant de gelsoline. Avec une cinétique plus lente, cette même voie de signalisation provoque l'augmentation de la concentration en PIP_2, qui inactive à la fois la gelsoline et la CapZ, et les élimine des extrémités plus des filaments. Les nombreuses extrémités plus libres, engendrées par la section et le décoiffage, sont alors rapidement allongées par le pool de monomères d'actine, ce qui forme de nombreux longs filaments. Certains de ces longs filaments d'actine sont liés transversalement en un gel par la filamine, tandis que d'autres sont placés en faisceaux par l'actinine α et la fimbrine. Cela provoque l'extension de lamellipodes et de filopodes par les plaquettes activées qui s'étalent elles-mêmes au travers du caillot (Figure 16-47), s'y fixant par le biais de protéines d'adhésion transmembranaires appelées intégrines. Une fois que le signal PIP_2 diminue, CapZ retourne aux extrémités des filaments, les stabilise vis-à-vis de la dépolymérisation et bloque la plaquette dans sa forme étalée. Enfin, la myosine II utilise l'hydrolyse de l'ATP pour faire glisser les longs filaments d'actine les uns par rapport aux autres, ce qui provoque la contraction des plaquettes qui rapproche les bords de la blessure.

Les éléments du cytosquelette peuvent se fixer sur la membrane plasmique

Une des fonctions communes des structures du cytosquelette d'actine est de renforcer ou de modifier la forme de la membrane plasmique. Nous avons déjà rencontré au moins deux exemples : le réseau spectrine-actine sous-jacent à la membrane plasmique des hématies et les faisceaux villine-actine des microvillosités qui agrandissent la surface d'absorption des cellules épithéliales. L'efficacité de ces structures dépend à la fois de la fasciculation et de la liaison croisée des filaments d'actine ainsi que des fixations spécifiques entre les structures des filaments d'actine et les protéines ou les lipides de la membrane plasmique. Dans beaucoup de cas, l'assemblage du cytosquelette a une autre fonction qui consiste à aider à connecter la structure in-

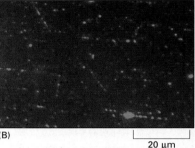

(A)

(B)

|_____| 20 µm

Figure 16-45 La coupure des microtubules par les katanines. Des microtubules stabilisés par le taxol et marqués à la rhodamine ont été adsorbés à la surface d'une lame de verre, et de la katanine purifiée a été ajoutée en même temps que de l'ATP. (A) On observe quelques cassures dans les microtubules 30 secondes après l'addition de katanine. (B) Le même champ, 3 minutes après l'addition de katanine. Les filaments ont été sectionnés en de nombreux endroits, laissant une série de petits fragments là où il y avait précédemment de longs microtubules. (D'après J.J. Hartman et al., *Cell* 93 : 277-287, 1998. © Elsevier.)

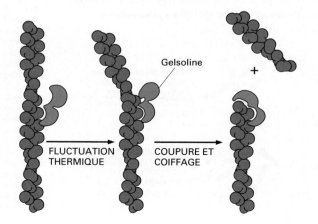

Gelsoline

FLUCTUATION THERMIQUE

COUPURE ET COIFFAGE

+

Figure 16-46 Modèle de la coupure des filaments d'actine par la gelsoline. La protéine gelsoline possède deux sites de fixation sur l'actine. Ces sites lui permettent de se fixer à la fois latéralement et à l'extrémité d'un filament d'actine. Les filaments coupés par la gelsoline restent coiffés à leur extrémité plus. La villine, une protéine de fasciculation de l'actine (*voir* Figure 16-41A), est un membre de la même famille protéique que la gelsoline. Elle a gagné un autre site de liaison mais a perdu sa capacité à couper les filaments sauf à de très fortes concentrations en Ca^{2+} (non physiologiques).

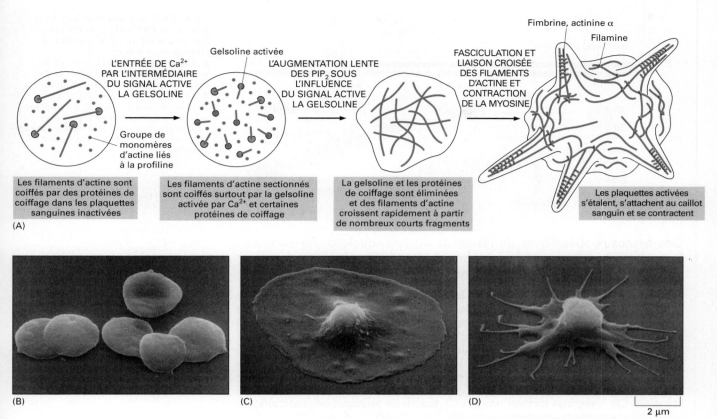

L'ENTRÉE DE Ca²⁺
PAR L'INTERMÉDIAIRE
DU SIGNAL ACTIVE
LA GELSOLINE

Gelsoline activée

L'AUGMENTATION LENTE
DES PIP₂ SOUS
L'INFLUENCE
DU SIGNAL ACTIVE
LA GELSOLINE

FASCICULATION ET
LIAISON CROISÉE
DES FILAMENTS
D'ACTINE ET
CONTRACTION
DE LA MYOSINE

Fimbrine, actinine α

Filamine

Groupe de
monomères
d'actine liés
à la profiline

Les filaments d'actine sont
coiffés par des protéines de
coiffage dans les plaquettes
sanguines inactivées

(A)

Les filaments d'actine sectionnés
sont coiffés surtout par la gelsoline
activée par Ca²⁺ et certaines
protéines de coiffage

La gelsoline et les protéines
de coiffage sont éliminées
et des filaments d'actine
croissent rapidement à partir
de nombreux courts fragments

Les plaquettes activées
s'étalent, s'attachent au caillot
sanguin et se contractent

(B)

(C)

(D)

2 µm

Figure 16-47 Activation des plaquettes. (A) L'activation des plaquettes est une séquence contrôlée comportant section des filaments d'actine, décoiffage, élongation, recoiffage et liaisons croisées qui engendrent une variation spectaculaire de forme des plaquettes. (B) Photographie en microscopie électronique des plaquettes avant leur activation. (C) Plaquette activée avec son gros lamellipode étalé. (D) Plaquette activée à un stade plus avancé que celui montré en C, après sa contraction sous l'influence de la myosine II. (Due à l'obligeance de James G. White.)

terne d'une cellule à l'environnement qui l'entoure, y compris les autres cellules et la matrice extracellulaire. Les filaments d'actine et les filaments intermédiaires sont essentiels pour ces connexions. Dans ce paragraphe, nous décrirons plusieurs types d'interactions spécifiques entre les filaments du cytosquelette et les protéines transmembranaires qui sont les intermédiaires de l'adhésion cellulaire. Nous considérerons uniquement le côté intracellulaire de ces interactions ; les interactions extracellulaires seront traitées au chapitre 19.

Une famille très répandue de protéines intracellulaires fortement apparentées, la famille des *ERM* (nommée d'après ses trois premiers membres, erzine, radixine et moesine) fixe les filaments d'actine sur la membrane plasmique de nombreux types cellulaires. Le domaine C-terminal se fixe sur la face cytoplasmique de diverses glycoprotéines transmembranaires, y compris CD44, le récepteur d'un composant de la matrice extracellulaire, l'acide hyaluronique. On voit l'importance fonctionnelle des protéines ERM par les conséquences des mutations qui conduisent à la perte d'un des membres de cette famille, la merline. Cette perte entraîne une maladie génétique humaine, la *neurofibromatose*, au cours de laquelle de multiples tumeurs bénignes se développent dans les nerfs auditifs et dans certaines autres parties du système nerveux.

Contrairement à la fixation de l'actine à la membrane plasmique qui passe par la spectrine ou la myosine I, celle qui passe par les protéines ERM est régulée par des signaux intracellulaires et extracellulaires. Les protéines ERM peuvent exister dans deux conformations, une conformation active allongée qui s'oligomérise et fixe l'actine et CD44 et une conformation inactive repliée dans laquelle les extrémités N- et C-terminales sont maintenues ensemble par une interaction intramoléculaire. La commutation entre ces deux conformations est déclenchée par la phosphorylation ou la fixation de PIP₂, qui peuvent se produire toutes les deux, par exemple, en réponse à des signaux extracellulaires. De ce fait, la force des contacts médiés par les ERM entre le cytosquelette d'actine et la matrice extracellulaire est sensible à divers signaux reçus par la cellule (Figure 16-48).

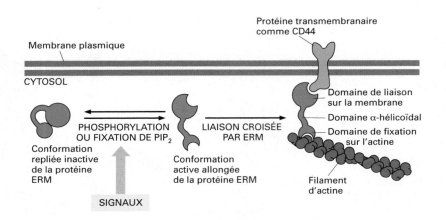

Membrane plasmique

Protéine transmembranaire comme CD44

CYTOSOL

PHOSPHORYLATION OU FIXATION DE PIP₂

LIAISON CROISÉE PAR ERM

Domaine de liaison sur la membrane
Domaine α-hélicoïdal
Domaine de fixation sur l'actine

Conformation repliée inactive de la protéine ERM

Conformation active allongée de la protéine ERM

Filament d'actine

SIGNAUX

Figure 16-48 Rôle des protéines de la famille des ERM dans la fixation des filaments d'actine sur la membrane plasmique. Le dépliement régulé des protéines de la famille ERM, provoqué par la phosphorylation ou par la liaison au PIP₂, expose deux sites de liaison, un pour un filament d'actine et un pour une protéine transmembranaire. L'activation des protéines de la famille ERM peut ainsi engendrer et stabiliser les protrusions de la surface cellulaire qui se forment en réponse à des signaux extracellulaires.

Des faisceaux spécifiques de filaments du cytosquelette forment de fortes attaches à travers la membrane plasmique : contacts focaux, jonctions zonulaires et desmosomes

Les **contacts focaux** représentent un type hautement spécialisé d'attaches entre les filaments d'actine et la matrice extracellulaire qui permet aux cellules de tirer sur le support auquel elles sont liées. Les contacts focaux sont particulièrement faciles à voir dans les fibroblastes en culture parce qu'ils créent des points (*spots*) où l'espace normal de 50 nm entre la base de la cellule et le support se réduit à seulement 10-15 nm (Figure 16-49). Au niveau de ces sites, les fibres de stress, constituées de faisceaux contractiles d'actine et de filaments de myosine II, se terminent sur la membrane plasmique où sont localisés des amas d'*intégrines*, des protéines d'adhésion transmembranaires. Ces intégrines forment une grande famille de protéines hétérodimériques qui se fixent sur divers composants de la matrice extracellulaire (*voir* Chapitre 19) et leur liaison sur le faisceau de filaments d'actine est indirect, passant par un complexe composé de multiples protéines d'ancrage intracellulaires.

Les contacts focaux servent non seulement d'ancrage pour la cellule, mais peuvent aussi relayer, à l'intérieur de la cellule, les signaux issus de la matrice extracellulaire. L'agrégation des intégrines au niveau des contacts focaux active ainsi une tyrosine-kinase, la *kinase FAK* (pour *focal adhesion kinase* ou kinase d'adhésion focale) (*voir* Chapitre 19). Son activité est sensible au type de support sur lequel repose la cellule et est également régulée par l'importance de la tension au niveau du site d'attachement de la cellule. On ne sait pas avec certitude comment cela se produit, mais FAK est la cible d'une tyrosine-kinase cytoplasmique, Src (*voir* Chapitre 5), qui se trouve aussi en grande quantité au niveau des contacts focaux. Une fois activée, FAK phosphoryle de nombreuses cibles, y compris de nombreux composants du complexe du contact focal lui-même, et peut ainsi faciliter la régulation de la survie, la croissance, la prolifération, la morphologie, les mouvements et la différenciation des cellules en réponse à l'environnement extracellulaire. Bien que nous connaissions mal les détails, il est possible que la croissance et le développement d'une cellule soient influencés autant par les signaux reçus par les protéines d'adhésion que par ceux reçus par les récepteurs, mieux étudiés, des molécules de signalisation extracellulaire solubles, décrits au chapitre 15.

Figure 16-49 Contacts focaux et fibres de stress dans un fibroblaste en culture. (A) Les contacts focaux sont bien observés dans les cellules vivantes par microscopie avec réflexion-interférence. Dans cette technique, la lumière est réfléchie de la face inférieure d'une cellule fixée sur une lame de verre et les contacts focaux apparaissent comme des zones noires. (B) La coloration par immunofluorescence de la même cellule (après fixation) avec des anticorps anti-actine montre que la plupart des faisceaux de filament d'actine de la cellule (ou les fibres de stress) se terminent au niveau des contacts focaux ou près d'eux. (Due à l'obligeance de Grenham Ireland.)

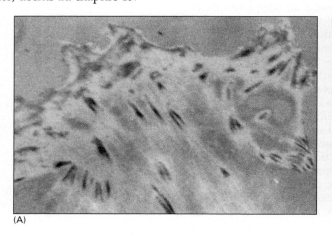

(A)

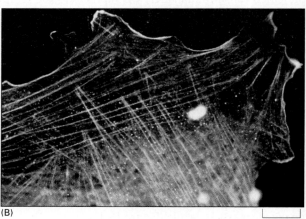

(B)

10 µm

Les éléments du cytosquelette ancrés à la membrane plasmique forment des attaches mécaniques solides sur la matrice extracellulaire et fournissent en plus des attaches aux autres cellules. Par exemple, les contacts intercellulaires formés dans les épithéliums passent largement par les interactions de protéines transmembranaires, les *cadhérines* (*voir* Figure 19-24). La queue cytoplasmique d'une molécule de cadhérine fixe un complexe de protéines, les *caténines*, qui se fixe à son tour sur les filaments d'actine (*voir* Figure 19-29). Des amas de ces contacts cellule-cellule, qui passent par la cadhérine et sont renforcés par l'actine, forment les *jonctions zonulaires* décrites au chapitre 19.

L'attache des filaments intermédiaires sur la membrane plasmique reprend les principes généraux que nous avons vu pour les contacts focaux et les jonctions zonulaires, au cours desquels des faisceaux de filaments du cytosquelette sont indirectement fixés, par l'intermédiaire de complexes multi-protéiques, sur les protéines d'adhésion transmembranaires. Les filaments intermédiaires sont ancrés à la membrane plasmique au niveau de structures appelées *desmosome* (jonction cellule-cellule) et *hémidesmosome* (jonction cellule-matrice extracellulaire). Ces jonctions cellulaires sont particulièrement importantes pour conserver la résistance des tissus épithéliaux (*voir* Chapitre 19).

Les signaux extracellulaires peuvent induire des réarrangements majeurs du cytosquelette

Dans les paragraphes précédents, nous avons vu comment les protéines accessoires associées aux systèmes de filaments du cytosquelette pouvaient réguler la longueur des filaments, leur localisation, leur organisation et leur comportement dynamique. Les signaux extracellulaires peuvent changer l'activité de ces protéines accessoires, et modifier ainsi le cytosquelette et le comportement de la cellule.

En ce qui concerne le cytosquelette d'actine, divers récepteurs cellulaires de surface déclenchent des réarrangements structuraux globaux en réponse à des signaux externes. Mais tous ces signaux semblent converger à l'intérieur de la cellule sur un groupe de GTPases monomériques fortement apparentées, membres de la **famille des protéines Rho** – *Cdc42*, *Rac* et *Rho*. Comme d'autres membres de la superfamille des Ras, ces protéines Rho sont des commutateurs moléculaires qui contrôlent les processus cellulaires en passant de façon cyclique d'un état actif, lié au GTP, à un état inactif, lié au GDP (*voir* Figure 3-70). L'activation de Cdc42 déclenche la polymérisation de l'actine et sa fasciculation pour former soit des filopodes soit des protrusions cellulaires plus courtes, ou micro-pointes. L'activation de Rac favorise la polymérisation de l'actine à la périphérie cellulaire, ce qui conduit à la formation d'extensions de lamellipodes de type feuillets et de plissements membranaires. L'activation de Rho favorise à la fois la fasciculation des filaments d'actine avec des filaments de myosine II pour former des fibres de stress et l'agrégation des intégrines et des protéines associées pour former des contacts focaux (Figure 16-50). Ces modifications structurales spectaculaires et complexes se produisent parce que chacune de ces trois commutations moléculaires fait intervenir en aval de nombreuses protéines cibles qui affectent l'organisation de l'actine et sa dynamique (au moins huit ont été retrouvées pour chacune de ces commutations). D'autres protéines cibles affectent la transcription génique.

Certaines cibles clé des Cdc42 activées sont des membres d'une famille de protéines WASp. Les **protéines WASp**, comme celles de la famille ERM, peuvent exister sous une conformation repliée, inactive et une conformation ouverte, active. L'association avec Cdc42-GTP stabilise la forme ouverte des protéines WASp, et leur permet de se fixer sur le complexe ARP. Cela augmente fortement l'activité de nucléation de l'actine du complexe ARP (*voir* Figure 16-28). De ce fait, l'activation de Cdc42 augmente la nucléation de l'actine. Rac-GTP active aussi des membres de la famille WASp, et en plus active la PI(4)P-5 kinase qui engendre du PI(4,5)P_2 (une forme de PIP_2). Comme nous l'avons déjà vu, PIP_2 peut provoquer le décoiffage des filaments dont l'extrémité plus est reliée à la gelsoline ou CapZ, ce qui fournit encore plus de sites pour l'assemblage de l'actine près de la membrane plasmique. Cela entraîne la formation de gros lamellipodes et de plissements. Rho-GTP active une protéine-kinase qui inhibe une phosphatase agissant sur les chaînes légères de myosine (*voir* Figure 16-67). Il s'ensuit une augmentation de la quantité nette de phosphorylation des chaînes légères de myosine qui augmente l'importance de l'activité contractile de la myosine dans la cellule, et ainsi la formation de structure dépendantes de la tension comme les fibres de stress.

Les mécanismes qui activent les trois membres de la famille protéique Rho sont aussi complexes. Leur activation, qui passe par l'échange du GTP par un GDP, est

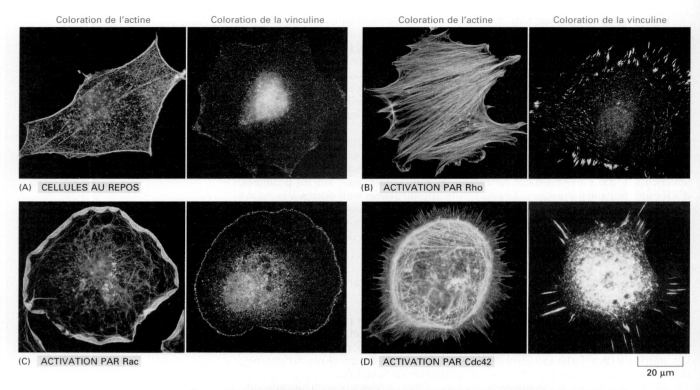

Coloration de l'actine Coloration de la vinculine Coloration de l'actine Coloration de la vinculine

(A) CELLULES AU REPOS

(B) ACTIVATION PAR Rho

(C) ACTIVATION PAR Rac

(D) ACTIVATION PAR Cdc42

20 µm

Figure 16-50 Les effets spectaculaires de Rac, Rho et Cdc42 sur l'organisation de l'actine dans les fibroblastes. Dans chaque cas, les filaments d'actine ont été marqués par de la phalloïdine fluorescente et les contacts focaux ont été localisés par un anticorps anti-vinculine. (A) Les fibroblastes privés de sérum ont des filaments d'actine surtout dans le cortex et relativement peu de contacts focaux. (B) La micro-injection d'une forme activée constitutive de Rho provoque l'assemblage rapide de nombreuses fibres de stress saillantes et des contacts focaux. (C) La micro-injection d'une forme constitutive activée de Rac, une GTPase monomérique très apparentée, provoque la formation d'un énorme lamellipode qui s'étend sur toute la circonférence de la cellule. (D) La micro-injection d'une forme activée constitutive de Cdc42, un autre membre de la famille Rho, provoque la protrusion de nombreux filopodes allongés à la périphérie cellulaire qui forment des contacts adhésifs avec le support. Les différents effets globaux de ces trois GTPases sur l'organisation du cytosquelette d'actine passent par l'action de douzaines d'autres molécules protéiques régulées par les GTPases. Beaucoup de ces protéines cibles ressemblent aux diverses protéines associées à l'actine dont nous avons parlé dans ce chapitre. (D'après A. Hall, *Science* 279 : 509-514, 1998. © AAAS.)

favorisée par les facteurs d'échange des nucléotides guanyliques (GEF) dont plus de 20 ont été identifiés. Certains sont spécifiques d'une des GTPase de la famille Rho, tandis que d'autres semblent agir sur les trois. En amont des GEF se trouvent divers récepteurs cellulaires de surface. Dans la plupart des cas, les mécanismes qui couplent les récepteurs à l'activation des GEF sont inconnus.

Résumé

Les formes et les fonctions variées des structures des filaments du cytosquelette dans les cellules eucaryotes dépendent d'un répertoire varié de protéines accessoires. Chacune des trois principales classes de filaments (microtubules, filaments intermédiaires et filaments d'actine) possède un important sous-groupe spécifique de ces protéines accessoires. Les sites des structures du cytosquelette sont déterminés principalement par la régulation des processus qui initient la nucléation de nouveaux filaments. Dans la plupart des cellules animales, la nucléation des microtubules s'effectue au niveau du centrosome, un assemblage complexe localisé près du centre de la cellule. Par contre, la nucléation de la plupart des filaments d'actine s'effectue près de la membrane plasmique.

La cinétique de l'assemblage et du désassemblage des filaments est soit ralentie soit accélérée par les protéines accessoires qui se fixent sur les sous-unités libres ou sur les filaments eux-mêmes. Certaines de ces protéines modifient la dynamique des filaments en se fixant à leurs extrémités ou en les coupant en de plus petits fragments. Une autre classe de protéines accessoires assemble les filaments en de plus grosses structures ordonnées, en les reliant transversalement les unes aux autres selon des modes géométriquement définis. D'autres protéines accessoires encore déterminent la forme et les propriétés d'adhérence des cellules en attachant les filaments à la membrane plasmique. Les réarrangements du cytosquelette passent par le contrôle de l'activité des diverses protéines accessoires.

948 Chapitre 16: CYTOSQUELETTE

Les moteurs moléculaires, ou **protéines motrices**, sont peut-être les protéines les plus fascinantes associées au cytosquelette. Ces protéines remarquables se fixent sur un filament polarisé du cytosquelette et utilisent l'énergie dérivée de cycles répétés d'hydrolyse d'ATP pour se déplacer régulièrement le long du filament. Des douzaines de protéines motrices différentes coexistent dans chaque cellule eucaryote. Elles diffèrent selon le type de filament sur lequel elles se fixent (l'actine ou les microtubules), la direction dans laquelle elles se déplacent le long des filaments et le «chargement» qu'elles transportent. Beaucoup de protéines motrices transportent les organites entourés d'une membrane – comme des mitochondries, des dictyosomes ou des vésicules sécrétoires – vers leur localisation cellulaire appropriée. D'autres protéines motrices provoquent le glissement des filaments du cytosquelette l'un sur l'autre, engendrant les forces qui entraînent des phénomènes comme la contraction musculaire, le battement des cils et la division cellulaire.

Les protéines motrices du cytosquelette qui se déplacent de façon unidirectionnelle le long d'un chemin formé de polymères orientés sont des réminiscences de certaines autres protéines et complexes protéiques que nous avons vu par ailleurs dans cet ouvrage, comme les ADN ou ARN polymérases, les hélicases et les ribosomes. Elles sont toutes capables d'utiliser l'énergie chimique pour se propulser le long d'un chemin linéaire, et la direction du glissement dépend de la polarité structurelle de ce chemin. Toutes génèrent des mouvements en couplant l'hydrolyse des nucléosides triphosphate à une importante variation de la conformation protéique, comme cela a été expliqué dans le chapitre 3.

Les protéines motrices du cytosquelette s'associent sur leur chemin filamentaire par une région de «tête», ou *domaine moteur*, qui fixe et hydrolyse l'ATP. En coordination avec le cycle d'hydrolyse du nucléotide et de variation de conformation, la protéine effectue des cycles entre des états où elle est solidement fixée sur le filament et des états où elle n'est pas liée. C'est par un cycle mécano-chimique de fixation sur le filament, modification de conformation, libération du filament, relâchement de la conformation et nouvelle fixation sur le filament, que la protéine motrice associée à son chargement se déplace, d'un pas à chaque fois, le long du filament (typiquement une distance de quelques nanomètres). L'identité du filament et la direction des mouvements sur ce filament sont déterminées par le domaine moteur (tête), tandis que l'identité du chargement (et de ce fait la fonction biologique de chaque protéine motrice) est déterminée par la queue de la protéine motrice.

Dans ce chapitre, nous commencerons par décrire les trois groupes de protéines motrices du cytosquelette. Nous verrons ensuite comment elles fonctionnent pour transporter des organites entourés d'une membrane ou modifier la forme des structures établies à partir des filaments du cytosquelette. Nous finirons par décrire leur action dans la contraction musculaire et dans la propulsion des mouvements de type battement des structures formées par les microtubules.

Les protéines motrices basées sur l'actine font partie de la superfamille des myosines

La **myosine** du muscle squelettique, responsable de la création de la force de la contraction musculaire, a été la première protéine motrice identifiée. Cette myosine, appelée *myosine II* (*voir* ci-dessous), est une protéine allongée, formée de deux chaînes lourdes et de deux copies de chacune des deux chaînes légères. Chaque chaîne lourde a un domaine de tête globulaire à son extrémité N-terminale qui contient la machinerie génératrice de force, suivie d'une séquence en acides aminés très longue qui forme un superenroulement étendu et permet la dimérisation des chaînes lourdes (Figure 16-51). Les deux chaînes légères se fixent près du domaine de la tête N-terminale, tandis que la longue queue à superenroulement se fascicule elle-même avec les queues d'autres molécules de myosine. Ces interactions queue-queue forment de gros «filaments épais» bipolaires qui ont plusieurs centaines de têtes de myosine, orientées dans des directions opposées, aux deux extrémités du filament épais (Figure 16-52).

Chaque tête de myosine fixe l'ATP et l'hydrolyse, et utilise l'énergie de cette hydrolyse pour se déplacer vers l'extrémité plus d'un filament d'actine. C'est l'orientation opposée des têtes du filament épais qui lui permet de faire glisser efficacement l'un sur l'autre deux filaments d'actine d'orientation opposée. Dans les muscles squelettiques, dans lesquels les filaments d'actine sont placés avec soin et alignés en «fins filaments» qui entourent les filaments épais de myosine, le glissement actionné par l'ATP des filaments d'actine entraîne la contraction musculaire (traité ultérieure-

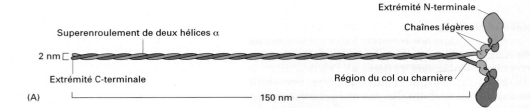

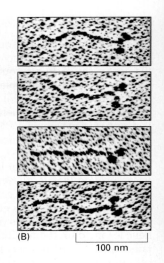

Figure 16-51 Myosine II. (A) Une molécule de myosine II est composée de deux chaînes lourdes (chacune d'environ 2 000 acides aminés, en *vert*) et quatre chaînes légères (*bleu*). Les chaînes légères sont de deux types distincts et une copie de chaque type se trouve dans chaque tête de myosine. La dimérisation se produit lorsque deux hélices α de la chaîne lourde s'enroulent l'une autour de l'autre pour former un superenroulement, actionné par l'association d'acides aminés hydrophobes régulièrement espacés (*voir* Figure 3-11). La disposition en superenroulement forme un bâtonnet allongé en solution et cette partie de la molécule est appelée la queue. (B) Les deux têtes globulaires et la queue sont faciles à observer sur les photographies en microscopie électronique de molécules de myosine ombrées au platine. (B, due à l'obligeance de David Shotton.)

ment). Le muscle cardiaque et les muscles lisses contiennent des myosines disposées de façon similaire, même si elles sont codées par des gènes différents.

Lorsqu'une myosine du muscle est digérée par la chymotrypsine et la papaïne, le domaine de tête est libéré sous forme d'un fragment intact (appelé S1). Le fragment S1 seul peut engendrer un glissement des filaments *in vitro*, ce qui prouve que l'activité motrice est contenue en totalité dans la tête (Figure 16-53).

On pensait initialement que la myosine n'existait que dans le muscle, mais en 1970, les chercheurs ont trouvé une protéine myosine similaire à deux têtes dans des cellules non musculaires, y compris les cellules de protozoaires. Presque au même moment, d'autres chercheurs ont trouvé une myosine dans une amibe d'eau douce, *Acanthamoeba castellanii*. Celle-ci n'était pas conventionnelle parce que son domaine moteur de tête était similaire à celui de la myosine musculaire mais sa queue était complètement différente. Cette molécule semblait fonctionner comme un monomère et fut appelée *myosine I* (à une tête) ; la myosine conventionnelle fut renommée *myosine II* (à deux têtes).

Ensuite, beaucoup d'autres types de myosine furent découverts. Les chaînes lourdes commençaient généralement à l'extrémité N-terminale par un domaine moteur de myosine reconnaissable puis divergeaient largement avec divers domaines de queue C-terminale (Figure 16-54). Ces nouveaux types de myosine incluent un certain nombre de variétés à une tête et à deux têtes qui sont apparentés de façon presque identique à la myosine I et à la myosine II et la nomenclature reflète maintenant leur ordre approximatif de découverte (myosine III jusqu'à myosine XVIII). Les queues de myosine (et en général celles des protéines motrices) se sont apparemment diversifiées pendant l'évolution pour permettre aux protéines de se dimériser avec d'autres sous-unités et d'interagir avec différents chargements.

Certaines myosines (comme VIII et XI) n'ont été retrouvées que chez les végétaux et certaines seulement chez les vertébrés (IX). La plupart, cependant, sont présentes chez tous les eucaryotes, ce qui suggère que les myosines sont apparues pré-

Figure 16-52 Filament épais bipolaire de myosine II. (A) Photographie en microscopie électronique d'un filament épais de myosine II isolé d'un muscle de grenouille. Notez la zone centrale dénudée, qui ne possède pas de domaine de tête. (B) Représentation schématique, non à l'échelle. Les molécules de myosine II s'agrègent par la région de leur queue, et leurs têtes se projettent vers l'extérieur du filament. La zone dénudée au centre du filament est composée entièrement de queues de myosine II. (C) Petite coupe d'un filament de myosine II reconstruite à partir de photographies en microscopie électronique. Une molécule de myosine est représentée en *vert*. (A, due à l'obligeance de Murray Stewart ; C, d'après R.A. Crowther, R. Padron et R. Craig, *J. Mol. Biol.* 184 : 429-439, 1985. © Academic Press.)

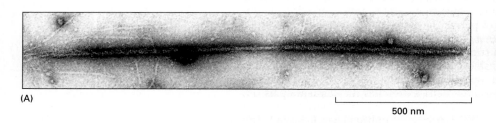

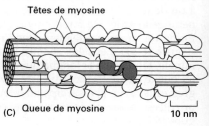

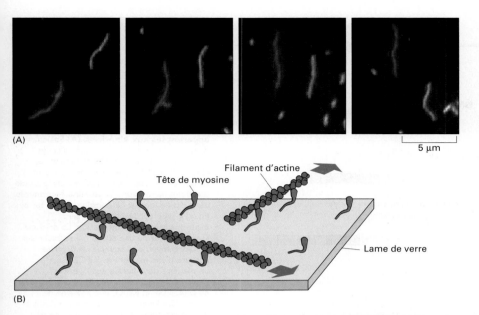

Figure 16-53 Preuve directe de l'activité motrice de la tête de myosine. Dans cette expérience, des têtes de myosine purifiée S1 ont été fixées sur une lame de verre puis des filaments d'actine marqués par de la phalloïdine fluorescente ont été ajoutés et laissés se fixer sur les têtes de myosine. (A) Après l'ajout d'ATP, les filaments d'actine commencent à glisser le long de la surface, en raison des nombreux pas individuels faits par chacune des douzaines de têtes de myosine fixées sur chaque filament. Les images vidéo montrées dans cette séquence ont été enregistrées toutes les 0,6 seconde environ; les deux filaments d'actine montrés (un *rouge* et un *vert*) se déplaçaient dans des directions opposées à la vitesse d'environ 4 µm/s. (B) Schéma de l'expérience. Les grosses *flèches rouges* indiquent la direction du mouvement du filament d'actine. (A, due à l'obligeance de James Spudich.)

cocement au cours de l'évolution des eucaryotes. La levure *Saccharomyces cerevisiae* contient cinq myosines : deux myosines I, une myosine II et deux myosines V. On peut donc penser que ces trois types de myosines sont nécessaires à la survie d'une cellule eucaryote et que les autres myosines ont des fonctions plus spécialisées dans les organismes multicellulaires. Le nématode *C. elegans*, par exemple, possède au moins 15 gènes de myosines, qui représentent au moins sept classes structurales. Le génome de l'homme compte environ 40 gènes de myosines.

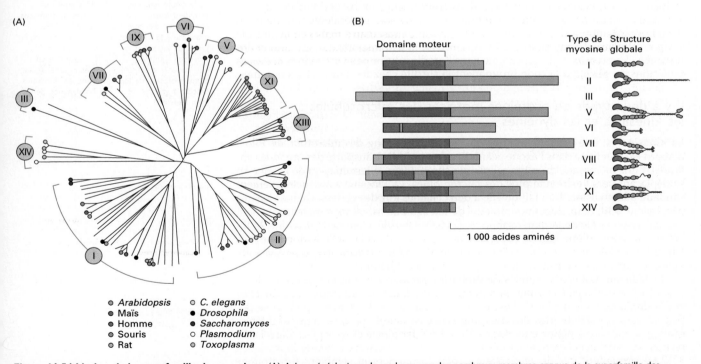

Figure 16-54 L'arbre de la superfamille des myosines. (A) Arbre généalogique de quelques-uns des nombreux membres connus de la superfamille des myosines. La longueur des lignes qui séparent chaque membre de la famille indique l'importance des différences dans la séquence en acides aminés du domaine moteur. Les groupes de myosines apparentées qui partagent une structure similaire reçoivent un chiffre romain. Les espèces d'origine de certaines myosines montrées sont indiquées par des points colorés. Certains types de myosines (comme I et II) ont des membres dans de nombreuses espèces eucaryotes, allant des animaux aux végétaux et aux protozoaires parasites; d'autres ne sont retrouvés que dans des groupes particuliers d'eucaryotes (XIV, par exemple, n'a été retrouvée jusqu'à présent que chez des protozoaires parasites de type *Toxoplasma* et *Plasmodium*). (B) Comparaison de la structure du domaine des chaînes lourdes de certains types de myosines. Toutes les myosines partagent des domaines moteurs similaires (montrés en *vert foncé*), mais leurs queues C-terminales (*vert clair*) et leurs extensions N-terminales (*bleu clair*) sont très diverses. La description de la structure moléculaire des membres de ces familles est donnée à droite. Beaucoup de myosines forment des dimères, avec deux domaines moteurs par molécule, mais quelques-unes (comme I, IX et XIV) semblent fonctionner comme des monomères, à un seul domaine moteur. La myosine VI, malgré sa structure globalement similaire à celle des autres membres de la famille, est particulière du fait qu'elle se déplace vers l'extrémité moins (au lieu de l'extrémité plus) du filament d'actine. La petite insertion à l'intérieur de son domaine moteur de tête, absente des autres myosines, est probablement responsable de cette modification de direction.

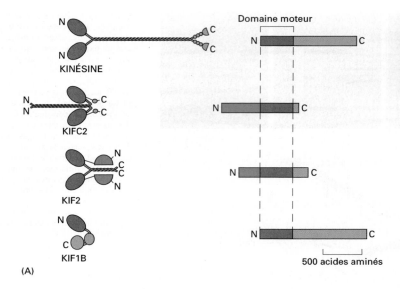

(A)

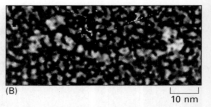

(B)

Figure 16-55 Kinésines et protéines apparentées aux kinésines. (A) Structure de quatre membres de la superfamille des kinésines. Comme dans la superfamille des myosines, seuls les domaines moteurs sont conservés. La kinésine conventionnelle possède son domaine moteur à l'extrémité N-terminale de la chaîne lourde. Le domaine central forme un long superenroulement, qui sert d'intermédiaire à la dimérisation. Le domaine C-terminal forme une queue qui s'attache sur un chargement, par exemple un organite entouré d'une membrane. KIFC2 est un membre de la famille des kinésines C-terminales qui comprend Ncd, une protéine de *Drosophila*, et KAR3, une protéine de levure. Ces kinésines voyagent généralement dans la direction opposée à la majorité des kinésines, vers l'extrémité moins au lieu de l'extrémité plus d'un microtubule. KIF2 a son domaine moteur localisé au milieu de la chaîne lourde. C'est un membre d'une famille de kinésines qui a perdu son activité motrice typique et se fixe par contre sur les extrémités des microtubules pour augmenter leur instabilité dynamique ; elles sont de ce fait appelées catastrophines. KIF1B est un membre de la classe particulière des kinésines qui semblent fonctionner comme des monomères et déplacer des organites entourés d'une membrane le long des microtubules. La famille BimC de kinésines qui forme des tétramères n'est pas montrée ici. (B) Photographie en microscopie électronique après cryodécapage d'une molécule de kinésine avec les domaines de tête à gauche. (B, due à l'obligeance de John Heuser.)

Toutes les myosines sauf une se déplacent vers l'extrémité plus d'un filament d'actine, bien qu'elles le fassent à des vitesses différentes. La seule exception est la myosine VI, qui se déplace vers l'extrémité moins.

Les fonctions exactes de la plupart des myosines n'ont pas encore été déterminées. La myosine II est toujours associée à l'activité contractile des cellules musculaires et non musculaires. Elle est aussi généralement requise pour la cytocinèse, ou séparation d'une cellule en division en deux cellules filles (*voir* Chapitre 18), ainsi que pour la translocation vers l'avant du corps d'une cellule pendant la migration cellulaire. Les myosines I contiennent dans leurs queues un second site de fixation sur l'actine ou un site de fixation membranaire et elles sont généralement impliquées dans l'organisation intracellulaire et la protrusion de structures riches en actine à la surface cellulaire. La myosine V est impliquée dans le transport des vésicules et des organites. La myosine VII est présente dans l'oreille interne des vertébrés et certaines mutations du gène qui la code provoquent la surdité chez les souris et les hommes.

Il y a deux types de protéines motrices des microtubules : les kinésines et les dynéines

La **kinésine** est une protéine motrice qui se déplace le long des microtubules. Elle a d'abord été identifiée dans l'axone géant du calmar où elle transporte des organites entourés d'une membrane du corps cellulaire neuronal vers la terminaison de l'axone en se déplaçant vers l'extrémité plus des microtubules. La kinésine est structurellement similaire à la myosine II du fait qu'elle a deux chaînes lourdes et deux chaînes légères par moteur actif, deux domaines moteurs de tête, globulaires et un superenroulement allongé responsable de la dimérisation de la chaîne lourde. Comme la myosine, la kinésine fait partie d'une grande superfamille protéique, dans laquelle le domaine moteur est le seul élément commun (Figure 16-55). La levure *Saccharomyces cerevisiae* a six kinésines distinctes. Le nématode *C. elegans* en a 16 et l'homme environ 40.

Il existe au moins dix familles de **protéines apparentées aux kinésines**, ou **KRP** (pour *kinesin-related proteins*) dans la superfamille des kinésines. La plupart d'entre elles ont le domaine moteur placé à l'extrémité N-terminale de la chaîne lourde et se déplacent vers l'extrémité plus des microtubules. Une famille particulièrement intéressante possède son domaine moteur à l'extrémité C-terminale et se déplace dans la direction opposée, vers l'extrémité moins du microtubule. Certaines chaînes lourdes des KRP ne présentent pas de séquence à superenroulement et semblent fonctionner comme des monomères, analogues à la myosine I. Certaines autres sont des homodimères, et d'autres encore sont des hétérodimères. Une KRP au moins (la BimC) peut s'auto-associer par le biais de son domaine de queue pour former un moteur bipolaire qui fait glisser les microtubules d'orientation opposée l'un sur l'autre, tout comme le filament épais de la myosine II le fait pour les filaments d'actine. La plupart des kinésines portent dans leur queue un site de liaison pour un organite entouré d'une membrane ou pour un autre microtubule. Beaucoup de membres de la superfamille des kinésines ont des rôles spécifiques dans la formation des fuseaux mitotiques et méiotiques et dans la séparation des chromosomes pendant la division cellulaire.

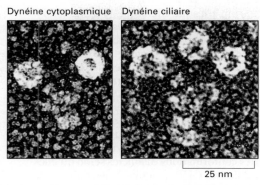

Dynéine cytoplasmique   Dynéine ciliaire

25 nm

Figure 16-56 Dynéines. Deux photographies en microscopie électronique après cryodécapage d'une molécule de dynéine cytoplasmique et d'une molécule de dynéine ciliaire (de l'axonème). Comme la myosine II et la kinésine, la dynéine cytoplasmique est une molécule à deux têtes. La dynéine ciliaire montrée ici a trois têtes. Notez que la tête de dynéine est très grosse comparée à celle de la myosine ou de la kinésine. (Dues à l'obligeance de John Heuser.)

Les **dynéines** sont une famille de moteurs des microtubules qui se déplacent vers l'extrémité moins, mais elles ne sont pas apparentées à la superfamille des kinésines. Elles sont composées de deux ou de trois chaînes lourdes (qui incluent les domaines moteurs) associées à un grand nombre variable de chaînes légères. La famille des dynéines présente deux embranchements principaux (Figure 16-56). La branche la plus ancienne se compose des *dynéines cytoplasmiques* qui sont typiquement des homodimères de chaînes lourdes dotés de deux têtes à gros domaines moteurs. Les dynéines cytoplasmiques existent probablement dans toutes les cellules eucaryotes et sont importantes pour le transport des vésicules ainsi que pour la localisation de l'appareil de Golgi, près du centre de la cellule. Les *dynéines des axonèmes* forment l'autre embranchement important, et comprennent des hétérodimères et des hétérotrimères pourvus respectivement de deux et trois têtes motrices. Elles sont hautement spécialisées et permettent les mouvements rapides et efficaces de glissement des microtubules qui actionnent le battement des cils et des flagelles (traité ultérieurement). Une troisième branche mineure partage plus de similitudes de séquence avec les dynéines cytoplasmiques qu'avec les dynéines des axonèmes mais semble être impliquée dans le battement des cils.

Les dynéines sont les plus grands moteurs moléculaires connus et font aussi partie des plus rapides : les dynéines des axonèmes peuvent déplacer les microtubules dans un tube à essai à la vitesse remarquable de 14 μm/s. Par comparaison, les kinésines les plus rapides peuvent déplacer leurs microtubules à environ 2-3 μm/s.

Les similitudes structurelles de la myosine et de la kinésine indiquent une origine évolutive commune

Le domaine moteur des myosines est substantiellement plus gros que celui des kinésines, environ 850 acides aminés comparés aux 350 environ des kinésines. Ces deux classes de protéines motrices se déplacent le long de filaments différents et possèdent des propriétés cinétiques différentes. Elles ne présentent aucune similarité identifiable dans leur séquence en acides aminés. Cependant, la détermination de la structure tridimensionnelle des domaines moteurs de la myosine et de la kinésine a révélé qu'ils

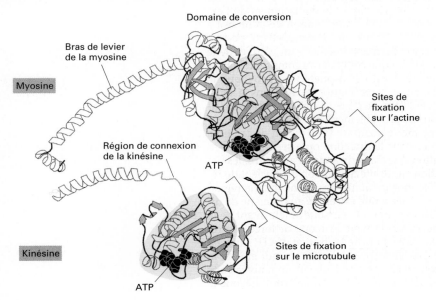

Domaine de conversion

Bras de levier de la myosine

Myosine

Sites de fixation sur l'actine

Région de connexion de la kinésine

ATP

Kinésine

Sites de fixation sur le microtubule

ATP

Figure 16-57 Structure par cristallographie aux rayons X des têtes de myosine et de kinésine. Les domaines centraux de fixation du nucléotide de la myosine et de la kinésine (surlignés en *jaune*) sont structurellement très semblables. Les tailles et les fonctions très différentes des deux moteurs sont dues aux différences majeures au sein du site de fixation sur le polymère et des portions de transduction de la force du domaine moteur. (Adapté d'après L.A. Amos et R.A. Cross, *Curr. Opin. Struct. Biol.* 7 : 239-246, 1997.)

étaient tous deux construits autour d'un noyau presque identique (Figure 16-57). L'élément générateur de force commun à ces deux types de protéines motrices comprend le site de fixation de l'ATP et la machinerie nécessaire à la traduction de l'hydrolyse de l'ATP en une modification de la conformation allostérique. Les différences dans la taille du domaine et le choix du filament peuvent être attribuées à de grandes boucles qui s'étendent vers l'extérieur à partir de ce noyau central. Ces boucles contiennent respectivement les sites de fixation sur l'actine et sur les microtubules.

Une des indications importantes sur le mode d'implication du noyau central dans la génération des forces est venue de l'observation que le noyau moteur présentait aussi certaines ressemblances structurelles avec le site de fixation au nucléotide des petites GTPases de la superfamille des Ras. Comme nous l'avons vu au chapitre 3 (*voir* Figure 3-74), ces protéines présentent des conformations distinctes selon qu'elles sont sous leur forme liée au GTP (active) ou liée au GDP (inactive) : des boucles de commutation mobiles situées dans le site de fixation du nucléotide sont en contact rapproché avec le phosphate-γ dans l'état lié au GTP, mais font un écart lorsque le phosphate-γ hydrolysé est libéré. Même si les particularités des mouvements dans ces deux protéines motrices sont différentes et que l'hydrolyse porte sur l'ATP et non pas sur le GTP, les variations structurelles relativement petites du site actif – la présence ou l'absence d'un phosphate terminal – sont de même amplifiées pour provoquer la rotation d'une autre partie de la protéine. Dans la kinésine et la myosine une boucle de commutation interagit de façon extensive avec les régions de la protéine impliquées, respectivement, dans la fixation des microtubules et de l'actine, et permet de relayer les transitions structurales provoquées par le cycle d'hydrolyse de l'ATP jusqu'à l'interface de fixation sur le polymère. Ce relais des variations structurales entre le site de fixation sur le polymère et le site d'hydrolyse des nucléotides semble fonctionner dans les deux directions, car l'activité ATPasique des protéines motrices est fortement activée par leur fixation sur leur filament.

Les protéines motrices génèrent des forces en couplant l'hydrolyse de l'ATP à des modifications de conformation

Bien que les protéines motrices du cytosquelette et les protéines qui fixent le GTP utilisent toutes deux des variations structurales dans leurs sites de fixation sur les nucléosides triphosphate pour produire des interactions cycliques avec une protéine partenaire, les protéines motrices ont un autre besoin : chaque cycle de fixation et de libération doit les propulser dans une seule direction, le long du filament, sur un nouveau site de fixation sur ce filament. Pour ce mouvement unidirectionnel, la protéine motrice doit utiliser l'énergie dérivée de la fixation et de l'hydrolyse de l'ATP pour induire de force un important mouvement dans une partie de la molécule protéique. Pour la myosine, chaque pas du déplacement le long de l'actine est engendré par le changement de direction d'une hélice α de 8,5 nm de long, ou *bras de levier* (*voir* Figure 16-57) qui est structurellement stabilisé par la fixation de chaînes légères. À la base de ce bras de levier, proche de la tête, il y a une hélice de type piston qui relie les mouvements de la fente de fixation de l'ATP dans la tête à de petites rotations d'un domaine dit de conversion. Une petite modification à cet endroit peut changer la direction de l'hélice comme un long levier, et provoquer le déplacement de l'extrémité de l'hélice d'environ 5,0 nm. Ces variations de conformation de la myosine sont couplées à des variations de son affinité de fixation sur l'actine, ce qui permet à la tête de la myosine de libérer son étau sur le filament d'actine à un point et de le ressaisir à un autre endroit. Le cycle mécano-chimique complet qui comprend la fixation du nucléotide, son hydrolyse et la libération du phosphate (qui provoque le « coup de force »), produit un mouvement en une étape (Figure 16-58). Dans la sous-famille des myosines VI, qui se déplacent vers l'arrière (vers l'extrémité moins du filament d'actine), le domaine de conversion est probablement placé dans une orientation différente de telle sorte que le même mouvement de type piston de la petite hélice provoque la rotation du bras de levier dans la direction opposée.

Dans les kinésines, il n'y a pas de rotation d'un bras de levier. Par contre, les petits mouvements des boucles de commutation sur le site de fixation du nucléotide régulent l'arrimage et le désarrimage de la tête motrice au niveau d'une longue région de connexion qui connecte cette tête motrice située à une extrémité au domaine de dimérisation du superenroulement situé à l'autre extrémité. Lorsque la tête avant de la kinésine (celle qui mène) est fixée sur un microtubule avant le « coup de force », sa région de connexion est relativement peu structurée. Lors de la fixation d'ATP sur cette tête liée, la région de connexion s'arrime latéralement sur la tête, ce qui envoie la deuxième tête vers l'avant dans une position où elle peut se fixer sur un nouveau site d'attache du protofilament, 8 nm plus près de l'extrémité plus du microtubule que le site de fixation de la première tête. Les cycles d'hydrolyse du nucléotide dans les deux têtes sont très coordonnés, de telle sorte que ce cycle d'arrimage et de désarrimage du bras de connexion peut permettre au moteur à deux têtes de se déplacer pas à pas en plaçant une main par-dessus l'autre (ou une tête par-dessus l'autre) (Figure 16-59).

Le domaine du superenroulement semble coordonner à la fois les cycles mécano-chimiques des deux têtes (domaines moteurs) du dimère de kinésine et déterminer ses mouvements unidirectionnels. Souvenez-vous que la plupart des membres de la superfamille des kinésines ont leur domaine moteur à l'extrémité N-terminale et se déplacent vers l'extrémité plus du microtubule, mais que quelques membres de cette superfamille ont leur domaine moteur à l'extrémité C-terminale et se déplacent vers l'extrémité moins. Alors que les domaines moteurs de ces deux types de kinésines sont globalement identiques, comment peuvent-ils se déplacer dans des directions opposées ? La réponse semble résider dans le mode de connexion des têtes. Sur les images à haute résolution des membres de la superfamille des kinésines reliées aux microtubules qui se déplacent vers l'avant et de ceux qui se déplacent vers l'arrière,

Figure 16-58 Cycle des variations structurelles utilisées par la myosine pour se déplacer le long d'un filament d'actine. (D'après I. Rayment et al., *Science* 261 : 50-58, 1993. © AAAS.)

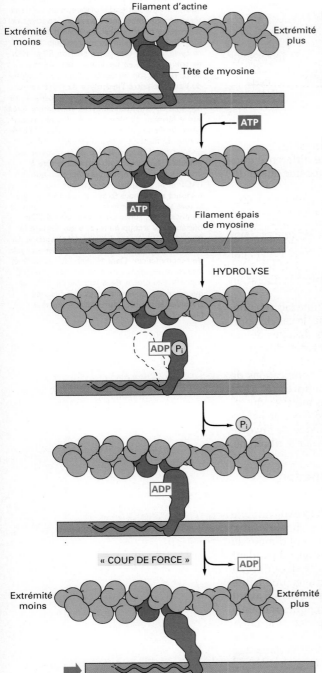

ATTACHÉE Au début du cycle montré dans cette figure, une tête de myosine dépourvue de nucléotide lié est fermement bloquée sur un filament d'actine dans une configuration de *rigidité* (rigor, nommée ainsi parce qu'elle est responsable de la rigidité cadavérique, *rigor mortis*). Dans un muscle qui se contracte activement, cet état est de très courte durée, et se termine rapidement par la fixation d'une molécule d'ATP.

LIBÉRÉE Une molécule d'ATP se fixe sur la grande fente « à l'arrière » de la tête (c'est-à-dire sur le côté le plus éloigné du filament d'actine) et provoque immédiatement une légère modification de la conformation des domaines qui constituent le site de fixation sur l'actine. Cela réduit l'affinité de la tête pour l'actine et lui permet de se déplacer le long du filament. (L'espace dessiné ici entre la tête et l'actine exagère cette modification, alors qu'en réalité la tête reste probablement très proche de l'actine.)

ARMÉE La fente se ferme comme une coque autour de la molécule d'ATP, et déclenche une forte modification de forme qui provoque le déplacement de la tête le long du filament d'une distance d'environ 5 nm. L'hydrolyse de l'ATP se produit mais l'ADP et le phosphate inorganique (Pi) produits restent solidement fixés sur la protéine.

GÉNÉRATION DE FORCE La faible fixation de la tête de la myosine sur un nouveau site du filament d'actine provoque la libération du phosphate inorganique produit par l'hydrolyse de l'ATP, en même temps que la fixation solide de la tête sur l'actine. Cette libération déclenche le « coup de force » – cette modification de forme génératrice de force pendant laquelle la tête retrouve sa conformation d'origine. Pendant le « coup de force », la tête perd son ADP lié et retourne ainsi à l'état de départ d'un nouveau cycle.

ATTACHÉE À la fin du cycle, la tête de myosine est à nouveau solidement bloquée sur le filament d'actine dans la configuration de rigidité. Notez que la tête s'est déplacée dans une nouvelle position sur le filament d'actine.

LES MOTEURS MOLÉCULAIRES

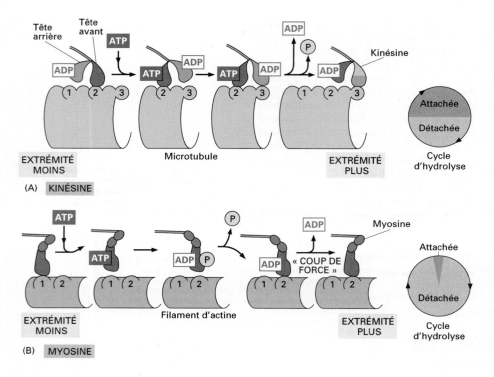

Figure 16-59 Comparaison des cycles mécano-chimiques de la kinésine et de la myosine II. L'ombrage dans les deux cercles, qui représentent le cycle d'hydrolyse, indique les proportions du cycle passées dans les états attaché et détaché de chaque protéine motrice. (A) Résumé du couplage entre l'hydrolyse de l'ATP et les variations de conformation de la kinésine. Au départ du cycle, une des deux têtes de la kinésine, la tête antérieure ou conductrice (*vert foncé*) est reliée au microtubule, et la tête postérieure ou retardée (*vert clair*) est détaché. La fixation d'ATP sur la tête antérieure tire la tête postérieure vers l'avant. Cette dernière dépasse le site de fixation de la tête fixée, et se place sur un autre site de liaison plus près de l'extrémité plus du microtubule. La libération d'ADP de la deuxième tête (maintenant en avant) et l'hydrolyse de l'ATP de la première tête (maintenant en arrière) remettent le dimère à nouveau dans son état d'origine, mais les deux têtes ont commuté leurs positions relatives et la protéine motrice s'est déplacée d'un pas le long du protofilament du microtubule. Dans ce cycle, chaque tête passe environ 50 p. 100 de son temps fixée sur le microtubule et 50 p. 100 de son temps détachée. (B) Résumé du couplage entre l'hydrolyse de l'ATP et les variations de conformation de la myosine II. La myosine commence son cycle, solidement fixée sur le filament d'actine, sans nucléotide associé, l'état dit de «rigidité». La fixation d'ATP libère la tête du filament. L'hydrolyse de l'ATP se produit pendant que la tête de la myosine est détachée du filament, et entraîne la tête à prendre sa conformation armée, bien que l'ADP et le phosphate inorganique soient toujours solidement fixés sur la tête. Lorsque la tête se refixe sur le filament, la libération du phosphate, suivie de la libération d'ADP, déclenche le «coup de force» qui déplace le filament relativement à la protéine motrice. La fixation d'ATP libère la tête et permet au cycle de recommencer. Dans le cycle de la myosine, la tête reste liée au filament d'actine pendant 5 p. 100 seulement de la totalité du cycle, ce qui permet à de nombreuses myosines de travailler ensemble pour déplacer un seul filament d'actine.

les têtes fixées sur les microtubules ne sont globalement pas différentiables, mais les deuxièmes têtes, non fixées, sont orientées très différemment. Cette différence d'inclinaison influence apparemment le site de fixation suivant de la deuxième tête et détermine ainsi la direction du mouvement moteur (Figure 16-60).

Bien que la myosine et la kinésine subissent des cycles mécano-chimiques analogues, la nature exacte du couplage entre les cycles mécaniques et chimiques est différente dans les deux cas (*voir* Figure 16-60). Par exemple, la myosine totalement dépourvue de nucléotide est solidement fixée sur son filament d'actine dans un état appelé «rigidité», et est libérée de ce filament lors de son association avec l'ATP. Par contre, la kinésine forme une association solide de type «rigidité» avec le microtubule lorsqu'elle est liée à l'ATP et c'est l'hydrolyse de l'ATP qui favorise la libération du moteur de son filament.

De ce fait, les protéines motrices du cytosquelette fonctionnent d'une façon hautement analogue à celle des protéines de liaison au GTP sauf que, dans le cas des protéines motrices, la petite modification de conformation (de quelques dizaines de nanomètres) associée à l'hydrolyse du nucléotide est amplifiée par des domaines protéiques spécifiques – le bras de levier dans le cas de la myosine et la région de connexion dans le cas de la kinésine – pour engendrer de grandes modifications de conformation (de plusieurs nanomètres) qui déplacent les protéines motrices pas à pas le long de leur filament. L'analogie entre les GTPases et les protéines motrices du cytosquelette a récemment été étendue par l'observation qu'une des protéines de liaison au GTP – le facteur d'élongation bactérien G – traduit l'énergie chimique de l'hydrolyse du GTP en un mouvement directionnel de la molécule d'ARNm sur le ribosome.

La cinétique des protéines motrices est adaptée à la fonction cellulaire

Les protéines motrices de la superfamille des myosines et des kinésines exhibent une diversité remarquable de propriétés de motilité, bien au-delà de leur choix des différents polymères à suivre. Ce qui est le plus surprenant c'est qu'un seul dimère de kinésine conventionnelle se déplace avec une haute processivité, voyageant pendant des centaines de cycles ATPasiques le long d'un microtubule sans s'en dissocier. La myosine II du muscle squelettique par contre, ne peut se déplacer avec une haute processivité et n'effectue qu'un ou quelques pas le long d'un filament d'actine avant de s'en aller. Ces différences sont critiques pour les divers rôles biologiques moteurs. Un petit nombre de molécules de kinésine doivent pouvoir transporter une mitochondrie jusqu'au bout de l'axone nerveux, ce qui nécessite un fort degré de processivité. La myosine du muscle squelettique, à l'opposé, n'agit jamais comme une molécule isolée mais fait plutôt partie d'une collection immense de molécules de myosine II. Dans ce cas, la processivité inhiberait véritablement la fonction biologique, car pour qu'une contraction musculaire soit efficace il faut que chaque tête de myosine effectue son «coup de force» puis parte rapidement pour éviter d'interférer avec l'action des autres têtes fixées sur le même filament d'actine.

Le fort degré de processivité des mouvements de la kinésine a deux raisons. La première est que les cycles mécano-chimiques des deux têtes motrices dans un dimère de kinésine sont coordonnés l'un à l'autre de telle sorte qu'une tête de kinésine ne part pas tant que l'autre n'est pas prête à se fixer. Cette coordination permet à la protéine motrice d'opérer sur le mode «une main par-dessus l'autre», et ne laisse jamais diffuser l'organite chargé loin du microtubule suivi. Il n'existe par de coordination apparente entre les têtes de myosine d'un dimère de myosine II. La deuxième raison de la forte processivité d'un mouvement de kinésine est que la kinésine passe une fraction relativement longue de son cycle ATPasique solidement fixée sur son microtubule. Pour la kinésine et la myosine, la variation de conformation qui produit le coup de travail générateur de force doit se produire pendant que la protéine motrice est solidement fixée sur son polymère et le mouvement de récupération qui prépare au pas suivant doit se produire lorsque le moteur n'est pas lié. Mais comme nous l'avons vu dans la figure 16-59, la myosine passe seulement 5 p. 100 de son cycle ATPasique sous son état solidement lié et, le reste du temps, elle n'est pas fixée.

Ce que la myosine perd en processivité, elle le gagne en vitesse ; dans la configuration où beaucoup de têtes motrices interagissent avec le même filament d'actine, un groupe de myosines liées peut déplacer son filament d'une distance totale équivalente à 20 pas pendant la durée d'un seul cycle alors que la kinésine ne peut la déplacer que de deux pas. De ce fait, la myosine actionne typiquement le glissement des filaments beaucoup plus rapidement que la kinésine, même si elles hydrolysent toutes deux l'ATP à des vitesses comparables et font des pas moléculaires de la même longueur.

Dans chaque classe de protéine motrice, la vitesse des mouvements varie largement, de 0,2 à 60 µm/s environ pour la kinésine. Ces différences sont dues au fin réglage du cycle mécano-chimique. Il est possible d'augmenter le nombre de pas effectués par chaque molécule motrice en un temps donné et, de ce fait, la vélocité, soit en augmentant la vitesse ATPasique intrinsèque de la protéine motrice, soit en diminuant la proportion de temps du cycle passée fixée sur le filament à suivre. De plus, la taille de chaque pas peut être changée par la modification de la longueur du bras de levier (par exemple, le bras de levier de la myosine V est environ trois fois

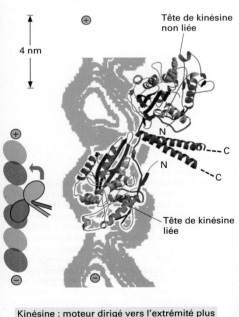

Kinésine : moteur dirigé vers l'extrémité plus

N ———— C
Tête   Queue
(domaine moteur)

(A)

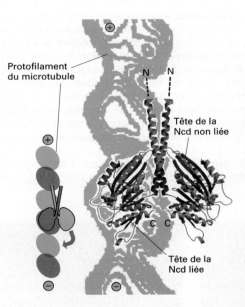

Ncd : moteur dirigé vers l'extrémité moins

N ———— C
Queue   Tête
(domaine moteur)

(B)

Figure 16-60 Orientation des protéines de la superfamille des kinésines se déplaçant vers l'avant et de celles se déplaçant vers l'arrière lorsqu'elles sont liées aux microtubules. Ces images ont été créées par l'adaptation de la structure des dimères libres de la protéine motrice (déterminée par cristallographie aux rayons X) sur une image à plus basse résolution du dimère fixé sur les microtubules (déterminée par cryomicroscopie électronique). (A) Une kinésine conventionnelle possède son domaine moteur à son extrémité N-terminale et se déplace vers l'extrémité plus du microtubule. Lorsqu'une tête du dimère est liée au microtubule dans son état qui suit le «coup de force» (avec l'ATP dans le site de fixation du nucléotide), la seconde tête non fixée pointe vers l'extrémité plus du microtubule prête à faire le pas suivant. (B) La Ncd, un moteur dirigé vers l'extrémité moins, a son domaine moteur à l'extrémité C-terminale et forme des dimères d'orientation opposée. (D'après E. Sablin et al., *Nature* 395 : 813-816, 1998. © Macmillan Magazines Ltd.)

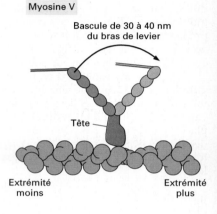

Figure 16-61 Effets de la longueur du bras de levier sur la taille des pas d'une protéine motrice. Le bras de levier de la myosine II est bien plus court que celui de la myosine V. Le «coup de force» de la tête bascule les bras de levier selon le même angle, de telle sorte que la myosine V est capable de faire de plus grands pas que la myosine II.

Myosine II

Bascule de 5 à 10 nm du bras de levier

Tête

Extrémité moins   Filament d'actine   Extrémité plus

Myosine V

Bascule de 30 à 40 nm du bras de levier

Tête

Extrémité moins   Extrémité plus

plus long que celui de la myosine II) ou de l'angle d'inclinaison de l'hélice (Figure 16-61). Chacun de ces paramètres varie légèrement entre les différents membres des familles des kinésines et des myosines, ce qui correspond aux séquences et aux structures légèrement différentes. On suppose que le comportement de chaque protéine motrice, dont la fonction est déterminée par l'identité du chargement fixé sur son domaine de queue, a été finement modulé pendant l'évolution du point de vue de sa vitesse et de sa processivité selon les besoins spécifiques de la cellule.

Les protéines motrices permettent le transport intracellulaire des organites entourés d'une membrane

Une des principales fonctions des moteurs du cytosquelette dans les cellules en interphase est de transporter et de placer les organites entourés d'une membrane. Au départ la kinésine a été identifiée comme étant la protéine responsable du transport rapide dans les axones, à savoir le mouvement rapide des mitochondries, des précurseurs des vésicules sécrétoires et de divers composants synaptiques le long des autoroutes de microtubules qui s'étendent de l'axone aux terminaisons nerveuses éloignées. Bien que, dans la plupart des cellules, les organites n'aient pas besoin de couvrir de si longues distances, leur transport polarisé est également nécessaire. Dans une cellule en interphase, les microtubules sont typiquement orientés avec l'extrémité moins proche du centre de la cellule au niveau du centrosome, et l'extrémité plus qui s'étend vers la périphérie cellulaire. De ce fait, les mouvements centripètes des organites vers le centre de la cellule nécessitent l'action des protéines motrices se dirigeant vers l'extrémité moins comme les dynéines cytoplasmiques alors que les mouvements centrifuges vers la périphérie nécessitent les moteurs se dirigeant vers l'extrémité plus comme les kinésines.

Le rôle des microtubules et de leurs moteurs dans le comportement des membranes intracellulaires est bien illustré par la partie qu'ils jouent dans l'organisation du réticulum endoplasmique (RE) et de l'appareil de Golgi. Le réseau des tubules membranaires du RE s'aligne avec les microtubules et s'étend presque jusqu'au bord de la cellule alors que l'appareil de Golgi est localisé près du centrosome. Lorsque les cellules sont traitées avec une substance qui dépolymérise les microtubules, comme la colchicine ou le nocodazole, le RE s'agglutine au centre de la cellule tandis que l'appareil de Golgi se fragmente et se disperse dans tout le cytoplasme (Figure 16-62). *In vitro*, la kinésine peut attacher les membranes dérivées du RE sur des rails de microtubules préformés et se déplacer vers leurs extrémités plus, faisant sortir de force les membranes du RE dans des protrusions tubulaires et formant un réseau membranaire qui ressemble beaucoup au RE intracellulaire. De même, le mouvement centrifuge des tubules du RE vers la périphérie cellulaire est associé à la croissance des microtubules dans les cellules vivantes. À l'inverse, les dynéines sont nécessaires au positionnement de l'appareil de Golgi près du centre de la cellule, et déplacent les vésicules de Golgi le long des rails de microtubules vers les extrémités moins au niveau du centrosome.

Les différentes queues des protéines motrices spécifiques et les chaînes légères qui leur sont associées permettent aux moteurs de fixer leur bon chargement d'or-

Figure 16-62 Effets de la dépolymérisation des microtubules sur l'appareil de Golgi. (A) Dans cette cellule endothéliale, les microtubules sont marqués en *rouge* et l'appareil de Golgi en *vert* (par un anticorps dirigé contre une protéine du Golgi). Tant que le système des microtubules reste intact, l'appareil de Golgi est localisé près du centrosome, proche du noyau, au centre de la cellule. La cellule à droite est en interphase avec un seul centrosome. La cellule à gauche est en prophase et les centrosomes dupliqués se sont déplacés vers les côtés opposés du noyau. (B) Après une exposition au nocodazole, qui provoque la dépolymérisation des microtubules (*voir* Tableau 16-II), l'appareil de Golgi se fragmente et se disperse dans tout le cytoplasme cellulaire. (Due à l'obligeance de David Shima.)

(A)

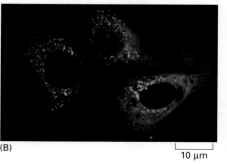

(B)

10 μm

ganite. Il y a des preuves, par exemple, que des récepteurs des protéines motrices, associés aux membranes, sont placés sur les compartiments spécifiques entourés d'une membrane et interagissent directement ou indirectement avec les queues appropriées des membres de la famille des kinésines. Il semble qu'un de ces récepteurs soit la protéine précurseur de l'amyloïde, ou APP, qui se fixe directement sur une chaîne légère de la queue de la kinésine I et il a été proposé qu'elle soit un récepteur transmembranaire des protéines motrices dans l'axone des cellules nerveuses. C'est la maturation anormale de cette protéine qui donne naissance à la maladie d'Alzheimer (voir Chapitre 15).

En ce qui concerne la dynéine, on sait que sa fixation sur des membranes passe par un gros assemblage macromoléculaire. La dynéine cytoplasmique est elle-même un immense complexe protéique et doit s'associer à un deuxième gros complexe protéique, la *dynactine*, pour transloquer efficacement les organites. Le complexe de la dynactine comprend un court filament de type actine composé d'une protéine apparentée à l'actine, l'Arp1 (différente de l'Arp2 et de l'Arp3, les composants du complexe Arp impliqué dans la nucléation des filaments d'actine conventionnels). Les membranes de l'appareil de Golgi sont recouvertes des protéines ankyrine et spectrine et il a été proposé qu'elles s'associent au filament d'Arp1 du complexe de dynactine pour former un motif plan de cytosquelette qui rappelle le cytosquelette membranaire des érythrocytes (voir Figure 10-31). Le motif de la spectrine donne probablement une stabilité structurelle à la membrane du Golgi et – via le filament Arp1 – peut servir d'intermédiaire à la fixation régulable de la dynéine sur l'organite (Figure 16-63).

Les protéines motrices jouent aussi un rôle significatif dans le transport des organites le long des filaments d'actine. La myosine V, une myosine à deux têtes qui avance par de grands pas (voir Figure 16-61) a été la première pour laquelle on a pu montrer qu'elle servait d'intermédiaire à la mobilité des organites. Chez les souris, les mutations du gène de la myosine V entraînent un phénotype «dilué» pour lequel la couleur du pelage apparaît décolorée. Chez les souris (et les hommes) les *mélanosomes*, des granules pigmentaires entourés d'une membrane, sont synthétisés dans des cellules, les *mélanocytes*, sous la surface cutanée. Ces mélanosomes se déplacent vers les extrémités des processus dendritiques des mélanocytes d'où ils sont délivrés aux kératinocytes sus-jacents qui forment la peau et le pelage. La myosine V s'associe à la surface des mélanosomes et peut permettre leurs mouvements sur l'actine dans un tube à essai (Figure 16-64). Chez les souris mutantes «diluées», les mélanosomes ne sont pas efficacement délivrés aux kératinocytes et la pigmentation est déficiente. D'autres myosines, y compris la myosine I, sont associées aux endosomes et à divers autres organites.

La fonction des protéines motrices peut être régulée

La cellule peut réguler l'activité des protéines motrices et leur permettre de modifier la position de ses organites entourés d'une membrane ou son mouvement cellulaire global. Les mélanocytes du poisson fournissent un des exemples les plus spectaculaires. Ces cellules géantes, responsables des modifications rapides de la coloration de la peau de diverses espèces de poissons, contiennent de gros granules pigmentaires qui peuvent modifier leur localisation en réponse à une stimulation neuronale ou hormonale (Figure 16-65). Ces granules pigmentaires s'agrègent ou se dispersent en se déplaçant le long d'un réseau étendu de microtubules. Les extrémités moins de ces microtubules subissent une nucléation par le centrosome et se trouvent donc localisées au centre de la cellule tandis que les extrémités plus se distribuent à la périphérie cellulaire. Si on suit chaque granule pigmentaire on s'aperçoit que le mouvement centripète est rapide et sans à-coups, alors que le mouvement centrifuge est saccadé, avec souvent des retours en arrière (Figure 16-66). La dynéine et la kinésine sont associées aux granules pigmentaires. Le mouvement centrifuge saccadé résulte apparemment d'une traction de type «lutte à la corde» entre ces deux protéines motrices, la kinésine, plus forte, en sortant globalement vainqueur. Lorsque les chaînes légères de kinésine se phosphorylent après une stimulation hormonale qui signale une modification de coloration de la peau, la kinésine est inactivée, et laisse la dynéine libre de tirer les granules pigmentaires rapidement vers le centre de la cellule,

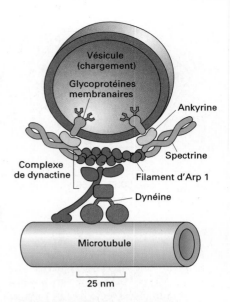

Figure 16-63 Modèle de l'attachement de la dynéine sur un organite entouré d'une membrane. La dynéine nécessite la présence d'un grand nombre de protéines accessoires qui s'associent aux organites entourés d'une membrane. La dynactine est un gros complexe (en *rouge*) qui inclut divers composants dont certains se fixent faiblement sur les microtubules, d'autres se fixant sur la dynéine elle-même et d'autres encore formant un petit filament de type actine fabriqué à partir d'une protéine apparentée à l'actine, l'Arp I. On pense que le filament d'Arp I sert d'intermédiaire à la fixation de ce gros complexe sur les organites entourés d'une membrane par le biais d'un réseau de spectrine et d'ankyrine, similaire au cytosquelette associé à la membrane des hématies (voir Figure 10-31).

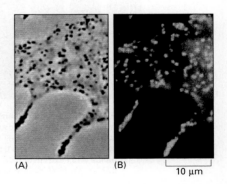

Figure 16-64 Myosine V sur les mélanosomes. (A) Image en contraste de phase d'une portion d'un mélanocyte isolé de souris. Les points noirs sont les mélanosomes, des organites entourés d'une membrane et remplis du pigment cutané, la mélanine. (B) La même cellule marquée par un anticorps fluorescent anti-myosine V. Chaque mélanosome est associé à un grand nombre de copies de cette protéine motrice. (D'après X. Wu et al., *J. Cell Sci.* 110 : 847-859, 1997. © The Company of Biologists.)

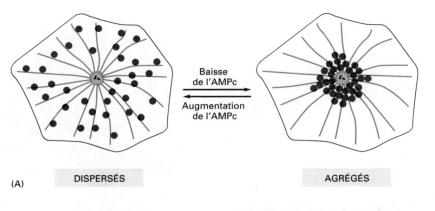

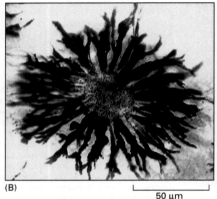
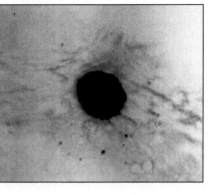

(A) DISPERSÉS | AGRÉGÉS

Baisse de l'AMPc
Augmentation de l'AMPc

(B)

50 µm

Figure 16-65 Mouvements régulés des mélanosomes dans les cellules pigmentaires de poisson. Ces cellules géantes, responsables des modifications de la coloration de la peau, contiennent de gros granules pigmentaires ou mélanosomes (en *brun*). Les mélanosomes peuvent modifier leur localisation dans la cellule en réponse à un stimulus hormonal ou neuronal. (A) Schéma d'une cellule pigmentaire, qui montre la dispersion et l'agrégation des mélanosomes en réponse respectivement à l'augmentation ou à la diminution de l'AMP cyclique (AMPc) intracellulaire. La redistribution des mélanosomes se produit le long des microtubules. (B) Images sur fond clair d'une seule cellule de l'écaille d'un poisson, un cichlidé africain, qui montrent les mélanosomes dispersés dans tout le cytoplasme (*à gauche*) ou agrégés au centre de la cellule (*à droite*). (B, due à l'obligeance de Leah Haimo.)

ce qui modifie la couleur du poisson. D'une façon similaire, le mouvement des autres organites entourés d'une membrane et recouverts de protéines motrices spécifiques est contrôlé par un équilibre complexe de signaux compétitifs qui régulent à la fois la fixation de la protéine motrice et son activité.

L'activité de la myosine peut aussi être régulée par phosphorylation. Dans les cellules non musculaires, la myosine II peut être phosphorylée sur divers sites de ses chaînes légères et lourdes, ce qui affecte à la fois son activité motrice et l'assemblage des filaments épais. Dans ces cellules, la myosine II peut exister sous deux états de conformation différente, un état allongé capable de former des filaments bipolaires et un état recourbé dans lequel le domaine de la queue interagit apparemment avec la tête motrice. La phosphorylation de la chaîne légère régulatrice par la *kinase de la chaîne légère de myosine* (MLCK pour *myosin light-chain kinase*) dépend du calcium et met la myosine II préférentiellement sous son état allongé, ce qui favorise son assemblage sur un filament bipolaire et conduit à la contraction cellulaire (Figure 16-67). La phosphorylation de la chaîne légère de myosine est une cible indirecte de Rho activée, cette petite GTPase que nous avons déjà vue et dont l'activation provoque la réorganisation du cytosquelette d'actine en des fibres de stress contractiles. La MLCK

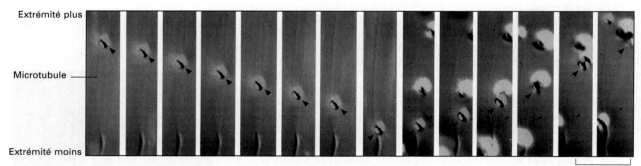

Extrémité plus

Microtubule

Extrémité moins

10 µm

Figure 16-66 Mouvement bidirectionnel d'un mélanosome sur un microtubule. Un mélanosome isolé (en *jaune*) se déplace le long d'un microtubule sur une lame de verre, de l'extrémité plus vers l'extrémité moins. À la moitié de la séquence vidéo, il change brusquement de direction et se déplace de l'extrémité moins vers l'extrémité plus. (D'après S.L. Rogers et al., *Proc. Natl. Acad. Sci. USA* 94 : 3720-3725, 1997. © National Academy of Sciences.)

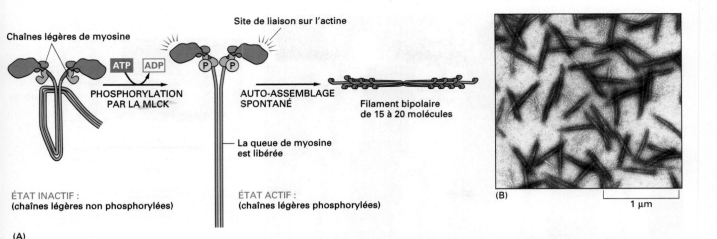

Chaînes légères de myosine

Site de liaison sur l'actine

ATP ADP

PHOSPHORYLATION
PAR LA MLCK

AUTO-ASSEMBLAGE
SPONTANÉ

Filament bipolaire
de 15 à 20 molécules

La queue de myosine
est libérée

ÉTAT INACTIF :
(chaînes légères non phosphorylées)

ÉTAT ACTIF :
(chaînes légères phosphorylées)

(A)

(B)

1 μm

est aussi activée pendant la mitose, et entraîne l'assemblage de la myosine II en un anneau contractile responsable de la division en deux de la cellule mitotique. La régulation des autres membres de la superfamille des myosines n'est pas aussi bien comprise, mais le contrôle de ces myosines implique sans doute des phosphorylations spécifiques de site.

La contraction musculaire dépend du glissement de la myosine II et des filaments d'actine

La contraction musculaire est le type de mouvement le plus familier et le mieux compris chez les animaux. Chez les vertébrés, la course, la marche, la nage et le vol dépendent tous de la contraction rapide des muscles squelettiques sur leurs échafaudages osseux, tandis que les mouvements involontaires comme les battements cardiaques et le péristaltisme intestinal dépendent respectivement des contractions du muscle cardiaque et des muscles lisses. Toutes ces formes de contractions musculaires dépendent du glissement, actionné par l'ATP, d'un ensemble de filaments d'actine hautement organisé sur un ensemble de filaments de myosine II.

D'un point de vue évolutif, le muscle s'est développé assez tardivement, et les cellules musculaires se sont hautement spécialisées pour effectuer des contractions rapides et efficaces. Les longues fibres minces musculaires du muscle squelettique sont en fait des cellules uniques immenses qui se forment pendant le développement par la fusion de nombreuses cellules séparées comme nous le verrons dans le chapitre 22. Les nombreux noyaux des cellules qui y contribuent sont conservés dans cette grosse cellule et résident juste en dessous de la membrane plasmique, mais la masse cytoplasmique interne est constituée de myofibrilles, nom donné aux éléments contractiles fondamentaux des cellules musculaires (Figure 16-68). Une **myofibrille** est une structure cylindrique de 1 à 2 μm de diamètre, souvent aussi longue que le muscle lui-même. Elle est composée d'une longue chaîne répétitive de minuscules unités contractiles – les *sarcomères*, mesurant chacun 2,2 μm de long, et qui donnent aux myofibrilles des vertébrés leur aspect strié (Figure 16-69).

Figure 16-67 Phosphorylation de la chaîne légère et régulation de l'assemblage de la myosine II en un filament épais. (A) La phosphorylation contrôlée par une enzyme, la kinase de la chaîne légère de la myosine (MLCK) d'une des deux chaînes légères (la chaîne légère régulatrice, montrée en *bleu clair*) de la myosine II non musculaire, dans un tube à essai, a au moins deux effets : elle provoque une modification de conformation de la tête de la myosine, qui expose son site de fixation sur l'actine et libère la queue de la myosine d'une «pièce collante» située sur la tête de la myosine, ce qui permet l'assemblage des molécules de myosine en de courts filaments épais bipolaires. (B) Photographie en microscopie électronique de filaments courts de myosine II, colorés négativement, dont l'assemblage a été induit dans un tube à essai par la phosphorylation de leurs chaînes légères. Ces filaments de myosine II sont bien plus petits que ceux observés dans les cellules du muscle squelettique (*voir* Figure 16-52). (B, due à l'obligeance de John Kendrick-Jones.)

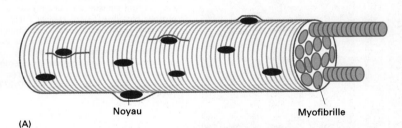

Noyau

Myofibrille

(A)

Figure 16-68 Cellules du muscle squelettique (appelées aussi fibres musculaires). (A) Ces immenses cellules multinucléées se forment par fusion de nombreux précurseurs des cellules musculaires, les myoblastes. Chez un homme adulte, une cellule musculaire mesure typiquement 50 μm de diamètre et parfois plusieurs centimètres de long. (B) Photographie en microscopie à fluorescence d'un muscle de rat, qui montre les noyaux localisés en périphérie (*bleu*) de ces cellules géantes. (B, due à l'obligeance de Nancy L. Kedersha.)

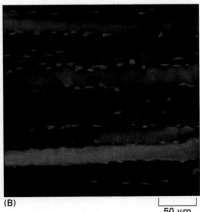

(B)

50 μm

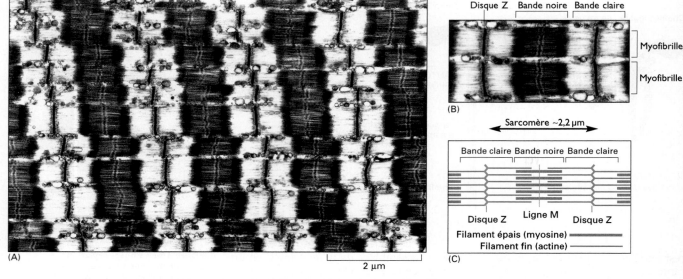

Disque Z   Bande noire   Bande claire

Myofibrille

Myofibrille

(B)

Sarcomère ~2,2 µm

Bande claire   Bande noire   Bande claire

Disque Z   Ligne M   Disque Z

Filament épais (myosine) ——————
Filament fin (actine) ——————

(C)

(A)

2 µm

Figure 16-69 Myofibrilles du muscle squelettique. (A) Photographie en microscopie électronique à faible grossissement d'une coupe longitudinale au travers d'une cellule de muscle squelettique de lapin, qui montre la disposition régulière de la striation transversale. Les cellules contiennent de nombreuses myofibrilles alignées parallèlement (*voir* Figure 16-68). (B) Détail du muscle squelettique présenté en (A), qui montre des portions de deux myofibrilles adjacentes et délimite un sarcomère. (C) Représentation schématique d'un seul sarcomère, montrant l'origine des bandes noires et des bandes claires observées sur les photographies en microscopie électronique. Les disques Z à chaque extrémité du sarcomère sont les sites d'attache des extrémités plus des filaments d'actine (filaments fins) ; les protéines qui relient des filaments de myosine II adjacents (filaments épais) l'un à l'autre sont localisées sur la ligne M, ou ligne du milieu. Les bandes noires, qui marquent la localisation des filaments épais, sont parfois appelées bandes A parce qu'elles apparaissent anisotropiques en lumière polarisée (c'est-à-dire que leur indice de réfraction se modifie avec le plan de polarisation). Les bandes claires, qui ne contiennent que les filaments fins et, de ce fait, contiennent une plus faible densité de protéines, sont relativement isotropiques en lumière polarisée et sont parfois appelées bandes I. (A et B, dues à l'obligeance de Roger Craig.)

Chaque sarcomère est formé d'un motif miniature, ordonné avec précision, de filaments fins et épais parallèles, qui se chevauchent partiellement. Les *filaments fins* sont composés d'actine et de ses protéines associées et sont fixés à leurs extrémités plus sur le *disque Z* à chaque extrémité du sarcomère. Les extrémités moins coiffées du filament d'actine s'étendent vers le milieu du sarcomère où elles chevauchent les *filaments épais*, les assemblages bipolaires formés des isoformes de la myosine II, spécifiques du muscle (*voir* Figure 16-52). Lorsqu'on examine en microscopie électronique une coupe transversale de cette région de chevauchement, on observe que les filaments de myosine sont disposés en un réseau hexagonal régulier, avec les filaments d'actine uniformément espacés entre eux (Figure 16-70). Le muscle cardiaque et le muscle lisse contiennent aussi des sarcomères, mais leur organisation n'est pas aussi régulière que celle du muscle squelettique.

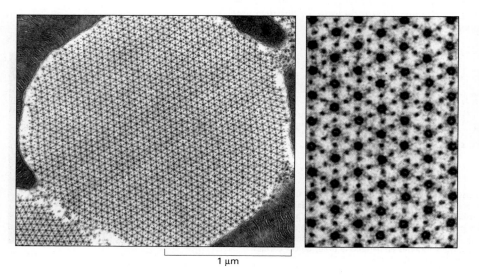

1 µm

Figure 16-70 Photographie en microscopie électronique d'un muscle d'insecte volant vu en coupe transversale. Les filaments de myosine et d'actine sont entassés avec une régularité presque cristalline. Contrairement à leur contrepartie chez les vertébrés, ces filaments de myosine ont un centre creux, ce qui est visible sur le grossissement à droite. La géométrie du réseau hexagonal est légèrement différente dans les muscles des vertébrés. (D'après J. Auber, *J. de Microsc.* 8 : 197-232, 1969.)

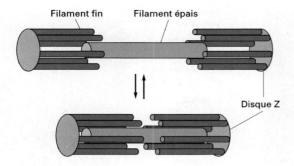

Figure 16-71 Modèle du glissement des filaments lors de la contraction musculaire. Les filaments d'actine (en *rouge*) et de myosine (en *vert*) dans un sarcomère glissent les uns sur les autres sans se raccourcir.

Le raccourcissement des sarcomères est provoqué par les filaments de myosine qui glissent sur les filaments fins d'actine, sans qu'il n'y ait de modification de longueur de ces deux types de filaments (Figure 16-71). Les filaments épais bipolaires se déplacent vers les extrémités plus de deux groupes de filaments fins d'orientation opposée ; ce déplacement est effectué par des douzaines de têtes de myosine indépendantes placées de manière à interagir avec chaque filament fin. Il n'y a pas de coordination des mouvements des têtes de myosine, de telle sorte qu'il est primordial qu'elles opèrent avec une faible processivité, et ne restent solidement fixées sur le filament d'actine que pendant une faible fraction de chaque cycle ATPasique pour ne pas s'entraver mutuellement. Chaque filament épais de myosine possède environ 300 têtes (294 dans le muscle de grenouille) et chaque tête effectue son cycle cinq fois par seconde environ au cours d'une contraction rapide – faisant glisser les filaments d'actine et de myosine l'un sur l'autre à la vitesse maximale de 15 μm seconde, ce qui permet au sarcomère de se raccourcir de 10 p. 100 de sa longueur en moins d'1/50e de seconde. C'est ce raccourcissement rapide synchronisé des milliers de sarcomères placés queue à queue dans chaque myofibrille qui donne au muscle squelettique sa capacité de contraction suffisamment rapide pour courir, voler, et même pour jouer du piano.

Les protéines accessoires gouvernent la remarquable uniformité de l'organisation des filaments, de leur longueur et de leur espacement dans le sarcomère (Figure 16-72). Comme nous l'avons déjà dit, les extrémités plus des filaments d'actine sont ancrées dans le disque Z, formé de CapZ et d'actinine α ; le disque Z coiffe les filaments (et évite leur dépolymérisation tout en les maintenant en un faisceau régulièrement espacé). La longueur précise de chaque filament est déterminée par une protéine matricielle de taille énorme, la *nébuline*, composée presque exclusivement d'un motif répétitif de 35 acides aminés fixant l'actine. La nébuline s'étire du disque Z jusqu'à l'extrémité moins de chaque filament fin et agit comme un « dirigeant » moléculaire qui dicte la longueur du filament. L'extrémité moins des filaments d'actine est coiffée et stabilisée par la tropomoduline. De ce fait les filaments d'actine des sarcomères sont remarquablement stables, contrairement aux filaments d'actine dynamiques caractéristiques de la plupart des autres types cellulaires.

Les filaments épais sont maintenus à mi-chemin entre les disques Z par des paires d'une protéine matricielle encore plus longue, la *titine*, placées en opposition. La ti-

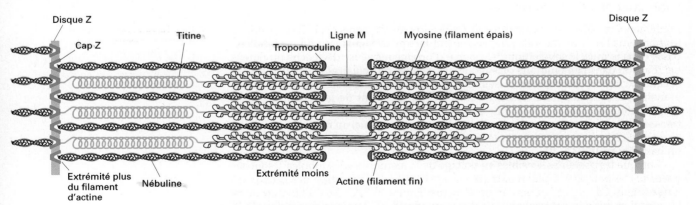

Figure 16-72 Organisation des protéines accessoires dans un sarcomère. Chaque molécule géante de titine s'étend du disque Z à la ligne M – une distance de plus d'1 μm. Une partie de chaque molécule de titine est fermement associée au filament épais de myosine (qui change de polarité au niveau de la ligne M) ; le reste de la molécule de titine est élastique et modifie sa longueur lorsque le sarcomère se contracte et se relâche. Chaque molécule de nébuline mesure exactement la longueur d'un filament fin. Les filaments d'actine sont aussi recouverts de tropomyosine et de troponine (non montrées ici ; *voir* Figure 16-74) et sont coiffés aux deux extrémités. La tropomoduline coiffe l'extrémité moins des filaments d'actine et capZ ancre l'extrémité plus au niveau du disque Z qui contient aussi de l'actinine α.

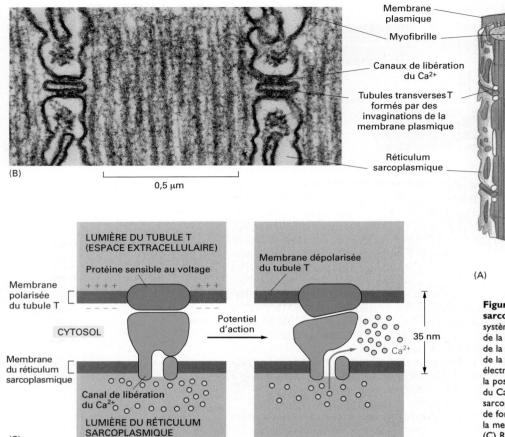

(B)

0,5 μm

Membrane plasmique

Myofibrille

Canaux de libération du Ca²⁺

Tubules transverses T formés par des invaginations de la membrane plasmique

Réticulum sarcoplasmique

(A)

LUMIÈRE DU TUBULE T (ESPACE EXTRACELLULAIRE)

Protéine sensible au voltage

Membrane polarisée du tubule T

+ + + +   + + +

CYTOSOL

Membrane du réticulum sarcoplasmique

Canal de libération du Ca²⁺

LUMIÈRE DU RÉTICULUM SARCOPLASMIQUE

(C)

Potentiel d'action

Membrane dépolarisée du tubule T

35 nm

Ca²⁺

Figure 16-73 Tubules T et réticulum sarcoplasmique. (A) Schéma des deux systèmes membranaires qui relaient le signal de la contraction de la membrane plasmique de la cellule musculaire à toutes les myofibrilles de la cellule. (B) Photographie en microscopie électronique montrant deux tubules T. Notez la position des gros canaux de libération du Ca²⁺ dans la membrane du réticulum sarcoplasmique ; ils ressemblent à des «pieds» de forme carrée qui se connectent sur la membrane des tubules T adjacents. (C) Représentation schématique qui montre comment on imagine l'ouverture des canaux de libération du Ca²⁺ de la membrane du réticulum sarcoplasmique par une protéine transmembranaire sensible au voltage de la membrane d'un tubule T adjacent. (B, due à l'obligeance de Clara Franzini-Armstrong.)

tine agit comme un ressort moléculaire et possède une longue série de domaines de type immunoglobuline qui peuvent se déplier l'un après l'autre lorsqu'une tension est appliquée sur la protéine. Le dépliement et le repliement comme un ressort de ces domaines maintiennent le filament épais en équilibre au milieu du sarcomère et permettent à la fibre musculaire de récupérer après avoir été surtendue. Chez *C. elegans*, qui possède des sarcomères plus longs que ceux des vertébrés, la titine est aussi plus longue, ce qui suggère qu'elle sert aussi de dirigeant moléculaire, et détermine dans ce cas la longueur globale de chaque sarcomère (*voir* Figure 3-34).

L'augmentation soudaine de la concentration cytosolique en Ca²⁺ initie la contraction musculaire

L'interaction moléculaire génératrice de force entre les filaments épais de myosine et les filaments fins d'actine s'effectue seulement lorsqu'un signal issu du nerf moteur passe dans le muscle squelettique. Ce signal d'origine nerveuse déclenche un potentiel d'action dans la membrane plasmique des cellules musculaires (*voir* Chapitre 11) et cette excitation électrique se dissémine rapidement dans une série de replis membranaires, les tubules transverses, ou *tubules T*, qui partent de la membrane plasmique autour de chaque myofibrille et s'étendent vers l'intérieur. Le signal est alors transmis, à travers un petit orifice, au *réticulum sarcoplasmique*, un feuillet adjacent en réseau du réticulum endoplasmique modifié qui entoure chaque myofibrille comme un bas (Figure 16-73A, B).

Lorsque les protéines sensibles au voltage de la membrane des tubules T sont activées par le potentiel d'action entrant, elles déclenchent l'ouverture des canaux de libération du Ca²⁺ du réticulum sarcoplasmique (Figure 16-73C). Le Ca²⁺ inonde alors le cytosol et initie la contraction de chaque myofibrille. Comme le signal issu de la membrane plasmique des cellules musculaires se transmet en quelques millisecondes (via les tubules T et le réticulum sarcoplasmique) à chaque sarcomère de la cellule, toutes les myofibrilles de la cellule se contractent au même moment. Cette augmentation dans la concentration en Ca²⁺ est transitoire parce que Ca²⁺ est rapidement repompé dans le réticulum sarcoplasmique par les très nombreuses pompes à Ca²⁺ dé-

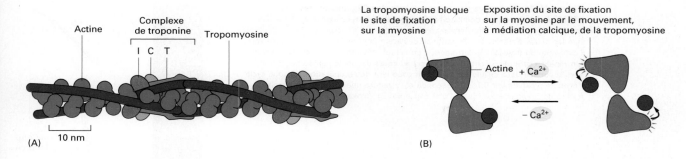

Actine

Complexe
de troponine

Tropomyosine

I C T

10 nm

(A)

La tropomyosine bloque
le site de fixation
sur la myosine

Exposition du site de fixation
sur la myosine par le mouvement,
à médiation calcique, de la tropomyosine

Actine

$+ Ca^{2+}$

$- Ca^{2+}$

(B)

Figure 16-74 Contrôle de la contraction du muscle squelettique par la troponine. (A) Filament fin des cellules d'un muscle squelettique, qui montre la position de la tropomyosine et de la troponine le long du filament d'actine. Chaque molécule de tropomyosine possède sept régions uniformément espacées dont les séquences en acides aminés sont similaires et qui, pense-t-on, sont fixées, chacune, sur une sous-unité d'actine du filament. (B) Ce filament fin, vu par l'extrémité, illustre comment on suppose que Ca^{2+} (qui se fixe sur la troponine) soulage le blocage, exercé par la tropomyosine, de l'interaction entre l'actine et la tête de myosine. (A, adapté d'après G.N. Phillips, J.P. Fillers et C. Cohen, *J. Mol. Biol.* 192 : 111-131, 1986. © Academic Press.)

pendantes de l'ATP (appelées aussi Ca^{2+}-ATPases) de sa membrane (*voir* Figure 3-77). La concentration cytoplasmique en Ca^{2+} est typiquement restaurée à son niveau de repos dans les 30 ms, ce qui permet le relâchement des myofibrilles. De ce fait, la contraction musculaire dépend de deux processus qui consomment énormément d'ATP : le glissement des filaments, entraîné par l'ATPase du domaine moteur de la myosine et le pompage du Ca^{2+} actionné par la pompe à Ca^{2+}.

Cette dépendance au Ca^{2+} de la contraction du muscle squelettique des vertébrés et ainsi sa dépendance vis-à-vis des commandes motrices transmises via les nerfs est entièrement due à un groupe de protéines accessoires spécifiques fortement associées aux filaments fins d'actine. Une de ces protéines accessoires est une forme musculaire de la *tropomyosine*, une molécule allongée qui se fixe le long du sillon de l'hélice d'actine. L'autre est la *troponine*, un complexe de trois polypeptides, les troponines T, I et C (nommées respectivement d'après leurs activités de fixation sur la tropomyosine, d'inhibition et de fixation sur le Ca^{2+}). La troponine I se fixe sur l'actine ainsi que sur la troponine T. Dans un muscle au repos, le complexe troponine I-T tire la tropomyosine à l'extérieur de son sillon normal de fixation et la place dans une position, le long du filament d'actine, qui interfère avec la fixation des têtes de myosine, et empêche ainsi toute interaction génératrice de force. Lorsque la concentration en Ca^{2+} augmente, la troponine C – qui fixe jusqu'à quatre molécules de Ca^{2+} – provoque la libération de l'accrochage de la troponine I sur l'actine. Cela permet le retour des molécules de tropomyosine sur leur position normale, de telle sorte que les têtes de myosine puissent se déplacer le long des filaments d'actine (Figure 16-74). La troponine C est très apparentée à une protéine ubiquiste de fixation du Ca^{2+}, la calmoduline (*voir* Figure 15-40); on peut concevoir qu'il s'agit d'une forme spécialisée de la calmoduline qui a acquis des sites de liaison pour la troponine I et la troponine T, et permet ainsi aux myofibrilles de répondre extrêmement rapidement à l'augmentation de la concentration en Ca^{2+}.

Le muscle cardiaque est une machine construite avec précision

Le cœur est le muscle du corps qui travaille le plus, se contractant environ 3 milliards de fois (3×10^9) au cours de la vie d'un homme. Ce nombre est presque le même que le nombre moyen de révolutions effectuées par le moteur à combustion d'une voiture au cours de sa durée de vie. Plusieurs isoformes spécifiques de la myosine et de l'actine du muscle cardiaque s'expriment dans les cellules cardiaques. Des modifications, même subtiles, des protéines contractiles exprimées dans le cœur – modifications qui ne provoqueraient pas de conséquences notables dans d'autres tissus – peuvent s'accompagner de pathologies cardiaques graves (Figure 16-75).

La *cardiomyopathie hypertrophique familiale* est une cause fréquente de mort brutale des jeunes athlètes. C'est une maladie héréditaire qui touche une personne sur plusieurs milliers et s'accompagne d'une hypertrophie cardiaque, de vaisseaux coronariens anormalement petits et de troubles du rythme cardiaque (arythmies cardiaques). Cette affection peut être provoquée par plus de 40 mutations ponctuelles subtiles des gènes codant pour la chaîne lourde de la myosine β cardiaque (presque toutes provoquent des variations à l'intérieur ou près du domaine moteur) ainsi que par près d'une douzaine de mutations d'autres gènes codant pour les protéines contractiles, y compris les chaînes légères de myosine, la troponine cardiaque et la tropomyosine. Les mutations faux-sens mineures du gène codant pour l'actine cardiaque peuvent provoquer un autre type de cardiopathie, la *cardiomyopathie dilatée*, qui entraîne souvent aussi une insuffisance cardiaque précoce. L'appareil contractile cardiaque normal semble être une machinerie réglée avec tant de précision qu'une minuscule anomalie de n'importe quel rouage peut suffire à l'épuiser peu à peu après plusieurs années de mouvements répétitifs.

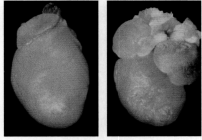

Figure 16-75 Effets sur le cœur d'une minime mutation de la myosine cardiaque. *À gauche*, le cœur normal d'un souriceau de 6 jours. *À droite*, le cœur d'un souriceau qui présente une mutation ponctuelle des deux copies de son gène de la myosine cardiaque, dans laquelle l'Arg403 est remplacée par un Gln. Les deux oreillettes sont fortement hypertrophiées et la souris meurt dans les quelques semaines qui suivent sa naissance. (D'après D. Fatkin et al., *J. Clin. Invest.* 103 : 147, 1999.)

Figure 16-76 Contraste des mouvements des flagelles et des cils.

(A) Mouvement de type ondulatoire des flagelles d'un spermatozoïde. La cellule a été photographiée par illumination stroboscopique à 400 éclairs par seconde. Notez que les ondes d'amplitude constante se déplacent continuellement de la base vers l'extrémité du flagelle. (B) Battement d'un cil qui ressemble à la nage de la brasse. Un rapide «coup de force» (*flèche rouge*) au cours duquel le liquide est entraîné vers la surface de la cellule est suivi d'un coup lent de récupération. Chaque cycle nécessite typiquement 0,1 à 0,2 seconde et engendre une force perpendiculaire à l'axe de l'axonème. (A, due à l'obligeance de C.J. Brokaw.)

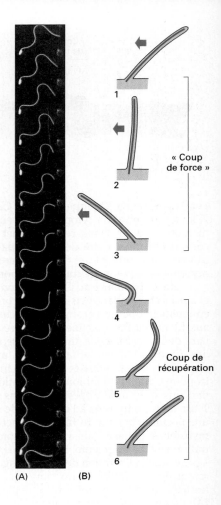

« Coup de force »

Coup de récupération

(A) (B)

Les cils et les flagelles sont des structures mobiles formées de microtubules et de dynéine

Tout comme les myofibrilles sont des machines hautement spécialisées, dotées d'une motilité efficace et construites à partir des filaments d'actine et de myosine, les cils et les flagelles sont des structures hautement spécialisées construites à partir de microtubules et de dynéine. Les cils et les flagelles sont des appendices cellulaires ressemblant à des poils qui possèdent un faisceau de microtubules en leur centre. Les **flagelles** se trouvent sur les spermatozoïdes et beaucoup de protozoaires. Par leur mouvement d'ondulation, ils permettent aux cellules sur lesquelles ils sont fixés de nager dans un milieu liquide (Figure 16-76A). Les **cils** ont tendance à être plus courts que les flagelles et sont organisés de façon similaire mais ils battent avec un mouvement de type fouet qui ressemble à la nage de la brasse (Figure 16-76B). Les cycles des cils adjacents sont presque synchrones mais pas tout à fait, ce qui crée cet aspect de type ondulatoire visible dans le champ du microscope lorsqu'on observe le battement des cils. Le battement des cils peut soit propulser une seule cellule à travers un liquide (comme dans la nage de la paramécie, un protozoaire) soit déplacer des liquides à la surface d'un groupe de cellules d'un tissu. Dans notre corps, l'épithélium respiratoire est tapissé d'un nombre immense de cils ($10^9/cm^2$ ou plus), qui balayent les couches de mucus, les particules de poussière piégées et les bactéries jusqu'à notre bouche où nous les avalons puis les éliminons. De même, les cils situés le long de l'oviducte facilitent le glissement des ovules vers l'utérus.

Le mouvement d'un cil ou d'un flagelle est produit par la courbure de son centre, appelé **axonème**. L'axonème est composé de microtubules associés à leurs protéines, disposés de façon régulière et particulière. Neuf doublets spécifiques de microtubules (formés d'un microtubule complet et d'un microtubule partiel fusionnés de sorte à partager une paroi tubulaire commune) sont disposés en un anneau qui entoure une paire de microtubules isolés (Figure 16-77). Cette disposition caractéristique se re-

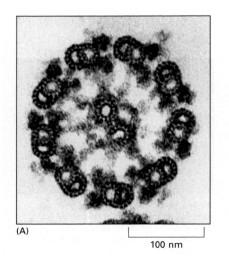

(A)

100 nm

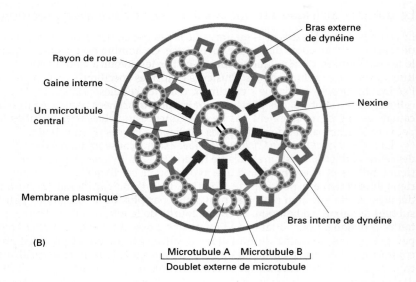

Bras externe de dynéine

Rayon de roue

Gaine interne

Un microtubule central

Nexine

Membrane plasmique

Bras interne de dynéine

Microtubule A   Microtubule B

Doublet externe de microtubule

(B)

Figure 16-77 Disposition des microtubules d'un flagelle ou d'un cil. (A) Photographie en microscopie électronique du flagelle d'une cellule d'algue verte (*Chlamydomonas*) montrée en coupe transversale, qui illustre la disposition particulière en «9 + 2» des microtubules. (B) Schéma des parties d'un flagelle ou d'un cil. Les diverses projections issues des microtubules relient les microtubules et sont placées à intervalles réguliers tout le long de l'axonème. (A, due à l'obligeance de Lewis Tilney.)

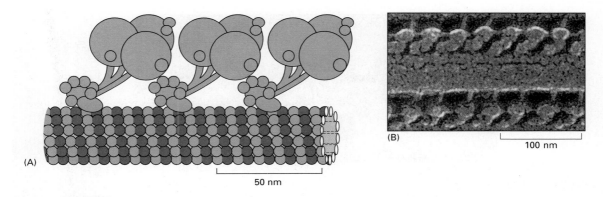

(A)

50 nm

(B)

100 nm

Figure 16-78 Dynéine ciliaire. La dynéine ciliaire (de l'axonème) est un gros assemblage protéique (près de 2 millions de daltons) composé de 9 à 12 chaînes polypeptidiques, dont la plus grosse est une chaîne lourde de plus de 500 000 daltons. (A) On pense que les chaînes lourdes forment la principale portion des domaines de la tête et de la tige et beaucoup de chaînes plus petites sont agrégées autour de la base de la tige (*voir* Figure 16-56 pour une vue de la molécule isolée). La base de la molécule se fixe solidement sur un microtubule A d'une manière indépendante de l'ATP, tandis que les grosses têtes globulaires possèdent un site de fixation, dépendant de l'ATP, sur un microtubule B (*voir* Figure 16-77). Lorsque les têtes hydrolysent leur ATP lié, elles se déplacent vers l'extrémité moins du microtubule B et produisent ainsi une force de glissement des doublets de microtubules adjacents du cil ou du flagelle. La forme à trois têtes de la dynéine ciliaire, formée de trois chaînes lourdes, est montrée ici. (B) Photographie en microscopie électronique après cryodécapage d'un cil, montrant les bras de dynéine qui se projettent à intervalles réguliers à partir du doublet de microtubules; seul le microtubule A est montré. (B, due à l'obligeance de John Heuser.)

trouve dans presque toutes les formes de flagelles et de cils des eucaryotes, des protozoaires à l'homme. Les microtubules s'étendent de façon continue sur toute la longueur de l'axonème qui peut mesurer de 10 à 200 µm. Placées régulièrement le long des microtubules, des protéines accessoires les relient transversalement. Les molécules de *dynéine ciliaire* forment des ponts entre les doublets voisins de microtubules à la circonférence de l'axonème (Figure 16-78). Lorsque leur domaine moteur est activé, les molécules de dynéine fixées sur un doublet de microtubules essaient de se déplacer le long du doublet adjacent de microtubules, ce qui tend à forcer les doublets adjacents à glisser l'un par rapport à l'autre, comme les filaments fins d'actine le font pendant la contraction musculaire. Cependant, la présence d'autres liens entre les doublets de microtubules empêche ce glissement et la force de la dynéine est convertie en un mouvement de courbure (Figure 16-79).

Les bactéries nagent aussi grâce à des structures cellulaires de surface appelées flagelles mais celles-ci ne contiennent pas de microtubules ni de dynéine, n'ondulent pas et ne battent pas. Par contre, les *flagelles bactériens* sont de longs filaments héli-

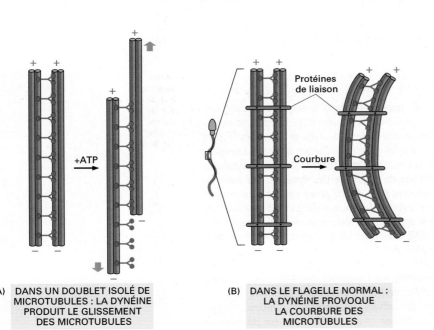

(A) DANS UN DOUBLET ISOLÉ DE MICROTUBULES : LA DYNÉINE PRODUIT LE GLISSEMENT DES MICROTUBULES

(B) DANS LE FLAGELLE NORMAL : LA DYNÉINE PROVOQUE LA COURBURE DES MICROTUBULES

Figure 16-79 Courbure d'un axonème. (A) Lorsque les axonèmes sont exposés à la trypsine, une enzyme protéolytique, les liaisons qui maintiennent les doublets voisins de microtubules sont rompues. Dans ce cas, l'addition d'ATP permet l'action motrice des têtes de dynéine qui fait glisser les doublets de microtubules l'un contre l'autre. (B) Dans un axonème intact (comme dans les spermatozoïdes), les liaisons protéiques souples empêchent le glissement des doublets de microtubules. L'action motrice provoque donc un mouvement de courbure, responsable des mouvements ondulatoires ou des battements, comme cela est montré en figure 16-76.

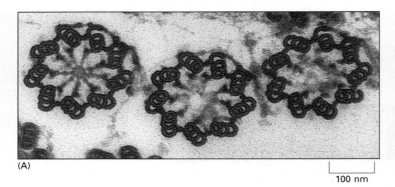

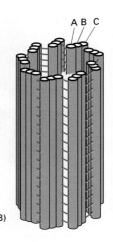

(A)

100 nm

(B)

Figure 16-80 Corpuscules basaux. (A) Photographie en microscopie électronique d'une coupe transversale au travers des corpuscules basaux du cortex d'un protozoaire. (B) Schéma d'un corpuscule basal vu de côté. Chaque corpuscule basal forme la portion inférieure de l'axonème ciliaire et est composé de neuf groupes de triplets de microtubules, chaque triplet contenant un microtubule complet (le microtubule A) fusionné à deux microtubules incomplets (les microtubules B et C). D'autres protéines (montrées en *rouge* en B) forment des liaisons qui maintiennent la disposition cylindrique des microtubules. La disposition des microtubules dans les centrioles est essentiellement la même (*voir* Figure 16-24). (A, due à l'obligeance de D.T. Woodrow et R.W. Linck.)

coïdaux rigides, formés de sous-unités répétitives d'une protéine, la flagelline. Le flagelle effectue une rotation comme un propulseur, qui est actionnée par un moteur rotatif spécifique encastré dans la paroi cellulaire bactérienne (Figure 15-67). L'utilisation du même nom pour décrire ces deux types d'appareils natatoires très différents est un malencontreux accident historique.

Des structures, les *corpuscules basaux*, enracinent fermement les cils et les flagelles des eucaryotes à la surface cellulaire. Les *corpuscules basaux* ont la même forme que les centrioles encastrés au centre des centrosomes des animaux avec neuf groupes de triplets de microtubules disposés en une roue de charrette (Figure 16-80). En effet, dans certains organismes, les corpuscules basaux et les centrioles sont fonctionnellement interchangeables : chez l'algue unicellulaire *Chlamydomonas,* par exemple, à chaque mitose, les flagelles se résorbent et les corpuscules basaux se déplacent vers l'intérieur de la cellule pour devenir une partie des pôles des fuseaux. De nouveaux centrioles et corpuscules basaux se forment par un processus curieux de réplication, au cours duquel une fille plus petite se forme perpendiculairement à la structure d'origine selon un mécanisme encore mystérieux (*voir* Figure 18-6).

Chez l'homme, des anomalies héréditaires de la dynéine ciliaire provoquent le syndrome de Kartagener. Ce syndrome se caractérise par une stérilité masculine due à l'immobilité des spermatozoïdes, une forte sensibilité aux infections pulmonaires du fait de la paralysie des cils du tractus respiratoire qui n'arrivent pas à nettoyer les débris et les bactéries et des anomalies dans la détermination de l'axe gauche-droite du corps au cours du développement embryonnaire précoce (*voir* Chapitre 21).

Résumé

Les protéines motrices utilisent l'hydrolyse de l'ATP pour se déplacer le long des microtubules ou des filaments d'actine. Elles permettent le glissement des filaments les uns sur les autres et le transport des organites entourés d'une membrane le long de rails de filaments. Toutes les protéines motrices connues qui se déplacent sur les filaments d'actine sont des membres de la superfamille des myosines. Les protéines motrices qui se déplacent sur les microtubules font partie soit de la superfamille des kinésines soit de la famille des dynéines. Les superfamilles des myosines et des kinésines sont variées avec près de 40 gènes codant pour chaque type de protéine chez l'homme. Le seul élément structurel commun de tous les membres de chaque superfamille est le domaine moteur de la «tête». Ces têtes peuvent être reliées à une grande variété de «queues» qui se fixent sur différents types de chargements et permettent aux divers membres de la famille d'effectuer différentes fonctions dans la cellule. Bien que la myosine et la kinésine se déplacent le long de différents rails de filaments et utilisent différents mécanismes pour produire la force et les mouvements par l'hydrolyse de l'ATP, elles partagent un cœur structural commun, ce qui suggère qu'elles dérivent d'un ancêtre commun.

Deux types de structures mobiles spécialisées des cellules eucaryotes sont composés de protéines motrices disposées de façon hautement ordonnée et qui se déplacent sur des rails de filaments stabilisés. Le système myosine-actine du sarcomère actionne la contraction de divers types de muscles, y compris les muscles squelettiques, lisses et cardiaque. Le système dynéine-microtubule de l'axonème actionne le battement des cils et l'ondulation des flagelles.

LE CYTOSQUELETTE ET LE COMPORTEMENT CELLULAIRE

Un des défis commun à tous les domaines de la biologie cellulaire est de comprendre comment se combinent les fonctions de nombreuses composantes moléculaires individuelles pour produire des comportements cellulaires complexes. Jusqu'à présent, dans ce chapitre, nous avons vu comment on pouvait comprendre divers mécanismes fondamentaux du cytosquelette, comme la contraction musculaire, par l'activité de quelques types de molécules seulement. Dans cette dernière partie, nous examinerons des comportements cellulaires plus complexes et nous verrons comment ils s'établissent à partir de ces mécanismes fondamentaux du cytosquelette.

Les comportements cellulaires que nous décrirons reposent tous sur le déploiement coordonné des mêmes composants et processus que nous avons explorés dans les trois premières parties de ce chapitre : l'assemblage et le désassemblage dynamiques des polymères du cytosquelette, la régulation et la modification de leur structure par les protéines qui leur sont associées et l'action des protéines motrices qui se déplacent sur eux. Comment toutes ces activités sont-elles coordonnées pour définir la forme de la cellule, et lui permettre de migrer ou de se diviser en deux au cours de la mitose ? Ces problèmes de coordination du cytosquelette défieront les biologistes pendant les nombreuses années à venir. Dans le cas présent, nous nous concentrerons sur le contrôle de la forme cellulaire et de son déplacement, et nous laisserons le rôle du cytosquelette dans la division cellulaire pour le chapitre 18.

Les mécanismes de la polarisation cellulaire sont facilement analysés dans les cellules de levure

Si on la compare à la plupart des cellules animales, la levure bourgeonnante *Saccharomyces cerevisiae* a une structure très simple. Sa caractéristique la plus remarquable est son asymétrie marquée, bien visible lors de son mode asymétrique de division par bourgeonnement qui crée une petite cellule fille et une grosse cellule mère. Cette asymétrie dérive de l'orientation polaire de son cytosquelette d'actine. Comme les analyses génétiques sont relativement aisées chez les levures, il a été possible d'utiliser des criblages génétiques pour identifier bon nombre de molécules impliquées dans la création et le maintien de cette polarité cellulaire. De même que dans les autres domaines où les cellules bourgeonnantes ont prouvé leur utilité comme organisme modèle pour les biologistes cellulaires, il s'est trouvé que la plupart de ces molécules avaient des homologues de fonctions similaires dans des cellules plus complexes.

Les levures bourgeonnantes sont des eucaryotes singuliers car elles ont très peu de microtubules cytoplasmiques, de telle sorte que la majeure partie de leur polarité dépend de l'actine. Il y a deux types d'assemblages de filaments d'actine dans ces cellules : les câbles d'actine (longs faisceaux de filaments d'actine), et les patchs (plaques) d'actine (petits assemblages de filaments associés au cortex cellulaire, qui marquent probablement les sites d'endocytose et d'exocytose). Il faut que les levures bourgeonnantes en prolifération soient très polarisées pour que la cellule mère puisse développer un bourgeonnement à partir d'un site unique de sa surface cellulaire. Au cours de ce processus, les plaques d'actine sont fortement concentrées à l'extrémité en croissance du bourgeonnement et les câbles d'actine sont alignés et pointent vers elles. Cette organisation de l'actine dirige probablement la sécrétion de nouveaux matériaux de la paroi cellulaire vers le site de bourgeonnement (Figure 16-81).

Lors de privation de nourriture, les levures sporulent, comme beaucoup d'autres organismes unicellulaires. Mais la sporulation ne peut se produire que dans les cellules de levure diploïdes alors que les levures bourgeonnantes prolifèrent surtout sous forme de cellules haploïdes. Un individu haploïde privé de nourriture doit donc localiser un partenaire du type d'accouplement opposé, le courtiser et s'accoupler avec lui avant de sporuler. Les cellules de levure sont incapables de nager et rejoignent donc leur partenaire par leur croissance polarisée. La forme haploïde des levures bourgeonnantes se trouve sous deux types d'accouplement, a et α, qui sécrètent des facteurs d'accouplement appelés respectivement facteur a et facteur α. Ces molécules de signalisation sécrétées agissent en se fixant sur des récepteurs cellulaires de surface qui appartiennent à la superfamille des récepteurs couplés aux protéines G, traités dans le chapitre 15. Une des conséquences de la fixation du facteur α sur son récepteur est de provoquer la polarisation de la cellule réceptrice, qui

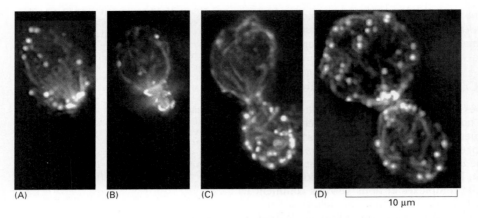
(A) (B) (C) (D)

10 μm

Figure 16-81 Polarité des plaques et des câbles d'actine au sein d'une cellule de levure. Les structures filamenteuses d'actine dans les cellules de levure, marquées ici par de la phalloïdine fluorescente, comprennent des plaques d'actine (points arrondis brillants) et des câbles d'actine (lignes allongées). (A) Dans la cellule mère, avant la formation du bourgeonnement, la plupart des plaques sont agrégées à une extrémité. Les câbles sont alignés et pointent vers l'agrégat de plaques qui est le site d'émergence du bourgeonnement. (B) Lorsque le petit bourgeonnement se développe, la plupart des plaques restent à l'intérieur. Les câbles de la cellule mère continuent de pointer vers ce site de nouvelle croissance pariétale cellulaire. (C) Les plaques sont presque uniformément distribuées à la surface d'un bourgeonnement de taille complète. Les câbles de la cellule mère restent polarisés. (D) Immédiatement après la division cellulaire, les cellules mère et fille forment de nouvelles plaques qui se concentrent près du site de division, bien que les deux cellules présentent des câbles orientés au hasard. (D'après T.S. Karpova et al., *J. Cell Biol.* 142 : 1501-1517, 1998. © The Rockefeller University Press.)

adopte une forme appelée «shmoo» (Figure 16-82). En présence d'un gradient de facteur α, l'extrémité shmoo de la cellule «a» se dirige vers la plus forte concentration en molécules de signalisation qui, dans des circonstances normales, la dirige vers une cellule α amoureuse localisée à proximité.

Cette croissance cellulaire polarisée nécessite l'alignement du cytosquelette d'actine en réponse au signal du facteur d'accouplement. Lorsque le signal se fixe sur son récepteur, le récepteur active Cdc42, une GTPase de la famille Rho, responsable également de certains types de réarrangements de l'actine dans les cellules animales (*voir* Figure 16-50D). Ces signaux que le cytosquelette d'actine reçoit du monde extérieur sont ensuite relayés vers le cytosquelette des microtubules et provoquent leur croissance polarisée. De plus, le centre organisateur du microtubule (qui, chez les levures, est encastré dans la membrane nucléaire et est appelé *corps du pôle du fuseau*) se tourne vers le côté du noyau le plus proche de l'extrémité shmoo, de telle sorte que le noyau se trouve orienté le long d'un axe qui le guide pour qu'il rencontre le noyau de son partenaire d'accouplement et fusionne avec lui. Des études génétiques extensives ont identifié la plupart des gènes impliqués dans la réception et la transduction de ce signal spatial. Comme on pouvait s'y attendre, beaucoup de protéines qu'ils codent sont impliquées dans la régulation des réarrangements des filaments d'actine et des microtubules.

Les cellules bourgeonnantes haploïdes de levure utilisent cette même machinerie de polarisation pendant leur croissance végétative. Pour former le bourgeonnement qui se développera pour donner une cellule fille, la levure doit diriger le matériel nécessaire à une nouvelle membrane plasmique et à une paroi cellulaire principalement sur un seul site. Comme pour la formation de shmoo, cela nécessite initialement la polarité du cytosquelette, avec la plupart des plaques d'actine situées dans le bourgeonnement en croissance et les câbles d'actine orientés le long de l'axe du bourgeonnement. Dans les cellules haploïdes, tout nouveau site de bourgeonnement s'établit toujours immédiatement adjacent au site de bourgeonnement précédent. Dans ce cas, les signaux spatiaux qui établissent la polarité du cytosquelette sont intrinsèques à la cellule, et sont désignés par les cycles antérieurs de division cellulaire. Cdc42 est encore une fois impliquée dans la transduction du signal entre le site de bourgeonnement choisi et le cytosquelette et la plupart des protéines, impliquées dans les voies en amont et en aval, ont été identifiées par des expériences génétiques. Après leur identification chez les levures, de nombreux homologues de ces protéines ont été trouvés dans d'autres organismes, qui sont souvent de même impliqués dans l'établissement de la polarité cellulaire.

Les molécules d'ARN spécifiques sont placées par le cytosquelette

Le cytosquelette sert à positionner les molécules d'ARN et les protéines dans les cellules. Les cellules mère et fille des levures gardent une identité propre ce qui est ré-

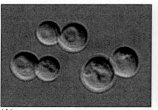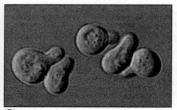
(A) (B) (C)

Figure 16-82 Polarisation morphologique des cellules de levure en réponse au facteur d'accouplement. (A) Les cellules de *Saccharomyces cerevisiae* sont généralement sphériques. (B) Elles se polarisent lorsqu'elles sont traitées par le facteur d'accouplement issu de cellules du type d'accouplement opposé. Les cellules polarisées sont appelées «shmoos». (C) Le vrai Shmoo, fameux personnage de bande dessiné d'Al Capp. (A et B, dues à l'obligeance de Michael Snyder; C, © 1948 Capp Enterprises, Inc., all rights reserved.)

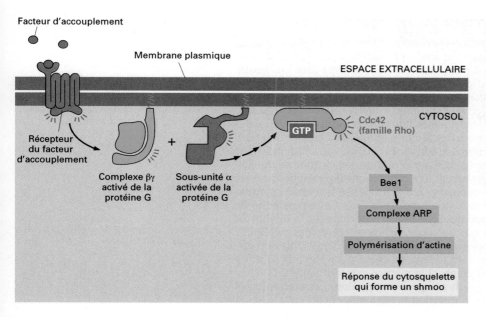

Figure 16-83 La voie de signalisation de la réponse au facteur d'accouplement des levures. Le facteur d'accouplement extracellulaire se fixe sur un récepteur couplé à une protéine G de la membrane plasmique. L'activation du récepteur déclenche la dissociation de la sous-unité Gα liée au GTP d'une protéine G hétérotrimérique (*voir* Chapitre 15). Celle-ci à son tour active une protéine de la famille Rho des protéines se liant au GTP, Cdc42, l'homologue chez la levure de la petite GTPase des mammifères dont l'activation déclenche la formation de filopodes (*voir* Figure 16-50D). Comme dans les cellules animales, Cdc42 active une protéine (Bee1, l'homologue de WASp) qui active le complexe ARP conduisant à la nucléation locale d'actine sur le site de fixation du facteur d'accouplement. La nucléation locale d'actine et la croissance des filaments conduisent à une croissance polarisée et à l'acquisition d'une forme shmoo. En plus, l'activation du récepteur déclenche d'autres réponses par l'intermédiaire d'une cascade de MAP kinase (*voir* Chapitre 15), qui prépare la cellule haploïde à l'accouplement (non montré ici).

vélé par les différences majeures dans leur capacité ultérieure à subir une commutation du type d'accouplement (*voir* Chapitre 7) et dans le choix de leur prochain site de bourgeonnement. Beaucoup de ces différences sont provoquées par une protéine régulatrice de gène, Ash1. L'ARNm de *ash1* et la protéine sont localisés exclusivement dans le bourgeonnement en croissance et se trouvent donc uniquement dans la cellule fille. Un des deux types de myosine V trouvé dans les levures, MyoV, est nécessaire pour cette distribution asymétrique de l'ARNm de *ash1*. Un criblage génétique des autres mutations qui interrompent les différences mère/fille a révélé que six autres produits géniques, au moins, associés au cytosquelette, sont nécessaires pour une polarité normale ; il s'agit de la tropomyosine, de la profiline et de l'actine elle-même ainsi que d'un complexe de deux protéines qui forme un lien direct entre des séquences spécifiques de l'ARNm de *ash1* et la myosine V (Figure 16-84).

Ce type de positionnement sélectif de l'ARN représente encore un autre mode d'implication du cytosquelette dans la polarité cellulaire. Par exemple, lors du développement de l'embryon de *Drosophila* (*voir* Chapitre 21), un groupe d'ARNm codés par des gènes nécessaires au bon développement de la région postérieure de l'embryon se trouve localisé postérieurement par son association avec des filaments d'actine mais seulement après y avoir été transporté par des protéines motrices qui se déplacent le long de microtubules orientées. L'identification de ces molécules et des principes d'organisation qui déterminent la polarité de la cellule dans ces systèmes plus complexes est un domaine actif de recherche.

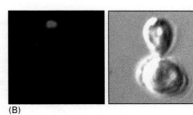
(B)

Figure 16-84 Localisation polarisée de l'ARNm à l'extrémité du bourgeonnement de la levure.
(A) Mécanisme moléculaire de la localisation de l'ARNm de *ash1* qui est déterminée génétiquement et biochimiquement.
(B) L'hybridation *in situ* avec fluorescence (FISH) a été utilisée pour localiser l'ARNm de *ash1* (*rouge*) dans cette cellule de levure en division. L'ARNm est confiné à l'extrémité la plus éloignée de la cellule fille (encore un gros bourgeonnement ici). La protéine Ash1, transcrite à partir de cet ARNm, est aussi confinée à la cellule fille. (B, due à l'obligeance de Peter Takizawa et Ron Vale.)

(A)

Beaucoup de cellules peuvent migrer sur un support solide

Beaucoup de cellules se déplacent par migration sur des surfaces plutôt qu'en utilisant des cils ou des flagelles pour nager. Les amibes prédatrices migrent continuellement à la recherche de nourriture et on peut facilement les observer dans une goutte d'eau de rivière lorsqu'elles attaquent et dévorent de plus petits ciliés et flagellés. Chez les animaux, presque toute la locomotion des cellules se produit par migration, si on excepte les spermatozoïdes qui nagent. Pendant l'embryogenèse, la structure d'un animal se crée par la migration de chaque cellule vers sa localisation cible spécifique et par les mouvements coordonnés des feuillets épithéliaux en tant que tout. Chez les vertébrés, les cellules de la crête neurale sont remarquables du fait de leur migration sur de longues distances, depuis leur site d'origine dans le tube neural jusqu'à divers sites répartis dans tout l'embryon. Ces cellules ont des destins variés et deviennent des cellules pigmentaires cutanées, des neurones sensoriels ou sympathiques, des cellules de la glie et diverses structures de la face. Cette possibilité de migrer sur de longues distances est fondamentale pour l'édification de la totalité du système nerveux : c'est de cette façon que les cônes, riches en actine, des extrémités en croissance des axones en développement se déplacent vers leurs cibles synaptiques finales, guidés par l'association, tout le long du chemin, de signaux solubles et de signaux fixés sur les surfaces cellulaires et la matrice extracellulaire.

Les animaux adultes grouillent aussi de cellules en migration. Les macrophages et les neutrophiles migrent vers les sites d'infection et engloutissent les envahisseurs locaux, ce qui constitue une partie fondamentale de la réponse immunitaire innée. Les ostéoclastes forment des tunnels dans les os, et créent des canaux remplis par les ostéoblastes qui les suivent, selon un processus continu de remodelage et de renouvellement des os. De même, les fibroblastes peuvent migrer à travers les tissus conjonctifs, les remodeler si nécessaire et les aider à reconstruire les structures endommagées au niveau des sites de lésions. Selon une procession ordonnée, les cellules de l'épithélium qui tapisse l'intestin se déplacent jusqu'aux côtés des villosités intestinales, et remplacent les cellules absorbantes perdues à l'extrémité des villosités. Cette migration des cellules joue aussi un rôle dans de nombreux cancers, lorsque les cellules d'une tumeur primaire envahissent les tissus voisins et migrent dans les vaisseaux sanguins ou les vaisseaux lymphatiques pour se transporter vers d'autres sites de l'organisme et former des métastases.

La migration des cellules est un processus intégré très complexe qui dépend du cortex, riche en actine, situé sous la membrane plasmique. Elle implique trois activités distinctes : la *protrusion*, au cours de laquelle les structures riches en actine sont repoussées au devant de la cellule ; la *fixation*, au cours de laquelle le cytosquelette d'actine se connecte, à travers la membrane plasmique, au support ; et la *traction* au cours de laquelle la masse du cytoplasme traînant est tirée vers l'avant (Figure 16-85). Dans certaines cellules en migration, comme les kératocytes de l'épiderme des poissons, ces activités sont fortement coordonnées et les cellules semblent glisser uniformément vers l'avant sans changer de forme. Dans d'autres cellules, comme les fibroblastes, ces activités sont plus indépendantes et la locomotion apparaît saccadée et irrégulière.

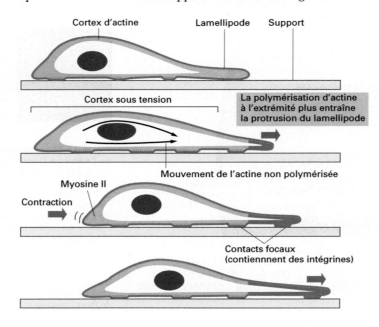

Figure 16-85 Modèle montrant ce qui permet aux forces engendrées dans le cortex riche en actine de déplacer une cellule vers l'avant. La protrusion dépendante de la polymérisation de l'actine et la fixation solide d'un lamellipode au bord antérieur de la cellule déplace ce bord vers l'avant (*flèches vertes en avant*) et étire le cortex d'actine. La contraction à l'arrière de la cellule propulse le corps de la cellule vers l'avant (*flèches vertes à l'arrière*) pour relâcher une partie de la tension (traction). De nouveaux contacts focaux se forment à l'avant et les anciens se désassemblent à l'arrière lorsque la cellule migre vers l'avant. Ce même cycle peut se répéter, et déplace la cellule vers l'avant pas à pas. Sinon, toutes les étapes peuvent être coordonnées fortement, ce qui déplace la cellule de façon uniforme. L'actine corticale néo-polymérisée est montrée en *rouge*.

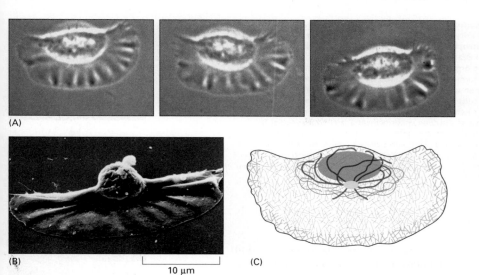

Figure 16-86 Migration des kératocytes d'un épiderme de poisson.
(A) Photographies en microscopie optique d'un kératocyte en culture, prises espacées de 15 secondes. Cette cellule se déplace à environ 15 µm/s. (B) Le kératocyte observé en microscopie électronique à balayage montre son gros lamellipode aplati et son petit corps cellulaire central qui contient le noyau, remonté au-dessus du support en arrière. (C) Distribution des filaments du cytosquelette dans la cellule. Les filaments d'actine (en *rouge*) remplissent le gros lamellipode et sont responsables des mouvements rapides de la cellule. Les microtubules (en *vert*) et les filaments intermédiaires (en *bleu*) sont restreints à la région proche du noyau. (A et B, dues à l'obligeance de Juliet Lee.)

(A)

(B)

⊢──── 10 µm ────⊣

(C)

La protrusion de la membrane plasmique est actionnée par la polymérisation de l'actine

La première étape de la locomotion, ou protrusion d'un bord avant, semble reposer principalement sur des forces engendrées par la polymérisation d'actine qui repousse la membrane plasmique vers l'extérieur. Différents types de cellules engendrent différents types de structures saillantes, parmi lesquelles les filopodes (appelés aussi micropointes), les lamellipodes et les pseudopodes. Elles sont toutes remplies d'un cœur dense de filaments d'actine qui exclut les organites entourés d'une membrane. Ces trois structures diffèrent principalement dans le mode d'organisation de l'actine – respectivement dans une, deux ou trois dimensions – et nous avons déjà vu comment cela résultait de la présence de différentes protéines associées à l'actine.

Les **filopodes**, formés par les cônes de croissance en migration et certains types de fibroblastes, sont essentiellement unidimensionnels. Ils contiennent un cœur de longs filaments d'actine en faisceau qui rappellent ceux des microvillosités mais sont plus longs, plus fins et plus dynamiques. Les **lamellipodes** formés par les cellules épithéliales et les fibroblastes, ainsi que par certains neurones, sont des structures bidimensionnelles, en feuillet. Ils contiennent un réseau orthogonal de liaisons croisées de filaments d'actine dont la plupart réside dans un plan parallèle au support solide. Les **pseudopodes**, formés par les amibes et les neutrophiles, sont des projections tridimensionnelles trapues, remplies d'un gel de filaments d'actine. Peut-être parce que leur géométrie bidimensionnelle est plus pratique à examiner au microscope optique, nous en savons plus sur l'organisation dynamique et les mécanismes de protrusion des lamellipodes que sur ceux des filopodes et des pseudopodes.

Les lamellipodes contiennent toute la machinerie nécessaire à la motilité cellulaire. Ils ont été particulièrement bien étudiés dans les cellules épithéliales de l'épiderme des poissons et des grenouilles, les «kératocytes», nommés ainsi à cause de leur abondance en filaments de kératine. Ces cellules recouvrent normalement l'animal en formant un feuillet épithélial et sont spécialisées dans la fermeture très rapide des blessures, se déplaçant à des vitesses maximales de 30 µm/min. Lorsqu'ils sont mis en culture sous forme de cellules individuelles, les kératocytes prennent une forme particulière composée d'un très gros lamellipode et d'un petit corps cellulaire traînant non fixé sur le support (Figure 16-86). Des fragments de ce lamellipode peuvent être détachés avec une micropipette. Bien que ces fragments soient généralement dépourvus de microtubules et d'organites entourés d'une membrane, ils poursuivent normalement leur migration, et ressemblent à de minuscules kératocytes (Figure 16-87).

On peut étudier le comportement dynamique des filaments d'actine dans les lamellipodes des kératocytes par le marquage d'une petite plaque d'actine et le suivi de sa destinée. Cela révèle que, lorsque le lamellipode migre vers l'avant, les filaments d'actine restent stationnaires par rapport au support. Les filaments d'actine du réseau sont surtout orientés avec leurs extrémités plus vers l'avant. Les extrémités moins sont souvent fixées sur les côtés d'autres filaments d'actine par des complexes ARP (*voir* Figure 16-28), ce qui facilite la formation du réseau bidimensionnel (Figure 16-88). Le réseau dans son ensemble semble subir un *treadmilling*, s'assem-

Figure 16-87 Comportement de fragments de lamellipode. Les fragments du gros lamellipode d'un kératocyte peuvent être séparés de la cellule principale soit par chirurgie avec une micropipette soit par traitement de la cellule par certaines substances chimiques. (A) Beaucoup de ces fragments continuent de se déplacer rapidement, avec la même organisation globale du cytosquelette que les kératocytes intacts. L'actine (en *bleu*) forme un réseau saillant à l'avant du fragment. La myosine II (en *rose*) est regroupée en une bande à l'arrière. Ce fragment cellulaire se déplaçait vers le haut de cette photographie au moment où il a été fixé et coloré. (B) Certains fragments arrêtent de se déplacer et prennent une forme symétrique circulaire. L'actine (en *bleu*) se distribue uniformément à la circonférence et la myosine (en *rose*) forme des taches dans tout le cytoplasme. Ces fragments circulaires sont en train d'essayer de faire saillie uniformément dans toutes les directions et sont donc paralysés. Ce n'est qu'en coordonnant la protrusion vers l'avant à la contraction vers l'arrière qu'un mouvement régulier peut être entretenu. (D'après A. Verkovsky et al., *Curr. Biol.* 9 : 11-20, 1999. © Elsevier.)

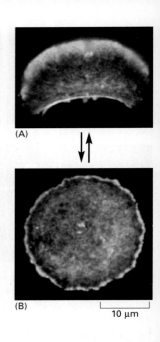

(A)

(B)

10 µm

blant par devant et se désassemblant par derrière, ce qui rappelle le *treadmilling* dont nous avons parlé et qui se produit dans les filaments d'actine et les microtubules individuels (*voir* Figure 16-9).

On pense que le maintien des mouvements unidirectionnels par les lamellipodes nécessite la coopération et l'intégration mécanique de plusieurs facteurs. La nucléation des filaments s'effectue sur le bord avant et la croissance des nouveaux filaments d'actine se produit surtout à cet endroit, ce qui repousse la membrane plasmique vers l'avant. La plus grande partie de la dépolymérisation des filaments se produit sur des sites localisés bien en arrière du bord avant. Comme la *cofiline* (*voir* Figure 16-34) se fixe de façon coopérative préférentiellement sur les filaments d'actine constitués d'ADP-actine (la forme D) les nouveaux filaments de forme T, engendrés par le bord avant, sont résistants à la dépolymérisation par la cofiline (Figure 16-89). Lorsque le filament vieillit et que l'hydrolyse de l'ATP s'effectue, la cofiline désassemble efficacement les plus vieux filaments. De ce fait, on pense que l'hydrolyse retardée de l'ATP par l'actine filamenteuse est à la base d'un mécanisme qui maintient un processus de *treadmilling* unidirectionnel efficace dans les lamellipodes (Figure 16-90). Enfin, les filaments bipolaires de myosine II semblent s'associer aux filaments d'actine du réseau pour les tirer dans une orientation nouvelle – d'une orientation presque perpendiculaire au bord avant à une orientation presque parallèle à ce dernier. Cette contraction empêche la protrusion et pince les côtés du lamellipode qui avance, l'aidant à se rassembler vers les côtés de la cellule lorsqu'elle s'avance.

L'adhésion et la traction cellulaires permettent aux cellules d'avancer par elles-mêmes

Il existe actuellement des preuves qui suggèrent que les lamellipodes de toutes les cellules ont en commun ce type fondamental et simple d'organisation dynamique mais ce sont les interactions entre la cellule et son environnement physique qui rendent généralement la situation considérablement plus complexe que celle des kératocytes des poissons migrant sur une boîte de culture. La diaphonie intime entre le cytosquelette et l'adhésion cellulaire est particulièrement importante dans la locomotion. Bien qu'un certain degré d'adhésion au support soit nécessaire pour n'importe quelle forme de migration cellulaire, l'adhésion et la vitesse de locomotion sem-

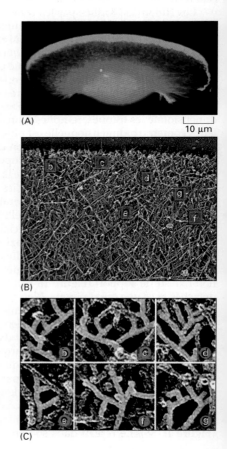

(A)

10 µm

(B)

(C)

Figure 16-88 Nucléation des filaments d'actine et formation d'un réseau par le complexe ARP dans les lamellipodes. (A) Kératocyte doté de filaments d'actine marqués en *rouge* par la phalloïdine fluorescente et d'un complexe ARP marqué en *vert* par un anticorps dirigé contre une de ses composantes protéiques. Les régions où les deux se chevauchent apparaissent en *jaune*. Le complexe ARP est hautement concentré près de l'avant du lamellipode, où la nucléation d'actine est la plus active. (B) Photographie en microscopie électronique ombrée au platine du bord antérieur d'un kératocyte qui montre le réseau dense de filament d'actine. Ce marquage délimite des zones agrandies en C. (C) Vue rapprochée des régions marquées du réseau d'actine sur le bord avant, montrées en B. De nombreux filaments ramifiés peuvent être observés avec l'angle de 70° caractéristique qui se forme lorsque le complexe ARP nuclée un nouveau filament d'actine sur le côté d'un filament d'actine préexistant (*voir* Figure 16-29). (D'après T. Svitkina et G. Borisy, *J. Cell Biol.* 145 : 1009-1026, 1999. © The Rockefeller University Press.)

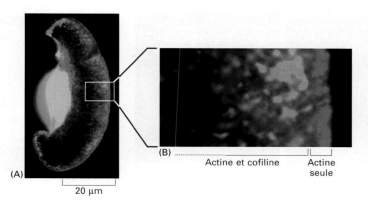

(B)

Actine et cofiline   Actine
                      seule

(A)

20 μm

Figure 16-89 La cofiline dans les lamellipodes. (A) Kératocyte avec ses filaments d'actine marqués en *rouge* par la phalloïdine fluorescente et sa cofiline marquée en *vert* par un anticorps fluorescent. Les régions où les deux se superposent apparaissent en *jaune*. Bien que le réseau dense d'actine atteigne toute la longueur du lamellipode, la cofiline ne se trouve pas à l'extrême bord avant. (B) Vue rapprochée de la région marquée par le rectangle blanc en A. Les filaments d'actine les plus proches du bord avant, qui sont aussi ceux qui se sont formés le plus récemment et ont le plus de chances de contenir l'ATP-actine (plutôt que l'ADP-actine) dans le réseau de filaments, ne sont généralement pas associés à la cofiline. (D'après T. Svitkina et G. Borisy. *J. Cell Biol.* 145 : 1009-1026, 1999. © The Rockefeller University Press.)

blent généralement inversement liées, les cellules hautement adhésives se déplaçant plus lentement que les cellules peu adhésives. Les kératocytes adhèrent si faiblement au support que la force de la polymérisation d'actine peut repousser très rapidement le bord antérieur vers l'avant. Par contre, lorsque les neurones d'*Aplysia*, une éponge de mer, sont mis en culture sur un support collant, ils forment de gros lamellipodes qui collent trop fortement pour avancer. Dans ces lamellipodes, les mêmes cycles de nucléation localisée de nouveaux filaments d'actine, de dépolymérisation des anciens filaments et de contraction dépendante de la myosine continuent de s'effectuer. Mais, comme le bord antérieur ne peut pas physiquement se déplacer vers l'avant, tout le réseau d'actine se déplace alors vers l'arrière, dans le corps cellulaire (Figure 16-91). L'adhésion de la plupart des cellules réside quelque part entre ces deux extrêmes et la plupart des lamellipodes montrent une certaine association de protrusion vers l'avant des filaments d'actine (comme les kératocytes) et de flux rétrograde d'actine (comme les neurones d'*Aplysia*).

Comme un lamellipode, un filopode ou un pseudopode s'étend vers l'avant sur un support, il peut former de nouveaux sites d'attache. Ces sites sont visibles en *microscopie par réflexion-interférence*, et apparaissent comme des sites où la membrane plasmique des cellules est extrêmement proche du support. Dans les cellules qui migrent, chaque site d'attache, qui contient une grande partie de la même machinerie moléculaire que celle des contacts focaux (*voir* Figure 16-49), se forme généralement à l'avant de la cellule, reste stationnaire lorsque la cellule avance sur lui, et persiste jusqu'à ce que l'arrière de la cellule le rattrape. Lorsqu'un lamellipode n'arrive pas à adhérer au support, il est généralement soulevé sur la surface dorsale de la cellule, puis rapidement ramené en arrière comme un «jabot plissé» (Figure 16-92).

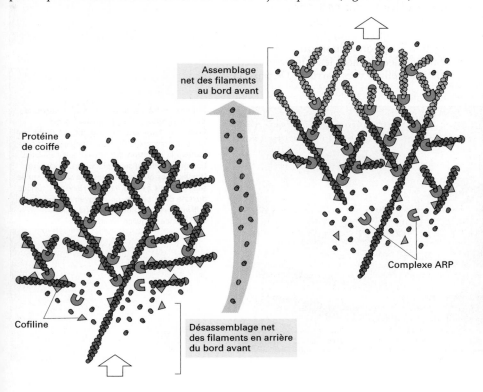

Assemblage
net des filaments
au bord avant

Protéine
de coiffe

Complexe ARP

Cofiline

Désassemblage net
des filaments en arrière
du bord avant

Figure 16-90 Modèle de la protrusion du réseau d'actine sur le bord avant. L'avancée du lamellipode est illustrée à 2 temps différents avec les nouvelles structures assemblées lors du second montrées d'une couleur plus claire. La nucléation passe par le complexe ARP à l'avant. Les nouveaux filaments d'actine nucléés sont fixés sur les côtés des filaments préexistants, principalement avec un angle de 70°. Les filaments s'allongent et poussent la membrane plasmique vers l'avant à cause d'une sorte d'ancrage de la formation en arrière. À une vitesse constante, les extrémités plus des filaments d'actine se recouvrent d'une coiffe. Une fois que les nouvelles sous-unités d'actine polymérisées ont hydrolysé leur ATP lié dans le réseau de filaments, ceux-ci deviennent sensibles à la dépolymérisation par la cofiline. Ce cycle provoque une séparation spatiale entre l'assemblage net des filaments à l'avant et leur désassemblage net à l'arrière de telle sorte que le réseau d'actine en tant que tout se déplace vers l'avant même si chaque filament individuel à l'intérieur reste stationnaire par rapport au support.

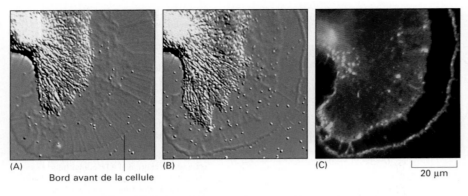

(A)

(B)

(C)

Bord avant de la cellule

20 μm

(D)

Cytochalasine B

Figure 16-91 Mouvement en arrière du réseau d'actine dans un lamellipode du cône de croissance. (A) Le cône de croissance d'un neurone d'une éponge de mer, *Aplysia*, est mis en culture sur un support fortement adhésif et observé en microscopie à contraste d'interférence différentielle. Les microtubules et les organites entourés d'une membrane sont confinés à la zone arrière brillante du cône de croissance (*vers la gauche*) tandis qu'un réseau de filaments d'actine remplit le lamellipode (*à droite*). (B) Après un bref traitement par une substance, la cytochalasine, qui coiffe les extrémités plus des filaments d'actine (*voir* Tableau 16-II), le réseau d'actine se détache du bord avant du lamellipode et est tiré vers l'arrière. (C) Au temps montré en B, la cellule a été fixée et marquée par la phalloïdine fluorescente pour montrer la distribution des filaments d'actine. Certains filaments d'actine persistent au bord avant mais la région derrière la limite antérieure est dépourvue de filaments. Notez les limites franches du réseau d'actine qui se déplace vers l'arrière. (D) Structure cyclique complexe de la cytochalasine B. (A, B et C, dues à l'obligeance de Paul Forscher.)

Les sites d'attache établis au bord avant servent de points d'ancrage qui permettent à la cellule d'engendrer des tractions sur le support et de tirer son corps vers l'avant. Les forces de traction semblent être engendrées par les protéines motrices de type myosine, en particulier la myosine II. Dans beaucoup de cellules qui se déplacent, la myosine II est fortement concentrée à l'arrière de la cellule (Figure 16-93). Les amibes *Dictyostelium*, qui sont dépourvues de myosine II, peuvent émettre des pseudopodes à une vitesse normale mais la translocation de leur corps cellulaire est bien plus lente que celle des amibes de type sauvage, ce qui indique l'importance de la contraction par la myosine II dans cette partie du cycle de la locomotion cellulaire. On ne sait pas clairement comment l'activité de la myosine II tire le corps cellulaire vers l'avant. On pourrait imaginer que des faisceaux contractiles d'actine et de myosine relayant l'arrière de la cellule à l'avant soient responsables ; mais la distribution de la myosine II observée dans certaines cellules du moins, suggère une stratégie quelque peu différente, décrite dans la figure 16-85. La contraction du cortex riche en actine à l'arrière de la cellule peut aussi affaiblir sélectivement les interactions adhésives plus anciennes qui ont tendance à retenir la cellule vers l'arrière. De plus, la

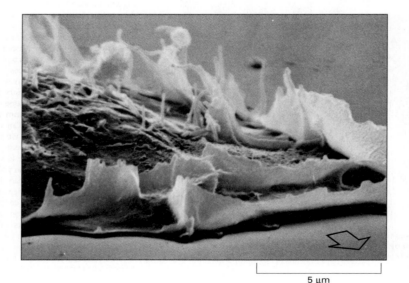

5 μm

Figure 16-92 Lamellipodes et «jabots» du bord avant d'un fibroblaste de l'homme migrant en culture. La *flèche* sur cette photographie en microscopie à balayage montre la direction du mouvement cellulaire. Lorsque la cellule se déplace vers l'avant, les lamellipodes qui ne peuvent pas se fixer sur le support sont balayés vers l'arrière à la surface dorsale de la cellule, un mouvement appelé *ruffling* (formation du jabot). (Due à l'obligeance de Julian Heath.)

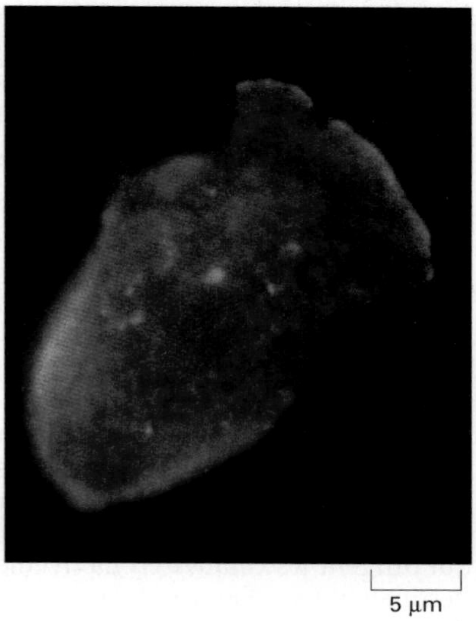

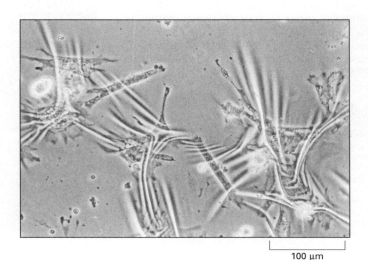

Figure 16-93 Localisation de la myosine I et de la myosine II dans une amibe, *Dictyostelium*, normale en migration. La cellule était en migration vers le haut à droite au moment où elle a été fixée et marquée par des anticorps spécifiques contre deux isoformes de myosine. La myosine I (en *vert*) est surtout restreinte au bord antérieur des pseudopodes, vers l'avant de la cellule. La myosine II (en *rouge*) se trouve surtout dans le cortex postérieur riche en actine. La contraction du cortex à l'arrière de la cellule par la myosine II peut aider la cellule à pousser le corps cellulaire vers l'avant. (Due à l'obligeance de Yoshio Fukui.)

5 μm

myosine II peut transporter les composants du corps cellulaire vers l'avant sur un arrangement polarisé de filaments d'actine.

Les forces de traction engendrées par les cellules qui migrent exercent une traction significative sur le support (Figure 16-94). Chez les animaux vivants, la plupart des cellules qui migrent se déplacent sur un support semi flexible, formé par la matrice extracellulaire, et qui peut être déformé et réarrangé par ces forces cellulaires. En culture, le mouvement des fibroblastes à travers un gel de fibrilles de collagène aligne le collagène, et crée une matrice extracellulaire organisée qui affecte à son tour la forme et la direction du déplacement des fibroblastes sur elle (Figure 16-95). On pense que cette interaction mécanique à deux voies entre les cellules et leur environnement physique représente un des principaux modes par lesquels les tissus des vertébrés s'auto-organisent.

Des signaux externes peuvent dicter la direction de la migration cellulaire

La locomotion cellulaire nécessite une polarisation initiale de la cellule qui la place dans une direction particulière. Ces processus de polarisation cellulaire, contrôlés avec soin, sont également nécessaires pour les divisions cellulaires orientées des tissus et pour la formation d'une structure multicellulaire cohérente et organisée. On commence seulement à comprendre les mécanismes moléculaires qui engendrent la polarité cellulaire chez les vertébrés. La majeure partie de ce que nous savons jusqu'à présent sur ce sujet provient d'études génétiques faites chez les levures, les mouches et les vers. Dans tous les cas connus, cependant, le cytosquelette joue un rôle central et beaucoup de composants moléculaires ont été conservés pendant l'évolution.

Le mouvement polarisé des cellules a peu d'utilité sauf s'il répond à un signal de l'environnement qui peut être chimique ou physique. La chimiotaxie se définit comme le mouvement cellulaire dans une direction, contrôlé par le gradient d'une substance chimique qui diffuse. Un des exemples bien étudié est le mouvement chimiotaxique d'une classe de leucocytes sanguins, les *neutrophiles*, vers une source d'infection bactérienne. Les récepteurs protéiques à la surface des neutrophiles leur permettent de détecter de très faibles concentrations en peptides *N*-formylés dérivés des protéines bactériennes (seuls les procaryotes commencent la synthèse protéique par la *N*-formylméthionine). L'utilisation de ces récepteurs permet de guider les neutrophiles vers les cibles bactériennes du fait de leur capacité à détecter une différence

Figure 16-94 Les cellules adhésives exercent des forces de traction sur le support. Ces fibroblastes ont été mis en culture sur un très fin feuillet d'élastique en silicone. La fixation des cellules, suivie de la contraction de leur cytosquelette, a provoqué le plissement du support élastique. (D'après A.K. Harris, P. Wild et D. Stopak, *Science* 208 : 177-179, 1980. © AAAS.)

100 μm

de concentration en peptides diffusibles de seulement 1 p. 100 de part et d'autre de la cellule (Figure 16-96). Dans ce cas et lors de la chimiotaxie similaire d'une amibe, *Dictyostelium*, vers une source d'AMP cyclique, la polymérisation locale d'actine proche des récepteurs est stimulée lorsque les récepteurs fixent leur ligand. Cette réponse par la polymérisation d'actine dépend des GTPases monomériques de la famille Rho que nous avons déjà vues. Tout comme la levure qui forme un shmoo (*voir* Figure 16-83), la cellule qui répond étend une protrusion vers le signal. La localisation préférentielle de l'activité de protrusion vers un côté de la cellule provoque indirectement la réorientation de la machinerie qui engendre une traction et le corps cellulaire suit alors son «nez» et se déplace vers le signal attractif.

La direction de la migration cellulaire peut aussi être influencée par des signaux chimiques non diffusibles, fixés sur la matrice extracellulaire ou la surface des cellules. L'activation des récepteurs par ces signaux peut provoquer l'augmentation de l'adhésion cellulaire en plus de diriger la polymérisation de l'actine. La plupart des migrations cellulaires sur de longues distances chez les animaux, y compris la migration des cellules de la crête neurale et les déplacements des cônes de croissance neuronaux, dépendent de la combinaison de signaux diffusibles et non diffusibles qui dirigent les cellules en mouvement ou les cônes de croissance vers leur propre destination (*voir* Figure 21-98).

Pour aider à organiser des mouvements persistants dans une direction particulière, les cellules utilisent leurs microtubules. Dans beaucoup de cellules qui se déplacent, la position du centrosome est influencée par la localisation de la polymérisation d'actine saillante, que l'on trouve du côté avant du noyau. Le mécanisme de la réorientation du centrosome n'est pas clair. On pense que l'activation des récepteurs d'un côté de la cellule pourrait non seulement stimuler la polymérisation de l'actine à cet endroit (et ainsi la protrusion locale) mais également activer localement des protéines motrices de type dynéine qui déplaceraient le centrosome en tirant sur leurs microtubules. Le centrosome nuclée un grand nombre de microtubules dynamiques et son repositionnement signifie que beaucoup d'entre eux ont leur extrémité plus qui part du centrosome et s'étend dans la région saillante de la cellule. Les extrémités plus des microtubules dynamiques peuvent directement moduler l'adhésion locale et activer aussi la Rac GTPase pour augmenter encore plus la polymérisation d'actine dans la région de la protrusion. L'augmentation de la concentration en microtubules encouragerait donc encore plus la protrusion, créant une boucle de rétrocontrôle positif qui permettrait que la motilité de la protrusion reste dans la même direction pendant une période prolongée. Quel que soit le mécanisme exact, l'orientation du centrosome semble renforcer l'information sur la polarité que le cytosquelette d'actine reçoit du monde extérieur, ce qui permet une réponse sensible à de faibles signaux.

Une boucle de rétrocontrôle coopérative similaire semble exister dans d'autres exemples de polarisation cellulaire. Un des exemples particulièrement intéressant est la destruction de cellules cibles spécifiques par les lymphocytes T cytotoxiques. Ces cellules tuent d'autres cellules qui transportent des antigènes étrangers à leur surface et sont des composants critiques de la réponse immunitaire adaptative à l'infection chez les vertébrés. Lorsque les récepteurs de surface des lymphocytes T reconnaissent les antigènes de surface de la cellule cible, des GTPases de la famille Rho sont activées et provoquent la polymérisation d'actine en dessous de la zone de contact entre les deux cellules, ce qui crée une région spécialisée dans le cortex. Ce site spécialisé provoque la réorientation du centrosome, qui se déplace avec ses microtubules vers la zone de contact avec la cible du lymphocyte T (Figure 16-97). Les microtubules, à leur tour, positionnent l'appareil de Golgi juste en dessous de la zone de contact, et centrent la machinerie «tueuse» sur la cellule cible. Le mécanisme de la destruction est traité au chapitre 24.

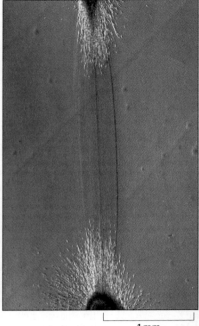

1 mm

Figure 16-95 L'élongation des cellules donne sa forme à la matrice extracellulaire. Cette photographie en microscopie montre une région entre deux parties d'un cœur embryonnaire de poulet (explants tissulaires riches en fibroblastes et en cellules musculaires cardiaques) qui ont été mises en culture sur un gel de collagène pendant 4 jours. Un chemin dense de fibres alignées de collagène s'est formé entre les deux explants du fait d'une traction des fibroblastes sur le collagène. (D'après D. Stopak et A.K. Harris, *Dev. Biol.* 90 : 383-398, 1982. © Academic Press.)

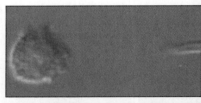
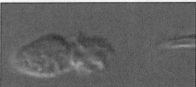
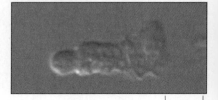

5 µm

Figure 16-96 Polarisation et chimiotaxie des neutrophiles. L'extrémité de la pipette à droite dépose une petite quantité d'un peptide, le formyl-Met-Leu-Phe. Seules les protéines bactériennes ont des résidus méthionine formylés de telle sorte que les neutrophiles humains reconnaissent ce peptide comme le produit d'un envahisseur étranger (*voir* Chapitre 25). Le neutrophile étend rapidement un nouveau lamellipode vers la source du peptide chimio-attractif (*en haut*). Puis il étend ce lamellipode et polarise son cytosquelette pour que la myosine II contractile se trouve localisée à l'arrière, à l'opposé de la position du lamellipode (*au milieu*). Enfin, la cellule migre vers la source de ce peptide (*en bas*). Si, au lieu de la pipette, une véritable bactérie était la source du peptide, le neutrophile l'aurait engloutie et détruite. (D'après O.D. Weiner et al., *Nature Cell Biol.* 1 : 75-81, 1999. © Macmillan Magazine Ltd.)

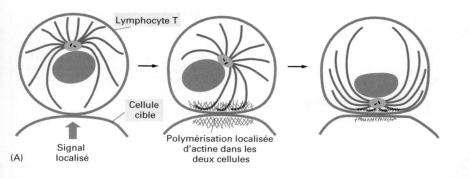

(A) Signal localisé

Lymphocyte T

Cellule cible

Polymérisation localisée d'actine dans les deux cellules

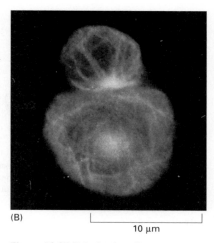

(B)

|—————— 10 µm ——————|

Figure 16-97 Polarisation d'un lymphocyte T cytotoxique après la reconnaissance de la cellule cible.
(A) Modifications du cytosquelette d'un lymphocyte T cytotoxique une fois qu'il est entré en contact avec une cellule cible. L'événement initial de reconnaissance engendre des signaux qui provoquent la polymérisation d'actine dans les deux cellules au niveau du site de contact. Dans le lymphocyte T, les interactions entre la zone de contact riche en actine et les microtubules émanant du centrosome entraînent la réorientation du centrosome de telle sorte que l'appareil de Golgi associé s'appose directement à la cellule cible. (B) Photographie en microscopie à immunofluorescence dans laquelle le lymphocyte T (*en haut*) et sa cellule cible (*en bas*) ont été colorés par un anticorps anti-microtubules. Le centrosome et les microtubules irradiant de lui dans le lymphocyte T sont orientés vers le point de contact intercellulaire. Par contre, la disposition des microtubules dans la cellule cible n'est pas polarisée. (B, d'après B. Geiger, D. Rosen et G. Berke, *J. Cell Biol.* 95 : 137-143, 1982. © The Rockefeller University Press.)

La spécialisation morphologique complexe des neurones dépend du cytosquelette

Un bon nombre de différences frappantes entre les cellules eucaryotes et procaryotes sont la conséquence du cytosquelette des eucaryotes. Le transport dirigé régulé des composants intracellulaires par les protéines motrices permet aux cellules eucaryotes de s'hypertrophier au-dessus des limites établies par la vitesse de diffusion qui restreint la croissance cellulaire des procaryotes. En même temps, le cytosquelette fournit la trame de l'architecture complexe si caractéristique des cellules eucaryotes (*voir* Figure 1-27 ; Planche 16-1). Aucune cellule ne montre mieux qu'un neurone l'exemple de ces deux caractéristiques de complexité de taille et d'architecture.

Les neurones commencent leur vie dans l'embryon comme des cellules sans particularités et utilisent la motilité fondée sur l'actine pour migrer dans des localisations spécifiques. Une fois là, cependant, ils envoient vers l'extérieur une série de longs processus spécialisés qui, soit recevront des signaux électriques (*dendrites*), soit transmettront ces signaux électriques vers leur cellule cible (*axone*). Ces deux types de processus (appelés collectivement *neurites*) sont remplis de faisceaux de microtubules qui sont critiques pour leur structure et leur fonction.

Dans les axones, tous les microtubules sont orientés dans la même direction avec leur extrémité moins pointant en arrière vers le corps cellulaire et leur extrémité plus pointant en avant vers la terminaison de l'axone (Figure 16-98). Les microtubules ne s'étendent pas du corps cellulaire à la terminaison de l'axone ; chacun mesure typiquement quelques micromètres de long mais ils sont échelonnés en grand nombre et se chevauchent. Cet ensemble de rails de microtubules parfaitement alignés forme une sorte d'autoroute qui transporte de nombreuses protéines spécifiques et vésicules contenant des protéines. Elles sont utilisées à la terminaison de l'axone, là où les synapses doivent être construites et entretenues mais sont fabriquées seulement dans le corps cellulaire et les dendrites où la cellule conserve tous ses ribosomes. Le plus long axone du corps humain joint la base de la moelle épinière à l'extrémité du gros orteil, et peut mesurer jusqu'à un mètre de long. Les mitochondries, beaucoup de protéines spécifiques placées dans des vésicules de transport ainsi que les précurseurs des vésicules synaptiques effectuent ce long voyage dans la direction centrifuge (antérograde). Ils y sont transportés par des protéines motrices de la famille des kinésines qui se dirigent vers l'extrémité plus et peuvent les déplacer d'un mètre en une journée, ce qui est une grande amélioration par rapport à la diffusion qui prendrait approximativement 8 ans pour déplacer une mitochondrie sur cette distance. Beaucoup de membres de la superfamille des kinésines contribuent à ce *transport axonal antérograde*, la plupart transportant des sous-ensembles spécifiques d'organites entourés d'une membrane le long des microtubules. La grande diversité des protéines motrices de la famille des kinésines utilisées dans le transport axonal, suggère qu'elles sont impliquées dans le ciblage spécifique, ainsi que dans le mouvement. En même temps, les anciens composants issus des terminaisons de l'axone sont ramenés vers le corps cellulaire pour leur dégradation et leur recyclage ; ce *transport axonal rétrograde* se produit le long du même groupe de microtubules orientés et repose sur la dynéine cytoplasmique, une protéine motrice dirigée vers l'extrémité moins.

La structure axonale dépend de ces microtubules et les deux autres principaux systèmes du cytosquelette – les filaments d'actine et les filaments intermédiaires – y contribuent également. Les filaments d'actine tapissent le cortex de l'axone, juste en dessous de la membrane plasmique, et les protéines motrices de l'actine comme la

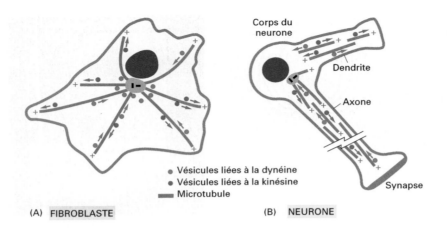

Vésicules liées à la dynéine
Vésicules liées à la kinésine
Microtubule

(A) FIBROBLASTE

(B) NEURONE

Figure 16-98 Organisation des microtubules dans un fibroblaste et dans un neurone. (A) Dans un fibroblaste, les microtubules émanent vers l'extérieur à partir du centrosome proche du centre de la cellule. Les vésicules sur lesquelles la kinésine dirigée vers l'extrémité plus fixée, se déplacent vers l'extérieur et les vésicules sur lesquelles la dynéine dirigée vers l'extrémité moins est fixée se déplacent vers l'intérieur. (B) Dans un neurone, l'organisation des microtubules est plus complexe. Dans l'axone, tous les microtubules partagent la même polarité avec les extrémités plus pointant à l'extérieur vers la terminaison de l'axone. Aucun microtubule ne s'étire sur toute la longueur de l'axone. Par contre de courts segments de microtubules parallèles se chevauchent et constituent des rails pour le transport axonal rapide. Dans les dendrites, les microtubules ont une polarité mixte avec certaines extrémités plus pointant vers l'extérieur et d'autres pointant vers l'intérieur.

myosine V sont également abondantes dans l'axone, peut-être pour aider à déplacer les matériaux, bien que leur fonction exacte ne soit pas claire. Les neurofilaments, les filaments intermédiaires spécifiques des cellules nerveuses, fournissent le principal support structurel des axones. Une rupture de la structure des neurofilaments, ou des protéines de liaison croisée qui fixent les neurofilaments aux microtubules et aux filaments d'actine et se distribuent tout le long de l'axone, peut entraîner une désorganisation axonale qui se termine par une dégénérescence axonale.

La construction de l'architecture complexe ramifiée des neurones durant le développement dépend de la motilité fondée sur l'actine. Comme nous l'avons déjà vu, les extrémités des neurones en croissance et les dendrites s'étendent grâce à un *cône de croissance*, une structure mobile spécialisée riche en actine (Figure 16-99). La plupart des cônes de croissance neuronaux produisent des filopodes et certains fabriquent aussi des lamellipodes. La protrusion et la stabilisation des filopodes des cônes de croissance est extrêmement sensible aux signaux environnementaux. Certaines cellules sécrètent des protéines solubles comme la nétrine pour attirer ou repousser les cônes de croissance. De plus, il existe des marqueurs de guidage fixes tout le long du chemin, qui sont fixés à la matrice extracellulaire ou à la surface des cellules. Lorsqu'un filopode rencontre ce «poste de guidage» au cours de son exploration, il forme rapidement des contacts adhésifs. On pense qu'un affaissement myosine-dépendant du réseau d'actine dans la partie instable du cône de croissance amène alors l'axone en développement à se tourner vers le poste de guidage. D'autres signaux directionnels agissent comme des répulsifs et provoquent l'affaissement du cône de croissance au niveau du site d'action du signal. L'association complexe de signaux positifs et négatifs, tous deux solubles et insolubles, guide avec précision le cône de croissance vers sa destination finale (*voir* Chapitre 21).

Les microtubules renforcent les décisions directionnelles faites par les structures saillantes riches en actine du bord antérieur du cône de croissance. Les microtubules

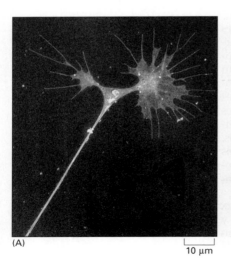

(A)

10 μm

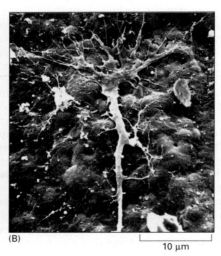

(B)

10 μm

Figure 16-99 Cônes de croissance neuronaux. (A) Microscopie électronique à balayage de deux cônes de croissance à l'extrémité d'un neurite émis par un neurone sympathique de poulet en culture. Dans ce cas, un seul cône de croissance antérieur s'est récemment divisé en deux. Notez les nombreux filopodes et le gros lamellipode. L'aspect tendu du neurite est dû à la tension engendrée par les mouvements vers l'avant du cône de croissance qui sont souvent les seuls points fermes d'attache de l'axone sur le support. (B) Photographie en microscopie électronique à balayage du cône de croissance d'un neurone sensoriel migrant sur la face interne de l'épiderme d'un têtard de *Xenopus*. (A, d'après D. Bray, *in* Cell Behaviour [R. Bellairs, A. Curtis et G. Dunn, eds.]. Cambridge, UK : Cambridge University Press, 1982; B, d'après A. Roberts, *Brain Res.* 118 : 526-530, 1976. © Elsevier.)

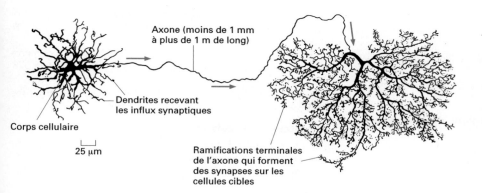

Figure 16-100 L'architecture complexe d'un neurone de vertébré. Le neurone montré provient de la rétine d'un singe. Les *flèches* indiquent la direction du déplacement du signal électrique le long de l'axone. Les neurones du corps humain, les plus longs et les plus gros, s'étendent sur une distance de 1 m (1 million de μm), depuis la base de la moelle épinière à l'extrémité du gros orteil, et ont un diamètre axonal de 15 μm. (Adapté d'après B.B. Boycott, *in* Essays on the Nervous System [R. Bellairs et E.G. Gray, eds.]. Oxford, UK : Clarendon Press, 1974.)

issus des formations parallèles axonales situées juste en arrière du cône de croissance sont constamment en croissance dans le cône de croissance et en décroissance en arrière de celui-ci du fait d'une instabilité dynamique. Les signaux de guidage adhésifs sont, d'une certaine façon, relayés vers les extrémités dynamiques des microtubules de telle sorte que la croissance des microtubules dans la bonne direction est à nouveau stabilisée contre le désassemblage. De cette façon, il reste en arrière un axone riche en microtubules qui marque le chemin effectué par le cône en croissance.

Les dendrites sont généralement des projections bien plus courtes que les axones et fonctionnent dans la réception des signaux plutôt que dans leur envoi. Les microtubules des dendrites sont tous parallèles les uns par rapport aux autres, mais leur polarité est mixte, certains pointant leurs extrémités plus vers l'extrémité du dendrite, tandis que d'autres pointent en arrière vers le corps cellulaire. Néanmoins, les dendrites se forment aussi par l'activité de cônes de croissance (*voir* Figure 21-97). Par leur déplacement le long de ces voies complexes, les cônes de croissance à l'extrémité des axones et des dendrites créent la morphologie complexe et hautement individuelle de chaque cellule nerveuse mature (Figure 16-100). De cette façon, le cytosquelette fournit les machines pour construire la totalité du système nerveux ainsi que pour soutenir les structures qui renforcent, stabilisent et maintiennent ses parties.

Résumé

Les mouvements des cellules en tant que tout ainsi que la forme et la structure cellulaires à grande échelle nécessitent l'activité coordonnée des trois systèmes de filaments fondamentaux ainsi que d'un large éventail de protéines accessoires du cytosquelette y compris les protéines motrices. La migration des cellules – un comportement très répandu et important lors du développement embryonnaire, de la cicatrisation des blessures, de l'entretien des tissus et de la fonction du système immunitaire dans l'animal adulte – est un des exemples importants de cette action coordonnée si complexe du cytosquelette. Pour qu'une cellule migre, elle doit générer et entretenir une polarité structurelle globale qui est influencée par des signaux externes. Les interactions entre les cytosquelettes d'actine et de microtubules renforcent cette polarité. De plus, la cellule doit coordonner la protrusion du bord avant (par l'assemblage de nouveaux filaments d'actine), l'adhésion de nouvelles parties saillantes de la cellule sur le support, la traction via les moteurs moléculaires pour déplacer le corps cellulaire vers l'avant et le désassemblage des anciens contacts cellule-support.

Le potentiel complexe de la morphologie cellulaire n'est nulle part ailleurs mieux illustré que dans les neurones. Ceux-ci peuvent mesurer plusieurs millimètres de long, avec des dendrites et des axones extrêmement complexes. L'élaboration et l'entretien de ces cellules magnifiques et étonnamment complexes nécessitent l'assemblage coordonné de microtubules, de neurofilaments et de filaments d'actine, ainsi que l'action de douzaines de moteurs moléculaires hautement spécialisés pour transporter les composants subcellulaires vers leur destination adéquate.

À l'opposé de cette complexité, la levure bourgeonnante, Saccharomyces cerevisiae, utilise la plasticité de son cytosquelette pour changer de forme durant sa croissance végétative et son accouplement. Par des analyses génétiques, beaucoup de composants moléculaires nécessaires à ces processus ont été découverts d'abord dans les levures. De façon assez surprenante, il s'est avéré que la plupart des même protéines étaient aussi les intermédiaires de la polarité et des mouvements des cellules animales, y compris celles des hommes.

Bibliographie

Généralités

Bray D (2001) Cell Movements: From Molecules to Motility, 2nd edn. New York: Garland Publishing.

Howard J (2001) Mechanics of Motor Proteins and the Cytoskeleton. Sunderland, MA: Sinauer.

Auto-assemblage et structure dynamique des filaments du cytosquelette

Cooper JA (1987) Effects of cytochalasin and phalloidin on actin. J. Cell Biol. 105, 1473–1478.

Desai A & Mitchison TJ (1997) Microtubule polymerization dynamics. Annu. Rev. Cell Dev. Biol. 13, 83–117.

Downing KH (2000) Structural basis for the interaction of tubulin with proteins and drugs that affect microtubule dynamics. Annu. Rev. Cell Dev. Biol. 16, 89–111.

Fuchs E (1996) The cytoskeleton and disease: genetic disorders of intermediate filaments. Annu. Rev. Genet. 30, 197–231.

Gilson PR & Beech PL (2001) Cell division protein FtsZ: running rings around bacteria, chloroplasts and mitochondria. Res. Microbiol. 152, 3–10.

Herrmann H & Aebi U (1998) Intermediate filament assembly: fibrillogenesis is driven by decisive dimer–dimer interactions. Curr. Opin. Struct. Biol. 8, 177–185.

Hill TL & Kirschner MW (1982) Subunit treadmilling of microtubules or actin in the presence of cellular barriers: possible conversion of chemical free energy into mechanical work. Proc. Natl. Acad. Sci. USA 79, 490–494.

Holmes KC, Popp D, Gebhard W & Kabsch W (1990) Atomic model of the actin filament. Nature 347, 44–49.

Lee MK & Cleveland DW (1996) Neuronal intermediate filaments. Annu. Rev. Neurosci. 19, 187–217.

Mitchison TJ (1995) Evolution of a dynamic cytoskeleton. Philos. Trans. R. Soc. Lond. B. Biol. Sci. 349, 299–304.

Nogales E, Wolf SG & Downing KH (1998) Structure of the αβ-tubulin dimer by electron crystallography. Nature 391, 199–203.

Oosawa F & Asakura S (1975) Thermodynamics of the Polymerization of Protein, pp 41–55, 90–108. New York: Academic Press.

van der Bliek AM (1999) Functional diversity in the dynamin family. Trends Cell Biol. 9, 96–102.

Les cellules peuvent réguler leurs filaments cytosquelettiques

Bretscher A, Chambers D, Nguyen R & Reczek D (2000) ERM-Merlin and EBP50 protein families in plasma membrane organization and function. Annu. Rev. Cell Dev. Biol. 16, 113–143.

Burridge K & Chrzanowska-Wodnicka M (1996) Focal adhesions, contractility, and signaling. Annu. Rev. Cell Dev. Biol. 12, 463–518.

Furukawa R & Fechheimer M (1997) The structure, function, and assembly of actin filament bundles. Int. Rev. Cytol. 175, 29–90.

Garcia ML & Cleveland DW (2001) Going new places using an old MAP: tau, microtubules and human neurodegenerative disease. Curr. Opin. Cell Biol. 13, 41–48.

Hall A (1998) Rho GTPases and the actin cytoskeleton. Science 279, 509–514.

Janmey PA (1998) The cytoskeleton and cell signaling: component localization and mechanical coupling. Physiol. Rev. 78, 763–781.

Machesky LM & Gould KL (1999) The Arp2/3 complex: a multifunctional actin organizer. Curr. Opin. Cell Biol. 11, 117–121.

Mullins RD (2000) How WASP-family proteins and the Arp2/3 complex convert intracellular signals into cytoskeletal structures. Curr. Opin. Cell Biol. 12, 91–96.

Quarmby L (2000) Cellular Samurai: katanin and the severing of microtubules. J. Cell Sci. 113, 2821–2827.

Sun HQ, Yamamoto M, Mejillano M & Yin HL (1999) Gelsolin, a multifunctional actin regulatory protein. J. Biol. Chem. 274, 33179–33182.

Troyanovsky SM (1999) Mechanism of cell–cell adhesion complex assembly. Curr. Opin. Cell Biol. 11, 561–566.

Weber A (1999) Actin binding proteins that change extent and rate of actin monomer-polymer distribution by different mechanisms. Mol. Cell. Biochem. 190, 67–74.

Zheng Y, Wong ML, Alberts B & Mitchison T (1995) Nucleation of microtubule assembly by a γ-tubulin-containing ring complex. Nature 378, 578–583.

Zimmerman W, Sparks CA & Doxsey SJ (1999) Amorphous no longer: the centrosome comes into focus. Curr. Opin. Cell Biol. 11, 122–128.

Les moteurs moléculaires

Amos LA & Cross RA (1997) Structure and dynamics of molecular motors. Curr. Opin. Struct. Biol. 7, 239–246.

Berg JS, Powell BC & Cheney RE (2001) A millennial myosin census. Mol. Biol. Cell 12, 780–794.

Cooke R (1986) The mechanism of muscle contraction. CRC Crit. Rev. Biochem. 21, 53–118.

Hackney DD (1996) The kinetic cycles of myosin, kinesin, and dynein. Annu. Rev. Physiol. 58, 731–750.

Hirokawa N, Noda Y & Okada Y (1998) Kinesin and dynein superfamily proteins in organelle transport and cell division. Curr. Opin. Cell Biol. 10, 60–73.

Holmes KC (1997) The swinging lever-arm hypothesis of muscle contraction. Curr. Biol. 7, R112–R118.

Howard J (1997) Molecular motors: structural adaptations to cellular functions. Nature 389, 561–567.

Kamal A & Goldstein LS (2000) Connecting vesicle transport to the cytoskeleton. Curr. Opin. Cell Biol. 12, 503–508.

Porter ME (1996) Axonemal dyneins: assembly, organization, and regulation. Curr. Opin. Cell Biol. 8, 10–17.

Reilein AR, Rogers SL, Tuma MC & Gelfand VI (2001) Regulation of molecular motor proteins. Int. Rev. Cytol. 204, 179–238.

Squire JM & Morris EP (1998) A new look at thin filament regulation in vertebrate skeletal muscle. FASEB J. 12, 761–771.

Vale RD & Milligan RA (2000) The way things move: looking under the hood of molecular motor proteins. Science 288, 88–95.

Vikstrom KL & Leinwand LA (1996) Contractile protein mutations and heart disease. Curr. Opin. Cell Biol. 8, 97–105.

Le cytosquelette et le comportement cellulaire

Abercrombie M (1980) The crawling movement of metazoan cells. Proc. Roy. Soc. B 207, 129–147.

Baas PW (1998) The role of motor proteins in establishing the microtubule arrays of axons and dendrites. J. Chem. Neuroanat. 14, 175–180.

Condeelis J (1993) Life at the leading edge: the formation of cell protrusions. Annu. Rev. Cell Biol. 9, 411–444.

Devreotes PN & Zigmond SH (1988) Chemotaxis in eukaryotic cells: a focus on leukocytes and Dictyostelium. Annu. Rev. Cell Biol. 4, 649–686.

Drubin DG & Nelson WJ (1996) Origins of cell polarity. Cell 84, 335–344.

Harris AK, Wild P & Stopak D (1980) Silicone rubber substrata: a new wrinkle in the study of cell locomotion. Science 208, 177–179.

Heath JP & Holifield BF (1991) Cell locomotion: new research tests old ideas on membrane and cytoskeletal flow. Cell Motil. Cytoskeleton 18, 245–257.

Madden K & Snyder M (1998) Cell polarity and morphogenesis in budding yeast. Annu. Rev. Microbiol. 52, 687–744.

Nasmyth K & Jansen RP (1997) The cytoskeleton in mRNA localization and cell differentiation. Curr. Opin. Cell Biol. 9, 396–400.

Pantaloni D, Le Clainche C & Carlier MF (2001) Mechanism of actin-based motility. Science 292, 1502–1506.

Parent CA & Devreotes PN (1999) A cell's sense of direction. Science 284, 765–770.

Suter DM & Forscher P (2000) Substrate-cytoskeletal coupling as a mechanism for the regulation of growth cone motility and guidance. J. Neurobiol. 44, 97–113.

Svitkina TM & Borisy GG (1999) Arp2/3 complex and actin depolymerizing factor/cofilin in dendritic organization and treadmilling of actin filament array in lamellipodia. J. Cell Biol. 145, 1009–1026.

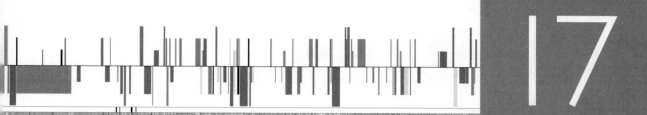

CYCLE CELLULAIRE ET MORT CELLULAIRE PROGRAMMÉE

« Là où une cellule apparaît, il doit en exister une plus ancienne, tout comme les animaux ne se forment qu'à partir d'animaux et les végétaux qu'à partir de végétaux. » Cette *doctrine cellulaire,* proposée par l'anatomopathologiste allemand Rudolf Virchow en 1858, porte en elle un message profond pour la continuité de la vie. Les cellules sont engendrées par les cellules et la seule manière d'en fabriquer un plus grand nombre est la division de celles qui existent déjà. Tous les organismes vivants, des bactéries unicellulaires aux mammifères multicellulaires, sont produits par des cycles répétés de croissance et de division cellulaires qui remontent aux origines de la vie sur Terre, il y a plus de trois milliards d'années.

Une cellule se reproduit bar le biais d'une séquence ordonnée d'événements au cours desquels elle se duplique et se divise en deux. Ce cycle de duplication et de division, appelé **cycle cellulaire,** est le mécanisme essentiel qui permet à tous les êtres vivants de se reproduire. Pour les espèces unicellulaires, comme les bactéries et les levures, chaque division cellulaire produit un nouvel organisme complet. Pour les espèces multicellulaires, de longues séquences complexes de divisions cellulaires sont requises pour produire un organisme fonctionnel. Même dans le corps adulte, la division cellulaire est généralement nécessaire pour remplacer les cellules qui meurent. En fait, chacun d'entre nous doit fabriquer plusieurs millions de cellules chaque seconde simplement pour survivre : si toute division cellulaire était stoppée – par l'exposition à une très forte dose de rayons X par exemple – nous pourrions mourir en quelques jours.

Les particularités du cycle cellulaire varient d'un organisme à l'autre et aux différents moments de la vie de l'organisme. Certaines caractéristiques, cependant, sont universelles. Une cellule doit effectuer un ensemble minimum de processus qui lui permettent d'accomplir sa tâche la plus fondamentale : transmettre ses informations génétiques à la génération cellulaire suivante. Pour produire deux cellules filles génétiquement identiques, l'ADN de chaque chromosome doit d'abord être fidèlement répliqué pour produire deux copies complètes et les chromosomes répliqués doivent ensuite se distribuer avec précision (*ségrégation*) aux deux cellules filles pour que chacune reçoive une copie complète du génome (Figure 17-1).

Les cellules eucaryotes ont développé un réseau complexe de protéines régulatrices qui forme le **système de contrôle du cycle cellulaire** et gouverne l'avancée dans le cycle cellulaire. Au cœur de ce système se trouve une série ordonnée de commutations biochimiques qui contrôlent les principaux événements du cycle, y compris

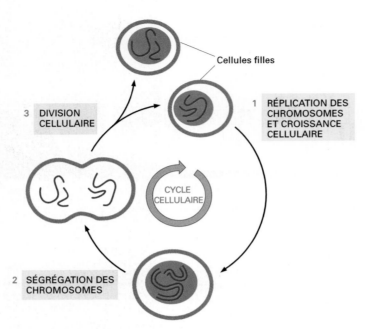

Figure 17-1 Le cycle cellulaire. La division d'une cellule eucaryote hypothétique à deux chromosomes est montrée pour illustrer le mode de formation de cellules filles génétiquement identiques à chaque cycle. Chaque cellule fille se divise souvent à nouveau en entrant dans de nouveaux cycles cellulaires.

Cellules filles

3 DIVISION CELLULAIRE

1 RÉPLICATION DES CHROMOSOMES ET CROISSANCE CELLULAIRE

CYCLE CELLULAIRE

2 SÉGRÉGATION DES CHROMOSOMES

la réplication de l'ADN et la ségrégation des chromosomes répliqués. Dans la plupart des cellules, d'autres étapes de régulation augmentent la fidélité de la division cellulaire et permettent que le système de contrôle réponde à divers signaux partant de l'intérieur et de l'extérieur de la cellule. Dans la cellule, le système de contrôle surveille l'avancée du cycle cellulaire et retarde les événements tardifs jusqu'à ce que les événements précoces soient terminés. Les préparatifs de la ségrégation des chromosomes répliqués, par exemple, ne sont pas autorisés tant que l'ADN n'a pas fini sa réplication. Le système de contrôle surveille également la situation à l'extérieur de la cellule. Dans un animal multicellulaire, ce système est fortement sensible aux signaux issus des autres cellules, stimulant la division cellulaire lorsque le besoin en cellules augmente et la bloquant lorsqu'il n'augmente pas. Le contrôle du cycle cellulaire joue de ce fait un rôle central dans la régulation du nombre de cellules dans les tissus de l'organisme. Lors de dysfonctionnement de ce système, les divisions cellulaires excessives peuvent produire un cancer.

En plus de la duplication de leur génome, la plupart des cellules dupliquent leurs autres organites et leurs macromolécules. Sinon elles rapetisseraient à chaque division. Pour maintenir leur taille, les cellules qui se divisent doivent coordonner leur croissance (par exemple, l'augmentation de leur masse cellulaire) et leur division ; on ne sait pas encore clairement comment s'effectue cette coordination.

Ce chapitre s'intéresse surtout aux modes de coordination et de contrôle des divers événements du cycle cellulaire. Nous commencerons par une brève vue d'ensemble de ces événements, dont les particularités moléculaires sont abordées dans d'autres chapitres (réplication de l'ADN dans le chapitre 5 ; ségrégation chromosomique et division cellulaire dans le chapitre 18). Nous décrirons ensuite le système de contrôle du cycle cellulaire, et nous verrons comment il organise les séquences des événements du cycle cellulaire et comment il répond aux signaux extracellulaires pour réguler la division cellulaire. Nous verrons ensuite comment les organismes multicellulaires éliminent les cellules indésirables par le processus de *mort cellulaire programmée* ou *apoptose* au cours duquel une cellule se suicide lorsque les intérêts de l'organisme le lui demandent. Enfin, nous verrons comment les animaux régulent le nombre de leurs cellules et leur taille – par le biais de signaux extracellulaires qui contrôlent la survie des cellules, leur croissance et leur division.

VUE D'ENSEMBLE DU CYCLE CELLULAIRE

La fonction la plus fondamentale du cycle cellulaire est de dupliquer fidèlement la grande quantité d'ADN des chromosomes puis de séparer avec précision les copies dans deux cellules filles identiques. Ce processus définit les deux principales *phases* du cycle cellulaire. La réplication de l'ADN se produit pendant la *phase S* (S pour synthèse) qui nécessite 10 à 12 heures et occupe près de la moitié du temps du cycle cellulaire d'une cellule typique de mammifère. Après la phase S, la ségrégation chromosomique et la division cellulaire se produisent pendant la *phase M* (M pour mi-

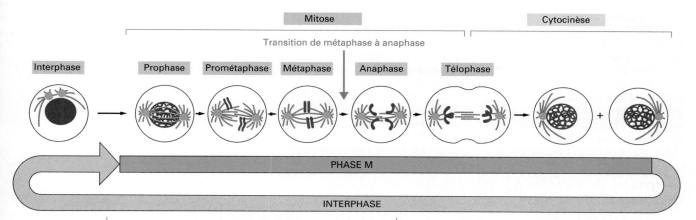

Figure 17-2 Les événements de la division cellulaire des eucaryotes observés en microscopie. Les processus, faciles à voir, de la division nucléaire (mitose) et de la division cellulaire (cytocinèse), qui forment collectivement la phase M, n'occupent typiquement qu'une petite fraction du cycle cellulaire. L'autre partie du cycle, beaucoup plus longue, est appelée interphase. Les cinq étapes de la mitose sont montrées ici : une modification brutale de l'état biochimique de la cellule se produit au moment de la transition entre la métaphase et l'anaphase. Une cellule peut effectuer une pause en métaphase avant ce point de transition mais une fois que ce point a été dépassé, la cellule continue jusqu'à la fin de la mitose et entre en interphase après la cytocinèse. Notez que la réplication de l'ADN se produit à l'interphase. La partie de l'interphase au cours de laquelle l'ADN se réplique est appelée phase S (non montrée ici).

tose) qui nécessite bien moins de temps (moins d'une heure dans une cellule de mammifère). La phase M implique une série d'événements spectaculaires qui commencent par la division nucléaire, ou mitose. Comme nous le verrons en détail au chapitre 18, la mitose commence par la condensation chromosomique ; les brins d'ADN dupliqués, placés dans les chromosomes allongés, se condensent dans des chromosomes bien plus compacts, ce qui est nécessaire à leur ségrégation. L'enveloppe nucléaire se rompt alors et les chromosomes répliqués, composés chacun d'une paire de *chromatides sœurs,* s'attachent sur les microtubules du *fuseau mitotique.* Pendant la mitose, la cellule s'arrête brièvement dans un état appelé *métaphase,* au cours duquel les chromosomes sont alignés à l'équateur du fuseau mitotique, près à leur ségrégation. La séparation soudaine des chromatides sœurs marque le début de l'*anaphase,* pendant laquelle les chromosomes se déplacent vers les pôles opposés du fuseau, où ils se décondensent et reforment un noyau intact. La cellule est alors séparée par pincement en deux par division cytoplasmique, ou *cytocinèse,* et la division cellulaire est terminée (Figure 17-2).

La plupart des cellules nécessitent bien plus de temps pour se développer et doubler leur masse protéique et leurs organites que pour répliquer leur ADN et se diviser. En partie pour allouer plus de temps à la croissance, des *phases intermédiaires* supplémentaires sont insérées dans la plupart des cycles cellulaires – une **phase G₁** (G pour *gap* = intervalle) entre la phase M et la phase S et une **phase G₂** entre la phase S et la phase M. De ce fait, on divise traditionnellement le cycle cellulaire des eucaryotes en quatre phases séquentielles : G₁, S, G₂ et M (Figure 17-3). G₁, S et G₂ forment ensemble l'*interphase.* Dans une cellule typique de l'homme qui prolifère en culture, l'interphase peut occuper 23 heures sur un cycle de 24 heures, et la phase M durer 1 heure.

Les deux phases intermédiaires sont bien plus qu'un simple délai qui permet aux cellules de croître. Elles fournissent aussi du temps aux cellules pour qu'elles surveillent leur environnement interne et externe et s'assurent que les conditions sont adaptées et que la préparation est terminée avant que la cellule n'entre elle-même dans le tumulte majeur de la phase S et de la mitose. La phase G₁ est particulièrement importante de ce point de vue. Sa longueur peut varier largement en fonction

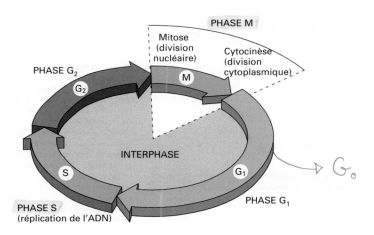

Figure 17-3 Les phases du cycle cellulaire. La cellule se développe continuellement pendant l'interphase, qui est composée de trois phases : la réplication de l'ADN est confinée à la phase S ; la phase G₁ est l'intervalle entre la phase M et la phase S, alors que la phase G₂ est l'intervalle entre la phase S et la phase M. Pendant la phase M, le noyau puis le cytoplasme se divisent.

des conditions externes et des signaux extracellulaires issus d'autres cellules. Par exemple, si les conditions extracellulaires sont défavorables, les cellules retardent leur passage à travers la phase G_1 et peuvent même entrer dans un état de repos particulier appelé G_0 (G zéro), dans lequel elles peuvent rester des jours, des semaines voire des années avant de reprendre leur prolifération. Si les conditions extracellulaires sont favorables et qu'il existe des signaux de croissance et de division, les cellules en début de phase G_1 et en phase G_0 s'avancent vers un point d'engagement proche de la fin de la phase G_1 appelé **point de départ** ou **d'entrée** (chez les levures) ou **point de restriction** (pour les cellules de mammifères). Après avoir passé ce point, les cellules s'engagent dans la réplication de l'ADN même si les signaux extracellulaires qui stimulent la croissance et la division cellulaires disparaissent.

Le système de contrôle du cycle cellulaire est similaire chez tous les eucaryotes

Certaines caractéristiques du cycle cellulaire, y compris le temps nécessaire pour terminer certains événements, varient fortement d'un type cellulaire à l'autre, y compris dans un même organisme. L'organisation fondamentale du cycle cellulaire et de son système de contrôle est, cependant, essentiellement la même dans toutes les cellules eucaryotes. Les protéines du système de contrôle sont apparues pour la première fois il y a plus d'un milliard d'années. Remarquons qu'elles ont été si bien conservées au cours de l'évolution que beaucoup d'entre elles fonctionnent parfaitement lorsqu'elles sont transférées d'une cellule humaine à une cellule de levure. Il est donc possible d'étudier le cycle cellulaire et sa régulation dans divers organismes et d'assembler les résultats obtenus chez tous pour obtenir une image unifiée du mode de division des cellules eucaryotes. Dans les paragraphes suivants, nous verrons rapidement les trois systèmes eucaryotes qui servent habituellement à l'étude du contrôle du cycle cellulaire – les levures, les embryons de grenouille et les cellules de mammifères en culture.

Le système de contrôle du cycle cellulaire a pu être génétiquement disséqué chez les levures

Les levures sont de minuscules champignons unicellulaires dont les mécanismes de contrôle du cycle cellulaire sont remarquablement semblables aux nôtres. Deux espèces sont généralement utilisées pour l'étude du cycle cellulaire. La **levure** *Schizosaccharomyces pombe* qui se reproduit par **fission**, tire son nom de la bière africaine qu'elle sert à produire. C'est une cellule en forme de bâtonnet qui croît par élongation à son extrémité. La division se produit par la formation d'un septum, ou plaque cellulaire au centre du bâtonnet (Figure 17-4A). La **levure** *Saccharomyces cerevisiae* qui se reproduit par **bourgeonnement**, appelée **levure bourgeonnante**, est utilisée par les brasseurs et les boulangers. C'est une cellule ovale qui se divise en formant un bourgeonnement qui apparaît d'abord au cours de la phase G_1 puis se développe uniformément jusqu'à se séparer de la cellule mère après la mitose (Figure 17-4B).

Malgré leurs différences externes, ces deux espèces de levure partagent un certain nombre de caractéristiques extrêmement utiles pour les études génétiques. Elles

Figure 17-4 Comparaison des cycles cellulaires des levures se reproduisant par fission ou par bourgeonnement. (A) La levure se reproduisant par fission a un cycle cellulaire eucaryote typique composé des phases G_1, S, G_2 et M. Contrairement à ce qui se passe dans les cellules eucaryotes supérieures, cependant, l'enveloppe nucléaire des cellules de levure ne se rompt pas pendant la phase M. Les microtubules du fuseau mitotique (*vert clair*) se forment à l'intérieur du noyau et sont fixés sur les corps des pôles du fuseau (*vert foncé*) à sa périphérie. La cellule se divise en formant une séparation (appelée plaque cellulaire) puis se fend en deux. Les chromosomes mitotiques condensés (en *rouge*) sont facilement visibles dans ces levures mais le sont moins dans les levures se reproduisant par bourgeonnement. (B) Les levures se reproduisant par bourgeonnement possèdent des phases G_1 et S normales mais pas de phase G_2 normale. Par contre, le fuseau formé de microtubules commence à se former à l'intérieur du noyau au début du cycle pendant la phase S. Contrairement aux cellules de levure se reproduisant par fission, la cellule se divise par bourgeonnement. Comme dans les levures se reproduisant par fission, mais contrairement aux cellules eucaryotes supérieures, l'enveloppe nucléaire reste intacte pendant la mitose et le fuseau se forme à l'intérieur du noyau.

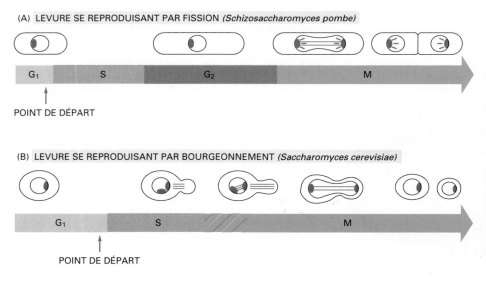

(A) LEVURE SE REPRODUISANT PAR FISSION (*Schizosaccharomyces pombe*)

G_1 S G_2 M

POINT DE DÉPART

(B) LEVURE SE REPRODUISANT PAR BOURGEONNEMENT (*Saccharomyces cerevisiae*)

G_1 S   M

POINT DE DÉPART

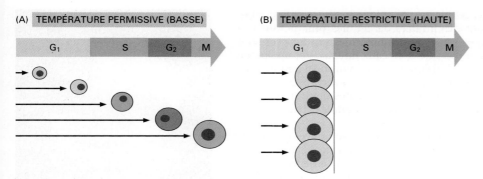

(A) TEMPÉRATURE PERMISSIVE (BASSE) (B) TEMPÉRATURE RESTRICTIVE (HAUTE)

G₁ S G₂ M

Figure 17-5 Le comportement d'un mutant *cdc* thermosensible. (A) À la température permissive (basse) les cellules se divisent normalement et sont observées dans toutes les phases du cycle (la phase de la cellule est indiquée par sa couleur). (B) Après le réchauffement jusqu'à la température restrictive (haute), pour laquelle le produit du gène mutant fonctionne anormalement, les cellules mutantes continuent leur progression dans le cycle jusqu'à ce qu'elles atteignent l'étape spécifique qu'elles sont incapables de terminer (l'initiation de la phase S dans cet exemple). Comme les cellules *cdc* mutantes poursuivent leur croissance, elles deviennent anormalement grosses. Par contre, les mutants non-*cdc* déficitaires en un processus nécessaire tout au long du cycle pour la biosynthèse et la croissance (comme la production d'ATP), s'arrêtent à l'aveuglette à n'importe quelle étape du cycle – selon le moment d'épuisement de leurs réserves biochimiques (non montré ici).

se reproduisent presque aussi rapidement que les bactéries et la taille de leur génome représente moins de 1 p. 100 de celui des mammifères. Elles peuvent subir des manipulations génétiques rapides au cours desquelles leurs gènes peuvent être délétés, remplacés ou modifiés. Ce qui est encore plus important, c'est qu'elles possèdent cette capacité inhabituelle à proliférer sous l'état *haploïde* dans lequel il n'y a qu'une seule copie de chaque gène dans la cellule. Lorsqu'une cellule est haploïde, il est facile d'isoler et d'étudier des mutations qui inactivent un gène, car on évite les complications apportées par la présence d'une deuxième copie du gène dans la cellule.

Beaucoup de découvertes importantes concernant le contrôle du cycle cellulaire proviennent de la recherche systématique, dans ces levures, de mutations qui inactivent des gènes codant pour des composants essentiels du système de contrôle du cycle cellulaire. Les gènes touchés par ces mutations sont appelés **gènes du cycle de division cellulaire** ou **gènes *cdc***. Beaucoup de ces mutations provoquent l'arrêt de la cellule à un point spécifique de son cycle cellulaire, ce qui suggère que le produit normal du gène est nécessaire pour que la cellule dépasse ce point.

Un mutant qui ne peut terminer le cycle cellulaire ne peut se propager. De ce fait, il n'est possible de sélectionner et de conserver des mutants *cdc* que si leur phénotype est *conditionnel* – c'est-à-dire, si le produit du gène ne fonctionne pas, dans certaines conditions spécifiques seulement. La plupart des mutations conditionnelles du cycle cellulaire sont des *mutations thermosensibles*, pour lesquelles les protéines mutantes ne peuvent fonctionner aux températures élevées mais fonctionnent assez bien pour permettre la division cellulaire aux basses températures. Un mutant *cdc* thermosensible peut se propager aux basses températures (la *condition permissive*) puis être placé à des températures plus élevées (la *condition restrictive*) qui inactivent la fonction du gène mutant. Aux plus fortes températures, la cellule continue son cycle cellulaire jusqu'à ce qu'elle atteigne le point qui nécessite la fonction du gène mutant pour pouvoir avancer plus loin et s'y arrête (Figure 17-5). Dans le cas des levures bourgeonnantes, il est possible de détecter un arrêt uniforme du cycle cellulaire de ce type simplement en regardant les cellules : la présence ou l'absence d'un bourgeonnement, et la taille de celui-ci indiquent le point du cycle où le mutant s'est arrêté (Figure 17-6).

Le système de contrôle du cycle cellulaire peut être analysé biochimiquement dans les embryons animaux

Alors que les levures sont idéales pour étudier la génétique du cycle cellulaire, la biochimie de ce cycle s'analyse plus facilement dans les ovules fécondés géants de nombreux animaux, qui transportent d'importantes réserves de protéines nécessaires à la division cellulaire. L'ovule de la grenouille *Xenopus*, par exemple, mesure plus d'1 mm de diamètre et transporte 100 000 fois plus de cytoplasme qu'une cellule humaine moyenne (Figure 17-7). La fécondation d'un ovule de *Xenopus* déclenche une séquence de divisions cellulaires d'une rapidité étonnante, appelées *di-*

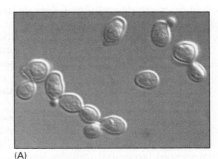

(A)

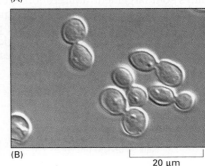

(B)   20 μm

Figure 17-6 Morphologie de cellules de levure se reproduisant par bourgeonnement, arrêtées par une mutation *cdc*. (A) Dans une population normale de cellules de levure en prolifération, le bourgeonnement varie en taille selon le stade du cycle cellulaire. (B) Dans un mutant *cdc15* mis en culture à la température restrictive, les cellules terminent l'anaphase mais ne peuvent terminer la mitose et la cytocinèse pour sortir du cycle. Il en résulte qu'elles s'arrêtent uniformément avec un gros bourgeonnement, caractéristique de la phase M tardive. (Due à l'obligeance de Jeff Ubersax.)

visions par clivage, au cours desquelles la cellule géante unique se divise, sans croître, pour engendrer un embryon contenant des milliers de cellules plus petites (Figure 17-8). Au cours de ce processus, les seules macromolécules synthétisées sont l'ADN – nécessaire à la formation des milliers de nouveaux noyaux – et une petite quantité de protéines. Après une première division qui met environ 90 minutes, les 11 divisions suivantes se produisent, de façon plus ou moins synchrone, à 30 minutes d'intervalle pour produire 4 096 (2^{12}) cellules en 7 heures environ. Chaque cycle se divise en une phase S et une phase M d'environ 15 minutes chacune, sans phases G_1 ni G_2 détectables.

Les cellules de l'embryon précoce (aux premiers stades de son développement) de *Xenopus*, ainsi que de celui de la palourde *Spisula* et de la mouche des fruits, *Drosophila*, sont donc capables d'une division excessivement rapide en l'absence de croissance ou des nombreux mécanismes de contrôle qui opèrent dans des cycles cellulaires plus complexes. Les *cycles cellulaires des jeunes embryons* révèlent donc les mécanismes des systèmes de contrôle cellulaire mis à nu et simplifiés au minimum nécessaire pour répondre aux besoins les plus fondamentaux – la duplication du génome et sa ségrégation en deux cellules filles. L'autre avantage de ces embryons précoces dans l'analyse du cycle cellulaire est leur grande taille. Il est relativement facile d'injecter des substances dans un œuf pour déterminer leurs effets sur l'évolution du cycle cellulaire. Il est aussi possible de préparer du cytoplasme presque pur à partir d'œufs de *Xenopus* et de reconstituer un grand nombre d'événements du cycle cellulaire dans un tube à essai (Figure 17-9). Dans ce type d'extrait cellulaire, on peut observer et manipuler les événements du cycle cellulaire sous des conditions hautement simplifiées et contrôlables.

Le système de contrôle du cycle cellulaire des mammifères peut être étudié en culture

Il n'est pas facile d'observer individuellement les cellules dans un animal intact. La plupart des études sur le contrôle du cycle cellulaire faites sur les mammifères utilisent de ce fait des cellules isolées de tissus normaux ou de tumeurs mises en culture dans des boîtes en plastique en présence de nutriments essentiels et d'autres facteurs (Figure 17-10). Il existe une complication, cependant. Lorsque les cellules de mammifères, issues de tissus normaux, sont mises en culture dans des conditions standard, elles cessent souvent de se diviser au bout d'un nombre limité de cycles de division. Les fibroblastes humains, par exemple, cessent pour toujours de se diviser après 25 à 40 divisions, un processus que nous étudierons ultérieurement, appelé *sénescence cellulaire réplicative*.

Les cellules de mammifères subissent occasionnellement des mutations qui leur permettent de proliférer rapidement et indéfiniment en culture sous forme de *lignées cellulaires* «immortalisées». Bien qu'elles ne soient pas normales, ces lignées cellulaires sont largement utilisées lors d'étude du cycle cellulaire – et, d'une façon générale, en biologie cellulaire – parce qu'elles fournissent une source illimitée de cellules génétiquement homogènes. De plus, ces cellules sont suffisamment grosses pour permettre l'observation cytologique détaillée des événements du cycle cellulaire et elles peuvent subir les analyses biochimiques des protéines impliquées dans le contrôle du cycle cellulaire.

0,5 mm

Figure 17-7 Un ovule mature de *Xenopus*, prêt à être fécondé. Le point pâle près de l'extrémité montre le site du noyau, qui a déplacé le pigment brun de la couche superficielle du cytoplasme de l'ovule. Bien que cela ne soit pas visible sur cette image, l'enveloppe nucléaire s'est rompue pendant le processus de maturation. (Due à l'obligeance de Tony Mills.)

Figure 17-8 Croissance d'un ovocyte et clivage d'un œuf de *Xenopus*. L'ovocyte croît sans se diviser pendant plusieurs mois dans l'ovaire de la grenouille mère puis finit par mûrir en un ovule. Lors de la fécondation, l'œuf se divise très rapidement – initialement à la vitesse d'un cycle de division toutes les 30 minutes – formant un têtard multicellulaire en un jour ou deux. Les cellules rapetissent progressivement à chaque division et l'embryon reste de la même taille. La croissance ne débute que lorsque le têtard commence à se nourrir. Les schémas de la ligne du haut sont tous à la même échelle (mais pas la grenouille en dessous).

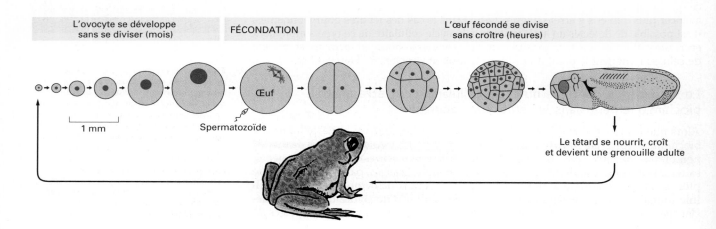

L'ovocyte se développe sans se diviser (mois)

FÉCONDATION

L'œuf fécondé se divise sans croître (heures)

1 mm

Œuf

Spermatozoïde

Le têtard se nourrit, croît et devient une grenouille adulte

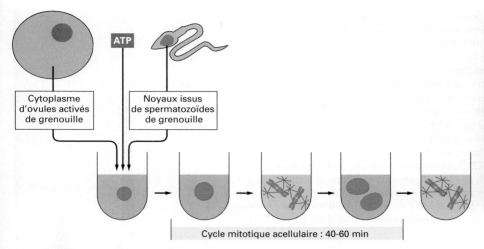

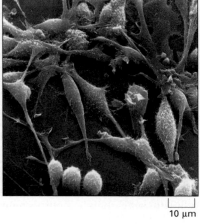

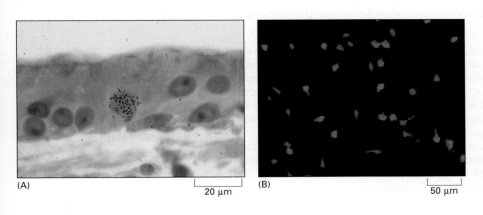

Figure 17-9 Étude du cycle cellulaire dans un système acellulaire. Un important lot d'œufs de grenouille activés est ouvert par centrifugation douce qui sépare aussi le cytoplasme des autres composants cellulaires. Après le recueil du cytoplasme non dilué, des noyaux de spermatozoïdes et de l'ATP y sont ajoutés. Les noyaux de spermatozoïdes se décondensent et passent par des cycles répétés de réplication de l'ADN et de mitose, ce qui indique que le système de contrôle du cycle cellulaire agit dans cet extrait cytoplasmique acellulaire.

Figure 17-10 Cellules de mammifère proliférant en culture. Sur cette photographie en microscopie électronique à balayage, les cellules sont des fibroblastes de rat. (Due à l'obligeance de Guenter Albrecht-Buehler.)

Les études sur les cellules de mammifère en culture ont été particulièrement utiles pour l'examen des mécanismes moléculaires qui gouvernent le contrôle de la prolifération cellulaire dans les organismes multicellulaires. Ces études sont importantes, non seulement pour comprendre le contrôle normal du nombre de cellules dans les tissus mais aussi pour comprendre la perte de ce contrôle dans les cancers (*voir* Chapitre 23).

Diverses méthodes permettent d'étudier la progression du cycle cellulaire

Comment peut-on dire à quelle étape du cycle cellulaire se trouve une cellule animale ? Un des moyens consiste simplement à regarder les cellules vivantes au microscope. Un coup d'œil à une population proliférative de cellules de mammifère en culture révèle qu'une fraction des cellules s'est arrondie et se trouve en mitose. D'autres peuvent se trouver dans le processus de cytocinèse. Les cellules en phase S, cependant, ne peuvent être repérées simplement par l'observation. On peut cependant les reconnaître, si on leur fournit des molécules visualisables qui s'incorporent dans l'ADN néosynthétisé, comme la thymidine ^{3}H ou la bromodésoxyuridine (BrdU), un analogue artificiel de la thymidine. Les noyaux cellulaires qui ont incorporé la thymidine ^{3}H sont visualisés par autoradiographie (Figure 17-11A) alors que ceux qui ont incorporé la BrdU sont visualisés par coloration à l'aide d'un anticorps anti-BrdU (Figure 17-11B).

Typiquement, dans une population de cellules qui prolifèrent rapidement mais de façon asynchrone, 30 à 40 p. 100 environ d'entre elles se trouvent à chaque instant en phase S et seront marquées lors d'un bref marquage par de la thymidine ^{3}H ou du BrdU. D'après les proportions de cellules marquées dans cette population (*indice de marquage*),

Figure 17-11 Marquage de cellules en phase S. (A) Les tissus ont été exposés pendant une courte période à de la thymidine ^{3}H et les cellules marquées sont visualisées par autoradiographie. Les granules d'argent (*points noirs*) de l'émulsion photographique placée sur le noyau indiquent que la cellule a incorporé la thymidine ^{3}H dans son ADN et se trouvait donc en phase S un certain temps pendant la période de marquage. Dans ce spécimen, qui montre l'épithélium sensoriel issu de l'oreille interne d'un poulet, la présence d'une cellule en phase S met en évidence la prolifération cellulaire qui se produit en réponse à une lésion. (B) Photographie en microscopie à immunofluorescence d'une cellule précurseur de la glie en culture, marquée à la BrdU. Les cellules ont été exposées à la BrdU pendant 4 heures puis ont été fixées et marquées par des anticorps anti-BrdU fluorescents (*rouge*). Toutes les cellules sont colorées par un colorant *bleu* fluorescent. (A, due à l'obligeance de Mark Warchol et Jeffrey Corwin ; B, d'après D. Tang, Y. Tokumoto et M. Raff, *J. Cell Biol.* 148 : 971-984, 2000. © The Rockefeller University Press.)

on peut estimer la durée de la phase S sous forme de fraction de la durée totale du cycle cellulaire. De même, d'après la proportion de cellules en mitose (*indice mitotique*), on peut estimer la durée de la phase M. De plus, après un bref marquage par de la thymidine ^{3}H ou du BrdU, si on laisse les cellules poursuivre leur cycle sur un laps de temps mesuré, on peut déterminer combien de temps met une cellule en phase S pour atteindre la phase M en passant par G_2, pour traverser M pour atteindre G_1 et pour traverser G_1 pour se retrouver en phase S.

Une autre méthode pour vérifier le stade du cycle cellulaire atteint par la cellule consiste à mesurer sa teneur en ADN qui double durant la phase S. Cette méthode est largement plus aisée si on utilise des colorants fluorescents qui se fixent sur l'ADN et un *cytomètre de flux* qui permet d'analyser rapidement et automatiquement un grand nombre de cellules (Figure 17-12). La cytométrie de flux sert également à déterminer la longueur des phases G_1, S, et G_2 + M, en suivant dans le temps une population de cellules présélectionnées pour se trouver dans une des phases particulières du cycle cellulaire : la mesure de la teneur en ADN dans cette population cellulaire synchronisée montre comment les cellules progressent dans leur cycle.

Résumé

La reproduction cellulaire commence par la duplication du contenu cellulaire suivie de la distribution de ce contenu dans les deux cellules filles. La duplication chromosomique se produit durant la phase S du cycle cellulaire tandis que la plupart des autres composants cellulaires se dupliquent continuellement pendant tout le cycle. Pendant la phase M, la ségrégation des chromosomes répliqués s'effectue dans des noyaux séparés (mitose) et la cellule se fend alors en deux (cytocinèse). La phase S et la phase M sont généralement séparées par des phases intermédiaires, G_1 et G_2, lorsque le déroulement du cycle cellulaire peut être régulé par divers signaux intracellulaires et extracellulaires. L'organisation du cycle cellulaire et son contrôle ont été hautement conservés pendant l'évolution et des études dans une large gamme de systèmes – parmi lesquels les levures, les embryons de grenouille et les cellules de mammifères en culture – ont conduit à une vue uniforme du contrôle du cycle cellulaire eucaryote.

COMPOSANTS DU SYSTÈME DE CONTRÔLE DU CYCLE CELLULAIRE

Pendant de nombreuses années, les biologistes ont regardé le spectacle de marionnettes de la synthèse de l'ADN, de la mitose et de la cytocinèse sans avoir la moindre idée de ce qui se trouvait derrière le rideau et contrôlait ces événements. Le système de contrôle du cycle cellulaire était simplement une boîte noire à l'intérieur de la cellule. On ne savait même pas clairement s'il existait un système de contrôle séparé ou si les processus de synthèse d'ADN, de mitose et de cytocinèse se contrôlaient eux-mêmes d'une façon quelconque. Une des avancées majeures s'est produite à la fin des années 1980 lors de l'identification des protéines clés du système de contrôle et de la prise de conscience du fait qu'elles étaient différentes de celles qui effectuaient les processus de réplication de l'ADN, de ségrégation chromosomique et ainsi de suite.

Nous verrons d'abord les principes fondamentaux utilisés par les systèmes de contrôle cellulaire. Nous parlerons ensuite des composantes protéiques de ce système et de leur mode de fonctionnement coordonné pour activer les différentes phases du cycle cellulaire.

Le système de contrôle du cycle cellulaire déclenche les principaux processus de ce cycle

Le système de contrôle du cycle cellulaire agit à peu près comme le système de contrôle d'un lave-linge automatique. Le lave-linge fonctionne par une série d'étapes : il fait rentrer de l'eau, la mélange à la lessive, lave le linge, le rince puis l'essore pour le sécher. Ces processus essentiels du cycle de lavage sont analogues aux processus essentiels du cycle cellulaire – la réplication de l'ADN, la mitose et ainsi de suite. Dans les deux cas, un contrôleur central déclenche chaque processus sous forme d'un ensemble de séquences (Figure 17-13).

Comment peut-on concevoir un système de contrôle qui guide sans problèmes la cellule à travers les événements du cycle cellulaire (ou d'un cycle de lavage, dans notre exemple) ? En principe on pourrait imaginer que le système de contrôle le plus fondamental devrait posséder les caractéristiques suivantes :

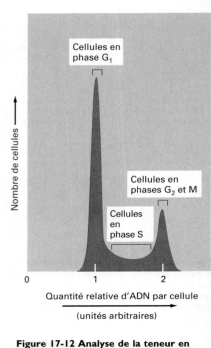

Figure 17-12 Analyse de la teneur en ADN par cytométrie de flux. Ce schéma montre les résultats typiques obtenus dans une population cellulaire proliférative lorsque le contenu en ADN de chacune de ses cellules est déterminé dans un cytomètre de flux. (Le cytomètre de flux, aussi appelé FACS pour *fluorescence-activated cell sorter*, sert également à trier les cellules selon leur fluorescence – *voir* Figure 8-2). Les cellules analysées ici ont été colorées par un colorant qui devient fluorescent lorsqu'il se fixe sur l'ADN, de telle sorte que la quantité de fluorescence est directement proportionnelle à la quantité d'ADN dans chaque cellule. Les cellules sont réparties en trois catégories : celles qui ont un ADN complet non répliqué et sont donc en phase G_1 ; celles qui ont un ADN complètement répliqué (deux fois la teneur en ADN de G_1) et qui se trouvent en phase G_2 ou en phase M ; et celles qui ont une quantité intermédiaire d'ADN et sont en phase S. La distribution des cellules, dans le cas illustré ici, indique qu'il y a un plus grand nombre de cellules en phase G_1 qu'en phases G_2 + M, ce qui montre que, dans cette population, G_1 est plus longue que G_2 + M.

- Une horloge, ou minuterie, qui active chaque événement à un moment spécifique, et fournit ainsi une durée fixe pour permettre la terminaison de chaque événement.
- Un mécanisme qui initie les événements dans l'ordre correct ; l'entrée en mitose par exemple, doit toujours suivre la réplication de l'ADN.
- Un mécanisme qui assure que chaque événement ne se déclenche qu'une fois par cycle.
- Un commutateur binaire (*on/off*, activé/inactivé) qui déclenche les événements d'une façon complète et irréversible. Il serait désastreux, par exemple, que des événements comme la condensation des chromosomes ou la rupture de l'enveloppe nucléaire soient initiés mais ne se terminent pas.
- La robustesse : mécanismes de renfort qui s'assurent que le cycle peut fonctionner correctement même si des parties du système présentent un dysfonctionnement.
- L'adaptabilité, pour pouvoir modifier le comportement du système afin de s'adapter à des types cellulaires ou des conditions environnementales spécifiques.

Nous verrons dans ce chapitre que le système de contrôle du cycle cellulaire possède toutes ces caractéristiques et que nous commençons à comprendre les mécanismes moléculaires impliqués.

Le système de contrôle peut arrêter le cycle cellulaire au niveau de points de contrôle spécifiques

Nous pouvons illustrer l'importance d'un système ajustable de contrôle du cycle cellulaire en reprenant notre analogie avec le lave-linge. Le système de contrôle des cycles cellulaires embryonnaires simples, tout comme le système de contrôle d'un lave-linge simple, se fonde sur une minuterie. La minuterie n'est pas affectée par les événements qu'elle régule et avance pendant toute la séquence d'événements même si l'un d'entre eux ne peut pas s'effectuer complètement. Par contre, le système de contrôle de la plupart des cycles cellulaires (et des lave-linge sophistiqués) répond aux informations de retour issues des processus qu'il contrôle. Des capteurs, par exemple, détectent la fin de la synthèse d'ADN (ou le remplissage correct du tambour) et, si certains dysfonctionnements empêchent la terminaison complète de ce processus, des signaux sont envoyés au système de contrôle pour retarder la progression dans la phase suivante. Ces retards fournissent du temps pour réparer la machinerie et évitent aussi les désastres qui pourraient se produire si le cycle passait prématurément dans la phase suivante.

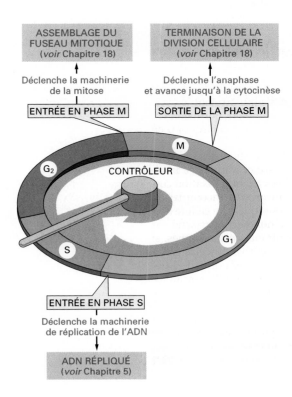

Figure 17-13 Contrôle du cycle cellulaire. Les processus essentiels du cycle cellulaire comme la réplication de l'ADN, la mitose et la cytocinèse — sont déclenchés par un système de contrôle du cycle cellulaire. Par analogie avec une machine à laver, le système de contrôle du cycle cellulaire est représenté ici comme un bras central — le contrôleur — qui tourne dans le sens des aiguilles d'une montre et déclenche les processus essentiels lorsqu'il atteint des points spécifiques du cadran extérieur.

ASSEMBLAGE DU FUSEAU MITOTIQUE (*voir* Chapitre 18)

Déclenche la machinerie de la mitose

ENTRÉE EN PHASE M

TERMINAISON DE LA DIVISION CELLULAIRE (*voir* Chapitre 18)

Déclenche l'anaphase et avance jusqu'à la cytocinèse

SORTIE DE LA PHASE M

CONTRÔLEUR

G_2

M

G_1

S

ENTRÉE EN PHASE S

Déclenche la machinerie de réplication de l'ADN

ADN RÉPLIQUÉ (*voir* Chapitre 5)

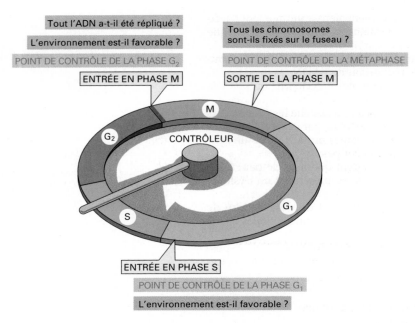

Tout l'ADN a-t-il été répliqué ?

L'environnement est-il favorable ?

POINT DE CONTRÔLE DE LA PHASE G₂

ENTRÉE EN PHASE M

Tous les chromosomes sont-ils fixés sur le fuseau ?

POINT DE CONTRÔLE DE LA MÉTAPHASE

SORTIE DE LA PHASE M

CONTRÔLEUR

ENTRÉE EN PHASE S

POINT DE CONTRÔLE DE LA PHASE G₁

L'environnement est-il favorable ?

Figure 17-14 Points de contrôle du système de contrôle du cycle cellulaire. Les informations concernant la terminaison des événements du cycle cellulaire, ainsi que les signaux issus de l'environnement, peuvent provoquer l'arrêt du cycle par le système de contrôle au niveau de certains points de contrôle. Les principaux points de contrôle sont placés dans des *encadrés jaunes.*

Dans la plupart des cellules, il existe différents points du cycle cellulaire, appelés **points de contrôle**, au niveau desquels le cycle peut s'arrêter si les événements précédents ne se sont pas terminés (Figure 17-4). L'entrée en mitose ne s'effectue pas, par exemple, lorsque la réplication de l'ADN n'est pas terminée et la séparation des chromosomes mitotiques est retardée si certains chromosomes ne sont pas correctement fixés sur le fuseau mitotique.

Le passage par G₁ et G₂ est retardé par des mécanismes de freinage si l'ADN des chromosomes est lésé par des radiations ou des substances chimiques. Les retards au niveau de ces *points de contrôle de lésion d'ADN* fournissent le temps nécessaire à la réparation de l'ADN lésé, après quoi les freins du cycle cellulaire sont relâchés et la progression reprend.

Les points de contrôle sont importants aussi d'un autre point de vue. Il existe des points dans le cycle cellulaire au niveau desquels le système de contrôle peut être régulé par des signaux extracellulaires issus d'autres cellules. Ces signaux – qui peuvent soit promouvoir soit inhiber la prolifération cellulaire – ont tendance à agir en régulant la progression par le biais d'un point de contrôle de G₁, à l'aide de mécanismes que nous verrons ultérieurement dans ce chapitre.

Les points de contrôle opèrent généralement par le biais de signaux intracellulaires négatifs

Les mécanismes des points de contrôle, comme ceux que nous venons de décrire, ont tendance à agir par le biais de signaux intracellulaires négatifs qui arrêtent le cycle cellulaire plutôt que par l'élimination de signaux positifs qui stimulent normalement la progression du cycle cellulaire. Les arguments suivants suggèrent pourquoi il en est ainsi.

Considérons par exemple le point de contrôle qui suit la fixation des chromosomes sur le fuseau mitotique. Si une cellule entre en anaphase et commence la ségrégation de ses chromosomes dans des cellules filles séparées avant la fixation correcte de tous les chromosomes, une cellule fille recevra un groupe incomplet de chromosomes tandis que l'autre en recevra un surplus. Par conséquent, la cellule doit être capable de détecter la fixation du dernier chromosome non encore attaché sur les microtubules du fuseau. Dans une cellule dotée de nombreux chromosomes, si chaque chromosome envoie un signal positif au système de contrôle du cycle cellulaire une fois qu'il est attaché, la fixation du dernier chromosome sera difficile à détecter, car elle ne sera signalée que par une variation fractionnelle de l'intensité totale du signal « partez » (*go*). D'un autre côté, si chaque chromosome non fixé envoie un signal négatif qui inhibe la progression du cycle cellulaire, il sera facile de détecter la fixation du dernier chromosome parce qu'elle provoquera une modification, à savoir l'absence de signal, qui remplacera la présence de certains signaux « stop ». Un argument similaire impliquerait que l'ADN non répliqué inhiberait l'initiation de la mitose, créant un signal stop qui persisterait jusqu'à ce que la réplication de l'ADN soit terminée.

La preuve la plus convaincante que les points de contrôle opèrent par le biais de signaux négatifs provient d'études faites sur des cellules dans lesquelles un point de contrôle est inactivé par mutation ou par traitement chimique. Dans ces cellules, le cycle cellulaire se poursuit même si la réplication de l'ADN ou l'assemblage du fuseau sont incomplets, ce qui indique que les points de contrôle ne sont généralement pas essentiels au déroulement du cycle cellulaire. Le mieux est de considérer les points de contrôle comme des systèmes de freinage accessoires qui ont été ajoutés au système de contrôle du cycle cellulaire pour permettre une régulation plus sophistiquée.

Bien que la plupart des points de contrôle ne soient pas essentiels à la progression du cycle cellulaire normal dans les conditions idéales, les populations de cellules qui présentent des anomalies de ces points de contrôle accumulent souvent des mutations dues à des dysfonctionnements occasionnels de la réplication de l'ADN, de la réparation de l'ADN ou de l'assemblage du fuseau. Certaines de ces mutations peuvent favoriser le développement de cancers, ce que nous verrons ultérieurement et dans le chapitre 23.

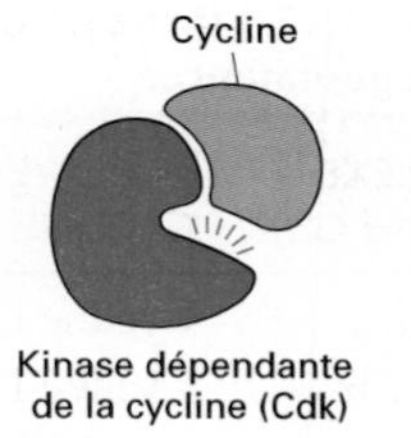

Figure 17-15 Deux composants clés du système de contrôle du cycle cellulaire. Le complexe cycline-Cdk agit comme une protéine-kinase qui déclenche les événements spécifiques du cycle cellulaire. Sans cycline, la Cdk est inactive.

Le système de contrôle du cycle cellulaire se fonde sur l'activation cyclique de protéine-kinases

Au cœur du système de contrôle du cycle cellulaire se trouve une famille de protéine-kinases, les **kinases cycline-dépendantes** (**Cdk** pour *cyclin-dependent kinases*). L'activité de ces kinases augmente puis diminue tandis que le cycle cellulaire progresse. Ces oscillations conduisent directement à des variations cycliques de la phosphorylation de protéines intracellulaires qui initient ou régulent les événements majeurs du cycle cellulaire – la réplication de l'ADN, la mitose et la cytocinèse. L'augmentation de l'activité des Cdk au début de la mitose, par exemple, conduit à l'augmentation de la phosphorylation des protéines qui contrôlent la condensation des chromosomes, la rupture de la membrane nucléaire et l'assemblage du fuseau.

Les variations cycliques de l'activité des Cdk sont contrôlées par un ensemble complexe d'enzymes et d'autres protéines. Les principaux régulateurs de ces Cdk sont des protéines appelées **cyclines**. Les Cdk, comme leur nom l'indique, dépendent des cyclines pour leur activité ; tant qu'elles ne sont pas solidement fixées sur une cycline, elles n'ont pas d'activité protéine-kinase (Figure 17-15). Les cyclines ont été au départ ainsi nommées parce qu'elles subissent un cycle de synthèse et de dégradation à chaque cycle cellulaire. Les concentrations en Cdk, au contraire, restent constantes, du moins dans les cycles cellulaires les plus simples. Les variations cycliques de la concentration en cycline produisent l'assemblage et l'activation cycliques de **complexes cycline-Cdk** ; cette activation déclenche à son tour les événements du cycle cellulaire (Figure 17-16).

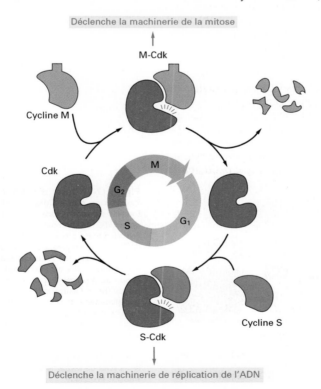

Figure 17-16 Schéma simplifié du cœur du système de contrôle du cycle cellulaire. La Cdk s'associe successivement à différentes cyclines pour déclencher les différents événements du cycle. L'activité de la Cdk se termine généralement par la dégradation de la cycline. Pour plus de simplicité, seules les cyclines qui agissent en phase S (cycline S) et en phase M (cycline M) sont montrées et elles interagissent avec une seule Cdk ; comme cela est indiqué, les complexes cycline-Cdk résultants sont respectivement nommés S-Cdk et M-Cdk.

COMPLEXE CYCLINE-CDK	VERTÉBRÉS		LEVURES BOURGEONNANTES	
	CYCLINE	PARTENAIRE CDK	CYCLINE	PARTENAIRE CDK
G_1-Cdk	Cycline D*	Cdk4, Cdk6	Cln3	Cdk1**
G_1/S-Cdk	Cycline E	Cdk2	Cln1, 2	Cdk1
S-Cdk	Cycline A	Cdk2	Clb5, 6	Cdk1
M-Cdk	Cycline B	Cdk1**	Clb1, 2, 3, 4	Cdk1

*Il y a trois cyclines D chez les mammifères (cyclines D1, D2 et D3).
**Le nom d'origine de la Cdk1 était Cdc2 chez les vertébrés et les levures se reproduisant par fission, et Cdc28 chez les levures bourgeonnantes.

Il existe quatre classes de cyclines, chacune définie par l'étape du cycle cellulaire pendant laquelle elle se fixe sur les Cdk et fonctionne. Trois de ces classes sont nécessaires dans toutes les cellules eucaryotes :
1. Les **cyclines G_1/S** se fixent sur les Cdk à la fin de la phase G_1 et engagent la cellule dans la réplication de l'ADN.
2. Les **cyclines S** se fixent sur les Cdk pendant la phase S et sont nécessaires à l'initiation de la réplication de l'ADN.
3. Les **cyclines M** favorisent les événements de la mitose.

Dans la plupart des cellules une quatrième classe de cyclines, les **cyclines G_1**, aident à promouvoir le passage du point de départ (ou d'entrée) ou point de restriction de la fin de la phase G_1.

Dans les cellules de levure, une seule protéine Cdk fixe toutes les classes de cyclines et actionne tous les événements du cycle cellulaire en changeant de partenaire cycline aux différentes étapes du cycle. Dans les cellules de vertébrés, par contre, il existe quatre Cdk. Deux interagissent avec les cyclines G_1, une avec les cyclines G_1/S et S, et une avec les cyclines M. Dans ce chapitre nous désignerons simplement les différents complexes cycline-Cdk par **G_1-Cdk**, **G_1/S-Cdk**, **S-Cdk** et **M-Cdk**. Les noms de chaque Cdk et cyclines sont donnés dans le tableau 17-I.

Comment les différents complexes cycline-Cdk actionnent-ils les différents événements du cycle cellulaire ? Une partie de la réponse au moins semble être que la protéine cycline ne sert pas simplement à activer sa partenaire Cdk mais la dirige aussi vers sa protéine cible spécifique. Il en résulte que chaque complexe cycline-Cdk phosphoryle un groupe différent de substrats protéiques. Le même complexe cycline-Cdk peut aussi induire différents effets à différents moments du cycle, probablement parce que l'accessibilité de certains substrats des Cdk varie pendant le cycle cellulaire. Certaines protéines qui fonctionnent pendant la mitose, par exemple, ne peuvent devenir disponibles pour leur phosphorylation qu'à la phase G_2.

Des études sur la structure protéique tridimensionnelle des protéines Cdk et cyclines ont révélé que, en l'absence de cycline, le site actif des Cdk est partiellement caché par une dalle protéique, tout comme une pierre bloque l'entrée d'une caverne (Figure 17-17A). La fixation de la cycline provoque le mouvement de cette dalle qui s'éloigne du site actif, et entraîne l'activation partielle de l'enzyme Cdk (Figure 17-17B). L'activation totale du complexe cycline-Cdk se produit lorsqu'une autre kinase, la **kinase d'activation de la Cdk** (**CAK** pour *Cdk-activating kinase*), phosphoryle un acide aminé près de l'entrée du site actif de la Cdk. Cela provoque une petite modi-

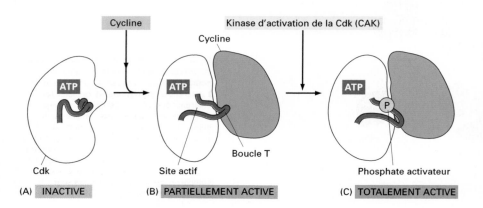

Figure 17-17 Bases structurales de l'activation d'une Cdk. Ces schémas se fondent sur la structure tridimensionnelle de la Cdk2 de l'homme, déterminée par cristallographie aux rayons X. La localisation de l'ATP lié est indiquée. L'enzyme est montrée sous trois états. (A) A l'état inactivé, non lié à la cycline, le site actif est bloqué par une région de la protéine appelée boucle T (en *rouge*). (B) La fixation de la cycline provoque le déplacement de la boucle T qui sort du site actif, ce qui entraîne l'activation partielle de la Cdk2. (C) La phosphorylation de la Cdk2 (par la CAK) sur un résidu thréonine de la boucle T active encore plus l'enzyme en modifiant la forme de la boucle T, ce qui améliore la capacité de l'enzyme à se fixer sur son substrat protéique.

(A) INACTIVE   (B) PARTIELLEMENT ACTIVE   (C) TOTALEMENT ACTIVE

fication de conformation qui augmente encore plus l'activité de la Cdk, ce qui permet à la kinase de phosphoryler efficacement ses protéines cibles et d'induire ainsi les événements spécifiques du cycle cellulaire (Figure 17-17C).

Des protéines inhibitrices et une phosphorylation inhibitrice peuvent supprimer l'activité de la Cdk

L'augmentation et la chute de la concentration en cycline constituent le premier déterminant de l'activité d'une Cdk pendant le cycle cellulaire. Cependant, divers autres mécanismes sont importants pour régler finement l'activité d'une Cdk au niveau d'étapes spécifiques du cycle cellulaire.

La phosphorylation d'une paire d'acides aminés sur le plafond du site actif peut initier l'activité du complexe cycline-Cdk. La phosphorylation de ces sites par une protéine-kinase, la **Wee1**, inhibe l'activité de la Cdk, tandis que la déphosphorylation de ces sites par une phosphatase, la **Cdc25,** augmente l'activité de la Cdk (Figure 17-18). Nous verrons ultérieurement que ce mécanisme régulateur est particulièrement important dans le contrôle de l'activité de la M-Cdk au début de la mitose.

La fixation de **protéines inhibitrices de la Cdk (CKI)** peut aussi réguler les complexes cycline-Cdk. Il existe diverses protéines CKI surtout employées dans le contrôle des phases G_1 et S. La structure tridimensionnelle d'un complexe cycline-Cdk-CKI révèle que la fixation d'une CKI réarrange de façon spectaculaire la structure du site actif de la Cdk, qu'elle inactive (Figure 17-19).

Le système de contrôle du cycle cellulaire dépend d'une protéolyse cyclique

Le contrôle du cycle cellulaire dépend de façon cruciale d'au moins deux complexes enzymatiques distincts, qui agissent à des moments différents du cycle pour provoquer la protéolyse de protéines clés du système de contrôle du cycle cellulaire et les inactiver. En particulier, les complexes cycline-Cdk sont inactivés par la protéolyse régulée des cyclines à certains stades du cycle cellulaire. Cette destruction de la cycline se produit par un mécanisme qui dépend de l'ubiquitine, comme celui impliqué dans la protéolyse de nombreuses autres protéines intracellulaires (*voir* Chapitre 6). Le complexe enzymatique activé reconnaît des séquences spécifiques en acides aminés de la cycline et y fixe de multiples copies d'ubiquitine, ce qui marque la protéine pour sa destruction complète dans les protéasomes.

L'étape limitante de la vitesse de destruction de la cycline est la réaction finale de transfert de l'ubiquitine catalysée par des enzymes, les **ubiquitine-ligases** (*voir* Figure 6-87B). Deux ubiquitine-ligases sont importantes dans la destruction des cyclines et des autres régulateurs cellulaires. Au cours des phases G_1 et S, un complexe enzymatique appelé *SCF* (d'après ses trois principales sous-unités protéiques) est responsable de l'ubiquitinylation et de la destruction des cyclines G_1/S et de certaines protéines CKI qui contrôlent l'initiation de la phase S. Au cours de la phase M, le *complexe de promotion de l'anaphase* (APC pour *anaphase-promoting complex*) est responsable de l'ubiquitinylation et de la protéolyse des cyclines M et d'autres régulateurs de mitose.

Ces deux grands complexes à multiples sous-unités contiennent certains composants apparentés, mais sont régulés par des voies différentes. L'activité du SCF est constante au cours du cycle cellulaire. L'ubiquitinylation par le SCF est contrôlée par des modifications de l'état de phosphorylation des protéines cibles : seules les protéines spécifiquement phosphorylées sont reconnues, ubiquitinylées et détruites (Figure 17-20A). L'activité de l'APC, au contraire, se modifie aux cours des différentes étapes du cycle cellulaire. L'APC est activé surtout par l'addition de sous-unités activatrices sur le complexe (Figure 17-20B). Nous verrons les fonctions du SCF et de l'APC de façon plus détaillée ultérieurement.

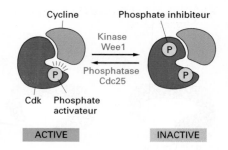

Figure 17-18 Régulation de l'activité d'une Cdk par phosphorylation inhibitrice. Le complexe actif cycline-Cdk est inactivé lorsqu'une kinase, Wee1, phosphoryle deux sites peu espacés placés au-dessus du site actif. L'élimination de ces phosphates par la phosphatase Cdc25 entraîne l'activation du complexe cycline-Cdk. Pour plus de simplicité, un seul phosphate inhibiteur est montré ici. La CAK ajoute le phosphate activateur, comme cela est montré en figure 17-17.

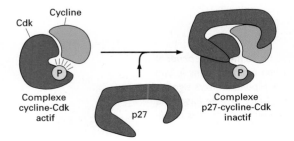

Figure 17-19 Inhibition d'un complexe cycline-Cdk par une CKI. Ce schéma se fonde sur la structure tridimensionnelle, déterminée par cristallographie aux rayons X, du complexe cycline A-Cdk2 de l'homme lié à la CKI p27. La p27 se fixe sur la cycline et la Cdk du complexe, déformant le site actif de la Cdk. Elle s'insère aussi dans le site de liaison à l'ATP, inhibant encore plus l'activité enzymatique.

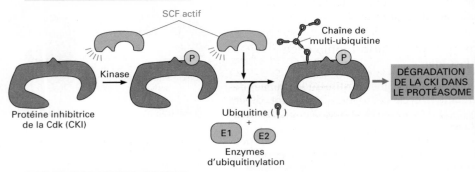

(A) Contrôle de la protéolyse par le SCF

SCF actif

Chaîne de multi-ubiquitine

Kinase

P

DÉGRADATION DE LA CKI DANS LE PROTÉASOME

Protéine inhibitrice de la Cdk (CKI)

Ubiquitine ( )
+
E1   E2
Enzymes d'ubiquitinylation

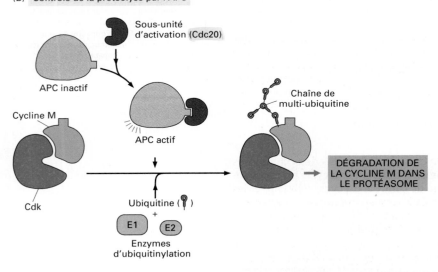

(B) Contrôle de la protéolyse par l'APC

Sous-unité d'activation (Cdc20)

APC inactif

Chaîne de multi-ubiquitine

Cycline M

APC actif

DÉGRADATION DE LA CYCLINE M DANS LE PROTÉASOME

Cdk

Ubiquitine ( )
+
E1   E2
Enzymes d'ubiquitinylation

Figure 17-20 Contrôle de la protéolyse par le SCF et l'APC pendant le cycle cellulaire. (A) La phosphorylation d'une protéine cible, comme la CKI montrée ici, permet que les protéines soient reconnues par le SCF qui est constitutivement actif. Aidé de deux protéines supplémentaires, appelées E1 et E2, le SCF sert d'ubiquitine-ligase qui transfère de multiples molécules d'ubiquitine sur la protéine CKI. La protéine CKI ubiquitinylée est alors immédiatement reconnue et dégradée dans un protéasome. (B) L'ubiquitinylation de la cycline M s'effectue par l'APC, activé à la fin de la mitose par l'addition d'une sous-unité d'activation sur le complexe. Le SCF et l'APC contiennent tous deux des sites de liaison qui reconnaissent des séquences spécifiques en acides aminés sur la protéine cible.

Le contrôle du cycle cellulaire dépend aussi d'une régulation transcriptionnelle

Au cours du cycle cellulaire de l'embryon de grenouille dont nous avons parlé, la transcription génique ne se produit pas. Le contrôle du cycle cellulaire dépend exclusivement de mécanismes post-transcriptionnels qui impliquent une régulation de l'activité Cdk par la phosphorylation et la fixation de protéines régulatrices comme les cyclines, elles-mêmes régulées par protéolyse. Dans les cycles cellulaires plus complexes de la plupart des types cellulaires, cependant, un contrôle transcriptionnel fournit un niveau supplémentaire de régulation. Les concentrations en cyclines de la plupart des cellules, par exemple, sont contrôlées non seulement par des modifications de la dégradation des cyclines mais aussi par des variations de leur transcription génique et de leur synthèse.

Dans certains organismes, comme les levures bourgeonnantes, on peut utiliser des micropuces d'ADN (*voir* Chapitre 8) pour analyser les variations de l'expression de tous les gènes du génome lorsque la cellule effectue son cycle cellulaire. Les résultats de ces études sont surprenants. Près de 10 p. 100 des gènes de levure codent pour des ARNm dont la concentration oscille pendant le cycle cellulaire. Certains de ces gènes codent pour des protéines dont la fonction dans le cycle cellulaire est connue, mais les fonctions de beaucoup d'autres restent ignorées. Il semble probable que ces oscillations de l'expression génique soient contrôlées par une phosphorylation dépendante du complexe cycline-Cdk de protéines régulatrices de gènes, mais les particularités de cette régulation ne sont pas connues.

Résumé

Les événements du cycle cellulaire sont déclenchés par un système de contrôle indépendant du cycle cellulaire, qui assure que ces événements apparaissent au bon moment, dans le bon ordre et ne se produisent qu'une fois par cycle. Le système de contrôle répond à divers signaux intracellulaires et extracellulaires de telle sorte que la progression peut être arrêtée lorsque la cellule n'arrive pas à terminer un processus essentiel du cycle cellulaire ou rencontre des conditions environnementales défavorables.

Les composants au cœur du système de contrôle du cycle cellulaire sont des protéine-kinases cycline-dépendantes (Cdk) dont l'activité dépend de leur association avec des sous-unités régulatrices appelées cyclines. L'oscillation de l'activité des divers complexes cycline-Cdk conduit à l'initiation de divers événements du cycle cellulaire. De ce fait, l'activation des complexes « cyclines de phase S-Cdk » initie la phase S, tandis que l'activation des complexes « cyclines de phase M-Cdk » déclenche la mitose. L'activité des complexes cycline-Cdk est influencée par divers mécanismes y compris la phosphorylation de la sous-unité Cdk, la fixation de protéines inhibitrices particulières (CKI), la protéolyse des cyclines et les variations de la transcription des gènes codant pour les régulateurs des Cdk. Deux complexes enzymatiques, SCF et APC, sont aussi des composants fondamentaux du système de contrôle du cycle cellulaire ; ils induisent la protéolyse de régulateurs spécifiques du cycle cellulaire par ubiquitinylation et déclenchent ainsi divers événements critiques du cycle.

CONTRÔLE INTRACELLULAIRE DES ÉVÉNEMENTS DU CYCLE CELLULAIRE

Chacun des différents complexes cycline-Cdk sert de commutateur moléculaire et déclenche un événement spécifique du cycle cellulaire. Voyons maintenant comment ces commutateurs initient ces événements et comment le système de contrôle du cycle cellulaire fait que la commutation se déclenche dans le bon ordre, une seule fois par cycle. Nous commencerons par les deux événements au cœur du cycle cellulaire : la réplication de l'ADN de la phase S et la ségrégation chromosomique avec division cellulaire de la phase M. Nous verrons ensuite comment des mécanismes cruciaux de régulation pendant la phase G_1 décident si la cellule doit ou non proliférer.

Les complexes cycline-Cdk de phase S (S-Cdk) initient la réplication de l'ADN une fois par cycle

Une cellule doit résoudre plusieurs problèmes pour contrôler l'initiation et la terminaison de la réplication de l'ADN. Non seulement la réplication doit s'effectuer avec une précision extrême pour minimiser les risques de mutations dans la génération cellulaire suivante, mais chaque nucléotide du génome doit être copié une fois, et une seule, pour éviter les conséquences néfastes de l'amplification génique. Dans le chapitre 5, nous avons vu la machinerie protéique complexe qui effectue la réplication de l'ADN avec une rapidité et une précision étonnantes. Dans ce chapitre, nous verrons les mécanismes élégants qui permettent au système de contrôle du cycle cellulaire d'initier le processus de réplication et d'éviter en même temps qu'il ne se produise plusieurs fois par cycle.

Les premiers indices concernant la régulation de la phase S proviennent d'études menées sur des cellules humaines, fusionnées à diverses étapes du cycle cellulaire afin de former une cellule unique à deux noyaux. Ces expériences ont révélé que, lorsqu'une cellule en phase G_1 était fusionnée avec une cellule en phase S, la réplication de l'ADN se produisait dans le noyau en phase G_1 (déclenchée probablement par l'activité de la S-Cdk de la cellule en phase S). La fusion d'une cellule en phase G_2 avec une cellule en phase S, cependant, ne provoquait pas la synthèse d'ADN dans le noyau en phase G_2 (Figure 17-21). Ces études indiquent clairement que seules

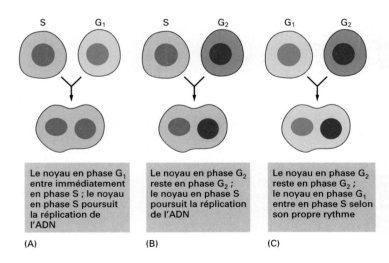

Figure 17-21 Les expériences de fusion cellulaire prouvent l'existence d'un blocage de la re-réplication. Ces expériences ont été effectuées en 1970 dans des cellules de mammifères en culture. (A) Les résultats montrent que le cytoplasme en phase S contient des facteurs qui amènent directement un noyau en phase G_1 à synthétiser l'ADN. (B) Un noyau en phase G_2, ayant déjà répliqué son ADN, est réfractaire à ces facteurs. (C) La fusion d'une cellule en phase G_2 avec une cellule en phase G_1 n'amène pas le noyau en phase G_1 à synthétiser l'ADN, ce qui indique que les facteurs cytoplasmiques de la réplication de l'ADN, qui étaient présents dans la cellule en phase S, disparaissent lorsque la cellule passe de la phase S à la phase G_2. (Adapté d'après R.T. Johnson et P.N. Rao, *Nature* 226 : 717-722, 1970.)

S G₁ S G₂ G₁ G₂

Le noyau en phase G_1 entre immédiatement en phase S ; le noyau en phase S poursuit la réplication de l'ADN

(A)

Le noyau en phase G_2 reste en phase G_2 ; le noyau en phase S poursuit la réplication de l'ADN

(B)

Le noyau en phase G_2 reste en phase G_2 ; le noyau en phase G_1 entre en phase S selon son propre rythme

(C)

les cellules en phase G_1 sont compétentes pour initier la réplication de l'ADN et que les cellules qui ont terminé leur phase S (par exemple les cellules en phase G_2) ne sont pas capables de répliquer leur ADN même si on leur fournit une activité S-Cdk. Apparemment, le passage par la mitose est nécessaire pour que la cellule récupère sa capacité d'entrer de nouveau en phase S.

Nous n'avons que récemment commencé à déchiffrer les fondements moléculaires de ces expériences de fusion cellulaire. La réplication de l'ADN commence aux *origines de réplication*, éparpillées sur divers sites du chromosome. Ces origines de réplication sont simples et bien définies dans la levure bourgeonnante *S. cerevisiae* et une grande part de nos connaissances sur la machinerie d'initiation provient d'études menées sur cet organisme. L'analyse des protéines qui se fixent sur les origines de réplication de la levure a permis d'identifier un gros complexe multiprotéique, le **complexe de reconnaissance de l'origine** (**ORC** pour *origin recognition complex*). Ces complexes se fixent sur l'origine de réplication pendant tout le cycle cellulaire et servent de piste d'atterrissage pour plusieurs autres protéines régulatrices.

Une de ces protéines régulatrices est la **Cdc6**. Elle est présente à faible concentration pendant la majeure partie du cycle cellulaire, mais sa concentration augmente transitoirement au début de la phase G_1. Elle se fixe sur les ORC placés sur les origines de réplication au début de la phase G_1 où elle permet la fixation d'un complexe

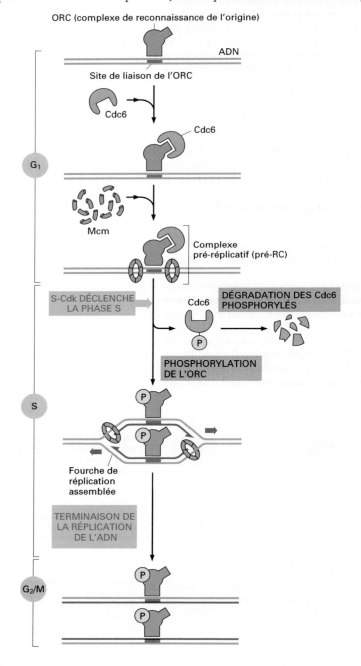

Figure 17-22 Initiation de la réplication de l'ADN une fois par cycle. L'ORC reste associé à son origine de réplication pendant tout le cycle cellulaire. Au début de la phase G_1, Cdc6 s'associe à l'ORC. Aidés par Cdc6, les complexes Mcm en anneaux s'assemblent alors sur l'ADN adjacent, ce qui forme le complexe pré-réplicatif. La S-Cdk (aidée par une autre protéine-kinase, non montrée ici) déclenche alors le démarrage de l'origine de réplication, assemblant l'ADN polymérase et les autres protéines de réplication et activant la migration des anneaux protéiques de Mcm le long des brins d'ADN en tant qu'ADN hélicase. La S-Cdk bloque aussi la re-réplication en provoquant la dissociation de Cdc6 des origines, sa dégradation et l'exportation de l'excédent de Mcm hors du noyau. Cdc6 et Mcm ne peuvent recommencer à réinitialiser une origine contenant un ORC pour un autre cycle de réplication de l'ADN tant que la M-Cdk n'a pas été inactivée à la fin de la mitose (*voir* texte).

composé d'un groupe de protéines apparentées, les **protéines Mcm**. Ce gros complexe protéique formé au niveau d'une origine est le **complexe pré-réplicatif** (ou **pré-RC** pour *pre-replicative complex*) (Figure 17-22).

Une fois que le pré-RC s'est assemblé en phase G_1, l'origine de réplication est prête à «démarrer». L'activation de la S-Cdk à la fin de la phase G_1 tire sur le déclencheur et initie la réplication de l'ADN. L'initiation de la réplication nécessite aussi l'activité d'une deuxième protéine-kinase, qui collabore avec la S-Cdk pour provoquer la phosphorylation de l'ORC.

La S-Cdk initie le démarrage de l'origine de réplication et en plus utilise plusieurs voies pour éviter une nouvelle réplication. D'abord, elle provoque la dissociation de la protéine Cdc6 de l'ORC après le démarrage d'une origine de réplication. Cela entraîne le désassemblage du pré-RC, ce qui empêche qu'une réplication se reproduise sur la même origine. Deuxièmement, elle évite le réassemblage des protéines Cdc6 et Mcm sur une origine. En phosphorylant la Cdc6, elle déclenche son ubiquitinylation par un complexe enzymatique, le SCF, que nous avons déjà vu. Il en résulte que toute protéine Cdc6 non fixée sur une origine est rapidement dégradée dans les protéasomes. La S-Cdk phosphoryle aussi certaines protéines Mcm, ce qui déclenche leur exportation hors du noyau ; le complexe protéique Mcm a donc encore moins de chances de pouvoir se fixer sur une origine de réplication (*voir* Figure 17-22).

L'activité de la S-Cdk reste importante pendant la phase G_2 et le début de la mitose, en évitant qu'une nouvelle réplication ne se produise une fois que la phase S est terminée. La M-Cdk, qui phosphoryle les protéines Cdc6 et Mcm, permet aussi d'assurer qu'une nouvelle réplication ne se produit pas pendant la mitose. La G_1/S-Cdk apporte aussi son aide, en induisant l'exportation de la Mcm hors du noyau, ce qui assure que les protéines Mcm excédentaires non liées sur des origines à la fin de la phase G_1 sont mises hors d'action avant le début de la réplication.

De ce fait, divers complexes cycline-Cdk coopèrent pour restreindre l'assemblage du pré-RC et éviter une nouvelle réplication de l'ADN après la phase S. Comment le système de contrôle du cycle cellulaire est-il donc réinitialisé pour permettre à la réplication de se produire lors du cycle cellulaire suivant ? La réponse est simple. À la fin de la mitose, toute l'activité Cdk de la cellule est réduite à zéro. La déphosphorylation des protéines Cdc6 et Mcm qui en résulte permet à nouveau l'assemblage du pré-RC, et prépare les chromosomes à un nouveau cycle de réplication.

L'activation des complexes cycline-Cdk de phase M (M-Cdk) déclenche l'entrée en mitose

La terminaison de la réplication de l'ADN laisse les cellules en phase G_2 avec deux copies précises de l'ensemble du génome et chaque chromosome répliqué composé de deux *chromatides sœurs* identiques accolées sur toute leur longueur. La cellule subit alors le bouleversement spectaculaire de la phase M, à savoir la répartition égale des chromosomes dupliqués ainsi que des autres contenus cellulaires entre les deux cellules filles. Les événements de la mitose sont déclenchés par la M-Cdk qui est activée dès la fin de la phase S.

L'activation de la M-Cdk commence par l'accumulation de cycline M (cycline B dans les cellules des vertébrés, *voir* Tableau 17-I). Dans les cycles cellulaires embryonnaires, la synthèse de cycline M est constante pendant tout le cycle cellulaire et son accumulation résulte de la baisse de sa dégradation. Dans presque tous les types cellulaires, cependant, la synthèse de cycline M augmente pendant les phases G_2 et M, surtout du fait de l'augmentation de la transcription de son gène. L'augmentation de cette protéine conduit à l'accumulation graduelle de M-Cdk (le complexe Cdk1 et cycline M) lorsque la cellule approche de la mitose. Bien que, dans ces complexes, la Cdk soit phosphorylée sur un site d'activation par la CAK, une enzyme dont nous avons déjà parlé, elle est maintenue sous un état inactif par une phosphorylation inhibitrice au niveau de deux sites voisins, due à une protéine-kinase, Wee1 (*voir* Figure 17-18). De ce fait, au moment où la cellule atteint la fin de la phase G_2, elle contient une abondante réserve de M-Cdk amorcée et prête à agir, mais dont l'activité est réprimée par la présence de deux groupements phosphate qui bloquent le site actif de la kinase.

Qu'est-ce qui déclenche alors l'activation de cette réserve de M-Cdk ? L'événement crucial est l'activation, à la fin de la phase G_2, d'une protéine-phosphatase, Cdc25, qui élimine les phosphates inhibiteurs qui brident la M-Cdk (Figure 17-23). Au même moment, l'activité de Wee1, la kinase inhibitrice, est également supprimée, ce qui entraîne l'augmentation encore plus brutale de l'activité de la M-Cdk. Deux protéine-kinases activent Cdc25. La première, la **Polo-kinase**, phosphoryle Cdc25 sur un ensemble de sites. L'autre kinase d'activation est la M-Cdk elle-même, qui phosphoryle un autre groupe de sites de Cdc25. La M-Cdk phosphoryle aussi Wee1 et l'inhibe.

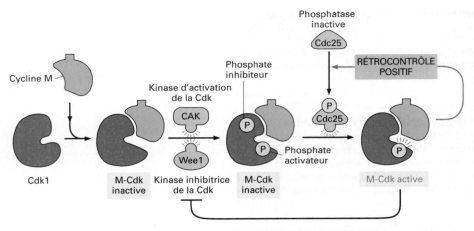

Figure 17-23 Activation de la M-Cdk.
La Cdk1 s'associe avec la cycline M lorsque la concentration en cycline M augmente graduellement. Le complexe M-Cdk qui en résulte est phosphorylé sur un site d'activation par la kinase d'activation de la Cdk (CAK) et sur une paire de sites inhibiteurs par la kinase Wee1. Le complexe inactif M-Cdk qui en résulte est ensuite activé à la fin de la phase G_2 par une phosphatase, Cdc25. Cdc25 est stimulée en partie par la Polo-kinase, qui n'est pas montrée ici pour plus de simplicité. Cdc25 est ensuite stimulée par la M-Cdk active, ce qui forme un rétrocontrôle positif. Ce rétrocontrôle est renforcé par la capacité de la M-Cdk à inhiber Wee1.

Cette capacité de la M-Cdk à activer son propre activateur (Cdc25) et à inhiber son propre inhibiteur (Wee1) suggère que l'activation de la M-Cdk lors de la mitose implique une boucle de rétrocontrôle positive (*voir* Figure 17-23). Selon cette hypothèse attrayante, l'activation partielle de Cdc25, peut-être par la Polo-kinase, conduit à l'activation partielle d'une sous-population de complexes M-Cdk qui phosphorylent alors encore plus de Cdc25 et de molécules de Wee1. Cela conduit à l'augmentation de la déphosphorylation de M-Cdk et de son activation et ainsi de suite. Ce type de mécanisme favoriserait rapidement l'activation complète de tous les complexes M-Cdk de la cellule, et transformerait l'augmentation graduelle de la concentration en cyclines M en une augmentation brutale, de type commutation, de l'activité de la M-Cdk. Comme nous l'avons déjà mentionné, des commutations moléculaires semblables opèrent sur divers points du cycle cellulaire pour assurer que certains événements, comme l'entrée en mitose, se produisent sur un mode du tout ou rien.

Le point de contrôle de la réplication de l'ADN bloque l'entrée en mitose en cas de réplication incomplète de l'ADN

Si une cellule entrait en mitose avant d'avoir fini de répliquer son ADN, elle transmettrait des groupes incomplets ou cassés de chromosomes à ses cellules filles. La plupart des cellules évitent ce désastre par un mécanisme de **point de contrôle de la réplication de l'ADN**, qui assure que l'initiation de la mitose ne peut se produire tant que le dernier nucléotide du génome n'a pas été copié. Des mécanismes de capteurs, de nature moléculaire inconnue, détectent soit l'ADN non répliqué soit les fourches de réplication correspondantes non terminées et envoient un signal négatif au système de contrôle du cycle cellulaire qui bloque l'activation de la M-Cdk. De ce fait, des cellules normales traitées par des substances chimiques inhibitrices de la synthèse d'ADN, comme l'hydroxyurée, n'entrent pas en mitose. Cependant, si ce mécanisme de point de contrôle est déficient, comme dans les cellules de levure qui présentent certaines mutations ou dans les cellules de mammifère traitées par de fortes doses de caféine, les cellules se jettent dans une mitose suicidaire en dépit de l'échec de la réplication complète de leur ADN (Figure 17-24).

Les cibles terminales du signal négatif du point de contrôle sont les enzymes qui contrôlent l'activation de la M-Cdk. Le signal négatif active une protéine-kinase qui inhibe la protéine-phosphatase Cdc25 (*voir* Figures 17-18 et 17-23). Il en résulte que la M-Cdk reste phosphorylée et inactive jusqu'à ce que la réplication de l'ADN soit terminée.

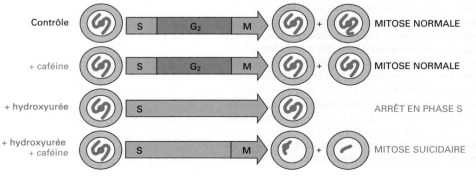

Figure 17-24 Point de contrôle de la réplication de l'ADN. Dans les expériences représentées ici, les cellules de mammifère en culture ont été traitées par de la caféine, de l'hydroxyurée, ou l'association des deux. L'hydroxyurée bloque la synthèse d'ADN. Ce blocage active un mécanisme de point de contrôle qui arrête la cellule en phase S et retarde la mitose. Mais si on ajoute la caféine ainsi que l'hydroxyurée, le mécanisme de point de contrôle est défaillant et la cellule entre en mitose selon son rythme normal, malgré la réplication incomplète de son ADN. Il s'ensuit la mort de la cellule.

La M-Cdk prépare les chromosomes dupliqués à leur séparation

Une des caractéristiques les plus remarquables du contrôle du cycle cellulaire est qu'une unique protéine-kinase, la M-Cdk, est capable d'occasionner tous les réarrangements divers et complexes qui se produisent pendant les stades précoces de la mitose (*voir* Chapitre 18). La M-Cdk doit induire au minimum l'assemblage du fuseau mitotique et assurer que les chromosomes répliqués sont fixés sur le fuseau. Chez de nombreux organismes, la M-Cdk déclenche aussi la condensation des chromosomes, la rupture de l'enveloppe nucléaire, le réarrangement du cytosquelette d'actine et la réorganisation de l'appareil de Golgi et du réticulum endoplasmique. On pense que chaque événement se déclenche lorsque la M-Cdk déphosphoryle les protéines structurelles spécifiques ou régulatrices impliquées dans celui-ci, même si la plupart de ces protéines n'ont pas encore été identifiées.

La dégradation de l'enveloppe nucléaire, par exemple, nécessite le désassemblage de la *lamina nucléaire* – la charpente sous-jacente de filaments de lamines polymérisées qui donne à l'enveloppe nucléaire sa rigidité structurelle. La phosphorylation directe des lamines par la M-Cdk entraîne leur dépolymérisation qui est la première étape essentielle au démantèlement de l'enveloppe (*voir* Figure 12-21).

La condensation des chromosomes semble être également une conséquence directe de la phosphorylation par la M-Cdk. Un complexe de cinq protéines, le **complexe des condensines**, est nécessaire pour la condensation des chromosomes dans l'embryon de *Xenopus*. Une fois que la M-Cdk a phosphorylé diverses sous-unités de ce complexe, deux d'entre elles sont capables de modifier l'enroulement des molécules d'ADN dans un tube à essai. On pense que cette activité d'enroulement est importante pour la condensation des chromosomes durant la mitose (*voir* Figure 4-56).

La phosphorylation par la M-Cdk déclenche également un réarrangement complexe des microtubules ainsi que d'autres événements qui conduisent à l'assemblage du fuseau mitotique. Comme nous le verrons au chapitre 18, on sait que la M-Cdk phosphoryle un certain nombre de protéines qui régulent le comportement des microtubules, ce qui provoque l'augmentation de l'instabilité des microtubules, nécessaire à l'assemblage du fuseau.

La protéolyse déclenche la séparation des chromatides sœurs

Une fois que la M-Cdk a déclenché les réarrangements complexes qui se produisent au début de la mitose, le cycle cellulaire atteint son point culminant par la séparation des **chromatides sœurs** lors de la *transition métaphase-anaphase*. Bien que l'activité de la M-Cdk initie l'étape de cet événement, un complexe enzymatique totalement différent – le **complexe de promotion de l'anaphase** (**APC** pour *anaphase-promoting complex*) dont nous avons déjà parlé – lance la commutation qui initie la séparation des chromatides sœurs. L'APC est une ubiquitine-ligase fortement régulée qui favorise la destruction de plusieurs protéines régulatrices mitotiques (*voir* Figure 17-20B).

La fixation des deux chromatides sœurs sur les pôles opposés du fuseau mitotique au début de la mitose résulte de forces qui ont tendance à séparer les deux chromatides. Ces forces de traction se heurtent initialement à une résistance parce que les chromatides sœurs sont solidement fixées ensemble, à la fois au niveau de leur centromère et tout le long de leurs bras. La cohésion des chromatides sœurs dépend d'un complexe protéique, le **complexe des cohésines**, déposé tout le long des chromosomes lorsqu'ils se dupliquent pendant la phase S. Les *cohésines* sont des protéines très apparentées à celles du complexe des condensines, impliqué dans la condensation des chromosomes, ce qui suggère que ces deux processus ont une origine évolutive commune (*voir* Figure 18-3).

L'anaphase commence par la rupture brutale de la cohésion entre les chromatides sœurs, qui leur permet de se séparer et de se déplacer vers les pôles opposés du fuseau. C'est une cascade remarquable d'événements de signalisation qui initie ce processus. La séparation des chromatides sœurs nécessite l'activation du complexe enzymatique APC, ce qui suggère que la protéolyse est au centre de ce processus (Figure 17-25). La principale cible de l'APC est une protéine, la **sécurine**. Avant l'anaphase, la sécurine se fixe sur une protéase, la **séparase**, et l'inhibe. La destruction de la sécurine à la fin de la métaphase libère la séparase, qui peut alors couper librement une des sous-unités du complexe des cohésines. En un instant, ce complexe se sépare des chromosomes et les chromatides sœurs se séparent l'une de l'autre (Figure 17-26).

Si l'APC déclenche l'anaphase, qu'est-ce qui déclenche l'APC ? La réponse n'est qu'en partie connue. L'activation de l'APC nécessite la protéine **Cdc20**, qui se fixe

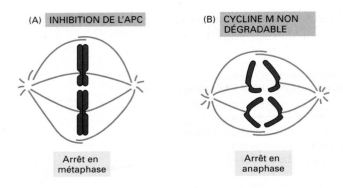

(A) INHIBITION DE L'APC

(B) CYCLINE M NON DÉGRADABLE

Arrêt en métaphase

Arrêt en anaphase

Figure 17-25 Deux expériences qui démontrent la nécessité de la dégradation protéique pour sortir de la mitose. (A) Un inhibiteur de l'APC a été ajouté à des extraits d'œufs de grenouille subissant une mitose *in vitro* (*voir* Figure 17-9). L'inhibiteur arrête la mitose en métaphase, ce qui indique que la protéolyse est nécessaire à la séparation des chromatides sœurs lors de la transition métaphase-anaphase. Un arrêt similaire se produit chez les levures bourgeonnantes qui présentent des mutations dans les composants de l'APC. (B) Une forme mutante non dégradable de la cycline M a été ajoutée aux extraits d'œufs de grenouille en mitose. Cette addition arrête la mitose après la séparation des chromatides sœurs, ce qui indique que la destruction de la cycline M n'est pas nécessaire pour la séparation des chromatides sœurs mais est nécessaire pour la sortie ultérieure de la mitose. (D'après S.L. Holloway et al., *Cell* 73 :1393-1402, 1993.)

sur lui lors de la mitose et l'active (*voir* Figures 17-26 et 17-20B). Deux processus au moins régulent Cdc20 et son association avec l'APC. D'abord, la synthèse de Cdc20 augmente lorsque la cellule approche de la mitose, en raison de l'augmentation de la transcription de son gène. Deuxièmement, la phosphorylation de l'APC aide Cdc20 à s'y fixer et facilite ainsi la création d'un complexe actif.

On ne sait pas clairement quelles sont les kinases qui phosphorylent et activent le complexe Cdc20-APC. L'activité de la M-Cdk est nécessaire pour l'activité de ces kinases mais il existe un retard significatif, ou *phase de latence*, entre l'activation de la M-Cdk et l'activation du complexe Cdc20-APC. Les fondements moléculaires de ce retard sont encore mystérieux mais il y a des chances qu'ils détiennent la clé du mode d'initiation de l'anaphase au bon moment de la phase M.

Les chromosomes non fixés bloquent la séparation des chromatides sœurs : c'est le point de contrôle de la fixation sur le fuseau

La cellule ne s'engage pas dans les événements capitaux de l'anaphase avant de s'y être complètement préparée. Dans la plupart des types cellulaires, un mécanisme de **point de contrôle de la fixation sur le fuseau** opère pour assurer que tous les chromosomes sont correctement fixés sur le fuseau avant que la séparation des chromatides sœurs ne se produise. Ce point de contrôle dépend d'un mécanisme de capteurs qui surveille l'état du *kinétochore*, la région spécifique du chromosome qui se

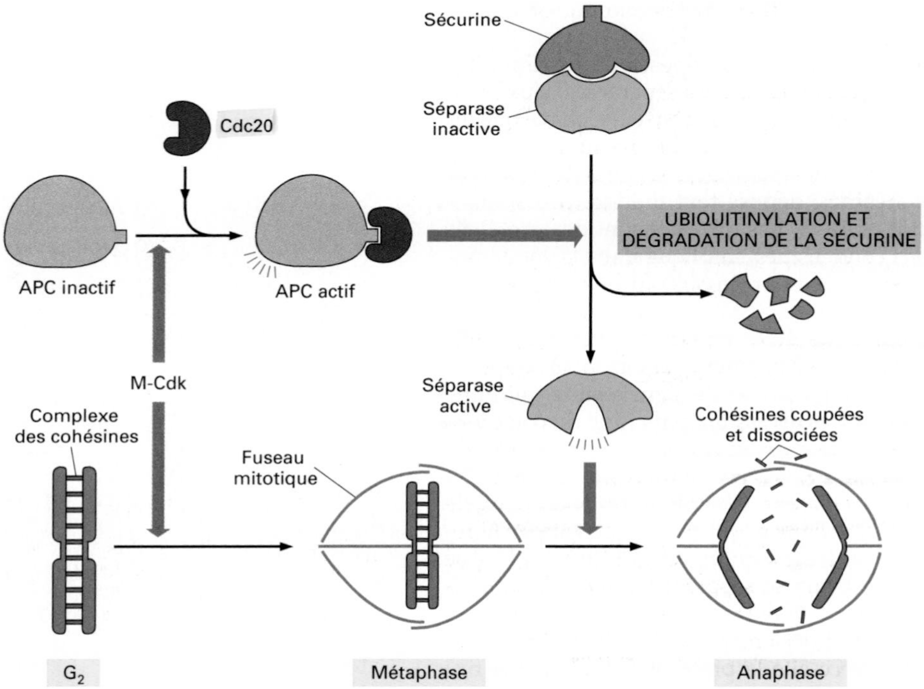

Sécurine

Séparase inactive

Cdc20

APC inactif

APC actif

UBIQUITINYLATION ET DÉGRADATION DE LA SÉCURINE

M-Cdk

Complexe des cohésines

Fuseau mitotique

Séparase active

Cohésines coupées et dissociées

G_2

Métaphase

Anaphase

Figure 17-26 Déclenchement de la séparation des chromatides sœurs par l'APC. L'activation de l'APC par Cdc20 conduit à l'ubiquitinylation et à la destruction de la sécurine, qui maintient normalement la séparase sous son état inactif. La destruction de la sécurine permet à la séparase de couper une sous-unité du complexe des cohésines qui maintient ensemble les chromatides sœurs. Les forces de traction du fuseau mitotique séparent alors les chromatides sœurs. Dans les levures bourgeonnantes, au moins, la coupure de la cohésine par la séparase est facilitée par la phosphorylation du complexe des cohésines adjacent au site de coupure, juste avant que l'anaphase ne commence. Cette phosphorylation passe par la Polo-kinase et fournit un contrôle supplémentaire sur le minutage de la transition métaphase-anaphase.

fixe sur les microtubules du fuseau. Tout kinétochore qui n'est pas correctement fixé sur le fuseau envoie un signal négatif au système de contrôle du cycle cellulaire, ce qui bloque l'activation du Cdc20-APC et la séparation des chromatides sœurs.

La nature du signal engendré par les kinétochores non fixés est mal connue même si on sait que plusieurs protéines, dont *Mad2*, sont recrutées par les kinétochores non fixés et sont requises pour le fonctionnement du point de contrôle de la fixation sur le fuseau. Même la présence d'un unique kinétochore non fixé dans la cellule entraîne la liaison de Mad2, ce qui inhibe l'activité du complexe Cdc20-APC et la destruction de sécurine (Figure 17-27). De ce fait, la séparation des chromatides sœurs ne peut se produire tant que le dernier kinétochore n'est pas fixé.

Il est surprenant que le rythme normal de l'anaphase ne nécessite pas de point de contrôle fonctionnel de la fixation sur le fuseau, du moins dans l'embryon de grenouille et chez les levures. Des cellules de levures mutantes, qui présentent un point de contrôle anormal, subissent l'anaphase selon un rythme normal, ce qui indique que certains autres mécanismes déterminent normalement ce rythme dans ces cellules. Dans les cellules de mammifère, cependant, une anomalie du point de contrôle de la fixation sur le fuseau provoque le commencement de l'anaphase légèrement plus tôt que la normale. Ces observations suggèrent que, dans nos cellules, ce point de contrôle a évolué, passant d'un composant accessoire utile à un composant essentiel du système de contrôle du cycle cellulaire.

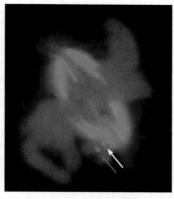

Figure 17-27 La protéine Mad2 sur les kinétochores non fixés. Cette photographie en microscopie à fluorescence montre une cellule de mammifère en prométaphase, avec le fuseau mitotique en *vert* et les chromatides sœurs en *bleu*. Une paire de chromatides sœurs n'est pas encore attachée sur le fuseau. La présence de Mad2 sur le kinétochore de ce chromosome non attaché est révélée par la fixation d'un anticorps anti-Mad2 (*point rouge*, indiqué par la *flèche rouge*). Un autre chromosome vient juste de s'attacher sur le fuseau et son kinétochore garde une faible concentration en Mad2 qui lui est encore associée (*point pâle*, indiqué par la *flèche blanche*). (D'après J.C. Waters et al., *J. Cell Biol.* 141 : 1181-1191, 1998. © The Rockefeller University Press.)

La sortie de la mitose nécessite l'inactivation de la M-Cdk

Une fois que les chromosomes ont subi la ségrégation vers les pôles du fuseau, la cellule doit inverser les modifications complexes du début de la mitose. Le fuseau doit se désassembler, les chromosomes se décondenser et l'enveloppe nucléaire se reformer. Comme la phosphorylation de diverses protéines a été au départ responsable de l'entrée des cellules en mitose, il n'est pas surprenant que la déphosphorylation de ces mêmes protéines soit nécessaire pour les en faire sortir. En principe ces déphosphorylations ainsi que la sortie de la mitose pourraient être déclenchées soit par l'inactivation de la M-Cdk, soit par l'activation de phosphatases, soit par les deux. Des preuves suggèrent que c'est l'inactivation de la M-Cdk qui est le principal responsable.

L'inactivation de la M-Cdk se produit principalement par protéolyse des cyclines M, dépendante de l'ubiquitine. L'ubiquitinylation de la cycline est généralement déclenchée par le même complexe Cdc20-APC qui favorise la destruction de la sécurine lors de la transition métaphase-anaphase (*voir* Figure 17-20B). De ce fait, l'activation du complexe Cdc20-APC ne conduit pas seulement à l'anaphase, mais aussi à l'inactivation de la M-Cdk qui conduit, à son tour, à tous les autres événements qui font sortir la cellule de la mitose.

La phase G₁ est un état d'inactivité stable de la Cdk

Dans les jeunes embryons animaux, l'inactivation de la M-Cdk à la fin de la mitose est presque entièrement due à l'action du complexe Cdc20-APC. Souvenez-vous cependant que la M-Cdk stimule l'activité du Cdc20-APC (*voir* Figure 17-26). De ce fait, la destruction de la cycline M à la fin de la mitose conduit rapidement à l'inactivation de toute activité APC dans la cellule embryonnaire. C'est une disposition très utile dans les cycles embryonnaires rapides, car l'inactivation immédiate de l'APC après la mitose permet à la cellule de commencer rapidement à accumuler de nouvelles cyclines M pour le cycle suivant (Figure 17-28A).

L'accumulation rapide de cycline immédiatement après la mitose n'est pas intéressante, cependant, dans les cycles cellulaires passant par une phase G₁. Dans ces cycles, le passage dans la phase S suivante est retardée par la phase G₁ pour permettre la croissance cellulaire et la régulation du cycle par des signaux extracellulaires. De ce fait, la plupart des cellules utilisent divers mécanismes pour éviter la ré-

Figure 17-28 Création d'une phase G₁ par l'inhibition stable de la Cdk après la mitose. (A) Dans les premiers cycles cellulaires embryonnaires, l'activité du Cdc20-APC augmente à la fin de la métaphase, et déclenche la destruction de la cycline M. Comme l'activité de la M-Cdk stimule l'activité du Cdc20-APC, la perte de cyclines M conduit à l'inactivation de l'APC après la mitose, ce qui permet aux cyclines M de s'accumuler à nouveau. (B) Dans les cellules dotées d'une phase G₁, la chute de l'activité de la M-Cdk à la fin de la mitose conduit à l'activation du Hct1-APC (de même que l'accumulation des protéines CKI, non montrée ici). Cela assure la suppression continue de l'activité de la Cdk après la mitose qui est nécessaire à la phase G₁.

(A) Cellules embryonnaires sans phase G₁

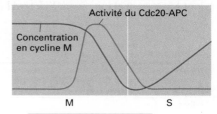

Activité du Cdc20-APC

Concentration en cycline M

M   S

(B) Cellules avec une phase G₁

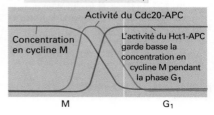

Activité du Cdc20-APC

Concentration en cycline M

L'activité du Hct1-APC garde basse la concentration en cycline M pendant la phase G₁

M   G₁

activation de la Cdk après la mitose. Un de ces mécanismes utilise une autre protéine d'activation, *Hct1*, proche parente de Cdc20. Même si Hct1 et Cdc20 se fixent sur l'APC et l'activent, elles diffèrent sur un point important. Alors que le complexe Cdc20-APC est activé par la M-Cdk, le complexe Hct1-APC est inhibé par la M-Cdk qui phosphoryle directement Hct1. Il résulte de cette relation que l'activité du Hct1-APC augmente à la fin de la mitose une fois que le complexe Cdc20-APC a initié la destruction de la cycline M. La destruction de la cycline M continue donc après la mitose : bien que l'activité du Cdc20-APC décline, l'activité du Hct1-APC reste élevée (Figure 17-28B).

Le deuxième mécanisme qui supprime l'activité de la Cdk pendant la phase G_1 dépend de l'augmentation de la production de CKI, la protéine inhibitrice de la Cdk dont nous avons déjà parlé. Les levures bourgeonnantes, dans lesquelles ce mécanisme est le mieux compris, contiennent une protéine CKI appelée *Sic1* qui se fixe sur la M-Cdk et l'inactive à la fin de la mitose et de la phase G_1. Comme Hct1, Sic1 est inhibée par la M-Cdk qui la phosphoryle pendant la mitose. La M-Cdk phosphoryle et inhibe également une protéine régulatrice de gènes nécessaire à la synthèse de Sic1, ce qui baisse la production de Sic1. De ce fait, Sic1 et M-Cdk, tout comme Hct1 et M-Cdk, s'inhibent mutuellement. Il en résulte que la baisse de l'activité de la M-Cdk qui se produit à la fin de la mitose déclenche l'accumulation rapide de la protéine Sic1 et que cette CKI permet d'assurer que l'activité de la M-Cdk reste inhibée de façon stable après la mitose.

Dans la plupart des cellules, l'inactivation de la M-Cdk à la fin de la mitose résulte aussi de la baisse de transcription des gènes de la cycline M. Dans les levures bourgeonnantes, par exemple, la M-Cdk favorise l'expression de ces gènes, ce qui engendre une boucle de rétrocontrôle positif. Cette boucle est inactivée lorsque les cellules sortent de la mitose. L'inactivation de la M-Cdk par Hct1 et Sic1 conduit à la baisse de la transcription du gène de la cycline M et diminue ainsi la synthèse de cette cycline.

En résumé, l'activation du Hct1-APC, l'accumulation de CKI et la baisse de la production de cycline agissent ensemble pour assurer que le début de la phase G_1 est un moment où pratiquement toute l'activité de la Cdk est supprimée. Comme pour beaucoup d'autres aspects du contrôle du cycle cellulaire, l'utilisation de multiples mécanismes régulateurs fait de ce système de suppression un système robuste qui garde encore une efficacité raisonnable si un des mécanismes ne répond plus.

Comment la cellule sort-elle de cet état stable de la phase G_1 pour initier la phase S ? Comme nous le verrons ultérieurement, cette sortie se produit généralement par l'accumulation de cyclines G_1. Dans les levures bourgeonnantes, par exemple, ces cyclines ne sont pas les cibles du complexe destructeur Hct1-APC et ne sont pas inhibées par Sic1. Il en résulte que l'accumulation de cyclines G_1 conduit à l'augmentation, non contrecarrée, de l'activité de la G_1-Cdk (Figure 17-29). Dans les cellules animales, l'accumulation de cyclines G_1 est stimulée par les signaux extracellulaires qui favorisent la prolifération cellulaire, comme nous le verrons ultérieurement.

Dans les levures bourgeonnantes, l'activité de la G_1-Cdk déclenche la transcription des gènes des cyclines G_1/S, ce qui conduit à l'augmentation de la synthèse des cyclines G_1/S et à la formation de complexes G_1/S-Cdk, également résistants au Hct1-APC et à Sic1. L'augmentation de l'activité de la G_1/S-Cdk initie les événements qui font entrer la cellule en phase S. Elle stimule la transcription des gènes de la cycline S, ce qui conduit à la synthèse de cyclines S et à la formation de complexes S-Cdk. Ces complexes sont inhibés par Sic1, mais la G_1/S-Cdk et la S-Cdk phosphorylent également et inactivent l'Hct1-APC. De ce fait, la même boucle de rétrocontrôle

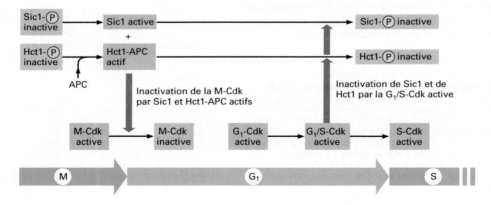

Figure 17-29 Contrôle de la progression en phase G_1 par l'activité de la Cdk dans les levures bourgeonnantes. Lorsque la cellule sort de la mitose et inactive la M-Cdk, l'augmentation de l'activité de Hct1 et de Sic1 qui en résulte entraîne l'inactivation stable de la Cdk pendant la phase G_1. Lorsque les conditions sont bonnes pour l'entrée dans un nouveau cycle cellulaire, l'augmentation de l'activité de la G_1-Cdk et de la G_1/S-Cdk conduit à l'inhibition de Sic1 et de Hct1 par la phosphorylation, ce qui permet l'augmentation de l'activité de la S-Cdk.

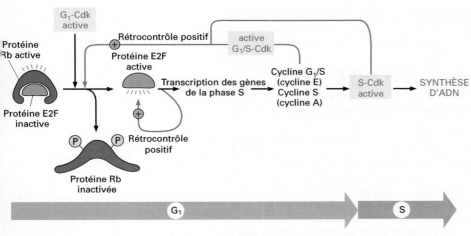

Figure 17-30 Mécanismes contrôlant l'initiation de la phase S dans les cellules animales. L'activité de la G$_1$-Cdk (cycline D-Cdk4) initie la phosphorylation de Rb. Cela inactive Rb et libère E2F qui active la transcription des gènes de la phase S, y compris les gènes d'une cycline G$_1$/S (la cycline E) et d'une cycline S (la cycline A). L'aspect de l'activité de G$_1$/S-Cdk et de S-Cdk qui en résulte augmente encore plus la phosphorylation de Rb, ce qui engendre une boucle de rétrocontrôle positif. E2F agit par retour en stimulant la transcription de son propre gène, ce qui crée une autre boucle de rétrocontrôle positif.

qui déclenche l'inactivation rapide de la M-Cdk à la fin de la mitose travaille maintenant à l'inverse à la fin de la phase G$_1$ pour assurer l'activation rapide et complète de l'activité de la S-Cdk.

Dans les cellules de mammifère en phase G$_1$, la protéine Rb agit comme un frein

Le contrôle de l'avancée à travers la phase G$_1$ et de l'initiation de la phase S est souvent interrompu dans les cellules cancéreuses, ce qui conduit à l'entrée, sans aucune restriction, dans le cycle cellulaire, et à la prolifération cellulaire (*voir* Chapitre 23). Pour développer de meilleures méthodes de contrôle de la croissance cancéreuse, nous avons besoin de mieux connaître les protéines qui contrôlent la progression dans la phase G$_1$ dans les cellules des mammifères.

Les cellules animales suppriment l'activité de la Cdk pendant la phase G$_1$ par les trois mêmes mécanismes déjà mentionnés chez les levures bourgeonnantes : l'activation de Hct1, l'accumulation d'une protéine CKI (p27 dans les cellules de mammifère) et l'inhibition de la transcription des gènes des cyclines. Comme chez les levures, l'activation des complexes G$_1$-Cdk inverse ces trois mécanismes inhibiteurs à la fin de la phase G$_1$.

Les conséquences les mieux comprises de l'activité de la G$_1$-Cdk dans les cellules animales passent par une protéine régulatrice de gènes appelée **E2F**. Elle se fixe sur des séquences ADN spécifiques du promoteur de nombreux gènes qui codent pour les protéines nécessaires à l'entrée en phase S, y compris les cyclines G$_1$/S et les cyclines S. La fonction d'E2F est principalement contrôlée par son interaction avec la **protéine du rétinoblastome (Rb)**, un inhibiteur de la progression du cycle cellulaire. Pendant la phase G$_1$, Rb se fixe sur E2F et bloque la transcription des gènes de la phase S. Lorsque des signaux extracellulaires stimulent la division des cellules, la G$_1$-Cdk active s'accumule et phosphoryle Rb, ce qui réduit son affinité pour E2F. Rb s'en dissocie alors, et permet à E2F d'activer l'expression des gènes de la phase S (Figure 17-30).

Ce système de contrôle transcriptionnel, comme beaucoup d'autres systèmes de contrôle qui régulent le cycle cellulaire, comprend des boucles de rétrocontrôle qui renforcent la transition G$_1$/S (*voir* Figure 17-30) :

- E2F libre augmente la transcription de son propre gène.
- La transcription E2F-dépendante des gènes des cyclines G$_1$/S et S conduit à l'augmentation de l'activité de G$_1$/S-Cdk et S-Cdk. Celles-ci augmentent à leur tour la phosphorylation de Rb et favorisent la poursuite de la libération d'E2F.
- L'augmentation de l'activité de G$_1$/S-Cdk et de S-Cdk augmente la phosphorylation de Hct1 et de p27, ce qui conduit à leur inactivation ou à leur destruction.

Comme dans les cellules de levure, le résultat de toutes ces interactions est l'activation rapide et complète des complexes S-Cdk nécessaires à l'initiation de la phase S.

À l'origine, la protéine Rb a été identifiée lors de l'étude d'une forme héréditaire de cancer de l'œil de l'enfant, le *rétinoblastome* (*voir* Chapitre 23). La perte des deux copies du gène Rb conduit à la prolifération cellulaire excessive dans la rétine immature, ce qui suggère que la protéine Rb joue un rôle particulièrement important dans la restriction de la vitesse de division cellulaire dans la rétine en développement. La perte complète de Rb n'entraîne pas immédiatement l'augmentation de la prolifération des autres types cellulaires, en partie parce que Hct1 et p27 fournissent une assistance dans le contrôle de la phase G$_1$ et en partie parce que les autres types cellulaires contiennent des protéines apparentées à Rb qui fournissent un soutien supplémentaire en l'absence de Rb. Il est aussi probable que d'autres protéines, non apparentées à Rb, facilitent la régulation de l'activité d'E2F.

Le déroulement du cycle cellulaire est, d'une certaine façon, coordonné à la croissance cellulaire

Pour que les cellules qui prolifèrent gardent une taille relativement constante, la longueur du cycle cellulaire doit correspondre au temps que met la cellule pour doubler de taille. Si la durée du cycle est plus courte, les cellules rapetisseront à chaque division ; si elle est plus longue, les cellules grossiront à chaque division. Comme la croissance cellulaire dépend des nutriments et des signaux de croissance de l'environnement, la longueur du cycle cellulaire doit pouvoir s'ajuster aux variations des conditions environnementales (Figure 17-31). On ne sait pas clairement comment les cellules prolifératives coordonnent leur croissance à leur vitesse de progression dans le cycle cellulaire pour maintenir leur taille.

Il existe des preuves que les levures bourgeonnantes coordonnent leur croissance et la progression de leur cycle cellulaire selon la quantité totale d'une cycline G_1, **Cln3** (*voir* Tableau 17-I, p. 994). Comme Cln3 est synthétisée en parallèle avec la croissance cellulaire, sa concentration reste constante tandis que sa quantité totale augmente lorsque la cellule se développe. Si on augmente artificiellement la quantité de Cln3, la cellule se divise avec une taille plus petite que la normale alors que si on la baisse artificiellement, la cellule se divise avec une taille plus grande que la normale. Ces expériences sont en accord avec l'idée que la cellule s'engage elle-même en division lorsque la quantité totale de Cln3 atteint un certain seuil. Comment la cellule peut-elle suivre la quantité totale de Cln3 plutôt que sa concentration ? Une des hypothèses est que la cellule hérite d'une quantité fixe d'inhibiteurs qui se fixent sur Cln3 et bloquent son activité. Lorsque la quantité de Cln3 dépasse la quantité de cet inhibiteur, le surplus de Cln3 déclenche l'activation de la G_1-Cdk et un nouveau cycle cellulaire. Comme toutes les cellules reçoivent une quantité fixe et égale d'ADN, on suppose que l'inhibiteur de Cln3 pourrait être l'ADN lui-même ou une protéine qui lui est liée (Figure 17-32). Un tel mécanisme expliquerait aussi pourquoi la taille cellulaire de tous les organismes est proportionnelle à la ploïdie (le nombre de copies du génome nucléaire par cellule).

Alors que les cellules de levure se développent et prolifèrent de façon constitutive en présence de nutriments, les cellules animales ne se développent et prolifèrent généralement que si elles sont stimulées par un signal issu d'autres cellules. La taille à laquelle une cellule animale se divise dépend, du moins en partie, de ces signaux extracellulaires qui peuvent réguler indépendamment la croissance et la prolifération cellulaires. Les cellules animales peuvent aussi découpler complètement leur croissance et leur division de sorte à croître sans se diviser ou à se diviser sans croître. Les ovules de nombreux animaux par exemple croissent jusqu'à une taille extrêmement grosse sans se diviser. Après la fécondation, cette relation s'inverse et plusieurs cycles de division se produisent sans croissance (*voir* Figure 17-8). De ce fait, bien que la croissance et la division cellulaires soient généralement coordonnées, elles

Figure 17-31 Contrôle de la taille cellulaire par le contrôle du cycle cellulaire chez les levures. Ces schémas montrent la relation entre la vitesse de croissance, la taille cellulaire et le moment du cycle cellulaire. (A) Si la division cellulaire se poursuivait sans changer de vitesse lorsque les cellules ne reçoivent plus de nourriture et arrêtent de croître, les cellules filles produites à chaque division deviendraient de plus en plus petites. (B) Les cellules de levure répondent à certaines formes de privation de nourriture en ralentissant leur vitesse de progression au travers du cycle cellulaire afin que les cellules aient plus de temps pour croître. Il en résulte que la taille des cellules reste inchangée ou est légèrement réduite. (Une unité de temps correspond à la durée observée du cycle lorsque les nutriments sont en excès.)

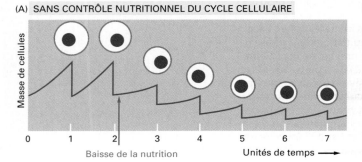

(A) SANS CONTRÔLE NUTRITIONNEL DU CYCLE CELLULAIRE

Masse de cellules

0 1 2 3 4 5 6 7

Baisse de la nutrition   Unités de temps ⟶

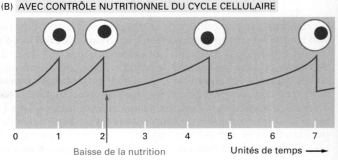

(B) AVEC CONTRÔLE NUTRITIONNEL DU CYCLE CELLULAIRE

0 1 2 3 4 5 6 7

Baisse de la nutrition   Unités de temps ⟶

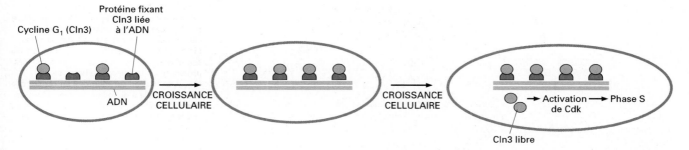

Figure 17-32 Modèle hypothétique du mode de coordination de la croissance avec la progression du cycle cellulaire dans des cellules de levure bourgeonnante. La cellule contient un nombre fixe de protéines (*rouge*) fixées sur l'ADN et qui fixent les molécules de Cln3 (en *vert*) et les inhibent. Lorsque la cellule se développe, le nombre total de molécules de Cln3 augmente parallèlement au nombre total de protéines de la cellule. Lorsque la cellule est petite (*à gauche*), la totalité des Cln3 est inactivée par l'excès de protéines fixant Cln3. Lorsque la cellule se développe, cependant, elle atteint une taille seuil pour laquelle le nombre de molécules de Cln3 est égal au nombre de protéines fixant Cln3 (*au centre*). Lorsque la cellule dépasse cette taille, Cln3 libre peut se fixer sur la Cdk qui peut alors déclencher le cycle cellulaire suivant (*à droite*).

peuvent être indépendamment régulées. La croissance cellulaire ne dépend pas de la progression du cycle cellulaire. Les cellules de levure continuent de croître lorsque la progression du cycle cellulaire est bloquée par une mutation ; et beaucoup de cellules animales, y compris les neurones et les cellules musculaires, grossissent après s'être retirées de façon permanente du cycle cellulaire.

La progression du cycle cellulaire est bloquée par des lésions de l'ADN et par p53 : les points de contrôle des lésions de l'ADN

Lorsque les chromosomes sont lésés, ce qui peut se produire après une exposition aux radiations ou à certaines substances chimiques, il est essentiel qu'ils puissent être réparés avant que la cellule tente leur duplication ou leur ségrégation. Le système de contrôle du cycle cellulaire peut facilement détecter des lésions de l'ADN et arrêter le cycle au niveau des **points de contrôle des lésions de l'ADN**. La plupart des cellules possèdent au moins deux points de contrôle de ce type – un à la fin de la phase G_1 qui empêche l'entrée en phase S et un à la fin de la phase G_2 qui empêche l'entrée en mitose.

Le point de contrôle de la phase G_2 dépend d'un mécanisme similaire que nous avons déjà traité et qui retarde l'entrée en mitose en réponse à la réplication incomplète de l'ADN. Lorsque, par exemple, les cellules en phase G_2 sont exposées à des radiations qui les lèsent, l'ADN endommagé envoie un signal à une série de protéine-kinases qui phosphorylent et inactivent la phosphatase Cdc25. Cela bloque la déphosphorylation et l'activation de la M-Cdk, ainsi que l'entrée en mitose. Lorsque la lésion de l'ADN est réparée, le signal inhibiteur est inactivé et la progression du cycle cellulaire reprend.

Le point de contrôle de la phase G_1 bloque la progression dans la phase S en inhibant l'activation des complexes G_1/S-Cdk et S-Cdk. Dans les cellules de mammifère, par exemple, les lésions de l'ADN conduisent à l'activation d'une protéine régulatrice de gènes, **p53**, qui stimule la transcription de divers gènes. Un de ces gènes code une protéine CKI, **p21**, qui se fixe sur la G_1/S-Cdk et la S-Cdk et inhibe leurs activités, facilitant ainsi le blocage de l'entrée en phase S.

Les lésions de l'ADN activent p53 par un mécanisme indirect. Dans les cellules non lésées, p53 est hautement instable et se trouve à de très basses concentrations, car elle interagit avec une autre protéine, **Mdm2**, qui fonctionne comme une ubiquitine-ligase ciblant p53 pour sa destruction dans les protéasomes. Les lésions de l'ADN activent des protéine-kinases qui phosphorylent p53 et réduisent ainsi sa fixation sur Mdm2. Cela diminue la dégradation de p53 et produit l'augmentation marquée de sa concentration intracellulaire. En plus, la baisse de la liaison de p53 sur Mdm2 augmente sa capacité à stimuler la transcription génique (Figure 17-33).

Comme beaucoup d'autres points de contrôle, les points de contrôle des lésions de l'ADN ne sont pas essentiels pour la division cellulaire normale si les conditions environnementales sont idéales. Celles-ci sont cependant rarement idéales : une petite quantité de lésions de l'ADN se produit au cours de la vie normale de n'importe quelle cellule et celles-ci s'accumuleraient dans la descendance de la cellule si les points de contrôle des lésions ne fonctionnaient pas. À long terme, l'accumulation de

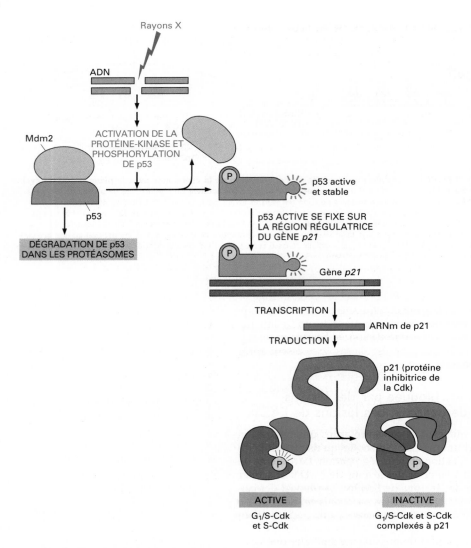

Rayons X

ADN

Mdm2

ACTIVATION DE LA
PROTÉINE-KINASE ET
PHOSPHORYLATION
DE p53

p53

P p53 active
et stable

DÉGRADATION DE p53
DANS LES PROTÉASOMES

p53 ACTIVE SE FIXE SUR
LA RÉGION RÉGULATRICE
DU GÈNE *p21*

P

Gène *p21*

TRANSCRIPTION

ARNm de p21

TRADUCTION

p21 (protéine
inhibitrice de
la Cdk)

P

P

ACTIVE

INACTIVE

G₁/S-Cdk
et S-Cdk

G₁/S-Cdk et S-Cdk
complexés à p21

Figure 17-33 Comment une lésion de l'ADN arrête le cycle cellulaire en phase G₁. Lorsque l'ADN est lésé, les protéine-kinases qui phosphorylent p53 sont activées. Mdm2 se fixe normalement sur p53 et favorise son ubiquitinylation et sa destruction dans les protéasomes. La phosphorylation de p53 bloque sa fixation sur Mdm2 ; il en résulte que p53 s'accumule à de fortes concentrations et stimule la transcription du gène qui code p21, une protéine CKI. La p21 se fixe et inactive les complexes G₁/S-Cdk et S-Cdk, arrêtant la cellule en phase G₁. Dans certains cas, les lésions de l'ADN induisent aussi la phosphorylation de Mdm2 ou la baisse de sa production, ce qui provoque l'augmentation de p53 (non montrée ici).

lésions génétiques dans les cellules dépourvues de points de contrôle conduirait à l'augmentation de la fréquence de mutations favorisant le cancer. En effet, les mutations du gène p53 se produisent au moins dans la moitié de tous les cancers de l'homme (*voir* Chapitre 23). Cette perte de la fonction de p53 permet aux cellules cancéreuses d'accumuler plus facilement des mutations. De même, une maladie génétique rare, l'*ataxie-télangiectasie*, est provoquée par une anomalie d'une des protéine-kinases qui phosphoryle et active p53 en réponse à des lésions de l'ADN induites par les rayons X ; les patients atteints de cette maladie sont très sensibles aux rayons X du fait de la perte des points de contrôle des lésions de l'ADN et souffrent par conséquent d'une augmentation de la fréquence des cancers.

Que se passe-t-il si la lésion de l'ADN est si grave qu'elle ne peut être réparée ? Dans ce cas, la réponse est différente selon l'organisme. Les organismes unicellulaires comme les levures bourgeonnantes arrêtent transitoirement leur cycle cellulaire pour réparer la lésion. Si la réparation ne peut être complète, la cycle reprend en dépit de la lésion. Pour un organisme monocellulaire, il vaut mieux vivre avec des mutations que de ne pas vivre du tout. Dans les organismes multicellulaires, cependant, la santé de l'organisme prime sur la vie des cellules individuelles. Les cellules qui se divisent avec des lésions sévères de l'ADN menacent la vie de l'organisme, car les lésions génétiques peuvent souvent conduire à des cancers et à d'autres anomalies létales. De ce fait, les cellules animales présentant des lésions sévères de l'ADN ne cherchent pas à poursuivre leur division mais s'engagent à la place en un suicide par le biais de la mort cellulaire programmée, ou apoptose, que nous verrons dans la partie suivante. La décision de mourir ainsi dépend également de l'activation de p53 et c'est cette fonction de p53 qui est apparemment la plus importante pour nous protéger du cancer.

En guise de résumé, les principales protéines régulatrices du cycle cellulaire sont regroupées dans le tableau 17-II, et la structure générale du système de contrôle du cycle cellulaire est montrée en figure 17-34.

NOM GÉNÉRAL	FONCTIONS ET COMMENTAIRES
Protéine-kinases et protéine-phosphatases qui modifient les Cdk	
Kinase d'activation de la Cdk (CAK)	Phosphoryle un site d'activation de la Cdk
Kinase Wee1	Phosphoryle des sites inhibiteurs de la Cdk; principalement impliquée dans le contrôle de l'entrée en mitose
Phosphatase Cdc25	Élimine les phosphates inhibiteurs des Cdk; trois membres de la famille chez les mammifères (Cdc25A, B et C); la Cdc25 active la Cdk1 au début de la mitose
Protéines inhibitrices de la Cdk (CKI)	
Sic1 (levure bourgeonnante)	Supprime l'activité de la Cdk en phase G_1; la phosphorylation par la Cdk1 déclenche sa destruction
p27 (mammifères)	Supprime l'activité de la G_1/S-Cdk et de la S-Cdk en phase G_1; aide les cellules à se retirer du cycle cellulaire lorsqu'elles finissent leur différenciation; la phosphorylation par la Cdk2 déclenche son ubiquitinylation par le SCF
p21 (mammifères)	Élimine l'activité de la G_1/S-Cdk et de la S-Cdk après une lésion de l'ADN pendant la phase G_1; activée transcriptionnellement par p53
p16 (mammifères)	Supprime l'activité de la G_1-Cdk pendant la phase G_1; fréquemment inactivée lors de cancers
Ubiquitine-ligases et leurs activateurs	
SCF	Catalyse l'ubiquitinylation des protéines régulatrices impliquées dans le contrôle de la phase G_1, y compris les CKI (Sic1 des levures bourgeonnantes, p27 des mammifères); la phosphorylation de la protéine cible est généralement nécessaire à cette activité
APC	Catalyse l'ubiquitinylation des protéines régulatrices principalement impliquées dans la sortie de la mitose, y compris la sécurine et les cyclines M; régulée par son association avec les sous-unités activatrices
Cdc20	Sous-unité activatrice de l'APC dans toutes les cellules; déclenche l'activation initiale de l'APC lors de la transition métaphase à anaphase; stimulée par l'activité de la M-Cdk
Hct1	Maintient l'activité de l'APC après l'anaphase pendant la phase G_1; inhibée par l'activité de la Cdk
Protéines régulatrices de gènes	
E2F	Favorise la transcription des gènes nécessaires à la progression dans les phases G_1/S, y compris les gènes codant pour les cyclines G_1/S, les cyclines S et les protéines nécessaires à la synthèse de l'ADN; stimulée lorsque la G_1-Cdk phosphoryle Rb en réponse à des mitogènes extracellulaires
p53	Favorise la transcription des gènes qui induisent l'arrêt du cycle cellulaire (en particulier p21) ou l'apoptose en réponse à des lésions de l'ADN ou d'autres stress cellulaires; régulée par l'association avec Mdm2, qui favorise la dégradation de p53

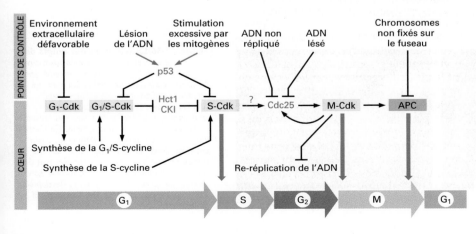

Figure 17-34 Vue générale du système de contrôle du cycle cellulaire. Le cœur du système de contrôle du cycle cellulaire est composé d'une série de complexes cycline-Cdk (en *jaune*). L'activité de chaque complexe est également influencée par divers mécanismes de points de contrôle inhibiteurs, qui fournissent des informations concernant l'environnement extracellulaire, les lésions cellulaires et les événements incomplets du cycle cellulaire (*en haut*). Ces mécanismes n'existent pas dans tous les types cellulaires; par exemple, beaucoup sont absents dans les premiers cycles cellulaires embryonnaires.

Résumé

Une séquence ordonnée d'activités cycline-Cdk déclenche la plupart des événements du cycle cellulaire. Pendant la phase G₁, l'activité de la Cdk est réduite au minimum par les inhibiteurs de la Cdk (CKI), la protéolyse de la cycline, et la diminution de la transcription des gènes de la cycline. Lorsque les conditions environnementales sont favorables, les concentrations en G₁-Cdk et G₁/S-Cdk augmentent, surmontant ces barrières inhibitrices à la fin de la phase G₁ et déclenchant l'activation de la S-Cdk. La S-Cdk phosphoryle les protéines au niveau des origines de réplication de l'ADN, et initie la synthèse d'ADN par un mécanisme qui assure que la duplication de l'ADN ne s'effectue qu'une fois par cycle cellulaire.

Une fois que la phase S est terminée, l'activation de la M-Cdk conduit aux événements du début de la mitose, au cours desquels la cellule assemble un fuseau mitotique et se prépare à la ségrégation des chromosomes dupliqués – qui sont formés de chromatides sœurs accolées. L'anaphase est déclenchée par la destruction des protéines qui maintiennent ensemble les chromatides sœurs. La M-Cdk est alors inactivée par la protéolyse de la cycline, ce qui conduit à la cytocinèse et à la fin de la phase M. La progression dans le cycle cellulaire est régulée avec précision par divers mécanismes inhibiteurs qui stoppent le cycle cellulaire à des points de contrôle spécifiques lorsque les événements n'ont pas réussi à se terminer complètement, lorsqu'il se produit des lésions de l'ADN ou lorsque les conditions extracellulaires sont défavorables.

MORT CELLULAIRE PROGRAMMÉE (APOPTOSE)

Les cellules d'un organisme multicellulaire font partie d'une communauté hautement organisée. Le nombre de cellules de cette communauté est très régulé – non seulement par le contrôle de la vitesse de la division cellulaire, mais aussi par le contrôle de la vitesse de la mort cellulaire. Si les cellules ne sont plus nécessaires, elles se suicident en activant un programme intracellulaire de mort. Ce processus est donc appelé **mort cellulaire programmée**, même s'il est plus fréquemment appelé **apoptose** (du grec *apoptosis*, qui signifie « tomber » comme les feuilles d'un arbre).

L'importance de l'apoptose, qui se produit dans les tissus animaux en développement ou adultes, peut être étonnante. Par exemple, dans le système nerveux des vertébrés, la moitié des cellules nerveuses, voire même plus, meurent normalement peu après leur formation. Chez un homme adulte en bonne santé, des milliards de cellules meurent dans la moelle osseuse et l'intestin chaque heure. La mort d'autant de cellules ressemble fortement à du gaspillage, en particulier parce que la grande majorité d'entre elles sont parfaitement saines au moment ou elles se suicident. Quel est l'intérêt de cette mort cellulaire massive ?

Dans certains cas, les réponses sont claires. La mort cellulaire sert, par exemple, à sculpter les pattes des souris pendant le développement embryonnaire : les pattes apparaissent sous forme d'une structure en forme de pelle et chaque doigt ne se sépare que quand les cellules situées entre eux meurent (Figure 17-35). Dans d'autres cas, les cellules meurent lorsque les structures qu'elles forment ne sont plus nécessaires. Lorsqu'un têtard se métamorphose en une grenouille, les cellules de la queue meurent et la queue, qui n'est plus nécessaire à la grenouille, disparaît (Figure 17-36). Dans beaucoup d'autres cas, la mort cellulaire facilite la régulation du nombre de cellules. Dans le système nerveux en développement, par exemple, la mort cellulaire ajuste le nombre de cellules nerveuses au nombre de cellules cibles correspondantes qui nécessitent une innervation. Dans tous ces cas, les cellules meurent par apoptose.

Dans les tissus adultes, la mort cellulaire équilibre exactement la division cellulaire. Si ce n'était pas le cas, le tissu se développerait ou rétrécirait. Si une partie du foie est éliminée chez un rat adulte, par exemple, la prolifération des cellules hépa-

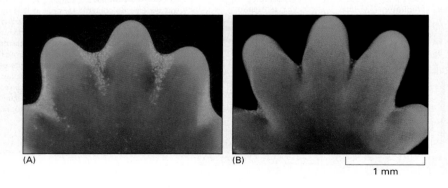

(A)

(B)

1 mm

Figure 17-35 La sculpture des doigts de la patte d'une souris en développement par apoptose. (A) La patte de cet embryon de souris a été colorée par un colorant qui marque spécifiquement les cellules ayant subi l'apoptose. Les cellules en apoptose apparaissent sous forme de *points vert brillant*, entre les doigts en développement. (B) Cette mort cellulaire interdigitée élimine les tissus entre les doigts en développement, comme cela se voit un jour plus tard, lorsque peu de cellules en apoptose, si ce n'est aucune, sont visibles. (D'après W. Wood et al., *Development* 127 : 5245-5252, 2000. © The Company of Biologists.)

Figure 17-36 Apoptose pendant la métamorphose d'un têtard en une grenouille. Lorsque le têtard se transforme en une grenouille, les cellules de la queue du têtard sont amenées à subir l'apoptose; par conséquent, la queue est perdue. Toutes les modifications qui se produisent pendant la métamorphose, y compris l'induction de l'apoptose dans la queue, sont stimulées par l'augmentation d'hormone thyroïdienne dans le sang.

tiques augmente pour rattraper la perte. À l'opposé, si un rat est traité au phénobarbital – un médicament qui stimule la division cellulaire (et donc l'hypertrophie du foie) – puis que ce traitement est arrêté, l'apoptose intra-hépatique augmente beaucoup jusqu'à ce que le foie ait retrouvé sa taille d'origine, en général au bout d'une semaine environ. De ce fait, le foie garde une taille constante du fait d'une régulation de la vitesse de la mort cellulaire et de la vitesse de la naissance cellulaire.

Dans cette courte partie de chapitre, nous décrirons les mécanismes moléculaires de l'apoptose et son contrôle. Dans la dernière partie, nous verrons comment le contrôle extracellulaire de la prolifération et de la mort des cellules contribue à la régulation du nombre de cellules dans les organismes multicellulaires.

L'apoptose passe par une cascade protéolytique intracellulaire

Typiquement, les cellules qui meurent du fait d'une lésion aiguë gonflent puis éclatent. Elles déversent leur contenu sur toutes leurs voisines – un processus appelé *nécrose cellulaire* – ce qui provoque une réponse inflammatoire potentiellement néfaste. Par contre, une cellule qui subit l'apoptose meurt de façon ordonnée, sans endommager ses voisines. La cellule décroît et se condense. Son cytosquelette s'affaisse, l'enveloppe nucléaire se désassemble et l'ADN nucléaire se rompt en fragments. Point plus important encore, la surface cellulaire se modifie et présente des particularités qui provoquent la phagocytose rapide de la cellule mourante, soit par une cellule voisine, soit par un macrophage (une cellule spécialisée dans la phagocytose, *voir* Chapitre 24) avant que toute fuite de son contenu ne se produise (Figure 17-37). Cela ne sert pas seulement à éviter les conséquences néfastes de la nécrose cellulaire mais permet aussi le recyclage des composants organiques de la cellule morte par la cellule qui les ingère.

La machinerie intracellulaire responsable de l'apoptose semble être similaire dans toutes les cellules animales. Celle-ci dépend d'une famille de protéases dotées d'une cystéine sur leur site actif et qui coupent les protéines cibles sur des acides aspartiques spécifiques. Elles sont donc appelées **caspases**. Les caspases sont synthétisées dans la cellule sous forme de précurseurs inactifs, les *procaspases*, généralement activées par d'autres caspases qui les coupent au niveau de l'acide aspartique (Fi-

Figure 17-37 Mort cellulaire. Cette photographie en microscopie électronique montre les cellules qui sont mortes (A) par nécrose ou (B et C) par apoptose. Les cellules en (A) et (B) sont mortes sur une boîte de culture tandis que la cellule de (C) est morte dans un tissu en développement et a été engloutie par une cellule voisine. Notez que la cellule en (A) semble avoir explosé, tandis que celles en (B) et en (C) se sont condensées mais semblent relativement intactes. Les grosses vacuoles visibles dans le cytoplasme de la cellule en (B) sont une des caractéristiques variables de l'apoptose. (Due à l'obligeance de Julia Burne.)

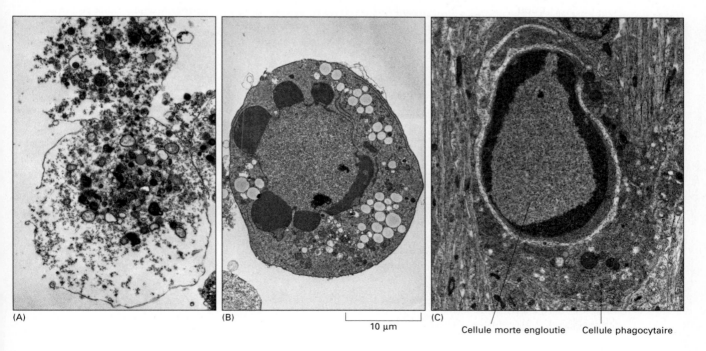

(A)

(B) 10 µm

(C) Cellule morte engloutie   Cellule phagocytaire

gure 17-38A). Une fois activées, les caspases coupent et activent ainsi d'autres pro-caspases, résultant en une cascade protéolytique amplificatrice (Figure 17-38B). Certaines caspases activées coupent alors d'autres protéines clés de la cellule. Certaines coupent les lamines nucléaires, par exemple, ce qui provoque la dégradation irré-versible de la lamina nucléaire; d'autres coupent une protéine qui normalement contient une enzyme de dégradation de l'ADN (une ADNase) sous sa forme inac-tive, ce qui libère cette ADNase qui coupe ensuite l'ADN du noyau cellulaire. De cette façon, la cellule se démantèle elle-même rapidement et proprement et son ca-davre est rapidement absorbé et digéré par une autre cellule.

L'activation de la voie de la mort cellulaire intracellulaire, comme l'entrée dans un nouveau stade du cycle cellulaire, est généralement déclenchée d'une façon complète sur le mode du tout ou rien. La cascade des protéases n'est pas seulement destructrice et auto-amplificatrice, mais elle est aussi irréversible, de telle sorte qu'une fois que la cellule atteint un point critique de sa voie de destruction, elle ne peut plus reculer.

La fixation sur des protéines adaptatrices active les procaspases

Toutes les cellules animales nucléées contiennent les germes de leur propre destruc-tion sous la forme de diverses procaspases inactives qui attendent un signal pour dé-truire la cellule. Il n'est donc pas surprenant que l'activité des caspases soit fortement régulée à l'intérieur de la cellule pour éviter que le programme de mort se déclenche avant le besoin.

Comment les procaspases sont-elles activées pour initier la cascade des caspases? Un des principes généraux est que cette activation est déclenchée par des **protéines adaptatrices** qui rapprochent de multiples copies de procaspases spécifiques, les *pro-caspases initiatrices*, en un complexe ou agrégat. Dans certains cas, les procaspases ini-tiatrices présentent une faible activité protéasique et le fait de les placer de force dans un complexe entraîne leur coupure mutuelle, et déclenche leur activation mutuelle. Dans d'autres cas, on pense que l'agrégation provoque une modification de confor-mation qui active la procaspase. En quelques instants, la caspase activée en haut de la cascade coupe les procaspases en aval pour amplifier le signal de mort et le dis-séminer dans toute la cellule (*voir* Figure 17-38B).

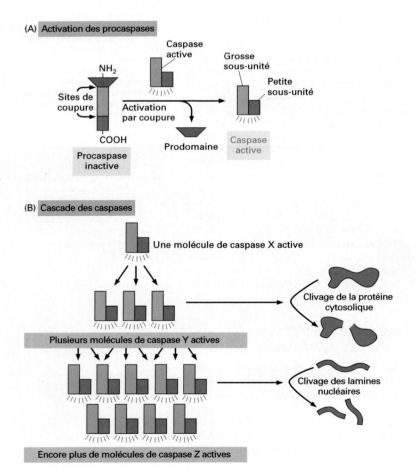

Figure 17-38 La cascade de la caspase impliquée dans l'apoptose. (A) Chaque protéase de suicide est fabriquée sous forme d'une proenzyme inactive (procaspase), en général activée par un autre membre de la famille des caspases qui effectue une coupure protéolytique. Comme cela est indiqué, deux des fragments clivés s'associent pour former le site actif de la caspase. On pense que l'enzyme active est un tétramère formé par deux de ces sous-unités (non montré ici). (B) Chaque molécule de caspase activée peut couper plusieurs molécules de procaspase et les activer et ces dernières peuvent activer encore plus de molécules de procaspase. De cette façon, l'activation initiale d'un petit nombre de molécules de procaspase (appelées caspases initiatrices) peut conduire, via une réaction en chaîne amplificatrice (une cascade) à l'activation explosive d'un grand nombre de molécules de procaspase. Certaines de ces caspases activées (appelées caspases effectrices) coupent alors un certain nombre de protéines clés de la cellule, y compris des protéines cytosoliques spécifiques et les lamines nucléaires, ce qui entraîne la mort contrôlée de la cellule.

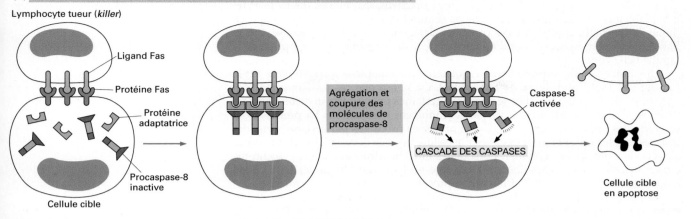

(A) ACTIVATION DE L'APOPTOSE DE L'EXTÉRIEUR DE LA CELLULE (VOIE EXTRINSÈQUE)

Lymphocyte tueur (*killer*)

Ligand Fas

Protéine Fas

Protéine adaptatrice

Procaspase-8 inactive

Cellule cible

Agrégation et coupure des molécules de procaspase-8

Caspase-8 activée

CASCADE DES CASPASES

Cellule cible en apoptose

(B) ACTIVATION DE L'APOPTOSE DE L'INTÉRIEUR DE LA CELLULE (VOIE INTRINSÈQUE)

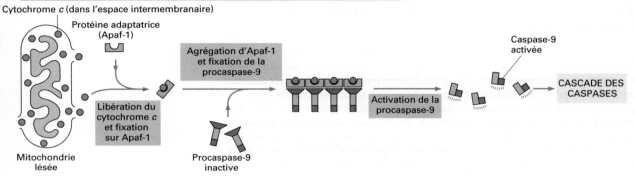

Cytochrome *c* (dans l'espace intermembranaire)

Protéine adaptatrice (Apaf-1)

Agrégation d'Apaf-1 et fixation de la procaspase-9

Caspase-9 activée

CASCADE DES CASPASES

Libération du cytochrome *c* et fixation sur Apaf-1

Activation de la procaspase-9

Mitochondrie lésée

Procaspase-9 inactive

L'activation des procaspases peut être déclenchée à l'extérieur de la cellule par l'activation de *récepteurs de mort* à la surface de la cellule. Les lymphocytes tueurs (*voir* Chapitre 24), par exemple, peuvent induire l'apoptose en produisant une protéine, le **ligand Fas**, qui se fixe sur le récepteur protéique de mort **Fas** à la surface de la cellule cible. Les protéines Fas agrégées recrutent alors des protéines adaptatrices intracellulaires qui fixent des molécules de procaspase-8 et les agrègent ; celles-ci se coupent alors et s'activent les unes les autres. Les molécules de caspase-8 activées activent alors en aval les procaspases pour induire l'apoptose (Figure 17-39A). Certaines cellules stressées ou lésées s'auto-détruisent en produisant à la fois le ligand Fas et la protéine Fas, ce qui déclenche la cascade intracellulaire des caspases.

Lorsque les cellules sont lésées ou stressées, elles peuvent aussi s'auto-détruire en déclenchant l'agrégation des procaspases et leur activation de l'intérieur de la cellule. Dans la voie la mieux comprise, les mitochondries sont induites à libérer une protéine transporteuse d'électrons, le *cytochrome c* (*voir* Figure 14-26) dans le cytosol, qui fixe une protéine adaptatrice, **Apaf-1**, et l'active (Figure 17-39B). Cette voie mitochondriale d'activation des procaspases est utilisée dans la plupart des formes d'apoptose pour initier ou accélérer et amplifier la cascade des caspases. Des lésions d'ADN, par exemple, comme nous l'avons déjà vu, peuvent déclencher l'apoptose. Cette réponse nécessite généralement p53 qui active la transcription de gènes qui codent pour des protéines de promotion de la libération du cytochrome c des mitochondries. Ces protéines appartiennent à la famille des Bcl-2.

Les protéines de la famille Bcl-2 et les protéines IAP sont les principaux régulateurs du programme de mort cellulaire

Les protéines intracellulaires de la **famille Bcl-2** facilitent la régulation de l'activation des procaspases. Certains membres de cette famille, comme *Bcl-2* elle-même ou *Bcl-X$_L$* inhibent l'apoptose, du moins en partie, par le blocage de la libération du cytochrome c des mitochondries. D'autres membres de cette famille ne sont pas des inhibiteurs de la mort mais par contre favorisent l'activation des procaspases et la mort cellulaire. Certains de ces promoteurs de l'apoptose, comme *Bad*, se fixent sur des membres de la famille des inhibiteurs de mort et les inactivent tandis que d'autres,

Figure 17-39 Induction de l'apoptose par des stimuli extracellulaires ou intracellulaires. (A) Activation extracellulaire. Un lymphocyte tueur (*killer*) transportant le ligand Fas se fixe et active la protéine Fas à la surface de la cellule cible. Des protéines adaptatrices se fixent dans la région intracellulaire des protéines Fas agrégées, provoquant l'agrégation de molécules de procaspase-8. Ces dernières se coupent alors mutuellement pour initier la cascade des caspases. (B) Activation intracellulaire. Les mitochondries libèrent le cytochrome c, qui se fixe sur la protéine adaptatrice Apaf-1 et provoque son agrégation. Apaf-1 se fixe sur des molécules de procaspase-9 et les agrègent, ce qui conduit à la coupure de ces molécules et au déclenchement d'une cascade de caspase. D'autres protéines qui contribuent à l'apoptose sont aussi libérées à partir de l'espace mitochondrial intermembranaire (non montré ici).

comme *Bax* et *Bak*, stimulent la libération du cytochrome c des mitochondries. Si les gènes codant pour Bax et Bak sont tous deux inactivés, les cellules deviennent remarquablement résistantes à la plupart des stimuli inducteurs d'apoptose, ce qui indique l'importance cruciale de ces protéines dans l'induction de l'apoptose. Bax et Bak sont eux-mêmes activés par d'autres membres de promotion de l'apoptose de la famille Bcl-2 comme Bid.

Une autre famille importante de régulateurs de l'apoptose intracellulaire est la **famille des IAP (inhibiteurs de l'apoptose)**. On pense que ces protéines inhibent l'apoptose de deux façons ; elles se fixent sur certaines procaspases et évitent leur activation et elles se fixent sur les caspases et inhibent leur activité. La première découverte des protéines IAP a été celle de protéines produites par certains virus des insectes, qui les utilisent pour empêcher la cellule infectée de se suicider avant qu'ils aient eu le temps de se répliquer. Lorsque les mitochondries libèrent le cytochrome c pour activer Apaf-1, elles libèrent aussi une protéine qui bloque les IAP, ce qui augmente ainsi grandement l'efficacité du processus d'activation de la mort.

Le programme intracellulaire de mort cellulaire est également régulé par des signaux extracellulaires qui peuvent activer l'apoptose ou l'inhiber. Ces molécules de signalisation agissent principalement en régulant la concentration ou l'activité des membres des familles Bcl-2 et des IAP. Nous verrons dans la partie suivante comment ces molécules de signalisation aident les organismes multicellulaires à réguler le nombre de leurs cellules.

Résumé

Dans les organismes multicellulaires, les cellules qui ne sont plus nécessaires ou représentent une menace pour l'organisme sont détruites par un processus de suicide cellulaire fortement régulé appelé mort cellulaire programmée, ou apoptose. L'apoptose s'effectue par le biais d'enzymes protéolytiques, les caspases, qui déclenchent la mort cellulaire en coupant des protéines spécifiques du cytoplasme et du noyau. Les caspases existent dans toutes les cellules sous forme de précurseurs inactifs, ou procaspases, généralement activés par d'autres caspases qui les coupent, ce qui engendre la cascade protéolytique des caspases. Le processus d'activation est initié par des signaux de mort extracellulaires ou intracellulaires provoquant l'agrégation de molécules adaptatrices intracellulaires qui activent les procaspases. L'activation des caspases est régulée par des membres des familles protéiques Bcl-2 et IAP.

CONTRÔLE EXTRACELLULAIRE DE LA DIVISION CELLULAIRE, DE LA CROISSANCE CELLULAIRE ET DE L'APOPTOSE

Même si un ovule de souris fécondé et un ovule de femme fécondé ont la même taille, ils produisent des animaux de taille très différente. Quels sont les facteurs du contrôle du comportement cellulaire chez l'homme et la souris responsables de ces différences de taille ? Cette même question fondamentale peut se poser pour chaque organe et tissu du corps d'un animal. Quels sont les facteurs du contrôle du comportement cellulaire qui expliquent la longueur de la trompe d'un éléphant ou la taille de son cerveau ou de son foie ? Ces questions restent largement sans réponses, en partie du moins parce qu'elles ont reçu relativement peu d'attention par comparaison à d'autres questions de biologie cellulaire et du développement. Il est néanmoins possible de prédire certains ingrédients de la réponse.

La taille d'un organe ou d'un organisme dépend principalement de sa masse cellulaire totale, qui dépend à la fois du nombre total de cellules et de leur taille. Le nombre de cellules, à son tour, dépend de l'importance de la division et de la mort cellulaires. Les tailles des organes et du corps sont donc déterminées par trois processus fondamentaux : la croissance cellulaire, la division cellulaire et la mort cellulaire. Chacun présente une régulation propre et indépendante – à la fois par le biais de programmes intracellulaires et de molécules de signalisation extracellulaire qui contrôlent ces programmes.

Les molécules de signalisation extracellulaire qui régulent la taille des cellules et leur nombre sont généralement soit des protéines solubles sécrétées, soit des protéines liées à la surface des cellules, soit des composantes de la matrice extracellulaire. D'un point de vue opérationnel, on peut diviser les facteurs qui favorisent la croissance des organes ou des organismes en trois classes majeures :

1. Les *mitogènes*, qui stimulent la division cellulaire, surtout en éliminant les contrôles négatifs intracellulaires qui autrement bloquent la progression à travers le cycle cellulaire.

2. Les *facteurs de croissance*, qui stimulent la croissance cellulaire (l'augmentation de la masse cellulaire) en favorisant la synthèse de protéines et d'autres macromolécules et en inhibant leur dégradation.

3. Les *facteurs de survie*, qui favorisent la survie de la cellule en supprimant l'apoptose.

Certaines molécules de signalisation extracellulaire favorisent tous ces processus, tandis que d'autres n'en favorisent qu'un ou deux. En fait, le terme de *facteur de croissance* est souvent mal utilisé pour décrire un facteur qui présente l'une ou l'autre de ces activités. Et, ce qui est encore pire, le terme de croissance cellulaire est souvent utilisé pour signifier l'augmentation du nombre des cellules ou *prolifération cellulaire*.

Dans cette partie, nous verrons d'abord comment ces signaux extracellulaires stimulent la division cellulaire, la croissance cellulaire et la survie cellulaire, pour favoriser la croissance d'un animal ou de ses organes. Nous verrons ensuite comment d'autres signaux extracellulaires peuvent agir à contrario pour inhiber la croissance cellulaire ou la division cellulaire ou pour stimuler l'apoptose, et inhiber ainsi la croissance de l'organe.

Les mitogènes stimulent la division cellulaire

Les organismes monocellulaires ont tendance à croître et à se diviser aussi vite qu'ils le peuvent, et leur vitesse de prolifération dépend largement de la disponibilité des nutriments dans l'environnement. Les cellules d'un organisme multicellulaire, cependant, ne se divisent que lorsque l'organisme a besoin d'un plus grand nombre de cellules. De ce fait, pour qu'une cellule animale prolifère, les nutriments ne suffisent pas. Elle doit aussi recevoir des autres cellules, en général de ses voisines, des signaux extracellulaires stimulants sous forme de **mitogènes**. Les mitogènes surmontent les mécanismes de freinage intracellulaires qui bloquent la progression à travers le cycle cellulaire.

Un des premiers mitogènes identifiés a été le **facteur de croissance dérivé des plaquettes** (**PDGF** pour *platelet-derived growth factor*) et il est un représentant typique des nombreux autres découverts par la suite. La voie qui a conduit à son isolement a commencé par l'observation que des fibroblastes, mis en culture dans une boîte, prolifèrent lorsqu'on leur fournit du *sérum* mais pas lorsqu'on leur fournit du *plasma*. Le plasma se prépare par l'élimination des cellules sanguines sans permettre à la coagulation de se produire; pour préparer le sérum on laisse le sang coaguler et on prélève le liquide acellulaire qui reste. Lorsque le sang coagule, les plaquettes incorporées dans le caillot reçoivent un signal qui déclenche la libération du contenu de leurs vésicules sécrétoires (Figure 17-40). La meilleure capacité du sérum à soutenir la prolifération cellulaire suggère que les plaquettes contiennent un ou plusieurs mitogènes. Cette hypothèse a été confirmée lorsqu'on a montré que des extraits plaquettaires pouvaient servir, à la place du sérum, à stimuler la prolifération des fibroblastes. On a montré que le facteur crucial de cet extrait était une protéine, purifiée par la suite et nommée PDGF. Dans le corps, le PDGF libéré des caillots sanguins joue probablement un rôle majeur dans la stimulation de la division cellulaire pendant la cicatrisation des blessures.

Le PDGF n'est qu'une des 50 protéines connues à action mitogène. La plupart de ces protéines sont des facteurs à large spécificité, comme le PDGF et le *facteur de croissance épidermique* (EGF pour *epidermal growth factor*) qui peuvent stimuler la division de plusieurs types de cellules. De ce fait, le PDGF agit sur une large gamme de types cellulaires, dont les fibroblastes, les cellules du muscle lisse et les cellules de la névroglie. De même, l'EGF n'agit pas seulement sur les cellules épidermiques mais aussi sur de nombreux autres types cellulaires, dont les cellules épithéliales et les cellules non épithéliales. À l'autre extrême, se trouvent les facteurs d'étroite spécificité comme l'*érythropoïétine* qui induit seulement la prolifération des précurseurs des hématies sanguines.

En plus des mitogènes qui stimulent la division cellulaire, il existe des facteurs comme certains membres de la famille des *TGF-β* (pour *transforming growth factor-β*) qui agissent sur certaines cellules pour stimuler leur prolifération cellulaire et sur d'autres pour l'inhiber, ou qui sont des stimulants à une concentration et des inhibiteurs à une autre. En fait, comme les PDGF, beaucoup de mitogènes ont d'autres actions en plus de la stimulation de la division cellulaire : ils peuvent stimuler la croissance cellulaire, la survie, la différenciation ou la migration en fonction des circonstances et du type cellulaire.

Les cellules peuvent retarder leur division par leur entrée dans un état spécifique de non-division

En l'absence d'un signal mitogène de prolifération, l'inhibition de la Cdk en phase G_1 est maintenue et le cycle cellulaire s'arrête. Dans certains cas, les cellules désassemblent partiellement leur système de contrôle du cycle cellulaire et sortent du cycle pour entrer dans un état spécifique, de non-division, appelé G_0.

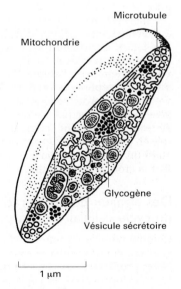

Figure 17-40 Plaquette. Les plaquettes sont des cellules miniatures anucléées. Elles circulent dans le sang et stimulent la coagulation sanguine sur les sites tissulaires lésés, afin d'éviter une hémorragie excessive. Elles libèrent également divers facteurs qui stimulent la cicatrisation. La plaquette montrée ici a été coupée en son milieu pour montrer ses vésicules sécrétoires, dont certaines contiennent le facteur de croissance dérivé des plaquettes, le PDGF. *Voir aussi* Figure 16-47B-D.

La plupart des cellules de notre corps sont en phase G_0 mais les fondements moléculaires et la réversibilité de cet état varient selon les différents types cellulaires. Les cellules du muscle squelettique et les neurones, par exemple, sont dans un état G_0 de *différenciation terminale*, dans lequel leur système de contrôle du cycle cellulaire est complètement démantelé : l'expression des gènes qui codent pour diverses Cdk et cyclines est inactivée de façon permanente et la division cellulaire ne se produit plus jamais. D'autres types cellulaires ne se retirent que transitoirement du cycle cellulaire et gardent la capacité d'assembler rapidement à nouveau le système de contrôle du cycle cellulaire et de reprendre le cycle. La plupart des cellules hépatiques, par exemple, sont en phase G_0 mais leur division peut être stimulée si le foie est lésé. D'autres types de cellules encore, dont certains lymphocytes, se retirent puis rentrent à nouveau dans le cycle cellulaire de façon répétitive tout au long de leur vie.

Presque toutes les variations de la durée du cycle cellulaire dans le corps adulte se produisent pendant le temps que la cellule passe en phase G_1 ou en phase G_0. Par contre, le temps mis pour qu'une cellule passe du début de la phase S à la mitose est généralement bref (typiquement 12 à 24 heures chez les mammifères), et relativement constant, quel que soit l'intervalle entre une division et la suivante.

Les mitogènes stimulent l'activité de la G_1-Cdk et de la G_1/S-Cdk

Pour la grande majorité des cellules animales, les mitogènes agissent sur la phase G_1 du cycle cellulaire pour contrôler la vitesse de division cellulaire. Comme nous l'avons déjà vu, de multiples mécanismes agissent pendant cette phase pour supprimer l'activité de la Cdk et entraver ainsi l'entrée en phase S. Les mitogènes libèrent le freinage de l'activité de la Cdk, et permettent ainsi le commencement de la phase S. Ils se fixent, pour ce faire, sur des récepteurs cellulaires de surface et initient un ensemble complexe de signaux intracellulaires qui pénètrent en profondeur dans le cytoplasme et le noyau (*voir* Chapitre 15). Le résultat final est l'activation des complexes G_1-Cdk et G_1/S-Cdk qui surpassent les barrières inhibitrices bloquant normalement la progression dans la phase S.

Comme nous l'avons vu au chapitre 15, une des étapes précoces du signalement par les mitogènes est souvent l'activation d'une petite GTPase, **Ras**, qui conduit à l'activation de la cascade des MAP-kinases. Par des mécanismes incertains, cela augmente la concentration en une protéine régulatrice de gènes, **Myc**. Celle-ci favorise l'entrée dans le cycle cellulaire par différents mécanismes qui se chevauchent (Figure 17-41). Elle augmente la transcription des gènes qui codent pour les cyclines G_1 (cyclines D), ce qui augmente l'activité de la G_1-Cdk (cycline D-Cdk4). En plus, Myc augmente la transcription d'un gène qui code pour un composant de SCF, une ubiquitine-ligase. Ce mécanisme favorise la dégradation d'une protéine CKI, p27, et conduit à l'augmentation de l'activité de la G_1/S-Cdk (cycline E-Cdk2). Comme nous l'avons vu précédemment, l'augmentation de l'activité de la G_1-Cdk et de la G_1/S-Cdk stimule la phosphorylation d'une protéine inhibitrice, **Rb**, ce qui conduit alors à l'activation d'une protéine régulatrice de gènes **E2F**. Myc stimule aussi la transcription du gène codant pour E2F, ce qui favorise encore plus l'activité intracellulaire d'E2F. Il en résulte finalement l'augmentation de la transcription des gènes nécessaires à l'entrée en phase S (*voir* Figure 17-30). Comme nous le verrons ultérieurement, Myc joue aussi un rôle majeur dans la stimulation de la transcription des gènes qui augmentent la croissance cellulaire.

Des signaux de prolifération anormale provoquent l'arrêt du cycle cellulaire ou la mort cellulaire

Comme nous le verrons au chapitre 23, beaucoup de composants des voies de signalisation intracellulaire sont codés par des gènes identifiés à l'origine comme des gènes promoteurs de cancers, ou *oncogènes*, parce que leurs mutations contribuaient au développement de cancers. La mutation d'un seul acide aminé de Ras par exemple, provoque l'hyperactivité permanente de cette protéine qui conduit à la stimulation constante des voies de signalisation Ras-dépendantes, même en l'absence de stimulation mitogène. De même, des mutations qui provoquent la surexpression de Myc favorisent la croissance et la prolifération cellulaires excessives et, par là, le développement de cancers.

Il est cependant surprenant que lorsqu'on produit expérimentalement une hyperactivité de Ras ou de Myc dans des cellules normales, ceci n'entraîne pas de prolifération excessive mais le contraire : l'activation des mécanismes de point de contrôle provoque dans la cellule soit l'arrêt du cycle cellulaire soit l'apoptose. La cellule normale semble capable de détecter une stimulation mitogène anormale et y

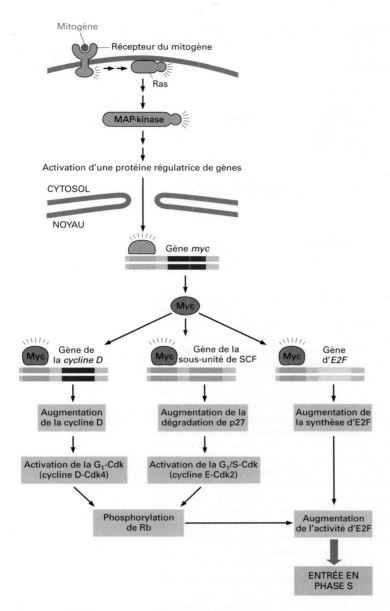

Figure 17-41 Modèle simplifié d'une des voies de stimulation de la division cellulaire par les mitogènes. La fixation d'un mitogène sur les récepteurs cellulaires de surface conduit à l'activation de Ras et d'une cascade de MAP-kinase. Un des effets de cette voie est l'augmentation de la production d'une protéine régulatrice de gènes, Myc. Myc augmente la transcription de divers gènes, y compris les gènes codant pour la cycline D et un gène codant pour une sous-unité d'une ubiquitine-ligase, SCF. L'augmentation de l'activité de la G_1-Cdk et de la G_1/S-Cdk qui en résulte, favorise la phosphorylation de Rb et l'activation d'une protéine régulatrice de gènes, E2F, ce qui entraîne l'entrée en phase S (*voir* Figure 17-30). Myc peut aussi promouvoir directement l'activité d'E2F en stimulant la transcription de son gène. Bien que, pour plus de simplicité, Myc soit montrée sous forme d'un monomère, elle fonctionne comme un hétérodimère avec une autre protéine appelée Max.

répond en évitant la poursuite de sa division. Ces réponses des points de contrôle permettent d'éviter la survie et la prolifération de cellules qui présentent diverses mutations favorisant le cancer.

Bien qu'on ne sache pas comment une cellule peut détecter une stimulation mitogène excessive, celle-ci conduit souvent à la production d'une protéine inhibitrice du cycle cellulaire, **p19ARF**, qui se fixe sur Mdm2 et l'inhibe. Comme nous l'avons déjà vu, Mdm2 favorise normalement la dégradation de p53. L'activation de p19ARF provoque donc l'augmentation de la concentration en p53 et induit ainsi soit l'arrêt du cycle cellulaire soit l'apoptose (Figure 17-42).

Comment les cellules cancéreuses peuvent-elles donc apparaître si des mécanismes bloquent la division ou la survie de cellules mutantes pourvues de signaux de prolifération hyperactifs? La réponse réside dans le fait que ce système protecteur est souvent inactivé dans les cellules cancéreuses par des mutations dans les gènes codant pour les composants essentiels des réponses aux points de contrôle, comme p19ARF ou p53.

Le nombre de divisions possibles des cellules de l'homme est limité de façon programmée

La division cellulaire est contrôlée non seulement par des mitogènes extracellulaires mais aussi par des mécanismes intracellulaires qui peuvent limiter la prolifération cellulaire. Beaucoup de cellules précurseurs animales, par exemple, se divisent un nombre limité

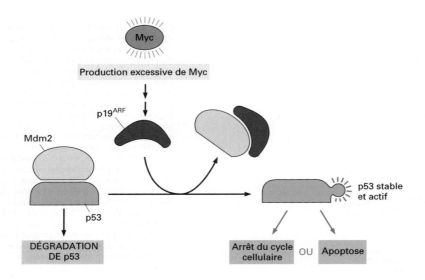

Figure 17-42 La stimulation excessive des voies des mitogènes induit l'arrêt du cycle cellulaire ou l'apoptose. Des concentrations anormalement élevées en Myc provoquent l'activation de p19^{ARF} qui se fixe sur Mdm2 et l'inhibe. Cela provoque l'augmentation de la concentration en p53 (*voir* Figure 17-33). Selon le type cellulaire et les conditions extracellulaires, p53 provoque soit l'arrêt du cycle cellulaire soit l'apoptose.

de fois avant de s'arrêter et de se différencier de façon terminale en une cellule spécialisée bloquée de façon permanente. Bien que les mécanismes d'arrêt soient mal compris, l'augmentation progressive des protéines CKI y contribue probablement dans certains cas. Par exemple, tous les organes des souris déficientes en CKI p27 contiennent plus de cellules que la normale parce que les mécanismes d'arrêt sont apparemment déficients.

Le mécanisme intracellulaire le mieux compris de limitation de la prolifération cellulaire se produit dans les fibroblastes humains. Chez l'homme, les fibroblastes issus d'un tissu normal doublent uniquement 25 à 50 fois leur population environ lorsqu'ils sont mis en culture dans un milieu mitogène standard. À la fin de ce temps, la prolifération se ralentit puis finit par s'arrêter et la cellule entre dans un état de non-division d'où elle ne sort plus jamais. Ce phénomène est appelé **sénescence cellulaire réplicative**, bien qu'il soit peu probable qu'il soit responsable de la sénescence (vieillesse) de l'organisme. On pense que le vieillissement de l'organisme dépend, du moins en partie, de lésions oxydatives progressives des macromolécules, d'autant plus que les stratégies qui réduisent le métabolisme (comme la baisse de la prise de nourriture) et réduisent donc la production de types de molécules d'oxygène réactives peuvent augmenter la durée de vie chez les animaux de laboratoire.

La sénescence cellulaire réplicative des fibroblastes de l'homme semble être causée par des modifications de la structure des **télomères**, les séquences d'ADN répétitives associées à des protéines de l'extrémité des chromosomes. Comme nous l'avons vu au chapitre 5, lorsqu'une cellule se divise, les séquences d'ADN télomériques ne sont pas répliquées de la même manière que le reste du génome mais sont par contre synthétisées par une enzyme, la **télomérase**. Par des mécanismes encore peu connus, la télomérase favorise également la formation des structures protéiques qui forment la coiffe et protègent les extrémités des chromosomes. Comme chez l'homme, les fibroblastes et beaucoup d'autres cellules somatiques sont déficientes en télomérases, leurs télomères se raccourcissent à chaque division cellulaire et leur coiffe protectrice se détériore progressivement. Finalement, des lésions d'ADN se produisent à l'extrémité des chromosomes. Ces lésions activent l'arrêt du cycle cellulaire dépendant de p53 qui ressemble à l'arrêt provoqué par d'autres types de lésions d'ADN (*voir* Figure 17-33).

Il a été proposé que l'absence de télomérase dans la plupart des cellules somatiques permettait de protéger l'homme des effets potentiellement néfastes de l'emballement de la prolifération cellulaire, ce qui se produit dans les cancers. Malheureusement, la plupart des cellules cancéreuses ont récupéré cette capacité de produire la télomérase et maintiennent donc des télomères fonctionnels pendant leur prolifération ; il en résulte qu'elles ne subissent pas de sénescence cellulaire réplicative (*voir* Chapitre 23). L'expression forcée de télomérase dans des fibroblastes humains normaux, par l'intermédiaire de techniques de génie génétique, a les mêmes effets (Figure 17-43).

Chez les rongeurs, par contre, les cellules normales maintiennent généralement leur activité télomérasique et la fonction des télomères lorsqu'elles prolifèrent ; de ce fait elles ne subissent pas ce type de sénescence réplicative. Lorsqu'elles sont hyperstimulées pour proliférer en culture, cependant, elles activent souvent les mécanismes de points de contrôle dépendant de p19^{ARF} que nous avons déjà décrits et finissent par arrêter de se diviser. Des mutations qui inactivent ces points de contrôle facilitent la prolifération indéfinie des cellules de rongeur en culture. Ces cellules mutantes sont

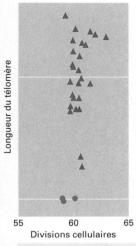

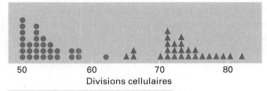

▲ Cellules exprimant la télomérase
● Cellules n'exprimant pas la télomérase

(A) Effets de la télomérase sur la longueur du télomère

(B) Effets sur le potentiel de prolifération

Figure 17-43 Maîtrise de la sénescence réplicative cellulaire par l'expression forcée de la télomérase. (A) Les fibroblastes normaux de l'homme ne contiennent pas de télomérase; leurs télomères se raccourcissent par conséquent petit à petit et perdent leur structure normale de coiffe lorsque les cellules prolifèrent. Les cellules chez lesquelles on force l'expression de la télomérase, cependant, maintiennent la longueur de leurs télomères (et la structure normale de leur coiffe) après plusieurs divisions. (B) Chez l'homme, un fibroblaste normal arrête de se diviser au bout de 50 à 60 divisions environ dans ces expériences alors que les cellules qui expriment la télomérase se divisent encore à la fin de l'expérience. (D'après A. Bodnar et al., *Science* 279 : 349-352, 1998.)

souvent décrites comme «immortelles». Si elles sont mises en culture dans des conditions optimales qui évitent l'activation des réponses des points de contrôle, cependant, certaines cellules normales de rongeur semblent aussi capables de proliférer indéfiniment. Néanmoins, les rongeurs vieillissent plus rapidement que les hommes.

Les facteurs de croissance extracellulaires stimulent la croissance cellulaire

La croissance d'un organisme ou d'un organe dépend de la croissance cellulaire : la division cellulaire seule ne peut augmenter la masse cellulaire totale sans croissance cellulaire. Dans les organismes monocellulaires, comme les levures, la croissance cellulaire (comme la division cellulaire) ne nécessite que des nutriments. Chez les animaux, à l'opposé, la croissance cellulaire et la division cellulaire dépendent toutes deux de signaux d'autres cellules.

Les **facteurs de croissance** extracellulaires qui stimulent la croissance cellulaire se fixent sur les récepteurs cellulaires de surface et activent des voies de signalisation intracellulaire. Ces voies stimulent l'accumulation de protéines et d'autres macromolécules, à la fois par l'augmentation de la vitesse de leur synthèse et par la diminution de la vitesse de leur dégradation.

Une des principales voies de signalisation intracellulaire activée par les récepteurs des facteurs de croissance implique une enzyme, la **PI 3-kinase**, qui ajoute un phosphate issu de l'ATP sur la position 3 des inositol phospholipides de la membrane plasmique. Comme nous l'avons vu au chapitre 15, l'activation de la PI 3-kinase conduit à l'activation de plusieurs protéine-kinases, y compris la **S6 kinase**. Celle-ci phosphoryle la protéine ribosomique S6 et augmente la capacité des ribosomes à traduire un sous-groupe d'ARNm, dont la plupart codent pour des composants ribosomiques. La synthèse protéique augmente donc. Lorsque le gène codant la S6 kinase est inactivé chez les drosophiles, les mouches mutantes sont petites; tandis que le nombre de cellules est normal, la taille des cellules est anormalement petite. Les facteurs de croissance activent aussi un facteur d'initiation de la traduction appelé *eIF4E* qui augmente encore plus la synthèse protéique et la croissance cellulaire (Figure 17-44).

La stimulation du facteur de croissance conduit aussi à l'augmentation de la production de la protéine régulatrice de gènes, Myc, qui joue également un rôle important dans la signalisation par les mitogènes (*voir* Figure 17-41). Myc augmente la transcription d'un certain nombre de gènes qui codent pour des protéines impliquées dans le métabolisme cellulaire et la synthèse des macromolécules. De cette façon, elle stimule à la fois le métabolisme cellulaire et la croissance cellulaire.

Certaines protéines de signalisation extracellulaire, y compris le PDGF, peuvent agir comme des facteurs de croissance et des mitogènes, et stimuler à la fois la croissance cellulaire et la progression dans le cycle cellulaire. Ce chevauchement fonctionnel s'effectue en partie par le chevauchement des voies de signalisation intracellulaire qui contrôlent ces deux processus. La protéine de signalisation Ras par exemple est activée par les facteurs de croissance et les mitogènes. Elle peut stimuler la voie de la PI 3-kinase pour favoriser la croissance cellulaire et la voie de la MAP-kinase pour déclencher la progression du cycle cellulaire. De même, comme nous

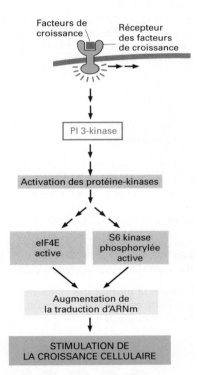

Figure 17-44 Une des voies qui permettent aux facteurs de croissance de favoriser la croissance cellulaire. Sur ce schéma simplifié, l'activation des récepteurs cellulaires de surface conduit à l'activation de la PI3-kinase qui favorise la synthèse protéique, du moins en partie, par l'activation d'eIF4E et de la S6 kinase. Les facteurs de croissance inhibent aussi la dégradation des protéines (non montré ici) selon des voies mal comprises.

Figure 17-45 Différence de taille ente un neurone (rétinien) et un lymphocyte chez un mammifère. Ces deux cellules contiennent la même quantité d'ADN. Un neurone grossit progressivement une fois qu'il s'est retiré de façon permanente du cycle cellulaire. Pendant ce temps, son rapport cytoplasme sur ADN augmente énormément (par un facteur de plus de 10^5 pour certains neurones). (Neurone d'après B.B. Boycott, *in* Essays on the Nervous System [R. Bellairs et E.G. Gray, eds]. Oxford, UK : Clarendon Press, 1974.)

l'avons décrit ci-dessus, Myc stimule à la fois la croissance cellulaire et la progression du cycle cellulaire. Les facteurs extracellulaires qui agissent à la fois comme des facteurs de croissance et des mitogènes permettent d'assurer que les cellules gardent une taille appropriée lorsqu'elles prolifèrent.

La croissance et la division cellulaires, cependant, peuvent être contrôlées par des protéines de signalisation extracellulaire dans certains types cellulaires. Ce type de contrôle indépendant peut être particulièrement important pendant le développement embryonnaire, lorsqu'il se produit des modifications spectaculaires de la taille de certains types cellulaires. Même chez les animaux adultes, cependant, les facteurs de croissance peuvent stimuler la croissance cellulaire sans affecter la division cellulaire. La taille d'un neurone sympathique qui s'est retiré de façon permanente du cycle cellulaire, par exemple, dépend de la quantité de **facteur de croissance des nerfs (NGF** pour *nerve growth factor*) sécrété par les cellules cibles qu'il innerve. Plus le neurone a accès à une grande quantité de NGF, plus il devient gros. On ne sait cependant toujours pas comment les différents types de cellules d'un même animal se développent pour atteindre des tailles si différentes (Figure 17-45).

Les facteurs de survie extracellulaires suppriment l'apoptose

Les cellules animales ont besoin de signaux issus d'autres cellules – non seulement pour croître et proliférer mais aussi pour survivre. Si elles sont privées de ces **facteurs de survie,** les cellules activent leur programme de mort intracellulaire et meurent par apoptose. Ce mécanisme assure que les cellules ne survivent que quand et là où elles sont nécessaires. Les cellules nerveuses, par exemple, sont produites en excès dans le système nerveux en développement puis entrent en compétition pour une quantité limitée de facteurs de survie sécrétés par les cellules cibles avec lesquelles elles entrent en contact. Les cellules nerveuses qui reçoivent assez de facteurs de survie survivent, alors que les autres meurent par apoptose (Figure 17-46). On pense qu'une dépendance similaire vis-à-vis des signaux de survie issus de cellules voisines contrôle le nombre de cellules dans d'autres tissus, à la fois pendant le développement et chez l'adulte.

Les facteurs de survie, comme les mitogènes et les facteurs de croissance, se fixent en général sur les récepteurs cellulaires de surface. Cette fixation active les voies de signalisation qui maintiennent la suppression du programme de mort souvent par la régulation de membres de la famille des protéines Bcl-2. Certains facteurs, par exemple, stimulent l'augmentation de la production de facteurs de suppression de l'apoptose, membres de cette famille. D'autres agissent en inhibant la fonction de membres de cette famille favorisant l'apoptose (Figure 17-47A). Chez la drosophile et probablement aussi chez les vertébrés, certains facteurs de survie agissent aussi en stimulant l'activité des IAP, ce qui supprime l'apoptose (Figure 17-47B).

Les cellules voisines entrent en compétition pour des protéines de signalisation extracellulaire

Lorsque la plupart des types de cellules de mammifères sont mises en culture dans une boîte en présence de sérum, elles adhèrent au fond de la boîte, se disséminent et se divisent jusqu'à former une monocouche confluente. Chaque cellule s'attache sur

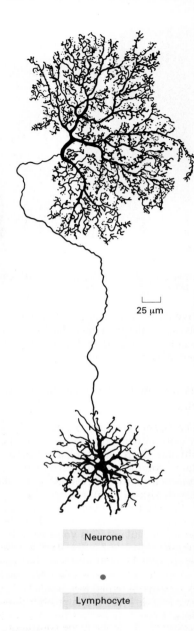

25 µm

Neurone

Lymphocyte

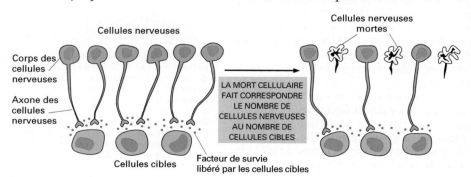

Cellules nerveuses

Cellules nerveuses mortes

Corps des cellules nerveuses

Axone des cellules nerveuses

LA MORT CELLULAIRE FAIT CORRESPONDRE LE NOMBRE DE CELLULES NERVEUSES AU NOMBRE DE CELLULES CIBLES

Cellules cibles

Facteur de survie libéré par les cellules cibles

Figure 17-46 Fonction de la mort cellulaire dans la correspondance entre le nombre de cellules nerveuses en développement et le nombre de cellules cibles qu'elles contactent. La production des cellules nerveuses dépasse ce qui peut être soutenu par la quantité limitée de facteurs de survie libérée par les cellules cibles. De ce fait, certaines cellules reçoivent une quantité de facteurs de survie insuffisante pour maintenir la suppression de leur programme de suicide et, par conséquent, elles subissent l'apoptose. Cette stratégie de surproduction suivie de réduction assure que chaque cellule cible entre en contact avec une cellule nerveuse et que les cellules nerveuses supplémentaires sont automatiquement éliminées.

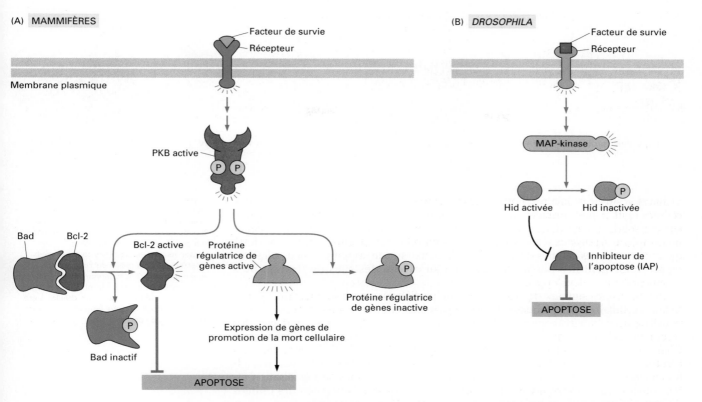

(A) MAMMIFÈRES

Facteur de survie
Récepteur
Membrane plasmique
PKB active
P P
Bad
Bcl-2
Bcl-2 active
Protéine régulatrice de gènes active
Protéine régulatrice de gènes inactive
P
P
Bad inactif
Expression de gènes de promotion de la mort cellulaire
APOPTOSE

(B) DROSOPHILA

Facteur de survie
Récepteur
MAP-kinase
Hid activée
Hid inactivée
P
Inhibiteur de l'apoptose (IAP)
APOPTOSE

Figure 17-47 Deux voies utilisées par les facteurs de survie pour supprimer l'apoptose. (A) Dans les cellules de mammifères, la fixation de certains facteurs de survie sur les récepteurs cellulaires de surface conduit à l'activation de diverses protéine-kinases, y compris la protéine-kinase B (PKB), qui phosphoryle et inactive des membres de la famille Bcl-2. Lorsqu'il n'est pas phosphorylé, Bad favorise l'apoptose en se fixant sur Bcl-2 et en l'inhibant. Une fois phosphorylé, Bad se dissocie de Bcl-2 et le libère, ce qui supprime l'apoptose. Comme cela est indiqué, PKB supprime aussi la mort en phosphorylant et en inhibant les protéines régulatrices de gènes de la famille des Forkhead qui stimulent la transcription des gènes codant pour des protéines qui favorisent l'apoptose. (B) Chez *Drosophila*, certains facteurs de survie inhibent l'apoptose en stimulant la phosphorylation de la protéine Hid. Lorsqu'elle n'est pas phosphorylée, Hid favorise la mort cellulaire en inhibant les IAP. Une fois phosphorylée, Hid n'inhibe plus les IAP qui deviennent actifs et bloquent la mort cellulaire.

la boîte et entre en contact avec ses voisines par tous ses côtés. C'est alors que les cellules normales, contrairement aux cellules cancéreuses, cessent de proliférer – un phénomène appelé *inhibition de la division cellulaire dépendante de la densité*. Ce phénomène a été décrit au départ par le terme d'« inhibition de contact » de la division cellulaire mais il est peu probable que les interactions de contact cellule-cellule soient les seules responsables. La densité de la population cellulaire pour laquelle la prolifération cesse dans la monocouche confluente, augmente avec l'augmentation de la concentration en sérum du milieu. De plus, si on apporte (par un jet) du milieu de culture frais à une couche confluente de fibroblastes, la limitation de la diffusion est réduite à l'apport de mitogènes, et les cellules sous le jet sont induites à se diviser pour atteindre des densités qui normalement auraient inhibé cette division (Figure 17-48). De ce fait, l'inhibition de la prolifération cellulaire dépendante de la densité semble refléter, du moins en partie, la capacité d'une cellule à réduire localement la concentration en mitogènes extracellulaires dans le milieu, et à priver ainsi ses voisines.

Ce type de compétition pourrait être important pour les cellules des tissus aussi bien que de culture, parce qu'il évite que leur prolifération dépasse une certaine densité de population, déterminée par la quantité disponible de mitogènes, de facteurs de croissance et de facteurs de survie. La quantité de ces facteurs dans les tissus est généralement limitée et l'augmentation de leurs quantités entraîne l'augmentation du nombre de cellules, de la taille cellulaire, ou des deux. De ce fait, la concentration en ces facteurs dans les tissus joue un rôle important dans la détermination de la taille et du nombre des cellules.

De nombreux types de cellules animales normales doivent s'ancrer pour croître et proliférer

La forme d'une cellule varie lorsqu'elle se dissémine et migre sur un support pour occuper un espace libre et cela peut avoir un impact majeur sur la croissance, la di-

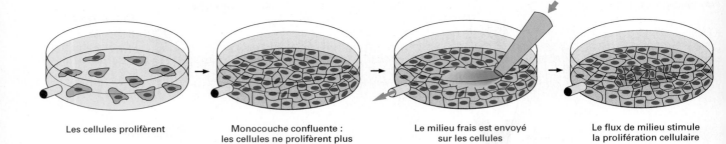

Les cellules prolifèrent

Monocouche confluente :
les cellules ne prolifèrent plus

Le milieu frais est envoyé
sur les cellules

Le flux de milieu stimule
la prolifération cellulaire

vision et la survie cellulaires. Lorsque, par exemple, des fibroblastes normaux ou des cellules épithéliales normales sont mis en culture en suspension, non fixés sur une surface solide et sont donc arrondis, ils ne se divisent presque jamais – un phéno-mène appelé *dépendance d'ancrage* de la division cellulaire (Figure 17-49). Mais lors-qu'on permet à ces cellules de se fixer et d'adhérer sur un support collant, elles for-ment rapidement des plaques d'adhésion au niveau des sites de fixation puis commencent à se développer et à proliférer.

Comment les signaux de croissance et de prolifération sont-ils engendrés par la fixation cellulaire? Les plaques d'adhésion sont des endroits où les molécules de la matrice extracellulaire, comme les lamines ou la fibronectine, interagissent avec des récepteurs cellulaires de surface, les *intégrines*, reliés au cytosquelette d'actine (*voir* Chapitre 19). La fixation de molécules de la matrice extracellulaire sur les intégrines conduit à l'activation locale de protéine-kinases, dont les kinases *FAK* (pour *focal adhesion kinase*) qui conduisent, à leur tour, à l'activation des voies de signalisation in-tracellulaire qui peuvent favoriser la survie, la croissance et la division des cellules (Figure 17-50).

Comme les autres contrôles de la division cellulaire, le contrôle de l'ancrage opère pendant la phase G_1. Les cellules nécessitent un ancrage pour progresser à travers la phase G_1 et entrer en phase S, mais l'ancrage n'est pas nécessaire pour terminer le cycle. En fait, les cellules relâchent souvent leurs attaches et s'arrondissent lors-qu'elles passent en phase M. Ce cycle de fixation et de détachement permet proba-blement aux cellules des tissus de réarranger leurs contacts avec les autres cellules et avec la matrice extracellulaire. De cette façon, les tissus peuvent recevoir les cel-lules filles produites par la division cellulaire puis les fixer solidement avant de les laisser commencer le cycle de division cellulaire suivant.

Figure 17-48 Les effets d'un milieu frais sur une monocouche cellulaire confluente. Les cellules qui forment une monocouche confluente ne se divisent pas (en *gris*). Les cellules recommencent à se diviser (en *vert*) lorsqu'elles sont exposées directement à un milieu de culture frais. Apparemment, dans la monocouche confluente non perturbée, la prolifération s'est arrêtée parce que le milieu proche des cellules a été vidé des mitogènes pour lesquels les cellules entrent en compétition.

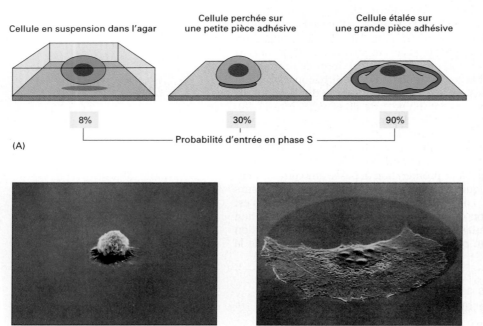

Cellule en suspension dans l'agar

Cellule perchée sur
une petite pièce adhésive

Cellule étalée sur
une grande pièce adhésive

8%   30%   90%

(A)   ⟵——— Probabilité d'entrée en phase S ———⟶

(B)   (C)   50 μm

Figure 17-49 La division cellulaire dépend de la forme cellulaire et de son ancrage. Dans cette expérience, les cellules ont été soit maintenues en suspension soit laissées se fixer sur des pièces de matériaux adhésifs (palladium) ou d'un support non adhésif. Le diamètre de la pièce, qui est variable, détermine l'étendue de l'étalement d'une cellule individuelle et la probabilité qu'elle progresse dans la phase S. De la thymidine ³H a été ajoutée au milieu de culture et la culture a été fixée puis autoradiographiée au bout de 1 à 2 jours afin de déterminer le pourcentage de cellules entrées en phase S (*voir* Figure 17-11A). (A) Très peu de cellules de la lignée cellulaire 3T3 entrent en phase S lorsqu'elles sont maintenues arrondies en suspension mais l'adhérence, même sur une pièce minuscule – même trop petite pour permettre l'étalement – permet à beaucoup d'entre elles d'entrer en phase S. (B et C) Ces photographies en microscopie électronique à balayage montrent une cellule perchée sur une petite pièce comparée à une cellule étalée sur une grande pièce.

Contrairement aux fibroblastes et aux cellules épithéliales, certains types cellulaires de l'organisme (y compris les lymphocytes et les précurseurs des cellules sanguines) peuvent se diviser facilement en suspension (*voir aussi* Figure 19-62). (B et C, d'après C. O'Neill, P. Jordan et G. Ireland, *Cell* 44 : 489-496, 1986. © Elsevier.)

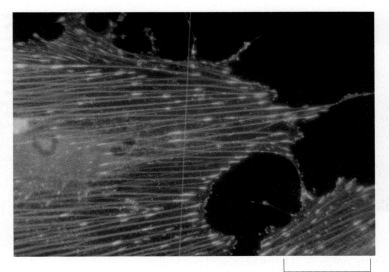

Figure 17-50 Les plaques d'adhésion sont des sites de production de signaux intracellulaires. Cette photographie en microscopie à fluorescence montre un fibroblaste mis en culture sur un support recouvert d'une molécule de la matrice extracellulaire, la fibronectine. Les filaments d'actine ont été marqués pour émettre une *fluorescence verte*, tandis que les protéines activées qui contiennent de la phosphotyrosine ont été marquées avec un anticorps marqué pour émettre une *fluorescence rouge*. Lorsque les deux composants se superposent, la couleur obtenue est *orange*. Les filaments d'actine se terminent sur les plaques d'adhésion, là où la cellule s'attache sur le support. Les protéines contenant la phosphotyrosine sont aussi concentrées sur ces sites. On pense que cela reflète l'activation locale de la kinase FAK (*focal adhesion kinase*) et d'autres protéine-kinases stimulées par les intégrines, des protéines transmembranaires, qui se fixent sur la fibronectine extracellulaire et (indirectement) sur les filaments d'actine intracellulaires. Les signaux engendrés sur ces sites d'adhésion facilitent la régulation de la division, de la croissance et de la survie des fibroblastes et des cellules épithéliales. (Due à l'obligeance de Keith Burridge.)

10 µm

Certaines protéines de signalisation extracellulaire inhibent la croissance, la division et la survie cellulaires

Les protéines de signalisation extracellulaire traitées dans ce chapitre – les mitogènes, les facteurs de croissance et les facteurs de survie – sont respectivement des régulateurs positifs de la progression du cycle cellulaire, de la croissance cellulaire et de la survie cellulaire. Elles ont donc tendance à augmenter la taille des organes et des organismes. Dans certains tissus, cependant, la taille des cellules et des tissus est aussi influencée par des protéines de signalisation extracellulaire inhibitrices qui s'opposent aux régulateurs positifs et inhibent ainsi la croissance de l'organe.

Les protéines de signalisation inhibitrices les mieux connues sont les TGF-β et leurs apparentés. Les TGF-β inhibent la prolifération de divers types de cellules, soit en bloquant la progression du cycle cellulaire en phase G_1 soit en stimulant l'apoptose. Comme nous l'avons vu au chapitre 15, les TGF-β se fixent sur des récepteurs cellulaires de surface et initient une voie de signalisation intracellulaire qui conduit à des modifications de l'activité de protéines régulatrices de gènes, les Smads. Cela entraîne des modifications complexes et mal comprises de la transcription de gènes codant pour des régulateurs de la division cellulaire et de la mort cellulaire.

La protéine *BMP* (pour *bone morphogenetic protein*), un membre de la famille des TGF-β, est un des exemples de signal extracellulaire induisant l'apoptose. La BMP facilite le déclenchement de l'apoptose qui élimine les tissus entre les doigts en développement de la patte de souris (*voir* Figure 17-35). Comme les TGF-β, BMP stimule des modifications de la transcription de gènes qui régulent la mort cellulaire, bien que la nature de ces gènes reste peu connue.

Des protéines de signalisation inhibitrices peuvent, dans certains cas, limiter la taille globale d'un organe. La *myostatine*, par exemple, est un membre de la famille des TGF-β inhibant normalement la prolifération des myoblastes qui fusionnent pour former les cellules du muscle squelettique. Lors de délétion des gènes codant pour la myostatine chez la souris, les muscles se développent et deviennent plusieurs fois plus gros que la normale (*voir* Figure 22-43). Le nombre et la taille des cellules musculaires augmentent. Remarquons que deux races de bovins élevés pour leurs gros muscles présentent des mutations du gène codant pour la myostatine (Figure 17-51).

Des patrons complexes de régulation de la division cellulaire engendrent et maintiennent la forme du corps

La vie des organismes multicellulaires commence par une série de cycles de division contrôlés selon des règles complexes. Cela est illustré de façon frappante par le nématode *Caenorhabditis elegans*. L'ovule fécondé de *C. elegans* se divise pour produire un ver adulte ayant précisément 959 noyaux de cellules somatiques (chez le mâle), dont chacun est engendré par sa propre séquence caractéristique et absolument prévisible de division cellulaire. (Le nombre initial de cellules est supérieur à cela, mais plus de 100 cellules meurent par apoptose pendant le développement.) En gé-

Figure 17-51 Les effets de la mutation de la myostatine sur la taille musculaire. La mutation conduit à l'augmentation spectaculaire de la masse du tissu musculaire, comme cela est illustré chez ce taureau Bleu belge. La race Bleue belge a été produite par des éleveurs bovins et ce n'est que récemment qu'on a trouvé qu'elle présentait une mutation du gène de la myostatine. Des souris rendues déficientes en ce même gène présentent aussi des muscles remarquablement gros (*voir* Figure 22-43). (D'après A.C. McPherron et S.-J. Lee, *Proc. Natl. Acad. Sci. USA* 94 : 12457-12461, 1997. © National Academy of Sciences.)

néral, les contrôles qui engendrent ce nombre précis de cellules n'opèrent pas seulement par le comptage des divisions cellulaires en fonction d'un programme minuté. Par contre, l'organisme semble surtout contrôler la masse cellulaire totale qui ne dépend pas seulement du nombre de cellules mais aussi de leur taille. Des salamandres de ploïdies différentes, par exemple, ont la même taille mais un nombre différent de cellules. Chaque cellule d'une salamandre pentaploïde possède près de cinq fois le volume de celle d'une salamandre haploïde et dans chaque organe les pentaploïdes n'ont engendré qu'un cinquième du nombre de cellules de leurs cousins haploïdes, de telle sorte que les organes sont à peu près de la même taille chez ces deux animaux (Figures 17-52 et 17-53). Il est évident dans ce cas (et dans beaucoup d'autres) que la taille des organes et des organismes dépend de mécanismes qui peuvent, d'une façon ou d'une autre, mesurer la masse cellulaire totale.

Le développement de membres et d'organes de taille et de forme spécifiques dépend de contrôles complexes de position, ainsi que de la concentration locale en protéines de signalisation extracellulaire qui stimulent ou inhibent la croissance, la di-

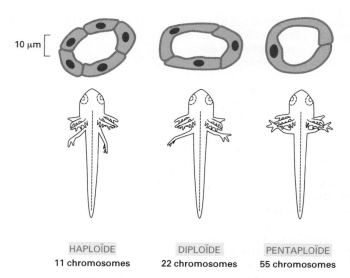

HAPLOÏDE — 11 chromosomes

DIPLOÏDE — 22 chromosomes

PENTAPLOÏDE — 55 chromosomes

Figure 17-52 Coupes des tubules rénaux issus de larves de salamandres de différentes ploïdies. Dans tous les organismes, la taille des cellules est proportionnelle à la ploïdie. Les salamandres pentaploïdes, par exemple, ont des cellules bien plus grosses que celles des salamandres haploïdes. Les animaux et leurs organes, cependant, sont de la même taille parce que chaque tissu de l'animal pentaploïde contient moins de cellules. Cela indique que la taille d'un organisme ou d'un organe n'est pas simplement contrôlée par le nombre des divisions cellulaires ou le nombre des cellules ; la masse cellulaire totale doit être d'une certaine façon régulée. (Adapté d'après G. Fankhauser, *in* Analysis of Development [B.H. Willier, P.A. Weiss et V. Hamburger, eds.], p. 126-150. Philadelphia : Saunders, 1955.)

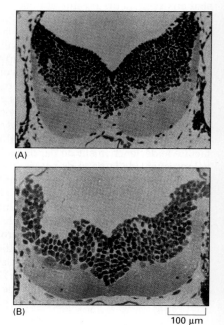

(A)

(B)   100 μm

Figure 17-53 Cerveau postérieur d'une salamandre haploïde et d'une salamandre tétraploïde. (A) Cette photographie en microscopie optique montre une coupe transversale du cerveau postérieur d'une salamandre haploïde. (B) La coupe transversale correspondante du cerveau postérieur d'une salamandre tétraploïde révèle comment le nombre réduit de cellules est compensé par l'augmentation de leur taille. (D'après G. Frankhauser, *Int. Rev. Cytol.* 1 : 165-193, 1952.)

vision et la survie cellulaires. Comme nous le verrons au chapitre 21, on connaît maintenant certains gènes qui permettent de façonner ces processus dans l'embryon. Il reste encore beaucoup à apprendre, cependant, sur les voies qui permettent aux gènes de réguler la croissance, la division, la survie et la différenciation des cellules pour engendrer un organisme complexe (*voir* Chapitre 21).

Les contrôles qui gouvernent ces processus dans un corps adulte sont aussi mal compris. Lorsqu'une blessure cutanée cicatrise chez les vertébrés, par exemple, il faut régénérer près d'une douzaine de types cellulaires, des fibroblastes aux cellules de Schwann, en quantité correcte et au bon endroit pour reconstruire les tissus perdus. Les mécanismes qui contrôlent la prolifération cellulaire dans les tissus sont également au cœur de la compréhension du cancer, une maladie au cours de laquelle les contrôles fonctionnent mal, comme nous le verrons au chapitre 23.

Résumé

Chez les animaux multicellulaires, la taille des cellules, la division cellulaire et la mort cellulaire sont contrôlées avec précision pour assurer que l'organisme et ses organes atteignent et maintiennent une taille appropriée. Trois classes de protéines de signalisation extracellulaire contribuent à ce contrôle, même si beaucoup d'entre elles affectent deux ou plusieurs de ces processus. Les mitogènes stimulent la vitesse de la division cellulaire en éliminant les freins moléculaires intracellulaires qui restreignent la progression du cycle cellulaire en phase G_1. Les facteurs de croissance favorisent l'augmentation de la masse cellulaire en stimulant la synthèse et en inhibant la dégradation des macromolécules. Les facteurs de survie augmentent le nombre des cellules en inhibant l'apoptose. Les signaux extracellulaires qui inhibent la division cellulaire ou la croissance cellulaire, ou induisent les cellules à subir l'apoptose, contribuent également au contrôle de la taille.

Bibliographie

Généralités

Baserga R (1985) The Biology of Cell Reproduction. Cambridge, MA: Harvard University Press.

Mitchison JM (1971) The Biology of the Cell Cycle. Cambridge: Cambridge University Press.

Murray AW & Hunt T (1993) The Cell Cycle: An Introduction. New York: WH Freeman.

Vue d'ensemble du cycle cellulaire

Hartwell LH, Culotti J, Pringle JR & Reid BJ (1974) Genetic control of the cell division cycle in yeast. *Science* 183, 46–51.

Kirschner M, Newport J & Gerhart J (1985) The timing of early developmental events in Xenopus. *Trends Genet.* 1, 41–47.

Lohka MJ, Hayes MK & Maller JL (1988) Purification of maturation-promoting factor, an intracellular regulator of early mitotic events. *Proc. Natl. Acad. Sci. USA* 85, 3009–3013.

Masui Y & Markert CL (1971) Cytoplasmic control of nuclear behavior during meiotic maturation of frog oocytes. *J. Exp. Zool.* 177, 129–146.

Nurse P, Thuriaux P & Nasmyth K (1976) Genetic control of the cell division cycle in the fission yeast *Schizosaccharomyces pombe. Mol. Gen. Genet.* 146, 167–178.

Composants du système de contrôle du cycle cellulaire

Deshaies R (1999) SCF and cullin/Ring H2-based ubiquitin ligases. *Ann. Rev. Cell Dev. Biol.* 15, 435–467.

Hartwell LH & Weinert TA (1989) Checkpoints: controls that ensure the order of cell cycle events. *Science* 246, 629–634.

Koch C & Nasmyth K (1994) Cell cycle regulated transcription in yeast. *Curr. Opin. Cell Biol.* 6, 451–459.

Morgan DO (1997) Cyclin-dependent kinases: engines, clocks, and microprocessors. *Annu. Rev. Cell Dev. Biol.* 13, 261–291.

Pavletich NP (1999) Mechanisms of cyclin-dependent kinase regulation: structures of Cdks, their cyclin activators, and CIP and Ink4 inhibitors. *J. Mol. Biol.* 287, 821–828.

Spellman PT, Sherlock G, Zhang MQ et al. (1988) Comprehensive identification of cell cycle-regulated genes of the yeast *Saccharomyces cerevisiae* by microarray hybridization. *Mol. Biol. Cell* 9, 3273–3297.

Zachariae W & Nasmyth K (1999) Whose end is destruction: cell division and the anaphase-promoting complex. *Genes Dev.* 13, 2039–2058.

Contrôle intracellulaire des événements du cycle cellulaire

Caspari T (2000) How to activate p53. *Curr. Biol.* 10, R315–R317.

Donaldson AD & Blow JJ (1999) The regulation of replication origin activation. *Curr. Opin. Genet. Dev.* 9, 62–68.

Dunphy WG (1994) The decision to enter mitosis. *Trends Cell Biol.* 4, 202–207.

Elledge SJ (1996) Cell cycle checkpoints: preventing an identity crisis. *Science* 274, 1664–1672.

Harbour JW & Dean DC (2000) The Rb/E2F pathway: expanding roles and emerging paradigms. *Genes Dev.* 14, 2393–2409.

Hirano T (2000) Chromosome cohesion, condensation, and separation. *Annu. Rev. Biochem.* 69, 115–144.

Johnston GC, Pringle JR & Hartwell LH (1977) Coordination of growth with cell division in the yeast *Saccharomyces cerevisiae. Exp. Cell Res.* 105, 79–98.

Kelly TJ & Brown GW (2000) Regulation of chromosome replication. *Annu. Rev. Biochem.* 69, 829–880.

Nasmyth K, Peters JM & Uhlmann F (2000) Splitting the chromosome: cutting the ties that bind sister chromatids. *Science* 288, 1379–1385.

Neufeld TP & Edgar BA (1998) Connections between growth and the cell cycle. *Curr. Opin. Cell Biol.* 10, 784–790.

Rao PN & Johnson RT (1970) Mammalian cell fusion: studies on the regulation of DNA synthesis and mitosis. *Nature* 225, 159–164.

Shah JV & Cleveland DW (2000) Waiting for anaphase: Mad2 and the spindle assembly checkpoint. *Cell* 103, 997–1000.

Stillman B (1996) Cell cycle control of DNA replication. *Science* 274, 1659–1664.

Zhou BB & Elledge SJ (2000) The DNA damage response: putting checkpoints in perspective. *Nature* 408, 433–439.

Mort cellulaire programmée (apoptose)

Adams JM & Cory S (1988) The Bcl-2 protein family: arbiters of cell survival. *Science* 281, 1322–1326.

Chao DT & Korsmeyer SJ (1998) BCL-2 family: regulators of cell death. *Annu. Rev. Immunol.* 16, 395–419.

Ekert PG, Silke J & Vaux DL (1999) Caspase inhibitors. *Cell Death Differ.* 6, 1081–1086.

Ellis RE, Yuan JY & Horvitz RA (1991) Mechanisms and functions of cell death *Annu. Rev. Cell Biol.* 7, 663–698.

Kerr JF, Wyllie AH & Currie AR (1972) Apoptosis: a basic biological phenomenon with wide-ranging implications in tissue kinetics. *Br. J. Cancer* 26, 239–257.

Li H & Yuan J (1999) Deciphering the pathways of life and death. *Curr. Opin. Cell Biol.* 11, 261–266.

Nicholson DW & Thornberry NA (1977) Caspases: killer proteases. *TIBS* 22, 299–306.

Contrôle extracellulaire de la division cellulaire, de la croissance cellulaire et de l'apoptose

Assoian RK (1997) Anchorage-dependent cell cycle progression. *J. Cell Biol.* 136, 1–4.

Blackburn EH (2000) Telomere states and cell fates. *Nature* 408, 53–56.

Conlon I & Raff M (1999) Size control in animal development. *Cell* 96, 235–244.

Datta SR, Brunet A & Greenberg ME (1999) Cellular survival: a play in three Akts. *Genes Dev.* 13, 2905–2927.

Raff MC (1992) Social controls on cell survival and cell death. *Nature* 356, 397–400.

Sherr CJ (1994) G1 phase progression: cycling on cue. *Cell* 79, 551–555.

Sherr CJ (1998) Tumor surveillance via the ARF-p53 pathway. *Genes Dev.* 12, 2984–2991.

Sherr CJ & DePinho RA (2000) Cellular senescence: mitotic clock or culture shock? *Cell* 102, 407–410.

Stocker H & Hafen E (2000) Genetic control of cell size. *Curr. Opin. Genet. Dev.* 10, 529–535.

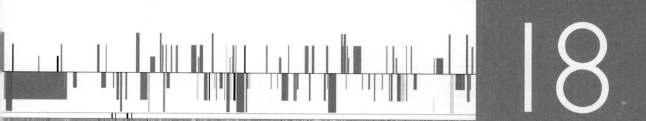

MÉCANISMES DE LA DIVISION CELLULAIRE

Les cellules se reproduisent par duplication de leur contenu et division en deux. Ce cycle de duplication et de division, appelé **cycle cellulaire**, a été traité au chapitre 17. Dans ce chapitre, nous verrons les événements mécaniques du point culminant de ce cycle, la **phase M**, qui englobe les diverses étapes de la division nucléaire (*mitose*) et de la division cytoplasmique (*cytocinèse*). Pendant une période comparativement courte, le contenu de la cellule parentale, qui a doublé au cours des phases antérieures du cycle, est réparti dans deux cellules filles. La période entre deux phases M s'appelle l'*interphase*. Dans les cellules dont la prolifération est la plus rapide, elle se divise en trois phases : la *phase S* de réplication de l'ADN (*voir* Chapitre 5) et deux phases intermédiaires, G_1 et G_2 (G pour *gap* ou intervalle), qui donnent du temps supplémentaire pour la croissance cellulaire (Figure 18-1).

Comme nous l'avons vu de façon détaillée au chapitre 17, les événements du cycle cellulaire sont contrôlés par un *système de contrôle du cycle cellulaire*. Au cœur de ce contrôle se trouvent diverses **kinases cycline-dépendantes (Cdk)** qui sont séquentiellement activées pour déclencher les diverses étapes du cycle. Les Cdk sont activées par la fixation de protéines régulatrices, les *cyclines*, et par la phosphorylation et la déphosphorylation de la kinase. Elles sont inactivées par diverses protéines inhibitrices des Cdk (CKI) et par la dégradation des sous-unités de cycline à des étapes spécifiques du cycle.

La **Cdk de phase M (M-Cdk)** déclenche une cascade de phosphorylations protéiques qui initie la phase M. Ces phosphorylations sont responsables des nombreuses modifications morphologiques qui se produisent au cours de la mitose dans les cellules animales. Les chromosomes se condensent, l'enveloppe nucléaire se rompt, le réticulum endoplasmique et l'appareil de Golgi se réorganisent, la cellule relâche ses adhésions aux autres cellules et à la matrice extracellulaire et le cytosquelette se réorganise radicalement pour provoquer les mouvements hautement ordonnés qui permettront la ségrégation des chromosomes répliqués et diviseront la cellule en deux.

La dégradation ciblée de protéines par le *complexe de promotion de l'anaphase (APC)* (*voir* Chapitre 17) joue également un rôle régulateur important pendant la mitose. Il initie la séparation et la ségrégation des chromosomes répliqués et inactive la M-Cdk à la fin de la mitose.

Nous commencerons ce chapitre par une vue générale de la phase M. Nous verrons ensuite, tour à tour, la mitose et la cytocinèse surtout dans les cellules animales. Nous finirons par le mode d'évolution de la phase M. Nous verrons les caractéristiques spécifiques de la division cellulaire méiotique dans le chapitre 20 où nous décrirons le développement des cellules reproductrices.

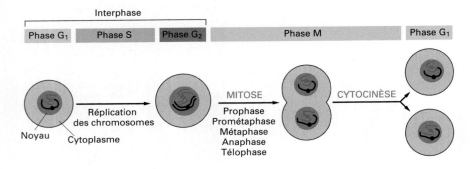

Interphase

| Phase G₁ | Phase S | Phase G₂ | Phase M | Phase G₁ |

Réplication des chromosomes

MITOSE
Prophase
Prométaphase
Métaphase
Anaphase
Télophase

CYTOCINÈSE

Noyau
Cytoplasme

Figure 18-1 La phase M du cycle cellulaire. La phase M commence à la fin de la phase G₂ et se termine au début de la phase G₁ suivante. Elle comprend les cinq étapes de la division nucléaire (mitose) et la division cytoplasmique (cytocinèse).

VUE GÉNÉRALE DE LA PHASE M

Le problème central d'une cellule mitotique en phase M est de séparer avec précision ses chromosomes, répliqués pendant la phase S précédente, et de les distribuer (*ségrégation*) de telle sorte que chaque cellule fille reçoive une copie identique du génome (*voir* Figure 18-1). Excepté quelques variations mineures, tous les eucaryotes résolvent ce problème de façon similaire : ils assemblent des machineries spécifiques du cytosquelette – d'abord pour tirer les chromosomes dupliqués et les séparer puis pour fendre le cytoplasme en deux moitiés. Cependant, avant de pouvoir séparer et distribuer les chromosomes dupliqués de façon égale aux deux cellules filles pendant la mitose, ceux-ci doivent être correctement configurés, et ce processus commence pendant la phase S.

Les cohésines et les condensines facilitent la configuration des chromosomes répliqués en vue de leur ségrégation

Lors de la duplication des chromosomes pendant la phase S, les deux copies de chaque chromosome répliqué restent ensemble solidement fixées et forment des **chromatides sœurs** identiques. Les chromatides sœurs sont accolées par des complexes protéiques à multiples sous-unités, les **cohésines**, déposés sur toute la longueur de chaque chromatide sœur lorsque l'ADN se réplique. Cette cohésion entre les chromatides sœurs est primordiale pour le processus de ségrégation des chromosomes et n'est rompue que tardivement au cours de la mitose (au début de l'*anaphase*) pour permettre aux sœurs leur séparation par traction.

Le premier signe facilement visible de l'entrée d'une cellule en phase M est le compactage progressif de ses chromosomes répliqués qui deviennent visibles sous forme de structures filamenteuses – un processus appelé **condensation chromosomique**. Chez l'homme, par exemple, chaque chromosome en interphase se compacte après sa réplication pour former un chromosome mitotique près de 50 fois plus court (Figure 18-2). Comme nous l'avons vu au chapitre 4, des protéines, les **condensines**, effectuent ce travail de condensation des chromosomes. Les M-Cdk activées phosphorylent certaines sous-unités de condensines et déclenchent l'assemblage des complexes

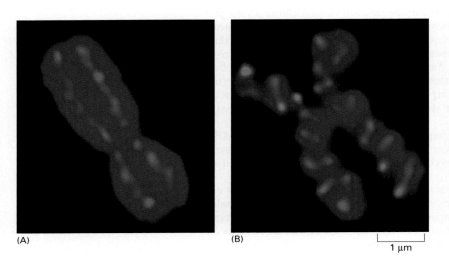

(A) (B)

1 µm

Figure 18-2 Chromosome mitotique humain coloré pour mettre en évidence une structure en échafaudage le long de l'axe du chromosome. Sur cette photographie en microscopie à fluorescence confocale, l'ADN a été coloré par un colorant *bleu* et son axe a été coloré en *rouge* par un anticorps fluorescent contre une protéine du complexe des condensines. Seule une partie de l'échafaudage est visible sur ces coupes optiques. (A) Chromosome mitotique typique présentant un échafaudage doucement enroulé le long de chacune de ses deux chromatides. (B) Chromosome métaphasique issu d'une cellule artificiellement bloquée en métaphase ; dans les chromosomes de ces cellules, l'échafaudage s'est condensé par un repliement hélicoïdal supplémentaire. (Due à l'amabilité de Ulrich Laemmli et Kazuhiro Maeshima.)

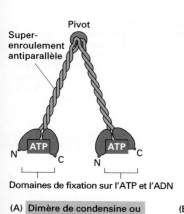

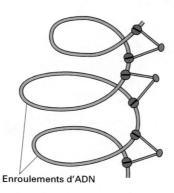

Pivot

Super-
enroulement
antiparallèle

N ATP C   N ATP C

Domaines de fixation sur l'ATP et l'ADN

Chromatides sœurs

Enroulements d'ADN

(A) Dimère de condensine ou de cohésine

(B) Cohésion des chromatides sœurs par la cohésine

(C) Enroulement de l'ADN par la condensine

Figure 18-3 Les cohésines et les condensines sont structurellement et fonctionnnellement apparentées. (A) Les deux protéines ont deux domaines identiques de fixation sur l'ADN et sur l'ATP à une extrémité et une région en pivot à l'autre, reliés par deux longues régions à superenroulement. Cette structure souple est bien adaptée au rôle de formation de liaisons croisées sur l'ADN. (B) Les cohésines relient deux chromatides sœurs adjacentes et les accolent. (C) Les condensines servent d'intermédiaire aux liaisons croisées intramoléculaires permettant d'enrouler l'ADN lors du processus de condensation des chromosomes. (Adapté de T. Hirano, *Genes and Dev.* 13 : 11-19, 1999.)

de condensine sur l'ADN, suivi de la condensation progressive des chromosomes. Dans un tube à essai, les condensines peuvent utiliser l'énergie de l'hydrolyse de l'ATP pour promouvoir l'enroulement de l'ADN et on pense qu'elles font de même dans les cellules pendant la condensation des chromosomes. Par un mécanisme encore mal compris, elles finissent par produire des chromosomes mitotiques totalement condensés, où chacune des chromatides sœurs est organisée autour d'un axe central linéaire où sont concentrés les complexes de condensine (*voir* Figure 18-2).

Les cohésines et les condensines sont structurellement apparentées et elles fonctionnent ensemble pour configurer les chromosomes répliqués et les préparer à la mitose. Des études génétiques montrent que, si la cohésion de la chromatide ne s'établit pas correctement pendant la phase S, la condensation complète ne peut pas se produire pendant la phase M et la ségrégation des chromosomes est anormale pendant l'anaphase. La figure 18-3 montre un des modèles qui expliquent comment la cohésine accole deux molécules d'ADN, et comment les condensines apparentées se fixent sur une seule molécule d'ADN pour induire son superenroulement et sa condensation.

Dans les levures bourgeonnantes, la dégradation soudaine et la libération des complexes de cohésine permettent la séparation des chromatides sœurs à l'anaphase. Dans les cellules des vertébrés, par contre, la majeure partie de la cohésine est libérée des chromosomes au début de la mitose, lorsque les condensines se fixent pour entraîner la condensation. La faible quantité de cohésine qui reste, cependant, suffit à maintenir ensemble les chromatides sœurs jusqu'à l'anaphase, où les cohésines résiduelles sont dégradées, ce qui permet la séparation des chromatides, comme nous le verrons ultérieurement.

Des machineries constituées par le cytosquelette effectuent la mitose et la cytocinèse

Une fois que les chromosomes se sont condensés, deux machineries différentes constituées par le cytosquelette s'assemblent séquentiellement pour effectuer les processus mécaniques de la mitose et de la cytocinèse. Ces machineries se désassemblent rapidement une fois qu'elles ont terminé leur tâche.

Pour produire deux cellules filles génétiquement identiques, la cellule doit séparer ses chromosomes répliqués et allouer une des copies à chaque cellule fille. Dans toutes les cellules eucaryotes, cette tâche s'effectue pendant la mitose par le biais d'un *fuseau mitotique* bipolaire composé de microtubules et de diverses protéines qui interagissent avec eux, y compris des *protéines motrices dépendantes des microtubules* (*voir* Chapitre 16).

Différentes structures du cytosquelette sont responsables de la cytocinèse. Dans les cellules animales et de nombreux eucaryotes unicellulaires, c'est l'*anneau contractile*; dans la plupart des végétaux, c'est le *phragmoplaste*. L'anneau contractile contient des filaments d'actine et de myosine et se forme autour de l'équateur de la cellule, juste en dessous de la membrane plasmique; lorsque l'anneau se contracte, il tire la membrane vers l'intérieur et divise ainsi la cellule en deux (Figure 18-4). Les cellules végétales, qui doivent faire face à une paroi cellulaire, divisent leur cytoplasme par un mécanisme très différent. Comme nous le verrons ultérieurement, au lieu d'utiliser un processus contractile qui agit sur la membrane plasmique, le phragmoplaste édifie une nouvelle paroi cellulaire en partant de l'intérieur de la cellule, entre les deux groupes de chromosomes répliqués.

Microtubules du
fuseau mitotique

PROGRESSION
DANS LA
PHASE M

Filaments d'actine et de myosine
de l'anneau contractile

Grâce à deux mécanismes, la mitose précède toujours la cytocinèse

Dans la plupart des cellules animales, la phase M ne prend qu'une heure environ – une petite fraction de la durée totale du cycle cellulaire, souvent comprise entre 12 et 24 heures. L'**interphase** occupe le reste du cycle. En microscopie, l'interphase apparaît comme un interlude décevant, dépourvu de tout événement, au cours duquel la cellule poursuit simplement sa croissance en taille. Cependant, d'autres techniques révèlent que l'interphase est réellement un moment riche en occupations pour la cellule qui prolifère et au cours duquel s'effectuent les préparatifs complexes de la division cellulaire selon une séquence hautement ordonnée. Deux événements préparatoires critiques se terminent pendant l'interphase : la réplication de l'ADN et la duplication du *centrosome*.

Comme nous l'avons vu au chapitre 17, les oscillations cycliques de l'activité des Cdk et des complexes protéolytiques entraînent le cycle cellulaire vers l'avant. Les Cdk déclenchent diverses étapes du cycle soit par la phosphorylation directe de protéines structurelles ou régulatrices soit par l'activation d'autres protéine-kinases. Les complexes protéolytiques activent des étapes spécifiques du cycle par la dégradation de protéines clés du cycle cellulaire comme les cyclines et les protéines inhibitrices des Cdk. Tout comme des commutations de lancement, l'activation des Cdk et des complexes protéolytiques déclenche des transitions du cycle cellulaire qui correspondent normalement à des points de non-retour. De ce fait, le feu vert donné par la M-Cdk pour l'entrée en phase M entraîne la condensation des chromosomes, la rupture de l'enveloppe nucléaire et un changement spectaculaire de la dynamique des microtubules. Ces événements sont tous déclenchés par la phosphorylation des protéines régulatrices qui contrôlent ces processus.

Il est crucial que les deux événements majeurs de la phase M – la division nucléaire (mitose) et la division cytoplasmique (cytocinèse) – se produisent selon la bonne séquence (*voir* Figure 18-1). Il serait catastrophique que la cytocinèse se produise avant la ségrégation mitotique de tous les chromosomes. Au moins deux mécanismes semblent éviter cette catastrophe. D'abord, on pense que le système de contrôle du cycle cellulaire qui active les protéines nécessaires à la mitose, inactive certaines protéines nécessaires à la cytocinèse ; c'est probablement pour cette raison que la cytocinèse ne peut se produire jusqu'à l'inactivation de la M-Cdk à la fin de la mitose. Deuxièmement, une fois que le fuseau mitotique a permis la ségrégation des deux jeux de chromosomes vers les pôles opposés de la cellule, la région centrale restante du fuseau est nécessaire pour maintenir fonctionnel l'anneau contractile (*voir* Figure 18-4) ; de ce fait, tant que le fuseau n'a pas séparé les chromosomes et formé un *fuseau central*, l'anneau ne peut diviser le cytoplasme en deux.

Dans les cellules animales, la phase M dépend de la duplication des centrosomes au cours de l'interphase qui précède

Deux événements critiques doivent s'être terminés à l'interphase avant que la phase M commence – la réplication de l'ADN, et, dans les cellules animales, la duplication du centrosome. L'ADN se duplique afin que chaque nouvelle cellule fille hérite d'une copie identique du génome, tandis que le centrosome se duplique pour faciliter l'initiation de la formation des deux pôles du fuseau mitotique et apporter à chaque cellule fille son propre centrosome. Comme nous le verrons plus tard, après la ségrégation des chromosomes à la fin de la mitose, les microtubules qui émanent des deux centrosomes signalent au cortex cellulaire de faciliter l'établissement du plan de division cytoplasmique. Cela assure que la division se produit exactement au centre, entre les deux jeux de chromosomes séparés (*voir* Figure 18-4).

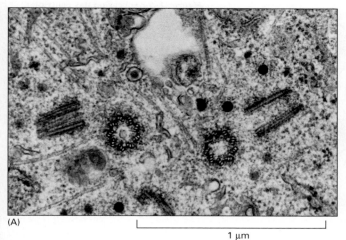

(A)

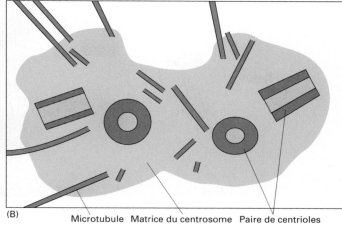

(B)

1 µm

Microtubule Matrice du centrosome Paire de centrioles

Figure 18-5 Centrioles. (A) Photographie en microscopie électronique d'une cellule de mammifère en culture en phase S, qui montre un centrosome dupliqué. Chaque centrosome contient une paire de centrioles ; bien que les centrioles se soient dupliqués, ils restent ensemble dans un seul complexe, comme cela est montré sur le schéma de la microphotographie en (B). Un centriole de chaque paire de centriole a été coupé transversalement tandis que l'autre est coupé longitudinalement, ce qui indique que les deux membres de chaque paire sont alignés perpendiculairement l'un par rapport à l'autre. Les deux moitiés du centrosome répliqué, composées chacune d'une paire de centrioles entourée de matrice, se fendront et migreront en se séparant pour initier la formation des deux pôles du fuseau mitotique lorsque la cellule entrera en phase M (*voir* Figure 18-7). (C) Photographie en microscopie électronique d'une paire de centrioles isolée d'une cellule. Les deux centrioles se sont en partie séparés pendant le processus d'isolement mais restent attachés l'un à l'autre par de fines fibres qui les maintiennent ensemble jusqu'à ce qu'il soit temps pour eux de se séparer (*voir* Figure 18-6). Les deux centrioles sont coupés longitudinalement et on peut voir maintenant qu'ils ont des structures différentes ; le centriole parental est plus gros et plus complexe que le centriole fils et, comme cela est montré en figure 18-6, seul le centriole parental est associé à la matrice qui nuclée les microtubules. Chaque centriole fils subira une maturation pendant le cycle cellulaire suivant, lorsqu'il se répliquera pour donner naissance à son propre centriole fils. (A, d'après M. McGill, D.P. Highfield, T.M. Monahan et B.R. Brinkley, *J. Ultrastruct. Res.* 57 : 43-53, 1976. © Academic Press ; C, d'après M. Paintrand et al., *J. Struct. Biol.* 108 : 107-128, 1992. © Academic Press.)

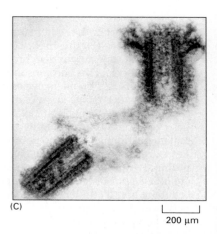

(C)

200 µm

Le **centrosome** est le principal *centre organisateur des microtubules* des cellules animales (*voir* Chapitre 16). Il est composé d'un nuage de matériau amorphe (appelé *matrice du centrosome* ou *matériel péricentriolaire*) qui entoure une paire de centrioles (*voir* Figure 16-24). Pendant l'interphase, la matrice du centrosome produit la nucléation d'une *formation cytoplasmique de microtubules* dont les extrémités plus en croissance se projettent à l'extérieur, vers la périphérie cellulaire et les extrémités moins restent associées au centrosome. La matrice contient une grande variété de protéines, y compris des protéines motrices dépendantes des microtubules, des protéines à superenroulement qui, pense-t-on, relient les protéines motrices au centrosome, des protéines structurelles et des composantes du système de contrôle du cycle cellulaire. Le plus important, c'est qu'elle contient le **complexe en anneau de tubuline γ** qui est le principal composant responsable de la nucléation des microtubules (*voir* Figure 16-22).

Le processus de duplication et de séparation des centrosomes forme le **cycle du centrosome**. Pendant l'interphase de chaque cycle cellulaire animal, les centrioles et les autres composants du centrosome sont dupliqués (par un mécanisme inconnu) mais restent ensemble d'un côté du noyau sous forme d'un complexe unique (Figure 18-5). Lorsque la mitose commence, ce complexe se fend en deux, et chaque paire de centrioles forme séparément un centre organisateur des microtubules qui produit la nucléation d'une formation radiale de microtubules appelée **aster** (Figure 18-6). Les deux asters se déplacent vers les côtés opposés du noyau pour initier la formation des deux pôles du fuseau mitotique. Lorsque l'enveloppe nucléaire se

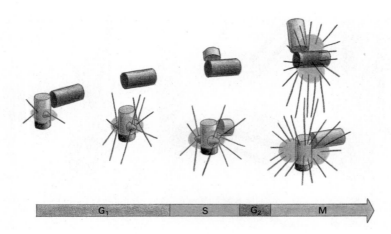

Figure 18-6 Réplication des centrioles.
Le centrosome est composé d'une paire de centrioles associés à leur matrice (en *vert*). À un certain point de G$_1$, les deux centrioles de la paire se séparent de quelques micromètres. Pendant la phase S, un centriole fils commence à se développer près de la base de chaque centriole parental et à angle droit par rapport à lui. L'allongement du centriole fils est généralement fini à la phase G$_2$. Les deux paires de centrioles restent proches dans un seul complexe jusqu'au début de la phase M (*voir* Figure 18-7), lorsque le complexe se fend en deux et les deux moitiés commencent à se séparer. Chaque centrosome provoque alors la nucléation de sa propre formation radiale de micrutubules appelée aster.

rompt (en *prométaphase*), le fuseau capture les chromosomes ; il les séparera vers la fin de la mitose (Figure 18-7). Lorsque la mitose se termine et que l'enveloppe nucléaire se reforme autour des chromosomes séparés, chaque cellule fille reçoit un centrosome associé à ses chromosomes.

Au cours des premiers cycles cellulaires embryonnaires, le cycle du centrosome peut s'effectuer même si on élimine physiquement le noyau ou si on bloque la réplication de l'ADN nucléaire à l'aide d'une substance qui inhibe la synthèse d'ADN. Les cycles de duplication et de séparation du centrosome s'effectuent presque normalement, donnant d'abord deux centrosomes, puis quatre puis huit et ainsi de suite. Les extraits d'ovules issus de la grenouille *Xenopus* (*voir* Figure 17-9) supportent de multiples cycles de duplication des centrosomes dans un tube à essai. Ce système a été utilisé pour tester chaque composante protéique du système de contrôle du cycle cellulaire afin d'étudier sa capacité à stimuler la duplication du centrosome. Ces expériences ont montré que la G$_1$/S-Cdk (un complexe de cycline E et de Cdk2), qui initie la réplication de l'ADN pendant la phase S (*voir* Chapitre 17), stimule aussi la duplication du centrosome, ce qui explique probablement pourquoi cette duplication commence au début de la phase S.

La phase M se divise traditionnellement en six étapes

Les cinq premiers stades de la phase M constituent la **mitose**, définie à l'origine comme la période au cours de laquelle les chromosomes sont visiblement condensés. La *cytocinèse* se produit lors de la sixième étape qui chevauche la fin de la mitose. Ces six étapes forment une séquence dynamique au cours de laquelle de nombreux cycles indépendants, qui impliquent les chromosomes, le cytosquelette et les centrosomes, doivent êtres coordonnés pour produire deux cellules filles génétiquement identiques. La planche 18-1 résume les étapes de la phase M. Il est difficile cependant d'apprécier la complexité et la beauté de la phase M d'après des descriptions écrites ou des images statiques.

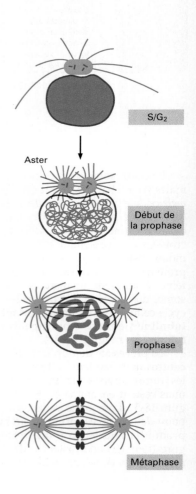

Figure 18-7 Le cycle du centrosome. Le centrosome d'une cellule animale en prolifération se duplique pendant l'interphase en préparation de la mitose. Dans la plupart des cellules animales, une paire de centrioles (montrée ici comme une paire de *barres vert foncé*) est associée à la matrice du centrosome (*vert clair*) qui provoque la nucléation de la croissance centrifuge des microtubules. (Le volume de la matrice du centrosome est exagéré sur ce schéma pour plus de clarté ; la figure 18-6 donne une représentation plus fidèle.) La duplication du centriole commence pendant la phase G$_1$ et est terminée à la phase G$_2$ (*voir* Figure 18-6). Au départ, les deux paires de centrioles et la matrice du centrosome associée restent ensemble sous forme d'un seul complexe. Au début de la phase M, ce complexe se sépare en deux, et chacun provoque la nucléation de son propre aster. Les deux asters, qui résident initialement côte à côte et près de l'enveloppe nucléaire, se séparent. À la fin de la prophase, les microtubules qui interagissent entre les deux asters s'allongent préférentiellement lorsque les deux asters se séparent vers l'extérieur du noyau. De cette façon, il se forme rapidement un fuseau mitotique bipolaire. À la métaphase, l'enveloppe nucléaire se rompt et permet aux microtubules du fuseau d'interagir avec les chromosomes.

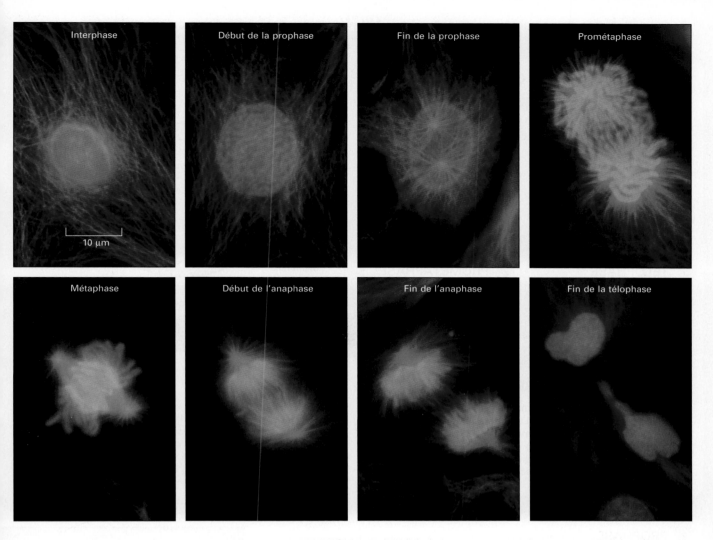

Figure 18-8 Le déroulement de la mitose dans une cellule animale typique. Sur ces microphotographies de cellules pulmonaires de triton en culture, les microtubules (en *vert*) ont été visualisés par immunofluorescence tandis que la chromatine est colorée par un colorant fluorescent *bleu*. Pendant l'*interphase*, le centrosome (non visible) forme le foyer de la formation des microtubules interphasiques. Au *début de la prophase*, l'unique centrosome contient deux paires de centrioles (non visibles). À la *fin de la prophase*, le centrosome se divise et on peut observer les deux asters en résultant, qui se sont séparés. Lors de la *prométaphase*, l'enveloppe nucléaire se rompt et permet aux microtubules du fuseau d'interagir avec les chromosomes complètement condensés. À la *métaphase*, la structure bipolaire du fuseau est claire et tous les chromosomes sont alignés à l'équateur du fuseau. Au *début de l'anaphase*, toutes les chromatides sœurs se séparent de façon synchrone et, sous l'influence des microtubules, les chromosomes fils commencent à se déplacer vers les pôles. À la *fin de l'anaphase*, les pôles du fuseau se sont encore plus éloignés, augmentant la séparation des deux groupes de chromosomes. À la *télophase*, les noyaux fils se reforment et à la *fin de la télophase* la cytocinèse est presque complète, avec le corps central (traité ultérieurement) persistant entre les deux cellules filles. (Photographies dues à l'obligeance de C.L. Rieder, J.C. Waters et R.W. Cole.)

Les cinq étapes de la mitose – *prophase, prométaphase, métaphase, anaphase* et *télophase* – se produisent en suivant un ordre séquentiel strict, et la cytocinèse commence à l'anaphase et se poursuit pendant la télophase. Les photographies en microscopie optique de la division cellulaire d'une cellule animale typique et d'une cellule végétale typique sont montrées respectivement dans les figures 18-8 et 18-9. Pendant la prophase, les chromosomes répliqués se condensent à mesure de la réorganisation du cytosquelette. Lors de la métaphase, les chromosomes sont alignés à l'équateur du fuseau mitotique et lors de l'anaphase, ils ont subi leur ségrégation aux deux pôles du fuseau. La division cytoplasmique se termine à la fin de la télophase et le noyau et le cytoplasme de chaque cellule fille peuvent alors retourner en interphase, ce qui signale la fin de la phase M.

DIVISION CELLULAIRE ET CYCLE CELLULAIRE

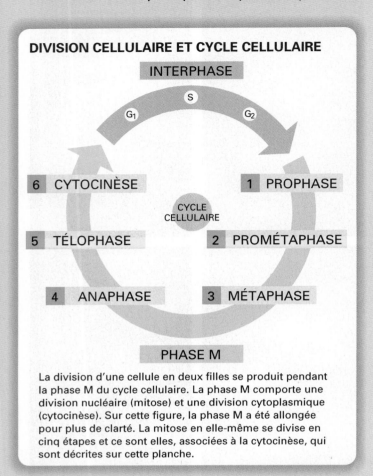

INTERPHASE

S

G₁ G₂

6 CYTOCINÈSE

CYCLE
CELLULAIRE

1 PROPHASE

5 TÉLOPHASE

2 PROMÉTAPHASE

4 ANAPHASE

3 MÉTAPHASE

PHASE M

La division d'une cellule en deux filles se produit pendant la phase M du cycle cellulaire. La phase M comporte une division nucléaire (mitose) et une division cytoplasmique (cytocinèse). Sur cette figure, la phase M a été allongée pour plus de clarté. La mitose en elle-même se divise en cinq étapes et ce sont elles, associées à la cytocinèse, qui sont décrites sur cette planche.

INTERPHASE

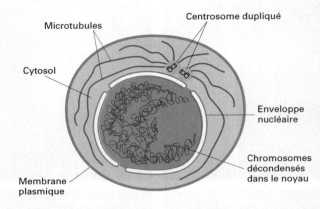

Microtubules

Centrosome dupliqué

Cytosol

Enveloppe
nucléaire

Membrane
plasmique

Chromosomes
décondensés
dans le noyau

Pendant l'interphase, la cellule augmente de taille. L'ADN des chromosomes se réplique et le centrosome se duplique.

Les photographies en microscopie optique montrées sur cette planche sont celles d'une cellule vivante issue de l'épithélium pulmonaire d'un têtard. La même cellule a été photographiée observée en microscopie à contraste d'interférence différentiel, à des moments différents de sa division en deux cellules filles. (Due à l'obligeance de Conly L. Rieder.)

1 PROPHASE

Centrosome

Enveloppe
nucléaire
intacte

Fuseau
mitotique
en formation

Kinétochore

Chromosomes
répliqués en condensation, composés de deux chromatides
sœurs maintenues ensemble sur toute leur longueur

À la prophase, les chromosomes répliqués, composés chacun de deux chromatides sœurs étroitement associées, se condensent. À l'extérieur du noyau, le fuseau mitotique s'assemble entre les deux centrosomes qui se sont répliqués et séparés. Pour plus de simplicité, seuls trois chromosomes sont montrés ici. Dans les cellules diploïdes, il y aurait deux copies de chaque chromosome présent.

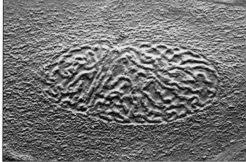

Temps = 0 min

2 PROMÉTAPHASE

Centrosome
au pôle
du fuseau

Fragments de
l'enveloppe nucléaire

Microtubule
kinétochorien

Chromosome en déplacement actif

La prométaphase commence brusquement par la rupture de l'enveloppe nucléaire. Les chromosomes peuvent alors se fixer sur les microtubules du fuseau via leurs kinétochores et subir un déplacement actif.

Temps = 79 min

3 MÉTAPHASE

Centrosome au pôle du fuseau

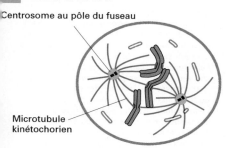

Microtubule
kinétochorien

À la métaphase, les chromosomes sont alignés à l'équateur du fuseau, à mi-chemin entre les pôles du fuseau. Les microtubules kinétochoriens attachent les chromatides sœurs sur les pôles opposés du fuseau.

Temps = 250 min

---

4 ANAPHASE

Chromosomes fils

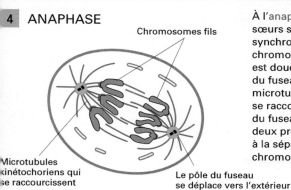

Microtubules
kinétochoriens qui
se raccourcissent

Le pôle du fuseau
se déplace vers l'extérieur

À l'anaphase, les chromatides sœurs se séparent de façon synchrone pour former deux chromosomes fils et chacun est doucement tiré vers le pôle du fuseau en face de lui. Les microtubules kinétochoriens se raccourcissent et les pôles du fuseau se séparent ; ces deux processus contribuent à la séparation des chromosomes.

Temps = 279 min

---

5 TÉLOPHASE

Jeu de chromosomes fils
au niveau du pôle du fuseau

Anneau contractile qui
commence à se former

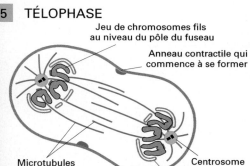

Microtubules
chevauchants

Centrosome

L'enveloppe nucléaire se réassemble
autour de chaque chromosome

Pendant la télophase, les deux jeux de chromosomes fils arrivent aux pôles du fuseau et se décondensent. Une nouvelle enveloppe nucléaire s'assemble autour de chaque jeu et termine la formation des deux noyaux, ce qui marque la fin de la mitose. La division du cytoplasme commence par l'assemblage de l'anneau contractile.

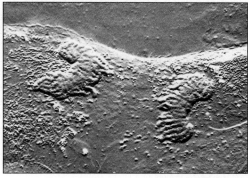

Temps = 315 min

---

6 CYTOCINÈSE

Une enveloppe nucléaire
complète entoure les
chromosomes qui se
décondensent

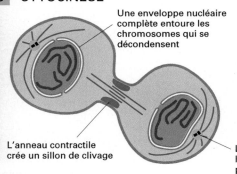

L'anneau contractile
crée un sillon de clivage

Les microtubules se reforment dans
leur disposition interphasique, nucléés
par le centrosome

Pendant la cytocinèse, le cytoplasme est divisé en deux par un anneau contractile d'actine et de myosine qui pince la cellule en deux pour créer deux filles, chacune dotée d'un noyau.

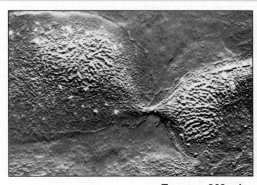

Temps = 362 min

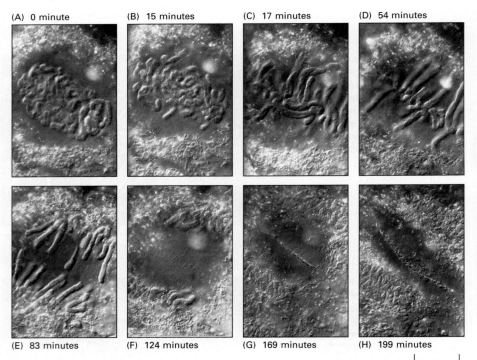

(A) 0 minute (B) 15 minutes (C) 17 minutes (D) 54 minutes

(E) 83 minutes (F) 124 minutes (G) 169 minutes (H) 199 minutes

20 μm

Figure 18-9 Le déroulement de la mitose dans une cellule végétale. Ces photographies en microscopie optique d'une cellule vivante de *Haemanthus* (lys) ont été prises aux temps indiqués, en utilisant la microscopie à contraste d'interférence différentielle. La cellule présente des chromosomes particulièrement gros, faciles à observer. (A) À la *prophase*, les chromosomes se condensent et sont clairement visibles dans le noyau cellulaire. (B et C) À la *prométaphase*, l'enveloppe nucléaire se rompt et les chromosomes interagissent avec les microtubules qui émanent des deux pôles du fuseau. Les végétaux n'ont pas de centrosomes, mais les pôles du fuseau contiennent des protéines apparentées à celles trouvées dans la matrice des centrosomes des cellules animales. (D) À la *métaphase*, les chromosomes, s'alignent à l'équateur du fuseau. (E) À l'*anaphase*, les chromosomes fils se séparent et commencent à se déplacer vers les pôles opposés. (F) À la *télophase*, les chromosomes se décondensent et les noyaux fils se reforment (non vu ici). (G et H) Pendant la *cytocinèse*, une nouvelle paroi cellulaire (la plaque cellulaire, *flèche rouge*) se forme entre les deux noyaux (N). (Due à l'obligeance d'Andrew Bajer.)

Résumé

La division cellulaire se produit pendant la phase M, qui comprend la division nucléaire (mitose) suivie de la division cytoplasmique (cytocinèse). L'ADN se réplique pendant la phase S qui précède ; les deux copies de chaque chromosome répliqué (appelées chromatides sœurs) restent accolées par les cohésines. Au début de la phase M, des protéines apparentées aux cohésines, les condensines, se fixent sur les chromosomes répliqués et les condensent progressivement. Un fuseau mitotique composé de microtubules est responsable de la ségrégation des chromosomes dans toutes les cellules eucaryotes. Le fuseau mitotique des cellules animales se développe à partir des asters de microtubules qui se forment autour de chacun des deux centrosomes produits lors de la duplication du centrosome qui commence pendant la phase S ; au début de la phase M, les centrosomes dupliqués se séparent et se déplacent vers les côtés opposés du noyau pour initier la formation des deux pôles du fuseau. Un anneau contractile, composé d'actine et de myosine, est responsable de la division cytoplasmique des cellules animales et de nombreux eucaryotes unicellulaires mais pas de celle des cellules végétales.

MITOSE

La ségrégation des chromosomes dupliqués s'effectue à l'aide d'une machinerie complexe de microtubules composée de nombreuses parties mobiles – le **fuseau mitotique**. Il est construit à partir de microtubules et de leurs protéines associées qui tirent les chromosomes fils vers les pôles du fuseau et séparent les pôles.

Comme nous l'avons vu, le fuseau commence à se former à l'extérieur du noyau tandis que les chromosomes se condensent pendant la prophase. Lorsque l'enveloppe nucléaire se rompt à la prométaphase, les microtubules du fuseau deviennent capables de capturer les chromosomes qui finissent par s'aligner à l'équateur du fuseau pour former la *plaque métaphasique* ou *plaque équatoriale* (*voir* Planche 18-1). À l'anaphase, les chromatides sœurs se séparent brusquement et sont tirées vers les pôles opposés du fuseau ; à peu près en même temps, le fuseau s'allonge et augmente la séparation entre les pôles. Le fuseau poursuit son allongement pendant la télophase, lorsque les chromosomes qui arrivent au niveau des pôles sont libérés du fuseau de microtubules et que l'enveloppe nucléaire se reforme autour d'eux.

L'assemblage, comme la fonction, du fuseau mitotique dépendent de **protéines motrices dépendantes des microtubules**. Comme nous l'avons vu au chapitre 16, ces

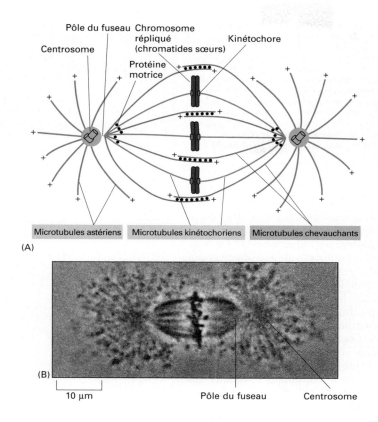

(A)

Centrosome | Pôle du fuseau | Chromosome répliqué (chromatides sœurs) | Kinétochore | Protéine motrice

Microtubules astériens | Microtubules kinétochoriens | Microtubules chevauchants

(B)

10 μm | Pôle du fuseau | Centrosome

Figure 18-10 Les trois classes de microtubules du fuseau mitotique complètement formé d'une cellule animale. (A) En réalité, les chromosomes sont proportionnellement bien plus gros que ce qui est montré sur ce schéma et de multiples microtubules sont fixés sur chaque kinétochore. Notez que les extrémités plus des microtubules se projettent loin du centrosome tandis que les extrémités moins sont ancrées aux pôles du fuseau. Bien que les centrosomes initient l'assemblage des pôles du fuseau, la plupart des microtubules kinétochoriens et chevauchants dont ils assurent la nucléation sont libérés des centrosomes puis maintenus et organisés au niveau des pôles par des protéines motrices. Pour plus de simplicité, dans les autres figures de ce chapitre, nous dessinerons tous les fuseaux de microtubules au niveau du pôle émanant des centrosomes. (B) Photographie en microscopie à contraste de phase d'un fuseau mitotique isolé en métaphase, avec les chromosomes alignés à l'équateur du fuseau. (B, d'après E.D. Salmon et R.R. Segall, *J. Cell Biol.* 86 : 355-365, 1980. © The Rockefeller University Press.)

protéines appartiennent à deux familles – les **protéines apparentées aux kinésines**, qui généralement se déplacent vers l'extrémité plus des microtubules et les **dynéines** qui se déplacent vers l'extrémité moins. Dans le fuseau mitotique, les protéines motrices agissent au niveau des extrémités des microtubules ou près d'elles. Ces extrémités ne sont pas seulement des sites d'assemblage et de désassemblage des microtubules ; ce sont aussi des sites producteurs de forces. L'assemblage et la dynamique du fuseau mitotique reposent sur l'équilibre changeant de l'opposition entre les protéines motrices « extrémité plus-dirigées » et celles « extrémité moins-dirigées ».

On distingue trois classes de microtubules du fuseau dans les cellules animales mitotiques (Figure 18-10). Les **microtubules astériens** irradient dans toutes les directions à partir du centrosome et contribuent, semble-t-il, aux forces qui séparent les pôles. Ils agissent aussi comme des « bras » qui orientent et positionnent le fuseau dans la cellule. Les **microtubules kinétochoriens** s'attachent par une extrémité sur le *kinétochore*, qui se forme au *centromère* de chaque chromosome dupliqué. Ils servent à attacher le chromosome sur le fuseau. Les **microtubules chevauchants** forment des interdigitations à l'équateur du fuseau et sont responsables de la forme symétrique bipolaire du fuseau. Ces trois classes de microtubules ont leurs extrémités plus qui se projettent loin de leur centrosome. Il semble que le comportement de chaque classe soit différent parce que différents complexes protéiques sont associés à leurs extrémités plus et moins.

L'instabilité des microtubules augmente fortement pendant la phase M

Le fuseau mitotique commence son auto-assemblage dans le cytoplasme pendant la **prophase**. Dans les cellules animales, chaque centrosome répliqué provoque la nucléation de sa propre collection de microtubules et ces deux jeux de microtubules interagissent pour former le fuseau mitotique. Nous verrons plus tard que le processus d'auto-assemblage dépend d'un équilibre entre des forces opposées qui apparaissent à l'intérieur du fuseau lui-même et sont engendrées par les protéines motrices associées aux microtubules du fuseau.

Beaucoup de cellules animales en interphase contiennent une collection cytoplasmique de microtubules qui irradient à partir d'un seul centrosome. Comme nous l'avons vu dans le chapitre 16, les microtubules de cette *formation interphasique* sont dans un état d'**instabilité dynamique**, au cours duquel chaque microtubule est soit

Figure 18-11 La demi-vie des microtubules mitotiques. Les microtubules d'une cellule en phase M sont bien plus dynamiques, en moyenne, que les microtubules interphasiques. Les cellules de mammifères en culture ont reçu une injection de tubuline liée de façon covalente à un colorant fluorescent. Une fois que la tubuline fluorescente a été incorporée dans les microtubules de la cellule, un intense rayon laser a été utilisé pour blanchir toute la fluorescence dans une petite région. La récupération de la fluorescence dans la région blanchie des microtubules, provoquée par leur remplacement par des microtubules formés à partir de tubuline fluorescente non blanchie issue du pool soluble, est suivie en fonction du temps. On pense que le temps mis pour la récupération à 50 p. 100 de la fluorescence ($t_{1/2}$) est égal au temps nécessaire pour que la moitié des microtubules de la région se dépolymérisent et se reforment. (Données de W.M. Saxton et al., *J. Cell Biol.* 99 : 2175-2187, 1984. © The Rockefeller University Press.)

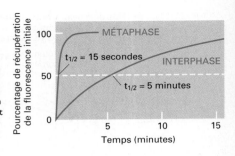

en croissance soit en décroissance et passe de façon stochastique entre ces deux états. Le passage de l'état de croissance à celui de décroissance est appelé *catastrophe* et celui de la décroissance à la croissance est appelé *sauvetage* (*voir* Figure 16-11). De nouveaux microtubules sont continuellement créés pour équilibrer la perte de ceux qui disparaissent complètement par dépolymérisation.

La prophase est le signal d'une modification brutale des microtubules de la cellule. Les microtubules interphasiques, longs et relativement peu nombreux, se transforment rapidement en un grand nombre de microtubules plus courts et plus dynamiques qui entourent chaque centrosome, ce qui marque le début de la formation du fuseau mitotique. Pendant la prophase, la demi-vie des microtubules se réduit de façon spectaculaire. On peut le voir, dans les cellules vivantes, par le marquage des microtubules avec des sous-unités fluorescentes de tubuline (Figure 18-11). Lorsque l'instabilité des microtubules augmente, le nombre de microtubules irradiants des centrosomes augmente aussi fortement, du fait, apparemment, d'une modification des centrosomes eux-mêmes qui augmentent leur vitesse de nucléation de nouveaux microtubules. Comment le système de contrôle du cycle cellulaire déclenche-t-il ces modifications spectaculaires des microtubules cellulaires au début de la mitose ?

Ces modifications sont initiées par la M-Cdk qui phosphoryle deux classes de protéines contrôlant la dynamique des microtubules (*voir* Chapitre 16). Il s'agit des protéines motrices des microtubules et des **protéines associées aux microtubules** (**MAP** pour *microtubule-associated proteins*). Le rôle de ces régulateurs dans le contrôle de la dynamique des microtubules a été révélé par des expériences faites sur des extraits d'œufs de *Xenopus*, qui reproduisent beaucoup de variations se produisant dans les cellules intactes durant la phase M. Si on mélange des centrosomes et de la tubuline fluorescente aux extraits fabriqués à partir de cellules soit en phase M soit en interphase, le centrosome provoque la nucléation des microtubules fluorescents, ce qui permet d'analyser le comportement de chaque microtubule individuel par vidéo-microscopie à fluorescence sur un certain laps de temps. Les microtubules des extraits mitotiques diffèrent de ceux des extraits en interphase surtout du fait de l'augmentation de la vitesse des catastrophes, pendant lesquelles ils passent de façon brusque d'une croissance lente à un raccourcissement rapide.

Des protéines, les **catastrophines**, déstabilisent les groupes de microtubules en augmentant la fréquence des catastrophes (*voir* Figure 16-36A). Parmi ces catastrophines se trouve une protéine apparentée aux kinésines qui ne fonctionne pas comme un moteur. En général les MAP ont l'effet opposé à celui des catastrophines et stabilisent les microtubules de diverses façons : elles peuvent augmenter la fréquence des sauvetages, au cours desquels les microtubules passent de la décroissance à la croissance, ou augmenter la vitesse de croissance, ou enfin diminuer la vitesse de décroissance des microtubules. De ce fait, en principe, les microtubules peuvent devenir bien plus dynamiques en phase M par le biais de variations des catastrophines et des MAP qui augmentent la vitesse de dépolymérisation totale des microtubules, ou diminuent la vitesse totale de polymérisation des microtubules, ou font les deux.

Dans les extraits d'œufs de *Xenopus*, il a pu être démontré que l'équilibre entre un seul type de catastrophine et un seul type de MAP déterminait la vitesse des catastrophes et la longueur des microtubules à l'état d'équilibre. Cet équilibre, à son tour, gouverne l'assemblage du fuseau mitotique, car les microtubules qui sont soit trop longs soit trop courts sont incapables de s'assembler en un fuseau. (Figure 18-12). Une des voies qui permet à la M-Cdk de contrôler la longueur des microtubules est la phosphorylation de cette MAP et la réduction de sa capacité à stabiliser les microtubules. Même si l'activité des catastrophines reste constante pendant tout le cycle cellulaire, l'équilibre entre les actions opposées de la MAP et de la catastrophine se décalera et augmentera l'instabilité dynamique des microtubules.

La cellule contient diverses MAP, catastrophines et protéines motrices, dotées chacune d'activités légèrement différentes. C'est l'équilibre entre les actions opposées de ces protéines qui est responsable du comportement dynamique du fuseau mitotique. Nous verrons ultérieurement comment les modifications de cet équilibre facilitent la ségrégation des chromosomes par le fuseau lors de l'anaphase.

Les interactions entre les protéines motrices qui s'opposent et les microtubules de polarité opposée entraînent l'assemblage du fuseau

Tandis que le décalage de l'équilibre entre les MAP et les catastrophines au début de la phase M crée des microtubules plus dynamiques, une autre sorte d'équilibre, entre les protéines motrices extrémité moins-dirigées et extrémité plus-dirigées, facilite l'assemblage du fuseau mitotique. Comme certaines de ces protéines motrices forment des oligomères qui peuvent relier des microtubules adjacents, elles peuvent déplacer un microtubule par rapport à un autre, et la direction du mouvement dépend à la fois de la polarité de la protéine motrice et de celle du microtubule. De cette façon, ces protéines motrices peuvent rapprocher des groupes d'extrémités de microtubules pour former des foyers (Figure 18-13A). Sinon, les protéines motrices peuvent faire glisser des microtubules antiparallèles l'un sur l'autre (Figure 18-13B). Ces deux fonctions différentes des protéines motrices jouent un rôle crucial dans l'assemblage et la

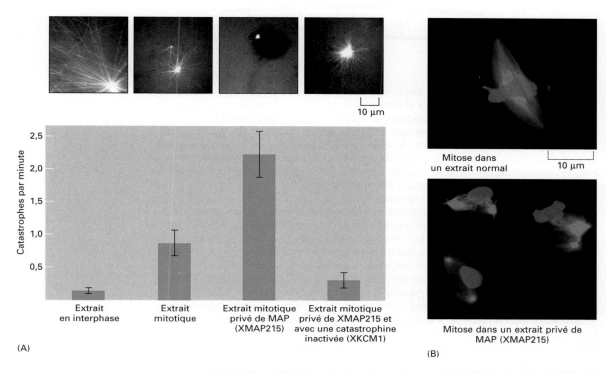

Figure 18-12 Preuves expérimentales du fait que l'équilibre entre les catastrophines et les MAP influence la fréquence des catastrophes des microtubules et la longueur des microtubules. (A) Des extraits d'œufs de *Xenopus* en interphase ou mitotique ont été incubés avec des centrosomes et le comportement de chaque microtubule, nucléé à partir des centrosomes, a été suivi par vidéomicroscopie à fluorescence. Comme on s'y attend, la vitesse des catastrophes est plus élevée dans les extraits mitotiques que dans ceux en interphase. L'absence d'une MAP spécifique (XMAP215) dans les extraits mitotiques augmente fortement la vitesse des catastrophes, ce qui indique que cette MAP inhibe normalement les catastrophes dans les extraits mitotiques. L'addition d'un anticorps qui bloque la fonction d'une catastrophine spécifique (la protéine apparentée aux kinésines XKCM1) réduit fortement la vitesse des catastrophes dans les extraits mitotiques pauvres en XMAP215, ce qui indique que la vitesse des catastrophes dépend de l'équilibre entre les MAP et les catastrophines. Les photographies en microscopie à fluorescence des asters formés dans les différentes conditions expérimentales sont montrées dans la planche du haut; notez que plus la vitesse des catastrophes est élevée, plus les microtubules sont courts. (B) Formation du fuseau mitotique dans les extraits mitotiques lors de l'ajout de centrosomes et de noyaux de spermatozoïdes. Les microtubules sont montrés en *rouge* et les chromosomes en *bleu*. Alors que les fuseaux normaux se forment dans les extraits mitotiques normaux, des fuseaux très anormaux se forment lorsque XMAP215 est vidé de ces extraits, probablement parce que les microtubules nucléés par les centrosomes sont trop courts. Remarquons que les microtubules formés dans un tube à essai à partir d'un mélange de tubuline purifiée, de XMAP215 et de XKCM1, montrent une instabilité dynamique normale. (D'après R. Tournebize et al., *Nature Cell Biol.* 2 : 13-19, 2000. © Macmillan Magazines Ltd.)

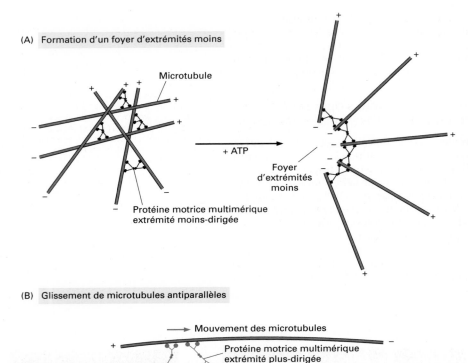

(A) Formation d'un foyer d'extrémités moins

Microtubule

+ ATP

Foyer
d'extrémités
moins

Protéine motrice multimérique
extrémité moins-dirigée

(B) Glissement de microtubules antiparallèles

Mouvement des microtubules

Protéine motrice multimérique
extrémité plus-dirigée

Figure 18-13 Deux fonctions des protéines motrices multimériques importantes pour l'assemblage du fuseau mitotique et son fonctionnement. Les protéines motrices dépendantes des microtubules hydrolysent l'ATP et se déplacent le long d'un microtubule vers son extrémité plus ou son extrémité moins. Si la protéine motrice est multimérique, comme dans ces exemples, elle peut relier deux microtubules adjacents et les déplacer l'un par rapport à l'autre. (A) Certaines protéines motrices multimériques extrémité moins-dirigées redisposent les microtubules pour former un foyer d'extrémités moins où les protéines motrices s'accumulent. (B) Si les microtubules sont alignés de façon antiparallèle (c'est-à-dire que leurs extrémités plus se font face dans des directions opposées), une protéine motrice de liaison croisée peut faire glisser les microtubules les uns sur les autres, comme cela est montré ici pour une protéine motrice extrémité plus-dirigée qui pourrait allonger le fuseau. (Adapté d'après A.A. Hyman et E. Karsenti, *Cell* 84 : 406-410, 1996.)

fonction du fuseau ; elles créent des foyers d'extrémités moins de microtubules qui forment les deux pôles du fuseau et font glisser les microtubules antiparallèles l'un sur l'autre dans la zone de chevauchement du fuseau (*voir* Figure 18-10).

Dans les cellules animales, pendant la prophase, les microtubules qui croissent à partir d'un centrosome s'engagent avec les microtubules du centrosome adjacent. Comme les extrémités plus des microtubules sont éloignées du centrosome, ces deux jeux de microtubules ont une polarité opposée. Les protéines motrices extrémités plus-dirigées relient ces deux jeux de microtubules et aident à repousser les centrosomes pour commencer à former les deux pôles du fuseau mitotique (Figure 18-14). L'équilibre entre les protéines motrices extrémité plus-dirigées et les protéines motrices extrémité moins-dirigées est primordial pour l'assemblage du fuseau ; tandis que les protéines motrices extrémité plus-dirigées opèrent sur les microtubules chevauchants et ont tendance à repousser les deux moitiés du fuseau, certaines protéines motrices extrémité moins-dirigées ont tendance à les tirer l'une vers l'autre.

Il existe au moins sept familles de protéines motrices apparentées aux kinésines localisées dans le fuseau mitotique des cellules de vertébrés. Dans la levure bourgeonnante *S. cerevisiae*, on a montré que cinq de ces protéines motrices agissaient ensemble au niveau du fuseau. L'augmentation de la concentration en une protéine motrice extrémité plus-dirigée produit des fuseaux particulièrement longs, tandis que l'augmentation de la concentration en une protéine motrice extrémité moins-dirigée produit des fuseaux anormalement courts (Figure 18-15). De ce fait, il semble que l'équilibre entre les protéines motrices extrémité plus-dirigées et extrémité moins-dirigées détermine la longueur du fuseau. Un équilibre similaire entre des protéines motrices de polarité opposée se produit dans les cellules mitotiques de l'homme. La M-Cdk doit au moins phosphoryler une de ces protéines motrices des cellules de l'homme pour qu'elle se fixe sur le fuseau, ce qui suggère une des voies selon laquelle la M-Cdk pourrait contrôler l'équilibre entre des protéines motrices qui s'opposent.

Les kinétochores attachent les chromosomes sur le fuseau mitotique

La **prométaphase** des cellules animales commence brusquement par la rupture de l'enveloppe nucléaire. Celle-ci se déclenche lorsque la M-Cdk phosphoryle directement la lamina nucléaire sous-jacente à l'enveloppe nucléaire (*voir* Figure 12-20). Le désassemblage de l'enveloppe nucléaire permet aux microtubules d'accéder pour la première fois aux chromosomes condensés. L'assemblage du fuseau mitotique mature peut alors commencer (*voir* Planche 18-1, p. 1034-1035).

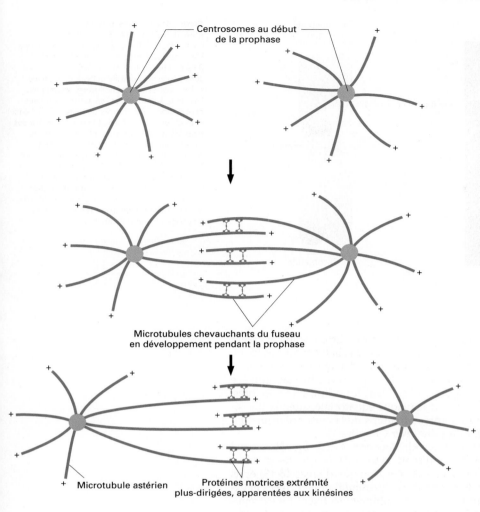

Centrosomes au début de la prophase

Microtubules chevauchants du fuseau en développement pendant la prophase

Microtubule astérien

Protéines motrices extrémité plus-dirigées, apparentées aux kinésines

Figure 18-14 Séparation des deux pôles du fuseau lors de la prophase dans une cellule animale. Dans ce modèle, les protéines motrices extrémité plus-dirigées opèrent sur des microtubules antiparallèles qui interagissent et aident à séparer les deux pôles d'un fuseau mitotique en formation. Les nouveaux microtubules à croissance centrifuge se dirigent de façon aléatoire à partir des deux centrosomes voisins. Les microtubules sont ancrés au niveau de leur centrosome par leur extrémité moins tandis que leur extrémité plus s'étend vers l'extérieur. Lorsque deux microtubules de centrosomes opposés interagissent dans la zone de chevauchement, des protéines motrices extrémité plus-dirigées apparentées aux kinésines relient ensemble les microtubules et ont tendance à les entraîner dans une direction qui repoussera les centromères (*voir* Figure 18-13B). On pense également que les dynéines motrices, extrémité-moins dirigées, associées à l'enveloppe nucléaire facilitent la séparation des deux centrosomes en tirant sur les deux jeux de microtubules astériens (non montré ici).

Figure 18-15 L'influence de protéines motrices opposées sur la longueur du fuseau dans les levures bourgeonnantes. (A) Photographie en microscopie à contraste d'interférence différentielle d'une cellule de levure en mitose. Le fuseau est mis en évidence en *vert* et la position de ses pôles est indiquée par les *flèches rouges*. L'enveloppe nucléaire ne se rompt pas pendant la mitose des levures et le fuseau se forme à l'intérieur du noyau (*voir* Figure 18-4). De (B) à (D), les fuseaux mitotiques ont été colorés par des anticorps anti-tubuline fluorescents. (B) Cellules de levure normales. (C) La surexpression d'une protéine motrice extrémité moins-dirigée, Kar3p, conduit à des fuseaux mitotiques anormalement courts. (D) La surexpression d'une protéine motrice extrémité plus-dirigée, Cin8p, conduit à des fuseaux mitotiques anormalement longs. De ce fait, il semble qu'un équilibre entre les protéines motrices qui s'opposent détermine la longueur du fuseau dans ces cellules. (A, due à l'obligeance de Kerry Bloom ; B-D, d'après W. Saunders, V. Lengyel et M.A. Hoyt, *Mol. Biol. Cell* 8 : 1025-1033, 1997. © American Society for Cell Biology.)

La fixation des chromosomes sur le fuseau est un processus dynamique. Lorsqu'on l'observe en vidéomicroscopie, il semble impliquer un mécanisme de « recherche et capture » au cours duquel les microtubules nucléés par les centrosomes qui se séparent rapidement croissent de façon centrifuge vers le chromosome. Les microtubules qui s'attachent sur un chromosome se stabilisent et ne subissent donc plus de catastrophes. Ils finissent par s'attacher par leur extrémité sur le **kinétochore**, une machinerie protéique complexe qui s'assemble sur l'ADN fortement condensé au niveau du centromère (*voir* Chapitre 4) à la fin de la prophase. C'est l'extrémité plus du microtubule qui se fixe sur le kinétochore et on parle alors de *microtubule kinétochorien* (Figure 18-16).

Dans les cellules pulmonaires de têtard, où il est facile de visualiser les événements initiaux de capture, on observe d'abord que le kinétochore se fixe latéralement sur le microtubule puis glisse rapidement le long de lui vers un des centrosomes. La fixation latérale sur le chromosome se transforme rapidement en une fixation bout à bout. Au même moment, les microtubules qui croissent à partir du pôle opposé du

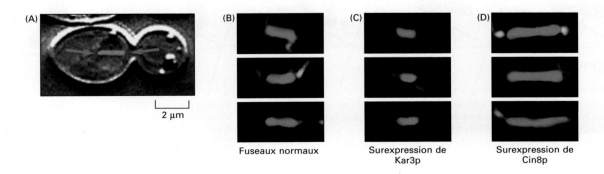

2 μm

Fuseaux normaux

Surexpression de Kar3p

Surexpression de Cin8p

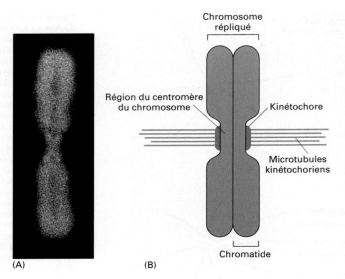

(A)　　　(B)

Figure 18-16 Microtubules kinétochoriens. (A) Photographie en microscopie à fluorescence de chromosomes métaphasiques colorés par un colorant fluorescent qui se fixe sur l'ADN et par des auto-anticorps humains qui réagissent avec des protéines kinétochoriennes spécifiques. Les deux kinétochores, un associé à chaque chromatide, sont colorés en *rouge*. (B) Schéma d'un chromosome métaphasique montrant ses deux chromatides sœurs attachées sur les microtubules kinétochoriens qui s'y fixent par leur extrémité plus. Chaque kinétochore forme une plaque à la surface du centromère. Le nombre de microtubules fixés sur un kinétochore en métaphase varie de 1 chez les levures bourgeonnantes à plus de 40 dans certaines cellules de mammifères. (A, due à l'obligeance de B.R. Brinkley.)

fuseau s'attachent sur le kinétochore situé de l'autre côté du chromosome et créent une *fixation bipolaire* (Figure 18-17). Le stade de la mitose, véritablement fascinant, commence alors. Tout d'abord les chromosomes sont tirés d'avant en arrière et finissent par prendre une position équidistante aux deux pôles du fuseau, appelée **plaque métaphasique** ou **équatoriale** (Figure 18-18). Dans les cellules de vertébrés, les chromosomes oscillent alors doucement sur la plaque équatoriale, attendant le signal de leur séparation. Ce signal apparaît après un temps de latence prévisible qui suit la fixation bipolaire du dernier chromosome (*voir* Chapitre 17).

Comme nous le verrons ultérieurement, les kinétochores jouent un rôle crucial dans le déplacement des chromosomes sur le fuseau. Leur organisation ressemble à une plaque lorsqu'ils sont observés en microscopie électronique (Figure 18-19) et ils sont associés à des protéines motrices de microtubules extrémité plus-dirigées et extrémité moins-dirigées. Mais on ne sait toujours pas comment se fixent les extrémités plus des microtubules sur le kinétochore, en particulier parce qu'elles sont continuellement en train de se polymériser ou de se dépolymériser, en fonction du stade de la mitose.

Les microtubules du fuseau métaphasique sont hautement dynamiques

Le **fuseau métaphasique** est un assemblage complexe et magnifique, suspendu dans un état d'équilibre dynamique, prêt à agir au commencement de l'anaphase. Tous les microtubules du fuseau, sauf les microtubules kinétochoriens, sont dans un état d'instabilité dynamique, avec leur extrémité plus libre passant de façon stochastique

Figure 18-17 La capture des microtubules par les kinétochores. La *flèche rouge* en (A) indique la direction de la croissance des microtubules, tandis que la *flèche grise* en (C) indique la direction du glissement des chromosomes.

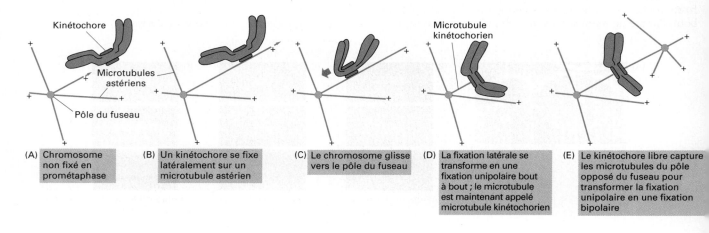

(A) Chromosome non fixé en prométaphase

(B) Un kinétochore se fixe latéralement sur un microtubule astérien

(C) Le chromosome glisse vers le pôle du fuseau

(D) La fixation latérale se transforme en une fixation unipolaire bout à bout ; le microtubule est maintenant appelé microtubule kinétochorien

(E) Le kinétochore libre capture les microtubules du pôle opposé du fuseau pour transformer la fixation unipolaire en une fixation bipolaire

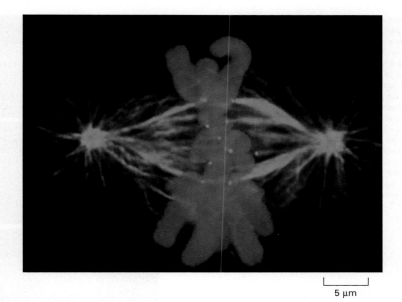

Figure 18-18 Chromosomes sur la plaque équatoriale d'un fuseau mitotique. Sur cette photographie en microscopie à fluorescence, les kinétochores sont marqués en *rouge*, les microtubules en *vert* et les chromosomes en *bleu*. (D'après A. Desai, *Curr. Biol.* 10 : R508, 2000. © Elsevier.)

5 μm

d'une croissance lente à une décroissance rapide. De plus, les microtubules kinétochoriens et chevauchants présentent un comportement appelé *flux vers le pôle*, qui consiste en une nette addition de sous-unités de tubuline à leur extrémité plus équilibrant une nette perte à leur extrémité moins, près du pôle du fuseau.

Le flux vers le pôle des microtubules kinétochoriens et chevauchants des fuseaux métaphasiques a été étudié directement en permettant l'incorporation dans les microtubules de tubuline couplée de façon covalente à de la fluorescéine trappée photoactivable. Lorsque ces fuseaux sont marqués par un faisceau laser de lumière UV, les marques se déplacent continuellement vers les pôles du fuseau (Figure 18-20). Les marques fluorescentes deviennent plus faibles avec le temps, ce qui indique que beaucoup de microtubules kinétochoriens et chevauchants se dépolymérisent complètement et sont remplacés. La dynamique de chaque microtubule du fuseau quelle que soit sa classe (astérien, kinétochorien et chevauchant) peut être étudiée par une méthode ingénieuse qui consiste à injecter de très petites quantités de tubuline fluorescente dans les cellules vivantes (Figure 18-21). Dans ces études, un flux vers le pôle s'observe dans les microtubules kinétochoriens et chevauchants mais pas dans les microtubules astériens. On ne connaît pas la fonction de ce flux vers le pôle, qui ne se produit pas dans les fuseaux simples comme ceux des levures, mais elle pourrait faciliter le mouvement des chromosomes en anaphase.

Une des aspects les plus étonnants de la métaphase dans les cellules de vertébrés est le mouvement oscillatoire continu des chromosomes sur la plaque équatoriale. Ces mouvements ont été étudiés par vidéomicroscopie dans les cellules pulmonaires de têtard et on peut voir qu'ils passent entre deux états – un état dirigé vers le pôle (P) qui est un mouvement de traction extrémité moins-dirigé et un état d'éloignement du pôle (AP pour *away-from-the-pole*), avec un mouvement extrémité plus-

Kinétochore

Chromatide en anaphase

Direction du mouvement de la chromatide

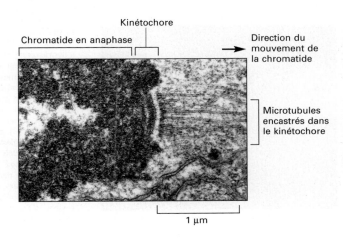

Microtubules encastrés dans le kinétochore

Figure 18-19 Le kinétochore. Une photographie en microscopie électronique d'une chromatide anaphasique avec des microtubules fixés sur son kinétochore. Tandis que la plupart des kinétochores ont une structure trilaminaire, celui montré ici (issu d'une algue verte) présente une structure particulièrement complexe dotée de couches supplémentaires. (D'après J.D. Pickett-Heaps et L.C. Fowke, *Aust. J. Biol. Sci.* 23 : 71-92, 1970. Reproduit avec l'autorisation du CSIRO.)

1 μm

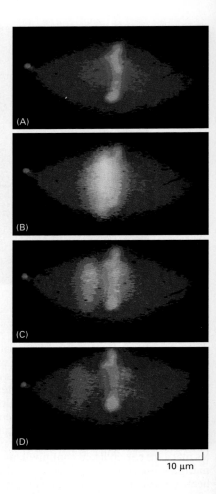

Figure 18-20 Le comportement dynamique des microtubules dans le fuseau métaphasique étudié par photoactivation de la fluorescence. Un fuseau métaphasique formé *in vitro* par l'addition de spermatozoïdes de *Xenopus* sur un extrait d'ovules de *Xenopus* (*voir* Figure 17-9) a incorporé trois marqueurs fluorescents : la tubuline marquée à la rhodamine (en *rouge*) pour marquer tous les microtubules, un colorant *bleu* qui se fixe sur l'ADN et une tubuline marquée par de la fluorescéine «trappée» qui est également incorporée dans tous les microtubules mais est invisible par ce qu'elle n'est pas fluorescente tant qu'elle n'est pas activée par la lumière ultraviolette. (A) Distribution des chromosomes et des microtubules dans le fuseau. (B) Un faisceau ultraviolet a été utilisé pour libérer localement la tubuline marquée à la fluorescéine «trappée», en particulier juste du côté gauche de la plaque équatoriale. Pendant les quelques minutes suivantes (après 1,5 minutes en C, après 2,5 minutes en D), le signal tubuline-fluorescéine libérée est observé et se déplace vers le pôle même si le fuseau (visualisé par la fluorescence *rouge* rhodamine-tubuline) reste largement non modifié. Le signal fluorescéine «trappée» diminue également d'intensité, ce qui indique que les microtubules pris individuellement sont continuellement en train de se dépolymériser et d'être remplacés. (D'après K.E. Sawin et T.J. Mitchison, *J. Cell Biol.* 112 : 941-954, 1991. © The Rockefeller University Press.)

⊢ 10 μm ⊣

dirigé. On pense que les kinétochores tirent le chromosome vers les pôles tandis qu'une *force d'éjection astérienne* repousse les chromosomes loin des pôles, vers l'équateur du fuseau (Figure 18-22A). On suppose que les protéines motrices extrémité plus-dirigées localisées sur les bras des chromosomes interagissent avec les microtubules astériens pour produire cette force d'éjection (Figure 18-22B). Il est intéressant de noter que les fuseaux sans centrosomes, y compris ceux des végétaux supérieurs et certains fuseaux méiotiques, ne présentent pas ces oscillations, ce qui pourrait refléter l'absence de microtubules astériens et, par conséquent, l'absence de force d'éjection astérienne.

Des fuseaux bipolaires fonctionnels peuvent s'assembler autour des chromosomes dans des cellules dépourvues de centrosomes

Les chromosomes ne sont pas de simples passagers passifs du processus d'assemblage du fuseau. En formant un environnement local qui favorise la nucléation des microtubules et leur stabilisation, ils jouent un rôle actif dans la formation du fuseau. On peut démontrer l'influence des chromosomes par le biais du changement de leur position avec une fine aiguille de verre après la formation du fuseau. Dans certaines cellules en métaphase, si on enlève de l'alignement un seul chromosome, une masse de nouveaux microtubules du fuseau apparaît rapidement autour du chromosome nouvellement positionné tandis que les microtubules du fuseau situés dans l'ancienne position du chromosome se dépolymérisent. Cette propriété des chromosomes semble dépendre d'un facteur d'échange des nucléotides guanyliques (GEF) fixé sur la chromatine : il stimule une petite GTPase cytosolique, *Ran*, et l'induit à fixer du GTP à la place de son GDP. Une fois activée, Ran-GTP, qui est également impliquée dans le transport nucléaire (*voir* Chapitre 12), libère des protéines de sta-

Figure 18-21 Visualisation de la dynamique de microtubules individuels par la microscopie à fluorescence. (A) Le principe de cette méthode. Une très petite quantité de tubuline fluorescente est injectée dans des cellules vivantes de telle sorte que des microtubules se forment chacun avec une très petite quantité de tubuline fluorescente. Ces microtubules ont un aspect moucheté lorsqu'ils sont observés en microscopie à fluorescence. (B) Photographie en microscopie à fluorescence d'un fuseau mitotique dans une cellule épithéliale pulmonaire vivante de têtard. Les chromosomes sont colorés en *vert* et les mouchetures de tubuline en *rouge*. (C) Le mouvement de chaque moucheture peut être facilement suivi par vidéomicroscopie à intervalles de temps. Les images de la région encadrée en (B), allongée, étroite et rectangulaire (*flèche*) ont été prises à des temps séquentiels et placées côte à côte pour faire un montage de la région avec le temps. On observe le déplacement des mouchetures individuelles vers les pôles (représentant un flux vers le pôle) à la vitesse de 0,75 μm/min environ. (D'après T.J. Mitchison et E.D. Salmon, *Nature Cell Biol.* 3 : E17-21, 2001.)

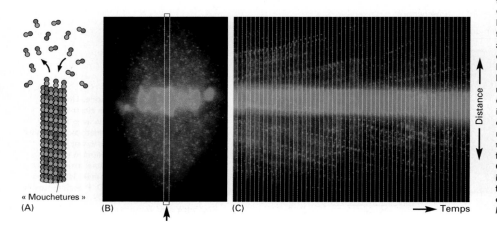

« Mouchetures »
(A)   (B)   (C)   ⟶ Temps

Distance ↕

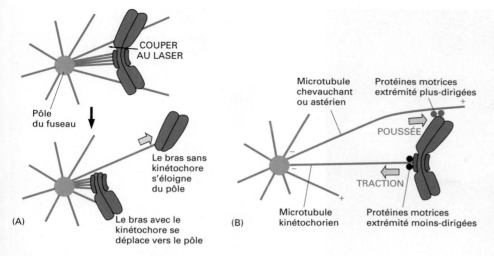

(A)

COUPER
AU LASER

Pôle
du fuseau

Le bras sans
kinétochore
s'éloigne
du pôle

Le bras avec le
kinétochore se
déplace vers le pôle

(B)

Microtubule
chevauchant
ou astérien

Protéines motrices
extrémité plus-dirigées

POUSSÉE

TRACTION

Microtubule
kinétochorien

Protéines motrices
extrémité moins-dirigées

Figure 18-22 Comment des forces qui s'opposent peuvent entraîner les chromosomes sur la plaque équatoriale. (A) Preuve qu'il existe une force d'éjection astérienne qui repousse les chromosomes des pôles du fuseau vers l'équateur du fuseau. Dans cette expérience, un chromosome en prométaphase, qui est temporairement fixé sur un seul pôle par les microtubules kinétochoriens, est coupé en deux moitiés par un rayon laser. La moitié sans kinétochore est repoussée rapidement des pôles tandis que la moitié qui reste fixée sur le kinétochore se déplace vers les pôles, ce qui reflète une baisse de la répulsion. (B) Modèle du mode de coopération de deux forces opposées pour déplacer les chromosomes vers la plaque équatoriale. On pense que les protéines motrices extrémité plus-dirigées sur les bras du chromosome interagissent avec les microtubules astériens pour engendrer la force d'éjection astérienne qui repousse les chromosomes vers l'équateur du fuseau. On pense que les protéines motrices extrémité moins-dirigées du kinétochore interagissent avec les microtubules kinétochoriens pour tirer les chromosomes vers les pôles.

bilisation du microtubule des complexes protéiques cytosoliques, ce qui stimule la nucléation locale des microtubules autour du chromosome.

Dans les cellules dépourvues de centrosomes, les chromosomes dirigent l'assemblage d'un fuseau bipolaire fonctionnel. C'est ainsi que des fuseaux se forment dans les cellules des végétaux supérieurs ainsi que dans beaucoup de cellules méiotiques. C'est également ainsi qu'ils s'assemblent dans certains embryons d'insectes induits à se développer à partir d'ovules non fécondés (par *parthénogenèse*, par exemple) ; comme le spermatozoïde apporte normalement le centrosome lorsqu'il féconde l'ovule (*voir* Chapitre 20), le fuseau mitotique dans ces embryons parthénogénétiques se développe sans centrosome (Figure 18-23). Il est remarquable que, dans un système artificiel, des fuseaux puissent s'auto-assembler sans centrosome ni centromères. Lorsque des billes recouvertes d'ADN dépourvu de séquence de centromère (et donc dépourvu de complexe du kinétochore) sont ajoutées à des extraits d'ovules de *Xenopus* en l'absence de centrosome, des fuseaux bipolaires s'assemblent autour des billes (Figure 18-24A).

Le processus d'assemblage du fuseau indépendant du centrosome est différent de celui dirigé par les centrosomes. Dans le modèle de billes recouvertes d'ADN, les microtubules subissent une nucléation d'abord près de la surface de l'ADN puis les protéines motrices des microtubules trient les microtubules en faisceaux de polarité uniforme, repoussent les extrémités moins des microtubules et les focalisent dans les pôles du fuseau (Figure 18-24B).

Même des cellules de vertébrés peuvent utiliser une voie indépendante du centrosome pour édifier un fuseau bipolaire fonctionnel si le centrosome est détruit par un rayon laser. Même si le fuseau acentrosomique qui en résulte peut effectuer normalement la ségrégation des chromosomes, il ne possède pas de microtubules astériens, responsables du positionnement du fuseau dans les cellules animales. Il en résulte que le fuseau est souvent mal positionné, ce qui entraîne des anomalies lors de la cytocinèse. S'ils sont présents, cependant, les centrosomes dirigent normalement l'assemblage du fuseau parce qu'ils sont plus efficaces dans la nucléation par polymérisation des microtubules que les chromosomes.

L'anaphase est retardée jusqu'à ce que tous les chromosomes soient placés sur la plaque équatoriale

Les cellules mitotiques passent près de la moitié de la phase M en métaphase, avec leurs chromosomes alignés sur la plaque équatoriale qui se bousculent, et attendent le signal qui induira la séparation des chromatides sœurs pour commencer l'anaphase. Un traitement par des substances qui déstabilisent les microtubules, comme la colchicine ou la vinblastine (*voir* Chapitre 16), arrête la mitose pendant des heures voire des jours. Cette observation a conduit à identifier un **point de contrôle de l'attachement sur le fuseau**, qui est activé lors du traitement par ces substances et arrête la progression de la mitose. Ce mécanisme de contrôle est utilisé par le système de contrôle du cycle cellulaire pour empêcher que les cellules entrent en anaphase avant que tous les chromosomes ne soient attachés aux deux pôles du fuseau (*voir*

Pôles du fuseau

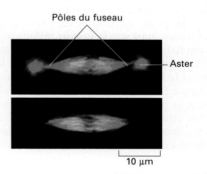

Aster

10 μm

Figure 18-23 L'assemblage bipolaire d'un fuseau sans centrosome dans l'embryon parthénogénétique d'un insecte, *Sciara*. Les microtubules sont colorés en *vert*, les chromosomes en *rouge*. La photographie en microscopie à fluorescence *du haut* montre un fuseau normal, formé de centrosomes, dans un embryon normalement fécondé de *Sciara*. La microphotographie *du bas* montre un fuseau formé sans centrosome dans un embryon qui initie son développement sans fécondation. Notez que le fuseau à centrosomes possède un aster à chaque pôle du fuseau alors que le fuseau formé sans centrosome n'en a pas. Ces deux types de fuseaux peuvent effectuer la ségrégation des chromosomes répliqués. (D'après B. de Saint Phalle et W. Sullivan, *J. Cell Biol.* 141 : 1383-1391, 1998. © The Rockefeller University Press.)

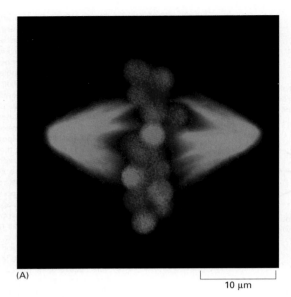

(A)

10 μm

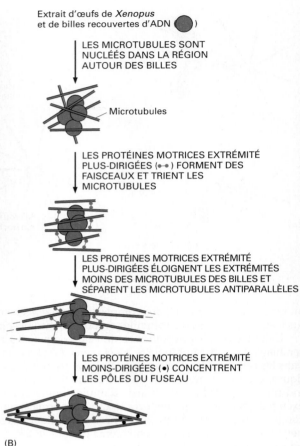

Extrait d'œufs de Xenopus *et de billes recouvertes d'ADN* ( )

LES MICROTUBULES SONT NUCLÉÉS DANS LA RÉGION AUTOUR DES BILLES

Microtubules

LES PROTÉINES MOTRICES EXTRÉMITÉ PLUS-DIRIGÉES (•–•) FORMENT DES FAISCEAUX ET TRIENT LES MICROTUBULES

LES PROTÉINES MOTRICES EXTRÉMITÉ PLUS-DIRIGÉES ÉLOIGNENT LES EXTRÉMITÉS MOINS DES MICROTUBULES DES BILLES ET SÉPARENT LES MICROTUBULES ANTIPARALLÈLES

LES PROTÉINES MOTRICES EXTRÉMITÉ MOINS-DIRIGÉES (•) CONCENTRENT LES PÔLES DU FUSEAU

(B)

Figure 18-24 L'assemblage d'un fuseau bipolaire sans centrosome ou kinétochore. (A) Photographie en microscopie à fluorescence d'un fuseau (*vert*) qui s'auto-assemble autour de billes (*rouges*) recouvertes d'ADN bactérien dans des extraits d'œufs de *Xenopus*. (B) Étapes de l'assemblage du fuseau dirigé par les billes recouvertes d'ADN. Les extrémités moins des microtubules sont indiquées dans une partie de la figure. (A, d'après R. Heald et al., *Nature* 382 : 420-425, 1996. © Macmillan Magazines Ltd ; B, basé sur C.E. Walczak et al., *Curr. Biol.* 8 : 903-913, 1998.)

Chapitre 17). Si une des composantes protéiques de ce mécanisme de contrôle est inactivée par mutation ou par injection intracellulaire d'un anticorps dirigé contre elle, la cellule initie prématurément l'anaphase.

Le point de contrôle de l'attachement sur le fuseau surveille l'attachement des chromosomes sur le fuseau mitotique. On pense qu'il détecte soit les kinétochores non fixés soit les kinétochores qui ne subissent pas la tension qui résulte de leur fixation bipolaire. Dans les deux cas, les kinétochores non fixés émettent un signal qui retarde l'anaphase jusqu'à ce qu'ils soient correctement attachés sur le fuseau (*voir* Figure 17-27). Les substances qui déstabilisent les microtubules empêchent cette fixation et maintiennent ainsi le signal, ce qui retarde l'anaphase. Ce rôle de signalisation inhibitrice du kinétochore peut être démontré dans les cellules de mammifères en culture où un seul kinétochore non fixé peut bloquer l'anaphase ; la destruction de ce kinétochore par un laser provoque l'entrée de la cellule en anaphase.

Les chromatides sœurs se séparent brutalement à l'anaphase

L'**anaphase** commence brutalement par la libération du lien de cohésine qui maintient ensemble les chromatides sœurs sur la plaque équatoriale. Comme nous l'avons vu au chapitre 17, cette *transition métaphase-anaphase* est déclenchée par l'activation du *complexe de promotion de l'anaphase (APC)*. Une fois activé, ce complexe protéolytique a au moins deux fonctions cruciales : (1) il coupe et inactive la cycline de phase M (cycline M), ce qui inactive la M-Cdk ; et (2) il coupe une protéine inhibitrice (la sécurine), ce qui active une protéase, la *séparase*. La séparase coupe alors une sous-unité du complexe des cohésines pour décoller les chromatides sœurs (*voir* Figure 17-26). Les sœurs se séparent immédiatement – et prennent alors le nom de chromosomes fils – et se déplacent vers les pôles opposés (Figure 18-25).

Les chromosomes se déplacent selon deux processus indépendants qui se chevauchent. Le premier, appelé **anaphase A**, est le mouvement initial des chromosomes dirigé vers le pôle. Il s'accompagne du raccourcissement des microtubules kinétochoriens au niveau de leurs attaches chromosomiques et, à un moindre degré, de la

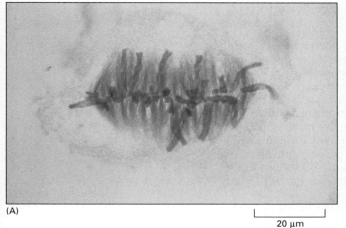

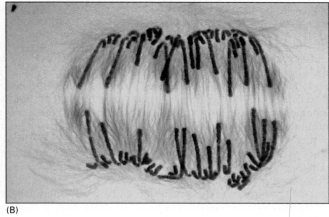

(A)

(B)

20 μm

dépolymérisation des microtubules du fuseau au niveau des deux pôles du fuseau. Le deuxième processus, appelé **anaphase B**, est la séparation des pôles eux-mêmes, qui commence après la séparation des chromatides sœurs et une fois que les chromosomes fils se sont éloignés d'une certaine distance. L'anaphase A dépend de protéines motrices situées au niveau du kinétochore. L'anaphase B dépend de protéines motrices situées au niveau des pôles et qui les séparent ainsi que de protéines motrices situées au niveau du *fuseau central* (le faisceau de microtubules chevauchants antiparallèles situé entre les chromosomes qui se séparent) et qui repoussent les pôles (Figure 18-26). À l'origine, on distinguait l'anaphase A et l'anaphase B par leur sensibilité différente à diverses substances. On pense maintenant que ces différences sont le reflet de différences de sensibilité des protéines motrices des microtubules qui servent d'intermédiaire à ces deux processus.

Figure 18-25 La séparation des chromatides à l'anaphase. Dans la transition de la métaphase (A) à l'anaphase (B), les chromatides sœurs se séparent brutalement et se déplacent vers les pôles opposés — comme cela est montré dans ces photographies en microscopie optique de cellules d'endosperme d'*Haemanthus* (lys), colorées par des anticorps anti-tubuline marqués à l'or. (Due à l'obligeance de Andrew Bajer).

Figure 18-26 Les principales forces qui séparent les chromosomes fils à l'anaphase dans les cellules de mammifère. L'anaphase A dépend de protéines motrices agissant au niveau des kinétochores et qui, associées à la dépolymérisation des microtubules kinétochoriens, tirent les chromosomes fils vers le pôle le plus proche. Lors de l'anaphase B, les deux pôles du fuseau se séparent. On pense que deux forces séparées sont responsables de l'anaphase B. L'élongation et le glissement des microtubules chevauchants les uns sur les autres au niveau du fuseau central repoussent les deux pôles et des forces centrifuges exercées par les microtubules astériens à chaque pôle du fuseau agissent pour tirer les pôles vers la surface cellulaire et les éloigner l'un de l'autre.

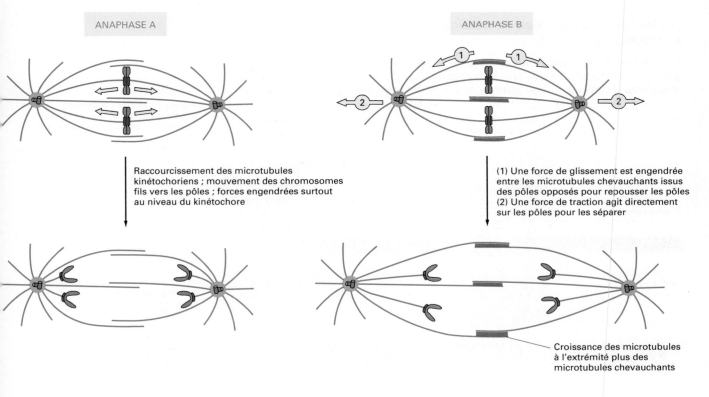

ANAPHASE A

Raccourcissement des microtubules kinétochoriens ; mouvement des chromosomes fils vers les pôles ; forces engendrées surtout au niveau du kinétochore

ANAPHASE B

(1) Une force de glissement est engendrée entre les microtubules chevauchants issus des pôles opposés pour repousser les pôles
(2) Une force de traction agit directement sur les pôles pour les séparer

Croissance des microtubules à l'extrémité plus des microtubules chevauchants

Les microtubules kinétochoriens se désassemblent aux deux extrémités pendant l'anaphase A

Lorsque chaque chromosome fils se déplace vers le pôle, ses microtubules kinétochoriens se dépolymérisent, de telle sorte qu'ils ont presque totalement disparu lors de la télophase. Ce processus est visible en vidéomicroscopie à fluorescence, lorsque de la tubuline marquée est injectée dans des cellules pour observer les sites récents d'incorporation de tubuline. Dans ces expériences, on peut voir que les extrémités kinétochoriennes des microtubules kinétochoriens sont le site primaire d'addition de tubuline pendant la métaphase. Lors d'anaphase A, cependant, les microtubules kinétochoriens se raccourcissent principalement par la perte de tubuline au niveau de leurs extrémités kinétochoriennes. On ne sait pas comment se produit cette commutation d'une polymérisation à une dépolymérisation au niveau des kinétochores à l'anaphase mais elle est peut-être déclenchée par la perte de tension qui se produit lors de la destruction de la cohésion entre les chromatides sœurs.

Le flux vers le pôle dont nous avons parlé, avec la perte continue de sous-unités de tubuline à partir des microtubules chevauchants et kinétochoriens au niveau des pôles (*voir* Figure 18-21), se poursuit pendant l'anaphase. De ce fait, les microtubules kinétochoriens se désassemblent à partir des deux extrémités pendant l'anaphase.

Même s'il est clair que les protéines motrices des microtubules et la dépolymérisation des microtubules au niveau des kinétochores contribuent toutes deux au mouvement des chromosomes pendant l'anaphase A, le mécanisme moléculaire exact qui entraîne ce mouvement reste inconnu. On ne sait pas non plus clairement comment les kinétochores peuvent rester fixés sur un microtubule qui perd ses sous-unités de tubuline à son extrémité (plus) kinétochorienne. Il existe deux hypothèses majeures concernant le mode de déplacement des chromosomes à l'anaphase A. Selon la première, les protéines motrices au niveau des kinétochores utilisent l'énergie de l'hydrolyse de l'ATP pour tirer les chromosomes le long des microtubules kinétochoriens, qui par conséquent se dépolymérisent. Selon la seconde, la dépolymérisation elle-même entraîne le mouvement, sans utiliser d'ATP (Figure 18-27). Cette deuxième hypothèse semble peu plausible au premier abord, mais il a été démontré que des kinétochores purifiés dans un tube à essai, en l'absence d'ATP, pouvaient rester fixés sur des microtubules qui se dépolymérisent et ainsi se déplacer. L'énergie qui actionne le mouvement est conservée dans le microtubule et est libérée lors de la dépolymérisation du microtubule ; elle vient finalement de l'hydrolyse du GTP qui se produit après l'addition d'une sous-unité de tubuline à l'extrémité d'un microtubule (*voir* Chapitre 16). La façon dont se combinent les protéines motrices et la dépolymérisation des microtubules au niveau des kinétochores pour actionner le mouvement des chromosomes reste un des mystères fondamentaux de la mitose.

Les forces de poussée et de traction contribuent toutes deux à l'anaphase B

À l'anaphase B, le fuseau s'allonge et sépare les deux jeux de chromosomes. Contrairement à l'anaphase A, où la dépolymérisation des microtubules kinétochoriens est couplée au mouvement des chromosomes vers les pôles, lors de l'anaphase B les

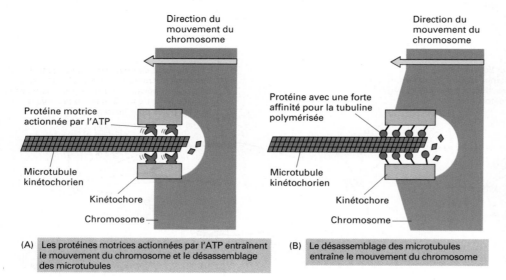

Direction du mouvement du chromosome

Protéine motrice actionnée par l'ATP

Microtubule kinétochorien

Kinétochore

Chromosome

(A) Les protéines motrices actionnées par l'ATP entraînent le mouvement du chromosome et le désassemblage des microtubules

Direction du mouvement du chromosome

Protéine avec une forte affinité pour la tubuline polymérisée

Microtubule kinétochorien

Kinétochore

Chromosome

(B) Le désassemblage des microtubules entraîne le mouvement du chromosome

Figure 18-27 Deux différents modèles qui expliquent comment le kinétochore peut engendrer une force dirigée vers le pôle sur son chromosome au cours de l'anaphase A. (A) Les protéines motrices des microtubules au niveau du kinétochore utilisent l'énergie de l'hydrolyse de l'ATP pour tirer le chromosome le long des microtubules sur lesquels il est lié. La dépolymérisation des microtubules kinétochoriens s'ensuit comme conséquence. (B) Le mouvement des chromosomes est actionné par le désassemblage des microtubules kinétochoriens : lorsque les sous-unités de tubuline se dissocient, le kinétochore est obligé de glisser vers les pôles pour maintenir sa fixation sur les parois des microtubules. Comme des protéines motrices sont nécessaires pour l'anaphase A, dans ce modèle, elles seraient nécessaires surtout pour que les microtubules restent fixés sur le kinétochore.

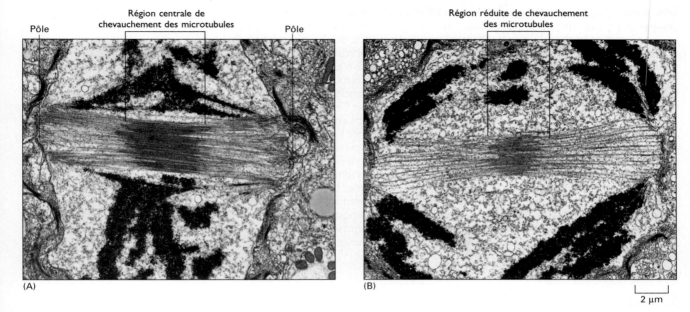

Région centrale de
chevauchement des microtubules

Pôle   Pôle

(A)

Région réduite de chevauchement
des microtubules

(B)

2 μm

microtubules chevauchants s'allongent réellement et aident à repousser les pôles du fuseau. L'anaphase B est entraînée par deux forces distinctes (*voir* Figure 18-26). La première dépend des protéines motrices extrémité plus-dirigées du fuseau central qui forment un pont entre les microtubules chevauchants de polarité opposée ; la translocation de ces protéines motrices vers les extrémités plus des microtubules fait glisser ces derniers les uns sur les autres, repoussant les pôles. Il en résulte que le faisceau de microtubules chevauchants du fuseau central s'amincit (Figure 18-28). Ce mécanisme est similaire à celui déjà décrit lors de la prophase, au cours duquel les protéines motrices repoussent les pôles pendant l'assemblage du fuseau (*voir* Figure 18-14). La deuxième force qui contribue à l'anaphase B dépend des protéines motrices extrémité moins-dirigées qui interagissent avec les microtubules astériens et le cortex cellulaire et séparent les deux pôles du fuseau (Figure 18-29).

La contribution relative de l'anaphase A et de l'anaphase B à la ségrégation chromosomique varie largement en fonction du type cellulaire. Dans les cellules de mammifère, l'anaphase B commence peu après l'anaphase A et s'arrête lorsque le fuseau mesure environ deux fois sa longueur métaphasique ; par contre, les fuseaux des levures et de certains protozoaires utilisent principalement l'anaphase B pour séparer les chromosomes anaphasiques et leurs fuseaux s'allongent jusqu'à 15 fois leur longueur métaphasique au cours de ce processus.

Figure 18-28 Le glissement des microtubules chevauchants à l'anaphase. Ces photographies en microscopie électronique montrent la réduction de l'importance du chevauchement des microtubules dans le fuseau central pendant la mitose dans une diatomée. (A) Métaphase. (B) Fin de l'anaphase. (Due à l'obligeance de Jeremy D. Pickett-Heaps.)

À la télophase, l'enveloppe nucléaire se reforme autour des chromosomes

À la fin de l'anaphase, les chromosomes fils se sont séparés en deux groupes égaux aux extrémités opposées de la cellule et ont commencé à se décondenser. À la

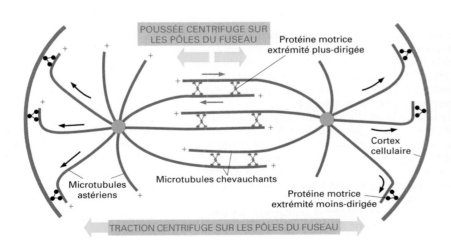

POUSSÉE CENTRIFUGE SUR
LES PÔLES DU FUSEAU

Protéine motrice
extrémité plus-dirigée

Cortex
cellulaire

Microtubules
astériens

Microtubules chevauchants

Protéine motrice
extrémité moins-dirigée

TRACTION CENTRIFUGE SUR LES PÔLES DU FUSEAU

Figure 18-29 Un modèle du mode d'action d'une protéine motrice pendant l'anaphase B. Les protéines motrices extrémité plus-dirigées relient les microtubules polaires antiparallèles qui se chevauchent et les font glisser les uns sur les autres, repoussant ainsi les pôles du fuseau. Les *flèches rouges* indiquent la direction du glissement des microtubules. Les protéines motrices extrémité moins-dirigées se fixent sur le cortex cellulaire et sur les microtubules astériens qui pointent loin du fuseau et repoussent les pôles. Les microtubules astériens se raccourcissent lorsque les pôles du fuseau sont tirés vers le cortex.

télophase, l'étape finale de la mitose, une enveloppe nucléaire se reforme autour de chaque groupe de chromosomes pour former les deux noyaux fils interphasiques.

La transition brutale de la métaphase à l'anaphase initie la déphosphorylation de nombreuses protéines qui avaient été phosphorylées à la prophase. Bien que les phosphatases en cause soient actives tout au long de la mitose, ce n'est que lorsque la M-Cdk est inactivée qu'elles peuvent agir sans rencontrer d'opposition. Très peu de temps après, à la télophase, des fragments de membrane nucléaire s'associent à la surface de chaque chromosome et fusionnent pour reformer l'enveloppe nucléaire. Au départ, les fragments membranaires fusionnés enferment en partie des groupes de chromosomes ; puis ces fragments coalescent pour reformer l'enveloppe nucléaire complète (*voir* Figure 12-21). Pendant ce processus, des complexes du pore nucléaire sont incorporés dans l'enveloppe et les lamines déphosphorylées se réassocient pour former la lamina nucléaire. L'enveloppe nucléaire redevient continue avec les feuillets membranaires étendus du réticulum endoplasmique. Une fois que l'enveloppe nucléaire s'est reformée, les complexes du pore pompent à l'intérieur des protéines nucléaires, le noyau s'étend et les chromosomes mitotiques condensés se décondensent dans leur état interphasique, ce qui permet la reprise de la transcription génique. Un nouveau noyau a été créé et la mitose est terminée. Tout ce qui reste à faire pour la cellule est de terminer sa division en deux.

Résumé

La mitose commence par la prophase, qui est marquée par l'augmentation de l'instabilité des microtubules, déclenchée par la M-Cdk. Dans les cellules animales, une formation de microtubules particulièrement dynamique (un aster) se forme autour de chaque centrosome dupliqué, et ceux-ci se séparent pour initier la formation des deux pôles du fuseau. Les interactions entre les asters et l'équilibre entre les protéines motrices des microtubules extrémité plus-dirigées et extrémité moins-dirigées permettent l'auto-assemblage du fuseau bipolaire. Dans les cellules des végétaux supérieurs et d'autres cellules qui ne possèdent pas de centrosome, un fuseau bipolaire fonctionnel s'auto-assemble à la place autour des chromosomes répliqués. La prométaphase commence par la rupture de l'enveloppe nucléaire qui permet aux kinétochores, situés sur les chromosomes condensés, de capturer et de stabiliser les microtubules de chaque pôle du fuseau. Les microtubules kinétochoriens issus des pôles opposés du fuseau tirent dans des directions opposées sur chaque chromosome dupliqué, et créent, associé à la force d'éjection polaire, une tension qui facilite le placement des chromosomes à l'équateur du fuseau pour former la plaque équatoriale. Les microtubules du fuseau métaphasique sont hautement dynamiques et subissent un flux continu de sous-unités de tubuline en direction du pôle. L'anaphase commence par la coupure protéolytique soudaine des liaisons de cohésine qui tiennent ensemble les chromatides sœurs. La cassure de cette liaison permet aux chromosomes d'être tirés vers les pôles opposés (mouvement de l'anaphase A). À peu près en même temps, les deux pôles du fuseau s'éloignent (mouvement de l'anaphase B). Lors de la télophase, l'enveloppe nucléaire se reforme à la surface de chaque groupe de chromosomes séparés tandis que les protéines phosphorylées au début de la phase M sont déphosphorylées.

CYTOCINÈSE

Le cycle cellulaire se termine avec la division de son cytoplasme par **cytocinèse**. Dans une cellule typique, la cytocinèse accompagne chaque mitose, bien que certaines cellules, comme les embryons de *Drosophila* (traités ultérieurement) et les ostéoclastes des vertébrés (*voir* Chapitre 22), puissent subir une mitose sans cytocinèse et devenir multinucléées. La cytocinèse commence à l'anaphase et se termine à la télophase, pour être totalement finie lorsque l'interphase suivante commence.

La première modification visible de la cytocinèse d'une cellule animale est l'apparition soudaine d'un pli, ou *sillon de clivage*, à la surface cellulaire. Ce sillon s'approfondit rapidement et s'étend autour de la cellule jusqu'à diviser complètement la cellule en deux. Dans les cellules des animaux et de beaucoup d'eucaryotes unicellulaires, la structure qui accomplit la cytocinèse est l'*anneau contractile* – un assemblage dynamique composé de filaments d'actine, de filaments de myosine II et de nombreuses protéines structurelles et régulatrices. Cet anneau s'assemble juste en dessous de la membrane plasmique et se contracte pour serrer la cellule en deux (*voir* Figure 18-4). Au même moment, une nouvelle membrane s'insère dans la membrane plasmique adjacente à l'anneau contractile par la fusion de vésicules intracellulaires. Cette addition membranaire est nécessaire pour compenser l'augmentation de surface qui accompagne la division cytoplasmique. De ce fait, on peut considérer que la cytocinèse s'effectue en quatre étapes – l'initiation, la contraction, l'insertion membranaire et l'achèvement.

Le problème central pour une cellule qui subit la cytocinèse est de s'assurer qu'elle se produit au bon moment et au bon endroit. La cytocinèse ne doit pas se produire trop tôt pendant la phase M sinon elle romprait la voie de séparation des chromosomes. Elle doit aussi se produire au bon endroit pour séparer correctement les deux jeux de chromosomes ségrégés afin que chaque cellule fille reçoive un jeu complet.

Les microtubules du fuseau mitotique déterminent le plan de division de la cellule animale

Le fuseau mitotique des cellules animales ne sépare pas seulement les chromosomes fils mais spécifie aussi la localisation de l'anneau contractile et donc le plan de division cellulaire. L'anneau contractile se forme invariablement dans le plan de la plaque équatoriale perpendiculairement au long axe du fuseau mitotique, assurant ainsi que la division se produit entre les deux jeux de chromosomes séparés. La partie du fuseau qui spécifie le plan de division varie en fonction du type cellulaire ; dans certaines cellules, ce sont les microtubules astériens ; dans d'autres, ce sont les microtubules chevauchants antiparallèles du fuseau central.

La relation entre les microtubules du fuseau et la position de l'anneau contractile a été étudiée par la manipulation d'ovules fécondés d'invertébrés marins. Après la fécondation, ces embryons subissent une série de divisions par coupure rapide, sans périodes intermédiaires de croissance. De cette façon, l'œuf d'origine se divise progressivement en cellules de plus en plus petites. Pendant la cytocinèse, le sillon de clivage apparaît brutalement à la surface de la cellule et s'approfondit rapidement (Figure 18-30). Comme le cytoplasme est clair, le fuseau peut être observé en temps réel en microscopie. Si le fuseau est placé dans une nouvelle position à l'aide d'une fine aiguille de verre au début de l'anaphase, le sillon de clivage naissant disparaît et un nouveau se développe en accord avec la nouvelle position du fuseau.

Comment le fuseau mitotique contrôle-t-il le plan de division ? Des expériences ingénieuses menées dans de grosses cellules embryonnaires démontrent que le sillon de clivage se forme à mi-chemin entre les asters partant des deux centrosomes, même lorsque les deux centrosomes ne sont pas connectés l'un à l'autre par un fuseau mitotique (Figure 18-31). De ce fait, dans ces cellules, les microtubules astériens – et non pas les chromosomes ou d'autres parties du fuseau – envoient un signal au cortex cellulaire qui spécifie où doit s'assembler l'anneau contractile. Dans d'autres cellules, c'est le fuseau central, plutôt que les microtubules astériens, qui est apparemment responsable de cette spécification. Dans ces deux cas, l'hypothèse a été émise que les microtubules chevauchants pouvaient fournir les rails qui permettent aux protéines motrices de délivrer des régulateurs de l'anneau contractile, et peut-être une nouvelle membrane, dans la région appropriée de la cellule en division.

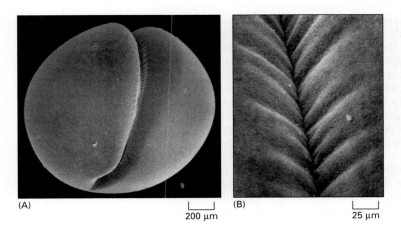

(A)

200 µm

(B)

25 µm

Figure 18-30 Le clivage d'un ovule de grenouille fécondé. Sur ces photographies en microscopie électronique à balayage, le sillon de clivage est particulièrement visible et bien défini, car cette cellule est particulièrement grosse. La formation du sillon sur la membrane cellulaire est provoquée par l'activité de l'anneau contractile situé en dessous. (A) Vue au faible grossissement de la surface de l'œuf en division. (B) La surface d'un sillon au plus fort grossissement. (D'après H.W. Beams et R.G. Kessel, *Am. Sci.* 64 : 279-290, 1976.)

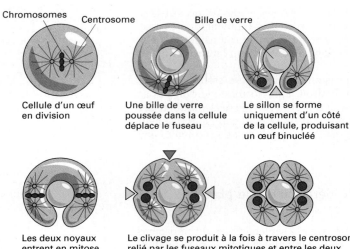

Chromosomes Centrosome Bille de verre

Cellule d'un œuf en division

Une bille de verre poussée dans la cellule déplace le fuseau

Le sillon se forme uniquement d'un côté de la cellule, produisant un œuf binucléé

Les deux noyaux entrent en mitose

Le clivage se produit à la fois à travers le centrosome relié par les fuseaux mitotiques et entre les deux centrosomes qui sont simplement adjacents, et quatre cellules filles sont formées

Figure 18-31 Une expérience démontrant l'influence de la position des microtubules astériens sur le plan ultérieur de clivage dans un gros œuf. Si le fuseau mitotique est repoussé mécaniquement vers un côté de la cellule avec une bille en verre, le sillon membranaire est incomplet, et ne se forme pas sur le côté opposé de la cellule. Les clivages suivants se produisent non seulement selon la relation conventionnelle entre chacun des deux fuseaux mitotiques suivants (*têtes de flèches jaunes*), mais aussi entre les deux asters adjacents qui ne sont pas reliés par un fuseau mitotique — mais qui dans cette cellule anormale partagent le même cytoplasme (*tête de flèche rouge*). Apparemment l'anneau contractile qui produit le sillon de clivage dans ces cellules se forme toujours dans la région à mi-chemin entre les deux asters, ce qui suggère que les asters modifient d'une certaine façon la région adjacente du cortex cellulaire pour induire la formation du sillon entre eux.

Mais en fait, le mécanisme moléculaire qui permet au fuseau de positionner le sillon de clivage reste un mystère.

Dans certaines cellules, le site d'assemblage de l'anneau est choisi avant la mitose par le biais d'un point de repère placé dans le cortex pendant le cycle cellulaire précédent. Dans les levures bourgeonnantes, par exemple, un anneau de protéines, les *septines*, s'assemble avant la mitose, adjacent à la cicatrice du bourgeonnement laissé à la surface cellulaire lorsque les cellules mère et fille se sont séparées au cours de la division précédente. On pense que les septines forment un échafaudage sur lequel s'assemblent les autres composants de l'anneau contractile, y compris la myosine II. Comme nous le verrons ultérieurement, dans les cellules végétales, une bande organisée de microtubules et de filaments d'actine s'assemble juste avant la mitose et marque le site d'assemblage de la paroi cellulaire qui divisera la cellule en deux.

Certaines cellules repositionnent leur fuseau pour se diviser asymétriquement

La plupart des cellules se divisent symétriquement. Dans beaucoup de cellules animales, par exemple, l'anneau se forme autour de l'équateur de la cellule parentale de telle sorte que les deux cellules filles produites sont de taille identique et ont des propriétés similaires. Cette symétrie résulte de la mise en place du fuseau mitotique qui, dans la plupart des cas, a tendance à se centrer lui-même dans le cytoplasme. Le processus de centrage dépend à la fois des microtubules astériens et des protéines motrices qui poussent ou tirent sur les microtubules astériens pour centrer le fuseau.

Cependant, au cours du développement, il y a plusieurs exemples dans lesquels les cellules se divisent de façon asymétrique pour produire deux cellules qui diffèrent par leur taille, le contenu cytoplasmique dont elles héritent ou les deux. En général, les deux cellules filles sont destinées à se développer selon des voies différentes. Pour créer des cellules filles de destins différents, la cellule mère doit d'abord effectuer la ségrégation de certains composants (les *déterminants du destin*) d'un côté de la cellule puis positionner le plan de division de telle sorte que la bonne cellule fille hérite de ces composants (Figure 18-32). Pour placer le plan de division de façon asymétrique, le fuseau doit être déplacé de manière contrôlée à l'intérieur de la cellule en division. Il est probable que ce mouvement du fuseau soit dirigé par des modifications régionales locales du cortex cellulaire et que les protéines motrices qui s'y trouvent tirent sur un des pôles du fuseau via les microtubules astériens pour l'amener vers la région appropriée (Figure 18-33). Des analyses génétiques ont permis d'identifier certaines protéines nécessaires à ces divisons asymétriques chez *C. elegans* et *Drosophila* (*voir* Chapitre 21) et certaines de celles-ci semblent avoir un rôle similaire chez les vertébrés.

La division asymétrique est particulièrement importante dans les cellules végétales. Comme ces cellules ne peuvent se déplacer après leur division, la sélection des plans de division est cruciale pour le contrôle de la morphologie tissulaire. Nous verrons ultérieurement comment le plan de division est déterminé dans ces cellules.

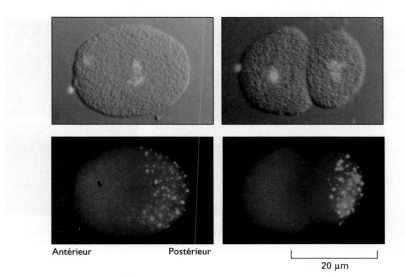

20 µm

Figure 18-32 Une division cellulaire asymétrique effectuant la ségrégation des composants cytoplasmiques seulement vers une cellule fille. Ces photographies en microscopie optique illustrent la ségrégation asymétrique contrôlée de composants cytoplasmiques spécifiques vers une cellule fille pendant la première division d'un ovule fécondé du nématode *C. elegans*. Les cellules au-dessus ont été colorées par un colorant fluorescent *bleu* qui se fixe sur l'ADN pour montrer le noyau (et les corps polaires – *voir* Figure 20-22) ; elles sont vues en microscopie à contraste d'interférence différentielle et à fluorescence. Les cellules en dessous sont les mêmes cellules colorées par un anticorps anti-granules P et observées en microscopie à fluorescence. Ces petits granules, de fonction inconnue, se distribuent de façon aléatoire dans tout le cytoplasme d'un ovule non fécondé (non montré ici) mais s'agrègent au pôle postérieur d'un ovule fécondé comme cela est montré *à gauche*. Le plan de clivage est orienté pour assurer que seule la cellule fille postérieure reçoive les granules P lorsque l'œuf se divise, comme cela est montré *à droite*. Le même processus de ségrégation se répète dans les nombreuses divisions cellulaires ultérieures, de telle sorte que les granules P n'arrivent que dans les cellules qui donnent naissance aux ovules et aux spermatozoïdes. (Due à l'obligeance de Susan Strome.)

L'actine et la myosine II de l'anneau contractile génèrent des forces pour la cytocinèse

Comme les microtubules astériens anaphasiques augmentent leur durée de vie et deviennent moins dynamiques en réponse à la perte d'activité de la M-Cdk, l'**anneau contractile** commence à s'assembler en dessous de la membrane plasmique. Cependant, une grande partie de la préparation de la cytocinèse s'effectue plus tôt au cours de la mitose, avant que la division cytoplasmique ne se produise réellement. Dans les cellules en interphase, les filaments d'actine et de myosine sont assemblés en un réseau cortical et, dans certaines cellules, également en gros faisceaux cytoplasmiques appelés *fibres de stress* (*voir* Chapitre 16). Lorsque les cellules entrent en mitose, ces formations

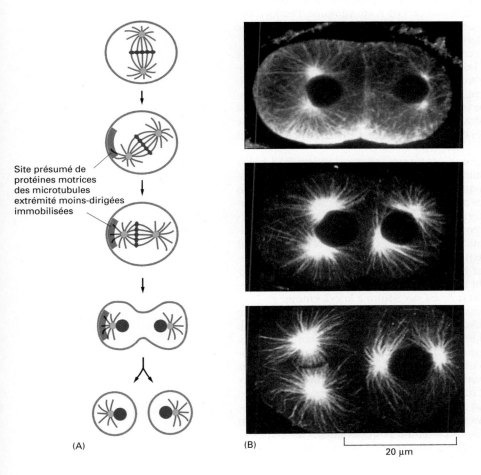

Site présumé de protéines motrices des microtubules extrémité moins-dirigées immobilisées

(A)

(B)

20 µm

Figure 18-33 Rotation du fuseau. (A) Un mécanisme possible sous-jacent à la rotation contrôlée du fuseau mitotique. La *barre rouge* représente une région spécialisée du cortex cellulaire vers lequel un pôle du fuseau est tiré par ses microtubules astériens. (B) Photographie en microscopie à fluorescence montrant une rotation, programmée avec précision, d'un fuseau mitotique dans un embryon de *C. elegans* au stade à deux cellules, qui se prépare au clivage pour former quatre cellules selon une disposition spécifique. Les microtubules sont colorés par un anticorps anti-tubuline. Le fuseau de la cellule *à droite* effectue une rotation de presque 90° dans le sens des aiguilles d'une montre, comme cela est représenté en (A). (B, due à l'obligeance de Tony Hyman et John White.)

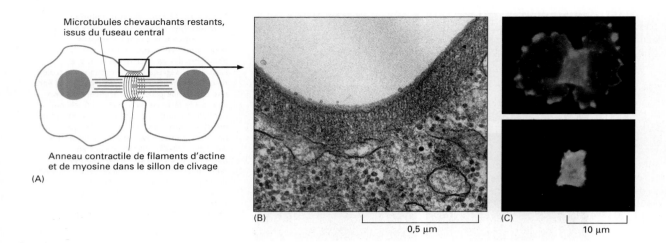

Microtubules chevauchants restants, issus du fuseau central

Anneau contractile de filaments d'actine et de myosine dans le sillon de clivage

(A)

(B)

0,5 μm

(C)

10 μm

se désassemblent; une grande partie de l'actine se réorganise et les filaments de myosine II sont libérés. Lorsque les chromatides se séparent à l'anaphase, la myosine II commence à s'accumuler dans l'anneau contractile qui s'assemble (Figure 18-34).

Dans beaucoup de cellules, la cytocinèse nécessite l'activation d'un ou de plusieurs membres d'une **famille de protéine-kinases de type polo**. Comme ces kinases régulent l'assemblage du fuseau mitotique et de l'anneau contractile, on pense qu'elles facilitent la coordination de la mitose et de la cytocinèse, mais on ne sait pas avec certitude par quels moyens. L'anneau contractile totalement assemblé contient de nombreuses protéines en plus de l'actine et de la myosine II. Cependant, la disposition par chevauchement des filaments d'actine et des filaments de myosine II bipolaires génère une force qui divise le cytoplasme en deux. On pense qu'ils se contractent par un mécanisme biochimiquement similaire à celui utilisé par les cellules des muscles lisses; dans les deux cas, par exemple, la contraction commence lorsque la Ca^{2+}-calmoduline active la kinase de la chaîne légère de la myosine pour phosphoryler la myosine II. Une fois que la contraction a été stimulée, l'anneau développe une force assez importante pour courber une fine aiguille de verre insérée sur le chemin de l'anneau en constriction.

On ne sait pas comment l'anneau contractile se resserre. Il ne semble pas s'agir d'un simple mécanisme de cordons de bourse, avec les filaments d'actine et de myosine II glissant les uns sur les autres comme dans les muscles squelettiques (*voir* Figure 16-71). Lorsque l'anneau se resserre, il garde la même épaisseur en coupe transversale, ce qui suggère que son volume total et le nombre de filaments qu'il contient diminuent régulièrement. De plus, contrairement aux muscles, les filaments d'actine de l'anneau sont hautement dynamiques et leur disposition se modifie extensivement pendant la cytocinèse.

Dans beaucoup de cellules, les microtubules ne servent pas simplement à spécifier le site d'assemblage de l'anneau contractile au début de l'anaphase, mais ils agissent aussi continuellement pendant l'anaphase et la télophase pour stabiliser le sillon de clivage qui avance. Par exemple, des substances qui dépolymérisent les microtubules provoquent la baisse d'organisation des filaments d'actine de l'anneau contractile. De plus, si on utilise une aiguille pour arracher les microtubules du cortex cellulaire, l'anneau contractile se désassemble et le sillon de clivage régresse. On ne sait pas comment les microtubules stabilisent l'anneau, mais on a montré que les microtubules en croissance pouvaient activer certains membres de la famille Rho de petites GTPases qui, à leur tour, stimulent la polymérisation de l'actine (*voir* Chapitre 16). Un des membres de cette famille, Rho A, est nécessaire à la cytocinèse.

L'anneau contractile finit par être tout à fait superflu à la fin du clivage, lorsque la membrane plasmique du sillon de clivage se rétrécit pour former le **corps central**. Celui-ci persiste et forme un lien entre les deux cellules filles. Il contient le reste du fuseau central, alors composé de deux jeux de microtubules chevauchants antiparallèles très serrés à l'intérieur d'une matrice dense (Figure 18-35). Remarquons que, dans certaines cellules, avant la fin de la cytocinèse, le centriole parental d'une ou des deux cellules filles se sépare de son centriole fils (*voir* Figure 18-5C) et migre dans le corps central où il s'attarde quelques minutes avant de retourner dans sa cellule fille. Ce n'est qu'alors que les deux cellules filles se séparent pour achever la cytocinèse. On ne sait pas ce que fait le centriole dans le corps central pour déclencher les étapes finales de la cytocinèse. Une fois que les cellules filles se sont complètement séparées,

Figure 18-34 L'anneau contractile.
(A) Schéma du sillon de clivage dans une cellule en division. (B) Photographie en microscopie électronique du bord en croissance d'un sillon de clivage dans une cellule animale en division. (C) Photographie en microscopie à fluorescence d'une amibe de vase colorée pour visualiser l'actine (*rouge*) et la myosine (*vert*). Alors que toute la myosine II visible s'est redistribuée dans l'anneau contractile, seule une partie de l'actine l'a fait; le reste se trouve dans le cortex des cellules filles naissantes. (B, d'après H.W. Beams et R.G. Kessel, *Am. Sci.* 64 : 279-290, 1976; C, due à l'obligeance de Yoshio Fukui.)

certains composants du corps central résiduel restent souvent à l'intérieur de la membrane plasmique de chaque cellule où ils peuvent servir de marqueur sur le cortex pour faciliter l'orientation du fuseau lors de la division cellulaire suivante.

Les organites entourés d'une membrane doivent être répartis dans les cellules filles pendant la cytocinèse

Le processus de mitose assure que chaque cellule fille reçoit un jeu complet de chromosomes. Mais lorsqu'une cellule eucaryote se divise, chaque cellule fille hérite aussi de tous les autres composants cellulaires essentiels, y compris les organites entourés d'une membrane. Comme nous l'avons vu au chapitre 12, certains organites, comme les mitochondries et les chloroplastes, ne peuvent pas s'assembler spontanément à partir de leurs composants individuels; ils ne peuvent se former que par croissance et division d'organites préexistants. De même, les cellules ne peuvent fabriquer un nouveau réticulum endoplasmique (RE) sauf si elles en possèdent déjà une partie.

Comment s'effectue donc la ségrégation des divers organites entourés d'une membrane lors de la division cellulaire? Les organites comme les mitochondries et les chloroplastes sont généralement présents en nombre suffisant pour pouvoir être transmis sans problèmes si, en moyenne, leur nombre double une fois par cycle. Le RE des cellules en interphase est continu avec la membrane nucléaire et est organisé par le cytosquelette de microtubules. Lors de l'entrée en phase M, la réorganisation des microtubules libère le RE, qui se fragmente lorsque l'enveloppe nucléaire se rompt. L'appareil de Golgi se fragmente probablement aussi, bien que dans certaines cellules, il semble se redistribuer transitoirement dans le RE, et émerger à nouveau uniquement à la télophase. Certains fragments de cet organite sont associés aux microtubules du fuseau via les protéines motrices, faisant ainsi de l'auto-stop pour atteindre les cellules filles lorsque le fuseau s'allonge à l'anaphase.

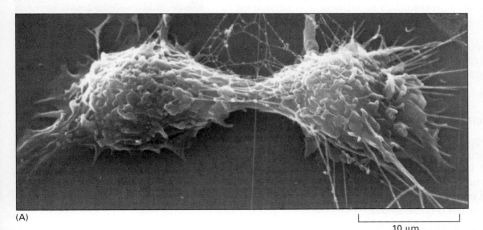

Figure 18-35 Le corps central.
(A) Photographie en microscopie électronique à balayage d'une cellule en culture pendant le processus de division; le corps central réunit encore les deux cellules filles. (B) Photographie en microscopie électronique conventionnelle du corps central d'une cellule animale en division. Le clivage est presque complet, mais les cellules filles restent attachées par cette fine bande de cytoplasme contenant le reste du fuseau central. *Voir aussi* l'image de la fin de la télophase de la figure 18-8. (A, due à l'obligeance de Guenter Albrecht-Buehler; B, due à l'obligeance de J.M. Mullins.)

(A)

10 µm

Région de microtubules chevauchants qui forment des interdigitations dans le corps central

Cellule A

Cellule B

Microtubules chevauchants restants du fuseau central

(B)

Matériel matriciel dense

Membrane plasmique

1 µm

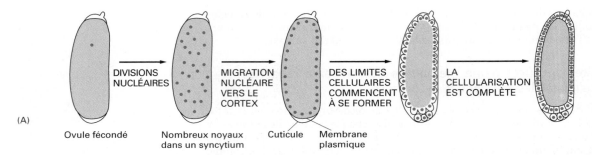

Ovule fécondé   Nombreux noyaux   Cuticule   Membrane
             dans un syncytium   plasmique

DIVISIONS NUCLÉAIRES → MIGRATION NUCLÉAIRE VERS LE CORTEX → DES LIMITES CELLULAIRES COMMENCENT À SE FORMER → LA CELLULARISATION EST COMPLÈTE

Figure 18-36 Mitose sans cytocinèse d'un embryon de *Drosophila*. (A) Les 13 premières divisions se produisent de façon synchrone, sans division cytoplasmique, et forment un important syncytium. La plupart des noyaux migrent alors vers le cortex et la membrane plasmique s'étend vers l'intérieur et se sépare par pincement pour entourer chaque noyau et former des cellules séparées selon un processus appelé cellularisation. (B) Photographie en microscopie à fluorescence de multiples fuseaux mitotiques métaphasiques dans un embryon de *Drosophila* avant la cellularisation. Les microtubules sont colorés en *vert* et les centrosomes en *rouge*. (B, due à l'obligeance de Kristina Yu et William Sullivan.)

(B)

10 µm

Une mitose peut se produire sans cytocinèse

Bien que la division nucléaire soit généralement suivie d'une division cytoplasmique, il existe des exceptions. Certaines cellules subissent de multiples cycles de division nucléaire non suivis de division cytoplasmique. Dans l'embryon de *Drosophila* aux premiers stades du développement, par exemple, les 13 premiers cycles de division nucléaire se produisent sans division cytoplasmique, ce qui résulte en la formation d'une cellule unique de grande taille contenant 6 000 noyaux disposés sur une mono-couche proche de la surface (Figure 18-36). Cette disposition accélère grandement le début du développement, car les cellules n'ont pas besoin de passer par toutes les étapes de la cytocinèse à chaque division. Après ces divisions nucléaires rapides, des cellules se forment autour de chaque noyau par le biais d'un cycle de cytocinèse co-ordonné appelé **cellularisation**. Des anneaux contractiles se forment à la surface de la cellule et la membrane plasmique s'étend vers l'intérieur et se sépare par pincement pour enfermer chaque noyau.

La division nucléaire sans cytocinèse se produit également dans certains types de cellules de mammifère. Les ostéoclastes, les trophoblastes et certains hépatocytes, ainsi que les cellules du muscle cardiaque, par exemple, deviennent multinucléés de cette manière.

Le phragmoplaste guide la cytocinèse dans les végétaux supérieurs

La plupart des cellules des végétaux supérieurs sont entourées d'une *paroi cellulaire* semi-rigide et le mécanisme de la cytocinèse est différent de celui que nous venons de décrire pour les cellules animales. À la place d'un anneau contractile qui divise le cytoplasme de l'extérieur vers l'intérieur, le cytoplasme de la cellule végétale se sépare de l'intérieur vers l'extérieur par l'édification d'une nouvelle paroi cellulaire, la **plaque cellulaire**, entre les deux noyaux fils (Figure 18-37).

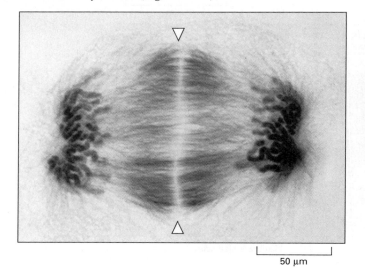

50 µm

Figure 18-37 Cytocinèse dans une cellule végétale en télophase. Sur cette microphotographie, la plaque cellulaire précoce (entre les *deux têtes de flèches*) se forme dans un plan perpendiculaire au plan de la page. Les microtubules du fuseau sont colorés par des anticorps anti-tubuline marqués à l'or, tandis que l'ADN dans les deux jeux de chromosomes fils est coloré par un colorant fluorescent. Notez qu'il n'y a pas de microtubules astériens parce qu'il n'y a pas de centrosomes dans les cellules des végétaux supérieurs. (Due à l'obligeance d'Andrew Bajer.)

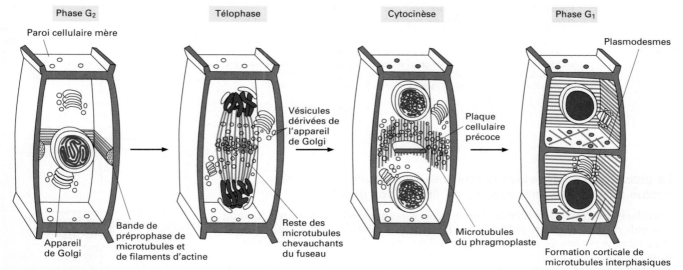

| Phase G₂ | Télophase | Cytocinèse | Phase G₁ |

Phase G₂ — Paroi cellulaire mère · Appareil de Golgi · Bande de préprophase de microtubules et de filaments d'actine

Télophase — Vésicules dérivées de l'appareil de Golgi · Reste des microtubules chevauchants du fuseau

Cytocinèse — Plaque cellulaire précoce · Microtubules du phragmoplaste

Phase G₁ — Plasmodesmes · Formation corticale de microtubules interphasiques

À un certain moment de la phase G₂, les microtubules corticaux et les filaments d'actine se replacent pour former une bande qui encercle la cellule, juste en dessous de la membrane plasmique. Cette bande de préprophase se rétrécit graduellement et prédit exactement où la nouvelle paroi cellulaire rejoindra la paroi cellulaire parentale lorsque la cellule se divisera.

Le phragmoplaste est formé par le fuseau de microtubules chevauchants lors de la télophase. Les vésicules dérivées du Golgi transportant des précurseurs de la paroi cellulaire s'associent aux microtubules accumulés dans la région équatoriale et fusionnent pour former une plaque cellulaire précoce.

Les microtubules du phragmoplaste se reforment à la périphérie de la plaque cellulaire précoce. De nouvelles vésicules dérivées du Golgi sont recrutées dans cette région, fusionnent avec les bords de la plaque cellulaire et l'étendent vers l'extérieur.

La membrane de la plaque cellulaire en extension fusionne avec la membrane plasmique de la cellule mère finissant la nouvelle paroi cellulaire. La formation corticale des microtubules interphasiques est rétablie dans chacune des deux cellules filles.

L'orientation de la plaque cellulaire détermine la position des deux cellules filles relativement aux cellules voisines. Il s'ensuit que la modification des plans de division cellulaire, associée à l'augmentation de taille des cellules par leur expansion ou leur croissance, conduit à des formes tissulaires et cellulaires différentes qui facilitent la détermination de la forme du végétal.

Le fuseau mitotique en lui-même ne suffit pas à déterminer la position exacte et l'orientation de la plaque cellulaire. Le premier signe qu'une cellule d'un végétal supérieur est entrée en division dans un plan particulier s'observe pendant la phase G₂, lorsque la formation corticale des microtubules disparaît pour se préparer à la mitose. À ce moment, une bande circonférentielle de microtubules et de filaments d'actine forme un anneau, tout autour de la cellule, juste en dessous de la membrane plasmique. Cette formation du cytosquelette apparaît avant le début de la prophase, et est appelée **bande de préprophase**. Celle-ci s'affine lorsque la cellule évolue vers la prophase puis disparaît complètement avant que la métaphase soit atteinte. Cependant, le plan de division a été d'une certaine façon établi : lorsque la nouvelle plaque cellulaire se forme ultérieurement, pendant la cytocinèse, elle se développe vers l'extérieur pour fusionner avec la paroi parentale précisément au niveau de la zone occupée auparavant par la bande de préprophase. Même si le contenu cellulaire est déplacé par centrifugation après la disparition de la bande de préprophase, la plaque cellulaire en croissance a tendance à retrouver son chemin vers le plan défini antérieurement par la bande de préprophase.

L'assemblage de la plaque cellulaire commence à la fin de l'anaphase, guidé par une structure, le **phragmoplaste**, qui contient les microtubules chevauchants restant du fuseau mitotique qui forment des interdigitations au niveau de leur extrémité plus en croissance. Cette région de chevauchement a une structure similaire au fuseau central des cellules animales à la fin de l'anaphase. De petites vésicules, largement dérivées de l'appareil de Golgi et remplies de polysaccharides et de glycoprotéines nécessaires à la synthèse de la nouvelle matrice de la paroi cellulaire, sont transportées le long des microtubules vers l'équateur du phragmoplaste, apparemment par l'action de protéines motrices microtubules-dépendantes. À cet endroit, les vésicules fusionnent pour former une structure discoïde entourée d'une membrane, la *plaque cellulaire précoce* (*voir* Figure 18-9G). Cette plaque s'étend vers l'extérieur par la poursuite de la fusion de vésicules jusqu'à ce qu'elle atteigne la membrane plasmique et la paroi cellulaire originelle et divise la cellule en deux. Ensuite, des microfibrilles de cellulose sont déposées à l'intérieur de la matrice de la plaque cellulaire pour finir d'édifier la nouvelle paroi cellulaire (Figure 18-38).

Figure 18-38 Caractéristiques spécifiques de la cytocinèse des végétaux supérieurs. Le plan de division est établi avant la phase M par une bande de microtubules et de filaments d'actine (la bande de préprophase) au niveau du cortex cellulaire. Au début de la télophase, une fois que les chromosomes ont subi la ségrégation, une nouvelle paroi cellulaire commence à s'assembler à l'intérieur de la cellule à l'équateur de l'ancien fuseau. Les microtubules polaires du fuseau mitotique restant à la télophase forment le phragmoplaste et guident les vésicules issues de l'appareil de Golgi vers le centre du fuseau. Les vésicules sont remplies de matériel pour la paroi cellulaire et fusionnent pour former la nouvelle paroi cellulaire en croissance, qui croît vers l'extérieur pour atteindre la membrane plasmique et la paroi cellulaire originelle sur le site déterminé plus tôt par la bande de préprophase. La membrane plasmique et la membrane qui entoure la nouvelle paroi cellulaire fusionnent et séparent complètement les cellules filles.

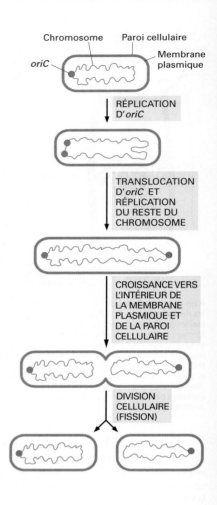

Figure 18-39 Division cellulaire dans une bactérie, *E. coli*. L'unique chromosome circulaire contient une origine de réplication appelée *oriC*. Avant la division, le chromosome est polarisé, de telle sorte qu'*oriC* se trouve à un pôle de la bactérie. Dès que la séquence *oriC* est copiée, une des copies est activement transloquée vers l'autre pôle, avant que le reste du chromosome ne soit répliqué. La croissance cellulaire se produit continuellement et lorsque la cellule atteint une taille appropriée, la membrane plasmique et la paroi cellulaire croissent vers l'intérieur pour diviser la cellule en deux, exactement entre les deux chromosomes fils.

La phase M complexe des organismes supérieurs a peu à peu évolué à partir des mécanismes de fission des procaryotes

Les cellules procaryotes se divisent par un processus appelé **fission binaire**. L'unique molécule d'ADN circulaire se réplique et la division se produit par l'invagination de la membrane plasmique et la mise en place d'une nouvelle paroi cellulaire entre les deux chromosomes pour produire deux cellules filles séparées. Chez *E. coli*, avant la réplication du chromosome, l'unique origine de réplication (*oriC*) est localisée à un pôle de la bactérie en forme de bâtonnet. Dès qu'*oriC* est répliquée, une copie de cette séquence est immédiatement transloquée vers le pôle opposé de la cellule, puis le reste du chromosome se réplique. Comme les deux asters des pôles du fuseau des cellules animales, les chromosomes fils bactériens situés aux pôles cellulaires déterminent, d'une quelconque manière, la localisation du plan de division cellulaire, assurant que la fission s'effectue à l'équateur de la cellule pour que chaque cellule fille hérite d'un chromosome (Figure 18-39). Même si un certain nombre de gènes et de protéines impliqués ont été identifiés, on ne connaît pas les mécanismes responsables de la translocation active d'*oriC* et de l'inhibition de la fission dans les parties non équatoriales.

La fission binaire des procaryotes dépend de filaments constitués de **protéines FtsZ**. FtsZ est une GTPase du cytosquelette, structurellement apparentée à la tubuline, qui s'assemble en un anneau à l'équateur de la cellule (Figure 18-40A, et *voir* Figure 16-17). Les filaments FtsZ sont essentiels au recrutement de toutes les autres protéines de la division cellulaire sur le site de division. Ensemble, ces protéines guident la croissance vers l'intérieur de la paroi et de la membrane cellulaire, et conduisent à la formation d'un septum qui divise la cellule en deux. Les bactéries chez lesquelles on inactive le gène *ftsZ* par mutation ne peuvent se diviser. Les chloroplastes des cellules végétales (Figure 18-40B) et les mitochondries des protistes utilisent également un mécanisme fondé sur FtsZ pour se diviser. Chez les champignons et les cellules animales, une autre GTPase qui s'auto-assemble, la *dynamine* (*voir* Chapitre 13), a apparemment pris la fonction de FtsZ pour la division des mitochondries.

Avec l'évolution des eucaryotes, le génome augmente en complexité et les chromosomes augmentent à la fois en nombre et en taille. Pour ces organismes, un mécanisme plus complexe de division des chromosomes entre les cellules filles a été apparemment nécessaire. En clair, l'appareil mitotique n'aurait pas pu évoluer totalement en une seule fois. Dans beaucoup d'eucaryotes primitifs, comme le dinoflagellé *Cryphthecodinium cohnii*, la mitose dépend d'un mécanisme d'attachement sur la membrane au cours duquel les chromosomes doivent se fixer sur la membrane nucléaire interne pour leur ségrégation. Le statut intermédiaire de cette grosse algue monocellulaire se reflète par la composition de ses chromosomes, qui, comme ceux des procaryotes ont relativement peu de protéines associées. La membrane nucléaire de *C. cohnii* reste intacte pendant toute la mitose et les microtubules du fuseau res-

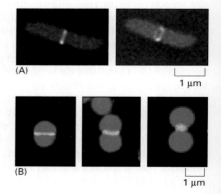

Figure 18-40 La protéine FtsZ. (A) Photographie en microscopie à fluorescence montrant la localisation de la protéine FtsZ pendant la fission binaire chez *E. coli*. La protéine s'assemble en un anneau au centre de la cellule où elle facilite l'orchestration de la division cellulaire. Les bactéries ont été ici génétiquement manipulées pour produire une forme fluorescente de la protéine (FtsZ fusionnée à la protéine de fluorescence verte). (B) Les chloroplastes en division (en *rouge*) issus d'une algue rouge utilisent aussi un anneau de protéines FtsZ (en *vert*) pour leur clivage. (A, d'après X. Ma, D.W. Ehrhardt et W. Margolin, *Proc. Natl. Acad. Sci. USA* 93 : 12999-13003, 1996. © National Academy of Sciences ; B, d'après S. Miyagishima et al., *Plant Cell* 13 : 2257-2268, 2001. © American Society of Plant Biologists.)

tent totalement à l'extérieur du noyau. Aux endroits où les microtubules du fuseau appuient à l'extérieur de l'enveloppe nucléaire, l'enveloppe s'indente pour former une série de canaux parallèles (Figure 18-41). Les chromosomes s'attachent sur la membrane interne de l'enveloppe nucléaire opposée à ces canaux et la ségrégation des chromosomes se produit du côté intérieur de cette membrane nucléaire canali-

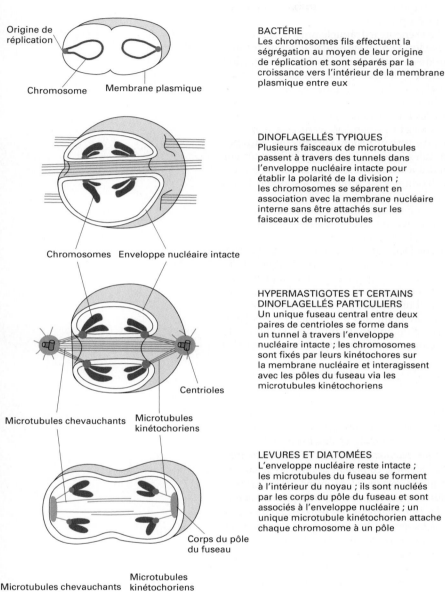

BACTÉRIE
Les chromosomes fils effectuent la ségrégation au moyen de leur origine de réplication et sont séparés par la croissance vers l'intérieur de la membrane plasmique entre eux

DINOFLAGELLÉS TYPIQUES
Plusieurs faisceaux de microtubules passent à travers des tunnels dans l'enveloppe nucléaire intacte pour établir la polarité de la division ; les chromosomes se séparent en association avec la membrane nucléaire interne sans être attachés sur les faisceaux de microtubules

HYPERMASTIGOTES ET CERTAINS DINOFLAGELLÉS PARTICULIERS
Un unique fuseau central entre deux paires de centrioles se forme dans un tunnel à travers l'enveloppe nucléaire intacte ; les chromosomes sont fixés par leurs kinétochores sur la membrane nucléaire et interagissent avec les pôles du fuseau via les microtubules kinétochoriens

LEVURES ET DIATOMÉES
L'enveloppe nucléaire reste intacte ; les microtubules du fuseau se forment à l'intérieur du noyau ; ils sont nucléés par les corps du pôle du fuseau et sont associés à l'enveloppe nucléaire ; un unique microtubule kinétochorien attache chaque chromosome à un pôle

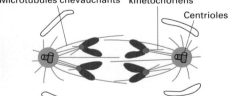

ANIMAUX
Le fuseau commence à se former à l'extérieur du noyau ; à la prométaphase, l'enveloppe nucléaire se rompt pour permettre aux chromosomes de capturer les microtubules du fuseau qui deviennent alors les microtubules kinétochoriens

Figure 18-41 L'utilisation de différents mécanismes de séparation des chromosomes par différents organismes. Certains d'entre eux ont été des étapes intermédiaires dans l'évolution du fuseau mitotique des organismes supérieurs. Pour tous les exemples excepté les bactéries, seule la région centrale nucléaire de la cellule est montrée.

sée. Le « fuseau » extranucléaire sert ainsi à ordonner la membrane nucléaire et à définir le plan de la division. Les kinétochores dans ces espèces semblent être intégrés dans la membrane nucléaire et peuvent ainsi avoir évolué à partir de certains composants membranaires.

La tubuline des eucaryotes et FtsZ des procaryotes ont clairement en commun un historique évolutif. Mais les microtubules sont importants pour la ségrégation chromosomique même chez les eucaryotes les plus primitifs où ils sont aussi présents dans les axonèmes des flagelles (*voir* Chapitre 16). On ne sait pas clairement qui, du flagelle ou du fuseau, s'est développé en premier.

Un fuseau quelque peu plus avancé quoique encore extranucléaire s'observe chez les *hypermastigotes*, qui gardent aussi une enveloppe nucléaire intacte pendant toute la mitose. Ces gros protozoaires de l'intestin des insectes fournissent une illustration particulièrement claire de l'indépendance entre l'élongation du fuseau et les mouvements chromosomiques qui séparent les chromatides. Les kinétochores frères se séparent par la croissance de la membrane nucléaire (sur laquelle ils sont fixés) avant de se fixer sur le fuseau. Ce n'est que lorsque les kinétochores sont proches des pôles du fuseau qu'ils acquièrent les microtubules kinétochoriens nécessaires à leur fixation sur le fuseau. Comme les microtubules du fuseau restent séparés des chromosomes par l'enveloppe nucléaire, les microtubules kinétochoriens formés à l'extérieur du noyau doivent s'attacher d'une façon ou d'une autre sur le chromosome à travers la membrane nucléaire. Une fois que cette fixation s'est produite, les kinétochores sont tirés vers les pôles selon le mode conventionnel (*voir* Figure 18-41).

Les organismes qui forment des fuseaux à l'intérieur d'un noyau intact peuvent représenter l'étape suivante de l'évolution des mécanismes mitotiques. Chez les levures et les diatomées, le fuseau est fixé sur les chromosomes par les kinétochores et les chromosomes subissent la ségrégation d'une façon grossièrement similaire à celle décrite pour les cellules animales – sauf que tout le processus se produit généralement confiné à l'intérieur de l'enveloppe nucléaire (*voir* Figure 18-41). On pense que la mitose « ouverte » des organismes supérieurs et la mitose « fermée » des levures et des diatomées ont évolué séparément à partir d'un ancêtre commun ressemblant au fuseau des hypermastigotes modernes. Actuellement, il n'existe pas d'explication convaincante du pourquoi du développement d'un appareil mitotique qui nécessite la dissolution réversible et contrôlée de l'enveloppe nucléaire chez les végétaux et les animaux supérieurs.

Résumé

La division cellulaire se termine lorsque le cytoplasme se divise en deux par le processus de cytocinèse. Sauf dans le cas des végétaux, la cytocinèse des cellules eucaryotes passe par un anneau contractile composé de filaments d'actine et de myosine et de diverses autres protéines. Par un mécanisme inconnu, le fuseau mitotique détermine quand et où l'anneau contractile s'assemble et également quand et où la cellule se divise. La plupart des cellules se divisent symétriquement pour produire deux cellules, de même contenu et de même taille. Certaines cellules, cependant, placent spécifiquement leur fuseau pour se diviser asymétriquement et produire deux cellules filles qui diffèrent par leur taille, leur contenu ou les deux. La cytocinèse se produit par un mécanisme spécifique dans les cellules des végétaux supérieurs – au cours duquel le cytoplasme est séparé par la construction d'une nouvelle paroi cellulaire, la plaque cellulaire, à l'intérieur de la cellule. La position de la plaque cellulaire est déterminée par la position d'une bande de préprophase composée de microtubules et de filaments d'actine. L'organisation de la mitose chez les champignons et certains protozoaires diffère de celle des animaux et des végétaux, ce qui suggère le mode d'évolution du processus complexe de la division des cellules eucaryotes.

Bibliographie

Généralités

Hyams JS & Brinkely BR (eds) (1989) Mitosis: Molecules and Mechanisms. San Diego: Academic Press.

Wilson EB (1987) The Cell in Development and Heredity, 3rd edn. New York: Garland.

Vue générale de la phase M

Hinchcliffe EH & Sluder G (2001) "It takes two to tango": understanding how centrosome duplication is regulated throughout the cell cycle. Genes Dev. 15, 1167–1181.

Hirano T (2000) Chromosome cohesion, condensation, and separation. Annu. Rev. Biochem. 69, 115–144.

Hyman AA (2000) Centrosomes: Sic transit gloria centri. Curr Biol. 10, R276–R278.

Losada A & Hirano T (2001) Shaping the metaphase chromosome: coordination of cohesion and condensation. Bioessays 23, 924–935.

Mitchison TJ & Salmon ED (2001) Mitosis: a history of division. Nature Cell Biol. 3, E28–E34.

Morgan DO (1997) Cyclin-dependent kinases: engines, clocks, and microprocessors. Annu. Rev. Cell Dev. Biol. 13, 261–291.

Moritz M & Agard DA (2001) Gamma-tubulin complexes and microtubule nucleation. Curr. Opin. Struct. Biol. 11, 174–181.

Oakley BR (2000) Gamma-tubulin. Curr. Top. Dev. Biol. 49, 27–54.

Pines J & Rieder CL (2001) Re-staging mitosis: a contemporary view of mitotic progression. Nat. Cell Biol. 3, E3–E6.

Raff JW (2001) Centrosomes: Central no more? Curr Biol. 6, 11, R159–R161.

Rieder CL, Faruki S & Khodjakov A (2001) The centrosome in vertebrates: more than a microtubule-organizing center. Trends Cell Biol. 11, 413–419.

Sadler KC & do Carmo Avides M (2000) Orchestrating cell division. Trends Cell Biol. 10, 447–450.

Stearns T (2001) Centrosome duplication: a centriolar pas de deux. Cell 105, 417–420.

Mitose

Amon Á (1999) The spindle assembly checkpoint. Curr. Opin. Genet. Dev. 9, 69–75.

Belmont LD, Hyman AA, Sawin KE & Mitchison TJ (1990) Real-time visualization of cell cycle-dependent changes in microtubule dynamics in cytoplasmic extracts. Cell 62, 579–589.

Brunet S & Vernos I (2001) Chromosome motors on the move: From motion to spindle checkpoint activity. EMBO Rep. 2, 669–673.

Cande WZ & Hogan CJ (1989) The mechanism of anaphase spindle elongation. Bioessays 11, 5–9.

Compton DA (2000) Spindle assembly in animal cells. Annu. Rev. Biochem. 69, 95–114.

Desai A & Mitchison TJ (1997) Microtubule polymerization dynamics. Annu. Rev. Cell Dev. Biol. 13, 83–117.

Desai A, Maddox PS, Mitchison TJ & Salmon ED (1998) Anaphase A chromosome movement and poleward spindle microtubule flux occur at similar rates in Xenopus extract spindles. J. Cell Biol. 141, 703–713.

Desai A, Verma S, Mitchison TJ & Walczak CE (1999) KinI kinesins are microtubule-destabilizing enzymes. Cell 96, 69–78.

Heald R, Tournebize R, Blank T et al. (1996) Self-organization of microtubules into bipolar spindles around artificial chromosomes in Xenopus egg extracts. Nature 382, 420–425.

Hoyt MA (2000) Exit from mitosis: spindle pole power. Cell 102, 267–270.

Hunter AW & Wordeman L (2000) How motor proteins influence microtubule polymerization dynamics. J Cell Sci. 24, 4379–4389.

Hyman AA & Karsenti E (1996) Morphogenetic properties of microtubules and mitotic spindle assembly. Cell 84, 401–410.

Mitchison TJ (1989) Polewards microtubule flux in the mitotic spindle: evidence from photoactivation of fluorescence. J. Cell Biol. 109, 637–652.

Mitchison TJ & Kirschner MW (1984) Dynamic instability of microtubule growth. Nature 312, 237–242.

Mitchison T, Evans L, Schulze E & Kirschner M (1986) Sites of microtubule assembly and disassembly in the mitotic spindle. Cell 45, 515–527.

Nasmyth K, Peters JM & Uhlmann F (2000) Splitting the chromosome: cutting the ties that bind sister chromatids. Science 288, 1379–1385.

Nislow C, Lombillo VA, Kuriyama R & McIntosh JR (1992) A plus-end-directed motor enzyme that moves antiparallel microtubules in vitro localizes to the interzone of mitotic spindles. Nature 359, 543–547.

Pines J & Rieder CL (2001) Re-staging mitosis: a contemporary view of mitotic progression. Nat Cell Biol. 3, E3–E6.

Rieder CL & Salmon ED (1994) Motile kinetochores and polar ejection forces dictate chromosome position on the vertebrate mitotic spindle. J. Cell Biol. 124, 223–233.

Rieder CL & Salmon ED (1998) The vertebrate cell kinetochore and its roles during mitosis. Trends Cell Biol. 8, 310–318.

Rudner AD & Murray AW (1996) The spindle assembly checkpoint. Curr. Opin. Cell Biol. 8, 773–780.

Saunders WS, Lengyel B & Hoyt MA (1997) Mitotic spindle function in Saccharomyces cerevisiae requires a balance between different types of kinesin-related motors. Mol. Biol. Cell 8, 1025–1033.

Sharp DJ, Rogers GC & Scholey JM (2000) Microtubule motors in mitosis. Nature 407, 41–47.

Tournebize R, Popov A, Kinoshita K, Ashford AJ, Fybina S, Pozniakovsky A, Mayer TU, Walczak CE, Karsenti E, Hyman AA (2000) Control of microtubule dynamics by the antagonistic activities of XMAP215 and XKCM1 in Xenopus egg extracts. Nat. Cell Biol. 2, 13–19.

Walczak CE, Mitchison TJ & Desai A (1996) XKCM1: A Xenopus kinesin-related protein that regulates microtubule dynamics during mitotic spindle assembly. Cell 84, 37–47.

Waterman-Storer CM, Desai A, Bulinski JG & Salmon ED (1998) Fluorescent speckle microscopy, a method to visualize the dynamics of protein assemblies in living cells. Curr. Biol. 8, 1227–1230.

Wittmann T, Hyman A & Desai A (2001) The mitotic spindle: a dynamic assembly of microtubules and motors. Nature Cell Biol. 3, E28–E34.

Zhang D & Nicklas RB (1995) The impact of chromosomes and centrosomes on spindle assembly as observed in living cells. J. Cell Biol. 129, 1287–1300.

Cytocinèse

Conrad GW & Schroeder TE (eds) (1990) Cytokinesis: Mechanisms of Furrow Formation During Cell Division. Ann. NY. Acad. Sci., vol. 582. New York: Academy of Sciences.

Field D, Li R & Oegema K (1999) Cytokinesis in eukaryotes: a mechanistic comparison. Curr. Opin. Cell Biol. 11, 68–80.

Glotzer M (1997) The mechanism and control of cytokinesis. Curr. Opin. Cell Biol. 9, 815–823.

Harry EJ (2001) Bacterial cell division: regulating Z-ring formation. Mol. Microbiol. 40, 795–803.

Heese M, Mayer U & Jurgens G (1998) Cytokinesis in flowering plants: cellular process and developmental integration. Curr. Opin. Plant Biol. 1, 486–491.

Horvitz HR & Herskowitz I (1992) Mechanisms of asymmetric cell division: two Bs or not two Bs, that is the question. Cell 68, 237–255.

Jacobs C & Shapiro L (1999) Bacterial cell division: a moveable feast. Proc. Natl. Acad. Sci. USA 96, 5891–5893.

Knoblich JA (2001) Asymmetric cell division during animal development. Nat. Rev. Mol. Cell Biol. 2, 11–20.

Lecuit T & Wieschaus E (2000) Polarized insertion of new membrane from a cytoplasmic reservoir during cleavage of the Drosophila embryo. J. Cell Biol. 150, 849–860.

Margolin W (2000) Themes and variations in prokaryotic cell division. FEMS Microbiol. Rev. 24, 531–548.

Nanninga N (2001) Cytokinesis in prokaryotes and eukaryotes: common principles and different solutions. Microbiol. Mol. Biol. Rev. 65, 319–333.

Rappaport R (1996) Cytokinesis in Animal Cells. Cambridge, New York: Cambridge University Press.

Robinson DN & Spudich JA (2000) Towards a molecular understanding of cytokinesis. Trends Cell Biol. 10, 228–237.

Segal M & Bloom K (2001) Control of spindle polarity and orientation in *Saccharomyces cerevisiae. Trends Cell Biol.* 11, 160–166.

Sharpe ME (1999) Upheaval in the bacterial nucleoid: an active chromosome segregation mechanism. *Trends Genet.* 15, 70–74.

Shima DT, Cabrera-Poch N, Pepperkok R & Warren G (1998) An ordered inheritance strategy for the Golgi apparatus: visualization of mitotic disassembly reveals a role for the mitotic spindle. *J. Cell Biol.* 141, 955–966.

Smith L (1999) Divide and conquer: cytokinesis in plant cells. *Curr. Opin. Plant Biol.* 2, 447–453.

Sylvester AW (2000) Division decisions and the spatial regulation of cytokinesis. *Curr. Opin. Plant Biol.* 3, 58–66.

Wolf WA, Chew TL & Chisholm RL (1999) Regulation of cytokinesis. *Cell Mol. Life Sci.* 55, 108–120.

LES CELLULES DANS LEUR CONTEXTE SOCIAL

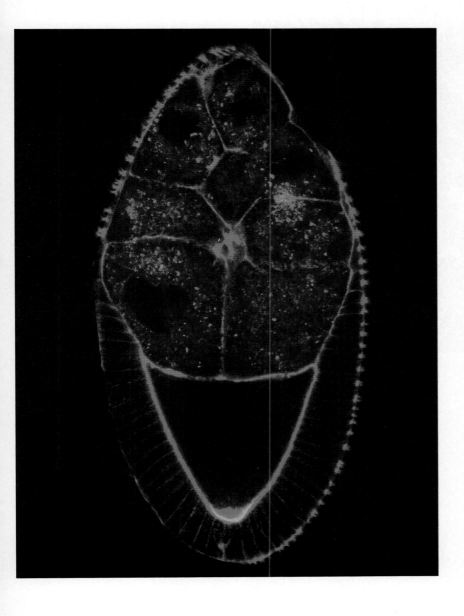

Les organismes multicellulaires commencent leur vie sous la forme d'un ovule fécondé (œuf). La configuration des cellules qui composent la chambre à œufs d'une mouche, *Drosophila*, est révélée par l'actine (colorée en *rouge*) sous-jacente à leur membrane plasmique. La grosse cellule du bas est l'œuf, qui contient la protéine Staufen (en *vert*), localisée de façon asymétrique. Autour de l'œuf se trouve une bande de cellules folliculaires et au-dessus un groupe de grosses cellules nourricières. (Due à l'obligeance de Daniel St Johnston.)

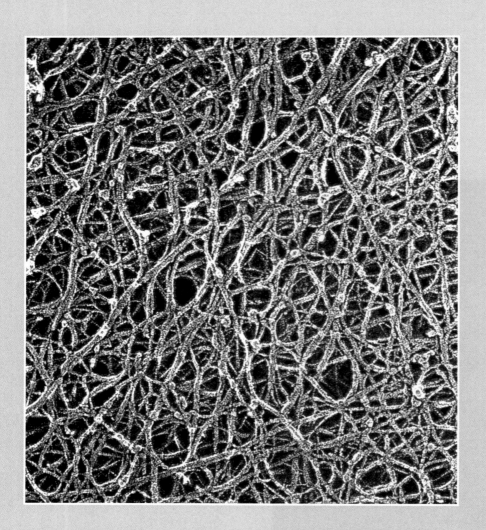

La paroi d'une cellule végétale.
La matrice extracellulaire des végétaux et des animaux est composée de fibres résistantes encastrées dans une matrice ressemblant à de la gelée. La paroi cellulaire d'un oignon a été extraite et révèle le réseau sous-jacent de fibres de cellulose résistantes qui supporte les charges. Cette structure est reprise dans la fabrication du papier. (Due à l'obligeance de Maureen McCann.)

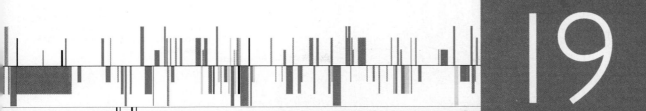

JONCTIONS CELLULAIRES, ADHÉSION CELLULAIRE ET MATRICE EXTRACELLULAIRE

Dans ce chapitre, nous verrons ce qui maintient ensemble les cellules dans un organisme multicellulaire. Les cellules sont de petits objets, déformables et souvent mobiles, remplis d'un milieu aqueux et entourés d'une membrane plasmique peu solide ; cependant, elles peuvent s'associer par millions pour former une structure aussi massive, aussi résistante et aussi strictement ordonnée qu'un cheval ou un arbre. Nous devons donc expliquer ce qui donne leur résistance à ces assemblages multicellulaires et ce qui maintient les cellules à leur bonne place.

Les végétaux et les animaux utilisent différents processus pour s'édifier et chaque type d'organisme est formé de nombreux types de *tissus*, dans lesquels les cellules sont assemblées et reliées différemment. Chez les animaux comme chez les végétaux, cependant, la *matrice extracellulaire* joue un rôle essentiel dans la plupart des tissus. Ce réseau complexe de macromolécules extracellulaires secrétées a de nombreuses fonctions, mais par-dessus tout, il forme un réseau de soutien. Il facilite la cohésion des cellules et des tissus et, chez les animaux, il fournit un environnement organisé à l'intérieur duquel les cellules en migration peuvent se déplacer et interagir les unes avec les autres de façon ordonnée. La matrice extracellulaire cependant n'explique que la moitié du problème. En particulier chez les animaux, les cellules de la plupart des tissus sont directement reliées les unes aux autres par des *jonctions cellule-cellule (intercellulaires)*. Il en existe plusieurs types, qui, en plus de la fixation mécanique, ont de nombreux autres rôles ; sans elles, notre corps se désintégrerait.

Chez les vertébrés, les principaux types tissulaires sont les nerfs, les muscles, le sang et les tissus lymphoïdes, épithéliaux et conjonctifs. Les tissus conjonctifs et épithéliaux représentent deux extrêmes du point de vue de l'organisation (Figure 19-1). Dans les **tissus conjonctifs**, la matrice extracellulaire est abondante et les cellules y sont éparpillées. La matrice est riche en polymères fibreux, en particulier en *collagène* et c'est elle – plutôt que les cellules – qui supporte la majeure partie de la tension mécanique à laquelle les tissus sont soumis. L'attachement direct d'une cellule à une autre est relativement rare.

Dans les **tissus épithéliaux**, au contraire, les cellules sont solidement reliées en feuillets, les **épithéliums**. La matrice extracellulaire est éparse, formée surtout d'un fin tapis, la *lame basale*, sous-jacent à l'épithélium. Les cellules sont fixées les unes aux autres par des adhésions intercellulaires qui supportent la plus grande part de la tension mécanique. Pour ce faire, des filaments protéiques intracellulaires résistants (composants du cytosquelette) traversent le cytoplasme de chaque cellule épithéliale et s'attachent sur des jonctions spécialisées de la membrane plasmique. Ces jonctions, à leur tour, attachent les surfaces des cellules adjacentes les unes aux autres ou à la lame basale sous-jacente.

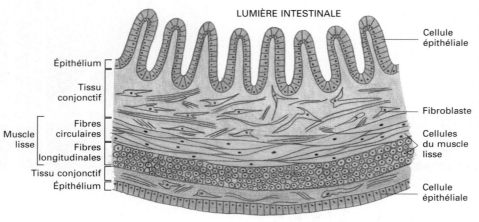

Figure 19-1 Vue d'une coupe transversale d'une partie de la paroi intestinale.
Cet organe, long et tubulaire, est édifié à partir de tissu épithélial (*rouge*), de tissu conjonctif (*vert*) et de tissu musculaire (*jaune*). Chaque tissu est un assemblage organisé de cellules maintenues ensemble par des adhésions intercellulaires, une matrice extracellulaire ou les deux.

Des feuillets de cellules épithéliales tapissent toutes les cavités et les surfaces libres du corps. Les jonctions spécialisées entre les cellules permettent aux épithéliums de former des barrières qui inhibent le passage de l'eau, des solutés et des cellules d'un compartiment de l'organisme à un autre. Comme cela est illustré dans la figure 19-1, les épithéliums reposent presque toujours sur un lit de soutien composé de tissu conjonctif. Ce lit de soutien peut, à son tour, les attacher sur d'autres tissus, comme dans le cas du muscle, montré sur la figure. De cette façon, les tissus sont réunis selon diverses combinaisons et forment des unités fonctionnelles plus grosses, les *organes*.

Dans ce chapitre, nous verrons d'abord la structure et la fonction des jonctions spécifiques cellule-cellule et cellule-matrice, collectivement appelées *jonctions cellulaires*. Puis nous verrons comment les cellules animales se reconnaissent et se fixent les unes sur les autres lorsqu'elles se déplacent et s'assemblent en tissus et organes – un processus appelé *adhésion cellulaire*. Nous parlerons ensuite de la structure et de l'organisation de la matrice extracellulaire chez les animaux ainsi que des principaux récepteurs cellulaires de surface que les cellules animales utilisent pour se fixer sur la matrice. Enfin nous nous intéresserons à la matrice extracellulaire spécifique qui entoure chaque cellule d'un végétal – la paroi cellulaire végétale.

JONCTIONS CELLULAIRES

Dans tous les tissus, des **jonctions cellulaires** spécialisées se forment au niveau de points de contact cellule-cellule ou cellule-matrice, et sont particulièrement nombreuses dans les épithéliums. La meilleure façon de les visualiser consiste à utiliser la microscopie électronique conventionnelle ou après cryofracture (*voir* Chapitre 9) qui révèle que les membranes plasmiques interagissant (et souvent aussi le cytoplasme sous-jacent et l'espace intercellulaire intermédiaire) sont hautement spécialisées dans ces régions.

On peut classer les jonctions cellulaires en trois groupes fonctionnels :
1. Les **jonctions occlusives** scellent les cellules en un épithélium de manière à empêcher le passage d'une molécule, même petite, d'un côté d'un feuillet à l'autre.
2. Les **jonctions d'ancrage** attachent mécaniquement les cellules (et leur cytosquelette) à leurs voisines ou à la matrice extracellulaire.
3. Les **jonctions communicantes** permettent le passage de substances chimiques ou de signaux électriques entre une cellule et son partenaire.

Les principaux types de jonctions intercellulaires de chaque groupe sont présentés dans le tableau 9-I. Nous les verrons chacun, tour à tour, sauf les synapses chimiques qui se forment exclusivement dans les cellules nerveuses et ont été traitées aux chapitres 11 et 15.

Les jonctions occlusives forment une barrière sélectivement perméable entre les feuillets cellulaires épithéliaux

Tous les épithéliums ont au moins une fonction importante en commun : ils forment une barrière sélectivement perméable qui sépare de part et d'autre les liquides de composition chimique différente. Cette fonction nécessite le scellement des cellules adjacentes par des jonctions occlusives. Les **jonctions serrées** jouent ce rôle de barrière chez les vertébrés comme nous le montrerons en étudiant l'épithélium de l'intestin grêle des mammifères.

Les cellules épithéliales qui tapissent l'intestin grêle forment une barrière qui maintient le contenu intestinal dans la cavité intestinale ou *lumière*. Cependant, les cellules doivent en même temps transporter certains nutriments au travers de cet épithélium, et les faire passer de la lumière au liquide extracellulaire qui infiltre le tissu conjonctif de l'autre côté (*voir* Figure 19-1). À partir de là, les nutriments diffusent dans les petits vaisseaux sanguins et fournissent la nourriture à l'organisme. Ce *transport transcellulaire* dépend de deux groupes de protéines de transport liées à la membrane. Un groupe est confiné à la *surface apicale* de la cellule épithéliale (la surface qui fait face à la lumière) et transporte activement les molécules choisies dans les cellules intestinales. L'autre groupe est confiné aux *surfaces basolatérales* (basale et latérales) de la cellule et permet à ces mêmes molécules de quitter la cellule en facilitant leur diffusion dans le liquide extracellulaire situé de l'autre côté de l'épithélium. Pour maintenir ce transport directionnel, le groupe apical de protéines de transport ne doit pas pouvoir migrer vers les surfaces cellulaires basolatérales et le groupe basolatéral ne doit pas migrer à la surface apicale. De plus, les espaces entre les cellules épithéliales doivent être solidement scellés pour que les molécules transportées ne puissent pas diffuser à travers eux et retourner dans la lumière intestinale (Figure 19-2).

On pense que les jonctions serrées entre les cellules épithéliales jouent ces deux rôles. Premièrement, elles fonctionnent comme des barrières qui empêchent la diffusion de certaines protéines (et lipides) membranaires entre les domaines apical et basolatéral de la membrane plasmique (Figure 19-2). On observe le mélange de ces protéines et de ces lipides si les jonctions serrées sont rompues, par exemple si on élimine le Ca^{2+} extracellulaire nécessaire à l'intégrité des jonctions serrées. Deuxièmement, les jonctions serrées scellent les cellules voisines de telle sorte que, si on ajoute un traceur de faible masse moléculaire d'un côté de l'épithélium, il ne passe généralement pas au-delà de la jonction serrée (Figure 19-3). Ce scellement n'est cependant pas absolu. Bien que les jonctions serrées soient imperméables aux macromolécules, leur perméabilité aux petites molécules varie fortement dans les différents épithéliums. Les jonctions serrées de l'épithélium qui tapisse l'intestin grêle, par exemple, sont 10 000 fois plus perméables aux ions inorganiques, comme Na^+, que les jonctions serrées de l'épithélium qui tapisse la vessie. Ces différences sont le reflet des différentes protéines qui forment les jonctions serrées.

Les cellules épithéliales peuvent transitoirement modifier leurs jonctions serrées pour permettre l'augmentation du flux de solutés et d'eau au travers de brèches de leurs barrières jonctionnelles. Ce type de *transport paracellulaire* est particulièrement important pour l'absorption des acides aminés et des monosaccharides issus de la lumière intestinale car leur concentration peut augmenter suffisamment après un repas pour entraîner leur transport passif dans la direction choisie.

TABLEAU 19-1 Classification fonctionnelle des jonctions cellulaires

JONCTIONS OCCLUSIVES

1.	Jonctions serrées (vertébrés seulement)
2.	Jonctions septales (invertébrés principalement)

JONCTIONS D'ANCRAGE

Sites de fixation des filaments d'actine

1.	Jonctions cellule-cellule (jonctions adhérentes)
2.	Jonctions cellule-matrice (contacts focaux ou plaques d'adhésion)

Sites de fixation des filaments intermédiaires

1.	Jonctions cellule-cellule (desmosomes)
2.	Jonctions cellule-matrice (hémidesmosomes)

JONCTIONS COMMUNICANTES

1.	Nexus (ou *gap-junctions*)
2.	Synapses chimiques
3.	Plasmodesmes (végétaux uniquement)

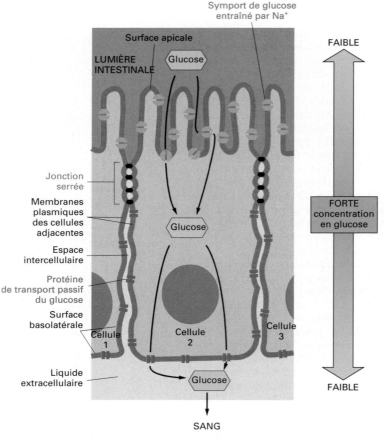

Symport de glucose entraîné par Na⁺

Surface apicale

LUMIÈRE INTESTINALE

Glucose

FAIBLE

Jonction serrée

Membranes plasmiques des cellules adjacentes

Espace intercellulaire

Protéine de transport passif du glucose

Surface basolatérale

Glucose

FORTE concentration en glucose

Liquide extracellulaire

Cellule 1   Cellule 2   Cellule 3

Glucose

FAIBLE

SANG

Figure 19-2 Le rôle des jonctions serrées dans le transport transcellulaire.
Les protéines de transport sont confinées aux différentes régions de la membrane plasmique des cellules épithéliales de l'intestin grêle. Cette ségrégation permet le transfert vectoriel des nutriments à travers l'épithélium de la lumière intestinale jusqu'au sang. Dans l'exemple montré ici, le glucose est activement transporté dans la cellule par des symports Na⁺-entraînés de la surface apicale et il diffuse à l'extérieur de la cellule par diffusion facilitée via des transporteurs du glucose situés dans la membrane basolatérale. On pense que les jonctions serrées confinent les protéines de transport dans le bon domaine membranaire en agissant comme des barrières de diffusion à l'intérieur de la bicouche lipidique de la membrane plasmique ; ces jonctions bloquent également le flux de retour du glucose allant du côté basal de l'épithélium jusque dans la lumière intestinale.

Lorsque les jonctions serrées sont visualisées en microscopie électronique après cryofracture, elles semblent être composées d'un réseau ramifié de *brins de scellement* qui encerclent complètement l'extrémité apicale de chaque cellule du feuillet épithélial (Figure 19-4A et B). Sur les photographies en microscopie électronique conventionnelle, les feuillets externes des deux membranes plasmiques qui interagissent apparaissent fortement apposés aux endroits où les brins de scellement sont présents (Figure 19-4C). La capacité des jonctions serrées à restreindre le passage des ions à travers les espaces entre les cellules augmente de façon logarithmique avec l'augmentation du nombre de brins dans le réseau, ce qui suggère que chaque brin agit comme une barrière indépendante qui s'oppose au flux d'ions.

Chaque brin de scellement de la jonction serrée est composé d'une longue rangée de protéines d'adhésion transmembranaires encastrées dans chacune des deux membranes plasmiques qui interagissent. Les domaines extracellulaires de ces protéines s'unissent directement les uns avec les autres pour clore l'espace intercellulaire (Figure 19-5). Les principales protéines transmembranaires d'une jonction serrée sont les *claudines*, essentielles à la formation de ces jonctions et à leur fonction. Elles sont différentes dans les différentes jonctions serrées. Par exemple, la claudine

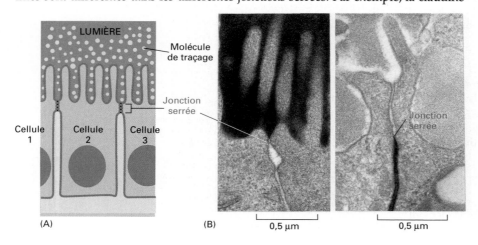

LUMIÈRE

Molécule de traçage

Jonction serrée

Cellule 1   Cellule 2   Cellule 3

Jonction serrée

(A)   (B)   0,5 µm   0,5 µm

Figure 19-3 Les jonctions serrées permettent à l'épithélium de servir de barrière à la diffusion de solutés.
(A) Ce schéma montre comment une petite molécule extracellulaire de traçage ajoutée d'un côté de l'épithélium ne peut traverser la jonction serrée qui scelle les cellules adjacentes. (B) Photographie en microscopie électronique des cellules d'un épithélium dans lequel une petite molécule extracellulaire de traçage, dense aux électrons, a été ajoutée soit sur le côté apical (*à gauche*) soit sur le côté basolatéral (*à droite*). Dans les deux cas, le traceur est arrêté par la jonction serrée. (B, due à l'obligeance de Daniel Friend.)

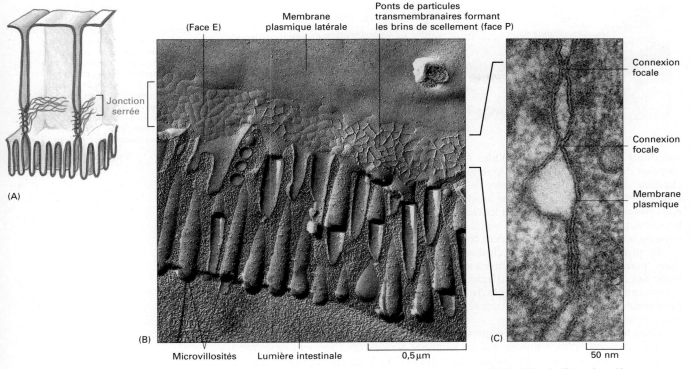

(Face E) — Membrane plasmique latérale — Ponts de particules transmembranaires formant les brins de scellement (face P)

Jonction serrée

(A)

(B)

Microvillosités — Lumière intestinale — 0,5 µm

(C)

Connexion focale

Connexion focale

Membrane plasmique

50 nm

Figure 19-4 La structure d'une jonction serrée entre des cellules épithéliales de l'intestin grêle.
Les jonctions sont montrées (A) schématiquement, (B) sur une photographie en microscopie électronique après cryofracture et (C) sur une photographie en microscopie électronique conventionnelle. Notez que les cellules sont orientées, extrémités apicales vers le bas. En (B), le plan de la microphotographie est parallèle au plan de la membrane et la jonction serrée apparaît comme une bande en forme de ceinture de brins de scellement ramifiés qui encercle chaque cellule de l'épithélium. Les brins de scellement observés forment des ponts de particules intramembranaires sur la face de fracture cytoplasmique de la membrane (la face P) ou comme des sillons complémentaires sur la face externe de la membrane (la face E) (*voir* Figure 19-5A). En (C) la jonction est vue en coupe transversale sous forme d'une série de connexions focales entre les feuillets externes des deux membranes plasmiques qui interagissent, chaque connexion correspondant à un brin de scellement en coupe transversale. (B et C, d'après N.B. Gilula, *in* Cell Communication [R.P. Cox, ed.], p. 1-29. New York : Wiley, 1974. Reproduit avec l'autorisation de John Wiley & Sons, Inc.)

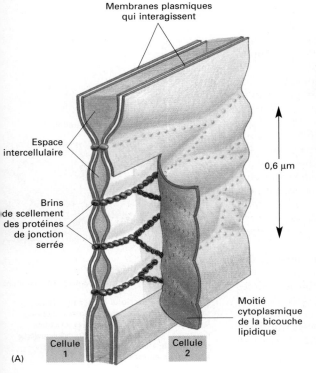

Membranes plasmiques qui interagissent

Espace intercellulaire

Brins de scellement des protéines de jonction serrée

0,6 µm

Moitié cytoplasmique de la bicouche lipidique

Cellule 1   Cellule 2

(A)

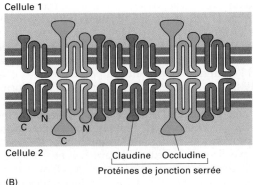

Cellule 1

C N   N
C

Cellule 2

Claudine   Occludine
Protéines de jonction serrée

(B)

Figure 19-5 Modèle courant d'une jonction serrée.
(A) Ce schéma montre comment les brins de scellement maintiennent ensemble les membranes plasmiques adjacentes. Ces brins sont composés de protéines transmembranaires qui entrent en contact à travers l'espace intercellulaire et créent un joint. (B) Ce schéma montre les protéines transmembranaires claudine et occludine dans une jonction serrée. Les claudines sont les principaux composants des brins de scellement; la fonction des occludines n'est pas certaine.

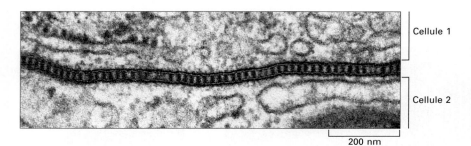

Cellule 1

Cellule 2

200 nm

Figure 19-6 Une jonction septale. Photographie en microscopie électronique conventionnelle d'une jonction septale entre deux cellules épithéliales d'un mollusque. Les membranes plasmiques qui interagissent, observées en coupe transversale, sont connectées par des rangées parallèles de protéines jonctionnelles. Les rangées, de périodicité régulière, apparaissent comme des barres denses, ou septums. (D'après N.B. Gilula, *in* Cell Communication [R.P. Cox, ed.] p. 1-29. New York : Wiley, 1974. Reproduit avec l'autorisation de John Wiley & Sons, Inc.)

spécifique retrouvée dans les cellules épithéliales rénales est nécessaire à la réabsorption du Mg^{2+} de l'urine dans le sang. Une mutation du gène qui code pour cette claudine entraîne la perte excessive de Mg^{2+} dans l'urine. Une deuxième protéine transmembranaire importante des jonctions serrées est l'*occludine*, dont la fonction n'est pas certaine. Les claudines et les occludines sont associées à des protéines membranaires périphériques intracellulaires, les *protéines ZO* (une jonction serrée est aussi appelée *zonula occludens*), qui ancrent les brins au cytosquelette d'actine.

En plus des claudines, des occludines et des protéines ZO, diverses autres protéines peuvent s'associer aux jonctions serrées. Parmi elles, certaines régulent la polarité des cellules épithéliales et d'autres facilitent le guidage de la délivrance des composants dans le domaine adapté de la membrane plasmique. De ce fait, les jonctions serrées peuvent servir de centre régulateur qui facilite la coordination de multiples processus cellulaires.

Chez les invertébrés, les **jonctions septales** sont les principales jonctions occlusives. De structure plus régulière que les jonctions serrées, elles forment également une bande continue autour de chaque cellule épithéliale. Mais leur morphologie est différente parce que les membranes plasmiques qui interagissent sont réunies par des protéines disposées en rangées parallèles selon une périodicité régulière (Figure 19-6). Une protéine, *Discs-large*, est nécessaire à la formation des jonctions septales de *Drosophila* et est structurellement apparentée à la protéine ZO retrouvée dans les jonctions serrées des vertébrés. Les mouches mutantes déficientes en cette protéine ne possèdent pas de jonctions septales et développent également des tumeurs épithéliales. Cette observation suggère que la régulation normale de la prolifération cellulaire dans les tissus épithéliaux peut dépendre, en partie, de signaux extracellulaires qui émanent des jonctions occlusives.

Les jonctions d'ancrage connectent le cytosquelette d'une cellule au cytosquelette de ses voisines ou à la matrice extracellulaire

La bicouche lipidique est fragile et ne peut, par elle-même, transmettre d'importantes forces d'une cellule à une autre ou à la matrice extracellulaire. Ce problème est résolu par les jonctions d'ancrage, structures résistantes qui traversent la membrane et sont fixées à l'intérieur de la cellule sur les filaments du cytosquelette qui supportent la tension (Figure 19-7).

Les jonctions d'ancrage sont largement réparties dans les tissus animaux et sont plus abondantes dans les tissus soumis à d'importantes tensions mécaniques, comme le cœur, les muscles et l'épiderme. Elles sont composées de deux classes principales de protéines (Figure 19-8). Les *protéines d'ancrage intracellulaires* forment une plaque spécifique sur la face cytoplasmique de la membrane plasmique et relient le complexe jonctionnel soit aux filaments d'actine soit aux filaments intermédiaires. Les *protéines d'adhésion transmembranaires* possèdent une queue cytoplasmique qui se fixe sur une ou plusieurs protéines d'ancrage intracellulaires et un domaine extracellulaire qui interagit soit avec la matrice extracellulaire soit avec les domaines extracellulaires des protéines d'adhésion transmembranaires spécifiques d'une autre cellule. En plus des protéines d'ancrage et des protéines d'adhésion, beaucoup de jonctions d'ancrage contiennent des protéines de signalisation intracellulaire qui permettent aux jonctions de transmettre un signal à l'intérieur de la cellule.

Les jonctions d'ancrage apparaissent sous deux formes fonctionnellement distinctes :

1. Les jonctions adhérentes et les desmosomes maintiennent ensemble les cellules et sont formés de protéines d'adhésion transmembranaires qui appartiennent à la *famille des cadhérines*.

2. Les plaques d'adhésion ou contacts focaux et les hémidesmosomes qui fixent les cellules à la matrice extracellulaire et sont formés de protéines d'adhésion transmembranaires de la *famille des intégrines*.

Filaments du cytosquelette

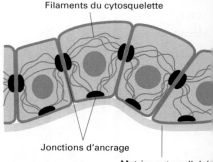

Jonctions d'ancrage

Matrice extracellulaire

Figure 19-7 Jonctions d'ancrage dans un épithélium. Ce schéma illustre, d'une façon très générale, comment les jonctions d'ancrage relient les filaments du cytosquelette d'une cellule à une autre et d'une cellule à la matrice extracellulaire.

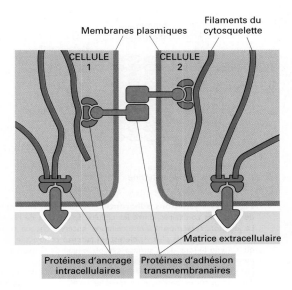

Du côté intracellulaire de la membrane, les jonctions adhérentes et les plaques d'adhésion servent de sites de connexion aux filaments d'actine, tandis que les desmosomes et les hémidesmosomes servent de site de connexion aux filaments intermédiaires (*voir* Tableau 19-I, p. 1067).

Les jonctions adhérentes relient les faisceaux de filaments d'actine d'une cellule à une autre

Les **jonctions adhérentes** prennent diverses formes. Dans beaucoup de tissus non épithéliaux, elles prennent la forme de petites fixations de type ponctué ou rayé qui relient indirectement les filaments d'actine corticaux en dessous des membranes plasmiques des deux cellules qui interagissent. Cependant c'est dans les épithéliums qu'on trouve les exemples prototypes des jonctions adhérentes qui forment souvent une **jonction zonulaire** continue (ou *zonula adherens*) juste en dessous des jonctions serrées, et encerclent chaque cellule qui interagit dans le feuillet. Dans les cellules épithéliales adjacentes, les jonctions zonulaires sont directement apposées aux membranes plasmiques qui interagissent, maintenues ensemble par les cadhérines qui servent dans ce cas de protéines d'adhésion transmembranaires.

À l'intérieur de chaque cellule, un faisceau contractile de filaments d'actine se trouve placé adjacent à la jonction zonulaire et orienté parallèlement à la membrane plasmique. L'actine est fixée sur cette membrane par l'intermédiaire d'un groupe de protéines d'ancrage intracellulaires, parmi lesquelles les *caténines*, la *vinculine* et l'*actinine* α que nous verrons ultérieurement. Les faisceaux d'actine sont ainsi reliés, via les cadhérines et les protéines d'ancrage, et forment un réseau transcellulaire étendu (Figure 19-9). Ce réseau peut se contracter à l'aide de protéines motrices de type myosine (*voir* Chapitre 16) qui, pense-t-on, facilitent la médiation des processus fondamentaux de la morphogenèse animale – le repliement des feuillets de cellules épithéliales en tubes et d'autres structures apparentées (Figure 19-10).

Il semble que l'assemblage des jonctions serrées entre les cellules épithéliales nécessite la formation antérieure de jonctions adhérentes. Par exemple, les anticorps anti-cadhérine qui bloquent la formation de jonctions adhérentes bloquent aussi la formation des jonctions serrées.

Les desmosomes relient les filaments intermédiaires d'une cellule à une autre

Les **desmosomes** sont des points contacts intercellulaires en forme de bouton-pression qui clouent ensemble les cellules (Figure 19-11). Dans la cellule, ils servent de sites d'ancrage aux filaments intermédiaires en forme de cordes qui constituent un réseau structurel d'une forte résistance élastique à la traction (Figure 19-11B). Les desmosomes relient les filaments intermédiaires des cellules adjacentes en un réseau qui s'étend à travers les nombreuses cellules d'un tissu. Le type de filaments intermédiaires fixé sur les desmosomes dépend du type cellulaire : par exemple, ce sont

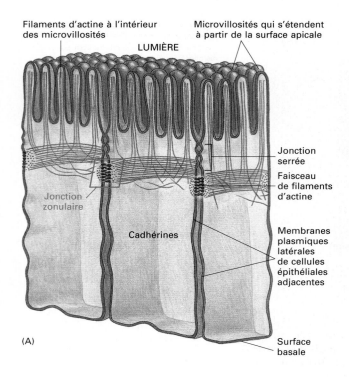

Filaments d'actine à l'intérieur des microvillosités

Microvillosités qui s'étendent à partir de la surface apicale

LUMIÈRE

Jonction serrée

Faisceau de filaments d'actine

Jonction zonulaire

Cadhérines

Membranes plasmiques latérales de cellules épithéliales adjacentes

(A)

Surface basale

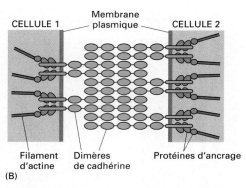

Membrane plasmique

CELLULE 1   CELLULE 2

Filament d'actine

Dimères de cadhérine

Protéines d'ancrage

(B)

Figure 19-9 Jonctions adhérentes. (A) Jonctions adhérentes, sous la forme de jonctions zonulaires, entre les cellules épithéliales de l'intestin grêle. La jonction, ressemblant à une ceinture, encercle chaque cellule qui interagit. Sa caractéristique la plus visible est un faisceau contractile de filaments d'actine qui s'étend le long de la surface cytoplasmique de la membrane plasmique jonctionnelle. (B) Certaines des molécules qui forment une jonction adhérente. Les filaments d'actine sont réunis de cellule à cellule par des protéines d'adhésion transmembranaires appelées cadhérines. Les cadhérines forment des homodimères dans la membrane plasmique de chaque cellule qui interagit. Le domaine extracellulaire d'un dimère de cadhérine se fixe sur le domaine extracellulaire d'un dimère identique de cadhérine situé sur la cellule adjacente. Les queues intracellulaires des cadhérines se fixent sur des protéines d'ancrage qui les attachent sur les filaments d'actine. Ces protéines d'ancrage incluent les caténines α, les caténines β, les caténines γ (appelées aussi plakoglobines), l'actinine α et la vinculine.

des *filaments de kératine* dans la plupart des cellules épithéliales et des *filaments de desmine* dans les cellules musculaires cardiaques.

La structure générale d'un desmosome est illustrée dans la figure 19-11C et certaines protéines qui le composent sont montrées en figure 19-11D. Cette jonction présente une plaque cytoplasmique dense composée de complexes de protéines d'ancrage intracellulaires (*plakoglobine* et *desmoplakine*) responsables de la connexion du cytosquelette aux protéines d'adhésion transmembranaires. Ces protéines d'adhésion (*desmogléine* et *desmocolline*), comme celles des jonctions adhérentes, appartiennent à la famille des cadhérines. Elles interagissent par leurs domaines extracellulaires et maintiennent ensemble les membranes plasmiques adjacentes.

L'importance des jonctions par desmosomes est mise en évidence par certaines formes de maladies cutanées, potentiellement mortelles, comme le *pemphigus*. Les personnes atteintes fabriquent des auto-anticorps contre une de leurs cadhérines desmosomiques. Ces anticorps se fixent sur les desmosomes qui maintiennent ensemble les cellules épithéliales cutanées (kératinocytes) et les rompent. Cela entraîne

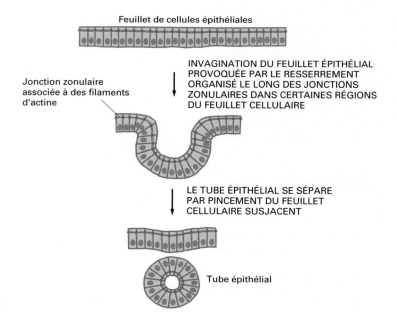

Feuillet de cellules épithéliales

Jonction zonulaire associée à des filaments d'actine

INVAGINATION DU FEUILLET ÉPITHÉLIAL PROVOQUÉE PAR LE RESSERREMENT ORGANISÉ LE LONG DES JONCTIONS ZONULAIRES DANS CERTAINES RÉGIONS DU FEUILLET CELLULAIRE

LE TUBE ÉPITHÉLIAL SE SÉPARE PAR PINCEMENT DU FEUILLET CELLULAIRE SUSJACENT

Tube épithélial

Figure 19-10 Le repliement d'un feuillet épithélial pour former un tube épithélial. La contraction orientée des faisceaux de filaments d'actine qui s'étendent le long des jonctions zonulaires provoque le rétrécissement des cellules épithéliales au niveau de leur apex et facilite l'enroulement de ces cellules en un tube. La formation du tube neural au début du développement des vertébrés (*voir* Chapitre 21) en est un exemple. Bien que cela ne soit pas montré ici, on pense aussi que les réarrangements des cellules à l'intérieur du feuillet épithélial jouent un rôle important dans ce processus.

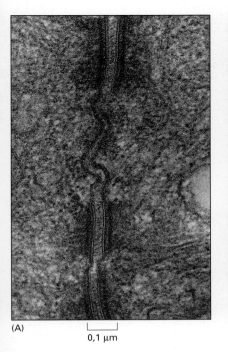

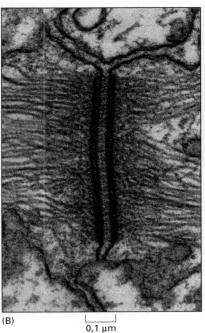

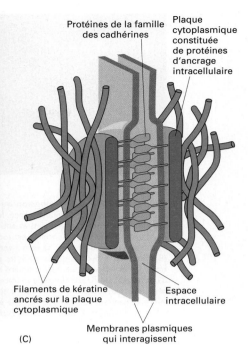

(A) 0,1 µm

(B) 0,1 µm

Protéines de la famille
des cadhérines

Plaque
cytoplasmique
constituée
de protéines
d'ancrage
intracellulaire

Filaments de kératine
ancrés sur la plaque
cytoplasmique

Espace
intracellulaire

Membranes plasmiques
qui interagissent

(C)

Figure 19-11 Desmosomes. (A) Photographie en microscopie électronique de trois desmosomes entre deux cellules épithéliales intestinales de rat. (B) Photographie en microscopie électronique d'un unique desmosome entre deux cellules épidermiques d'un têtard en développement, qui montre clairement l'attachement des filaments intermédiaires. (C) Composants structuraux d'un desmosome. À la surface cytoplasmique de chaque membrane plasmique qui interagit se trouve une plaque dense, composée d'un mélange de protéines d'ancrage intracellulaire. Un faisceau de filaments intermédiaires de kératine est fixé à la surface de chaque plaque. Des protéines d'adhésion transmembranaires de la famille des cadhérines se fixent sur la plaque et interagissent par leurs domaines extracellulaires pour maintenir ensemble les membranes adjacentes par un mécanisme dépendant de Ca^{2+}. (D) Certains composants moléculaires d'un desmosome. La desmogléine et la desmocolline sont des protéines d'adhésion, membres de la famille des cadhérines. Leurs queues cytoplasmiques se fixent sur la plakoglobine (caténine γ) qui se fixe à son tour sur la desmoplakine. La desmoplakine se fixe aussi sur les côtés des filaments intermédiaires, attachant ainsi les desmosomes à ces filaments. (A, d'après N.B. Gilula, *in* Cell Communication [R.P. Cox, ed.], p. 1-29. New York : Wiley, 1974. Reproduit avec l'autorisation de John Wiley & Sons, Inc. ; B, d'après D.E. Kelly, *J. Cell Biol.* 28 : 51-59, 1966. © The Rockefeller University Press.)

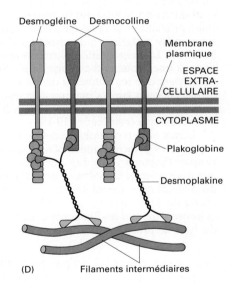

Desmogléine   Desmocolline

Membrane
plasmique

ESPACE
EXTRA-
CELLULAIRE

CYTOPLASME

Plakoglobine

Desmoplakine

(D)   Filaments intermédiaires

d'importantes formations bulleuses sur la peau associées à une fuite des liquides organiques dans l'épithélium lâche.

Les plaques d'adhésion (ou contacts focaux) et les hémidesmosomes sont des jonctions d'ancrage formées d'intégrines qui fixent les cellules à la matrice extracellulaire

Certaines jonctions d'ancrage fixent les cellules à la matrice extracellulaire plutôt qu'à d'autres cellules. Les protéines d'adhésion transmembranaires de ces jonctions cellule-matrice sont les *intégrines* – une grande famille de protéines différentes des cadhérines. Les **plaques d'adhésion** permettent de maintenir les cellules sur la matrice extracellulaire par l'intermédiaire d'intégrines qui se fixent, dans la cellule, sur les filaments d'actine. Les cellules musculaires, par exemple, se fixent de cette façon sur leurs tendons au niveau des *jonctions myotendineuses*. De même, lorsque des fibroblastes en culture migrent sur un support artificiel recouvert de molécules de matrice extracellulaire, ils s'accrochent aussi au support par des plaques d'adhésion où se terminent des faisceaux de filaments d'actine. Au niveau de ces adhésions, les domaines extracellulaires des intégrines transmembranaires se fixent sur un composant protéique de la matrice extracellulaire tandis que les domaines intracellulaires se fixent indirectement sur des faisceaux de filaments d'actine via des protéines d'ancrage intracellulaires comme la taline, l'actinine α, la filamine et la vinculine (Figure 19-12B).

Les **hémidesmosomes**, ou demi-desmosomes, ressemblent morphologiquement aux desmosomes, ainsi que par leur liaison aux filaments intermédiaires et, comme les desmosomes, ils agissent comme des rivets pour distribuer les forces de traction

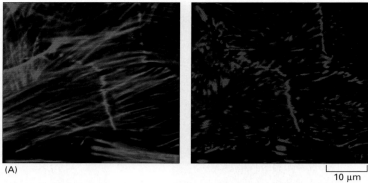

Figure 19-12 Plaques d'adhésion ou contacts focaux. (A) Sur ces photographies en microscopie à immunofluorescence, les cellules en culture ont été marquées par des anticorps anti-actine (en *vert*) et anti-vinculine, une protéine d'ancrage intracellulaire (en *rouge*). Notez que la vinculine est localisée sur les plaques d'adhésion de la membrane plasmique, là où se terminent également les faisceaux de filaments d'actine. (B) Certaines protéines qui forment les plaques d'adhésion. La protéine d'adhésion transmembranaire est un hétérodimère d'intégrine composé d'une sous-unité α et d'une sous-unité β. Son domaine extracellulaire se fixe sur des composants de la matrice extracellulaire tandis que la queue cytoplasmique de la sous-unité β se fixe indirectement sur les filaments d'actine via diverses protéines d'ancrage intracellulaires. (D'après B. Geiger, E. Schmid et W. Franke, *Differentiation* 23 : 189-205, 1983.)

ou de cisaillement à travers l'épithélium. Cependant, au lieu de joindre deux cellules épithéliales adjacentes, les hémidesmosomes connectent la surface basale d'une cellule épithéliale à la lame basale sous-jacente (Figure 19-13). Les domaines extracellulaires des intégrines qui permettent l'adhésion se fixent sur une protéine de la lame basale, la *laminine* (traitée ultérieurement), tandis qu'un domaine intracellulaire se fixe via une protéine d'ancrage (la *plectine*) sur les filaments intermédiaires de kératine. Alors que les filaments de kératine associés aux desmosomes forment des attaches latérales sur les plaques desmosomiques (*voir* Figure 19-11C et D), beaucoup de filaments de kératine associés aux hémidesmosomes ont leur extrémité enfouie dans la plaque (*voir* Figure 19-13).

Même si la terminologie des diverses jonctions d'ancrage peut paraître un peu confuse, les principes moléculaires (pour les vertébrés du moins) sont relativement simples (Tableau 19-II). Les intégrines de la membrane plasmique ancrent la cellule aux molécules de la matrice extracellulaire ; les membres de la famille des cadhérines de la membrane plasmique ancrent celle-ci sur la membrane plasmique d'une cellule adjacente. Dans les deux cas, il existe un couplage intracellulaire sur les filaments du cytosquelette, soit les filaments d'actine soit les filaments intermédiaires, en fonction du type de protéines d'ancrage intracellulaires impliquées.

Les nexus ou *gap-junctions* permettent le passage direct de petites molécules d'une cellule à l'autre

À l'exception de quelques cellules à différenciation terminale, comme les cellules du muscle squelettique et les cellules sanguines, la plupart des cellules des tissus animaux sont en communication avec leurs voisines via des **nexus**. Chaque nexus apparaît en microscopie électronique conventionnelle comme une plaque au niveau de laquelle les membranes de deux cellules adjacentes sont séparées par un intervalle étroit uniforme d'environ 2-4 nm. Cet intervalle est traversé par des protéines qui forment des canaux (*connexines*). Les canaux formés (*connexons*) permettent le passage direct d'ions inorganiques et d'autres petites molécules hydrosolubles du cytoplasme d'une cellule au cytoplasme d'une autre, couplant ainsi les cellules à la fois électriquement et métaboliquement. Des expériences par injection de colorant suggèrent que la taille fonctionnelle du pore des canaux de connexion est au maximum de 1,5 nm environ, ce qui implique que les cellules couplées partagent leurs petites molécules (comme les ions inorganiques, les sucres, les acides aminés, les nucléotides, les vitamines et les médiateurs intracellulaires comme l'AMP cyclique et l'inositol trisphosphate) mais pas leurs macromolécules (protéines, acides nucléiques et polysaccharides) (Figure 19-14). Le couplage des cellules a d'importantes implications fonctionnelles dont beaucoup commencent seulement à être comprises.

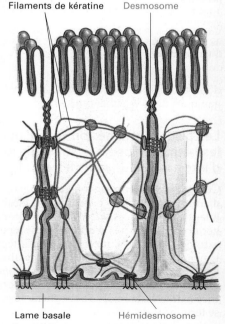

Figure 19-13 Desmosomes et hémidesmosomes. Distribution des desmosomes et des hémidesmosomes dans les cellules épithéliales de l'intestin grêle. Les réseaux de filaments intermédiaires de kératine des cellules adjacentes sont indirectement reliés les uns aux autres par les desmosomes et à la lame basale par les hémidesmosomes.

TABLEAU 19-II Jonctions d'ancrage

JONCTION	PROTÉINE D'ADHÉSION TRANSMEMBRANAIRE	LIGAND EXTRACELLULAIRE	ATTACHEMENT SUR LE CYTOSQUELETTE INTRACELLULAIRE	PROTÉINES D'ANCRAGE INTRACELLULAIRES
Cellule-cellule				
Jonction adhérente	Cadhérine (cadhérine E)	Cadhérine des cellules voisines	Filaments d'actine	Caténines α et β, vinculine, actinine α, plakoglobine (caténine γ)
Desmosome	Cadhérine (desmogléine, desmocolline)	Desmogléines et desmocollines des cellules voisines	Filaments intermédiaires	Desmoplakines, plakoglobine (caténine γ)
Cellule-matrice				
Plaque d'adhésion	Intégrine	Protéines de la matrice extracellulaire	Filaments d'actine	Taline, vinculine, actinine α, filamine
Hémidesmosome	Intégrine $\alpha_6\beta_4$, BP180	Protéines de la matrice extracellulaire	Filaments intermédiaires	Plectine, BP230

De nombreuses expériences ont apporté les preuves que les nexus étaient les intermédiaires du couplage électrique et chimique. Quand, par exemple, on injecte l'ARNm de connexine dans un ovocyte de grenouille ou dans des cellules en culture dépourvues de nexus, il est possible de mettre en évidence électrophysiologiquement la présence de canaux ayant les propriétés des canaux des nexus là où les couples de cellules qui ont reçu l'injection entrent en contact.

L'approche par injection d'ARNm a été très utile pour identifier les nouvelles protéines des nexus. Des études génétiques sur la mouche des fruits *Drosophila* ont identifié le gène *shaking B*, qui, lorsqu'il subit une mutation, forme des mouches qui ne peuvent sauter en réponse à un stimulus visuel. Même si ces mouches avaient des nexus anormaux, la séquence de la protéine Shaking B ne ressemblait pas à celle d'une connexine et la fonction de la protéine restait mystérieuse. Pourtant, l'injection de l'ARNm de *shaking B* dans des ovocytes de grenouille conduisait à la formation de canaux de nexus fonctionnels, tout comme ceux formés par la connexine. Shaking B est ainsi devenu le premier membre d'une nouvelle famille de protéines de nexus chez les invertébrés, appelées les *innexines*. Il existe plus de 15 gènes *innexine* chez *Drosophila* et 25 chez le nématode *C. elegans*.

Le connexon des nexus est composé de six sous-unités transmembranaires de connexine

Les **connexines** sont des protéines à quatre domaines transmembranaires ; six d'entre elles s'assemblent pour former un canal, ou **connexon**. Lorsque les connexons des membranes plasmiques de deux cellules en contact sont alignés, ils forment un canal aqueux continu qui relie les deux parties intérieures des cellules (Figure 19-15A). Les connexons maintiennent éloignées à une distance fixe les membranes plasmiques qui interagissent, d'où l'intervalle (*gap*).

Les nexus de différents tissus peuvent avoir des propriétés différentes. La perméabilité de leurs canaux individuels peut varier, ce qui reflète des différences dans les connexines qui forment les jonctions. Chez l'homme, par exemple, il y a 14 connexines distinctes, chacune codée par un gène séparé et chacune ayant une distribution tissulaire distincte mais parfois chevauchante. La plupart des types cellulaires expriment plusieurs types de connexines et deux connexines différentes peuvent s'assembler en un connexon hétéromérique, dont les propriétés diffèrent de celles d'un connexon homomérique formé d'un seul type de connexine. De plus, des cellules adjacentes qui expriment différentes connexines peuvent former des canaux intercellulaires dans lesquels les deux demi-canaux alignés sont différents (Figure 19-15B). Chaque nexus peut contenir un agrégat formé de quelques connexons à plusieurs milliers d'entre eux (Figure 19-16B).

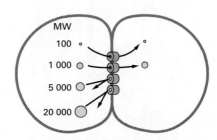

Figure 19-14 Détermination de la taille du canal d'un nexus (*gap-junction*). Lorsque des molécules fluorescentes de diverses tailles sont injectées dans une des deux cellules couplées à un nexus, les molécules de masse moléculaire inférieure à 1 000 daltons environ peuvent passer dans l'autre cellule, mais pas les plus grosses.

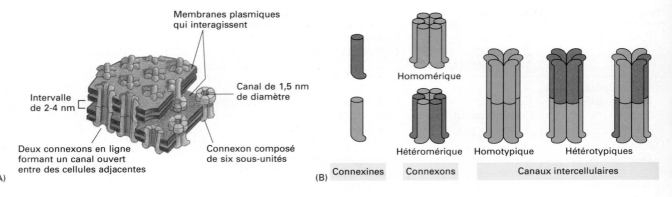

Membranes plasmiques qui interagissent

Intervalle de 2-4 nm

Canal de 1,5 nm de diamètre

Deux connexons en ligne formant un canal ouvert entre des cellules adjacentes

Connexon composé de six sous-unités

(A)

Homomérique

Hétéromérique   Homotypique   Hétérotypiques

(B)   Connexines   Connexons   Canaux intercellulaires

Les fonctions des nexus sont diverses

Dans les tissus contenant des cellules électriquement excitables, le couplage via les nexus a une fonction évidente. Certaines cellules nerveuses, par exemple, sont électriquement couplées, ce qui permet la dissémination rapide des potentiels d'action de cellule à cellule, sans le retard qui se produit dans les synapses chimiques. Cela est intéressant lorsque la vitesse et la fiabilité sont cruciales, comme dans certaines réponses de fuite des poissons et des insectes. De même chez les vertébrés, le couplage électrique par les nexus synchronise la contraction des cellules musculaires cardiaques et des cellules musculaires lisses, responsable des mouvements péristaltiques de l'intestin.

Les nexus existent aussi dans de nombreux tissus qui ne contiennent pas de cellules électriquement excitables. En principe, la mise en commun de petits métabolites et d'ions est un mécanisme qui permet de coordonner les activités de cellules individuelles dans ces tissus et aplanit les fluctuations aléatoires de la concentration en petites molécules dans les différentes cellules. Dans le foie, par exemple, la libération de noradrénaline par les terminaisons des nerfs sympathiques en réponse à la chute de la concentration en glucose sanguin amène les hépatocytes à augmenter la dégradation du glycogène et à libérer du glucose dans le sang. Tous les hépatocytes ne sont pas cependant innervés par les nerfs sympathiques. Par le biais des nexus qui connectent les hépatocytes, ce signal est transmis des hépatocytes innervés à ceux qui ne le sont pas. De ce fait, les souris qui présentent une mutation du principal gène de connexine exprimé dans le foie ne mobilisent pas le glucose normalement lorsque la glycémie s'abaisse.

Le développement normal des follicules ovariens dépend aussi des communications passant par les nexus – dans ce cas, entre l'ovocyte et les cellules de la granulosa qui l'entourent. Une mutation du gène qui code pour la connexine couplant normalement ces deux types cellulaires engendre la stérilité (Figure 19-17).

Figure 19-15 Nexus (*gap-junctions*).
(A) Schéma tridimensionnel montrant les membranes plasmiques interagissant de deux cellules adjacentes connectées par des nexus. Des assemblages protéiques appelés connexons (*vert*) pénètrent dans les bicouches lipidiques apposées (en *rouge*), et sont tous formés de six sous-unités de connexine. Deux connexons se rejoignent dans l'intervalle intercellulaire pour former un canal aqueux continu qui relie les deux cellules.
(B) Organisation des connexines en connexons et des connexons en canal intercellulaire. Les connexons peuvent être homomériques ou hétéromériques et les canaux intercellulaires peuvent être homotypiques ou hétérotypiques.

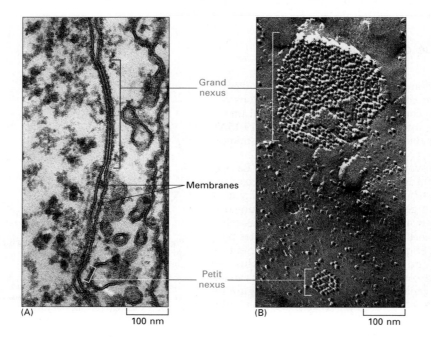

Grand nexus

Membranes

Petit nexus

(A)   100 nm   (B)   100 nm

Figure 19-16 Nexus (*gap-junctions*) observés en microscopie électronique.
Deux photographies en microscopie électronique après (A) une fine coupe et (B) une cryofracture d'un gros et d'un petit nexus entre des fibroblastes en culture. En (B) chaque nexus apparaît comme un amas de particules intramembranaires homogènes, exclusivement associées à la face de fracture cytoplasmique (face P) de la membrane plasmique. Chaque particule intramembranaire correspond à un connexon. (D'après N.B. Gilula, *in* Cell Communication [R.P. Cox, ed.], p. 1-29. New York : Wiley, 1974. Reproduit avec l'autorisation de John Wiley & Sons, Inc.)

Figure 19-17 Couplage par des nexus (*gap-junctions*) dans les follicules ovariens. L'ovocyte est entouré d'une couche épaisse de matrice extracellulaire appelée zone pellucide (*voir* Chapitre 20). Les cellules de la granulosa qui l'entourent sont couplées les unes aux autres par des nexus, formés de connexine 43 (Cx43). De plus, les cellules de la granulosa étendent des processus à travers la zone pellucide et forment des nexus avec l'ovocyte. Ces nexus contiennent une autre connexine (Cx37). Des mutations du gène codant pour Cx37 provoquent la stérilité en interrompant le développement des cellules de la granulosa et des ovocytes.

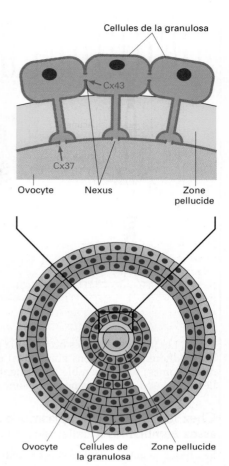

Le couplage cellulaire via les nexus semble être également important dans l'embryogenèse. Dans les embryons précoces de vertébrés, qui commencent au stade à huit cellules pour l'embryon de souris, la plupart des cellules sont électriquement couplées les unes aux autres. Lorsque des groupes spécifiques de cellules embryonnaires développent une identité distincte et commencent à se différencier, elles se découplent fréquemment des tissus environnants. Lorsque la plaque neurale se replie et se sépare par pincement du tube neural, par exemple, (*voir* Figure 19-10) ses cellules se découplent de l'ectoderme sus-jacent. Pendant ce temps, à l'intérieur de chaque groupe, les cellules restent couplées les unes aux autres et ont ainsi tendance à se comporter comme un assemblage coopératif, et à suivre toutes la même voie de développement, de façon coordonnée.

La perméabilité des nexus peut être régulée

Tout comme les canaux ioniques conventionnels (*voir* Chapitre 11), les canaux individuels des nexus ne restent pas continuellement ouverts ; par contre, ils oscillent entre l'état ouvert et fermé. De plus, la perméabilité des nexus est rapidement (en quelques secondes) et réversiblement réduite par des manipulations expérimentales qui diminuent le pH cytosolique ou augmentent très fortement la concentration cytosolique en Ca^{2+} libre. De ce fait, les canaux des nexus sont des structures dynamiques qui peuvent subir une modification réversible de conformation qui ferme le canal en réponse à des modifications de la cellule.

On ne comprend pas l'intérêt de la régulation de la perméabilité du nexus par le pH. Dans un cas, cependant, l'intérêt du contrôle par Ca^{2+} semble clair. Lorsqu'une cellule est lésée, sa membrane plasmique peut devenir perméable. Les ions présents à de fortes concentrations dans le liquide extracellulaire, comme Ca^{2+} et Na^+, entrent alors dans la cellule et les métabolites importants en sortent. Si la cellule devait rester couplée à ses voisines en bonne santé, elles souffriraient elles-mêmes de troubles dangereux de leur chimie interne. Mais l'importante entrée de Ca^{2+} dans la cellule lésée provoque la fermeture immédiate de ses canaux de nexus, isole efficacement la cellule et évite que la lésion s'étende aux autres cellules.

Les communications par les nexus peuvent aussi être régulées par des signaux extracellulaires. Par exemple, la *dopamine*, un neurotransmetteur, réduit les communications par les nexus entre une classe de neurones rétiniens en réponse à l'augmentation de l'intensité lumineuse (Figure 19-18). Cette réduction de la perméabilité des nexus facilite la commutation de la rétine qui passe de l'utilisation des bâtonnets photorécepteurs, bons détecteurs de la faible luminosité, à celle des cônes photorécepteurs qui détectent la couleur et les détails fins en lumière brillante.

La figure 19-19 résume les divers types de jonctions formés par les cellules des vertébrés dans un épithélium. Dans la partie la plus apicale de la cellule, les positions relatives des jonctions sont les mêmes dans presque tous les épithéliums de ver-

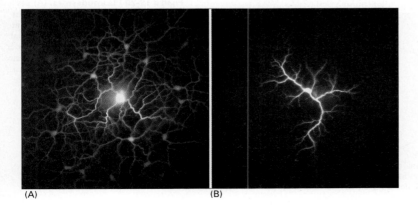

(A) (B)

Figure 19-18 Régulation du couplage par nexus (*gap-junction*) par un neurotransmetteur. (A) Un neurone d'une rétine de lapin a reçu une injection de colorant jaune Lucifer qui traverse facilement les nexus et marque les autres neurones du même type reliés par des nexus à la cellule injectée. (B) La rétine a été d'abord traitée par un neurotransmetteur, la dopamine, avant l'injection du colorant dans le neurone. Comme on peut le voir, le traitement à la dopamine diminue fortement la perméabilité des nexus. La dopamine agit en augmentant la concentration intracellulaire en AMP cyclique. (Due à l'obligeance de David Vaney.)

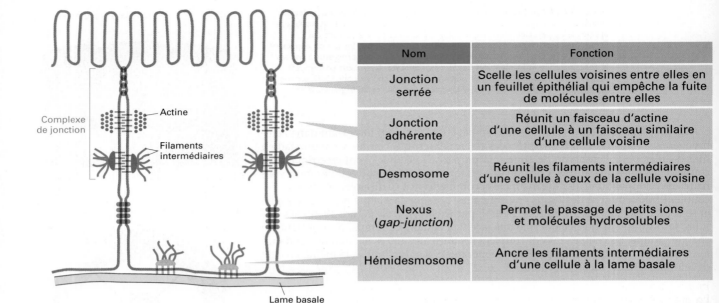

Nom	Fonction
Jonction serrée	Scelle les cellules voisines entre elles en un feuillet épithélial qui empêche la fuite de molécules entre elles
Jonction adhérente	Réunit un faisceau d'actine d'une celllule à un faisceau similaire d'une cellule voisine
Desmosome	Réunit les filaments intermédiaires d'une cellule à ceux de la cellule voisine
Nexus (*gap-junction*)	Permet le passage de petits ions et molécules hydrosolubles
Hémidesmosome	Ancre les filaments intermédiaires d'une cellule à la lame basale

tébrés. Les jonctions serrées occupent la position la plus apicale, suivies par les jonctions adhérentes (jonctions zonulaires) puis par une rangée spécifique parallèle de desmosomes ; tous ensemble ils forment une structure appelée *complexe de jonction*. Les nexus et d'autres desmosomes sont organisés avec moins de régularité.

Figure 19-19 Résumé des diverses jonctions cellulaires retrouvées dans une cellule épithéliale de vertébré. Ce schéma est fondé sur des cellules épithéliales de l'intestin grêle.

Chez les végétaux, les plasmodesmes remplissent des fonctions assez semblables à celles des nexus

Les tissus végétaux sont organisés selon des principes différents de ceux des animaux. Cela s'explique parce que les cellules végétales sont emprisonnées dans une *paroi cellulaire* rigide, composée d'une matrice extracellulaire riche en cellulose et autres polysaccharides que nous verrons ultérieurement. Les parois cellulaires des cellules adjacentes sont solidement cimentées à celles de leurs voisines, ce qui élimine le besoin de jonctions d'ancrage pour maintenir en place les cellules. Mais la communication directe cellule à cellule reste nécessaire. De ce fait, les cellules végétales n'ont qu'une seule classe de jonctions intercellulaires, les **plasmodesmes**. Comme les nexus (*gap-junctions*), elles connectent directement les cytoplasmes de cellules adjacentes.

Chez les végétaux cependant, la paroi cellulaire entre deux cellules adjacentes typiques a au moins 0,1 μm d'épaisseur et, par conséquent, il faut une structure très différente de celle des nexus pour permettre la communication. Les plasmodesmes résolvent ce problème. À quelques exceptions spécifiques près, chaque cellule vivante d'un végétal supérieur est connectée à ses voisines vivantes par ces structures qui forment de fins canaux cytoplasmiques à travers les parois cellulaires intermédiaires. Comme cela est montré dans la figure 19-20A, la membrane plasmique d'une cellule

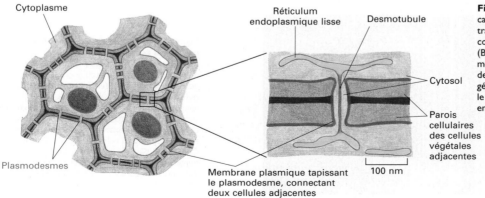

Figure 19-20 Plasmodesmes. (A) Les canaux cytoplasmiques des plasmodesmes transpercent la paroi cellulaire végétale et connectent toutes les cellules d'un végétal. (B) Chaque plasmodesme est tapissé par la membrane plasmique qui est commune aux deux cellules connectées. Il contient aussi généralement une fine structure tubulaire, le desmotubule, dérivé du réticulum endoplasmique lisse.

(A)

(B)

Figure 19-21 Diverses vues d'un plasmodesme. (A) Photographie en microscopie électronique d'une coupe longitudinale d'un plasmodesme issu d'une fougère aquatique. La membrane plasmique tapisse le pore et est continue d'une cellule à la suivante. On peut observer le réticulum endoplasmique et son association avec le desmotubule central. (B) Un plasmodesme similaire observé en coupe transversale. (C) Petits *pit fields* (champs de puits) de plasmodesmes dans une paroi cellulaire isolée de feuille de tabac. En microscopie électronique à balayage, ils sont vus de face et dans beaucoup d'entre eux on peut voir le desmotubule central. (A et B, d'après R. Overall, J. Wolfe et B.E.S. Gunning, *in* Protoplasm 9, p. 137 et 140. Heidelberg : Springer-Verlag, 1982 ; C, due à l'obligeance de Kim Findlay.)

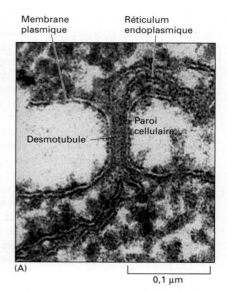

(A)   0,1 μm

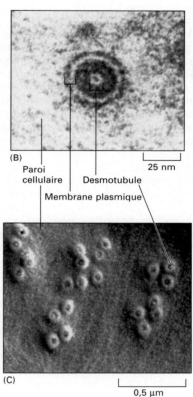

(B)   25 nm

(C)   0,5 μm

est continue avec celle de ses voisines au niveau de chaque plasmodesme et le cytoplasme des deux cellules est relié par un canal grossièrement cylindrique d'un diamètre de 20 à 40 nm. De ce fait, on peut considérer que les cellules d'un végétal forment un syncytium dans lequel un grand nombre de noyaux cellulaires partagent un cytoplasme commun.

Au centre du canal de la plupart des plasmodesmes se trouve une structure étroite, cylindrique, le *desmotubule*, continu avec les éléments du réticulum endoplasmique lisse de chaque cellule connectée (Figures 19-20B et 19-21A et B). Entre l'extérieur du desmotubule et la face interne du canal cylindrique formé par la membrane plasmique se trouve un anneau de cytosol à travers lequel les petites molécules peuvent passer d'une cellule à l'autre. À chaque fois qu'une nouvelle paroi cellulaire s'assemble pendant la phase de cytocinèse de la division cellulaire, des plasmodesmes y sont créés à l'intérieur. Ils se forment autour d'éléments du RE lisse qui se trouvent piégés dans la plaque cellulaire en formation (*voir* Chapitre 18). Ils peuvent être aussi insérés *de novo* à travers des parois cellulaires préexistantes, où ils forment souvent des agrégats denses appelés *pit fields* («champs de puits») (Figure 19-21). Lorsqu'ils ne sont plus nécessaires, les plasmodesmes sont facilement éliminés.

En dépit de leurs différences radicales de structure, les plasmodesmes et les nexus semblent fonctionner d'une façon remarquablement similaire. L'injection de molécules de traçage de différentes tailles a apporté des preuves qui suggèrent que les plasmodesmes permettent le passage de molécules de masse moléculaire inférieure à 800 environ, ce qui est similaire à la masse moléculaire limite pour les nexus. Comme pour ces derniers, le transport à travers les plasmodesmes est régulé. Des expériences d'injection de colorant, par exemple, montrent qu'il peut exister des barrières aux mouvements des molécules, même de faible masse moléculaire, entre certaines cellules ou groupes de cellules reliées par des plasmodesmes apparemment normaux ; les mécanismes qui restreignent la communication dans ce cas ne sont pas connus.

Pendant le développement des végétaux, des groupes de cellules à l'intérieur des méristèmes des pousses et des racines émettent des signaux les uns vers les autres, au cours du processus de définition de leur destin futur (*voir* Chapitre 21). Certaines protéines régulatrices de gènes, impliquées dans ce processus de détermination du destin cellulaire, passent de cellule à cellule à travers les plasmodesmes. Elles se fixent sur des composants des plasmodesmes et annulent le mécanisme d'exclusion de taille qui s'opposerait sinon à leur passage. Dans certains cas, l'ARNm qui code pour la protéine peut aussi les traverser. Certains virus végétaux exploitent également cette voie : l'ARN viral infectieux, voire même des particules virales intactes, peuvent passer ainsi de cellule à cellule. Ces virus produisent des protéines qui se fixent sur les composants des plasmodesmes et augmentent de façon spectaculaire la taille effective des pores du canal. Comme on ne connaît pas les composants fonctionnels des plasmodesmes, on ne sait pas clairement comment les macromolécules endogènes ou virales régulent les propriétés de transport du canal pour les traverser.

Résumé

Dans les tissus, beaucoup de cellules sont reliées les unes aux autres et à la matrice extracellulaire au niveau de sites de contact spécifiques appelés jonctions cellulaires. Celles-ci se divisent en trois classes fonctionnelles : les jonctions occlusives, les jonctions d'ancrage et les jonctions communicantes. Les jonctions serrées sont des jonctions occlusives cruciales pour maintenir les différences de concentration en petites molécules hydrophiles entre les feuillets de cellules épithéliales. Elles le font de deux façons. D'abord, elles scellent les membranes plasmiques des cellules adjacentes pour créer une barrière continue imperméable ou semi-perméable à la diffusion à travers les feuillets cellulaires. Ensuite, elles agissent, au sein de la bicouche lipidique, comme des barrières qui restreignent la diffusion des protéines de transport membranaire entre les domaines apical et basolatéral de la membrane plasmique de chaque cellule épithéliale. Les jonctions septales servent de jonctions occlusives dans les tissus des invertébrés.

Les principaux types de jonctions d'ancrage dans les tissus des vertébrés sont les jonctions adhérentes, les desmosomes, les plaques d'adhésion et les hémidesmosomes. Les jonctions adhérentes et les desmosomes relient les cellules et sont formés de cadhérines, tandis que les plaques d'adhésion et les hémidesmosomes connectent les cellules à la matrice extracellulaire et sont formés d'intégrines. Les jonctions adhérentes et les plaques d'adhésion connectent des sites de faisceaux de filaments d'actine tandis que les desmosomes et les hémidesmosomes connectent des sites de filaments intermédiaires.

Les nexus (ou gap-junctions) sont des jonctions communicantes composées d'agrégats de connexons qui permettent le passage direct des molécules de taille inférieure à 1 000 daltons de l'intérieur d'une cellule à l'intérieur de la suivante. Les cellules reliées par des nexus partagent un grand nombre de leurs ions inorganiques et d'autres petites molécules et sont donc couplées chimiquement et électriquement. Les nexus sont également importants pour la coordination des rôles dans d'autres groupes de cellules. Les plasmodesmes sont les seules jonctions intercellulaires des végétaux. Même si leur structure est totalement différente et s'ils peuvent parfois transporter des macromolécules informatives, ils fonctionnent en général comme les nexus.

ADHÉSION INTERCELLULAIRE

Pour former une jonction d'ancrage, les cellules doivent d'abord adhérer. Ensuite le volumineux appareil du cytosquelette doit s'assembler autour des molécules qui sont les intermédiaires directs de l'adhésion. Il en résulte une structure bien définie – un desmosome, un hémidesmosome, une plaque d'adhésion ou une jonction adhérente – facilement identifiable en microscopie électronique. En effet, la microscopie électronique a fourni les fondements de la classification originelle des jonctions cellulaires. Cependant, pendant les stades précoces du développement des jonctions cellulaires, avant l'assemblage de l'appareil du cytosquelette, les cellules adhèrent souvent les unes aux autres sans déployer clairement de structures caractéristiques ; en microscopie électronique, on peut simplement voir deux membranes plasmiques séparées par un léger intervalle de largeur définie. Des tests fonctionnels montrent, néanmoins, que ces deux cellules sont accolées l'une à l'autre et des analyses biochimiques peuvent révéler les molécules responsables de l'adhésion.

À l'origine, l'étude des jonctions intercellulaires et de l'adhésion intercellulaire étaient des entreprises assez distinctes, du fait de leurs approches expérimentales différentes – les jonctions étaient décrites en microscopie électronique et l'adhésion par des tests fonctionnels et biochimiques. Ce n'est que récemment que ces deux méthodes ont commencé à converger pour donner un aperçu unifié des fondements moléculaires des jonctions cellulaires et de l'adhésion cellulaire. Dans la partie précédente, nous nous sommes focalisés sur la structure des jonctions cellulaires matures. Dans cette partie, nous nous intéresserons aux études fonctionnelles et biochimiques des mécanismes de l'adhésion cellule-cellule qui opèrent lorsque les cellules migrent sur d'autres cellules et lorsqu'elles s'assemblent en tissus – mécanismes qui précèdent la construction des jonctions d'ancrage intercellulaires matures. Nous commencerons par une question critique du point de vue du développement embryonnaire : quels sont les mécanismes qui assurent que la cellule s'attachera au bon moment à ses bonnes voisines ?

Les cellules animales peuvent s'assembler en tissus soit sur place soit après leur migration

Beaucoup de tissus simples, dont la plupart des tissus épithéliaux, dérivent de cellules précurseurs qui ont empêché leur descendance de se déplacer en l'attachant sur la matrice extracellulaire, sur d'autres cellules ou sur les deux (Figure 19-22). Mais les cellules qui s'accumulent ne restent pas simplement accolées ensemble passivement ; au contraire, ce sont des adhésions sélectives, construites et ajustées progressivement par les cellules, qui engendrent l'architecture tissulaire et la maintiennent activement.

L'adhésion sélective est même encore plus essentielle au développement des tissus d'origine plus complexe qui impliquent une migration cellulaire. Dans ces tissus, une population cellulaire envahit une autre et s'assemble avec elle, et peut-être avec d'autres cellules en migration, pour former une structure ordonnée. Dans les embryons de vertébrés, par exemple, les cellules de la *crête neurale* se séparent du tube

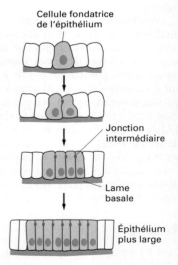

Figure 19-22 Le plus simple mécanisme qui permet aux cellules de s'assembler pour former un tissu. La descendance des cellules fondatrices est retenue dans l'épithélium par la lame basale et par des mécanismes d'adhésion cellule-cellule, y compris la formation de jonctions intercellulaires.

Figure 19-23 Exemple d'un mécanisme plus complexe utilisé par les cellules pour s'assembler et former un tissu. Certaines cellules qui font initialement partie du tube neural épithélial modifient leurs propriétés d'adhésion et se dégagent de l'épithélium pour former la crête neurale à la surface supérieure du tube neural. Les cellules s'éloignent par migration et forment divers types cellulaires et divers tissus dans tout l'embryon. Sur ce schéma, on les voit qui s'assemblent et se différencient pour former deux groupes de cellules nerveuses, appelés ganglions nerveux, dans le système nerveux périphérique. D'autres cellules de la crête neurale se différencient dans les ganglions pour devenir les cellules de soutien (satellites) entourant les neurones. Les cellules de la crête ont tendance à migrer en agrégats et prolifèrent rapidement lorsqu'elles migrent.

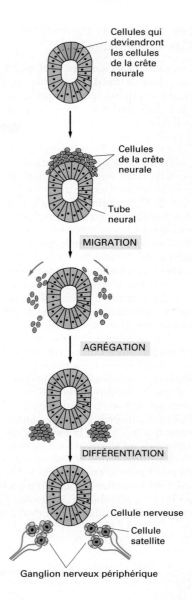

neural épithélial dont elles font initialement partie et migrent le long de voies spécifiques vers de nombreuses autres régions (*voir* Chapitre 21). Là elles s'assemblent avec d'autres cellules et les unes aux autres pour se différencier en divers tissus, y compris ceux du système nerveux périphérique (Figure 19-23).

La motilité et l'adhésion cellulaires s'associent pour occasionner ces types d'événements morphogénétiques. Ce processus nécessite certains mécanismes qui dirigent les cellules vers leur destination finale. Cela peut impliquer une *chimiotaxie* ou une *chimiorépulsion*, la sécrétion d'une substance chimique soluble qui respectivement attire ou repousse les cellules en migration, ou des *voies de guidage*, c'est-à-dire le dépôt de molécules adhésives ou répulsives dans la matrice extracellulaire ou à la surface cellulaire pour guider les cellules en migration le long des bonnes voies. De ce fait, une fois qu'une cellule en migration a atteint sa destination, elle doit reconnaître et rejoindre les autres cellules du type approprié pour s'assembler en un tissu. Il est possible d'étudier la manière dont s'effectue ce dernier processus sur des cellules de différents tissus embryonnaires artificiellement mélangées, qui se redistribuent souvent spontanément pour restaurer une disposition plus normale, comme nous le verrons dans le paragraphe suivant.

Chez les vertébrés, des cellules dissociées peuvent reformer un tissu organisé grâce à une adhésion intercellulaire sélective

Contrairement aux tissus adultes des vertébrés, difficiles à dissocier, les tissus embryonnaires des vertébrés sont facilement dissociables. Cela s'effectue généralement par traitement des tissus avec de faibles concentrations en une enzyme protéolytique comme la trypsine, parfois associé à l'élimination du Ca^{2+} et du Mg^{2+} extracellulaires par un chélateur de cations divalent (comme l'EDTA). Ces réactifs interrompent les interactions protéine-protéine (dont beaucoup sont dépendantes des cations divalents) qui maintiennent ensemble les cellules. Il faut remarquer que les cellules dissociées s'assemblent de novo souvent *in vitro* dans des structures qui ressemblent au tissu d'origine. Cette observation révèle que la structure tissulaire n'est pas seulement de l'histoire ancienne ; elle est activement maintenue et stabilisée par un système d'affinités cellule-cellule et cellule-matrice extracellulaire.

Un exemple frappant de ce phénomène s'observe lorsque des cellules dissociées, issues de deux organes embryonnaires de vertébrés, comme le foie et la rétine, sont mélangées et réunies artificiellement sous forme de granulés : l'agrégat mélangé se redistribue peu à peu selon leur organe d'origine. De façon plus générale, on a trouvé que des cellules désagrégées adhèrent plus facilement sur des agrégats de leur propre organe que sur des agrégats d'autres organes. Il est évident qu'il existe des systèmes de reconnaissance cellule-cellule qui font que les cellules d'un même tissu différencié adhèrent préférentiellement les unes aux autres ; on suppose que ces préférences d'adhésion sont importantes pour la stabilisation de l'architecture tissulaire.

Les cellules adhèrent les unes aux autres et sur la matrice extracellulaire via des protéines cellulaires de surface appelées **molécules d'adhésion cellulaire (CAM** pour *cell adhesion molecules*) – une catégorie dans laquelle se trouvent les protéines d'adhésion transmembranaires dont nous avons déjà parlé. Les CAM peuvent être des *molécules d'adhésion cellule-cellule* ou des *molécules d'adhésion cellule-matrice*. Certaines CAM sont dépendantes de Ca^{2+}, tandis que d'autres sont indépendantes de Ca^{2+}. Les CAM Ca^{2+}-dépendantes semblent être responsables de l'adhésion cellule-cellule, spécifique de tissu, observée dans les jeunes embryons de vertébrés, ce qui explique pourquoi ces cellules peuvent être désagrégées par des chélateurs du Ca^{2+}.

Les CAM ont été initialement identifiées par la fabrication d'anticorps contre des molécules cellulaires de surface. On a ensuite testé leur capacité à inhiber l'adhésion cellule-cellule dans un tube à essai. Les rares anticorps qui inhibaient l'adhésion étaient alors utilisés pour caractériser et isoler la molécule d'adhésion qu'ils reconnaissaient.

Cellules qui deviendront les cellules de la crête neurale

Cellules de la crête neurale

Tube neural

MIGRATION

AGRÉGATION

DIFFÉRENTIATION

Cellule nerveuse

Cellule satellite

Ganglion nerveux périphérique

Les cadhérines permettent l'adhésion intercellulaire, Ca^{2+}-dépendante

Les **cadhérines** sont les principales CAM responsables de l'adhésion cellule-cellule Ca^{2+}-dépendante des tissus des vertébrés. Les trois premières cadhérines découvertes furent nommées selon les principaux tissus dans lesquelles elles avaient été retrouvées : la *E-cadhérine*, présente sur de nombreux types de cellules épithéliales ; la *N-cadhérine* sur les cellules des nerfs, des muscles et du cristallin ; et la *P-cadhérine* sur les cellules du placenta et de l'épiderme. On les trouve toutes également dans divers autres tissus ; la N-cadhérine par exemple est exprimée dans les fibroblastes et la E-cadhérine dans des parties du cerveau. Ces **cadhérines classiques** ainsi que d'autres possèdent des séquences apparentées dans tous leurs domaines extracellulaires et intracellulaires. Il existe aussi un grand nombre de **cadhérines non classiques**, dont plus de 50 s'expriment dans le seul cerveau. Les cadhérines non classiques incluent des protéines dotées de fonctions adhésives connues comme les cadhérines desmosomiques traitées précédemment et les différentes *protocadhérines* retrouvées dans le cerveau. Elles incluent également des protéines qui semblent avoir des fonctions non adhésives, comme les *T-cadhérines* qui ne possèdent pas de domaine transmembranaire et sont fixées sur la membrane plasmique des cellules nerveuses et musculaires par une ancre de glycosylphosphatidylinositol (GPI) et la *protéine Fat* identifiée à l'origine comme le produit d'un gène suppresseur de tumeur chez la drosophile. Les cadhérines classiques et non classiques constituent la **superfamille protéique des cadhérines** (Tableau 19-III).

Les cadhérines sont exprimées chez les invertébrés et les vertébrés. Virtuellement toutes les cellules de vertébrés semblent exprimer une ou plusieurs cadhérines selon le type cellulaire. Ce sont les principales molécules d'adhésion qui maintiennent ensemble les cellules dans les jeunes tissus embryonnaires. En culture, l'élimination du Ca^{2+} extracellulaire ou le traitement par des anticorps anti-cadhérine rompt les tissus embryonnaires et, si on laisse intacte l'adhésion par l'intermédiaire des cadhérines, l'ajout d'anticorps contre les autres molécules d'adhésion a peu d'effets. Les mutations qui inactivent la fonction des E-cadhérines provoquent la désintégration des embryons de souris et leur mort au début du développement.

La plupart des cadhérines sont des glycoprotéines à un seul domaine transmembranaire, d'environ 700 à 750 acides aminés de long. Des études structurales suggèrent qu'elles s'associent dans la membrane plasmique pour former des dimères ou de gros oligomères. La grosse partie extracellulaire de la chaîne polypeptidique est généralement repliée en cinq à six répétitions de cadhérine structurellement ap-

TABLEAU 19-III Quelques membres de la superfamille des cadhérines

NOM	LOCALISATION PRINCIPALE	JONCTION ASSOCIÉE	PHÉNOTYPE LORSQU'ELLES SONT INACTIVÉES CHEZ LA SOURIS
Cadhérines classiques			
E-cadhérine	Épithéliums	Jonctions adhérentes	Mort au stade blastocyste ; l'embryon ne subit pas le compactage
N-cadhérine	Neurones, cœur, muscle squelettique, cristallin et fibroblastes	Jonctions adhérentes et synapses chimiques	L'embryon meurt d'anomalies cardiaques
P-cadhérine	Placenta, épiderme, épithélium mammaire	Jonctions adhérentes	Développement anormal de la glande mammaire
VE-cadhérine	Cellules endothéliales	Jonctions adhérentes	Développement vasculaire anormal (apoptose des cellules endothéliales)
Cadhérines non classiques			
Desmocolline	Peau	Desmosomes	Inconnu
Desmogléine	Peau	Desmosomes	Maladie bulleuse cutanée due à la perte d'adhésion intercellulaire des kératinocytes
T-cadhérine	Neurones, muscles	Aucune	Inconnu
Fat (chez *Drosophila*)	Épithélium et SNC	Aucune	Inconnu
Protocadhérines	Neurones	Synapses chimiques	Inconnu

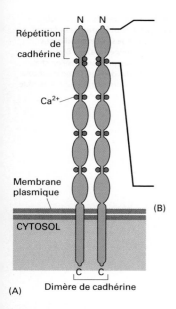

Répétition de cadhérine

Ca^{2+}

Membrane plasmique

CYTOSOL

(B)

C C

(A)   Dimère de cadhérine

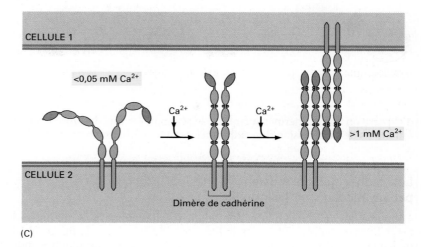

CELLULE 1

<0,05 mM Ca^{2+}

Ca^{2+}

Ca^{2+}

>1 mM Ca^{2+}

CELLULE 2

Dimère de cadhérine

(C)

parentées aux domaines des immunoglobulines (Ig) (Figure 19-24A et B). La structure des cristaux des E-cadhérines et N-cadhérines a permis d'expliquer l'importance de la fixation du Ca^{2+} pour leur fonction. Les ions Ca^{2+} sont placés entre chaque paire de répétition de cadhérine et bloquent ces répétitions pour former une structure rigide en bâtonnet; plus il y a d'ions Ca^{2+} fixés, plus la structure est rigide. Si on élimine le Ca^{2+}, la partie extracellulaire de la protéine devient molle et est rapidement dégradée par les enzymes protéolytiques (Figure 19-24C).

Les cadhérines jouent un rôle crucial dans le développement

La **E-cadhérine** est la mieux caractérisée. Elle se concentre généralement dans les jonctions adhérentes des cellules épithéliales matures où elle connecte les cytosquelettes corticaux d'actine des cellules qu'elle maintient ensemble (*voir* Figure 19-9B). La E-cadhérine est aussi la première cadhérine exprimée au cours du développement des mammifères. Elle aide à provoquer le compactage, une modification morphologique importante qui se produit au stade à huit cellules du développement de l'embryon de souris. Pendant le compactage, les *blastomères*, des cellules à attaches lâches, sont solidement placés ensemble et reliés par des jonctions intercellulaires. Les anticorps anti-E-cadhérine bloquent le compactage des blastomères alors que les anticorps qui réagissent avec diverses autres molécules cellulaires de surface de ces cellules ne le font pas.

Il semble probable que les cadhérines soient également primordiales dans les stades ultérieurs du développement des vertébrés, car leur apparition et leur disparition est corrélée aux événements morphogénétiques majeurs au cours desquels les tissus se séparent les uns des autres. Lorsque le tube neural se forme et se sépare par pincement de l'ectoderme sus-jacent, par exemple, les cellules du tube neural perdent la E-cadhérine et acquièrent d'autres cadhérines, y compris la N-cadhérine tandis que les cellules de l'ectoderme sus-jacent continuent à exprimer la E-cadhérine (Figure 19-25). Ensuite, lorsque les cellules de la crête neurale migrent loin du tube neural, ces cadhérines deviennent à peine détectables et une autre cadhérine (la cadhérine-7) apparaît pour aider à maintenir ensemble les cellules en migration sous forme d'un groupe de cellules lâchement associées. Enfin, lorsque les cellules s'agrègent pour former un ganglion, elles expriment à nouveau la N-cadhérine (*voir* Figure 19-23).

Lors de surexpression de N-cadhérine dans les cellules de la crête neurale émergente, ces cellules ne peuvent s'échapper du tube neural. De ce fait, non seulement les groupes de cellules originaires d'une couche cellulaire exhibent différents patrons

Figure 19-24 Structure et fonction des cadhérines. (A) Une molécule classique de cadhérine. Cette protéine est un homodimère avec la partie extracellulaire de chaque polypeptide repliée en cinq répétitions de cadhérine. Il y a des sites de fixation du Ca^{2+} entre chaque paire de répétitions. (B) La structure du cristal d'une seule répétition de cadhérine qui ressemble à un domaine d'immunoglobuline (Ig). (C) L'influence du Ca^{2+} extracellulaire. Lorsque la quantité de Ca^{2+} augmente, les parties extracellulaires des chaînes de cadhérine deviennent plus rigides. Lorsqu'il y a assez de Ca^{2+} fixé, le dimère de cadhérine s'étend à partir de la surface et il peut se fixer sur un dimère de cadhérine d'une cellule voisine. Si on élimine le Ca^{2+}, la partie extracellulaire de la protéine devient molle et est dégradée par les enzymes protéolytiques.

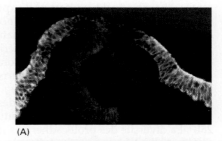

(A)

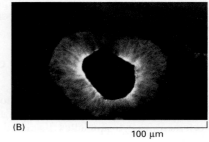

(B)   100 µm

Figure 19-25 Distribution de la E-cadhérine et de la N-cadhérine dans le système nerveux en développement. Deux photographies en microscopie à immunofluorescence d'une coupe transversale d'un embryon de poulet montrant le tube neural en développement marqué par des anticorps anti-E-cadhérine (A) et anti-N-cadhérine (B). Notez que les cellules de l'ectoderme sus-jacent n'expriment que la E-cadhérine tandis que les cellules du tube neural ont perdu leur E-cadhérine et ont acquis de la N-cadhérine. *Voir aussi* Figure 19-10. (Due à l'obligeance de Kohei Hatta et de Masatoshi Takeichi.)

  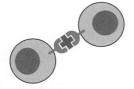

FIXATION HOMOPHILE   FIXATION HÉTÉROPHILE   FIXATION PAR UN «LINKER»
                                                      EXTRACELLULAIRE (MOLÉCULE
                                                      INTERMÉDIAIRE DE LIAISON)

Figure 19-26 Trois mécanismes qui permettent aux molécules cellulaires de surface d'être les intermédiaires de l'adhésion intercellulaire. Bien que ces trois mécanismes puissent opérer chez les animaux, celui qui dépend d'une molécule intermédiaire de liaison extracellulaire semble être le moins fréquent.

d'expression des cadhérines lorsqu'ils se séparent les uns des autres, mais ces commutations de l'expression des cadhérines semblent être intimement impliquées dans le processus de séparation.

Les cadhérines permettent l'adhésion intercellulaire par un mécanisme homophile

Comment des molécules d'adhésion cellule-cellule comme les cadhérines relient-elles les cellules ensemble? Trois possibilités sont illustrées dans la figure 19-26 : (1) lors de *liaison homophile*, les molécules d'une cellule se fixent sur d'autres molécules de même nature sur les cellules adjacentes; (2) lors de *liaison hétérophile*, les molécules d'une cellule se fixent sur des molécules d'une autre nature sur les cellules adjacentes; (3) lors de *liaison dépendant d'un «linker» (molécule intermédiaire de liaison)*, des récepteurs cellulaires de surface sur des cellules adjacentes sont reliés les uns aux autres par des molécules de liaison (*linker*) polyvalentes sécrétées. Bien qu'on ait trouvé ces trois mécanismes chez les animaux, les cadhérines relient généralement les cellules par un mécanisme homophile. Dans une lignée de fibroblastes en culture appelée *cellules L*, par exemple, les cellules n'expriment pas la cadhérine et n'adhèrent pas les unes aux autres. Lorsque les cellules L sont transfectées avec de l'ADN codant pour la E-cadhérine, les cellules transfectées deviennent adhérentes les unes aux autres par un mécanisme Ca^{2+}-dépendant et l'adhésion est inhibée par des anticorps anti-E-cadhérine. Comme les cadhérines peuvent se fixer directement les unes aux autres et que les cellules transfectées ne se fixent pas sur les cellules L non transfectées, on peut conclure que la E-cadhérine réunit les cellules par l'interaction de deux molécules de E-cadhérines situées sur des cellules différentes.

Si on mélange des cellules L exprimant différentes cadhérines, elles se répartissent et s'agrègent séparément, ce qui indique que les différentes cadhérines se fixent préférentiellement sur leur propre type (Figure 19-27), et reflète ce qui se produit lorsque des cellules dérivées de tissus exprimant des cadhérines différentes sont mélangées. Une ségrégation similaire des cellules se produit si on mélange des cellules L exprimant différentes quantités de cadhérines identiques (Figure 19-27B). Il semble probable, par conséquent, que les différences quantitatives et qualitatives de l'expression des cadhérines jouent un rôle dans l'organisation des tissus.

En particulier dans le système nerveux, il existe beaucoup de cadhérines différentes, chacune ayant un patron d'expression différent mais qui se chevauche (Figure 19-28A). Comme elles sont concentrées au niveau des synapses, on pense qu'elles jouent un rôle dans leur formation et leur stabilisation. Certaines cadhérines non classiques comme les protocadhérines sont de bons candidats pour faciliter la détermination de la spécificité des connexions synaptiques. Comme les anticorps, elles diffèrent dans leurs régions N-terminales (variables) mais sont identiques dans leurs régions C-terminales (constantes). Les régions extracellulaire variable et intracellulaire constante sont codées par des exons séparés, avec les exons de la région variable formant des tandems en amont des exons de la région constante (Figure 19-28B). La diversité des protocadhérines est engendrée par l'association de l'utilisation différentielle de promoteurs et d'un épissage alternatif de l'ARN plutôt que par une recombinaison spécifique de site, responsable de la diversification des anticorps (*voir* Chapitre 24).

Les cadhérines sont reliées au cytosquelette d'actine par les caténines

La plupart des cadhérines, y compris toutes les classiques et certaines non classiques, fonctionnent comme des protéines d'adhésion transmembranaires qui relient indirectement les cytosquelettes d'actine des cellules qu'elles unissent. Cet arrangement

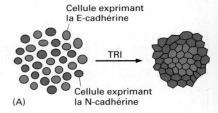

(A)

Cellule exprimant la E-cadhérine

Cellule exprimant la N-cadhérine

TRI

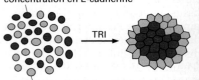

Cellule exprimant une forte concentration en E-cadhérine

Cellule exprimant une faible concentration en E-cadhérine

(B)

TRI

Figure 19-27 La répartition des cellules dépendante des cadhérines. Les cellules en culture peuvent se répartir elles-mêmes selon le type et la concentration de cadhérines qu'elles expriment. Cela peut être visualisé par le marquage de différentes populations de cellules par des colorants de différentes couleurs. (A) Les cellules qui expriment la N-cadhérine se séparent des cellules qui expriment la E-cadhérine. (B) Les cellules qui expriment de fortes concentrations en E-cadhérine se séparent de celles qui expriment de faibles concentrations en E-cadhérine.

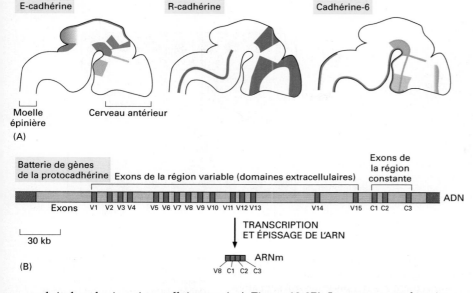

Figure 19-28 Diversité des cadhérines dans le système nerveux central.
(A) Patron d'expression des trois cadhérines classiques dans le cerveau embryonnaire de souris. (B) Disposition des exons codant pour les membres d'une des trois familles connues de protocadhérines, cadhérines non classiques de l'homme. Chaque exon de la région variable code pour la région extracellulaire d'un type de protocadhérine transmembranaire, mais toutes les protocadhérines codées par cet agrégat ont en commun la même queue cytoplasmique qui est codée par les trois exons de la région constante C1, C2 et C3. La diversité des protéines est engendrée par la batterie de gènes, par l'utilisation de différents promoteurs et par l'épissage alternatif de l'ARN.

se produit dans les jonctions adhérentes (*voir* Figure 19-9B). La queue cytoplasmique hautement conservée des cadhérines interagit indirectement avec les filaments d'actine via un groupe de protéines d'ancrage intracellulaires, les **caténines** (Figure 19-29). Cette interaction est essentielle à l'adhésion intercellulaire efficace, car des cadhérines classiques dépourvues de leur domaine cytoplasmique ne peuvent maintenir solidement les cellules entre elles.

Comme nous l'avons vu auparavant, les cadhérines non classiques qui forment les desmosomes interagissent avec les filaments intermédiaires plutôt qu'avec les filaments d'actine. Leur domaine cytoplasmique se fixe sur un autre groupe de protéines d'ancrage intracellulaires, qui se fixent à leur tour sur les filaments intermédiaires (*voir* Figure 19-11D).

Certaines cellules peuvent réguler l'activité adhésive de leurs cadhérines. Cette régulation peut être importante dans les réarrangements cellulaires qui se produisent à l'intérieur des épithéliums, lorsque ces feuillets cellulaires modifient leur forme et leur organisation au cours du développement animal (*voir* Figure 19-10). Les fondements moléculaires de cette régulation ne sont pas connus avec certitude mais pourraient impliquer la phosphorylation des protéines d'ancrage attachées à la queue cytoplasmique des cadhérines.

Certaines cadhérines peuvent faciliter la transmission de signaux à l'intérieur de la cellule. Les cadhérines de l'endothélium vasculaire (VE-cadhérines) par exemple permettent l'adhésion entre les cellules endothéliales et sont également nécessaires à la survie de ces cellules. Bien que les cellules endothéliales qui n'expriment pas la VE-cadhérine adhèrent encore les unes aux autres via les N-cadhérines, elles ne survivent pas (*voir* Tableau 19-III, p. 1082). Leur survie dépend d'une protéine de signalisation extracellulaire, le *facteur de croissance vasculaire endothélial* (*VEGF* pour *vascular endothelial growth factor*) qui se fixe sur un récepteur à activité tyrosine-kinase (*voir* Chapitre 15) qui utilise la VE-cadhérine comme co-récepteur.

Les sélectines permettent les adhésions intercellulaires transitoires dans le courant sanguin

Les leucocytes sanguins vivent une vie de nomade, se déplaçant d'un endroit à l'autre entre le courant sanguin et les tissus, et celle-ci nécessite des propriétés adhésives particulières. Ces propriétés dépendent des **sélectines**. Les sélectines sont des protéines cellulaires de surface qui fixent les glucides (*lectines*) et permettent diverses interactions transitoires d'adhésion intercellulaire, Ca^{2+}-dépendantes dans le courant sanguin. Il en existe au moins trois types : la *L- sélectine* sur les leucocytes, la *P-sélectine* sur les plaquettes sanguines et les cellules endothéliales localement activées par une réponse inflammatoire et la *E-sélectine* sur les cellules endothéliales activées. Chaque sélectine est une protéine transmembranaire dotée d'un domaine lectine hautement conservé qui se fixe sur un oligosaccharide spécifique d'une autre cellule (Figure 19-30A).

Les sélectines jouent un rôle important dans la fixation des leucocytes sur les cellules endothéliales qui tapissent les vaisseaux sanguins, et leur permettent ainsi de mi-

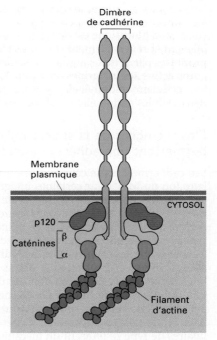

Figure 19-29 La liaison des cadhérines classiques avec les filaments d'actine.
Les cadhérines sont couplées indirectement aux filaments d'actine par des protéines d'ancrage, la caténine α et la caténine β. Une troisième protéine intracellulaire, p120, se fixe également sur la queue cytoplasmique de la cadhérine et régule sa fonction. La caténine β possède une deuxième fonction très importante dans la signalisation intracellulaire, comme nous l'avons vu au chapitre 15 (*voir* Figure 15-72).

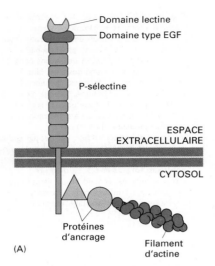

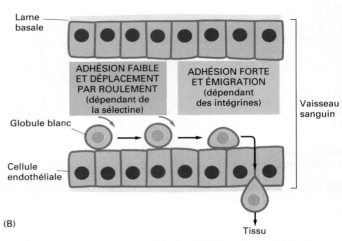

(A)

(B)

Figure 19-30 Structure et fonction des sélectines. (A) Structure de la P-sélectine. La sélectine se fixe sur le cytosquelette d'actine par des protéines d'ancrage qui sont encore mal caractérisées. (B) Les sélectines et les intégrines permettent les adhésions cellule-cellule nécessaires à la migration des globules blancs qui sortent du courant sanguin pour entrer dans un tissu.

grer à l'extérieur du courant sanguin pour entrer dans un tissu. Dans un organe lymphoïde, les cellules endothéliales expriment des oligosaccharides reconnus par les L-sélectines des lymphocytes, ce qui provoque l'attardement des lymphocytes qui sont alors piégés. À l'inverse, au niveau des sites inflammatoires, les cellules endothéliales activent l'expression des sélectines qui reconnaissent les oligosaccharides sur les leucocytes sanguins et les plaquettes, et arrêtent ainsi ces cellules pour qu'elles aident à faire face à l'urgence locale. Cependant, les sélectines n'agissent pas seules. Elles collaborent avec les intégrines qui renforcent la fixation des cellules sanguines sur l'endothélium. L'adhésion cellulaire via les sélectines et les intégrines est hétérophile (*voir* Figure 19-26) : les sélectines se fixent sur des oligosaccharides spécifiques des glycoprotéines et des glycolipides, tandis que les intégrines se fixent sur des protéines spécifiques.

Les sélectines et les intégrines agissent séquentiellement pour permettre aux globules blancs de quitter le courant sanguin et pénétrer dans les tissus. L'adhésion par les sélectines est faible parce que la fixation du domaine lectine de la sélectine sur son ligand glucidique est de faible affinité. Cela permet aux leucocytes d'adhérer faiblement et réversiblement sur l'endothélium et de rouler à la surface des vaisseaux, propulsés par le flux sanguin. Ce roulement se poursuit jusqu'à ce que la cellule sanguine active ses intégrines (*voir* plus loin), ce qui entraîne sa fixation solide à la surface cellulaire endothéliale et sa migration à l'extérieur du vaisseau sanguin entre deux cellules endothéliales adjacentes (Figure 19-30B).

Des membres de la superfamille protéique des immunoglobulines permettent une adhésion intercellulaire, indépendante de Ca²⁺

Les cadhérines, les sélectines et les intégrines dépendent toutes du Ca^{2+} extracellulaire (ou du Mg^{2+} pour certaines intégrines) pour fonctionner dans l'adhésion cellulaire. Les molécules responsables de l'adhésion intercellulaire indépendante de Ca^{2+} appartiennent surtout à une ancienne superfamille protéique importante, celle des *immunoglobulines (Ig)*. Ces protéines contiennent un ou plusieurs domaines de type Ig caractéristiques des molécules d'anticorps (*voir* Chapitre 24). Un des exemples les mieux étudiés est la **molécule d'adhésion aux neurones** (**N-CAM** pour *neural cell adhesion molecule*), exprimée par divers types cellulaires y compris la plupart des cellules nerveuses. N-CAM est la molécule d'adhésion intercellulaire indépendante du Ca^{2+} qui a la plus forte prévalence chez les vertébrés et, comme les cadhérines, on pense qu'elle réunit les cellules par un mécanisme homophile (entre des molécules N-CAM de cellules adjacentes). Cependant, certaines protéines d'adhésion intercellulaires de type Ig utilisent un mécanisme hétérophile. Les *molécules d'adhésion intercellulaires* (*ICAM* pour *intercellular adhesion molecules*) des cellules endothéliales, par exemple, se fixent sur les intégrines des cellules sanguines lorsque celles-ci migrent à l'extérieur du courant sanguin, comme nous venons de le voir.

Il existe au moins 20 formes de N-CAM, toutes engendrées par l'épissage alternatif du transcrit d'ARN produit par un seul gène. Dans toutes les formes, la grosse partie extracellulaire de la chaîne polypeptidique est repliée en cinq domaines de type Ig (Figure 19-31). Certaines formes de N-CAM transportent de grandes quantités inhabituelles d'acide sialique (avec des chaînes contenant des centaines d'unités d'acide sialique répétitives). Du fait de leur charge négative, ces longues chaînes d'acide polysialique entravent l'adhésion cellulaire et il y a de plus en plus de preuves que les N-CAM fortement chargées en acide sialique servent plutôt à éviter l'adhésion qu'à la provoquer.

Bien que les cadhérines et les membres de la famille des Ig s'expriment fréquemment sur les mêmes cellules, les adhésions via les cadhérines sont bien plus solides et sont largement responsables du maintien ensemble des cellules, de la ségrégation d'ensembles de cellules dans certains tissus et du maintien de l'intégrité tissulaire. Les N-CAM et les autres membres de la famille des Ig semblent surtout contribuer au réglage précis de ces interactions adhésives pendant le développement et la régénération. Par exemple, dans le pancréas en développement de rongeurs, la formation des îlots de Langerhans nécessite une agrégation cellulaire suivi d'un tri cellulaire. Alors que l'inhibition de la fonction des cadhérines empêche l'agrégation cellulaire et la formation des îlots, la perte des N-CAM empêche seulement le processus de tri cellulaire de telle sorte que les îlots qui se forment sont désorganisés.

De même, alors que les souris mutantes dépourvues de N-cadhérine meurent au début de leur développement, les souris mutantes qui manquent de N-CAM se développent assez normalement, même si elles présentent effectivement certaines anomalies de leur développement nerveux. Des mutations d'autres gènes qui codent pour des protéines d'adhésion cellulaire de type Ig, cependant, peuvent provoquer des anomalies nerveuses plus graves. Les mutations du gène *L1* chez l'homme, par exemple, provoquent un retard mental et d'autres troubles neurologiques du fait d'anomalies de la migration des cellules nerveuses et de leurs axones.

L'importance des protéines d'adhésion cellulaire de type Ig dans la connexion des neurones dans le système nerveux en développement a été démontrée de façon spectaculaire chez *Drosophila*. Une protéine de type N-CAM, la *fascicline III (FAS3)*, s'exprime transitoirement sur certains neurones moteurs ainsi que sur les cellules musculaires qu'ils innervent normalement. Si FAS3 est génétiquement éliminée de ces neurones, ils n'arrivent pas à reconnaître leurs cibles musculaires et ne forment pas de synapses avec elles. À l'inverse, si les motoneurones qui n'expriment pas normalement FAS3 sont amenés à exprimer cette protéine, ils forment alors des synapses avec les cellules musculaires qui expriment FAS3 et avec lesquelles ils ne sont normalement pas reliés. Il semble que les cellules musculaires exprimant FAS3 soient les intermédiaires de ces connexions synaptiques par le biais d'un mécanisme homophilique d'« entremetteur ».

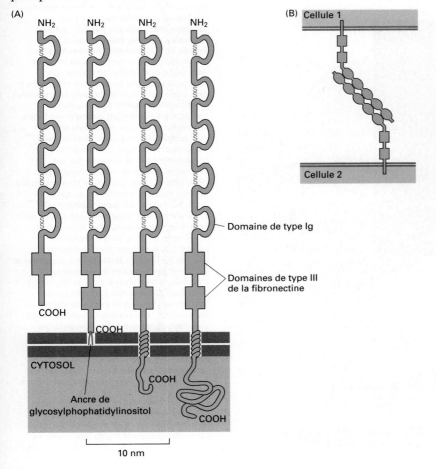

Figure 19-31 La protéine d'adhésion cellulaire N-CAM. (A) Quatre formes de N-CAM. La partie extracellulaire de la chaîne polypeptidique de chaque cas est repliée en cinq domaines de type Ig (et un ou deux autres domaines appelés répétitions de type III de la fibronectine). Les ponts disulfure (en *rouge*) relient les extrémités de chaque boucle qui forme un domaine de type Ig. (B) Modèle de l'interaction homophile qui permet à la N-CAM d'être un intermédiaire de l'adhésion cellule-cellule.

Tout comme les cadhérines, certaines protéines de type Ig ne servent pas simplement à relier les cellules. Elles peuvent aussi transmettre des signaux à l'intérieur de la cellule. Par exemple, certaines formes de N-CAM des cellules nerveuses s'associent avec les tyrosine-kinases cytoplasmiques de la *famille Src* (*voir* Chapitre 15) qui relaient le signal vers l'avant par la phosphorylation de protéines intracellulaires sur des tyrosines. D'autres membres de la famille des Ig sont des tyrosine-phosphatases transmembranaires (*voir* Chapitre 15) qui facilitent le guidage des axones en croissance sur leurs cellules cibles, probablement par la déphosphorylation de protéines intracellulaires spécifiques.

Plusieurs types de molécules cellulaires de surface agissent en parallèle pour permettre l'adhésion intercellulaire sélective

Un seul type cellulaire utilise de multiples mécanismes moléculaires pour adhérer aux autres cellules. Certains de ces mécanismes impliquent des jonctions cellulaires organisées, et d'autres non (Figure 19-32). Chaque cellule d'un animal multicellulaire contient un assortiment de récepteurs cellulaires de surface qui permettent à la cellule de répondre spécifiquement à un ensemble complémentaire de molécules de signalisation extracellulaires solubles, comme des hormones et des facteurs de croissance. De même, chaque cellule d'un tissu présente un assortiment (et une concentration) spécifique de molécules d'adhésion cellulaires de surface qui lui permet de se fixer selon une voie propre et caractéristique sur d'autres cellules et sur la matrice extracellulaire. Et tout comme les récepteurs des molécules solubles de signalisation extracellulaire engendrent des signaux intracellulaires qui modifient le comportement de la cellule, les molécules d'adhésion cellulaire le peuvent également, bien que le mécanisme de signalisation qu'elles utilisent soit généralement mal compris.

Contrairement aux récepteurs des molécules de signalisation solubles, qui se fixent sur leurs ligands spécifiques avec une forte affinité, les récepteurs qui fixent les molécules cellulaires de surface ou de la matrice extracellulaire le font généralement avec une faible affinité. Ces récepteurs de faible affinité agissent grâce à l'augmentation énorme de la force de liaison provoquée par la fixation simultanée de mul-

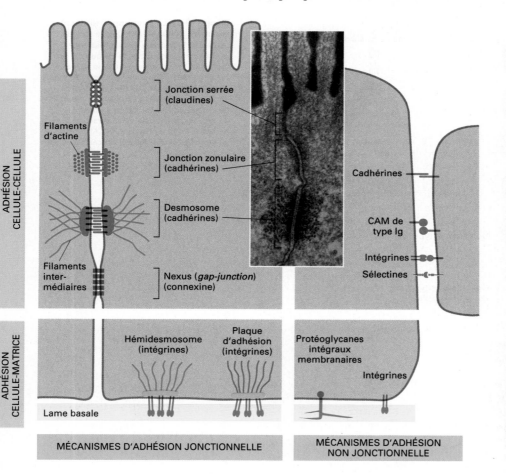

Figure 19-32 Résumé des mécanismes d'adhésion jonctionnelle et non jonctionnelle, utilisés par les cellules animales pour se fixer les unes aux autres et à la matrice extracellulaire. Les mécanismes jonctionnels sont montrés dans des cellules épithéliales tandis que les mécanismes non jonctionnels sont montrés dans des cellules non épithéliales. Une adhésion jonctionnelle se définit du point de vue opérationnel comme une adhésion qui forme une région spécialisée de contact en microscopie électronique conventionnelle ou après cryofracture. Une adhésion non jonctionnelle ne présente pas ces structures spécifiques visibles. Notez que les intégrines et les cadhérines sont impliquées dans les contacts jonctionnels et non jonctionnels intercellulaires (cadhérines) et cellule-matrice (intégrines). Les cadhérines permettent généralement des interactions homophiles tandis que les intégrines permettent des interactions hétérophiles (*voir* Figure 19-26). Les cadhérines, intégrines et sélectines agissent comme des molécules d'adhésion transmembranaires et dépendent de cations divalents extracellulaires pour fonctionner ; pour cette raison, la plupart des contacts cellule-cellule et cellule-matrice sont dépendants des cations divalents. Sur les cellules sanguines, les sélectines et les intégrines peuvent aussi agir comme des molécules d'adhésion cellule-cellule hétérophiles ; les sélectines se fixent sur les glucides et les intégrines reliant les cellules se fixent sur des membres de la superfamille des Ig. Les intégrines et les protéoglycanes intégraux membranaires qui permettent les adhésions non jonctionnelles à la matrice extracellulaire seront traités ultérieurement. (Encart dû à l'obligeance de Daniel S. Friend.)

tiples récepteurs sur de multiples ligands de la cellule opposée ou de la matrice adjacente. On pourrait appeler ceci le «principe du Velcro».

Nous avons vu cependant que les interactions des domaines de fixation extracellulaires de ces molécules cellulaires de surface ne suffisent pas à assurer l'adhésion cellulaire. Pour ce qui est des cadhérines et, comme nous le verrons, des intégrines, les molécules d'adhésion doivent aussi s'attacher (via des protéines d'ancrage) sur le cytosquelette à l'intérieur de la cellule. On pense que le cytosquelette assiste et stabilise l'agrégation latérale des molécules d'adhésion pour faciliter une fixation multipoints. Le cytosquelette est également nécessaire pour permettre à la cellule qui adhère d'exercer une traction sur la cellule adjacente ou sur la matrice (et vice versa). De ce fait, c'est le mélange de types spécifiques de molécules d'adhésion intercellulaire présentes sur chaque couple de cellules, ainsi que leurs concentrations, leurs liaisons sur le cytosquelette et leur distribution à la surface cellulaire, qui déterminent l'affinité totale avec laquelle les deux cellules se fixent l'une sur l'autre.

Les contacts non jonctionnels peuvent initier les adhésions intercellulaires qui sont ensuite orientées puis stabilisées par les contacts jonctionnels

Nous avons vu que les contacts adhésifs entre les cellules jouaient un rôle crucial dans l'organisation de la formation des tissus et des organes dans les embryons en développement ou dans les tissus adultes qui subissent une réparation post-lésionnelle. Le plus souvent, ces contacts n'impliquent pas la formation des jonctions intercellulaires organisées qui apparaissent comme des structures spécifiques en microscopie électronique. On observe simplement que les membranes plasmiques qui interagissent se rapprochent et se placent parallèlement, séparées par un espace de 10 à 20 nm. Ce type de contact «non jonctionnel» peut être optimal pour la locomotion cellulaire – assez proche pour fournir une traction et permettre aux protéines d'adhésion transmembranaires d'interagir mais pas assez serré ni assez solidement ancré au cytosquelette pour immobiliser la cellule.

Une des hypothèses raisonnables est que les protéines d'adhésion intercellulaire non jonctionnelle initient les adhésions cellule-cellule qui sont alors orientées puis stabilisées par l'assemblage de jonctions intercellulaires véritables. Bon nombre des protéines transmembranaires impliquées peuvent diffuser dans le plan de la membrane plasmique et, de cette façon ou d'une autre, être recrutées sur les sites de contact cellule-cellule (et cellule-matrice), ce qui permet l'élargissement des adhésions non jonctionnelles et leur maturation en adhésion jonctionnelle. Cela a été démontré avec certaines intégrines et cadhérines qui facilitent l'initiation de l'adhésion cellulaire puis deviennent une partie intégrante des jonctions cellulaires. L'extrémité en migration d'un axone, par exemple, présente une distribution uniforme de cadhérines à sa surface, ce qui l'aide à adhérer aux autres cellules le long de sa voie de migration. Elle possède aussi un pool intracellulaire de cadhérines dans des vésicules situées juste en dessous de la membrane plasmique. Lorsque l'axone atteint sa cellule cible, on pense qu'il libère les molécules de cadhérines intracellulaires à sa surface cellulaire où elles facilitent la formation d'un contact stable qui subit une maturation en une synapse chimique.

Comme nous l'avons vu précédemment, les anticorps contre les protéines de jonction adhérentes bloquent la formation des jonctions serrées ainsi que les jonctions adhérentes, ce qui suggère que l'assemblage d'un type de jonction peut être préalablement nécessaire à la formation de l'autre. Un nombre grandissant d'anticorps monoclonaux et de fragments peptidiques a été produit et peut bloquer un seul type de molécules d'adhésion cellulaire. De plus en plus de gènes codant pour ces protéines cellulaires de surface ont été également identifiés, créant de nouvelles opportunités de manipulation de la machinerie d'adhésion des cellules en culture et dans les animaux d'expérience. Il est donc maintenant possible d'inactiver diverses protéines d'adhésion cellule-cellule en association – ce qui est nécessaire pour pouvoir déchiffrer les rôles de reconnaissance et de fixation cellule-cellule utilisés pour édifier des tissus complexes.

Résumé

Les cellules dissociées de divers tissus embryonnaires de vertébrés se réassocient préférentiellement avec les cellules du même tissu lorsqu'elles sont mélangées. Chez les vertébrés, ce processus de reconnaissance spécifique passe principalement par une famille de protéines d'adhésion intercellulaire Ca^{2+}-dépendante, les cadhérines, qui maintiennent ensemble les cellules via une interaction homophile entre ces protéines transmembranaires situées sur des cellules adjacentes. Pour que cette interaction soit efficace, la partie cytoplasmique des cadhérines doit être reliée au cytosquelette par des protéines d'ancrage cytoplasmiques appelées caténines.

Deux autres familles de protéines d'adhésion transmembranaires jouent un rôle majeur dans l'adhésion intercellulaire. Dans le courant sanguin, les sélectines fonctionnent dans l'adhésion transitoire intercellulaire Ca^{2+}-dépendante en se fixant sur des oligosaccharides spécifiques à la surface d'une autre cellule. Les membres de la superfamille des immunoglobulines, y compris les N-CAM, permettent les processus d'adhésion intercellulaire Ca^{2+}-indépendants qui sont particulièrement importants pendant le développement nerveux.

Un seul type cellulaire utilise de multiples mécanismes moléculaires pour adhérer aux autres cellules (et à la matrice extracellulaire). De ce fait, la spécificité de l'adhésion cellule-cellule (et cellule-matrice) observée dans le développement embryonnaire doit résulter de l'intégration de plusieurs systèmes d'adhésion différents parmi lesquels certains sont associés aux jonctions cellulaires spécifiques tandis que d'autres ne le sont pas.

MATRICE EXTRACELLULAIRE DES ANIMAUX

Les tissus ne sont pas constitués uniquement de cellules. Une partie substantielle de leur volume représente l'*espace extracellulaire*, en grande partie rempli d'un réseau complexe de macromolécules constituant la **matrice extracellulaire** (Figure 19-33). Cette matrice est composée de divers protéines et polysaccharides localement sécrétés qui s'assemblent en un réseau organisé solidement associé à la surface cellulaire qui les produit.

Alors que nous avons parlé des jonctions cellulaires principalement dans le cadre des tissus épithéliaux, nous aborderons la matrice extracellulaire en nous concentrant sur les tissus conjonctifs (Figure 19-34). La matrice extracellulaire des tissus conjonctifs est souvent plus volumineuse que les cellules qu'elle entoure et détermine les propriétés physiques de ces tissus. Les tissus conjonctifs forment l'échafaudage du corps des vertébrés, mais leur quantité dans chaque organe varie fortement – dans les cartilages et les os, ce sont les constituants majeurs, alors que dans le cerveau et la moelle épinière ce ne sont que des constituants mineurs.

Les variations des quantités relatives des différents types de macromolécules matricielles et de leur mode d'organisation dans la matrice extracellulaire ont donné naissance à une surprenante diversité de formes, chacune adaptée aux besoins fonctionnels du tissu en question. La matrice peut se calcifier pour former les structures osseuses ou dentaires dures comme de la pierre, peut former la matrice transparente de la cornée, ou peut adopter l'organisation en corde qui donne aux tendons leur énorme résistance élastique à la traction. À l'interface entre un épithélium et le tissu conjonctif, la matrice forme une membrane basale (*voir* Figure 19-34) importante pour le contrôle du comportement cellulaire.

On pensait à l'origine que la matrice extracellulaire des vertébrés servait principalement d'échafaudage relativement inerte pour stabiliser la structure physique des tissus. Mais il est clair maintenant que la matrice joue un rôle bien plus actif et complexe dans la régulation du comportement des cellules qui entrent en contact avec elle et influence leur survie, leur développement, leur migration, leur prolifération, leur forme et leur fonction. La matrice extracellulaire présente, par conséquent, une composition moléculaire complexe. Bien que notre compréhension de son organisation ne soit pas encore complète, nous avons fait de rapides progrès dans la caractérisation de bon nombre de ses composants majeurs.

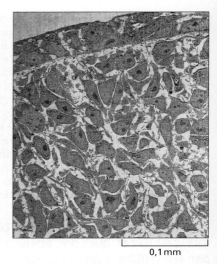

0,1 mm

Figure 19-33 Cellules entourées d'espaces remplis de matrice extracellulaire. Les cellules particulières montrées sur cette photographie en microscopie électronique à basse puissance sont celles d'un bourgeon embryonnaire d'une patte de poulet. Les cellules n'ont pas encore acquis leurs caractéristiques spécifiques. (Due à l'obligeance de Cheryll Tickle.)

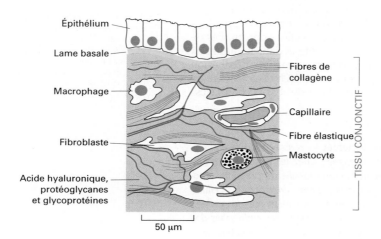

Épithélium
Lame basale
Macrophage
Fibroblaste
Acide hyaluronique, protéoglycanes et glycoprotéines

Fibres de collagène
Capillaire
Fibre élastique
Mastocyte

TISSU CONJONCTIF

50 µm

Figure 19-34 Le tissu conjonctif sous-jacent à un épithélium. Ce tissu contient diverses cellules et composants de la matrice extracellulaire. Le type cellulaire prédominant est le fibroblaste qui sécrète une abondante matrice extracellulaire.

Nous nous concentrerons sur la matrice extracellulaire des vertébrés, mais les origines de la matrice extracellulaire sont très anciennes et virtuellement tous les organismes multicellulaires en fabriquent ; parmi les exemples, citons la cuticule des vers et des insectes, la coquille des mollusques et, comme nous le verrons ultérieurement, la paroi cellulaire des végétaux.

La matrice extracellulaire est fabriquée et orientée par les cellules qui la composent

Les macromolécules qui constituent la matrice extracellulaire sont principalement produites localement par les cellules de la matrice. Comme nous le verrons ultérieurement, ces cellules permettent aussi son organisation : la réorientation du cytosquelette à l'intérieur de la cellule peut contrôler la réorientation de la matrice produite à l'extérieur. Dans la plupart des tissus conjonctifs, les macromolécules de la matrice sont largement sécrétées par des cellules, les **fibroblastes** (Figure 19-35). Dans certains types de tissus conjonctifs spécifiques, comme le cartilage et les os, cependant, elles sont sécrétées par des cellules de la famille des fibroblastes qui portent des noms plus spécifiques : par exemple *chondroblastes* dans les cartilages et *ostéoblastes* dans les os.

Deux principales classes de macromolécules extracellulaires composent la matrice : (1) les chaînes de polysaccharides de la classe des *glycosaminoglycanes* (GAG) qui sont généralement liées de façon covalente aux protéines sous forme de *protéoglycanes* et (2) les protéines fibreuses, dont le *collagène*, l'*élastine*, la *fibronectine* et la *laminine* qui ont des fonctions à la fois structurelles et adhésives. Nous verrons que les membres de ces deux classes existent sous une grande variété de formes et de tailles.

Les molécules de protéoglycanes des tissus conjonctifs forment la « substance de base » fortement hydratée, qui ressemble à un gel et dans laquelle sont incluses les protéines fibreuses. Ce gel de polysaccharides résiste aux forces de compression sur la matrice tout en permettant une diffusion rapide des nutriments, des métabolites et des hormones entre le sang et les cellules tissulaires. Les fibres de collagène renforcent et facilitent l'organisation de la matrice et les fibres d'élastine de type élastique lui donnent son élasticité. Enfin, beaucoup de protéines matricielles permettent la fixation des cellules au bon endroit.

Les chaînes de glycosaminoglycanes (GAG) occupent un large espace et forment des gels hydratés

Les **glycosaminoglycanes (GAG)** sont des chaînes polysaccharidiques non ramifiées composées d'unités disaccharidiques répétitives. On les appèle GAG parce qu'un des deux sucres du disaccharide répétitif est toujours un sucre amine (*N*-acétylglucosamine ou *N*-acétylgalactosamine) sulfaté dans la plupart des cas. Le deuxième sucre est généralement un acide uronique (glucuronique ou iduronique). Comme il y a des groupements sulfate ou carboxyle sur la plupart de leurs sucres, les GAG possèdent une forte charge négative (Figure 19-36). En effet, ce sont les molécules les plus anioniques produites par les cellules animales. On distingue quatre principaux groupes de GAG selon leurs sucres, le type de liaisons entre les sucres et le nombre et la lo-

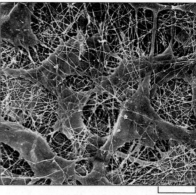

Figure 19-35 Fibroblastes des tissus conjonctifs. Cette photographie en microscopie électronique à balayage montre un tissu issu de la cornée d'un rat. La matrice extracellulaire qui entoure les fibroblastes est composée en grande partie de fibrilles de collagène (il n'y a pas de fibres élastiques dans la cornée). Les glycoprotéines, l'acide hyaluronique et les protéoglycanes qui forment normalement un gel hydraté qui remplit les interstices du réseau fibreux, ont été éliminés par traitement enzymatique et traitement acide. (D'après T. Nishida et al. *Invest. Ophtalmol. Vis. Sci.* 29 :1887-1890, 1988. © Association for Research in Vision and Ophtalmology.)

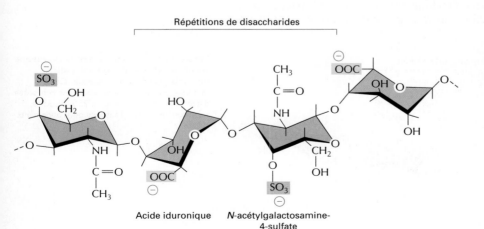

Répétitions de disaccharides

Acide iduronique

N-acétylgalactosamine-4-sulfate

Figure 19-36 La séquence répétitive disaccharidique d'une chaîne d'un glycosaminoglycane (GAG), le dermatane-sulfate. Ces chaînes contiennent typiquement 70 à 200 sucres. Il y a une forte densité de charges négatives le long de la chaîne du fait de la présence de groupements carboxyle et sulfate.

calisation des groupements sulfate : (1) l'*acide hyaluronique*, (2) la *chondroïtine-sulfate* et le *dermatane-sulfate*, (3) l'*héparane-sulfate* et (4) le *kératane-sulfate*.

Les chaînes polysaccharidiques sont trop rigides pour se replier en une structure globulaire compacte comme celle typiquement formée par les chaînes polypeptidiques. De plus elles sont fortement hydrophiles. De ce fait, les GAG ont tendance à adopter une conformation très allongée qui occupe un énorme volume relativement à leur masse (Figure 19-37) et forment des gels même à très faible concentration. Leur forte densité de charges négatives attire un nuage de cations, plus particulièrement Na⁺, osmotiquement actifs, qui provoquent l'aspiration d'une grande quantité d'eau dans la matrice. Cela crée une pression de gonflement ou turgescence, qui permet à la matrice de résister aux forces de compression (contrairement aux fibrilles de collagènes qui résistent aux forces d'étirement). La matrice cartilagineuse qui tapisse l'articulation du genou peut ainsi supporter des pressions de centaines d'atmosphères.

Les GAG des tissus conjonctifs représentent généralement moins de 10 p. 100 du poids des protéines fibreuses. Mais comme elles forment des gels hydratés poreux, les chaînes de GAG remplissent la majeure partie de l'espace extracellulaire et fournissent un soutien mécanique aux tissus. Lors d'une maladie génétique rare de l'homme, il se produit une déficience grave de la synthèse du dermatane-sulfate, le disaccharide montré en figure 19-36. Les individus atteints sont de petite taille, ont un aspect prématurément âgé et des anomalies généralisées de la peau, des articulations, des muscles et des os.

Il faut insister, cependant, sur le fait que, chez les invertébrés et les végétaux, d'autres types de polysaccharides dominent souvent dans la matrice extracellulaire. De ce fait, dans les végétaux supérieurs, comme nous le verrons ultérieurement, des chaînes de cellulose (polyglucose) sont serrées ensemble dans une formation cristalline de type ruban qui forme les composants microfibrillaires de la paroi cellulaire. Chez les insectes, les crustacés et d'autres arthropodes, la chitine (poly-*N*-acétylglucosamine) constitue de même le principal composant de l'exosquelette. À elles deux, la cellulose et chitine sont les biopolymères les plus abondants sur Terre.

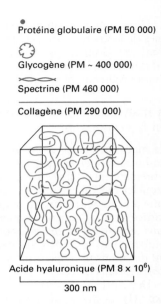

Figure 19-37 Dimensions et volumes relatifs occupés par diverses macromolécules. Diverses protéines, un granule de glycogène et une unique molécule hydratée d'acide hyaluronique sont montrés ici.

On pense que l'acide hyaluronique facilite la migration cellulaire pendant la morphogenèse et la réparation des tissus

L'**acide hyaluronique** (appelé aussi *hyaluronate*) est le GAG le plus simple (Figure 19-38). Il est composé d'une séquence régulière répétitive d'au maximum 25 000 unités disaccharidiques non sulfatées. Il est présent en quantités variables dans tous les tissus et les liquides des animaux adultes, et particulièrement abondant chez le jeune embryon. L'acide hyaluronique n'est pas typique de la majorité des GAG. Contrairement à tous les autres, il ne contient pas de sucres sulfatés, toutes ses unités disaccharidiques sont identiques, sa chaîne est excessivement longue (des milliers de monomères de sucres) et il n'est généralement pas relié de façon covalente à un noyau protéique. De plus, alors que les autres GAG sont synthétisés à l'intérieur de la cellule puis libérés par exocytose, l'acide hyaluronique est « tissé » directement à partir de la surface cellulaire par un complexe enzymatique encastré dans la membrane plasmique.

On pense que l'acide hyaluronique joue un rôle dans la résistance aux forces de compression dans les tissus et les articulations. Il est aussi important pendant le développement embryonnaire pour combler les espaces, et peut être utilisé pour forcer une modification de forme d'une structure du fait qu'une petite quantité se dilate avec l'eau pour occuper un large volume (*voir* Figure 19-37). L'acide hyaluronique synthétisé à partir de la face basale d'un épithélium par exemple sert souvent à créer un espace acellulaire dans lequel les cellules migrent par la suite ; cela se produit lors

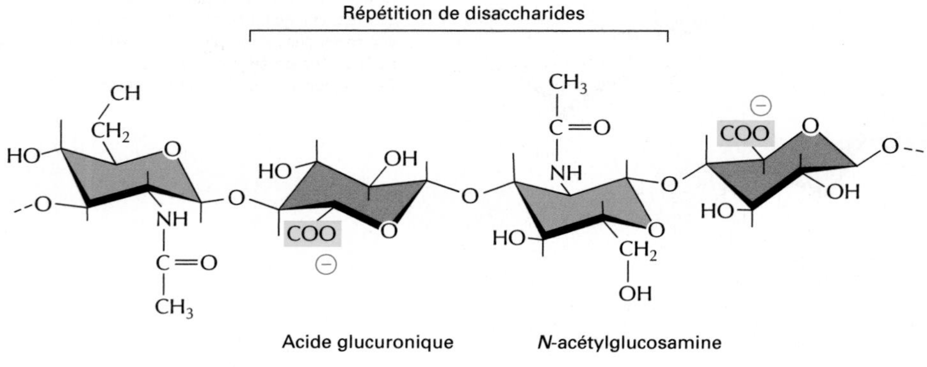

Répétition de disaccharides

Figure 19-38 La séquence disaccharidique répétitive de l'acide hyaluronique, un GAG relativement simple. Cette molécule ubiquiste des vertébrés est composée d'une seule longue chaîne de 25 000 sucres au maximum. Notez l'absence de groupements sulfate.

Acide glucuronique   *N*-acétylglucosamine

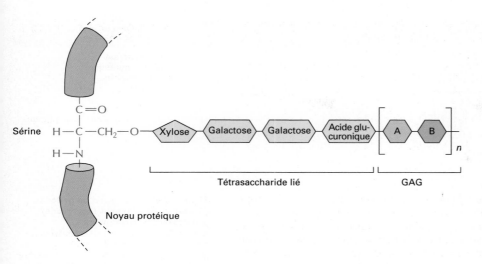

Figure 19-39 La liaison entre une chaîne de GAG et le noyau protéique dans une molécule de protéoglycane. Une liaison spécifique tétrasaccharidique s'assemble d'abord sur une chaîne latérale de sérine. Dans la plupart des cas, on ne sait pas clairement comment s'effectue le choix de cette sérine spécifique, mais il semble que cela implique la reconnaissance d'une conformation locale spécifique de la chaîne polypeptidique, plutôt que d'une séquence linéaire spécifique en acides aminés. Le reste de la chaîne de GAG, composée principalement d'unités répétitives de disaccharides, est alors synthétisée, par l'ajout d'un sucre à la fois. Dans la chondroïtine-sulfate, le disaccharide est composé d'acide D-glucuronique et de N-acétyl-D-galactosamine ; dans l'héparane-sulfate, c'est de la D-glucosamine (ou de l'acide L-iduronique) et de la N-acétyl-D-glucosamine ; dans le kératane-sulfate, c'est du D-galactose et de la N-acétyl-D-glucosamine.

de la formation du cœur, de la cornée et de plusieurs autres organes. Lorsque la migration cellulaire est terminée, une enzyme, la *hyaluronidase*, dégrade généralement l'excès d'acide hyaluronique. L'acide hyaluronique est aussi produit en grandes quantités pendant la cicatrisation des blessures et c'est un important constituant du liquide articulaire dans lequel il sert de lubrifiant.

Beaucoup de fonctions de l'acide hyaluronique dépendent d'interactions spécifiques avec d'autres molécules, y compris des protéines et des protéoglycanes – molécules composées de chaînes de GAG reliées de façon covalente à une protéine. Certaines de ces molécules qui se fixent sur l'acide hyaluronique sont des constituants de la matrice extracellulaire, alors que d'autres sont des composants intégraux de la surface cellulaire.

Les protéoglycanes sont composés de chaînes de GAG reliées de façon covalente à un noyau protéique

À l'exception de l'acide hyaluronique, tous les GAG sont attachés de façon covalente sur une protéine et forment des **protéoglycanes**, fabriqués par la plupart des cellules animales. La chaîne polypeptidique, ou *noyau protéique*, d'un protéoglycane est fabriquée par les ribosomes liés à la membrane du réticulum endoplasmique puis passe dans sa lumière. Les chaînes polysaccharidiques sont principalement assemblées sur ce noyau protéique dans l'appareil de Golgi. Tout d'abord, un *liant tétrasaccharidique* particulier se fixe sur une chaîne latérale de sérine du noyau protéique pour servir d'amorce à la croissance polysaccharidique ; puis une glycosyl-transférase spécifique y ajoute un sucre après l'autre (Figure 19-39). Alors qu'ils sont encore dans l'appareil de Golgi, un grand nombre de ces sucres polymérisés sont modifiés de façon covalente par une série séquentielle et coordonnée de réactions. Les épimérisations modifient la configuration des groupements de substitution autour de certains atomes de carbone de la molécule de sucre ; les sulfatations augmentent la charge négative.

Les protéoglycanes sont généralement faciles à distinguer des autres glycoprotéines par la nature, la quantité et la disposition de leurs chaînes latérales de sucre. Par définition, au moins une des chaînes latérales de sucre d'un protéoglycane doit être un GAG. Alors que les glycoprotéines contiennent entre 1 et 60 p. 100 de glucides par poids sous forme de nombreuses chaînes relativement courtes d'oligosaccharides ramifiés, les protéoglycanes peuvent contenir jusqu'à 95 p. 100 de glucides par poids, surtout sous la forme de longues chaînes de GAG non ramifiées, chacune d'une longueur typique de 80 sucres. Les protéoglycanes peuvent être immenses. Un protéoglycane, l'*aggrecane*, par exemple, qui est un composant majeur du cartilage, a une masse moléculaire de 3×10^6 daltons avec plus de 100 chaînes de GAG. D'autres protéoglycanes sont bien plus petits et n'ont que 1 à 10 chaînes de GAG (Figure 19-40).

En principe, les protéoglycanes sont potentiellement d'une hétérogénéité illimitée. Même un même type de noyau protéique peut être attaché à un nombre et des types de chaînes de GAG très variables. De plus, la configuration sous-jacente répétitive des disaccharides dans chaque GAG peut être modifiée par la configuration complexe des groupements sulfate. Du fait de l'hétérogénéité de ces GAG, l'identification et la classification des protéoglycanes en fonction de leurs sucres est difficile. Les séquences de nombreux noyaux protéiques ont été déterminées à l'aide de tech-

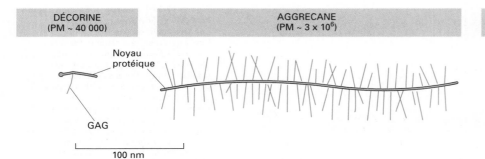

DÉCORINE
(PM ~ 40 000)

AGGRECANE
(PM ~ 3 x 10⁶)

RIBONUCLÉASE
(PM ~ 15 000)

niques d'ADN recombinant et elles sont également extrêmement diverses. Bien que quelques petites familles aient été reconnues, aucune caractéristique commune structurelle ne différencie clairement les protéines du noyau des protéoglycanes des autres protéines et beaucoup présentent un ou plusieurs domaines homologues à ceux retrouvés dans d'autres protéines de la matrice extracellulaire ou de la membrane plasmique. De ce fait, il vaut peut-être mieux considérer les protéoglycanes comme un groupe varié de glycoprotéines fortement glycosylées dont les fonctions passent à la fois par leur noyau protéique et leurs chaînes de GAG.

Les protéoglycanes peuvent réguler les activités des protéines sécrétées

Étant donné l'abondance et l'importante diversité structurelle des molécules de protéoglycanes, il serait surprenant que leurs fonctions se limitent à fournir un espace hydraté autour des cellules et entre elles. Leurs chaînes de GAG, par exemple, peuvent former des gels dont la taille des pores et la densité des charges varient ; une des fonctions possibles serait donc de servir de tamis sélectif pour réguler le transport de molécules et de cellules selon leur taille, leur charge ou les deux. Certaines preuves suggèrent que le *perlecane*, un protéoglycane héparane-sulfate, joue ce rôle dans la membrane basale des glomérules rénaux, qui filtre les molécules passant dans l'urine à partir du courant sanguin (*voir* plus loin).

On pense que les protéoglycanes jouent un rôle majeur dans la signalisation chimique entre les cellules. Ils fixent diverses molécules de signalisation sécrétées, comme certains facteurs de croissance protéiques, et peuvent augmenter ou inhiber leur activité de signalisation. Par exemple, les chaînes héparane-sulfate des protéoglycanes se fixent sur les *facteurs de croissance des fibroblastes* (*FGF* pour *fibroblast growth factor*) qui stimulent la prolifération de divers types cellulaires ; cette interaction oligomérise les molécules du facteur de croissance et leur permet de relier et d'activer leurs récepteurs cellulaires de surface, des tyrosine-kinases transmembranaires (*voir* Figure 15-50B). Même si, dans la plupart des cas, les molécules de signalisation se fixent sur les chaînes de GAG qui forment les protéoglycanes, ce n'est pas toujours le cas. Certains membres de la famille des *TGF-β (transforming growth factor-β)* se fixent sur le noyau protéique de divers protéoglycanes matriciels, y compris la décorine ; cette fixation sur la décorine inhibe l'activité de ces facteurs de croissance.

Les protéoglycanes se fixent aussi sur d'autres types de protéines sécrétées, y compris des enzymes protéolytiques (protéases) et des inhibiteurs de protéases et régulent leurs activités. La fixation d'un protéoglycane pourrait contrôler l'activité d'une protéine sécrétée par le biais d'une de ces voies : (1) elle pourrait immobiliser la protéine proche du site de sa production, et restreindre ainsi son champ d'action ; (2) elle pourrait bloquer stériquement l'activité de la protéine ; (3) elle pourrait fournir un réservoir de cette protéine pour la libérer de façon retardée ; (4) elle pourrait protéger la protéine de sa dégradation protéolytique, et prolonger ainsi son action ; (5) elle pourrait modifier ou concentrer la protéine pour qu'elle se présente plus efficacement sur ses récepteurs cellulaires de surface.

On pense que les protéoglycanes agissent par toutes ces voies pour faciliter la régulation de l'activité des protéines sécrétées. Un des exemples de la dernière fonction se produit lors de la réponse inflammatoire, au cours de laquelle les protéoglycanes héparane-sulfate immobilisent les *chimiokines* (*voir* Chapitre 24), des attracteurs chimiotactiques sécrétés, à la surface endothéliale du vaisseaux sanguin au niveau du site inflammatoire. De cette façon, les chimiokines restent là pendant une période prolongée et stimulent les leucocytes pour qu'ils quittent le courant sanguin et migrent dans le tissu enflammé.

Figure 19-40 Exemples d'un petit (décorine) et d'un gros (aggrecane) protéoglycane de la matrice extracellulaire. Ces deux protéoglycanes sont comparés à une molécule de glycoprotéine typique sécrétée, la ribonucléase B pancréatique. Ils sont tous les trois dessinés à l'échelle. Le noyau protéique de l'aggrecane et de la décorine contient aussi des chaînes d'oligosaccharides en plus des chaînes de GAG qui ne sont pas montrées ici. L'aggrecane typique est composé d'environ 100 chaînes de chondroïtine sulfate et d'environ 30 chaînes de kératane-sulfate reliées à un noyau protéique riche en sérine composé d'environ 3 000 acides aminés. La décorine «décore» la surface des fibrilles de collagène, d'où son nom.

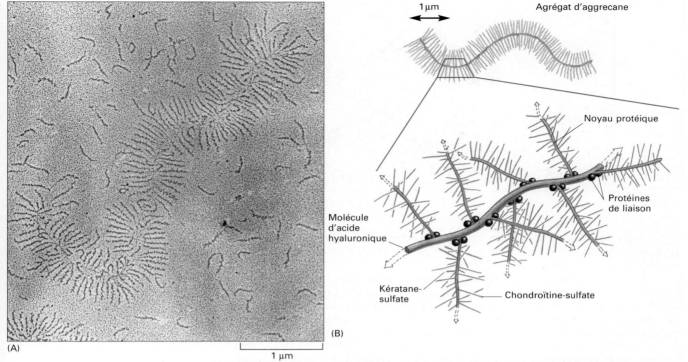

Figure 19-41 Un agrégat d'aggrecane issu du cartilage fœtal d'un bovin. (A) Photographie en microscopie électronique d'un agrégat d'aggrecane ombré au platine. Beaucoup de molécules libres d'aggrecane sont également visibles. (B) Schéma de l'agrégat d'aggrecane géant montré en (A). Il est composé de 100 monomères d'aggrecane (chacun semblable à celui montré en figure 19-40) reliés de façon non covalente à une unique chaîne d'acide hyaluronique par le biais de deux protéines de liaison qui se fixent à la fois sur le noyau protéique du protéoglycane et sur la chaîne d'acide hyaluronique et stabilisent ainsi l'agrégat. Les protéines de liaison sont des membres de la famille des protéines de liaison à l'acide hyaluronique dont certaines sont des protéines cellulaires de surface. La masse moléculaire d'un tel complexe peut être de 10^8 daltons voire plus et occupe un volume équivalent à celui d'une bactérie qui est d'environ 2×10^{-12} cm³. (A, due à l'obligeance de Lawrence Rosenberg.)

Les chaînes de GAG de la matrice extracellulaire peuvent être très organisées

Les GAG et les protéoglycanes peuvent s'associer pour former d'énormes complexes polymériques dans la matrice extracellulaire. Des molécules d'aggrecane, par exemple, le principal protéoglycane du cartilage (*voir* Figure 19-40), s'assemblent avec l'acide hyaluronique dans l'espace extracellulaire pour former des agrégats aussi gros qu'une bactérie (Figure 19-41).

En plus de leur association entre eux, les GAG et les protéoglycanes s'associent à des protéines de la matrice fibreuse comme le collagène et aux réseaux de protéines comme la membrane basale, afin de créer des structures extrêmement complexes. La décorine, qui se fixe sur les fibrilles de collagène, est essentielle pour la formation des fibres de collagène. Les souris qui ne peuvent fabriquer de décorine ont une peau fragile qui présente une baisse de sa résistance élastique à la tension. La disposition des molécules de protéoglycanes dans les tissus vivants est généralement difficile à déterminer. Comme ces molécules sont hautement hydrosolubles, elles peuvent être éliminées de la matrice extracellulaire par lavage lorsqu'on expose les coupes tissulaires à des solutions aqueuses pendant la fixation. De plus, les modifications du pH, des conditions ioniques ou osmotiques peuvent modifier de façon drastique leur conformation. De ce fait, il faut utiliser des méthodes spécifiques pour les visualiser dans les tissus (Figure 19-42).

Les protéoglycanes cellulaires de surface agissent comme des co-récepteurs

Tous les protéoglycanes ne sont pas des composants sécrétés de la matrice extracellulaire. Certains sont des composants intégraux des membranes plasmiques et leur noyau protéique se trouve soit inséré au travers de la bicouche lipidique soit fixé sur la bicouche lipidique par une ancre de glycosylphosphatidylinositol (GPI). Certains de ces protéoglycanes de la membrane plasmique agissent comme des *co-récepteurs* qui collaborent avec les récepteurs protéiques cellulaires de surface conventionnels, à la fois pour fixer les cellules à la matrice extracellulaire et pour initier la réponse

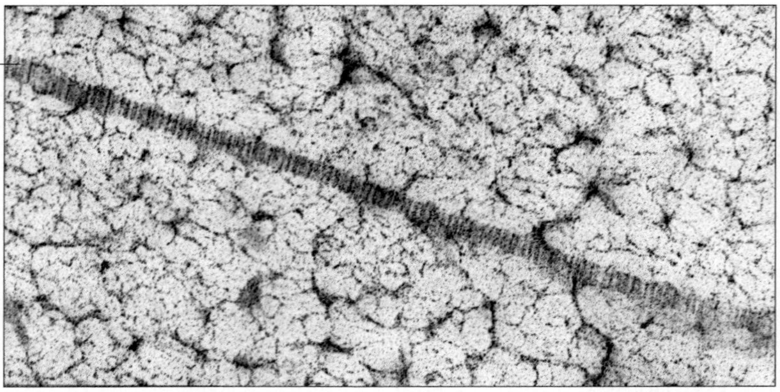

Fibrille de
collagène

0,5 μm

Figure 19-42 Protéoglycanes de la matrice extracellulaire d'un cartilage de rat. Ce tissu a été rapidement congelé à −196 °C et fixé puis coloré encore gelé (un processus appelé cryo-substitution) pour éviter que les chaînes de GAG ne se rétractent. Sur cette photographie en microscopie électronique, on observe que les molécules de protéoglycanes forment un fin réseau filamenteux dans lequel est incluse une unique fibrille striée de collagène. Les parties colorées plus noires des molécules de protéoglycanes représentent les noyaux protéiques; les fils légèrement colorés sont les chaînes de GAG. (Reproduction d'après E.B. Hunziker et R.K. Schenk, *J. Cell Biol.* 98 : 277-282, 1985. © The Rockefeller University Press.)

des cellules à certaines protéines de signalisation extracellulaire. En plus, certains récepteurs conventionnels possèdent une ou plusieurs chaînes de GAG et sont, par conséquent, eux-mêmes des protéoglycanes.

Les *syndécanes*, dont le noyau protéique traverse la membrane, font partie des protéoglycanes de la membrane plasmique les mieux caractérisés. Les domaines extracellulaires de ces protéoglycanes transmembranaires transportent jusqu'à trois chaînes de GAG chondroïtine-sulfate et héparane-sulfate alors qu'on pense que leurs domaines intracellulaires interagissent avec le cytosquelette d'actine du cortex cellulaire.

Les syndécanes sont localisés à la surface de nombreux types cellulaires, y compris les fibroblastes et les cellules épithéliales, où ils servent de récepteurs aux protéines matricielles. Dans les fibroblastes, on trouve les syndécanes dans les plaques d'adhésion, où ils modulent la fonction des intégrines en interagissant avec la fibronectine à la surface cellulaire et avec le cytosquelette et les protéines de signalisation à l'intérieur de la cellule. Les syndécanes fixent aussi les FGF et les présentent aux récepteurs protéiques des FGF de la même cellule. De même, un autre protéoglycane de la membrane plasmique, le *bêtaglycane*, se fixe sur les TGF-β et peut les présenter sur les récepteurs des TGF-β.

L'importance des protéoglycanes en tant que co-récepteurs est mise en évidence par les graves anomalies du développement qui se produisent lorsque certains protéoglycanes sont inactivés par mutations. Chez *Drosophila*, par exemple, la signalisation par une protéine de signalisation sécrétée, *Wingless*, dépend de sa fixation sur un protéoglycane héparane-sulfate spécifique, situé sur la cellule cible et qui forme un co-récepteur appelé *Dally*. Chez les mouches mutantes dépourvues de Dally, la signalisation par Wingless ne s'effectue pas et les anomalies sévères du développement qui en résultent sont similaires à celles provoquées par les mutations du gène *wingless* lui-même. Dans certains tissus, l'inactivation de Dally inhibe aussi la signalisation par une protéine sécrétée de la famille des TGF-β appelée *Décapentaplégique (DPP)*.

Certains protéoglycanes traités dans ce chapitre sont résumés dans le tableau 19-IV.

Les collagènes sont les principales protéines de la matrice extracellulaire

Les **collagènes** sont une famille de protéines fibreuses présente chez tous les animaux multicellulaires. Ils sont sécrétés par les cellules des tissus conjonctifs ainsi que par divers autres types cellulaires. En tant que principaux composants de la peau et des os, ce sont les protéines les plus abondantes des mammifères, constituant 25 p. 100 de la masse protéique totale chez ces animaux.

La caractéristique primaire d'une molécule de collagène typique est sa structure longue, rigide, hélicoïdale à trois brins, dans laquelle trois chaînes polypeptidiques de collagène, les *chaînes* α, sont enroulées les unes autour des autres en une super-hélice en forme de corde (Figure 19-43). Les collagènes sont extrêmement riches en proline et en glycine, toutes deux importantes dans la formation de l'hélice à trois brins. La proline, du fait de sa structure en anneau, stabilise la conformation hélicoïdale de chaque chaîne α, tandis que la glycine est régulièrement espacée, tous les trois résidus, sur toute la région centrale de la chaîne α. Comme c'est le plus petit acide aminé (il n'a qu'un atome d'hydrogène comme chaîne latérale), la glycine permet aux trois chaînes α hélicoïdales de se serrer étroitement pour former la super-hélice finale de collagène (*voir* Figure 19-43).

TABLEAU 19-IV Quelques protéoglycanes communs

PROTÉOGLYCANES	MASSE MOLÉCULAIRE APPROXIMATIVE DE LA PROTÉINE DU NOYAU	TYPE DE CHAÎNE DE GAG	NOMBRE DE CHAÎNES DE GAG	LOCALISATION	FONCTIONS
Aggrecane	210 000	Chondroïtine-sulfate + kératane-sulfate	~130	Cartilage	Soutien mécanique; forme de gros agrégats avec l'acide hyaluronique
Bêtaglycane	36 000	Chondroïtine-sulfate + dermatane-sulfate	1	Surface cellulaire et matrice	Se fixe sur les TGF-β
Décorine	40 000	Chondroïtine-sulfate + dermatane-sulfate	1	Très répandue dans les tissus conjonctifs	Se fixe sur les fibrilles de collagène de type 1 et les TGF-β
Perlecane	600 000	Héparane-sulfate	2-15	Lame basale	Fonction structurale et de filtration dans la lame basale
Syndécane-1	32 000	Chondroïtine-sulfate + héparane-sulfate	1-3	Surface des cellules épithéliales	Adhésion cellulaire : se fixe au FGF et aux autres facteurs de croissance
Dally (chez *Drosophila*)	60 000	Héparane-sulfate	1-3	Surface cellulaire	Co-récepteur pour les protéines de signalisation Wingless et Décapentaplégique

Jusqu'à maintenant, environ 25 chaînes α différentes de collagène ont été identifiées, chacune codée par un gène séparé. Différentes combinaisons de ces gènes s'expriment dans différents tissus. Même si, en principe, plus de 10 000 types de molécules de collagène triple brin pourraient s'assembler à partir des diverses combinaisons de ces 25 chaînes α, seuls 20 types de molécules de collagène ont été retrouvés. Les principaux types de collagène des tissus conjonctifs sont les types I, II, III, V et XI, le type I étant le collagène principal de la peau et des os et de loin le plus commun. Ce sont les **collagènes fibrillaires** ou collagènes formant des fibrilles, dotés de la structure en corde illustrée dans la figure 19-43. Après avoir été sécrétées dans l'espace extracellulaire, ces molécules de collagène s'assemblent en polymères d'ordre supérieur, les *fibrilles de collagène,* qui sont de fines structures (10 à 300 nm de diamètre) de plusieurs centaines de micromètres de long dans les tissus matures, clairement visibles sur les photographies en microscopie électronique (Figure 19-44; *voir aussi* Figure 19-42). Les fibrilles de collagène s'agrègent souvent en faisceaux plus larges de type câbles, de plusieurs micromètres de diamètre, qui forment les *fibres de collagène* observées en microscopie optique.

Les collagènes de type IX et XII sont appelés *collagènes associés aux fibrilles* parce qu'ils ornent la surface des fibrilles de collagène. On pense qu'ils relient ces fibrilles les unes aux autres et aux autres composants de la matrice extracellulaire. Les collagènes de type IV et de type VII sont les *collagènes formant des réseaux*. Les molécules de type IV s'assemblent en un feuillet de type feutre ou filet qui constitue la majeure partie de la membrane basale mature tandis que les molécules de type VII forment des dimères qui s'assemblent en des structures spécifiques appelées *fibrilles d'ancrage*. Les fibrilles d'ancrage facilitent l'attachement de la membrane basale des épithéliums à couches multiples sur le tissu conjonctif sous-jacent et sont donc particulièrement abondantes dans la peau.

Il existe aussi un certain nombre de protéines de «type collagène», y compris le type XVII qui possède un domaine transmembranaire et se trouve dans les hémi-

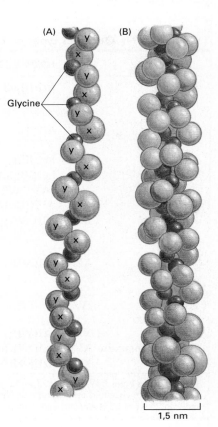

(A)   (B)

Glycine

1,5 nm

Figure 19-43 La structure d'une molécule typique de collagène. (A) Modèle d'une partie d'une seule chaîne α de collagène dans laquelle chaque acide aminé est représenté par une sphère. La chaîne a environ 1 000 acides aminés. Elle est disposée en une hélice tournée vers la gauche avec trois acides aminés par tour et de la glycine tous les trois acides aminés. De ce fait, une chaîne α est composée d'une série de séquences triplets Gly-X-Y dans laquelle X et Y peuvent être n'importe quel acide aminé (bien que X soit souvent de la proline et Y de l'hydroxyproline). (B) Modèle d'une partie de la molécule de collagène dans laquelle trois chaînes α, chacune montrée d'une couleur différente, sont enroulées l'une autour de l'autre pour former un bâtonnet hélicoïdal à trois brins. La glycine est le seul acide aminé assez petit pour occuper l'intérieur encombré de la triple hélice. Seule une petite longueur de la molécule est montrée; la molécule complète a 300 nm de long. (D'après le modèle de B.L. Trus.)

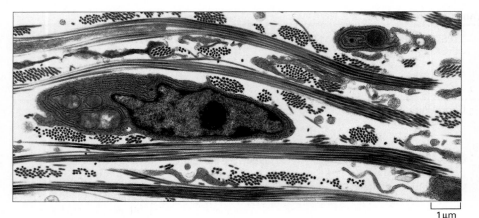

Figure 19-44 Des fibroblastes entourés de fibrilles de collagène dans le tissu conjonctif cutané d'un embryon de poulet. Sur cette photographie en microscopie électronique, les fibrilles sont organisées en faisceaux disposés approximativement à angle droit les uns par rapport aux autres. De ce fait, certains faisceaux sont orientés longitudinalement alors que d'autres sont vus en coupe transversale. Les fibrilles de collagène sont produites par les fibroblastes qui contiennent un abondant réticulum endoplasmique où sont synthétisées les protéines sécrétées comme le collagène. (D'après C. Ploetz, E.I. Zycband et D.E. Birk, *J. Struct. Biol.* 106 : 73-81, 1991. © Academic Press.)

1 µm

desmosomes et le type XVIII, localisé dans la membrane basale des vaisseaux sanguins. La coupure du domaine C-terminal du collagène de type XVIII donne un peptide, *l'endostatine*, qui inhibe la néoformation de vaisseaux sanguins et fait donc l'objet de recherches en tant que médicament anticancéreux. Certains types de collagènes traités dans ce chapitre sont présentés dans le tableau 19-V.

Beaucoup de protéines qui contiennent un motif répétitif d'acides aminés se sont développées par duplication de séquences d'ADN. Les collagènes fibrillaires sont apparemment apparus de cette façon. De ce fait, les gènes qui codent les chaînes α de la plupart de ces collagènes sont très gros (plus de 44 kilobases de long) et contiennent environ 50 exons. La plupart de ces exons ont 54 nucléotides de long ou un multiple de 54, ce qui suggère que ces collagènes sont apparus après de multiples duplications d'un gène primitif contenant 54 nucléotides et codant pour exactement 6 répétitions Gly-X-Y (*voir* Figure 19-43).

Les collagènes sécrétés présentent une extension non hélicoïdale à chaque extrémité

Chaque chaîne polypeptidique est synthétisée par un ribosome fixé sur la membrane puis est injectée dans la lumière du réticulum endoplasmique (RE) sous forme d'un

TABLEAU 19-V Quelques types de collagènes et leurs propriétés

	TYPE	FORMULE MOLÉCULAIRE	FORME POLYMÉRISÉE	DISTRIBUTION TISSULAIRE
Formant des fibrilles	I	$[\alpha1(I)]_2\alpha2(I)$	Fibrille	Os, peau, tendons, ligaments, cornée, organes internes (représente 90 p. 100 du collagène du corps)
	II	$[\alpha1(II)]_3$	Fibrille	Cartilage, disque intervertébral, notochorde, humeur vitrée oculaire
	III	$[\alpha1(III)]_3$	Fibrille	Peau, vaisseaux sanguins, organes internes
	V	$[\alpha1(V)]_2\alpha2(V)$ et $\alpha1(V)\alpha2(V)\alpha3(V)$	Fibrille (avec type I)	Comme le type I
	XI	$\alpha1(XI)\alpha2(XI)\alpha3(XI)$	Fibrilles (avec type II)	Comme le type II
Associé aux fibrilles	IX	$\alpha1(IX)\alpha2(IX)\alpha3(IX)$	Association latérale avec les fibrilles de type II	Cartilage
	XII	$[\alpha1(XII)]_3$	Association latérale avec certaines fibrilles de type I	Tendons, ligaments, certains autres tissus
Formant des réseaux	IV	$[\alpha1(IV)]_2\alpha2(IV)$	Réseau de type feuillet	Lame basale
	VII	$[\alpha1(VII)]_3$	Fibrilles d'ancrage	En dessous de l'épithélium squameux stratifié
Transmembranaire	XVII	$[\alpha1(XVII)]_3$	Inconnue	Hémidesmosomes
Autres	XVIII	$[\alpha1(XVIII)]_3$	Inconnue	Lame basale autour des vaisseaux sanguins

Notez que les types I, IV, V, IX et XI sont composés chacun de deux ou trois types de chaînes α, tandis que les types II, III, VII, XII, XVII et XVIII sont composés chacun d'un seul type de chaîne α. Seuls 11 types de collagènes sont montrés ici, mais, jusqu'à présent, 20 types de collagènes et environ 25 types de chaînes α ont été identifiés.

plus gros précurseur, appelé *chaîne pro-α*. Ces précurseurs possèdent non seulement le court peptide de signal amino-terminal nécessaire à diriger le polypeptide naissant dans le RE, mais également d'autres acides aminés, les *propeptides*, à leurs deux extrémités, N-terminale et C-terminale. Dans la lumière du RE, certaines prolines et lysines sont hydroxylées pour former respectivement de l'hydroxyproline et de l'hydroxylysine et certaines de ces hydroxylysines sont glycosylées. Chaque chaîne pro-α s'associe alors avec deux autres pour former une molécule hélicoïdale à trois brins reliés par des liaisons hydrogène, le *procollagène*.

Les *hydroxylysines* et les *hydroxyprolines* (Figure 19-45) sont rarement trouvées dans d'autres protéines animales, bien que l'hydroxyproline soit abondante dans certaines protéines de la paroi cellulaire des végétaux. Dans le collagène, on pense que les groupements hydroxyle de ces acides aminés forment des liaisons hydrogène intercaténaires qui facilitent la stabilisation de l'hélice à trois brins. Les affections qui empêchent l'hydroxylation de la proline, comme une carence en acide ascorbique (vitamine C), ont de graves conséquences. Lors du *scorbut*, maladie provoquée par une déficience alimentaire en vitamine C, fréquente chez les marins jusqu'au dix-neuvième siècle, les chaînes pro-α anormales qui étaient synthétisées ne pouvaient pas former une triple hélice stable et étaient immédiatement dégradées à l'intérieur de la cellule. Par conséquent, avec la perte graduelle du collagène normal préexistant de la matrice, les vaisseaux sanguins devenaient extrêmement fragiles et les dents moins fixées dans leurs alvéoles. Cela implique que dans ces tissus particuliers la dégradation et le remplacement du collagène s'effectue rapidement. Dans beaucoup d'autres tissus adultes, cependant, on pense que le renouvellement du collagène (et d'autres macromolécules extracellulaires matricielles) est très lent. Dans les os, pour prendre l'exemple extrême, les molécules de collagène persistent pendant 10 ans environ avant d'être dégradées et remplacées. Par contre, la plupart des protéines cellulaires ont une demi-vie de quelques heures à quelques jours.

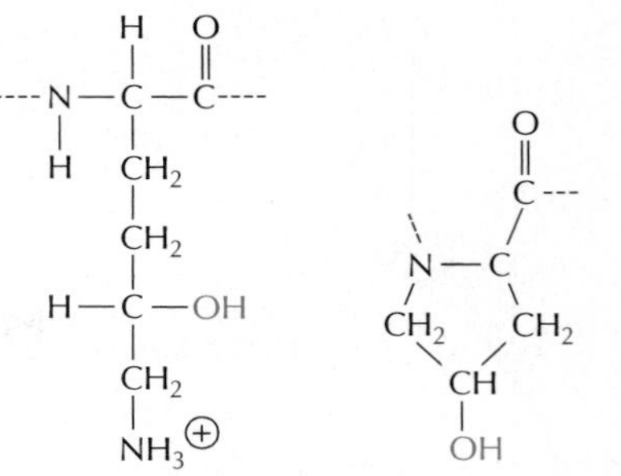

Après leur sécrétion, les molécules de procollagène fibrillaire sont coupées en molécules de collagène qui s'assemblent en fibrilles

Après leur sécrétion, les propeptides des molécules de procollagène fibrillaire sont éliminées par des enzymes protéolytiques spécifiques à l'extérieur de la cellule. Elles convertissent les molécules de procollagène en molécules de collagène qui s'assemblent dans l'espace extracellulaire pour former des **fibrilles de collagène** bien plus grosses. Les propeptides ont au moins deux fonctions. D'abord, ils guident la formation intracellulaire des molécules de collagène à trois brins. Deuxièmement, comme ils ne sont éliminés qu'après leur sécrétion, ils évitent la formation intracellulaire de grosses fibrilles de collagène, ce qui pourrait être catastrophique pour la cellule.

Le processus de formation des fibrilles est entraîné en partie par la tendance des molécules de collagène, qui sont plus de mille fois moins solubles que les molécules de procollagène, à s'auto-assembler. Les fibrilles commencent à se former près de la surface cellulaire, souvent dans des invaginations profondes de la membrane plasmique, formées par la fusion de vésicules sécrétoires avec la surface cellulaire. Le cytosquelette cortical sous-jacent peut donc influencer le site, la vitesse et l'orientation de l'assemblage des fibrilles.

Lorsqu'elles sont observées au microscope électronique, les fibrilles de collagène ont une striation transversale caractéristique tous les 67 nm, qui reflète la disposition régulière et décalée de chaque molécule de collagène dans la fibrille. Une fois que les fibrilles se sont formées dans l'espace extracellulaire, elles sont largement renforcées par la formation de liaisons croisées covalentes entre les résidus lysine des molécules de collagène qui les constituent (Figure 19-46). Les types de liaison covalente impliqués n'existent que dans le collagène et l'élastine. Si les liaisons croisées sont inhibées, la résistance élastique à la tension des fibrilles s'abaisse de façon drastique ; les tissus collagéniques deviennent fragiles et les structures comme la peau, les tendons et les vaisseaux sanguins ont tendance à se déchirer. L'importance et le type des liaisons croisées varient d'un tissu à l'autre. Le collagène présente un nombre particulièrement élevé de liaisons croisées dans le tendon d'Achille par exemple, où la résistance élastique à la tension est cruciale.

Figure 19-45 L'hydroxylysine et l'hydroxyproline. Ces acides aminés modifiés sont communs dans le collagène. Ils sont formés par des enzymes qui agissent après l'incorporation de la lysine et de la proline dans les molécules de procollagène.

Figure 19-46 Liaisons croisées formées entre les chaînes latérales de lysine modifiées à l'intérieur d'une fibrille de collagène. La formation des liaisons croisées covalentes intramoléculaires et intermoléculaires se fait par différentes étapes. D'abord, certaines lysines et hydroxylysines sont désaminées par une enzyme extracellulaire, la lysyl-oxydase, pour former des groupements aldéhyde très réactifs. Ces aldéhydes réagissent alors spontanément pour former des liaisons covalentes les uns avec les autres ou avec d'autres lysines ou hydroxylysines. La plupart des liaisons croisées se forment entre les courts segments non hélicoïdaux à chaque extrémité des molécules de collagène.

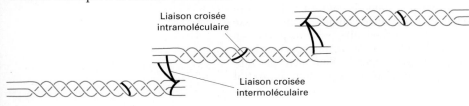

Liaison croisée intramoléculaire

Liaison croisée intermoléculaire

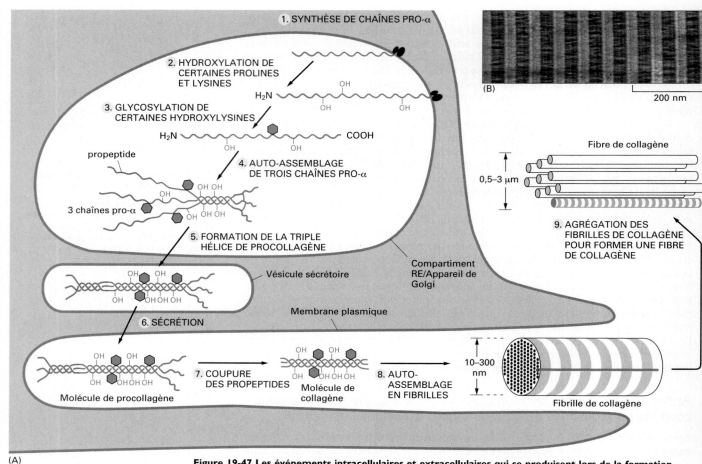

Figure 19-47 Les événements intracellulaires et extracellulaires qui se produisent lors de la formation d'une fibrille de collagène. (A) Notez que les fibrilles de collagène montrées s'assemblent dans l'espace extracellulaire contenu dans une importante invagination de la membrane plasmique. Pour montrer un exemple du mode de formation ordonné des fibrilles de collagène dans l'espace extracellulaire, elles sont aussi représentées formant de plus gros assemblages, les grosses fibres de collagène, qui sont visibles en microscopie optique. Les liaisons croisées covalentes qui stabilisent les assemblages extracellulaires ne sont pas montrées ici. (B) Photographie en microscopie électronique d'une fibrille de collagène à coloration négative qui révèle son apparence striée typique. (B, due à l'obligeance de Robert Horne.)

La figure 19-47 résume les diverses étapes de la synthèse et de l'assemblage des fibrilles de collagène. Étant donné le grand nombre d'étapes enzymatiques impliquées, il n'est pas surprenant que de nombreuses maladies génétiques affectent chez l'homme la formation des fibrilles. Des mutations dans le collagène de type I provoquent une *osteogenesis imperfecta*, caractérisée par des os faibles qui se fracturent facilement. Des mutations dans le collagène de type II provoquent un type de *chondrodysplasie* (la *dysplasie spondylo-épiphysaire)* caractérisé par des cartilages anormaux et qui conduit à des déformations osseuses et articulaires. Des mutations dans le collagène de type III provoquent le *syndrome d'Ehlers-Danlos*, caractérisé par une fragilité cutanée et vasculaire et une hypermobilité articulaire.

Les collagènes associés aux fibrilles facilitent l'organisation de ces dernières

Contrairement aux GAG qui résistent aux forces de compression, les fibrilles de collagène forment des structures qui résistent aux forces de tension. Le diamètre des fibrilles varie et elles sont organisées selon des modes différents dans les différents tissus. Dans la peau des mammifères, par exemple, elles sont tressées selon un motif en osier, de telle sorte qu'elles résistent à la tension dans de multiples directions. Dans les tendons, elles sont organisées en faisceaux parallèles, alignés le long de l'axe principal de tension. Dans l'os mature et dans la cornée, elles sont disposées en couches ordonnées de type contreplaqué avec les fibrilles de chaque couche disposées parallèlement les unes aux autres mais presque perpendiculairement par rapport aux fibrilles des couches de part et d'autre. Cette même disposition se produit dans la peau du têtard (Figure 19-48).

Ce sont les cellules du tissu conjonctif elles-mêmes qui doivent déterminer la taille et la disposition de leurs fibrilles de collagène. Elles peuvent exprimer un ou plusieurs gènes pour les différents types de molécules fibrillaires de procollagène. Mais même les fibrilles composées du même mélange de molécules de collagène fibrillaire sont disposées différemment dans les différents tissus. Comment cela s'effectue-t-il? Une partie de la réponse réside dans le fait que les cellules peuvent réguler la disposition des molécules de collagène après leur sécrétion en guidant la formation des fibrilles de collagène associées de près à la membrane plasmique (voir Figure 19-46). De plus, comme l'organisation spatiale des fibrilles de collagène reflète en partie leurs interactions avec les autres molécules de la matrice, les cellules peuvent influencer cette organisation en sécrétant, en même temps que leurs collagènes fibrillaires, différentes sortes et quantités d'autres macromolécules matricielles.

On pense que les **collagènes associés aux fibrilles**, comme les collagènes de types IX et XII, sont particulièrement importants de ce point de vue. Ils diffèrent des collagènes fibrillaires par plusieurs points.

1. Leur structure hélicoïdale à trois brins est interrompue par un ou deux courts domaines non hélicoïdaux qui rendent cette molécule plus souple que les molécules de collagène fibrillaire.
2. Ils ne sont pas coupés après leur sécrétion et gardent donc leurs propeptides.
3. Ils ne s'agrègent pas les uns aux autres pour former des fibrilles dans l'espace extracellulaire. Par contre, ils se fixent selon une certaine périodicité à la surface des fibrilles formées par les collagènes fibrillaires. Les molécules de type IX se fixent sur les fibrilles contenant du collagène de type II dans les cartilages, la cornée et le corps vitré de l'œil (Figure 19-49), tandis que les molécules de type XII se fixent sur les fibrilles contenant du collagène de type I dans les tendons et divers autres tissus.

On pense que les collagènes associés aux fibrilles permettent aux fibrilles de collagène d'interagir les unes avec les autres et avec les autres macromolécules de la matrice. De cette façon, ils jouent un rôle dans la détermination de l'organisation des fibrilles dans la matrice.

Les cellules facilitent l'organisation des fibrilles de collagène qu'elles sécrètent en exerçant une tension sur la matrice

Les cellules interagissent avec la matrice extracellulaire mécaniquement ainsi que chimiquement, avec des effets spectaculaires sur l'architecture tissulaire. De ce fait, par exemple, les fibroblastes agissent sur le collagène qu'ils ont sécrété, en migrant dessus et en le tirant fortement – ce qui facilite son compactage en feuillets et l'étire en câbles. Lorsque des fibroblastes sont mélangés à un réseau de fibrilles de collagène orientées au hasard et qui forment un gel dans une boîte de culture, ceux-ci tirent sur le réseau, resserrent le collagène situé à leur entourage et provoquent la contraction du gel pour qu'il ne prenne plus qu'une petite fraction de son volume initial. Par des actions similaires, un agrégat de fibroblastes s'entoure lui-même d'une capsule de fibres de collagène très tassées et orientées de façon circonférentielle.

Si deux petits morceaux de tissu embryonnaire contenant des fibroblastes sont placés loin l'un de l'autre dans un gel de collagène, le collagène intermédiaire s'organise en une bande compacte de fibres alignées, qui relie les deux explants (Figure 19-50). Puis les fibroblastes migrent à l'extérieur de l'explant le long des fibres

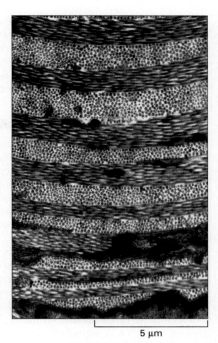

5 μm

Figure 19-48 Fibrilles de collagène de la peau d'un têtard. Cette photographie en microscopie électronique montre la disposition de type contre-plaqué des fibrilles. Des couches successives de fibrilles sont disposées presque perpendiculairement les unes des autres. Cette organisation est également retrouvée dans les os matures et dans la cornée. (Due à l'obligeance de Jerome Gross.)

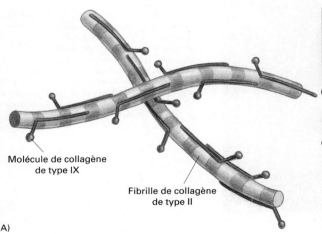

Molécule de collagène de type IX

Fibrille de collagène de type II

(A)

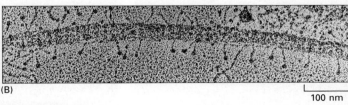

(B)

100 nm

(C)

Figure 19-49 Collagène de type IX. (A) Les molécules de collagène de type IX se lient avec périodicité à la surface d'une fibrille contenant du collagène de type II. (B) Photographie en microscopie électronique après ombrage rotatif d'une fibrille contenant du collagène de type II dans un cartilage, gainée par des molécules de collagène de type IX. (C) Molécule de collagène de type IX. (B et C, d'après L. Vaughan et al., *J. Cell Biol.* 106 : 991-997, 1988. © The Rockefeller University Press.)

de collagène alignées. Les fibroblastes influencent donc l'alignement des fibres de collagène et les fibres de collagène affectent à leur tour la distribution des fibroblastes. On présume que les fibroblastes ont un rôle similaire en créant de l'ordre dans la matrice extracellulaire sur de longues distances à l'intérieur du corps – par exemple, en facilitant la formation des tendons et des ligaments, ainsi que des couches denses et solides de tissu conjonctif qui engaînent et relient la plupart des organes.

L'élastine donne son élasticité aux tissus

Beaucoup de tissus de vertébrés, comme la peau, les vaisseaux sanguins et les poumons ont besoin d'être, à la fois, résistants et élastiques pour fonctionner. Le réseau de **fibres élastiques** dans leur matrice extracellulaire leur donne l'élasticité nécessaire pour qu'ils puissent se détendre après leur étirement transitoire (Figure 19-51). Les fibres élastiques sont au moins cinq fois plus extensibles qu'une bande élastique de même surface de coupe. Les longues fibrilles de collagène non élastiques sont entrelacées avec les fibres élastiques pour limiter l'ampleur de l'étirement et éviter le déchirement tissulaire.

Le principal composant des fibres élastiques est l'**élastine**, une protéine hautement hydrophobe (environ 750 acides aminés de long) qui, comme le collagène, est particulièrement riche en proline et en glycine mais, contrairement à lui, n'est pas glycosylée, contient quelques hydroxyprolines mais pas d'hydroxylysine. La *tropoélastine* soluble (le précurseur biosynthétique de l'élastine) est sécrétée dans l'espace extracellulaire et s'assemble en fibres élastiques près de la membrane plasmique, en général dans des invaginations cellulaires de surface. Après leur sécrétion, les molécules de tropoélastine sont extrêmement reliées les unes aux autres, ce qui engendre un réseau étendu de fibres élastiques et de feuillets. Des liaisons croisées se forment entre les lysines via un mécanisme, similaire à celui traité auparavant, qui opère pour relier les molécules de collagène.

La protéine élastine est surtout composée de deux types de courts segments qui alternent le long de la chaîne polypeptidique : les segments hydrophobes, qui sont responsables des propriétés élastiques de la molécule, et les segments α-hélicoïdaux riches en lysine et en alanine qui forment des liaisons croisées entre des molécules adjacentes. Chaque segment est codé par un exon séparé. Il reste encore des controverses, cependant, en ce qui concerne la conformation des molécules d'élastine dans les fibres élastiques et sur la façon dont la structure de ces fibres entre en compte dans leurs propriétés élastiques. Selon un point de vue, la chaîne polypeptidique d'élastine, comme la chaîne polymérique d'un élastique ordinaire, adopte une conformation lâche à enroulements aléatoires et c'est cette structure enroulée au hasard des molécules reliées en un réseau de fibres élastiques qui permet à ce réseau d'être étiré et de se détendre comme un élastique (Figure 19-52).

L'élastine est la protéine dominante de la matrice extracellulaire des artères et représente 50 p. 100 du poids sec de la plus grosse artère – l'aorte. Des mutations du gène de l'élastine provoquant un déficit en cette protéine chez la souris ou chez l'homme résultent en un rétrécissement de l'aorte ou d'autres artères du fait d'une prolifération excessive des cellules des muscles lisses dans la paroi artérielle. Apparemment, l'élasticité normale d'une artère est nécessaire pour restreindre la prolifération de ces cellules.

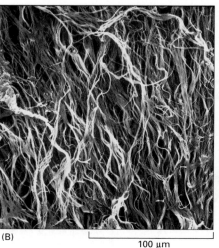
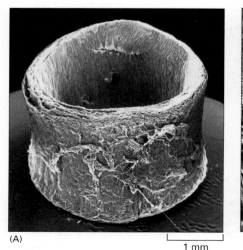

Figure 19-50 Le façonnage de la matrice extracellulaire par les cellules. Cette microphotographie montre une région située entre deux morceaux de cœur d'un embryon de poulet (riches en fibroblastes ainsi qu'en cellules musculaires cardiaques) qui ont été mis en culture sur un gel de collagène pendant 4 jours. Une voie dense de fibres alignées de collagène s'est formée entre les explants, probablement du fait que les fibroblastes de l'explant tirent sur le collagène. (D'après D. Stopak et A.K. Harris, *Dev. Biol.* 90 : 383-398, 1982. © Academic Press.)

1 mm

(A)
1 mm

(B)
100 µm

Figure 19-51 Fibres élastiques. Ces photographies en microscopie électronique à balayage montrent (A) une vue au faible grossissement du segment de l'aorte d'un chien et (B) une vue au plus fort grossissement du réseau dense de fibres élastiques orientées longitudinalement de la couche externe du même vaisseau sanguin. Tous les autres composants ont été digérés par des enzymes et de l'acide formique. (D'après K.S. Haas, S.J. Phillips, A.J. Comerota et J.W. White, *Anat. Rec.* 230 : 86-96, 1991. © Wiley-Liss, Inc.)

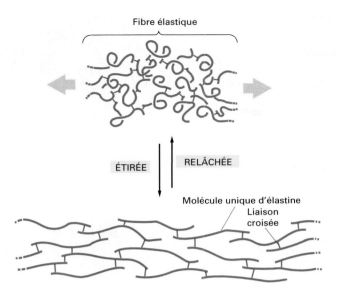

Fibre élastique

ÉTIRÉE RELÂCHÉE

Molécule unique d'élastine
Liaison croisée

Figure 19-52 Étirement d'un réseau de molécules d'élastine. Les molécules sont reliées par des liaisons covalentes (*rouge*) et forment un réseau à liaisons croisées. Sur ce modèle, chaque molécule d'élastine du réseau peut s'étendre et se contracter sous forme d'un enroulement aléatoire, de telle sorte que l'assemblage en entier peut être étiré et se détendre comme un élastique.

Les fibres élastiques ne sont pas composées uniquement d'élastine. Le noyau d'élastine est recouvert d'une gaine de *microfibrilles*, dont chacune a un diamètre d'environ 10 nm. Ces microfibrilles sont composées d'un certain nombre de glycoprotéines, dont la *fibrilline*, une grosse glycoprotéine qui se fixe sur l'élastine et est essentielle à l'intégrité des fibres élastiques. Des mutations du gène de la fibrilline entraînent le *syndrome de Marfan*, une maladie génétique relativement fréquente de l'homme, qui atteint les tissus conjonctifs riches en fibres élastiques ; chez les individus les plus fortement atteints, l'aorte est sujette à rupture. On pense que les microfibrilles sont importantes pour l'assemblage des fibres élastiques. Elles apparaissent avant l'élastine dans les tissus en développement et semblent former un échafaudage sur lequel se déposent les molécules d'élastine sécrétées. Lorsque l'élastine se dépose, les microfibrilles se déplacent à la périphérie de la fibre en croissance.

La fibronectine est une protéine extracellulaire qui facilite l'attachement des cellules sur la matrice

La matrice extracellulaire contient un certain nombre de protéines non collagéniques dotées typiquement de multiples domaines, chacun pourvu de sites spécifiques de liaison sur les autres macromolécules de la matrice et sur les récepteurs cellulaires de surface. Ces protéines contribuent donc à la fois à l'organisation de la matrice et y facilitent l'attachement des cellules. La **fibronectine**, une grosse glycoprotéine retrouvée chez tous les vertébrés, a été la première bien caractérisée. C'est un dimère composé de deux très grosses sous-unités réunies à une extrémité par des liaisons disulfure. Chaque sous-unité est repliée en une série de domaines distincts fonctionnellement, séparés par des régions souples de la chaîne polypeptidique (Figure 19-53A et B). Ces domaines sont, à leur tour, composés de plus petits modules, dont chacun se répète en série et est généralement codé par un exon séparé, ce qui suggère que le gène de la fibronectine, comme celui du collagène, a évolué par de multiples duplications d'exons. Toutes les formes de fibronectine sont codées par un seul gros gène qui contient environ 50 exons de taille identique. La transcription produit les diverses isoformes de la fibronectine. Le principal type de module, appelé **répétition de type III de la fibronectine**, se fixe sur les intégrines. Il mesure environ 90 acides aminés et se produit au moins 15 fois dans chaque sous-unité. La répétition de type III de la fibronectine est un des domaines protéiques les plus communs chez les vertébrés.

Une des méthodes pour analyser une molécule protéique multifonctionnelle complexe comme la fibronectine consiste à la couper en morceaux et à déterminer les fonctions de chacun de ses domaines. Lorsque la fibronectine est traitée par une faible concentration en enzymes protéolytiques, sa chaîne polypeptidique est coupée dans les régions de connexion entre les domaines, ce qui laisse intacts les domaines eux-mêmes. On peut alors montrer qu'un de ses domaines se fixe sur le collagène, un autre sur l'héparine, un autre sur des récepteurs spécifiques de la surface de di-

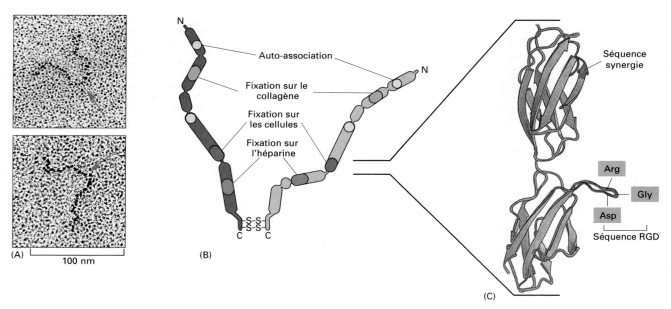

(A) |— 100 nm —| (B) (C)

Auto-association

Fixation sur le collagène

Fixation sur les cellules

Fixation sur l'héparine

Séquence synergie

Arg

Gly

Asp

Séquence RGD

vers types de cellules et ainsi de suite (*voir* Figure 19-53B). Des peptides synthétiques qui correspondent aux différents segments des domaines de liaison à la cellule ont été utilisés pour identifier une séquence tripeptidique spécifique (*Arg-Gly-Asp*, ou *RGD*), retrouvée dans une des répétitions de type III (*voir* Figure 19-53C) et qui est une caractéristique centrale du site de liaison. Même de très courts peptides contenant cette **séquence RGD** peuvent entrer en compétition avec le site de fixation de la fibronectine sur les cellules et inhiber ainsi l'attachement des cellules sur la matrice de fibronectine. Si ces peptides sont couplés à une surface solide, ils y provoquent l'adhérence des cellules.

La séquence RGD n'est pas confinée à la fibronectine. On la trouve dans de nombreuses protéines extracellulaires, y compris par exemple le *fibrinogène*, un facteur de coagulation. Les peptides du fibrinogène contenant cette séquence RGD ont été très utiles dans le développement de médicaments anti-coagulants qui imitent ces peptides. Les serpents utilisent une stratégie similaire pour provoquer des hémorragies chez leurs victimes : ils sécrètent dans leur venin des protéines anti-coagulantes, les *disintégrines*, qui contiennent le RGD.

Les séquences RGD sont reconnues par de nombreux membres de la famille des intégrines des récepteurs cellulaires de surface pour la matrice. Chaque intégrine, cependant, reconnaît spécifiquement son propre ensemble de molécules matricielles, ce qui indique qu'une liaison solide nécessite plus qu'une simple séquence RGD.

La fibronectine existe sous forme soluble et sous forme fibrillaire

Il existe de multiples isoformes de la fibronectine. L'une d'elles, la *fibronectine plasmatique*, est soluble et circule dans le sang et d'autres liquides organiques dans lesquels on suppose qu'elle augmente la coagulation sanguine, la cicatrisation des blessures et la phagocytose. Toutes les autres formes s'assemblent à la surface des cellules et sont déposées dans la matrice extracellulaire sous forme de *fibrilles de fibronectine* hautement insolubles. Sous ces formes cellulaires de surface et matricielle, les dimères de fibronectine sont reliés les uns aux autres par des liaisons disulfure supplémentaires.

Contrairement aux molécules de collagène fibrillaire, qui peuvent être fabriquées pour s'auto-assembler en fibrilles dans un tube à essai, les molécules de fibronectine s'assemblent en fibrilles uniquement à la surface de certaines cellules. Cela s'explique par la nécessité de protéines supplémentaires pour former les fibrilles, en particulier des intégrines se liant à la fibronectine. Dans le cas des fibroblastes, les fibrilles de fibronectine sont associées aux intégrines au niveau de certains sites, les *adhésions fibrillaires*. Elles sont différentes des plaques d'adhésion car elles sont plus allongées et contiennent différentes protéines d'ancrage intracellulaires. Les fibrilles de fibronectine situées à la surface cellulaire sont hautement étirées et sous tension. Cette tension, exercée par la cellule, est essentielle à la formation des fibrilles, comme nous le verrons plus loin. Certaines protéines sécrétées ont comme fonction d'empêcher l'assemblage de la fibronectine dans un endroit inadapté. L'*utéroglobine*, par exemple, se fixe sur la fibronectine et l'empêche de former des fibrilles dans les reins. Les sou-

Figure 19-53 La structure d'un dimère de fibronectine. (A) Photographie en microscopie électronique d'une molécule dimérique de fibronectine ombrée au platine ; les *flèches rouges* marquent l'extrémité C-terminale. (B) En général, les deux chaînes polypeptidiques sont similaires mais non identiques (fabriquées à partir du même gène mais d'ARNm épissés différemment). Elles sont réunies par deux liaisons disulfure proches de l'extrémité C-terminale. Chaque chaîne a près de 2 500 acides aminés de long et est repliée en cinq à six domaines reliés par des segments polypeptidiques souples. Chaque domaine est spécialisé dans une liaison avec une molécule particulière ou une cellule particulière comme cela est indiqué pour cinq d'entre eux. Pour plus de simplicité, tous les sites de liaison connus ne sont pas montrés ici (il y a par exemple d'autres sites de liaison aux cellules). (C) Structure tridimensionnelle de deux types de répétitions de type III de fibronectine, déterminée par cristallographie aux rayons X. La répétition de type III est le principal module répétitif de la fibronectine. Les séquences Arg-Gly-Asp (RGD) et «synergie» montrées en *rouge* forment une partie du site principal de liaison aux cellules (montré en *bleu* en B). (A, d'après J. Engel et al., *J. Mol. Biol.* 150 : 97-120, 1981. © Academic Press ; C, d'après Daniel J. Leahy, *Annu. Rev. Cell Dev. Biol.* 13 : 363-393, 1997. © Annual Reviews.)

ris qui présentent une mutation du gène de l'utéroglobine accumulent des fibrilles de fibronectine insolubles dans leurs reins.

L'importance de la fibronectine dans le développement animal est mise en évidence de façon spectaculaire par des expériences d'inactivation génique. Les souris mutantes, incapables de fabriquer de la fibronectine, meurent au début de l'embryogenèse parce que leurs cellules endothéliales ne peuvent pas former de vaisseaux sanguins corrects. On pense que ce trouble résulte d'anomalies dans les interactions de ces cellules avec la matrice extracellulaire avoisinante, qui contient normalement de la fibronectine.

Les filaments intracellulaires d'actine régulent l'assemblage des fibrilles extracellulaires de fibronectine

Les fibrilles de fibronectine qui se forment sur ou près de la surface des fibroblastes sont généralement alignées avec les fibres de stress intracellulaires adjacentes composées d'actine (Figure 19-54). En fait, les filaments intracellulaires d'actine favorisent l'assemblage en fibrilles des molécules de fibronectine sécrétées et influencent l'orientation de ces fibrilles. Si on traite les cellules par la cytochalasine, une substance qui rompt les filaments d'actine, les fibrilles de fibronectine se dissocient de la surface cellulaire (tout comme elles le font pendant la mitose lorsqu'une cellule s'arrondit).

Les interactions entre les fibrilles extracellulaires de fibronectine et les filaments intracellulaires d'actine au travers de la membrane plasmique des fibroblastes passent surtout par des protéines d'adhésion transmembranaires, les intégrines. Le cytosquelette contractile d'actine et de myosine tire ainsi sur la matrice filamenteuse pour engendrer une tension. Il en résulte que les fibrilles de fibronectine sont étirées, exposant un site de liaison cryptique (caché) dans les molécules de fibronectine qui leur permet de se fixer directement les unes aux autres. En plus, cet étirement expose d'autres sites de liaison aux intégrines. De cette façon, le cytosquelette d'actine favorise la polymérisation de la fibronectine et l'assemblage de la matrice. Des signaux extracellulaires peuvent réguler le processus d'assemblage en modifiant le cytosquelette d'actine et ainsi la tension sur les fibrilles. Beaucoup d'autres protéines matricielles extracellulaires présentent de multiples répétitions similaires aux répétitions de type III de la fibronectine et il est possible que la tension exercée sur ces protéines découvre également des sites de liaison cryptiques et influence ainsi leur polymérisation.

Les glycoprotéines de la matrice facilitent le guidage de la migration cellulaire

La fibronectine est importante non seulement pour l'adhésion cellulaire à la matrice mais aussi pour le guidage de la migration cellulaire dans les embryons de vertébrés. On retrouve, par exemple, de grandes quantités de fibronectine le long de la voie suivie par les cellules mésodermiques pendant leur migration obligatoire lors de la gastrulation des amphibiens (*voir* Chapitre 21). Même si toutes les cellules de l'embryon précoce peuvent s'attacher sur la fibronectine, seules celles qui migrent peuvent s'étaler et migrer sur la fibronectine. Cette migration est inhibée par l'injec-

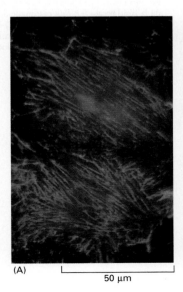
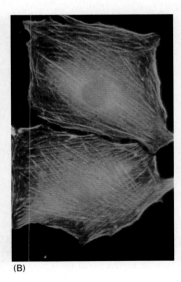

(A)

50 µm

(B)

Figure 19-54 Co-alignement des fibrilles extracellulaires de fibronectine et des faisceaux intracellulaires de filaments d'actine. (A) La fibronectine est révélée dans deux fibroblastes de rats en culture par la fixation d'anticorps anti-fibronectine couplés à la rhodamine. (B) L'actine est révélée par la fixation d'anticorps anti-actine couplés à la fluorescéine. (D'après R.O. Hynes et A.T. Destree, *Cell* 15 : 875-886, 1978. © Elsevier.)

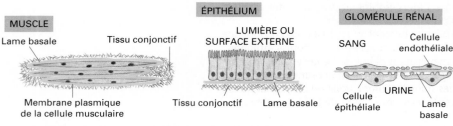

Figure 19-55 Les trois modes d'organisation des lames basales. Les lames basales (*jaune*) entourant certaines cellules (comme les cellules du muscle squelettique), se trouvent en dessous de l'épithélium et sont interposées entre deux feuillets de cellules (comme dans les glomérules rénaux). Notez que, dans le glomérule rénal, les feuillets cellulaires présentent des espaces entre eux, de telle sorte que la lame basale sert de barrière de perméabilité qui détermine les molécules qui pourront passer du sang dans l'urine.

tion, dans l'embryon d'amphibien en développement, de divers ligands qui interrompent la capacité des cellules à se fixer sur la fibronectine.

On pense que beaucoup de protéines matricielles jouent un rôle dans le guidage des mouvements cellulaires pendant le développement. Les *tenascines* et les *thrombospondines*, par exemple, sont formées de plusieurs types de courtes séquences d'acides aminés, répétées de nombreuses fois et qui constituent des domaines fonctionnellement distincts. Elles peuvent soit promouvoir soit inhiber l'adhésion cellulaire, en fonction du type de cellule. En effet, dans le guidage de la migration cellulaire, les interactions anti-adhésives sont aussi importantes que les interactions adhésives, comme nous le verrons au chapitre 21.

Les lames basales sont composées principalement de collagène de type IV, de laminine, de nidogène et d'un protéoglycane héparane-sulfate

Comme nous l'avons déjà vu, les **lames basales** sont des tapis souples et fins (40 à 120 nm d'épaisseur), formés par une matrice extracellulaire spécifique, qui sont sousjacents à tous les feuillets et les tubes formés de cellules épithéliales. Elles entourent aussi chaque cellule musculaire, les cellules adipeuses et les cellules de Schwann (qui s'enroulent autour des axones des cellules des nerfs périphériques pour former la myéline). La lame basale sépare ainsi ces cellules et ces épithéliums des tissus conjonctifs qui sont sous-jacents ou qui les entourent. Dans d'autres endroits, comme dans les glomérules rénaux, une lame basale se trouve entre deux feuillets cellulaires et fonctionne comme un filtre hautement sélectif (Figure 19-55). Cependant les lames basales ne jouent pas seulement un rôle structurel ou de filtration. Elles sont capables de déterminer la polarité cellulaire, d'influencer le métabolisme cellulaire, d'organiser les protéines dans les membranes plasmiques adjacentes, de promouvoir la survie cellulaire, la prolifération ou la différenciation et de servir d'autoroute spécifique pour la migration cellulaire.

La lame basale est en grande partie synthétisée par les cellules qui y reposent (Figure 19-56). Dans certains épithéliums multicouches, comme l'épithélium squameux

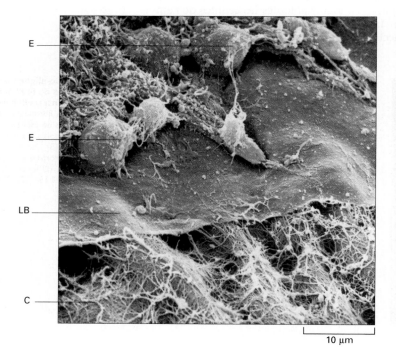

Figure 19-56 La lame basale de la cornée d'un embryon de poulet. Sur cette photographie en microscopie électronique à balayage, certaines cellules épithéliales (E) ont été retirées pour exposer la face supérieure de la lame basale (LB) qui ressemble à un tapis. Le réseau de fibrilles de collagène (C) du tissu conjonctif sous-jacent interagit avec la face inférieure de la lame. (Due à l'obligeance de Robert Trelstad.)

10 µm

stratifié qui forme l'épiderme cutané, la lame basale est fixée au tissu conjonctif sous-jacent par des fibrilles d'ancrage spécifiques constituées de molécules de collagène de type VII. On utilise souvent le terme de *membrane basale* pour décrire cet assemblage entre la lame basale et la couche de fibrilles de collagène. Dans un type de maladie cutanée, ces connexions sont soit absentes soit détruites et l'épiderme et sa lame basale se détachent du tissu conjonctif sous-jacent pour former des bulles.

Bien que la composition précise de la lame basale varie entre les tissus et même entre les régions d'une même lame, la plupart des lames basales matures contiennent du *collagène* de *type IV*, du perlecane (un gros protéoglycane héparane-sulfate) et de la laminine et du nidogène (appelé aussi entactine), qui sont des glycoprotéines.

Les **collagènes de type IV** existent sous plusieurs isoformes. Ils ont tous une structure plus souple que les collagènes fibrillaires ; leur hélice à trois brins est interrompue dans 26 régions, ce qui permet de multiples courbures. Ils ne sont pas coupés après leur sécrétion mais interagissent via leurs domaines terminaux non clivés et s'assemblent en un réseau souple de type feuillet multi-couches extracellulaire.

Au début du développement, les lames basales contiennent soit peu soit pas de collagène de type IV et sont surtout composées de molécules de laminine. La **laminine I** (laminine classique) est une grosse protéine souple à trois chaînes polypeptidiques très longues (α, β et γ), disposées sous forme d'une croix asymétrique et maintenues ensemble par des ponts disulfure (Figure 19-57). Plusieurs isoformes de chaque type de chaînes peuvent s'associer selon diverses combinaisons pour former la grande famille des laminines. La chaîne de laminine γ-1 est une des composantes de la plupart des hétérotrimères de laminine et les souris qui en manquent meurent pendant l'embryogenèse parce qu'elles sont incapables de fabriquer des lames basales. Comme beaucoup d'autres protéines de la matrice extracellulaire, les laminines des membranes basales sont composées de plusieurs domaines fonctionnels : l'un d'eux se fixe sur le *perlecane*, un autre sur le *nidogène* et deux ou plus sur les récepteurs protéiques des laminines à la surface des cellules.

Comme les collagènes de type IV, les laminines peuvent s'auto-assembler *in vitro* en un feuillet de type feutre, surtout par le biais d'interactions entre les extrémités des bras de laminine. Comme le nidogène et le perlecane peuvent se lier à la fois sur les lamines et les collagènes de type IV, on pense qu'ils relient les collagènes de type IV et les réseaux de laminine (Figure 19-58). Dans les tissus, les laminines et les collagènes de type IV se polymérisent préférentiellement lorsqu'ils sont liés aux récepteurs cellulaires de surface produisant ces protéines. Beaucoup de récepteurs cellulaires de surface des collagènes de type IV et des laminines sont membres de la famille des intégrines. Le *dystroglycane*, une protéine transmembranaire, est un autre

Figure 19-57 La structure de la laminine. (A) Sous-unité d'une molécule de laminine-I. Cette glycoprotéine à multiples domaines est composée de trois polypeptides (α, β et γ) reliés par des liaisons disulfure en une structure asymétrique en forme de croix. Chacune des chaînes polypeptidiques a plus de 1 500 acides aminés de long. On connaît cinq types de chaînes α, trois types de chaînes β et trois types de chaînes γ ; en principe, elles peuvent s'assembler pour former 45 (5 × 3 × 3) isoformes de laminines. On a trouvé plusieurs de ces isoformes, chacune ayant une distribution tissulaire caractéristique. (B) Photographie en microscopie électronique de molécules de laminine ombrées au platine. (B, d'après J. Engel et al., *J. Mol. Biol.* 150 : 97-120, 1981. © Academic Press.)

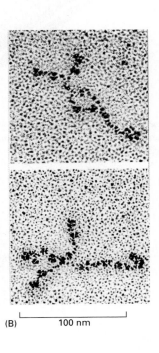

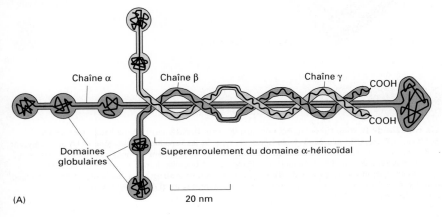

Chaîne α Chaîne β Chaîne γ

COOH

COOH

Domaines globulaires

Superenroulement du domaine α-hélicoïdal

20 nm

(A)

(B) 100 nm

récepteur important des laminines qui, associé aux intégrines, peut organiser l'assemblage de la lame basale.

Les formes et les tailles de certaines molécules de la matrice extracellulaire traitées dans ce chapitre sont comparées dans la figure 19-59.

Les lames basales ont diverses fonctions

Comme nous l'avons mentionné, dans le glomérule rénal une lame basale particulièrement épaisse agit comme un filtre moléculaire et évite le passage des macromolécules du sang dans l'urine lorsque l'urine se forme (*voir* Figure 19-55). Le protéoglycane héparane-sulfate de la lame basale semble jouer un rôle important dans cette fonction : lorsqu'on élimine sa chaîne GAG par le biais d'enzymes spécifiques, les propriétés de filtration de la lame disparaissent. Les collagènes de type IV jouent aussi un rôle car une maladie héréditaire de l'homme (le *syndrome d'Alport*) se produit lors de mutations dans les gènes de la chaîne α du collagène de type IV.

La lame basale peut aussi agir comme barrière sélective des mouvements cellulaires. La lame située sous un épithélium, par exemple, empêche généralement les fibroblastes du tissu conjonctif sous-jacent d'entrer en contact avec les cellules épithéliales. Cependant, elle n'arrête pas les macrophages, les lymphocytes ou les processus nerveux qui peuvent la traverser. La lame basale est aussi importante dans la régé-

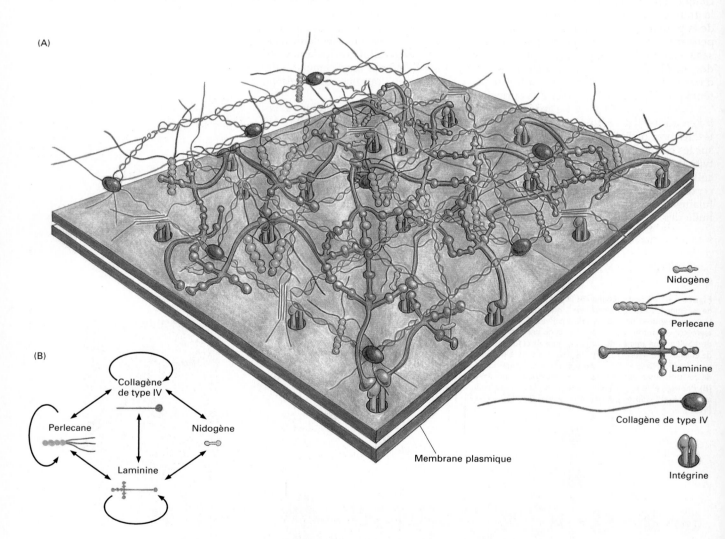

Figure 19-58 Un modèle de la structure moléculaire de la lame basale. (A) La lame basale est formée d'interactions spécifiques (B) entre les protéines de collagène de type IV, les laminines, le nidogène et un protéoglycane, le perlecane. Les flèches en (B) relient les molécules qui peuvent se fixer directement les unes aux autres. Il existe diverses isoformes de collagène de type IV et de laminine, chacune ayant une distribution tissulaire particulière. On pense que les récepteurs transmembranaires des laminines (intégrines et dystroglycane) de la membrane plasmique organisent l'assemblage de la lame basale; seules les intégrines sont montrées ici. (D'après H. Colognato et P.D. Yurchenco, *Dev. Dynamics* 218 : 213-234, 2000.)

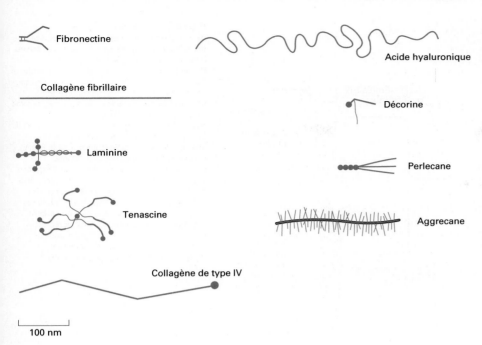

Figure 19-59 Comparaison des formes et des tailles de certaines macromolécules majeures de la matrice. Les protéines sont montrées en *vert* et les glycosaminoglycanes en *rouge*.

Fibronectine

Acide hyaluronique

Collagène fibrillaire

Décorine

Laminine

Perlecane

Tenascine

Aggrecane

Collagène de type IV

100 nm

nération tissulaire post-lésionnelle. Lorsque des tissus comme les muscles, les nerfs et les épithéliums sont lésés, la lame basale survit et fournit un échafaudage le long duquel migrent les cellules en régénérescence. De cette façon, l'architecture du tissu originel est facilement reconstruite. Dans certains cas, comme dans la peau et la cornée, la lame basale se modifie chimiquement après une lésion – par exemple, par l'addition de fibronectine, qui favorise la migration cellulaire nécessaire à la cicatrisation des plaies.

Un des exemples particulièrement frappants du rôle instructif de la lame basale dans la régénération provient d'études de la *jonction neuromusculaire*, le site où les terminaisons nerveuses d'un motoneurone forment une synapse chimique avec une cellule du muscle squelettique (*voir* Chapitre 11). La lame basale qui entoure la cellule musculaire sépare les membranes plasmiques du nerf et du muscle au niveau de la synapse, et la région synaptique de la lame a un caractère chimique différent : elle contient des isoformes particulières de collagène de type IV et de laminine ainsi qu'un protéoglycane héparane-sulfate appelé **agrine**.

Cette lame basale synaptique joue un rôle central dans la reconstruction de la synapse après une lésion nerveuse ou musculaire. Si un muscle de grenouille et son nerf moteur sont détruits, la lame basale autour de chaque cellule musculaire reste intacte et les sites de l'ancienne jonction neuromusculaire sont encore reconnaissables. Si on permet seulement au nerf moteur de se régénérer (mais pas au muscle), l'axone du nerf recherche le site original de la synapse sur la lame basale vide et s'y différencie pour former une terminaison nerveuse normale. De ce fait, la lame basale jonctionnelle, en elle-même, peut guider la régénération des terminaisons des nerfs moteurs.

Des expériences similaires montrent que la lame basale contrôle aussi la localisation des récepteurs à l'acétylcholine qui s'agrègent dans la membrane plasmique des cellules musculaires au niveau de la jonction neuromusculaire. Si le muscle et le nerf sont détruits tous les deux, et qu'on permet au muscle de se régénérer mais pas au nerf, les récepteurs à l'acétylcholine, synthétisés par le muscle régénéré, se localisent de façon prédominante dans la région des anciennes jonctions, même en absence de nerf (Figure 19-60). De ce fait, la lame basale jonctionnelle coordonne apparemment l'organisation spatiale locale des composants dans chacune des deux cellules qui forment la jonction neuromusculaire. Certaines protéines matricielles ont été identifiées. Les axones des motoneurones, par exemple, déposent l'agrine dans la lame basale jonctionnelle, où elle déclenche l'assemblage des récepteurs à l'acétylcholine et d'autres protéines dans la membrane plasmique jonctionnelle de la cellule musculaire. À l'inverse, les cellules musculaires déposent une isoforme particulière de la laminine dans la lame basale jonctionnelle. L'agrine et cette isoforme de laminine sont essentielles pour la formation des jonctions neuromusculaires normales.

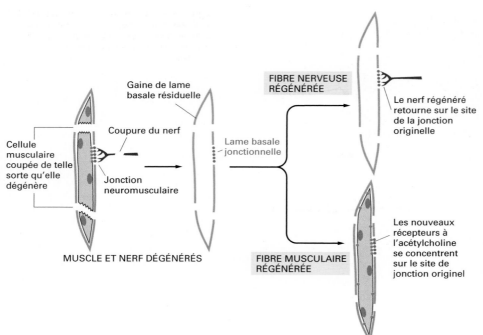

Figure 19-60 Expériences de régénération mettant en évidence les caractéristiques spécifiques des lames basales jonctionnelles au niveau d'une jonction neuromusculaire. Lorsqu'on laisse se régénérer le nerf, mais pas le muscle, après une lésion à la fois musculaire et nerveuse (partie *supérieure* de la figure), la lame basale jonctionnelle dirige le nerf en régénérescence vers le site synaptique originel. Lorsqu'on laisse se régénérer le muscle, mais pas le nerf, (partie *inférieure* de la figure), la lame basale jonctionnelle provoque l'accumulation des récepteurs à l'acétylcholine néoformés (*bleus*) au niveau du site synaptique originel. Le muscle se régénère à partir des cellules satellites (*voir* Chapitre 22) localisées entre la lame basale et la cellule musculaire originelle (non montré ici). Ces expériences montrent que la lame basale jonctionnelle contrôle la localisation des composants synaptiques des deux côtés de la lame.

Labels in figure: Gaine de lame basale résiduelle — Coupure du nerf — Cellule musculaire coupée de telle sorte qu'elle dégénère — Jonction neuromusculaire — MUSCLE ET NERF DÉGÉNÉRÉS — Lame basale jonctionnelle — FIBRE NERVEUSE RÉGÉNÉRÉE — Le nerf régénéré retourne sur le site de la jonction originelle — FIBRE MUSCULAIRE RÉGÉNÉRÉE — Les nouveaux récepteurs à l'acétylcholine se concentrent sur le site de jonction originel

La matrice extracellulaire peut influencer la forme de la cellule, sa survie et sa prolifération

La matrice extracellulaire peut influencer l'organisation du cytosquelette de la cellule. Cela peut être clairement démontré par l'utilisation de fibroblastes transformés (de type cancéreux) en culture (*voir* Chapitre 23). Les cellules transformées fabriquent souvent moins de fibronectine que les cellules normales en culture et se comportent différemment. Elles adhèrent mal au support de culture, par exemple, et n'arrivent pas à s'aplanir ou à développer des *fibres de stress*, faisceaux intracellulaires organisés de filaments d'actine. La baisse de la production de fibronectine et de l'adhésion peut contribuer à la tendance qu'ont les cellules cancéreuses à se détacher de la tumeur primaire et à se disséminer aux autres parties du corps.

Dans certains cas, le déficit en fibronectine semble également être responsable, du moins en partie, de la morphologie anormale des cellules cancéreuses : si les cellules sont cultivées sur une matrice de fibrilles de fibronectine organisée, elles s'aplanissent et assemblent des fibres de stress intracellulaires alignées avec les fibrilles de fibronectine extracellulaires. Cette interaction entre la matrice extracellulaire et le cytosquelette est réciproque du fait que les filaments intracellulaires d'actine peuvent promouvoir l'assemblage et influencer l'orientation des fibrilles de fibronectine, comme nous l'avons déjà décrit. Comme le cytosquelette peut exercer des forces qui orientent les macromolécules matricielles sécrétées par la cellule, et que les macromolécules de la matrice peuvent à leur tour organiser le cytosquelette des cellules qu'elles contactent, la matrice extracellulaire peut en principe propager des ordres de cellule à cellule (Figure 19-61) et créer des structures orientées à grande échelle, comme nous l'avons déjà dit (*voir* Figure 19-50). Les intégrines sont les principaux adaptateurs de ce processus de mise en ordre car elles permettent les interactions entre les cellules et la matrice qui les entoure.

La plupart des cellules ont besoin de s'attacher sur la matrice extracellulaire pour croître et proliférer – et dans beaucoup de cas, pour survivre même. Cette dépendance de la croissance cellulaire, de la prolifération et de la survie vis-à-vis de l'attachement sur un support est appelée **dépendance d'ancrage**, et passe principalement par les intégrines et les signaux intracellulaires qu'elles engendrent. La dissémination physique d'une cellule sur la matrice a également une forte influence sur les événements intracellulaires. Les cellules que l'on force à s'étendre sur une grande surface survivent mieux et prolifèrent plus vite que celles qui ne sont pas

Figure 19-61 La matrice extracellulaire peut, en principe, propager des ordres de cellule à cellule à l'intérieur d'un tissu. Pour plus de simplicité, la figure représente un schéma hypothétique dans lequel une cellule influence l'orientation de ses voisines. Il est plus probable, cependant, que les cellules affectent mutuellement leurs orientations.

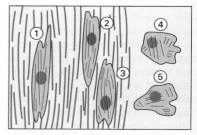

L'orientation du cytosquelette dans la cellule ① oriente l'assemblage de molécules de la matrice extracellulaire, sécrétées au voisinage

La matrice extracellulaire orientée atteint les cellules ② et ③ et oriente le cytosquelette de ces cellules

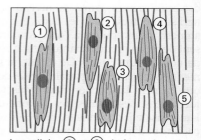

Les cellules ② et ③ sécrètent alors une matrice orientée à leur voisinage ; de cette façon, l'ordre du cytosquelette se propage aux cellules ④ et ⑤

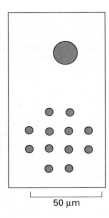

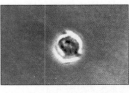

LES CELLULES MEURENT PAR APOPTOSE

LA CELLULE S'ÉTALE, SURVIT ET CROÎT

50 µm

x quantité de fibronectine dans un seul point

x quantité de fibronectine distribuée en petits points

aussi étalées, même si dans les deux cas les cellules ont la même surface qui entre directement en contact avec la matrice (Figure 19-62). L'effet stimulateur de la dissémination des cellules aide probablement les tissus à se régénérer après une lésion. Si, par exemple, un épithélium perd des cellules, l'étalement des cellules restantes dans l'espace vacant stimulera leur prolifération jusqu'à ce qu'elles remplissent l'intervalle. On ne comprend pas encore avec certitude, cependant, comment une cellule sent l'importance de son étalement afin d'ajuster son comportement.

La dégradation contrôlée des composants de la matrice facilite la migration des cellules

Le renouvellement régulé des macromolécules de la matrice extracellulaire est crucial dans divers processus biologiques importants. Une dégradation rapide se produit, par exemple, lors de l'involution de l'utérus après l'accouchement ou lorsque la queue du têtard se résorbe pendant la métamorphose (*voir* Figure 17-36). Une dégradation plus localisée des composants de la matrice est nécessaire lorsque les cellules migrent à travers une lame basale. Cela se produit lorsque les leucocytes d'un vaisseau sanguin migrent à travers la lame basale dans les tissus en réponse à une infection ou une lésion, ou lorsque les cellules cancéreuses migrent depuis leur site d'origine vers des organes distants via le courant sanguin ou les vaisseaux lymphatiques – un processus appelé *métastase*. Même dans la matrice extracellulaire apparemment statique des animaux adultes, le renouvellement est lent et continu, et les macromolécules matricielles sont dégradées et néosynthétisées.

Dans chacun de ces cas, les composants matriciels sont dégradés par des enzymes protéolytiques (protéases) sécrétées localement par la cellule. De ce fait, des anticorps qui reconnaissent les produits du clivage protéolytique colorent la matrice uniquement autour des cellules. Beaucoup de ces protéases appartiennent à l'une des deux classes générales. La plupart sont des **métalloprotéases matricielles** qui dépendent du Ca^{2+} ou du Zn^{2+} pour leur activité ; les autres sont des **sérine-protéases** qui possèdent une sérine hautement réactive dans leur site actif. Les métalloprotéases et les sérine-protéases coopèrent pour dégrader des protéines matricielles comme le collagène, la lamine et la fibronectine. Certaines métalloprotéases comme les *collagénases* sont hautement spécifiques, clivant certaines protéines sur un petit nombre de sites. De cette façon, l'intégrité structurale de la matrice est largement conservée, mais la migration cellulaire peut être grandement facilitée par la faible quantité de protéolyse. D'autres métalloprotéases peuvent être moins spécifiques, mais, comme elles sont ancrées sur la membrane plasmique, elles peuvent agir juste là où elles sont nécessaires.

L'utilisation d'inhibiteurs des protéases qui bloquent souvent la migration permet de montrer l'importance de la protéolyse dans la migration cellulaire. De plus, les cellules qui migrent facilement sur le collagène de type I en culture ne peuvent plus le faire si celui-ci devient résistant à la protéolyse du fait de la mutation des sites de clivage sensibles aux collagénases. La protéolyse des protéines de la matrice peut contribuer à la migration cellulaire de diverses façons : (1) elle peut simplement dégager un passage à travers la matrice ; (2) elle peut exposer des sites cryptiques sur les protéines clivées qui favorisent la fixation des cellules, la migration des cellules ou les deux ; (3) elle peut promouvoir le détachement cellulaire de telle sorte qu'une cellule peut avancer, ou (4) elle peut libérer des protéines de signalisation extracellulaire qui stimulent la migration cellulaire.

Trois mécanismes fondamentaux opèrent pour assurer un contrôle important des protéases qui dégradent les composants de la matrice.

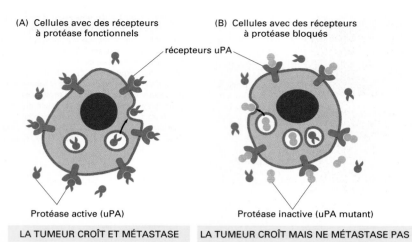

(A) Cellules avec des récepteurs à protéase fonctionnels

(B) Cellules avec des récepteurs à protéase bloqués

récepteurs uPA

Protéase active (uPA)

Protéase inactive (uPA mutant)

LA TUMEUR CROÎT ET MÉTASTASE

LA TUMEUR CROÎT MAIS NE MÉTASTASE PAS

Figure 19-63 L'importance des protéases liées sur les récepteurs cellulaires de surface. (A) Les cellules d'un cancer prostatique chez l'homme fabriquent et sécrètent une sérine-protéase, uPA, qui se fixe sur les récepteurs protéiques cellulaires de surface à l'uPA. (B) Les mêmes cellules ont été transfectées avec un ADN codant pour une forme inactive de l'uPA en excès qui se fixe sur les récepteurs à l'uPA mais n'a pas d'activité protéase. Comme elle occupe la plupart des récepteurs à l'uPA, la forme inactive de l'uPA évite la fixation de la forme active de l'uPA à la surface cellulaire. Les deux types de cellules sécrètent de l'uPA actif, croissent rapidement et produisent une tumeur lorsqu'elles sont injectées chez des animaux de laboratoire. Mais les cellules en (A) métastasent largement tandis que les cellules en (B) ne métastasent pas. Pour métastaser via le sang, les cellules tumorales doivent migrer à travers la lame basale et d'autres matrices extracellulaires au cours de leur voyage pour entrer et sortir du courant sanguin. Cette expérience suggère que les protéases doivent être liées à la surface de la cellule pour permettre la migration à travers la matrice.

L'activation locale : beaucoup de protéases sont sécrétées sous forme de précurseurs inactifs qui peuvent être localement activés au besoin. Le *plasminogène*, un précurseur inactif protéasique abondant dans le sang, en est un exemple. Il est localement coupé par d'autres protéases, les *activateurs du plasminogène*, ce qui donne la plasmine, la sérine-protéase active qui facilite la dissolution du caillot sanguin. Les *activateurs tissulaires du plasminogène (tPA pour tissu-type plasminogen activator)* sont souvent donnés aux patients qui viennent juste d'avoir un infarctus du myocarde ou une thrombose cérébrale ; ils facilitent la dissolution du caillot artériel qui provoque la crise et restaurent ainsi le flux sanguin tissulaire.

Le *confinement par les récepteurs cellulaires de surface :* beaucoup de cellules présentent à leur surface des récepteurs qui se fixent sur les protéases et les confinent ainsi sur les sites où elles sont nécessaires. Un deuxième type d'activateurs du plasminogène, l'*activateur du plasminogène de type urokinase (uPA pour urokinase-type plasminogen activator)*, en est un exemple. On le trouve lié aux récepteurs à l'extrémité en croissance des axones et au bord avant de certaines cellules en migration, où il peut servir à dégager la voie pour leur migration. Les uPA liés aux récepteurs peuvent aussi faciliter les métastases par certaines cellules cancéreuses (Figure 19-63).

La *sécrétion d'inhibiteurs :* l'action des protéases est confinée à des surfaces spécifiques par divers inhibiteurs protéasiques sécrétés, y compris les *inhibiteurs tissulaires des métalloprotéases (TIMP pour tissue inhibitors of metalloproteases)* et les inhibiteurs des sérine-protéases appelés *serpines*. Ces inhibiteurs sont spécifiques des protéases et se fixent solidement sur l'enzyme activée, bloquant son activité. Une hypothèse attrayante serait que ces inhibiteurs soient sécrétés par des cellules à la frontière de la zone de dégradation protéique active afin de protéger la matrice non impliquée ; ils peuvent aussi protéger les protéines cellulaires de surface nécessaires à l'adhésion cellulaire et à la migration. La surexpression des TIMP inhibe la migration de certains types cellulaires, ce qui indique l'importance des métalloprotéases dans la migration.

Résumé

Les cellules des tissus conjonctifs sont encastrées dans une matrice cellulaire complexe qui ne sert pas uniquement à les relier entre elles mais influence aussi leur survie, leur développement, leur forme, leur polarité et leur comportement. La matrice contient diverses fibres protéiques entrelacées en un gel hydraté composé d'un réseau de chaînes de glycosaminoglycanes (GAG).

Les GAG forment un groupe hétérogène de chaînes polysaccharidiques négativement chargées qui (sauf pour l'acide hyaluronique) sont reliées de façon covalente à des protéines pour former des molécules de protéoglycanes. Ils occupent un large volume et forment des gels hydratés dans l'espace extracellulaire. On trouve aussi les protéoglycanes à la surface des cellules, où ils fonctionnent comme des co-récepteurs pour faciliter la réponse des cellules aux protéines de signalisation sécrétées.

Des protéines formant des fibres renforcent la matrice et lui donnent sa forme. Elles fournissent aussi des surfaces d'adhésion pour les cellules. Les molécules d'élastine forment un réseau étendu de fibres et de feuillets à liaisons croisées qui peut s'étirer et se détendre, et donne son élasticité à la matrice. Les collagènes fibrillaires (types I, II, III, V et XI) sont des molécules hélicoïdales en forme de corde, à trois brins, qui s'agrègent pour former de longues fibrilles dans l'espace extracellulaire. Les fibrilles peuvent s'assembler à leur tour dans diverses configurations hautement ordonnées. Les molécules de collagène associées aux fibrilles, comme les types IX et XII, décorent la surface des fibrilles de collagène et influencent les interactions des fibrilles les unes avec les autres et avec les autres composants de la matrice.

Par contre, les molécules de collagène de type IV s'assemblent en un réseau de type feuillet qui est le composant crucial de toute lame basale mature. Toutes les lames basales sont fondées sur des mailles formées de molécules de laminines. Les réseaux de collagène et de laminines des lames basales sont reliés par une protéine, le nidogène, et par un gros protéoglycane héparane sulfate, le perlecane. La fibronectine et les laminines sont des exemples de grosses glycoprotéines matricielles à domaines multiples. Par leurs multiples domaines de liaison, ces protéines facilitent l'organisation de la matrice et l'adhésion sur elle des cellules.

Les protéines matricielles comme les collagènes, les lamines et la fibronectine s'assemblent en fibrilles ou réseaux à la surface des cellules qui les produisent par un processus qui dépend du cortex d'actine sous-jacent. L'organisation de la matrice peut réciproquement influencer l'organisation du cytosquelette cellulaire et influencer mécaniquement l'étalement des cellules. La matrice influence aussi le comportement cellulaire en se fixant sur les récepteurs cellulaires de surface qui activent les voies de signalisation intracellulaire.

Les composants de la matrice sont dégradés par des enzymes protéolytiques extracellulaires. La plupart d'entre elles sont des métalloprotéases dont l'activité dépend de la liaison d'un Ca^{2+} ou d'un Zn^{2+}, tandis que d'autres sont des sérine-protéases dotées d'une sérine réactive dans leur site actif. Divers mécanismes opèrent pour assurer que la dégradation des composants de la matrice est fortement contrôlée. Les cellules peuvent, par exemple, provoquer la dégradation localisée des composants matriciels pour dégager une voie à travers la matrice.

INTÉGRINES

L'union de la matrice extracellulaire à la cellule nécessite des protéines d'adhésion transmembranaires qui agissent comme des *récepteurs matriciels* et attachent la matrice au cytosquelette cellulaire. Bien que nous ayons vu que certains protéoglycanes transmembranaires fonctionnaient comme des co-récepteurs des composants matriciels, les principaux récepteurs des cellules animales qui se fixent sur la plupart des protéines de la matrice extracellulaire – y compris les collagènes, la fibronectine et les laminines – sont les **intégrines**. Ils forment une grande famille de récepteurs homologues transmembranaires d'adhésion cellule-matrice. Dans les cellules sanguines, comme nous l'avons vu, les intégrines servent également de molécules d'adhésion cellule à cellule, qui aident les cellules à se lier à d'autres cellules ainsi qu'à la matrice extracellulaire.

Les intégrines, comme les autres molécules d'adhésion cellulaire, diffèrent des récepteurs cellulaires de surface aux hormones et aux autres molécules solubles de signalisation extracellulaire dans le fait qu'elles se fixent généralement sur leur ligand avec une plus faible affinité et sont généralement présentes sur la surface cellulaire à une concentration dix à cent fois supérieure. Si la fixation était trop solide, les cellules s'engluraient probablement de façon irréversible dans la matrice et seraient incapables de se déplacer – problème évité si la fixation dépend d'un grand nombre d'adhésions faibles. C'est un exemple du principe du «Velcro» déjà mentionné. Cependant, les intégrines, comme les autres protéines d'adhésion cellulaire transmembranaires, ne servent pas simplement à attacher la cellule à son entourage. Elles activent également des voies de signalisation intracellulaire qui communiquent à la cellule les caractères de la matrice cellulaire sur laquelle elle est liée.

Les intégrines sont des hétérodimères transmembranaires

Les intégrines sont d'une importance cruciale parce que ce sont les principaux récepteurs protéiques utilisés par les cellules pour se lier à la matrice extracellulaire et y répondre. Une molécule d'intégrine est composée de deux sous-unités de glycoprotéines transmembranaires, α et β, associées de façon non covalente (Figure 19-64; *voir aussi* Figure 19-12B). Comme, dans différents types cellulaires, la même molécule d'intégrine peut avoir différentes spécificités de liaison à un ligand, il semble que d'autres facteurs, spécifiques du type cellulaire, interagissent avec les intégrines pour moduler leur activité de liaison.

La fixation des intégrines sur leurs ligands dépend de cations divalents extracellulaires (Ca^{2+} ou Mg^{2+}, en fonction des intégrines), ce qui reflète la présence de domaines de fixation pour les cations divalents dans la partie extracellulaire des sous-unités α et β. Le type de cation divalent peut influencer à la fois l'affinité et la spécificité de la fixation d'une intégrine sur son ligand.

Beaucoup de protéines matricielles des vertébrés sont reconnues par de multiples intégrines. Par exemple, 8 intégrines au moins se fixent sur la fibronectine, et 5 au

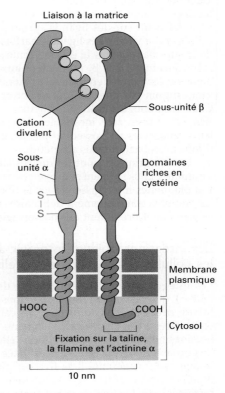

Figure 19-64 La structure des sous-unités d'une intégrine, le récepteur cellulaire de surface de la matrice. Les photographies en microscopie électronique des récepteurs isolés suggèrent que la molécule a approximativement la forme montrée ici, avec sa tête globulaire se projetant à plus de 20 nm de la bicouche lipidique. Par sa fixation sur une protéine matricielle à l'extérieur de la cellule et sur le cytosquelette d'actine à l'intérieur de la cellule (via les protéines d'ancrage indiquées) (*voir* Figure 19-12B), la protéine sert de liant transmembranaire. Les sous-unités α et β sont maintenues ensemble par des liaisons non covalentes. Dans le récepteur des fibronectines montré ici, la sous-unité α est initialement composée d'une seule chaîne polypeptidique de 140 000 daltons qui est ensuite coupée en un petit domaine transmembranaire et un gros domaine extracellulaire qui contient quatre sites de liaison à des cations divalents; les deux domaines restent maintenus ensemble par une liaison disulfure. La partie extracellulaire de la sous-unité β contient un seul site de liaison au cation divalent ainsi qu'une région répétitive riche en cystéines, où se forment des liaisons disulfure intracaténaires.

Labels on figure: Liaison à la matrice; Sous-unité β; Cation divalent; Sous-unité α; Domaines riches en cystéine; S—S; Membrane plasmique; HOOC; COOH; Cytosol; Fixation sur la taline, la filamine et l'actinine α; 10 nm

moins sur les laminines. Chez l'homme, les divers hétérodimères d'intégrine sont formés à partir de 9 types de sous-unités β et de 24 types de sous-unités α. Cette diversité augmente encore plus par l'épissage alternatif de certains ARN des intégrines. Certaines intégrines bien étudiées sont présentées dans le tableau 19-VI.

Les sous-unités β_1 forment des dimères avec au moins 12 sous-unités α distinctes. On les trouve dans presque toutes les cellules de vertébrés : $\alpha_5\beta_1$, par exemple, est un récepteur à la fibronectine et $\alpha_6\beta_1$ un récepteur à la laminine dans beaucoup de types cellulaires. Les cellules mutantes qui ne peuvent fabriquer d'intégrine β_1 meurent lors de l'implantation tandis que les souris qui sont seulement incapables de fabriquer la sous-unité α_7 (le partenaire de β_1 dans les muscles) survivent mais développent une dystrophie musculaire (comme les souris qui ne peuvent fabriquer le ligand laminine de l'intégrine $\alpha_7\beta_1$).

Les sous-unités β_2 forment des dimères avec au moins quatre types de sous-unités α. Elles sont exprimées presque exclusivement à la surface des leucocytes, où elles jouent un rôle essentiel pour permettre à ces cellules de combattre l'infection. Les intégrines β_2 permettent surtout les interactions cellule-cellule et non pas cellule-matrice, se fixant sur des ligands spécifiques situés sur une autre cellule, comme une cellule endothéliale. Les ligands, parfois nommés *contre-récepteurs*, sont des membres de la superfamille des Ig des molécules d'adhésion cellule-cellule traités antérieurement. Les intégrines β_2 permettent aux leucocytes, par exemple, de se fixer fermement sur les cellules endothéliales au niveau des sites d'infection et de sortir du courant sanguin par migration pour entrer dans le site d'infection (*voir* Figure 19-30B). Chez l'homme, les individus atteints d'une maladie génétique, l'*insuffisance d'adhésion leucocytaire*, sont incapables de synthétiser les sous-unités β_2. Par conséquent, leurs leucocytes ne possèdent pas toute la famille des récepteurs β_2 et ils souffrent d'infections bactériennes à répétition.

Les intégrines β_3 sont retrouvées sur diverses cellules, y compris les plaquettes sanguines. Elles se fixent sur diverses protéines matricielles, y compris le fibrinogène. Les plaquettes interagissent avec le fibrinogène pendant la coagulation sanguine et les hommes génétiquement déficitaires en intégrines β_3 sont atteints de la *maladie de Glanzmann* et présentent des hémorragies.

Les intégrines doivent interagir avec le cytosquelette pour attacher les cellules à la matrice extracellulaire

Les intégrines fonctionnent comme des liants transmembranaires (ou « intégrateurs »), qui permettent des interactions entre le cytosquelette et la matrice extracellulaire, nécessaires à l'accrochage des cellules sur la matrice. La plupart des intégrines sont reliées à des faisceaux de filaments d'actine. L'intégrine $\alpha_6\beta_4$ retrouvée dans les hémidesmosomes est une exception : elle est reliée aux filaments intermédiaires. Une fois qu'une intégrine typique s'est fixée sur son ligand matriciel, la queue cytoplasmique de la sous-unité β se fixe sur plusieurs protéines d'ancrage intracellulaires, dont la taline, l'actinine α et la filamine. Ces protéines d'ancrage peuvent se fixer directement sur l'actine ou sur d'autres protéines d'ancrage comme la vinculine, reliant ainsi l'intégrine aux filaments d'actine du cortex cellulaire. Si les conditions sont bonnes, cette liaison conduit à l'agrégation des intégrines et à la formation de plaques d'adhésion entre la cellule et la matrice extracellulaire, comme nous l'avons déjà vu.

Si le domaine cytoplasmique de la sous-unité β est délété via des techniques d'ADN recombinant, les intégrines raccourcies restent encore reliées à leurs ligands, mais ne permettent plus d'adhésion solide et elle ne peuvent plus s'agréger au niveau des plaques d'adhésion. Il semble que les intégrines doivent interagir avec le cytos-

TABLEAU 19-VI Quelques types d'intégrines

INTÉGRINE	LIGAND*	RÉPARTITION
$\alpha_5\beta_1$	Fibronectine	Ubiquitaire
$\alpha_6\beta_1$	Laminine	Ubiquitaire
$\alpha_7\beta_1$	Laminine	Muscle
$\alpha_L\beta_2$ (LFA-1, *voir* p. 1411)	Contre-récepteurs de la superfamille des Ig	Leucocytes
$\alpha_2\beta_3$	Fibrinogène	Plaquettes
$\alpha_6\beta_4$	Laminine	Hémidesmosomes épithéliaux

*Tous les ligands ne sont pas donnés dans la liste.

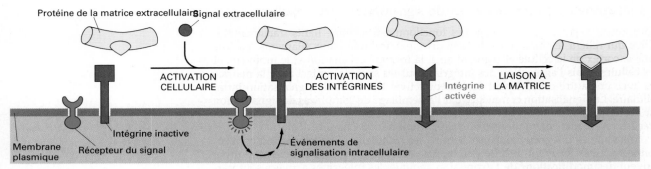

Protéine de la matrice extracellulaire Signal extracellulaire

ACTIVATION CELLULAIRE

ACTIVATION DES INTÉGRINES

LIAISON À LA MATRICE

Intégrine inactive

Récepteur du signal

Membrane plasmique

Événements de signalisation intracellulaire

Intégrine activée

quelette pour fixer solidement les cellules à la matrice, tout comme les cadhérines doivent interagir avec le cytosquelette pour maintenir efficacement ensemble les cellules. La fixation sur le cytosquelette peut faciliter l'agrégation des intégrines qui, une fois agrégées, fournissent une liaison plus solide; elle peut aussi bloquer l'intégrine dans une conformation qui lui permet de se fixer plus solidement sur son ligand.

Tout comme les cadhérines peuvent promouvoir l'adhésion cellule-cellule sans former de jonctions adhérentes matures, les intégrines peuvent permettre l'adhésion matrice-cellule sans former de plaque d'adhésion mature. Dans les deux cas cependant, les protéines d'adhésion transmembranaires peuvent encore se fixer sur le cytosquelette. Pour les intégrines, ce type d'adhésion se produit lorsque les cellules s'étalent ou migrent et il en résulte la formation de *complexes focaux*. Pour rendre possible la maturation de ces complexes focaux en plaques d'adhésion, que l'on trouve typiquement dans de nombreuses cellules bien étalées, l'activation d'une petite GTPase, Rho, est nécessaire. L'activation de Rho conduit au recrutement d'autres filaments d'actine et d'intégrines sur le site de contact (*voir* Chapitre 16).

Les cellules peuvent réguler l'activité de leurs intégrines

Nous verrons ci-dessous comment l'agrégation des intégrines active les voies de signalisation intracellulaire. Mais la signalisation s'effectue aussi dans la direction opposée : les signaux engendrés à l'intérieur de la cellule peuvent soit augmenter soit inhiber la capacité des intégrines à se fixer sur leur ligand à l'extérieur de la cellule (Figure 19-65). On comprend encore mal cette régulation mais elle peut impliquer la phosphorylation des queues cytoplasmiques des intégrines, l'association des queues avec des protéines d'activation cytoplasmiques ou les deux.

La capacité d'une cellule à contrôler les interactions intégrine-ligand par l'intérieur est appelée *signalisation de dedans en dehors*. Elle est particulièrement importante dans les plaquettes et les leucocytes dans lesquels les intégrines doivent généralement être activées avant de pouvoir permettre l'adhésion. Dans la plupart des autres cellules, les intégrines sont généralement maintenues dans un état qui permet l'adhésion. Cette adhésion régulée permet aux leucocytes de circuler sans entraves jusqu'à ce qu'ils soient activés par un stimulus approprié. Comme les intégrines n'ont pas besoin d'être néosynthétisées, la réponse d'adhésion au signal peut être rapide. Les plaquettes, par exemple, sont activées soit par contact avec un vaisseau sanguin lésé soit par diverses molécules de signalisation solubles. Dans les deux cas, ce stimulus déclenche une voie de signalisation intracellulaire qui active rapidement une intégrine β_3 située dans la membrane des plaquettes. Cela induit la modification de conformation du domaine extracellulaire de l'intégrine, ce qui lui permet de se fixer sur le fibrinogène, une protéine de la coagulation sanguine, avec une forte affinité. Le fibrinogène relie les plaquettes entre elles pour former un bouchon plaquettaire qui facilite l'arrêt d'une hémorragie.

De même, la fixation faible d'un lymphocyte T sur son antigène spécifique à la surface d'une cellule présentant un antigène (*voir* Chapitre 24) déclenche une voie de signalisation intracellulaire dans le lymphocyte T qui active ses intégrines β_2. Celles-ci, activées, permettent alors au lymphocyte T d'adhérer fortement à la cellule présentant l'antigène afin qu'il reste assez longtemps en contact pour être complètement stimulé. L'intégrine peut alors retourner à son état inactif et permettre le dégagement du lymphocyte T.

Il existe des occasions, en particulier pendant le développement, où d'autres cellules, hormis les cellules sanguines, régulent également l'activité de leurs intégrines. Si une intégrine constitutivement active (fabriquée par délétion de la queue cytoplasmique de la sous-unité α) est exprimée dans un embryon en développement de *Drosophila*, par exemple, elle interrompt le développement musculaire normal. Les cellules précurseurs du muscle qui expriment l'intégrine activée ne peuvent se dégager de la matrice extracellulaire et, par conséquent, ne peuvent migrer normalement.

Figure 19-65 La régulation par l'intérieur de l'activité de liaison extracellulaire d'une intégrine cellulaire. Dans cet exemple, un signal extracellulaire active une cascade de signalisation intracellulaire qui modifie l'intégrine de telle sorte que son site de liaison extracellulaire permet alors l'adhésion cellulaire. La nature moléculaire de cette modification est mal comprise.

Les intégrines activent des voies de signalisation intracellulaire

Nous avons déjà vu que les intégrines fonctionnaient comme liants transmembranaires qui relient les molécules de la matrice extracellulaire aux filaments d'actine dans le cortex de la cellule et régulent ainsi la forme, l'orientation et le mouvement des cellules. Mais l'agrégation des intégrines sur les sites de contact avec la matrice (ou avec une autre cellule) peut également activer des voies de signalisation intracellulaire. La signalisation commence par l'assemblage de complexes de signalisation sur la face cytoplasmique de la membrane plasmique, comme lors de la signalisation avec les récepteurs conventionnels de signalisation (*voir* Chapitre 15).

Même si les intégrines activées, comme les récepteurs de signalisation conventionnels activés, peuvent induire des réponses cellulaires globales, qui comportent souvent des modifications de l'expression génique, les intégrines activées sont particulièrement adeptes de la stimulation de modifications locales du cytoplasme proche du contact cellule-matrice. Il peut s'agir là d'une caractéristique fondamentale de la signalisation générale par les protéines d'adhésion cellulaire transmembranaires. Dans le système nerveux en développement, par exemple, l'extrémité en croissance d'un axone est surtout guidée par sa réponse aux signaux locaux d'adhésion (et de répulsion) de l'environnement qui sont reconnus par des protéines d'adhésion cellulaire transmembranaires. On pense que les effets primaires des protéines d'adhésion résultent de l'activation de voies de signalisation intracellulaire qui agissent localement à l'extrémité de l'axone, plutôt qu'à travers une adhésion cellule-cellule elle-même ou par des signaux convoyés jusqu'au corps cellulaire.

Beaucoup de ces fonctions de signalisation des intégrines dépendant d'une tyrosine-kinase cytoplasmique, la **kinase FAK** (pour *focal adhesion kinase*). Les plaques d'adhésion sont souvent les principaux sites de phosphorylation des tyrosines dans les cellules en culture (*voir* Figure 17-50) et FAK est une des principales protéines tyrosine-phosphorylées retrouvée dans les plaques d'adhésion (bien qu'elle puisse aussi s'associer aux récepteurs de signalisation conventionnels). Lorsque les intégrines s'agrègent sur des sites de contact cellule-matrice, FAK est recrutée sur les plaques d'adhésion par des protéines d'ancrage cellulaire comme la *taline*, qui se fixe sur la sous-unité β de l'intégrine, ou la *paxilline* qui se fixe sur un type de sous-unité α d'intégrine. Les molécules FAK agrégées se phosphorylent les unes les autres sur une tyrosine spécifique et créent un site d'arrimage tyrosine-phosphorylé pour les membres de la famille Src de tyrosine-kinases cytoplasmiques. Ces kinases phosphorylent alors les FAK sur d'autres tyrosines et créent des sites d'arrimage pour diverses protéines de signalisation intracellulaire ; elles phosphorylent aussi d'autres protéines au niveau des plaques d'adhésion. De cette façon, le signal est relayé dans la cellule (comme cela a été vu au chapitre 15).

Une des méthodes pour analyser la fonction des FAK consiste à examiner les plaques d'adhésion dans les cellules issues de souris mutantes qui ne possèdent pas cette protéine. Les fibroblastes déficients en FAK adhèrent encore à la fibronectine et forment des plaques d'adhésion. Ce qui est surprenant, c'est qu'ils forment plutôt trop de plaques d'adhésion que pas assez ; il en résulte un ralentissement de l'étalement des cellules et de leur migration (Figure 19-66). Ce résultat inattendu suggère que FAK facilite normalement le désassemblage des plaques d'adhésion et que cette perte d'adhésion est nécessaire à la migration cellulaire normale. En interagissant avec les récepteurs de signalisation conventionnels et les plaques d'adhésion, FAK peut coupler les signaux de migration aux modifications de l'adhésion cellulaire. Beaucoup de cellules cancéreuses possèdent des concentrations élevées en FAK, ce qui peut expliquer qu'elles sont souvent plus mobiles que leurs contreparties normales.

Les intégrines et les récepteurs conventionnels de signalisation peuvent agir ensemble selon plusieurs voies. Les voies de signalisation activées par les récepteurs de signalisation conventionnels peuvent augmenter l'expression des intégrines ou des molécules matricielles extracellulaires tandis que celles activées par les intégrines

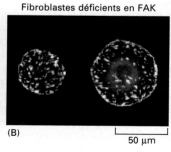

Fibroblastes normaux   Fibroblastes déficients en FAK

(A)   (B)   50 µm

Figure 19-66 Excès de plaques d'adhésion dans les fibroblastes déficients en FAK. Des fibroblastes normaux et déficients en FAK ont été colorés par des anticorps anti-vinculine qui révèlent la localisation des plaques d'adhésion (*voir* Figure 19-12). (A) Les fibroblastes normaux ont moins de plaques d'adhésion et se sont étalés au bout de 2 heures en culture. (B) Au même moment, les fibroblastes déficients en FAK présentent plus de plaques d'adhésion et ne se sont pas étalés. (D'après D. Ilic et al., *Nature* 377 : 539-544, 1995. © Macmillan Magazines Ltd.)

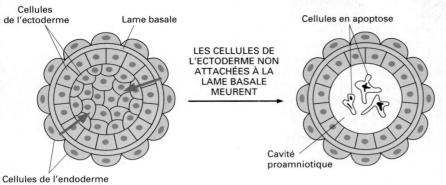

Cellules de l'ectoderme — Lame basale — Cellules de l'endoderme

LES CELLULES DE L'ECTODERME NON ATTACHÉES À LA LAME BASALE MEURENT

Cellules en apoptose — Cavité proamniotique

Figure 19-67 La survie cellulaire dépendante de la matrice dans la formation de la cavité proamniotique. On pense que les cellules de l'endoderme produisent un signal (indiqué par les *flèches rouges*) qui provoque la mort des cellules ectodermiques par apoptose. Les cellules de l'ectoderme en contact avec la lame basale, cependant, sont sauvées par l'action de promotion de la survie des molécules de la matrice de la lame, tandis que les autres cellules de l'ectoderme meurent par apoptose, formant la cavité proamniotique. (D'après E. Coucouvanis et G.R. Martin. *Cell* 83 : 279-287, 1995.)

peuvent augmenter l'expression des récepteurs de signalisation conventionnels ou des ligands qui s'y fixent. Les voies de signalisation intracellulaire elles-mêmes peuvent aussi interagir et se renforcer les unes les autres. Tandis que certains récepteurs conventionnels de signalisation et que certaines intégrines activent indépendamment la voie des Ras/MAP-kinases (*voir* Figure 15-56), par exemple, ils agissent souvent ensemble pour soutenir l'activation de cette voie assez longtemps pour induire la prolifération cellulaire. Les intégrines et les récepteurs de signalisation conventionnels coopèrent pour stimuler plusieurs types de réponses cellulaires. Beaucoup de cellules en culture, par exemple, ne croîtront ni ne proliféreront en réponse à des facteurs de croissance extracellulaires tant que les cellules ne seront pas attachées, via les intégrines, sur les molécules matricielles extracellulaires. Pour certains types de cellules, y compris les cellules épithéliales, endothéliales et musculaires, la survie même des cellules dépend de la signalisation par les intégrines. Lorsque ces cellules perdent le contact avec la matrice extracellulaire, elles subissent une mort cellulaire programmée ou apoptose. Cette dépendance de l'attachement à la matrice extracellulaire pour la survie et la prolifération peut permettre d'assurer que les cellules survivent et prolifèrent uniquement lorsqu'elles sont placées au bon endroit, et protéger les animaux vis-à-vis de la dissémination des cellules cancéreuses. La survie des cellules, dépendante de leur attachement, est exploitée dans des buts spécifiques pendant le développement embryonnaire, comme cela est montré dans la figure 19-67. Les voies de signalisation activées par les intégrines pour promouvoir la survie cellulaire sont similaires à celles activées par les récepteurs conventionnels de signalisation, comme cela a été vu dans les chapitres 15 et 17.

Les molécules d'adhésion cellulaire dont nous avons parlé dans ce chapitre sont résumées dans le tableau 19-VII.

TABLEAU 19-VII Les familles de molécules d'adhésion cellulaire

	CERTAINS MEMBRES DE LA FAMILLE	DÉPENDANCE POUR CA^{2+} OU MG^{2+}	HOMOPHILES OU HÉTÉROPHILES	ASSOCIATION AU CYTOSQUELETTE	ASSOCIATION AUX JONCTIONS CELLULAIRES
Adhésion cellule-cellule					
Cadhérines classiques	E, N, P, VE	Oui	Homophiles	Filaments d'actine (via les caténines)	Jonctions adhérentes
Cadhérines desmosomiques	Desmogléine	Oui	Homophiles	Filaments intermédiaires (via la desmoplakine, la plakoglobine et d'autres protéines)	Desmosomes
Membres de la famille des Ig	N-CAM	Non	Les deux	Inconnu	Non
Sélectines (cellules sanguines et endothéliales seulement)	L-, E- et P-sélectines	Oui	Hétérophiles	Filaments d'actine	Non
Intégrines des cellules sanguines	$\alpha_L\beta_2$ (LFA-1)	Oui	Hétérophiles	Filaments d'actine	Non
Adhésion cellule-matrice					
Intégrines	Plusieurs types	Oui	Hétérophiles	Filament d'actine (via taline, filamine, actinine α et vinculine)	Plaques d'adhésion
	$\alpha_6\beta_4$	Oui	Hétérophiles	Filaments intermédiaires (via la plectine)	Hémidesmosomes
Protéoglycanes transmembranaires	Syndécanes	Non	Hétérophiles	Filaments d'actine	Non

Résumé

Les intégrines sont les principaux récepteurs utilisés par les cellules animales pour se fixer sur la matrice extracellulaire. Ce sont des hétérodimères qui fonctionnent comme des liants trans-membranaires entre la matrice extracellulaire et le cytosquelette d'actine. Une cellule peut réguler l'activité adhésive de ses intégrines de l'intérieur. Les intégrines fonctionnent aussi comme des transducteurs de signaux activant diverses voies de signalisation intracellulaire lorsqu'elles sont activées par la fixation sur la matrice. Les intégrines et les récepteurs conventionnels de signalisation coopèrent souvent pour promouvoir la croissance, la survie et la prolifération cellulaires.

PAROI CELLULAIRE DES VÉGÉTAUX

La paroi des cellules végétales est une matrice extracellulaire complexe qui entoure chaque cellule du végétal. C'est la paroi cellulaire épaisse du liège, visible avec les microscopes primitifs, qui en 1663 a permis à Robert Hooke de distinguer pour la première fois et de nommer les cellules. Les parois des cellules végétales voisines, cimentées ensemble pour former le végétal intact (Figure 19-68), sont généralement plus épaisses, plus résistantes et, c'est le plus important, plus rigides que la matrice extracellulaire produite par les cellules animales. De par le développement de parois relativement rigides, qui peuvent avoir plusieurs micromètres d'épaisseur, les premières cellules végétales ont perdu leur capacité de migration et ont adopté un style de vie sédentaire qui persiste encore dans tous les végétaux actuels.

La composition de la paroi cellulaire dépend du type cellulaire

Toutes les parois cellulaires des végétaux prennent leur origine dans les cellules qui se divisent, lorsque la plaque cellulaire se forme pendant la cytocinèse pour créer une nouvelle paroi de séparation entre les cellules filles (*voir* Chapitre 18). Les nouvelles cellules sont généralement produites dans des régions spécifiques, les *méristèmes* (*voir* Chapitre 21), et sont généralement petites par comparaison à leur taille définitive. Pour permettre la croissance cellulaire ultérieure, leurs parois, appelées

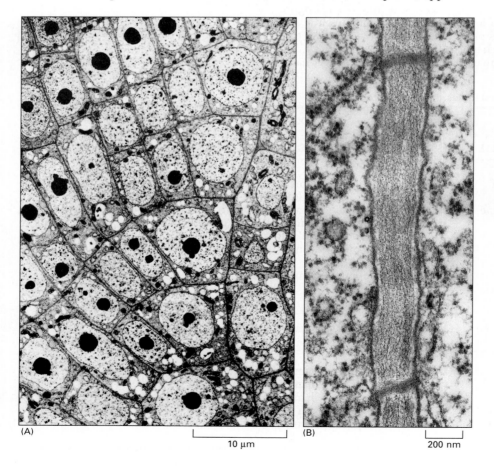

(A)

10 µm

(B)

200 nm

Figure 19-68 Parois des cellules végétales. (A) Photographie en microscopie électronique de l'extrémité de la racine d'un jonc, montrant la disposition organisée des cellules qui résulte de la séquence ordonnée des divisions cellulaires dans des cellules dotées d'une paroi cellulaire relativement rigide. Dans ce tissu en croissance, les parois cellulaires sont encore relativement fines et apparaissent sur la microphotographie comme de fines lignes noires entre les cellules. (B) Coupe d'une paroi cellulaire typique séparant deux cellules végétales adjacentes. Les deux bandes noires transversales correspondent aux plasmodesmes qui traversent la paroi (*voir* Figure 19-20). (A, due à l'obligeance de C. Busby et B. Gunning, *Eur. J. Cell Biol.* 21 : 214-233, 1980; B, due à l'obligeance de Jeremy Burgess.)

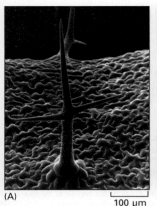  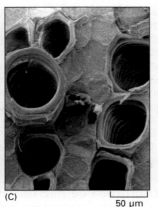

(A) `___100 µm` (B) `___50 µm` (C) `___50 µm`

Figure 19-69 Certains types cellulaires spécialisés pourvus de parois cellulaires modifiées de façon appropriée. (A) Trichome, ou poil, de la surface supérieure d'une feuille d'*Arabidopsis*. Cette cellule unique, pointue, protectrice, est façonnée par le dépôt local d'une paroi de cellulose résistante. (B) Vue de surface d'une cellule épidermique d'une feuille de tomate. Les cellules s'ajustent bien comme les pièces d'un puzzle, fournissant une couverture externe résistante à la feuille. La paroi cellulaire externe est renforcée par une cuticule et des cires qui rendent la feuille étanche et l'aident à se défendre contre les germes. (C) Cette vue dans de jeunes éléments de xylème montre la paroi cellulaire secondaire épaisse, lignifiée, renforcée d'arceaux, qui crée des tubes robustes pour le transport de l'eau dans tout le végétal. (A, due à l'obligeance de Paul Linstead ; B et C, dues à l'obligeance de Kim Findlay.)

parois végétales primaires, sont fines et extensibles, bien que résistantes. Une fois que la croissance s'arrête, la paroi n'a plus besoin d'être extensible : parfois la paroi primaire est conservée sans modifications majeures, mais, le plus souvent, une **paroi cellulaire secondaire** rigide est produite par le dépôt de nouvelles couches à l'intérieur des anciennes. Celles-ci peuvent avoir soit une composition similaire à celle de la paroi primaire soit être largement différentes. Le polymère supplémentaire le plus commun des parois secondaires est la **lignine**, un réseau complexe de composés phénoliques retrouvé dans les parois des vaisseaux de xylème et des cellules fibreuses des tissus du bois. La paroi des cellules végétales a donc un rôle « squelettique » qui soutient la structure du végétal en tant que tout, un rôle protecteur qui entoure chaque cellule individuellement, et un rôle de transport qui facilite la formation de canaux pour le déplacement des liquides dans le végétal. Lorsque les cellules des végétaux se spécialisent, elles adoptent généralement une forme spécifique et produisent des types adaptés de parois spécifiques, qui permettent de reconnaître et de classer les différents types de cellules d'un végétal (Figure 19-69 ; *voir aussi* Planche 21-3).

Bien que la composition et l'organisation des parois cellulaires des végétaux supérieurs soient variables, elles sont toutes construites, comme les matrices extracellulaires des animaux, à l'aide d'un principe structurel commun à tous les composites de fibres, y compris des fibres de verre et le béton armé. Un composant fournit la résistance élastique à la traction, tandis que l'autre, qui inclut le premier, fournit la résistance à la compression. Alors que le principe est le même chez les végétaux et les animaux, la chimie est différente. Contrairement à la matrice extracellulaire animale, riche en protéines et en d'autres polymères à base d'azote, la paroi des cellules végétales est composée presque entièrement de polymères qui ne contiennent pas d'azote, y compris la *cellulose* et la lignine. Les arbres investissent énormément dans la cellulose et la lignine qui forment le volume de leur biomasse. Pour un organisme sédentaire qui dépend de CO_2, d'H_2O et de la lumière du soleil, ces deux biopolymères abondants représentent des matériaux structurels « bon marché » à base de carbone, qui permettent de conserver l'azote fixe peu abondant, disponible dans le sol, qui limite généralement la croissance des végétaux.

Dans la paroi cellulaire des végétaux supérieurs, les fibres élastiques sont fabriquées à partir d'un polysaccharide, la cellulose, dont les molécules sont réunies solidement en un réseau par des *glycanes de liaison croisée*. La cellulose représente la macromolécule organique la plus abondante sur Terre. Dans les parois cellulaires primitives, la matrice, dans laquelle est encastré le réseau de cellulose, est composée de *pectine*, un réseau hautement hydraté de polysaccharides riches en acide galacturonique. Les parois cellulaires secondaires contiennent d'autres composants supplémentaires, comme la lignine, qui est dure et occupe les interstices entre les autres composants pour rendre la paroi rigide et permanente. Toutes ces molécules sont maintenues ensemble par une association de liaisons covalentes et non covalentes qui forment une structure hautement complexe dont la composition, l'épaisseur et l'architecture dépendent du type cellulaire.

Nous nous concentrerons ici sur la paroi cellulaire primaire et l'architecture moléculaire qui sous-tendent cette association remarquable de résistance, d'élasticité et de souplesse, observée dans les parties en croissance d'un végétal.

La résistance élastique à la tension de la paroi cellulaire permet aux cellules végétales de développer une pression de turgescence

L'environnement aqueux extracellulaire d'une cellule végétale est composé du liquide contenu dans les parois qui entourent la cellule. Bien que le liquide de la paroi d'une cellule végétale contienne plus de solutés que l'eau du milieu extérieur du végétal (par exemple, du sol), il est encore hypotonique en comparaison avec l'intérieur de la cellule. Ce déséquilibre osmotique provoque le développement, par la cellule, d'une forte pression hydrostatique interne ou **pression de turgescence** qui repousse la paroi cellulaire vers l'extérieur tout comme la chambre à air repousse le pneu vers l'extérieur. La pression de turgescence augmente jusqu'au point où la cellule se trouve en équilibre osmotique, sans entrée nette d'eau malgré le déséquilibre en sel (*voir* Planche 11-1, p. 628-629). Cette pression est vitale pour les végétaux parce qu'elle représente la principale force qui actionne l'expansion cellulaire pendant la croissance et fournit la majeure partie de la rigidité mécanique des tissus végétaux vivants. Comparez, par exemple, la feuille flétrie d'un végétal déshydraté avec celle, turgescente, d'un végétal bien hydraté. C'est la résistance mécanique de la paroi cellulaire qui permet aux cellules végétales de soutenir cette pression interne.

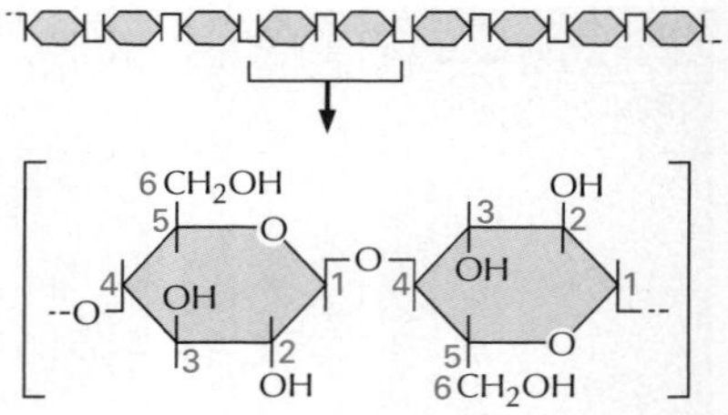

La paroi cellulaire primaire est constituée de microfibrilles de cellulose entrelacées à un réseau de polysaccharides pectiques

Les molécules de cellulose fournissent la résistance élastique à la traction de la paroi cellulaire primaire. Chaque molécule est composée d'une chaîne linéaire d'au moins 500 résidus de glucose, reliés de façon covalente les uns aux autres pour former une structure de type ruban, stabilisée par des liaisons hydrogène à l'intérieur de la chaîne (Figure 19-70). De plus, par des liaisons hydrogène intermoléculaires entre elles, les molécules de cellulose adjacentes adhèrent fortement les unes aux autres et prennent une disposition parallèle qui se chevauche et forme un faisceau d'environ 40 chaînes de cellulose, toutes de même polarité. Ces agrégats cristallins hautement ordonnés, de plusieurs micromètres de long, sont appelés **microfibrilles de cellulose** et ont une résistance élastique à la tension comparable à l'acier. Des ensembles de microfibrilles sont disposés en couches, ou lamelles. Chaque microfibrille est placée à environ 20 à 40 nm de ses voisines, reliée à elles par de longues molécules de glycanes de liaisons croisées réunies par des liaisons hydrogène à la surface des microfibrilles. La paroi cellulaire primaire est composée de plusieurs de ces lamelles, disposées en un réseau de type contre-plaqué (Figure 19-71).

Les **glycanes de liaisons croisées** forment un groupe hétérogène de polysaccharides ramifiés qui se fixent solidement à la surface de chaque microfibrille de cellulose et facilitent ainsi la réunion des microfibrilles en un réseau complexe. Leur fonction est analogue à celle des collagènes associés aux fibrilles, dont nous avons déjà parlé (*voir* Figure 19-49). Il existe plusieurs classes de glycanes de liaisons croisées qui présentent tous un long squelette linéaire composé d'un type de sucre (glucose, xylose ou mannose) à partir duquel font protrusion de courtes chaînes latérales formées d'autres sucres. C'est le squelette de molécules de sucres qui forme les liaisons hydrogène avec la surface des microfibrilles de cellulose, les reliant en ce processus. Les sucres du squelette et des chaînes latérales varient selon l'espèce végétale et son stade de développement.

Figure 19-70 La cellulose. Les molécules de cellulose sont de longues chaînes non ramifiées d'unités de glucose-β1,4 reliées. Chaque glucose est inversé par rapport à ses voisins et la répétition de disaccharides résultante se produit des centaines de fois dans une seule molécule de cellulose.

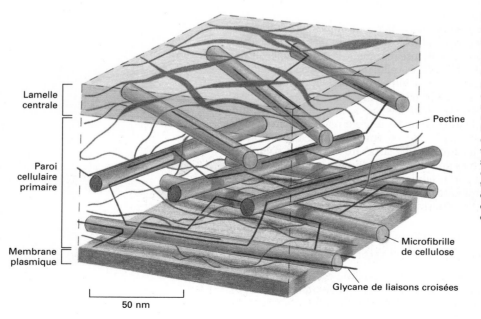

Figure 19-71 Modèle à l'échelle d'une portion de la paroi cellulaire primaire montrant les deux principaux réseaux de polysaccharides. Les couches disposées de façon orthogonale des microfibrilles de cellulose (en *vert*) sont reliées en un réseau par des glycanes de liaisons croisées (*rouge*) qui forment des liaisons hydrogène avec les microfibrilles. Le réseau est co-étendu avec un réseau de polysaccharides de pectine (en *bleu*). Le réseau de cellulose et de glycanes de liaisons croisées fournit une résistance élastique à la tension tandis que le réseau de pectine résiste à la compression. La cellulose, les glycanes de liaisons croisées et la pectine sont typiquement présents en quantité grossièrement égale dans la paroi cellulaire primaire. La lamelle centrale est riche en pectine et cimente ensemble les cellules adjacentes.

Lamelle centrale

Paroi cellulaire primaire

Membrane plasmique

Pectine

Microfibrille de cellulose

Glycane de liaisons croisées

50 nm

TABLEAU 19-VIII Les polymères de la paroi cellulaire végétale

POLYMÈRE	COMPOSITION	FONCTIONS
Cellulose	Polymère linéaire du glucose	Les fibrilles confèrent à toutes les parois une résistance élastique à la tension
Glycanes de liaisons croisées	Xyloglycanes, glucuronoarabinoxylanes et mannanes	Relient les fibrilles de cellulose en des réseaux résistants
Pectine	Homogalacturonanes et rhamnogalacturonanes	Forme des réseaux de charge négative, hydrophiles, qui donnent une résistance compressive aux parois primaires ; adhésion cellule-cellule
Lignine	Alcools de coumaryl, coniféryl et sinapyl formant des liaisons croisées	Forme des polymères résistants étanches qui renforcent les parois cellulaires secondaires
Protéines et glycoprotéines	Enzymes, protéines riches en hydroxyprolines	Responsables du renouvellement de la paroi et de son remodelage, facilitent la défense contre les germes pathogènes

Également étendu avec ce réseau de microfibrilles de cellulose et de glycanes de liaisons croisées se trouve un autre réseau de polysaccharides reliés par liaison croisée, basé sur les pectines (*voir* Figure 19-71). Les **pectines** forment un groupe hétérogène de polysaccharides ramifiés qui contient un grand nombre d'unités d'acide galacturonique négativement chargé. Du fait de cette charge négative, les pectines sont fortement hydratées et associées à un nuage de cations, et ressemblent aux glycosaminoglycanes des cellules animales par l'important espace qu'elles occupent (*voir* Figure 19-37). Lorsqu'on ajoute du Ca^{2+} à une solution de molécules de pectine, il les relie pour produire un gel semi-rigide (c'est la pectine qui est ajoutée aux jus de fruits pour faire de la gelée). Certaines pectines sont particulièrement abondantes dans la *lamelle centrale*, région spécialisée qui cimente les parois des cellules adjacentes (*voir* Figure 19-71) ; dans ce cas, on pense que les liaisons croisées par le Ca^{2+} facilitent le maintien des composants de la paroi cellulaire. Bien que les liaisons covalentes jouent aussi un rôle dans la réunion des composants, on sait très peu de choses sur leur nature. La séparation régulée des cellules dans la lamelle centrale sous-tend les processus comme le mûrissement des tomates et le détachement lors de la chute des feuilles.

En plus des deux réseaux composés de polysaccharides présents dans toutes les parois cellulaires primaires des végétaux, 5 p. 100 de la masse sèche de la paroi au maximum peut être formé de protéines. Bon nombre de ces protéines sont des enzymes, responsables du renouvellement de la paroi et de son remodelage, en particulier pendant la croissance. Une autre classe de protéines pariétales contient de fortes concentrations en hydroxyproline, comme dans le collagène. On pense que ces protéines renforcent la paroi et elles sont produites en des quantités largement supérieures lors de réponse locale à une attaque par des germes. À partir de la séquence génomique d'*Arabidopsis*, on a estimé que plus de 700 gènes sont nécessaires pour synthétiser, assembler et remodeler la paroi cellulaire végétale. La liste de certains des principaux polymères des parois cellulaires primaire et secondaire se trouve dans le tableau 19-VIII.

Pour qu'une cellule végétale croisse ou modifie sa forme, il faut que la paroi cellulaire s'étire ou se déforme. Cependant, du fait de leur structure cristalline, les microfibrilles de cellulose sont incapables de s'étirer. Par conséquent, l'étirement ou la déformation de la paroi cellulaire doit impliquer soit le glissement des microfibrilles les unes sur les autres, soit la séparation de microfibrilles adjacentes, soit les deux. Comme nous le verrons par la suite, la direction de l'élargissement de la cellule dépend en partie de l'orientation des microfibrilles de cellulose dans la paroi primaire, qui dépend à son tour de l'orientation des microtubules dans le cortex cellulaire sous-jacent au moment où la paroi se dépose.

Les microtubules orientent le dépôt de la paroi cellulaire

La forme finale d'une cellule végétale en croissance et, par conséquent, la forme finale du végétal, est déterminée par une expansion cellulaire contrôlée. Cette expansion se produit en réponse à la pression de turgescence selon une direction qui dépend en partie de l'arrangement des microfibrilles de cellulose dans la paroi. Les cellules anticipent donc leur morphologie future en contrôlant l'orientation des microfibrilles qu'elles déposent dans leur paroi. Contrairement à la plupart des autres macromolécules matricielles, formées dans le réticulum endoplasmique et l'appareil

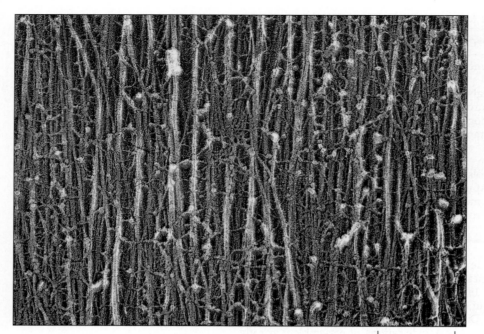

Figure 19-72 L'orientation des microfibrilles de cellulose dans la paroi cellulaire primaire d'une cellule de carotte en allongement. Cette photographie en microscopie électronique d'une réplique ombrée de la paroi cellulaire, rapidement congelée puis décapée, montre la disposition largement parallèle des microfibrilles de cellulose orientées perpendiculairement à l'axe de l'allongement cellulaire. Ces microfibrilles sont reliées et entrelacées par un réseau complexe de molécules matricielles (comparez avec la Figure 19-71). (Due à l'obligeance de Brian Wells et Keith Roberts.)

200 nm

de Golgi puis sécrétées, la cellulose, comme l'acide hyaluronique, est continuellement fabriquée au niveau de la surface de la cellule par un complexe enzymatique fixé sur la membrane plasmique (cellulose synthase), qui utilise comme substrat le nucléotide sucre UDP-glucose apporté par le cytosol. Pendant qu'elles sont synthétisées, les chaînes de cellulose naissantes s'assemblent spontanément en microfibrilles qui se forment sur la surface extracellulaire de la membrane plasmique – ce qui forme une couche, ou lamelle, dans laquelle toutes les microfibrilles sont plus ou moins dans le même alignement (*voir* Figure 19-71). Chaque nouvelle lamelle se forme à l'intérieur de la précédente de telle sorte que la paroi est constituée de lamelles concentriques, les plus anciennes situées à l'extérieur. Les microfibrilles déposées le plus récemment dans les cellules en élongation sont souvent perpendiculaires à l'axe de l'élongation cellulaire (Figure 19-72). Même si l'orientation des microfibrilles des lamelles les plus externes, déposées antérieurement, peut être différente, on pense que c'est l'orientation des lamelles internes qui a l'influence dominante sur la direction de l'expansion cellulaire (Figure 19-73).

Un indice important sur le mécanisme qui dicte cette orientation provient de l'observation des microtubules des cellules végétales. Ils sont disposés dans le cytoplasme cortical selon la même orientation que les microfibrilles de cellulose qui sont en train d'être déposées dans la paroi cellulaire dans cette région. Ces microtubules corticaux forment une *formation corticale* proche de la face cytosolique de la membrane plasmique, maintenue là par des protéines mal caractérisées (Figure 19-74). L'orientation congruente de la formation corticale de microtubules (résidant juste à l'intérieur de la membrane plasmique) et des microfibrilles de cellulose (résidant juste à l'extérieur) s'observe dans de nombreux types et formes de cellules végétales pendant le dépôt de la paroi primaire et celui de la paroi secondaire, ce qui suggère une relation causale.

Si tout le système de microtubules corticaux est désassemblé par le biais du traitement du tissu végétal par une substance dépolymérisant les microtubules, les

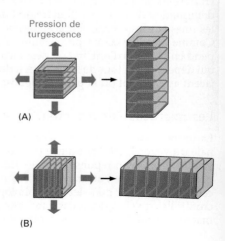

Pression de turgescence

(A)

(B)

Figure 19-73 L'orientation des microfibrilles de cellulose à l'intérieur de la paroi cellulaire influence la direction de l'élongation cellulaire. Les cellules en (A) et en (B) commencent avec la même forme (montrée ici comme un cube) mais avec une orientation différente des microfibrilles de cellulose de leurs parois. Bien que la pression de turgescence soit uniforme dans toutes les directions, l'affaiblissement de la paroi cellulaire provoque l'allongement de chaque cellule dans une direction perpendiculaire à l'orientation des microfibrilles qui présentent une grande résistance élastique à la tension. La forme définitive d'un organe, comme une racine, est déterminée par la direction dans laquelle s'étendent ses cellules.

conséquences sur le dépôt ultérieur de la cellulose ne sont pas aussi franches qu'on pourrait s'y attendre. Le traitement par cette substance n'a pas d'effet sur la production des nouvelles microfibrilles de cellulose et, dans certains cas, les cellules peuvent continuer à déposer les nouvelles microfibrilles dans l'orientation préexistante. Cependant, toutes les modifications développementales dans la disposition des microfibrilles qui devraient normalement se produire entre les lamelles successives sont invariablement bloquées. Il semble que l'orientation préexistante des microfibrilles puisse se propager même en l'absence de microtubules, mais toute modification dans le dépôt des microfibrilles de cellulose nécessite la présence de microtubules intacts pour déterminer la nouvelle orientation.

Ces observations sont en accord avec le modèle suivant. On pense que les complexes qui synthétisent la cellulose et sont encastrés dans la membrane plasmique tissent vers l'extérieur les longues molécules de cellulose. Lorsque la synthèse des molécules de cellulose et leur auto-assemblage en microfibrilles s'effectuent, l'extrémité distale de chaque microfibrille forme probablement des liaisons croisées indirectes avec les anciennes couches de matériaux pariétaux lorsqu'elle s'intègre dans la texture de la paroi. Au niveau de l'extrémité proximale en croissance de chaque microfibrille, le complexe de synthèse devrait donc se déplacer dans la membrane en direction de la synthèse. Comme les microfibrilles de cellulose en croissance sont rigides, chaque couche de microfibrille aurait tendance à être tissée vers l'extérieur à partir de la membrane dans la même orientation que celle de la couche déposée avant, avec le complexe de cellulose-synthase suivant le long de traces préexistantes de microfibrilles orientées à l'extérieur de la cellule. Les microtubules orientés à l'intérieur de la cellule, cependant, peuvent modifier la direction prédéterminée dans laquelle se déplace le complexe de la synthase : ils peuvent créer des limites dans la membrane plasmique qui agissent comme les berges d'un canal et contraignent le mouvement des complexes de la synthase (Figure 19-75). Selon cette hypothèse, la synthèse de cellulose peut se produire indépendamment des microtubules mais est contrainte d'un point de vue spatial en présence de microtubules corticaux qui définissent des domaines membranaires à l'intérieur desquels le complexe enzymatique peut se déplacer.

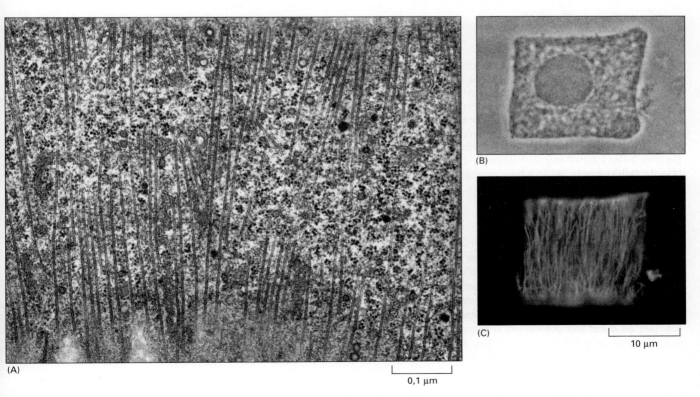

(A)
0,1 µm

(B)

(C)
10 µm

Figure 19-74 La disposition corticale des microtubules dans une cellule végétale. (A) Cette coupe rasante d'une cellule de l'extrémité de la racine issue d'une phléole (*Timothy grass*) montre la disposition corticale des microtubules placés juste en dessous de la membrane plasmique. Ces microtubules sont orientés perpendiculairement au long axe de la cellule. (B) Une cellule isolée de l'extrémité de la racine d'un oignon. (C) Cette même cellule colorée par immunofluorescence pour montrer la disposition corticale transverse des microtubules. (A, due à l'obligeance de Brian Gunning ; B et C, dues à l'obligeance de Kim Findlay.)

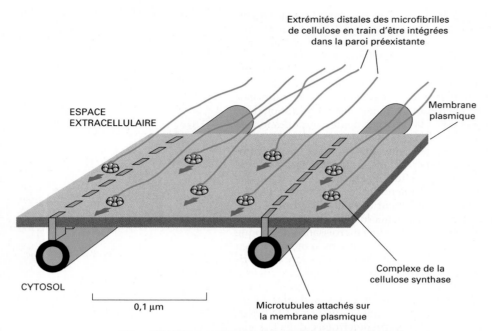

Extrémités distales des microfibrilles de cellulose en train d'être intégrées dans la paroi préexistante

Membrane plasmique

ESPACE EXTRACELLULAIRE

CYTOSOL

0,1 µm

Complexe de la cellulose synthase

Microtubules attachés sur la membrane plasmique

Figure 19-75 Un modèle du mode de détermination de l'orientation des nouvelles microfibrilles de cellulose déposées par l'orientation des microtubules corticaux. Les gros complexes de cellulose-synthase sont des protéines intégrales de membrane qui synthétisent continuellement des microfibrilles de cellulose sur la face externe de la membrane plasmique. Les extrémités distales des microfibrilles rigides s'intègrent dans la texture de la paroi et leur élongation à l'extrémité proximale repousse le complexe de la synthase le long du plan de la membrane. Du fait de la disposition corticale des microtubules attachés à la membrane plasmique d'une façon qui confine ce complexe à des canaux membranaires définis, l'orientation de ces microtubules – lorsqu'ils sont présents – détermine l'axe le long duquel se déposent les nouvelles microfibrilles.

Les cellules végétales peuvent modifier la direction de leur expansion par une variation soudaine de l'orientation de la disposition corticale de leurs microtubules. Comme les cellules végétales ne peuvent se déplacer (étant contraintes par leurs parois), la morphologie complète d'un végétal multicellulaire dépend du contrôle coordonné hautement déterminé de l'orientation des microtubules pendant le développement du végétal. On ne sait pas comment l'organisation de ces microtubules est contrôlée, même si on a montré qu'ils peuvent se réorienter rapidement en réponse à des stimuli extracellulaires, y compris des régulateurs de croissance végétale de faible masse moléculaire comme l'éthylène et l'acide gibberellique (*voir* Figure 21-113).

Résumé

Les cellules végétales sont entourées d'une matrice extracellulaire résistante qui forme une paroi cellulaire, pour beaucoup responsable des caractéristiques particulières du style de vie des végétaux. La paroi cellulaire est composée d'un réseau de microfibrilles de cellulose et de glycanes de liaisons croisées inclus dans une matrice de polysaccharides de pectine fortement reliés. Dans les parois cellulaires secondaires, de la lignine peut être déposée. La disposition corticale des microtubules peut déterminer l'orientation des microfibrilles de cellulose nouvellement déposées qui à leur tour déterminent l'expansion directionnelle des cellules et par conséquent la forme finale de la cellule puis, pour finir, celle du végétal en tant que tout.

Bibliographie

Généralités

Ayad S, Boot-Handford R, Humphries M et al. (1998) Extracellular Matrix Factsbook. London: Academic Press.

Beckerle M (ed) (2002) Cell Adhesion. Oxford: Oxford University Press.

Howlett A (ed) (1999) Integrins in Biological Processes. Totowa, NJ: Humana Press.

Kreis T & Vale R (ed) (1999) Guidebook to the Extracellular Matrix, Anchor, and Adhesion Proteins, 2nd edn. Oxford: Oxford University Press.

Jonctions cellulaires

Green KJ & Gaudry CA (2000) Are desmosomes more than tethers for intermediate filaments? Nature Rev. Mol. Cell Biol. 1, 208–216.

Jockusch BM, Bubeck P, Giehl K et al. (1995) The molecular architecture of focal adhesions. Annu. Rev. Cell Dev. Biol. 11, 379–416.

Madara JL (1998) Regulation of the movement of solutes across tight junctions. Annu. Rev. Physiol. 60, 143–159.

Nievers MG, Schaapveld RQ & Sonnenberg A (1999) Biology and function of hemidesmosomes. Matrix Biol. 18, 5–17.

Saitou M, Furuse M, Sasaki H, Schulzke JD, Fromm M, Takano H, Noda T & Tsukita S (2000) Complex phenotype of mice lacking occludin, a component of tight junction strands. Mol. Biol. Cell 11, 4131–4142.

Sastry SK & Burridge K (2000) Focal adhesions: a nexus for intracellular signaling and cytoskeletal dynamics. Exp. Cell Res. 261, 25–36.

Simon AM & Goodenough DA (1988) Diverse functions of vertebrate gap junctions. Trends Cell Biol. 8, 477–483.

Tsukita S & Furuse M (1999) Occludin and claudins in tight-junction strands: leading or supporting players?, Trends Cell Biol. 9, 268–273.

Tsukita S & Furuse M (2000) Pores in the wall: claudins constitute tight junction strands containing aqueous pores. J. Cell Biol. 149, 13–16.

Yap AS, Brieher WM & Gumbiner BM (1977) Molecular and functional analysis of cadherin-based adherens junctions. Annu. Rev. Cell Dev. Biol. 13, 119–146.

Yeager M, Unger VM & Falk MM (1998) Synthesis, assembly and structure of gap junction intercellular channels. Curr. Opin. Struct. Biol. 8, 517–524.

Zambryski P & Crawford K (2000) Plasmodesmata: gatekeepers for cell-to-cell transport of developmental signals in plants. Annu. Rev. Cell Dev. Biol. 16, 393–421.

Adhésion intercellulaire

Crossin KL & Krushel LA (2000) Cellular signaling by neural cell adhesion molecules of the immunoglobulin superfamily. Dev. Dyn. 218, 260–279.

Gumbiner BM (1996) Cell adhesion: the molecular basis of tissue architecture and morphogenesis. Cell 84, 345–357.

Hynes RO & Zhao Q (2000) The evolution of cell adhesion. J. Cell Biol. 150, F89–F96.

Koch AW, Bozic D, Pertz O & Engel J (1999) Homophilic adhesion by cadherins. Curr. Opin. Struct. Biol. 9, 275–281.

Salzer JL & Colman DR (1989) Mechanisms of cell adhesion in the nervous system: role of the immunoglobulin gene superfamily. Dev. Neurosci. 11, 377–390.

Takeichi M, Nakagawa S, Aono S et al. (2000) Patterning of cell assemblies regulated by adhesion receptors of the cadherin superfamily. Philos. Trans. R. Soc. Lond. B. Biol. Sci. 355, 885–890.

Tepass U, Truong K, Godt D et al. (2000) Cadherins in embryonic and neuronal morphogenesis. Nature Rev. Mol. Cell Biol. 1, 91–100.

Vestweber D & Blanks JE (1999) Mechanisms that regulate the function of the selectins and their ligands. Physiol. Rev. 79, 181–213.

Vleminckx K & Kemler R (1999) Cadherins and tissue formation: integrating adhesion and signaling. Bioessays 21, 211–220.

Yagi T & Takeichi M (2000) Cadherin superfamily genes: functions, genomic organization, and neurologic diversity. Genes Dev. 14, 1169–1180.

Matrice extracellulaire des animaux

Bernfield M, Gotte M, Park PW et al. (1999) Functions of cell surface heparan sulfate proteoglycans. Annu. Rev. Biochem. 68, 729–777.

Chiquet-Ehrismann R (1995) Inhibition of cell adhesion by anti-adhesive molecules. Curr. Opin. Cell Biol. 7, 715–719.

Colognato H & Yurchenco PD (2000) Form and function: the laminin family of heterotrimers. Dev. Dyn. 18, 213–234.

Debelle L & Tamburro AM (1999) Elastin: molecular description and function. Int. J. Biochem. Cell Biol. 31, 261–72.

Geiger B, Bershadsky A, Pankov R & Yamada KM (2001) Transmembrane crosstalk between the extracellular matrix and the cytoskeleton. Nat. Rev. Mol. Cell Biol. 2, 793–805.

Henry MD & Campbell KP (1999) Dystroglycan inside and out. Curr. Opin. Cell Biol. 11, 602–607.

Huang S & Ingber DE (1999) The structural and mechanical complexity of cell-growth control. Nature Cell Biol. 1, E131–E138.

Hutter H, Vogel BE, Plenefisch JD et al. (2000) Conservation and novelty in the evolution of cell adhesion and extracellular matrix genes. Science 287, 989–894.

Iozzo RV (1998) Matrix proteoglycans: from molecular design to cellular function. Annu. Rev. Biochem. 67, 609–652.

Leahy DJ (1997) Implications of atomic-resolution structures for cell adhesion. Annu. Rev. Cell Dev. Biol. 13, 363–393.

Prockop DJ & Kivirikko KI (1995) Collagens: molecular biology, diseases, and potentials for therapy. Annu. Rev. Biochem. 64, 403–434.

Sanes JR & Lichtman JW (1999) Development of the vertebrate neuromuscular junction. Annu. Rev. Neurosci. 22, 389–442.

Schwarzbauer JE & Sechler JL (1999) Fibronectin fibrillogenesis: a paradigm for extracellular matrix assembly. Curr. Opin. Cell Biol. 11, 622–627.

Tessier-Lavigne M & Goodman CS (1996) The molecular biology of axon guidance. Science 274, 1123–1133.

Toole BP (2000) Hyaluronan is not just a goo! J. Clin. Invest. 106, 335–336.

Vu TH & Werb Z (2000) Matrix metalloproteinases: effectors of development and normal physiology. Genes Dev. 14. 2123–2133.

Intégrines

Brown NH, Gregory SL & Martin-Bermudo MD (2000) Integrins as mediators of morphogenesis in Drosophila. Dev. Biol. 223, 1–16.

Calderwood DA, Shattil SJ & Ginsberg MH (2000) Integrins and actin filaments: reciprocal regulation of cell adhesion and signaling. J. Biol. Chem. 275, 22607–22610.

Giancotti FG & Ruoslahti E (1999) Integrin signaling. Science 285, 1028–1032.

Harris ES, McIntyre TM, Prescott SM & Zimmerman GA (2000) The leukocyte integrins. J. Biol. Chem. 275, 23409–23412.

Hynes RO (1992) Integrins: versatility, modulation, and signaling in cell adhesion. Cell 69, 11–25.

Hynes RO (1996) Targeted mutations in cell adhesion genes: what have we learned from them? Dev. Biol. 180, 402–412.

Parsons JT, Martin KH & Slack JK (2000) Focal adhesion kinase: a regulator of focal adhesion dynamics and cell movement. Oncogene 19, 5606–5613.

Plow EF, Haas TA, Zhang L et al. (2000) Ligand binding to integrins. J. Biol. Chem. 275, 21785–21788.

Paroi cellulaire des végétaux

Carpita NC & McCann M (2000) The Cell Wall. In Biochemistry and Molecular Biology of Plants (Buchanan BB, Gruissem W & Jones RL eds), pp 52–108. Rockville, MD: ASPB.

Carpita NC, Campbell M & Tierney M (eds) (2001) Plant cell walls. Plant Mol. Biol. 47, 1–340. (special issue)

Cosgrove DJ (2001) Wall structure and wall loosening. A look backwards and forwards. Plant Physiol. 125, 131–134.

Dhugga KS (2001) Building the wall: genes and enzyme complexes for polysaccharide synthases. Curr. Opin. Plant Biol. 4, 488–493.

McCann MC & Roberts K (1991) Architecture of the primary cell wall. In The Cytoskeletal Basis of Plant Growth and Form (Lloyd CW ed), pp 109–129. London: Academic Press.

Reiter W-D (1998) Arabidopsis thaliana as a model system to study synthesis, structure and function of the plant cell wall. Plant Physiol. Biochem. 36, 167–176.

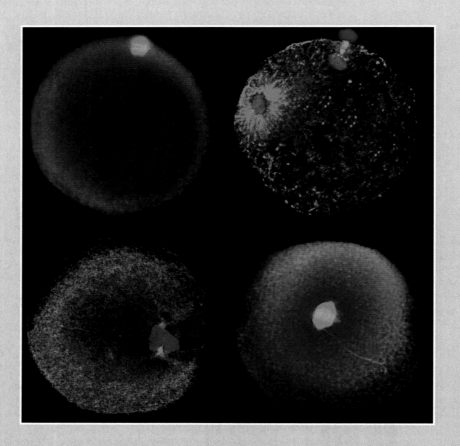

Fécondation humaine *in vitro*. Voici quatre étapes séquentielles de la fécondation qui commence avec un ovocyte humain mature mais non fécondé (*en haut à gauche*). Après la fécondation, on observe l'incorporation du pronucléus du spermatozoïde qui, dans cet exemple, se déplace vers l'intérieur en partant de la gauche (*en haut à droite*). Cette étape est suivie de la fusion des pronucléi de l'ovule et du spérmatozoïde (*en bas à gauche*) qui conduit à son tour à l'alignement des chromosomes mélangés issus des deux parents sur le premier fuseau mitotique (*en bas à droite*). (D'après C. Simerly et al., Nat. Med. 1 : 47-53. © Macmillan Magazines Ltd.)

CELLULES GERMINALES ET FÉCONDATION

La sexualité n'est pas indispensable à la reproduction. Les organismes unicellulaires peuvent se reproduire par simple division mitotique. De nombreux végétaux se propagent de façon végétative en formant des individus qui se détachent ultérieurement du parent. De la même façon, dans le règne animal, une *hydre* multicellulaire solitaire peut donner des descendants par bourgeonnement (Figure 20-1). Les anémones de mer et les vers marins peuvent se scinder en deux demi-organismes, chacun régénérant ensuite la moitié manquante. Il existe même des espèces de lézards qui ne sont composées que d'individus femelles et qui se reproduisent sans accouplement. Bien qu'une telle **reproduction asexuée** soit simple et directe, elle donne naissance à une descendance qui est génétiquement identique à l'organisme parental. La **reproduction sexuée**, en revanche, implique le mélange des génomes de deux individus différents pour engendrer des descendants qui sont en général génétiquement différents les uns des autres et de leurs deux parents. Cette forme de reproduction présente apparemment de grands avantages, puisqu'elle a été adoptée par l'immense majorité des végétaux et des animaux. Même de nombreux procaryotes et d'autres organismes qui se reproduisent normalement de façon asexuée s'engagent occasionnellement dans la reproduction sexuée, créant ainsi de nouvelles combinaisons de gènes. Ce chapitre est consacré à l'étude du mécanisme cellulaire de la reproduction sexuée. Avant d'étudier en détail le mode de fonctionnement de ce mécanisme, nous nous arrêterons sur les raisons de son existence et sur les avantages qu'il procure.

AVANTAGES DE LA SEXUALITÉ

Le cycle de reproduction sexuée implique une alternance de production de cellules **haploïdes**, où chaque cellule ne contient qu'un seul jeu de chromosomes, et de cellules **diploïdes**, où chaque cellule contient un double jeu de chromosomes (Figure 20-2). Le mélange des génomes est obtenu par la fusion de deux cellules haploïdes pour donner une cellule diploïde. Plus tard, de nouvelles cellules haploïdes sont créées lorsqu'un descendant de cette cellule diploïde se divise par le processus de *méiose*. Au cours de la méiose, les chromosomes du double jeu de chromosomes échangent de l'ADN par *recombinaison génétique* avant d'être séparés, selon de nouvelles combinaisons, en deux jeux de chromosomes séparés. De cette façon, chaque cellule de la nouvelle génération haploïde reçoit un nouvel assortiment de gènes ; certains gènes de chaque chromosome provenant de l'une des cellules ancestrales de la génération haploïde précédente et certains de l'autre. Ainsi, au travers des cycles où se succèdent haploïdie, fusion cellulaire, diploïdie et méiose, les anciennes combinaisons géniques sont dissociées et de nouvelles combinaisons sont créées.

0,5 mm

Figure 20-1 Photographie d'une *hydre* d'où bourgeonnent deux nouveaux organismes (*flèches*). Ces individus, génétiquement identiques à leur parent, finiront par se détacher et mener une vie indépendante. (Avec l'autorisation d'Amata Hornbruch.)

Chez les animaux multicellulaires, la phase diploïde est longue et complexe et la phase haploïde brève et simple

Les cellules prolifèrent par division mitotique. Dans la plupart des organismes qui se reproduisent de façon sexuée, cette prolifération a lieu au cours de la phase diploïde. Certains organismes primitifs, tels que les levures fissipares, sont exceptionnels : les cellules haploïdes se divisent par mitose et les cellules diploïdes, une fois formées, subissent directement la méiose. Un cas moins exceptionnel est celui des végétaux, chez lesquels les divisions cellulaires se produisent à la fois au cours des phases haploïde et diploïde. Toutefois, chez la plupart des végétaux primitifs, comme les mousses et les fougères, la phase haploïde est très brève et simple, alors que la phase diploïde s'étend sur une longue période de développement et de prolifération. Pour la presque totalité des animaux multicellulaires, y compris les vertébrés, la quasi-totalité du cycle biologique se déroule à l'état diploïde : les cellules haploïdes n'ont qu'une existence brève, ne se divisent pas, et sont spécialement adaptées pour la fusion sexuée (Figure 20-3).

Les cellules haploïdes spécialisées dans la fusion sexuée sont appelées **gamètes**. En général, deux types de gamètes sont formés : l'un est volumineux et immobile, c'est l'*œuf* (ou *ovule*) ; l'autre est petit et mobile, c'est le *spermatozoïde* (Figure 20-4). Au cours de la phase diploïde qui suit la fusion des gamètes, les cellules se multiplient et se différencient pour former un organisme multicellulaire complexe. Chez la plupart des animaux, on peut établir une distinction utile entre les cellules de la **lignée germinale**, d'où sera issue la génération suivante de gamètes, et les **cellules somatiques**, qui constituent le reste de l'organisme et ne laissent finalement aucune descendance. Dans un sens, les cellules somatiques ne sont là que pour assurer la survie et la propagation des cellules de la lignée germinale (les **cellules germinales**).

La reproduction sexuée confère un avantage sélectif aux cellules qui ont à faire face à des variations imprévisibles de l'environnement

Le mécanisme de reproduction sexuée est complexe et les ressources mises à sa disposition sont considérables (Figure 20-5). Quels sont donc ses avantages et pourquoi s'est-il développé ? Par recombinaison génétique, les individus sexués engendrent une descendance d'une diversité imprévisible, dont les génotypes, qui ne sont dus

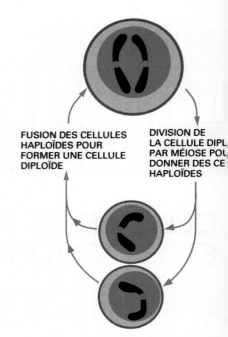

FUSION DES CELLULES HAPLOÏDES POUR FORMER UNE CELLULE DIPLOÏDE

DIVISION DE LA CELLULE DIPL PAR MÉIOSE POU DONNER DES CE HAPLOÏDES

Figure 20-2 Le cycle biologique sexué. Il comporte l'alternance de *générations* de cellules haploïdes et diploïdes.

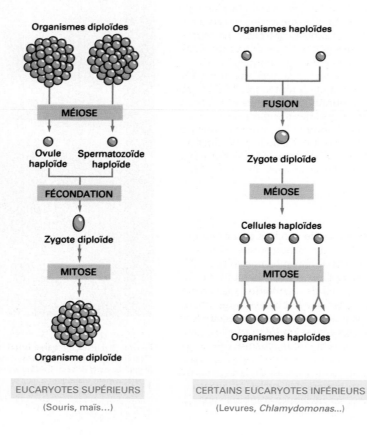

Figure 20-3 Cellules haploïdes et diploïdes au cours de la vie des eucaryotes supérieurs et de certains eucaryotes inférieurs. Les cellules haploïdes sont représentées en *rouge* et les cellules diploïdes en *bleu*. Les cellules d'un organisme eucaryote supérieur se multiplient pendant la phase diploïde pour former un organisme multicellulaire ; seuls les gamètes sont haploïdes et ils fusionnent à la fécondation pour former un zygote diploïde. Chez certains eucaryotes inférieurs, au contraire, les cellules haploïdes prolifèrent et la seule cellule diploïde est le zygote, qui n'a qu'une existence transitoire.

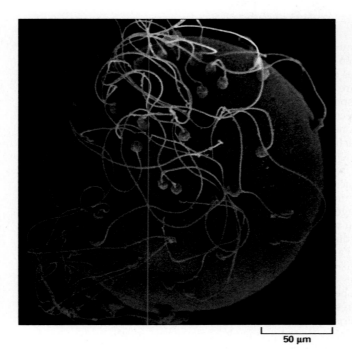

Figure 20-4 Photographie en microscopie électronique à balayage d'un œuf de palourde, à la surface duquel sont fixés des spermatozoïdes. Bien que de nombreux spermatozoïdes soient liés à l'œuf, un seul le fécondera, comme nous le verrons plus loin. (Avec l'autorisation de David Epel.)

50 µm

qu'au hasard, ont au moins autant de chances de représenter un changement néfaste qu'un changement bénéfique. Pourquoi les individus sexués devraient-ils alors être avantagés par rapport à ceux qui se «reproduisent», au sens propre du terme, par un processus asexué? Ce problème laisse encore perplexes les généticiens des populations, mais la conclusion générale semble être que la redistribution des gènes au cours de la reproduction sexuée aide une espèce à survivre dans un environnement dont les modifications sont imprévisibles. Si un parent engendre une nombreuse descendance possédant une grande variété de combinaisons génétiques, il y a plus de chances qu'un de ces descendants, au moins, possède l'assortiment de caractères nécessaires à la survie.

Quels que puissent être les bénéfices de la sexualité, il est étonnant de constater que la quasi-totalité des organismes complexes actuels ont évolué en grande partie au travers de générations de reproduction sexuée, plutôt qu'asexuée. Bien qu'ils soient nombreux, les organismes asexués semblent être restés, pour la plupart, simples et primitifs.

Nous allons maintenant analyser de façon détaillée les mécanismes cellulaires de la sexualité chez les mammifères, en commençant par les événements de la méiose, au cours de laquelle se produit la recombinaison génétique et au cours de laquelle les cellules diploïdes de la lignée germinale se divisent pour produire les gamètes haploïdes. Puis nous étudierons la détermination du sexe. Nous verrons ensuite les gamètes eux-mêmes et, enfin, le mécanisme de la *fécondation*, dans laquelle la fusion des deux gamètes permet la formation d'un nouvel organisme diploïde, le *zygote*.

Résumé

La reproduction sexuée a probablement été favorisée par l'évolution car la recombinaison génétique aléatoire augmente les chances d'engendrer au moins quelques individus qui survivront dans un environnement aux variations imprévisibles. La reproduction sexuée implique une alternance cyclique d'états diploïdes et haploïdes : les cellules diploïdes se divisent par méiose pour former des cellules haploïdes et les cellules haploïdes de deux individus fusionnent par paires au moment de la fécondation pour former de nouvelles cellules diploïdes. Dans ce processus, les génomes sont brassés et recombinés pour produire des individus qui possèdent de nouvelles combinaisons de gènes. La plus grande partie du cycle biologique des végétaux supérieurs et des animaux se déroule au cours de la phase diploïde et la phase haploïde est très brève. Seule une petite proportion de cellules diploïdes (celles de la lignée germinale) entre en méiose pour produire des cellules haploïdes (les gamètes).

Figure 20-5 Un paon montrant sa queue sophistiquée. Ce plumage extravagant sert uniquement à attirer les femelles pour la reproduction sexuée.

C'est grâce à une observation qui fut aussi parmi les premières à suggérer que les chromosomes portent l'information génétique que l'on découvrit que les cellules germinales étaient haploïdes, et qu'elles devaient donc être produites par un mécanisme particulier de division cellulaire. En 1883, on découvrit que le noyau de l'ovule d'un ver particulier et celui du spermatozoïde ne contenaient que deux chromosomes chacun, tandis que l'ovule fécondé en contenait quatre. La théorie chromosomique de l'hérédité expliquait donc un paradoxe de longue date : les contributions maternelle et paternelle au caractère de la descendance semblent être égales, en dépit de la différence de taille considérable entre l'ovule et le spermatozoïde (*voir* Figure 20-4).

Cette découverte impliquait également que les cellules germinales devaient être formées par une division nucléaire d'un type particulier, au cours de laquelle le chromosome complémentaire est partagé avec précision en deux parties égales. Ce type de division est appelé **méiose**, du mot grec signifiant réduction. (Il n'y a aucune relation avec le terme *mitose*, discuté dans le chapitre 18, qui vient du grec *mitos*, signifiant « fil », et qui se réfère à l'apparence filiforme des chromosomes lorsqu'ils se condensent au cours de la division nucléaire – un processus qui se produit à la fois au cours des divisions normales et méiotiques). Le comportement des chromosomes au cours de la méiose s'avéra beaucoup plus complexe que prévu. Ce n'est donc qu'au début des années 1930, après de laborieuses études cytologiques et génétiques, que les importantes caractéristiques de la méiose furent établies. Des études génétiques et moléculaires plus récentes ont permis de commencer à identifier des protéines méiotiques spécifiques qui amènent les chromosomes à se comporter d'une certaine façon et qui médient les recombinaisons génétiques se produisant durant la méiose.

Les chromosomes homologues dupliqués s'apparient durant la méiose

Le jeu de chromosomes d'un organisme typique se reproduisant de façon sexuée consiste en des *autosomes*, qui sont communs à tous les membres des espèces et les *chromosomes sexuels*, qui sont différemment attribués selon le sexe de l'individu. Un noyau diploïde contient deux versions très similaires de chaque chromosome. Pour chaque paire de chromosomes autosomiques, l'une provient du parent mâle (chromosome paternel) et l'autre du parent femelle (chromosome maternel). Les deux versions, qui sont très similaires mais n'ont pas la même séquence d'ADN, sont appelées **homologues** et, dans la majorité des cellules, elles gardent une existence totalement séparée sous la forme de chromosomes indépendants.

Lorsque chaque chromosome est dupliqué par réplication d'ADN, les copies jumelles du chromosome complètement répliqué restent d'abord étroitement associées sous forme de **chromatides sœurs**. Dans une division cellulaire par mitose normale (*voir* Chapitre 18), les chromatides sœurs s'alignent sur l'équateur du fuseau avec leurs *kinétochores* (complexes protéiques associés aux centromères ; *voir* Chapitre 18) et des microtubules qui leur sont attachés et qui pointent vers les pôles opposés. Les chromatides sœurs se séparent alors l'une de l'autre à l'anaphase pour devenir des chromosomes individuels. De cette façon, chaque cellule fille formée par division mitotique cellulaire hérite d'un exemplaire de chaque chromosome paternel et d'un exemplaire de chaque chromosome maternel et ne change pas ainsi de patrimoine génétique par rapport aux cellules parentales.

En revanche, un gamète haploïde produit par les divisions d'une cellule diploïde au cours de la méiose doit contenir un seul élément de chaque paire de chromosomes homologues – l'homologue maternel ou paternel – et, par conséquent, la moitié seulement du nombre initial de chromosomes. Cette condition exige davantage de l'appareil de division cellulaire et le mécanisme qui a évolué pour réaliser le tri supplémentaire nécessite une capacité de reconnaissance réciproque des homologues et leur appariement physique avant leur alignement sur le fuseau. Le mécanisme qui permet à deux chromosomes donnés de se reconnaître n'est toujours pas clairement élucidé. Chez beaucoup d'organismes, l'association initiale (un processus appelé **appariement**) semble être médiée par des interactions de paires d'ADN complémentaire en de nombreux sites dispersés le long des chromosomes.

Avant l'appariement des homologues, chaque chromosome de la cellule diploïde se réplique pour produire deux chromatides sœurs, comme dans une division cellu-

Figure 20-6 Les événements de la première division de méiose.
Pour simplifier, une seule paire de chromosomes a été représentée. Chaque chromosome a été dupliqué et se présente sous forme de deux chromatides sœurs attachées avant que l'appariement avec son chromosome homologue ne se produise, formant ainsi une structure contenant 4 chromatides appelée bivalent. Comme le montre la formation des chromosomes qui sont partiellement *rouges* et partiellement *noirs* l'appariement lors de la méiose implique un phénomène de recombinaison *génétique* entre chromosomes homologues, ce qui sera expliqué plus tard.

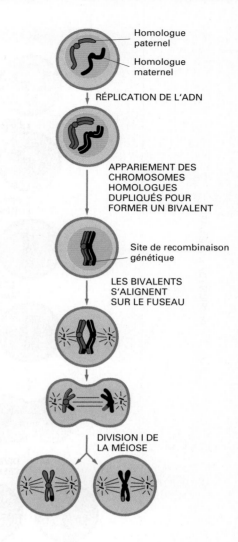

laire mitotique. C'est seulement quand la réplication de l'ADN est complète que des caractéristiques spécifiques de la méiose deviennent évidentes. Chaque homologue dupliqué s'apparie avec son partenaire, formant une structure appelée **bivalent**, qui contient quatre chromatides. L'appariement se produit durant une longue prophase méiotique qui souvent dure quelques jours et parfois plusieurs années. L'appariement, comme nous allons le voir, permet la recombinaison génétique au cours de laquelle un fragment de chromatide maternelle peut être échangé avec le fragment correspondant de chromatide paternelle homologue. À la métaphase, tous les bivalents s'alignent sur le fuseau et à l'anaphase, les deux homologues dupliqués (chacun constitué de deux chromatides sœurs) se séparent et se déplacent vers les pôles opposés du fuseau et la cellule se divise (Figure 20-6). Pour produire des gamètes haploïdes, une autre division cellulaire est cependant nécessaire.

Les gamètes sont produits par deux divisions cellulaires méiotiques

La division cellulaire méiotique précédemment décrite – **division I de la méiose** – ne produit pas de cellules avec une quantité haploïde d'ADN. Puisque les chromatides sœurs réunies se comportent comme une unité, chaque cellule fille hérite de deux exemplaires de l'un des deux homologues ; ces deux copies sont identiques, à l'exception des régions qui ont subi la recombinaison génétique. Les deux cellules issues de cette division contiennent par conséquent un nombre haploïde de chromosomes mais une quantité diploïde d'ADN. Elles diffèrent des cellules diploïdes normales par deux caractères : (1) les deux copies d'ADN de chaque chromosome ne dérivent que de l'un des deux chromosomes homologues présents dans la cellule d'origine (à l'exception des régions où s'est produite une recombinaison génétique) ; et (2) ces deux copies sont transmises sous forme de chromatides sœurs étroitement associées (*voir* Figure 20-6).

La formation des noyaux des gamètes réels peut alors avoir lieu simplement par une seconde division cellulaire, la **division II de la méiose**, dans laquelle les chromosomes s'alignent sans réplication supplémentaire sur un second fuseau et les chromatides sœurs se séparent, pour produire des cellules dont le contenu en ADN est haploïde. La méiose consiste donc en deux divisions cellulaires qui suivent une phase unique de réplication de l'ADN et conduisent à la formation de quatre cellules haploïdes à partir de chaque cellule qui entre en méiose. La mitose et la méiose sont comparées dans la figure 20-7.

La méiose peut parfois être anormale, et les homologues peuvent ne pas se séparer ; ce phénomène est appelé **non-disjonction**. Dans ce cas, certaines des cellules haploïdes résultantes ont un chromosome manquant, alors que d'autres en possèdent plus d'une copie. De tels gamètes engendrent des embryons anormaux, dont la plupart meurent. Cependant, certains survivent : le *syndrome de Down* (ou trisomie 21) en est un exemple chez l'homme, dans lequel un phénomène de non-disjonction au cours de la méiose I ou II entraîne la présence d'une copie supplémentaire du chromosome 21. La grande majorité des erreurs de ségrégation se produit durant la méiose chez la femme et le taux d'erreur augmente avec l'âge maternel. La fréquence de ces erreurs dans les ovocytes humains est très élevée (environ 10 p. 100 des méioses) et ceci explique la fréquence des fausses couches (avortements spontanés) au début de la grossesse.

Le brassage génétique est accru par des crossing-over entre des chromatides homologues non-sœurs

À part les vrais jumeaux, deux individus issus des mêmes parents ne sont pas génétiquement identiques. Cela est dû au fait que, longtemps avant la fusion des deux gamètes, deux types de brassage génétique ont déjà eu lieu au cours de la méiose.

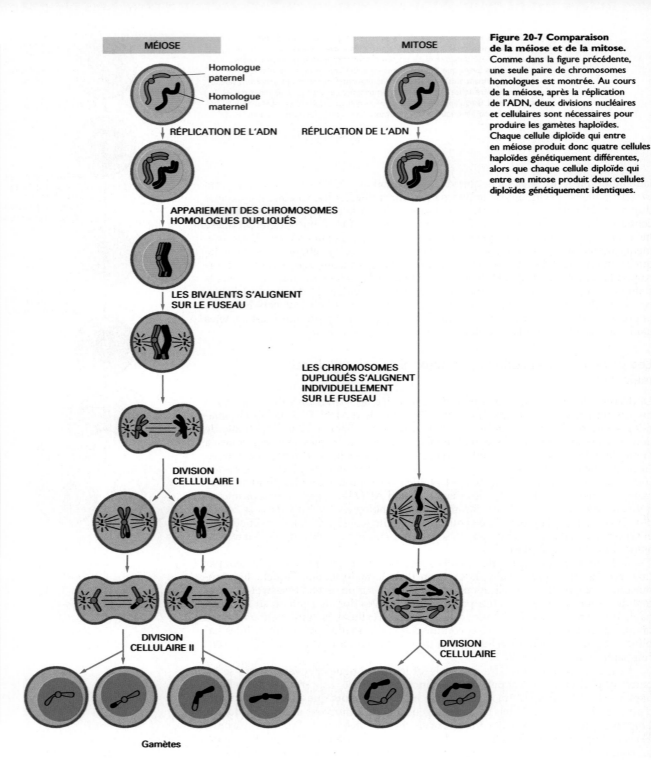

MÉIOSE

MITOSE

Homologue
paternel

Homologue
maternel

RÉPLICATION DE L'ADN

RÉPLICATION DE L'ADN

APPARIEMENT DES CHROMOSOMES
HOMOLOGUES DUPLIQUÉS

LES BIVALENTS S'ALIGNENT
SUR LE FUSEAU

LES CHROMOSOMES
DUPLIQUÉS S'ALIGNENT
INDIVIDUELLEMENT
SUR LE FUSEAU

DIVISION
CELLLULAIRE I

DIVISION
CELLULAIRE II

DIVISION
CELLULAIRE

DIVISION I DE LA MÉIOSE

DIVISION II DE LA MÉIOSE

Gamètes

Figure 20-7 Comparaison de la méiose et de la mitose. Comme dans la figure précédente, une seule paire de chromosomes homologues est montrée. Au cours de la méiose, après la réplication de l'ADN, deux divisions nucléaires et cellulaires sont nécessaires pour produire les gamètes haploïdes. Chaque cellule diploïde qui entre en méiose produit donc quatre cellules haploïdes génétiquement différentes, alors que chaque cellule diploïde qui entre en mitose produit deux cellules diploïdes génétiquement identiques.

Le premier découle de la répartition au hasard des homologues maternels et paternels entre les cellules filles au cours de la division méiotique I : chaque gamète reçoit un mélange différent de chromosomes maternels et paternels. Par ce seul processus, un individu pourrait, en principe, produire 2^n gamètes génétiquement différents, où n est le nombre haploïde de chromosomes (Figure 20-8A). Chez l'homme, par exemple, chaque individu peut produire au moins $2^{23} = 8,4 \times 10^6$ gamètes génétiquement différents. Mais, le nombre réel est encore beaucoup plus élevé du fait de

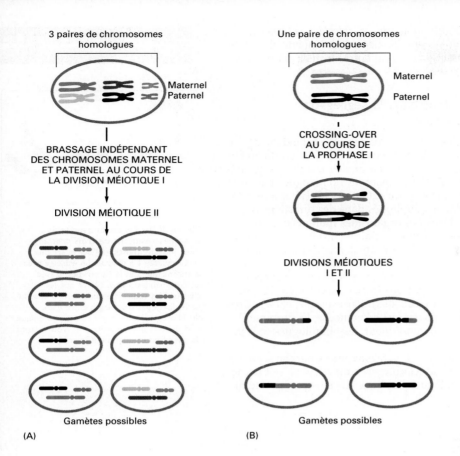

3 paires de chromosomes
homologues

Maternel
Paternel

BRASSAGE INDÉPENDANT
DES CHROMOSOMES MATERNEL
ET PATERNEL AU COURS DE
LA DIVISION MÉIOTIQUE I

DIVISION MÉIOTIQUE II

Gamètes possibles

(A)

Une paire de chromosomes
homologues

Maternel

Paternel

CROSSING-OVER
AU COURS DE
LA PROPHASE I

DIVISIONS MÉIOTIQUES
I ET II

Gamètes possibles

(B)

Figure 20-8 Les deux mécanismes principaux qui contribuent au brassage du matériel génétique au cours de la méiose. (A) Le brassage indépendant des homologues maternels et paternels au cours de la première division méiotique produit 2^n gamètes haploïdes différents pour un organisme possédant n chromosomes. Ici $n = 3$ et il existe 8 gamètes différents possibles. (B) Le crossing-over au cours de la prophase méiotique I entraîne l'échange de segments de chromosomes homologues et, de ce fait, le brassage des gènes dans les chromosomes individuels. Du fait des nombreuses petites différences qui existent toujours dans la séquence d'ADN de n'importe quel couple d'homologues, les deux mécanismes augmentent la variabilité génétique des organismes qui se reproduisent de façon sexuée.

l'existence du second type de brassage : le **crossing-over**, un processus qui a lieu au cours de la longue prophase de la division méiotique I (prophase I) et dans lequel des segments de chromosomes homologues sont échangés. Il y a en moyenne deux à trois crossing-over de ce type sur chaque paire de chromosomes humains. Ce phénomène «brouille» la constitution génétique de chacun des chromosomes des gamètes, comme l'illustre la figure 20-8B.

Le crossing-over implique la cassure des doubles hélices d'ADN maternelle et paternelle de chacune des deux chromatides et leur échange de fragments de façon réciproque par un processus appelé **recombinaison génétique**. Les détails moléculaires de ce processus sont exposés dans le chapitre 5. Les conséquences de chaque crossing-over sont visibles cytologiquement aux stades tardifs de la prophase de la première division de la méiose, lorsque les chromosomes sont extrêmement condensés. À ce stade, les chromatides sœurs sont étroitement accolées sur toute leur longueur. Les deux homologues dupliqués (paternel et maternel) sont physiquement connectés en certains points spécifiques. Chaque connexion, appelée **chiasma**, correspond à un crossing-over entre deux chromatides non-sœurs (Figure 20-9). Chacune des deux chromatides d'un chromosome dupliqué peut se recombiner avec l'une ou l'autre des deux chromatides de l'autre chromosome du bivalent, comme illustré dans la figure 20-10.

Figure 20-9 Des chromosomes homologues appariés au cours de la transition en métaphase de la division méiotique I. Un événement unique de crossing-over a eu lieu précédemment pendant la prophase pour créer un chiasma. Noter que les quatre chromatides sont disposées en deux paires distinctes de chromatides sœurs. Comme au cours de la mitose, les chromatides sœurs de chaque paire sont étroitement liées sur toute leur longueur par des protéines appelées cohésines. L'ensemble des quatre chromatides s'appelle un bivalent. La combinaison du chiasma et de l'attachement des chromatides sœurs maintient ensemble les deux chromosomes homologues.

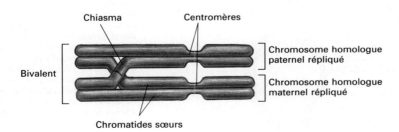

Chiasma   Centromères

Bivalent

Chromosome homologue
paternel répliqué

Chromosome homologue
maternel répliqué

Chromatides sœurs

À ce stade de la méiose, chaque paire d'homologues, ou *bivalent*, est maintenue attachée par au moins un chiasma. De nombreux bivalents contiennent plus d'un chiasma, indiquant que de multiples crossing-over peuvent se former entre les homologues.

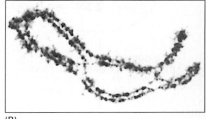

(A)

(B)

Figure 20-10 Bivalents avec trois chiasmas résultant de trois crossing-over indépendants. (A) Sur le schéma, la chromatide I a effectué un échange avec la chromatide 3 et la chromatide 2 avec les chromatides 3 et 4. Noter que les chromatides sœurs d'un même chromosome ne réalisent pas d'échanges entre elles. (B) Photographie en microscopie photonique d'un bivalent de sauterelle avec trois chiasmas. (B, avec l'autorisation de Bernard John.)

Les chiasmas jouent un rôle important dans la ségrégation des chromosomes au cours de la méiose

En plus de son rôle dans le réassortiment des gènes, le crossing-over est indispensable à la ségrégation des deux homologues pour séparer les noyaux fils. Cela est dû au fait que chaque crossing-over crée un chiasma, qui joue un rôle analogue à celui d'un centromère dans une division mitotique normale, maintenant les homologues maternel et paternel sur le fuseau jusqu'à l'anaphase I (*voir* Figure 20-9). Avant l'anaphase I, les deux pôles du fuseau poussent les homologues dupliqués dans des directions opposées et le chiasma résiste à cette poussée. Dans des organismes mutants qui ont une fréquence réduite de crossing-over à la méiose, certaines paires chromosomiques sont dépourvues de chiasmas. Ces paires ne se séparent pas normalement, et une forte proportion des gamètes formés contient trop ou trop peu de chromosomes.

Les homologues dupliqués sont maintenus ensemble au niveau des chiasmas uniquement car les bras des chromatides sœurs sont étroitement accolés par des protéines appelées *cohésines* (*voir* Chapitre 18 et Figure 20-9). Par exemple, chez la drosophile, quand une cohésine spécifique de la méiose est défectueuse, les chromatides sœurs se séparent avant la métaphase I et par conséquent, les homologues se séparent anormalement.

Comme illustré dans la figure 20-11, les bras des chromatides sœurs se séparent soudainement au début de l'anaphase I, quand les cohésines maintenant les bras accolés sont dégradées, permettant aux homologues dupliqués de se séparer et de mi-

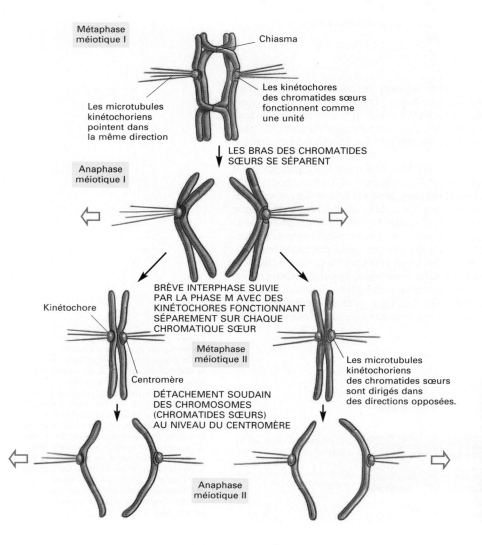

Figure 20-11 Comparaison des mécanismes de l'alignement des chromosomes (lors de la métaphase) et de leur séparation (à l'anaphase) lors des divisions I et II de la méiose. La séparation des bras des chromatides sœurs permet la séparation des homologues dupliqués à l'anaphase I, alors que la séparation des chromosomes au niveau de leurs centromères permet la séparation des chromatides sœurs à l'anaphase II. Par contre, à l'anaphase mitotique, à la fois les bras et les centromères se séparent en même temps (*voir* Chapitre 18).

grer aux pôles opposés du fuseau. Les chromatides sœurs de chaque homologue dupliqué restent attachées au centromère par des cohésines spécifiques de la méiose, qui sont dégradées à l'anaphase de la deuxième division méiotique (anaphase II). Alors seulement les chromatides sœurs peuvent se séparer.

Au cours de la division II de la méiose comme au cours de la mitose, les kinétochores sur chaque chromatide sœur ont des fibres pointant dans des directions opposées, de telle manière que les chromatides se dirigent vers des cellules filles différentes à l'anaphase. À la division I de la méiose, au contraire, les kinétochores des deux chromatides sœurs ont fusionné, de sorte que leurs fibres kinétochoriennes attachées sur chaque chromatide sœur pointent toutes dans la même direction, et les chromatides sœurs restent ensemble lorsque les homologues dupliqués se séparent (*voir* Figure 20-11). Dans les levures bourgeonnantes, une protéine spécifique de la méiose, localisée sur les kinétochores des chromosomes de la méiose I, est indispensable à ce comportement particulier.

C'est grâce à leur appariement que les chromosomes sexuels peuvent, eux aussi, se séparer

Nous avons expliqué comment les chromosomes homologues s'apparient de façon à être distribués entre les cellules filles. Mais qu'en est-il alors des **chromosomes sexuels**? Les femelles des mammifères possèdent deux chromosomes X qui s'apparient et se séparent comme les autres homologues. Mais les mâles possèdent un chromosome X et un chromosome Y, qui doivent s'apparier au cours de la première métaphase pour que les spermatozoïdes formés à l'issue de la méiose contiennent soit un chromosome X, soit un chromosome Y, et non les deux à la fois ou aucun. L'appariement indispensable est rendu possible grâce à l'existence d'une courte région d'homologie entre le chromosome X et le chromosome Y à l'une des extrémités de ces chromosomes. Dans cette région, ils s'apparient et s'enjambent pour former un chiasma au cours de la première prophase méiotique. Cette faible proportion de recombinaison génétique est suffisante pour maintenir les chromosomes X et Y appariés sur le fuseau, de sorte que seuls deux spermatozoïdes sont normalement produits : le spermatozoïde contenant un chromosome Y, qui donnera naissance à des embryons mâles, et le spermatozoïde contenant un chromosome X, qui donnera naissance à des embryons femelles.

Après avoir considéré la façon générale dont les chromosomes se comportent et se ségrègent durant la méiose, revenons maintenant sur le processus de recombinaison génétique qui a lieu durant la longue prophase de la division méiotique I et qui joue un rôle tellement important dans le réassortiment des gènes durant la formation des gamètes.

L'appariement des chromosomes se termine par la formation du complexe synaptonémal

Des événements complexes ont lieu durant la longue prophase de la division méiotique I : les chromosomes homologues s'apparient, la recombinaison génétique est initiée entre les chromatides et chaque paire de chromosomes homologues s'assemble dans une structure compliquée appelée **complexe synaptonémal**. Dans certains organismes, la recombinaison génétique commence avant que le complexe synaptonémal ne s'assemble et elle est requise pour la formation du complexe. Dans d'autres, le complexe peut se former en l'absence de recombinaison. Cependant, dans tous les organismes, le processus de recombinaison est terminé lorsque l'ADN est contenu dans le complexe synaptonémal ; ceci permet d'espacer les événements de crossing-over le long de chaque chromosome.

La prophase de la division méiotique I est traditionnellement divisée en cinq stades consécutifs – *leptotène, zygotène, pachytène, diplotène* et *diacinèse* – définis par des modifications morphologiques associées à l'assemblage (*synapsis*) et au désassemblage (*asynapsis*) du complexe synaptonémal. La prophase commence par le stade **leptotène**, quand les chromosomes homologues appariés se condensent. Au stade **zygotène**, le complexe synaptonémal commence à se développer entre les deux jeux de chromatides sœurs dans chaque bivalent. Par convention, le **pachytène** commence aussitôt que l'appariement est achevé, et dure généralement plusieurs jours, jusqu'à ce que l'asynapsis initie le stade **diplotène**, au cours duquel on peut observer les chiasmas pour la première fois (Figure 20-12).

Le complexe synaptonémal est composé d'une longue matrice protéique qui a l'aspect d'une échelle, de chaque côté de laquelle les deux homologues sont alignés

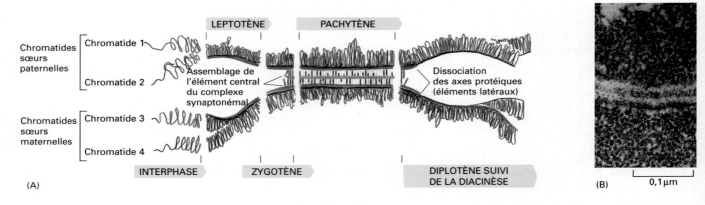

Chromatides sœurs paternelles
Chromatide 1
Chromatide 2

Chromatides sœurs maternelles
Chromatide 3
Chromatide 4

LEPTOTÈNE   PACHYTÈNE

Assemblage de l'élément central du complexe synaptonémal

Dissociation des axes protéiques (éléments latéraux)

INTERPHASE   ZYGOTÈNE   DIPLOTÈNE SUIVI DE LA DIACINÈSE

(B)   0,1 μm

Figure 20-12 Chronologie des processus d'appariement et de séparation des chromosomes au cours de la prophase méiotique I. Au stade leptotène, les deux chromatides sœurs se condensent et leurs boucles de chromatine s'étendent chacune à partir d'un axe protéique commun (*rouge*). Comme la méiose progresse, les deux homologues deviennent étroitement associés par des protéines qui forment la région centrale du complexe synaptonémal, composée d'un élément central (*bleu*), de filaments transversaux (*lignes noires fines*) et d'éléments latéraux (*rouge*) qui ancrent les boucles chromatiniennes. Dans les gamètes de beaucoup d'animaux femelles, mais pas dans celles des mammifères, le stade diplotène est une très longue période de croissance cellulaire, durant laquelle les chromosomes sont décondensés et très actifs transcriptionnellement. Le stade diplotène est suivi de la diacinèse — le stade de transition avec la métaphase — dans lequel les chromosomes se recondensent et la transcription s'arrête. Dans les gamètes mâles, le diplotène et la diacinèse sont brefs et peu distincts. (B) Micrographie en microscopie électronique du complexe synaptonémal d'une cellule méiotique au stade pachytène d'une fleur de lis. (B, avec l'autorisation de Brian Wells.)

pour former une longue paire de chromosomes linéaires (Figure 20-13). Les chromatides sœurs de chaque homologue sont maintenues étroitement associées, et leur ADN se déploie du même côté de l'échelle protéique en une série de boucles. Dans la région centrale, un élément central est connecté par des filaments transversaux aux éléments latéraux qui courent le long de chaque paire de chromatides sœurs, formant les côtés de l'échelle.

Plusieurs protéines constitutives du complexe synaptonémal ont été identifiées et localisées sur des structures spécifiques du complexe. Des levures mutantes, à qui il manque des constituants spécifiques, ont mis en lumière les fonctions du complexe et certaines de ses protéines. Une protéine de levure, par exemple, semble intervenir dans l'assemblage des éléments latéraux. Si cette protéine manque, ces éléments ne peuvent pas se former. Une autre protéine aide à la formation des filaments transversaux ; en son absence, l'appariement des chromosomes a lieu mais sans synapsis associé. Une forme mutante anormalement longue de la protéine crée une séparation plus large que la normale entre les deux éléments latéraux du complexe synaptonémal.

Les nodules de recombinaison indiquent les sites de recombinaison génétique

Les crossing-over qui ont lieu durant la prophase de la division méiotique I peuvent se produire n'importe où le long du chromosome. Cependant, ils ne sont pas distribués uniformément. Il y a des « points chauds » de recombinaison où des cassures de l'ADN double-brin semblent préférentiellement induites par l'endonucléase méiotique *Spo11*. Néanmoins, des expériences génétiques et cytologiques indiquent que la formation d'un crossing-over diminue la probabilité d'apparition d'un second à proximité. Cette « interférence » semble assurer l'étalement du nombre limité de crossing-over de sorte que les petits chromosomes en aient au moins un ; ce qui est nécessaire pour la ségrégation normale des homologues. Bien que la base moléculaire de cette « interférence » soit inconnue, le complexe synaptonémal y participe.

La preuve que les événements de recombinaison génétique sont catalysés par les **nodules de recombinaison** est indirecte. Ce sont des complexes protéiques très gros qui reposent par intervalles sur le complexe synaptonémal, placés comme des ballons de basket sur une échelle entre les deux chromosomes homologues (*voir* Figure 20-13). Ces nodules contiennent Rad51, qui est la version eucaryote de la protéine RecA, qui participe à la recombinaison d'*E. coli* (*voir* Chapitre 5). On pense qu'ils marquent l'emplacement d'une importante «machinerie de recombinaison» multienzymatique, qui réunit des régions précises de l'ADN des chromatides maternelle et paternelle à travers les 100 nm de largeur du complexe synaptonémal.

Il existe deux principaux types de nodules de recombinaison. Les *nodules précoces* sont présents avant le stade pachytène et marquent les sites des échanges initiaux de brins d'ADN dans le processus de recombinaison. Les *nodules tardifs* sont moins nombreux, ils sont présents au stade pachytène et marquent les sites où les échanges deviennent des crossing-over stables. Les protéines impliquées dans la recombinaison ont été identifiées dans les nodules. Il y a une bonne corrélation entre le nombre et la distribution des nodules tardifs et ceux des crossing-over. Cependant, des protéines spécifiques de la méiose impliquées dans la répartition de l'ADN (*voir* Chapitre 5) sont aussi situées dans les nodules tardifs, où elles aident à stabiliser les crossing-over.

La formation des crossing-over a aidé les généticiens à positionner les gènes sur les chromosomes, comme nous allons l'expliquer. Une telle cartographie a été cruciale pour le clonage des gènes impliqués dans des maladies humaines.

La cartographie génétique met en évidence des sites privilégiés pour les crossing-over

En moyenne, un chromosome humain réalise deux à trois crossing-over durant la méiose et chaque chromosome participe à au moins un. Ainsi, alors que deux gènes très proches sur un chromosome sont presque toujours ensemble dans le même gamète après la méiose, deux gènes localisés aux extrémités opposées n'ont pas plus de chance d'être ensemble que des gènes localisés sur des chromosomes différents. On peut ainsi déterminer si deux gènes - par exemple, un gène muté entraînant une surdité congénitale et un second gène muté causant une dystrophie musculaire - sont proches sur le même chromosome. Cela est réalisé en mesurant la fréquence avec laquelle un enfant hérite des deux gènes mutés d'un parent qui possède une copie mutée et une copie normale de chacun des deux gènes. Si les deux gènes mutés sont sur des chromosomes différents, l'un doit être transmis sans l'autre, dans 50 p. 100 des cas, car les chromosomes se séparent lors de la méiose. Toutefois, le même résultat est attendu si les deux gènes mutés sont éloignés sur le même chromosome car un ou plusieurs crossing-over peuvent entraîner leur séparation lors de la méiose. Pour déterminer si deux gènes sont sur le même chromosome, et à quelle distance, les généticiens mesurent la fréquence de co-transmission de nombreux gènes dans des familles nombreuses. Ainsi, ils peuvent découvrir non seulement les voisins d'un gène particulier mais aussi les voisins des voisins et ainsi parcourir tout le chromosome. Par cette méthode ils ont découvert 24 *groupes de liaison* (*linkage groups*), un pour chaque chromosome humain (22 paires d'autosomes et 2 chromosomes sexuels).

Les généticiens ont ainsi construit des **cartes génétiques** détaillées du génome humain. La distance entre chaque paire de gènes voisins est exprimée en pourcentage de recombinaison entre eux. L'unité standard de distance génétique est le *centimorgan* (cM), qui correspond à une probabilité de 1 p. 100 que deux gènes soient séparés par un crossing-over durant la méiose. Un chromosome humain fait classiquement plus de 100 centimorgans, indiquant donc qu'il est probable que plus d'un crossing-over a lieu.

Une autre méthode pour réaliser la cartographie génétique consiste à mesurer la co-transmission de courtes séquences d'ADN (appelées *marqueurs ADN*) qui diffèrent entre les individus, c'est-à-dire qui sont *polymorphes* (*voir* p. 464). Cette méthode a deux avantages par rapport à la précédente. Premièrement, les cartes peuvent être plus détaillées car il y a de nombreux marqueurs ADN qui peuvent être mesurés. Deuxièmement, elles peuvent révéler la distance réelle entre les marqueurs, en paires de nucléotides. Ainsi les distances génétiques en centimorgans peuvent être comparées directement avec les vraies distances physiques le long du chromosome.

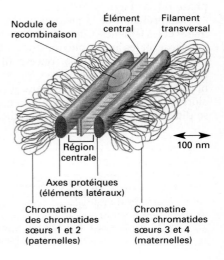

Nodule de recombinaison — Élément central — Filament transversal

100 nm

Région centrale

Axes protéiques (éléments latéraux)

Chromatine des chromatides sœurs 1 et 2 (paternelles)

Chromatine des chromatides sœurs 3 et 4 (maternelles)

Figure 20-13 Un complexe synaptonémal mature. On ne montre ici qu'un court segment du long complexe en forme d'échelle. Un complexe synaptonémal analogue est présent dans des organismes aussi divers que les levures et l'homme.

Une comparaison directe entre les distances génétique et physique d'une partie d'un chromosome de levure bourgeonnante est montrée en figure 20-14. Comme la séquence d'ADN complète de cet organisme est connue, la carte physique indique les distances réelles entre les marqueurs d'ADN. Les régions de la carte génétique qui sont développées par rapport à celles de la carte physique indiquent des «points chauds», où les crossing-over durant la méiose ont lieu avec une grande fréquence. Les régions contractées indiquent des «points froids» de recombinaison, où les crossing-over ont lieu à une faible fréquence. Les cartes génétiques humaines possèdent des expansions et contractions similaires. Une explication vraisemblable de ces «points chauds» est qu'ils contiennent en abondance des sites où l'hélice d'ADN est coupée par l'endonucléase méiotique (Spo11), qui crée des cassures de l'ADN double brin qui initient le processus de recombinaison (*voir* Figure 5-56).

La méiose se termine par deux divisions cellulaires successives sans réplication de l'ADN

La prophase I peut occuper plus de 90 p. 100 de la méiose. Bien qu'elle soit traditionnellement appelée prophase, elle ressemble à la phase G_2 de la mitose. L'enveloppe nucléaire reste intacte durant cette période et ne disparaît que lorsque les fibres du fuseau commencent à se former, au moment où la prophase I cède la place à la métaphase I. Lorsque la prophase I est terminée, deux divisions cellulaires successives, sans période intermédiaire de synthèse d'ADN, terminent la méiose. Ces divisions produisent quatre cellules à partir d'une seule (*voir* Figure 20-7).

La division méiotique I est beaucoup plus complexe et demande plus de temps que la mitose ou la division méiotique II. La réplication préparatoire de l'ADN au cours du premier cycle cellulaire a tendance à durer beaucoup plus longtemps que la phase S normale et les cellules peuvent rester bloquées à la première prophase méiotique pendant des jours, des mois ou même des années, selon l'espèce et le type de gamète qui se forme (Figure 20-15).

Une fois la division méiotique I terminée, les membranes nucléaires se reforment autour des deux noyaux fils et une brève interphase commence. Pendant cette période, les chromosomes se décondensent légèrement, mais ils ne tardent pas à se condenser à nouveau et la prophase II commence. (Comme il n'y a pas de synthèse d'ADN pendant cet intervalle, les chromosomes de certains organismes semblent passer presque directement d'une phase de division à l'autre). Mais, la prophase II est brève : l'enveloppe nucléaire disparaît au moment où le nouveau fuseau se forme, après quoi la métaphase II, l'anaphase II et la télophase II se succèdent rapidement. Après que l'enveloppe nucléaire s'est reformée autour des quatre noyaux haploïdes produits lors de la télophase II, la cytocinèse a lieu et la méiose est terminée (*voir* Figure 20-7).

Comme dans une mitose, un jeu distinct de fibres kinétochoriennes se forme sur chaque chromatide sœur à la métaphase II, et ces deux jeux de fibres s'allongent dans des directions opposées (*voir* Figure 20-11). Dans la mitose cependant, les chromatides sœurs sont associées sur leur longueur et au niveau du centromère. Ces deux types de contacts sont rompus au début de l'anaphase. Dans la méiose, au contraire, les chromatides sœurs se détachent en deux étapes. Leurs bras ont été séparés à l'anaphase I, alors que leurs centromères restent attachés, se séparant uniquement à l'anaphase II (*voir* Figures 20-7 et 20-11).

Les principes de la méiose sont les mêmes chez les végétaux et les animaux, les mâles et les femelles. Cependant, la production des gamètes implique davantage que la méiose, et les autres phénomènes requis varient de façon très importante selon les organismes et selon qu'ils concernent l'ovule ou le spermatozoïde. Nous axerons notre discussion principalement sur la gamétogenèse chez les mammifères. Comme nous le verrons, un ovule de mammifère est totalement mature à la fin de la méiose, alors qu'un spermatozoïde qui a tout juste achevé sa méiose commence seulement sa différenciation. Mais avant d'étudier les gamètes, nous allons voir comment cer-

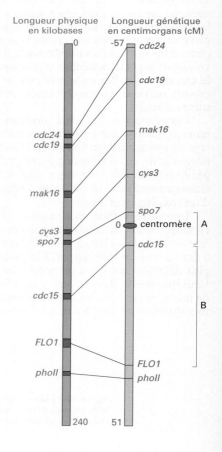

Figure 20-14 Comparaison des cartes physiques et génétiques d'une partie du chromosome I dans une levure bourgeonnante. Les marqueurs ADN montrés ici sont différents gènes. A indique une région où la carte génétique est contractée à cause d'une fréquence diminuée des crossing-over. B indique une région où la carte génétique est dilatée à cause d'une fréquence de crossing-over augmentée.

taines cellules de l'embryon de mammifères sont engagées dans le développement des cellules germinales pour devenir œufs ou spermatozoïdes, selon le sexe de l'individu.

Résumé

La formation des ovules et celle des spermatozoïdes commence de la même façon par la méiose. Dans ce processus, deux divisions cellulaires successives suivant une phase de réplication de l'ADN aboutissent à la formation de quatre cellules haploïdes à partir d'une seule cellule diploïde. La méiose est dominée par la prophase de la division méiotique I, qui peut occuper 90 p. 100 ou plus de la durée totale de la méiose. Chaque chromosome entrant en prophase est alors constitué de deux chromatides sœurs étroitement associées. Les deux homologues répliqués présents dans chaque noyau diploïde s'apparient pour former un bivalent, constitué de quatre chromatides. Les crossing-over ont lieu durant cette phase. Chacun produit la formation de chiasmas, qui maintiennent ensemble les paires d'homologues durant la métaphase I. Les crossing-over jouent un rôle important dans le réassortiment des gènes durant la formation gamétique, et ils permettent aux généticiens de déterminer les positions relatives des gènes sur les chromosomes. L'appariement des chromosomes culmine avec la formation du complexe synaptonémal, qui sert à répartir les crossing-over le long des chromosomes. À l'anaphase I, les bras des chromatides sœurs sont soudainement séparés, entraînant un membre de chaque paire de chromosomes, toujours composées d'une paire de chromatides sœurs liées par leurs centromères, dans chaque cellule fille. Une seconde division cellulaire, sans réplication d'ADN, suit ; au cours de l'anaphase II chaque chromatide sœur est intégrée dans une cellule haploïde séparée.

CELLULES GERMINALES PRIMORDIALES ET DÉTERMINATION DU SEXE CHEZ LES MAMMIFÈRES

Les stratégies de reproduction sexuée peuvent énormément varier entre les différents organismes. Dans le reste de ce chapitre, nous nous focaliserons principalement sur les stratégies utilisées par les mammifères.

Chez tous les embryons de vertébrés, certaines cellules sont choisies précocement durant le développement comme des précurseurs des gamètes. Ces **cellules germinales primordiales** migrent dans les gonades en développement, qui formeront les *ovaires* chez les femelles et les *testicules* chez les mâles. Après une période de prolifération mitotique, les cellules germinales primordiales subissent la méiose et se différencient en gamètes matures, œufs ou spermatozoïdes. Plus tard, la fusion de l'œuf et du spermatozoïde après l'accouplement initiera l'embryogenèse. La production ultérieure de nouvelles cellules germinales primordiales dans cet embryon perpétue le cycle.

Dans cette partie, nous verrons comment les cellules germinales primordiales sont produites, comment le sexe est déterminé chez les mammifères et comment la détermination du sexe décide si les cellules germinales primordiales se développent en spermatozoïde ou en ovocyte.

Les cellules germinales primordiales migrent dans la gonade en développement

Chez la plupart des animaux, y compris beaucoup de vertébrés, l'œuf non fécondé est asymétrique, avec des régions cytoplasmiques différentes contenant différents jeux d'ARNm et de protéines (*voir* Chapitre 21). Quand l'ovocyte est fécondé et se divise à plusieurs reprises pour produire les cellules de l'embryon, les cellules qui héritent de molécules spécifiques localisées dans une région particulière du cytoplasme ovocytaire deviennent des cellules germinales primordiales. Chez les mammifères, au contraire, l'ovocyte est plus symétrique, et les cellules produites par les toutes premières divisions de l'ovocyte fécondé sont toutes *totipotentes*, ce qui signifie qu'elles peuvent donner naissance à tous les types cellulaires de l'organisme, y compris les cellules germinales. Un petit groupe de cellules de l'embryon précoce de mammifère donne les cellules germinales primordiales grâce à des signaux produits par les cellules voisines. Chez la souris, par exemple, une semaine après la fécondation, une cinquantaine de cellules situées à l'extérieur de l'embryon proprement dit sont amenées à devenir des cellules germinales primordiales par leurs voisines. Dans les quelques jours suivants, ces cellules prolifèrent et migrent dans l'embryon proprement dit le long de l'intestin postérieur. Elles migrent alors activement à travers l'intestin jusqu'à leur destination finale dans les gonades en développement

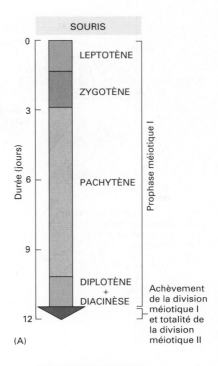

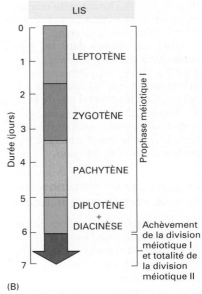

Figure 20-15 Comparaison des durées de chacune des phases de la méiose. On donne les temps approximatifs pour un mammifère mâle (souris en A), et pour le tissu mâle d'un végétal (lis en B). Les temps diffèrent entre les gamètes mâles et femelles (œuf et spermatozoïde), de la même espèce, ainsi qu'entre les mêmes gamètes d'espèces différentes. Par exemple, la méiose chez un homme dure 24 jours et 12 jours chez la souris. Toutefois, dans tous les cas, la prophase de la méiose I est toujours plus longue que toutes les autres phases méiotiques réunies.

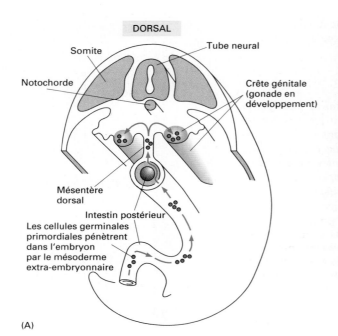

(A)

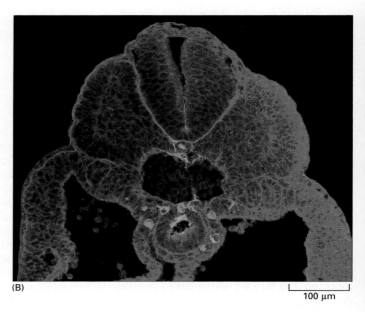

(B)

100 μm

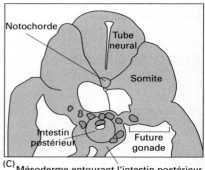

(C) Mésoderme entourant l'intestin postérieur

Figure 20-16 Migration des cellules germinales primordiales de mammifères. (A) Dessin représentant les stades finaux de la migration au travers de l'intestin postérieur jusqu'aux deux crêtes génitales, chacune se développera en gonade- soit ovaire soit testicule. (B) Micrographie montrant la migration des cellules germinales primordiales dans l'embryon précoce de souris. Ces cellules sont incubées avec un anticorps monoclonal (*en vert*) qui marque spécifiquement ces cellules à ce stade de l'embryogenèse. Les autres cellules sont colorées par une lectine qui se lie à l'acide sialique, retrouvé à la surface de toutes les cellules. (C) Schéma correspondant à la micrographie (B). (B, avec l'autorisation de Robert Anderson et Chris Wylie.)

(Figure 20-16). Durant cette migration, elles reçoivent des signaux de survie, de prolifération et de migration par diverses protéines extracellulaires produites par les cellules somatiques adjacentes.

Une fois entrées dans les gonades en développement de souris, appelées à ce stade *crêtes génitales*, les cellules germinales primordiales continuent à proliférer pendant 2 à 3 jours supplémentaires. À ce niveau, elles s'engagent dans une voie de développement qui les conduira à devenir soient des ovocytes soient des spermatozoïdes. Cela ne dépend pas de leur propre constitution en chromosomes sexuels mais du développement de la crête génitale en ovaire ou en testicule. Les chromosomes sexuels des cellules somatiques de la crête génitale déterminent en quel type de gonade la crête se transformera. Un gène particulier du chromosome Y joue un rôle important dans cette décision.

Le gène *Sry* du chromosome Y permet de rediriger un embryon femelle vers le sexe masculin

Aristote croyait que la température du mâle durant les rapports sexuels déterminait le sexe de la descendance : plus la température était élevée, plus il y avait de chances de produire des mâles. Nous savons maintenant que le sexe des mammifères est déterminé par les chromosomes sexuels, plus que par l'environnement (bien que chez certains animaux, comme les crocodiles ou beaucoup de poissons, le contraire soit vrai). Les femelles des mammifères ont deux chromosomes X dans toutes leurs cellules somatiques, alors que les mâles ont 1 X et 1 Y. Le chromosome Y est déterminant. Les individus porteurs d'un chromosome Y se développeront en mâles quel que soit le nombre de chromosomes X qu'ils possèdent. Les individus sans chromosome Y seront des femelles même s'ils ont un seul chromosome X. Le spermatozoïde qui féconde l'ovocyte détermine le sexe du zygote résultant : les ovocytes ont un seul chromosome X alors que le spermatozoïde possède soit un X soit un Y.

Le chromosome Y influence le sexe d'un individu en induisant le développement des cellules somatiques de la crête génitale en testicule plutôt qu'en ovaire. Le gène crucial du chromosome Y, qui possède cette fonction de *déterminant testiculaire* est appelé **Sry**, pour *sex-determining region of Y* ou région déterminante du sexe de l'Y. De façon remarquable, quand ce gène est introduit dans le génome d'un zygote XX de souris, l'embryon transgénique se développe comme un mâle, même s'il manque tous les autres gènes du chromosome Y (Figure 20-17). Cependant, de telles souris ne peuvent pas produire de spermatozoïde, au moins en partie à cause de la présence des deux chromosomes X qui suppriment le développement spermatique.

Sry est exprimé uniquement dans un sous-ensemble de cellules somatiques de la gonade en développement et il entraîne leur différenciation en **cellules de Sertoli**, qui sont les principales cellules de soutien trouvées dans le testicule. Les cellules de

Sertoli dirigent le développement sexuel vers la voie masculine en agissant sur d'autres cellules de la crête génitale d'au moins quatre façons :

1. Elles stimulent le développement des cellules germinales primordiales nouvellement arrivées dans une voie conduisant à la production de spermatozoïdes.
2. Elles sécrètent l'*hormone anti-müllérienne*, qui supprime le développement du tractus génital femelle en provoquant la régression du canal de Müller (ce canal donne naissance à l'oviducte, l'utérus et la partie supérieure du vagin).
3. Elles stimulent des cellules somatiques particulières situées de façon adjacente à la gonade, pour qu'elles migrent dans la gonade et forment les structures de tissu conjonctif indispensables à une production spermatique normale.
4. Elles aident à la transformation d'autres cellules somatiques de la gonade en *cellules de Leydig*, qui sécrètent l'hormone sexuelle mâle : la *testostérone*. Cette hormone est responsable de l'apparition de tous les caractères sexuels secondaires. Ceci inclut les structures du tractus génital mâle comme la prostate et les vésicules séminales qui se développent à partir d'un autre canal appelé canal de Wolff. Ce canal dégénère chez les femelles car il a besoin de la testostérone pour survivre et se développer. La testostérone intervient dans la masculinisation du cerveau et ainsi joue un rôle majeur dans la détermination de l'identité et de l'orientation sexuelles masculines et ainsi du comportement : les rats femelles traitées par la testostérone autour de la naissance, par exemple, ont plus tard un comportement sexuel semblable au mâle.

Sry code pour une protéine régulatrice (Sry) qui active la transcription d'autres protéines régulatrices nécessaires au développement des cellules de Sertoli, incluant la protéine *Sox9*. En l'absence de Sry ou de Sox9, la crête génitale se développe en ovaire. Les cellules de soutien donnent des *cellules folliculaires* au lieu des cellules de Sertoli. Les autres cellules somatiques donnent des *cellules thécales* au lieu des cellules de Leydig et au début de la puberté, elles sécrètent des *estrogènes* à la place de la testostérone. Le développement des cellules germinales primordiales aboutit à des ovocytes au lieu des spermatozoïdes (Figure 20-18 et *voir* Figure 20-28) et l'animal se développe en femelle.

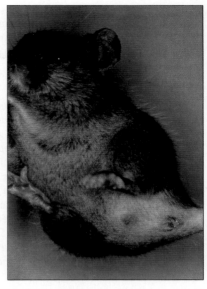

Figure 20-17 Reprogrammation d'un embryon femelle de souris en mâle, induite par *Sry*. Le gène *Sry*, injecté dans le noyau d'un zygote femelle XX provoque la masculinisation de l'embryon transgénique. Les organes génitaux externes de cet animal transgénique sont indiscernables de ceux d'une souris mâle XY normale. (D'après P. Koopman et al., *Nature* 351 : 117-121, 1991. © Macmillan Magazines Ltd.)

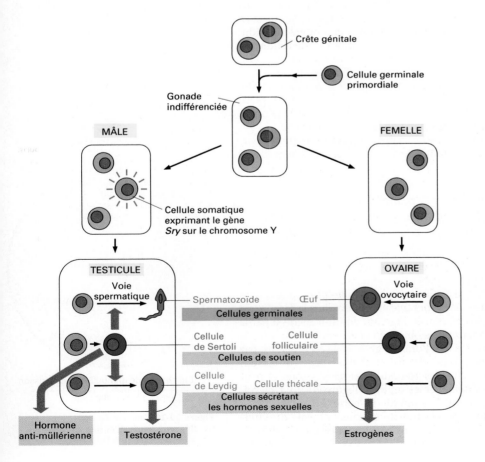

Figure 20-18 Influence de *Sry* sur le développement gonadique. Les cellules germinales sont en *rouge* et les cellules somatiques en *vert* et *bleu*. Le passage d'une couleur claire à une couleur foncée indique que la cellule a maturé ou s'est différenciée. Le gène *Sry* agit sur une sous-population de cellules somatiques de la gonade en développement pour la diriger vers une différenciation en cellules de Sertoli plutôt qu'en cellules folliculaires. Les cellules de Sertoli induisent ainsi la différenciation des cellules germinales primordiales en spermatozoïdes. Elles sécrètent aussi de l'hormone anti-müllérienne qui entraîne la régression des canaux de Müller et aident à induire la différenciation d'autres cellules somatiques en cellules de Leydig, qui sécrètent la testostérone (*voir* Figure 20-28). En l'absence de *Sry*, les cellules germinales primordiales s'engagent dans le développement ovocytaire et les cellules somatiques soit dans celui des cellules folliculaires, qui soutiennent le développement ovocytaire soit dans celui des cellules thécales, qui sécrètent les estrogènes. Alors que les cellules de Leydig commencent à sécréter la testostérone pendant la vie fœtale, les cellules thécales ne commencent à sécréter les estrogènes qu'à la puberté.

Si les crêtes génitales sont retirées avant qu'elles aient commencé à se développer en testicules ou en ovaires, le mammifère se développe en femelle, sans se soucier des chromosomes sexuels qu'il porte. Il semble que le développement femelle
soit la voie par «défaut» du développement sexuel chez les mammifères.

Résumé

*Un petit nombre de cellules durant la gastrulation de l'embryon de mammifère deviennent des
cellules germinales primordiales grâce à des signaux provenant des cellules voisines. Ces cellules primordiales migrent dans les crêtes génitales qui se développent en gonades. Là, les cellules germinales primordiales commencent leur développement soit en ovocytes, si la gonade
est devenue un ovaire, soit en spermatozoïdes, si elle est devenue un testicule. Une gonade en
développement donnera un ovaire à moins que ses cellules somatiques ne contiennent un chromosome Y. Dans ce cas, elle se développe en testicule. Le gène Sry du chromosome Y est responsable de la fonction de déterminant testiculaire : il est exprimé par un sous-ensemble de
cellules somatiques dans la gonade en développement et induit la différenciation de ces cellules en cellules de Sertoli. Les cellules de Sertoli produisent des signaux qui contribuent au développement des caractères masculins, qui suppriment les caractères féminins et qui induisent
l'engagement des cellules germinales primordiales dans la production des spermatozoïdes.*

Ovule humain

Œuf de poule

Œuf de grenouille

Figure 20-19 Tailles réelles de trois œufs.
L'ovule humain a un diamètre de 0,1 mm.

ŒUFS

À un égard au moins, les œufs sont les plus remarquables des cellules animales : une
fois activés, ils peuvent donner naissance à un nouvel individu complet au bout de
quelques jours ou semaines. Aucune autre cellule d'un animal supérieur ne possède
cette capacité. L'activation est généralement la conséquence de la *fécondation* – la fusion d'un spermatozoïde avec un œuf. Cependant, le spermatozoïde lui-même n'est
pas strictement requis. Un œuf peut être activé artificiellement par toute une série de
substances chimiques non spécifiques ou de traitements physiques. Quelques organismes, incluant même des vertébrés comme certains lézards, se reproduisent même
normalement à partir d'un œuf activé en l'absence de spermatozoïde par un phénomène appelé **parthénogenèse**.

Bien qu'un œuf puisse donner naissance à tous les types cellulaires dans un organisme adulte (il est dit *totipotent*), il est lui-même une cellule hautement spécialisée
exceptionnellement équipée pour une seule fonction : engendrer un nouvel individu.
Le cytoplasme d'un œuf peut éventuellement reprogrammer un noyau de cellule somatique de telle sorte qu'il puisse diriger le développement d'un nouvel individu.
C'est ainsi que la fameuse brebis Dolly a été produite. Le noyau d'un œuf non fécondé
de brebis a été détruit et a été remplacé par le noyau d'une cellule somatique adulte.
Un choc électrique a été utilisé pour activer l'œuf et l'embryon obtenu a été replacé
dans l'utérus d'une femelle porteuse. La brebis adulte résultante possède le génome
de la cellule somatique donneuse et est donc un clone de la brebis donneuse.

Nous allons maintenant examiner rapidement certaines des caractéristiques particulières de l'œuf avant de discuter la façon dont il se développe jusqu'à ce qu'il soit
prêt pour la fécondation.

Cellule somatique typique

Ovule humain ou œuf d'oursin

Un œuf est une cellule très spécialisée capable d'assurer son développement de façon indépendante, grâce à des réserves nutritives importantes et une enveloppe protectrice sophistiquée

Chez la plupart des animaux, les œufs sont des cellules géantes qui contiennent des
réserves de tous les matériaux nécessaires au développement de l'embryon, jusqu'au
stade où le nouvel individu ainsi réalisé est capable de s'alimenter lui-même. Avant
d'arriver à ce stade, la cellule géante se divise en de multiples cellules plus petites, sans
qu'il y ait encore de croissance. Les mammifères sont une exception dans la mesure où
l'embryon peut commencer à croître précocement, en ingérant des nutriments à partir
de sa mère via le placenta. L'œuf de mammifère, bien qu'étant encore une cellule
géante, n'a donc pas besoin d'être aussi gros que l'œuf de grenouille ou d'oiseau, par
exemple. Il est généralement sphérique ou ovoïde, et son diamètre est d'environ 0,1 mm
chez l'homme et les oursins, de 1 à 2 mm chez les grenouilles et les poissons, et peut
atteindre plusieurs centimètres chez les oiseaux et les reptiles (Figure 20-19). Une cellule somatique type ne mesure environ que 10 à 20 μm de diamètre (Figure 20-20).

Le cytoplasme de l'œuf contient des réserves nutritives sous la forme du **vitellus**, qui est riche en lipides, en protéines et en polysaccharides, et contient habituel-

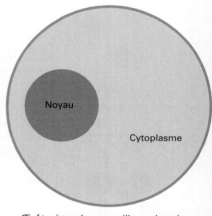

Noyau

Cytoplasme

Œuf typique de grenouille ou de poisson

1 mm = 1000 μm

**Figure 20-20 Tailles relatives
de différents œufs.** Elles sont comparées
à celle d'une cellule somatique typique.

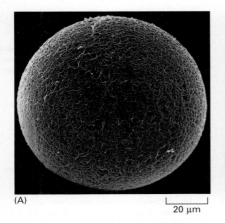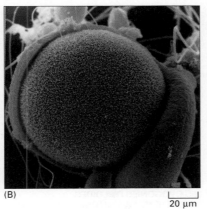

(A) 20 µm   (B) 20 µm

Figure 20-21 La membrane pellucide.
(A) Photographie au microscope électronique à balayage d'un œuf de hamster montrant la membrane pellucide. En (B), la membrane pellucide (à laquelle sont attachés de nombreux spermatozoïdes) a été décollée afin de mettre en évidence la membrane plasmique sous-jacente de l'œuf qui contient de très nombreuses microvillosités. La membrane est entièrement fabriquée par l'ovocyte en développement. (D'après D. M. Phillips, *J. Ultrastruct. Res.* 72 : 1-12, 1980.)

lement des structures granulaires appelées *plaquettes vitellines*. Dans certaines espèces, ces granules peuvent être enveloppés individuellement par une membrane. Dans les œufs qui se développent en animaux de grande taille hors du corps de la mère, le vitellus peut représenter plus de 95 p. 100 du volume de la cellule, alors que chez les mammifères, dont les embryons sont surtout nourris par leur mère, il y en a peu voire pas du tout.

L'**enveloppe de l'œuf** est une autre de ses particularités. C'est une forme particulière de matrice extracellulaire constituée principalement de molécules de glycoprotéines, dont certaines sont sécrétées par l'œuf et d'autres par les cellules environnantes. Dans de nombreuses espèces, l'enveloppe principale est une couche qui entoure directement la membrane plasmique de l'œuf; elle est appelée *membrane pellucide* (*zone pellucide* ou *zona pellucida*) chez les mammifères et *membrane vitelline* chez les autres espèces comme l'oursin ou le poulet (Figure 20-21). Cette membrane protège l'œuf des lésions mécaniques; dans de nombreux œufs, elle sert aussi de barrière spécifique d'espèce pour les spermatozoïdes, ne laissant pénétrer que ceux de la même espèce ou d'espèces très voisines.

Beaucoup d'œufs (y compris ceux des mammifères) contiennent des vésicules sécrétrices spécialisées, situées juste sous la membrane plasmique dans la région périphérique, ou *cortex* du cytoplasme de l'œuf. Quand l'œuf est activé par un spermatozoïde, le contenu de ces **granules corticaux** est libéré par exocytose et modifie l'enveloppe de l'œuf de façon à empêcher la fusion d'autres spermatozoïdes avec l'œuf (*voir* plus loin). Les granules corticaux sont généralement distribués uniformément d'un bout à l'autre du cortex de l'œuf, mais chez certains organismes, d'autres constituants cytoplasmiques ont une distribution asymétrique. Certains de ces constituants serviront plus tard pour aider à l'établissement de la polarité de l'embryon, comme discuté dans le chapitre 21.

L'ovogenèse procède par étapes

Un œuf en cours de développement est appelé **ovocyte**, et sa différenciation en un œuf mature (ou *ovum*) entraîne plusieurs modifications dont le déroulement est géré par les étapes de la méiose dans lesquelles s'engagent les cellules germinales pour les deux dernières divisions hautement spécialisées. De plus, les ovocytes ont développé des mécanismes particuliers d'arrêt du processus de division méiotique : ils s'arrêtent en prophase I pour des périodes prolongées tandis que la taille de l'ovocyte augmente et, dans de nombreux cas, ils s'arrêtent ultérieurement en métaphase II dans l'attente de la fécondation (bien qu'ils puissent s'arrêter à d'autres moments selon les espèces).

Alors que les détails du développement de l'ovocyte (**ovogenèse**) diffèrent d'une espèce à l'autre, les étapes principales sont analogues, comme l'indique la figure 20-22. Les cellules germinales primordiales colonisent les gonades en formation pour devenir des *ovogonies*, qui se multiplient par mitose pendant un certain temps avant de se différencier en *ovocytes primaires*. À ce stade (généralement avant la naissance chez les mammifères), la première division méiotique commence : l'ADN se réplique pour aboutir au dédoublement de chaque chromosome en deux chromatides; les chromosomes homologues s'apparient sur toute la longueur de leurs grands axes, et un crossing-over a lieu entre les chromatides non-sœurs de ces chromosomes appariés. Après ces événements, la cellule est bloquée en prophase de la division I de la méiose (dans un état équivalent à la phase G_2 d'un cycle de division ordinaire, comme on l'a vu précédemment), pour une période qui peut aller de quelques jours à plu-

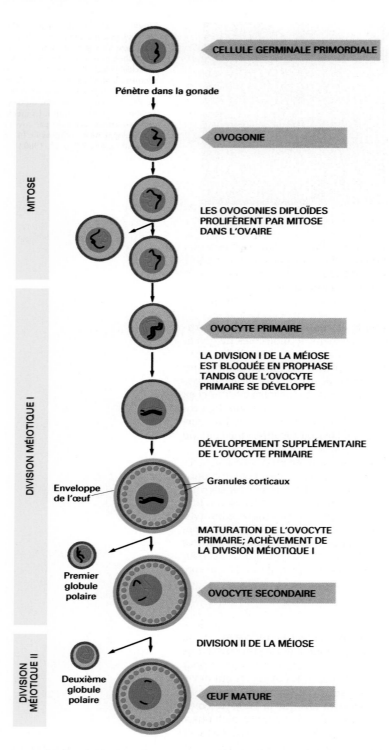

CELLULE GERMINALE PRIMORDIALE

Pénètre dans la gonade

OVOGONIE

LES OVOGONIES DIPLOÏDES PROLIFÈRENT PAR MITOSE DANS L'OVAIRE

MITOSE

OVOCYTE PRIMAIRE

LA DIVISION I DE LA MÉIOSE EST BLOQUÉE EN PROPHASE TANDIS QUE L'OVOCYTE PRIMAIRE SE DÉVELOPPE

DIVISION MÉIOTIQUE I

DÉVELOPPEMENT SUPPLÉMENTAIRE DE L'OVOCYTE PRIMAIRE

Enveloppe de l'œuf — Granules corticaux

MATURATION DE L'OVOCYTE PRIMAIRE; ACHÈVEMENT DE LA DIVISION MÉIOTIQUE I

Premier globule polaire

OVOCYTE SECONDAIRE

DIVISION II DE LA MÉIOSE

Deuxième globule polaire

DIVISION MÉIOTIQUE II

ŒUF MATURE

Figure 20-22 Les diverses étapes de l'ovogenèse. Les ovogonies se développent à partir de cellules germinales primordiales qui migrent dans l'ovaire au début de l'embryogenèse. Après un certain nombre de divisions mitotiques, les ovogonies entrent en division méiotique I après laquelle ils sont appelés ovocytes primaires. Chez les mammifères, les ovocytes primaires sont formés très tôt (entre le 3e et le 8e mois de gestation pour un embryon humain) et restent bloqués en prophase de la division méiotique I jusqu'à la maturité sexuelle de la femelle. À ce stade, un petit nombre d'ovocytes primaires subiront périodiquement la maturation sous l'influence d'hormones, achevant la division méiotique I pour se transformer en *ovocytes secondaires*, qui subiront finalement la division méiotique II pour donner des œufs matures. L'étape à laquelle l'œuf ou l'ovocyte est libéré de l'ovaire et fécondé varie d'une espèce à l'autre. Chez la majorité des vertébrés, la maturation de l'ovocyte est stoppée à la métaphase de la méiose II, et l'ovocyte secondaire n'achève la méiose II qu'après la fécondation. Les globules polaires peuvent dégénérer. Chez la plupart des animaux, l'ovocyte en développement est entouré de cellules accessoires spécialisées qui aident à l'isoler et le nourrir (non montré).

sieurs années, selon les espèces. Au cours de cette prophase prolongée (ou, dans certains cas, au début de la maturité sexuelle), les ovocytes primaires synthétisent une enveloppe et des granules corticaux. Dans le cas des gros œufs non mammifères, ils accumulent les ribosomes, le vitellus, le glycogène, les lipides et les ARNm qui dirigeront plus tard la synthèse des protéines nécessaires à la croissance embryonnaire précoce et au déroulement du programme de développement. Dans de nombreux ovocytes, ces activités intenses de biosynthèse sont reflétées par la structure des chromosomes, qui se décondensent et forment des boucles latérales, prenant l'aspect caractéristique en «écouvillon» d'un chromosome, ce qui signifie qu'ils sont activement engagés dans la synthèse d'ARN (*voir* Figures 4-36 et 4-37).

La phase suivante de développement de l'ovocyte est appelée *maturation de l'ovocyte*, et ne débute, en général, qu'à la maturité sexuelle, lorsqu'il y a stimulation hormonale. Sous le contrôle de ces hormones, la division I de la méiose se poursuit; les chromosomes se condensent à nouveau, l'enveloppe nucléaire disparaît (on considère en général que cet événement marque le début de la maturation) et les chromosomes homologues répliqués se séparent à l'anaphase I en deux noyaux fils qui contiennent chacun la moitié du nombre initial de chromosomes. Pour terminer la division I, le cytoplasme se divise de façon asymétrique pour produire deux cellules de tailles très différentes : l'un est un *globule polaire* de petite taille, et l'autre est une cellule volumineuse, l'**ovocyte secondaire**, précurseur de l'œuf. À ce stade, chacun des chromosomes est toujours composé de deux chromatides sœurs. Ces chromatides ne se séparent pas avant la division II de la méiose, lorsqu'elles sont réparties dans des cellules distinctes comme décrit auparavant. Après cette séparation chromosomique finale à l'anaphase II, le cytoplasme de l'ovocyte secondaire de grande taille se divise à nouveau, de façon asymétrique, pour donner l'**œuf** mature (ou **ovum**) et un second petit globule polaire, qui possèdent tous les deux un nombre haploïde de chromosomes en un seul exemplaire (*voir* Figure 20-22). Grâce aux deux divisions asymétriques de leur cytoplasme, les ovocytes conservent leur grande taille en dépit des deux divisions méiotiques. Les deux globules polaires sont de petite taille et finissent par dégénérer.

Chez la plupart des vertébrés, la maturation de l'ovocyte continue jusqu'à la métaphase de la méiose II, puis s'arrête. Au moment de l'**ovulation**, l'ovocyte secondaire bloqué est libéré de l'ovaire et accomplit une étape rapide de maturation qui le prépare à la fécondation. Si la fécondation se produit, l'ovocyte est stimulé pour achever la méiose.

La croissance des ovocytes repose sur des mécanismes particuliers

Il faut habituellement 24 heures environ à une cellule somatique, dont le diamètre varie de 10 à 20 µm, pour doubler sa masse en vue de la division cellulaire. À cette vitesse de biosynthèse, une telle cellule mettrait très longtemps pour atteindre la masse mille fois supérieure d'un œuf de mammifère d'un diamètre de 100 µm ou celle un million de fois supérieure d'un œuf d'insecte d'un diamètre de 1000 µm. Et pourtant, certains insectes qui ne vivent que quelques jours arrivent à produire des œufs dont le diamètre dépasse même 1000 µm. Les œufs doivent donc, de toute évidence, posséder des mécanismes particuliers qui leur permettent d'atteindre leur grande taille.

Une des stratégies simples pour une croissance rapide est la présence de copies supplémentaires de gènes dans la cellule. L'ovocyte retarde ainsi l'achèvement de la première division méiotique de façon à se développer bien qu'il contienne le jeu diploïde de chromosomes dupliqués. De cette façon, il a doublé la quantité d'ADN disponible pour la synthèse d'ARN, par rapport à une cellule somatique moyenne qui est en phase G_1 du cycle cellulaire. Certains ovocytes parviennent même à atteindre des longueurs plus importantes pour accumuler de l'ADN supplémentaire : ils produisent de nombreuses copies de certains gènes. Nous avons déjà vu, dans le chapitre 6, que les cellules somatiques de la plupart des organismes ont besoin de 100 à 500 copies de gènes d'ARN ribosomiques pour produire suffisamment de ribosomes pour la synthèse protéique. Les œufs ayant besoin d'un nombre encore plus élevé de ribosomes pour effectuer la synthèse protéique au début de l'embryogenèse, les gènes d'ARN ribosomiques sont spécifiquement amplifiés dans les ovocytes de nombreux animaux; certains œufs d'amphibiens, par exemple, contiennent de 1 à 2 millions de copies de ces gènes.

La croissance des ovocytes peut également dépendre en partie des activités synthétiques d'autres cellules. Par exemple, le vitellus est généralement synthétisé hors de l'ovaire et importé dans l'ovocyte. Chez les oiseaux, les amphibiens et les insectes, les protéines du vitellus sont synthétisées par les cellules hépatiques (ou leurs équivalents), qui les sécrètent dans le sang. À l'intérieur des ovaires, les ovocytes prélèvent par endocytose médiée par des récepteurs les protéines vitellines du fluide extracellulaire (*voir* Figure 13-41). Un apport nutritif peut également venir de cellules auxiliaires voisines dans l'ovaire. Les cellules ovariennes auxiliaires sont de deux types. Chez certains invertébrés, certaines cellules descendant des ovogonies deviennent non pas des ovocytes mais des **cellules nourricières** qui entourent l'ovocyte et lui sont généralement reliées par des ponts cytoplasmiques, au travers desquels les macromolécules peuvent passer directement dans le cytoplasme de l'ovocyte (Figure 20-23). Pour l'ovocyte d'insecte, les cellules nourricières fabriquent beaucoup de produits – ribosomes, ARNm, protéines, etc. – qu'un ovocyte de vertébré doit fabriquer lui-même.

L'autre type de cellules ovariennes auxiliaires servant à nourrir les ovocytes en cours de développement est constitué par les **cellules folliculaires**, que l'on trouve à la fois chez les invertébrés et les vertébrés. Elles sont disposées en une couche épi-

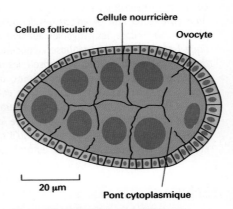

Figure 20-23 Cellules nourricières et cellules folliculaires associées à l'ovocyte de drosophile. Les cellules nourricières et l'ovocyte naissent d'une même ovogonie, chacune donnant naissance à un ovocyte et 15 cellules nourricières (dont 7 seulement sont visibles sur la section présentée ici). Ces cellules sont maintenues ensemble par des ponts cytoplasmiques qui résultent d'une division cellulaire incomplète. Éventuellement, les cellules nourricières déversent leur contenu cytoplasmique dans l'ovocyte et elles se tuent elles-mêmes. Les cellules folliculaires se développent indépendamment, à partir des cellules mésodermiques.

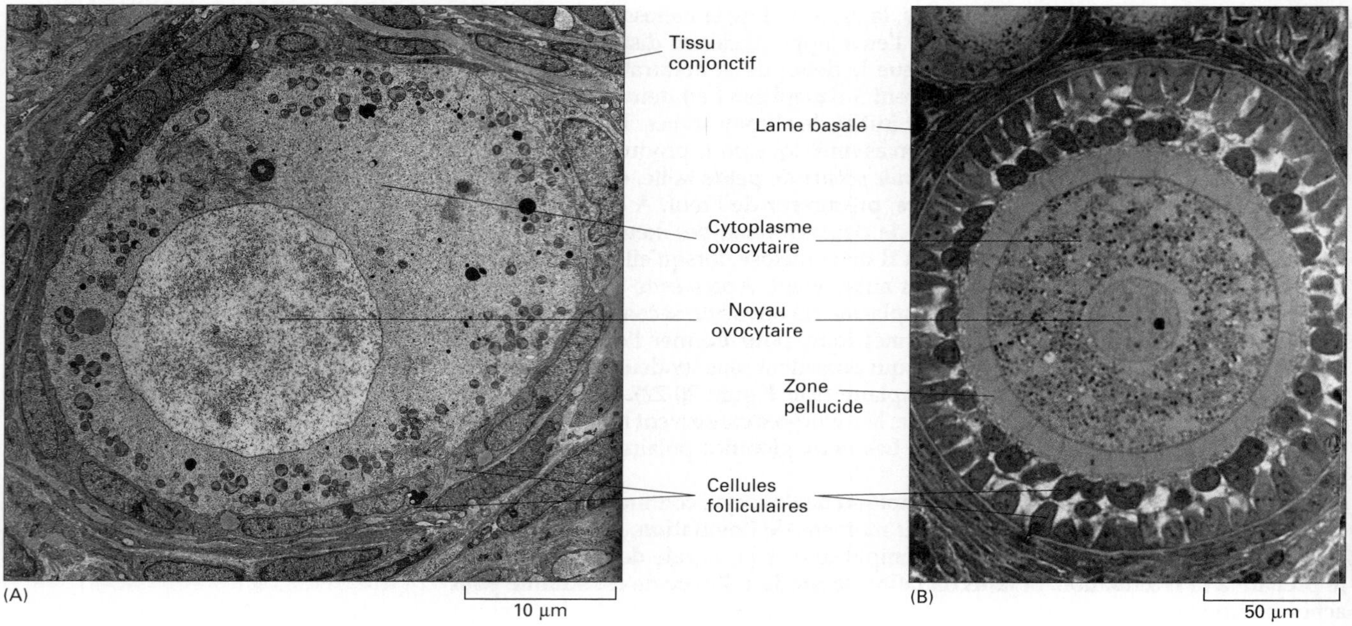
Tissu conjonctif
Lame basale
Cytoplasme ovocytaire
Noyau ovocytaire
Zone pellucide
Cellules folliculaires
(A)
10 µm
(B)
50 µm

Figure 20-24 Micrographies électroniques d'ovocytes primaires en développement dans l'ovaire de lapine. (A) Stade précoce du développement de l'ovocyte primaire. Ni la membrane pellucide, ni les granules corticaux ne se sont développés, et l'ovocyte est entouré par une simple couche de cellules folliculaires aplaties. (B) Ovocyte primaire plus mature, montré à un grossissement six fois plus faible, car il est beaucoup plus gros que l'ovocyte en (A). Cet ovocyte a acquis une membrane pellucide épaisse et il est entouré par plusieurs couches de cellules folliculaires et par une membrane basale qui l'isole des autres cellules de l'ovaire. L'ensemble, constitué par l'ovocyte primaire et par les cellules folliculaires, est appelé follicule primaire. Les cellules folliculaires sont connectées les unes aux autres et à l'ovocyte par des jonctions communicantes. (D'après The Cellular Basis of Mammalian Reproduction [J. Van Blerkom et P. Motta eds.]. Baltimore-Munich : Urban & Schwarzenberg, 1979.)

théliale autour d'un ovocyte (Figure 20-24 et *voir* Figure 20-23), auquel elles ne sont reliées que par des jonctions communicantes qui permettent l'échange de petites molécules mais pas celui de macromolécules. Alors que ces cellules sont incapables de fournir à l'ovocyte des macromolécules préformées à travers ces jonctions communicantes, elles peuvent servir à fournir les molécules précurseurs plus petites à partir desquelles les macromolécules sont synthétisées. De plus, les cellules folliculaires sécrètent fréquemment des macromolécules, qui contribuent à la formation de l'enveloppe de l'œuf ou sont prélevées par endocytose médiée par des récepteurs dans l'ovocyte en cours de croissance ou agissent sur des récepteurs de la surface de l'œuf pour contrôler le développement spatial et l'asymétrie axiale de l'œuf (*voir* Chapitre 21).

Résumé

Les œufs se développent par étapes à partir des cellules germinales primordiales qui migrent dans l'ovaire au tout début du développement pour donner des ovogonies. Après leur multiplication par mitose, les ovogonies donnent des ovocytes primaires qui entrent en division méiotique I et s'arrêtent en prophase I pendant des jours ou des années selon l'espèce. Au cours de cette période d'arrêt en prophase I, les ovocytes primaires se développent, synthétisent une enveloppe et accumulent des ribosomes, des ARNm et des protéines, s'assurant souvent le concours d'autres cellules, y compris les cellules auxiliaires environnantes. Ces ovocytes achèvent la division méiotique I pour former un petit globule polaire et un ovocyte secondaire de grande taille et passent en métaphase de la division méiotique II, où, chez de nombreuses espèces, l'ovocyte est bloqué jusqu'à ce qu'il soit stimulé par fécondation pour achever la méiose et commencer le développement embryonnaire.

SPERMATOZOÏDES

Dans la majorité des espèces, il n'existe que deux types de gamètes, et ils sont totalement différents. L'ovule fait partie des cellules les plus volumineuses de l'organisme ; le **spermatozoïde** est souvent la plus petite. L'ovule et le spermatozoïde sont conçus de façon optimale de différentes manières pour la propagation des gènes qu'ils portent. L'ovule est immobile et sert à la survie des gènes maternels en fournissant d'importantes réserves de matériaux bruts pour la croissance et le développement, ainsi qu'une enveloppe protectrice efficace. Le spermatozoïde, au contraire, est généralement conçu pour propager les gènes paternels en exploitant l'investissement maternel. Il est très mobile et « profilé » pour être rapide et efficace dans sa mission de fécondation. La compétition entre les spermatozoïdes est féroce, et la grande majorité d'entre eux ne remplissent pas leur mission : sur les milliards de spermatozoïdes libérés au cours de la vie reproductrice d'un homme, seul un petit nombre parviendra à féconder un ovule.

Les spermatozoïdes sont très adaptés à la transmission de leur ADN à l'ovule

Les spermatozoïdes typiques sont des cellules «dépouillées» pourvues d'un puissant flagelle qui leur permet de se propulser dans un milieu aqueux, mais dépourvues des organites cytoplasmiques, comme les ribosomes, le réticulum endoplasmique ou l'appareil de Golgi, qui ne sont d'aucune utilité dans la fonction de «livraison» de l'ADN à l'ovule. En revanche, le spermatozoïde contient de nombreuses mitochondries, placées aux endroits stratégiques où elles peuvent alimenter le plus efficacement le moteur du flagelle. Le spermatozoïde est habituellement constitué de deux régions morphologiquement et fonctionnellement distinctes, entourées d'une membrane plasmique unique : la *tête* qui contient un noyau haploïde exceptionnellement compact, et la *queue*, qui propulse le spermatozoïde jusqu'à l'ovule et l'aide à traverser les enveloppes de l'ovule (Figure 20-25). L'ADN du noyau est extrêmement dense, de sorte que son volume est réduit au minimum pour le transport et la transcription est arrêtée. Les chromosomes de nombreux spermatozoïdes sont dépourvus des histones qui leur sont normalement associées dans les cellules somatiques et sont complexés à des protéines simples de forte charge positive appelées *protamines*.

Dans la tête spermatique de la plupart des animaux, étroitement appliquée contre l'extrémité antérieure de l'enveloppe nucléaire, se trouve une vésicule sécrétrice appelée **acrosome** (*voir* Figure 20-25). Cette vésicule contient des enzymes hydrolytiques qui permettent au spermatozoïde de pénétrer dans l'enveloppe externe de l'ovule. Quand un spermatozoïde entre au contact d'un ovule, le contenu de la vésicule est libéré par exocytose au cours de ce que l'on appelle la *réaction acrosomique*. Dans certains spermatozoïdes, cette réaction provoque également la libération de protéines particulières qui fixent étroitement le spermatozoïde à l'enveloppe de l'ovule.

La queue mobile du spermatozoïde est un long flagelle dont l'axonème central provient d'un corps basal situé juste en arrière du noyau. Comme cela a été décrit dans le chapitre 16, l'axonème est constitué de deux microtubules isolés entourés de neuf doublets de microtubules également espacés. Le flagelle de certains spermatozoïdes (y compris ceux des mammifères) diffère des autres flagelles du fait que l'arrangement habituel 9 + 2 de l'axonème est entouré de neuf *fibres denses externes* (Figure 20-26). Les fibres denses sont rigides et non contractiles, et on ne connaît pas le rôle qu'elles jouent dans la courbure active du flagelle, qui est provoquée par le glissement des doublets de microtubules adjacents les uns par rapport aux autres. Les mouvements flagellaires sont sous-tendus par les protéines motrices de dynéine, qui utilisent l'énergie de l'hydrolyse de l'ATP pour faire glisser les microtubules, comme cela est discuté dans le chapitre 16. L'énergie nécessaire au mouvement flagellaire est fournie par l'hydrolyse de l'ATP synthétisé par des mitochondries hautement spécialisées situées dans la partie antérieure de la queue du spermatozoïde (appelée *pièce intermédiaire*), là où l'ATP est nécessaire (*voir* Figures 20-25 et 20-26).

La spermatogenèse est un phénomène continu chez beaucoup de mammifères

Chez les mammifères, il existe d'importantes différences entre le mode de production des œufs (ovogenèse) et celui des spermatozoïdes (**spermatogenèse**). Chez la femme, par exemple, les ovogonies prolifèrent uniquement chez le fœtus, entrent en méiose avant la naissance et s'arrêtent sous la forme d'ovocytes à la division I de la prophase méiotique, stade auquel ils peuvent persister pendant plus de cinquante ans. À partir de ce stock strictement limité, les ovocytes individuels matures sont ovulés à intervalles, en général un par un, à partir de la puberté. Chez l'homme, en revanche, la méiose et la spermatogenèse ne commencent pas avant la puberté et se poursuivent ensuite sans interruption au niveau des cellules épithéliales, tapissant de très longs tubes enroulés serrés, appelés *tubes séminifères*, situés dans les testicules. Les cellules germinales immatures, appelées *spermatogonies*, sont localisées sur le bord externe de ces tubes, jouxtant la lame basale, où elles se divisent sans interruption par mitose. Certaines cellules filles cessent de se multiplier et se différencient

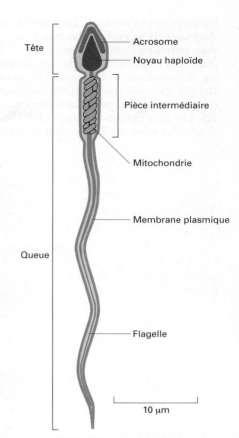

Figure 20-25 Un spermatozoïde humain. Il est représenté en coupe longitudinale.

Tête
Queue

Acrosome
Noyau haploïde
Pièce intermédiaire
Mitochondrie
Membrane plasmique
Flagelle

10 µm

Figure 20-26 Dessin de la pièce intermédiaire d'un spermatozoïde de mammifère tel qu'il peut être observé en coupe transversale en microscopie électronique. La partie centrale du flagelle est composée d'un axonème entouré de neuf fibres denses. L'axonème est composé de deux microtubules isolés entourés de neuf doublets de microtubules. La mitochondrie (représentée en *vert* est bien placée pour fournir l'ATP nécessaire au mouvement flagellaire; sa structure inhabituelle en spirale (*voir* Figure 20-25) résulte de la fusion de mitochondries isolées au cours de la différenciation de la spermatide.

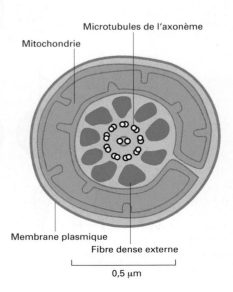

Mitochondrie
Microtubules de l'axonème
Membrane plasmique
Fibre dense externe

0,5 µm

en *spermatocytes primaires*. Ces cellules entrent en première prophase méiotique, pendant laquelle leurs chromosomes appariés homologues participent par crossing-over, puis continuent par la division I de la méiose pour donner des *spermatocytes secondaires*, qui contiennent chacun 22 autosomes dupliqués et soit un chromosome X, soit un chromosome Y dupliqué. Les deux spermatocytes secondaires, dérivant de chaque spermatocyte primaire, subissent la division II de la méiose pour donner quatre *spermatides*, possédant chacune un nombre haploïde de chromosomes séparés. Ces spermatides subissent alors des transformations morphologiques au cours desquelles elles se différencient en spermatozoïdes (Figure 20-27) qui s'échappent

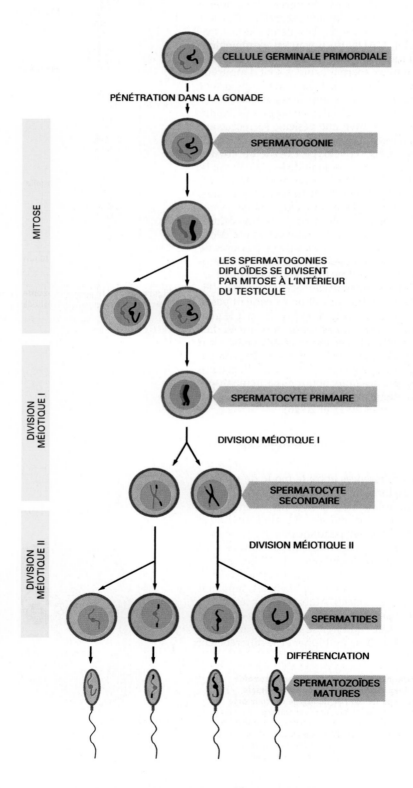

Figure 20-27 Étapes de la spermatogenèse. Les spermatogonies se développent à partir des cellules germinales primordiales qui migrent dans les testicules au début de l'embryogenèse. Quand l'animal arrive à maturité sexuelle, les spermatogonies commencent à proliférer rapidement, engendrant quelques descendants qui conservent la capacité de continuer à se diviser indéfiniment (sous forme de spermatogonies souches) et d'autres descendants (spermatogonies en cours de maturation) qui, après un nombre supplémentaire limité de cycles normaux de division, entreront en méiose pour devenir des spermatocytes primaires. Ceux-ci poursuivent la division méiotique I pour devenir des spermatocytes secondaires. Une fois qu'ils ont subi la division méiotique II, ces spermatocytes secondaires sont devenus des spermatides haploïdes qui se différencient en spermatozoïdes matures. La spermatogenèse diffère de l'ovogenèse (*voir* Figure 20-22) de plusieurs façons : (1) à partir de la puberté, de nouvelles cellules entrent sans arrêt en méiose; (2) chaque cellule qui subit la méiose donne quatre gamètes matures au lieu d'un; (3) les spermatozoïdes matures se forment par un processus élaboré de différenciation cellulaire qui commence après l'achèvement de la méiose; et (4) deux fois plus de divisions cellulaires ont lieu pour la production d'un spermatozoïde par rapport à celle d'un œuf. Chez la souris, par exemple, il faut environ 56 divisions pour passer du zygote au spermatozoïde mature et environ 27 pour aboutir à l'œuf mature.

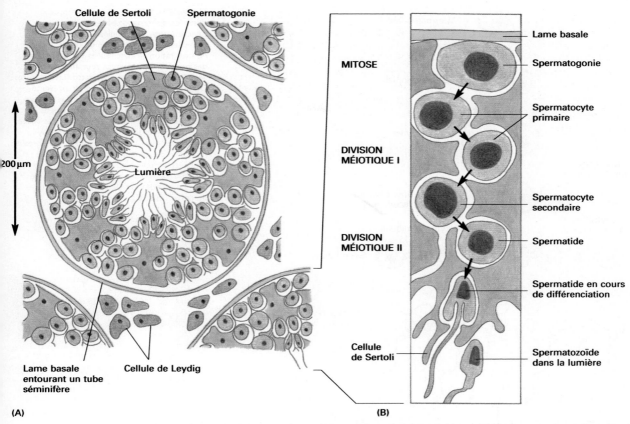

(A)

Cellule de Sertoli Spermatogonie

200 µm

Lumière

Lame basale
entourant un tube
séminifère

Cellule de Leydig

(B)

Lame basale

Spermatogonie

MITOSE

Spermatocyte
primaire

DIVISION
MÉIOTIQUE I

Spermatocyte
secondaire

Spermatide

DIVISION
MÉIOTIQUE II

Spermatide en cours
de différenciation

Cellule
de Sertoli

Spermatozoïde
dans la lumière

Figure 20-28 Représentation très schématique d'une coupe transversale d'un tube séminifère dans un testicule de mammifère. (A) Toutes les phases de la spermatogenèse représentées ici ont lieu alors que les gamètes en développement sont étroitement associés aux cellules de Sertoli ; ce sont de volumineuses cellules qui s'étendent de la lame basale vers la lumière du tube séminifère ; elles sont analogues aux cellules folliculaires de l'ovaire (*voir* Figure 20-18) et sont nécessaires à la survie des cellules germinales. La spermatogenèse dépend aussi de la testostérone sécrétée par les cellules de Leydig localisées entre les tubes séminifères. (B) Ces spermatogonies cessent de se diviser et entrent en méiose pour devenir des spermatocytes primaires. Finalement les spermatozoïdes sont libérés dans la lumière. Chez l'homme, il faut environ 24 jours au spermatocyte pour achever la méiose et devenir une spermatide, et 5 autres semaines à une spermatide pour se développer en un spermatozoïde. Les spermatozoïdes ne sont complètement matures qu'après avoir subi une maturation supplémentaire et être devenus mobiles dans l'épididyme.

dans la lumière du tube séminifère (Figure 20-28). Les spermatozoïdes passent ensuite dans l'*épididyme*, un tube enroulé qui recouvre le testicule, où ils sont stockés et poursuivent leur maturation.

La spermatogenèse possède une caractéristique mystérieuse : la division cytoplasmique (cytodiérèse) des cellules germinales mâles en développement est incomplète pendant la mitose et la méiose, de sorte que toutes les cellules filles en cours de différenciation issues d'une spermatogonie en cours de maturation restent reliées par des ponts cytoplasmiques (Figure 20-29), formant un *syncytium*. Ces ponts cytoplasmiques persistent jusqu'à la fin de la différenciation des spermatides, quand les spermatozoïdes sont libérés dans la lumière du tube. Cela permet d'expliquer que tous les spermatozoïdes matures sont produits de façon synchrone dans n'importe quelle région d'un tube séminifère. Mais quelle est la fonction de ce regroupement en syncytium ?

À l'opposé des ovocytes, la plus grande partie de la différenciation des spermatozoïdes se produit lorsque les noyaux ont achevé la méiose pour devenir haploïdes. En principe, les ponts cytoplasmiques qui s'établissent entre eux pourraient apporter à chaque spermatozoïde haploïde en développement, qui partage un cytoplasme commun avec ses voisins, tous les produits d'un génome diploïde complet. Les spermatozoïdes porteurs d'un chromosome Y, par exemple, peuvent être approvisionnés par des protéines essentielles codées par des gènes du chromosome X. Le génome diploïde conduit ainsi la différenciation des spermatozoïdes, tout comme il dirige la différenciation de l'œuf.

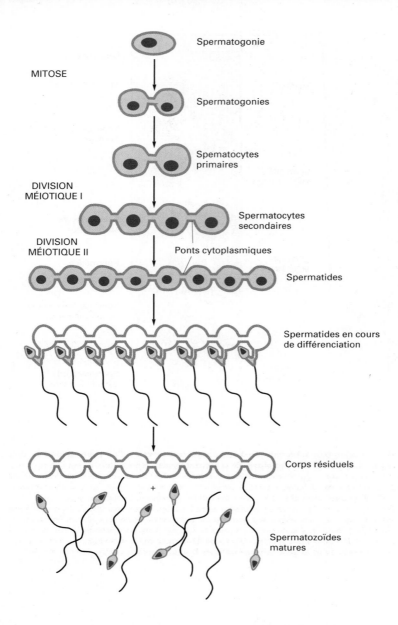

Spermatogonie

MITOSE

Spermatogonies

Spematocytes primaires

DIVISION MÉIOTIQUE I

Spermatocytes secondaires

DIVISION MÉIOTIQUE II

Ponts cytoplasmiques

Spermatides

Spermatides en cours de différenciation

Corps résiduels

Spermatozoïdes matures

Figure 20-29 Ponts cytoplasmiques dans les spermatozoïdes et leurs précurseurs. Les cellules issues d'une seule spermatogonie en cours de maturation restent reliées entre elles par des ponts cytoplasmiques tout au long de leur différenciation en spermatozoïdes matures. Dans un souci de clarté, on n'a représenté que deux cellules reliées subissant la méiose pour former finalement huit spermatides haploïdes reliées. Le nombre de cellules reliées qui subissent ensemble les deux divisions méiotiques, puis la différenciation, est en réalité beaucoup plus important que ce qui a été figuré ici. Noter qu'au cours du processus de différenciation, la plupart du cytoplasme des spermatides est éliminée sous forme de corps résiduels.

Certains gènes qui régulent la spermatogenèse ont été conservés au cours de l'évolution de la mouche à l'homme. Le gène *DAZ*, par exemple, qui code pour une protéine de liaison à l'ARN et est localisé sur le chromosome Y, est délété chez beaucoup d'hommes infertiles azoospermes. Deux gènes *Drosophila*, homologues à *DAZ*, sont essentiels à la spermatogenèse de la mouche. Les protéines de liaison à l'ARN sont particulièrement importantes durant la spermatogenèse car beaucoup de gènes exprimés dans la lignée spermatique sont régulés au niveau transcriptionnel.

Résumé

Un spermatozoïde est généralement une cellule compacte et de petite taille hautement adaptée à sa fonction de fécondation de l'ovule. Alors que dans les organismes femelles la réserve totale d'ovocytes est produite avant la naissance, chez les mâles de nouvelles cellules germinales entrent sans arrêt en méiose à partir du développement sexuel; chaque spermatocyte primaire donnant naissance à quatre spermatozoïdes mûrs. La différenciation des spermatozoïdes se produit après la méiose, qui dure 5 semaines chez l'homme. Cependant, la cytodiérèse des spermatogonies et des spermatocytes en cours de maturation étant incomplète, les cellules issues d'une seule spermatogonie se développent sous la forme d'un grand syncytium. Cela peut être la raison pour laquelle la différenciation des spermatozoïdes est dirigée par les produits des deux chromosomes parentaux, bien que chaque noyau soit haploïde.

Une fois libérés, l'œuf comme le spermatozoïde sont destinés à mourir en quelques minutes ou quelques heures s'ils ne se rencontrent pas pour fusionner au cours de la **fécondation**. Grâce à la fécondation, l'œuf et le spermatozoïde sont sauvés : l'œuf est activé pour commencer son programme de développement, et les noyaux des deux gamètes fusionnent pour former le génome d'un nouvel organisme. Une grande part de ce que nous savons du mécanisme de la fécondation provient d'études effectuées sur des invertébrés marins, et particulièrement les oursins. Dans ces organismes, la fécondation se produit dans l'eau de mer, où sont libérées des quantités considérables de spermatozoïdes et d'œufs. Il est beaucoup plus aisé d'étudier une telle *fécondation externe* que la fécondation interne des mammifères, qui se produit dans le tractus génital de la femelle après l'accouplement.

À la fin des années 1950, il est devenu possible de féconder des ovules de mammifères *in vitro*, ouvrant la voie à l'analyse des événements cellulaires et moléculaires de la fécondation chez les mammifères. Les progrès réalisés dans la compréhension de la fécondation chez les mammifères ont été bénéfiques à la médecine : les ovules fécondés *in vitro* peuvent se développer en sujets normaux après transfert dans l'utérus. Des femmes jusque-là infertiles ont pu ainsi mettre au monde des enfants normaux. Comme mentionné précédemment, il est possible d'utiliser la fécondation *in vitro* pour produire un clone de brebis, de porc ou de souris en transférant le noyau d'une de ses cellules somatiques dans un ovocyte, dont le noyau a été enlevé ou détruit. Il n'y a pas de doute qu'il sera possible de cloner un humain, bien qu'il y ait de nombreux arguments éthiques en sa défaveur, en particulier car la probabilité de produire un enfant anormal est très élevée. Dans cette section, nous axerons notre discussion sur la fécondation des mammifères.

Le contact avec la membrane pellucide stimule la réaction acrosomique du spermatozoïde

Parmi les 300 millions de spermatozoïdes humains éjaculés, seuls 200 arrivent dans la trompe, sur le site de la fécondation. Il est évident que des signaux chimiques libérés par les cellules folliculaires qui entourent l'œuf attirent les spermatozoïdes mais la nature de ces molécules chimio-attractives n'est pas connue. Une fois qu'ils ont trouvé l'œuf, les spermatozoïdes migrent à travers la couche de cellules folliculaires qui entoure l'ovocyte, puis se fixent et finalement fusionnent avec l'enveloppe de l'œuf – la *membrane pellucide* (ou *zone pellucide*) puis la membrane plasmique. Pour acquérir cette compétence, les spermatozoïdes de mammifères doivent être modifiés par les sécrétions présentes dans les voies génitales femelles, processus appelé **capacitation** qui dure environ 5 à 6 heures chez l'homme. La capacitation est déclenchée par les ions bicarbonates (HCO_3^-) vaginaux, qui pénètrent dans le spermatozoïde et activent directement une adényl cyclase soluble du cytosol. Les cyclases produisent de l'AMP cyclique (*voir* Chapitre 15), qui aide à initier les changements associés à la capacitation. La capacitation altère la composition en lipides et en glycoprotéines de la membrane plasmique du spermatozoïde, et augmente le métabolisme et la mobilité du spermatozoïde et diminue remarquablement le potentiel de membrane (le potentiel de membrane devient ainsi plus négatif et donc la membrane devient hyper polarisée).

Lorsqu'un spermatozoïde capacité a pénétré la couche de cellules folliculaires, il se lie à la **membrane pellucide** (*voir* Figure 20-21). Celle-ci agit habituellement comme une barrière contre la fécondation entre les espèces ; si on la supprime, cette protection disparaît le plus souvent. Si l'on supprime enzymatiquement la membrane pellucide de l'ovocyte de hamster, il devient alors fécondable par les spermatozoïdes humains. Un tel zygote ne se développe cependant pas, et cela n'est pas surprenant. Ces ovocytes de hamsters dépellucidés sont utilisés en médecine de la reproduction pour déterminer la capacité de fécondation du sperme humain *in vitro* (Figure 20-30).

La membrane pellucide des œufs de mammifères est composée principalement de trois glycoprotéines produites exclusivement par l'ovocyte en croissance. Deux d'entre elles, ZP2 et ZP3, s'assemblent en filaments, alors que ZP1 lie ces filaments entre eux pour former un réseau à trois dimensions. La protéine ZP3 est cruciale : les souris femelles avec un gène *ZP3* inactivé produisent des œufs sans zone pellucide et sont infertiles. ZP3 est responsable de la liaison spécifique d'espèces du spermatozoïde à la zone pellucide, du moins chez la souris. Plusieurs protéines de la surface du spermatozoïde qui lient des oligosaccharides de ZP3, sont supposées être des

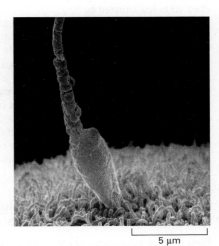

Figure 20-30 Micrographie électronique à balayage d'un spermatozoïde humain au contact d'un œuf de hamster. La membrane pellucide de l'œuf a été retirée, exposant la membrane plasmique, qui contient de multiples microvillosités. La capacité des spermatozoïdes d'un individu à pénétrer dans des œufs de hamster est utilisée comme test de fertilité masculine ; une pénétration de plus de 10 à 25 p. 100 des œufs est considérée comme normale. (Avec l'autorisation de David M. Phillips.)

5 µm

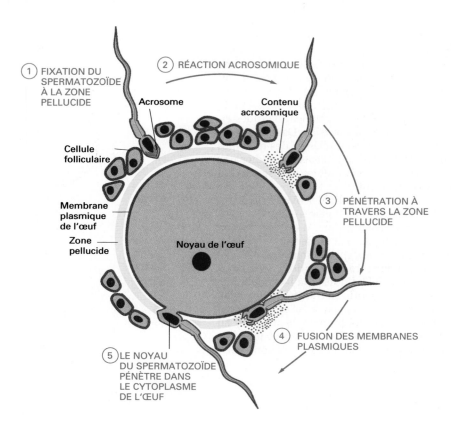

Figure 20-31 Réaction acrosomique se produisant au cours de la fécondation d'un ovule par un spermatozoïde de mammifère. Chez les souris, on suppose que c'est la même glycoprotéine de la membrane pellucide, ZP3, qui est responsable de la fixation du spermatozoïde et de l'induction de la réaction acrosomique. Noter que l'interaction d'un spermatozoïde de mammifère avec la membrane plasmique de l'ovule se fait tangentiellement de sorte que la fusion a lieu sur le côté et plutôt qu'au niveau de la pointe de la tête du spermatozoïde. Chez les souris, la membrane pellucide a un diamètre de 6 μm, et les spermatozoïdes la traversent à une vitesse d'environ 1 μm/min.

récepteurs de ZP3, mais leur contribution est incertaine. La liaison induit chez le spermatozoïde la **réaction acrosomique**, au cours de laquelle le contenu de l'acrosome est libéré par exocytose (Figure 20-31). La cible de la réaction acrosomique est, chez la souris au moins, ZP3, qui provoque un influx de Ca^{2+} dans le cytoplasme du spermatozoïde, supposé être à l'origine de l'exocytose. L'augmentation de Ca^{2+} cytoplasmique semble nécessaire et suffisante pour déclencher la réaction acrosomique chez tous les animaux.

La réaction acrosomique est nécessaire pour la fécondation. Elle entraîne la libération de diverses enzymes hydrolytiques qui jouent un rôle essentiel dans la pénétration des spermatozoïdes à travers la membrane pellucide, et expose d'autres protéines à la surface du spermatozoïde, qui se lient à ZP2 et aident ainsi le spermatozoïde à se fixer fortement à la membrane pellucide pendant cette pénétration. De plus, la réaction acrosomique expose, à la surface du spermatozoïde, d'autres protéines qui induisent la liaison et la fusion de cette membrane avec celle de l'œuf, comme on le verra plus loin. Bien que la fécondation se produise normalement par la fusion spermatozoïde-œuf, elle peut être aussi réalisée artificiellement, en injectant un spermatozoïde dans le cytoplasme ovocytaire ; cette méthode est quelquefois utilisée dans les centres d'infertilité quand il y a un problème de fusion du spermatozoïde avec l'œuf.

La réaction corticale de l'œuf lui permet de n'être fécondé que par un seul spermatozoïde

Bien que de nombreux spermatozoïdes puissent se fixer sur un même œuf, un seul est capable de fusionner avec la membrane plasmique et d'injecter dans le cytoplasme de l'œuf son noyau et ses autres organites. Si plus d'un spermatozoïde fusionne – phénomène appelé *polyspermie* – des fuseaux multipolaires ou extramitotiques se forment et entraînent un défaut de ségrégation des chromosomes lors de la division cellulaire ; des cellules non diploïdes sont produites et la division s'arrête habituellement. Deux mécanismes permettent de contrôler qu'un seul spermatozoïde féconde l'œuf. La rapide dépolarisation de la membrane plasmique qui suit la fusion avec le premier spermatozoïde semble prévenir la fusion de nouveaux spermatozoïdes et, ainsi, agit comme un *blocage primaire de la polyspermie*. Cependant, le potentiel de membrane revient rapidement à la normale après fécondation, et un autre mécanisme est nécessaire pour assurer un blocage à plus long terme, le *blocage secondaire de la polyspermie*. Ce mécanisme repose sur la **réaction corticale** de l'œuf.

Lors de la fusion avec la membrane plasmique de l'œuf, le spermatozoïde provoque une augmentation locale du Ca^{2+} cytoplasmique, qui se propage dans la cellule comme une vague. Dans certains œufs de mammifères, l'augmentation initiale de la vague de Ca^{2+} est suivie d'oscillations prolongées de Ca^{2+}. Il y a quelques preuves que la vague ou les oscillations calciques sont induites par une protéine, qui est introduite dans l'ovocyte par le spermatozoïde, mais la nature de cette protéine n'est pas connue.

La vague de calcium ou ses oscillations activent l'œuf et induisent une réaction corticale au cours de laquelle les granules corticaux libèrent leur contenu par exocytose. Si l'on augmente artificiellement la concentration intracytosolique de Ca^{2+}, soit par une injection directe de Ca^{2+} soit indirectement en utilisant des ionophores transportant le Ca^{2+} (*voir* Chapitre 11), on active les œufs de tous les animaux testés, y compris ceux de mammifères. Inversement, l'inhibition de ce flux par l'EGTA, chélateur de Ca^{2+}, empêche l'activation de l'œuf après fécondation. Les enzymes libérées par cette réaction corticale modifient la structure de la membrane pellucide, qui devient plus épaisse ; les spermatozoïdes ne peuvent plus s'y fixer, ce qui permet le blocage secondaire de la polyspermie. Les modifications qui surviennent au niveau de la membrane pellucide comportent le clivage protéolytique de ZP2 et l'hydrolyse de sucres sur ZP3 (Figure 20-32).

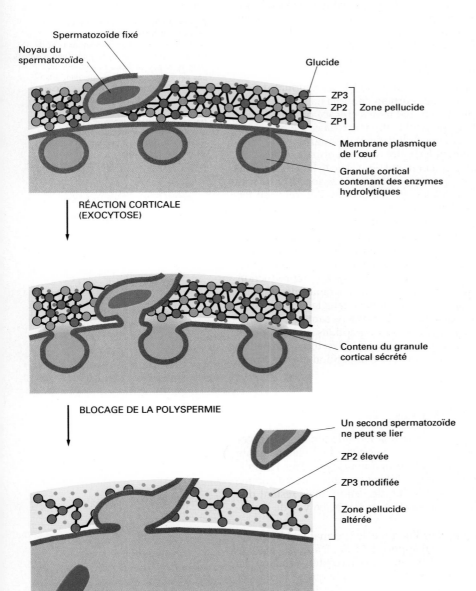

Figure 20-32 Dessin schématisant la façon dont la réaction corticale dans un œuf de souris empêche l'entrée d'autres spermatozoïdes dans l'œuf. Le contenu des granules corticaux libéré enlève un glucide sur la molécule de ZP3, de sorte qu'elle ne peut plus se lier à la membrane plasmique du spermatozoïde et clive partiellement ZP2, altérant la membrane pellucide. Ces deux modifications bloquent la polyspermie.

Le mécanisme de fusion œuf-spermatozoïde est toujours inconnu

Une fois que le spermatozoïde a pénétré l'enveloppe extracellulaire de l'œuf, il interagit avec l'extrémité des microvillosités qui couvrent la surface de sa membrane plasmique (*voir* Figure 20-30). Les microvillosités voisines s'allongent rapidement et forment un groupe autour du spermatozoïde, qu'elles maintiennent fermement fixé, permettant sa fusion avec l'œuf. Après cette fusion, le spermatozoïde est projeté tête la première dans l'œuf et les microvillosités sont réabsorbées. Chez la souris, une protéine transmembranaire appelée *fertiline*, qui est exposée à la surface du spermatozoïde lors de la réaction acrosomique, aide le spermatozoïde à se lier à la membrane plasmique de l'ovocyte mais elle pourrait aussi jouer un rôle dans la fusion des deux membranes plasmiques.

La **fertiline** est constituée de deux sous-unités transmembranaires glycosylées, α et β, maintenues ensemble par des liaisons non covalentes (Figure 20-33). Le domaine extracellulaire N terminal des sous-unités de la fertiline se lie aux intégrines de la membrane plasmique ovocytaire et aide ainsi à l'adhésion du spermatozoïde à la membrane plasmique ovocytaire en vue de la fusion. L'intégrine de la membrane plasmique ovocytaire est associée à un membre de la famille des *tétraspanines* (protéines membranaires), appelées ainsi car elles possèdent quatre domaines transmembranaires. Les souris femelles déficientes pour cette protéine sont infertiles car leurs œufs ne peuvent fusionner avec les spermatozoïdes. Le domaine extracellulaire de la sous-unité α de la fertiline contient une région hydrophobe qui ressemble à la région de fusion des protéines virales spécifiques induisant la fusion des virus enveloppés avec les cellules qu'ils infectent (*voir* Chapitre 13). Des peptides synthétiques correspondant à cette région de la sous-unité α de la fertiline peuvent induire la fusion membranaire *in vitro* – ce qui est compatible avec la possibilité que la fertiline favorise la fusion de l'œuf et du spermatozoïde.

Les souris mâles déficientes en fertiline sont infertiles et leurs spermatozoïdes sont 8 fois moins efficaces que les spermatozoïdes normaux pour la liaison à la membrane plasmique ovocytaire mais seulement 50 p. 100 moins efficace pour fusionner avec elle. De façon surprenante, ces défauts ne semblent pas être la cause principale de l'infertilité. Les capacités de liaison à la zone pellucide et de migration de l'utérus vers l'oviducte (où l'œuf est normalement fécondé) de ces spermatozoïdes déficients en fertiline sont également diminuées. Clairement, les rôles de la fertiline dans la fécondation sont plus complexes que ce qui était initialement suspecté et ne sont toujours pas parfaitement compris. Le fait que les spermatozoïdes déficients en fertiline puissent toujours féconder des œufs *in vitro*, suggère que d'autres protéines spermatiques doivent aider à la liaison et à la fusion du spermatozoïde et de l'œuf.

Une meilleure compréhension de la biologie cellulaire de la fécondation et des molécules qui induisent les différentes étapes permet d'envisager de nouvelles techniques de contraception. Une des approches actuellement à l'étude est l'immunisation des mâles ou des femelles contre des molécules nécessaires à la reproduction, avec l'espoir que les anticorps produits inhiberont l'activité de ces molécules. En plus des multiples hormones et récepteurs d'hormones impliqués dans la reproduction, la ZP3 et la fertiline pourraient être des molécules cibles intéressantes. Une autre approche serait l'administration d'oligosaccharides ou de peptides correspondant aux ligands, tels que les domaines de liaison aux intégrines de la fertiline. De petites molécules de ce type bloquent *in vitro* la fécondation par compétition avec le ligand normal.

Le spermatozoïde fournit un centriole au zygote

Une fois fécondé, l'œuf est appelé **zygote**. Cependant, la fécondation n'est achevée qu'une fois que les deux noyaux haploïdes (appelés *pronuclei*) se sont rejoints et ont combiné leurs chromosomes pour former un noyau diploïde unique. Dans les œufs fécondés de mammifères, les deux pronucléi ne fusionnent pas directement comme dans beaucoup d'autres espèces : ils s'approchent l'un de l'autre, mais restent distincts jusqu'à ce que la membrane de chaque pronucléus se rompe en vue de la première division mitotique (Figure 20-34).

Chez la plupart des animaux, y compris chez l'homme, le spermatozoïde contribue à la formation du zygote plus que par le seul apport d'ADN : il apporte aussi le centriole, organite qui curieusement manque aux œufs non fécondés humains. Le centriole du spermatozoïde pénètre dans l'œuf avec le noyau et la queue et un centrosome se forme autour de lui. Chez l'homme il se réplique et participe à l'assem-

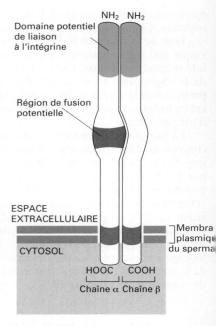

Figure 20-33 La protéine fertiline de la membrane plasmique du spermatozoïde. Les sous-unités α et β, qui sont toutes deux glycosylées (non montré), sont associées de façon non covalente. Les deux sous-unités appartiennent à la famille des protéines ADAM, qui agissent sur l'adhésion cellulaire ou sur le processus protéolytique d'autres protéines transmembranaires (comme Notch, *voir* Chapitre 15). Le domaine protéolytique, qui est normalement présent à l'extrémité aminée de ces protéines, est retiré de la fertiline durant la maturation spermatique.

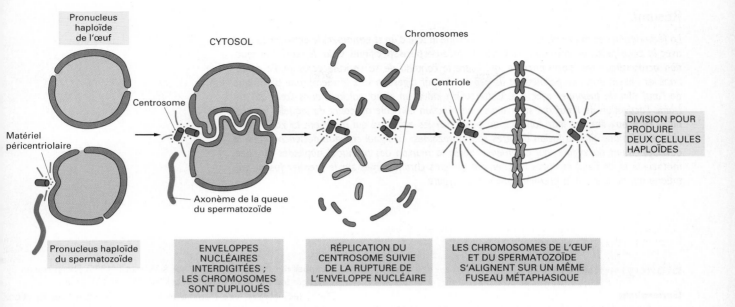

Pronucleus
haploïde
de l'œuf

CYTOSOL

Chromosomes

Centriole

Centrosome

Matériel
péricentriolaire

Axonème de la queue
du spermatozoïde

Pronucleus haploïde
du spermatozoïde

DIVISION POUR
PRODUIRE
DEUX CELLULES
HAPLOÏDES

ENVELOPPES
NUCLÉAIRES
INTERDIGITÉES ;
LES CHROMOSOMES
SONT DUPLIQUÉS

RÉPLICATION DU
CENTROSOME SUIVIE
DE LA RUPTURE DE
L'ENVELOPPE NUCLÉAIRE

LES CHROMOSOMES DE L'ŒUF
ET DU SPERMATOZOÏDE
S'ALIGNENT SUR UN MÊME
FUSEAU MÉTAPHASIQUE

blage du premier fuseau mitotique du zygote (Figure 20-35). Cela explique pourquoi des fuseaux multipolaires ou extramitotiques se forment dans certains cas de polyspermie, où plusieurs spermatozoïdes fournissent un centriole à l'œuf.

La fécondation marque le début de l'un des phénomènes les plus remarquables de la biologie, l'embryogenèse, au cours de laquelle le zygote se développe pour former un nouvel individu. Ce sera le sujet du prochain chapitre.

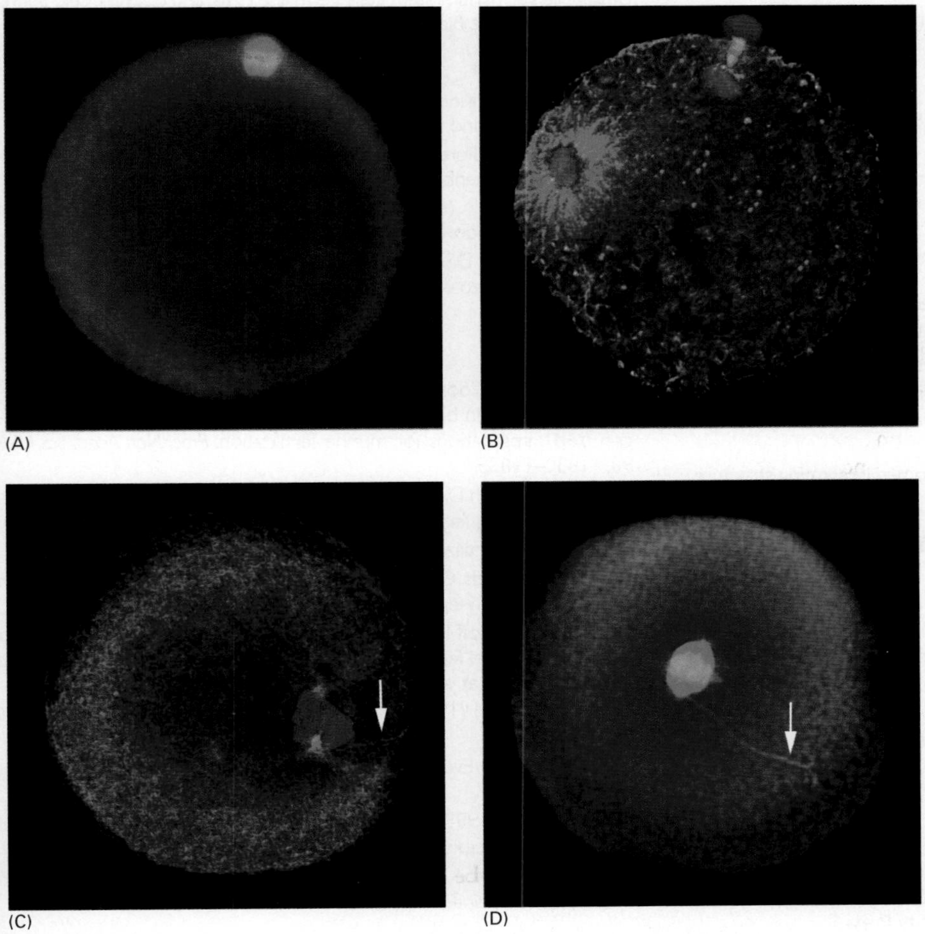

Figure 20-34 Réunion des pronucléi du spermatozoïde et de l'œuf après la fécondation. Les pronucléi migrent vers le centre de l'œuf. Quand ils viennent en contact, leurs enveloppes nucléaires forment des interdigitations. Le centrosome se réplique, les enveloppes nucléaires se rompent et les chromosomes des deux gamètes sont finalement intégrés dans un même fuseau mitotique pour la première division du zygote. (Adapté d'après des dessins et des micrographies électroniques fournis par Daniel Szöllösi.)

(A)

(B)

(C)

(D)

Figure 20-35 Micrographies en immunofluorescence des pronucléi d'un spermatozoïde et d'un œuf humains se rassemblant après une fécondation *in vitro.* Le fuseau de microtubules est coloré en *vert* avec un anticorps anti-tubuline et l'ADN est coloré en *bleu* par un colorant de l'ADN. (A) un fuseau méiotique dans un ovocyte mature non fécondé. (B) L'œuf fécondé a expulsé son deuxième globule polaire et il est montré environ 5 heures après la fusion avec un spermatozoïde. La tête du spermatozoïde (*à gauche*) a élaboré un réseau de microtubules. (C) Les deux pronucléi se rassemblent. (D) Seize heures après la fusion avec le spermatozoïde, le centrosome qui a pénétré l'ovocyte en même temps que le spermatozoïde s'est dupliqué et les centrosomes-fils ont organisé un fuseau mitotique bipolaire. Les chromosomes des deux pronucléi se sont alignés sur le fuseau à la métaphase. Les *flèches* en (C) et (D) montrent que le flagelle du spermatozoïde est associé à un des centrosomes. (D'après C. Simerly et al., *Nat. Med.* 1 : 47-53, 1995. © Macmillan Magazines Ltd.)

Résumé

La fécondation des mammifères commence lorsque la tête d'un spermatozoïde entre en contact avec la zone pellucide entourant l'ovocyte de façon espèce-spécifique. Cela déclenche la réaction acrosomique du spermatozoïde, qui libère le contenu de sa vésicule acrosomiale contenant les enzymes qui lui permettent de progresser par digestion vers la membrane plasmique de l'œuf afin de fusionner avec elle. Cette fusion induit un signal calcique dans l'œuf qui entraîne l'activation de l'œuf qui subit alors une réaction corticale au cours de laquelle les granules corticaux libèrent leur contenu, en particulier les enzymes qui modifient la zone pellucide, empêchant ainsi la fusion d'autres spermatozoïdes. Le signal calcique déclenche aussi le développement du zygote, qui commence après la réunion des pronucléi haploïdes du spermatozoïde et de l'œuf et après l'alignement de leurs chromosomes sur le premier fuseau mitotique qui participe à la première division de zygote.

Bibliographie

Généralités

Austin CR & Short RV (eds) (1982) Reproduction in Mammals Vol I, Germ Cells and Fertilization, 2nd edn. Cambridge, UK: Cambridge University Press.

Gilbert SF (2000) Developmental Biology, 6th edn, pp 185–221. Sunderland, MA: Sinauer.

Knobil E, Neill JD, Greenwald GS et al. (eds) (1994) Vol I and 2, The Physiology of Reproduction, 2nd edn. New York: Raven Press.

Avantages de la sexualité

Barton NH & Charlesworth B (1998) Why sex and recombination? *Science* 281, 1986–1990.

Maynard Smith J (1978) Evolution of Sex. Cambridge, UK: Cambridge University Press.

Méiose

Carpenter AT (1994) Chiasma function. *Cell* 77, 957–962.

Cherry JM, Ball C, Weng S et al. (1997) Genetic and physical maps of *Saccharomyces cerevisiae*. *Nature* 387(Suppl), 67–73.

Dej KJ & Orr-Weaver TL (2000) Separation anxiety at the centromere. *Trends Cell Biol.* 10, 392–399.

Eichenlaub-Ritter U (1994) Mechanisms of nondisjunction in mammalian meiosis. *Curr. Top. Dev. Biol.* 29, 281–324.

Kleckner N (1996) Meiosis: how could it work? *Proc. Natl Acad. Sci. USA* 93, 8167–8174.

Roeder GS (1997) Meiotic chromosomes: it takes two to tango. *Genes Dev.* 11, 2600–2621.

Smith KN & Nicolas A (1998) Recombination at work for meiosis. *Curr. Opin. Genet. Dev.* 8, 200–211.

Zickler D & Kleckner N (1999) Meiotic chromosomes: integrating structure and function. *Annu. Rev. Genet.* 33, 603–754.

Cellules germinales primordiales et détermination du sexe chez les mammifères

Goodfellow PN & Lovell-Badge R (1993) SRY and sex determination in mammals. *Annu. Rev. Genet.* 27, 71–92.

McLaren A (1999) Signaling for germ cells. *Genes Dev.* 13, 373–376.

Swain A & Lovell-Badge R (1999) Mammalian sex determination: a molecular drama. *Genes Dev.* 13, 755–767.

Williamson A & Lehmann R (1996) Germ cell development in Drosophila. *Annu. Rev. Cell Dev. Biol.* 12, 365–391.

Wylie C (1999) Germ cells. *Cell* 96, 165–174.

Œufs

Baker TG (1982) Oogenesis and ovulation. In Reproduction in Mammals: Vol I, Germ Cells and Fertilization (Austin CR & Short RV eds), 2nd edn, pp 17–45. Cambridge, UK: Cambridge University Press.

Campbell KH, McWhir J, Ritchie WA & Wilmut I (1996) Sheep cloned by nuclear transfer from a cultured cell line. *Nature* 380, 64–66.

Dietl J (ed) (1989) The Mammalian Egg Coat: Structure and Function. Berlin: Springer-Verlag.

Goodenough DA, Simon AM & Paul DL (1999) Gap junctional intercellular communication in the mouse ovarian follicle. *Novartis Found. Symp.* 219, 226–235; discussion 235–240.

Gosden R, Krapez J & Briggs D (1997) Growth and development of the mammalian oocyte. *Bioessays* 19, 875–882.

Sathananthan AH (1997) Ultrastructure of the human egg. *Hum. Cell* 10, 21–38.

Solter D (1996) Lambing by nuclear transfer. *Nature* 380, 24–25.

Spradling AC, de Cuevas M, Drummond-Barbosa D et al. (1997) The *Drosophila* germarium: stem cells, germ line cysts, and oocytes. *Cold Spring Harb. Symp. Quant. Biol.* 62, 25–34.

Spermatozoïdes

Clermont Y (1972) Kinetics of spermatogenesis in mammals: seminiferous epithelium cycle and spermatogonial renewal. *Physiol. Rev.* 52, 198–236.

Fawcett DW & Bedford JM (eds) (1979) The Spermatozoon. Baltimore: Urban & Schwarzenberg.

Metz CB & Monroy A (eds) (1985) Biology of Fertilization Vol 2, Biology of the Sperm. Orlando, FL: Academic Press.

Ward WS & Coffey DS (1991) DNA packaging and organization in mammalian spermatozoa: comparison with somatic cells. *Biol. Reprod.* 44, 569–574.

Fécondation

Chen MS, Tung KS, Coonrod SA et al. (1999) Role of the integrin-associated protein CD9 in binding between sperm ADAM 2 and the egg integrin $\alpha6\beta1$: implications for murine fertilization. *Proc. Natl Acad. Sci. USA* 96, 11830–11835.

Cho C, O'Dell Bunch D, Faure J-E et al. (1998) Fertilization defects in sperm from mice lacking fertilin β. *Science* 281, 1857–1859.

Longo FJ (1997) Fertilization, 2nd edn. Cheltenham, UK: Nelson Thornes.

McLeskey SB, Dowds C, Carballada R et al. (1998) Molecules involved in mammalian sperm–egg interaction. *Int. Rev. Cytol.* 177, 57–113.

Myles DG & Primakoff P (1997) Why did the sperm cross the cumulus? To get to the oocyte. Functions of the sperm surface proteins PH-20 and fertilin in arriving at, and fusing with, the egg. *Biol. Reprod.* 56, 320–327.

Snell WJ & White JM (1996) The molecules of mammalian fertilization. *Cell* 85, 629–637.

Vacquier VD (1998) Evolution of gamete recognition proteins. *Science* 281, 1995–1998.

Wassarman PM (1999) Mammalian fertilization: molecular aspects of gamete adhesion, exocytosis, and fusion. *Cell* 96, 175–183.

Wassarman PM, Jovine L & Litscher ES (2001) A profile of fertilization in mammals. *Nat. Cell Biol.* 3, E59–E64.

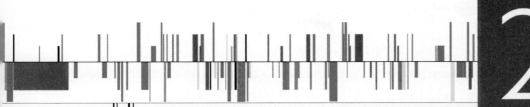

DÉVELOPPEMENT DES ORGANISMES MULTICELLULAIRES

Un animal ou un végétal commence sa vie sous forme d'une unique cellule – l'œuf fécondé. Pendant le développement, cette cellule se divise de façon répétée pour produire les nombreuses cellules différentes dont l'organisation finale est d'une complexité et d'une précision spectaculaires. En fin de compte, c'est le génome qui détermine cette organisation et le casse-tête de la biologie du développement est de comprendre comment il le fait.

Normalement, chaque cellule a le même génome. Leurs différences ne sont pas dues au fait qu'elles contiennent des informations génétiques différentes, mais au fait qu'elles expriment différents groupes de gènes. Cette expression sélective des gènes contrôle les quatre processus essentiels qui permettent de construire l'embryon : (1) la *prolifération cellulaire*, qui produit de nombreuses cellules à partir d'une seule, (2) la *spécialisation cellulaire*, qui engendre des cellules de caractéristiques différentes dans des positions différentes, (3) les *interactions cellulaires*, qui coordonnent le comportement d'une cellule avec celui de ses voisines, et (4) le *mouvement cellulaire*, qui réarrange les cellules pour former des tissus et des organes structurés (Figure 21-1).

Dans un embryon en développement, tous ces processus s'effectuent en même temps, avec une diversité kaléidoscopique des différentes voies utilisées dans les différentes parties de l'organisme. Pour comprendre les stratégies fondamentales du développement, nous devons concentrer notre sujet d'étude. En particulier, nous devons comprendre comment se déroulent les événements si on se place du point de vue d'une cellule individuelle et comment le génome agit à l'intérieur de celle-ci. Il n'existe aucun officier de commandement au-dessus de la mêlée pour diriger les troupes ; chaque cellule sur les millions qui forment l'embryon doit prendre sa propre décision, en suivant sa propre copie d'instructions génétiques et ses propres circonstances spécifiques.

La complexité des animaux et des végétaux dépend d'une caractéristique remarquable du système de contrôle génétique. Les cellules ont une mémoire : les gènes exprimés par une cellule ainsi que son mode de comportement dépendent de l'environnement passé et présent de cette cellule. Les cellules de notre corps – les cellules musculaires, nerveuses, cutanées, intestinales – conservent leurs caractères spécifiques non pas parce qu'elles reçoivent continuellement les mêmes instructions de leur entourage, mais parce qu'elles gardent un enregistrement des signaux reçus par leurs ancêtres au cours des premiers stades du développement embryonnaire. Les mécanismes moléculaires de la mémoire cellulaire ont été introduits dans le chapitre 7. Dans ce chapitre, nous verrons leurs conséquences.

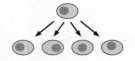 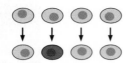 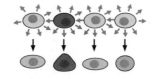

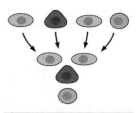

PROLIFÉRATION CELLULAIRE   SPÉCIALISATION CELLULAIRE   INTERACTION CELLULAIRE   MOUVEMENT CELLULAIRE

MÉCANISMES UNIVERSELS DU DÉVELOPPEMENT ANIMAL

Il y a environ dix millions d'espèces animales, d'une variété fantastique. Pas plus qu'on ne s'attend à ce que les mêmes méthodes servent à fabriquer une chaussure et un avion, on ne s'attend à ce qu'un ver, une mouche, un aigle et un calmar géant soient engendrés par les mêmes mécanismes développementaux. Il se pourrait que certains principes abstraits soient impliqués mais sûrement pas par les mêmes molécules spécifiques !

Une des révélations les plus étonnantes de ces dix ou vingt dernières années a été que cette hypothèse de départ était fausse. En fait, une grande partie de la machinerie fondamentale du développement est essentiellement la même, non seulement chez tous les vertébrés mais aussi au sein de tous les principaux phylums d'invertébrés. Ce sont des molécules évolutivement apparentées, dont on reconnaît les similarités, qui définissent nos types cellulaires spécifiques, marquent les différences entre les régions du corps et facilitent la création de l'organisation corporelle. Ces protéines homologues sont souvent fonctionnellement interchangeables entre des espèces très différentes. Une protéine de souris produite artificiellement dans une mouche peut souvent effectuer les mêmes fonctions que la version de cette protéine propre à la mouche et vice versa, et réussir à contrôler, par exemple, le développement d'un œil ou l'architecture du cerveau (Figure 21-2). C'est grâce à cette unité sous-jacente de mécanismes, que nous verrons ultérieurement, que les biologistes du développement se trouvent maintenant dans la bonne voie pour comprendre la cohérence du développement animal.

Les végétaux forment un royaume séparé ; ils ont développé leur organisme multicellulaire indépendamment des animaux. Pour leur développement aussi, il est possible de donner une explication unifiée, mais celle-ci est différente de celle des animaux. Dans ce chapitre, nous étudierons plus particulièrement les animaux, mais nous verrons brièvement les végétaux pour finir.

Figure 21-1 Les quatre processus essentiels qui permettent la création d'un organisme multicellulaire : la prolifération cellulaire, la spécialisation cellulaire, l'interaction cellulaire et le mouvement cellulaire.

Cervelet

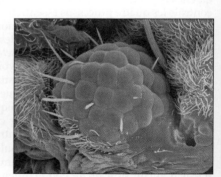

(A)   Souris normale   Souris dépourvue de Engrailed-1   Souris guérie par Engrailed de *Drosophila*

Figure 21-2 Les protéines homologues fonctionnent de façon interchangeable dans le développement des souris et des mouches. (A) Une protéine de mouche utilisée chez une souris. La séquence ADN codant pour la protéine Engrailed (une protéine régulatrice de gènes) issue de *Drosophila* peut être substituée par la séquence correspondante qui code pour la protéine Engrailed-1 de la souris. La perte d'Engrailed-1 chez la souris provoque une anomalie du cerveau (le cervelet ne se développe pas) ; la protéine de *Drosophila* agit comme un substitut efficace, secourant la souris transgénique atteinte de cette anomalie. **(B)** Une protéine de mollusque utilisée chez une mouche. La protéine Eyeless contrôle le développement de l'œil chez *Drosophila* et, lorsqu'elle est mal exprimée, elle peut provoquer le développement d'un œil sur un site anormal comme une patte. La protéine homologue, Pax-6, d'une souris, d'un calmar ou de pratiquement tout animal possédant un œil, lorsqu'elle est mal exprimée dans une mouche transgénique, a le même effet. Les photographies en microscopie électronique montrent une pièce de tissu oculaire sur une patte de mouche qui résulte d'une erreur d'expression de Eyeless de *Drosophila* (*en haut*) et de Pax-6 d'un calmar (*en bas*). (A, d'après M.C. Hanks et al., *Development* 125 : 4521-30, 1998. © The Company of Biologists ; B, d'après S.I. Tomarev et al., *Proc. Natl. Acad. Sci. USA* 94 : 2421-2426, 1997. © National Academy of Sciences.)

(B)

50 µm

Nous commencerons par passer en revue certains principes généraux fondamentaux du développement animal et nous introduirons les sept espèces animales que les biologistes du développement ont adopté comme principaux organismes modèles.

Les animaux ont en commun certaines caractéristiques anatomiques fondamentales

Les similitudes dans les gènes qui contrôlent le développement entre les espèces animales reflètent l'évolution des animaux à partir d'un ancêtre commun qui contenait déjà ces gènes. Bien que nous ne sachions pas à quoi il ressemblait, l'ancêtre commun des vers, des mollusques, des insectes, des vertébrés et des autres animaux complexes devait contenir plusieurs types cellulaires différenciés que nous pourrions reconnaître : des cellules épidermiques, par exemple, formant une couche externe protectrice ; des cellules intestinales pour absorber les nutriments des aliments ingérés ; des cellules musculaires pour se déplacer ; des neurones et des cellules sensorielles pour contrôler les mouvements. Le corps devait être organisé avec un feuillet cutané recouvrant l'extérieur, une bouche pour s'alimenter et un tube digestif pour contenir et traiter les aliments – ainsi que des muscles, des nerfs et d'autres tissus disposés dans l'espace entre le feuillet cutané externe et le tube digestif interne.

Ces caractéristiques sont communes à presque tous les animaux et correspondent à un schéma anatomique fondamental commun du développement. L'œuf – un entrepôt géant de matériaux – se divise, ou se **clive**, pour former de nombreuses cellules plus petites. Celles-ci se réunissent pour créer un feuillet épithélial faisant face au milieu extérieur. Une grande partie de ce feuillet reste externe et constitue l'**ectoderme** – précurseur de l'épiderme et du système nerveux. Une partie de ce feuillet se replie vers l'intérieur pour former l'**endoderme** – précurseur de l'intestin et de ses appendices, comme les poumons et le foie. Un autre groupe de cellules se déplace dans l'espace entre l'ectoderme et l'endoderme pour former le **mésoderme** – précurseur des muscles, du tissu conjonctif et de divers autres composants. Cette transformation d'une simple balle ou sphère creuse de cellules en une structure composée d'un tube digestif est appelée **gastrulation** (d'après le mot grec qui signifie « ventre ») et, sous une forme ou une autre, il s'agit d'une caractéristique presque universelle du développement animal. La figure 21-3 illustre ce processus chez un oursin de mer.

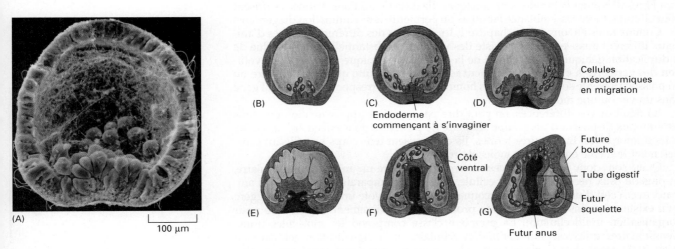

Figure 21-3 La gastrulation des oursins de mer. Un œuf fécondé se divise pour produire une *blastula* – sphère creuse de cellules épithéliales entourant une cavité. Puis lors du processus de gastrulation, certaines cellules se replient à l'intérieur pour former le tube digestif et d'autres tissus internes. (A) Photographie en microscopie électronique à balayage montrant le repliement interne de l'épithélium. (B) Schéma montrant comment un groupe de cellules se dégage de l'épithélium pour former le mésoderme. (C) Ces cellules migrent ensuite à la face interne de la paroi de la blastula. (D) Pendant ce temps, l'épithélium poursuit son repliement interne pour former l'endoderme. (E et F) L'endoderme invaginé s'étend en un long tube digestif. (G) L'extrémité du tube digestif entre en contact avec la paroi de la blastula au niveau du site de la future ouverture de la bouche. Là, l'ectoderme et l'endoderme fusionneront et un orifice se formera. (H) Le plan fondamental du corps d'un animal avec un feuillet d'ectoderme à l'extérieur, un tube d'endoderme à l'intérieur et un mésoderme pris en sandwich entre les deux. (A, d'après R.D. Burke et al. *Dev. Biol.* 146 : 542-557, 1991. © Academic Press ; B-G, d'après L. Wolpert et T. Gustafson, *Endeavour* 26 : 85-90, 1967.)

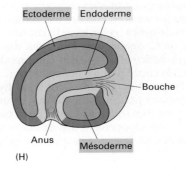

L'évolution a diversifié les fondements moléculaires et anatomiques que nous décrirons dans ce chapitre pour produire la merveilleuse diversité d'espèces que nous connaissons de nos jours. Mais la conservation sous-jacente des gènes et des mécanismes signifie que l'étude du développement d'un animal conduit très souvent à des aperçus généraux sur le développement de nombreux autres types d'animaux. Il en résulte que, de nos jours, les biologistes du développement, tout comme les biologistes cellulaires, peuvent s'offrir le luxe d'aborder les questions fondamentales dans les espèces qui offrent la voie la plus simple pour y répondre.

Les animaux multicellulaires sont enrichis en protéines qui jouent le rôle d'intermédiaires des interactions cellulaires et de la régulation génique

Le séquençage génomique a révélé l'étendue des similitudes moléculaires entre les espèces. *Caenorhabditis elegans*, un ver nématode, *Drosophila melanogaster*, une mouche, et *Homo sapiens*, un vertébré, sont les trois premiers animaux dont la séquence complète du génome a été connue. Dans l'arbre généalogique de l'évolution animale, ils sont très distants les uns des autres : on pense que la lignée qui a conduit aux vertébrés a divergé, il y a plus de 600 millions d'années, de celle qui a conduit aux nématodes, aux insectes et aux mollusques. Néanmoins, lorsqu'on compare de façon systématique les 19 000 gènes de *C. elegans*, les 14 000 gènes de *Drosophila* et les 30 000 gènes de l'homme, les uns avec les autres, on trouve que 50 p. 100 environ des gènes de chacune de ces espèces ont des homologues clairement reconnaissables dans une ou dans les deux autres espèces. En d'autres termes, il existait déjà au moins 50 p. 100 des gènes de l'homme, sous forme de versions reconnaissables, dans l'ancêtre commun des vers, des mouches et des hommes.

Bien sur, tout n'a pas été conservé : certains gènes qui ont des rôles clé dans le développement des vertébrés n'ont pas d'homologues dans le génome de *C. elegans* ou de *Drosophila* et vice versa. Cependant, une forte proportion des 50 p. 100 de gènes dépourvus d'homologues identifiables dans d'autres phylums n'en ont peut-être pas, simplement parce que leurs fonctions sont d'une importance mineure. Même si ces gènes non conservés sont transcrits et bien représentés dans les banques d'ADNc, les études de la variabilité de l'ADN et des séquences en acides aminés au sein de populations naturelles et entre elles indiquent que ces gènes peuvent en général subir librement des mutations sans nuire sérieusement aux aptitudes physiques. Comme ils sont libres d'évoluer si rapidement, quelques dizaines de millions d'années suffisent pour éliminer toute ressemblance familiale ou permettre leur élimination du génome.

Comme nous l'avons vu au chapitre 1, les génomes des différentes classes d'animaux diffèrent aussi parce qu'il existe des variations substantielles de l'étendue de la duplication génique : l'importance de la duplication génique au cours de l'évolution des vertébrés a été particulièrement forte et il en résulte qu'un mammifère ou un poisson présente souvent plusieurs homologues qui correspondent à un seul gène dans un ver ou une mouche.

En dépit de ces différences, on peut dire par première approximation que tous ces animaux disposent d'un groupe similaire de protéines pour effectuer leurs fonctions primordiales. En d'autres termes, ils construisent leur corps en utilisant grossièrement le même équipement moléculaire.

Quels sont donc les gènes nécessaires pour produire un animal multicellulaire, en plus de ceux nécessaires à une cellule isolée ? La comparaison de génomes animaux avec celui d'une levure bourgeonnante – un eucaryote unicellulaire – suggère qu'il existe au moins deux classes de protéines particulièrement importantes pour l'organisation multicellulaire. La première classe comprend les molécules transmembranaires utilisées pour l'adhésion cellulaire et la signalisation cellulaire. Il existe 2000 gènes chez *C. elegans* qui codent pour les récepteurs cellulaires de surface, les protéines d'adhésion cellulaire et les canaux ioniques et qui sont absents chez la levure ou présents en nombre très réduit. La seconde classe est celle des protéines régulatrices de gènes : celles-ci se fixent sur l'ADN et sont bien plus nombreuses dans le génome de *C. elegans* que dans celui des levures. Par exemple, la famille fondamentale des hélice-boucle-hélice comprend 41 membres chez *C. elegans*, 84 chez *Drosophila*, 131 chez l'homme et 7 seulement chez la levure ; d'autres familles de régulation de l'expression génique sont aussi hyperreprésentées de façon spectaculaire chez les animaux par comparaison aux levures. Il n'est pas surprenant que ces deux classes de protéines soient au centre de la biologie du développement : comme nous le verrons, le développement des animaux multicellulaires est dominé par les interactions cellule-cellule et par l'expression génique différentielle.

L'ADN régulateur définit le programme du développement

Les similitudes fondamentales dans les groupes de gènes des différents animaux ont stupéfié les biologistes du développement lors de leur première découverte. Effectivement, un ver, une mouche, un mollusque et un mammifère ont en commun les mêmes types cellulaires essentiels et ils ont tous une bouche, un tube digestif, un système nerveux et une peau; mais, au-delà de ces quelques caractéristiques fondamentales, ils semblent radicalement différents du point de vue de leur structure corporelle. Si c'est le génome qui détermine la structure du corps et si ces animaux possèdent tous tant de gènes similaires, comment peuvent-ils être si différents?

On peut considérer que les protéines codées dans le génome sont les composantes d'un kit de construction. Beaucoup de choses peuvent être construites avec cet ensemble de pièces détachées, tout comme un enfant peut utiliser un jeu de construction pour fabriquer des camions, des maisons, des ponts, des grues et ainsi de suite en associant les composants de différentes façons. Certains composants vont obligatoirement ensemble – les écrous avec les boulons, les roues avec les pneus et les essieux – mais l'organisation à grande échelle de l'objet final n'est pas définie par ces infrastructures. Elle est plutôt définie par les instructions qui accompagnent les composants et expliquent comment il faut les assembler.

Pour une grande part, les instructions nécessaires à la production d'un animal multicellulaire sont contenues dans l'ADN régulateur non codant associé à chaque gène. Comme nous l'avons vu au chapitre 4, chaque gène d'un organisme multicellulaire est associé à des milliers ou des dizaines de milliers de nucléotides d'ADN non codant. Cet ADN peut contenir à l'intérieur des douzaines d'éléments régulateurs séparés et éparpillés, appelés *amplificateurs* (*enhancers*) – courts segments d'ADN qui servent de site de liaison à des complexes spécifiques de protéines régulatrices de gènes. Grosso modo, comme nous l'avons expliqué au chapitre 7, la présence d'un de ces modules régulateurs donné conduit à l'expression du gène à chaque fois que le complexe des protéines qui reconnaît ce segment d'ADN s'assemble correctement dans la cellule (dans certains cas, il se produit à la place un effet inhibiteur ou plus complexe de l'expression génique). Si nous pouvions déchiffrer l'ensemble complet des modules régulateurs associés à un gène, nous pourrions comprendre toutes les conditions moléculaires différentes nécessaires pour que le produit de ce gène soit fabriqué. On peut donc dire que cet ADN régulateur définit le programme séquentiel du développement : les règles du passage d'une étape à la suivante, lorsque les cellules prolifèrent et lisent leur position dans l'embryon par référence à leur entourage, activant de nouveaux groupes de gènes selon les activités des protéines qu'elles contiennent sur le moment (Figure 21-4).

Lorsque nous comparons des espèces animales pourvues de plans corporels similaires – différents vertébrés comme un poisson, un oiseau et un mammifère, par exemple – nous trouvons que les gènes correspondants possèdent généralement des groupes similaires de modules régulateurs : les séquences d'ADN d'un grand nombre de ces modules individuels ont été bien conservées et possèdent des homologues reconnaissables chez les différents animaux. C'est également vrai si nous comparons différentes espèces de vers nématodes, ou différentes espèces d'insectes. Mais lorsque nous comparons les régions régulatrices de vertébrés avec celles d'une mouche ou d'un ver, il est difficile de voir de telles ressemblances. Les séquences qui codent pour les protéines sont similaires sans aucun doute, mais les séquences d'ADN régulatrices correspondantes apparaissent très différentes. C'est le résultat auquel on s'attend si les différents plans corporels sont surtout produits par la modification du programme incorporé dans l'ADN régulateur, et que la majeure partie du même kit de protéines est conservée.

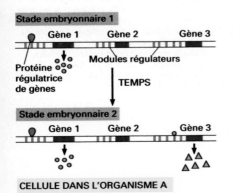 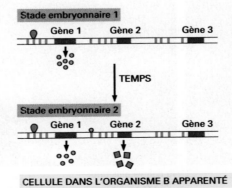

Figure 21-4 L'ADN régulateur définit la succession de patrons d'expression génique pendant le développement. Les génomes des organismes A et B codent pour le même groupe de protéines mais ont différents ADN régulateurs. Les deux cellules du dessin commencent dans le même état et expriment les mêmes protéines au stade 1, mais elles passent dans des états assez différents au stade 2 à cause de l'arrangement différent des modules régulateurs.

Les manipulations embryonnaires révèlent les interactions entre les cellules

Lorsque nous sommes confrontés à un animal adulte, dans toute sa complexité, comment pouvons-nous commencer à analyser le processus qui l'a fait devenir un être vivant ? La première étape essentielle consiste à décrire les modifications anatomiques – l'organisation des divisions, de la croissance et des mouvements cellulaires – qui transforment un œuf en un organisme mature. Ce travail bien plus complexe qu'il n'y paraît est celui de l'*embryologie descriptive*. Pour expliquer le développement en termes de comportement cellulaire, nous devons être capables de suivre la trace des cellules individuelles pendant toutes leurs divisions, leurs transformations et leurs migrations dans l'embryon. Les fondements de l'embryologie descriptive ont été établis au 19e siècle, mais la tâche précise du traçage des lignées cellulaires continue de mettre à l'épreuve l'ingéniosité des biologistes du développement (Figure 21-5).

Une fois que nous possédons une description, comment pouvons-nous aller plus loin pour découvrir le mécanisme en cause ? Traditionnellement, les *embryologistes expérimentaux* ont essayé de comprendre le développement en recherchant les voies par lesquelles les cellules et les tissus interagissent pour engendrer la structure multicellulaire. Les *généticiens du développement*, pendant ce temps, ont essayé d'analyser le développement en termes d'action des gènes. Ces deux méthodes sont complémentaires et ont convergé pour donner naissance à l'état de notre connaissance actuelle.

En embryologie expérimentale, les cellules et les tissus des animaux en développement sont éliminés, replacés, transplantés ou mis en culture isolés afin de découvrir comment ils s'influencent mutuellement. Les résultats sont souvent renversants : par exemple, un embryon aux premiers stades de développement coupé en deux moitiés, peut donner deux animaux parfaits, complètement formés ; de même un petit morceau tissulaire transplanté sur un nouveau site peut réorganiser la structure complète du corps en développement (Figure 21-6). Ce type d'observation peut être étendu et affiné pour déchiffrer les interactions intercellulaires sous-jacentes et les règles du comportement cellulaire. Ces expériences sont plus faciles à effectuer sur les gros embryons plus accessibles à la microchirurgie. De ce fait, les espèces les plus largement utilisées ont été les oiseaux – en particulier le poulet – et les amphibiens – en particulier la grenouille africaine *Xenopus laevis*.

L'étude des animaux mutants permet d'identifier les gènes qui contrôlent les processus du développement

La génétique du développement commence par l'isolement d'animaux mutants dont le développement est anormal. Cela implique typiquement un *criblage génétique*, que nous avons décrit au chapitre 8. Les animaux parentaux sont traités par un mutagène chimique ou une radiation ionisante qui induit une mutation dans leurs cellules germinales et de nombreux descendants sont ensuite examinés. Les rares mutants qui présentent d'intéressantes anomalies du développement – par exemple, une modification du développement des yeux – sont choisis et étudiés plus avant. Il est ainsi possible de découvrir les gènes qui sont spécifiquement nécessaires au développement normal de la caractéristique particulière choisie. Par le clonage et le

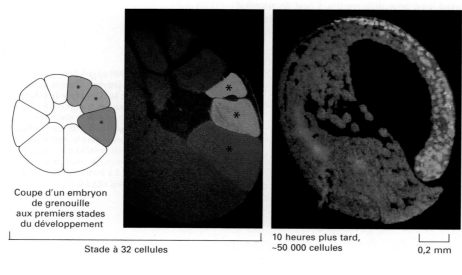

Coupe d'un embryon
de grenouille
aux premiers stades
du développement

Stade à 32 cellules

10 heures plus tard,
~50 000 cellules

0,2 mm

Figure 21-5 Expérience de traçage d'une lignée cellulaire dans un embryon de Xenopus. Différents colorants fluorescents sont injectés dans trois cellules à un stade précoce du développement (cellules avec un astérisque au stade à 32 cellules) puis on laisse l'embryon se développer pendant 10 heures avant de le fixer et de le couper. Le motif du marquage fluorescent révèle comment se sont déplacés les descendants des trois cellules. (D'après M.A. Vodicka et J.C. Gerhart, *Development* 121 : 3505-3518, 1995. © The Company of Biologists.)

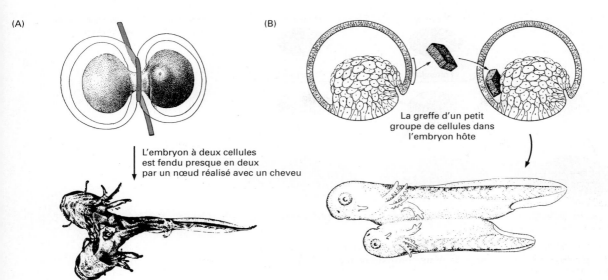

(A)

(B)

L'embryon à deux cellules
est fendu presque en deux
par un nœud réalisé avec un cheveu

La greffe d'un petit
groupe de cellules dans
l'embryon hôte

Figure 21-6 Quelques résultats étonnants obtenus par l'embryologie expérimentale. En (A) un embryon d'amphibien aux premiers stades du développement est fendu presque en deux parties par un nœud réalisé avec un cheveu. En (B), un embryon d'amphibien à un stade un peu plus tardif reçoit une greffe d'un petit amas de cellules issues d'un autre embryon au même stade. Ces deux opérations assez différentes provoquent toutes deux le développement d'un seul embryon en une paire de jumeaux reliés (siamois). Il est aussi possible lors de l'expérience (A) de fendre complètement en deux moitiés séparées l'embryon aux premiers stades du développement ; on obtient alors deux têtards entiers séparés, bien formés. (A, d'après H. Spemann, Embryonic Development and Induction, New Haven : Yale University Press, 1938 ; B, d'après J. Holtfreter et V. Hamburger, *in* Analysis of Development [B.H. Willier, P.A. Weiss et V. Hamburger, eds.], p. 230-296, Philadelphia : Saunders, 1955.)

séquençage du gène ainsi repéré, il est possible d'identifier son produit protéique, de rechercher son mode de fonctionnement et de commencer à analyser l'ADN régulateur qui contrôle son expression.

L'approche génétique est plus facile chez les petits animaux qui peuvent être élevés au laboratoire et dont le temps entre les générations est court. Le premier animal ainsi étudié à été la mouche des fruits, *Drosophila melanogaster*, que nous verrons en détail ci-après. Mais cette même méthode a été fructueuse avec le ver nématode *Caenorhabditis elegans*, le poisson zèbre *Danio rerio*, et la souris *Mus musculus*. Même si les hommes ne sont pas intentionnellement traités par des mutagènes, le système des soins médicaux a permis le dépistage d'un grand nombre d'anomalies. Beaucoup de mutations responsables d'anomalies compatibles avec la vie sont apparues chez l'homme et les analyses des individus atteints et de leurs cellules ont fourni d'importants aperçus sur les processus du développement.

Une cellule prend des décisions sur son développement bien avant de présenter des modifications visibles

Simplement en regardant attentivement, ou en utilisant des colorants de traçage ou d'autres techniques de marquage cellulaire, on peut découvrir ce que sera le destin d'une cellule donnée dans un embryon si on le laisse se développer normalement. Par exemple, cette cellule peut être destinée à mourir ou à devenir un neurone, à former une partie d'un organe comme le pied ou à donner naissance à des cellules éparpillées dans tout le corps. Cependant, connaître le **destin cellulaire** dans ce sens n'apporte presque aucune connaissance sur le caractère intrinsèque de la cellule. Prenons un exemple extrême : une cellule destinée à devenir, dirons-nous, un neurone, est peut-être déjà spécialisée d'une façon qui garantit qu'elle deviendra un neurone, quelles que soient les perturbations de son entourage ; on dit que le destin de cette cellule est **déterminé**. À l'opposé, les cellules sont peut-être biochimiquement identiques aux autres cellules de destin différent, la seule différence entre elles étant un accident de position, qui expose la cellule à une autre influence ultérieure.

Il est possible de tester l'état de détermination d'une cellule en la transplantant dans un environnement modifié (Figure 21-7). Une des conclusions primordiales de l'embryologie expérimentale a été que, grâce à la mémoire cellulaire, une cellule peut être déterminée bien avant de montrer un quelconque signe extérieur de différenciation.

Entre les deux extrêmes de détermination totale et d'absence totale de détermination des cellules, la gamme des possibilités est importante. Une cellule peut, par exemple, s'être déjà un peu spécialisée sur le plan de son destin normal, et avoir une forte tendance à se développer dans cette direction, tout en étant encore capable de changer pour subir un destin différent si elle est mise dans un environnement suffisamment contraignant. (Certains biologistes du développement décriraient cette cellule comme *spécifiée* ou *engagée*, mais non encore déterminée.) La cellule peut également être déterminée, par exemple en tant que cellule cérébrale, mais la composante finale, comme de type nerveux ou glial, n'est pas encore déterminée. Et souvent, il semble que des cellules adjacentes d'un même type interagissent et dépendent d'un soutien mutuel pour conserver leur caractère spécifique, de telle sorte qu'elles se comportent

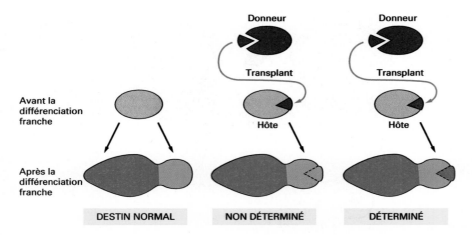

Figure 21-7 Tests standard de la détermination des cellules.

DESTIN NORMAL	NON DÉTERMINÉ	DÉTERMINÉ

comme cela était déterminé si elles sont maintenues ensemble en un agrégat, mais pas si on les prend séparément et on les isole de leurs compagnes habituelles.

Les cellules se souviennent de valeurs positionnelles qui reflètent leur localisation dans le corps

Dans beaucoup de systèmes, longtemps avant que les cellules ne s'engagent dans le processus de différenciation en un type cellulaire spécifique, elles sont *déterminées sur le plan régional* : c'est-à-dire qu'elles activent et maintiennent l'expression de gènes qui peuvent être considérés comme des marqueurs de position ou de région corporelle. Ce caractère spécifique de position d'une cellule est appelé **valeur positionnelle**, et montre son effet dans le type de comportement de la cellule au cours des étapes successives de la formation de l'organisation du corps.

Le développement de la patte et de l'aile du poulet fournit un exemple frappant. La patte et l'aile de l'adulte sont composées à la fois de muscles, d'os, de peau, etc. – presque exactement la même gamme de tissu différencié. La différence entre les deux membres ne réside pas dans le type de tissu mais dans la façon dont ces tissus sont disposés dans l'espace. Par conséquent, comment ces différences se produisent-elles ?

Dans l'embryon de poulet, la patte et l'aile se forment environ au même moment sous l'aspect de bourgeons en forme de langue se projetant à partir des flancs. Au départ, les cellules des deux paires de membres semblent similaires et uniformément indifférenciées. Mais une simple expérience montre que cette apparence de similitude est trompeuse. Coupons un petit bloc de tissu indifférencié à la base du bourgeonnement des pattes, au niveau d'une région qui donnerait normalement naissance à la cuisse, et greffons-le à l'extrémité du bourgeon de l'aile. De façon remarquable, la greffe ne forme pas la bonne partie de l'extrémité de l'aile, ni une pièce mal placée de la cuisse mais un orteil (Figure 21-8). Cette expérience montre que les cellules du bourgeonnement précoce de la patte sont déjà déterminées en tant que patte mais ne sont cependant pas engagées irrévocablement dans la formation d'une partie spécifique de la patte ; elles peuvent encore répondre à des signaux dans le bourgeon de l'aile afin de former des structures plutôt appropriées à l'extrémité d'un membre qu'à sa base. Le système de signalisation qui contrôle les différences entre les parties du membre est apparemment le même pour la patte et l'aile. Les différences entre les deux membres résultent de différences dans l'état interne de leurs cellules au début du développement du membre.

Les différences de valeur positionnelle entre les cellules des membres antérieurs des vertébrés et les cellules des membres postérieurs semble être le reflet de l'expression différentielle d'une classe de protéines régulatrices de gènes appelées les protéines de la boîte T (Tbx pour *T-box*). Les cellules du bourgeon du membre postérieur expriment le gène *Tbx4* tandis que celles du bourgeon du membre antérieur expriment *Tbx5* et on pense que cela contrôle leur comportement ultérieur (Figure 21-9). Nous expliquerons ultérieurement dans ce chapitre comment le niveau suivant, plus fin, de l'organisation est établi à l'intérieur de chaque bourgeon de membre.

Une division cellulaire asymétrique peut engendrer deux cellules filles différentes

À chaque étape de son développement, une cellule d'embryon se trouve devant un groupe limité d'options selon le stade qu'elle a atteint : la cellule voyage le long d'une

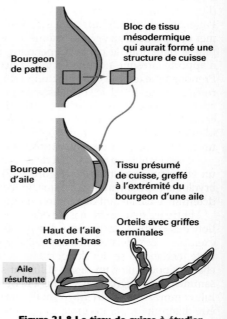

Figure 21-8 Le tissu de cuisse à étudier greffé à l'extrémité d'un bourgeon d'aile de poulet forme des orteils. (D'après J.W. Saunders et al., *Dev. Biol.* 1 : 281-301, 1959.)

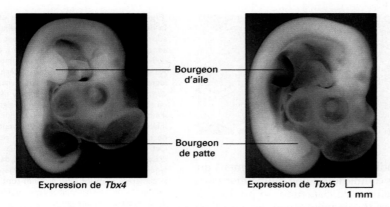

Figure 21-9 Embryons de poulet à 4 jours d'incubation, montrant les bourgeons des membres, colorés par hybridation in situ avec des sondes pour détecter l'expression des gènes *Tbx4* et *Tbx5*. Les cellules exprimant *Tbx5* formeront une aile; celles exprimant *Tbx4* formeront une patte. On suppose que *Tbx4* et *Tbx5* codent pour des protéines régulatrices de gènes apparentées qui dictent le type de membre qui se développe. (D'après H. Ohuchi et al. *Development* 125 : 51-60, 1998. © The Company of Biologists.)

Expression de *Tbx4*

Expression de *Tbx5*

1 mm

voie de développement qui se ramifie de façon répétitive. À chaque embranchement de la voie, elle doit faire un choix et cette séquence de choix détermine son destin final. C'est ainsi que se forme l'ensemble complexe des différents types cellulaires.

Pour comprendre le développement, nous avons besoin de savoir comment est contrôlé chaque choix entre les options et comment ces options dépendent des choix faits auparavant. Pour réduire la question à sa forme la plus simple : comment deux cellules dotées d'un génome identique deviennent-elles différentes ?

Lorsqu'une cellule subit une mitose, les deux cellules filles résultantes reçoivent une copie précise du génome de la cellule mère. Cependant, ces cellules filles auront souvent des destins spécifiques différents et, à certains moments, elles ou leurs descendances doivent acquérir des caractères différents.

Dans certains cas, les deux cellules filles naissent différentes du fait d'une **division cellulaire asymétrique**, au cours de laquelle un groupe significatif de molécules se répartit de façon inégale entre les deux cellules filles au moment de la division. Cette ségrégation asymétrique des molécules (ou d'un groupe de molécules) agit alors comme un *déterminant* du destin d'une des deux cellules car elle modifie directement ou indirectement le patron d'expression génique à l'intérieur de la cellule fille qui les reçoit (Figure 21-10).

Les divisions asymétriques sont particulièrement fréquentes au début du développement, lorsque l'œuf fécondé se divise pour donner des cellules filles ayant des destins différents, mais elles se produisent aussi à des stades ultérieurs, lors de la genèse des cellules nerveuses par exemple.

Des interactions inductives peuvent créer des différences ordonnées entre des cellules initialement identiques

Une autre méthode, bien plus fréquente, pour obtenir des cellules différentes, consiste à les exposer à des environnements différents et les principaux signaux environnementaux qui agissent sur les cellules d'un embryon sont ceux issus des cellules voisines.

Figure 21-10 Deux voies pour former deux cellules filles différentes.

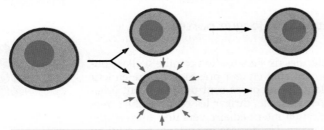

1. Division asymétrique : les cellules filles naissent différentes

2. Division symétrique : les cellules filles deviennent différentes du fait d'influences agissant sur elles après leur naissance

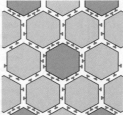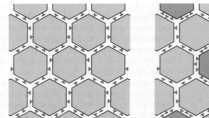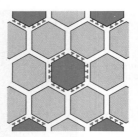

Figure 21-11 L'inhibition latérale et la diversification cellulaire. Des cellules adjacentes entrent en compétition pour adopter le caractère primaire (en *bleu*), et se délivrent mutuellement des signaux inhibiteurs. Au départ, toutes les cellules de la pièce sont identiques. Toute cellule qui prend l'avantage dans la compétition (*bleu plus sombre*) délivre un signal inhibiteur plus fort (plus de signaux d'inhibition *rouges*) à ses voisines, ce qui les inhibe de telle sorte qu'elles ne délivrent pas de signaux inhibiteurs elles-mêmes en retour. Cet effet s'autorenforce et conduit à la création d'un mélange finement défini dans lequel les cellules qui adoptent finalement le caractère primaire (*bleu profond*) sont entourées de cellules inhibées qui adoptent un caractère différent (*gris*).

Dans certains cas, des cellules initialement adjacentes échangent des signaux qui les entraînent à se différencier les unes des autres comme lors d'une compétition entre des jumeaux identiques. Une sorte de «compétition de clameurs» se produit, de laquelle une cellule ou un groupe de cellules ressort vainqueur – non seulement par sa spécialisation spécifique mais aussi par la délivrance à ses voisines d'un signal inhibiteur qui les empêche de faire de même – un phénomène appelé *inhibition latérale* (Figure 21-11). Très souvent, ce processus est fondé sur un échange de signaux au niveau des contacts intercellulaires via la voie Notch (*voir* Chapitre 15).

Selon une autre stratégie, peut-être la plus utilisée de toutes, un groupe de cellules possède au départ le même potentiel de développement et une cellule située à l'extérieur de ce groupe émet un signal qui amène alors un ou plusieurs membres du groupe dans une voie de développement différente qui modifie leur caractère. Ce processus est appelé **interaction inductrice**. En général, le signal est limité dans le temps et dans l'espace de telle sorte que seul un sous-groupe de cellules compétentes – celles qui sont les plus proches de la source du signal – prend le caractère induit (Figure 21-12).

Certains signaux inducteurs sont de courte portée – en particulier ceux transmis via les contacts cellule-cellule ; d'autres sont de longue portée, médiés par des molécules qui peuvent diffuser dans le milieu extracellulaire. Le groupe de cellules initialement similaires qui peuvent répondre au signal est parfois appelé *groupe d'équivalence* ou *champ morphogénétique*. Il peut être composé de deux cellules seulement ou atteindre plusieurs milliers et n'importe quel nombre du total peut être induit en fonction de la quantité et de la distribution du signal.

En principe, n'importe quel type de molécule de signalisation peut servir d'inducteur. En pratique la plupart des événements inducteurs connus dans le développement animal sont gouvernés seulement par une poignée de familles hautement conservées de protéines de signalisation, utilisées encore et encore dans différents contextes. La découverte de ce vocabulaire limité utilisé par les cellules pour les communications lors du développement date de ces dix à vingt dernières années et est considérée comme une des grandes découvertes qui a simplifié la biologie du développement. Dans le tableau 21-I, nous passerons rapidement en revue les cinq familles majeures de protéines de signalisation qui servent d'inducteurs à répétition dans le développement animal. Les particularités des mécanismes intracellulaires par le biais desquels ces molécules agissent sont données au chapitre 15.

Le résultat final de la plupart des événements d'induction est le changement de la transcription de l'ADN dans la cellule qui répond : certains gènes sont activés et d'autres sont inactivés. Différentes molécules de signalisation activent différentes sortes de protéines régulatrices de gènes. De plus, les effets de l'activation d'une protéine régulatrice de gènes donnée dépendent de la présence concomitante d'autres protéines régulatrices dans la cellule, car elles fonctionnent généralement en association. Par conséquent, différents types de cellules répondent en général de façon différente à un même signal. Cette réponse dépend à la fois des autres protéines régulatrices présentes avant l'arrivée du signal – ce qui reflète la mémoire cellulaire des signaux reçus auparavant – et des autres signaux que la cellule reçoit au même moment.

Les morphogènes sont des inducteurs de longue portée qui exercent des effets graduels

Jusqu'à présent nous avons parlé des molécules de signalisation comme si elles gouvernaient un choix simple «oui ou non» : un effet en leur présence, l'autre en leur absence. Dans beaucoup de cas, cependant, les réponses sont plus finement échelonnées : une forte concentration peut, par exemple, diriger les cellules cibles vers une voie de développement, une concentration intermédiaire vers une autre et une faible concentration vers une troisième encore. Un des cas importants est celui au cours duquel la molécule de signalisation diffuse à l'extérieur d'une source localisée

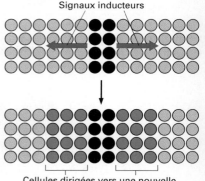

Signaux inducteurs

Cellules dirigées vers une nouvelle voie de développement

Figure 21-12 La signalisation inductrice.

VOIE DE SIGNALISATION	FAMILLE DE LIGAND	FAMILLE DE RÉCEPTEURS	INHIBITEURS/MODULATEURS EXTRACELLULAIRES
Récepteur à activité tyrosine-kinase (RTK)	EGF FGF (Branchless) Éphrines	Récepteurs à l'EGF Récepteurs aux FGF (Breathless) Récepteurs Eph	Argos
Superfamille des TGF-β	TGF-β BMP (Dpp) Nodal	Récepteurs aux TGF-β Récepteurs au BMP	Chordine (Sog), noggine
Wnt	Wnt (Wingless)	Frizzled	Dickkopf, Cerberus
Hedgehog	Hedgehog	Patched, Smoothened	
Notch	Delta	Notch	Fringe

Seuls certains représentants de chaque classe de protéines sont présentés – en particulier ceux mentionnés dans ce chapitre. Les noms propres à la drosophile sont indiqués entre parenthèses. Beaucoup de composants de la liste ont plusieurs homologues différenciés par des nombres (FGF1, FGF2, etc.) ou par des prénoms (Sonic hedgehog, Lunatic fringe). Pour plus de détails, *voir* Chapitre 15.

et engendre un gradient de concentration du signal. Les cellules situées à différentes distances de la source sont entraînées à prendre diverses voies, selon la concentration en signal qu'elles subissent.

Une molécule de signalisation qui impose ainsi l'organisation d'un champ entier de cellules est appelée **morphogène**. Les membres des vertébrés fournissent un exemple frappant : un groupe spécifique de cellules d'un côté du bourgeon embryonnaire du membre sécrète la protéine Sonic hedgehog – un membre de la famille Hedgehog de molécules de signalisation – et cette protéine s'étend hors de sa source pour former un *gradient morphogène* qui contrôle le caractère des cellules le long de l'axe pouce-petit doigt du bourgeon du membre. Si on greffe un autre groupe de cellules de signalisation du côté opposé du bourgeon, on obtient une duplication en miroir de l'organisation des doigts (Figure 21-13).

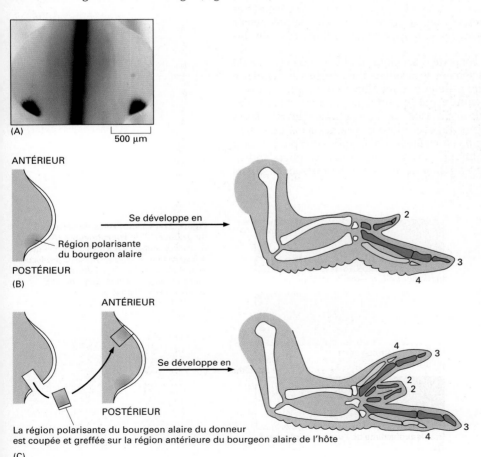

Figure 21-13 Sonic hedgehog est un morphogène du développement des membres du poulet. (A) Expression du gène *Sonic hedgehog* dans un embryon de poulet de 4 jours montrée par hybridation *in situ* (vue dorsale du tronc au niveau des bourgeons alaires). Le gène est exprimé dans la ligne médiane du corps et au niveau du bord postérieur (la région polarisante) de chacun des deux bourgeons alaires. La protéine Sonic hedgehog se dissémine à partir de ces sources. (B) Développement alaire normal. (C) Une greffe de tissu issu de la région polarisante provoque une duplication en miroir de l'organisation de l'aile de l'hôte. On pense que le type de doigts qui se développe est dicté par la concentration locale en protéine Sonic hedgehog ; différents types de doigts (marqués 2, 3 et 4) se forment ainsi selon leur distance par rapport à la source de Sonic hedgehog. (A, due à l'obligeance de Randall S. Johnson et Robert D. Riddle.)

(A) 500 μm

ANTÉRIEUR

Région polarisante du bourgeon alaire

POSTÉRIEUR

(B)

Se développe en

2
3
4

ANTÉRIEUR

Se développe en

4
3
2
2
3
4

POSTÉRIEUR

La région polarisante du bourgeon alaire du donneur est coupée et greffée sur la région antérieure du bourgeon alaire de l'hôte

(C)

Les inhibiteurs extracellulaires des molécules de signalisation façonnent la réponse aux inducteurs

Il est important de limiter l'action et la production du signal, en particulier lorsque les molécules peuvent agir à distance. La plupart des protéines de signalisation du développement ont des antagonistes extracellulaires qui peuvent inhiber leur fonction. Ces antagonistes sont généralement des protéines qui se fixent sur le signal ou son récepteur et évitent que l'interaction productive ne se produise.

Un nombre assez surprenant de décisions de développement sont véritablement régulées par des inhibiteurs plutôt que par la molécule de signalisation primaire. Le système nerveux d'un embryon de grenouille se forme à partir d'un champ de cellules dotées de la compétence pour former du tissu nerveux ou du tissu épidermique. Un tissu inducteur libère une protéine, la chordine, qui favorise la formation de tissu nerveux. La chordine n'a pas son propre récepteur. Par contre ce sont des inhibiteurs des protéines de signalisation de la famille des BMP/TGF-β qui induisent le développement épidermique et sont présents dans toute la région neuroépithéliale où se forment les neurones et l'épiderme. L'induction de tissu nerveux est donc due au gradient inhibiteur d'un signal antagoniste (Figure 21-14).

Des programmes intrinsèques à la cellule définissent souvent le déroulement de son développement en fonction du temps

Les signaux comme ceux que nous venons juste de voir jouent un grand rôle dans le contrôle de la chronologie des événements au cours du développement, mais il serait faux d'imaginer que chaque modification du développement doit être déclenchée par un signal inducteur. Beaucoup de mécanismes qui modifient le caractère de la cellule lui sont intrinsèques et ne nécessitent pas de signaux de son entourage : la cellule passera par étapes à travers son programme de développement même si elle est maintenue dans un environnement constant. Dans de nombreux cas, il est possible de suspecter qu'il se produit quelque chose de la sorte pour contrôler la durée d'un processus de développement. Par exemple, chez la souris, les précurseurs des cellules nerveuses de la moelle épinière se divisent et engendrent des neurones uniquement pendant 11 cycles et, chez un singe, pendant approximativement 28 cycles, après quoi elles s'arrêtent. De plus, différentes sortes de neurones sont engendrées aux différentes étapes de ce programme, ce qui suggère que lorsque le précurseur cellulaire vieillit, il modifie les spécifications qu'il apporte aux cellules filles en différenciation.

Il est difficile de prouver dans le contexte d'un embryon intact que ce type de déroulement des événements est strictement le résultat d'un processus cellulaire autonome contrôlé, car l'environnement cellulaire se modifie. Cependant, des expériences menées sur des cellules en culture ont apporté des preuves nettes. Par exemple, des précurseurs des cellules de la glie, isolés du nerf optique d'un rat 7 jours après sa naissance et mis en culture sous des conditions constantes dans un milieu approprié, prolifèrent pendant un temps strictement limité (qui correspond à huit cycles de divisions cellulaires au maximum) puis se différencient en oligodendrocytes (les cellules de la glie qui forment les gaines de myéline autour des axones dans

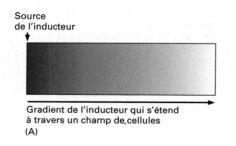

(A)

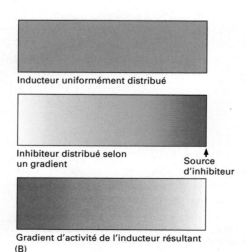

Inducteur uniformément distribué

Inhibiteur distribué selon un gradient

Source d'inhibiteur

Gradient d'activité de l'inducteur résultant

(B)

Figure 21-14 Deux voies de création du gradient d'un morphogène. (A) Par la production localisée d'un inducteur – qui diffuse loin de sa source. (B) Par la production localisée d'un inhibiteur qui diffuse loin de sa source et bloque l'action d'un inducteur uniformément distribué.

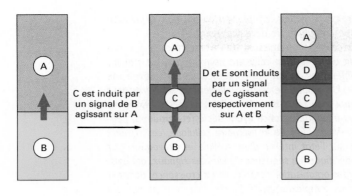

Figure 21-15 Formation de l'organisation par l'induction séquentielle. Une série d'interactions inductrices peuvent engendrer de nombreux types de cellules en partant seulement de quelques-unes.

le cerveau), obéissant à un calendrier similaire à celui qu'ils auraient suivi s'ils avaient été laissés en place dans l'embryon.

L'organisation initiale s'établit dans de petits champs de cellules puis s'affine par induction séquentielle lors de la croissance embryonnaire

Les signaux qui établissent l'organisation spatiale d'un embryon agissent généralement sur de courtes distances et gouvernent des choix relativement simples. Un morphogène par exemple agit typiquement sur une distance de moins de 1 mm – un intervalle de diffusion efficace – et dirige des choix entre une petite poignée d'options de développement au niveau des cellules sur lesquelles il agit. Mais les organes qui se développent finalement sont bien plus gros et plus complexes que cela.

La prolifération cellulaire qui suit la spécification initiale rend compte de l'augmentation de taille tandis que l'affinement de l'organisation initiale s'explique par une série d'inductions locales qui rajoutent des niveaux successifs de détails sur l'esquisse simple du départ. Dès qu'il existe deux sortes de cellules, l'une d'elles peut produire un facteur qui induit un sous-groupe de cellules voisines à se spécialiser d'une troisième façon. Le troisième type cellulaire peut à son tour envoyer un signal rétrograde aux deux autres types cellulaires voisins et engendrer un quatrième et un cinquième type cellulaire et ainsi de suite (Figure 21-15).

Cette stratégie qui engendre une organisation petit à petit plus complexe est appelée **induction séquentielle**. C'est principalement par l'induction séquentielle que le plan corporel d'un animal en développement, après avoir été d'abord ébauché en miniature, devient plus complexe, composé de détails de plus en plus fins tandis que le développement se poursuit.

Dans les parties qui suivent, nous nous intéresserons à un petit groupe d'organismes modèles pour comprendre comment agissent en pratique les principes que nous avons soulignés dans cette première partie. Nous commencerons par un ver, le nématode *Caenorhabditis elegans*.

Résumé

Les modifications visibles du comportement cellulaire que nous voyons lorsqu'un organisme multicellulaire se développe sont les signes extérieurs d'un calcul moléculaire complexe, dépendant de la mémoire cellulaire qui apparaît à l'intérieur des cellules lorsqu'elles reçoivent et traitent des signaux issus de leurs voisines et émettent un signal en retour. L'organisation finale des types cellulaires différenciés est donc le résultat d'un programme plus caché de spécialisations cellulaires – un programme qui se déroule par la modification du patron d'expression de protéines régulatrices de gènes, qui donne à une cellule des potentiels différents de ceux d'une autre, longtemps avant que la différenciation définitive ne commence. Les biologistes du développement cherchent à déchiffrer ce programme caché et à le relier, par des expériences génétiques et de microchirurgie, aux signaux que les cellules échangent lorsqu'elles prolifèrent, interagissent et se déplacent.

Des animaux aussi différents que les vers, les mouches et les hommes utilisent des groupes remarquablement similaires de protéines pour contrôler leur développement de telle sorte que ce que nous découvrons dans un organisme donne très souvent des aperçus sur les autres organismes. Une poignée de voies de signalisation intercellulaire, conservées au cours de l'évolution, est utilisée à répétition dans différents organismes et à différents moments pour réguler la création d'une collection multicellulaire organisée. Les différences du plan corporel semblent provenir en grande partie de différences dans l'ADN régulateur associé à chaque gène. Cet ADN joue un rôle central dans la définition du programme séquentiel du développement, mettant les gènes en action à des moments et des endroits spécifiques, en fonction du patron d'expression génique présent dans chaque cellule à l'étape antérieure de développement.

Dans l'embryon, les différences entre les cellules apparaissent de diverses façons. Les cellules filles peuvent naître différentes, du fait d'une division cellulaire asymétrique. Les cellules qui sont nées semblables peuvent devenir différentes du fait d'une interaction compétitive l'une avec l'autre, comme lors d'inhibition latérale. Un groupe de cellules initialement similaires peut aussi être exposé différemment à des signaux inducteurs issus de cellules situées à l'extérieur du groupe. Les morphogènes, des inducteurs à longue distance ayant des effets graduels, peuvent engendrer une organisation complexe. Par le biais de la mémoire cellulaire, ces signaux transitoires peuvent avoir un effet durable sur l'état interne d'une cellule et provoquer, par exemple, sa détermination pour un destin spécifique. La séquence de simples signaux, qui agissent à différents moments et endroits dans des organisations cellulaires en croissance, donnent ainsi naissance aux organismes multicellulaires complexes variés qui remplissent le monde qui nous entoure.

CAENORHABDITIS ELEGANS : LE DÉVELOPPEMENT DANS LA PERSPECTIVE D'UNE CELLULE PRISE INDIVIDUELLEMENT

Caenorhabditis elegans, un ver nématode, est un organisme de petite taille, relativement simple, structuré avec précision. L'anatomie de son développement a été décrite de façon extraordinairement détaillée et il est possible de cartographier le lignage exact de chaque cellule dans le corps. La séquence complète de son génome est également connue et beaucoup de mutants ont été analysés pour déterminer les fonctions des gènes. S'il existe un animal multicellulaire dont nous devrions être capables de comprendre le développement sur le plan du contrôle génétique, c'est bien lui.

Il existe, il est vrai, certains facteurs qui rendent cette compréhension difficile. Bien qu'anatomiquement simple, il possède trop de gènes (environ 18 000) et de cellules (environ 1 000) pour que l'on puisse facilement suivre leur trace sans un ordinateur. Ce n'est pas l'organisme modèle le plus directement instructif si on souhaite comprendre comment des animaux, comme nous, forment des organes comme les yeux ou les membres qui n'existent pas chez ce ver et il est difficile d'effectuer des expériences de transplantation. De plus, la comparaison des séquences d'ADN indique que, alors que les lignées qui conduisent aux nématodes, aux insectes et aux vertébrés ont divergé les unes des autres à peu près au même moment, la vitesse des modifications évolutives dans la lignée des nématodes a été substantiellement plus élevée : ses gènes et sa structure corporelle sont plus divergents des nôtres que ceux de la drosophile.

En dépit de cela, ce ver nous donne un excellent exemple d'introduction : il nous permet de poser les questions générales fondamentales du développement animal sous une forme relativement simple et d'y répondre en termes de comportement des cellules individuelles identifiées.

Caenorhabditis elegans est anatomiquement simple

Adulte, C. elegans n'est composé que de 1 000 cellules somatiques et 1 000 à 2 000 cellules reproductrices (959 noyaux de cellules somatiques exactement plus environ 2 000 cellules reproductrices dans l'un des deux sexes ; 1 031 noyaux de cellules somatiques exactement plus environ 1 000 cellules reproductrices dans l'autre sexe)

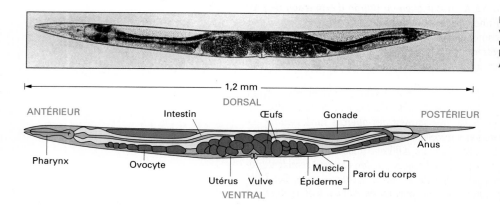

Figure 21-16 Caenorhabditis elegans. Une vue latérale d'un hermaphrodite adulte est montrée ici. (D'après J.E. Sulston et H.R. Horvitz, Dev. Biol. 56 : 110-156, 1977. © Academic Press.)

(Figure 21-16). Son anatomie a été reconstruite, cellule après cellule, par l'étude en microscopie électronique de séries de coupes. Le plan du corps du ver est simple : il a un corps allongé, de symétrie grossièrement bilatérale, composé des mêmes tissus fondamentaux que les autres animaux (nerf, muscle, tube digestif, peau), organisé avec une bouche et un cerveau à l'extrémité antérieure et un anus à l'extrémité postérieure. La paroi externe du corps est composée de deux couches d'épiderme protecteur, ou «peau», et d'une couche musculaire sous-jacente. Un tube de cellules endodermiques forme l'intestin. Un deuxième tube placé entre l'intestin et la paroi du corps constitue la gonade ; sa paroi est composée de cellules somatiques entourant des cellules reproductrices internes.

C. elegans a deux sexes – hermaphrodite et mâle. L'hermaphrodite peut être considéré plus simplement comme une femelle qui produit un nombre limité de spermatozoïdes : elle peut se reproduire soit par autofécondation avec ses propres spermatozoïdes soit par fécondation croisée après transfert des spermatozoïdes du mâle par accouplement. L'autofécondation permet à un seul ver hétérozygote de produire une descendance homozygote. C'est une caractéristique importante qui fait de C. elegans un organisme exceptionnellement adapté aux études génétiques.

Le destin des cellules du nématode en développement peut être prédit presque parfaitement

C. elegans commence sa vie sous forme d'une seule cellule, un œuf fécondé, qui donne naissance, par divisions cellulaires répétées, à 558 cellules qui forment un petit ver à l'intérieur de la coquille de l'œuf. Après l'éclosion, d'autres divisions permettent la croissance et la maturation sexuelle du ver tandis qu'il passe par quatre stades larvaires successifs séparés par des mues. Après la mue finale qui donne le stade adulte, le ver hermaphrodite commence à produire ses propres œufs. La séquence complète de développement, de l'œuf à l'œuf, ne prend que trois jours.

Le lignage de toutes les cellules allant de l'œuf à une seule cellule à l'adulte multicellulaire a été cartographié par l'observation directe de l'animal en développement. Chez ce nématode, un précurseur cellulaire donné suit le même patron de divisions cellulaires dans chaque individu et, à très peu d'exceptions près, le destin de chaque cellule fille peut être prédit d'après sa position dans l'arbre du lignage (Figure 21-17).

Ce degré de précision stéréotypée ne s'observe pas au cours du développement des animaux plus gros. Au premier abord, il pourrait sembler que cela suggère que chaque lignée cellulaire de l'embryon du nématode est programmée de façon rigide et indépendante afin de suivre un patron établi de divisions et de spécialisations cellulaires, faisant de ce ver un organisme modèle terriblement peu représentatif du développement. Nous verrons que c'est loin d'être vrai : comme chez les autres animaux, le développement dépend d'interactions cellule-cellule ainsi que de processus internes propres à chaque cellule. Chez le nématode, le résultat est presque parfaitement prévisible simplement parce que le patron des interactions intercellulaires est hautement reproductible et est corrélé avec précision à la séquence des divisions cellulaires.

Les produits des gènes à effet maternel organisent la division asymétrique de l'œuf

Chez le ver en développement, comme chez les autres animaux, la plupart des cellules ne se restreignent à une seule voie de différenciation qu'assez tardivement au cours du développement et les cellules d'un type particulier, comme celles du muscle, dérivent en général de plusieurs précurseurs dispersés dans l'espace qui donnent également naissance à d'autres types cellulaires. Il existe deux exceptions chez le ver, le tube digestif et les gonades, qui se forment chacun à partir d'une seule *cellule fondatrice* qui leur est dédiée. Celle-ci apparaît au stade de développement à huit cellules pour la lignée des cellules du tube digestif et au stade à 16 cellules pour la lignée des cellules reproductrices ou *lignée germinale*. Pendant ce temps, les autres cellules de l'embryon se différencient également les unes des autres même si elles ne s'engagent pas encore dans leur mode terminal de différenciation. Comment ces différences précoces entre les cellules apparaissent-elles ?

Le ver est typique de la plupart des animaux sur le plan de la spécification précoce des cellules qui donneront finalement naissance aux cellules reproductrices (ovules ou spermatozoïdes). La lignée germinale du ver est produite par une série stricte de divisions cellulaires asymétriques de l'œuf fécondé. Cette asymétrie apparaît suite à un signal provenant de l'environnement de l'ovule ; le point d'entrée du spermatozoïde définit le futur pôle postérieur de l'œuf allongé. Les protéines de l'œuf

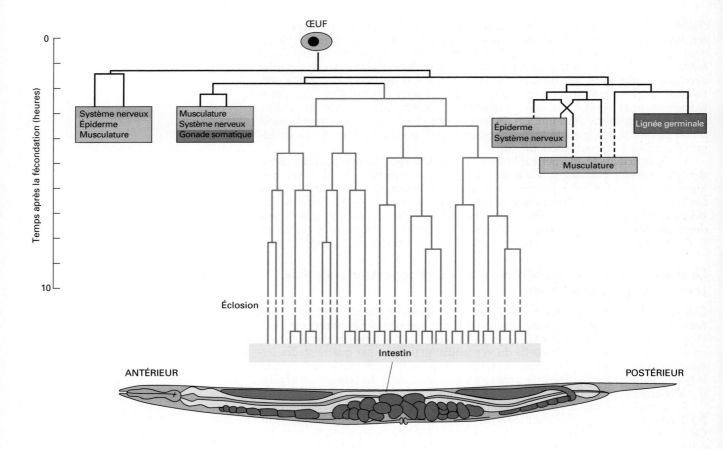

ANTÉRIEUR   POSTÉRIEUR

interagissent alors les unes avec les autres et s'organisent elles-mêmes par rapport à ce point afin de créer une asymétrie plus complexe et extrême à l'intérieur de la cellule. Les protéines impliquées sont principalement traduites à partir d'une accumulation d'ARNm produits par les gènes de la mère. Comme cet ARN a été fabriqué avant la ponte de l'œuf, c'est uniquement le génotype de la mère qui dicte ce qui se produit au cours des premières étapes du développement. Les gènes qui agissent ainsi sont appelés **gènes à effet maternel**.

Un sous-ensemble de ces gènes à effet maternel est spécifiquement requis pour l'organisation asymétrique de l'œuf du nématode. Ce sont les gènes *par* (pour *partitioning-defective* ou défaut de répartition), dont six au moins ont été identifiés par des criblages génétiques de mutants chez lesquels cette organisation est interrompue. Les gènes *par* ont des homologues chez les insectes et les vertébrés chez lesquels ils sont également impliqués dans l'organisation de l'asymétrie cellulaire, et coordonnent la polarisation du cytosquelette à la distribution des autres composants cellulaires.

Dans l'œuf de nématode, les protéines Par (produits des gènes *par*) servent à placer un groupe de particules de ribonucléoprotéines, les *granules P*, dans le pôle postérieur afin que la cellule fille postérieure hérite des granules P et que la cellule fille antérieure en soit dépourvue. Pendant les quelques divisions suivantes, les protéines Par opèrent de façon similaire, orientant le fuseau mitotique et ségrégant les granules P dans une cellule fille à chaque mitose, jusqu'au stade à 16 cellules, où une seule cellule contient les granules P (Figure 21-18). C'est cette cellule qui donne naissance à la lignée germinale.

La spécification des précurseurs de la lignée germinale qui les différencie des précurseurs des cellules somatiques est un événement capital du développement de pratiquement tous les types d'animaux et ce processus a des caractéristiques communes même dans les phylums pourvus de plans corporels très différents. De ce fait, chez *Drosophila*, des particules semblables aux granules P sont également ségréguées à une extrémité de l'œuf et s'incorporent dans les cellules précurseurs de la lignée germinale pour déterminer leur destin. Des phénomènes similaires se produisent chez le poisson et la grenouille. Dans toutes ces espèces, on peut reconnaître au moins un certain nombre de protéines identiques dans le matériel qui détermine la lignée germinale, y compris des homologues d'une protéine, Vasa, qui se fixe sur l'ARN. On ne comprend pas encore comment agissent Vasa et ses protéines associées ainsi que les molécules d'ARN pour définir la lignée germinale.

Figure 21-17 L'arbre de lignage des cellules qui forment l'intestin de *C. elegans*. Notez que si les cellules intestinales forment un seul clone (comme les lignées des cellules germinales), les cellules de la plupart des autres tissus ne le font pas. Les cellules nerveuses (non montrées sur le schéma de l'adulte en bas) sont surtout regroupées en ganglions nerveux près des extrémités antérieure et postérieure de l'animal et dans une corde nerveuse ventrale qui s'étend tout le long du corps.

Une organisation progressivement plus complexe est engendrée par des interactions intercellulaires

L'œuf de *C. elegans*, comme celui d'autres animaux, est une cellule particulièrement grande, avec une place pour la formation complexe de l'organisation interne. En plus des granules P, d'autres facteurs se distribuent de façon ordonnée le long de son axe antéropostérieur sous le contrôle des protéines Par et sont ainsi alloués à différentes cellules tandis que l'œuf commence ses premiers cycles de division cellulaire. Ces divisions se produisent sans croissance (car l'alimentation ne peut commencer tant qu'une bouche et un tube digestif ne se sont pas formés) et de ce fait subdivisent l'œuf en cellules de plus en plus petites. Un certain nombre de ces facteurs localisés sont des protéines régulatrices de gènes qui agissent directement dans la cellule qui les hérite soit pour activer soit pour bloquer l'expression de gènes spécifiques, et ajouter ainsi des différences entre la cellule et ses voisines afin de l'engager vers un destin spécifique.

Tandis que les toutes premières différences entre les cellules le long de l'axe antéropostérieur de *C. elegans* résultent des divisions asymétriques, la poursuite de la formation de l'organisation interne, y compris l'organisation des types cellulaires le long des autres axes, dépend des interactions entre une cellule et une autre. Les lignages cellulaires de l'embryon sont si reproductibles que chaque cellule peut recevoir un nom et être identifiée chez chaque animal (Figure 21-19) ; les cellules au stade à quatre cellules, par exemple, sont appelées ABa et ABp (les deux cellules sœurs antérieures) et EMS et P_2 (les deux cellules sœurs postérieures). Du fait de la division asymétrique que nous venons de décrire, la cellule P_2 exprime à sa surface une protéine de signalisation – chez le nématode, un homologue de Delta, le ligand de Notch – tandis que les cellules ABa et ABp expriment le récepteur transmembranaire correspondant – un homologue de Notch. La forme allongée de la coquille de l'œuf oblige ces cellules à adopter une certaine disposition, de sorte que la cellule la plus antérieure, Aba, et la cellule la plus postérieure, P_2, ne sont plus en contact l'une avec l'autre. De ce fait, seules les cellule ABp et EMS sont exposées au signal issu de P_2. Ce signal agit sur ABp, pour la différencier de ABa et définir le futur axe dorso-ventral du ver (Figure 21-20).

Au même moment, P_2 exprime aussi une autre molécule de signalisation, une protéine Wnt, qui agit sur un récepteur Wnt (une protéine Frizzled) situé sur la membrane de la cellule EMS. Ce signal polarise la cellule EMS par rapport à son site de contact avec P_2 et contrôle l'orientation de son fuseau mitotique. La cellule EMS se divise alors pour donner deux cellules filles qui s'engagent vers différents destins du fait du signal Wnt de P_2. Une des filles, la cellule MS, donnera naissance aux muscles et à diverses autres parties du corps ; l'autre fille, la cellule E, est la cellule fondatrice

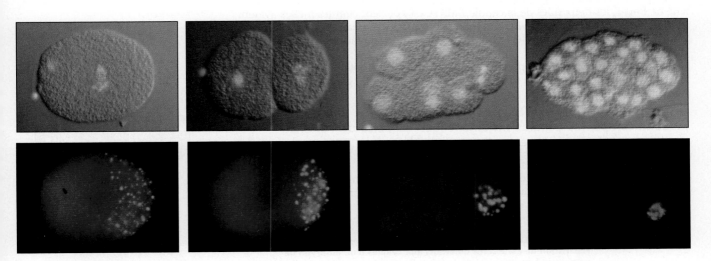

Figure 21-18 Les divisions asymétriques qui permettent la ségrégation des granules P dans la cellule fondatrice de la lignée germinale de *C. elegans*. Les microphotographies de la ligne supérieure montrent l'organisation des divisions cellulaires, avec les noyaux cellulaires colorés en bleu par un colorant fluorescent spécifique de l'ADN ; en dessous, ce sont les mêmes cellules colorées par un anticorps anti-granules P. Ces petits granules (0,5 à 1 μm de diamètre) sont répartis au hasard dans tout le cytoplasme dans l'ovule non fécondé (non montré ici). Après la fécondation, à chaque division cellulaire jusqu'au stade à 16 cellules, ces granules et la machinerie intracellulaire qui les localise asymétriquement sont ségrégués dans une seule cellule fille. (Due à l'obligeance de Susan Strome.)

du tube digestif, engagée à donner naissance à toutes les cellules digestives et à aucun autre tissu (*voir* Figure 21-20).

Après avoir décrit la chaîne de cause à effet lors des premiers stades du développement du nématode, examinons maintenant certaines méthodes utilisées pour la déchiffrer.

La microchirurgie et la génétique révèlent la logique du contrôle du développement ; le clonage et le séquençage géniques révèlent ses mécanismes moléculaires

Pour découvrir les mécanismes en cause, nous devons connaître le potentiel de développement de chaque cellule de l'embryon. À quels moments de leur vie subissent-elles les modifications internes décisives qui déterminent leur destin spécifique et à quels moments dépendent-elles des signaux issus d'autres cellules ? Chez le nématode, il est pratique d'utiliser la microchirurgie au microfaisceau laser pour tuer une ou plusieurs cellules voisines d'une cellule afin d'observer directement comment cette dernière se comporte dans ces circonstances modifiées. Une autre méthode consiste à repousser les cellules dans le jeune embryon et à les changer de position à l'intérieur de la coquille à l'aide d'une aiguille fine. On peut, par exemple, intervertir les positions relatives de ABa et ABp au stade à quatre cellules du développement. La cellule ABa subit alors ce qui serait normalement le destin de la cellule ABp et vice versa, ce qui montre que les deux cellules ont initialement le même potentiel de développement et dépendent des signaux issus de leurs voisines pour se différencier. Une troisième tactique consiste à éliminer la coquille d'un embryon de *C. elegans* aux premiers stades de son développement par digestion enzymatique puis à manipuler les cellules en culture. L'existence d'un signal de polarisation issu de P_2 sur EMS a été ainsi démontrée.

Les criblages génétiques ont été utilisés pour identifier les gènes impliqués dans les interactions P_2-EMS. Les recherches ont été faites sur des souches mutantes de vers chez lesquelles aucune cellule digestive n'a été induite (les mutants *mom*, nommés ainsi parce qu'ils ont plus de mésoderme «*mo*re *m*esoderm», le mésoderme étant la destinée des deux cellules filles EMS en cas d'absence d'induction). Le clonage et le séquençage des gènes *mom* ont révélé qu'un des gènes code pour une protéine de signalisation Wnt exprimée dans la cellule P_2 tandis qu'un autre code pour une protéine Frizzled (un récepteur Wnt) exprimée dans la cellule EMS. Un autre criblage génétique a été mené avec des souches mutantes de vers de phénotype opposé dans lesquelles des cellules digestives supplémentaires ont été induites (appelés mutants *pop*, parce qu'ils ont un important pharynx – «*p*lenty *o*f *p*harynx» – du fait de l'appareil digestif supplémentaire). Un des gènes *pop* (*pop-1*) est activé pour coder une protéine régulatrice de gènes (un homologue de LEF-1/TCF) dont l'activité est régulée négativement par la signalisation via Wnt chez *C. elegans*. Lors d'absence d'activité de Pop-1, les deux filles de la cellule EMS se comportent comme si elles avaient reçu le signal Wnt issu de P_2. Des méthodes génétiques similaires ont été utilisées pour identifier les gènes dont les produits permettent la signalisation Notch-dépendante de P_2 vers ABa.

En continuant ainsi, il est possible d'édifier un schéma détaillé des événements décisifs du développement du nématode et de la machinerie, génétiquement spécifiée, qui les contrôle.

Avec le temps, les cellules modifient leur capacité de réponse aux signaux de développement

La complexité du corps du nématode adulte est obtenue par l'utilisation répétitive d'une poignée de mécanismes de formation de l'organisation interne, y compris ceux que nous venons de voir au cours des premiers stades embryonnaires. Par exemple,

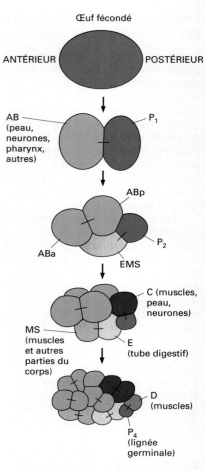

Figure 21-19 L'organisation des divisions cellulaires dans le jeune embryon de nématode, avec les noms et le destin de chaque cellule. Les cellules qui sont sœurs sont reliées par une courte ligne noire. (D'après K. Kemphues, *Cell* 101 : 345-348, 2000.)

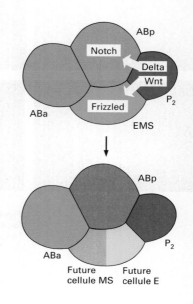

Figure 21-20 Les voies de signalisation cellulaire qui contrôlent la répartition de caractères différents aux cellules d'un embryon de nématode à quatre cellules. La cellule P_2 utilise la voie de signalisation Notch pour envoyer un signal inducteur à la cellule ABp, ce qui provoque l'adoption par celle-ci d'un caractère spécifique. La cellule ABa a tout l'appareil moléculaire pour répondre de la même façon à ce même signal mais elle ne le fait pas parce qu'elle n'est pas en contact avec P_2. Pendant ce temps, un signal Wnt issu de la cellule P_2 provoque l'orientation du fuseau mitotique de la cellule EMS et engendre deux filles engagées dans des destins différents du fait de leur exposition différente à la protéine Wnt – la cellule MS et la cellule E (la cellule fondatrice du tube digestif).

les divisions cellulaires asymétriques dépendantes des protéines régulatrices du gène *pop-1* se produisent tout au long du développement de *C. elegans* et engendrent des différences entre les cellules sœurs antérieure et postérieure.

Comme nous l'avons déjà dit, tandis que peu de types de signaux agissent de façon répétitive à différents moments et endroits, leurs effets sont différents parce que les cellules sont programmées pour répondre différemment selon leur âge et leur passé. Nous avons vu, par exemple, qu'au stade à quatre cellules du développement, une cellule, ABp, modifie son potentiel de développement à cause d'un signal reçu via la voie Notch. Au stade à 12 cellules du développement, les petites-filles de la cellule ABp et les petites-filles de la cellule ABa rencontrent toutes deux un autre signal Notch, issu cette fois d'une fille de la cellule EMS. La petite-fille ABa modifie son état interne en réponse à ce signal et commence à former le pharynx. La petite-fille ABp ne fait pas cela – sa première exposition au signal Notch l'a rendue non-répondante. De ce fait, à différents moments de leur histoire, les cellules de la lignée ABa et de la lignée ABp répondent à Notch mais le résultat est différent. D'une façon ou d'une autre, un signal Notch au stade à 12 cellules induit le pharynx, mais un signal Notch au stade à 4 cellules a un autre effet – qui inclut la prévention de l'induction du pharynx par Notch à un stade ultérieur.

Les gènes hétérochroniques contrôlent la chronologie du développement

Une cellule n'a pas besoin de recevoir un signal externe pour se modifier : un groupe de molécules régulatrices à l'intérieur de la cellule peut provoquer la production d'un autre groupe et la cellule peut ainsi passer de façon autonome par une série d'états différents. Ces états ne diffèrent pas seulement par leur capacité à répondre aux signaux externes, mais aussi par d'autres aspects de leur chimie interne, y compris par les protéines qui arrêtent ou commencent le cycle de division cellulaire. De cette façon, les mécanismes cellulaires internes, associés au signaux passés et présents reçus, dictent à la fois la séquence des modifications biochimiques intracellulaires et la chronologie de la division cellulaire.

Les détails moléculaires spécifiques des mécanismes qui gouvernent le programme temporel du développement sont encore mystérieux. On sait remarquablement peu de choses sur le mode de contrôle de la séquence des divisions cellulaires, même dans l'embryon de nématode pourvu de son patron rigide et prévisible de divisions cellulaires. Cependant, dans les stades ultérieurs, lorsque la larve s'alimente et croît puis mue pour devenir adulte, il a été possible d'identifier certains gènes qui contrôlent la chronologie des événements cellulaires. Des mutations de ces gènes provoquent des phénotypes *hétérochroniques* : la cellule d'une larve à un stade se comporte comme si elle appartenait à la larve d'un stade différent, ou les cellules de l'adulte continuent à se diviser comme si elles appartenaient à une larve (Figure 21-21).

Par des analyses génétiques, on peut déterminer que les produits des gènes hétérochroniques agissent en série, formant des cascades régulatrices. Curieusement,

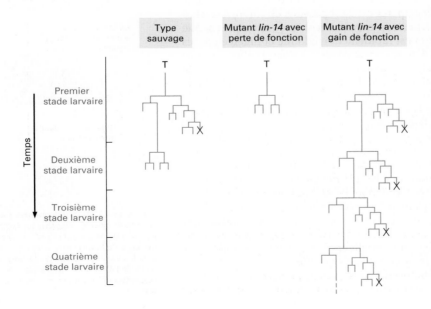

Figure 21-21 Les mutations hétérochroniques du gène *lin-14* de *C. elegans*. Les effets sur une seule des nombreuses lignées affectées sont montrés ici. La mutation par perte de fonction (récessive) de *lin-14* provoque l'apparition prématurée du patron de division et de différenciation cellulaires caractéristique d'une larve tardive de telle sorte que l'animal atteint son état définitif prématurément avec un nombre anormalement faible de cellules. La mutation avec gain de fonction (dominante) a l'effet contraire : les cellules réitèrent le patron de division cellulaire caractéristique du premier stade larvaire, continuant pendant cinq à six cycles de mues et persistent dans la fabrication d'un type immature de cuticule. La croix montre la mort cellulaire programmée. Les *lignes vertes* représentent les cellules qui contiennent la protéine Lin-14 (qui se fixe sur l'ADN), les *lignes rouges* celles qui n'en contiennent pas. Lors du développement normal, la disparition de Lin-14 est déclenchée par le début de l'alimentation larvaire. (D'après V. Ambros et H.R. Horvitz, *Science* 226 : 409-416, 1984 ; P. Arasu, B. Wightman et G. Ruvkun, *Growth Dev. Aging* 5 : 1825-1833, 1991.)

deux gènes, *lin-4* et *let-7*, situés en haut de leur cascade respective, ne codent pas pour des protéines mais pour de courtes molécules d'ARN non traduites (de 21 ou 22 nucléotides de long). Elles agissent en se fixant sur des séquences complémentaires de régions non codantes de molécules d'ARNm transcrites à partir d'autres gènes hétérochroniques, et contrôlent ainsi leur vitesse de traduction ou éventuellement leur dégradation (peut-être par un mécanisme similaire à celui des ARNi – *voir* p. 451). L'augmentation de la concentration en ARN *lin-4* gouverne la progression du comportement cellulaire du stade larvaire 1 au comportement cellulaire du stade larvaire 3, l'augmentation de la concentration en ARN *let-7* gouverne la progression de la dernière larve à l'adulte.

On retrouve des molécules d'ARN identiques ou presque identiques à l'ARN *let-7* dans beaucoup d'autres espèces, y compris *Drosophila*, le poisson zèbre et l'homme. De plus, ces ARN semblent agir de façon similaire pour réguler la concentration en leurs molécules d'ARNm cible et les cibles elles-mêmes sont homologues aux cibles de l'ARN *let-7* du nématode. Ces preuves suggèrent donc que ce système joue un rôle universel dans l'apparition d'une commutation entre le style de comportement cellulaire précoce et tardif.

Le nombre des divisions cellulaires n'est pas compté lorsque les cellules suivent la chronologie de leur programme interne

Comme il faut que les étapes de la spécialisation cellulaire soient coordonnées aux divisions cellulaires, certains suggèrent souvent que le cycle de division cellulaire pourrait servir d'horloge de contrôle du rythme des autres événements du développement. Selon cette hypothèse, les modifications de l'état interne seraient enclenchées par le passage dans chaque cycle de division : la cellule passerait au stade suivant lorsqu'elle entrerait en mitose, pour ainsi dire. Il existe une quantité substantielle de preuves qui montrent que cette hypothèse est fausse. Les cellules des embryons en développement, que ce soient des vers, des mouches ou des vertébrés, continuent leur chronologie standard de détermination et de différenciation même lorsque leur progression dans le cycle de division cellulaire est artificiellement bloquée. Nécessairement, certaines anomalies existent simplement parce qu'une seule cellule, qui ne se divise pas, ne peut pas se différencier de deux façons à la fois. Mais dans la plupart des cas étudiés, il semble clair que les cellules modifient leur état avec le temps, indépendamment de leur division cellulaire, et que c'est cette modification de l'état qui contrôle la décision de se diviser ainsi que celle de se spécialiser en un type et à un moment particuliers.

Une partie du programme de développement s'accompagne de la mort de certaines cellules par apoptose

Le contrôle du nombre de cellules en développement dépend de la mort de cellules et de la division cellulaire. Un hermaphrodite de *C. elegans* engendre 1 030 noyaux de cellules somatiques au cours de son développement, mais 131 cellules meurent. Cette mort cellulaire programmée se produit selon un schéma absolument prévisible. Chez *C. elegans*, il peut être suivi en détail, parce qu'il est possible de suivre à la trace le destin de chaque cellule et de voir lesquelles meurent. On observe alors que chaque victime du suicide subit une apoptose et est rapidement engloutie et digérée par les cellules voisines (Figure 21-22). Dans d'autres organismes, où l'observation rapprochée est plus difficile, ces morts cellulaires passent facilement inaperçues ; mais la mort cellulaire par apoptose est probablement le destin d'une fraction substantielle de cellules produites chez la plupart des animaux, et joue un rôle essentiel dans la formation d'un individu doté des bons types de cellules, en bon nombre et aux bons endroits, comme nous l'avons vu au chapitre 17.

Les criblages génétiques chez *C. elegans* ont été cruciaux pour l'identification des gènes qui occasionnent l'apoptose et ont démontré leur importance dans le développement. Trois gènes, *ced-3*, *ced-4* et *egl-1* (*ced* pour *cell death* abnormal, ou mort cellulaire anormale) sont nécessaires pour que les 131 morts cellulaires normales se produisent. Si ces gènes sont inactivés par mutation, les cellules normalement destinées à mourir, survivent et se différencient en des types cellulaires reconnaissables, comme par exemple des neurones. À l'inverse, la surexpression ou l'expression mal placée de ces mêmes gènes provoque la mort de nombreuses cellules qui devraient normalement survivre et les mutations qui inactivent un autre gène, *ced-9*, qui réprime normalement le programme de mort ont le même effet.

Tous ces gènes codent pour des composants conservés de la machinerie de mort cellulaire. Comme nous l'avons décrit au chapitre 17, *ced-3* code pour un homologue

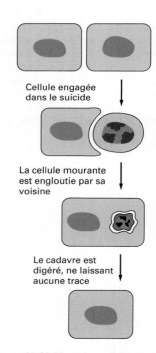

Cellule engagée dans le suicide

La cellule mourante est engloutie par sa voisine

Le cadavre est digéré, ne laissant aucune trace

Figure 21-22 Mort des cellules par apoptose chez *C. elegans*. La mort dépend de l'expression des gènes *ced-3* et *ced-4* en l'absence de l'expression de *ced-9* – tout ceci dans la cellule qui se suicide. La phagocytose suivie de l'élimination des restes dépend de l'expression d'autres gènes dans les cellules voisines.

de la caspase, alors que *ced-4*, *ced-9* et *egl-1* sont respectivement des homologues d'*Apaf-1*, *Bcl-2* et *Bad*. Sans les aperçus donnés par l'analyse détaillée du développement de ce ver nématode transparent, génétiquement docile, il aurait été beaucoup plus difficile de découvrir ces gènes et de comprendre le processus de mort cellulaire chez les vertébrés.

Résumé

Le développement d'un petit ver transparent, relativement simple, le nématode Caenorhabditis elegans, est extraordinairement reproductible et peut être suivi en détail, de telle sorte qu'une cellule à une position donnée dans le corps a le même lignage chez chaque individu et que ce lignage est totalement connu. De même, son génome a été totalement séquencé. De ce fait, des méthodes puissantes, génétiques et microchirurgicales, peuvent être associées pour déchiffrer les mécanismes du développement. Comme chez les autres organismes, le développement dépend de l'association d'interactions intercellulaires et de processus cellulaires autonomes. Le développement commence par une division asymétrique de l'œuf fécondé, qui donne deux cellules plus petites contenant différents déterminants du destin cellulaire. Les filles de ces cellules interagissent via les voies de signalisation cellulaire Notch et Wnt pour créer une organisation plus variée de l'état des cellules. Pendant ce temps, par d'autres divisions asymétriques, une cellule hérite des matériaux issus de l'œuf qui la déterminent à un stade précoce comme étant la cellule précurseur de la lignée germinale.

Les criblages génétiques ont identifié des groupes de gènes responsables de cette étape du développement et des suivantes, y compris, par exemple, les gènes de mort cellulaire qui contrôlent l'apoptose d'un sous-groupe spécifique de cellules, processus normal du programme de développement. Des gènes hétérochroniques qui gouvernent la chronologie des événements du développement ont aussi été trouvés, même si d'un point de vue général notre compréhension du contrôle temporel du développement reste encore très mauvaise. Il existe de bonnes preuves, cependant, que le rythme du développement n'est pas établi par le nombre des divisions cellulaires.

DROSOPHILA ET LA GÉNÉTIQUE MOLÉCULAIRE DE LA FORMATION D'UN PATRON : LA GENÈSE DU PLAN CORPOREL

C'est une mouche, *Drosophila melanogaster* (Figure 21-23), plus que tout autre organisme, qui a transformé notre compréhension de la façon dont les gènes gouvernent le mode d'organisation de notre corps. L'anatomie de *Drosophila* est plus complexe que celle de *C. elegans*, avec plus de 100 fois plus de cellules et elle présente plus de parallélismes visibles avec notre propre structure corporelle. Il est surprenant que la mouche possède moins de gènes que le ver – environ 14 000 comparés aux 19 000.

(A)

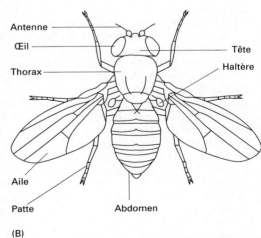

Antenne

Œil

Thorax

Tête

Haltère

Aile

Patte

Abdomen

(B)

Figure 21-23 *Drosophila melanogaster*. Vue dorsale d'une mouche adulte normale. (A) Photographie. (B) Dessin légendé. (Photographie due à l'obligeance de E.B. Lewis.)

D'un autre côté, elle a presque deux fois plus d'ADN non codant par gène (environ 10 000 nucléotides en moyenne comparés aux 5 000 environ). Le kit de construction moléculaire possède donc moins de type de constituants mais les instructions d'assemblage – spécifiées par les séquences régulatrices d'ADN non codant – semblent être plus volumineuses.

Des décennies d'études génétiques, culminant par les criblages génétiques systématiques massifs, ont fourni le catalogue des gènes de contrôle du développement qui définissent l'organisation spatiale des types cellulaires et des structures corporelles de la mouche et la biologie moléculaire nous a donné les outils pour observer ces gènes en action. L'hybridation *in situ* qui utilise des sondes d'ADN ou d'ARN sur des embryons entiers, ou la coloration par des anticorps marqués qui révèle la distribution de protéines spécifiques, nous ont permis d'observer directement comment des ensembles de gènes régulateurs, exprimés à différents moments du développement des cellules, définissent les états cellulaires internes. De plus, par l'analyse d'animaux qui contiennent un mélange de cellules mutantes et normales, il a été possible de découvrir le mode de fonctionnement de chaque gène en tant que partie d'un système qui spécifie l'organisation du corps.

Il se trouve que la plupart des gènes qui contrôlent l'organisation du corps de *Drosophila* ont des contreparties proches chez les animaux supérieurs, y compris nous-mêmes. En fait, beaucoup d'instruments fondamentaux qui permettent de définir le plan du corps et de modeler chaque organe et chaque tissu sont étonnamment similaires. La mouche nous a donc fourni, et c'est assez surprenant, les clés pour la compréhension de la génétique moléculaire de notre propre développement.

La mouche, comme le nématode, est idéale pour les études génétiques : peu onéreuse à élever, facile à muter et dotée d'un cycle de reproduction rapide. Mais il y a d'autres raisons fondamentales qui expliquent sa si grande importance pour les généticiens du développement. Comme nous l'avons déjà dit, du fait de la duplication génique, le génome des vertébrés contient souvent deux ou trois gènes homologues qui correspondent à un seul gène de la mouche. Une mutation qui rompt un de ces gènes ne révèle souvent pas la fonction centrale de ce gène, parce que les autres homologues, qui partagent cette même fonction, restent actifs. Chez la mouche, qui possède un plus petit ensemble de gènes, la prévalence de ce phénomène de redondance génétique est plus faible. En général, le phénotype d'une seule mutation dans la mouche découvre plus directement la fonction du gène mutant.

Le corps de l'insecte est construit sous forme d'une série d'unités segmentaires

La chronologie du développement de *Drosophila*, de l'œuf à l'adulte, est résumée dans la figure 21-24. La période du *développement embryonnaire* commence lors de la fécondation et prend environ une journée, à la fin de laquelle l'embryon sort de la coquille de l'œuf pour devenir une *larve*. La larve passe alors par trois stades, ou *instars*, séparés par des mues au cours desquelles elle perd sa vieille enveloppe de cuticule et en dépose une plus grande. À la fin du troisième stade larvaire elle forme une *nymphe*. À l'intérieur de la nymphe s'effectue un remodelage radical du corps – un processus appelé *métamorphose*. Finalement, environ neuf jours après la fécondation, une mouche adulte, ou *imago*, est obtenue.

La mouche est composée d'une tête, avec une bouche, des yeux et des antennes, suivie de trois segments thoraciques (nommés T1 à T3) et de huit à neuf segments abdominaux (nommés A1 à A9). Chaque segment, bien que différent des autres, est construit selon un plan similaire. Le segment T1 par exemple, porte une paire de pattes, T2 porte une paire de pattes plus une paire d'ailes et T3 porte une paire de pattes plus une paire d'haltères – petits balanciers en forme de boutons, importants pour le vol, développés à partir de la seconde paire d'ailes que possèdent les insectes plus primitifs. La segmentation quasi répétitive se développe dans le jeune embryon pendant les premières heures qui suivent la fécondation (Figure 21-25) mais est plus visible dans la larve (Figure 21-26), où les segments ressemblent plus à ceux de l'adulte. Dans l'embryon on peut voir que les rudiments de la tête, ou au moins les futures parties de la bouche adulte, sont pareillement segmentés. Aux deux extrémités de l'animal, cependant, se trouvent des structures terminales hautement spécialisées qui ne sont pas dérivées de la segmentation.

Les limites entre les segments sont traditionnellement définies par des marqueurs anatomiques visibles ; mais lorsque nous parlons du patron d'expression des gènes, il est souvent pratique de dessiner un autre groupe de limites segmentaires, qui définissent une série d'unités segmentaires appelées *parasegments*, décalées d'une moitié de segment par rapport à la division traditionnelle (*voir* Figure 21-26).

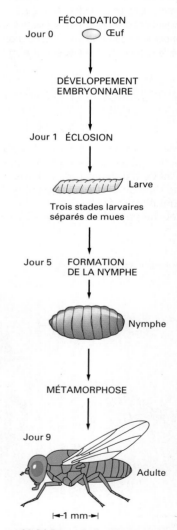

FÉCONDATION
Jour 0 Œuf

DÉVELOPPEMENT EMBRYONNAIRE

Jour 1 ÉCLOSION

Larve
Trois stades larvaires séparés de mues

Jour 5 FORMATION DE LA NYMPHE

Nymphe

MÉTAMORPHOSE

Jour 9

Adulte

|←1 mm→|

Figure 21-24 Synopsis du développement de *Drosophila*, de l'œuf à la mouche adulte.

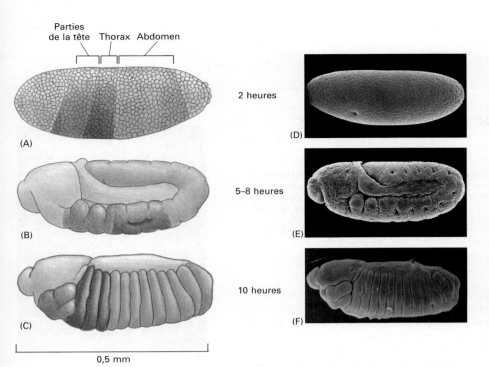

Figure 21-25 Les origines des segments du corps de *Drosophila* pendant le développement embryonnaire. Les embryons sont en vue latérale sur les dessins (A à C) et les photographies correspondantes en microscopie électronique (D à F). (A et D) À 2 heures, l'embryon est au stade de *blastoderme syncytial* (*voir* Figure 21-51) et aucune segmentation n'est visible, bien qu'une carte des destinées puisse être dessinée et montre les futures régions des segments (*couleurs* sur A). (B et E) Entre 5 et 8 heures, l'embryon est au stade de *bandes étendues* : la gastrulation s'est produite, la segmentation a commencé à être visible et l'axe segmenté du corps s'est allongé, se recourbant en arrière sur lui-même à l'extrémité de la queue afin de s'adapter à la coquille de l'œuf. (C et F) À 10 heures l'axe du corps s'est contracté et est redevenu droit et tous les segments sont clairement définis. Les structures de la tête, visibles de l'extérieur à ce stade, rentreront ensuite à l'intérieur de la larve, pour ne ressortir que lorsque la larve passera par la formation de la nymphe pour devenir adulte. (D et E, dues à l'obligeance de F.R. Turner et A.P. Mahowald, *Dev. Biol.* 50 : 95-108, 1976. © Academic Press ; F, d'après J.P. Petschek, N. Perrimon et A.P. Mahowald, *Dev. Biol.* 119 : 175-189, 1987. © Academic Press.)

Drosophila commence son développement sous forme d'un syncytium

L'œuf de *Drosophila* mesure environ 0,5 mm de long et 0,15 mm de diamètre, avec une polarité clairement définie. Comme les œufs des autres insectes, mais contrairement aux vertébrés, il commence son développement d'une façon inhabituelle : une série de divisions nucléaires sans division cellulaire qui engendre un syncytium. Les premières divisions nucléaires sont synchrones et extrêmement rapides, et se produisent environ toutes les 8 minutes. Les neuf premières divisions engendrent un nuage de noyaux, dont la plupart migrent du milieu de l'œuf vers sa surface où ils forment une monocouche, le *blastoderme syncytial*. Après quatre nouveaux cycles de division nucléaire, des membranes plasmiques croissent vers l'intérieur à partir de la surface de l'œuf pour entourer chaque noyau et transforment ainsi le blastoderme syncytial en un *blastoderme cellulaire* composé d'environ 6 000 cellules séparées (Figure 21-27). Environ 15 noyaux de l'extrémité postérieure de l'œuf sont ségrégués dans des cellules quelques cycles plus tôt ; ces *cellules polaires* sont les précurseurs de la lignée germinale (cellules germinales primordiales) qui donnera naissance aux ovules ou aux spermatozoïdes.

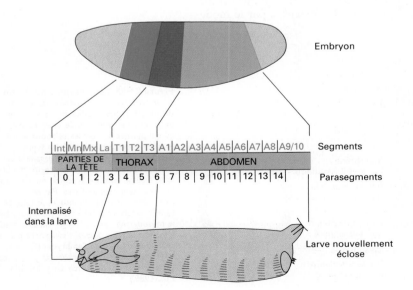

Figure 21-26 Les segments de la larve de *Drosophila* et leurs correspondances avec les régions du blastoderme. Les parties de l'embryon qui s'organisent en segments sont montrées en couleur. Les deux extrémités de l'embryon, ombrées en *gris*, ne sont pas segmentées et sont enfoncées à l'intérieur du corps pour former les structures internes de la tête et du tube digestif. (Les structures externes segmentées futures de la tête adulte sont aussi transitoirement enfoncées à l'intérieur dans la larve.) La segmentation chez *Drosophila* peut être décrite en termes soit de segments soit de parasegments : la relation est montrée dans la partie centrale de la figure. Les parasegments correspondent souvent plus simplement au patron d'expression génique. Le nombre exact de segments abdominaux est discutable : huit sont clairement définis et un neuvième existe sous forme vestigiale dans la larve mais est absent chez l'adulte.

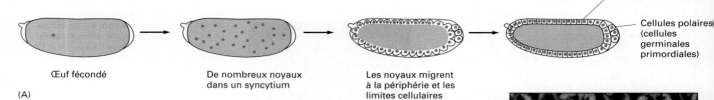

Cellules somatiques

Cellules polaires (cellules germinales primordiales)

Œuf fécondé

De nombreux noyaux dans un syncytium

Les noyaux migrent à la périphérie et les limites cellulaires commencent à se former

(A)

Figure 21-27 Le développement de l'œuf de *Drosophila* de la fécondation au stade de blastoderme cellulaire. (A) Représentation schématique. (B) Vue superficielle – photographie d'une coupe de noyaux d'un blastoderme subissant la mitose à la transition entre le stade syncytial et le stade de blastoderme cellulaire. L'actine est colorée en *vert*, les chromosomes en *orange*. (A, d'après H.A. Schneiderman, in Insect Development [P.A. Lawrence, ed.], p. 3-34, Oxford, UK : Blackwell, 1976 ; B, due à l'obligeance de William Sullivan.)

(B)

Jusqu'au stade de blastoderme cellulaire, le développement dépend largement – bien que non exclusivement – des réserves maternelles d'ARNm et de protéines qui se sont accumulées dans l'ovule avant sa fécondation. La vitesse frénétique de réplication de l'ADN et de division nucléaire donne évidemment peu d'opportunités à la transcription. Après la cellularisation, la division cellulaire se poursuit de façon plus conventionnelle, asynchrone et plus lente, et la vitesse de transcription augmente de façon spectaculaire. La gastrulation commence un petit peu avant la fin de la cellularisation, lorsque des parties du feuillet de cellules formant l'extérieur de l'embryon commencent à entrer à l'intérieur pour former le tube digestif, la musculature et les tissus internes associés. Un petit peu plus tard et dans une autre région de l'embryon, un groupe séparé de cellules se déplace de l'épithélium de surface vers l'intérieur pour former le système nerveux central. En marquant et en suivant les divers déplacements de ces cellules, on peut dessiner une carte de la destinée de la monocouche cellulaire de la surface du blastoderme (Figure 21-28).

Lorsque la gastrulation approche de sa fin, une série d'indentations et de protubérances apparaît à la surface de l'embryon, marquant les subdivisions du corps en segments le long de l'axe antéropostérieur (*voir* Figure 21-25). Bientôt, une larve totalement segmentée émerge, prête à commencer à manger et à croître. À l'intérieur du corps de la larve, de petits groupes de cellules restent apparemment indifférenciés et forment des structures appelées *disques imaginaux*. Ils croissent en même temps que la larve et donnent finalement naissance à la plupart des structures du corps adulte comme nous le verrons ultérieurement.

Une extrémité antérieure et une extrémité caudale, un côté ventral (ventre) et un côté dorsal (dos), un tube digestif, un système nerveux, une série de segments corporels – ce sont des caractéristiques fondamentales du plan corporel que *Drosophila* partage avec bien d'autres animaux, y compris nous-mêmes. Nous commencerons notre discussion sur les mécanismes du développement de *Drosophila* par le mode de mise en place de ce plan corporel.

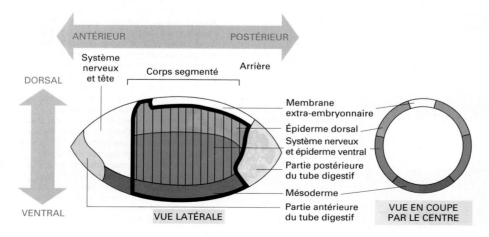

Figure 21-28 Cartographie du destin d'un embryon de *Drosophila* au stade de blastoderme cellulaire. L'embryon est montré en vue latérale et en coupe, ce qui permet de voir les relations entre la subdivision dorsoventrale en types tissulaires majeurs futurs et l'organisation antéropostérieure des futurs segments. Une ligne épaisse entoure la région qui formera les structures segmentaires. Pendant la gastrulation, les cellules situées le long de la ligne centrale ventrale s'invaginent pour former le mésoderme, tandis que les cellules destinées à former le tube digestif s'invaginent près de chaque extrémité de l'embryon. (D'après V. Hartenstein, G.M. Technau et J.A. Campos-Ortega, *Wilhelm Roux'Arch. Dev. Biol.* 194 : 213-216, 1985.)

Les criblages génétiques ont défini des groupes de gènes nécessaires aux aspects spécifiques du début de l'organisation interne

Par une série de criblages génétiques fondés sur des mutagenèses par saturation (*voir* Chapitre 8), il a été possible d'amasser une collection de *Drosophila* mutantes qui présentent des modifications d'une grande proportion de gènes affectant le développement. Les mutations indépendantes au sein d'un même gène peuvent être distinguées des mutations situées dans des gènes séparés par un test de complémentation (*voir* Planche 8-1, p. 527), ce qui permet d'obtenir un catalogue de gènes classés selon leurs phénotypes mutants. Dans ce catalogue, les groupes de gènes qui ont des phénotypes mutants très similaires codent souvent pour un groupe de protéines qui agissent ensemble pour effectuer une fonction particulière.

Parfois les fonctions du développement révélées par les phénotypes mutants sont celles qu'on attendait ; parfois ce sont des surprises. Un criblage génétique à grande échelle focalisé sur les premiers stades du développement de *Drosophila* a révélé que les gènes capitaux se trouvaient dans un groupe, relativement petit, de classes fonctionnelles définies par les phénotypes mutants. Certains – les *gènes de polarité* (Figure 21-29) – sont nécessaires à la définition des axes antéropostérieur et dorsoventral de l'embryon et marquent leurs deux extrémités pour qu'elles subissent des destins spécifiques par le biais de mécanismes qui impliquent des interactions entre l'ovocyte et les cellules environnantes de l'ovaire. D'autres, les *gènes gap*, sont nécessaires dans des régions spécifiques de grande taille situées le long de l'axe antéropostérieur du jeune embryon pour permettre leur développement correct. Entrant dans une troisième catégorie, les *gènes « pair-rule »* (règle de parité) sont nécessaires,

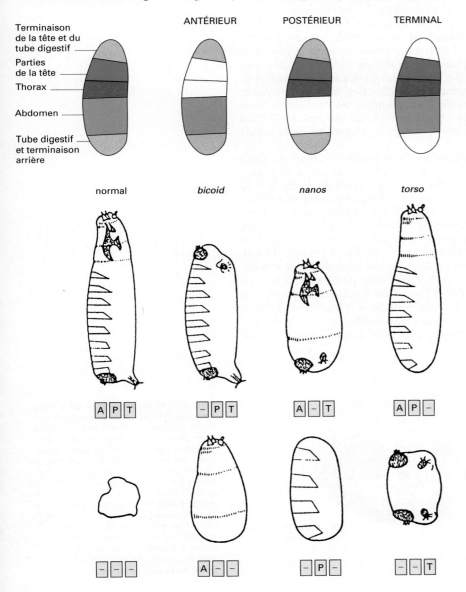

Figure 21-29 Les domaines des systèmes antérieur, postérieur et terminal des gènes de polarité de l'œuf. Le diagramme d'*en haut* montre les destins des différentes régions de l'œuf/embryon aux premiers stades du développement et indique (en *blanc*) les parties qui ne se développent pas si le système antérieur, postérieur ou terminal est déficient. La ligne du *milieu* montre schématiquement l'aspect d'une larve normale et d'une larve mutante déficiente en un gène du système antérieur (par exemple *bicoid*), ou un gène du système postérieur (par exemple *nanos*) ou du système terminal (par exemple *torso*). La ligne de dessins *du bas* montre l'aspect des larves dans lesquelles aucun ou seulement un des trois systèmes est fonctionnel. La lettre en dessous de chaque larve spécifie quel système est intact (APT pour une larve normale, –PT pour une larve chez laquelle le domaine antérieur est déficient et les systèmes postérieurs et terminaux sont intacts et ainsi de suite).

L'inactivation d'un système particulier de gènes provoque la perte de l'ensemble correspondant de structures corporelles ; les parties du corps qui se forment correspondent aux systèmes de gènes qui restent fonctionnels. Notez que les larves qui présentent un défaut du système antérieur peuvent encore former des structures terminales à leur extrémité antérieure mais elles sont du type trouvé normalement à l'arrière du corps plutôt qu'à l'avant de la tête. (Légèrement modifié d'après D. St. Johnston et C. Nüsslein-Volhard, *Cell* 68 : 201-219, 1992.)

ce qui est plus étonnant, pour le développement de segments corporels alternés. Une quatrième catégorie, formée par les *gènes de polarité segmentaire*, est responsable de l'organisation antéropostérieure de chaque segment.

La découverte de ces quatre systèmes de gènes et l'analyse ultérieure de leurs fonctions (une entreprise qui se poursuit) a été un fameux tour de force de la génétique du développement. Son impact a révolutionné toute la biologie du développement en montrant la voie vers une explication systématique et étendue du contrôle génétique du développement embryonnaire. Dans cette partie, nous résumerons brièvement les conclusions concernant les phases les plus précoces du développement de *Drosophila* parce qu'elles sont spécifiques aux insectes ; nous nous attarderons plus longuement sur les parties du processus qui illustrent les principes les plus généraux.

Les interactions entre l'ovocyte et son environnement définissent les axes de l'embryon : le rôle des gènes de polarité

Il peut être surprenant que les étapes les plus précoces du développement animal soient parmi les plus variables, même à l'intérieur d'un phylum. Une grenouille, un poulet et un mammifère, par exemple, même s'ils se développent de façon similaire par la suite, fabriquent des ovocytes qui diffèrent radicalement en taille et en structure et commencent leur développement par différentes séquences de division cellulaire et d'événements de spécialisation cellulaire.

Le style du développement précoce que nous avons décrit pour *C. elegans* est typique de nombreuses classes d'animaux. Par contre, les premiers stades du développement de *Drosophila* représentent un variant plutôt extrême. Les principaux axes du futur corps de l'insecte sont définis avant la fécondation par un échange complexe de signaux entre l'œuf non fécondé, ou ovocyte, et les cellules folliculaires qui l'entourent dans l'ovaire (Figure 21-30). Puis, dans la phase syncytiale qui suit la fécondation, un nombre exceptionnellement élevé de regroupements se produit au sein de la collection de noyaux qui se divisent rapidement, avant que l'œuf ne se cloisonne en cellules séparées. Pendant cette phase, il n'y a pas besoin des formes usuelles de communication cellule-cellule qui impliquent une signalisation transmembranaire ; les régions voisines de l'embryon de *Drosophila* aux premiers stades peuvent communiquer par le biais de protéines régulatrices de gènes et de molécules d'ARNm qui diffusent ou sont activement transportées à travers le cytoplasme de la cellule géante multinucléée.

Dans les stades qui précèdent la fécondation, l'axe antéropostérieur du futur embryon est défini par trois systèmes de molécules qui créent des points de repère dans l'ovocyte (Figure 21-31). Après la fécondation, chaque point de repère sert de balise et fournit un signal, sous forme d'un gradient morphogène qui organise le processus de développement dans son voisinage. Deux de ces signaux sont engendrés par les dépôts localisés de molécules d'ARNm spécifiques. L'extrémité antérieure future de l'embryon contient une forte concentration en ARNm d'une protéine régulatrice de gènes appelée Bicoid ; cet ARNm est traduit et produit la protéine Bicoid, qui diffuse loin de sa source pour former un gradient de concentration dont le maximum se situe à l'extrémité antérieure de l'œuf. L'extrémité postérieure future de l'embryon contient une forte concentration en ARNm d'un régulateur de traduction appelé Nanos, qui met en place un gradient postérieur de la même façon. Le troisième signal est engendré symétriquement, aux deux extrémités de l'œuf, par l'activation locale d'un récepteur transmembranaire à activité tyrosine-kinase appelé

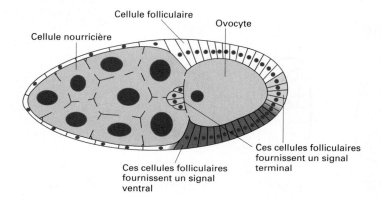

Cellule folliculaire

Ovocyte

Cellule nourricière

Ces cellules folliculaires fournissent un signal terminal

Ces cellules folliculaires fournissent un signal ventral

Figure 21-30 Un ovocyte de *Drosophila* dans son follicule. L'ovocyte dérive d'une cellule germinale qui s'est divisée quatre fois pour donner une famille de 16 cellules qui restent en communication les unes avec les autres via des ponts cytoplasmiques (*gris*). Un membre du groupe de cette famille devient l'ovocyte tandis que les autres deviennent les cellules nourricières qui fabriquent bon nombre de composants nécessaires à l'ovocyte et les lui transmettent via les ponts cytoplasmiques. Les cellules folliculaires qui entourent partiellement l'ovocyte ont un ancêtre différent. Comme cela est indiqué, elles sont les sources des signaux de polarisation terminale et ventrale de l'œuf.

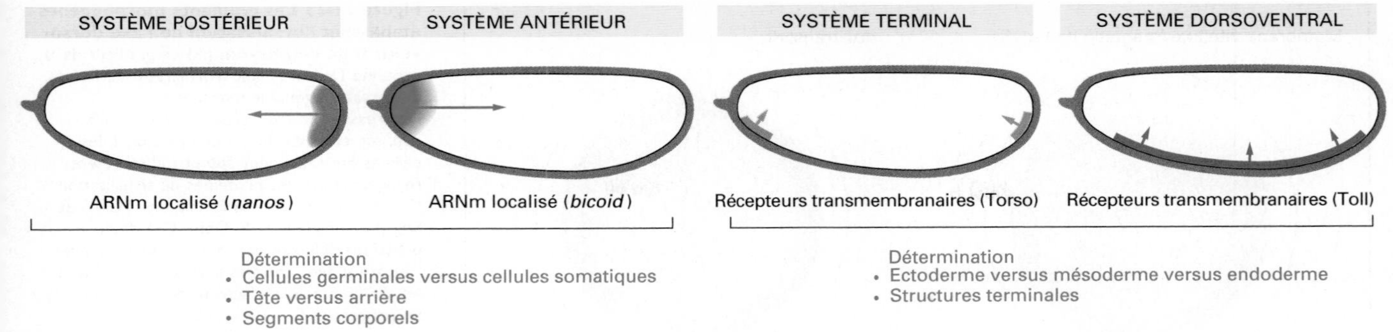

SYSTÈME POSTÉRIEUR	SYSTÈME ANTÉRIEUR	SYSTÈME TERMINAL	SYSTÈME DORSOVENTRAL
ARNm localisé (*nanos*)	ARNm localisé (*bicoid*)	Récepteurs transmembranaires (Torso)	Récepteurs transmembranaires (Toll)

Détermination
• Cellules germinales versus cellules somatiques
• Tête versus arrière
• Segments corporels

Détermination
• Ectoderme versus mésoderme versus endoderme
• Structures terminales

Torso. Le récepteur activé exerce ses effets sur une courte distance et marque les sites des structures terminales spécialisées qui formeront les extrémités de la tête et de la queue de la future larve et définiront aussi les rudiments du futur tube digestif. Les trois groupes de gènes responsables de ces déterminants localisés sont nommés groupes **antérieur**, **postérieur** et **terminal** des **gènes de polarité**.

Un quatrième point de repère définit l'axe dorsoventral (*voir* Figure 21-31) : une protéine produite par les cellules folliculaires situées sous la future région ventrale de l'embryon conduit à l'activation localisée d'un autre récepteur transmembranaire, Toll, de la membrane de l'ovocyte. Les gènes nécessaires à cette fonction sont appelés **gènes de polarité dorsoventrale**.

Tous les gènes de polarité de ces quatre classes sont des gènes à effet maternel : c'est le génome de la mère, non celui du zygote qui est primordial. De ce fait, une mouche dont les chromosomes portent deux copies mutantes du gène *bicoid* mais qui est née d'une mère porteuse d'une copie normale de *bicoid* se développe parfaitement normalement, sans aucune anomalie de l'organisation de la tête. Cependant, si cette mouche fille est une femelle, aucun ARNm fonctionnel bicoid ne peut être déposé dans la partie antérieure de ses propres œufs et tous se développeront en un embryon dépourvu de tête, quel que soit le génotype du père.

Chacun des quatre signaux de polarité – fournis par Bicoid, Nanos, Torso et Toll – exerce son effet par la régulation (directe ou indirecte) de l'expression de gènes dans les noyaux du blastoderme. L'utilisation de ces molécules spécifiques pour organiser l'œuf n'est pas une caractéristique générale du développement précoce de l'animal – en effet, seuls *Drosophila* et les insectes proches possèdent le gène *bicoid*. Et Toll a été réquisitionné chez elle pour l'organisation dorsoventrale ; sa fonction plus ancienne et plus universelle prend part à la réponse immunitaire innée.

Néanmoins, le système de polarité montre certaines caractéristiques hautement conservées. Par exemple, la localisation de l'ARNm de *nanos* à une extrémité de l'œuf est liée et dépend de la localisation de déterminants des cellules reproductrices au niveau de ce site, tout comme pour *C. elegans*. Plus tard, au cours du développement, lorsque le génome du zygote entre en jeu sous l'influence du système de polarité, on observe plus de similitudes avec les autres espèces animales. Nous utiliserons le système dorso-ventral pour illustrer ce fait.

Les gènes de signalisation dorsoventrale créent un gradient d'une protéine nucléaire régulatrice de gènes

L'activation locale du récepteur Toll du côté ventral de l'œuf contrôle la distribution de Dorsal, une protéine régulatrice de gènes, à l'intérieur de l'œuf. La protéine Dorsal appartient à la même famille que la protéine régulatrice de gènes NF-κB des vertébrés (*voir* Chapitre 15). Son activité régulée par Toll, comme celle de NF-κB, dépend de sa translocation du cytoplasme, où elle est maintenue sous une forme inactive, au noyau, où elle régule l'expression génique. Dans l'œuf qui vient d'être pondu, l'ARNm de *dorsal* (détecté par hybridation *in situ*) et la protéine qu'il code (détectée par des anticorps) sont uniformément distribués dans le cytoplasme. Cependant, une fois que les noyaux ont migré à la surface de l'embryon pour former le blastoderme, il se produit une redistribution remarquable de la protéine Dorsal : dorsalement, la protéine reste dans le cytoplasme, mais ventralement, elle se concentre dans les noyaux, avec, entre ces deux extrêmes, un gradient progressif de localisations nucléaires (Figure 21-32). Le signal transmis par la protéine Toll contrôle cette redis-

Figure 21-31 L'organisation des quatre systèmes de gradient de polarité de l'œuf. Les récepteurs Toll et Torso sont répartis dans toute la membrane ; les coloration du schéma à droite indiquent là où ils sont activés par les ligands extracellulaires.

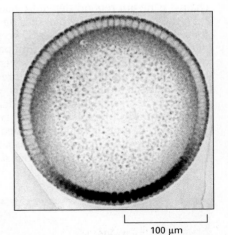

100 μm

Figure 21-32 Le gradient de concentration de la protéine Dorsal dans le noyau du blastoderme, révélé par un anticorps. Dorsalement, la protéine est présente dans le cytoplasme et absente du noyau ; ventralement, elle est éliminée du cytoplasme et concentrée dans les noyaux. (D'après S. Roth, D. Stein et C. Nüsslein-Volhard, *Cell* 59 : 1189-1202, 1989. © Elsevier.)

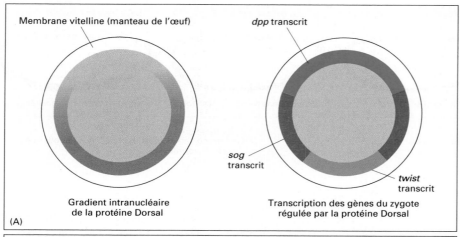

Membrane vitelline (manteau de l'œuf)

dpp transcrit

sog transcrit

twist transcrit

Gradient intranucléaire
de la protéine Dorsal

Transcription des gènes du zygote
régulée par la protéine Dorsal

(A)

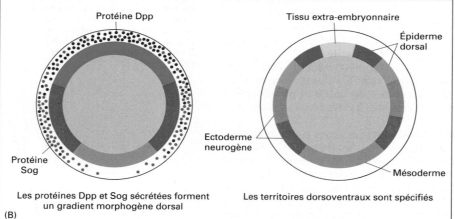

Protéine Dpp

Tissu extra-embryonnaire

Épiderme
dorsal

Protéine
Sog

Ectoderme
neurogène

Mésoderme

Les protéines Dpp et Sog sécrétées forment
un gradient morphogène dorsal

Les territoires dorsoventraux sont spécifiés

(B)

Figure 21-33 Les gradients morphogènes établissent l'organisation de l'axe dorso-ventral de l'embryon. (A) Le gradient de la protéine Dorsal définit trois larges territoires d'expression génique marqués là par l'expression de trois gènes représentatifs – *dpp*, *sog* et *twist*. (B) Un peu plus tard, les cellules qui expriment *dpp* et *sog* sécrètent respectivement les protéines de signalisation Dpp (un membre de la famille des TGFβ) et Sog (un antagoniste de Dpp). Ces deux protéines diffusent et interagissent l'une avec l'autre (et avec certains autres facteurs) pour établir un gradient d'activité de Dpp qui guide un processus de mise en place d'une organisation plus détaillée.

tribution de Dorsal par le biais d'une voie de signalisation, essentiellement identique à celle, dépendante de Toll, impliquée dans l'immunité innée.

Une fois à l'intérieur du noyau, la protéine Dorsal active ou inactive l'expression de différents groupes de gènes en fonction de sa concentration. L'expression de chaque gène qui répond dépend de son ADN régulateur – et plus spécifiquement, du nombre et de l'affinité des sites de liaison que cet ADN contient pour Dorsal et les autres protéines régulatrices. De cette façon, on peut dire que l'ADN régulateur *interprète* le signal positionnel fourni par le gradient de la protéine Dorsal de façon à définir une série de territoires dorsoventraux – bandes distinctes de cellules qui font toute la longueur de l'embryon (Figure 21-33A). Plus ventralement – là où la concentration en protéine Dorsal est la plus élevée – elle active, par exemple, l'expression d'un gène, *twist*, spécifique du mésoderme (Figure 21-34). Plus dorsalement, là où la concentration en protéine Dorsal est la plus basse, les cellules activent *décapentaplégique (dpp)*. Et dans la région intermédiaire, où la concentration en protéine Dorsal est assez forte pour réprimer *dpp* mais trop faible pour activer *twist*, les cellules activent un autre groupe de gènes, dont *short gastrulation (sog)* fait partie.

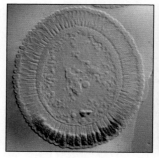
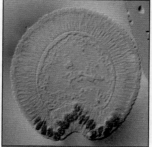
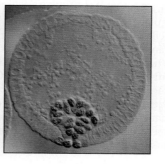

Figure 21-34 Les origines du mésoderme à partir des cellules qui expriment *twist*. Les embryons ont été fixés à différents stades, coupés transversalement et colorés par un anticorps anti-Twist, une protéine régulatrice de gènes de la famille des bHLH. Les cellules qui expriment Twist se déplacent à l'intérieur de l'embryon pour former le mésoderme. (D'après M. Leptin, J. Casal, B. Grunewald et R. Reuter, *Development Suppl.* 23-31, 1992. © The Company of Biologists.)

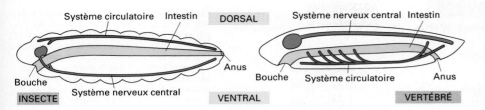

Figure 21-35 Le plan du corps des vertébrés est une inversion dorso-ventrale du plan du corps de l'insecte. Le mécanisme de l'établissement de l'organisation dorsoventrale d'un embryon de vertébré sera traité plus en détail ultérieurement dans ce chapitre. Notez la correspondance entre les systèmes circulatoires ainsi que les tubes digestifs et les systèmes nerveux. Chez les insectes, le système circulatoire est représenté par un cœur tubulaire et un vaisseau dorsal principal qui pompe le sang à l'extérieur pour le faire entrer dans les espaces tissulaires par l'intermédiaire d'un groupe d'orifices et reçoit le sang de retour issu des tissus par le biais d'un autre groupe d'orifices. Contrairement aux vertébrés, il n'y a pas de systèmes de vaisseaux capillaires pour contenir le sang lorsqu'il s'infiltre à travers les tissus. Néanmoins, le développement du cœur dépend de gènes homologues chez les vertébrés et les insectes, ce qui renforce la relation entre les deux plans corporels. (D'après E.L. Ferguson, *Curr. Opin. Genet. Dev.* 6 : 424-431, 1996.)

Dpp et Sog établissent un deuxième gradient morphogène qui affine l'organisation de la partie dorsale de l'embryon

Les produits des gènes directement régulés par la protéine Dorsal engendrent à leur tour d'autres signaux locaux qui définissent des subdivisions plus fines de l'axe dorso-ventral. Ces signaux agissent après la cellularisation et prennent la forme de molécules conventionnelles de signalisation extracellulaire. En particulier, *dpp* code pour Dpp, une protéine sécrétée qui forme un gradient morphogène local dans la partie dorsale de l'embryon. Le gène *sog*, pendant ce temps, code pour une autre protéine sécrétée, produite dans l'ectoderme neurogène, qui agit comme un antagoniste de Dpp. Les gradients de diffusion opposés de ces deux protéines forment un gradient à forte pente de l'activité de Dpp. Les concentrations les plus fortes d'activité de Dpp, associées à certains autres facteurs, provoquent le développement du tissu le plus dorsal de tous – la membrane extra-embryonnaire ; les concentrations intermédiaires provoquent le développement de l'ectoderme dorsal ; et les très faibles concentrations permettent le développement de l'ectoderme neurogène (Figure 21-33B).

L'axe dorsoventral de l'insecte correspond à l'axe ventrodorsal des vertébrés

Dpp est un membre de la superfamille des TGF-β de molécules de signalisation qui est également importante chez les vertébrés. Sog est un homologue d'une protéine des vertébrés, la chordine. Il est étonnant qu'un homologue de Dpp, BMP4, et la chordine agissent ensemble chez les vertébrés tout comme Dpp et Sog le font chez *Drosophila*. Ces deux protéines contrôlent l'organisation dorsoventrale de l'ectoderme, les fortes concentrations en chordine définissant la région neurogène et les fortes concentrations d'activité de BMP4 définissant la région qui ne l'est pas. Ceci, associé à d'autres parallèles moléculaires, suggère fortement que cette partie du plan du corps a été conservée entre les insectes et les vertébrés. Cependant, l'axe est inversé, de telle sorte que ce qui est dorsal chez la mouche correspond à ce qui est ventral chez les vertébrés (Figure 21-35). À un moment de son histoire évolutive, il semble que l'ancêtre d'une de ces classes d'animaux ait pris la route de la vie à l'envers.

Trois classes de gènes de segmentation affinent l'organisation maternelle antéropostérieure et subdivisent l'embryon

Après la création des gradients initiaux de Bicoid et Nanos qui définissent l'axe antéropostérieur, les **gènes de segmentation** affinent l'organisation. Une mutation d'un des gènes de segmentation altère le nombre de segments ou leur organisation interne fondamentale sans affecter la polarité globale de l'embryon. Dans l'embryon, les gènes de segmentation sont exprimés par des sous-ensembles de cellules, de telle sorte que leurs produits sont les premiers composants apportés au développement embryonnaire par le génome propre de l'embryon, et non pas par le génome maternel. Ils sont donc appelés *gènes zygotiques* pour les distinguer des gènes à effet maternel plus précoces.

Les gènes de segmentation font partie de trois groupes définis par leurs phénotypes mutants et les stades auxquels ils agissent (Figure 21-36). Les premiers forment un groupe d'au moins six **gènes gap** dont les produits délimitent des subdivisions embryonnaires grossières. Les mutations dans un gène gap éliminent un ou plusieurs groupes de segments adjacents et les mutations dans différents gènes gap provoquent des anomalies différentes qui se chevauchent. Dans le mutant *Krüppel*, par exemple, les larves sont dépourvues de huit segments, T1 à A5 inclus.

Les deuxièmes gènes de segmentation à agir forment un groupe de huit **gènes «pair-rule»**. Leurs mutations provoquent une série de délétions qui affectent un segment sur deux et laissent l'embryon doté seulement de la moitié des segments par

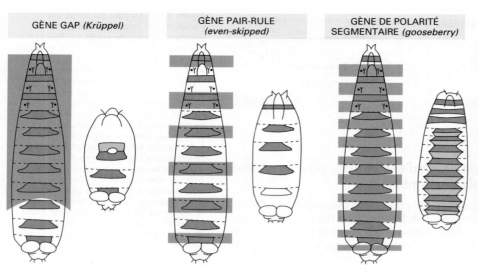

Figure 21-36 Exemples de phénotypes de mutations qui affectent les trois types de gènes de segmentation. Dans chaque cas, les zones ombrées en *vert* sur la larve normale (*à gauche*) sont absentes chez le mutant ou sont remplacées par une duplication en miroir des régions non atteintes. Par convention, les mutations dominantes sont écrites avec une initiale en capitale et les mutations récessives avec une initiale en minuscule. Diverses mutations de mise en place de l'organisation interne chez *Drosophila* sont classées comme dominantes parce qu'elles ont un effet perceptible sur le phénotype de l'hétérozygote même si les effets léthaux majeurs caractéristiques sont récessifs – c'est-à-dire visibles seulement chez l'homozygote. (Modifié d'après C. Nüsslein-Volhard et E. Wieschaus, *Nature* 287 : 795-801, 1980.)

Au-dessus des colonnes de la figure : GÈNE GAP (*Krüppel*) — GÈNE PAIR-RULE (*even-skipped*) — GÈNE DE POLARITÉ SEGMENTAIRE (*gooseberry*)

rapport à la normale. Alors que tous les mutants pair-rule affichent cette périodicité à deux segments, ils diffèrent dans la position précise de la délétion relativement aux limites segmentaires ou parasegmentaires. Le mutant pair-rule *even-skipped (eve)*, par exemple, traité au chapitre 9, est dépourvu de tous les parasegments de numéro impair, tandis que le mutant pair-rule *fushi tarazu (ftz)* est dépourvu de tous les parasegments de numéro pair et le mutant pair-rule *hairy* est dépourvu d'une série de régions de même largeur qui ne sont pas alignées avec les unités des parasegments.

Enfin, il existe au moins dix **gènes de polarité segmentaire**. Les mutations de ces gènes produisent des larves pourvues d'un nombre normal de segments mais chez lesquelles une partie de chaque segment n'existe pas et est remplacée par la duplication en miroir de tout ou partie du reste du segment. Chez les mutants *gooseberry*, par exemple, la moitié postérieure de chaque segment (c'est-à-dire la moitié antérieure de chaque parasegment) est remplacée par l'image en miroir approximative de la moitié antérieure du segment adjacent (*voir* Figure 21-36).

Nous verrons ultérieurement que, parallèlement au processus de segmentation, un autre groupe de gènes, les *gènes de sélection homéotique*, servent à définir et à préserver les différences entre un segment et le suivant.

Les phénotypes des divers mutants de segmentation suggèrent que les gènes de segmentation forment un système coordonné qui subdivise progressivement l'embryon en domaines de plus en plus petits le long de l'axe antéropostérieur, qui se distinguent par différents patrons d'expression génique. La génétique moléculaire a aidé à révéler le mode de fonctionnement de ce système.

L'expression localisée des gènes de segmentation est régulée par une hiérarchie des signaux de position

Près des trois quarts des gènes de segmentation, y compris tous les gènes gap et pair-rules, codent pour des protéines régulatrices de gènes. Leur action mutuelle peut donc être observée par la comparaison de l'expression génique dans des embryons normaux et mutants. En utilisant des sondes appropriées qui détectent les transcrits de gènes ou leurs produits protéiques, on peut, en effet, prendre des instantanés du moment où les gènes sont activés et inactivés et modifient leur patron d'expression. La répétition de ce processus avec des mutants dépourvus d'un gène spécifique de segmentation a permis de commencer à disséquer la logique de l'ensemble du système de contrôle.

Les produits des gènes de polarité fournissent des signaux de position généraux au cours des premiers stades embryonnaires. Ils provoquent l'expression de gènes gap spécifiques dans des régions spécifiques. Les produits des gènes gap fournissent alors un deuxième étage de signaux de position qui agissent plus localement et régulent les détails plus fins de l'organisation par le biais de l'expression d'autres gènes encore, y compris les gènes pair-rule (Figure 21-37). Les gènes pair-rule collaborent à leur tour les uns avec les autres ainsi qu'avec les gènes gap pour mettre en place un patron périodique et régulier d'expression des gènes de polarité segmentaire et ces derniers collaborent les uns avec les autres pour définir l'organisation interne de chaque segment. Cette stratégie, de ce fait, est une induction séquentielle (*voir* Figure 21-15). À la fin de ce processus, les gradients généraux produits par les gènes de polarité ont déclenché la création d'une organisation fine par le biais d'une hiérarchie de contrôles positionnels séquentiels, de plus en plus localisés. Comme les signaux positionnels généraux qui commencent le processus n'ont pas à spécifier directement les détails fins, chaque noyau cellulaire n'a pas besoin d'être gouverné avec une précision extrême par de petites différences de concentration en ces signaux. Par contre, à chaque étape de la séquence, de nouveaux signaux se mettent en place et fournissent des différences de concentration locales substantielles qui définissent de nouveaux détails. L'induction séquentielle est donc une stratégie solide. Elle agit de façon fiable pour produire des embryons de mouche qui ont tous la même organisation, malgré l'imprécision essentielle des systèmes de contrôle biologiques et malgré les variations de conditions de développement de la mouche, comme la température.

La nature modulaire de l'ADN régulateur permet aux gènes de contrôler indépendamment de multiples fonctions

Le processus complexe d'organisation que nous venons de décrire dépend de longs segments de séquences d'ADN non codant qui contrôlent l'expression de chaque gène impliqué. Ces régions régulatrices fixent de multiples copies de protéines régulatrices de gènes produites par la mise en place du patron antérieur d'expression génique. Comme un appareil de logique entrée-sortie, chaque gène est ainsi activé et inactivé, à chaque étape du développement, selon la combinaison particulière de protéines liées à ses régions régulatrices. Dans le chapitre 7 nous avons parlé d'un gène de segmentation particulier – le gène pair-rule *even-skipped (eve)* – et nous avons vu comment était prise la décision de l'endroit où devait être transcrit ce gène sur la base de toutes ces entrées (*voir* Figure 7-55). Cet exemple peut être repris pour illustrer certains principes importants de l'établissement de l'organisation interne au cours du développement.

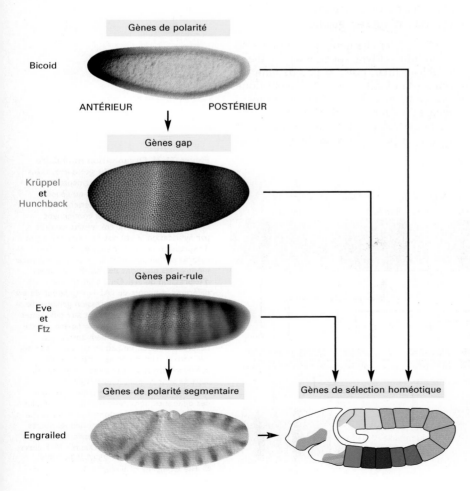

Figure 21-37 Hiérarchie régulatrice des gènes de polarité, gap, de segmentation et de sélection homéotique. Les photographies montrent les patrons d'expression d'exemples représentatifs de gènes de chaque catégorie, révélés par coloration avec des anticorps dirigés contre la protéine produite. Les gènes de sélection homéotique, traités plus loin, définissent les dernières différences entre un segment et le suivant. (Photographies (i) d'après W. Driever et C. Nüsslein-Volhard, *Cell* 54 : 83-104, 1988. © Elsevier ; (ii) due à l'obligeance de Jim Langeland, Steve Paddock, Sean Carroll et le Howard Hughes Medical Institute ; (iii) d'après P.A. Lawrence ; The Making of a Fly. Oxford, UK : Blackwell, 1992 ; (iv) d'après C. Hama, Z. Ali et T.B. Kornberg, *Genes Dev.* 4 : 1079-1093, 1990. © Cold Spring Harbor Press.)

Chaque bande d'expression de *eve* dépend d'un module régulateur séparé situé sur l'ADN régulateur de *eve*. De ce fait, un module régulateur est responsable de l'expression de *eve* dans les bandes 1 + 5, un autre dans la bande 2, un autre dans les bandes 3 + 7 et encore un autre dans les bandes 4 + 6 (Figure 21-38). Chaque module régulateur définit un groupe différent de besoins pour l'expression génique en fonction de la concentration en produits des gènes de polarité et des gènes gap. De cette façon, l'ADN régulateur de *eve* sert à traduire le patron complexe, non répétitif, des protéines de polarité et des protéines gap en un patron périodique d'expression d'un gène pair-rule.

L'organisation modulaire de l'ADN régulateur de *eve* que nous venons de décrire est typique de la régulation génique chez les animaux et les végétaux multicellulaires et a de profondes implications. En réunissant des séquences de modules qui répondent à différentes combinaisons de protéines régulatrices, il est possible d'engendrer presque tous les patrons d'expression génique. De plus, la présence de modules permet à l'ADN régulateur de définir des patrons d'expression génique complexes dont des parties sont indépendamment ajustables. La modification d'un des modules régulateurs peut altérer une partie du patron d'expression sans affecter le reste et sans nécessiter de modifications des protéines régulatrices qui auraient eu sinon des répercussions sur l'expression d'autres gènes du génome. Comme nous l'avons décrit au chapitre 7, ce sont ces ADN régulateurs qui contiennent la clé de l'organisation complexe des végétaux et des animaux multicellulaires et leurs propriétés permettent à chaque partie d'une structure corporelle d'un organisme de s'adapter indépendamment au cours de l'évolution.

La plupart des gènes de segmentation ont aussi des fonctions importantes à d'autres moments et à d'autres endroits au cours du développement de *Drosophila*. Le gène *eve*, par exemple, s'exprime dans des sous-groupes de neurones, dans les cellules précurseurs des muscles et dans divers autres sites, sous le contrôle d'amplificateurs supplémentaires (*voir* Figure 21-38). Par l'addition de nouveaux modules sur son ADN régulateur, tout gène peut être réquisitionné pendant l'évolution dans de nouveaux buts, à de nouveaux endroits du corps, sans nuire à ses autres fonctions.

Les gènes de polarité, gap et pair-rule créent une organisation transitoire qui est gardée en mémoire par d'autres gènes

Au cours des premières heures qui suivent la fécondation, les gènes gap et pair-rule sont activés les uns après les autres. Leurs produits ARNm apparaissent d'abord selon un modèle qui ne fait qu'approcher le tableau final; puis, en peu de temps – par le biais d'une série d'ajustements interactifs – la distribution initialement floue des produits géniques se transforme elle-même en un système régulier, précisément défini de bandes (Figure 21-39). Mais ce système lui-même est instable et transitoire. Lorsque l'embryon se développe et passe par la gastrulation puis au-delà, le motif segmentaire régulier des produits des gènes gap et pair-rule se désintègre. Leurs

Figure 21-38 Organisation modulaire de l'ADN régulateur du gène eve. Dans l'expérience montrée, des fragments clonés d'ADN régulateur ont été liés au gène de reportage *LacZ* (un gène bactérien). Les embryons transgéniques qui contiennent cette construction ont été ensuite colorés par hybridation *in situ* pour révéler le patron d'expression de *LacZ* (*bleu/noir*) et contrecolorés par un anticorps anti-Eve (*orange*) pour montrer les positions des bandes normales d'expression de *eve*. On a ainsi trouvé différents segments de l'ADN régulateur de *eve* (*ocre*) qui actionnent l'expression génique dans des régions qui correspondent aux différentes parties du patron d'expression normal de *eve*.

Deux segments en tandem entraînent l'expression selon un patron qui est la somme des patrons engendrés par chacun d'eux individuellement. Des modules régulateurs séparés sont responsables des différents moments de l'expression génique, ainsi que des différentes localisations : l'encadré le plus à gauche montre les actions d'un module qui entre en jeu plus tardivement que les autres illustrés ici et entraîne l'expression dans un sous-groupe de neurones. (D'après M. Fujioka et al., *Development* 126 : 2527-2538, 1999. © The Company of Biologists.)

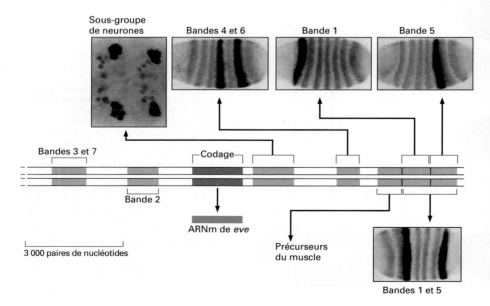

Sous-groupe de neurones

Bandes 4 et 6

Bande 1

Bande 5

Bandes 3 et 7

Codage

Bande 2

3 000 paires de nucléotides

ARNm de *eve*

Précurseurs du muscle

Bandes 1 et 5

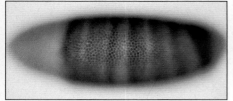

2,7 heures après la fécondation

3,5 heures après la fécondation

Figure 21-39 Formation des bandes *ftz* et eve dans le blastoderme de Drosophila. *ftz* et eve sont deux gènes pair-rule. Leur patron d'expression (montré en *brun* pour *ftz* et en *gris* pour *eve*) sont au départ des bandes floues mais deviennent rapidement des bandes bien définies. (D'après P.A. Lawrence, The Making of a Fly. Oxford, UK : Blackwell, 1992.)

actions cependant, ont inscrit un groupe permanent de marques – valeurs position-nelles – sur les cellules du blastoderme. Ces marques de position sont gardées en mémoire par l'activation persistante de certains gènes de polarité segmentaire et de gènes de sélection homéotique qui servent à maintenir l'organisation segmentaire des larves et de l'adulte. Le gène de polarité segmentaire *engrailed* constitue un bon exemple. Ses transcrits d'ARN sont observés dans le blastoderme cellulaire sous forme d'une série de 14 bandes, chacune mesurant approximativement une cellule de large, qui correspondent aux portions les plus antérieures des futurs parasegments (Figure 21-40).

Les gènes de polarité segmentaire sont exprimés selon des patrons qui se répè-tent d'un parasegment au suivant et leurs bandes d'expression apparaissent dans une relation fixe avec les bandes d'expression des gènes pair-rule qui facilitent leur induc-tion. Cependant, la production de ce patron dans chaque parasegment dépend d'in-teractions entre les gènes de polarité segmentaire eux-mêmes. Ces interactions se produisent au stade où le blastoderme s'est déjà complètement cloisonné en cellules séparées de telle sorte qu'une signalisation cellule-cellule selon la voie usuelle doit entrer en jeu. Un important sous-groupe de gènes de polarité segmentaire code pour les composants de deux voies de transduction du signal, la voie Wnt et la voie Hedgehog, y compris pour les protéines de signalisation sécrétées Wingless (un membre de la famille Wnt) et Hedgehog. Elles sont exprimées dans différentes bandes de cellules qui servent de centres de signalisation à l'intérieur de chaque para-segment et elles agissent pour maintenir et affiner l'expression des autres gènes de polarité segmentaire. De plus, bien que leur expression initiale soit déterminée par les gènes pair-rule, ces deux protéines de signalisation régulent mutuellement leur expression par une voie de soutien mutuel et agissent pour faciliter avec précision le déclenchement de l'expression au bon endroit de gènes comme *engrailed*.

Le patron d'expression d'*engrailed* persistera tout au long de la vie, longtemps après la disparition des signaux qui ont organisé sa production (*voir* Figure 21-40). Cet exemple illustre non seulement la subdivision progressive de l'embryon au moyen de signaux de plus en plus localisés mais aussi la transition entre les événe-ments de signalisation transitoires des premiers stades du développement et l'entre-tien ultérieur stable des informations du développement.

En plus de la régulation des gènes de polarité segmentaire, les produits des gènes pair-rule collaborent avec les produits des gènes gap pour provoquer l'acti-

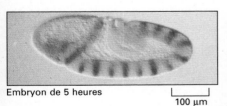

Embryon de 5 heures

100 µm

Adulte

500 µm

Embryon de 10 heures

100 µm

Figure 21-40 Le patron d'expression de *engrailed*, un gène de polarité segmentaire. Le patron d'expression d'*engrailed* est montré sur un embryon de 5 heures (au stade de la bande germinale étendue), sur un embryon de 10 heures et sur un adulte (dont les ailes ont été retirées sur cette préparation). Le patron est révélé par un anticorps (*brun*) contre la protéine Engrailed (pour les embryons de 5 heures et 10 heures) ou (pour l'adulte) par l'obtention d'une souche de Drosophila contenant les séquences de contrôle du gène *engrailed* couplées à la séquence codante du gène de reportage *LacZ*, dont le produit est détecté histochimiquement par le biais du produit *bleu* de la réaction qu'il catalyse. Notez que le patron d'expression d'*engrailed*, une fois établi, est conservé pendant toute la vie de l'animal. (D'après C. Hama, Z. Ali et T.B. Kornberg, *Genes Dev.* 4 : 1079-1093, 1990. © Cold Spring Harbor Press.)

vation, localisée avec précision, d'un autre groupe de marqueurs spatiaux – les gènes de sélection homéotique. Ce sont les gènes de sélection homéotique qui différencient de façon permanente un parasegment d'un autre. Dans la partie suivante, nous verrons en détail ces gènes sélecteurs ainsi que leur rôle dans la mémoire cellulaire.

Résumé

La mouche Drosophila *a été le principal organisme modèle pour l'étude génétique du développement animal. Comme les autres insectes, elle commence son développement par une série de divisions nucléaires qui engendre un syncytium et bon nombre de regroupements précoces se produisent dans cette cellule géante multinucléée. L'organisation commence par l'asymétrie de l'œuf, organisé à la fois par le dépôt localisé d'ARNm à l'intérieur de l'œuf et par des signaux issus des cellules folliculaires qui l'entourent. Quatre gradients intracellulaires, établis par les produits de quatre groupes de gènes à effet maternel, les gènes de polarité, apportent des informations de position dans l'embryon multinucléée. Ils contrôlent quatre distinctions fondamentales dans le plan du corps des animaux : dorsal versus ventral, endoderme versus mésoderme et ectoderme, cellules germinales versus cellules somatiques et avant versus arrière.*

Les gènes de polarité opèrent par l'établissement d'une distribution graduelle de protéines régulatrices de gènes dans l'œuf et l'embryon précoce. Les gradients le long de l'axe antéropostérieur initient l'expression ordonnée des gènes gap, pair-rules, de polarité segmentaire et de sélection homéotique. Ceux-ci, par le biais d'interactions hiérarchisées, s'expriment dans certaines régions de l'embryon et pas dans d'autres, et subdivisent progressivement le blastoderme en une série régulière d'unités modulaires appelées segments. Le patron complexe de l'expression génique reflète l'organisation modulaire de l'ADN régulateur, avec les amplificateurs séparés de chaque gène, responsables d'une partie séparée de son patron d'expression.

Les gènes de polarité segmentaire entrent en jeu vers la fin du processus de segmentation, peu après que le syncytium s'est cloisonné en cellules séparées et ils contrôlent l'organisation interne de chaque segment par le biais d'une signalisation cellule-cellule via les voies Wnt (Wingless) et Hedgehog. Cela conduit à l'activation localisée persistante de gènes comme engrailed, et donne aux cellules un enregistrement qui leur rappelle leurs coordonnées antéropostérieures à l'intérieur du segment. Pendant ce temps, un nouveau gradient de signalisation cellule-cellule est également mis en place le long de l'axe dorsoventral, par un membre de la famille des TGF-β, Décapentaplégique (Dpp) et son antagoniste Short gastrulation, qui agissent comme des morphogènes. Ce gradient facilite l'affinement de l'assignation de différents caractères aux cellules à différentes concentrations dorsoventrales. On sait aussi que des protéines homologues contrôlent le modèle de l'axe dorsoventral des vertébrés.

GÈNES DE SÉLECTION HOMÉOTIQUE ET FORMATION DE L'AXE ANTÉROPOSTÉRIEUR

Lorsque le développement s'effectue, le corps devient de plus en plus complexe. Au sein de toute cette complexité croissante, il existe cependant une caractéristique qui simplifie tout le processus du développement et met sa compréhension à notre portée. Encore et toujours, dans chaque espèce et à tous les niveaux d'organisation, il apparaît que les structures complexes sont faites par la répétition, avec certaines variations, de quelques thèmes fondamentaux. De ce fait, un nombre limité de types cellulaires différenciés fondamentaux, comme les cellules musculaires ou les fibroblastes, s'établit avec de subtiles variations individuelles dans différents sites. Ces types cellulaires sont organisés en une variété limitée de types tissulaires, comme les muscles ou les tendons, qui se répètent également avec de subtiles variations dans les différentes régions du corps. À partir de ces divers tissus, se forment des organes comme les dents ou les doigts – molaires et incisives, doigts et pouces et orteils – une petite quantité de structures fondamentales, répétées avec des variations.

À chaque fois que nous observons ce phénomène de *répétition modulée*, nous pouvons décomposer le problème des biologistes du développement en deux types de questions : quel est le mécanisme de construction fondamental commun à tous les objets d'une classe donnée et comment ce mécanisme se modifie-t-il pour donner les variations observées ? L'embryon utilise une stratégie associative pour engendrer cette complexité et nous pouvons utiliser une stratégie associative pour la comprendre.

Figure 21-41 Une mutation homéotique. La mouche montrée ici est un mutant *Antennapedia*. Ses antennes ont été transformées en structures de pattes par une mutation dans la région régulatrice du gène *Antennapedia* qui provoque son expression au niveau de la tête. Comparez avec la mouche normale montrée en figure 21-23. (Due à l'obligeance de Matthew Scott.)

Les segments du corps de l'insecte fournissent un exemple très clair. Nous avons déjà esquissé le mode de construction des rudiments d'un seul segment typique. Voyons maintenant ce qui permet de différencier un segment d'un autre.

Le code HOX spécifie les différences antéropostérieures

La première esquisse d'une réponse génétique à la question «comment chaque segment acquiert-il son identité individuelle?» s'est dessinée il y a plus de 80 ans, avec la découverte du premier groupe de mutations chez *Drosophila*, qui provoquaient des anomalies bizarres de l'organisation de la mouche adulte. Chez le mutant *Antennapedia*, par exemple, des pattes sortent de la tête à la place des antennes (Figure 21-41), alors que chez le mutant *bithorax*, des portions d'une paire d'ailes supplémentaires apparaissent là où normalement il devrait exister des haltères, appendices bien plus petits. Ces mutations, dites *homéotiques*, transforment des parties du corps en des structures appropriées dans d'autres positions. Un groupe complet de **gènes de sélection homéotique** détermine les caractères antéropostérieurs des segments de la mouche.

Les gènes de ce groupe – huit chez la mouche – sont tous liés les uns aux autres et font partie d'une famille multigénique. Ils se trouvent tous dans l'un ou l'autre des deux agrégats serrés de gènes, le **complexe bithorax** et le **complexe Antennapedia**. Les gènes du complexe bithorax contrôlent les différences entre les segments abdominaux et thoraciques du corps tandis que ceux du complexe Antennapedia contrôlent les différences entre les segments thoraciques et de la tête. La comparaison avec d'autres espèces a montré que ces mêmes gènes existent chez tous les animaux, même l'homme. Elle a révélé également que les complexes Antennapedia et bithorax étaient les deux moitiés d'une seule entité, le **complexe Hox**, qui s'est séparé au cours de l'évolution de la mouche et dont les membres opèrent de façon coordonnée pour exercer leur contrôle sur l'organisation «tête-queue» du corps.

Les gènes de sélection homéotique codent pour des protéines de liaison à l'ADN qui interagissent avec d'autres protéines régulatrices de gènes

En première approximation, chaque gène de sélection homéotique ne s'exprime normalement que dans les régions qui se développent de façon anormale lors de mutation ou d'absence de ce gène. On peut donc considérer les produits de ces gènes comme des marqueurs moléculaires d'adresse, que possèdent les cellules de chaque parasegment : ce sont les incarnations physiques des valeurs positionnelles cellulaires. Si le marqueur d'adresse est modifié, le parasegment se comporte comme s'il était localisé ailleurs et la délétion de tout le complexe engendre une larve pourvue de segments corporels tous identiques (Figure 21-42).

Le premier problème est donc de comprendre comment les produits des gènes de sélection homéotique agissent sur la machinerie fondamentale d'organisation du segment pour donner une individualité à chaque parasegment. Les produits des gènes de sélection homéotique sont des protéines régulatrices de gènes, toutes apparentées les unes aux autres par la possession d'un *homéodomaine* de liaison à l'ADN hautement conservé (60 acides aminés de long), traité au chapitre 7. Le segment qui correspond à cette séquence ADN est appelé *homéoboîte*, d'où le nom de complexe HOX (abréviation de *homeobox*).

Si les produits des gènes de sélection homéotique ont des régions de liaison à l'ADN similaires, comment peuvent-ils exercer des effets différents et rendre un parasegment différent du suivant? La réponse semble résider largement dans les parties des protéines qui ne se fixent pas directement sur l'ADN mais interagissent avec d'autres protéines au sein de complexes liés à l'ADN. Les différents partenaires de ces complexes agissent avec les protéines de sélection homéotique pour choisir les sites de liaison à l'ADN qui seront reconnus et indiquer si les effets sur la transcription au niveau de ces sites sera une activation ou une répression. De cette façon, les produits des gènes de sélection homéotique s'associent à d'autres protéines régula-

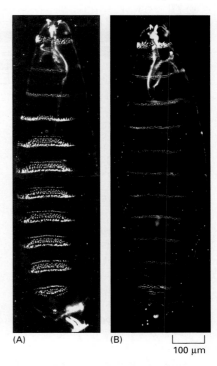

(A) (B) ⊢———⊣ 100 μm

Figure 21-42 Les effets de la délétion de la plupart des gènes du complexe bithorax. (A) Une larve normale de *Drosophila* montrée par illumination sur champ noir. (B) La larve mutante avec une grande délétion du complexe bithorax. Dans ce mutant, les parasegments postérieurs à P5 ont tous l'aspect de P5. (D'après G. Struhl, *Nature* 293 : 36-41, 1981. © Macmillan Magazines Ltd.)

trices de gènes et modulent leurs actions pour donner un aspect caractéristique à chaque parasegment.

Les gènes de sélection homéotique sont exprimés séquentiellement selon leur ordre dans le complexe Hox

Pour comprendre comment le complexe Hox fournit des cellules dotées d'une valeur positionnelle, nous devons savoir comment l'expression des gènes Hox elle-même est régulée. Les séquences codantes des huit gènes de sélection homéotique dans les complexes Antennapedia et bithorax sont intercalées à l'intérieur d'une séquence d'ADN régulatrice bien plus importante – longue au total d'environ 650 000 paires de nucléotides. Cet ADN comporte des sites de liaison pour les produits des gènes de polarité et des gènes de segmentation. L'ADN régulateur du complexe Hox agit comme l'interprète des multiples articles d'informations positionnelles qui lui sont apportés par toutes ces protéines régulatrices de gènes. En réponse, il transcrit un groupe particulier de gènes de sélection homéotique, approprié à la localisation.

Il existe une remarquable régularité dans l'organisation de ce contrôle. La séquence selon laquelle les gènes sont ordonnés le long du chromosome, dans les complexes Antennapedia et bithorax, correspond presque exactement à l'ordre dans lequel ils sont exprimés le long de l'axe du corps (Figure 21-43). Cela suggère que

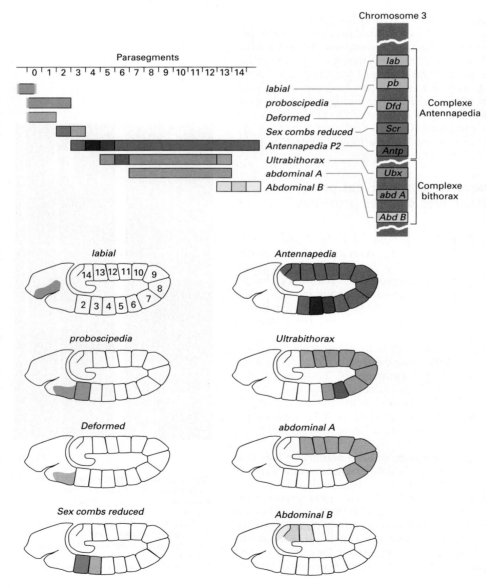

Figure 21-43 Les patrons d'expression des gènes du complexe Hox comparés à leur localisation chromosomique. La séquence des gènes dans chacune des deux subdivisions du complexe chromosomique correspond à la séquence spatiale d'expression de ces gènes. Notez que la plupart des gènes sont exprimés à un haut niveau dans l'ensemble d'un parasegment (*couleur foncée*) et à un plus faible niveau dans certains parasegments adjacents (*coloration moyenne* là où la présence des transcrits est nécessaire au phénotype normal, *couleur claire* là où elle ne l'est pas). Dans les régions où les domaines d'expression se chevauchent, c'est généralement le gène actif localement le plus postérieur de tous qui détermine le phénotype local. Les dessins de la partie inférieure de la figure représentent les patrons d'expression génique d'embryons au stade de bande germinale étendue, environ 5 heures après la fécondation.

les gènes sont activés séquentiellement par un processus graduel – en durée ou en intensité – le long de l'axe du corps et dont l'action s'étend graduellement le long du chromosome. Le gène le plus «postérieur» exprimé dans une cellule domine en général, et abaisse l'expression des gènes «antérieurs» activés auparavant pour dicter les caractères du segment. Les mécanismes régulateurs des gènes qui sous-tendent ce phénomène ne sont pas encore bien compris mais leurs conséquences sont profondes. Nous verrons que l'organisation sériée de l'expression génique dans le complexe Hox est une caractéristique fondamentale qui a été fortement conservée au cours de l'évolution.

Il existe des centaines d'autres gènes dotés d'homéoboîtes dans le génome de la mouche – et d'autres espèces animales – mais la plupart sont éparpillés et non pas regroupés en complexes comme dans le complexe Hox. Ils ont plusieurs fonctions différentes de régulation génique, mais une proportion substantielle d'entre eux a un rôle apparenté à celui des gènes Hox : ils contrôlent les variations d'un thème fondamental du développement. Les différentes classes de neurones, par exemple, sont souvent différenciées les unes des autres par l'expression de gènes spécifiques de cette grande superfamille.

Le complexe Hox contient un enregistrement permanent des informations positionnelles

Des signaux qui agissent au début du développement initient le patron spatial d'expression génique dans le complexe Hox, mais les conséquences sont de longue durée. Même si ce patron d'expression subit des ajustements complexes au cours du déroulement du développement, le complexe Hox se comporte dans chaque cellule comme si un enregistrement permanent de la position antéropostérieure que cette cellule occupait aux premiers stades embryonnaires avait été imprimé en lui. Les cellules de chaque segment sont ainsi dotées d'une mémoire à long terme de leur localisation le long de l'axe antéropostérieur du corps – en d'autres termes, d'une valeur positionnelle antéropostérieure. Comme nous le verrons dans la prochaine partie de ce chapitre, la trace mnésique imprimée dans le complexe Hox gouverne l'identité segmentaire spécifique non seulement des segments larvaires mais aussi des structures de la mouche adulte, engendrées à un stade bien ultérieur à partir des disques imaginaux et d'autres nids de précurseurs des cellules imaginales de la larve.

Les mécanismes moléculaires de la mémoire cellulaire de ces informations positionnelles se fondent sur deux types de données régulatrices. L'une provient des gènes de sélection homéotique eux-mêmes : beaucoup de protéines Hox auto-activent la transcription de leurs propres gènes. Une autre donnée cruciale provient de deux grands groupes complémentaires de régulateurs transcriptionnels, le *groupe Polycomb* et le *groupe Trithorax*. Si ces régulateurs sont déficients, l'initiation du patron d'expression des gènes de sélection homéotique est correcte au départ mais n'est pas maintenue correctement lorsque l'embryon se développe.

Ces deux groupes de régulateurs agissent en opposition. Le groupe des protéines Trithorax est nécessaire au maintien de la transcription des gènes Hox dans les cellules où leur transcription a déjà été activée. Par contre, les protéines du groupe Polycomb forment des complexes stables qui se fixent sur la chromatine du complexe Hox et maintiennent l'état réprimé dans les cellules où les gènes Hox n'ont pas été activés au moment critique (Figure 21-44). Cette mémoire du développement implique l'acétylation des histones H4 sur des sites régulateurs spécifiques de la chromatine adjacente au gène Hox ; les protéines des groupes Trithorax et Polycomb agissent d'une certaine manière pour perpétuer l'état de H4 – hyperacétylé si le gène Hox cible a été transitoirement exposé au stade embryonnaire à un activateur de la transcription génique, non acétylé de cette façon dans le cas contraire (*voir* Figure 4-48).

Chez les vertébrés, l'axe antéropostérieur est aussi contrôlé par les gènes sélecteurs Hox

On a retrouvé des homologues des gènes sélecteurs homéotiques de *Drosophila* dans presque toutes les espèces animales étudiées, des cnidaria (hydroïdes) et des nématodes aux mollusques et aux mammifères. Il est remarquable de constater que ces gènes sont souvent regroupés en complexes similaires au complexe Hox de l'insecte. Chez la souris, il y a quatre complexes de ce type – les complexes HoxA, HoxB, HoxC et HoxD – situés chacun sur un chromosome différent. Chaque gène de chaque com-

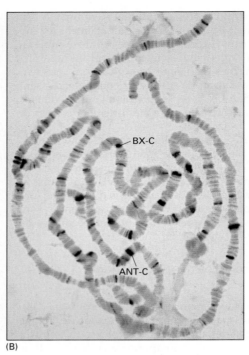

(A)

(B)

|← 100 μm →|

BX-C

ANT-C

Figure 21-44 L'action des gènes du groupe Polycomb. (A) Photographie d'un embryon mutant déficient en gène *extra sex combs* (*esc*) et dérivé d'une mère dépourvue également de ce gène. Ce gène appartient au groupe Polycomb. Pratiquement tous les segments ont été transformés pour ressembler au segment abdominal le plus postérieur (comparer avec la figure 21-42). Dans le mutant, le patron d'expression des gènes de sélection homéotique qui, au départ, est grossièrement normal, est instable de telle sorte que tous ces gènes sont bientôt activés tout au long de l'axe du corps. (B) Le patron normal de fixation d'une protéine Polycomb sur le chromosome géant de *Drosophila*, visualisé par un anticorps anti-Polycomb. Cette protéine se fixe sur le complexe Antennapedia (ANT-C) et sur le complexe bithorax (BX-C) ainsi que sur 60 autres sites environ. (A, d'après G. Struhl, *Nature* 293 : 36-41, 1981. © Macmillan Magazines Ltd; B, due à l'obligeance de B. Zink et R. Paro, *Trends Genet.* 6 : 416-421, 1990. © Elsevier.)

plexe peut être reconnu par sa séquence qui est une contrepartie d'un membre spécifique du complexe de *Drosophila*. En effet, les gènes Hox des mammifères peuvent fonctionner chez *Drosophila* et remplacer partiellement les gènes Hox correspondants de *Drosophila*. Il semble que chacun des quatre complexes Hox des mammifères soit, grosso modo, l'équivalent d'un complexe complet de l'insecte (c'est-à-dire un complexe Antennapedia plus un complexe bithorax) (Figure 21-45).

L'ordre des gènes à l'intérieur de chaque complexe Hox des vertébrés est essentiellement le même que celui du complexe Hox de l'insecte, ce qui suggère que ces quatre complexes de vertébrés se sont formés par duplication d'un seul complexe primordial et ont conservé son organisation fondamentale. Lorsque les patrons d'expression des gènes Hox sont examinés dans les embryons de vertébrés par hybridation *in situ*, il apparaît que, et c'est encore plus remarquable, chaque membre de chaque complexe s'exprime séquentiellement, «tête vers queue», le long de l'axe du corps, tout comme chez *Drosophila* (Figure 21-46). Ce patron plus marqué dans le tube neural se voit aussi dans d'autres tissus, en particulier le mésoderme. Hormis des exceptions mineures, cet ordre anatomique correspond à l'ordre chromosomique des gènes dans chaque complexe et les gènes correspondants dans les quatre complexes Hox différents ont des domaines d'expression antéropostérieurs presque identiques.

Les domaines d'expression génique définissent un système détaillé de correspondances entre les régions du corps de l'insecte et les régions du corps des vertébrés (*voir* Figure 21-45). Les parasegments de la mouche correspondent à une série de segments, également marqués, de la partie antérieure de l'embryon des vertébrés. Comme nous le voyons dans la figure 21-47, ils sont nettement démarqués dans le cerveau postérieur et sont alors appelés *rhombomères*. Dans les tissus latéraux au cerveau postérieur la segmentation apparaît sous forme d'une série d'*arcs branchiaux*, bien visibles dans tous les embryons de vertébrés – ce sont les précurseurs des systèmes de branchies chez le poisson et des mâchoires et des structures du cou chez les mammifères; chaque paire de rhombomères du cerveau postérieur correspond à un arc branchial (Figure 21-47). Dans le cerveau postérieur, comme chez *Drosophila*, les limites des domaines d'expression de nombreux gènes Hox sont alignées avec les limites des segments anatomiques.

Les produits des gènes Hox des mammifères semblent spécifier des valeurs positionnelles qui contrôlent l'organisation antéropostérieure de parties du cerveau postérieur, du cou et du tronc. L'élimination de la fonction d'un gène Hox chez la souris conduit à une anomalie dans la région du corps qui correspond au domaine d'ex-

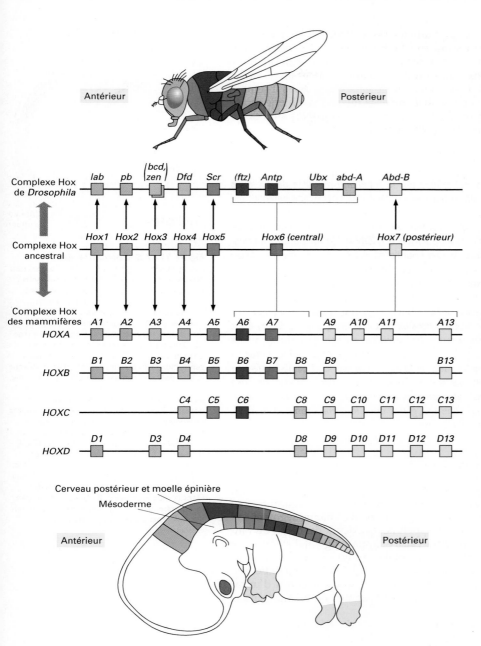

Figure 21-45 La comparaison du complexe Hox d'un insecte avec les complexes Hox d'un mammifère et leurs relations avec les régions du corps. Sur la *ligne du haut,* les gènes des complexes Antennapedia et bithorax de *Drosophila* sont montrés dans l'ordre chromosomique ; les gènes correspondants des autres complexes Hox des mammifères sont montrés *en dessous,* également dans l'ordre chromosomique. Les domaines d'expression génique chez la mouche et le mammifère sont indiqués, de façon simplifiée, par des couleurs sur le schéma correspondant de l'animal en *haut* et en *bas.* Cependant, les particularités des patrons d'expression dépendent du stade du développement et varient quelque peu d'un complexe Hox de mammifère à l'autre. Donc, dans de nombreux cas, les gènes qui, sur ce schéma, sont exprimés dans un domaine antérieur s'expriment aussi plus postérieurement, chevauchant les domaines des gènes Hox plus postérieurs (*voir* par exemple Figure 21-46).

On pense que les complexes ont évolué comme suit : d'abord dans certains ancêtres communs du ver, de la mouche et des vertébrés, un seul gène de sélection homéotique primordial a subi des duplications répétées pour former une série en tandem de gènes de ce type – le complexe ancestral Hox. Dans la sous-lignée de *Drosophila,* ce complexe unique s'est séparé en complexes Antennapedia et bithorax. Pendant ce temps, dans la lignée conduisant aux mammifères, tout le complexe a été dupliqué de façon répétitive pour donner quatre complexes Hox. Le parallélisme n'est pas parfait parce qu'apparemment certains gènes se sont dupliqués individuellement, d'autres ont été perdus et d'autres encore réquisitionnés pour d'autres fonctions (les gènes entre parenthèses de la *ligne du haut*) lorsque le complexe a divergé. (D'après un diagramme aimablement fourni par William McGinnis.)

Figure 21-46 Domaines d'expression des gènes Hox dans une souris. Les photographies montrent un embryon complet présentant les domaines d'expression de deux gènes du complexe HoxB (colorant *bleu*). Ces domaines peuvent être révélés par l'hybridation *in situ* ou, comme dans ces exemples, par l'obtention de souris transgéniques contenant la séquence de contrôle d'un gène Hox couplé à *LacZ,* un gène de reportage, dont le produit est détecté histochimiquement. Chaque gène est exprimé dans une longue étendue de tissu dont la limite antérieure est nettement définie. Plus la position du gène dans le complexe chromosomique est en avant, plus la limite anatomique de son expression est antérieure. De ce fait, sauf exceptions mineures, les domaines anatomiques des gènes successifs forment un ensemble imbriqué, ordonné selon l'ordre des gènes dans le complexe chromosomique. (Due à l'obligeance de Robb Krumlauf.)

Hoxb-2

Vue dorsale   Vue latérale

Hoxb-4

Vue dorsale   Vue latérale

pression de ce gène. Parfois, la région du corps atteinte est transformée en une région plus antérieure du corps, comme chez les mutants homéotiques de *Drosophila*; parfois la région du corps atteinte meurt ou ne se développe pas. Les transformations observées chez les souris mutantes Hox sont souvent incomplètes, peut-être à cause d'une redondance entre les gènes des quatre agrégats de gènes Hox. Mais il semble clair que la mouche et la souris utilisent essentiellement la même machinerie moléculaire pour donner les caractères individuels aux régions successives situées au moins le long d'une partie de leur axe antéropostérieur.

Résumé

La complexité du corps adulte d'un animal est édifiée par la répétition modulée de quelques types fondamentaux de structures. De ce fait, superposée au patron d'expression génique, qui se répète lui-même dans chaque segment, il existe une série de patrons d'expression de gènes de sélection homéotique qui confèrent à chaque segment une identité différente. Les gènes de sélection homéotique codent pour des protéines de liaison à l'ADN de la famille des homéodomaines. Ils sont regroupés dans le génome de Drosophila en deux agrégats, les complexes Antennapedia et bithorax qui, pense-t-on, sont les deux parties d'un complexe Hox primordial qui s'est séparé pendant l'évolution de la mouche. Dans chaque complexe, les gènes sont disposés selon une séquence qui correspond à leur séquence d'expression le long de l'axe du corps. L'expression génique de Hox commence dans l'embryon. Elle est ensuite maintenue par l'action de protéines de liaison à l'ADN des groupes Polycomb et Trithorax, qui impriment dans la chromatine du complexe Hox un enregistrement transmissible de son état embryonnaire d'activation. On a retrouvé des complexes Hox homologues à ceux de Drosophila virtuellement dans tous les types d'animaux examinés, des cnidaria à l'homme, et il semble que leur rôle ait été conservé pendant l'évolution et agisse dans l'édification de l'organisation de l'axe antéropostérieur du corps. Les mammifères ont quatre complexes Hox, qui présentent chacun une relation similaire entre la disposition en série des gènes dans le chromosome et leur patron d'expression séquentiel le long de l'axe du corps.

ORGANOGENÈSE ET FORMATION DES APPENDICES

Nous avons vu que tous les segments des larves d'insecte sont des variations d'un même thème fondamental, que les gènes de segmentation définissent le module répétitif de base et que les gènes de sélection homéotique donnent à chaque segment son caractère propre. Il en est de même pour les appendices majeurs du corps de l'insecte adulte – pattes, ailes, antennes, parties buccales et appareil génital externe : ce sont également des variations d'un thème fondamental commun. Si nous regardons les particularités plus fines, nous rencontrons la même simplification merveilleuse : les appendices – et beaucoup d'autres parties du corps – sont composés d'infrastructures qui sont elles-mêmes des variations d'un petit nombre de thèmes conservés pendant l'évolution.

Dans cette partie de chapitre, nous suivrons le cours du développement de *Drosophila* jusqu'à la fin, et nous nous concentrerons, à chaque étape, sur l'examen d'un exemple parmi les nombreuses structures apparentées qui se développent parallèlement. Pendant notre avancée, nous montrerons les parallèles avec les structures des vertébrés qui se développent de façon similaire, utilisant non seulement les mêmes principes généraux, mais aussi de nombreux mécanismes moléculaires spécifiques identiques. Mais, pour ne pas interrompre ultérieurement notre récit, il nous faut d'abord expliquer brièvement certaines méthodes expérimentales capitales qui nous permettent de faire face aux problèmes spécifiques qui se posent lorsque nous cherchons à découvrir comment les gènes contrôlent les stades ultérieurs du développement.

Les mutations somatiques conditionnelles et induites permettent l'analyse des fonctions des gènes dans les stades avancés du développement

Comme nous l'avons déjà dit, les mêmes gènes peuvent être utilisés à répétition dans de nombreuses situations différentes – dans différentes régions du corps et à différents moments. Souvent, les mutations avec perte de fonction interrompent si sévèrement les premiers stades du développement que l'embryon ou les larves meurent, ce qui nous prive de l'opportunité d'observer comment cette mutation aurait affecté les processus ultérieurs.

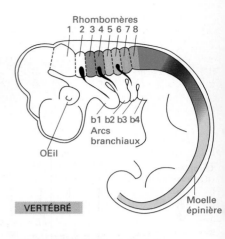

Figure 21-47 Segmentation de l'expression du gène Hox dans le cerveau postérieur, observée dans un embryon de poulet. Le patron d'expression du gène HoxB est indiqué par la coloration comme dans la figure 21-45. Pour plus de simplicité, l'expression dans les autres tissus que ceux du système nerveux central n'est pas montrée ici. Dans les régions où se chevauchent les domaines d'expression de deux ou plusieurs gènes Hox, les couleurs correspondent au gène le plus postérieurement exprimé. Tout comme chez la mouche, le domaine d'expression est lié aux parasegments, chez les vertébrés, le domaine d'expression est lié aux rhombomères (segments du cerveau postérieur). Chaque paire de rhombomères est associée à un arc branchial (un rudiment de branchie modifiée), dans lequel elle envoie une innervation. Le patron d'expression du gène Hox dans les arcs branchiaux (non montré ici) correspond à celui qui existe dans les rhombomères associés. Dans la moelle épinière, il n'y a pas de limites de rhombomères et les domaines d'expression des différents gènes Hox postérieurs se chevauchent.

Une des méthodes pour contourner ce problème consiste à étudier des mutations conditionnelles. Si nous avons, par exemple, une mutation sensible à la température du gène à étudier, nous pouvons maintenir l'animal pendant les premiers stades de son développement à faible température, ce qui permet au gène de fonctionner normalement, puis augmenter la température pour désactiver le produit génique dès que nous le souhaitons afin de découvrir les fonctions tardives.

D'autres méthodes impliquent la réelle modification de l'ADN dans des sous-groupes de cellules au cours des étapes tardives du développement – une sorte de chirurgie génétique sur des cellules individuelles qui permet d'engendrer des groupes de cellules mutantes d'un génotype spécifique, à un moment choisi du développement. La *recombinaison somatique induite* permet d'effectuer cet exploit remarquable. Une des versions actuelles de cette technique utilise des mouches transgéniques produites pour contenir deux types d'éléments génétiques dérivés de levure : le gène de la FLP, une recombinase spécifique de site, et la séquence cible de la recombinase FLP (FRT pour *FLP recombinase target*). Typiquement, on obtient un animal homozygote avec l'insertion de la séquence FRT près du centromère sur un bras choisi d'un chromosome, et l'insertion dans un autre endroit du génome de la construction composée du gène FLP sous l'influence d'un promoteur de choc thermique. Si ces embryons ou ces larves transgéniques reçoivent un choc thermique (c'est-à-dire sont exposés à une forte température pendant quelques minutes), l'expression de FLP est induite et cette enzyme catalyse un crossing-over et une recombinaison entre les chromosomes maternel et paternel au niveau du site FRT. Si le choc thermique est ajusté de manière à être suffisamment léger, cet événement ne se produira que dans une ou quelques cellules, éparpillées au hasard. Comme nous l'expliquons dans la figure 21-48, si l'animal est aussi hétérozygote pour le gène à étudier situé dans la région chromosomique qui a subi le crossing-over, ce processus peut engendrer une paire de cellules filles homozygotes, l'une recevant deux copies de l'allèle maternel du gène et l'autre recevant deux copies de l'allèle paternel. Normalement chacune de ces cellules filles se développera et se divisera pour donner des zones formées de clones de cellules filles homozygotes.

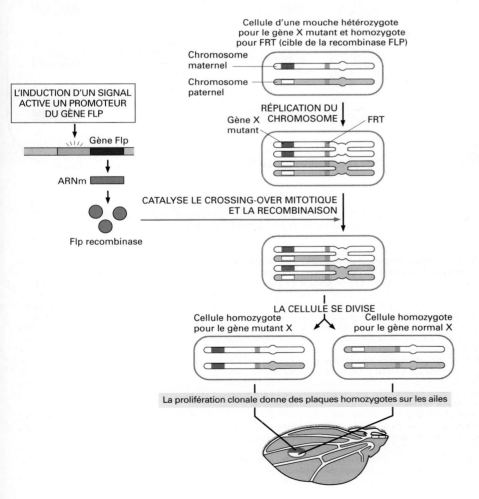

Figure 21-48 Création de cellules mutantes par recombinaison somatique induite. Ce schéma suit le destin d'une seule paire de chromosomes homologues, un issu du père (*grisé*) et l'autre issu de la mère (*blanc*). Ces chromosomes possèdent un élément FRT (en *vert*) inséré près de leur centromère et contiennent le locus du gène à étudier – le gène X – un peu plus loin sur le même bras du chromosome. Le chromosome paternel (dans cet exemple) transporte l'allèle de type sauvage du gène X (*cadre rouge évidé*) tandis que le chromosome maternel transporte l'allèle récessif mutant (*cadre rouge plein*). La recombinaison par échange d'ADN entre les chromosomes maternel et paternel, catalysée par la FLP recombinase, peut donner naissance à une paire de cellules filles, une contenant deux copies du type sauvage du gène X, l'autre contenant deux copies mutantes. Pour aider à identifier les cellules où la recombinaison s'est produite, les chromosomes maternels et paternels peuvent être choisis pour transporter, respectivement, les versions mutant et sauvage d'un autre gène qui fournit un marqueur visible – un gène de pigmentation, par exemple (non montré ici). Ce gène marqueur est placé sur le chromosome de telle sorte que la recombinaison qui implique le locus du marqueur – et engendre une altération visible de l'aspect des cellules – peut être prise comme signe de certitude de la recombinaison concomitante du gène X.

La formation du crossing-over peut être détectée si on choisi un animal également hétérozygote pour une mutation d'un gène marqueur – un gène de pigmentation, par exemple – qui réside sur le même bras chromosomique que le gène à étudier
et subit donc le crossing-over avec lui. Des clones de cellules mutantes homozygotes
clairement marqués sont ainsi engendrés sur ordre. On peut aussi utiliser FLP et FRT,
ou la paire d'éléments de recombinaison homologue Cre et Lox dans d'autres configurations pour activer ou inactiver l'expression d'un gène (*voir* Figure 5-82). Grâce à
ces techniques, on peut découvrir ce qui se produit, par exemple, lorsqu'on induit la
production par les cellules d'une molécule de signalisation spécifique sur un site
anormal ou que les cellules sont privées d'un récepteur spécifique.

Au lieu d'utiliser un promoteur de choc thermique pour entraîner l'expression
de la recombinase FLP, on peut utiliser une copie de la séquence régulatrice d'un
gène du génome normal de la mouche qui s'exprime à certains moments et endroits
intéressants. L'événement de recombinaison sera alors déclenché uniquement au
niveau des sites où ce gène s'exprime normalement et des cellules mutantes y seront
formées. Une des variantes de cette technique emprunte la machinerie de régulation
transcriptionnelle des levures au lieu de la machinerie de recombinaison génétique,
pour activer ou inactiver de façon réversible l'expression d'un gène de mouche choisi
selon le patron normal d'expression de certains autres gènes de mouche choisis
(Figure 21-49).

Par cette activation ou inactivation des fonctions de gènes à un moment et un
endroit spécifiques, les biologistes du développement peuvent entreprendre le
déchiffrage du système de signaux génétiquement spécifiés et des réponses qui
contrôlent la mise en place de l'organisation de tout organe du corps.

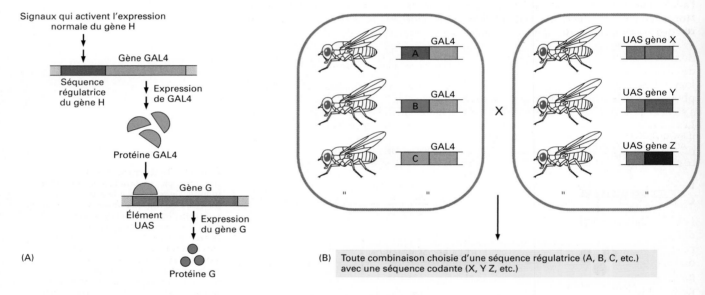

Figure 21-49 L'erreur d'expression contrôlée par la technique GAL4/UAS chez *Drosophila*. Cette méthode
permet d'entraîner l'expression d'un gène *G* choisi à l'endroit et au moment où un autre gène *H* de *Drosophila* est
normalement exprimé. (A) Un animal transgénique est créé par insertion de deux constructions séparées dans son
génome. Un des inserts est composé d'une séquence régulatrice spécifique de levure, l'élément *UAS*, couplée à une
copie de la séquence codante du gène *G*. L'autre insert contient la séquence codante du gène *GAL4* de levure, dont le
produit est une protéine régulatrice de gènes, spécifique de levure qui se fixe sur l'élément *UAS* ; cet insert *GAL4* est
placé près de la région régulatrice du gène *H* qui le contrôle. À chaque endroit où le gène *H* est normalement exprimé,
la protéine GAL4 est également fabriquée et entraîne la transcription du gène *G*. (B) Même si on peut atteindre le
même résultat par l'union d'une copie de la séquence régulatrice *H* directement sur la séquence codante *G*, l'approche
par GAL4/UAS est une stratégie plus efficace au long cours. Deux «banques» séparées de mouches transgéniques sont
établies, l'une contenant les inserts *GAL4* actionnés par diverses séquences régulatrices de différents gènes A, B, C, etc.,
et l'autre contenant les inserts *UAS* actionnant diverses séquences codantes différentes X, Y, Z, etc. Par l'accouplement
d'une mouche issue d'une banque avec une mouche de l'autre banque, il est possible de coupler fonctionnellement toute
séquence codante désirée à toute séquence régulatrice désirée.

Pour engendrer une banque de mouches avec des insertions *GAL4* aux endroits intéressants, on produit d'abord des
mouches avec des insertions *GAL4* dans des localisations aléatoires de leur génome. Elles sont ensuite accouplées à des
mouches contenant un élément *UAS* lié à un gène de reportage dont le produit est facilement détectable. L'expression
du gène de reportage révèle si *GAL4* a été inséré sur un site qui met son expression sous le contrôle d'un amplificateur
intéressant ; les mouches qui présentent des patrons de reportage intéressants sont gardées et étudiées. C'est la
technique dite *enhancer trap* (ou piégeage de l'amplificateur), car qu'elle fournit un moyen de débusquer et de
caractériser des séquences régulatrices intéressantes dans le génome.

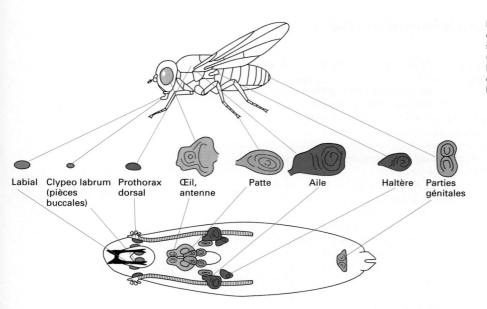

Figure 21-50 Les disques imaginaux dans la larve de *Drosophila* et dans les structures adultes qu'ils engendrent. (D'après J.W. Fristrom et al., *in* Problems in Biology : RNA in Development [E.W. Hanley, ed.], p. 382. Salt Lake City : University of Utah Press, 1969.)

Labial Clypeo labrum (pièces buccales) Prothorax dorsal Œil, antenne Patte Aile Haltère Parties génitales

Les parties du corps de la mouche adulte se développent à partir des disques imaginaux

Les structures externes de la mouche adulte se forment en grande partie à partir de rudiments appelés **disques imaginaux** – groupes de cellules apparemment indifférenciées, mises de côté dans chaque segment larvaire. Les disques sont des bourses d'épithélium, formées comme des ballons aplatis et froissés en continuité avec l'épiderme (la couche de surface) de la larve. Il y en a 19, disposés sous forme de 9 paires de chaque côté de la larve plus 1 disque au milieu (Figure 21-50). Ils croissent et développent leur organisation interne avec la croissance de la larve jusqu'à la métamorphose où finalement ils s'éversent (se tournent de l'intérieur vers l'extérieur) pour s'étendre et se différencier clairement pour former la couche épidermique de l'adulte. Les yeux et les antennes se développent à partir d'une paire de disques, les ailes et les parties du thorax à partir d'une autre, la première paire de pattes encore à partir d'une autre et ainsi de suite.

Les gènes de sélection homéotique sont essentiels à la mémoire des informations positionnelles dans les cellules du disque imaginal

Les cellules d'un disque imaginal ressemblent à celles d'un autre, mais des expériences de greffes montrent qu'en fait elles sont déjà déterminées régionalement et ne sont pas équivalentes. Si un disque imaginal est transplanté dans la position d'un autre dans la larve puis qu'on laisse la larve se métamorphoser, on observe que le disque greffé se différencie de façon autonome pour former la structure appropriée à son origine : un disque d'aile donnera des structures d'ailes, un disque d'haltères des structures d'haltères, quel que soit son nouveau site. Cela montre que les cellules du disque imaginal sont gouvernées par la mémoire de leur position originale. Par le biais d'une technique plus complexe de greffes en série qui laissent les cellules du disque imaginal proliférer plus longtemps avant leur différenciation, il a été possible de démontrer que cette mémoire cellulaire était transmise de façon stable (avec de rares retards) dans un nombre important indéfini de générations cellulaires.

Les gènes de sélection homéotique sont des composants essentiels du mécanisme mnésique. Si, à n'importe quel stade pendant la longue période qui s'étend de la différenciation à la métamorphose, les deux copies d'un gène de sélection homéotique sont éliminées par recombinaison somatique induite au niveau d'un clone de cellules du disque imaginal qui devaient normalement exprimer ce gène, les cellules se différencieront en des structures incorrectes comme si elles appartenaient à un autre segment corporel. Ces observations et d'autres indiquent que chaque mémoire cellulaire d'information positionnelle dépend de l'activité continue des gènes de sélection homéotique. De plus, cette mémoire s'exprime selon un mode cellulaire autonome – chaque cellule semble maintenir son état individuellement, en fonction de sa propre histoire et de son propre génome.

Des gènes régulateurs spécifiques définissent les cellules qui formeront un appendice

Voyons maintenant comment un appendice développe son organisation interne. Nous prendrons l'aile de l'insecte comme exemple.

Le processus commence par les mécanismes d'organisation précoce dont nous avons déjà parlé. Les systèmes de signalisation antéropostérieur et dorsoventral dans les premiers stades embryonnaires délimitent en effet une grille orthogonale dans le blastoderme, sous forme de limites dorsoventrale, antéropostérieure et segmentaire d'expression génique, périodiquement espacées. À certains points d'intersection de ces limites, la combinaison des gènes exprimés est telle qu'elle fait passer un groupe de cellules dans la voie de formation du disque imaginal.

En termes moléculaires, cela correspond à l'activation de l'expression de gènes de régulation qui définissent le disque imaginal. Dans la plupart de ces disques, le gène *Distal-less* est activé. Il code pour une protéine régulatrice de gènes essentielle à la croissance soutenue nécessaire à la création d'un appendice allongé selon un axe proximodistal, comme une patte ou une antenne. En son absence, ces appendices ne se forment pas, et lorsqu'il est artificiellement exprimé au niveau d'un site anormal, des appendices mal positionnés peuvent être produits. *Distal-less* s'exprime de façon similaire dans les pattes en développement et les autres appendices de la plupart des espèces examinées d'invertébrés et de vertébrés (Figure 21-51). Dans le disque de l'œil, un autre gène, *eyeless* (associé à deux autres gènes apparentés), effectue le rôle correspondant ; il possède également des homologues dotés de fonctions homologues – les gènes *Pax6* qui entraînent le développement de l'œil dans d'autres espèces, comme cela a été vu au chapitre 7.

Le disque de l'aile de l'insecte est divisé en compartiments

Dès son apparition, l'amas de cellules qui forme le disque imaginal présente les rudiments d'une organisation interne, hérités des processus d'organisation antérieurs. Par exemple, les cellules de la moitié postérieure du rudiment du disque de l'aile (et de la plupart des autres rudiments de disques imaginaux) expriment *engrailed*, un gène de polarité segmentaire, contrairement à celles de la moitié antérieure. Cette asymétrie initiale établit les fondements d'une mise en place plus détaillée de l'organisation, tout comme dans l'œuf et le jeune embryon.

Les secteurs du disque de l'aile définis par ces différences précoces d'expression génique correspondent à des parties spécifiques de la future aile. La région postérieure, qui exprime *engrailed*, formera la moitié postérieure de l'aile tandis que la région qui n'exprime pas *engrailed* formera la moitié antérieure. Pendant ce temps, la partie dorsale du disque de l'aile exprime *apterous,* un autre gène, contrairement à la partie ventrale. Lors de la métamorphose, le disque se replie le long de la ligne séparant ces domaines pour donner une aile dont le feuillet cellulaire dorsal dérive de la région exprimant *apterous* et le feuillet ventral dérive de la région qui n'exprime pas *apterous*. Les bords de l'aile, où sont réunis ces deux feuillets épithéliaux, correspondent aux limites du domaine d'expression d'*apterous* dans le disque (Figure 21-52).

Les cellules du disque, qui ont activé l'expression des gènes qui les marquent comme antérieures ou postérieures, dorsales ou ventrales, gardent cette spécification pendant la croissance du disque et son développement. Comme les cellules sont sen-

(A) |——| 0,1 mm

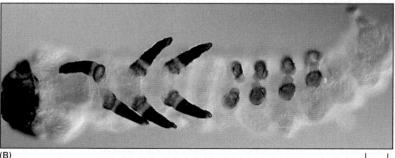

(B) |——| 0,1 mm

Figure 21-51 Expression de *Distal-less* dans les pattes en développement et les appendices apparentés de diverses espèces. (A) Une larve d'oursin de mer. (B) Une larve de papillon de nuit. (A, d'après G. Panganiban et al., *Proc. Natl. Acad. Sci. USA* 94 : 5162-5166, 1997. © National Academy of Sciences ; B, d'après G. Panganiban, L. Nagy et S.B. Carroll, *Curr. Biol.* 4 : 671-675, 1994. © Elsevier.)

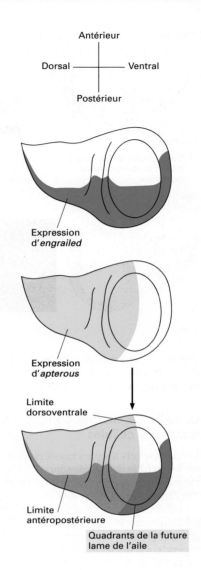

sibles à ces différences et sélectives dans le choix de leurs voisines, il se forme des limites nettement définies entre les quatre groupes résultants de cellules sans aucun mélange au niveau des interfaces. Les quatre quadrants correspondants du disque sont appelés **compartiments** parce qu'il n'y a pas d'échange de cellules entre eux (Figure 21-53).

Quatre voies de signalisation familières s'associent pour former l'organisation du disque de l'aile : Wingless, Hedgehog, Dpp et Notch

Le long de chaque frontière entre les compartiments – la limite antéropostérieure définie par *engrailed* et la limite dorsoventrale définie par *apterous* – les cellules à différents stades s'affrontent les unes aux autres et interagissent pour créer des bandes étroites de cellules spécialisées. Ces cellules frontalières produisent de nouveaux signaux qui organisent la croissance ultérieure et la formation plus détaillée de l'organisation de l'appendice.

Les cellules du compartiment postérieur de l'aile expriment la protéine de signalisation Hedgehog, mais ne peuvent y répondre. Les cellules du compartiment antérieur peuvent répondre à Hedgehog. Comme Hedgehog n'agit que sur une courte distance, la voie de réception du signal n'est activée que dans la bande étroite de cellules juste en avant de la limite du compartiment, où les cellules antérieures et postérieures sont juxtaposées. Ces cellules frontalières répondent par l'activation de l'expression d'une autre molécule de signalisation, Dpp – protéine que nous avons déjà rencontrée dans la mise en place de l'organisation dorsoventrale du jeune embryon (Figure 21-54). Dpp agit dans ce nouveau contexte d'une façon qui ressemble fort à ce qu'elle faisait avant : on pense qu'elle diffuse (ou étend son effet d'une façon ou d'une autre) à l'extérieur des cellules frontalières, pour établir un gradient morphogène qui contrôle la poursuite de l'organisation détaillée de la croissance et de l'expression génique.

Des événements analogues se produisent au niveau des limites du compartiment dorsoventral (*voir* Figure 21-54). Dans ce cas, au niveau de la future limite de l'aile, une communication sur courte distance qui passe par la voie Notch engendre une bande de cellules frontalières qui produisent un autre morphogène, la protéine Wingless – le même facteur de signalisation, appartenant à la famille Wnt, qui agissait antérieurement pour mettre en place l'organisation antéropostérieure de chaque segment embryonnaire. Les gradients de Dpp et Wingless, associés aux autres

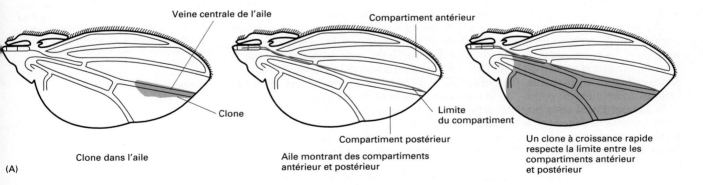

(A)

Clone dans l'aile

Veine centrale de l'aile

Clone

Compartiment antérieur

Limite du compartiment

Compartiment postérieur

Aile montrant des compartiments antérieur et postérieur

Un clone à croissance rapide respecte la limite entre les compartiments antérieur et postérieur

Figure 21-53 Compartiments de l'aile adulte. (A) Les formes de clones marqués de l'aile de *Drosophila* révèlent l'existence d'une limite de compartiment. Le bord de chaque clone marqué est droit là où il s'appuie sur la limite. Même lorsqu'un clone marqué a été génétiquement modifié afin de croître plus rapidement que le reste de l'aile et est de ce fait très gros, il respecte la limite de la même façon (*schéma de droite*). Notez que la limite du compartiment ne coïncide pas avec la veine centrale de l'aile. (B) Patron d'expression du gène *engrailed* dans l'aile, révélé par la même technique que pour la mouche adulte montrée dans la figure 21-40. Les limites du compartiment coïncident avec les limites de l'expression du gène *engrailed*. (A, d'après F.H.C. Crick et P.A. Lawrence, *Science* 189 : 340-347, 1975. © AAAS; B, due à l'obligeance de Chihiro Hama et Tom Kornberg.)

(B)

500 µm

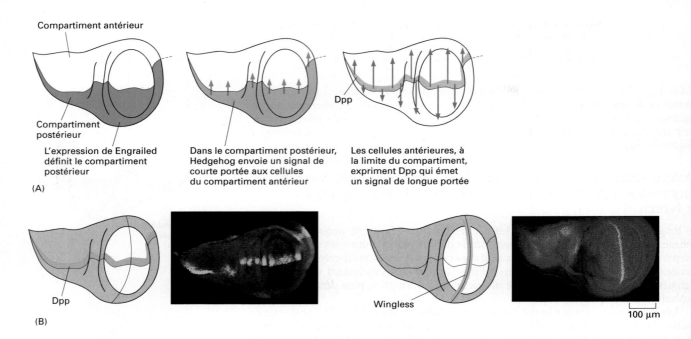

(A)

Compartiment antérieur

Compartiment postérieur

L'expression de Engrailed définit le compartiment postérieur

Dans le compartiment postérieur, Hedgehog envoie un signal de courte portée aux cellules du compartiment antérieur

Dpp

Les cellules antérieures, à la limite du compartiment, expriment Dpp qui émet un signal de longue portée

(B)

Dpp

Wingless

100 µm

signaux et asymétries de l'expression génique dont nous avons parlé, s'associent pour entraîner l'expression d'autres gènes dans des endroits définis avec précision au sein de chaque compartiment.

La taille de chaque compartiment est régulée par des interactions entre ses cellules

Un des aspects les plus mystérieux et les plus mal compris du développement animal est le contrôle de la croissance. Pourquoi chaque partie du corps croît-elle jusqu'à une taille définie avec précision ? Ce problème est illustré de façon remarquable au niveau des disques imaginaux de *Drosophila*. Par l'induction d'une recombinaison somatique, on peut, par exemple, créer une plaque formée d'un clone de cellules qui prolifèrent plus rapidement que le reste des cellules de l'organe qui se développe. Ce clone peut grandir pour occuper presque la totalité du compartiment dans lequel il réside et cependant il ne dépassera pas la limite du compartiment. De façon étonnante, sa croissance rapide n'a presque aucun effet sur la taille finale du compartiment, sur sa forme ou même sur les détails de son organisation interne (*voir* Figure 21-53). D'une façon ou d'une autre, les cellules situées à l'intérieur du compartiment interagissent les unes avec les autres pour déterminer le moment où leur croissance doit s'arrêter et, de ce point de vue, chaque compartiment se comporte comme une unité régulatrice.

La première question qui se pose est de savoir si la taille du compartiment est régulée afin de contenir un nombre établi de cellules. Il est possible d'engendrer des mutations des composants de la machinerie de contrôle du cycle cellulaire pour accélérer ou ralentir la vitesse de la division cellulaire sans altérer la vitesse de la croissance cellulaire ou tissulaire. On obtient alors un nombre anormalement grand de cellules anormalement petites, ou le contraire, mais la taille – c'est-à-dire la surface – du compartiment reste pratiquement inchangée. De ce fait, les mécanismes régulateurs semblent dépendre de signaux qui indiquent la distance physique entre une partie du compartiment et une autre et de réponses cellulaires qui, d'une certaine façon, lisent ces signaux afin d'arrêter la croissance seulement lorsque les tissus ont atteint la bonne surface.

Un indice sur le mode de fonctionnement de ce système provient d'observations faites sur des mouches qui présentent des anomalies génétiques dans la voie de signalisation médiée par l'insuline et les facteurs de croissance insuline-like : elles sont petites, et leurs cellules sont à la fois petites et en nombre réduit, tandis que l'hyperactivité de cette voie peut produire des mouches géantes dont les cellules sont plus nombreuses et plus grosses. La mauvaise expression localisée de ces mêmes gènes dans un seul compartiment a des effets similaires juste sur ce compartiment. Comme l'insuline est largement utilisée par les animaux comme régulateur des réponses à l'alimentation, les mécanismes qui contrôlent les tailles des compartiments et des organes ont peut-être évolué à partir de mécanismes qui contrôlaient la croissance et la prolifération cellulaires en fonction des conditions nutritionnelles.

Figure 21-54 Signaux morphogénétiques engendrés aux limites des compartiments du disque imaginal alaire. (A) Création de la région de signalisation par Dpp à la limite du compartiment antéropostérieur par le biais d'une interaction via Hedgehog entre les cellules antérieures et postérieures. D'une façon analogue, une interaction via Notch entre les cellules dorsales et ventrales engendre une région de signalisation par Wingless (Wnt) le long de la limite dorsoventrale. (B) Les patrons d'expression observés de Dpp et Wingless. Bien qu'il semble clair que Dpp et Wingless agissent comme des morphogènes, on ne sait pas encore avec certitude s'ils se disséminent à l'extérieur de leur source par simple diffusion dans le milieu extracellulaire ou d'une autre façon. De plus, on a observé que les cellules du disque imaginal envoyaient vers l'extérieur de longues protrusions, les *cytonèmes*, qui pourraient leur permettre de sentir des signaux à distance. De ce fait, il se pourrait que la cellule réceptrice envoie un capteur vers la source du signal au lieu que ce soit le signal qui se déplace vers la cellule réceptrice. (B, photographie due à l'obligeance de Sean Carroll et Scott Weatherbee, d'après S.J. Day et P.A. Lawrence, *Development* 127 : 2977-2987, 2000. © The Company of Biologists.)

Il reste un problème plus profond cependant : quels sont les mécanismes qui assurent que chaque petite partie de l'organisation interne du compartiment croît jusqu'à la bonne taille en dépit de perturbations locales de la vitesse de croissance ou des conditions de départ ? Les gradients morphogènes (de Dpp et de Wingless, par exemple) créent une organisation en imposant différents caractères à des cellules dans différentes positions. Serait-il possible que les cellules de chaque région puissent, d'une certaine façon, sentir quel est l'espace pris par l'organisation de cette région – l'importance de la pente du gradient des variations dans le caractère cellulaire – et poursuivre leur croissance jusqu'à ce que le bon degré d'étalement du tissu ait été atteint ? La **régénération intercalée**, qui se produit lorsque des parties séparées du disque imaginal d'une patte de *Drosophila* ou d'une blatte en croissance sont chirurgicalement greffées ensemble, met en évidence de façon étonnante ce phénomène qu'il nous faut comprendre. Après la greffe, les cellules au voisinage de la jonction prolifèrent et remplissent les parties de l'organisation qui devraient normalement résider entre elles, continuant leur croissance jusqu'à ce que l'espacement normal entre les points de repère soit restauré (Figure 21-55). Les mécanismes qui occasionnent cela restent un mystère mais il est probable qu'ils sont similaires aux mécanismes qui régulent la croissance pendant le développement normal.

Des mécanismes similaires forment l'organisation des membres des vertébrés

Les membres des vertébrés semblent très différents de ceux des insectes. L'aile de l'insecte, par exemple, est composée surtout de deux feuillets d'épithélium d'organisation complexe, séparés par très peu de tissus. Par contre, un membre de vertébré est composé d'un système complexe organisé formé de muscles, d'os et d'autres tissus conjonctifs à l'intérieur de l'épiderme, une structure fine et bien plus simple qui les recouvre. De plus, il existe des preuves évolutives qui suggèrent que le dernier ancêtre commun des insectes et des vertébrés n'avait peut-être ni jambes, ni bras, ni ailes, ni nageoires et que nous avons développé ces divers appendices indépendamment. Cependant, lorsque nous examinons les mécanismes moléculaires qui contrôlent le développement des membres des vertébrés, nous trouvons un nombre surprenant de similitudes avec les pattes des insectes. Nous avons déjà mentionné certaines de ces ressemblances mais il y en existe beaucoup d'autres : presque toutes les molécules dont nous avons déjà parlé dans l'aile de la mouche ont leur contrepartie dans les membres des vertébrés, bien qu'elles soient exprimées dans des relations spatiales différentes.

Ces similitudes ont été étudiées de façon plus approfondie dans l'embryon de poulet. Comme nous l'avons déjà vu, chaque patte ou aile d'un poulet est issue d'un bourgeon de membre en forme de langue, composé d'une masse de cellules tissulaires conjonctives embryonnaires, enveloppées dans une pochette d'épithélium. Dans cette structure, on trouve l'expression d'homologues de presque tous les gènes que nous avons mentionnés dans notre description de la formation de l'organisation de l'aile de *Drosophila*, y compris *Distal-less*, *wingless*, *Notch*, *engrailed*, *dpp* et *hedgehog*, dont les fonctions semblent plus ou moins similaires à celles qu'ils exercent dans le disque de l'aile de *Drosophila* (Figure 21-56).

Les gènes Hox, de même, apparaissent dans les membres des insectes et des vertébrés. Dans les appendices de l'insecte, les compartiments antérieur et postérieur sont différenciés par l'expression de différents gènes du complexe Hox – résultat du patron d'expression séquentiel de ces gènes le long de l'axe antéropostérieur du corps en tant que tout. Dans les membres des vertébrés, les gènes de deux complexes Hox des vertébrés (HoxA et HoxD) s'expriment selon un patron régulier qui obéit aux règles usuelles de l'expression séquentielle des gènes dans ces complexes. Associés à d'autres facteurs comme les protéines Tbx mentionnées auparavant (*voir* Figure 21-9), ils facilitent la régulation des différences de comportement cellulaire le long de l'axe proximodistal du membre.

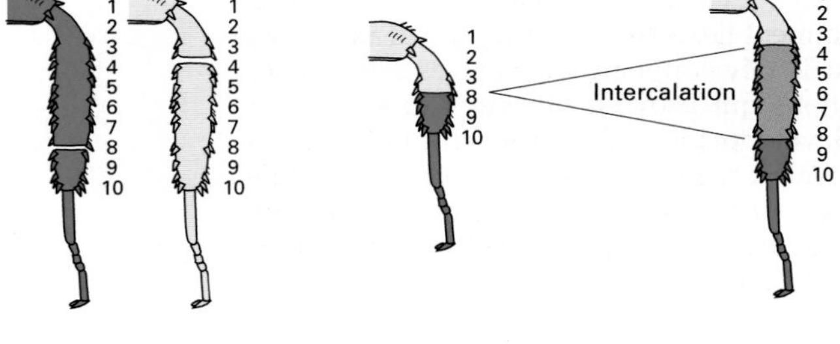

Figure 21-55 Régénération intercalée. Lorsque des portions non correspondantes de la patte en croissance d'une blatte sont greffées ensemble, un nouveau tissu (en *vert*) est intercalé (par prolifération cellulaire) et remplit l'intervalle selon l'organisation de la structure de la patte, afin de restaurer un segment de patte de taille et d'organisation normales.

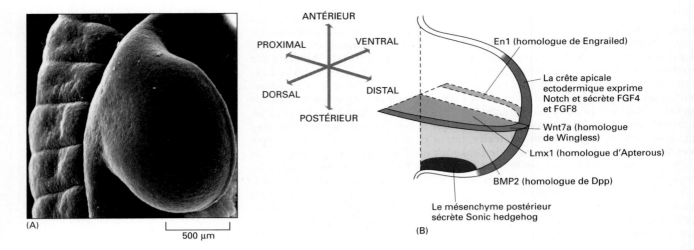

ANTÉRIEUR

PROXIMAL   VENTRAL

DORSAL   DISTAL

POSTÉRIEUR

En1 (homologue de Engrailed)

La crête apicale
ectodermique exprime
Notch et sécrète FGF4
et FGF8

Wnt7a (homologue
de Wingless)

Lmx1 (homologue d'Apterous)

BMP2 (homologue de Dpp)

Le mésenchyme postérieur
sécrète Sonic hedgehog

(A)   500 μm

(B)

Figure 21-56 Molécules contrôlant l'organisation d'un bourgeon de membre de vertébrés. (A) Un bourgeon alaire d'un embryon de poulet à 4 jours d'incubation. La photographie en microscopie électronique à balayage montre une vue dorsale, avec les somites (segments du tronc de l'embryon) visibles à gauche. Sur la limite dorsale du bourgeon du membre, une crête plus épaisse peut juste être vue – la crête apicale ectodermique. (B) Patrons d'expression des protéines de signalisation capitales et des facteurs régulateurs de gènes dans le bourgeon de membre de poulet. Les patrons sont tracés schématiquement selon deux plans de coupe imaginaires qui traversent le bourgeon du membre, l'un (horizontal) pour montrer le système dorsoventral et l'autre (vertical) pour montrer les systèmes antéropostérieur et proximodistal. Sonic Hedgehog, BMP2 et Lmx1 sont exprimés dans le cœur mésodermique du bourgeon du membre ; les autres molécules du schéma sont exprimées dans la couverture épithéliale. Presque toutes les molécules montrées ici ont des homologues impliqués dans l'organisation du disque de l'aile de *Drosophila*. (A, due à l'obligeance de Paul Martin.)

Selon une hypothèse, les ressemblances moléculaires entre les membres en développement dans différents phylums reflètent la descendance à partir d'un ancêtre commun qui, bien que dépourvu de membres, avait des sortes d'appendices édifiés sur des principes similaires – antennes peut-être, ou parties buccales saillantes pour arracher la nourriture. Les appendices modernes de type membre, des ailes et pattes de la mouche aux bras et jambes de l'homme, auraient ainsi évolué par l'activation des gènes de formation des appendices dans de nouveaux sites corporels, du fait de modifications de la régulation génique.

L'expression localisée de classes spécifiques de protéines régulatrices de gènes annonce la différenciation cellulaire

Reprenons maintenant le fil du développement du disque imaginal de *Drosophila* et suivons-le jusqu'à l'étape finale au niveau de laquelle les cellules se différencient de façon terminale. Rétrécissons encore plus notre champ d'investigation et prenons comme exemple la différenciation d'un seul type de petites structures qui se forment à partir de l'épithélium du disque imaginal : les **soies sensorielles (sensilles trichoïdes)**.

Les sensilles qui couvrent la surface du corps d'un insecte sont des organes sensoriels miniatures. Certaines répondent à des stimuli chimiques, d'autres à des stimuli mécaniques mais elles sont toutes édifiées de la même façon. La structure la plus simple est celle des soies sensorielles mécanoréceptrices. Chacune d'elles est composée de quatre cellules : une cellule tormogène, une cellule trichogène, une cellule thécogène et un neurone (Figure 21-57). Les mouvements de la cellule trichogène de la soie excitent le neurone qui envoie un signal au système nerveux central.

Les cellules de la soie sensorielle d'une mouche adulte dérivent de l'épithélium du disque imaginal et toutes les quatre sont des petites-filles ou des arrière-petites-filles (*voir* Figure 21-57) d'une seule *cellule mère sensorielle* qui se différencie des cellules épidermiques prospectives voisines pendant le dernier stade larvaire (Figure 21-58). (Un cinquième descendant migre en s'éloignant des autres pour devenir une cellule de la glie.) Pour traiter de l'organisation de la différenciation de la soie sensorielle nous devons d'abord expliquer le mode de contrôle de la genèse des cellules mères sensorielles puis le mode de différenciation des cinq descendants de chacune de ces cellules les uns par rapport aux autres.

Deux gènes, *achaete* et *scute*, sont capitaux pour l'initiation de la formation des sensilles dans l'épithélium du disque imaginal. Ces gènes ont des fonctions similaires qui se chevauchent et codent pour des protéines régulatrices de gènes apparentées, de la classe fondamentale hélice-boucle-hélice (*voir* Chapitre 7). Du fait des mécanismes d'organisation du disque dont nous avons déjà parlé, *achaete* et *scute* sont exprimés dans les régions du disque imaginal à l'intérieur desquelles les soies sensorielles se forment. Les mutations qui éliminent l'expression de ces gènes au niveau de certains de leurs sites usuels bloquent le développement des soies sensorielles juste au niveau de ces sites et les mutations qui provoquent leur expression sur d'autres sites anormaux produisent le développement de soies sensorielles à cet endroit. Mais l'expression de *achaete* et *scute* est transitoire et seule une minorité de cellules qui expriment initialement le gène continueront et deviendront des cellules mères sensorielles ; les autres deviendront de l'épiderme ordinaire. Cet état, spécifié par l'expression de *achaete* et *scute*, est appelé *proneural* et *achaete* et *scute* sont appe-

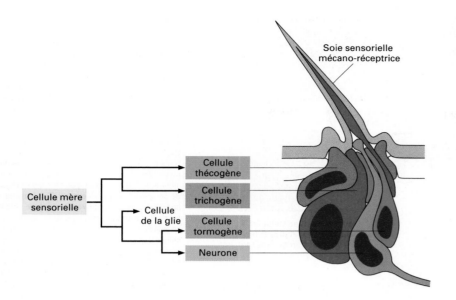

Figure 21-57 La structure fondamentale d'une soie sensorielle mécanoréceptrice. La lignée des quatre cellules de la soie – toutes descendantes d'une seule cellule mère sensorielle – est montrée à gauche.

lés **gènes proneuraux**. Les cellules proneurales sont amorcées pour prendre la voie de différenciation neurosensorielle mais, comme nous le verrons, ce sont des interactions compétitives entre elles qui définiront les cellules qui prendront réellement cette voie.

L'inhibition latérale isole des cellules mères sensorielles à l'intérieur des agrégats proneuraux

Les cellules qui expriment les gènes proneuraux forment des groupes dans l'épithélium du disque imaginal – un petit agrégat isolé de moins de 30 cellules pour une grosse soie sensorielle isolée, une large zone continue de centaines ou de milliers de cellules pour un gros champ de petites soies sensorielles. Dans le premier cas, un seul membre du groupe devient une cellule mère sensorielle ; dans le deuxième cas, beaucoup de cellules éparpillées dans toute la région proneurale le deviennent. Dans les deux cas, chaque cellule mère sensorielle s'entoure de cellules qui inactivent l'expression de leurs gènes proneuraux et se condensent pour se différencier à la place en épiderme. Des expériences menées avec des mosaïques génétiques permettent d'en comprendre la raison : une cellule qui s'engage vers la voie de différenciation en cellule mère sensorielle envoie un signal à ses voisines leur indiquant de ne pas faire de même ; elle exerce une *inhibition latérale*. Si une cellule qui doit normalement devenir une cellule mère sensorielle est rendue génétiquement incapable de le faire, une cellule proneurale voisine, libérée de l'inhibition latérale, devient à sa place une cellule mère sensorielle.

L'inhibition latérale passe par la voie de signalisation Notch. Les cellules de l'agrégat expriment toutes initialement le récepteur transmembranaire Notch et son ligand transmembranaire Delta. Partout où Delta active Notch, un signal inhibiteur est envoyé dans les cellules qui expriment Notch ; par conséquent, toutes les cellules de l'agrégat s'inhibent mutuellement. Cependant, on pense que la réception d'un signal dans une cellule donnée diminue non seulement la tendance de cette cellule à se spécialiser en cellule mère sensorielle mais aussi sa capacité à résister en délivrant le signal Delta inhibiteur en retour. Cela crée une situation compétitive, de laquelle émerge comme vainqueur une seule cellule dans chaque petite région – la future cellule mère sensorielle – en envoyant un fort signal inhibiteur à ses voisins immédiats sans recevoir d'autres signaux en retour (Figure 21-59). Les conséquences de l'échec de ce mécanisme régulateur sont montrées en figure 21-60.

L'inhibition latérale entraîne la descendance de la cellule mère sensorielle vers différents destins ultimes

Ce même mécanisme d'inhibition latérale qui dépend de Notch opère de façon répétitive pour la formation des soies sensorielles – non seulement pour forcer les voisines des cellules mères sensorielles à suivre une voie différente pour devenir

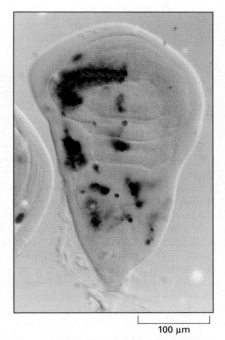

100 μm

Figure 21-58 Cellules mères sensorielles dans le disque imaginal de l'aile. Les cellules mères sensorielles (ici en *bleu*) sont facilement révélées dans cette souche particulière de *Drosophila*, qui contient *LacZ*, un gène de reportage artificiel qui, par chance, s'est inséré lui-même dans le génome près d'une région de contrôle qui provoque sa surexpression sélective dans les cellules mères sensorielles. La couleur *pourpre* montre le patron d'expression du gène *scute* : elle annonce la production de cellules mères sensorielles et s'atténue lorsque les cellules mères sensorielles se développent l'une après l'autre. (D'après P. Cubas et al., *Genes Dev.* 5 : 996-1008, 1991. © Cold Spring Harbor Press.)

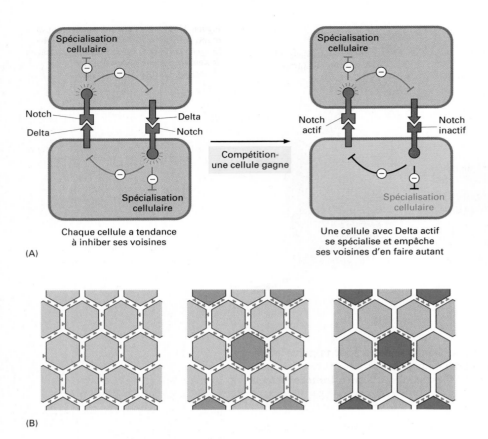

(A)

Spécialisation
cellulaire

Notch
Delta

Delta
Notch

Spécialisation
cellulaire

Chaque cellule a tendance
à inhiber ses voisines

Compétition-
une cellule gagne

Spécialisation
cellulaire

Notch
actif

Notch
inactif

Spécialisation
cellulaire

Une cellule avec Delta actif
se spécialise et empêche
ses voisines d'en faire autant

(B)

Figure 21-59 Inhibition latérale.
(A) Mécanisme fondamental de l'inhibition latérale compétitive passant par Notch, illustré uniquement pour deux cellules qui interagissent. Sur ce schéma, l'absence de couleur sur les protéines ou la ligne d'effecteurs indique l'inactivité. (B) Le devenir du même processus qui opère dans une zone plus large de cellules. Au départ, toutes les cellules de cette zone sont équivalentes et expriment à la fois le récepteur transmembranaire Notch et son ligand transmembranaire Delta. Chaque cellule a tendance à se spécialiser (en tant que cellule mère sensorielle) et chacune envoie un signal inhibiteur à ses voisines pour les décourager de se spécialiser pareillement. Cela engendre une situation compétitive. Dès qu'une cellule particulière prend l'avantage dans cette compétition, cet avantage s'amplifie. Comme la cellule gagnante s'engage plus fortement dans la différenciation en une cellule sensorielle mère, elle inhibe aussi ses voisines plus fortement. À l'inverse, lorsque ses voisines perdent leur capacité à se différencier en cellule mère sensorielle, elles perdent aussi leur capacité à empêcher les autres cellules d'en faire autant. De ce fait, l'inhibition latérale conduit des cellules adjacentes à suivre des destins différents. Bien qu'on pense que l'interaction soit normalement dépendante d'un contact cellule-cellule, la future cellule mère sensorielle pourrait être capable de délivrer un signal inhibiteur aux cellules éloignées de plus d'un diamètre cellulaire — par exemple, en envoyant vers l'extérieur de longues protrusions pour les toucher.

épidermiques, mais aussi, ultérieurement, pour que les filles, les petites-filles et finalement les arrière-petites-filles de la cellule mère sensorielle expriment des gènes différents afin de former les différents composants de la soie sensorielle. À chaque étape, l'inhibition latérale entraîne une interaction compétitive qui force les cellules adjacentes à se comporter de façon contrastée. L'utilisation d'une mutation thermo-sensible de Notch permet d'inactiver la signalisation par Notch une fois que la cellule mère sensorielle a été isolée, mais avant qu'elle ne se divise. La descendance se différencie alors de façon identique et forme un groupe de neurones à la place des quatre types cellulaires différents de la soie sensorielle.

Comme beaucoup d'autres compétitions, celles qui passent par l'inhibition latérale sont souvent manipulées : une des cellules part avec un avantage qui lui garantit la victoire. Au cours du développement des différents types cellulaires de la soie sensorielle, un fort favoritisme initial est fourni par l'asymétrie de chaque division cellulaire de la cellule mère sensorielle et de sa descendance. Une protéine, Numb (associée à certaines autres protéines), se localise à l'une des extrémités de la cellule en division de telle sorte qu'une seule des filles hérite de la protéine Numb et pas l'autre (Figure 21-61). Numb interagit avec Notch et bloque son activité. De ce fait, la cellule qui contient Numb est sourde aux signaux inhibiteurs issus de ses voisines tandis que sa sœur reste sensible. Comme les deux cellules expriment initialement Delta, le ligand de Notch, la cellule qui a hérité de Numb devient une cellule nerveuse tout en entraînant sa sœur vers un destin non neural.

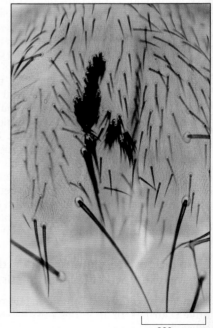

200 μm

Figure 21-60 Le résultat de l'inactivation de l'inhibition latérale pendant l'isolement des cellules mères sensorielles. La photographie montre des parties du thorax d'une mouche qui contiennent une zone mutante dans laquelle le gène neurogène *Delta* a été partiellement inactivé. La réduction de l'inhibition latérale a provoqué le développement de presque toutes les cellules de la zone mutante (*au centre de la photo*) en cellules sensorielles mères, ce qui a engendré un fort excédent de soies sensorielles à cet endroit. Des zones de cellules mutantes qui portent des mutations plus extrêmes dans la voie Notch provoquant une perte totale de l'inhibition latérale, ne forment aucune soie visible parce que toute la descendance des cellules mères sensorielles se développe en neurone ou cellule de la glie au lieu de se diversifier pour former à la fois les neurones et les parties externes de la structure de la soie. (Due à l'obligeance de P. Heitzler et P. Simpson, *Cell* 64 : 1083-1093, 1991. © Elsevier.)

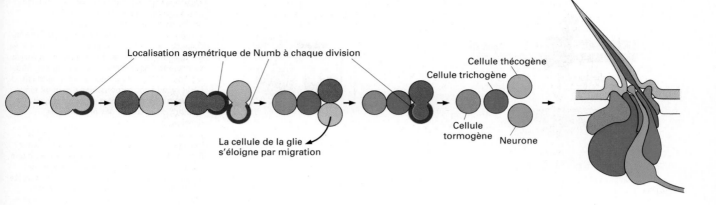

Localisation asymétrique de Numb à chaque division

La cellule de la glie s'éloigne par migration

Cellule thécogène
Cellule trichogène
Cellule tormogène
Neurone

Figure 21-61 Numb influence l'inhibition latérale pendant le développement des soies. À chaque division de la descendance de la cellule mère sensorielle, la protéine Numb se localise de façon asymétrique et engendre des cellules filles différentes. Notez que certaines divisions sont orientées avec le fuseau mitotique situé dans le plan de l'épithélium, d'autres perpendiculairement à lui ; la localisation de Numb est contrôlée de différentes manières selon ces différents types de divisions mais joue un rôle critique à chaque fois, en décidant du destin cellulaire. (D'après des données de M. Gho, Y. Bellaiche et F. Schweisguth, *Development* 126 : 3573-3584, 1999.)

La polarité planaire des divisions asymétriques est contrôlée par la signalisation via le récepteur Frizzled

Pour que le mécanisme par Numb opère, il faut que la machinerie de la cellule qui se divise répartisse par ségrégation, avant la division, le déterminant d'un côté de la cellule. De plus, lorsque la cellule entre en mitose, le fuseau mitotique doit être aligné avec cette asymétrie afin que le déterminant soit alloué uniquement à une cellule fille et non partagé entre les deux filles au moment de la division cellulaire. Dans le cas indiqué ci-dessus, la cellule mère sensorielle, lorsqu'elle se divise la première fois, donne régulièrement une cellule antérieure qui hérite de Numb et une cellule postérieure qui n'en hérite pas. Ce type de polarité dans le plan de l'épithélium est appelé *polarité planaire* (pour la distinguer de la polarité apico-basale pour laquelle l'asymétrie cellulaire est perpendiculaire au plan de l'épithélium). Elle se manifeste par l'orientation uniforme vers l'arrière des soies sensorielles qui donne à la mouche cet aspect «balayé par le vent» (Figure 21-62).

La polarité planaire de la division initiale de la cellule mère sensorielle est contrôlée par une voie de signalisation similaire à celle que nous avons rencontrée lors du contrôle des divisions asymétriques chez le nématode (*voir* Figure 21-20), et qui dépend du récepteur Frizzled. Les protéines Frizzled ont été traitées au chapitre 15 en tant que récepteurs des protéines Wnt mais, dans le contrôle de la polarité planaire – chez les mouches et probablement les vertébrés – cette voie fonctionne d'une façon particulière : un mécanisme extracellulaire de relais exerce ses effets principaux sur le cytosquelette d'actine, plutôt que sur l'expression génique. La protéine intracellulaire Dishevelled, en aval de Frizzled, est commune aux branches de régulation génique et de régulation de l'actine de cette voie de signalisation. Des domaines séparés de la molécule Dishevelled sont responsables de ces deux fonctions (Figure 21-63). Frizzled et Dishevelled tirent leur nom de l'aspect hirsute des mouches chez qui la polarité des soies sensorielles est désordonnée.

L'association de l'inhibition latérale et de la division asymétrique régule la genèse des neurones de l'ensemble du corps

Les mécanismes que nous avons décrit pour le contrôle de la genèse des neurones des soies sensorielles opèrent également, avec des variations mineures, virtuellement dans la genèse de tous les autres neurones – non seulement chez les insectes mais aussi chez les autres phylums. De ce fait, dans le système nerveux central embryonnaire des mouches et des vertébrés, les neurones sont engendrés dans les régions d'expression des gènes proneuraux voisines de *achaete* et *scute*. Le neurone naissant ou les précurseurs neuronaux expriment Delta et empêchent leurs voisins immédiats, qui expriment Notch, de s'engager au même moment dans la différenciation neurale. Lorsque la signalisation par Notch est bloquée, l'inhibition ne s'effectue pas et on

300 μm

Figure 21-62 La polarité planaire des cellules se manifeste par la polarité des soies sur le dos d'une mouche : elles pointent toutes vers l'arrière. (Photographie en microscopie électronique à balayage, due à l'obligeance de S. Oldham et E. Hafen, d'après E. Spana et N. Perrimon, *Trends Genet.* 15 : 301-302, 1999. © Elsevier.)

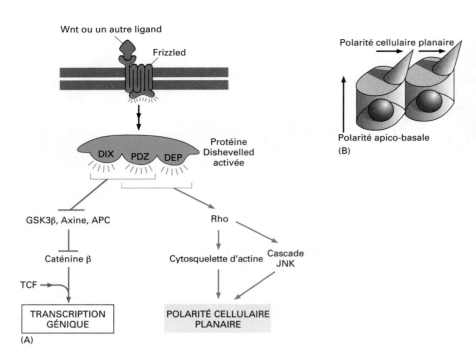

Figure 21-63 Le contrôle de la polarité planaire cellulaire. (A) Les deux ramifications de la voie de signalisation Wnt/Frizzled. La branche principale, traitée au chapitre 15, contrôle l'expression des gènes via les caténines β ; la branche de polarité planaire contrôle le cytosquelette d'actine via des Rho GTPases. Différents domaines de la protéine Dishevelled sont responsables des deux effets. On ne sait pas clairement cependant quel membre de la famille des protéines de signalisation Wnt, s'il y en a, est responsable de l'activation de la fonction de polarité planaire de Frizzled chez *Drosophila*. (B) Schéma de cellules dotées d'une polarité planaire. Dans un des systèmes au moins la polarité cellulaire planaire est associée à la localisation asymétrique d'un côté de chaque cellule du récepteur Frizzled lui-même.

observe, dans les régions proneurales, un fort excédent de neurones aux dépens des cellules non neuronales (Figure 21-64).

Dans de nombreux processus de neurogenèse comme dans le développement des soies sensorielles, les divisions cellulaires asymétriques jouent un rôle important bien que leurs particularités et leurs relations avec la voie de signalisation par Notch soient variables. De ce fait, dans le système nerveux central de *Drosophila*, les précurseurs des cellules nerveuses, ou neuroblastes, sont isolés de l'ectoderme neurogène par un mécanisme typique d'inhibition latérale qui dépend de Notch, mais subissent ensuite des divisions asymétriques typiques dans lesquelles les cellules présentent une polarisation apico-basale. La localisation d'un groupe de déterminants du destin neuronal à une extrémité du neuroblaste est finalement dirigée, dans ce cas, par Bazooka, une protéine de localisation apicale, qui joue un rôle fondamental dans la définition de la polarité apico-basale des épithéliums en général et est également impliquée dans la neurogenèse dans le système nerveux des vertébrés. Bazooka est un homologue de Par-3, une des protéines Par qui gouverne les divisions asymétriques des cellules dans le jeune embryon de nématode.

La signalisation par Notch régule l'organisation fine des types cellulaires différenciés dans de nombreux tissus

Le processus d'inhibition latérale et de diversification cellulaire, initié par l'expression des gènes proneuraux médiée par Notch, s'est avéré être crucial dans l'organisation fine d'une très grande variété de tissus. Chez la mouche, il contrôle la

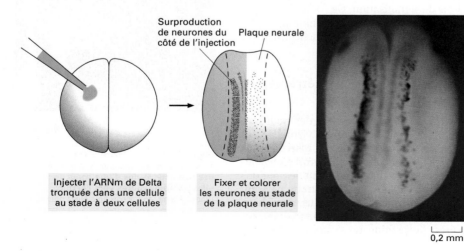

Figure 21-64 Effets du blocage de la signalisation par Notch dans un embryon de *Xenopus*. Dans l'expérience montrée ici, l'ARNm codant pour une forme tronquée du ligand Delta de Notch, associé à un ARNm de *LacZ* comme marqueur, sont injectés dans une des cellules de l'embryon au stade à deux cellules. La protéine Delta tronquée produite par l'ARNm bloque la signalisation par Notch dans les cellules descendantes de celle qui a reçu l'injection. Ces cellules résident du côté gauche de l'embryon et sont identifiables parce qu'elles contiennent la protéine LacZ (coloration *bleue*) ainsi que la protéine Delta tronquée. Le côté droit de l'embryon n'est pas affecté et sert de témoin. L'embryon est fixé et coloré au stade où son système nerveux central ne s'est pas encore enroulé pour former le tube neural mais est encore plus ou moins une plaque plate de cellules — la plaque neurale — exposée à la surface de l'embryon. Les premiers neurones (colorés en *violet* sur la photographie) ont déjà commencé à se différencier en bandes longues (les régions proneurales) de chaque côté de la ligne centrale. Du côté du témoin (*à droite*) ils forment un sous-groupe éparpillé de population cellulaire proneurale. Du côté Notch bloqué (*à gauche*), virtuellement toutes les cellules des régions proneurales se sont différenciées en neurones, créant une bande dense colorée de neurones sans cellules intermédiaires. L'injection d'ARNm codant pour une protéine Delta normale fonctionnelle a l'effet inverse, et réduit le nombre de cellules qui se différencient en neurones. (Photographie issue de A. Chitnis et al., *Nature* 375 : 761-766, 1995. © Macmillan Magazines Ltd.)

production non seulement des neurones mais aussi de nombreux autres types cellulaires différenciés – par exemple, les muscles, la région qui tapisse l'intestin, le système excréteur, la trachée, l'œil et d'autres organes des sens. Chez les vertébrés, des homologues des gènes proneuraux, de Notch et de ses ligands sont exprimés dans les tissus correspondants et ont des fonctions similaires : les mutations dans la voie de Notch bouleversent l'équilibre des neurones et des cellules non neuronales dans le système nerveux central mais aussi celui des différents types cellulaires spécialisés qui tapissent l'intestin, des cellules endocrines et exocrines du pancréas et des cellules sensorielles et de soutien des organes des sens comme l'oreille, pour ne donner que quelques exemples.

Dans tous ces tissus, il faut un mélange équilibré des différents types cellulaires. La voie de signalisation par Notch fournit les moyens d'engendrer ce mélange, en permettant à des cellules individuelles qui expriment un groupe de gènes de diriger leurs voisines immédiates pour qu'elles en expriment un autre.

Certains gènes régulateurs clés définissent un type cellulaire ; d'autres peuvent activer le programme de création d'un organe entier

Le choix ultime d'un mode particulier de différenciation est marqué par l'expression de gènes spécifiques de différenciation cellulaire immédiatement après les interactions médiées par Notch. Chaque type cellulaire doit exprimer une collection complète de gènes pour effectuer ses fonctions différenciées, mais l'expression de ces gènes est coordonnée par un groupe bien plus petit de régulateurs de haut niveau. Ces régulateurs sont parfois appelés «protéines régulatrices maîtresses» (même si elles ne peuvent exercer leur effet spécifique qu'associées aux bons partenaires dans une cellule correctement amorcée). Prenons comme exemple la famille MyoD de protéines régulatrices de gènes (MyoD, Myogénine, Myf5, MRF4 et leurs homologues chez les vertébrés). Ces protéines amènent les cellules à se différencier en muscle, et à exprimer les actines et les myosines spécifiques de muscle ainsi que toutes les autres protéines du cytosquelette, métaboliques et membranaires nécessaires aux cellules musculaires (*voir* Figure 7-72).

Les protéines régulatrices de gènes, qui définissent des types cellulaires particuliers, appartiennent souvent à la famille fondamentale hélice-boucle-hélice, (comme MyoD et ses apparentés), codée par des gènes homologues aux gènes proneuraux (et dans certains cas apparemment identiques) qui initient la phase ultime du développement. Leur expression est souvent gouvernée par la voie Notch via des boucles de rétrocontrôle complexes.

La différenciation cellulaire terminale nous a menés à la fin de notre présentation du mode de contrôle génique de la fabrication d'une mouche. Cet exposé a été nécessairement simplifié. Bien plus de gènes que ceux dont nous avons parlé sont impliqués dans chacun des processus de développement que nous avons décrits. Des boucles de rétrocontrôle, des mécanismes alternatifs agissant en parallèle, des redondances génétiques et d'autres phénomènes compliquent le tableau complet. Malgré tout cela, le message majeur de la génétique du développement est d'une simplicité inattendue. Un nombre limité de gènes et de mécanismes utilisés répétitivement dans différentes circonstances et associations est responsable du contrôle des caractéristiques principales du développement de tous les animaux multicellulaires.

Retournons maintenant à un aspect essentiel du développement animal que nous avons jusqu'à présent négligé : le mouvement cellulaire contrôlé.

Résumé

Les parties externes d'une mouche adulte se développent à partir de structures épithéliales, les disques imaginaux. Chaque disque imaginal est divisé au départ en un petit nombre de domaines qui expriment différentes protéines régulatrices de gènes en tant que résultat du processus d'organisation embryonnaire précoce. Ces domaines sont appelés compartiments parce que leurs cellules ne se mélangent pas. Aux frontières des compartiments, les cellules qui expriment différents gènes s'affrontent les unes les autres et interagissent, y compris en induisant la production locale de morphogènes qui gouvernent la croissance ultérieure et l'organisation interne de chaque compartiment. De ce fait, dans le disque des ailes, les cellules dorsales et ventrales interagissent via un mécanisme de signalisation par Notch pour créer une source de protéines Wingless (Wnt) le long de la frontière du compartiment dorsoventral, tandis que des cellules antérieures et postérieures interagissent par une signalisation de courte portée Hedgehog pour créer une source de protéines Dpp (un membre de la famille des TGF-β) le long de la limite antéropostérieure du compartiment. Toutes ces molécules de signalisation ont des homologues qui jouent des rôles similaires dans l'organisation des membres chez les vertébrés.

À l'intérieur de chaque compartiment, des gradients morphogènes contrôlent les sites d'expression des autres groupes de gènes et définissent des zones qui interagissent, là encore, les unes avec les autres pour créer les détails plus fins de l'organisation définitive de la différenciation cellulaire. De ce fait, l'expression des gènes proneuraux définit les sites où se formeront les soies sensorielles et des interactions, médiées par Notch, au sein des cellules des agrégats proneuraux, associées à des divisions cellulaires asymétriques, forcent chaque cellule de la soie sensorielle à suivre les différentes voies de leur différenciation ultime.

Chaque compartiment d'un disque imaginal, et chaque infrastructure interne, croissent jusqu'à une taille prévue avec précision, même en face de perturbations drastiques, comme les mutations qui altèrent la vitesse de division cellulaire. Même si les gradients morphogènes du disque sont clairement impliqués, on ne comprend pas encore les mécanismes régulateurs critiques qui contrôlent la taille de l'organe.

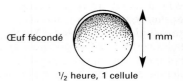

MOUVEMENTS CELLULAIRES ET MISE EN FORME DU CORPS DES VERTÉBRÉS

La plupart des cellules du corps humain sont mobiles et, dans l'embryon en développement, leurs mouvements sont souvent étendus, spectaculaires et surprenants. Des variations contrôlées de l'expression génique créent des dispositions ordonnées de cellules dans différents états ; les mouvements cellulaires réarrangent ces blocs de construction de cellules et les mettent à leur bonne place. Les gènes que les cellules expriment déterminent leur mode de déplacement ; dans ce sens, le contrôle de l'expression génique est le phénomène primaire. Mais les mouvements cellulaires sont également capitaux et pas moins nécessaires à l'explication si nous voulons comprendre comment se forme l'architecture du corps. Dans cette partie du chapitre, nous aborderons ce thème dans le contexte du développement des vertébrés. Nous prendrons comme exemple principal la grenouille *Xenopus laevis* (Figure 21-65), chez laquelle les mouvements cellulaires ont été bien étudiés, même si nous utiliserons aussi le poulet, le poisson zèbre et la souris pour certaines preuves.

La polarité de l'embryon d'amphibien dépend de la polarité de l'œuf

L'œuf de *Xenopus* est une grosse cellule de plus d'un millimètre de diamètre (Figure 21-66A). L'extrémité inférieure de l'œuf, colorée en clair, est appelée le pôle végétatif ; l'extrémité supérieure, plus sombre, est le pôle animal. Les hémisphères animal et végétatif contiennent différentes molécules d'ARNm et d'autres composants cellulaires qui sont alloués à différentes cellules lorsque l'œuf se divise après sa fécondation. Près du pôle végétatif, par exemple, on observe l'accumulation d'ARNm codant pour une protéine régulatrice de gènes, VegT (une protéine de la famille de la boîte T, qui se fixe sur l'ADN) et pour des protéines de signalisation de la superfamille des TGF-β ainsi que certains composants protéiques déjà formés, qui appartiennent à la voie de signalisation par Wnt (Figure 21-66B). Il en résulte que les cellules qui héritent du cytoplasme végétatif produiront des signaux qui organise-

Figure 21-65 Synopsis du développement de *Xenopus laevis*, de l'ovule qui vient d'être fécondé au têtard qui s'alimente. La grenouille adulte est montrée sur la photographie en haut. Les étapes du développement sont vues de profil, sauf pour les embryons de 10 heures et de 19 heures, vus respectivement *par-dessous* et *par-dessus*. Tous les stades excepté l'adulte sont montrés à la même échelle. (Photographie due à l'obligeance de Jonathan Slack ; dessins d'après P.D. Nieuwkoop et J. Faber, Normal Table of *Xenopus laevis* [Daudin]. Amsterdam : North-Holland, 1956.)

Œuf fécondé — 1 mm
½ heure, 1 cellule

4 heures, 64 cellules

Blastula
6 heures, 10 000 cellules

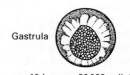

Gastrula
10 heures, 30 000 cellules

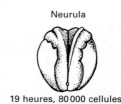

Neurula
19 heures, 80 000 cellules

32 heures, 170 000 cellules

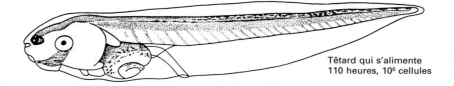

Têtard qui s'alimente
110 heures, 10⁶ cellules

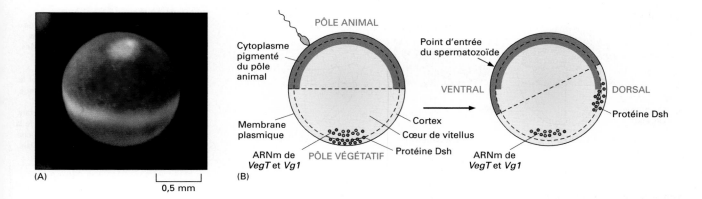

(A)

0,5 mm

(B)

Figure 21-66 L'œuf de *Xenopus* et ses asymétries. (A) Vue latérale d'un ovule photographié juste avant la fécondation. (B) La distribution asymétrique des molécules à l'intérieur de l'ovule et ses modifications, après la fécondation, qui définissent une asymétrie dorsoventrale et animal-végétatif. *Vg1* (à ne pas confondre avec *VegT*) code pour un membre de la superfamille des protéines TGF-β. La fécondation déclenche deux types de mouvements intracellulaires, les deux dépendants des microtubules : (1) une rotation du cortex de l'œuf (une couche de quelques µm de profondeur) de 30° environ par rapport au centre de l'œuf dans une direction déterminée par le site de l'entrée du spermatozoïde, et (2) le transport actif de la protéine Dishevelled (Dsh), un composant de la voie de signalisation vers le futur côté dorsal. La concentration dorsale en protéine Dishevelled qui en résulte définit la polarité dorso-ventrale du futur embryon. (A, due à l'obligeance de Tony Mills.)

ront le comportement de cellules adjacentes et s'engageront dans la formation du tube digestif – le tissu le plus interne du corps ; les cellules qui héritent du cytoplasme animal formeront les tissus plus externes.

La fécondation initie une série complexe de mouvements qui finiront par replier vers l'intérieur les cellules végétatives et les cellules de la région équatoriale (centrale) par rapport à l'axe animal-végétatif. Au cours de ce processus, les trois principaux axes du corps sont établis : *antéropostérieur*, de la tête à la queue ; *dorsoventral* du dos au ventre et *médiolatéral* de la ligne médiane vers la gauche ou vers la droite. L'asymétrie animal-végétatif de l'ovule non fécondé suffit seulement à définir un de ces futurs axes corporels – l'antéropostérieur. La fécondation déclenche un mouvement intracellulaire qui donne à l'œuf une asymétrie supplémentaire et définit une différence dorsoventrale. Après l'entrée du spermatozoïde, le cortex externe du cytoplasme de l'œuf, riche en actine, tourne par rapport au cœur de l'œuf, de telle sorte que le pôle animal du cortex se trouve légèrement décalé vers le futur côté ventral. Les traitements qui bloquent cette rotation permettent un clivage normal mais produisent un embryon pourvu d'un tube digestif central et sans structures dorsales ni asymétrie dorso-ventrale.

La direction de la rotation corticale est préconçue selon le point d'entrée du spermatozoïde, peut-être par le centrosome que le spermatozoïde introduit dans l'ovule, et ce mouvement est associé à la réorganisation des microtubules dans le cytoplasme de l'œuf. Cela conduit au transport vers le futur côté dorsal, médié par les microtubules, d'une protéine, Dishevelled, un composant de la voie de signalisation Wnt situé en aval (*voir* Figure 21-66B). La région subcellulaire dans laquelle se concentre Dishevelled donne naissance à des cellules qui se comportent comme si elles avaient reçu un signal Wnt et expriment un groupe de gènes spécifiques de la région dorsale comme résultat. Ces cellules engendrent d'autres signaux qui organisent l'axe dorso-ventral du corps.

Le clivage produit beaucoup de cellules à partir d'une seule

La rotation corticale se termine une heure après la fécondation environ et est suivie d'un clivage, au cours duquel l'unique cellule de l'œuf de grande taille se subdivise rapidement par mitoses successives en de nombreuses cellules semblables, ou *blastomères*, sans aucune modification de la masse totale (Figure 21-67). De cette façon, les déterminants distribués de façon asymétrique dans l'œuf se répartissent dans différentes cellules qui suivront différents destins (Figure 21-68).

La durée du cycle de ces premières divisions cellulaires chez *Xenopus* est d'environ 30 minutes, avec l'alternance directe d'une phase S et d'une phase M, comme nous l'avons vu au chapitre 17. La très forte vitesse de la réplication de l'ADN et de la mitose semble empêcher toute transcription génique (bien qu'une synthèse pro-

Figure 21-67 Les étapes du clivage chez *Xenopus*. Les divisions de clivage subdivisent rapidement l'œuf en de nombreuses cellules plus petites. Toutes les cellules se divisent de façon synchrone pendant les 12 premiers clivages mais ces divisions sont asymétriques de telle sorte que les cellules végétatives inférieures, encombrées du jaune, sont moins nombreuses et plus grosses.

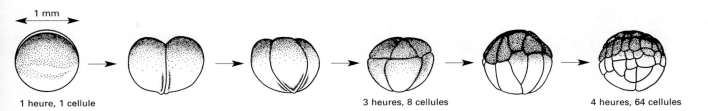

1 mm

1 heure, 1 cellule   3 heures, 8 cellules   4 heures, 64 cellules

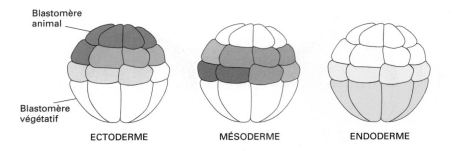

Blastomère animal

Blastomère végétatif

ECTODERME MÉSODERME ENDODERME

Figure 21-68 On peut remonter aux origines des trois couches germinatives pour différencier les blastomères dans l'embryon au cours des premiers stades du clivage. L'endoderme dérive des blastomères les plus près du pôle végétatif, l'ectoderme des plus près du pôle animal et le mésoderme d'un groupe central qui contribue également à l'endoderme et à l'ectoderme. La coloration dans chaque schéma est d'autant plus intense que la proportion de cellules de la descendance qui contribue à donner la couche germinale donnée est élevée. (D'après L. Dale, *Curr. Biol.* 9 : R812-R815, 1999.)

téique se produise) et l'embryon qui se divise est presque entièrement dépendant de ses réserves d'ARN, de protéines, de membranes et d'autres matériaux, qui se sont accumulés pendant que l'ovocyte se développait pour donner l'ovule chez la mère. Après 12 cycles de clivage environ (7 heures) la vitesse de division cellulaire se ralentit, le cycle cellulaire commence à suivre son organisation standard pourvue des phases intermédiaires G_1 et G_2 entre les phases S et M et la transcription du génome de l'embryon commence. Cet événement est appelé *transition mi-blastula (mid-blastula transition)*.

La gastrulation transforme une balle creuse de cellules en une structure à trois couches dotée d'un intestin primitif

Pendant la période de clivage, l'embryon de grenouille se transforme et passe d'une sphère compacte de cellules à une structure ressemblant plus à une balle creuse, composée d'une cavité interne remplie de liquide entourée de cellules cohésives qui forment un feuillet épithélial. L'embryon est maintenant appelé **blastula** (Figure 21-69).

Peu de temps après, les mouvements coordonnés de la gastrulation commencent. Ce processus spectaculaire transforme la simple balle creuse de cellules en une structure à multiples couches dotée d'un tube digestif central et d'une symétrie bilatérale : selon une version bien plus complexe du processus que celui que nous avons déjà décrit chez l'oursin de mer (*voir* Figure 21-3), de nombreuses cellules situées à l'extérieur de l'embryon se déplacent vers l'intérieur. La poursuite du développement dépend des interactions entre les couches cellulaires, interne, externe et moyenne, ainsi formées : l'*endoderme*, à l'intérieur, est composé de cellules qui se sont déplacées vers l'intérieur pour former le tube digestif primitif ; l'*ectoderme* à l'extérieur est composé de cellules qui sont restées externes, et le *mésoderme* entre eux est composé de cellules qui se détachent de l'épithélium pour former un tissu conjonctif embryonnaire d'organisation plus lâche (Figure 21-70). Les tissus du corps du vertébré adulte se formeront à partir de ces trois couches germinatives et conserveront le plan corporel fondamental établi par la gastrulation.

Les mouvements précis de la gastrulation sont prévisibles

L'organisation des mouvements de la gastrulation qui engendre les couches germinatives et établit les axes du corps est décrite chez *Xenopus* dans la figure 21-71. Les détails sont complexes mais les principes sont simples.

Les cellules du futur endoderme se replient à l'intérieur ou *s'invaginent*, l'une après l'autre. Les cellules proches du pôle végétatif de la blastula s'invaginent d'abord : elles se tournent vers l'intérieur puis se déplacent vers le pôle animal pour

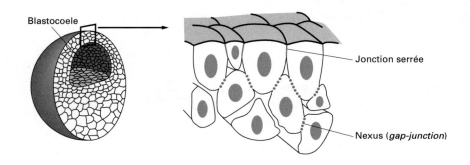

Blastocoele

Jonction serrée

Nexus (*gap-junction*)

Figure 21-69 La blastula. Dans les régions les plus externes de l'embryon, des jonctions serrées entre les blastomères commencent à créer un feuillet épithélial qui isole l'intérieur de l'embryon du milieu externe. Na^+ est pompé, à travers ce feuillet, dans les espaces à l'intérieur de l'embryon et l'eau suit dans ces espaces à cause du gradient de pression osmotique formé. Il en résulte que des crevasses intercellulaires situées à l'intérieur de l'embryon s'élargissent pour former une cavité unique, le blastocoele. Chez *Xenopus*, la paroi du blastocoele a plusieurs cellules d'épaisseur et seules les cellules les plus externes sont fixées solidement ensemble sous forme d'un épithélium.

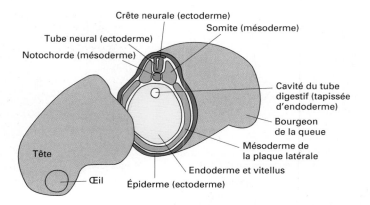

Crête neurale (ectoderme)

Tube neural (ectoderme)

Somite (mésoderme)

Notochorde (mésoderme)

Cavité du tube digestif (tapissée d'endoderme)

Bourgeon de la queue

Tête

Mésoderme de la plaque latérale

Œil

Endoderme et vitellus

Épiderme (ectoderme)

Figure 21-70 Une coupe transversale à travers le tronc d'un embryon d'amphibien à la fin de la gastrulation montre la disposition des tissus endodermique, mésodermique et ectodermique.

L'endoderme formera l'épithélium qui tapisse le tube digestif de la bouche à l'anus. Il donne naissance non seulement au pharynx, à l'œsophage, à l'estomac et aux intestins mais aussi aux nombreuses glandes associées. Les glandes salivaires, le foie, le pancréas, la trachée et les poumons par exemple se développent tous à partir d'extensions de la paroi du simple tractus digestif d'origine et croissent pour devenir les systèmes de tubes ramifiés qui s'ouvrent dans le tube digestif ou le pharynx. L'endoderme forme seulement les composants épithéliaux de ces structures – l'intérieur du tube digestif et les cellules sécrétrices du pancréas, par exemple. Les éléments de soutien musculaires et fibreux partent du mésoderme.

Le mésoderme donne naissance aux tissus conjonctifs – au départ le réseau lâche tridimensionnel qui occupe l'espace cellulaire de l'embryon appelé mésenchyme puis finalement le cartilage, les os et les tissus fibreux incluant les muscles, la totalité du système vasculaire – y compris le cœur, les vaisseaux sanguins et les cellules sanguines – et les tubules, canaux et tissus de soutien des reins et des gonades.

L'ectoderme formera l'épiderme (la couche épithéliale externe de la peau) et les appendices épidermiques comme les poils, les glandes sudoripares et les glandes mammaires. Il donnera également naissance à la totalité du système nerveux central et périphérique, y compris non seulement les neurones et les cellules de la glie mais aussi les cellules sensorielles du nez, de l'oreille, de l'œil et des autres organes des sens. (D'après T. Mohun et al., *Cell* 22 : 9-15, 1980.)

former la partie la plus antérieure du tube digestif. Lorsqu'elles s'approchent du pôle animal, ces premières cellules endodermiques enverront un signal à l'ectoderme sus-jacent pour qu'il définisse l'extrémité antérieure de la tête. La bouche se développera finalement sous forme d'un trou formé à l'avant au niveau d'un site où l'endoderme et l'ectoderme entrent en contact direct. Pendant ce temps, les futures cellules du mésoderme, destinées à se détacher des feuillets épithéliaux pour former la partie entre l'endoderme et l'ectoderme, s'enfoncent à l'intérieur avec les cellules de l'endoderme et se déplacent également vers le pôle animal. Les cellules qui s'invaginent les premières se déplacent pour former les parties de la tête et celles qui sont les dernières forment les parties de la queue. C'est ainsi que se forme séquentiellement l'axe antéropostérieur définitif de l'embryon.

Les mouvements antéropostérieurs vont main dans la main avec les mouvements qui organisent l'axe dorsoventral du corps. La gastrulation commence du côté de la blastula marquée comme dorsale par la rotation corticale. À cet endroit, l'invagination des cellules vers l'intérieur commence par une petite indentation qui s'étend rapidement pour former le *blastopore* – une ligne d'invagination qui se recourbe pour encercler le pôle végétatif. L'endroit où commence l'invagination définit la *lèvre dorsale du blastopore*. Comme nous le verrons, ce tissu joue un rôle majeur dans les événements ultérieurs et donne naissance aux structures dorsales centrales de l'axe principal du corps.

Des signaux chimiques déclenchent les processus mécaniques

Les mouvements de la gastrulation sont déclenchés par des signaux chimiques issus des blastomères végétatifs. Ces cellules sécrètent plusieurs protéines de la superfamille des TGF-β qui agissent sur les blastomères situés au-dessus d'elles. Si ces signaux sont bloqués, la gastrulation est interrompue et aucune cellule de type mésodermique

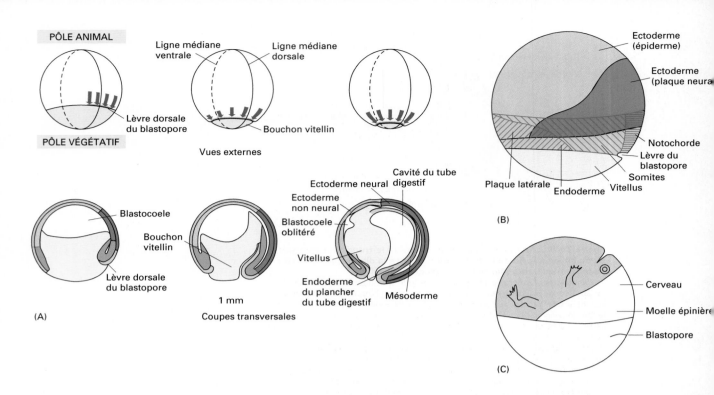

Figure 21-71 La gastrulation chez *Xenopus*. (A) Les vues externes (*en haut*) montrent l'embryon comme un objet semi-transparent vu de profil, avec les directions du mouvement cellulaire indiquées par des *flèches rouges*; les vues en coupe transversale (*en bas*) sont coupées dans le plan médian (le plan des lignes médianes dorsale et ventrale). La gastrulation commence lorsqu'une petite indentation, le commencement du blastopore, devient visible à l'extérieur de la blastula. Cette indentation s'étend graduellement, s'incurvant tout autour pour former un cercle complet qui entoure un bouchon de cellules très vitellines (destinées à être enfermées dans le tube digestif et à être digérées). Pendant ce temps, les feuillets de cellules tournent autour de la lèvre du blastopore et se déplacent en profondeur à l'intérieur de l'embryon. Au même moment, l'épithélium externe de la région du pôle animal s'étend activement pour prendre la place des feuillets cellulaires qui se sont invaginés. Finalement l'épithélium de l'hémisphère animal s'étend selon cette voie pour recouvrir toute la surface externe de l'embryon et lorsque la gastrulation se termine, le cercle du blastopore s'est presque réduit à un point. (B) Cartographie de la destinée de l'embryon de *Xenopus* aux premiers stades de son développement (vue de profil) lorsqu'il commence la gastrulation, montrant les origines des cellules qui deviendront les trois couches germinales du fait des mouvements de la gastrulation. Les diverses parties du mésoderme (plaques latérales, somites et notochorde) dérivent des cellules situées en profondeur et qui se séparent de l'épithélium dans la région hachurée transversalement. Les autres cellules y compris les cellules les plus superficielles de la région hachurée donneront naissance à l'ectoderme (*bleu, au-dessus*) ou à l'endoderme (*jaune, en dessous*). Grosso modo, les premières cellules à entrer vers l'intérieur (ou s'invaginer) se déplaceront vers l'avant à l'intérieur de l'embryon pour former les structures endodermiques et mésodermiques les plus antérieures, tandis que les dernières à s'invaginer formeront les structures les plus postérieures. (C) Dessin qui montre les différentes régions de la carte ectodermique au niveau de la surface du corps de l'animal adulte. (D'après R.E. Keller, *J. Exp. Zool.* 216 : 81-101, 1981 et *Dev. Biol.* 42 : 222-241, 1975.)

n'est engendrée. L'activation locale des composants de la voie de signalisation par Wnt du côté dorsal de l'embryon (du fait de la rotation corticale précoce, *voir* Figure 21-66) modifie l'action des autres signaux afin d'induire le développement des cellules spécifiques qui formeront la lèvre dorsale du blastopore (Figure 21-72).

La lèvre dorsale du blastopore joue un rôle central dans la gastrulation non seulement du point de vue géométrique mais en tant que nouvelle source de contrôle puissante. Si la lèvre dorsale du blastopore est excisée d'un embryon au début de la gastrulation et greffée dans un autre embryon dans une position différente, l'embryon hôte initie la gastrulation à la fois sur le site de sa propre lèvre dorsale et sur le site greffé. Le mouvement de la gastrulation sur le second site entraîne la formation d'un second groupe complet de structures corporelles et un double embryon (jumeaux siamois) se forme (*voir* Figure 21-6B).

Il est donc évident que la lèvre dorsale du blastopore est la source d'un signal (ou de signaux) qui coordonne à la fois les mouvements de la gastrulation et l'organisation de la spécialisation des tissus dans son voisinage. Du fait de ce rôle capital dans l'organisation de la formation du principal axe du corps, on appelle la lèvre dorsale du blastopore le **centre organisateur** (ou **centre organisateur de Spemann**,

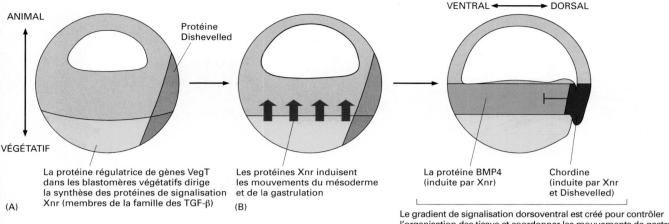

Protéine
Dishevelled

ANIMAL

VÉGÉTATIF

(A) La protéine régulatrice de gènes VegT
dans les blastomères végétatifs dirige
la synthèse des protéines de signalisation
Xnr (membres de la famille des TGF-β)

(B) Les protéines Xnr induisent
les mouvements du mésoderme
et de la gastrulation

La protéine BMP4
(induite par Xnr)

Chordine
(induite par Xnr
et Dishevelled)

Le gradient de signalisation dorsoventral est créé pour contrôler
l'organisation des tissus et coordonner les mouvements de gastrulation

(C)

après sa co-découverte). C'est l'exemple le plus ancien et le plus fameux de *centre de signalisation embryonnaire.*

Des modifications actives du tassement cellulaire fournissent la force d'entraînement de la gastrulation

L'organisateur contrôle l'organisation dorsoventrale de la différenciation cellulaire dans son voisinage en sécrétant des protéines, dont la chordine, qui inhibent l'action des signaux de type TGF-β (spécifiquement des protéines BMP) produits par les cellules plus ventrales (Figure 21-72C). Cela établit un gradient d'activité de signalisation – un gradient morphogène dont la valeur locale indique aux cellules leur distance par rapport à l'organisateur (*voir* Figure 21-14). Mais comment cette organisation des mouvements cellulaires s'effectue-t-elle en termes mécaniques et quelles sont les forces qui lui permettent de s'effectuer ?

La gastrulation commence par des modifications de la forme des cellules au niveau du blastopore. Chez les amphibiens elles sont appelées cellules en bouteille : elles ont un corps large et un col étroit qui les ancre à la surface de l'épithélium (Figure 21-73) et elles peuvent forcer plus facilement l'épithélium à s'incurver et ainsi à s'invaginer, pour produire l'indentation initiale observée à l'extérieur. Une fois que cette première invagination s'est formée, les cellules peuvent continuer à s'invaginer sous forme d'un feuillet pour former le tube digestif et le mésoderme. Ce mouvement semble être entraîné surtout par le reconditionnement actif des cellules, en particulier celles situées dans les régions invaginées qui entourent l'organisateur (*voir* Figure 21-73). On y observe une **extension convergente**. De petits carrés tissulaires issus de ces régions et isolés en culture se rétrécissent et s'allongent spontanément par le biais d'un réarrangement de leurs cellules, tout comme ils le feraient dans l'embryon, lorsqu'ils convergent vers la ligne médiane, tournant vers l'intérieur autour de la lèvre du blastopore puis s'allongeant pour former l'axe principal du corps.

Pour occasionner cette remarquable transformation, les cellules doivent migrer l'une sur l'autre d'une façon coordonnée (Figure 21-74). L'alignement de leurs mou-

Figure 21-72 Une représentation courante des principaux signaux inducteurs qui organisent les événements de la gastrulation. (A) La distribution des molécules qui déterminent l'axe de la blastula est héritée de différentes parties du cytoplasme de l'œuf de grenouille fécondé. La protéine régulatrice de gènes, VegT, des blastomères végétatifs est traduite à partir de l'ARNm de VegT qui était localisé au niveau du pôle végétatif avant la fécondation. La protéine Dishevelled du futur côté dorsal est localisée à cet endroit du fait de la rotation corticale qui suit la fécondation (*voir* Figure 21-66). (B) La signalisation qui part des cellules végétatives vers les cellules juste au-dessus d'elles et est médiée par la protéine Xnr (*Xenopus nodal-related*) et d'autres membres de la superfamille des TGF-β induit la formation d'une bande de mésoderme dans la partie centrale de l'embryon. (C) Un gradient morphogène qui organise l'axe dorso-ventral est établi par l'association de BMP4 (un autre membre de la superfamille des TGF-β) sécrétée par le mésoderme et d'antagonistes de BMP4 y compris la chordine, sécrétée par les cellules au niveau de la lèvre dorsale du blastopore.

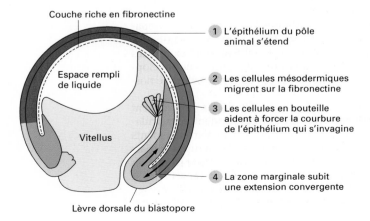

Couche riche en fibronectine

Espace rempli
de liquide

Vitellus

Lèvre dorsale du blastopore

1 L'épithélium du pôle
animal s'étend

2 Les cellules mésodermiques
migrent sur la fibronectine

3 Les cellules en bouteille
aident à forcer la courbure
de l'épithélium qui s'invagine

4 La zone marginale subit
une extension convergente

Figure 21-73 Les mouvements des cellules lors de la gastrulation. Une coupe au travers d'un embryon de *Xenopus* en gastrulation, coupé dans le même plan que dans la figure 21-71, montre les quatre principaux types de mouvements impliqués lors de la gastrulation. L'épithélium du pôle animal s'étend par des réarrangements cellulaires et s'affine en même temps. La migration des cellules mésodermiques sur une matrice de fibronectine qui tapisse le plafond du blastocoele peut aider à tirer vers l'avant les tissus invaginés. Mais la principale force d'entraînement de la gastrulation chez *Xenopus* est l'extension convergente dans la zone marginale. (D'après R.E. Keller, *J. Exp. Zool.* 216 : 81-101, 1981.)

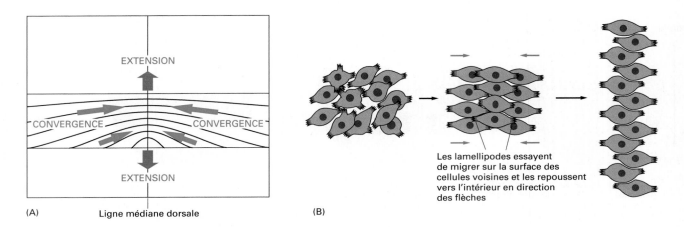

EXTENSION

CONVERGENCE   CONVERGENCE

EXTENSION

(A)   Ligne médiane dorsale

Les lamellipodes essaient
de migrer sur la surface des
cellules voisines et les repoussent
vers l'intérieur en direction
des flèches

(B)

Figure 21-74 L'extension convergente et sa base cellulaire. (A) L'organisation de l'extension convergente dans la zone marginale de la gastrula vue du côté dorsal. Les *flèches bleues* représentent la convergence vers la ligne centrale dorsale, les *flèches rouges* représentent les extensions de l'axe antéropostérieur. Ce schéma simplifié ne cherche pas à montrer les mouvements qui accompagnent l'invagination, pendant lesquels les cellules entrent à l'intérieur de l'embryon. (B) Représentation schématique du comportement cellulaire qui sous-tend l'extension convergente. Les cellules forment des lamellipodes avec lesquelles elles essaient de migrer les unes sur les autres. L'alignement des mouvements lamellipodiaux le long d'un axe commun conduit à l'extension convergente. Ce processus dépend de la voie de signalisation de polarité par Frizzled/Dishevelled et est probablement coopératif parce que les cellules qui sont déjà alignées exercent des forces qui ont également tendance à aligner leurs voisines. (B, d'après J. Shih et R. Keller, *Development* 116 : 901-914, 1992.)

vements semble dépendre de la même machinerie que celle dont nous avons parlé chez le ver et la mouche, et qui contrôle la polarité planaire cellulaire : la voie de signalisation par Frizzled/Dishevelled de la polarité. Lorsque cette voie est bloquée – par exemple, par une forme négative dominante de Dishevelled – l'extension convergente ne se produit pas.

La modification de l'organisation des molécules d'adhésion cellulaire force les cellules à se réarranger

Les patrons d'expression génique gouvernent les mouvements cellulaires embryonnaires par de nombreuses voies. Ils régulent la motilité cellulaire, la forme cellulaire et la production de signaux de guidage. Ce qui est très important, c'est qu'ils déterminent également l'ensemble des molécules d'adhésion présentes à la surface des cellules. Par la modification de ses molécules de surface, une cellule peut casser d'anciennes attaches et en fabriquer de nouvelles. Les cellules d'une région peuvent développer des propriétés de surface qui les rendent cohésives les unes aux autres et les faire se séparer d'un groupe voisin de cellules dont la chimie de surface est différente.

Des expériences faites il y a 50 ans sur des embryons d'amphibien aux premiers stades du développement ont montré que les effets de l'adhésion sélective cellule-cellule pouvaient être si puissants qu'ils pouvaient occasionner une reconstruction approximative de l'embryon aux premiers stades du développement, même après la dissociation artificielle de ses cellules. Lorsque ces cellules sont regroupées en un mélange aléatoire, elles se répartissent spontanément selon leurs caractères d'origine (Figure 21-75). Comme nous l'avons vu au chapitre 19, les *cadhérines* – une grande famille de différentes protéines d'adhésion cellule-cellule Ca^{2+}-dépendante, apparentées du point de vue évolutif – jouent un rôle central dans ce type de phénomène. Ces molécules ainsi que d'autres molécules d'adhésion intercellulaire sont exprimées différemment dans les divers tissus de l'embryon aux premiers stades du développement et des anticorps dirigés contre elles interfèrent avec l'adhésion sélective normale entre des cellules d'un type similaire.

Les modifications des patrons d'expression des diverses cadhérines sont fortement corrélées aux variations des types d'association entre les cellules pendant la gastrulation, la neurulation et la formation des somites (*voir* Figure 19-25). Ces réarrangements semblent être régulés et entraînés en partie par l'organisation des cadhérines. En particulier, les cadhérines semblent jouer un rôle majeur dans le contrôle de la formation et de la dissolution des feuillets épithéliaux et des amas de cellules. Non seulement elles collent les cellules entre elles, mais elles fournissent également des sites d'ancrage aux filaments d'actine intracellulaires au niveau des sites d'adhésion intercellulaires.

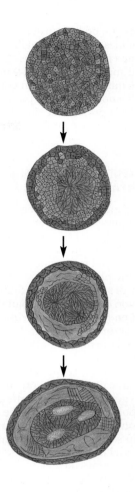

De cette façon l'organisation des étirements et des mouvements dans les tissus en développement est régulée selon l'organisation des types d'adhésion.

La notochorde s'allonge, tandis que la plaque neurale s'enroule pour former le tube neural

La gastrulation n'est que le premier mouvement parmi l'incroyable variété de mouvements cellulaires qui façonnent les parties du corps – bien que ce soit peut-être le plus spectaculaire. Cependant, nous n'avons pas assez d'espace pour les aborder tous.

Dans l'embryon, juste après la gastrulation, la couche de mésoderme se divise en plaques séparées du côté droit et du côté gauche du corps. C'est une spécialisation très précoce du mésoderme, la **notochorde**, qui définit l'axe central du corps et effectue cette séparation. Ce mince bâtonnet de cellules, recouvert d'ectoderme, encadré de mésoderme et reposant sur l'endoderme (*voir* Figure 21-70), dérive des cellules du centre organisateur lui-même. Les cellules de la notochorde sont caractérisées par l'expression d'une protéine régulatrice de gène, Brachyury (du grec «courte queue», issue du phénotype mutant); elle appartient à la même famille de la boîte T que la protéine VegT des blastomères végétatifs.

Lorsque les cellules de la notochorde passent autour de la lèvre dorsale du blastopore et se déplacent vers l'intérieur de l'embryon, elles forment une colonne de tissu qui s'allonge de façon spectaculaire par extension convergente. Les cellules de la notochorde se gonflent également de vacuoles de telle sorte que le bâtonnet s'allonge encore plus et étire l'embryon. La notochorde est une particularité qui définit les chordés – le phylum auxquels appartiennent les vertébrés. C'est une des principales caractéristiques qui n'a pas de contrepartie visible chez *Drosophila*. Dans les chordés les plus primitifs, qui n'ont pas de vertèbres, la notochorde persiste sous forme de substitut primitif d'une colonne vertébrale. Chez les vertébrés, elle sert de noyau autour duquel se réunissent les autres cellules mésodermiques pour former finalement les vertèbres.

Pendant ce temps, dans le feuillet ectodermique sus-jacent, d'autres mouvements se produisent pour former les rudiments du système nerveux. Selon un processus appelé *neurulation*, une large région centrale d'ectoderme, la plaque neurale, s'épaissit, s'enroule en un tube et se sépare par pincement du reste du feuillet cellulaire. Le tube ectodermique ainsi créé est le **tube neural**; il formera le cerveau et la moelle épinière (Figure 21-76).

Figure 21-76 La formation du tube neural chez *Xenopus*. Les vues externes montrent le côté dorsal. Les coupes transversales sont coupées dans le plan indiqué par les lignes en pointillés. (D'après T.E. Schroeder, *J. Embryol. Exp. Morphol.* 23 : 427-462, 1970. © The Company of Biologists.)

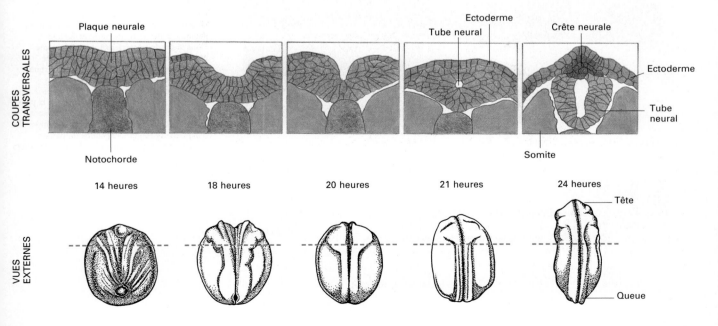

La mécanique de la neurulation dépend de modifications du tassement et de la forme des cellules qui entraînent l'enroulement de l'épithélium en un tube (Figure 21-77). Les signaux initialement issus du centre organisateur puis de la notochorde sous-jacente et du mésoderme définissent l'étendue de la plaque neurale, induisent les mouvements qui engendrent son enroulement et facilitent l'organisation interne du tube neural. La notochorde, en particulier, sécrète une protéine, Sonic hedgehog – un homologue de la protéine de signalisation Hedgehog de *Drosophila* – qui agit comme un morphogène pour contrôler l'expression des gènes dans les tissus voisins (*voir* Figure 21-94).

Un oscillateur de l'expression génique contrôle la segmentation du mésoderme en somites

Les variations génétiquement régulées de l'adhésion cellulaire sous-tendent l'un des processus les plus frappants et caractéristiques du développement des vertébrés – la formation des segments de l'axe du corps.

De chaque côté d'un tube neural néoformé se trouve une plaque de mésoderme (*voir* Figure 21-70). Pour former la série répétitive de vertèbres, côtes et muscles segmentaires, cette plaque se sépare en blocs, ou **somites** – groupes cohésifs de cellules, séparées par des fentes. La figure 21-78A montre ce processus lorsqu'il se produit dans l'embryon de poulet. Les somites se forment l'un après l'autre, en commençant par la tête et en terminant par la queue. En fonction des espèces, le nombre final de somites est compris entre moins de 50 (dans une grenouille ou un oiseau) et plus de 300 (dans un serpent). La partie postérieure la plus immature de la plaque mésodermique, le *mésoderme présomitique*, fournit le tissu nécessaire : lorsqu'il recule en direction de la queue, ce qui allonge l'embryon, il dépose une traînée de somites.

La formation des fissures entre un somite et le suivant est annoncée par un patron d'expression génique spatial alterné au niveau du mésoderme présomatique : les cellules sur le point de former la partie postérieure d'un nouveau somite activent l'expression d'un groupe de gènes, tandis que celles destinées à former la partie antérieure du somite suivant activent l'expression d'un autre groupe. Les gènes qui délimitent ainsi l'organisation des somites incluent au moins un membre de la superfamille des cadhérines (la *protocadhérine paraxiale*) et la fente entre les somites se forme à l'endroit où les cellules qui l'expriment sont confrontées à celles qui ne l'expriment pas. La cohésion sélective qui résulte de l'expression différentielle d'un gène (soit de ce gène soit d'un autre) semble donc être la cause sous-jacente de la segmentation physique observée.

Le problème est alors de comprendre comment s'établit ce patron d'expression génique répétitif alterné. Des études menées dans l'embryon de poulet ont fourni une

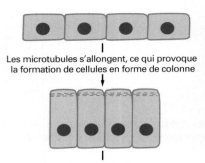

Les microtubules s'allongent, ce qui provoque la formation de cellules en forme de colonne

Les faisceaux de filaments d'actine apicaux se contractent et rétrécissent les cellules au niveau de leur apex

Faisceaux de filaments d'actine apicau

Figure 21-77 La courbure d'un épithélium par les modifications de forme des cellules médiées par les microtubules et les filaments d'actine. Le schéma se fonde sur des observations de la neurulation chez les têtards et les salamandres, où l'épaisseur de l'épithélium n'est que d'une seule couche cellulaire. Lorsque les extrémités apicales des cellules se rétrécissent, la membrane de leur face supérieure se plisse.

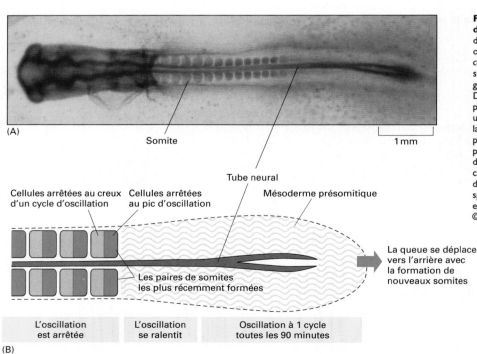

(A)

Somite

1 mm

Tube neural

Cellules arrêtées au creux d'un cycle d'oscillation

Cellules arrêtées au pic d'oscillation

Mésoderme présomitique

Les paires de somites les plus récemment formées

La queue se déplace vers l'arrière avec la formation de nouveaux somites

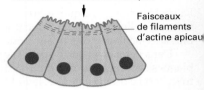

L'oscillation est arrêtée

L'oscillation se ralentit

Oscillation à 1 cycle toutes les 90 minutes

(B)

Figure 21-78 La formation de somites dans l'embryon de poulet. (A) Un embryon de poulet à 40 heures d'incubation. (B) Les oscillations temporelles de l'expression de *c-hairy-1* dans le mésoderme présomitique se transforment en un patron d'expression génique spatial dans les somites formés. Dans la partie postérieure du mésoderme présomitique, chaque cellule oscille avec une durée de cycle de 90 minutes. Lorsque la cellule mûrit et émerge de la région présomitique, l'oscillation se ralentit peu à peu pour finir par s'arrêter, quelle que soit la phase du cycle où elle se trouve dans ce moment critique. De cette façon, l'oscillation temporelle d'expression génique engendre un patron spatial alterné. (A, d'après Y.J. Jiang, L. Smithers et J. Lewis, *Curr. Biol.* 8 : 868-871, 1998. © Elsevier.)

réponse. Dans la partie postérieure du mésoderme présomitique, on a trouvé que l'expression de certains gènes – en particulier le gène *c-hairy-1*, un homologue d'un gène pair-rule de *Drosophila*, *hairy* – oscillait en fonction du temps. La durée d'un cycle complet d'oscillation de cette «horloge» d'expression génique (90 minutes chez le poulet) est égale au temps mis pour le dépôt d'un somite supplémentaire. Lorsque les cellules mûrissent et sortent du mésoderme présomitique pour former le somite, leur oscillation s'arrête. *c-hairy-1* code pour une protéine régulatrice de gènes et les cellules arrêtées au pic de leur cycle d'oscillation *c-hairy-1* expriment un groupe de gènes tandis que celles arrêtées au creux du cycle en expriment un autre (Figure 21-78B). De cette façon, l'oscillation temporelle de l'expression génique dans le mésoderme présomitique laisse sa trace dans un patron d'expression génique à périodicité spatiale dans le mésoderme qui mûrit, ce qui dicte à son tour le mode de rupture des tissus en blocs physiquement séparés. Le mécanisme qui engendre cette oscillation temporelle en elle-même n'est pas connu.

La plupart des cellules de chaque somite néoformé se différencient rapidement pour former un bloc de muscles, qui correspond à un segment musculaire de l'axe principal du corps. L'embryon peut (et doit) alors commencer à s'agiter. D'autres sous-groupes de cellules des somites formeront les vertèbres et d'autres tissus conjonctifs comme le derme. Un autre sous-groupe se détache des somites et migre, à travers les espaces entre les cellules, dans le mésoderme latéral non segmenté ; ces émigrants donneront naissance à presque toutes les autres cellules du muscle squelettique du corps, y compris celles des membres.

Les tissus embryonnaires sont envahis d'une façon strictement contrôlée par les cellules en migration

Les précurseurs des cellules musculaires, ou *myoblastes*, qui émigrent à partir des somites sont déterminés mais pas clairement différenciés. Dans les tissus qu'ils colonisent, ils se mélangent avec d'autres classes de cellules desquelles on ne peut pratiquement pas les différencier ; mais ils maintiennent l'expression des protéines régulatrices de gènes, spécifiques des myoblastes (comme les membres de la famille des MyoD) et, lorsque le moment de leur différenciation arrivera, eux seuls formeront des cellules musculaires (Figure 21-79).

L'organisation finale des muscles – dans les membres par exemple – est déterminée par les voies suivies par les cellules en migration et le choix des sites qu'elles colonisent. Les tissus conjonctifs embryonnaires forment la trame à travers laquelle les myoblastes se déplacent et fournissent des signaux qui guident leur distribution. Peu importe de quel somite ils proviennent, les myoblastes qui migrent dans un bourgeon de membre antérieur formeront l'organisation musculaire adaptée à un membre antérieur et ceux qui migrent dans un bourgeon de membre postérieur formeront l'organisation appropriée au membre postérieur.

D'autres classes de cellules migrantes, pendant ce temps, choisissent différentes voies pour leur voyage. Le long de la ligne de séparation par pincement du tube neural à partir du futur épiderme, un certain nombre de cellules ectodermiques se dégagent de l'épithélium et migrent aussi individuellement à travers le mésoderme (Figure 21-80). Ce sont les cellules de la **crête neurale** ; elles donneront naissance à presque tous les neurones et les cellules de la glie du système nerveux périphérique ainsi qu'aux cellules cutanées pigmentaires et de nombreux tissus conjonctifs de la tête y compris les os du crâne et des mâchoires. D'autres cellules migratrices importantes sont les précurseurs des cellules sanguines, des cellules germinales et de beaucoup de groupes de neurones à l'intérieur du système nerveux central ainsi que des *cellules endothéliales* qui forment les vaisseaux sanguins. Il résulte de ces invasions que la plupart des tissus du corps des vertébrés sont des mélanges de cellules de différents caractères dérivées de parties largement séparées de l'embryon.

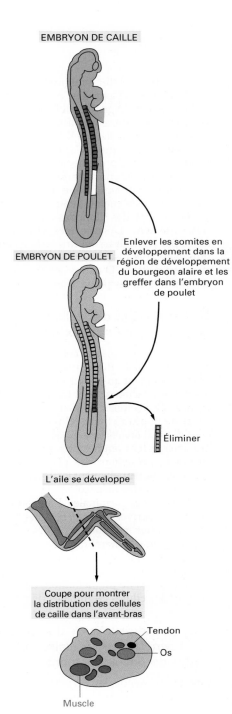

EMBRYON DE CAILLE

EMBRYON DE POULET

Enlever les somites en développement dans la région de développement du bourgeon alaire et les greffer dans l'embryon de poulet

Éliminer

L'aile se développe

Coupe pour montrer la distribution des cellules de caille dans l'avant-bras

Tendon

Os

Muscle

Figure 21-79 L'origine migratrice des cellules musculaires des membres. Les migrations peuvent être tracées par la greffe de cellules d'un embryon de caille dans un embryon de poulet ; ces deux espèces sont très similaires du point de vue de leur développement mais les cellules de caille sont reconnaissables par l'aspect différent de leurs nucléoles. Si les cellules des somites d'un embryon de poulet à 2 jours d'incubation sont remplacées par des cellules de somites de caille et qu'on coupe l'aile du poulet une semaine plus tard, on trouve que les cellules musculaires de l'aile du poulet dérivent des somites transplantés de la caille.

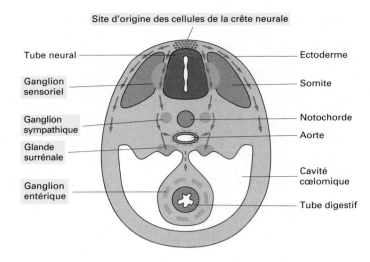

Site d'origine des cellules de la crête neurale

Tube neural

Ganglion sensoriel

Ganglion sympathique

Glande surrénale

Ganglion entérique

Ectoderme

Somite

Notochorde

Aorte

Cavité cœlomique

Tube digestif

Figure 21-80 Les principales voies de migration des cellules de la crête neurale. Un embryon de poulet est montré sur une coupe transversale schématique qui traverse la partie centrale du tronc. Les cellules qui se dirigent juste en dessous de l'ectoderme formeront les cellules pigmentaires de la peau ; celles qui prennent une voie profonde via les somites formeront les neurones et les cellules de la glie des ganglions sensoriels et sympathiques ainsi que des parties de la glande surrénale. Les neurones et les cellules de la glie des ganglions entériques de la paroi du tube digestif sont formés à partir des cellules de la crête neurale qui migrent sur toute la longueur du corps, en partant soit de la région du cou soit de la région du sacrum. Chez *Drosophila*, les neurones de la paroi du tube digestif partent de la même façon, par migration de l'extrémité de la tête de l'embryon. (*Voir aussi* Figure 19-23).

Lorsqu'une cellule migrante se déplace à travers les tissus embryonnaires, elle étend répétitivement des projections qui testent leur environnement immédiat, recherchant des signaux subtils auxquels elles seraient particulièrement sensibles en vertu de l'assortiment spécifique de leurs récepteurs protéiques cellulaires de surface. À l'intérieur de la cellule, ces récepteurs protéiques sont reliés au cytosquelette qui déplace la cellule. Certains matériaux de la matrice extracellulaire, comme la fibronectine, une protéine, fournissent des sites adhésifs qui aident la cellule à avancer ; d'autres comme les protéoglycanes chondroïtine-sulfate inhibent la locomotion et repoussent l'immigration. Les cellules situées le long de la voie et qui ne migrent pas peuvent de même avoir des surfaces accueillantes ou répulsives, ou peuvent même étendre des filopodes qui touchent les cellules en migration et affectent leur comportement. La lutte incessante entre des tentatives d'attache qui s'opposent, faites par les cellules en migration, conduit au mouvement net dans la direction la plus favorable jusqu'à ce que la cellule trouve un site où elle peut former un attachement durable. D'autres facteurs comme la chimiotaxie et les interactions entre les cellules migrantes peuvent aussi contribuer à leur guidage.

La distribution des cellules migrantes dépend des facteurs de survie qui servent de signaux de guidage

La distribution finale des cellules migrantes dépend non seulement des routes qu'elles empruntent mais aussi du fait qu'elle puissent survivre au voyage et prospérer dans l'environnement qu'elles trouveront à la fin de leur voyage. Les sites spécifiques fournissent les facteurs de survie nécessaires aux types spécifiques de migrant. Par exemple, les cellules de la crête neurale qui donnent naissance aux cellules pigmentaires de la peau et aux cellules nerveuses du tube digestif dépendent d'un facteur peptidique, l'*Endothéline-3*, sécrété par les tissus sur les voies de migration ; les souris mutantes et les hommes présentant un déficit du gène codant pour ce facteur ou son récepteur, présentent des plaques non pigmentées (albinos) et des malformations digestives potentiellement létales résultant d'une absence d'innervation digestive (une affection appelée mégacôlon, parce que le côlon se distend énormément).

Les cellules germinales, les précurseurs des cellules sanguines et les cellules pigmentaires dérivées de la crête neurale semblent toutes avoir au moins un besoin commun pour leur survie. Celui-ci implique un récepteur transmembranaire, la *protéine Kit*, dans la membrane des cellules migrantes, et un ligand, le *facteur Steel*, produit par les cellules des tissus traversés et/ou colonisés par les cellules migrantes. Les individus présentant des mutations des gènes d'une de ces protéines présentent des anomalies de pigmentation, de leur apport en cellules sanguines et de leur production de cellules germinales (Figure 21-81).

L'asymétrie gauche-droite du corps des vertébrés dérive de l'asymétrie moléculaire de l'embryon dans les premiers stades de développement

Vus de l'extérieur, les vertébrés semblent avoir une symétrie bilatérale mais beaucoup de leurs organes internes – le cœur, l'estomac, le foie, etc. – sont hautement

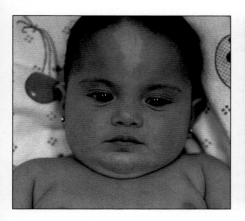

Figure 21-81 Les effets de mutations du gène *kit*. Le bébé et la souris sont tous deux hétérozygotes pour une mutation avec perte de fonction qui ne laisse que la moitié de la quantité normale du produit du gène *kit*. Dans les deux cas, la pigmentation est déficiente parce que les cellules pigmentaires dépendent du produit de *kit* qui est un récepteur d'un facteur de survie. (Due à l'obligeance de R.A. Fleischman, d'après *Proc. Natl. Acad. Sci. USA* 88 : 10885-10889, 1991. © National Academy of Sciences.)

asymétriques. Cette asymétrie est assez reproductible : 99,98 p. 100 des personnes ont le cœur à gauche. Nous avons vu comment un embryon de vertébré développait ses couches tissulaires interne et externe et ses axes antéropostérieur et dorsoventral. Mais comment se forme l'asymétrie gauche-droite ?

Des études génétiques menées chez les mammifères montrent que ce problème peut être scindé en deux questions différentes – l'une qui concerne la création de l'asymétrie et l'autre qui concerne son orientation. Chez l'homme et la souris on connaît plusieurs mutations qui provoquent la randomisation de l'axe gauche-droite : 50 p. 100 des mutants ont leurs organes internes disposés normalement et 50 p. 100 des autres ont une anatomie inversée, avec le cœur à droite. Chez ces individus, il semble que le mécanisme qui différencie le côté droit du côté gauche ait fonctionné correctement mais que les mécanismes qui décident entre les deux orientations possibles de l'axe gauche-droite soient déficients.

L'une des explications à la base de ce phénomène est venue de la découverte des asymétries moléculaires qui précèdent les premières asymétries anatomiques macroscopiques. Les premiers signes ont été observés dans le patron d'expression génique dans le voisinage du *centre nodal* (*node*) – l'homologue chez la souris et le poulet du centre organisateur de la grenouille. Plusieurs membres de la superfamille des TGF-β sont exprimés de façon asymétrique dans cette région (non seulement chez la souris mais aussi chez le poulet, la grenouille et le poisson zèbre) tout comme d'autres protéines de signalisation dont Sonic hedgehog (Figure 21-82). Ces facteurs régulent mutuellement leur production et produisent une cascade d'effets à travers laquelle l'asymétrie dans le voisinage immédiat du centre nodal s'auto-renforce apparemment et est relayée de façon centrifuge pour engendrer un patron asymétrique d'expression génique dans une région bien plus importante.

Des mutations de certains de ces composants de signalisation peuvent avoir comme effet d'effacer l'asymétrie afin de donner une anatomie symétrique en miroir. Par exemple, des souris qui ont une mutation avec inactivation totale du gène *Lefty-1* (qui code pour un membre de la superfamille des TGF-β) ont fréquemment le côté droit transformé en une image miroir du côté gauche. On ne comprend pas toujours bien le mécanisme qui force normalement les deux côtés à être différents. D'une façon ou d'une autre, les cellules voisines du centre nodal des côtés opposés doivent devenir différentes même s'il y a très peu de différences entre elles au départ. Une des hypothèses viendrait de l'existence d'une sorte d'inhibition latérale : les cellules des côtés opposés du centre nodal pourraient s'échanger mutuellement des signaux inhi-

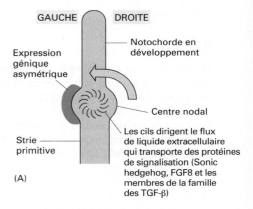

(A)

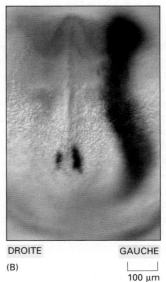

DROITE   GAUCHE

(B)   ⊢————⊣
                       100 μm

Figure 21-82 Le battement hélicoïdal des cils au niveau du centre nodal, et les origines de l'asymétrie gauche-droite. (A) Le battement du cil entraîne un courant vers un côté du centre nodal. Diverses protéines de signalisation sont produites à ce voisinage et on pense que le courant les balaye vers un côté, ce qui provoque l'expression asymétrique de divers gènes, y compris des gènes qui codent pour les protéines de signalisation elles-mêmes. (B) Patron d'expression asymétrique d'une de ces protéines de signalisation – un membre de la superfamille des TGF-β appelé Nodal – dans le voisinage du centre nodal (*deux tâches bleues inférieures*) dans un embryon de souris à 8 jours de gestation comme cela est montré par hybridation *in situ*. À ce stade, l'asymétrie a déjà été relayée vers l'extérieur vers la plaque mésodermique latérale, où Nodal s'exprime du côté gauche (*grande zone bleue allongée*) mais pas à droite. Notez que l'embryon est vu du côté ventral de telle sorte que sa gauche apparaît à droite sur la photographie. (B, due à l'obligeance d'Elizabeth Robertson.)

biteurs et entrer ainsi en compétition les unes avec les autres afin d'adopter un caractère côté gauche (ou côté droit). Ou peut-être que certains petits groupes de cellules influençables, originaires de la proximité de la ligne médiane, seraient forcés d'un côté par la formation d'autres structures de la ligne médiane.

Quel que soit le mécanisme, le résultat des événements au niveau du centre nodal dans un animal normal doit être influencé de telle sorte que les gènes spécifiques de la gauche s'expriment uniformément du côté gauche : il doit exister un lien entre le mécanisme qui crée l'asymétrie et le mécanisme qui l'oriente. Un indice pour la compréhension de ce mécanisme d'orientation a été découvert pour la première fois dans une clinique suédoise de traitement de la stérilité. On y a constaté qu'un petit groupe d'hommes stériles présentait des spermatozoïdes immobiles à cause d'une anomalie des molécules de dynéine nécessaires au battement des cils et des flagelles. Ces hommes souffraient également de bronchite et de sinusite chroniques parce que les cils de leur appareil respiratoire étaient anormaux. Étonnamment, 50 p. 100 d'entre eux présentaient également une inversion gauche-droite de leurs organes internes, avec le cœur à droite. Ces observations semblaient à l'origine totalement mystérieuses mais des effets similaires furent observés chez des mammifères atteints d'autres mutations qui engendraient des cils anormaux. Cela suggère que le battement des cils contrôle, d'une façon ou d'une autre, le mode d'orientation de l'axe gauche-droite.

L'observation en vidéomicroscopie sur un certain laps de temps d'un embryon de souris vivant révèle que les cellules au niveau du centre nodal présentent sur leur face interne des cils qui battent d'une façon hélicoïdale : comme le filetage d'une vis, leur distribution est définie et, au niveau du centre nodal, ils sont placés dans un petit creux façonné de sorte que leur battement entraîne un courant liquidien vers le côté gauche (*voir* Figure 21-82A). On pense que les protéines de signalisation transportées par ce courant fournissent l'influence qui oriente l'axe gauche-droite du corps de la souris. La distribution du battement ciliaire reflète la distribution – symétrie gauche-droite – des molécules organiques qui constituent tous les êtres vivants. Il semble donc que cela soit le dernier directeur chargé de l'asymétrie gauche-droite de notre anatomie.

Résumé

Le développement animal implique des mouvements cellulaires spectaculaires. De ce fait, pendant la gastrulation, les cellules issues de l'extérieur de l'embryon précoce s'invaginent à l'intérieur pour former une cavité digestive et créer les trois couches germinatives – l'endoderme, le mésoderme et l'ectoderme – à partir desquelles sont formés les animaux supérieurs. Chez les vertébrés, les mouvements de la gastrulation sont organisés par des signaux issus du centre organisateur (la lèvre dorsale du blastopore des amphibiens, qui correspond au centre nodal de l'embryon de poulet ou de souris). Ces signaux spécifient l'axe dorsoventral du corps et gouvernent l'extension convergente selon laquelle le feuillet de cellules qui se déplace à l'intérieur du corps s'allonge le long de l'axe tête-queue tandis qu'il se rétrécit perpendiculairement à cet axe. Les mouvements actifs de tassement des cellules individuelles qui entraînent l'extension convergente sont coordonnés par le biais de la voie de signalisation de polarité planaire par Frizzled/Dishevelled – une branche de la voie de signalisation par Wnt qui régule le cytosquelette d'actine.

Les développements ultérieurs impliquent beaucoup d'autres mouvements cellulaires. Une partie de l'ectoderme s'épaissit, s'enroule et se sépare par pincement pour former le tube neural et la crête neurale. Dans la ligne médiane, un bâtonnet de cellules spécialisées, la notochorde, s'allonge pour former l'axe central de l'embryon. Les longues plaques de mésoderme de chaque côté de la notochorde se segmentent en somites. Les cellules migrantes, comme celles de la crête neurale, se détachent de leurs voisines d'origine et se déplacent à travers l'embryon pour coloniser de nouveaux sites. Des molécules d'adhésion cellulaire spécifiques, comme les cadhérines et les intégrines, facilitent le guidage de la migration et contrôlent la cohésion sélective des cellules en de nouveaux arrangements.

Finalement, l'organisation des mouvements cellulaires est dirigée par le patron d'expression génique, qui détermine les propriétés de surface des cellules et leur motilité. De ce fait, la formation des somites dépend d'un patron d'expression génique périodique, déposé dans le mésoderme par un oscillateur biochimique qui dicte le mode de séparation de la masse de cellules en blocs séparés. De même l'asymétrie anatomique gauche-droite du corps des vertébrés est annoncée par l'asymétrie gauche-droite du patron d'expression génique dans l'embryon précoce. On pense que cette asymétrie, chez les mammifères du moins, est dirigée finalement par la direction des battements ciliaires au voisinage du centre nodal.

L'embryon de souris – minuscule et inaccessible dans l'utérus de la mère – présente un défi difficile pour les biologistes du développement. Il présente cependant deux facteurs immédiatement très attractifs. Tout d'abord, la souris est un mammifère, et les mammifères sont les animaux dont, en tant qu'hommes, nous nous soucions le plus. Deuxièmement, parmi les mammifères, c'est l'un des plus pratiques pour les études génétiques parce qu'il est petit et s'élève rapidement. Ces deux facteurs ont engendré un énorme effort de recherche, qui a permis le développement de certains instruments expérimentaux remarquablement puissants. De cette façon, la souris est devenue l'organisme modèle principal des expérimentations génétiques chez les mammifères et le substitut de l'homme le plus intensément étudié. Il n'est séparé de l'homme que par 100 millions d'années d'évolution environ. Son génome a la même taille que le nôtre et il existe, peu s'en faut, une correspondance un-pour-un entre les gènes de l'homme et ceux de la souris. Nos protéines sont typiquement identiques à 80-90 p. 100 du point de vue de leur séquence en acides aminés et de gros blocs de séquences nucléotidiques similaires sont également visibles lorsqu'on compare les séquences régulatrices d'ADN.

Grâce à leur ingéniosité et à leur persévérance, les biologistes du développement ont à présent trouvé le moyen d'accéder au jeune embryon de souris sans le tuer et d'engendrer sur commande des souris qui présentent des mutations de n'importe quel gène choisi. Presque toutes les modifications génétiques qui peuvent être faites sur un ver, une mouche ou un poisson zèbre peuvent être maintenant faites également chez la souris et dans certains cas, encore mieux. Le coût de la recherche sur la souris est de loin supérieur mais la stimulation aussi. Il en résulte que la souris est devenue une riche source d'informations sur tous les aspects de la génétique moléculaire du développement – un système modèle clé non seulement pour les mammifères mais aussi pour les autres animaux. Il a fourni, par exemple, une grande partie de nos connaissances sur les gènes Hox, l'asymétrie gauche-droite, le contrôle de la mort cellulaire, le rôle de la signalisation par Notch et une quantité d'autres domaines.

Nous avons déjà régulièrement présenté des données sur la souris. Nous les utiliserons encore plus dans le chapitre suivant où nous parlerons des tissus adultes et des processus du développement qui s'y produisent. Dans cette partie du chapitre, nous verrons les caractéristiques particulières du développement de la souris qui ont été exploitées pour permettre les manipulations génétiques. Par le biais d'exemples, nous présenterons également la façon dont la souris a été utilisée pour mettre à jour un autre processus important du développement – la création des organes comme le poumon et les glandes par des interactions entre le tissu conjonctif embryonnaire et l'épithélium.

Le développement des mammifères commence par un préambule spécifique

L'embryon d'un mammifère commence son développement de façon exceptionnelle. Protégé dans l'utérus, il n'a pas ce même besoin que l'embryon de la plupart des autres espèces de terminer rapidement les stades précoces du développement. De plus, le développement d'un placenta lui fournit rapidement une alimentation par la mère de telle sorte que l'œuf n'a pas besoin de contenir de grandes réserves de matériaux bruts comme le vitellus. L'œuf d'une souris a un diamètre d'environ 80 μm et, de ce fait, son volume est 2 000 fois plus petit environ que celui d'un œuf d'amphibien typique. Ses divisions de clivage ne se produisent pas plus rapidement que les divisions de la plupart des cellules somatiques ordinaires et la transcription génique a déjà commencé au stade à deux cellules. Ce qui est encore plus important c'est que, tandis que les stades tardifs du développement des mammifères sont identiques à ceux des autres vertébrés comme *Xenopus*, les mammifères commencent par prendre du temps pour créer un ensemble complexe de structures – en particulier le sac amniotique et le placenta – qui entourent et protègent l'embryon lui-même et permettent les échanges des métabolites avec la mère. Ces structures, comme le reste du corps, dérivent de l'œuf fécondé mais sont appelées *extra-embryonnaires* parce qu'elles sont éliminées à la naissance et ne forment aucune partie de l'adulte. Des structures accessoires similaires sont formées lors du développement des oiseaux et des reptiles.

Les stades précoces du développement de la souris sont résumés dans la figure 21-83. L'œuf fécondé se divise pour engendrer 16 cellules vers le 3e jour de la fécondation. Au départ, les cellules ne sont que lâchement accolées mais au stade à 16 cellules elles deviennent plus cohésives et subissent une *compaction* pour former une balle solide de cellules appelée *morula* (du latin «petite mûre») (Figure 21-84). Les jonctions serrées se forment entre les cellules et isolent l'intérieur de la morula

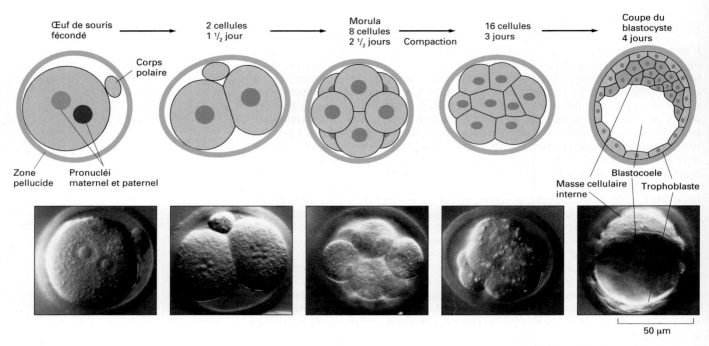

Figure 21-83 Les stades précoces du développement de la souris. La zone pellucide est une capsule gélatineuse de laquelle l'embryon s'échappe au bout de quelques jours, ce qui lui permet de s'implanter dans la paroi de l'utérus. (Photographies dues à l'obligeance de Patricia Calarco.)

du milieu externe. Peu après, une cavité interne se développe et transforme la morula en un *blastocyste* – une sphère creuse. La couche externe de cellules, qui forme la paroi de la sphère, est le *trophoblaste*. Elle donnera naissance aux tissus embryonnaires. Un amas interne de cellules, la *masse cellulaire interne*, est localisé d'un côté de la cavité. Il donnera naissance à la totalité de l'embryon.

Une fois que l'embryon s'est échappé de sa capsule de gelée (vers le 4e jour environ), les cellules du trophoblaste entrent en contact étroit avec la paroi de l'utérus et initient la formation du placenta. Pendant ce temps, la masse cellulaire interne croît et commence à se différencier. Une partie donne naissance à certaines autres structures extra-embryonnaires comme le sac vitellin, tandis que le reste continue de former l'embryon par des processus de gastrulation, de neurulation et ainsi de suite qui sont fondamentalement similaires à ceux observés chez les autres vertébrés, bien que des distorsions géométriques rendent certaines homologies difficiles à discerner au premier abord.

L'embryon de mammifère aux premiers stades de son développement est hautement régulateur

Les déterminants intracellulaires localisés ne jouent qu'un petit rôle lors des premiers stades du développement des mammifères et les blastomères produits par les quelques premières divisions cellulaires sont remarquablement adaptables. Si l'embryon aux premiers stades de développement est coupé en deux, il est possible de

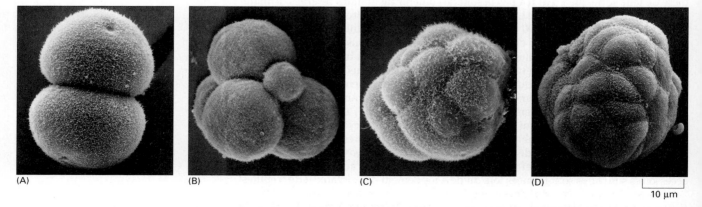

(A)   (B)   (C)   (D)   10 µm

Figure 21-84 Photographies en microscopie électronique à balayage de l'embryon de souris aux premiers stades du développement. La zone pellucide a été retirée. (A) Stade à deux cellules. (B) Stade à quatre cellules (un corps polaire est visible en plus des quatre blastomères – *voir* Figure 20-22). (C) Morula de huit à seize cellules – la compaction se produit. (D) Blastocyste. (A-C, dues à l'obligeance de Patricia Calarco ; D, d'après P. Calarco et C.J. Epstein, *Dev. Biol.* 32 : 208-213, 1973. © Academic Press.)

produire une paire de jumeaux identiques – deux individus complets normaux à partir d'une seule cellule. De même si l'une des cellules d'un embryon de souris à deux cellules est détruite par piqûre avec une aiguille et que le demi-embryon obtenu est placé dans l'utérus d'une mère porteuse pour qu'il se développe, il en sortira, dans beaucoup de cas, une souris parfaitement normale.

À l'inverse, on peut associer deux embryons de souris au stade à huit cellules pour former une seule morula géante qui se développe ensuite en une souris de taille et de structure normales (Figure 21-85). Ces créatures, formées par des agrégats de groupes de cellules génétiquement différentes, sont appelées *chimères*. Il est également possible de fabriquer des chimères par l'injection de cellules d'un génotype, issues d'un embryon aux stades précoces du développement, dans le blastocyste d'un autre génotype. Les cellules injectées s'incorporent dans la masse cellulaire interne du blastocyste de l'hôte et un animal chimérique se développe. Une seule cellule injectée prise dans un embryon à huit cellules ou au niveau de la masse cellulaire interne d'un autre blastocyste précoce peut donner naissance à n'importe quelle combinaison de types cellulaires dans une chimère. Là où se trouve la cellule injectée, elle répond correctement aux signaux issus de ses voisines et suit la bonne voie de développement.

Cette observation a deux implications. D'abord, durant les stades précoces du développement, le système du développement s'auto-ajuste afin qu'une structure normale soit produite même si les conditions de départ sont perturbées. Les embryons ou les parties d'embryon qui ont cette propriété sont dits **régulateurs**. Deuxièmement, chaque cellule de la masse cellulaire interne est initialement *totipotentes* : elle peut donner naissance à n'importe quelle partie du corps adulte, y compris les cellules germinales.

Des cellules souches embryonnaires totipotentes peuvent être obtenues à partir d'un embryon de mammifère

Si un embryon normal de souris aux premiers stades du développement est greffé dans le rein ou les testicules d'un adulte, son développement est perturbé au-delà de toute possibilité propre de régulation mais n'est pas arrêté. Il s'ensuit le développement d'une tumeur bizarre, un *tératome*, composée d'une masse désorganisée de cellules contenant un grand nombre de différents tissus différenciés – peau, os, épithélium glandulaire et ainsi de suite – mélangé avec des cellules souches indifférenciées qui continuent de se diviser et d'engendrer encore plus de tissus différenciés.

Les recherches sur les cellules souches dans les tératomes et les types tumoraux apparentés ont conduit à la découverte que leur comportement reflétait une propriété remarquable des cellules de la masse cellulaire interne : dans un environnement adapté, il est possible d'induire indéfiniment leur prolifération tout en maintenant leur caractère totipotent. Les cellules en culture dotées de cette propriété sont appelées **cellules souches embryonnaires** ou **cellules ES** (*embryonic stem cells*). On peut les obtenir par la mise en culture d'une masse cellulaire interne normale et la dispersion des cellules dès qu'elles prolifèrent. La séparation des cellules de leurs voisines normales et leur mise dans un milieu de culture approprié arrête évidemment le programme normal de modification du caractère cellulaire en fonction du temps et permet ainsi aux cellules de continuer indéfiniment à se diviser sans se différencier. Beaucoup de tissus du corps adulte contiennent également des cellules souches qui peuvent se diviser indéfiniment sans différenciation ultime comme nous le verrons dans le chapitre suivant ; mais ces *cellules souches adultes*, lorsqu'on leur permet de se différencier, ne donnent normalement naissance qu'à une gamme étroite et restreinte de types cellulaires différenciés.

L'état dans lequel les cellules ES sont arrêtées semble être équivalent à celui des cellules de la masse cellulaire interne. Cela peut être démontré si on prend les cellules ES d'une boîte de culture et si on les injecte dans un blastocyste normal (Figure 21-86). Les cellules injectées s'incorporent dans la masse cellulaire interne du blastocyste et peuvent contribuer à la formation d'une souris chimérique apparemment normale. Les descendants des cellules souches injectées sont retrouvés pratiquement dans tous les tissus de cette souris où ils se différencient selon un mode bien approprié à leur localisation et peuvent même former des cellules germinales viables. Le comportement extraordinairement adaptable des cellules ES montre que les signaux issus des cellules voisines d'une cellule guident non seulement les choix entre les différentes voies de différenciation mais peuvent aussi arrêter ou commencer l'horloge du développement – le processus qui entraîne une cellule à passer de l'état embryonnaire à l'état adulte.

D'un point de vue pratique, les cellules ES ont une double importance. Tout d'abord, d'un point de vue médical, elles offrent la perspective d'une source poly-

Embryon de souris au stade à 8 cellules dont les parents sont des souris blanches

Embryon de souris au stade à 8 cellules dont les parents sont des souris noires

La zone pellucide de chaque œuf est retirée par un traitement aux protéases

Les embryons sont poussés l'un vers l'autre et fusionnent lorsqu'ils sont incubés à 37 °C

Le développement des embryons fusionnés se poursuit *in vitro* jusqu'au stade blastocyste

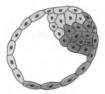

Le blastocyste est transféré dans une souris en pseudogestation qui agit comme une mère porteuse

Le bébé souris a quatre parents (mais sa mère porteuse n'en fait pas partie)

Figure 21-85 Une des procédures de création d'une souris chimérique. Deux morulas de génotypes différents sont associées.

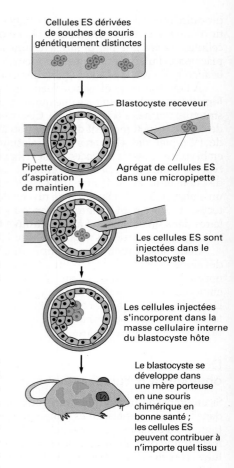

Figure 21-86 La fabrication d'une souris chimérique avec des cellules ES.
Les cellules ES en culture peuvent s'associer avec des cellules d'un blastocyste normal pour former une souris chimérique en bonne santé et peuvent contribuer à n'importe lequel de ses tissus, y compris la lignée germinale. De ce fait, les cellules ES sont totipotentes.

Cellules ES dérivées de souches de souris génétiquement distinctes

Blastocyste receveur

Pipette d'aspiration de maintien

Agrégat de cellules ES dans une micropipette

Les cellules ES sont injectées dans le blastocyste

Les cellules injectées s'incorporent dans la masse cellulaire interne du blastocyste hôte

Le blastocyste se développe dans une mère porteuse en une souris chimérique en bonne santé; les cellules ES peuvent contribuer à n'importe quel tissu

valente de cellules pour la réparation des tissus lésés et anormaux du corps adulte, comme nous le verrons à la fin du chapitre suivant. Deuxièmement, les cellules ES permettent les formes de modifications génétiques les plus précisément contrôlées, et permettent virtuellement la création d'animaux porteurs de n'importe quelle modification désirée introduite dans leur génome. Cette technique utilise une recombinaison génétique pour substituer la séquence d'ADN normale par un segment d'ADN artificiellement construit au niveau d'un site choisi dans le génome d'une cellule ES. Bien que seules de rares cellules incorporent correctement la construction d'ADN, des techniques de sélection ont été établies pour retrouver cette cellule parmi les milliers de cellules dans lesquelles la construction d'ADN a été transfectée. Une fois sélectionnées, les cellules ES génétiquement modifiées peuvent être injectées dans un blastocyste pour fabriquer une souris chimérique. Si on a de la chance, cette souris possédera certaines cellules germinales dérivées de ES qui pourront fonder une nouvelle génération de souris composées entièrement de cellules porteuses de la mutation fabriquée avec soin. De cette façon une souris totalement mutante peut revivre à partir d'une boîte de culture (*voir* Figure 8-70).

Les interactions entre l'épithélium et le mésenchyme engendrent des structures tubulaires ramifiées

Les vertébrés sont comparativement de gros animaux et ils doivent une grande partie de leur masse aux tissus conjonctifs. Cependant, pour l'excrétion, l'absorption de nutriments et l'échange gazeux, ils ont également besoin de grandes quantités de divers types de surfaces épithéliales spécialisées. Beaucoup d'entre elles prennent la forme de structures tubulaires créées par la *morphogenèse des ramifications*, dans lesquelles l'épithélium envahit les tissus conjonctifs embryonnaires (mésenchyme) pour former un organe composite. Le poumon en est un exemple typique. Il part de l'endoderme qui tapisse le plancher de la partie antérieure du tube digestif. Cet épithélium bourgeonne et croît vers l'extérieur dans le mésenchyme voisin pour former l'arbre bronchique, un système de tubes qui se ramifient à répétition tandis qu'ils s'étendent (Figure 21-87). Ce même mésenchyme est également envahi de cellules endothéliales – les cellules qui tapissent les vaisseaux sanguins – pour créer le système de voies aériennes intimement apposées à des vaisseaux sanguins, nécessaire pour l'échange gazeux (*voir* Chapitre 22).

Ce processus complet dépend d'échanges de signaux dans les deux directions entre les bourgeons en croissance de l'épithélium et le mésenchyme qu'ils sont en train d'envahir. Ces signaux peuvent être analysés par des manipulations génétiques chez la souris. Un rôle très important est joué par des protéines de signalisation de la famille du facteur de croissance des fibroblastes (FGF) et les récepteurs à activité tyrosine-kinase sur lesquels elles agissent. Cette voie de signalisation joue divers rôles dans le développement, mais il semble qu'elle soit particulièrement importante dans les nombreuses interactions qui se produisent entre l'épithélium et le mésenchyme.

Les mammifères ont 20 gènes FGF différents environ, par comparaison à l'unique gène de *Drosophila* et de *C. elegans*. Le FGF le plus important dans les poumons est FGF10. Il s'exprime dans des amas de cellules mésenchymateuses proches de l'extrémité des tubes épithéliaux en croissance, tandis que son récepteur s'exprime dans les cellules épithéliales elles-mêmes. FGF10 ou son récepteur peuvent être totalement inactivés (par les techniques standard fondées sur une recombinaison dans les cellules ES). Chez la souris mutante à gène totalement inactivé, tout le processus de morphogenèse des ramifications ne se produit pas – il se forme un bourgeon primaire d'épithélium pulmonaire qui ne peut croître dans le mésenchyme pour former l'arbre bronchique. Par contre, une bille microscopique trempée dans du FGF10 et placée près de l'épithélium pulmonaire embryonnaire en culture induira la formation d'un bourgeon de croissance centrifuge dans sa direction. Il est évident que l'épithélium envahit le mésenchyme uniquement par invitation en réponse au FGF10.

Mais pourquoi les tubes épithéliaux se ramifient-ils à répétition lorsqu'ils envahissent le mésenchyme? Il semble que cela dépende d'un signal Sonic hedgehog envoyé dans la direction opposée, depuis les cellules épithéliales situées à l'extrémité des bourgeons vers l'arrière dans le mésenchyme. Chez les souris dépourvues de Sonic hedgehog, l'épithélium pulmonaire croît et se différencie mais forme un sac au lieu d'un arbre ramifié de tubes. Pendant ce temps, FGF10, au lieu d'être restreint

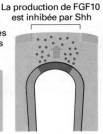

FGF10 fabriqué par
un agrégat de cellules
mésenchymateuses

Le récepteur FGF10
sur les cellules
épithéliales
du bourgeon

(A)

La production de FGF10
est inhibée par Shh

Sonic hedgehog (Shh)
est produit par
les cellules épithéliales
à l'extrémité du
bourgeon en croissance

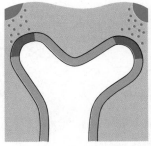

Deux nouveaux centres de
production de FGF10
sont créés

Deux nouveaux bourgeons
sont formés et tout
le processus recommence

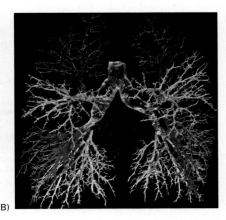

(B)

Figure 21-87 La morphogenèse des ramifications du poumon. (A) On pense que FGF10 et Sonic hedgehog induisent la croissance et la ramification des bourgeons de l'arbre bronchique. Beaucoup d'autres molécules de signalisation, comme BMP4, sont aussi exprimées dans ce système et le mécanisme d'embranchement suggéré n'est qu'une des nombreuses possibilités. (B) Distribution de l'arbre bronchique d'un homme adulte, préparé par injection d'une résine dans les voies aériennes ; des résines de différentes couleurs ont été injectées dans les différentes ramifications de l'arbre. (B, d'après R. Warwick et P.L. Williams, Gray's Anatomy, 35th edn. Edinburgh : Longman, 1973.)

à de petits agrégats de cellules mésenchymateuses, chaque agrégat agissant comme un phare pour diriger la croissance centrifuge d'un bourgeon épithélial séparé, s'exprime dans de larges bandes de cellules immédiatement adjacentes à l'épithélium. Cette observation suggère que le signal Sonic hedgehog peut servir à faire taire l'expression de FGF10 dans les cellules mésenchymateuses les plus proches de l'extrémité en croissance d'un bourgeon, ce qui coupe l'agrégat qui sécrète FGF10 en deux agrégats séparés qui, à leur tour, provoquent la ramification du bourgeon en deux (*voir* Figure 21-87A).

Beaucoup d'aspects de ce système ne sont pas encore compris, mais on sait que *Drosophila* utilise des mécanismes très apparentés pour gouverner la morphogenèse des ramifications de son système trachéal – les tubules qui forment les voies aériennes d'un insecte. De nouveau, ce processus dépend de la protéine FGF de *Drosophila* codée par le gène *branchless* et du récepteur FGF de *Drosophila* codé par le gène *breathless*, qui agissent tous deux à peu près de la même façon que chez la souris. En fait, les études génétiques du développement trachéal chez *Drosophila* ont également identifié d'autres composants de la machinerie de contrôle et les gènes de *Drosophila* nous ont conduit à leurs homologues chez les vertébrés. Des manipulations génétiques chez la souris nous ont donné les moyens de tester si ces gènes avaient aussi des fonctions similaires chez les mammifères ; et, fait remarquable, c'est le cas.

Résumé

La souris joue un rôle central comme organisme modèle dans les études de génétique moléculaire du développement des mammifères. Le développement de la souris est totalement similaire à celui des autres vertébrés, mais commence par un préambule spécifique qui forme les structures extra-embryonnaires comme l'amnios et le placenta. Des techniques puissantes ont été mises en œuvre pour créer des gènes complètement inactivés ainsi que d'autres altérations génétiques ciblées grâce à l'exploitation des propriétés hautement régulatrices des cellules de la masse cellulaire interne de l'embryon de souris. Ces cellules peuvent être mises en culture et maintenues comme cellules souches embryonnaires (cellules ES). Dans les bonnes conditions de culture, ces cellules ES peuvent proliférer indéfiniment sans se différencier et garder la capacité de donner naissance à n'importe quelle partie du corps lorsqu'elles sont réinjectées dans un embryon précoce de souris.

Bon nombre des processus de développement généraux, y compris la plupart de ceux traités ailleurs dans ce chapitre, ont été éclairés par les études menées chez la souris. Si nous prenons un seul exemple, la souris a été utilisée pour rechercher le contrôle de la morphogenèse des ramifications. Ce processus donne naissance aux structures comme les poumons et les glandes et est gouverné par des échanges de signaux entre les cellules mésenchymateuses et l'épithélium qui les envahit. Les fonctions de ces signaux peuvent être analysées par des expériences d'inactivation totale des gènes.

DÉVELOPPEMENT NERVEUX

Les **cellules nerveuses** ou **neurones** font partie des plus anciens types cellulaires spécifiques des animaux. Leur structure ne ressemble à celle d'aucune autre classe de cellules et le développement du système nerveux pose des problèmes qui n'ont pas de réel parallèle dans d'autres tissus. Par-dessus tout, le neurone est extraordinaire du fait de sa forme extrêmement allongée, composée d'un long *axone* et de *dendrites*

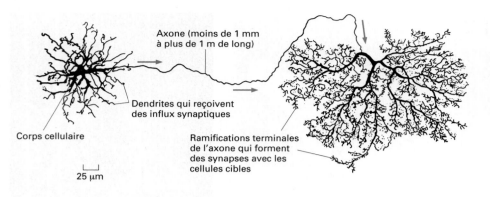

Axone (moins de 1 mm
à plus de 1 m de long)

Dendrites qui reçoivent
des influx synaptiques

Corps cellulaire

25 μm

Ramifications terminales
de l'axone qui forment
des synapses avec les
cellules cibles

Figure 21-88 Un neurone typique de vertébré. Les *flèches* indiquent la direction de convoyage des signaux. Le neurone montré ici provient de la rétine d'un singe. Les neurones les plus longs et les plus larges de l'homme s'étendent sur 1 million de μm environ et leurs axones ont un diamètre de 15 μm. (Schéma d'un neurone issu de B.B. Boycott, *in* Essay on the Nervous System [R. Bellairs et E.G. Gray, eds.]. Oxford UK : Clarendon Press, 1974.)

ramifiés qui le relient par le biais de synapses aux autres cellules (Figure 21-88). Le défi au cœur du développement nerveux est d'expliquer le mode de développement des axones et des dendrites, comment ils trouvent leurs bons partenaires et forment sélectivement des synapses avec eux afin de créer un réseau fonctionnel (Figure 21-89). Ce problème est redoutable : le cerveau humain contient plus de 10^{11} neurones, dont chacun entre, en connexion avec un millier d'autres, selon un plan régulier et prévisible de montage électrique. La précision requise n'est pas aussi grande que celle d'un ordinateur fait par l'homme car le cerveau effectue autrement ses calculs et est plus tolérant aux caprices de chacun de ses composants ; néanmoins le cerveau distance toutes les autres structures biologiques par sa complexité organisée.

Les composants d'un système nerveux typique – les diverses classes de neurones, *cellules de la glie*, *cellules sensorielles* et muscles – partent d'un certain nombre de localisations embryonnaires très espacées et ne sont pas connectés au départ. De ce fait, dans la première phase du développement nerveux (Figure 21-90) les différentes parties se développent selon leur propre programme local : les neurones naissent et reçoivent des caractéristiques spécifiques selon leur lieu et le moment de leur naissance, sous le contrôle de signaux inducteurs et de mécanismes régulateurs de gènes, similaires à ceux dont nous avons parlé pour les autres tissus du corps. La phase suivante implique un type de morphogenèse particulier au système nerveux : les axones et les dendrites se développent le long de voies spécifiques et établissent un réseau provisoire mais ordonné de connexions entre les parties séparées du système. Dans la troisième phase finale, qui se poursuit pendant la vie adulte, ces connexions sont ajustées et affinées par le biais d'interactions entre les composants éloignés qui dépendent des signaux électriques passant entre eux.

Les neurones reçoivent différents caractères selon le moment et l'endroit de leur naissance

Les neurones sont presque toujours produits associés aux **cellules de la glie** qui fournissent un réseau de soutien et créent un environnement protecteur fermé dans lequel les neurones peuvent effectuer leurs fonctions. Chez tous les animaux, ces deux types de cellules se développent à partir de l'ectoderme, et sont généralement des cellules sœurs ou cousines, dérivées d'un précurseur commun. De ce fait, chez les vertébrés, les neurones et les cellules de la glie du *système nerveux central* (y compris de la moelle épinière, du cerveau et de la rétine de l'œil) dérivent de la partie de l'ectoderme qui s'enroule pour former le tube neural, tandis que celles du *système nerveux périphérique* dérivent principalement de la crête neurale (Figure 21-91).

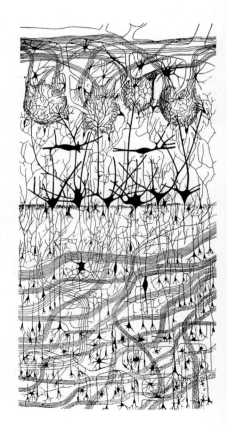

Figure 21-89 L'organisation complexe des connexions entre les cellules nerveuses. Ce schéma montre une coupe au travers d'une petite partie du cerveau d'un mammifère – le bulbe olfactif d'un chien, coloré par la technique de Golgi. Les objets *noirs* sont des neurones ; les *lignes fines* sont les axones et les dendrites par lesquels les divers groupes de neurones sont interconnectés selon des règles précises. (D'après C. Golgi, *Riv. sper. freniat. Reggio-Emilia* 1 : 405-425, 1875 ; reproduit dans M. Jacobson, Developmental Neurobiology, 3rd edn. New York : Plenum, 1992.)

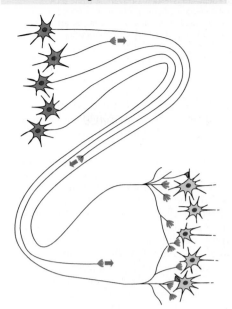
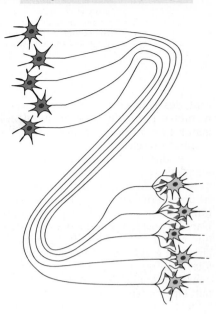

Figure 21-90 Les trois phases du développement nerveux.

Le **tube neural**, qui sera notre principal sujet de discussion, est composé d'un épithélium monocouche (Figure 21-92). Les cellules épithéliales sont les cellules mères des neurones et des cellules de la glie. Lorsque ces types cellulaires sont engendrés, l'épithélium s'épaissit et se transforme en une structure plus complexe. Les cellules mères puis les cellules de la glie maintiennent la cohésion de l'épithélium et forment un échafaudage qui s'étend sur toute son épaisseur. Tout comme les animaux au milieu des arbres de la forêt, les neurones nouveau-nés migrent le long de ces grandes cellules et entre elles pour trouver un endroit où s'arrêter, subissent une maturation, puis envoient leurs axones et leurs dendrites vers l'extérieur (Figure 21-93).

Les protéines de signalisation sécrétées à partir des côtés ventral et dorsal du tube neural agissent comme des morphogènes qui s'opposent, et provoquent l'expression de différentes protéines régulatrices de gènes par les neurones nés à différents niveaux dorso-ventraux (Figure 21-94). Il existe également des différences le long de l'axe tête-queue qui reflètent le patron d'expression antéropostérieur des gènes Hox et l'action d'autres morphogènes encore. De plus, des neurones continuent à être engendrés dans chaque région du système nerveux central pendant de nombreux jours, semaines ou même mois et cela donne naissance à une plus grande diversité encore, parce que les cellules adoptent différents caractères selon leur «jour de naissance» – moment où la dernière mitose marque le commencement de la différenciation nerveuse (Figure 21-95).

Le caractère assigné au neurone à sa naissance gouverne les connexions qu'il formera

Les différences d'expression génique modulent les caractères des neurones et les aident à former des connexions avec différents partenaires. Dans la moelle épinière par exemple, des amas localisés de cellules expriment localement des gènes de la famille de l'homéoboîte *Islet/Lim* (qui codent pour des protéines régulatrices de gènes) et se développent en motoneurones, envoyant des axones centrifuges qui relie-

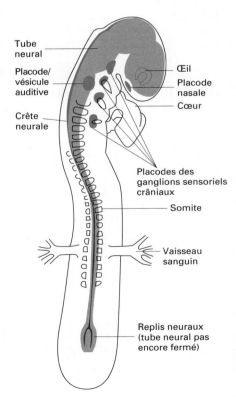

Tube neural

Placode/vésicule auditive

Crête neurale

Œil

Placode nasale

Cœur

Placodes des ganglions sensoriels crâniaux

Somite

Vaisseau sanguin

Replis neuraux (tube neural pas encore fermé)

Figure 21-91 Schéma d'un embryon de poulet de 2 jours montrant les origines du système nerveux. Le tube neural (*vert clair*) s'est déjà fermé, excepté au niveau de son extrémité caudale, et réside à l'intérieur, sous l'ectoderme dont il faisait à l'origine partie (*voir* Figure 21-76). La crête neurale (*rouge*) réside dorsalement juste sous l'ectoderme, à l'intérieur ou sur le plafond du tube neural. En plus, des épaississements ou placodes (*vert foncé*), dans l'ectoderme de la tête, donnent naissance à certaines cellules sensorielles transductrices et à certains neurones de cette région, y compris ceux de l'oreille et du nez. Les cellules de la rétine de l'œil, par contre, partent du tube neural.

DÉVELOPPEMENT NERVEUX

Crête neurale

Tube neural   Notochorde   50 µm

ront des sous-ensembles spécifiques de muscles – différents muscles selon les membres particuliers de la famille *Islet/Lim* exprimés. Si le patron d'expression génique est artificiellement modifié, les neurones envoient alors des projections sur d'autres muscles cibles.

Les différentes destinations reflètent les différentes voies choisies par les axones lorsqu'ils se développent à partir du corps de la cellule nerveuse, ainsi que leur reconnaissance sélective des différentes cellules cibles à la fin de leur voyage. Dans la partie dorsale de la moelle épinière se trouvent les neurones qui reçoivent et relaient des informations sensorielles à partir des neurones sensoriels de la périphérie du corps. Dans les positions intermédiaires, se trouvent diverses autres classes d'interneurones, qui relient entre elles des groupes spécifiques de cellules nerveuses. Certains envoient leurs axones dorsalement, d'autres ventralement ; d'autres en haut vers la tête ; d'autres en bas vers la queue, d'autres encore traversent le plancher du tube neural pour aller de l'autre côté du corps (Figure 21-96). Si on filme, pendant un certain laps de temps, des neurones en développement colorés par des colorants fluorescents, on peut suivre le mouvement de leurs extrémités en croissance lorsqu'ils s'allongent : cela rappelle alors les lumières des voitures, le soir, aux heures de grande circulation lorsque celles-ci empruntent un réseau autoroutier et tournent d'un côté ou de l'autre au niveau des croisements encombrés, chacune choisissant sa propre route.

Comment ces mouvements complexes sont-ils guidés ? Avant de tenter d'y répondre, examinons de plus près la structure du neurone en croissance.

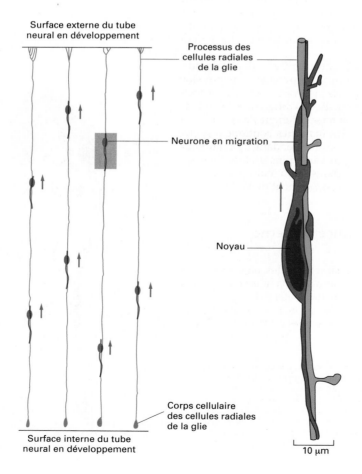

Surface externe du tube neural en développement

Processus des cellules radiales de la glie

Neurone en migration

Noyau

Corps cellulaire des cellules radiales de la glie

Surface interne du tube neural en développement

10 µm

Figure 21-93 La migration des neurones immatures. Avant d'envoyer des axones et des dendrites vers l'extérieur, les neurones nouveau-nés migrent souvent à partir de leur lieu de naissance pour s'établir ailleurs. Ce schéma se fonde sur des reconstructions issues de coupes du cortex cérébral d'un singe (partie du tube neural). Les neurones effectuent leur dernière division près de la face interne luminale du tube neural puis migrent de façon centrifuge le long des cellules radiales de la glie. Chacune de ces cellules s'étend de la face interne à la face externe du tube, une distance qui peut mesurer jusqu'à 2 cm dans le cortex cérébral du cerveau en développement des primates. On peut considérer que les cellules radiales de la glie sont des cellules de l'épithélium en colonne d'origine du tube neural qui persistent et s'étirent extraordinairement lorsque la paroi du tube s'épaissit. (D'après P. Rakic, *J. Comp. Neurol.* 145 : 61-84, 1972.)

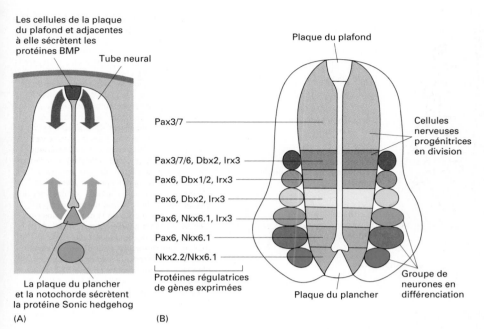

Les cellules de la plaque du plafond et adjacentes à elle sécrètent les protéines BMP

Tube neural

Plaque du plafond

Pax3/7

Cellules nerveuses progénitrices en division

Pax3/7/6, Dbx2, Irx3

Pax6, Dbx1/2, Irx3

Pax6, Dbx2, Irx3

Pax6, Nkx6.1, Irx3

Pax6, Nkx6.1

Nkx2.2/Nkx6.1

Protéines régulatrices de gènes exprimées

Plaque du plancher

Groupe de neurones en différenciation

La plaque du plancher et la notochorde sécrètent la protéine Sonic hedgehog

(A)

(B)

Figure 21-94 Schéma d'une coupe transversale de la moelle épinière d'un embryon de poulet qui montre comment les cellules situées à différents niveaux le long de l'axe dorso-ventral expriment différentes protéines régulatrices de gènes. (A) Signaux qui dirigent le patron dorsoventral : la protéine Sonic hedgehog issue de la notochorde et de la plaque du plancher (la ligne ventrale médiane du tube neural) et les protéines BMP issues de la plaque du plafond (la ligne dorsale médiane) agissent comme des morphogènes qui contrôlent l'expression génique.
(B) Organisation qui résulte de l'expression génique dans la partie ventrale de la moelle épinière en développement. Différents groupes de cellules nerveuses progénitrices en prolifération (dans la zone ventriculaire, proche de la lumière du tube neural) et de neurones en prolifération (dans la zone du manteau, loin dehors) expriment différentes combinaisons de protéines régulatrices de gènes. Celles indiquées sur ce schéma sont presque toutes des membres de la superfamille des homéodomaines ; divers autres gènes de cette même superfamille (y compris les protéines *Islet/Lim*) sont exprimés dans les neurones en différenciation. Les neurones qui expriment différentes protéines régulatrices de gènes formeront des connexions avec différents partenaires et pourraient présenter des combinaisons différentes de neurotransmetteurs et de récepteurs.

Chaque axone ou dendrite s'allonge par le biais d'un cône de croissance situé à son extrémité

Un neurone typique envoie vers l'extérieur un long axone qui se projette vers une cible distante dans laquelle il doit délivrer des signaux et de nombreux dendrites plus courts qui reçoivent principalement des signaux entrant, issus des terminaisons des axones d'autres neurones. Chaque processus s'allonge par la croissance de son extrémité, où se trouve un élargissement irrégulier et pointu. Cette structure, le **cône de croissance**, semble migrer à travers le tissu environnant et traîner derrière lui un fin axone ou dendrite (*voir* Figure 21-96). Le cône de croissance est composé de la machinerie qui permet les mouvements et d'un gouvernail qui dirige l'extrémité de chaque processus le long de la bonne voie (*voir* Figure 16-99).

La majeure partie de nos connaissances sur les propriétés des cônes de croissance provient d'études faites sur des tissus ou des cellules en culture. On a pu y observer un neurone qui commençait à faire sortir ses processus, tous semblables au départ, jusqu'à ce qu'un des cônes de croissance prenne une certaine vitesse et identifie ce processus comme l'axone pourvu de son propre ensemble de protéines spécifiques d'axone (Figure 21-97). Le contraste entre l'axone et les dendrites, établi à ce stade, implique le transport intracellulaire polarisé des différents matériaux dans les deux types de processus. Il s'ensuit qu'ils croîtront sur des distances différentes, suivront différentes voies et joueront différents rôles dans la formation des synapses.

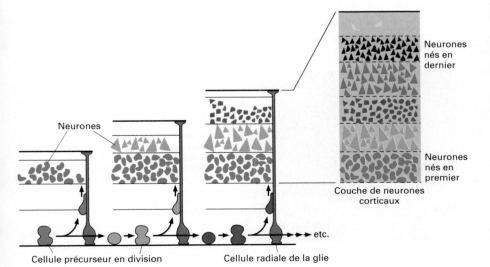

Neurones

Neurones nés en dernier

Neurones nés en premier

Couche de neurones corticaux

Cellule précurseur en division

Cellule radiale de la glie

etc.

Figure 21-95 Production programmée de différents types de neurones à différents moments à partir des cellules précurseurs ou progénitrices en cours de division du cortex cérébral du cerveau d'un mammifère. Près d'une face du neuroépithélium cortical, les cellules progénitrices se divisent de façon répétitive, comme une cellule souche, pour produire des neurones. Les neurones migrent vers l'extérieur en direction de la face opposée de l'épithélium le long de la surface des cellules radiales de la glie, comme cela est montré dans la figure 21-93. Les neurones nés les premiers s'établissent le plus près de leur lieu de naissance tandis que les neurones nés plus tard migrent et les dépassent pour s'établir plus loin. Des générations successives de neurones occupent ainsi différentes couches du cortex et ont différents caractères intrinsèques selon leur date de naissance.

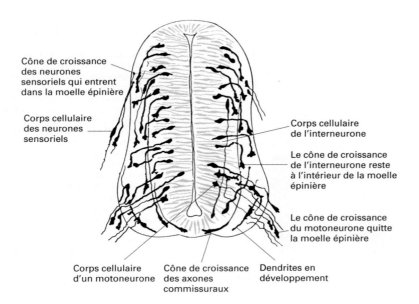

Cône de croissance
des neurones
sensoriels qui entrent
dans la moelle épinière

Corps cellulaire
des neurones
sensoriels

Corps cellulaire
de l'interneurone

Le cône de croissance
de l'interneurone reste
à l'intérieur de la moelle
épinière

Le cône de croissance
du motoneurone quitte
la moelle épinière

Corps cellulaire
d'un motoneurone

Cône de croissance
des axones
commissuraux

Dendrites en
développement

Figure 21-96 Axones en croissance de la moelle épinière en développement d'un embryon de poulet de 3 jours. Ce schéma montre une coupe transversale colorée par la technique de Golgi. Apparemment, la plupart des neurones ont encore un seul processus allongé – le futur axone. Une expansion de forme irrégulière – le cône de croissance – s'observe à l'extrémité en croissance de chaque axone. Les cônes de croissance des motoneurones émergent de la moelle épinière (pour cheminer vers les muscles), ceux des neurones sensoriels croissent de l'extérieur (où se trouve leur corps cellulaire) à l'intérieur d'elle et ceux des interneurones restent à l'intérieur de la moelle épinière. Beaucoup d'interneurones envoient leurs axones vers le bas au niveau de la plaque du plancher pour passer de l'autre côté de la moelle épinière. Ces axones sont appelés *commissuraux*. À ce stade précoce, beaucoup de cellules de la moelle épinière embryonnaire (dans la région *ombrée en gris*) sont encore en prolifération et n'ont pas encore commencé à se différencier en neurones ou en cellules de la glie. (D'après S. Ramòn y Cajal, Histologie du Système Nerveux de l'Homme et des Vertébrés, 1909-1911. Paris : Maloine ; réimpression, Madrid : C.S.I.C., 1972.)

Le cône de croissance situé à l'extrémité d'un processus cellulaire nerveux typique en croissance – un axone ou un dendrite – se déplace continuellement vers l'avant à une vitesse d'environ 1 mm par jour et teste les régions qui résident devant lui et de chaque côté par l'émission de filopodes et de lamellipodes. Lorsque ce type de protrusion entre en contact avec une surface défavorable, il se retire ; lorsqu'il entre en contact avec une surface plus favorable, il reste plus longtemps et gouverne le cône de croissance en son ensemble pour qu'il se déplace dans cette direction. Le cône de croissance peut ainsi être guidé par les variations subtiles des propriétés de surface du support sur lequel il se déplace. En même temps, il est sensible aux facteurs chimiotactiques qui diffusent du milieu environnant et peuvent aussi encourager ou ralentir son avancée. Ces comportements dépendent de la machinerie du cytosquelette interne au cône de croissance, comme nous l'avons vu au chapitre 16. Dans la membrane du cône de croissance, une multitude de récepteurs détectent ces signaux externes et, par le biais de l'agencement de régulateurs intracellulaires comme les GTPases monomériques Rho et Rac, contrôlent l'assemblage et le désassemblage des filaments d'actine et des autres composants de la machinerie des mouvements cellulaires.

Le cône de croissance pilote l'axone en développement le long d'une voie définie avec précision *in vivo*

Chez les animaux vivants, les cônes de croissance se déplacent vers leur cible le long de voies prévisibles et stéréotypées. Ils exploitent une multitude de signaux différents pour trouver leurs voies, mais nécessitent toujours un support formé par la matrice extracellulaire ou une surface cellulaire sur lequel migrer. Souvent les cônes de croissance prennent des routes développées par d'autres axones qu'ils suivent guidés par contact. Il s'ensuit que les fibres nerveuses d'un animal mature sont généralement retrouvées regroupées en faisceaux serrés parallèles (appelés faisceaux ou

Dendrite

Corps
cellulaire

Axone

Cône de
croissance

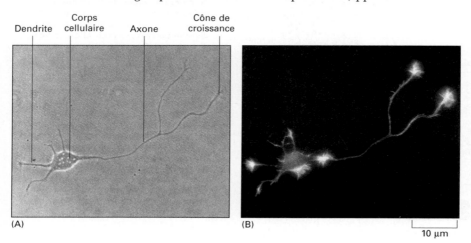

(A) (B)

10 μm

Figure 21-97 Formation d'un axone et des dendrites en culture. Un jeune neurone a été isolé du cerveau d'un mammifère et mis à développer en culture où il envoie des processus vers l'extérieur. Un de ces processus, le futur axone, a commencé à se développer plus rapidement que les autres (les futurs dendrites) puis a bifurqué. (A) Image en contraste de phase. (B) Motif de la coloration avec de la phalloïdine fluorescente qui se fixe sur les filaments d'actine. L'actine est concentrée dans les cônes de croissance aux extrémités des processus qui s'étendent activement et au niveau de certains autres sites d'activité lamellipodiale. (Due à l'obligeance de Kimberly Goslin.)

tractus fibreux). On pense que cette migration des cônes de croissance le long des axones passe par des molécules homophiles d'adhésion cellule-cellule – glycoprotéines membranaires qui facilitent l'accolement de la cellule qui les présente à n'importe quelle autre cellule qui les présente aussi. Comme nous l'avons dit au chapitre 19, parmi les deux principales classes de ces molécules se trouvent celles qui appartiennent à la superfamille des immunoglobulines comme N-CAM et à celles de la famille des cadhérines Ca^{2+}-dépendantes, comme la N-cadhérine. Des membres de ces deux familles sont généralement présents à la surface des cônes de croissance, des axones et de divers autres types cellulaires sur lesquels migrent les cônes de croissance, y compris les cellules de la glie du système nerveux central et les cellules musculaires situées à la périphérie du corps. Le génome de l'homme contient plus de 100 gènes de cadhérines, par exemple, et la plupart d'entre eux sont exprimés dans le cerveau (*voir* Figure 19-28). Les différents groupes de molécules d'adhésion intercellulaire agissent par diverses combinaisons et fournissent un mécanisme sélectif de guidage et de reconnaissance des neurones. Les cônes de croissance migrent également sur des composants de la matrice extracellulaire. Certaines molécules de la matrice, comme les *laminines*, favorisent la croissance centrifuge des axones, tandis que d'autres, comme les protéoglycanes chondroïtine sulfate, la découragent.

Les cônes de croissance sont guidés par la succession de différents signaux à différentes étapes de leur voyage et les caractéristiques collantes du support ne sont pas la seule chose qui importe. Les facteurs chimiotactiques jouent un autre rôle important : ils sont sécrétés par des cellules qui agissent comme des phares au niveau de points stratégiques le long de la voie – certaines par attraction, d'autres par répulsion. La trajectoire des *axones commissuraux* – ceux qui passent d'un côté du corps à l'autre – fournit un bel exemple de la façon dont la combinaison des signaux de guidage peut spécifier une voie complexe. Les axones commissuraux sont une caractéristique générale des animaux à symétrie bilatérale parce que les deux côtés du corps doivent être coordonnés nerveusement. Les vers, les mouches et les vertébrés utilisent des mécanismes très apparentés pour guider leur croissance centrifuge.

Dans la moelle épinière en développement d'un vertébré, par exemple, un grand nombre de neurones envoient ventralement les cônes de croissance de leurs axones vers la plaque du plancher – une bande spécialisée de cellules qui forme la ligne médiane ventrale du tube neural (*voir* Figure 21-96). Les cônes de croissance traversent cette plaque du plancher puis tournent brusquement à angle droit pour suivre une voie longitudinale, parallèle à la plaque du plancher sans jamais la traverser à nouveau, qui les mène au cerveau (Figure 21-98A). La première étape de ce voyage dépend d'un gradient de concentration en une protéine, la *nétrine*, sécrétée par les cellules de la plaque du plancher : les cônes de croissance commissuraux «sentent» leur voie vers cette source. La nétrine a été purifiée à partir d'embryons de poulet, par titrage d'extraits de tissu nerveux dotés d'une activité d'attraction des cônes de croissance commissuraux dans une boîte de culture. Sa séquence a révélé qu'il s'agissait de l'homologue, chez les vertébrés, d'une protéine de *C. elegans* déjà connue par suite d'un criblage génétique qui recherchait des vers mutants présentant des anomalies du guidage des axones – les mutants *unc*, nommés ainsi parce qu'ils se déplacent d'une façon non coordonnée (*uncoordinated*). Un de ces gènes, *unc-6*, code pour l'homologue de la nétrine. Un autre, *unc-40*, code pour son récepteur transmembranaire; et lui aussi possède un homologue chez les vertébrés, DCC, exprimé dans les neurones commissuraux et qui sert de médiateur de la réponse en fonction du gradient de nétrine.

Figure 21-98 Le guidage des axones commissuraux. (A) Voie prise par les axones commissuraux dans la moelle épinière embryonnaire d'un vertébré. (B) Signaux qui les guident. Les cônes de croissance sont d'abord attirés vers la plaque du plancher par la nétrine sécrétée par les cellules de la plaque du plancher et agit sur le récepteur DCC de la membrane axonale. Lorsqu'ils traversent la plaque du plancher, les cônes de croissance augmentent leur expression de Roundabout, le récepteur de Slit, une protéine répulsive, également sécrétée par la plaque du plancher. Slit se fixe sur Roundabout et agit non seulement comme un répulsif qui empêche les cellules de re-entrer dans la plaque du plancher mais bloque aussi toute possibilité de réponse à la nétrine attractive. En même temps, les cônes de croissance activent l'expression de récepteurs d'une autre protéine répulsive, la sémaphorine, sécrétée par les cellules de la paroi latérale du tube neural. Coincés entre deux territoires répulsifs, les cônes de croissance, qui ont traversé la ligne médiane, voyagent sous forme d'un faisceau serré jusqu'au cerveau.

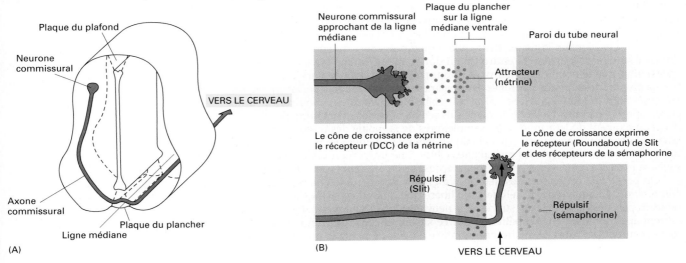

Les récepteurs sur chaque cône de croissance déterminent la voie qu'il prendra : dans le tube neural, les neurones non commissuraux, qui n'expriment pas DCC, ne sont pas attirés vers la plaque du plancher et les neurones qui expriment un autre récepteur de la nétrine – Unc-5H chez les vertébrés (et, chez le ver, sa contrepartie Unc-5) – sont activement repoussés par la plaque du plancher et envoient leurs axones à la place vers la plaque du toit.

Les cônes de croissance peuvent modifier leur sensibilité pendant leur déplacement

Si les cônes de croissance commissuraux sont attirés par la plaque du plancher, pourquoi la traversent-ils et émergent-ils de l'autre côté au lieu de rester sur le territoire qui les attire ? Et une fois qu'ils l'ont traversé, pourquoi ne reviennent-ils jamais dessus ? La réponse réside probablement dans un autre groupe de molécules, dont plusieurs ont été également conservées chez les vertébrés et les invertébrés. Des études menées sur des *Drosophila* mutantes chez qui les axones commissuraux étaient mal guidés ont permis la première identification de trois protéines capitales : Slit, Roundabout et Commissureless.

Slit, comme la nétrine, est produite par les cellules de la ligne médiane de la mouche en développement tandis que son récepteur, Roundabout, est exprimé par les axones commissuraux. Slit, qui agit sur Roundabout, a un effet exactement opposé à celui de la nétrine : elle repousse les cônes de croissance et bloque leur entrée dans le territoire de la ligne médiane. Commissureless cependant, inhibe apparemment l'expression initiale de Roundabout de telle sorte qu'elle rend les cônes de croissance aveugles à ce signal signifiant «ne pas entrer». Les cônes de croissance commissuraux qui contiennent la protéine Commissureless avancent jusqu'à la ligne médiane ; lorsqu'ils la traversent, il semble qu'ils perdent leur bandeau composé de la protéine Commissureless qui les aveugle et commencent à être repoussés. Une fois sortis de l'autre côté, ils présentent maintenant à leur surface le récepteur Roundabout fonctionnel qui les empêche ainsi d'entrer à nouveau.

Chez les vertébrés, il se pourrait qu'opère un mécanisme similaire. Les cônes de croissance commissuraux sont au départ attirés vers la ligne médiane, puis modifient leurs récepteurs protéiques de surface lorsqu'ils la traversent ; de cette façon, ils peuvent modifier leur sensibilité, devenir sensibles à la répulsion par Slit – exprimée dans la plaque du plancher – et perdre leur sensibilité à l'attraction par la nétrine. La répulsion de la ligne médiane les empêche alors d'errer en arrière pour la retraverser. Au même moment, les cônes de croissance deviennent apparemment sensibles à un autre groupe de signaux répulsifs, sous forme de protéines, les sémaphorines, qui les empêchent de se déplacer à reculons et de remonter dans les régions dorsales de la moelle épinière. Coincés entre ces deux groupes de signaux répulsifs, les cônes de croissance n'ont pas d'autre choix que de se déplacer le long d'une voie étroite, parallèle à la plaque du plancher sans jamais y entrer à nouveau (Figure 21-98B).

Les tissus cibles libèrent des facteurs neurotropes qui contrôlent la croissance des cellules nerveuses et leur survie

Enfin, les cônes de croissance des axones atteignent leur région cible où ils doivent s'arrêter et fabriquer des synapses. Les neurones qui envoient les axones peuvent maintenant commencer à communiquer avec leurs cellules cibles. Bien que les synapses transmettent généralement des signaux dans une direction, d'un axone vers un dendrite ou un muscle, les communications lors du développement vont dans les deux sens. Les signaux issus du tissu cible régulent le choix du cône de croissance qui doit faire des synapses et l'endroit où il doit le faire (comme nous le verrons ci-après) ainsi que le nombre de neurones d'innervation qui doivent survivre.

La plupart des types de neurones des systèmes nerveux central et périphérique des vertébrés sont produits en excès : 50 p. 100 voire plus d'entre eux mourront peu de temps après avoir atteint leur cible, même s'ils semblent parfaitement normaux et sains jusqu'au moment de leur mort. Par exemple, près de la moitié des motoneurones qui envoient des axones aux muscles squelettiques meurent quelques jours après avoir fait des contacts avec leurs cellules musculaires cibles. Une proportion semblable de neurones sensoriels qui innervent la peau meurt après l'arrivée de leurs cônes de croissance.

On pense que cette mort des neurones à grande échelle reflète le résultat d'une compétition. Chaque type de cellule cible libère une quantité spécifique de facteurs neurotropes, nécessaires à la survie des neurones qui l'innervent. Les neurones entrent apparemment en compétition pour ce facteur et ceux qui n'en reçoivent pas assez meurent par mort cellulaire programmée. Si on augmente la quantité de tissu

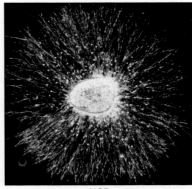

NGF

Témoin

Figure 21-99 Effets du NGF sur la croissance centrifuge des axones. Photographies en microscopie sur fond noir d'un ganglion sympathique mis en culture pendant 48 heures avec NGF (*en haut*) ou sans (*en bas*). Les axones croissent vers l'extérieur à partir des neurones sympathiques seulement si le milieu contient du NGF. Chaque culture contient également des cellules de Schwann (de la glie) qui ont migré à l'extérieur du ganglion; elles ne sont pas affectées par le NGF. La survie des neurones et l'entretien des cônes de croissance pour l'extension des axones sont deux effets différents du NGF. L'effet sur les cônes de croissance est local, direct, rapide et indépendant des communications avec le corps cellulaire; lorsque le NGF est éliminé, les cônes de croissance qui en sont privés arrêtent leurs mouvements au bout d'une minute ou deux. L'effet du NGF sur la survie cellulaire est moins immédiat et est associé à l'absorption de NGF par endocytose et à son transport intracellulaire jusqu'au corps cellulaire. (Dues à l'obligeance de Naomie Kleitman.)

cible – par exemple, par la greffe d'un bourgeon supplémentaire de membre sur le côté de l'embryon – un plus grand nombre de neurones qui innervent le membre survivent; à l'inverse, si on coupe le bourgeon du membre, tous les neurones qui innervent le membre meurent. De cette façon, bien que les proportions corporelles des individus varient, ils gardent toujours le bon nombre de neurones moteurs pour innerver tous leurs muscles et le bon nombre de neurones sensoriels pour innerver toute leur surface corporelle. Cette stratégie apparente de gaspillage, par surproduction suivie de la mort des cellules excédentaires, opère dans presque toutes les régions du système nerveux. Elle fournit un moyen simple et efficace qui ajuste chaque population de neurones d'innervation à la quantité de tissu à innerver.

Le premier facteur neurotrope identifié, qui est encore aujourd'hui le mieux caractérisé, est simplement connu sous le nom de facteur de croissance du nerf ou NGF – le membre fondateur d'une famille de protéines de signalisation, les *neurotrophines*. Il favorise la survie de classes spécifiques de neurones sensoriels dérivés de la crête neurale et de neurones sympathiques (une sous-classe de neurones périphériques qui contrôlent les contractions des muscles lisses et la sécrétion des glandes exocrines). NGF est produit par les tissus innervés par ces nerfs. Lorsqu'on fournit plus de NGF, plus de neurones sensoriels et sympathiques survivent, juste comme s'il existait un tissu cible supplémentaire. À l'inverse, chez les souris qui présentent des mutations qui inactivent complètement le gène NGF ou son récepteur (une tyrosine-kinase transmembranaire appelée TrkA) presque tous les neurones sympathiques et les neurones sensoriels NGF-dépendants sont perdus. Il existe beaucoup de facteurs neurotropes, mais seuls quelques-uns appartiennent à la famille des neurotrophines, et ils agissent par le biais d'associations différentes pour favoriser la survie de différentes classes de neurones.

NGF et ses apparentés jouent un autre rôle : en plus d'agir sur les cellules nerveuses en tant que tout pour contrôler leur survie, ils régulent la croissance centrifuge des axones et des dendrites (Figure 21-99). Ils peuvent même agir localement juste sur une partie des ramifications des processus des cellules nerveuses, pour favoriser ou élaguer la croissance de chaque ramification : un cône de croissance exposé au NGF présente immédiatement une augmentation de sa motilité. À l'inverse, une ramification axonique privée de NGF, alors que le reste du neurone continue d'être baigné par ce facteur, se fane.

Après la phase de mort neuronale, l'action périphérique de NGF continue d'être importante. Dans la peau, par exemple, il contrôle les ramifications des fibres nerveuses sensorielles et assure non seulement que toute la surface corporelle est innervée pendant le développement mais aussi qu'elle récupère son innervation après une lésion.

La spécificité neuronale guide la formation de plans nerveux ordonnés

Dans beaucoup de cas, les axones issus de neurones d'un type similaire mais localisés dans des positions différentes se réunissent pour leur voyage et arrivent sur la cible sous forme d'un faisceau étroit. Ils se dispersent alors à nouveau pour se terminer dans les différents sites du territoire cible.

Les projections qui vont des yeux au cerveau constituent un exemple important. Les neurones de la rétine qui convoient les informations visuelles vers le cerveau sont appelés *cellules du ganglion rétinien*. Il y en a plus d'un million, chacune correspondant à une partie différente du champ visuel. Leurs axones convergent sur l'extrémité du nerf optique à l'arrière de l'œil et voyagent ensemble le long de la tige optique jusqu'au cerveau. Chez la plupart des vertébrés non-mammifères, leur principal site de terminaison est le *tectum optique* (ou toit optique, le centre optique) – une large étendue de cellules située dans le cerveau moyen. Par leur connexion sur les

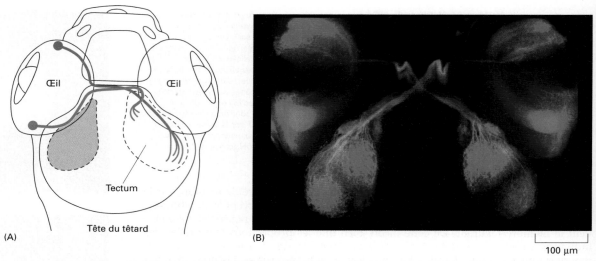

(A)

Œil   Œil

Tectum

Tête du têtard

(B)

100 μm

Figure 21-100 Carte nerveuse depuis l'œil jusqu'au cerveau chez un jeune poisson zèbre (*Danio rerio*).
(A) Vue schématique, en regardant de haut en bas à partir de la tête. (B) Photographie en microscopie à fluorescence. Des colorants fluorescents de traçage ont été injectés dans chaque œil – *rouge* dans la partie antérieure, *vert* dans la partie postérieure. Les molécules de traçage ont été absorbées par les neurones de la rétine et transportées le long des axones, montrant la voie empruntée jusqu'au tectum (ou toit) optique du cerveau et la carte qu'elles y forment. (Due à l'obligeance de Chi-Bin Chien, d'après D.H. Sanes, T.A. Reh et W.A. Harris, Development of the Nervous System. San Diego, CA : Academic Press, 2000.)

neurones du tectum, les axones rétiniens se distribuent eux-mêmes selon une organisation prévisible qui suit la disposition rétinienne de leur corps cellulaire. Les cellules ganglionnaires voisines dans la rétine se connectent à des cellules cibles voisines dans le tectum. Cette projection ordonnée forme une **carte** de l'espace visuel dans le tectum (Figure 21-100).

Ce type de carte ordonnée est retrouvé dans de nombreuses parties du cerveau. Dans le système auditif, par exemple, les neurones se projettent de l'oreille au cerveau selon un ordre tonotopique et forment une carte dans laquelle les cellules du cerveau qui reçoivent des informations sur les sons de différents tons sont ordonnées le long d'une ligne, comme les notes d'un piano. Et dans le système somatosensoriel, les neurones qui convoient des informations sur le toucher sont disposés dans le cortex cérébral de telle sorte qu'ils délimitent un «homunculus» – petite image bidimensionnelle distordue de la surface du corps (Figure 21-101).

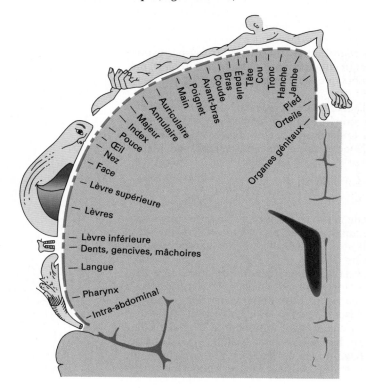

Figure 21-101 Carte de la surface du corps dans le cerveau de l'homme. La surface du corps est cartographiée au niveau de la région somato-sensorielle du cortex cérébral par un système ordonné de connexions entre les cellules nerveuses, de telle sorte que les informations sensorielles issues de sites corporels voisins sont délivrées sur des sites voisins du cerveau. Cela signifie que la carte dans le cerveau est largement fidèle à la topologie de la surface du corps, même si différentes régions du corps sont représentées sous différents agrandissements selon la densité de leur innervation. Par exemple, l'homunculus (le «petit homme» du cerveau) a de grosses lèvres parce que les lèvres sont une source d'informations sensorielles particulièrement grande et importante. La carte a été déterminée par la stimulation de différents points du cortex de patients conscients pendant une chirurgie cérébrale et l'enregistrement de ce qu'ils ont dit ressentir. (D'après W. Penfield et T. Rasmussen, The Cerebral Cortex of Man. New York : Macmillan, 1950.)

La carte rétinotopique de l'espace visuel dans le tectum optique est la mieux caractérisée de ces cartes. Comment se forme-t-elle ? En principe, les cônes de croissance pourraient physiquement être canalisés vers différentes destinations suite à leurs différentes positions de départ, comme des conducteurs sur une autoroute à plusieurs voies où il serait interdit de changer de voie. En 1940, une expérience fameuse a permis de tester cette hypothèse dans le système visuel. Si le nerf optique d'une grenouille est coupé, il se régénère. Les axones rétiniens croissent jusqu'au tectum optique et restaurent la vision normale. Si en plus, on effectue une rotation de l'œil dans sa cavité au moment de la section du nerf, de telle sorte à placer les cellules rétiniennes initialement ventrales dans la position des cellules rétiniennes dorsales, la vision est toujours restaurée mais présente un défaut embarrassant : l'animal se comporte comme s'il voyait le monde à l'envers, le haut vers le bas et la droite vers la gauche. C'est parce que les cellules rétiniennes mal placées émettent des connexions appropriées à leur position d'origine et non pas réelle. Il semble que les cellules aient des valeurs positionnelles – propriétés biochimiques spécifiques de la position qui représentent l'enregistrement de leur localisation d'origine. Il en résulte que les cellules des côtés opposés de la rétine sont intrinsèquement différentes, tout comme les motoneurones de la moelle épinière qui se projettent vers les différents muscles sont intrinsèquement différents.

Cette non-équivalence entre les neurones est la *spécificité nerveuse*. C'est cette caractéristique intrinsèque qui guide les axones rétiniens vers leur bon site cible dans le tectum. Ces sites cibles sont eux-mêmes différenciables par les axones rétiniens parce que les cellules du tectum portent également des marqueurs de position. De ce fait, la cartographie nerveuse dépend d'une correspondance entre deux systèmes de marqueurs de position, un sur la rétine et l'autre sur le tectum.

Les axones des différentes régions de la rétine répondent différemment au gradient de molécules répulsives du tectum

Les axones de la rétine nasale (le côté le plus proche du nez) se projettent sur le tectum postérieur, et les axones de la rétine temporale (le côté le plus éloigné du nez) se projettent sur le tectum antérieur, avec des régions intermédiaires de la rétine se projetant sur les régions intermédiaires du tectum. Lorsqu'on laisse les axones nasaux et temporaux se développer sur un tapis de membranes tectales antérieures ou postérieures sur une boîte de culture, ils montrent aussi une sélectivité (Figure 21-102). Les axones temporaux préfèrent fortement les membranes tectales antérieures, comme *in vivo*, tandis que les axones nasaux préfèrent les membranes tectales postérieures ou ne montrent aucune préférence (en fonction des espèces animales). Ces différences capitales entre les tectums antérieur et postérieur semblent être dues à un facteur répulsif sur le tectum postérieur auquel les axones rétiniens temporaux sont sensibles mais pas les axones rétiniens nasaux : si un cône de croissance rétinien temporal touche la membrane tectale postérieure, ils rétracte son filopode et se retire.

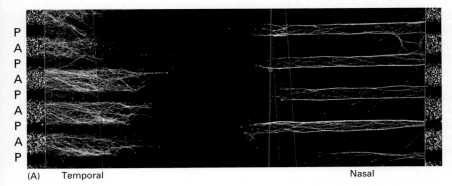

(A) Temporal   Nasal

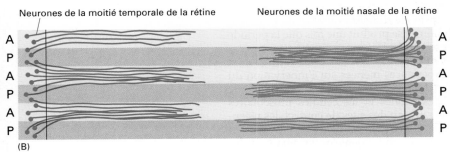

(B)

Neurones de la moitié temporale de la rétine   Neurones de la moitié nasale de la rétine

Figure 21-102 Sélectivité des axones rétiniens se développant sur les membranes du tectum. (A) Photographie de l'observation expérimentale. (B) Schéma de ce qui se produit. Le support de culture a été recouvert d'une alternance de bandes membranaires préparées soit à partir du tectum (ou toit) postérieur (P) soit à partir du tectum antérieur (A). Sur la photographie, les bandes antérieures du tectum sont visualisées par leur coloration avec un marqueur fluorescent placé dans les bandes verticales sur les côtés de l'image. Les axones des neurones de la moitié temporale de la rétine (qui se développent à partir de la *gauche*) suivent les bandes de la membrane antérieure du tectum mais évitent la membrane postérieure du tectum, tandis que les axones des neurones de la moitié nasale de la rétine (qui se développent à partir de la *droite*) font l'inverse. De ce fait, le tectum antérieur est différent du tectum postérieur et la rétine nasale est différente de la rétine temporale et ces différences guident la croissance centrifuge sélective des axones. Ces expériences ont été effectuées avec des cellules issues d'un embryon de poulet. (D'après Y. von Boxberg, S. Deiss et U. Schwarz, *Neuron* 10 : 343-357, 1993. © Elsevier.)

Des titrages fondés sur ces phénomènes *in vitro* ont identifié certaines des molécules responsables. Le facteur répulsif situé sur la membrane postérieure du tectum semble être partiellement ou totalement constitué d'*éphrines A,* des protéines d'un sous-groupe de la famille des protéines liées aux GPI qui agit comme ligand de la *famille Eph* de récepteurs à activité tyrosine-kinase. Chez la souris, deux éphrines différentes sont exprimées par les cellules du tectum pour former un gradient antéropostérieur. Les cellules antérieures ont peu ou pas d'éphrine, les cellules au centre du tectum expriment l'éphrine A2 et les cellules du bord postérieur du tectum expriment l'éphrine A2 et l'éphrine A5. De ce fait, il existe un gradient d'expression d'éphrine à travers le tectum. Pendant ce temps, les axones entrants expriment les récepteurs Eph, également sous forme d'un gradient : les axones temporaux expriment de fortes concentrations en Eph, ce qui les rend sensibles à la répulsion par l'éphrine A tandis que les axones nasaux expriment de basses concentrations en Eph.

Ce système de signaux et de récepteurs suffit à produire une cartographie ordonnée, si nous faisons une supposition supplémentaire – supposition soutenue par des expériences *in vivo* : les axones rétiniens interagissent d'une façon quelconque les uns avec les autres et entrent en compétition pour le territoire tectal. De ce fait, les axones temporaux sont restreints au tectum antérieur et entraînent les axones nasaux en dehors de lui ; les axones nasaux, par conséquent, sont restreints au tectum postérieur. Entre ces extrêmes, un équilibre est conclu et engendre une carte continue de l'axe temporo-nasal de la rétine sur l'axe antéropostérieur du tectum. Des études d'inactivation totale des gènes de l'éphrine chez la souris sont en accord avec cette image, bien qu'elles indiquent que d'autres signaux facilitent le guidage de l'organisation des projections rétino-tectales. De plus, cette carte doit aussi être organisée le long de l'axe dorsoventral ; on pense que cela dépend de mécanismes similaires, qui pourraient peut-être même impliquer certaines molécules identiques.

L'organisation diffuse des connexions synaptiques est affinée par des remodelages dépendant de l'activité

Chez un animal normal, la carte rétino-tectale est initialement trouble et imprécise : le système de marqueurs de correspondance que nous avons décrit suffit à définir les grands tracés de la carte mais ne suffit pas à spécifier les détails plus fins. Des études menées chez les grenouilles et les poissons montrent que chaque axone rétinien commence par se ramifier largement dans le tectum puis fabrique une profusion de synapses qui se distribuent sur un grand territoire de tectum qui chevauche les territoires innervés par d'autres axones. Ces territoires sont ensuite grignotés par l'élimination sélective de synapses et la rétraction des ramifications des axones. Cela s'accompagne de la formation de nouvelles pousses, par le biais desquelles chaque axone distribue plus densément ses synapses dans le territoire qu'il conserve.

Deux règles de compétitions qui facilitent toutes deux la création d'un ordre spatial sont au cœur de ce remodelage et de cet affinement de la carte : (1) les axones des régions séparées de la rétine, qui ont tendance à être excités à différents moments, entrent en compétition pour dominer le territoire tectal disponible, mais (2) les axones de sites rétiniens voisins, qui ont tendance à être excités au même moment, innervent des territoires voisins dans le tectum parce qu'ils collaborent pour maintenir et renforcer leurs synapses sur les cellules tectales communes (Figure 21-103). Le mécanisme qui sous-tend ces deux règles dépend de l'activité électrique et de la signalisation au niveau des synapses qui se forment. Si tous les potentiels d'action sont bloqués par une toxine qui se fixe sur les canaux à Na^+ à ouverture contrôlée par la tension, le remodelage des synapses est inhibé et la carte reste confuse.

Ce phénomène d'élimination des synapses dépendante de l'activité se rencontre dans presque toutes les parties du système nerveux en développement des vertébrés. D'abondantes synapses sont d'abord formées puis distribuées au sein d'un grand territoire cible ; puis le système de connexions se réduit et est remodelé par des processus compétitifs qui dépendent de l'activité électrique et de la signalisation synaptique. Ce mode d'élimination des synapses est différent de celui de l'élimination du surplus de neurones par suicide cellulaire et se produit une fois que la période normale de mort cellulaire programmée est terminée.

La plupart de nos connaissances sur les mécanismes cellulaires de formation et d'élimination des synapses proviennent d'expériences menées sur l'innervation du muscle squelettique des embryons de vertébrés. Un échange bidirectionnel de signaux entre les terminaisons nerveuses des axones et les cellules musculaires contrôle la formation initiale des synapses. Au niveau des sites de contact, les récepteurs à l'acétylcholine sont regroupés dans la membrane cellulaire des muscles et l'appareil de sécrétion de ce neurotransmetteur s'organise dans les terminaisons des

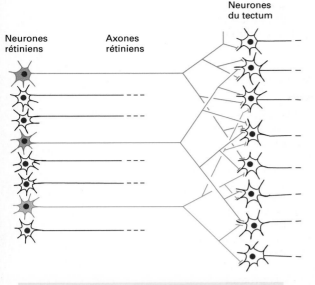

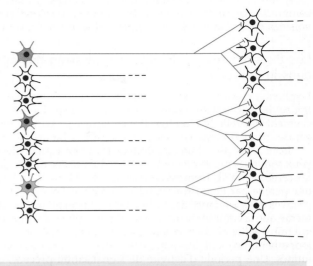

CARTE INITIALE IMPRÉCISE : CONNEXIONS DIFFUSES

CARTE DÉFINITIVE NETTE : ÉLIMINATION DES CONNEXIONS DIFFUSES

axones (*voir* Chapitre 11). Chaque cellule musculaire reçoit au départ des synapses issues de plusieurs neurones ; mais à la fin, par un processus qui prend typiquement deux semaines, elle reste innervée par un seul. La rétraction des synapses dépend là encore de communications synaptiques : si la transmission synaptique est bloquée par une toxine qui se fixe sur les récepteurs à l'acétylcholine dans la membrane des cellules musculaires, la cellule musculaire garde son innervation multiple au-delà du temps normal mis pour son élimination.

Des expériences menées sur le système musculo-squelettique, ainsi que sur le système rétino-tectal, suggèrent que ce n'est pas seulement la quantité d'activité électrique au niveau de la synapse qui est importante pour son maintien mais aussi la coordination temporelle. Le renforcement ou l'affaiblissement d'une synapse semble dépendre de façon critique de l'existence d'une synchronisation entre l'activité de la cellule présynaptique et l'activité des autres cellules présynaptiques qui forment des synapses avec la même cible (et donc d'une synchronisation avec l'activité de la cellule cible elle-même).

Ces observations et beaucoup d'autres ont suggéré une interprétation simple des règles de compétition qui éliminent des synapses dans le système rétino-tectal (Figure 21-104). Les axones issus de différentes parties de la rétine se déclenchent à différents moments et entrent donc en compétition. À chaque fois qu'un d'entre eux se déclenche, la (les) synapse(s) fabriquée(s) par les autres sur une cellule cible commune sont affaiblies, jusqu'à ce qu'un des axones soit laissé seul aux commandes de cette cellule. Les axones des cellules rétiniennes voisines, d'autre part, ont tendance

Figure 21-103 Affinage de la carte rétino-tectale par élimination des synapses. Au départ, la carte est trouble parce que chaque axone rétinien se ramifie largement pour innerver une large région de tectum (ou toit) qui chevauche les régions innervées par d'autres axones rétiniens. La carte est ensuite affinée par l'élimination des synapses. Là où les axones issus de parties séparées de la rétine forment des synapses sur la même cellule tectale, il se produit une compétition, qui élimine les connexions faites par un des axones. Mais les axones issus de cellules rétiniennes proches voisines coopèrent et maintiennent leurs synapses sur les cellules tectales communes. De ce fait, chaque axone rétinien se termine par l'innervation d'un petit territoire du tectum, adjacent au territoire innervé par les axones issus de sites rétiniens voisins, et qui le chevauche en partie.

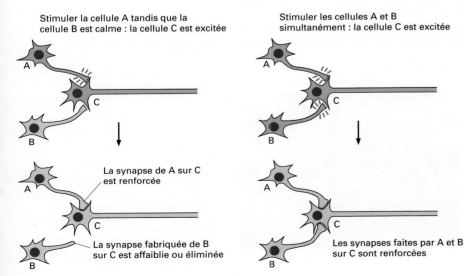

Stimuler la cellule A tandis que la cellule B est calme : la cellule C est excitée

Stimuler les cellules A et B simultanément : la cellule C est excitée

La synapse de A sur C est renforcée

La synapse fabriquée de B sur C est affaiblie ou éliminée

Les synapses faites par A et B sur C sont renforcées

Figure 21-104 La modification des synapses et sa dépendance vis-à-vis de l'activité électrique. Des expériences menées sur plusieurs systèmes indiquent que les synapses sont renforcées ou affaiblies par l'activité électrique selon les lois montrées sur le schéma. Il semble que le principe sous-jacent soit que chaque excitation d'une cellule cible a tendance à affaiblir toutes les synapses où la terminaison de l'axone pré-synaptique vient juste de se calmer mais à renforcer toutes les synapses où la terminaison de l'axone pré-synaptique vient juste d'être activée. Il en résulte que «les neurones qui se déclenchent ensemble, s'installent ensemble». Une synapse affaiblie à répétition et rarement renforcée finit par être totalement éliminée.

à se déclencher de façon synchrone les uns avec les autres : ils n'entrent donc pas en compétition mais maintiennent par contre leurs synapses avec les cellules tectales communes, ce qui forme une carte, ordonnée avec précision, sur laquelle les cellules voisines de la rétine se projettent dans des sites voisins du tectum.

Les expériences modèlent l'organisation des connexions synaptiques dans le cerveau

Le phénomène que nous venons de décrire est résumé par l'expression «les neurones qui se déclenchent ensemble se raccordent ensemble». Cette même règle de déclenchement qui relie le maintien des synapses à l'activité nerveuse nous permet d'organiser notre cerveau en développement à la lumière de nos expériences.

Dans le cerveau d'un mammifère, les axones qui relaient des influx issus des deux yeux sont rassemblés en une couche cellulaire spécifique de la région visuelle du cortex cérébral. Là, ils forment deux cartes du champ visuel externe qui se chevauchent, une perçue par l'œil droit, l'autre perçue par l'œil gauche. Bien qu'il y ait certaines preuves de la tendance des influx de l'œil droit et de l'œil gauche à être séparés avant même que la communication synaptique commence, une forte proportion des axones qui transmettent l'information, issus des deux yeux dans les premiers stades du développement, forment ensemble des synapses avec des cellules cibles corticales communes. Une période d'activité de signalisation précoce, cependant, qui se produit spontanément et indépendamment dans chaque rétine avant même que la vision ne commence, conduit à la séparation nette des influx, et engendre dans le cortex l'alternance de bandes de cellules actionnées par des influx issus de l'œil droit et de bandes cellulaires actionnées par des influx issus de l'œil gauche (Figure 21-105). La règle du déclenchement suggère une interprétation simple : une paire d'axones qui transmettent des informations de sites voisins dans l'œil gauche se déclenchera souvent ensemble et se raccordera donc ensemble comme une paire d'axones issus de sites voisins dans l'œil droit ; mais un axone de l'œil droit et un axone de l'œil gauche se déclencheront rarement ensemble et entreront donc en compétition. En effet, si l'activité des deux yeux est mise sous silence par le biais de substances qui bloquent les potentiels d'action ou la transmission synaptique, les influx ne se séparent pas correctement.

L'entretien de l'organisation des connexions est extraordinairement sensible aux expériences précoces de la vie. Si, durant une certaine *période critique* (qui se termine environ à l'âge de cinq ans chez l'homme) un œil reste recouvert pendant un certain temps de telle sorte qu'il soit privé de stimulation visuelle, tandis que l'autre œil garde une stimulation normale, l'œil privé perd ses connexions synaptiques jusqu'au cortex et devient presque entièrement et irréversiblement aveugle. Comme la règle de déclenchement l'aurait prédit, il s'est produit une compétition pendant laquelle les synapses du cortex visuel formées par les axones inactifs ont été éliminées tandis que les synapses faites par les axones actifs se sont consolidées. De cette façon, le territoire cortical est alloué aux axones qui transmettent les informations et n'est pas gaspillé par ceux qui restent silencieux.

Pour l'établissement des connexions nerveuses qui nous permettent de voir, ce n'est pas seulement la quantité de stimulation visuelle qui est importante mais aussi sa coordination temporelle. Par exemple, la capacité à voir la profondeur – vision stéréoscopique – dépend de cellules situées dans d'autres couches du cortex visuel qui reçoivent des influx relayés en même temps des deux yeux, et qui convoient des informations sur la même partie du champ visuel vu sous deux angles légèrement diffé-

Figure 21-105 Les colonnes de dominance oculaire du cortex visuel d'un cerveau de singe et leur sensibilité à l'expérience visuelle. (A) Normalement, des bandes de cellules corticales actionnées par l'œil droit alternent avec des bandes de même largeur, actionnées par l'œil gauche. Les bandes sont révélées ici après l'injection d'une molécule de traçage radioactive dans un œil, un temps d'attente pour que ce traceur soit transporté au cortex visuel puis la détection de la radioactivité par autoradiographie dans des coupes transversales parallèles à la surface corticale. (B) Si un œil est maintenu recouvert pendant la période critique du développement et donc privé ainsi d'expérience visuelle, ses bandes décroissent et celles de l'œil actif s'étendent. De cette façon, l'œil privé peut perdre presque totalement sa puissance visuelle. (D'après D.H. Hubel, T.N. Wiesel et S. Le Vay, *Philos. Trans. Roy. Soc. (Biol.)* 278 : 377-409, 1977. © The Royal Society.)

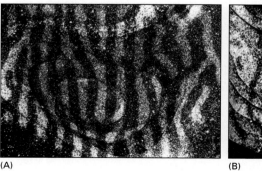
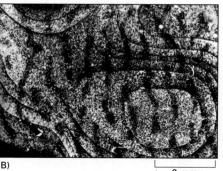

(A)   (B)   2 mm

rents. Ces cellules actionnées par les deux yeux (binoculaires) nous permettent de comparer les vues de l'œil droit avec celles de l'œil gauche afin d'en tirer des informations sur la distance relative des objets par rapport à nous. Si cependant, on empêche, pendant la période critique, les deux yeux de voir la même scène au même moment – par exemple en couvrant d'abord un œil puis l'autre un jour sur deux ou simplement du fait de la conséquence d'un strabisme chez l'enfant – presque aucune cellule actionnée de façon binoculaire n'est conservée dans le cortex et la capacité de perception stéréoscopique est irrémédiablement perdue. Il est évident, en accord avec la règle de déclenchement, que les influx issus de chaque œil sur un neurone actionné de façon binoculaire ne sont maintenus que s'ils sont tous deux fréquemment déclenchés de façon synchrone, ce qui se produit lorsque les deux yeux regardent la même scène.

La mémoire adulte et le remodelage des synapses lors du développement peuvent dépendre de mécanismes similaires

Nous avons vu au chapitre 11 que les variations synaptiques qui sous-tendent la mémoire au moins dans certaines parties du cerveau adulte, en particulier dans l'hippocampe, tournent autour du comportement d'un type particulier de récepteurs au glutamate, un neurotransmetteur – le récepteur NMDA. Le Ca^{2+} qui inonde la cellule post-synaptique du fait de l'ouverture des canaux par ce récepteur déclenche des variations durables dans la force des synapses sur cette cellule, et affecte les structures pré-synaptiques aussi bien que post-synaptiques. Les variations induites, dans le cerveau adulte, par les mécanismes NMDA-dépendants obéissent à des règles très proches de la règle de déclenchement lors du développement : les événements du monde extérieur qui provoquent l'activité de deux neurones en même temps ou en succession rapide, favorisent la création ou le renforcement de synapses entre eux. Il a été suggéré que cette condition, appelée *loi de Hebb*, était le principe fondamental qui sous-tendait l'apprentissage associatif.

Est-il possible alors, que l'apprentissage de l'adulte et la forme plus drastique de plasticité synaptique observée pendant le développement reflètent tous deux des opérations d'une même machinerie fondamentale d'ajustement synaptique ? Il y a beaucoup d'indices en faveur de cette hypothèse. Par exemple, les inhibiteurs qui bloquent spécifiquement l'activation des récepteurs NMDA interfèrent avec l'affinage et le remodelage des connexions synaptiques dans le système visuel en développement. Mais cette question reste ouverte. Les fondements moléculaires du processus de remodelage des synapses grâce auquel les expériences façonnent notre cerveau restent un des défis majeurs que le système nerveux pose à la biologie cellulaire.

Résumé

Le développement du système nerveux s'effectue en trois phases : d'abord, les cellules nerveuses sont formées par des divisions cellulaires ; puis, après avoir cessé de se diviser, elles envoient vers l'extérieur des axones et des dendrites pour former des synapses profuses avec d'autres cellules lointaines afin de pouvoir commencer la communication ; enfin, ce système de connexions synaptiques s'affine et se remodèle selon l'organisation de l'activité électrique dans le réseau nerveux.

Les neurones et les cellules de la glie qui les accompagnent toujours sont engendrés par des précurseurs ectodermiques et ceux nés à différents moments et différents endroits expriment différents groupes de gènes qui facilitent la détermination des connexions qu'ils formeront. Les axones et les dendrites se développent à partir des neurones par le biais de cônes de croissance qui suivent des voies spécifiques délimitées tout au long du chemin par des signaux. Des structures comme la plaque du plancher de la moelle épinière embryonnaire sécrètent à la fois des chimio-attracteurs et des chimio-répulsifs auxquels répondent différemment les cônes de croissance issus de différentes classes de neurones. Lorsqu'ils atteignent leur zone cible, les axones se terminent sélectivement sur un sous-groupe de cellules accessibles et dans beaucoup de parties du système nerveux des cartes sont établies – projections ordonnées d'une collection de neurones sur une autre. Dans le système rétino-tectal, la carte est fondée sur la correspondance de systèmes complémentaires de marqueurs cellulaires de surface, spécifiques de position – les éphrines et les récepteurs Eph – possédés par les deux groupes de cellules.

Une fois que les cônes de croissance ont atteint leur cible et que les connexions initiales se sont formées, deux types majeurs d'ajustement se produisent. Premièrement, beaucoup de neurones d'innervation meurent du fait d'une compétition pour les facteurs de survie comme le NGF (nerf growth factor) sécrété par le tissu cible. Cette mort cellulaire ajuste l'importance de l'innervation à la taille de la cible. Deuxièmement, certaines synapses sont défaites à cer-

tains endroits, renforcées dans d'autres afin de créer une organisation de connexions plus précise et ordonnée. Ce dernier processus dépend de l'activité électrique : les synapses qui sont fréquemment actives sont renforcées et les différents neurones qui contactent la même cellule cible ont tendance à maintenir leurs synapses sur la cible commune seulement lorsqu'ils sont souvent actifs en même temps. De cette façon, la structure du cerveau est ajustée pour refléter les connexions entre les événements du monde extérieur. Le mécanisme moléculaire sousjacent à cette plasticité synaptique pourrait être similaire à celui responsable de la formation de la mémoire pendant la vie adulte.

DÉVELOPPEMENT DES VÉGÉTAUX

Les végétaux et les animaux sont séparés par une histoire évolutive de 1,5 milliard d'années environ. Ils ont développé leur organisation multicellulaire indépendamment mais ont utilisé le même ensemble instrumental initial – le groupe de gènes hérité de leur ancêtre eucaryote commun unicellulaire. La plupart des différences de leur stratégie de développement sont venues de deux particularités fondamentales des végétaux. D'abord, ils tirent leur énergie de la lumière du soleil et non de l'ingestion d'autres organismes. Cela dicte un plan corporel différent de celui de l'animal. Deuxièmement, leurs cellules sont encastrées dans des parois cellulaires semi-rigides et cimentées ensemble, ce qui empêche tout déplacement, contrairement aux cellules animales. Cela a engendré un ensemble différent de mécanismes pour façonner le corps et différents processus de développement pour faire face aux modifications de l'environnement.

Le développement animal est largement protégé vis-à-vis des modifications de l'environnement et l'embryon engendre la même structure corporelle génétiquement déterminée, non affectée par les conditions externes. Le développement de la plupart des végétaux, par contre, est influencé de façon spectaculaire par l'environnement. Comme ils ne peuvent s'adapter eux-mêmes à leur environnement en se déplaçant, les végétaux s'adaptent par contre en modifiant l'évolution de leur développement. Leur stratégie est opportuniste. Un type donné d'organe – une feuille, une fleur, une racine – peut être produit à partir de l'ovule fécondé par le biais de nombreuses voies différentes, selon les signaux environnementaux. Une feuille de bégonia fixée sur le sol peut donner des racines ; la racine peut envoyer une pousse ; la pousse, si elle reçoit du soleil, peut se développer en fleurs et en feuilles.

Le végétal mûr est typiquement constitué de nombreuses copies d'un petit groupe de modules standardisés comme le montre la figure 21-106. La position et le moment où un de ces modules est engendré sont fortement influencés par l'environnement ce qui provoque une variation de la structure globale du végétal. Le choix entre les divers modules et leur organisation pour former un végétal complet dépendent de signaux externes et de signaux hormonaux de longue distance qui jouent un rôle bien moindre dans le contrôle du développement animal.

Mais même si la structure globale d'un végétal – l'organisation de ses racines ou de ses branches, son nombre de feuilles et de fleurs – peut être extrêmement variable, les détails de son organisation à plus petite échelle ne le sont pas. Une feuille, une fleur ou même un jeune embryon de végétal est aussi précisément spécifié que n'importe quel organe d'un animal et possède une structure *déterminée* s'opposant à l'organisation *indéterminée* des ramifications et du bourgeonnement du végétal en tant qu'ensemble. L'organisation interne d'un module végétal pose finalement les mêmes problèmes de contrôle génétique d'organisation que le développement animal et ces problèmes sont résolus de façon analogue. Dans cette partie, nous nous focaliserons sur les mécanismes cellulaires du développement des végétaux à fleurs. Nous observerons à la fois les différences et les similitudes avec les animaux.

Arabidopsis sert d'organisme modèle pour la génétique moléculaire des végétaux

L'origine des végétaux à fleurs, en dépit de leur immense diversité, est relativement récente. Le premier exemple fossilisé connu a 125 millions d'années contre près de 350 millions d'années pour les animaux vertébrés. Malgré la diversité de formes, il existe une forte similitude dans les mécanismes moléculaires. Comme nous le verrons, une petite variation génétique peut transformer la structure à grande échelle du végétal ; et, tout comme la physiologie du végétal permet la survie dans beaucoup d'environnements différents, elle permet aussi la survie de beaucoup de formes de structure différente. Une mutation qui donne un animal à deux têtes est générale-

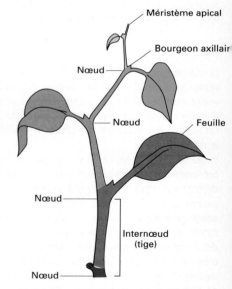

Figure 21-106 Un exemple simple de construction modulaire d'un végétal. Chaque module (montré par des *verts* de nuances différentes) est composé d'une tige, d'une feuille et d'un bourgeon pourvu d'un centre de croissance potentiel, ou *méristème*. Le bourgeon se forme au niveau du point de ramification, ou *nœud*, où la feuille diverge de la tige. Les modules apparaissent séquentiellement par l'activité continue du méristème apical.

Figure 21-107 *Arabidopsis thaliana*. Cette petite plante est un membre de la famille des moutardes (ou crucifère) (*voir aussi* Figure 1-47). C'est une mauvaise herbe d'aucune utilité économique mais d'une grande valeur pour l'étude génétique du développement végétal. (D'après M.A. Estelle et C.R. Somerville, *Trends Genet.* 12 : 89-93, 1986. © Elsevier.)

ment létale ; une qui double le nombre de fleurs ou de branches sur un végétal ne l'est généralement pas.

Pour identifier les gènes qui gouvernent le développement du végétal et découvrir leur mode de fonctionnement, les biologistes végétaux ont sélectionné une mauvaise herbe de petite taille, le cresson des murs, *Arabidopsis thaliana* (Figure 21–107) comme organisme modèle primaire. Tout comme *Drosophila* ou *Caenorhabditis elegans*, il est petit, se reproduit rapidement et est pratique pour les généticiens. Il peut être cultivé en grand nombre à l'intérieur sur des boîtes de Pétri ou dans de minuscules pots et produire des centaines de graines par plant au bout de 8 à 10 semaines. Il a en commun avec *C. elegans* un avantage significatif sur *Drosophila* ou les vertébrés du point de vue de l'étude génétique : comme beaucoup de végétaux à fleurs il peut se reproduire en tant qu'hermaphrodite parce qu'une seule fleur produit à la fois les ovules et les gamètes mâles qui les fécondent. De ce fait, lorsqu'une fleur hétérozygote pour une mutation létale récessive est auto-fécondée, un quart de ses graines présentera le phénotype embryonnaire homozygote. Cela facilite les criblages génétiques (Figure 21-108) et l'obtention d'un catalogue de gènes nécessaires aux processus spécifiques du développement.

Le génome d'*Arabidopsis* est riche en gènes de contrôle du développement

Le génome d'*Arabidopsis* est un des plus petits du monde végétal – 125 millions de paires de nucléotides, à égalité avec *C. elegans* et *Drosophila* – et sa séquence complète d'ADN est maintenant connue. Il contient approximativement 26 000 gènes. Ce total comprend cependant beaucoup de duplications, récemment engendrées, de telle sorte qu'on peut considérer que le nombre de types de protéines fonctionnellement distinctes représentées est inférieur. Des méthodes de culture cellulaire et de trans-

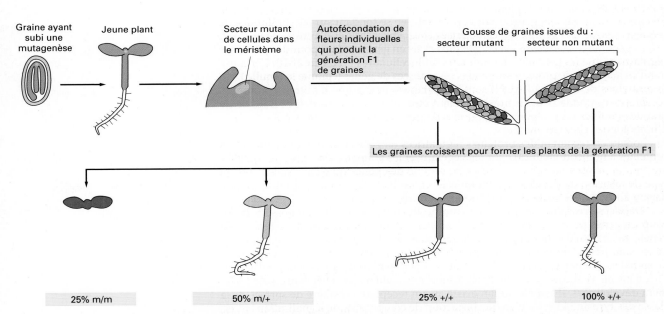

Figure 21-108 La production de mutants d'*Arabidopsis*. Une graine qui contient un embryon multicellulaire est traitée par un mutagène chimique puis laissée croître en un végétal. En général, ce végétal sera une mosaïque de clones de cellules porteuses de différentes mutations induites. Chaque fleur produite par ce végétal sera généralement composée de cellules du même clone, toutes porteuses de la même mutation, *m*, sous forme hétérozygote (*m/+*). L'autofécondation de chaque fleur par son propre pollen engendre des gousses de graines, qui contiennent chacune une famille d'embryons dont les membres sont pour moitié environ hétérozygotes (*m/+*), pour un quart homozygotes de type mutant (*m/m*) et pour un quart homozygotes de type sauvage (*+/+*). Souvent la mutation aura un effet létal récessif comme cela est indiqué ici par l'absence de racine dans la semence *m/m*. L'approvisionnement en mutants est alors maintenue par reproduction à partir de l'hétérozygote : il produira des gousses de graines (génération F2) qui contiendront toutes un mélange de graines *+/+*, *m/+*, et *m/m*.

| FAMILLE | PRÉVISION DU NOMBRE DE MEMBRES DE CES FAMILLES À PARTIR DE L'ANALYSE DU GÉNOME | | | |
	ARABIDOPSIS	*DROSOPHILA*	*C. ELEGANS*	LEVURE
Myb	190	6	3	10
AP2/EREBP (*Apetala2/ethylene-responsive-element binding protein*)	144	0	0	0
bHLH (*basic helix-loop-helix* ou hélice-boucle-hélice fondamentale)	139	46	25	8
NAC	109	0	0	0
C2H2 (doigt à Zn)	105	291	139	53
Homéoboîte	89	103	84	9
Boîte MADS	82	2	2	4
bZIP	81	21	25	21
WRKY (doigt à Zn)	72	0	0	0
GARP	56	0	0	0
C2C2 (doigt à Zn)/GATA	104	6	9	10
Récepteur hormonal nucléaire	0	21	25	0
C6 (doigt à Zn)	0	0	0	52
Total estimé (y compris beaucoup non listés ci-dessus)	1533	635	669	209
Pourcentage de gènes dans le génome	5,9	4,5	3,5	3,5

Le tableau présente seulement la liste des familles qui présentent au moins 50 membres dans un organisme au moins. (Données d'après J.L. Riechmann et al., *Science* 290 : 2015-2110, 2000.)

formation génétique ont été établies, ainsi que de grandes banques de graines pourvues de mutations produites par l'insertion aléatoire d'éléments génétiques mobiles, de telle sorte qu'il est possible d'obtenir, sur ordre, des végétaux porteurs de mutations de n'importe quel gène choisi. Des instruments puissants sont donc disponibles pour analyser la fonction des gènes. Même si expérimentalement une petite fraction seulement de la totalité des gènes a été caractérisée, on peut tenter d'assigner une fonction à de nombreux gènes – environ 18 000 – en se fondant sur les similitudes de séquences entre des gènes bien caractérisés chez *Arabidopsis* et d'autres organismes.

Le génome d'*Arabidopsis* est encore plus riche en gènes codant pour des protéines régulatrices que les génomes des animaux multicellulaires (Tableau 21-II). Certaines familles majeures de protéines animales régulatrices de gènes (comme la famille Myb de protéines de liaison à l'ADN) sont importantes, tandis que d'autres (comme les récepteurs hormonaux nucléaires) semblent être totalement absentes, et il existe de grandes familles de protéines régulatrices de gènes chez les végétaux qui n'ont pas d'homologues chez les animaux.

Lorsqu'on reconnaît des protéines régulatrices de gènes homologues (comme les protéines à homéodomaines) chez les végétaux et les animaux, on s'aperçoit qu'elles ont peu de choses en commun du point de vue des gènes qu'elles régulent ou du type de décision de développement qu'elles contrôlent et, en dehors du domaine de liaison à l'ADN, les séquences protéiques sont très peu conservées.

Arabidopsis ressemble aux animaux multicellulaires par le fait qu'il possède beaucoup de gènes pour la communication cellulaire et la transduction du signal (1 900 gènes sur les 18 000 classés), mais les particularités spécifiques de ces groupes de gènes sont très différentes, comme nous l'avons vu au chapitre 15. Les mécanismes de signalisation par Wnt, Hedgehog, Notch et TGF-β n'existent pas chez *Arabidopsis*. En revanche, d'autres voies de signalisation particulières aux végétaux sont fortement développées. Il semble qu'il n'existe aucun récepteur cellulaire de surface de la classe des tyrosine-kinases bien que beaucoup de composants de signalisation situés, chez les animaux, en aval de ces récepteurs soient présents. Par contre, les récepteurs de la classe des sérine/thréonine-kinases sont très nombreux mais n'agissent pas par le même système de messagers intracellulaires que ces mêmes récepteurs chez les animaux. Des groupes substantiels de gènes sont alloués à des processus de développement qui ont une importance particulière chez les végétaux : par exemple, plus de 700 sont dédiés à la synthèse et au remodelage de la paroi cellulaire des végétaux, et plus de 100 à la détection et la réponse à la lumière.

Voyons à présent comment les gènes du végétal contrôlent son développement.

Le développement embryonnaire commence par l'établissement d'un axe racine-pousse puis s'arrête à l'intérieur de la graine

La stratégie fondamentale de la reproduction sexuée des végétaux à fleurs est rapidement résumée dans la planche 21-1. L'ovule fécondé, ou zygote, d'un végétal supérieur commence par se diviser de façon asymétrique pour établir la polarité du futur embryon. Cette division produit d'un côté une petite cellule dotée d'un cytoplasme dense qui deviendra l'embryon proprement dit. L'autre cellule produite est grande, remplie de vacuoles, et poursuit sa division pour former une structure, le *suspenseur*, qui est, d'une certaine manière, comparable au cordon ombilical des mammifères. Le suspenseur fixe l'embryon sur le tissu nutritif adjacent et fournit une voie de transport des nutriments.

Pendant l'étape suivante du développement, la cellule embryonnaire diploïde prolifère pour former une boule de cellules qui acquiert rapidement une structure polarisée. Elle comporte deux groupes capitaux de cellules prolifératives – l'un situé à l'extrémité du suspenseur de l'embryon qui collabore avec la cellule la plus haute du suspenseur pour engendrer une racine et l'autre à l'extrémité opposée qui engendrera la pousse (Figure 21-109). Cet axe principal racine-pousse ainsi établi est analogue à l'axe tête-queue de l'animal. En même temps, il devient possible de différencier les futures *cellules épidermiques*, qui forment la couche la plus externe de l'embryon, les futures cellules des *tissus parenchymateux*, qui occupent la majeure partie de l'intérieur et les futures cellules des *tissus vasculaires* qui forment le cœur (Planche 21-2). Ces trois groupes de cellules peuvent être comparés aux trois couches germinatives de l'embryon animal. Un peu plus tard pendant le développement, les rudiments de la pousse commencent à produire les feuilles embryonnaires de la graine, ou cotylédons – un seul dans le cas des monocotylédones et deux dans le cas des dicotylédones. Peu après cette étape, le développement s'arrête généralement et l'embryon est placé dans une **graine** (une boîte formée par les tissus du végétal parental), spécialisée dans la dispersion et la survie dans des conditions extrêmement dures. L'embryon placé dans la graine est stabilisé par déshydratation et peut rester en dormance pendant une très longue période – voire des centaines d'années. Lorsqu'elle est réhydratée, la graine germe et le développement embryonnaire reprend.

Les criblages génétiques peuvent être utilisés chez *Arabidopsis*, tout comme chez *Drosophila* et *C. elegans* pour identifier les gènes qui gouvernent l'organisation de l'embryon et les regrouper en catégories selon leurs phénotypes mutants homozygotes. Certains sont nécessaires à la formation des racines du plant, d'autres à la tige du plant et certains à l'apex du plant avec ses cotylédons. Une autre classe sert à la formation des trois types majeurs de tissus – l'épiderme, les tissus parenchymateux et les tissus vasculaires – et encore une autre classe aux variations organisées de la forme cellulaire qui donnent à l'embryon et au plant leur forme allongée (Figure 21-110).

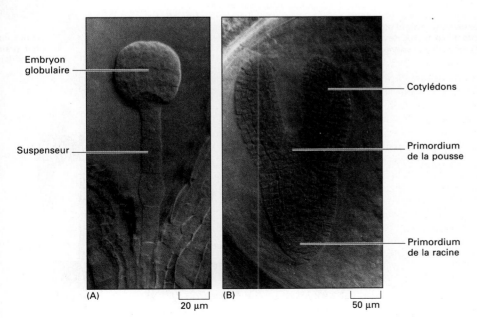

Figure 21-109 Deux stades de l'embryogenèse d'*Arabidopsis thaliana*. (D'après G. Jürgens et al., *Development* [*Suppl.*] 1 : 27-38, 1991. © The Company of Biologists.)

Embryon globulaire

Suspenseur

Cotylédons

Primordium de la pousse

Primordium de la racine

(A)   20 µm

(B)   50 µm

LA FLEUR

Les fleurs, qui contiennent les cellules reproductrices des végétaux supérieurs, partent des méristèmes apicaux de la pousse végétative (*voir* Figures 21-115 et 21-122). Elles terminent le reste de leur croissance végétative à partir de ce méristème. Les facteurs environnementaux, souvent le rythme de la longueur du jour et la température, déclenchent le passage du développement végétatif au développement floral. Les cellules germinales apparaissent donc tardivement lors du développement du végétal, à partir de cellules somatiques et non pas d'une lignée de cellules germinales comme chez les animaux.

Les pétales : structures distinctes de type feuille, généralement de couleur vive, qui facilitent la pollinisation via, par exemple, l'attraction des insecte

L'étamine : organe contenant des cellules qui subissent une méiose et forment les grains de pollen haploïdes, qui contiennent chacun deux spermatozoïdes mâles. Les pollens transférés sur le stigma germent et le tube pollinisateur délivre deux spermatozoïdes non mobiles à l'ovaire.

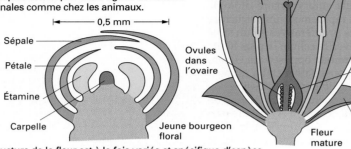

0,5 mm

Sépale
Pétale
Étamine
Carpelle
Jeune bourgeon floral

Stigmate style
Ovules dans l'ovaire
Fleur mature

Grains de pollen
Spermatozoïdes
Noyau du tube pollinisateur

Le carpelle : organe contenant un ou plusieurs ovaires, chacun renfermant des ovules. Chaque ovule contient des cellules qui subissent une méiose et forment le sac embryonnaire qui contient l'œuf femelle. À la fécondation, un spermatozoïde fusionne avec l'œuf pour former le futur embryon diploïde tandis que l'autre fusionne avec deux cellules dans le sac embryonnaire pou former l'endosperme, un tissu triploïde.

La structure de la fleur est à la fois variée et spécifique d'espèce, mais comprend généralement quatre groupes de structures placées de façon concentrique, qui peuvent chacun être considérés comme une feuille modifiée.

Les sépales : structures de type feuille qui forment la couvertur protectrice au début du développement de la fleur.

LA GRAINE

Une graine contient un embryon en dormance, une réserve de nourriture et un tégument. À la fin de son développement, la teneur en eau de la graine peut tomber de 90 p. 100 à 5 p. 100. La graine est généralement protégée dans un *fruit* dont les tissus sont d'origine maternelle.

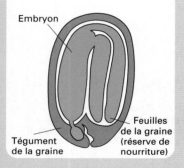

Embryon
Feuilles de la graine (réserve de nourriture)
Tégument de la graine

L'EMBRYON

Œuf fécondé

Méristème apical de la pousse

Méristème apical radiculaire

Suspenseur

Deux feuille de la graine (cotylédons

L'œuf fécondé à l'intérieur de l'ovule se développe pour former un embryon grâce aux nutriments transportés à partir de l'endosperme par le suspenseur. Une série complexe de divisions cellulaires, illustrée ici pour une herbe commune, la capselle (bourse-à-pasteur), produit un embryon avec un méristème apical radiculaire, un méristème apical de la pousse et soit une (monocotylédone) soit deux (dicotylédones) feuilles de graine, appelées cotylédons.

Le développement est stoppé à ce stade et l'ovule, qui contient l'embryon, devient alors une graine adaptée à la dispersion et à la survie.

Pour que l'embryon reprenne sa croissance, la graine doit germer, un processus qui dépend à la fois de facteurs internes (dormance) et de facteurs de l'environnement y compris l'eau, la température et l'oxygène. Les réserves alimentaires pour la phase précoce de germination sont soit l'endosperme (maïs) ou les cotylédons (pois et haricots).

La racine primaire émerge généralement d'abord de la graine pour assurer un apport d'eau précoce pour la germination. Les cotylédons peuvent apparaître au-dessus de la terre, comme dans le haricot de jardin montré ici ou rester dans le sol comme dans les pois. Dans les deux cas, ils finissent par se flétrir.

Le méristème apical peut maintenant montrer sa capacité de croissance continue, et produire une organisation typique de nœuds, internœuds et bourgeons (*voir* Figure 21-106).

GERMINATION

Germination d'un haricot de jardin

Premières feuilles du feuillage

Cotylédons flétris

Tégument de la graine

Cotylédons

Racine primaire   Racines latérales

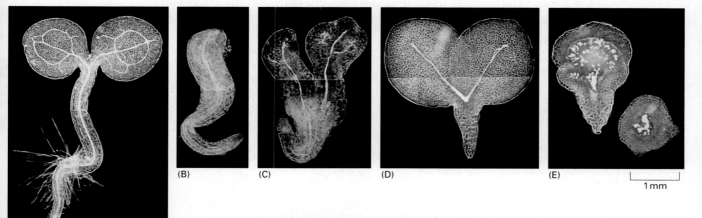

(A)

(B)

(C)

(D)

(E)

1 mm

Figure 21-110 Plants mutants d'*Arabidopsis*. Un plant normal (A) comparé à quatre types de mutants (B-E) déficients en différentes parties de leur organisation apico-basale : (B) a des structures absentes dans son apex, (C) présente un apex et une racine mais pas de tige entre eux, (D) n'a pas de racine et (E) forme des tissus de tige mais est anormal aux deux extrémités. Les plants ont été «nettoyés» pour montrer à l'intérieur le tissu vasculaire (bandes pâles). (D'après U. Mayer et al., *Nature* 353 : 402-407, 1991. © Macmillan Magazines Ltd.)

Les méristèmes engendrent séquentiellement les parties du végétal

Grossièrement parlant, l'embryon d'un insecte ou d'un vertébré est un modèle miniature rudimentaire de l'organisme ultérieur et les particularités de la structure corporelle sont remplies progressivement tandis qu'il grandit. L'embryon du végétal croît en un adulte selon un mode assez différent ; les parties du végétal adulte sont engendrées séquentiellement par des groupes de cellules qui prolifèrent et déposent des structures supplémentaires à la périphérie du végétal. Ces groupes si importants de cellules sont les **méristèmes apicaux** (*voir* Figure 21-106). Chaque méristème est composé d'une population de cellules souches qui s'auto-renouvelle. Lorsque la cellule se divise, elle laisse derrière elle une traînée de cellules filles qui se déplacent de la région du méristème, grossissent et finissent par se différencier. Même si les méristèmes apicaux de la racine et de la pousse peuvent engendrer toutes les variétés fondamentales de cellules nécessaires pour édifier des feuilles, des racines et des tiges, beaucoup de cellules à l'extérieur des méristèmes apicaux gardent également la capacité de poursuivre leur prolifération et maintenir le potentiel du méristème. C'est ainsi que les arbres et les autres végétaux pérennes, par exemple, sont capables d'augmenter la circonférence de leur tige et de leur racine avec les années et peuvent former de nouvelles pousses à partir de régions en dormance s'ils sont endommagés.

Les rudiments des méristèmes apicaux des racines et des pousses sont déjà déterminés chez l'embryon. Dès que le tégument de la graine se rompt lors de la germination, il se produit un élargissement spectaculaire des cellules qui n'appartiennent pas au méristème, ce qui entraîne d'abord l'émergence d'une racine qui établit immédiatement l'ancrage dans le sol, puis l'émergence d'une pousse (Figure 21-111). Cela s'accompagne de divisions rapides et continues des méristèmes apicaux ; dans le méristème apical d'une racine de maïs par exemple, les cellules se divisent toutes les 12 heures et produisent 5×10^5 cellules par jour. La racine et la pousse qui ont cette croissance rapide testent l'environnement – la racine augmente la capacité du végétal à absorber l'eau et les minéraux du sol, la pousse augmente sa capacité de photosynthèse (*voir* Planche 21-1).

Le développement du jeune plant dépend de signaux environnementaux

À partir de la germination, l'évolution du développement du végétal est fortement influencée par des signaux issus de l'environnement. La pousse doit croître rapidement vers le haut à travers le sol, ouvrir ses cotylédons et commencer la photosynthèse seulement lorsqu'elle a atteint la lumière. La chronologie de cette transition d'une germination souterraine rapide à une croissance en pleine lumière ne peut pas être programmée génétiquement, parce que la profondeur à laquelle la graine est enfoncée n'est pas prévisible. C'est la lumière qui contrôle cette commutation du développement, entre autre, en agissant sur le jeune plant pour inhiber la production d'une classe d'hormones végétales, les *brassinostéroïdes*, traitée au chapitre 15. Des mutations

Méristème apical de la pousse (caché) Cotylédon (feuille de la graine)

1 mm

Méristème apical de la racine

Figure 21-111 Un plant d'*Arabidopsis*. Les objets marrons à droite du jeune plant sont les deux moitiés éliminées du tégument de la graine. (Due à l'obligeance de Catherine Duckett.)

LES TROIS SYSTÈMES TISSULAIRES

La division des cellules, leur croissance et leur différenciation donnent naissance à des systèmes tissulaires de fonctions spécifiques.

Le TISSU DERMIQUE (▬) : c'est la couverture externe protectrice en contact avec l'environnement. Elle facilite l'absorption d'eau et d'ions dans les racines et régule les échanges gazeux dans les feuilles et les tiges.

Le TISSU VASCULAIRE : le phloème (▬) et le xylème (▬) forment tous deux un système vasculaire continu dans tout le végétal. Les tissus conduisent l'eau et les solutés entre les organes et fournissent aussi un soutien mécanique.

Le TISSU PARENCHYMATEUX (▭) : ce tissu qui enveloppe et soutien représente une grande partie de la masse du jeune plant. Il fonctionne aussi dans la fabrication de la nourriture et sa mise en réserve.

La jeune plante à fleur montrée *à droite* est formée de trois types d'organes principaux : les feuilles, les tiges et les racines. Chaque organe du végétal à son tour est constitué de trois systèmes tissulaires : parenchymateux (▭), dermique (▬) et vasculaire (▬).

Ces trois systèmes tissulaires dérivent finalement de l'activité proliférative des cellules des méristèmes apicaux de la pousse ou de la racine et chacun contient un nombre relativement faible de types cellulaires spécialisés. Ces trois systèmes tissulaires communs et les cellules qui les composent sont décrits dans cette planche.

LE VÉGÉTAL

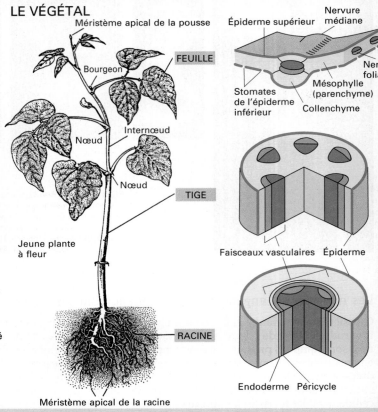

Méristème apical de la pousse

FEUILLE

Bourgeon

Internœud

Nœud

Nœud

TIGE

Jeune plante à fleur

RACINE

Méristème apical de la racine

Épiderme supérieur — Nervure médiane

Ner foli

Stomates de l'épiderme inférieur

Mésophylle (parenchyme)

Collenchyme

Faisceaux vasculaires — Épiderme

Endoderme — Péricycle

TISSU PARENCHYMATEUX

Les cellules du parenchyme sont présentes dans tous les systèmes tissulaires. Ce sont des cellules vivantes, généralement capables de se diviser et dont la paroi cellulaire primaire est fine. Ces cellules ont diverses fonctions. Les cellules des méristèmes apicaux et latéraux des pousses et des racines fournissent les nouvelles cellules nécessaires à la croissance. La production de nourriture et sa mise en réserve se produisent dans les cellules photosynthétiques des feuilles et de la tige (appelées cellules du mésophylle) ; les cellules parenchymateuses de réserve forment la masse de la plupart des fruits et des légumes. À cause de leur capacité proliférative, les cellules parenchymateuses servent aussi de cellules souches pour la cicatrisation des blessures et la régénération.

Le système tissulaire parenchymateux contient trois principaux types cellulaires appelés parenchyme, collenchyme et sclérenchyme.

Le collenchyme est composé de cellules vivantes simila aux cellules parenchymateuses sauf qu'e ont des parois cellulaires bien plus épaisses, sont généralement allongées et placées dans de longues fibres de typ corde. Elles sont capables de s'étirer et fournissent le soutien mécanique dans le système de tissus parenchymateux des régions qui s'allongent du végétal. Les cellules du collenchyme sont particulièrement fréquentes dans les régions sous-épidermiques des tiges.

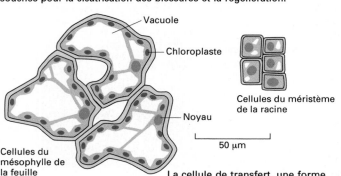

Vacuole

Chloroplaste

Cellules du méristème de la racine

Noyau

Cellules du mésophylle de la feuille

50 μm

Vaisseau de xylème

Cellule de transfert

La cellule de transfert, une forme spécifique de cellule parenchymateuse, est facilement identifiée par la croissance interne complexe de sa paroi cellulaire primaire. L'augmentation de surface de la membrane plasmique en dessous de cette paroi facilite le transport rapide des solutés à l'intérieur et à l'extérieur des cellules du système vasculaire.

30 μm

Localisations typiques de groupes de cellules de soutien dans une tige

Fibres de sclérenchyme

Faisceaux vasculaires

Collenchyme

Le sclérenchyme, comme le collenchyme, a des fonctions de renforcement et de soutien. Cependant, ce sont généralement des cellules mortes avec des parois cellulaires secondaires épaisses e lignifiées qui les empêchent de s'étirer lorsq le végétal se développe. Deux types commu sont des fibres, qui forment souvent de long faisceaux et les scléréides qui sont des cellu ramifiées plus courtes retrouvées dans le tégument des graines et les fruits.

Faisceau de fibres

10 μm

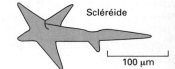

Scléréide

100 μm

TISSU DERMIQUE

L'épiderme est la couverture primaire externe protectrice du corps du végétal. Les cellules de l'épiderme sont également modifiées pour former les stomates et diverses sortes de poils.

Épiderme

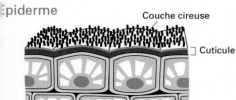

Couche cireuse

Cuticule

L'épiderme (en général épais d'une couche de cellules) recouvre toute la tige, les feuilles et les racines du jeune plant. Les cellules sont vivantes, ont des parois cellulaires primaires épaisses et sont recouvertes au niveau de leur surface externe par une cuticule particulière dotée d'une couche externe cireuse. Les cellules adhèrent solidement entre elles de différentes manières.

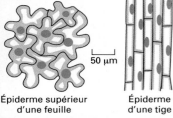

50 μm

Épiderme supérieur d'une feuille

Épiderme d'une tige

Stomate

Cellules de garde

Espace rempli d'air

5 μm

Les stomates sont des ouvertures de l'épiderme, surtout sur la surface inférieure de la feuille, qui régulent l'échange gazeux dans le végétal. Ils sont formés de deux cellules épidermiques spécialisées, les *cellules de garde*, qui régulent le diamètre des pores. Les stomates sont répartis à l'intérieur de chaque épiderme en un motif qui diffère selon les espèces.

Faisceaux vasculaires

Les racines ont généralement un seul faisceau vasculaire, mais les tiges en ont plusieurs. Ils sont disposés selon une symétrie radiale stricte dans les dicotylédones mais plus irrégulièrement dispersés dans les monocotylédones.

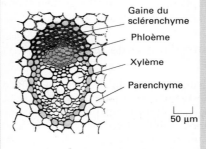

Gaine du sclérenchyme

Phloème

Xylème

Parenchyme

50 μm

Un faisceau vasculaire typique issu d'une jeune tige d'un bouton d'or

Les poils (ou trichomes) sont des appendices dérivés des cellules épidermiques. Ils existent sous diverses formes et sont fréquemment trouvés dans toutes les parties du végétal. La fonction des poils est protectrice, absorbante et

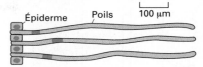

Épiderme

Poils

100 μm

sécrétrice ; par exemple, les jeunes poils à une seule cellule de l'épiderme de la graine de coton. Lorsqu'ils se développent, la cellulose épaissira secondairement leurs parois pour former les fibres de coton.

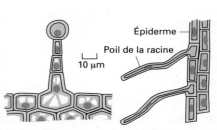

Épiderme

Poil de la racine

10 μm

Un poil sécréteur multicellulaire issu d'une feuille de géranium

Les poils de la racine à une seule cellule ont une fonction importante dans l'absorption d'eau et d'ions.

TISSU VASCULAIRE

Le phloème et le xylème forment ensemble un système vasculaire continu dans tout le végétal. Dans le jeune végétal, ils sont généralement associés à divers autres types cellulaires dans les *faisceaux vasculaires*. Le phloème et le xylème sont des tissus complexes. Leurs éléments conducteurs sont associés aux cellules parenchymateuses qui maintiennent les éléments et échangent avec eux des matériaux. En plus, des groupes de cellules du collenchyme et du sclérenchyme fournissent le soutien mécanique.

Phloème

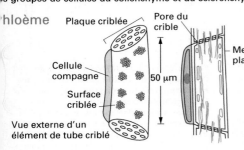

Plaque criblée

Pore du crible

Cellule compagne

50 μm

Surface criblée

Membrane plasmique

Vue externe d'un élément de tube criblé

Élément du tube criblé en coupe transversale

Le phloème est impliqué dans le transport des solutés organiques du végétal. Les principales cellules conductrices (éléments) sont alignées pour former des tubes appelés *tubes criblés*. Les éléments d'un tube criblé à maturité sont des cellules vivantes, interconnectées par des perforations des parois situées à leurs extrémités, formées par des plasmodesmes élargis et modifiés (plaque criblée). Ces cellules ont conservé leur membrane plasmique mais ont perdu leur noyau et une grande partie de leur cytoplasme ; elles se reposent donc sur des *cellules compagnes* associées pour leur entretien. Ces cellules compagnes ont des fonctions supplémentaires de transport actif de molécules de nourriture soluble à l'intérieur et à l'extérieur des éléments de la plaque criblée par le biais de zones criblées poreuses situées dans la paroi.

Xylème

Le xylème transporte l'eau et les ions dissous dans le végétal. Les principales cellules conductrices sont les éléments vasculaires montrés ici, qui sont des cellules mortes à maturité, dépourvues de membrane plasmique. La paroi cellulaire a été secondairement épaissie et fortement lignifiée. Comme cela est montré ci-dessous, la paroi terminale est largement éliminée, ce qui permet la formation de tubes continus très longs.

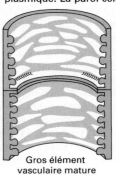

Petit élément vasculaire dans l'extrémité de la racine

Gros élément vasculaire mature

Les éléments vasculaires sont étroitement associés aux cellules du parenchyme du xylème, qui transportent activement les solutés sélectionnés à l'intérieur et à l'extérieur des éléments au travers de la membrane plasmique des cellules du parenchyme.

Cellules du parenchyme du xylème

Élément vasculaire

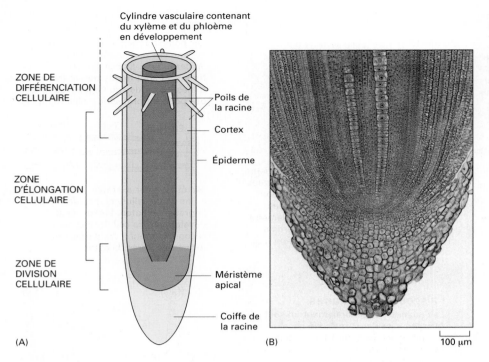

Cylindre vasculaire contenant
du xylème et du phloème
en développement

ZONE DE
DIFFÉRENCIATION
CELLULAIRE

Poils de
la racine

Cortex

Épiderme

ZONE
D'ÉLONGATION
CELLULAIRE

ZONE DE
DIVISION
CELLULAIRE

Méristème
apical

Coiffe de
la racine

(A)

(B)

100 µm

Figure 21-112 Une extrémité radiculaire en croissance. (A) Organisation des 2 mm terminaux de la racine en croissance. Les zones approximatives dans lesquelles on trouve les cellules en division, élongation et différenciation, sont montrées. (B) Le méristème apical et la coiffe radiculaire d'une extrémité de la racine de blé, avec les files ordonnées de cellules produites. (B, d'après R.F. Evert, Biology of Plants, 4th edn. New York : Worth, 1986.)

des gènes nécessaires à la production ou à la réception du signal par les brassinostéroïdes provoque le virage au vert de la tige du plant, ralentit son allongement et ouvre prématurément ses cotylédons tandis qu'il se trouve encore dans le noir.

La forme de chaque nouvelle structure dépend de divisions et d'expansions cellulaires orientées

Les cellules végétales, emprisonnées dans leurs parois cellulaires, ne peuvent pas migrer et se mélanger lorsque le végétal se développe ; mais elles peuvent se diviser, gonfler, s'étirer et se recourber. La morphogenèse d'un végétal en développement dépend donc de divisions cellulaires ordonnées suivies d'une expansion cellulaire strictement orientée. La plupart des cellules produites dans le méristème de l'extrémité des racines, par exemple, passent par trois différentes phases de développement – division, croissance (élongation) et différenciation. Ces trois étapes, qui se chevauchent à la fois dans le temps et l'espace, donnent naissance à l'architecture caractéristique de l'extrémité radiculaire. Bien que le processus de différenciation cellulaire commence souvent alors que la cellule est encore en train de s'agrandir, il est, par comparaison, facile de distinguer dans l'extrémité radiculaire la zone des cellules en division, la zone des cellules en élongation orientée (qui représente la croissance en longueur de la racine) et la zone de différenciation cellulaire (Figure 21-112).

Pendant la phase d'expansion contrôlée qui suit généralement la division cellulaire, les cellules filles augmentent souvent leur volume d'un facteur 50 voire plus. Cette expansion est actionnée par la pression de turgescence osmotique qui pousse de façon centrifuge sur la paroi cellulaire du végétal et sa direction est déterminée par l'orientation des fibrilles de cellulose de la paroi cellulaire, qui contraignent l'expansion le long d'un axe (*voir* Figure 19-73). L'orientation de la cellulose est apparemment contrôlée à son tour par l'orientation de groupes de microtubules placés juste à l'intérieur de la membrane plasmique et qui, pense-t-on, guident le dépôt de cellulose (*voir* Chapitre 19). Cette orientation peut être rapidement modifiée par les régulateurs de croissance du végétal, comme l'éthylène et l'acide gibberellique (Figure 21-113), mais les mécanismes moléculaires qui sous-tendent ces réarrangements spectaculaires du cytosquelette ne sont pas encore connus.

Chaque module du végétal croît à partir d'un groupe microscopique de primordia situé dans le méristème

Les méristèmes apicaux s'auto-perpétuent : dans un végétal pérenne, ils continuent indéfiniment leurs fonctions tant que le végétal survit et sont responsables de sa croissance et de son développement continus. Mais les méristèmes apicaux donnent aussi

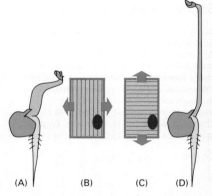

(A) (B) (C) (D)

Figure 21-113 Les différents effets de l'éthylène et de l'acide gibberellique, des régulateurs de la croissance végétale. Ces régulateurs exercent des effets rapides et opposés sur l'orientation de groupes de microtubules corticaux dans les cellules de jeunes pousses de pois. Une cellule typique d'un végétal traité par de l'éthylène (B) montre une orientation longitudinale nette de ses microtubules tandis qu'une cellule typique d'un végétal traité par l'acide gibberellique (C) montre une orientation transversale nette. Les nouvelles microfibrilles de cellulose sont déposées parallèlement aux microtubules. Comme cela influence la direction de l'expansion cellulaire, l'acide gibberellique et l'éthylène encouragent la croissance dans des directions opposées : les plants traités à l'éthylène développeront des pousses courtes et grosses (A) tandis que les plants traités à l'acide gibberellique développeront des pousses longues et minces (D).

naissance à un autre type d'excroissance, dont le développement est strictement limité et culmine par la formation d'une structure, comme une feuille ou une fleur, dont la taille et la forme sont déterminées et la durée de vie est courte. De ce fait, lorsqu'une pousse végétative (qui ne fleurit pas) s'allonge, son méristème apical dépose derrière lui une séquence ordonnée de *nœuds* d'où partent les feuilles et d'*internœuds* (segments de tiges). De cette façon, l'activité continue du méristème produit un nombre toujours croissant de modules similaires, formé chacun d'une tige, d'une feuille et d'un bourgeon (voir Figure 21-106). Les modules sont reliés les uns aux autres par des tissus de soutien et de transport, et les modules successifs sont localisés avec précision les uns par rapport aux autres, ce qui engendre une structure à motifs répétitifs. Ce mode itératif de développement est caractéristique des végétaux et s'observe dans beaucoup d'autres structures en plus du système tige-feuille (Figure 21-114).

Bien que le module définitif soit de grande taille, son organisation, comme celle d'un embryon animal, est planifiée au départ à l'échelle microscopique. Au niveau de l'apex d'une pousse, à l'intérieur d'un espace maximal d'un millimètre, on trouve en bas au centre, un petit dôme entouré d'un groupe de tuméfactions distinctes à divers stades d'élargissement (Figure 21-115). Ce dôme central est le méristème apical lui-même ; chacune des tuméfactions voisines est un primordium de feuille. Cette petite région contient donc les rudiments déjà distincts de plusieurs modules complets. Selon un programme bien défini de prolifération et d'élargissement cellulaires, chaque primordium de feuille et ses cellules adjacentes croissent pour former une feuille, un nœud et un internœud. Pendant ce temps, le méristème apical lui-même donne naissance à de nouveaux primordia de feuilles de telle sorte à engendrer de plus en plus de modules en une suite potentiellement infinie. L'organisation séquentielle des modules du végétal est ainsi contrôlée par les événements qui se produisent à l'apex de la pousse. C'est un système de signalisation locale à l'intérieur de cette minuscule région qui détermine l'organisation du primordium – la position d'un rudiment de feuille par rapport au suivant, l'espace entre eux et leur localisation par rapport au méristème apical lui-même.

Des variations de ce thème répétitif fondamental peuvent donner naissance à des architectures plus complexes, comme des vrilles, des épines, des branches et des fleurs. De ce fait, par l'activation de différents groupes de gènes au niveau de l'apex d'une pousse, le végétal peut produire différents types de primordia dans différents motifs spatiaux.

La signalisation cellulaire maintient le méristème

Au cœur de tous ces phénomènes se pose la question du mode d'entretien du méristème lui-même. Les cellules du méristème doivent poursuivre leur prolifération pen-

(A)

(B)

(C)

Figure 21-114 La formation de motifs répétitifs chez les végétaux. La mise en place précise de modules successifs à partir d'un méristème apical unique produit ces motifs complexes mais réguliers dans les feuilles (A), les fleurs (B) et les fruits (C). (A, d'après John Sibthorp, Flora Graeca. London : R. Taylor, 1806-1840 ; B, d'après Pierre Joseph Redouté, Les Liliacées. Paris : chez l'auteur, 1807 ; C, d'après Christopher Jacob Trew, Uitgezochte planten. Amsterdam : Jan Christiaan Sepp, 1771 – tous dus à l'obligeance de la John Innes Foundation.)

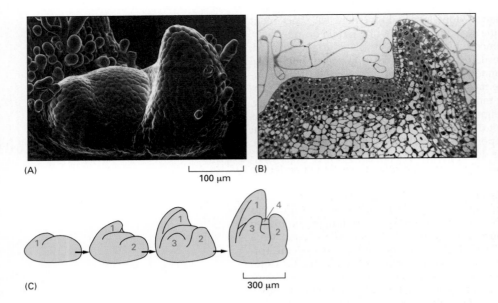

Figure 21-115 L'apex d'une pousse de tabac issue d'une jeune plante. (A) Cette photographie en microscopie électronique à balayage montre l'apex de la pousse avec deux primordia de feuilles qui émergent de façon séquentielle, et apparaissent ici comme des tuméfactions latérales de chaque côté du dôme du méristème apical. (B) La fine coupe d'un apex similaire montre que les plus jeunes primordia de feuilles proviennent d'un petit groupe de cellules (environ 100) situées dans les quatre ou cinq couches cellulaires les plus externes. (C) Représentation très schématique qui montre que l'aspect séquentiel du primordium de la feuille s'effectue sur une petite distance et très tôt lors du développement de la pousse. La croissance de l'apex formera pour finir des internœuds qui sépareront les feuilles dans l'ordre le long de la tige (*voir* Figure 21-106). (A et B, d'après R.S. Poethig et I.M. Sussex, *Planta* 165 : 158-169, 1985. © Springer-Verlag.)

dant des semaines, des années, voire des siècles, tandis que le végétal croît, et se remplacer d'elles-mêmes tout en engendrant continuellement des cellules filles qui se différencient. Pendant tout ce temps, la taille de l'agrégat de cellules qui forment le méristème reste pratiquement constante (environ 100 cellules pour *Arabidopsis*, par exemple). De nouveaux méristèmes peuvent apparaître lorsque le végétal se ramifie, mais ils gardent eux aussi la même taille.

Des criblages génétiques ont identifié des gènes nécessaires à l'entretien du méristème. Par exemple, les mutations qui interrompent le gène *WUSCHEL*, codant pour une protéine à homéodomaine, transforment le méristème apical en un tissu qui n'est pas un méristème, et le plant ne pousse pas. À l'inverse, les mutations du groupe de gènes *CLAVATA* codant pour des composantes de la voie de signalisation intercellulaire (*voir* Figure 15-77), forment des méristèmes anormalement gros. Ces gènes sont exprimés dans différentes couches de cellules de la région du méristème (Figure 21-116A). Les deux couches cellulaires les plus superficielles, les couches L1 et L2, associées à la partie la plus haute de la couche L3, contiennent les cellules propres du méristème qui sont capables de se diviser indéfiniment pour donner naissance aux futures parties du végétal. Les cellules du méristème des couches L1 et L2 expriment Clavata3, une petite protéine de signalisation sécrétée. Juste en dessous, dans la couche L3, se trouve un agrégat de cellules qui expriment Clavata1 (le récepteur de Clavata3). Au centre de cette zone de Clavata1 se trouvent des cellules qui expriment une protéine régulatrice de gènes, Wuschel.

L'organisation des divisions cellulaires implique que les cellules qui expriment Wuschel ne sont pas elles-mêmes des parties propres du méristème ; de nouvelles cellules qui expriment Wuschel sont apparemment recrutées continuellement à partir des parties méristématiques de la population L3, juste au dessus du domaine Wuschel. Néanmoins, les cellules qui expriment Wuschel sont au cœur du mécanisme qui entretient le méristème. Le signal qu'elles produisent maintient le comportement de méristème des cellules situées au-dessus d'elles, stimule l'expression des gènes *CLAVATA* et provoque probablement le recrutement de nouvelles cellules dans le domaine Wuschel pour activer Wuschel. Un rétrocontrôle négatif, issu des cellules supérieures du méristème et délivré par la voie de signalisation Clavata, agit

Figure 21-116 Boucles de rétrocontrôle qui maintiennent le méristème apical de la pousse. (A) La disposition des couches de cellules qui constitue un méristème apical de pousse. (B) L'organisation des communications intercellulaires qui maintiennent le méristème. La surexpression artificielle de Wuschel dans la région L3 provoque l'augmentation du nombre de cellules dans les couches L3 et L2 qui se comportent comme des cellules de méristème et expriment Clavata3 ; la surexpression artificielle de Clavata3 dans les couches L1 et L2 provoque la réduction de l'expression de Wuschel dans la région de L3 en dessous et diminue le nombre de cellules du méristème. Clavata3 code pour une petite protéine de signalisation tandis que Clavata1 code pour son récepteur, une protéine-kinase transmembranaire. Wuschel, qui est exprimé dans la partie centrale de la région qui exprime le récepteur Clavata1, code pour une protéine régulatrice de gènes de la classe des homéodomaines. On pense que la taille du méristème est contrôlée par un équilibre d'autorégulation entre un signal stimulateur de faible distance produit par les cellules qui expriment Wuschel (*flèche jaune*) et un signal inhibiteur de longue distance délivré par Clavata3 (*barres rouges*).

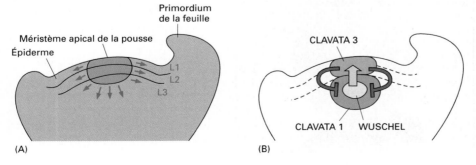

de façon rétrograde sur la région inférieure pour limiter la taille du domaine Wuschel, et empêcher ainsi que le méristème ne devienne trop gros (Figure 21-116B).

Beaucoup de particularités de l'exposé que nous venons de faire sur le méristème végétal restent encore peu claires et d'autres gènes en plus de ceux dont nous avons parlé sont également impliqués. Néanmoins, des modèles mathématiques montrent que des systèmes d'un type similaire, fondés sur une boucle de rétrocontrôle qui implique un signal d'activation sur une courte distance et un signal inhibiteur sur une longue distance, peuvent maintenir de façon stable un centre de signalisation d'une taille bien définie même lorsqu'il existe une prolifération et un renouvellement continus des cellules qui forment ce centre. On pense que des systèmes de signalisation analogues opèrent lors du développement animal pour garder localisés des centres de signalisation – comme le centre organisateur de la gastrula des amphibiens ou la zone de polarisation de l'activité d'un bourgeon de membre.

On ne sait pas encore comment les cellules qui expriment Wuschel envoient le signal à leurs voisines. Une des hypothèses est que la protéine Wuschel elle-même diffuse directement de cellule à cellule par les plasmodesmes – une voie de signalisation particulière aux végétaux. Il a en fait été montré que certaines autres protéines régulatrices de gènes se déplaçaient ainsi dans les méristèmes, et passent des cellules qui contiennent l'ARNm correspondant aux cellules voisines qui ne le contiennent pas.

Des mutations régulatrices qui modifient le comportement cellulaire dans le méristème peuvent transformer la topologie d'un végétal

Si une tige doit se ramifier, il faut que de nouveaux méristèmes apicaux de pousses soient créés, ce qui dépend également d'événements au voisinage de l'apex de la pousse. À chaque nœud en développement, dans l'angle aigu (l'aisselle) entre le primordium de la feuille et la tige, il se forme un bourgeon (Figure 21-117). Il contient un nid de cellules, dérivées du méristème apical qui conservent le caractère du méristème. Elles ont la capacité de devenir les méristèmes apicaux d'une nouvelle branche ou le primordium d'une structure de type fleur ; mais elles peuvent aussi rester quiescentes sous forme d'un *bourgeon axillaire*. L'organisation des ramifications végétales est régulée par ce choix de destin et des mutations qui l'affectent peuvent transformer la structure du végétal. Le maïs en est un exemple magnifique.

Le maïs représente l'un des exploits de génie génétique les plus remarquables faits par l'homme. Les Indiens d'Amérique l'ont créé par une multiplication sélective sur une période de plusieurs siècles ou peut-être de millénaires, il y a entre 5 000 et 10 000 ans. Ils sont partis d'une herbe sauvage, la téosinte, dotée de tiges feuillues hautement ramifiées et d'épis minuscules portant des grains, durs, non comestibles. Des analyses génétiques détaillées ont identifié une poignée de loci génétiques – environ cinq – qui sont des sites de mutations qui rendent compte, pour une large part, des différences entre cet ancêtre peu prometteur et le maïs moderne. Un de ces loci, dont l'effet est particulièrement spectaculaire, correspond au gène *teosinte branched-1 (tb1)*. Dans le maïs porteur de mutations avec perte de fonction de *tb1*, la tige habituelle, simple et non ramifiée, composée de quelques grandes feuilles placées à intervalles le long d'elle, se transforme en une masse dense, ramifiée et feuillue, qui rappelle la téosinte (Figure 21-118A). L'organisation des ramifications du mutant implique que les bourgeons axillaires, qui partent d'une position normale, ne sont plus sous l'inhibition qui les empêche de se développer en branches dans le maïs normal.

Dans le maïs normal, la tige unique est couronnée d'une barbe – fleur mâle – et quelques bourgeons axillaires le long de la tige se développent en fleurs femelles qui, après la fécondation, forment les épis de maïs que nous mangeons. Dans le maïs mutant porteur d'un gène *tb1* anormal, ces bourgeons axillaires pleins de fruits sont transformés en ramifications qui portent des barbes. Le végétal sauvage téosinte ressemble au maïs déficient en *tb1*, de par son aspect feuillu très ramifié, mais, contrairement au mutant, il forme des épis sur un grand nombre de ses ramifications latérales, comme si *tb1* était actif. Les analyses de l'ADN nous en ont apporté l'explication. La téosinte et le maïs normal possèdent un gène *tb1* fonctionnel dont la séquence codante est presque identique mais, dans le maïs, la région régulatrice a subi une mutation qui relance le niveau d'expression génique. De ce fait, dans le maïs normal, le gène s'exprime à un fort niveau dans chaque bourgeon axillaire, et inhibe la formation des ramifications, tandis que dans la téosinte l'expression est basse dans beaucoup de bourgeons axillaires, de telle sorte que cela permet la formation de ramifications (Figure 21-118B).

Cet exemple montre comment de simples mutations, en commutant le comportement des cellules du méristème, peuvent transformer la structure du végétal – un prin-

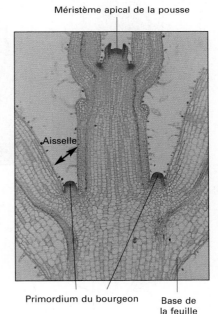

Méristème apical de la pousse

Aisselle

Primordium du bourgeon

Base de la feuille

Figure 21-117 Les bourgeons axillaires au voisinage de l'apex de la pousse. La photographie montre une coupe longitudinale de *Coleus blumei*, une plante d'intérieur commune. (D'après P.H. Raven, R.F. Evert et S.E. Eichhorn, Biology of Plants, 6th edn. New York : Freeman/Worth, 1999, utilisé avec autorisation.)

cipe d'une importance énorme pour la multiplication des végétaux dans un but alimentaire. Plus généralement, le cas de *tb1* illustre comment peuvent se développer de nouveaux plans corporels, qu'ils soient végétal ou animal, par le biais de modifications de l'ADN régulateur sans modifications du caractère de la protéine fabriquée.

Des signaux hormonaux à longue distance coordonnent les événements du développement dans les parties éloignées du végétal

Le destin d'un bourgeon axillaire est dicté non seulement par ses gènes mais aussi par les conditions de son environnement. Les parties éloignées d'un végétal connaissent différents environnements et réagissent individuellement vis-à-vis d'eux par des modifications de leur mode de développement. Le végétal, cependant, doit continuer à fonctionner en tant que tout. Cela demande que les choix du développement et les événements qui se produisent dans une partie du végétal affectent les choix de développement ailleurs. Il doit exister des signaux sur de longues distances qui permettent ce genre de coordination.

Comme les jardiniers le savent, par exemple, le pincement de l'extrémité d'une ramification peut stimuler la croissance latérale : l'élimination du méristème apical soulage les méristèmes axillaires quiescents de l'inhibition et leur permet de former de nouvelles brindilles. Dans ce cas, le signal sur de longues distances issu du méristème apical, ou au moins l'un de ses composants clé, a été identifié. C'est une auxine, membre d'une des six classes d'hormones connues de **régulateurs de croissance des végétaux** (appelés parfois *hormones végétales*), qui ont tous des influences puissantes sur le développement du végétal. Les cinq autres classes connues sont les *gibberellines*, les *cytokines*, l'*acide abscisique*, l'*éthylène* gazeux et les *brassinostéroïdes*. Comme le montre la figure 21-119, ce sont toutes de petites molécules qui pénètrent facilement la paroi cellulaire. Elles sont toutes synthétisées par la plupart des cellules végétales et peuvent soit agir localement soit être transportées pour influencer à distance les

(A)

(B)

Téosinte   Maïs normal   Mutant déficient en *tb1* du maïs

Figure 21-118 Transformation de l'architecture du végétal par mutations : comparaison de la téosinte, du maïs normal et du maïs déficient en *tb1*.
(A) Photographies de trois types de végétaux.
(B) Comparaison schématique de l'architecture de la téosinte, du maïs normal et du maïs déficient en *tb1*. Le produit du gène *tb1* est nécessaire au développement des épis. Il est absent dans le mutant *tb1*, il est présent dans la téosinte et dans le maïs normal mais ces deux végétaux diffèrent parce que ce gène est régulé différemment. [A (*image gauche*), d'après J. Doebley et R.L. Wang, *Cold Spring Harbor Symp.* 62 : 361-367, 1997. © Cold Spring Harbor Press; A (*images du centre et de droite*) d'après J. Doebley, A. Stec et L. Hubbard, *Nature* 386 : 485-488, 1997. © Macmillan Magazines Ltd.]

Barbes

Épis

Acide gibberellique (GA3) (une gibberelline)

Acide indole-3-acétique (IAA) (une auxine)

CH$_2$COOH

Éthylène

Zéatine (une cytokine)

Acide abscisique (ABA)

Brassinolide (un brassinostéroïde)

Figure 21-119 Régulateurs de croissance des végétaux. La formule d'une molécule représentative naturelle de chacun des six groupes de molécules régulatrices de croissance des végétaux est montrée ici.

cellules cibles. L'auxine, par exemple, est transportée de cellule à cellule à une vitesse d'environ 1 cm par heure, à partir de l'extrémité de la pousse vers sa base. Chaque régulateur de croissance a des effets multiples et tous sont modulés par les autres régulateurs de croissance ainsi que par des signaux environnementaux et l'état nutritionnel. De ce fait, l'auxine seule peut favoriser la formation des racines mais, associée à la gibberelline, elle peut promouvoir l'allongement de la tige ; avec les cytokines, l'auxine peut supprimer les excroissances latérales des pousses ; et avec l'éthylène elle peut stimuler la croissance latérale des racines. Les récepteurs qui reconnaissent certains de ces régulateurs de croissance sont traités au chapitre 15.

Les gènes de sélection homéotique spécifient les parties d'une fleur

Hormis la quiescence et la croissance, les méristèmes font face à d'autres choix de développement comme nous l'avons déjà vu dans notre discussion sur le maïs et ils sont également souvent régulés par l'environnement. Le plus important est la décision de former une fleur (Figure 21-120).

La commutation entre la croissance du méristème et la formation d'une fleur est typiquement déclenchée par la lumière. Selon des mécanismes encore mal compris, fondés sur l'absorption de la lumière par des protéines, les phytochromes et cryptochromes (*voir* Chapitre 15), le végétal peut sentir très précisément les variations de la longueur du jour. Il répond par l'activation de l'expression d'un groupe de gènes d'*identité du méristème floral* dans le méristème apical. Par l'activation de ces gènes, le méristème apical abandonne ses chances de poursuivre sa croissance végétative et mise son futur sur la production de gamètes. Ses cellules s'embarquent dans un programme strictement défini de croissance et de différenciation : la modification des mécanismes ordinaires qui engendrent les feuilles engendre la formation d'une série de spires d'appendices spécifiques selon un ordre précis – typiquement d'abord les sépales, puis les pétales, puis les étamines qui portent les anthères qui contiennent le pollen et enfin les carpelles qui contiennent les œufs (*voir* Planche 21-1). À la fin de ce processus, le méristème a disparu, mais dans sa descendance il a engendré des cellules germinales.

(A)

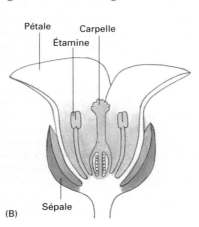

Pétale

Carpelle

Étamine

Sépale

(B)

Figure 21-120 La structure d'une fleur d'*Arabidopsis*. (A) Photographie. (B) Schéma. (A, due à l'obligeance de Leslie Sieburth.)

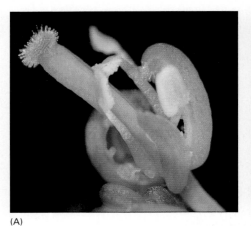

(A)   (B)   (C)

Figure 21-121 Fleurs d'*Arabidopsis* montrant une sélection de mutations homéotiques. (A) Dans *apetala2*, les sépales sont transformés en carpelles et les pétales en étamines ; (B) dans *apetala3* les pétales sont transformés en sépales et les étamines en carpelles ; (C) dans *agamous*, les étamines sont transformées en pétales et les carpelles en méristème floral. (D) Dans un triple mutant où ces trois fonctions sont déficientes, tous les organes de la fleur sont transformés en feuilles. (A-C, dues à l'obligeance de Leslie Sieburth ; D, due à l'obligeance de Mark Running.)

(D)

Les séries de feuilles modifiées qui forment la fleur peuvent être comparées à la série des segments corporels qui forment la mouche. Dans les végétaux, comme chez les mouches, on peut trouver des mutations homéotiques qui transforment une partie de l'organisation en une autre. Les phénotypes mutants peuvent être regroupés au moins en quatre classes, dans lesquelles des groupes d'organes différents mais qui se superposent sont modifiés (Figure 21-121). La première ou classe « A », dont l'exemple est le mutant *apetala2* d'*Arabidopsis*, présente une transformation de ses deux spires les plus externes : les sépales sont transformés en carpelles et les pétales en étamines. Dans la deuxième classe, « B », dont l'exemple est *apetala3*, les deux spires centrales sont transformées : les pétales sont transformés en sépales et les étamines en carpelles. La troisième classe, « C », dont l'exemple est *agamous*, a ses deux spires internes transformées, et les conséquences sont plus drastiques : les étamines sont transformées en pétales et les carpelles sont absentes ; à leur place les cellules centrales de la fleur se comportent comme un méristème floral qui recommence toutes les performances du développement et engendre un autre ensemble anormal de sépales et de pétales emboîtée à l'intérieur du premier, puis potentiellement un autre, logé à l'intérieur et ainsi de suite, indéfiniment. La quatrième classe de mutants, *sepallata*, présentent leurs trois vrilles internes transformées en sépales.

Ces phénotypes identifient quatre classes de gènes de sélection homéotique, qui, comme les gènes de sélection homéotique de *Drosophila*, codent tous pour des protéines régulatrices de gènes. Ils sont exprimés dans différents domaines et définissent les différences d'état cellulaire qui donne aux différentes parties d'une fleur normale leurs différents caractères, comme le montre la figure 21-122. Les produits des gènes collaborent pour former des complexes protéiques qui entraînent l'expression appropriés de gènes en aval. Dans les triples mutants pour lesquels les fonctions géniques A, B et C sont toutes absentes, on obtient, à la place de la fleur, une succession indéfinie de feuilles étroitement emboîtées (*voir* Figure 21-121D). À l'inverse, un végétal transgénique qui exprime les gènes des classes A, B et sepallata en dehors de leurs domaines normaux, les feuilles sont transformées en pétales. Les feuilles représentent donc un « état de base » dans lequel aucun gène de sélection homéotique n'est exprimé, alors que les autres types d'organes résultent des différentes combinaisons de l'expression de ces gènes.

Des études similaires ont été effectuées dans d'autres espèces végétales et un ensemble similaire de phénotypes et de gènes a été identifié : les végétaux, comme les animaux, ont conservé leurs systèmes de gènes de sélection homéotique. La duplication génique a joué un grand rôle dans l'évolution de ces gènes : plusieurs d'entre eux, nécessaires dans les différents organes de la fleur, présentent clairement des homologies de séquence. Ils ne sont pas de la classe des homéoboîtes mais sont des membres d'une autre famille de protéines régulatrices de gènes (la famille MADS) présente également chez les levures et les vertébrés.

En clair, les végétaux et les animaux ont trouvé indépendamment des solutions très similaires à beaucoup de problèmes fondamentaux du développement multicellulaire.

(A) FLEUR NORMALE

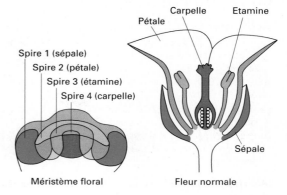

  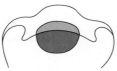

Expression du gène A (APETALA 2)

Expression du gène B (APETALA 3)

Expression du gène C (AGAMOUS)

Spire 1 (sépale)
Spire 2 (pétale)
Spire 3 (étamine)
Spire 4 (carpelle)

Méristème floral

Pétale
Carpelle
Etamine
Sépale

Fleur normale

(B) FLEUR MUTANTE N'EXPRIMANT PAS LE GÈNE B (APETALA 3)

  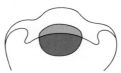 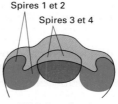 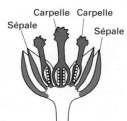 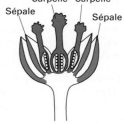

Expression du gène A (APETALA 2)

PAS D'EXPRESSION DU GÈNE B

Expression du gène C (AGAMOUS)

Spires 1 et 2
Spires 3 et 4

Méristème floral

Carpelle Carpelle
Sépale   Sépale

Fleur mutante

Résumé

Le développement d'un végétal à fleurs, comme celui d'un animal, commence par la division d'un œuf fécondé qui forme un embryon dont l'organisation est polarisée : la partie apicale de l'embryon formera la pousse, la partie basale, la racine et la partie centrale, la tige. Au départ, la division cellulaire se produit dans tout le corps de l'embryon. Tandis que l'embryon se développe, cependant, l'addition de nouvelles cellules se restreint à de petites régions appelées méristèmes. Les méristèmes apicaux, à l'extrémité de la racine et de la pousse, persisteront tout le long de la vie du végétal et lui permettront de croître par l'addition séquentielle de nouvelles parties à sa périphérie. Typiquement, la pousse engendre une série répétitive de modules, chacun composé d'un segment de tige, d'une feuille et d'un bourgeon axillaire. Le bourgeon axillaire est un nouveau méristème potentiel, capable de donner naissance à une ramification latérale. L'environnement — et des signaux hormonaux de longue distance à l'intérieur du végétal peuvent contrôler le développement du végétal en régulant l'activation du bourgeon. Des mutations qui altèrent les règles de l'activation des bourgeons axillaires peuvent avoir un effet drastique sur la forme et la structure du végétal; une seule de ces mutations — parmi les cinq altérations génétiques capitales — entre en compte en grande partie dans la différence spectaculaire entre le maïs moderne et son ancêtre sauvage, la téosinte.

Arabidopsis thaliana, une mauvaise herbe de petite taille, est largement utilisée comme organisme modèle pour les études génétiques et a été le premier végétal dont le génome a été complètement séquencé. Comme chez les animaux, les gènes qui gouvernent le développement du végétal peuvent être identifiés par un criblage génétique et leurs fonctions testées par des manipulations génétiques. Ces études ont commencé à révéler les mécanismes moléculaires qui permettent d'esquisser, à l'échelle microscopique, l'organisation interne de chaque module du végétal par les interactions intercellulaires au voisinage du méristème apical. Le méristème lui-même semble être entretenu par une boucle de rétrocontrôle locale dans laquelle les cellules qui expriment la protéine régulatrice de gènes Wuschel fournissent un stimulus positif et la voie de signalisation intercellulaire Clavata engendre un rétrocontrôle négatif qui empêche le méristème de devenir trop gros.

Les signaux de l'environnement — en particulier la lumière, minutée de façon appropriée — peuvent provoquer l'expression de gènes qui commutent les méristèmes apicaux du mode de formation de feuilles à celui de formation de fleurs. Les parties d'une fleur — sépales, pétales, étamines et carpelles — sont formées par la modification des mécanismes du développement des feuilles et les différences entre ces parties sont contrôlées par des gènes de sélection homéotique grandement analogues (bien que non homologues) à ceux des animaux.

Figure 21-122 L'expression de gènes de sélection homéotique dans une fleur d'*Arabidopsis*. (A) Schéma du patron d'expression normal des trois gènes dont les phénotypes mutants sont illustrés en figure 21-121A-C. Ces trois gènes codent pour des protéines régulatrices de gènes. Les couleurs sur les fleurs indiquent les organes qui se développent à partir de chaque spire du méristème, mais n'impliquent pas que les gènes de sélection homéotique s'expriment encore à ce stade. (B) Le patron d'expression dans un mutant où le gène *apetala3* est déficient. Comme le caractère des organes de chaque spire est défini par l'ensemble des gènes de sélection homéotique qu'ils expriment, les étamines et les pétales sont transformés en sépales et carpelles. La conséquence d'une déficience d'un gène de classe A, comme *apetala2* est légèrement plus complexe; l'absence de ce produit de gène de classe A permet l'expression du gène de classe C dans les deux spires externes ainsi que dans les deux internes, et provoque le développement de ces deux spires externes respectivement en carpelles et étamines. La déficience en un gène de classe C évite que la région centrale ne subisse sa différenciation terminale en carpelle et donc qu'elle continue de croître comme un méristème, et engendre de plus en plus de sépales et de pétales.

Bibliographie

Généralités

Carroll SB, Grenier JK & Weatherbee SD (2001) From DNA to Diversity: Molecular Genetics and the Evolution of Animal Design. Malden, MA: Blackwell Science.

Gilbert SF (2000) Developmental Biology, 6th edn. Sunderland, MA: Sinauer.

Slack JMW (2001) Essential Developmental Biology. Oxford: Blackwell Science.

Wolpert L, Beddington R, Jessell TM & Lawrence P (2002) Principles of Development, 2nd edn. London/Oxford: Current Biology/Oxford University Press.

Mécanismes universels du développement animal

Gilbert SF & Raunio AM (eds) (1997) Embryology: Constructing The Organism. Sunderland, MA: Sinauer.

Scott MP (2000) Development: the natural history of genes. Cell 100, 27–40.

Spemann H (1938) Embryonic Development and Induction. New Haven: Yale University Press. Reprinted 1988, New York: Garland Publishing.

The Zebrafish Issue (1996) Development 123, 1–481. (A genetic screen)

Caenorhabditis elegans : le développement dans la perspective d'une cellule prise individuellement

Harris WA & Hartenstein V (1991) Neuronal determination without cell division in Xenopus embryos. Neuron 6, 499–515.

Lin R, Hill RJ & Priess JR (1998) POP-1 and anterior-posterior fate decisions in C. elegans embryos. Cell 92, 229–239.

Metzstein MM, Stanfield GM & Horvitz HR (1998) Genetics of programmed cell death in C. elegans: past, present and future. Trends Genet. 14, 410–416.

Pasquinelli AE, Reinhart BJ, Slack F et al. (2000) Conservation of the sequence and temporal expression of let-7 heterochronic regulatory RNA. Nature 408, 86–89.

Drosophila et la génétique moléculaire de la formation d'un patron : la genèse du plan corporel

Bate M & Martinez Arias A (eds) (1993) The Development of Drosophila melanogaster. Cold Spring Harbor, NY: Cold Spring Harbor Laboratory Press.

Dearden P & Akam M (1999) Developmental evolution: Axial patterning in insects. Curr. Biol. 9, R591–R594.

Lawrence PA (1992) The Making of a Fly: The Genetics of Animal Design. Oxford: Blackwell Scientific.

Nusslein-Volhard C & Wieschaus E (1980) Mutations affecting segment number and polarity in Drosophila. Nature 287, 795–801.

Rubin GM, Yandell MD, Wortman JR et al. (2000) Comparative genomics of the eukaryotes. Science 287, 2204–2215.

Shulman JM, Benton R & St Johnston D (2000) The Drosophila homolog of C. elegans PAR-1 organizes the oocyte cytoskeleton and directs oskar mRNA localization to the posterior pole. Cell 101, 377–388.

Gènes de sélection homéotique et formation de l'axe antéropostérieur

Ferrier DE & Holland PW (2001) Ancient origin of the Hox gene cluster. Nat. Rev. Genet. 2, 33–38.

Lewis EB (1978) A gene complex controlling segmentation in Drosophila. Nature 276, 565–570.

Maconochie M, Nonchev S, Morrison A & Krumlauf R (1996) Paralogous Hox genes: function and regulation. Annu. Rev. Genet. 30, 529–556.

McGinnis W, Garber RL, Wirz J et al. (1984) A homologous protein-coding sequence in Drosophila homeotic genes and its conservation in other metazoans. Cell 37, 403–408.

Ringrose L & Paro R (2001) Remembering silence. BioEssays 23, 566–570.

Organogenèse et formation des appendices

Capdevila J & Belmonte JCI (2001) Patterning mechanisms controlling vertebrate limb development. Annu. Rev. Cell Dev. Biol. 17, 87–132.

Day SJ & Lawrence PA (2000) Measuring dimensions: the regulation of size and shape. Development 127, 2977–2987.

Irvine KD & Rauskolb C (2001) Boundaries in development: formation and function. Annu. Rev. Cell Dev. Biol. 17, 189–214.

Jan YN & Jan LY (2001) Development: asymmetric cell division in the Drosophila nervous system. Nat. Rev. Neurosci. 2, 772–779.

Panganiban G, Irvine SM, Lowe C et al. (1997) The origin and evolution of animal appendages. Proc. Natl. Acad. Sci. USA 94, 5162–5166.

Teleman AA, Strigini M & Cohen SM (2001) Shaping morphogen gradients. Cell 105, 559–562.

Mouvements cellulaires et mise en forme du corps des vertébrés

Harland R & Gerhart J (1997) Formation and function of Spemann's Organizer. Annu. Rev. Cell Dev. Biol. 13, 611–667.

Heisenberg CP, Tada M, Rauch GJ et al. (2000) Silberblick/Wnt11 mediates convergent extension movements during zebrafish gastrulation. Nature 405, 76–81.

Kalcheim C & Le Douarin NM (1999) The Neural Crest, 2nd edn. Cambridge: Cambridge University Press.

Mercola M & Levin M (2001) Left–right asymmetry determination in vertebrates. Annu. Rev. Cell Dev. Biol. 17, 779–132.

Palmeirim I, Henrique D, Ish-Horowicz D & Pourquie O (1997) Avian hairy gene expression identifies a molecular clock linked to vertebrate segmentation and somitogenesis. Cell 91, 639–648.

Takeichi M, Nakagawa S, Aono S et al. (2000) Patterning of cell assemblies regulated by adhesion receptors of the cadherin superfamily. Philos. Trans. R. Soc. Lond. B. Biol. Sci. 355, 885–890.

La souris

Larsen WJ (2001) Human Embryology, 3rd edn: Churchill Livingstone.

Lu CC, Brennan J & Robertson EJ (2001) From fertilization to gastrulation: axis formation in the mouse embryo. Curr. Opin. Genet. Dev. 11, 384–392.

Metzger RJ & Krasnow MA (1999) Genetic control of branching morphogenesis. Science 284, 1635–1639.

Smith AG (2001) Embryo-derived stem cells: of mice and men. Annu. Rev. Cell Dev. Biol. 17, 435–462.

Weaver M, Dunn NR & Hogan BL (2000) Bmp4 and Fgf10 play opposing roles during lung bud morphogenesis. Development 127, 2695–2704.

Développement nerveux

Bi G & Poo M (2001) Synaptic modification by correlated activity: Hebb's postulate revisited. Annu. Rev. Neurosci. 24, 139–166.

Hubel DH & Wiesel TN (1965) Binocular interaction in striate cortex of kittens reared with artificial squint. J. Neurophysiol. 28, 1041–1059.

Kandel ER, Schwartz JH & Jessell TM (2000) Principles of Neural Science, 4th edn. New York: McGraw-Hill.

Mueller BK (1999) Growth cone guidance: first steps towards a deeper understanding. Annu. Rev. Neurosci. 22, 351–388.

Sanes DH, Reh TA & Harris WA (2000) Development of the Nervous System. San Diego: Academic Press.

Sanes JR & Lichtman JW (2001) Development: induction, assembly, maturation and maintenance of a postsynaptic apparatus. Nat. Rev. Neurosci. 2, 791–805.

Zou Y, Stoeckli E, Chen H & Tessier-Lavigne M (2000) Squeezing axons out of the gray matter: a role for slit and semaphorin proteins from midline and ventral spinal cord. Cell 102, 363–375.

Développement des végétaux

Doebley J, Stec A & Hubbard L (1997) The evolution of apical dominance in maize. Nature 386, 485–488.

Howell SH (1998) Molecular Genetics of Plant Development. Cambridge: Cambridge University Press.

Jack T (2001) Relearning our ABCs: new twists on an old model. Trends Plant Sci. 6, 310–316.

Schoof H, Lenhard M, Haecker A et al. (2000) The stem cell population of Arabidopsis shoot meristems is maintained by a regulatory loop between the CLAVATA and WUSCHEL genes. Cell 100, 635–644.

Westhoff P, Jeske H, Jürgens G et al. (1998) Molecular Plant Development From Gene to Plant. Oxford: Oxford University Press.

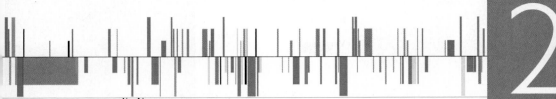

HISTOLOGIE : VIE ET MORT DES CELLULES DANS LES TISSUS

À l'origine, les cellules évoluaient en tant qu'êtres vivants unicellulaires. Néanmoins, les cellules qui nous intéressent le plus en tant qu'êtres humains sont des membres spécialisés d'une communauté multicellulaire. Elles ont perdu les caractéristiques nécessaires à une survie indépendante et ont acquis des particularités qui servent les besoins du corps comme entité. Bien qu'elles partagent le même génome, elles sont étonnamment différentes : plus de 200 types cellulaires différents sont décrits dans le corps humain. Elles collaborent entre elles pour former une multitude de tissus différents, organisés en organes possédant des fonctions très variées. Pour comprendre ces fonctions, il n'est pas suffisant de les étudier en boîte de culture : nous avons aussi besoin de savoir comment elles vivent, travaillent et meurent dans leur habitat naturel.

Dans les chapitres 7 et 21, nous avons vu la différenciation cellulaire au cours de l'embryogenèse et comment la mémoire cellulaire et les signaux échangés entre cellules voisines leur permettent par la suite de demeurer différentes. Dans le chapitre 19, nous avons examiné les mécanismes de construction des tissus multicellulaires – les systèmes qui lient les cellules et les matériels extracellulaires qui leur servent de support. Dans ce chapitre, nous considérerons les fonctions et le mode de vie des cellules spécialisées chez le vertébré adulte. Nous décrirons comment les cellules fonctionnent ensemble afin d'accomplir leurs tâches, comment de nouvelles cellules spécialisées naissent, vivent et meurent et comment l'architecture tissulaire est préservée en dépit du renouvellement cellulaire constant.

Nous examinerons ces thèmes au travers d'une série d'exemples – certains illustreront des principes généraux, d'autres mettront en lumière des points précis de l'étude et enfin d'autres exemples pointeront des problèmes biologiques non encore élucidés.

L'ÉPIDERME ET SON RENOUVELLEMENT PAR LES CELLULES SOUCHES

Pour soutenir ses fonctions spécialisées, la peau a des exigences fondamentales communes à presque tous les tissus. Tous ont besoin d'une force mécanique souvent formée par le réseau de soutien que constitue la matrice extracellulaire, qui est sécrétée par les *fibroblastes*. De plus, la majorité des tissus ont besoin d'une irrigation sanguine qui fournit les éléments nutritifs et l'oxygène et permet l'élimination des déchets cel-

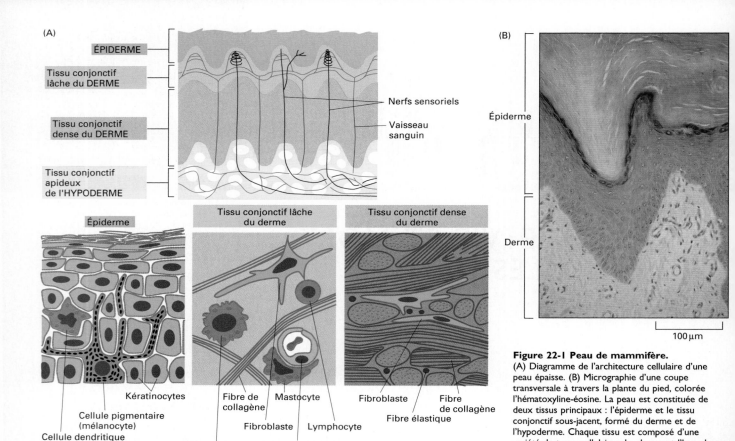

(A)

ÉPIDERME

Tissu conjonctif
lâche du DERME

Tissu conjonctif
dense du DERME

Tissu conjonctif
apideux
de l'HYPODERME

Nerfs sensoriels

Vaisseau
sanguin

Épiderme

Tissu conjonctif lâche
du derme

Tissu conjonctif dense
du derme

Kératinocytes

Cellule pigmentaire
(mélanocyte)

Cellule dendritique
(cellule de Langerhans)

Fibre de
collagène

Macrophage

Mastocyte

Fibroblaste

Cellule endothéliale
formant un capillaire

Lymphocyte

Fibroblaste

Fibre élastique

Fibre
de collagène

(B)

Épiderme

Derme

100 µm

Figure 22-1 Peau de mammifère.
(A) Diagramme de l'architecture cellulaire d'une peau épaisse. (B) Micrographie d'une coupe transversale à travers la plante du pied, colorée à l'hématoxyline-éosine. La peau est constituée de deux tissus principaux : l'épiderme et le tissu conjonctif sous-jacent, formé du derme et de l'hypoderme. Chaque tissu est composé d'une variété de types cellulaires. Le derme et l'hypoderme sont richement irrigués et innervés. Quelques terminaisons nerveuses s'étendent dans l'épiderme.

lulaires et du dioxyde de carbone. Il existe un réseau de vaisseaux sanguins, tapissés par des *cellules endothéliales*. Ces vaisseaux sont aussi une voie d'accès pour les cellules du système immunitaire qui permettent de se défendre contre les infections : *macrophages* et *cellules dendritiques* phagocytent les agents pathogènes envahissants et aident à l'activation des lymphocytes, qui médient des réponses adaptées plus sophistiquées du système immunitaire (*voir* Chapitre 24). Les *fibres nerveuses* sont nécessaires à la conduction de l'information sensorielle des tissus vers le système nerveux central et, dans la direction opposée, à la délivrance du signal de sécrétion glandulaire ou de contraction des muscles lisses.

La figure 22-1 illustre l'architecture de la peau et montre comment elle assure le soutien de tous ces éléments de support. La peau est constituée de deux zones principales : un épithélium, l'*épiderme*, revêtement le plus extérieur avec au-dessous une couche de tissu conjonctif, qui inclut le *derme*, dur et riche en collagènes (avec lequel on fait le cuir) et la *couche adipeuse sous-cutanée* ou *hypoderme*. Dans la peau, comme ailleurs, le tissu conjonctif, parcouru de vaisseaux et de nerfs, est responsable de la plupart des fonctions générales habituelles décrites précédemment.

La composante déterminante de cet organe, bien que minoritaire, est l'épiderme. Il possède une structure simple mais il illustre bien la façon dont les tissus adultes sont en perpétuel renouvellement par des processus similaires à ceux se déroulant dans l'embryon. Nous reviendrons plus tard sur le tissu conjonctif.

Les cellules épidermiques forment une barrière stratifiée imperméable

L'**épiderme** est en contact direct, fréquent avec le milieu externe et il est soumis à ses attaques, plus que n'importe quel autre tissu de l'organisme. Ses fonctions réparatrices et de renouvellement sont au cœur de son organisation.

L'épiderme est un épithélium *stratifié* (formé par plusieurs couches de cellules superposées) composé majoritairement de *kératinocytes* (nommés ainsi en raison de leur capacité à synthétiser des filaments intermédiaires appelés kératines, qui procurent à la peau sa solidité) (Figure 22-2). Ces cellules modifient leur apparence d'une couche à l'autre. Celles de la couche la plus profonde, attachée à la membrane basale,

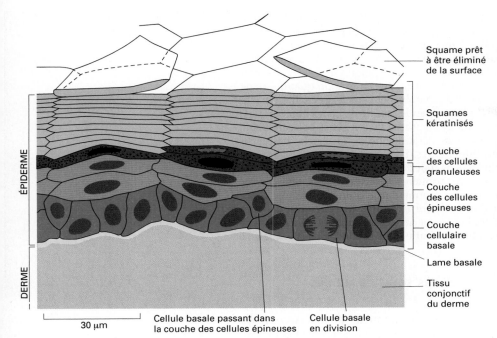

Figure 22-2 Structure stratifiée de l'épiderme (de souris). Les contours des squames kératinisés sont révélés par leur gonflement dans une solution de soude. L'organisation hexagonale très ordonnée de colonnes de cellules empilées montrées ici se retrouve uniquement dans des endroits où l'épiderme est épais. Chez l'homme, les empilements de squames sont généralement plus grands et moins réguliers. Quand la peau est très épaisse, les cellules mitotiques sont observées non seulement dans la couche basale mais également dans les premières couches au-dessus. En plus des cellules destinées à la kératinisation, les couches profondes de l'épiderme contiennent un petit nombre de cellules de caractère assez différent (comme indiqué en figure 21-1) qui comprennent les cellules dendritiques appelées cellules de Langerhans, dérivées de la moelle osseuse, les mélanocytes (cellules pigmentaires) dérivées des crêtes neurales et les cellules de Merkel, qui sont associées aux terminaisons nerveuses dans l'épiderme.

Labels on figure:
- Squame prêt à être éliminé de la surface
- Squames kératinisés
- Couche des cellules granuleuses
- Couche des cellules épineuses
- Couche cellulaire basale
- Lame basale
- Tissu conjonctif du derme
- ÉPIDERME
- DERME
- 30 µm
- Cellule basale passant dans la couche des cellules épineuses
- Cellule basale en division

sont appelées *cellules basales* et sont généralement les seules à se diviser. Au-dessus des cellules basales se trouvent plusieurs couches de cellules plus volumineuses, les cellules épineuses (Figure 22-3), dont les nombreux desmosomes – chacun étant un point d'ancrage pour d'épaisses touffes de filaments de kératine – sont visualisés en microscopie photonique comme de petites épines à la surface cellulaire (d'où les cellules tiennent leur nom). Au-dessus des cellules épineuses se trouve une fine couche de cellules granuleuses (*voir* Figure 22-2). C'est à ce niveau que les cellules sont scellées entre elles afin de former une couche imperméable remplissant la fonction la plus importante de la peau. Les souris qui ne peuvent pas fabriquer cette barrière, en raison d'un déficit génétique, meurent rapidement après la naissance à cause d'une perte liquidienne rapide, bien que leur peau apparaisse normale à d'autres égards.

La couche granuleuse, qui forme une barrière à l'eau et aux solutés, délimite la couche interne métaboliquement active et la couche externe constituée de cellules mortes où les organites cellulaires ont disparu. Ces cellules externes se réduisent à des structures aplaties, ou *squames*, remplies de kératine très dense. Les membranes plasmiques des squames et des cellules granuleuses externes sont renforcées sur leur surface cytoplasmique par une couche fine (12 nm) et dure constituée par l'accumulation de protéines, comprenant une protéine intra-cytoplasmique appelée involucrine. Ces cellules sont si minces et comprimées qu'elles sont difficiles à mettre en évidence en microscopie photonique. On peut cependant les faire gonfler légèrement dans une solution d'hydroxyde de sodium ou par un bain chaud. Leurs contours deviennent ainsi visibles (*voir* Figure 22-2).

Au cours de leur maturation, les cellules épidermiques synthétisent une séquence de différentes kératines

Après avoir décrit l'organisation statique de l'épiderme, voyons maintenant comment l'épiderme est continuellement renouvelé par la production de nouvelles cellules de la couche basale. Alors que quelques cellules basales se divisent, s'ajoutant à la population de la couche basale, d'autres (leurs sœurs ou leurs cousines) s'échappent de la couche basale vers la couche des cellules épineuses, effectuant la première étape de leur voyage vers l'extérieur. Quand elles atteignent la couche granuleuse, les cellules commencent à perdre leur noyau et leurs organites cytoplasmiques selon un mécanisme de dégradation qui implique une activation partielle de la machinerie de l'apoptose. Elles se transforment alors en squames kératinisés de la couche kératinisée. Finalement, ceux-ci se détachent par écailles de la surface de la peau (et deviennent un des constituants principaux de la poussière domestique). Le temps

Filaments de kératine

Desmosome reliant deux cellules

5 µm

Figure 22-3 Une cellule épineuse. Dessin à partir d'une micrographie électronique d'une coupe d'une cellule épineuse de l'épiderme montrant les faisceaux de filaments de kératine qui traversent le cytoplasme et sont insérés au niveau de desmosomes qui lient la cellule (*en rouge*) à ses voisines. Les nutriments et l'eau diffusent librement au travers des espaces intercellulaires dans les couches métaboliquement actives de l'épiderme, occupés par les cellules épineuses. Plus à l'extérieur, au niveau des cellules granuleuses se trouve une barrière imperméable vraisemblablement formée d'un matériau d'étanchéité sécrété par les cellules granuleuses. (D'après R.V. Krstic, Ultrastructure of the Mammalian Cell : an Atlas. Berlin : Springer-Verlag, 1979.)

compris entre la naissance d'une cellule dans la couche basale de la peau humaine et son élimination à la surface est de l'ordre d'un mois, selon la région du corps.

Des transformations moléculaires accompagnant ce phénomène peuvent être analysées sur de fines couches d'épiderme parallèles à la surface ou sur des couches successives de cellules que l'on décolle grâce à des applications répétées de ruban adhésif. Par exemple, les molécules de kératine, présentes en grande quantité dans toutes les couches de l'épiderme, peuvent être extraites et caractérisées. Il en existe plusieurs types (*voir* Chapitre 16) codés par une grande famille de gènes homologues. Leur diversité est d'autant plus grande que les transcrits de ces gènes peuvent subir des épissages alternatifs. Lorsque le nouveau kératinocyte de la couche basale se transforme en squame dans les couches supérieures (*voir* Figure 22-3), il exprime une succession de choix différents à partir de son répertoire de gènes homologues des kératines. Au cours de ce processus, d'autres protéines caractéristiques, telle l'involucrine, commencent aussi à être synthétisées comme partie d'un programme coordonné de **différenciation cellulaire terminale**, programme au cours duquel une cellule précurseur acquière ses caractéristiques spécialisées ultimes et généralement arrête de se diviser. Le programme complet est initié dans la couche basale. C'est là que le devenir des cellules se décide.

L'épiderme est renouvelé par des cellules souches situées dans la couche basale

Les couches externes de l'épiderme sont renouvelées un millier de fois au cours de la vie humaine. Dans la couche basale, il doit y avoir des cellules qui peuvent rester indifférenciées et continuer à se diviser durant la période complète, fournissant continuellement des descendants qui se différencient, quittent la couche basale et éventuellement sont éliminés. Ce processus peut être maintenu uniquement si la population de cellules basales est auto-renouvelée. Il doit par conséquent y avoir quelques cellules qui génèrent un mélange de descendants, incluant des cellules filles qui demeurent indifférenciées comme leurs parents, aussi bien que des filles qui se différencient. Les cellules qui possèdent de telles propriétés sont appelées **cellules souches**. Elles ont un rôle si important dans une grande diversité de tissus qu'il est utile d'en avoir une définition conventionnelle.

La cellule souche est définie par les propriétés suivantes :
1. Elle n'est pas elle-même totalement différenciée (c'est-à-dire qu'elle n'est pas à la fin du processus de différenciation).
2. Elle peut se diviser indéfiniment (au moins durant la vie de l'animal).
3. Quand elle se divise, chaque cellule fille a le choix : soit rester une cellule souche comme la cellule parentale, soit entrer irréversiblement dans une succession d'étapes qui mènent à la différenciation terminale (Figure 22-4).

Bien qu'il soit dit dans la définition qu'une cellule souche est capable de se diviser, il n'est pas indiqué qu'elle peut le faire rapidement ; en fait, les cellules souches se divisent habituellement à un rythme relativement faible. Les cellules souches sont donc nécessaires partout où il y a un besoin périodique de remplacer les cellules différenciées, qui ne peuvent plus se diviser et ceci inclut une grande variété de tissus. Les cellules souches appartiennent à différents types cellulaires, spécialisés dans la genèse des différentes classes de cellules différenciées – cellules souches épidermiques pour l'épiderme, cellules souches intestinales pour l'intestin, cellules souches hématopoïétiques pour le sang, etc. Néanmoins, chaque système de cellules souches soulève des questions identiques. Quels sont les facteurs qui déterminent si une cellule souche se divise ou reste quiescente ? Quand une cellule donne naissance à plus d'un type de cellule différenciée, comme c'est souvent le cas, qu'est-ce qui détermine la voie de différenciation à suivre ?

Les deux cellules filles d'une cellule souche ne doivent pas toujours devenir différentes

À l'état de repos, pour maintenir une population stable de cellules souches, 50 p. 100 précisément de cellules filles à chaque génération doivent rester des cellules souches. En principe, cela peut se faire selon deux modes : une *asymétrie environnementale* ou une *asymétrie divisionnelle* (Figure 22-5). Dans la première stratégie, la division d'une cellule souche pourrait engendrer deux cellules filles initialement identiques dont les devenirs seraient gouvernés par leur environnement ultérieur. Cinquante pour cent de la *population* de cellules filles demeureraient des cellules souches, mais les deux cellules filles d'une cellule souche individuelle pourraient toujours avoir le même

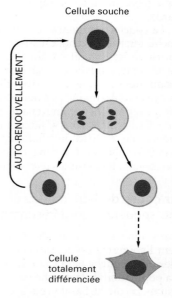

Figure 22-4 Définition d'une cellule souche. Chaque cellule fille, issue de la division d'une cellule souche, peut rester une cellule souche ou devenir totalement différenciée. Dans ce dernier cas, la cellule fille réalise en plus des divisions avant que la différenciation terminale ne soit complète.

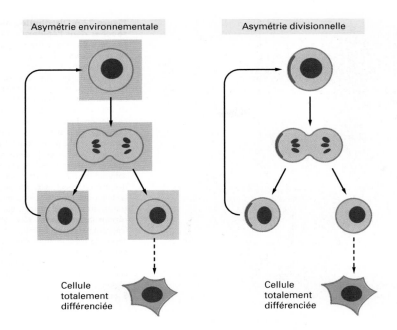

Cellule
totalement
différenciée

Cellule
totalement
différenciée

Figure 22-5 Deux voies de production par une cellule souche des cellules filles aux devenirs différents. Dans la stratégie basée sur l'asymétrie environnementale, les cellules filles d'une cellule souche sont initialement identiques et sont engagées dans des voies différentes selon l'influence de l'environnement, qui agit sur elles après leur naissance. L'environnement est représenté par les *cadres colorés* autour des cellules. Avec cette stratégie, le nombre de cellules souches peut être modulé (augmenté ou réduit) pour maintenir une réserve suffisante.

Dans la stratégie basée sur la division asymétrique, la cellule souche possède une asymétrie interne et lorsqu'elle se divise en deux, ses cellules filles sont déjà dotées de déterminants différents à leur naissance.

devenir. À l'opposé, la division de la cellule souche pourrait toujours être asymétrique : une cellule fille hériterait du caractère « cellule souche » alors que l'autre hériterait de facteurs qui la contraindraient à se différencier. Dans ce dernier cas, le nombre de cellules souches existantes ne pourrait jamais augmenter et toute perte de cellules souches serait irréparable.

En fait, si une partie de l'épiderme est détruite, la lésion est réparée par des cellules épidermiques environnantes qui vont migrer et proliférer afin de recouvrir la zone mise à nu. Dans ce processus, une nouvelle plaque auto-régénératrice est établie, ce qui implique que des cellules souches supplémentaires ont été engendrées pour compenser cette perte. Elles doivent avoir été produites par des divisions symétriques dans lesquelles une cellule souche donne naissance à deux cellules filles. De cette façon, la population de cellules souches ajuste son nombre afin de maintenir une réserve disponible.

Ces observations suggèrent que le maintien du caractère « cellule souche » dans l'épiderme pourrait être contrôlé par le contact avec la lame basale – une perte de contact déclenchant la différenciation terminale et le maintien du contact tendant à préserver le potentiel des cellules souches. Cette idée contient une part de vérité mais n'est pas toute la vérité, comme nous allons l'expliquer maintenant.

La couche basale contient à la fois des cellules souches et des cellules transitoires amplificatrices

Des kératinocytes basaux peuvent être dissociés de l'épiderme intact et proliférer dans une boîte de culture, donnant naissance à de nouvelles cellules basales et à des cellules différenciées de façon terminale. Même au sein d'une population de kératinocytes basaux en culture qui apparaissent tous indifférenciés, il existe de grandes variations dans la capacité de prolifération. Quand les cellules sont prises une par une et testées pour leur capacité à former de nouvelles colonies, quelques-unes semblent incapables de se diviser, d'autres ne passent que par un nombre limité de cycles de division puis s'arrêtent et d'autres encore se divisent de nombreuses fois pour former de grosses colonies. Ce potentiel prolifératif est directement corrélé à l'expression de la sous-unité $\beta1$ de l'intégrine (*voir* Figure 19-64). Une concentration élevée de cette molécule peut être également retrouvée dans des groupes de cellules de la couche basale de l'épiderme humain intact, et elles sont reconnues comme cellules souches (Figure 22-6).

Les cellules basales qui expriment plus faiblement l'intégrine $\beta1$ peuvent aussi se diviser, plus fréquemment, mais pour un nombre limité de divisions après lesquelles elles quittent la couche basale et se différencient. Ces dernières sont appelées **cellules transitoires amplificatrices** – « transitoires » car elles se trouvent entre un

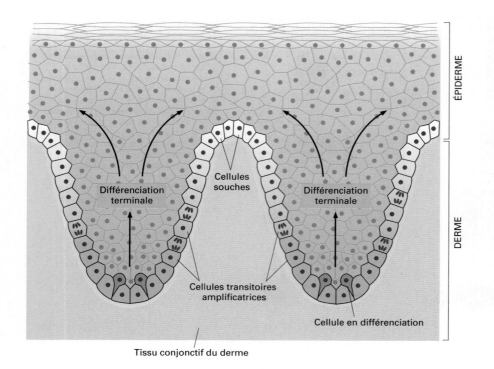

Figure 22-6 Distribution des cellules souches dans l'épiderme humain et modèle de la production des cellules épidermiques. Ce diagramme est basé sur des spécimens dans lesquels la localisation des cellules souches a été faite par marquage de l'intégrine β1 et celle des cellules différenciées par marquage de la kératine-10, un marqueur de différenciation des kératinocytes. Les cellules en division ont été identifiées par marquage au BrdU, un analogue de la thymidine, qui est incorporé dans les cellules en phase S du cycle de division cellulaire. Les cellules souches semblent groupées près du sommet des papilles dermiques. Elles se divisent rarement, elles donnent naissance (grâce à des mouvements latéraux) aux cellules transitoires amplificatrices, qui occupent les régions intermédiaires. Ces cellules se divisent fréquemment mais pour un nombre limité de cycles de division. Puis elles commencent à se différencier et quittent la couche basale. La distribution précise des cellules souches et des cellules transitoires amplificatrices varient d'une région à l'autre de l'épiderme. (Adapté d'après S. Lowell et al., *Curr. Biol.* 10 : 491-500, 2000.)

état cellule souche et un état cellule différenciée ; «amplificatrices» car les cycles de division dans lesquels elles s'engagent ont pour effet d'amplifier le nombre de descendants différenciés, qui résultent d'une unique différenciation de cellule souche (Figure 22-7). Mélangées à cette population de cellules, il y a quelques cellules, toujours connectées à la lame basale par une fine tige, qui ont cessé de se diviser et commencent à se différencier, comme cela est indiqué par les types de kératine qu'elles expriment. Le simple contact avec la lame basale n'est donc pas le seul facteur contrôlant le développement d'une cellule épidermique basale.

Cela ne signifie pas que le contact avec la lame basale ou une substance similaire n'a pas d'importance. Si des kératinocytes basaux sont maintenus en suspension, au lieu de leur permettre de se déposer et d'adhérer sur le fond d'une boîte de culture, ils arrêtent de se diviser et vont se différencier. Pour demeurer une cellule souche épidermique, il est apparemment nécessaire d'être attaché à la lame basale ou à une

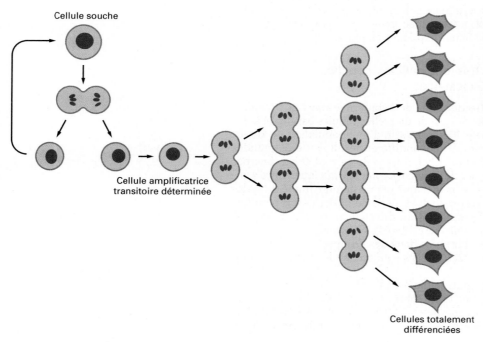

Figure 22-7 Transit des cellules amplificatrices. Dans beaucoup de tissus, les cellules souches se divisent seulement rarement mais donnent naissance aux cellules transitoires amplificatrices – cellules filles déterminées pour la différenciation, qui a lieu après à une série limitée de divisions plus rapides. Dans l'exemple montré ici, chaque division de cellules souches donne naissance de cette façon à 8 cellules filles totalement différenciées.

autre matrice extracellulaire, même si cela n'est pas suffisant. Cette exigence permet de s'assurer que la taille de la population de cellules basales n'augmentera pas sans limites. Si on les déloge de leur niche particulière sur la lame basale, elles perdent leur caractère singulier de cellule souche. Quand cette règle est brisée, comme dans certains cancers, il peut en résulter une tumeur croissant sans limites.

Le renouvellement de l'épiderme est gouverné par de nombreux facteurs interagissant

Le renouvellement cellulaire de l'épiderme paraît simple au premier abord mais la simplicité, comme nous venons juste de le voir, est trompeuse. De nombreuses étapes du processus doivent être contrôlées en fonction des circonstances : le taux de division des cellules souches, la probabilité pour qu'une cellule souche fille demeure une cellule souche, le nombre de divisions des cellules transitoires amplificatrices, la durée de sortie de la couche basale et le temps que met la cellule pour terminer sa différenciation et se détacher de la surface. La régulation de ces étapes doit rendre l'épiderme capable de réagir à un usage brutal en devenant épais et calleux et à s'autoréparer quand il est lésé. Dans des régions spécialisées de l'organisme, comme celles formant les follicules des cheveux, avec leurs propres sous-ensembles spécialisés de cellules souches, encore plus de contrôles sont nécessaires pour organiser le fonctionnement local.

Chaque point de contrôle est important individuellement et une panoplie complète de signaux moléculaires les régule afin de s'assurer que la surface corporelle est convenablement couverte. La plupart des mécanismes de communication cellulaire décrits dans le chapitre 15 sont impliqués, que ce soit entre les cellules de l'épiderme ou entre l'épiderme et le derme. Les voies de signalisation EGF, FGF, Wnt, Hedgehog, Notch, BMP/TGF-β ou intégrines sont toutes impliquées (et nous verrons que c'est également vrai dans beaucoup d'autres tissus). Des mutations touchant des composantes des voies Hedgehog ou Wnt, par exemple, peuvent donner des cancers de la peau. La mauvaise expression des composantes des voies Hedgehog, Notch, BMP et Wnt interfère avec la formation des cheveux, bloquant leur développement ou entraînant leur développement à un mauvais emplacement.

L'activation de la voie Wnt semble favoriser le maintien du caractère cellule souche, inhibant le passage entre cellules souches et cellules transitoires amplificatrices alors que la voie Notch semble avoir l'effet contraire empêchant les cellules souches voisines de rester des cellules souches. Le TGF-β joue un rôle clé durant la réparation des blessures de la peau, provoquant la formation d'une cicatrice riche en collagène. Et les intégrines de l'épiderme ne sont pas simplement des marqueurs du caractère cellulaire mais également des régulateurs du devenir cellulaire. Quand des souris transgéniques sont façonnées pour maintenir l'expression des intégrines dans les couches supérieures de l'épiderme, alors que normalement elles sont confinées dans la couche basale, les souris développent une affection semblable à une maladie de peau humaine fréquente, le *psoriasis*. La vitesse de prolifération des cellules basales est fortement augmentée – l'épiderme s'épaissit et les cellules sont éliminées de la surface moins d'une semaine après leur émergence de la couche basale avant d'avoir la possibilité d'être complètement kératinisées. Dans l'épiderme, les fonctions spécifiques précises de ces mécanismes variés de signalisation commencent juste à être dénouées.

La glande mammaire subit des cycles de développement et de régression

Dans certaines régions spécialisées de la surface corporelle, on trouve, en plus des cellules kératinisées, d'autres types de cellules qui se développent à partir de l'épiderme embryonnaire. En particulier, les sécrétions, telles que la sueur, les larmes, la salive et le lait, sont produites par des cellules de la peau regroupées en glandes situées en profondeur qui sont des invaginations de l'épiderme. Ces structures épithéliales ont des fonctions et des modes de renouvellement assez différents de celles des régions kératinisées.

Les glandes mammaires sont les plus importantes et les plus remarquables de ces organes sécrétoires. Elles sont ce qui définit les mammifères et sont d'un grand intérêt pour plusieurs raisons : pour la nourriture des bébés et pour l'attraction sexuelle, mais elles sont aussi à la base d'une industrie laitière prospère et le lieu de l'une des formes de cancers les plus fréquents. Le tissu mammaire illustre remarquablement la poursuite du développement chez l'adulte et montre comment la mort cellulaire par apoptose peut permettre la régression de l'organe.

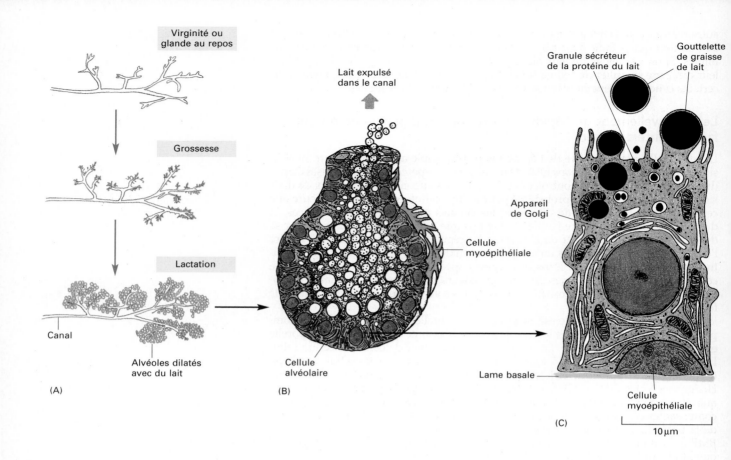

Figure 22-8 Glande mammaire.
(A) Représentation schématique de la
croissance des alvéoles à partir des canaux de
la glande mammaire pendant la grossesse et
la lactation. Seule une petite partie de la glande
est représentée. La glande « quiescente »
contient une petite quantité de tissu glandulaire
inactif entouré d'une grande quantité de tissu
conjonctif adipeux. Pendant la grossesse, une
prolifération considérable du tissu glandulaire
se produit aux dépens du tissu conjonctif
adipeux ; les parties sécrétrices de la glande se
développent pour former préférentiellement
des alvéoles. (B) Un des alvéoles sécréteurs du
lait de la glande mammaire avec le réseau de
cellules myoépithéliales (en vert) qui l'entoure.
(C) Un seul type de cellule alvéolaire
sécrétrice produit à la fois les protéines et
la graisse du lait. Les protéines sont sécrétées
normalement par exocytose alors que la
graisse est libérée sous forme de gouttelettes
entourées de membrane plasmique détachée
de la cellule. (B, d'après D.W. Fawcett,
A Textbook of Histology, 12th ed. New
York : Chapman and Hall, 1994.)

La production de lait est déclenchée lors de la naissance de l'enfant et arrêtée lors
du sevrage. Dans la glande mammaire « quiescente », le tissu glandulaire est constitué de systèmes arboriformes de canaux excréteurs enveloppés dans du tissu conjonctif adipeux. Les canaux sont tapissés d'un épithélium contenant des cellules souches
(leur localisation précise est toujours sujette à débat). Avant toute production importante de lait, les hormones présentes pendant la grossesse entraînent la prolifération
des cellules des canaux, multipliant leur nombre par 10 ou 20. La croissance et la
ramification des régions terminales des canaux forment de petites poches dilatées,
ou alvéoles, contenant les cellules potentiellement sécrétrices (Figure 22-8). La sécrétion de lait commence seulement lorsque ces cellules sont stimulées par le mélange
varié d'hormones circulant chez la mère après la naissance de l'enfant. Un autre
niveau plus éloigné de contrôle hormonal gouverne l'éjection de lait par le sein : la
stimulation de la succion entraîne la libération par les cellules de l'hypothalamus
(dans le cerveau) d'une hormone, l'*oxytocine*, qui est véhiculée par le flux sanguin
pour agir sur les *cellules myoépithéliales*. Ces cellules contractiles ont pour origine la
même population épithéliale que les cellules sécrétrices mammaires et elles ont de
longs prolongements qui enserrent les alvéoles. En réponse à l'ocytocine, elles se
contractent, éjectant ainsi le lait des alvéoles vers les canaux.

Finalement, quand le bébé est sevré et que la succion s'arrête, les cellules sécrétrices meurent par apoptose et la plupart des alvéoles disparaissent. Les macrophages
éliminent rapidement les cellules mortes et la glande retourne à son état quiescent.
L'arrêt de la lactation est brutal et, contrairement aux événements qui ont permis son
établissement, semble induit par l'accumulation de lait plutôt que par un mécanisme
hormonal. Si une portion des canaux mammaires est si obstruée que le lait ne peut
pas être éjecté, les cellules responsables de cette sécrétion se suicident massivement
par apoptose. L'apoptose est déclenchée par une combinaison de facteurs incluant le
TGF-β3, qui s'accumulent lorsque la sécrétion du lait est bloquée (Figure 22-9).

La division cellulaire dans la glande mammaire n'est pas seulement contrôlée par
des hormones mais aussi par des signaux locaux passant entre les cellules à l'intérieur de l'épithélium et entre les cellules épithéliales et le tissu conjonctif, ou *stroma*,
dans lequel les cellules épithéliales sont enchâssées. Tous les signaux contrôlant le
renouvellement cellulaire cités précédemment sont aussi impliqués dans le contrôle

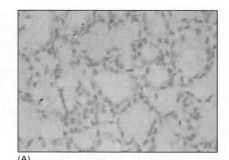

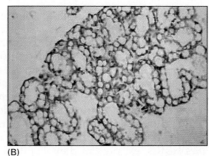

(A)

Figure 22-9 Mort des cellules sécrétrices du lait à l'arrêt de la succion. (A) Section de glande mammaire en activité d'une souris qui a allaité ses nouveau-nés normalement. (B) Une section correspondante chez une souris qui n'a pas allaité depuis 9 heures. Les sections de (A) et (B) sont marquées avec l'anticorps anti-TGF-β3 (*marron*). (C) Section similaire d'une glande mammaire où les canaux ont été sevrés depuis 3 jours. Le marquage révèle les cellules mortes par apoptose (*marron*). Là où le lait est produit mais n'est pas éjecté par la succion, la production de TGF-β3 est induite et, en relation avec d'autres signaux, déclenche l'apoptose et aboutit à la régression des canaux. (D'après A.V. Nguyen et J.W. Pollard, *Development* 127 : 3107-3118, 2000. © The Company of Biologists.)

(B)

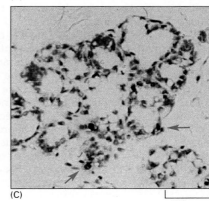

(C)

100 μm

de la glande mammaire. Là encore, les signaux délivrés via les intégrines jouent un rôle crucial : privées des adhésions avec la lame basale, les cellules épithéliales n'arrivent pas à répondre normalement aux signaux hormonaux. Des défauts dans le contrôle de ce système d'interaction favorisent le développement d'un des cancers les plus fréquents et nous avons besoin de mieux les comprendre.

Résumé

La peau consiste en un tissu conjonctif dur, le derme, recouvert par un épithélium stratifié imperméable, l'épiderme. L'épiderme est continuellement renouvelé par des cellules souches, avec un temps de renouvellement d'environ un mois chez l'homme.
Les cellules souches par définition sont indifférenciées et ont la capacité de se diviser indéfiniment durant toute la vie de l'organisme, conduisant à des cellules filles qui peuvent soit se différencier soit rester des cellules souches. Dans la peau, les cellules souches de l'épiderme se trouvent dans la couche basale au contact de la lame basale. La descendance des cellules souches qui s'engagent dans la différenciation se divise rapidement plusieurs fois dans la couche basale, puis cesse de se diviser et migre vers la surface de la peau. Elles se différencient progressivement en synthétisant une succession de types différents de kératines jusqu'à ce que finalement, leurs noyaux dégénèrent, produisant une couche externe de cellules mortes kératinisées qui sont continuellement éliminées de la surface cutanée.
Le sort des cellules filles d'une cellule souche est contrôlé en partie par des interactions avec la lame basale et en partie par des facteurs locaux. Ces contrôles permettent la génération de deux cellules filles à partir d'une cellule souche au cours du processus de réparation et modulent la vitesse de prolifération des cellules basales selon le besoin. Les glandes reliées à l'épiderme, telles que les glandes mammaires, possèdent leurs propres cellules souches et leurs propres modes de renouvellement cellulaire gouvernés par d'autres mécanismes. Dans le sein, par exemple, les hormones circulantes stimulent la prolifération cellulaire, la différenciation et la fabrication du lait. L'arrêt de la succion induit la mort par apoptose des cellules sécrétrices du lait par augmentation du TGFb3 là où le lait n'arrive pas à s'écouler.

ÉPITHÉLIUM SENSORIEL

C'est grâce à une autre classe de spécialisations de l'épithélium couvrant notre surface corporelle que nous percevons les odeurs, les sons et les images du monde extérieur. Les tissus sensoriels du nez, des oreilles et des yeux – et à vrai dire, si l'on remonte aux origines de l'embryon précoce, la totalité du système nerveux central – tous dérivent du même feuillet, l'*ectoderme*, qui donne naissance à l'épiderme (*voir* Chapitre 21). Ces structures ont de nombreux points communs et leur développement est gouverné par des systèmes de gènes similaires (*voir* Chapitre 21). Ils conservent tous une organisation épithéliale mais sont très différents de l'épiderme ordinaire ou des glandes dont ils dérivent.

Le nez, l'oreille et l'œil sont des organes complexes, qui élaborent des dispositifs pour collecter les signaux du monde extérieur et pour les délivrer, filtrés et concentrés, à l'épithélium sensoriel, où ils peuvent déclencher des effets sur le système nerveux. L'épithélium sensoriel est la composante clé, bien qu'il soit petit par rapport à l'organe entier. C'est la partie la plus conservée au cours de l'évolution, non seulement d'un vertébré à l'autre, mais aussi entre vertébrés et invertébrés.

Dans chaque épithélium sensoriel, ce sont les cellules sensorielles qui agissent comme des *transducteurs*, convertissant les signaux du monde extérieur en signaux électriques qui peuvent être interprétés par le système nerveux. Dans le nez, les transducteurs sensoriels sont les *neurones olfactifs sensoriels* ; dans l'oreille, les *cellules auditives ciliées* ; et dans l'œil, les *photorécepteurs*. Tous ces types cellulaires sont soit des neurones soit des structures semblables. Chacun possède à son pôle apical une structure spécialisée qui détecte les stimuli extérieurs et les convertit en un changement de potentiel de membrane. À son pôle basal, chacun fait synapse avec un neurone qui relaie l'information à des sites spécifiques du cerveau.

Les neurones olfactifs sensoriels sont continuellement renouvelés

Dans l'épithélium olfactif nasal (Figure 22-10A), un sous-ensemble de cellules se différencie en **neurones olfactifs sensoriels**. Ces cellules possèdent à leur surface libre des cils modifiés immobiles (*voir* Figure 15-43) contenant des récepteurs de l'odorat et un axone unique qui s'étend du pôle basal vers le cerveau (Figure 22-10B). Les neurones sont maintenus et séparés les uns des autres par des *cellules de soutien* qui traversent l'épithélium épais et qui possèdent des propriétés similaires à celles des cellules gliales du système nerveux central. La surface de l'épithélium reste humide et est protégée par une couche de fluide sécrété par des cellules séquestrées dans des glandes qui communiquent avec la surface exposée. Malgré cette protection, chaque neurone olfactif ne survit qu'un mois ou deux. Un troisième type cellulaire, les *cellules basales*, est présent dans l'épithélium afin de permettre un remplacement des neurones olfactifs perdus. Les cellules basales sont des cellules souches pour la production des neurones.

Comme cela a été discuté dans le chapitre 15, chaque neurone olfactif exprime probablement seulement un des centaines de gènes de récepteurs olfactifs du génome. Cela détermine à quel odorant répond la cellule. Sans se préoccuper de l'odeur, la réponse de chaque neurone olfactif est la même : une série de potentiels d'action se propage le long de l'axone jusqu'au cerveau. La sensibilité discriminatoire d'un neurone olfactif individuel n'est cependant utile que si son axone délivre son message à une « station-relais » spécifique du cerveau, qui est dédiée à cette catégorie particulière d'odeurs que le neurone perçoit. Ces stations-relais sont appelées *glomérules*. Elles sont localisées dans des structures appelées bulbes olfactifs (un de chaque côté du cerveau) comprenant environ 1 800 glomérules dans chaque bulbe (chez la souris). Les neurones olfactifs exprimant le même récepteur pour le même

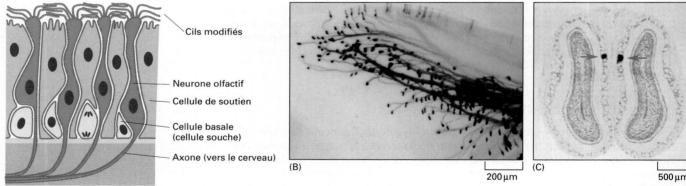
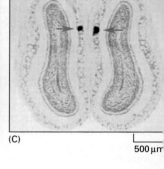

Figure 22-10 Épithélium olfactif et neurones olfactifs. (A) L'épithélium olfactif est constitué de cellules de soutien, de cellules basales et de neurones olfactifs. 6 à 8 cils modifiés partent de la tête du neurone et ils contiennent les récepteurs de l'odorat. (B) Cette micrographie montre les neurones olfactifs dans le nez d'une souris génétiquement modifiée chez laquelle le gène codant pour LacZ a été inséré dans un locus de récepteur olfactif. La cellule qui doit normalement exprimer ce récepteur fabrique ainsi en même temps l'enzyme LacZ. Le LacZ est détecté grâce au produit bleu de la réaction enzymatique qu'il catalyse. Les corps cellulaires (*en bleu foncé*) des neurones marqués, dispersés dans l'épithélium olfactif, envoient leurs axones (*en bleu clair*) en direction du cerveau (à l'extérieur de la photo *à droite*). (C) Section transversale des bulbes olfactifs *droit* et *gauche*, marqués par LacZ. Les axones de tous les neurones olfactifs exprimant le même récepteur de l'odorat convergent dans les mêmes glomérules (*flèches rouges*) disposés symétriquement à l'intérieur des bulbes *droit* et *gauche* du cerveau. D'autres glomérules (non marqués) reçoivent les axones de neurones olfactifs exprimant d'autres récepteurs de l'odorat. (B et C, d'après P. Mombaerts et al., *Cell* 87 : 675-686, 1996. © Elsevier.)

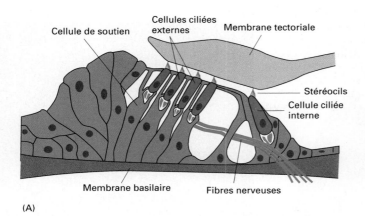

Cellule de soutien

Cellules ciliées externes

Membrane tectoriale

Stéréocils

Cellule ciliée interne

Membrane basilaire

Fibres nerveuses

(A)

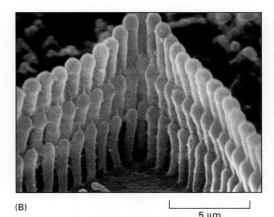

(B)

5 µm

Figure 22-11 Cellules auditives ciliées.
(A) Diagramme en coupe de l'appareil auditif (organe de Corti) dans l'oreille interne d'un mammifère, montrant les cellules auditives ciliées maintenues par une structure épithéliale élaborée de cellules de soutien et recouvertes par une masse de matrice extracellulaire (appelée membrane tectoriale). L'épithélium contenant les cellules ciliées repose sur la membrane basilaire – un feuillet épais et élastique de tissu qui forme une cloison longue et étroite entre deux canaux parcourus de fluides. Le son provoque un changement de pression dans ces canaux entraînant le balancement de la membrane basilaire.
(B) Photographie de microscopie électronique à balayage montrant la surface apicale d'une cellule auditive externe, avec l'arrangement caractéristique en tuyau d'orgue de microvillosités géantes (stéréocils). Les cellules auditives internes, au nombre seulement de 3500 dans chaque oreille humaine, sont les principaux récepteurs auditifs. Les cellules auditives externes, approximativement 4 fois plus nombreuses, sont supposées participer au mécanisme de rétrocontrôle qui régule les stimuli mécaniques délivrés aux cellules auditives internes. (B, d'après J.D. Pickles, *Prog. Neurobiol.* 24 : 1-42, 1985. © Elsevier.)

odorant sont très dispersés dans l'épithélium olfactif. Mais leurs axones convergent dans le même glomérule (Figure 22-10C). Comme des nouveaux neurones sont générés en remplacement de ceux qui meurent, ils doivent placer leurs axones dans le bon glomérule. Il a également été proposé une seconde fonction pour les récepteurs olfactifs : aider à guider les extrémités en croissance des nouveaux axones le long de trajets spécifiques jusqu'au glomérule-cible dans les bulbes olfactifs. S'il n'y avait pas un tel système de guidage, une rose pourrait sentir le citron pendant un mois et le poisson pourri le mois suivant.

Les cellules auditives ciliées doivent durer toute la vie

L'épithélium sensoriel responsable de l'audition est le tissu de l'organisme le plus précisément et minutieusement organisé (Figure 22-11). Les cellules sensorielles, les **cellules auditives ciliées**, sont maintenues dans une structure rigide de cellules de soutien recouverte d'une masse de matrice extracellulaire (la membrane tectoriale), dans une structure appelée *organe de Corti*. Les cellules auditives ciliées convertissent des stimuli mécaniques en signaux électriques. Chacune possède un arrangement caractéristique en tuyau d'orgue de microvillosités géantes (appelées *stéréocils*) dépassant de sa surface comme des bâtonnets rigides, remplis de filaments d'actine et disposés en rangs de hauteurs calibrées. Les dimensions d'un tel arrangement sont extraordinairement précises selon la localisation des cellules ciliées dans l'oreille et selon la fréquence du son auquel il doit répondre. Les vibrations sonores balancent l'organe de Corti, entraînant l'inclinaison du faisceau de stéréocils (Figure 22-12) et

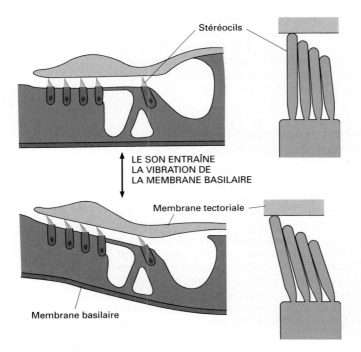

Stéréocils

LE SON ENTRAÎNE LA VIBRATION DE LA MEMBRANE BASILAIRE

Membrane tectoriale

Membrane basilaire

Figure 22-12 Comment un mouvement relatif de la matrice extracellulaire recouvrante (la membrane tectoriale) incline les stéréocils des cellules auditives ciliées dans l'organe de Corti de l'oreille interne de mammifère ? Les stéréocils se comportent comme des bâtonnets rigides se courbant à la base et liés solidairement par leurs extrémités.

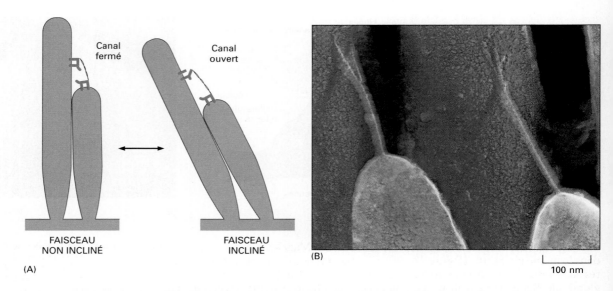

(A)

Canal fermé

Canal ouvert

FAISCEAU NON INCLINÉ

FAISCEAU INCLINÉ

(B)

100 nm

Figure 22-13 Comment travaille une cellule auditive ciliée? (A) La cellule fonctionne comme un transducteur, qui engendre un signal électrique en réponse aux vibrations du son qui balancent l'organe de Corti et font ainsi se courber les stéréocils. Un fin filament monte plus ou moins verticalement de l'extrémité de chaque stéréocil le plus court pour s'attacher à un point situé plus haut sur le stéréocil adjacent plus grand. Le balancement du faisceau tend les filaments, ce qui entraîne l'ouverture mécanique des canaux ioniques de la membrane du stéréocil. L'ouverture de ces canaux permet l'entrée d'un influx de charges positives, dépolarisant la cellule auditive. (B) Photographie de microscopie électronique des filaments s'étendant au sommet de deux stéréocils. Par des mesures mécaniques extrêmement délicates, corrélées à des enregistrements électriques d'une seule cellule auditive ciliée dont l'extrémité du stéréocil est déviée en la poussant avec une sonde en verre, il est possible de détecter un déplacement du faisceau lorsque les canaux cèdent devant la force appliquée et s'ouvrent. De cette façon, il a été possible de montrer que la force nécessaire pour ouvrir un seul des canaux est de l'ordre de 2×10^{-13} newtons et que son entrée se balance à travers une distance d'environ 4 nm quand il s'ouvre. Le mécanisme est étonnamment sensible : les sons les plus bas que nous pouvons entendre reviennent à étirer les filaments de 0.04 nm en moyenne, ce qui est juste en dessous de la moitié du diamètre d'un atome d'hydrogène. (B, d'après B. Kachar et al., *Proc. Natl. Sci. USA* 97 : 13336-13341, 2000. © National Academy of Sciences.)

l'ouverture ou la fermeture mécanique des canaux ioniques dans la membrane des stéréocils (Figure 22-13). Le flux de charge électrique généré par la pénétration dans la cellule des ions modifie le potentiel de membrane et contrôle ainsi la libération du neurotransmetteur au pôle basal de la cellule, là où les cellules font synapse avec la terminaison nerveuse.

Chez l'homme et chez d'autres mammifères, les cellules auditives ciliées doivent durer toute la vie. Si elles sont détruites par la maladie, des toxines ou un bruit excessivement fort, elles ne se régénèrent pas et une surdité permanente en résulte. Chez d'autres vertébrés, quand les cellules auditives ciliées sont détruites, les cellules de soutien sont amenées à se diviser et se comportent comme des cellules souches générant une descendance qui peut se différencier en remplacement des cellules ciliées perdues. Une meilleure compréhension de la régulation de ce processus de régénération pourra peut-être un jour permettre d'induire une auto-réparation de l'épithélium auditif chez l'homme.

La majorité des cellules permanentes renouvellent leurs constituants : les cellules photoréceptrices de la rétine

La rétine neurale est l'épithélium sensoriel le plus complexe. Elle est constituée de plusieurs couches cellulaires organisées de façon apparemment désordonnée. Les neurones qui transmettent les signaux visuels jusqu'au cerveau (appelés *cellules ganglionnaires de la rétine*) sont à proximité immédiate du monde extérieur de telle sorte que la lumière, focalisée par le cristallin, doit les traverser pour atteindre les **cellules photoréceptrices**. Les photorécepteurs classés en *cônes* ou en *bâtonnets* selon leur forme, ont leurs terminaisons photoréceptrices, ou *segments externes*, partiellement enfouies dans l'*épithélium pigmentaire* (Figure 22-14). Cônes et bâtonnets contiennent différentes *rhodopsines* – complexes photosensibles constitués d'*opsines* et de *rétinal* (pigment visuel ou chromophore). Les bâtonnets sont sensibles aux faibles intensités lumineuses, alors que les cônes (subdivisés en trois types, chacun avec une opsine différente, caractérisés par des réponses spectrales différentes) sont responsables de la perception de la couleur et des détails.

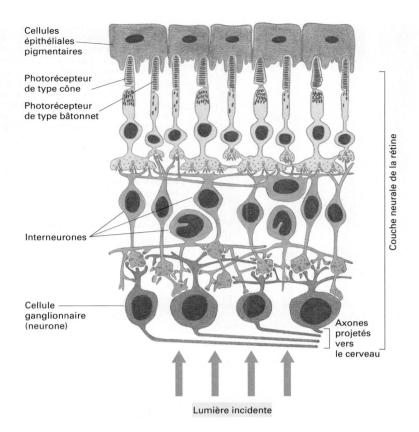

Figure 22-14 La structure de la rétine. Les interneurones transmettent la stimulation lumineuse des photorécepteurs aux cellules ganglionnaires, qui acheminent le signal jusqu'au cerveau. Les espaces entre les neurones et entre les photorécepteurs dans la couche neurale de la rétine sont occupés par une population de cellules de soutien spécialisées qui ne sont pas représentées sur cette figure. (Modifié d'après J.E. Dowling et B.B. Boycott, *Proc. R. Soc. Lond. (Biol)* 166 : 80-111, 1966.)

Le segment externe de chaque photorécepteur apparaît comme un cil modifié avec une disposition ciliaire caractéristique des microtubules dans la région où il est connecté avec le reste de la cellule (Figure 22-15). Le reste du segment externe est presque entièrement constitué d'un empilement dans lequel les protéines photosensibles sont insérées ; la lumière absorbée ici produit une réponse électrique, comme cela a été discuté dans le chapitre 15. À l'opposé, les terminaisons nerveuses des cellules photoréceptrices forment des synapses avec des interneurones, qui relayent le signal vers les cellules ganglionnaires de la rétine (*voir* Figure 22-14).

Chez l'homme, les photorécepteurs, de même que les cellules auditives ciliées, sont des cellules permanentes qui ne se divisent pas et ne sont pas remplacées si elles sont détruites par la maladie ou un faisceau laser mal dirigé. Mais les protéines photosensibles de rhodopsine ne sont pas permanentes. Il y a un renouvellement constant qui peut être mis en évidence par injection d'acides aminés radioactifs incorporés dans ces molécules. Dans les bâtonnets (et curieusement, pas dans les cônes), ce renouvellement est organisé de manière ordonnée. Cela peut être analysé en suivant le cheminement des protéines marquées à travers la cellule après l'avoir mise en présence, pour une courte durée, d'un acide aminé radioactif (Figure 22-16). Les protéines radio-marquées peuvent être suivies de l'appareil de Golgi, dans le segment interne de la cellule, jusqu'à la base de l'empilement membranaire situé dans le segment externe. À partir de là, on observe un déplacement de la radioactivité vers l'extrémité du segment alors que du matériel nouveau est introduit à la base de l'empilement. Finalement (au bout de 10 jours chez le rat), une fois l'extrémité du segment externe atteinte, les protéines marquées et les couches membranaires dans lesquelles elles sont enveloppées sont phagocytées (détachées et digérées) par les cellules de l'épithélium pigmentaire.

Cet exemple illustre une donnée générale : même si individuellement certains types cellulaires persistent, il y a peu de molécules présentes chez l'embryon qui persistent chez l'adulte.

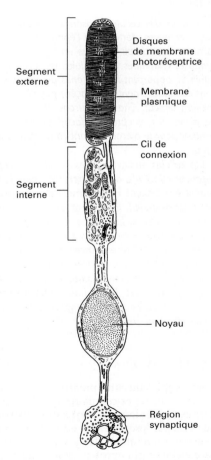

Figure 22-15 Un photorécepteur de type bâtonnet.

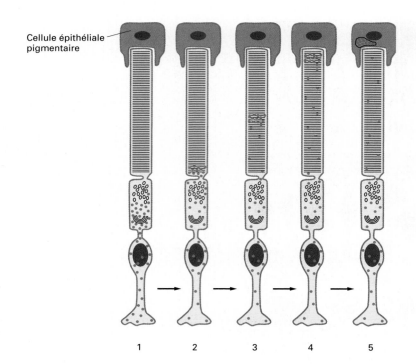

Cellule épithéliale pigmentaire

Figure 22-16 Renouvellement des protéines de la membrane d'un bâtonnet. Après incubation des cellules avec de la ^{3}H-leucine, le mouvement des protéines tritiées néoformées à travers la cellule est suivi par autoradiographie. Les *points rouges* indiquent les sites radioactifs. Cette méthode révèle la radioactivité incorporée dans les polypeptides, la radioactivité résiduelle ayant été éliminée par lavage pendant la préparation du tissu. La leucine incorporée est tout d'abord détectée à proximité de l'appareil de Golgi (1) et, de là, elle passe à la base d'un segment externe dans un disque de membrane photoréceptrice néosynthétisé (2). Les nouveaux disques sont formés à raison de trois ou quatre par heure (chez un mammifère), déplaçant les disques plus anciens vers l'épithélium pigmentaire (3-5).

1   2   3   4   5

Résumé

La plupart des cellules sensorielles réceptrices, ainsi que les cellules épidermiques ou les cellules nerveuses, dérivent de l'épithélium formant la surface externe de l'embryon. Elles transforment des stimuli externes en signaux électriques, qui sont transmis aux neurones via des synapses chimiques. Les cellules réceptrices olfactives du nez sont elles-mêmes des neurones qualifiés, apportant leurs axones au cerveau. Elles ont une durée de vie d'un mois ou deux et sont continuellement remplacées par des nouvelles cellules issues des cellules souches de l'épithélium olfactif. Chaque neurone olfactif exprime probablement seulement un des centaines de gènes des récepteurs olfactifs du génome. Les neurones olfactifs exprimant le même récepteur pour le même odorant convergent dans le même glomérule des bulbes olfactifs du cerveau.

Les cellules auditives ciliées – cellules réceptrices des sons – à la différence des cellules réceptrices olfactives, doivent persister toute la vie, du moins chez les mammifères. Elles ne possèdent pas d'axone mais forment des contacts synaptiques avec les terminaisons nerveuses de l'épithélium auditif. Elles tirent leur nom du groupement de stéréocils (microvillosités géantes) à leur pôle apical. Les vibrations font balancer ce groupement, permettant l'ouverture mécanique des canaux ioniques sur les stéréocils et ainsi l'excitation électrique de la cellule.

Les cellules photoréceptrices de la rétine de l'œil absorbent les photons au niveau des molécules de rhodopsine empilées dans les membranes des segments externes des photorécepteurs, déclenchant une excitation électrique par une voie de signalisation intracellulaire plus indirecte. Bien que les cellules photoréceptrices soient elles-mêmes permanentes et irremplaçables, ce sont les empilements de rhodopsines qu'elles contiennent qui subissent un renouvellement constant.

VOIES AÉRIENNES ET INTESTIN

Les exemples discutés précédemment représentent uniquement une petite partie des tissus et des types cellulaires qui dérivent de la couche externe de l'embryon, l'ectoderme. Cependant, ils sont suffisants pour donner un sens à la surprenante variété de voies par lesquelles cet épithélium se spécialise pour différentes fonctions et pour montrer à quel point des cellules adultes peuvent avoir des styles de vie différents. La couche la plus profonde de l'embryon, l'*endoderme*, formant le tube digestif primitif, donne naissance à tout un autre assortiment de types cellulaires bordant le tube digestif et ses appendices. Nous commencerons par les poumons.

Les types cellulaires adjacents collaborent dans les alvéoles des poumons

Les voies aériennes des poumons sont formées d'embranchements répétés de tubes qui dérivent d'un diverticule du revêtement intestinal embryonnaire, comme cela a été indiqué dans le chapitre 21. Les ramifications successives se terminent en plusieurs centaines de millions de sacs remplis d'air, les **alvéoles**. Les alvéoles ont des parois fines, apposées près des parois des capillaires sanguins afin de permettre les échanges d'O_2 et de CO_2 avec le flux sanguin (Figure 22-17).

   Pour survivre, les cellules bordant les alvéoles doivent rester humides. Dans le même temps, elles doivent servir de réservoir gazeux qui peut s'expanser et se contracter à chaque inspiration ou expiration. Cela pose un problème. Quand deux surfaces humides se touchent, elles se collent à cause de la tension de surface dans la couche d'eau située entre elles – plus la structure est petite, plus l'effet est puissant. Il y a un risque, dès lors, que les alvéoles puissent se collaber et ne puissent plus s'expanser. Le problème est résolu par la présence de deux types cellulaires dans le revêtement alvéolaire. Les *cellules alvéolaires de type I* couvrent la plupart de la paroi. Elles sont plates et fines pour permettre les échanges gazeux. Les *cellules alvéolaires de type II* sont parsemées entre les cellules de type I. Elles sont volumineuses et sécrètent le *surfactant*, qui forme un film phospholipidique qui réduit les tensions de surface, facilitant ainsi la réexpansion d'un poumon même collabé. La production adéquate de surfactant chez le fœtus, commençant à 5 mois de grossesse chez l'homme, marque le début d'une possibilité de vie indépendante. Les bébés prématurés nés avant cette étape ne sont pas capables d'enfler leurs poumons et de respirer ; ceux nés après en sont capables et peuvent survivre avec des soins intensifs.

Cellules caliciformes, cellules ciliées et macrophages collaborent pour maintenir propres les voies aériennes

Dans les voies aériennes supérieures, il existe différents types de cellules qui assurent des missions diverses. L'air que nous respirons contient plein de poussières, de saletés et de microorganismes en suspension. Pour maintenir des poumons propres et sains, les débris doivent être constamment rejetés. Pour ce faire, les voies aériennes

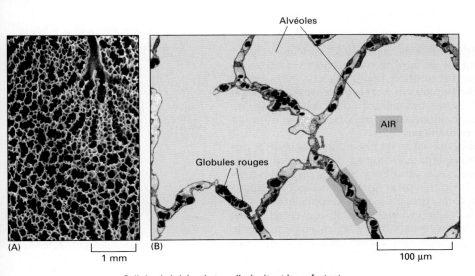

Alvéoles

AIR

Globules rouges

(A) ⊢ 1 mm ⊣   (B) ⊢ 100 μm ⊣

Figure 22-17 Alvéoles pulmonaires.
(A) Photographie en microscopie électronique à balayage, montrant une texture ressemblant à une éponge créée par les nombreuses alvéoles remplies d'air. Une bronchiole (petit tube respiratoire) est visible en haut, communicant avec les alvéoles. (B) Micrographie de microscopie électronique d'une section de la région correspondant au cadre *jaune* de (A) montrant les parois alvéolaires où les échanges gazeux ont lieu. (C) Diagramme de l'architecture cellulaire d'une portion de paroi alvéolaire, correspondant au cadre *jaune* de (B). (A, d'après P. Gehr et al., *Resp. Physiol.* 44 : 61-69, 1981. © Elsevier ; B, avec la permission de Peter Gehr, d'après D.W. Fawcett, A Textbook of Histology, 12th edn. New York : Chapman and Hall, 1994.)

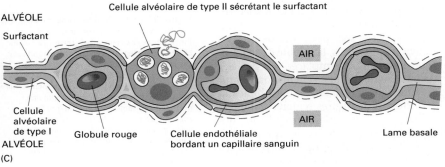

Cellule alvéolaire de type II sécrétant le surfactant

ALVÉOLE
Surfactant
AIR
AIR

Cellule alvéolaire de type I
ALVÉOLE
Globule rouge
Cellule endothéliale bordant un capillaire sanguin
Lame basale

(C)

les plus larges sont bordées par un *épithélium respiratoire* relativement épais (Figure 22–18). Il comprend trois types de cellules différenciées : les *cellules caliciformes* (ainsi nommées à cause de leur forme) qui sécrètent du mucus, des *cellules ciliées* avec des cils qui battent et un petit nombre de *cellules endocrines*, sécrétant de la sérotonine et des peptides qui agissent comme des médiateurs locaux. Ces molécules de signalisation influent sur les terminaisons nerveuses et sur d'autres cellules avoisinantes du tractus respiratoire, afin d'aider à réguler la vitesse de sécrétion du mucus et le battement ciliaire, la contraction des cellules musculaires qui peuvent entraîner la constriction des voies aériennes et encore d'autres fonctions. Des cellules basales sont aussi présentes et servent de cellules souches pour le renouvellement de l'épithélium.

Le mucus sécrété par les cellules caliciformes produit une couverture viscoélastique, d'environ 5 μm d'épaisseur, aux extrémités des cils. Les cils, battant tous dans la même direction au rythme d'environ 12 battements/seconde, évacuent le mucus hors des poumons, entraînant les débris qui sont parvenus jusqu'à eux. Ce « tapis de convoi » d'enlèvement des déchets pulmonaires est appelé « *escalator mucociliaire* ». Bien sûr, quelques particules inhalées peuvent atteindre les alvéoles, où il n'y a pas d'escalator. Ici, les indésirables sont enlevés par une autre classe de cellules spécialisées, les *macrophages,* qui parcourent les poumons et engloutissent les particules étrangères, tuent et digèrent les bactéries. Plusieurs millions de macrophages, chargés de débris, sont évacués des poumons chaque heure sur l'« escalator mucociliaire ».

Dans la partie terminale supérieure du tractus respiratoire, l'épithélium respiratoire humide et recouvert de mucus donne naissance brusquement à un épithélium stratifié pavimenteux. Ce feuillet cellulaire est structuré pour résister à un étirement mécanique et pour protéger. Comme l'épiderme, il est constitué de plusieurs couches de cellules aplaties remplies de kératines. Il diffère de l'épiderme, car il reste humide et ses cellules conservent leur noyau même dans les couches les plus superficielles. Le caractère abrupt d'une spécialisation des cellules épithéliales, entre l'épithélium muqueux et l'épithélium stratifié pavimenteux du tractus respiratoire, est aussi retrouvé dans d'autres parties du corps, mais peu de choses sont connues sur leur formation et leur maintien.

Le revêtement de l'intestin grêle s'autorenouvelle plus vite que n'importe quel autre tissu

Seuls les vertébrés respirant de l'air ont des poumons, mais tous les vertébrés et beaucoup d'invertébrés ont un intestin – qui est un tube digestif bordé de cellules spécialisées pour la digestion des aliments et l'absorption des nutriments libérés lors de la digestion. Ces deux activités sont difficiles à concilier car le processus de digestion des aliments dans la lumière intestinale est responsable aussi de la digestion de l'intestin lui-même, y compris des cellules qui absorbent les nutriments. L'intestin utilise plusieurs stratégies pour résoudre ce problème.

Le plus redoutable des processus digestifs, incluant une hydrolyse acide et une action enzymatique, se déroule dans un lieu séparé, l'estomac. Puis les produits passent dans l'intestin grêle, où les nutriments sont absorbés et où une digestion enzymatique se poursuit, mais à pH neutre. Les différentes régions de la paroi intestinale consistent en des arrangements de différents types cellulaires. L'épithélium de l'estomac inclut des cellules qui sécrètent de l'acide, et d'autres cellules qui sécrètent des enzymes digestives travaillant à pH acide. Inversement, les glandes (en particulier le pancréas) qui débouchent dans le segment initial de l'intestin grêle contiennent des cellules qui sécrètent du bicarbonate pour neutraliser l'acidité et d'autres cellules qui sécrètent des enzymes digestives travaillant à pH neutre. La paroi de l'intestin, en aval de l'estomac, contient à la fois des cellules absorptives et des cellules spécialisées pour la sécrétion de mucus qui recouvre l'épithélium d'un « manteau » protecteur. Dans l'estomac aussi, les surfaces les plus exposées sont pourvues de cellules muqueuses. Et dans le cas où ces mesures seraient insuffisantes, la totalité de la paroi de l'estomac et de l'intestin est renouvelée constamment et remplacée par des cellules récemment générées, avec un taux de renouvellement d'une semaine ou moins.

Le processus de renouvellement a été particulièrement bien étudié dans l'intestin (Figure 22-19). La paroi de l'intestin grêle (et la plupart des autres régions de l'intestin) est un épithélium unistratifié. Cet épithélium couvre la surface des *villosités* qui s'allongent dans la lumière intestinale et il tapisse les *cryptes* profondes qui s'enfoncent dans le tissu conjonctif sous-jacent. Les cellules souches se trouvent protégées dans les profondeurs des cryptes. Elles donnent naissance à quatre types de cellules

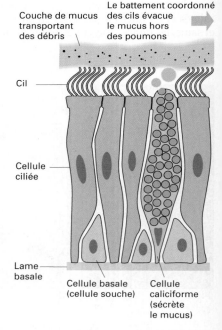

Figure 22-18 Épithélium respiratoire. Les cellules caliciformes sécrètent le mucus, qui forme un revêtement à la surface des cellules ciliées. Le battement régulier, coordonné des cils ramasse le mucus des voies aériennes, entraînant les débris qui y sont collés. Le mécanisme qui coordonne le battement ciliaire est un mystère mais semble refléter une polarité intrinsèque de l'épithélium. Si un segment de trachée de lapin est retourné chirurgicalement, elle balaye le mucus mais dans la mauvaise direction, vers les poumons, par opposition aux portions de trachée adjacentes intactes.

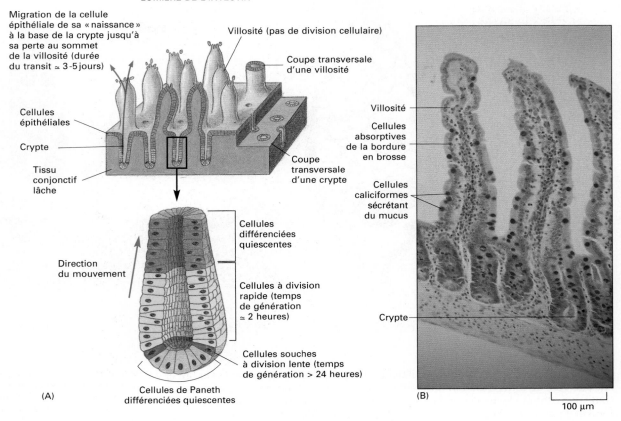

Figure 22-19 Renouvellement de la paroi intestinale. (A) Mode de renouvellement cellulaire et prolifération des cellules souches de l'épithélium qui forme la paroi de l'intestin grêle. Les *flèches* montrent la direction ascendante du mouvement des cellules à l'intérieur d'une villosité, mais quelques cellules, y compris une partie des cellules caliciformes ou entéro-endocrines, restent en bas et se différencient dans les cryptes. Les cellules différenciées quiescentes (cellules de Paneth) à la base des cryptes, ont aussi une durée de vie limitée et sont remplacées continuellement par la descendance des cellules souches. (B) Photographie d'une coupe d'une partie de la paroi de l'intestin grêle montrant les villosités et les cryptes. Noter la façon dont les cellules caliciformes sécrétant du mucus (colorées en *rouge*) se mêlent aux autres cellules. Les cellules enteroendocrines sont moins nombreuses et moins facilement identifiables sans coloration spéciale. *Voir* Figure 22-20 pour la structure de ces cellules.

différenciées (Figure 22-20) : (1) *cellules absorptives* (appelées aussi *cellules de la bordure en brosse*) avec des microvillosités très serrées à leur pôle apical afin d'accroître la surface active ; (2) *cellules caliciformes* (comme dans l'épithélium respiratoire) sécrétant le mucus ; (3) *cellules de Paneth* appartenant au système de défense immunitaire naturel (*voir* Chapitre 25) et sécrétant (en même temps que quelques facteurs de croissance) les *cryptdines*, protéines de la famille des défensines qui tuent les bactéries (*voir* Figure 25-39) et (4) les *cellules entéro-endocrines*, comprenant plus de 15 quinze sous-types différents, sécrétant la sérotonine, des hormones peptidiques (par exemple la cholécystokinine) qui agissent sur les neurones et sur d'autres types cellulaires de la paroi intestinale et régulent la croissance, la prolifération et les activités digestives des cellules intestinales ou d'autres tissus. Beaucoup de ces hormones intestinales fonctionnent aussi comme des signaux neuropeptidiques du système nerveux.

Les cellules absorptives, caliciformes et entéro-endocrines migrent majoritairement de la région des cellules souches, grâce à un mouvement de glissement parallèle au feuillet épithélial, jusqu'à couvrir la surface des villosités. Comme dans l'épiderme, il y a une phase d'amplification transitoire de la prolifération cellulaire : durant leur trajet jusqu'à l'extérieur de la crypte, les cellules précurseurs, toujours engagées dans la différenciation, réalisent quatre à six divisions rapides avant d'arrêter de se diviser et de se différencier. En deux à cinq jours (chez la souris) après avoir émergé des cryptes, les cellules atteignent le sommet des villosités, où elles subissent les premières étapes de l'apoptose et sont finalement évacuées dans la

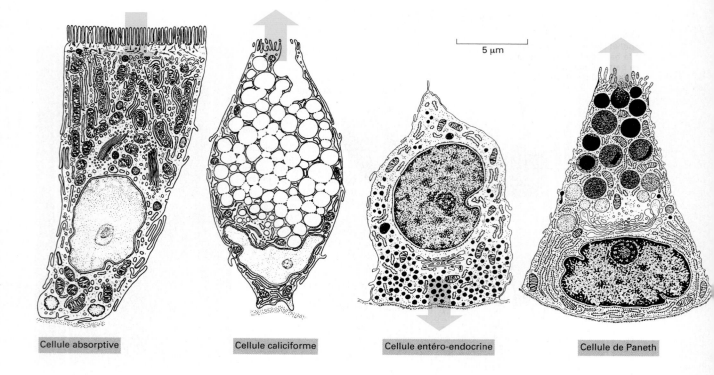

| Cellule absorptive | Cellule caliciforme | Cellule entéro-endocrine | Cellule de Paneth |

5 µm

lumière de l'intestin. Les cellules de Paneth sont produites en plus petit nombre et ont une voie de différenciation différente. Elles restent au fond des cryptes, où elles sont aussi continuellement remplacées, mais moins rapidement. Elles persistent environ vingt jours (chez la souris) avant de subir une apoptose et d'être phagocytées par leurs voisines.

La force motrice permettant les mouvements des cellules épithéliales intestinales est toujours mystérieuse. Leurs différents modèles de différenciation peuvent être contrôlés par des réponses spécifiques des types cellulaires à des signaux moléculaires de la lame basale sur laquelle ils reposent. Différentes régions de la lame sont riches en différents types de laminine : les sous-unités α1 et α2 des laminines sont concentrées dans la lame basale des cryptes alors que la sous-unité α5 l'est dans celle des villosités avec un gradient de concentration dont le maximum se situe aux extrémités des villosités.

Les composantes de la voie de signalisation Wnt sont nécessaires pour maintenir la population de cellules souches intestinales

Quels sont les contrôles qui permettent à une cellule souche intestinale de le rester ou de s'engager dans la différenciation ? Qu'est-ce qui conduit la descendance d'une cellule souche à produire quatre types de cellules différentes ? En dépit de leur importance en physiologie et dans beaucoup de maladies, incluant les formes les plus communes de cancers, les réponses sont inconnues. Il y a néanmoins quelques indices.

La production des cellules entéro-endocrines, par exemple, dépend du choix de la destinée cellulaire gouvernée par la voie de signalisation Notch, de la même façon que la production de neurones dans le système nerveux central embryonnaire (*voir* Chapitre 21). Les mutations qui bloquent le signal Notch entraînent une surproduction des cellules entéro-endocrines au profit des autres types cellulaires, au moins chez l'embryon.

D'autres expériences indiquent que la voie de signalisation Wnt joue un rôle crucial dans le maintien de la population cellulaire de l'intestin. Les souris déficientes en l'une des protéines régulatrices des gènes de la famille LEF-1/TCF, impliquées dans la signalisation Wnt (*voir* Chapitre 15), en fournissent une preuve : les villosités couvertes de cellules différenciées sont formées dans le fœtus mutant, mais l'épithélium ne peut pas être renouvelé car les cryptes ne se forment pas et les cellules souches en prolifération ne sont pas conservées, et les souris meurent peu de temps après la naissance. Inversement, chez l'adulte, l'hyperactivation de la même voie de signalisation par des mutations d'un autre gène (le gène *APC* – *voir* Figure 15-72) entraîne une surproduction des cellules des cryptes et aboutit fréquemment au can-

Figure 22-20 Les quatre principaux types de cellules différenciées trouvées dans la paroi épithéliale de l'intestin grêle. Toutes ces cellules sont générées par les cellules souches multipotentes indifférenciées localisées à la base des cryptes (*voir* Figure 22-19). Les microvillosités au pôle apical des cellules absorptives (bordure en brosse) augmentent de trente fois la surface, non seulement pour l'importation de nutriments mais aussi pour l'accrochage des enzymes qui réalisent les étapes finales de la digestion extracellulaire, en réduisant les petits peptides et les disaccharides en monomères qui peuvent être transportés à travers la membrane cellulaire. (D'après T.L. Lentz, Cell Fine Structure. Philadelphia : Saunders, 1971 ; R. Krstic, Illustrated Encyclopedia of Human Histology. Berlin : Springer-Verlag, 1984.)

cer comme nous le verrons dans le chapitre 23. Tout ceci suggère que dans l'intestin, comme dans l'épiderme, la signalisation Wnt joue un rôle clé dans le maintien des cellules souches ou dans le contrôle de leur prolifération.

Le foie fonctionne comme une interface entre l'appareil digestif et le sang

Comme nous venons juste de le voir, les fonctions de l'intestin sont réparties entre une variété de types cellulaires. Certaines cellules sont spécialisées dans la sécrétion d'acide chlorhydrique, d'autres dans la sécrétion d'enzymes, d'autres dans l'absorption des nutriments, etc. Certains de ces types cellulaires sont étroitement entremêlés dans la paroi intestinale ; d'autres forment de grosses glandes qui communiquent avec l'intestin et qui apparaissent, chez l'embryon, comme des excroissances de l'épithélium intestinal.

Le foie est la plus grosse de ces glandes. Il se développe à un endroit où une veine importante longe la paroi du tube digestif primitif, et l'organe adulte conserve un rapport très étroit avec le sang. Les cellules du foie qui dérivent de l'épithélium de l'intestin primitif – les **hépatocytes** – sont disposées en feuillets plissés, faisant face à des espaces sanguins appelés *sinusoïdes* (Figure 22-21). Le sang est séparé de la surface des hépatocytes par une couche unique de cellules endothéliales aplaties qui couvrent les côtés exposés des hépatocytes. Cette structure facilite les principales fonctions du foie qui reposent sur l'échange de métabolites entre le sang et les hépatocytes.

Le foie est le lieu principal où les aliments, absorbés à partir de l'intestin puis véhiculés vers le sang, sont transformés afin d'être utilisés par les autres cellules de l'organisme. Il reçoit la majeure partie de son approvisionnement sanguin directement du tractus intestinal (via la veine porte). Les hépatocytes sont responsables de la synthèse, de la dégradation et du stockage d'un grand nombre de substances. Ils jouent un rôle essentiel dans le métabolisme des glucides et des lipides de l'organisme ; et ils sécrètent la plupart des protéines présentes dans le plasma sanguin. En même temps, les hépatocytes restent reliés à la lumière intestinale via un système de canaux minuscules (ou *canaliculi*) et de conduits plus larges (*voir* Figure 22-21B,C) et, de cette façon, sécrètent dans l'intestin les déchets de dégradation et un agent émul-

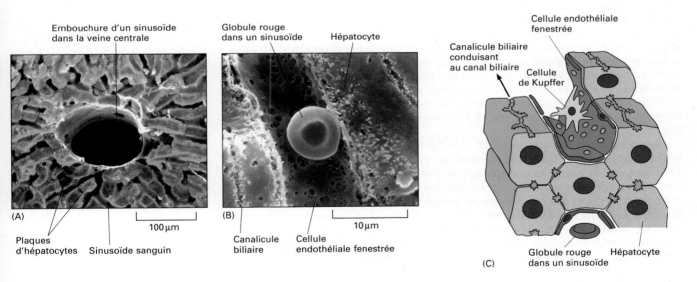

Figure 22-21 La structure du foie. (A) Photographie en microscopie électronique à balayage d'une partie du foie montrant les couches irrégulières d'hépatocytes et les nombreux petits canaux ou sinusoïdes qui permettent l'irrigation sanguine. Les plus gros canaux sont des vaisseaux qui distribuent et collectent le sang coulant à travers les sinusoïdes. (B) Détail d'un sinusoïde (agrandissement d'une région similaire à celle du rectangle *jaune* en bas de (A). (C) Représentation schématique de la structure fine du foie. Les hépatocytes sont séparés du sang par une couche unique et mince de cellules endothéliales parsemée de cellules de type macrophagique, les *cellules de Kupffer*. De petits orifices dans cette couche, appelés fenestrae (latin pour «fenêtre»), permettent l'échange de molécules et de petites particules entre les hépatocytes et le sang. En plus de ces fonctions d'échange avec le sang, les hépatocytes forment un système de minuscules canalicules biliaires dans lesquels ils sécrètent la bile ; celle-ci est finalement déversée dans l'intestin grâce aux canaux biliaires. La structure réelle est moins régulière que ne le laisse supposer ce schéma. (A et B, avec l'autorisation de Pietro M. Motta, University of Rome « La Sapienza » .)

sifiant, la *bile*, qui aide à l'absorption des graisses. Les hépatocytes sont de grandes cellules, et environ 50 p. 100 (chez l'homme adulte) sont polyploïdes avec 2, 4 ou 8 fois, ou parfois plus, la quantité haploïde normale d'ADN par cellule. Contrairement au reste du tractus digestif, il semble qu'il n'y ait qu'assez peu de répartition du travail : chaque hépatocyte semble être capable d'effectuer l'ensemble des différentes tâches métaboliques et sécrétrices. Ces cellules hautement différenciées peuvent également se diviser à maintes reprises quand nécessaire comme nous allons l'expliquer.

La perte de cellules hépatiques stimule la prolifération des cellules hépatiques

Le foie illustre de façon frappante un des plus grands problèmes non résolus du développement et de la biologie tissulaire : qu'est ce qui détermine la taille d'un organe ou la quantité d'un type tissulaire par rapport à un autre? Pour différents organes, les réponses sont certainement différentes mais il n'y a guère de cas où le mécanisme soit clairement compris.

Les hépatocytes ont normalement une durée de vie d'au moins un an et ils sont renouvelés à une vitesse faible. Même dans un tissu qui se renouvelle lentement, l'existence d'un léger déséquilibre entre la vitesse de production et la vitesse de perte cellulaire peut conduire au désastre. Si 2 p. 100 des cellules hépatiques, chez l'homme, se divisaient chaque semaine, et si la perte n'était que de 1 p. 100, le foie grossirait et, au bout de 8 ans, dépasserait le poids du corps. Des mécanismes homéostatiques doivent être mis en jeu pour ajuster la vitesse de prolifération cellulaire et/ou la vitesse de mort cellulaire pour maintenir l'organe à sa taille normale. Néanmoins cette taille doit être ajustée à la taille du reste du corps. En effet quand le foie d'un petit chien est greffé chez un grand chien, il grossit rapidement jusqu'à la taille adéquate de l'organe chez le receveur. Inversement, quand le foie d'un grand chien est greffé chez un petit, la taille du foie diminue.

Une preuve directe du contrôle homéostatique de la prolifération des cellules hépatiques vient d'expériences dans lesquelles un grand nombre d'hépatocytes sont éliminés soit par intervention chirurgicale, soit par l'utilisation d'un poison, le tétrachlorure de carbone. Moins d'un jour après l'une ou l'autre de ces lésions, une vague de divisions cellulaires se produit parmi les hépatocytes survivants, et le tissu perdu est rapidement remplacé. (Si les hépatocytes sont totalement éliminés, une autre classe de cellules, localisées dans les canaux biliaires, peut servir de cellules souches pour la genèse de nouveaux hépatocytes; mais généralement ce n'est pas nécessaire). Ainsi, si l'on retire les deux tiers d'un foie de rat, un foie d'une taille presque normale peut être régénéré à partir du tiers restant en deux semaines. Plusieurs molécules ont été impliquées dans le déclenchement de cette réaction. Une des plus importantes est une protéine appelée le *facteur de croissance hépatique*. Il stimule la division des hépatocytes en culture, et sa concentration dans le sang augmente brutalement (par des mécanismes encore mal compris) en réponse à une atteinte du foie.

L'équilibre entre les naissances cellulaires et les morts dans le foie adulte (et également dans d'autres organes) ne dépend pas exclusivement de la régulation de la prolifération cellulaire : des mécanismes de contrôle de la survie des cellules semblent également jouer un rôle. Si un rat adulte est traité avec du phénobarbital, par exemple, la division des hépatocytes est stimulée, ce qui provoque une augmentation de la taille du foie. Quand le traitement par le phénobarbital est arrêté, la mort cellulaire des hépatocytes est considérablement augmentée jusqu'à ce que le foie retrouve sa taille d'origine, habituellement en une semaine environ. Le mécanisme de ce type de contrôle de la survie cellulaire est inconnu mais il a été suggéré que les hépatocytes, comme la plupart des cellules de vertébrés, dépendaient de signaux d'autres cellules pour leur survie et que le niveau normal de ces signaux peut soutenir seulement un nombre donné d'hépatocytes. Si ce nombre est dépassé (par exemple, à la suite d'un traitement par le phénobarbital), la mortalité des hépatocytes augmente automatiquement pour diminuer leur nombre. On ne sait pas comment les niveaux appropriés de facteurs de survie sont maintenus.

Résumé

Le poumon remplit une fonction simple, l'échange gazeux, mais son fonctionnement est complexe. Les cellules sécrétant le surfactant empêchent les alvéoles de se collaber. Les macrophages enlèvent constamment de la saleté et des microorganismes des alvéoles. Un «escala-

tor mucociliaire» formé par les cellules caliciformes (sécrétant le mucus) et les battements des cellules ciliaires éliminent les débris hors des voies aériennes.

Dans l'intestin, là où des processus chimiques préjudiciables ont lieu, l'épithélium d'absorption est constamment renouvelé. Dans l'intestin grêle, les cellules souches des cryptes génèrent de nouvelles cellules absorptives, caliciformes, entéro-endocrines et de Paneth; remplaçant la plupart de la paroi intestinale chaque semaine. Les destins divers de la descendance des cellules souches sont contrôlés, du moins en partie, par la voie de signalisation Notch alors que la voie Wnt est nécessaire au maintien de la population de cellules souches.

Le foie est un des organes les plus protégés et il peut ajuster rapidement sa taille par prolifération ou mort cellulaire quand nécessaire. Les hépatocytes différenciés sont capables de se diviser tout au long de leur vie, montrant qu'une classe spécialisée de cellules souches n'est pas toujours nécessaire pour le renouvellement tissulaire.

VAISSEAUX SANGUINS ET CELLULES ENDOTHÉLIALES

Après avoir vu les tissus qui dérivent de l'ectoderme embryonnaire, nous allons maintenant voir ceux dérivant du *mésoderme*. Cette couche médiane de cellules, localisée entre l'ectoderme et l'endoderme, prolifère et se différencie afin de permettre de nombreuses fonctions. Elle donne naissance aux tissus conjonctifs, aux cellules sanguines et aux vaisseaux sanguins, ainsi qu'aux muscles, reins et beaucoup d'autres structures et types cellulaires. Nous allons commencer par les vaisseaux sanguins.

La plupart des tissus dépendent d'un apport sanguin qui lui-même dépend des **cellules endothéliales**, qui forment le revêtement des vaisseaux sanguins. Les cellules endothéliales ont la capacité remarquable d'ajuster leur nombre et leur distribution aux exigences locales. Elles forment un système de soutien de la vie, adaptable et qui se ramifie dans toutes les régions de l'organisme. S'il n'y avait pas les cellules endothéliales pour développer et remodeler le réseau vasculaire, la croissance et la réparation tissulaires seraient impossibles. Tout comme le tissu normal, le tissu cancéreux dépend d'un apport sanguin et cela a abouti à une augmentation de l'intérêt porté à la biologie des cellules endothéliales. En bloquant la formation de nouveaux vaisseaux grâce à des drogues, on pourrait espérer bloquer la croissance des tumeurs (*voir* Chapitre 23).

Les cellules endothéliales tapissent tous les vaisseaux sanguins

Les vaisseaux sanguins les plus gros sont les artères et les veines qui ont une paroi résistante et épaisse de tissu conjonctif et de muscle lisse (Figure 22-22). La paroi est tapissée par une seule couche extrêmement fine de cellules endothéliales, l'*endothélium*, séparée des couches environnantes extérieures par une lame basale. La quantité de tissu conjonctif et de muscle lisse dans la paroi vasculaire varie selon le diamètre et la fonction du vaisseau mais la couche endothéliale est toujours présente. Dans les plus fines ramifications de l'arbre vasculaire – les capillaires et les sinusoïdes – les parois sont uniquement constituées de cellules endothéliales et d'une lame basale (Figure 22-23) ainsi que de quelques cellules dispersées, les péricytes, ayant un rôle fonctionnel important. Ces cellules, de la famille du tissu conjonctif, sont reliées aux cellules musculaires lisses qui entourent les petits vaisseaux (Figure 22-24).

Les cellules endothéliales tapissent donc entièrement le système vasculaire, du cœur jusqu'au plus petit des capillaires, et elles contrôlent la pénétration des substances – et le transit des globules blancs – dans le flux sanguin, ainsi que leur sortie. Une étude de l'embryon révèle, en outre, que les artères et les veines elles-mêmes se sont développées à partir de simples petits vaisseaux constitués uniquement de cellules endothéliales et d'une lame basale : les péricytes, le tissu conjonctif et le muscle lisse sont ajoutés ensuite quand besoin est, sous l'influence de signaux émis par les cellules endothéliales. Le recrutement des péricytes est particulièrement dépendant du PDGF-B sécrété par les cellules endothéliales. Chez les mutants auxquels manque ce signal protéique ou son récepteur, les péricytes sont absents à plusieurs endroits. En conséquence, les vaisseaux sanguins embryonnaires développent des microanévrismes (dilatations microscopiques pathologiques), qui peuvent se rompre, mais développent également d'autres anomalies. Ceci reflète l'importance des signaux échangés dans les deux directions, entre les péricytes et les cellules endothéliales.

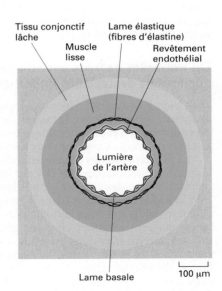

Figure 22-22 Représentation schématique en coupe transversale d'une petite artère. Les cellules endothéliales, bien que peu apparentes, en sont le constituant fondamental. Comparer avec le capillaire de la figure 22-23.

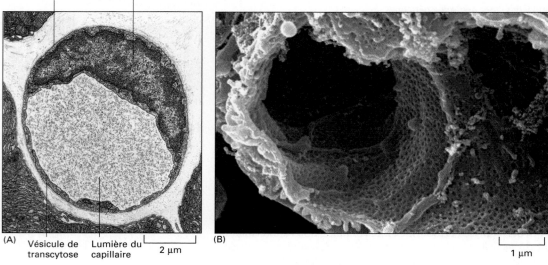

Lame basale   Noyau de la cellule endothéliale

(A)   Vésicule de   Lumière du   2 µm
       transcytose   capillaire

(B)   1 µm

Figure 22-23 Capillaires. (A) Microscopie électronique d'une coupe transversale d'un petit capillaire dans le pancréas. La paroi est formée par une unique cellule endothéliale entourée d'une lame basale. Noter les petites vésicules de «transcytose» qui, selon une théorie possible, sont impliquées dans le transport des grosses molécules de part et d'autre de la paroi de ce type de capillaire. (B) Photographie en microscopie électronique à balayage de l'intérieur d'un capillaire dans le glomérule rénal, où la filtration du sang a lieu pour produire l'urine. Ici, comme dans le foie (*voir* Figure 22-20), les cellules endothéliales sont spécialisées dans la formation de structures semblables à des «tamis», construits plutôt comme les pores de l'enveloppe nucléaire des cellules eucaryotes, permettant le passage passif de l'eau et de la plupart des molécules dans la circulation sanguine. (A, d'après R.P. Bolender, *J. Cell Biol.* 61 : 269-287, 1974. © The Rockfeller University Press ; B, avec la permission de Steve Gschmeissner et David Shima.)

Même lorsqu'un vaisseau a maturé, les signaux des cellules endothéliales vers le tissu conjonctif voisin et le tissu musculaire continuent de jouer un rôle crucial dans la régulation de la formation et de la structure des vaisseaux. Par exemple, les cellules endothéliales possèdent des mécanorécepteurs qui leur permettent de ressentir le stress d'une coupure grâce au flux sanguin sur leur surface. En le signalant aux cellules voisines, elles permettent au vaisseau sanguin d'adapter son diamètre et l'épaisseur de sa paroi afin d'arrêter ce flux. Les cellules endothéliales médient également des réponses rapides aux signaux nerveux pour la dilatation des vaisseaux sanguins en libérant du monoxyde d'azote (NO) qui entraîne la relaxation de la paroi vasculaire (*voir* Chapitre 15).

De nouvelles cellules endothéliales sont engendrées par simple duplication des cellules endothéliales existantes

D'un bout à l'autre du système vasculaire adulte, les cellules endothéliales gardent la capacité de se diviser et de migrer. Si, par exemple, une partie de la paroi de l'aorte est endommagée et dénudée de ses cellules endothéliales, les cellules adjacentes à la lésion prolifèrent et migrent pour couvrir la surface exposée.

La prolifération des cellules endothéliales peut être démontrée en utilisant la ^{3}H-thymidine pour marquer l'ADN des cellules. Dans la plupart des tissus adultes, le renouvellement des cellules est très lent, avec une durée de vie cellulaire comprise chez la souris entre 2 mois (dans le foie et le poumon) et des années (dans le cerveau et le muscle). Les cellules endothéliales ne réparent pas seulement la paroi des vaisseaux sanguins existants, elles contribuent aussi à en créer de nouveaux. C'est ce qu'elles doivent faire dans les tissus embryonnaires pour aller de pair avec la croissance, dans les tissus adultes normaux pour entretenir les cycles répétés de remodelage et de reconstruction (comme par exemple, le revêtement de l'utérus, durant le cycle menstruel) et dans la réparation des tissus adultes endommagés. Dans de telles circonstances, elles peuvent être amenées à doubler leur taux de prolifération pendant quelques jours. Il a été également montré que la population locale de cellules endothéliales peut croître par un recrutement issu du flux sanguin, dans lequel est présente une petite quantité de cellules endothéliales précurseurs dérivées de la moelle osseuse.

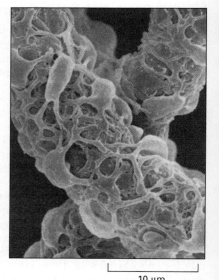

10 µm

Figure 22-24 Péricytes. Photographie en microscopie électronique à balayage montrant les prolongements des péricytes recouvrant un petit vaisseau sanguin (une veinule post-capillaire) dans la glande mammaire de chat. Les péricytes sont également présents autour des capillaires mais ils sont plus dispersés. (D'après T. Fujiwara et Y. Uehara, *Am. J. Anat.* 170 : 39-54, 1984. © Wiley-Liss.)

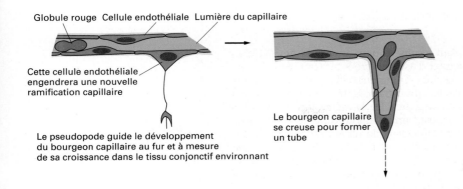

Globule rouge Cellule endothéliale Lumière du capillaire

Cette cellule endothéliale
engendrera une nouvelle
ramification capillaire

Le bourgeon capillaire
se creuse pour former
un tube

Le pseudopode guide le développement
du bourgeon capillaire au fur et à mesure
de sa croissance dans le tissu conjonctif environnant

Figure 22-25 Angiogenèse. Un nouveau capillaire sanguin se forme par bourgeonnement d'une cellule endothéliale de la paroi d'un vaisseau existant. Cette représentation schématique est basée sur l'observation de cellules de la queue transparente d'un têtard vivant. (D'après C.C. Speidel, *Am. J. Anat.* 52 : 1-79, 1933.)

De nouveaux capillaires se forment par bourgeonnement

Les nouveaux vaisseaux apparaissent toujours sous forme de capillaires qui bourgeonnent à partir de petits vaisseaux existants. Ce processus d'**angiogenèse** résulte d'une réponse cellulaire à des signaux spécifiques. L'angiogenèse peut être observée commodément dans des structures qui sont naturellement transparentes comme la cornée de l'œil. L'application de produits irritants sur la cornée induit la croissance de nouveaux vaisseaux sanguins à partir du bord de la cornée qui est richement vascularisée, vers le centre qui, normalement, ne l'est pratiquement pas. La vascularisation de la cornée a donc lieu grâce à une invasion par les cellules endothéliales de l'épais tissu cornéen riche en collagène.

De telles observations montrent que les cellules endothéliales qui formeront un nouveau capillaire croissent à partir d'un côté d'un capillaire ou d'une petite veinule existant en allongeant de longs prolongements ou pseudopodes (Figure 22-25). Les cellules forment tout d'abord un bourgeon plein qui se creuse par la suite pour constituer un tube. Ce processus continue jusqu'à ce que le bourgeon rencontre un autre capillaire avec lequel il forme une connexion, permettant au sang de circuler. Les propriétés de surface des cellules endothéliales des artères et des veines diffèrent, du moins chez l'embryon : les membranes plasmiques des cellules artérielles contiennent la protéine transmembranaire ephrine-B2 (*voir* Chapitre 15) alors que les membranes des cellules veineuses contiennent le récepteur tyrosine kinase correspondant, Eph-B4 (*voir* Chapitre 15). Ces molécules agissent en délivrant un signal aux sites intercellulaires de contact et elles sont essentielles pour le développement adéquat du réseau de vaisseaux. Il a été suggéré que ces molécules, d'une certaine façon, définissent les rôles pour assembler un morceau de capillaire en croissance à un autre.

Des expériences de culture de tissu en milieu nutritif riche en facteurs de croissance montrent que des cellules endothéliales, même isolées des autres types cellulaires, forment spontanément des tubes capillaires (Figure 22-26). Ces tubes capillaires ne contiennent pas de sang et rien ne les parcourt, ce qui indique que le flux sanguin et la pression sanguine ne sont pas requis pour l'initiation d'un nouveau réseau capillaire.

Figure 22-26 Capillaire en formation *in vitro*. Des vacuoles internes se développent de façon spontanée dans les cellules endothéliales en culture. Leur réunion donne naissance à un réseau de tubes capillaires. Ces photographies montrent les étapes successives de ce processus. La *flèche* en (A) indique une vacuole en cours de formation initialement dans une cellule endothéliale unique. Les cultures sont démarrées à partir de petits groupes de deux à quatre cellules endothéliales provenant de courts segments d'un capillaire. Ces cellules sont déposées à la surface d'une boîte de culture recouverte de collagène ; elles forment une petite colonie aplatie qui augmente régulièrement au fur et à mesure de la prolifération cellulaire. La colonie s'étend sur la boîte et des tubes capillaires finissent par se former dans les régions centrales, au bout d'une vingtaine de jours. Une fois la formation du tube commencée, des ramifications apparaissent rapidement et, 5 à 10 jours plus tard, un important réseau est visible comme en (B). Ce processus est étroitement dépendant de la nature de la matrice extracellulaire dans l'environnement de la cellule : la formation des tubes capillaires est augmentée par les constituants de la lame basale, comme la laminine, que les cellules endothéliales peuvent elles-mêmes sécréter. (D'après J.Folkman et C. Haudenschild, *Nature* 288 : 551-556, 1980. © Macmilllan Magazines Ltd.)

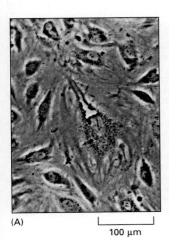

(A) 100 µm

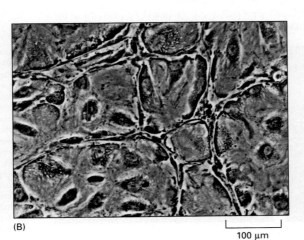

(B) 100 µm

L'angiogenèse est contrôlée par des facteurs libérés par les tissus voisins

Presque toutes les cellules des vertébrés sont localisées dans un rayon de 50-100 μm autour d'un capillaire. Quel mécanisme permet d'assurer que le système de vaisseaux sanguins se ramifie dans tous les coins et recoins ? Comment cela est-il ajusté parfaitement aux besoins locaux des tissus, non seulement durant le développement normal mais également dans des circonstances pathologiques. De la même façon, après une blessure, un bourgeon de croissance capillaire est stimulé autour du tissu endommagé pour satisfaire le fort besoin métabolique du processus de réparation (Figure 22-27). Des irritations locales ou des infections provoquent également la prolifération de nouveaux capillaires, dont la plupart régressent et disparaissent lorsque l'inflammation s'estompe. De façon moins bienveillante, l'implantation d'un petit échantillon de tissu tumoral dans la cornée, qui n'est normalement pas vascularisée, entraîne la croissance rapide de vaisseaux sanguins à partir de la lisière vasculaire de la cornée vers l'implant, et le taux de croissance de la tumeur augmente fortement dès qu'elle est vascularisée.

Dans tous ces cas, les cellules endothéliales doivent répondre à un signal produit par le tissu qu'elles envahissent. Ces signaux sont complexes mais un rôle central est joué par une protéine appelée **VEGF** (*vascular endothelial growth factor* ou **facteur de croissance de l'endothélium vasculaire**). C'est un parent éloigné du PDGF (*platelet-derived growth factor* ou facteur de croissance dérivé des plaquettes). La régulation de la croissance des vaisseaux sanguins pour satisfaire les besoins tissulaires dépend du contrôle de la production de VEGF, par des changements de stabilité de l'ARN messager et de sa vitesse de transcription. Le dernier contrôle est relativement bien compris. Un manque d'oxygène, en pratique dans tous les types cellulaires, entraîne une augmentation intracellulaire de la concentration de la forme active d'une protéine régulatrice appelée **facteur hypoxique induit 1** (**HIF-1** pour *hypoxia-inducible factor 1*). HIF stimule la transcription du gène VEGF (et d'autres gènes dont les protéines sont nécessaires quand l'apport d'oxygène est réduit). La protéine VEGF est sécrétée, diffuse au travers du tissu et agit sur les cellules endothéliales voisines.

Dans tous ces cas, les cellules endothéliales envahissantes doivent répondre à un signal produit par le tissu. La réponse des cellules endothéliales comprend au moins quatre éléments. Premièrement, les cellules doivent rompre la lame basale qui entoure le vaisseau sanguin existant ; il a été démontré que les cellules endothéliales sécrètent des protéases au cours de l'angiogenèse, qui leur permettent de se frayer un chemin à travers la lame basale du capillaire parental ou de la veinule. Deuxièmement, les cellules endothéliales doivent se déplacer vers la source du signal. Troisièmement, elles doivent proliférer. Quatrièmement, elles doivent former des tubes et se différencier. Le VEGF agit spécifiquement sur les cellules endothéliales pour stimuler l'angiogenèse dans de nombreuses circonstances différentes (d'autres facteurs de croissance, y compris certains membres de la famille du facteur de croissance des fibroblastes, stimulent également l'angiogenèse mais influencent en même temps d'autres types cellulaires à côté des cellules endothéliales).

Lorsque de nouveaux vaisseaux se forment, apportant du sang au tissu, la concentration en oxygène augmente, l'activité HIF-1 décline, la production de VEGF s'arrête et l'angiogenèse s'interrompt momentanément (Figure 22-28). Dans tous les systèmes signalétiques, il est aussi important d'arrêter correctement le signal que de le mettre en action. Dans un tissu normal bien oxygéné, la concentration basale d'HIF-1 est basse grâce à une dégradation continuelle de cette protéine. Cette dégradation dépend de l'ubiquitinylation de HIF-1 ; un processus qui requiert le produit d'un autre gène, qui est défectueux dans le rare *syndrome de Von Hippel-Lindau* (VHL). Les

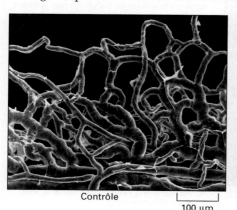

Contrôle

100 μm

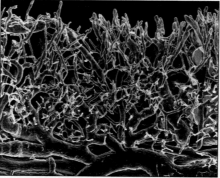

60 heures après une blessure

100 μm

Figure 22-27 Formation de nouveaux capillaires en réponse à une lésion. Moulages à partir du système vasculaire sanguin situé à la lisière de la cornée vus en microscopie électronique à balayage, montrant une réaction à une lésion. Les moulages sont effectués par injection de résine dans les vaisseaux sanguins. Cela permet de mettre en relief la forme de la lumière plutôt que la forme des cellules. Soixante heures après la lésion, de nombreux capillaires ont commencé à bourgeonner vers le site endommagé qui se situe *juste au-dessus du bord supérieur* de l'image. Cette croissance orientée est le résultat de la réponse chimiotactique des cellules endothéliales au facteur angiogénique libéré à l'endroit de la lésion. (Avec l'autorisation de Peter C. Burger.)

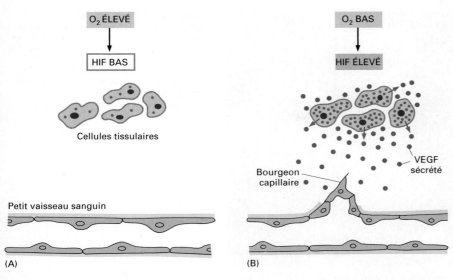

personnes qui souffrent de ce syndrome sont nées avec une seule copie fonctionnelle du gène VHL; les mutations ayant eu lieu au hasard dans l'organisme, cela donne des cellules où les deux copies du gène sont défectueuses. Ces cellules contiennent de grandes quantités d'HIF-1, sans se soucier de la disponibilité en oxygène, entraînant en continu une surproduction de VEGF. Il en résulte le développement d'*hémangioblastomes*, des tumeurs qui contiennent d'épaisses masses de vaisseaux sanguins. Les cellules mutantes qui produisent le VEGF sont apparemment elles-mêmes encouragées à proliférer par un excès de nutriments fournis par l'excès de vaisseaux sanguins; créant ainsi un cercle vicieux qui encourage la croissance tumorale. La perte du produit du gène VHL donne également naissance à d'autres tumeurs que les hémangioblastomes, par des mécanismes qui peuvent être indépendants de l'angiogenèse.

Résumé

Les cellules endothéliales forment une couche cellulaire unique qui tapisse tous les vaisseaux sanguins et qui contrôle les échanges entre le sang et les tissus voisins. Les signaux en provenance des cellules endothéliales organisent la croissance et le développement des cellules du tissu conjonctif qui forment les couches proximales de la paroi des vaisseaux sanguins. Les nouveaux vaisseaux sanguins se développent à partir des parois de petits vaisseaux existants par l'excroissance de ces cellules endothéliales qui ont la capacité de donner naissance à des tubes capillaires creux, même lorsqu'elles sont isolées en culture. Les cellules endothéliales des artères et des veines en développement, expriment différentes protéines de surface qui peuvent contrôler la manière dont les cellules se rejoignent pour créer le lit d'un nouveau capillaire.

Un mécanisme homéostasique assure la pénétration des vaisseaux dans chaque région du corps. Les cellules qui sont pauvres en oxygène augmentent leur concentration en HIF-1 (facteur hypoxique induit 1), qui stimule la production de VEGF (facteur de croissance de l'endothélium vasculaire). VEGF agit sur les cellules endothéliales, les amenant à proliférer et à envahir le tissu hypoxique pour lui apporter de nouveaux vaisseaux sanguins.

RENOUVELLEMENT PAR DES CELLULES SOUCHES MULTIPOTENTES : LA FORMATION DES CELLULES SANGUINES

Le sang contient de nombreux types cellulaires ayant des fonctions très différentes qui vont du transport de l'oxygène à la production d'anticorps. Certaines de ces cellules ont leur fonction assignée au système vasculaire alors que d'autres l'utilisent seulement comme moyen de transport et remplissent leur fonction dans d'autres tissus. Cependant, toutes les cellules sanguines ont certains points communs dans leur ontogenèse. Elles ont des durées de vie limitées et elles sont produites continuellement tout au long de la vie de l'animal. Enfin, ce qui est remarquable, elles sont toutes issues d'une cellule souche commune présente dans la moelle osseuse. Cette *cellule souche hématopoïétique* est donc multipotente. Elle donne naissance à tous les types de cellules sanguines totalement différenciées ainsi qu'à quelques autres types cellulaires, tels que les ostéoclastes, dont nous parlerons plus loin.

Figure 22-29 Photographie en microscopie électronique à balayage de cellules sanguines de mammifères prises dans un caillot sanguin. Les cellules les plus grosses avec une surface rugueuse sont les globules blancs. Les cellules lisses et aplaties sont des globules rouges. (Avec la permission de Ray Moss.)

5 µm

On peut classer les cellules sanguines en globules rouges ou globules blancs (Figure 22-29). Les **globules rouges**, ou **érythrocytes**, restent à l'intérieur des vaisseaux sanguins et transportent O_2 et CO_2 fixés à l'hémoglobine. Les **globules blancs**, ou **leucocytes**, combattent l'infection et, dans certains cas, phagocytent et digèrent les débris. Contrairement aux érythrocytes, les leucocytes peuvent franchir les parois de petits vaisseaux sanguins et migrer dans les tissus pour accomplir leurs tâches. De plus, le sang contient un grand nombre de **plaquettes** qui ne sont pas des cellules complètes mais des petits fragments cellulaires ou «minicellules» qui dérivent du cytoplasme cortical de cellules plus grosses, les *mégacaryocytes*. Les plaquettes adhèrent spécifiquement à la couche des cellules endothéliales des vaisseaux sanguins endommagés contribuant ainsi à la réparation des brèches dans les parois des vaisseaux et à la formation du caillot sanguin.

Il existe trois principales catégories de globules blancs : les granulocytes, les monocytes et les lymphocytes

Tous les globules rouges sont semblables, tout comme le sont les plaquettes, mais il y a de nombreux types différents de globules blancs. Ils sont habituellement groupés en trois catégories principales selon leur aspect en microscopie photonique : les granulocytes, les monocytes et les lymphocytes.

Tous les **granulocytes** contiennent de nombreux lysosomes et des vésicules sécrétrices (ou granules), et sont divisés en trois classes sur la base de la morphologie et des propriétés colorimétriques de ces organites (Figure 22-30). Les différences de coloration observées sont dues à des propriétés chimiques et fonctionnelles différentes. Les *neutrophiles* (appelés également *leucocytes polynucléaires* du fait de leur noyau polylobé) sont les granulocytes les plus représentés ; ils phagocytent, détruisent de petits organismes (en particulier les bactéries) et jouent un rôle central dans l'immunité naturelle des infections bactériennes, comme cela sera discuté dans le chapitre 25. Les *basophiles* sécrètent de l'histamine (et de la sérotonine dans certaines espèces), participant ainsi aux réactions inflammatoires. Ils sont étroitement apparentés par leur fonction aux *mastocytes*, qui résident dans les tissus conjonctifs mais sont également produits à partir des cellules souches hématopoïétiques. Les *éosinophiles* aident à la destruction des parasites et modulent les réponses inflammatoires allergiques.

Après avoir quitté la circulation sanguine, les **monocytes** (*voir* Figure 22-30D) se transforment en **macrophages** qui, avec les neutrophiles sont les principaux «phagocytes professionnels» de l'organisme. Comme cela est discuté dans le chapitre 13, les deux types de phagocytes contiennent des lysosomes spécialisés qui fusionnent avec des vésicules phagocytaires néoformées (les phagosomes), exposant les microorganismes phagocytés à une barrière de molécules hautement réactives et enzymatiquement produites : des molécules de superoxyde (O_2^-) et d'hypochlorite (HOCl, le composé actif de l'eau de Javel) ainsi qu'à un mélange concentré d'hydrolases lyso-

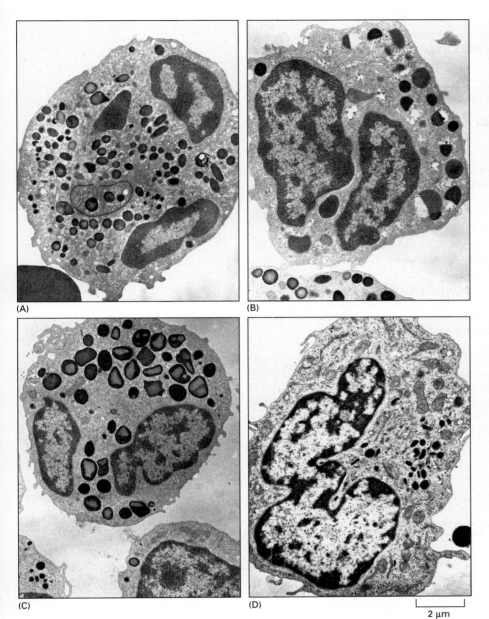

(A)

(B)

(C)

(D)

2 µm

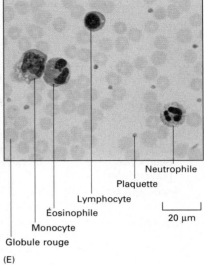

Neutrophile

Plaquette

Lymphocyte

Éosinophile

Monocyte

Globule rouge

20 µm

(E)

Figure 22-30 Globules blancs.
(A-D) Ces micrographies électroniques montrent respectivement (A) un neutrophile, (B) un basophile, (C) un éosinophile et (D) un monocyte. Des micrographies électroniques de lymphocytes sont données figure 24-7. Chacun des types cellulaires représentés ici a une fonction différente qui est reflétée par les types distinctifs de granules sécréteurs et de lysosomes qu'il contient. Il n'y a qu'un noyau par cellule mais il a une forme lobée irrégulière et dans (A), (B) et (C), les connexions entre les lobes sont en dehors du plan de coupe. (E) Micrographie photonique d'un frottis sanguin coloré avec le colorant de Romanowsky, qui colore fortement les globules blancs. (A-D, d'après B.A. Nichols et al., Rockefeller University Press ; E, avec l'autorisation de David Masson.)

somiales. Cependant, les macrophages sont beaucoup plus volumineux et vivent plus longtemps que les neutrophiles. Ils sont responsables de la reconnaissance et de l'élimination des cellules sénescentes, mortes ou lésées dans de nombreux tissus, et ils sont les seuls capables d'ingérer de gros microorganismes tels que les protozoaires.

Les monocytes donnent également naissance aux *cellules dendritiques*, comme les *cellules de Langerhans* dispersées dans l'épiderme. Comme les macrophages, les cellules dendritiques sont des cellules migratrices qui peuvent ingérer des substances et des organismes étrangers. Mais elles n'ont pas un aussi grand appétit de phagocytose et se sont plutôt spécialisées dans la présentation d'antigènes étrangers aux lymphocytes, déclenchant une réponse immunitaire. Par exemple, les cellules de Langerhans, ingèrent des antigènes étrangers dans l'épiderme et les présentent aux lymphocytes dans les follicules lymphoïdes.

Il existe deux principales classes **de lymphocytes**, toutes les deux impliquées dans les réponses immunitaires : les *lymphocytes B* fabriquent les anticorps alors que les *lymphocytes T* tuent les cellules infectées par des virus et contrôlent l'activité des autres globules blancs. De plus, il y a des cellules de type lymphocytaire appelées *cellules tueuses naturelles* (NK pour *natural killer*), qui tuent certains types de cellules tumorales et certaines cellules infectées par un virus. La production de lymphocytes est un phénomène particulier qui sera détaillé dans le chapitre 24. Nous nous intéresserons ici principalement au développement des autres cellules sanguines, souvent appelées **cellules myéloïdes**.

TABLEAU 22-I Cellules sanguines

TYPES DE CELLULES	FONCTIONS PRINCIPALES	CONCENTRATION MOYENNE DANS LE SANG HUMAIN (CELLULES/LITRE)
Globules rouges (érythrocytes)	Transportent O_2 et CO_2	5×10^{12}
Globules blancs (leucocytes)		
Granulocytes		
Neutrophiles (leucocytes polynucléés)	Phagocytent et détruisent les bactéries invasives étrangères	5×10^9
Éosinophiles	Détruisent de plus gros parasites et modulent les réactions inflammatoires allergiques	2×10^8
Basophiles	Libèrent l'histamine (et dans certaines espèces, la sérotonine) dans certaines réactions immunitaires	4×10^7
Monocytes	Deviennent des macrophages tissulaires qui phagocytent et digèrent les microorganismes étrangers (et les corps étrangers aussi bien que les cellules sénescentes)	4×10^8
Lymphocytes		
Cellules B	Produisent les anticorps	2×10^9
Cellules T	Tuent les cellules infectées par un virus et contrôlent les activités des autres leucocytes	1×10^9
Cellules tueuses (NK)	Tuent les cellules infectées par un virus et certaines cellules tumorales	1×10^8
Plaquettes (fragments cellulaires issus des *mégacaryocytes* dans la moelle osseuse)	Déclenchent la coagulation du sang	3×10^{11}

L'organisme humain contient environ 5 litres de sang, représentant 7 p. 100 du poids corporel. Les globules rouges représentent 45 p. 100 de ce volume et les globules blancs environ 1 p. 100, le reste étant constitué par le plasma sanguin.

Les différents types cellulaires du sang ainsi que leurs fonctions sont résumés dans le tableau 22-I.

La production de chaque type de cellule sanguine dans la moelle osseuse est contrôlée individuellement

La majorité des globules blancs sont actifs dans des tissus autres que le sang, ce dernier ne servant qu'à les transporter là où ils sont nécessaires. Par exemple, une infection locale ou une lésion dans n'importe quel tissu attire rapidement les globules blancs dans la région atteinte. Ils font partie de la réponse inflammatoire, qui aide à combattre l'infection ou à cicatriser une plaie.

La réponse inflammatoire est complexe et se fait par l'intermédiaire de diverses molécules informatives produites localement par les mastocytes, les terminaisons nerveuses, les plaquettes et les globules blancs ainsi que par l'activation du complément (*voir* Chapitres 24 et 25). Certaines de ces molécules informatives agissent sur les capillaires adjacents ; l'adhérence des cellules endothéliales entre elles est diminuée mais leur surface devient adhérente pour les globules blancs circulants. Les globules blancs sont ainsi capturés comme des mouches sur du papier tue-mouches et peuvent ensuite s'échapper du vaisseau en se frayant un passage entre les cellules endothéliales et en traversant la lame basale à l'aide d'enzymes digestives. La liaison initiale aux cellules endothéliales est assurée par des récepteurs appelés *sélectines*, et la liaison plus forte, requise pour que les globules blancs rampent hors du vaisseau sanguin, est assurée par les *intégrines* (*voir* Figure 19-30). D'autres molécules chimiques les *chimiokines* sont sécrétées par le tissu endommagé ou inflammé et par les cellules endothéliales locales. Elles agissent comme des substances attractives pour des types spécifiques de globules blancs, entraînant leur polarisation et leur repta-

Figure 22-31 Migration hors de la circulation sanguine des globules blancs au cours de la réaction inflammatoire. La réponse est initiée par une variété de molécules informatives produites localement par les cellules (du tissu conjonctif, essentiellement) ou par activation du complément. Certains des médiateurs agissent sur les cellules capillaires endothéliales provoquant la perte de leur ancrage aux cellules avoisinantes, de sorte que les capillaires deviennent plus perméables. Il y a également une stimulation par les cellules endothéliales de l'expression des sélectines – des molécules de surface qui reconnaissent des glucides spécifiques qui sont présents à la surface des leucocytes dans le sang et les font adhérer à l'endothélium. D'autres médiateurs agissent comme substances chimioattractives, provoquant la migration entre les cellules endothéliales des capillaires des leucocytes vers les tissus.

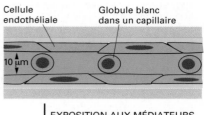

Cellule endothéliale · Globule blanc dans un capillaire

EXPOSITION AUX MÉDIATEURS DE L'INFLAMMATION LIBÉRÉS PAR UN TISSU LÉSÉ

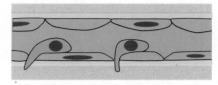

CHIMIOTACTISME VERS LES SUBSTANCES ATTRACTIVES LIBÉRÉES PAR LE TISSU LÉSÉ

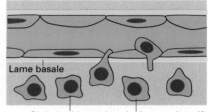

Lame basale

Globules blancs dans le tissu conjonctif

tion vers la source de substance attractive. De cette façon, un grand nombre de globules blancs pénètrent dans le tissu endommagé (Figure 22-31).

D'autres molécules informatives produites au cours d'une réponse inflammatoire sont libérées dans le sang et stimulent une plus grande production de leucocytes par la moelle osseuse ainsi que leur libération dans la circulation. La moelle osseuse est la cible clé pour une telle régulation car, à l'exception des lymphocytes et de certains macrophages, la majorité des types de cellules sanguines chez les mammifères adultes ne sont engendrés que dans la moelle osseuse. La régulation tend à être spécifique d'un type cellulaire donné : certaines infections bactériennes, par exemple, provoquent une augmentation sélective des neutrophiles, tandis que des infections par certains protozoaires ou d'autres parasites provoquent une augmentation sélective des éosinophiles. (Pour cette raison, les médecins utilisent couramment le comptage des différents types de globules blancs pour diagnostiquer plus facilement des maladies infectieuses ou inflammatoires.)

Dans d'autres circonstances, la production d'érythrocytes est augmentée sélectivement – si par exemple, un individu part vivre en haute altitude, là où l'oxygène est rare. La formation des cellules sanguines (l'*hématopoïèse*) implique donc des contrôles complexes dans lesquels la production de chaque type de cellule du sang est contrôlée individuellement pour s'adapter aux besoins. Comprendre le mécanisme d'action de ces contrôles est un problème de grande importance médicale, et de grands progrès ont été accomplis dans ce domaine ces dernières années.

Chez l'animal, l'hématopoïèse est plus difficile à analyser que ne l'est le renouvellement cellulaire d'un tissu comme la couche épidermique de la peau. Dans l'épiderme, il y a une organisation spatiale simple et régulière qui facilite l'observation du processus de renouvellement et la localisation des cellules souches ; ce n'est pas le cas des tissus hématopoïétiques. En revanche, les cellules hématopoïétiques ont un style de vie nomade qui les rend plus accessibles à des études expérimentales par d'autres moyens. Les cellules hématopoïétiques prélevées peuvent être aisément transférées, sans aucune altération, d'un animal à l'autre. La prolifération et la différenciation des cellules isolées et de leur descendance peuvent être observées et analysées en culture et de nombreux marqueurs moléculaires peuvent permettre de distinguer les divers stades de différenciation. Pour cette raison, nous en savons plus sur les molécules qui contrôlent la production des cellules sanguines que sur celles qui contrôlent la production cellulaire dans d'autres tissus chez les mammifères.

La moelle osseuse contient des cellules souches hématopoïétiques

Les différents types de cellules sanguines ainsi que leurs précurseurs immédiats peuvent être reconnus dans la moelle osseuse grâce à leurs aspects distinctifs (Figure 22-32). Ils sont mélangés les uns avec les autres mais aussi avec les cellules adipeuses et d'autres cellules stromales (cellules du tissu conjonctif) qui forment un fin réseau de soutien de fibres de collagène et d'autres composants de la matrice extracellulaire. De plus, le tissu intact est richement pourvu de vaisseaux sanguins à fine paroi (appelés *sinusoïdes sanguins*) dans lesquels les cellules sanguines néoformées sont libérées. Les **mégacaryocytes** sont également présents ; contrairement aux autres cellules sanguines, ceux-ci restent dans la moelle osseuse après maturation et sont caractérisés par leur étonnante grande taille (leur diamètre peut atteindre 60 µm) et leur noyau est très polyploïde. Ils tapissent généralement les parois des sinusoïdes et étendent des prolongements par les trous de la paroi endothéliale de ces vaisseaux. Les plaquettes sont étirées et formées à partir de ces prolongements et entraînées dans le sang (Figure 22-33).

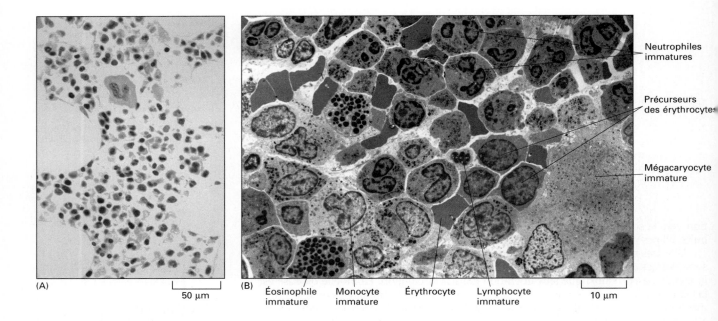

(A)

50 µm

(B) Éosinophile immature | Monocyte immature | Érythrocyte | Lymphocyte immature | 10 µm

Neutrophiles immatures

Précurseurs des érythrocytes

Mégacaryocyte immature

Du fait de l'organisation complexe des cellules de la moelle osseuse, il est difficile de les identifier hormis les précurseurs immédiats des cellules sanguines matures. Les cellules correspondant à des stades encore plus précoces de leur développement, avant que toute différenciation effective n'ait commencé, sont étonnamment semblables et bien qu'il existe une certaine organisation spatiale, il n'existe pas de caractéristique visible qui permette de reconnaître les cellules souches ultimes. Afin d'identifier et de caractériser les cellules souches, il faut faire appel à un test fonctionnel qui permet de suivre la descendance de cellules isolées. Comme nous le verrons, cela peut être réalisé en culture, simplement en examinant les colonies que produisent des cellules isolées *in vitro*. Cependant le système hématopoïétique peut aussi être manipulé pour que de tels clones cellulaires soient reconnaissables *in vivo* dans l'animal intact.

Dans un organisme animal exposé à une dose massive de rayons X, la plupart des cellules hématopoïétiques sont détruites et l'animal meurt en quelques jours car il est incapable de produire de nouvelles cellules sanguines. L'animal peut pourtant être sauvé grâce à une transfusion de cellules qui proviennent de la moelle osseuse d'un donneur sain et immunologiquement compatible. Parmi ces cellules, un petit nombre peut coloniser l'hôte irradié et reformer son tissu hématopoïétique (Figure 22-34). Ce type d'expériences prouve que la moelle osseuse contient des cellules souches hématopoïétiques et peut en conséquence permettre de découvrir les caractéristiques moléculaires qui différencient ces cellules des autres cellules.

Dans ce but, des cellules issues de la moelle osseuse sont triées (par un cytomètre de flux associé à un trieur de cellules en se basant sur la fluorescence) selon les anti-

Figure 22-32 Moelle osseuse.
(A) Micrographie photonique d'une coupe colorée. Les grands espaces vides correspondent aux adipocytes, dont le contenu lipidique a été dissous pendant la préparation de l'échantillon. La cellule géante avec un noyau multilobé est un mégacaryocyte. (B) Micrographie électronique à faible grossissement. Ce tissu est la principale source de nouvelles cellules sanguines (sauf pour les lymphocytes T, qui sont produits dans le thymus). Noter que les cellules sanguines immatures d'un type particulier tendent à se rassembler en «groupes familiaux». (A, avec la permission de David Mason; B, d'après J.A.G., Rhodin, Histology : a Text and Atlas. New York : Oxford University Press, 1974.)

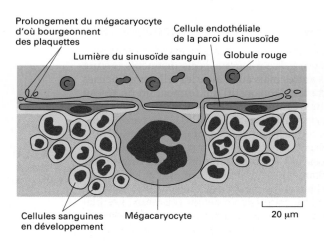

Prolongement du mégacaryocyte d'où bourgeonnent des plaquettes

Cellule endothéliale de la paroi du sinusoïde

Lumière du sinusoïde sanguin

Globule rouge

Cellules sanguines en développement

Mégacaryocyte

20 µm

Figure 22-33 Un mégacaryocyte parmi d'autres cellules dans la moelle osseuse. Sa taille importante est due à son noyau très polyploïde. Un mégacaryocyte produit environ 10 000 plaquettes qui se détachent de longs prolongements qui s'étendent à travers des trous dans la paroi du sinusoïde sanguin adjacent.

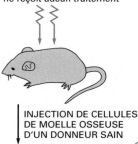

L'irradiation aux rayons X arrête la production de cellules sanguines ; la souris meurt si elle ne reçoit aucun traitement

Figure 22-34 Une souris irradiée est sauvée par la transfusion de cellules de la moelle osseuse. Un protocole sensiblement identique est utilisé dans le traitement des leucémies de patients humains par transplantation de moelle osseuse.

INJECTION DE CELLULES DE MOELLE OSSEUSE D'UN DONNEUR SAIN

La souris survit ; les cellules souches injectées colonisent ses tissus hématopoïétiques et génèrent un apport stable de nouvelles cellules sanguines

gènes de surface présentés et les différentes fractions sont transfusées à des souris irradiées. Si une souris est sauvée grâce à telle fraction, c'est que cette fraction doit contenir des cellules souches hématopoïétiques. Il a ainsi été possible de montrer que les cellules souches hématopoïétiques sont caractérisées par une combinaison spécifique de protéines de surface. Par un tri cellulaire approprié, il est virtuellement possible d'obtenir des préparations pures de cellules souches. Elles représentent une toute petite fraction de la population cellulaire de la moelle osseuse (environ 1 cellule sur 10 000) mais cela est suffisant. Moins de 5 cellules injectées chez une souris hôte ayant une hématopoïèse altérée sont suffisantes pour reconstituer un système hématopoïétique complet, générant tous les types cellulaires sanguins ainsi que de nouvelles cellules souches.

Une cellule souche multipotente donne naissance à toutes les catégories de cellules sanguines

Afin d'observer quels types de cellules peuvent générer une **cellule souche hématopoïétique** unique, il est nécessaire de suivre le devenir de sa descendance. Ceci peut être fait à l'aide des marqueurs génétiques individuels des cellules souches. La descendance peut ainsi être identifiée même après sa libération dans la circulation sanguine. Bien que plusieurs méthodes aient été utilisées dans ce but, la plus efficace est un rétrovirus (vecteur rétroviral portant un gène marqueur) manipulé spécialement. Le virus marqueur, comme tous les autres rétrovirus, peut insérer son génome dans les chromosomes de la cellule infectée mais les gènes qui lui permettraient d'engendrer des particules infectieuses sont éliminés. Par conséquent, le marqueur est limité à la descendance des cellules initialement infectées. La descendance d'une telle cellule peut être distinguée de la descendance d'une autre du fait que les sites chromosomiques d'insertion du virus sont différents. Afin d'analyser les lignées cellulaires hématopoïétiques, les cellules de la moelle osseuse sont tout d'abord infectées avec le rétrovirus *in vitro* puis transférées dans un receveur irradié ; les sondes d'ADN peuvent ensuite être utilisées pour suivre la descendance de cellules infectées isolées dans les tissus hématopoïétiques et lymphoïdes de l'hôte. Ces expériences montrent que la cellule souche hématopoïétique est *multipotente* et peut donner naissance à toutes les catégories de cellules sanguines – myéloïdes et lymphoïdes – ainsi qu'à de nouvelles cellules souches (Figure 22-35).

Les méthodes qui ont été expérimentées chez la souris peuvent maintenant être utilisées comme traitement des maladies humaines. Comme nous venons de le voir, les souris peuvent être irradiées afin de tuer leurs cellules hématopoïétiques et être ensuite sauvées par une transfusion de nouvelles cellules souches. De même, des patients leucémiques, par exemple, peuvent être irradiés ou traités chimiquement afin de détruire leurs cellules cancéreuses mais aussi le reste de leur tissu hématopoïétique ; ils peuvent être sauvés par une transfusion de cellules hématopoïétiques qui sont exemptes de mutations induisant le cancer. Ces cellules souches saines peuvent être obtenues à partir d'un donneur sain apparié immunologiquement ou à partir d'un échantillon préalablement recueilli de moelle osseuse du patient leucémique.

Cette méthodologie ouvre en principe la voie d'une thérapie génique : les cellules souches hématopoïétiques peuvent être isolées en culture, modifiées génétiquement par transfection d'ADN ou par toute autre technique permettant d'introduire le gène désiré, et ensuite transfusées au patient chez lequel le gène est manquant, afin de fournir une source auto-renouvelée de la composante génétique manquante.

La détermination est un processus prudent qui a lieu étape par étape

Les cellules souches hématopoïétiques ne passent pas directement d'un état multipotent à un stade déterminé juste par une seule voie de différenciation ; en fait elles passent par une série de restrictions progressives. La première étape est un engagement, soit vers un devenir myéloïde soit lymphoïde, qui donne naissance à deux types de cellules précurseurs : un capable de générer un grand nombre de toutes les différentes cellules myéloïdes, et peut-être en plus des lymphocytes B, et l'autre type

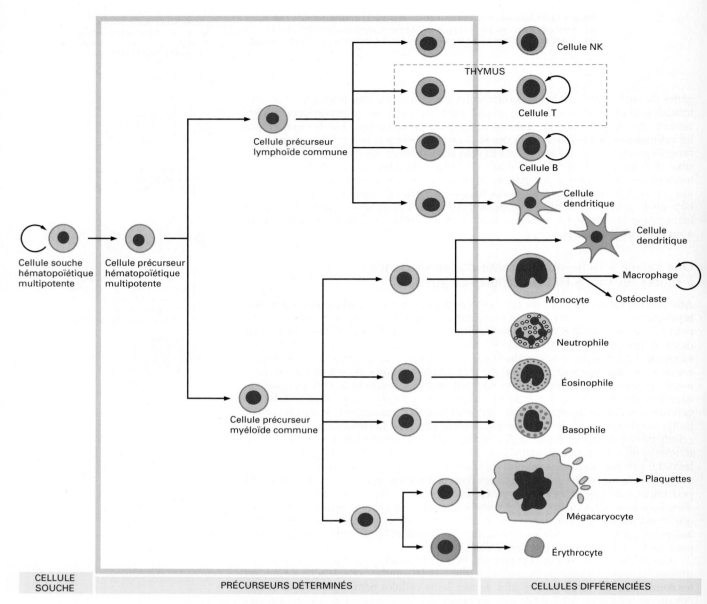

| CELLULE SOUCHE | PRÉCURSEURS DÉTERMINÉS | CELLULES DIFFÉRENCIÉES |

Figure 22-35 Schéma hypothétique de l'hématopoïèse. Normalement, la cellule souche multipotente se divise peu fréquemment pour engendrer des cellules souches multipotentes (auto-renouvellement) ou des cellules précurseurs déterminées, qui sont limitées dans le nombre de divisions qu'elles peuvent accomplir avant la différenciation en cellules sanguines matures. Au cours de leurs divisions, les précurseurs deviennent progressivement plus spécialisés dans le registre de cellules auquel elles donnent naissance, comme indiqué par les ramifications du diagramme des lignées cellulaires incluses dans le cadre *gris*. Toutefois beaucoup de détails de cette partie sont toujours sujets à controverse.
Chez les mammifères adultes, toutes les cellules représentées se développent principalement dans la moelle – sauf les lymphocytes T, qui se développent dans le thymus, et les macrophages et les ostéoclastes, qui se développent à partir des monocytes. Certaines cellules dendritiques pourraient aussi dériver des monocytes. Les mastocytes (non représentés) sont supposés se développer à partir des basophiles circulants.

capable de générer un grand nombre de toutes les différentes cellules lymphoïdes, et au moins les lymphocytes T. D'autres étapes donnent naissance à partir des cellules précurseurs à un seul type de cellules. Les étapes de la détermination peuvent être corrélées à des changements d'expression de protéines spécifiques régulatrices d'expression génique, nécessaires pour la production des différents sous-ensembles des cellules sanguines. Elles semblent agir d'une manière combinatoire compliquée : la *protéine GATA-1*, par exemple, est nécessaire pour la maturation des globules rouges mais est également active durant des étapes plus précoces de l'hématopoïèse.

La signification de la «détermination» du point de vue moléculaire n'est pas clairement connue mais elle présente au moins deux aspects : les gènes déterminant le mode de différenciation s'activent tandis que ceux qui permettent d'accéder aux autres voies sont inactivés. Ces processus sont normalement coordonnés mais des études sur des animaux mutants montrent qu'ils sont en principe distincts. Les animaux déficients en protéine de régulation génique Pax5 présentent un blocage de la production des lymphocytes B matures : les cellules précurseurs débutent le processus qui doit aboutir aux lymphocytes B mais ne le terminent pas. Les cellules précurseurs normales qui ont franchi cette même étape initiale ne peuvent pas être amenées, quel que soit leur environnement, à se différencier dans une autre voie que celle des lymphocytes B. Mais les cellules déficientes en Pax5 ne possèdent pas une telle restriction : sous des conditions appropriées, elles peuvent être amenées à générer d'autres types de cellules sanguines, y compris des lymphocytes T, macrophages et granulocytes. Ceci est possible car non seulement la protéine Pax5 est nécessaire pour activer les gènes de développement des lymphocytes B mais aussi pour inactiver les gènes responsables du développement des autres voies.

Le nombre de cellules sanguines spécialisées est amplifié par les divisions des cellules précurseurs (ou progénitrices) déterminées

Les cellules précurseurs hématopoïétiques s'engagent généralement dans une voie particulière de différenciation longtemps avant qu'elles ne cessent de proliférer et de se différencier totalement. Les cellules précurseurs déterminées se multiplient activement afin d'amplifier le nombre final d'un type donné de cellules spécialisées. De cette manière, une unique division de cellule souche peut aboutir à la production de plusieurs milliers de descendants, ce qui explique pourquoi les cellules souches représentent une si faible fraction de la population totale des cellules hématopoïétiques. Pour la même raison, une vitesse élevée de production des cellules sanguines peut être maintenue alors que la vitesse de division des cellules souches est faible. La rareté des divisions est un point commun entre les cellules souches de différents tissus, comprenant l'épiderme, l'intestin et également le système hématopoïétique. Les divisions amplificatrices des cellules précurseurs déterminées réduisent le nombre de cycles de division que les cellules souches ont à accomplir durant la vie, diminuant ainsi le risque de sénescence due à la réplication (*voir* Chapitre 17) et de mutations préjudiciables.

La nature prudente de la détermination signifie que le système hématopoïétique peut être représenté comme une famille hiérarchisée de cellules. Les cellules souches multipotentes donnent naissance à des *cellules précurseurs (ou progénitrices) déterminées*, qui sont irréversiblement déterminées comme ancêtres d'un seul ou de quelques types de cellules sanguines. Les cellules précurseurs déterminées se divisent rapidement mais un nombre limité de fois. Ensuite, elles se transforment en cellules totalement différenciées, qui généralement ne se divisent plus et meurent en quelques jours ou semaines. Beaucoup de cellules meurent normalement pendant les étapes précoces de la voie de différenciation. Des études en culture fournissent un moyen de découvrir le mode de régulation de ces événements cellulaires-prolifération, différenciation et mort.

Les cellules souches dépendent de signaux de contact avec les cellules stromales

Les cellules hématopoïétiques peuvent survivre, proliférer et se différencier en culture si, et seulement si, on leur fournit des facteurs de croissance spécifiques ou si on les cultive en présence de cellules qui produisent ces facteurs ; si elles sont privées de ces facteurs, les cellules meurent. Pour un maintien à long terme, le contact avec des cellules de soutien appropriées semble également nécessaire : l'hématopoïèse peut être conservée pendant des mois voire des années *in vitro* en cultivant des cellules hématopoïétiques de la moelle osseuse dispersées sur une couche de cellules stromales médullaires reconstituant ainsi probablement l'environnement de la moelle osseuse intacte. De telles cultures peuvent engendrer tous les types de cellules myéloïdes. Leur maintien à long terme implique que les cellules souches, de même que leur descendance différenciée, soient continuellement produites.

Il existe un mécanisme, aussi bien dans ces cultures qu'*in vivo*, qui garantit que tandis que certaines cellules souches s'engagent dans la voie de la différentiation, d'autres demeurent des cellules souches. Ce choix semble être contrôlé, du moins en partie, par des signaux spécifiques produits par des contacts avec des cellules stromales. Ces signaux semblent nécessaires aux cellules souches hématopoïétiques pour leur maintien dans un état indifférencié tout comme des contacts avec la lame basale sont nécessaires au maintien des cellules souches de l'épiderme. Dans les deux systèmes, les cellules souches sont normalement confinées dans une niche particulière. Quand elles perdent contact avec cette niche, elles ont tendance à perdre leur potentiel de cellule souche (Figure 22-36).

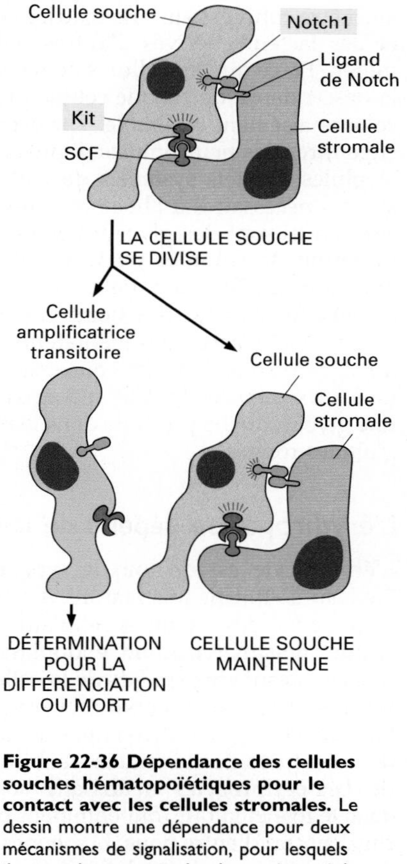

Figure 22-36 Dépendance des cellules souches hématopoïétiques pour le contact avec les cellules stromales. Le dessin montre une dépendance pour deux mécanismes de signalisation, pour lesquels il y a quelques certitudes. Le système réel est probablement plus compliqué. Cette dépendance ne peut pas être absolue dès lors qu'un petit nombre de cellules souches fonctionnelles peut circuler librement.

La nature de ces signaux critiques d'origine stromale n'est pas certaine bien que plusieurs mécanismes aient été impliqués, nécessitant des facteurs sécrétés et des facteurs liés à la surface cellulaire. Par exemple, les cellules hématopoïétiques précurseurs, incluant les cellules souches, dans la moelle osseuse exposent le récepteur transmembranaire Notch1 alors que les cellules stromales expriment le ligand de Notch. Il existe des preuves que l'activation de Notch aide les cellules souches ou les cellules précurseurs à s'engager dans la voie de la différenciation (*voir* Chapitre 15).

Un autre exemple d'interaction qui est importante pour le maintien de l'hématopoïèse a été mis en évidence par l'analyse de souris mutantes qui présentent une combinaison curieuse de défauts : un déficit en globules rouges (anémie), en cellules germinales (stérilité) et en cellules pigmentaires (taches blanches sur la peau, *voir* Figure 21-81). Comme cela a été discuté dans le chapitre 21, ce syndrome résulte de mutations de l'un des deux gènes : le premier, appelé *c-kit*, code pour un récepteur de tyrosine kinase ; le deuxième, appelé *Steel*, code pour son ligand, le facteur de cellule souche (SCF pour *stem-cell factor*). Les types cellulaires affectés par ces mutations dérivent tous de précurseurs migratoires. Il semble que, dans chaque cas, ces précurseurs doivent exprimer le récepteur (kit) et être approvisionnés en ligand (SCF) par leur environnement si les cellules descendantes doivent survivre et être produites en nombre normal. L'analyse de souris mutantes suggère que le SCF doit être sous forme transmembranaire pour être actif. Cela implique que l'hématopoïèse normale requiert un contact intercellulaire direct entre les cellules souches hématopoïétiques, qui expriment le récepteur protéique Kit et les cellules du stroma qui expriment SCF.

Les facteurs qui régulent l'hématopoïèse peuvent être analysés en culture

Alors que les cellules souches dépendent du contact avec les cellules stromales pour leur survie à long terme, ce n'est pas le cas de leur descendance, ou bien à un degré moindre. Les cellules hématopoïétiques dispersées dans la moelle osseuse peuvent ainsi être cultivées sur une matrice semi-solide d'agar ou de méthylcellulose diluée, et des facteurs dérivés d'autres cellules peuvent être artificiellement ajoutés au milieu. Parce que les cellules ne peuvent pas migrer dans cette matrice semi-solide, la descendance de chaque cellule précurseur isolée reste groupée pour former une colonie aisément repérable. Par exemple, une cellule précurseur déterminée pour engendrer des neutrophiles donnera lieu à un clone contenant des milliers de neutrophiles. De tels systèmes de culture fournissent un moyen d'analyser les substances nécessaires à l'hématopoïèse, de les purifier et d'étudier leurs actions. Ces substances sont des glycoprotéines et sont généralement appelées **facteurs de stimulation de colonies** ou **CSF** (pour *colony-stimulating factors*). Parmi le nombre croissant de CSF qui ont été caractérisés et purifiés, certains circulent dans le sang et agissent comme des hormones, tandis que d'autres agissent dans la moelle osseuse soit comme des médiateurs sécrétés localement soit comme le SCF comme des signaux membranaires qui agissent par l'intermédiaire de contact intercellulaire. Le mieux compris des CSF qui agissent comme des hormones est l'érythropoïétine, une glycoprotéine produite dans le rein qui contrôle l'*érythropoïèse* (la formation des globules rouges).

L'érythropoïèse dépend de l'hormone érythropoïétine

L'érythrocyte est de loin le type cellulaire le plus courant dans le sang (*voir* Tableau 22-I). Une fois mature, il est rempli d'hémoglobine et ne contient pratiquement aucun des organites cellulaires habituels. Dans un érythrocyte de mammifère adulte, noyau, réticulum endoplasmique, mitochondries et ribosomes sont tous absents, ayant été expulsés de la cellule au cours de son développement (Figure 22-37). Par conséquent, l'érythrocyte ne peut plus croître ou se diviser ; seules les cellules souches peuvent produire de nouveaux érythrocytes. De plus, les érythrocytes ont une durée de vie limitée – environ 120 jours chez l'homme, 55 jours chez la souris. Les érythrocytes vieillissants sont phagocytés et digérés par les macrophages dans le foie et la rate, qui éliminent plus de 10^{11} érythrocytes sénescents chaque jour chez chacun d'entre nous. Les jeunes érythrocytes se protègent activement contre ce devenir : ils possèdent à leur surface une protéine qui lie un récepteur inhibiteur des macrophages et préviennent ainsi leur phagocytose.

Un manque d'oxygène ou une insuffisance en érythrocytes stimule les cellules du rein afin qu'elles synthétisent et sécrètent une quantité plus importante d'**éry-**

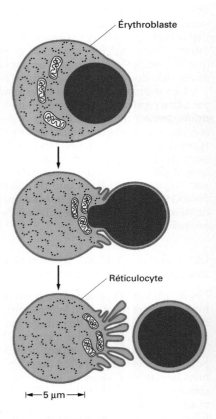

Érythroblaste

Réticulocyte

|← 5 µm →|

Figure 22-37 Représentation schématique d'un globule rouge en cours de développement (érythroblaste). La cellule est représentée expulsant son noyau, afin de devenir un érythrocyte immature (réticulocyte), peu avant de quitter la moelle osseuse et de passer dans la circulation. Le réticulocyte perdra ses mitochondries et ses ribosomes en un jour ou deux pour devenir un érythrocyte mature. Les clones érythrocytaires se développent dans la moelle osseuse à la surface d'un macrophage qui phagocyte et digère les noyaux expulsés par les érythroblastes.

thropoïétine dans la circulation. L'érythropoïétine à son tour stimule la production d'un plus grand nombre d'érythrocytes. Une modification de la vitesse de libération de nouveaux érythrocytes dans la circulation étant observée un ou deux jours après une augmentation de la concentration de l'érythropoïétine dans le sang, cela signifie que l'hormone doit agir sur des cellules qui sont de très proches précurseurs des érythrocytes matures.

Les cellules qui répondent à l'érythropoïétine peuvent être identifiées en cultivant les cellules de la moelle osseuse sur une matrice semi-solide en présence d'érythropoïétine. En quelques jours, des colonies d'environ 60 érythrocytes apparaissent, chacune provenant d'une seule cellule précurseur déterminée de la lignée érythroïde. Cette cellule est connue comme *cellule formant des colonies érythrocytaires* ou *CFC-E* (pour *erythrocyte colony-forming cell*) ou *CFU-E* (pour *colony-forming unit*) et donne des érythrocytes matures après environ six cycles de division cellulaires ou moins. Les CFC-E ne contiennent pas encore d'hémoglobine, et sont dérivées d'un type plus précoce de cellule précurseur dont la prolifération ne dépend pas de l'érythropoïétine. Les CFC-E elles-mêmes dépendent de l'érythropoïétine pour leur survie aussi bien que pour leur prolifération : si l'on enlève l'érythropoïétine des cultures, les cellules subissent rapidement une mort cellulaire programmée.

Un second CSF, appelé **interleukine 3** (**IL-3**), favorise la survie et la prolifération des cellules progénitrices érythroïdes plus précoces. En sa présence, des colonies érythroïdes beaucoup plus importantes, comprenant jusqu'à 5 000 érythrocytes, se développent, en 7 à 10 jours, à partir de cellules de moelle osseuse en culture. Ces colonies dérivent de cellules précurseurs érythroïdes appelées *cellules d'« explosion » érythrocytaire* ou *BFC-E* (pour *erythrocyte burst-forming cells*) ou *BFU-E* (pour *burst-forming units*). La BFC-E se distingue de la cellule souche multipotente par une capacité de prolifération limitée, et donne des colonies qui ne contiennent que des érythrocytes, même dans des conditions de culture qui permettent à d'autres cellules précurseurs d'engendrer d'autres classes de cellules sanguines différenciées. Elle se distingue de la CFC-E par son insensibilité à l'érythropoïétine, et sa descendance doit subir au moins 12 divisions cellulaires avant de se transformer en érythrocytes matures (pour lesquels l'érythropoïétine est nécessaire). La BFC-E peut donc être considérée comme une cellule précurseur déterminée pour la différenciation des érythrocytes et un ancêtre précoce de la CFC-E.

De multiples CSF influent sur la production des neutrophiles et des macrophages

Les deux cellules phagocytaires professionnelles, les neutrophiles et les macrophages, sont issues d'une cellule précurseur déterminée commune appelée **cellule précurseur** (ou **progénitrice**) **des granulocytes/macrophages** (ou **GM**). Comme les autres granulocytes (éosinophiles et basophiles), les neutrophiles ne circulent dans le sang que quelques heures avant de migrer hors des capillaires dans les tissus conjonctifs ou les autres sites spécifiques, où ils survivent quelques jours puis meurent par apoptose et sont phagocytés par des macrophages. À l'opposé, les macrophages peuvent survivre plusieurs mois et peut-être même quelques années, en dehors de la circulation sanguine, où ils peuvent être activés par des signaux locaux pour continuer à proliférer.

Au moins sept CSF distincts stimulant la formation de colonies de neutrophiles et de macrophages en culture ont été identifiés. Ils agissent vraisemblablement selon différentes combinaisons pour régler la production sélective de ces cellules *in vivo*. Ces CSF sont synthétisés par différents types cellulaires – les cellules endothéliales, les fibroblastes, les macrophages et les lymphocytes –, et leur concentration dans le sang augmente rapidement en réponse à une infection bactérienne dans un tissu, augmentant de ce fait le nombre de cellules phagocytaires de la moelle osseuse libérées dans le sang. L'IL-3 est le moins spécifique des facteurs, agissant aussi bien sur les cellules souches multipotentes que sur la plupart des catégories de cellules précurseurs déterminées, y compris les cellules précurseurs des GM. Les autres facteurs agissent de façon plus sélective sur les cellules précurseurs déterminées des GM et leur descendance différenciée (Tableau 22-II), bien que dans de nombreux cas ils agissent également sur certaines autres branches de l'arbre généalogique hématopoïétique.

Tous ces CSF, comme l'érythropoïétine, sont des glycoprotéines qui agissent à faible concentration (environ 10^{-12}M) en se liant spécifiquement à des récepteurs de surface cellulaire spécifiques, comme cela a été discuté dans le chapitre 15. Quelques-uns de ces récepteurs sont des tyrosine kinases transmembranaires. La plupart appartiennent à l'autre grande famille des récepteurs : ceux des cytokines, dont les

TABLEAU 22-II Quelques facteurs de stimulation de colonies (CSF) qui influent sur la formation des cellules sanguines

FACTEUR	CELLULES CIBLES	CELLULES SÉCRÉTRICES	RÉCEPTEURS
Érythropoïétine	CFC-E	Cellules rénales	Famille des cytokines
Interleukine 3 (IL-3)	Cellule souche multipotente, la majorité des cellules précurseurs, beaucoup de cellules totalement différenciées	Lymphocytes T, cellules de l'épiderme	Famille des cytokines
CSF des granulocytes/ macrophages (GM-CSF)	Cellules précurseurs des GM	Lymphocytes T, cellules endothéliales, fibroblastes	Famille des cytokines
CSF des granulocytes (G-CSF)	Cellules précurseurs des GM et des neutrophiles	Macrophages, fibroblastes	Famille des cytokines
CSF des macrophages (M-CSF)	Cellules précurseurs des GM et des macrophages	Fibroblastes, macrophages, cellules endothéliales	Famille des récepteurs à activité tyrosine kinase
Facteur Steel (facteur des cellules souches)	Cellules souches hématopoïétiques	Cellules du stroma dans la moelle osseuse et bien d'autres cellules	Famille des récepteurs à activité tyrosine kinase

membres sont habituellement constitués de deux sous-unités ou plus, l'une d'entre elles étant fréquemment partagée entre plusieurs types de récepteurs (Figure 22-38). Les CSF agissent non seulement sur les cellules précurseurs pour favoriser la formation de colonies, mais activent également les fonctions spécialisées (comme la phagocytose et la destruction de cellules cibles) des cellules totalement différenciées. Les protéines produites artificiellement à partir des gènes clonés codant pour ces facteurs (parfois appelés *facteurs recombinants* car ils sont produits grâce à la technologie de l'ADN recombinant) sont de puissants stimulants de l'hématopoïèse chez les animaux de laboratoire. Ils sont maintenant utilisés chez des patients humains pour stimuler la régénération du tissu hématopoïétique et pour renforcer la résistance à l'infection – une démonstration impressionnante de la manière dont la recherche fondamentale en biologie cellulaire et les expériences animales peuvent conduire à de meilleurs traitements médicaux.

Le comportement d'une cellule hématopoïétique dépend en partie du hasard

Jusqu'ici nous avons éludé une question centrale. Les CSF sont définis comme des facteurs qui favorisent la production de colonies de cultures sanguines différenciées. Mais quel effet exact exerce un CSF sur une cellule hématopoïétique individuelle ? Le facteur pourrait contrôler la vitesse de division cellulaire ou le nombre de cycles de division que la cellule précurseur effectue avant de se différencier ; il pourrait agir précocement pour influer sur la détermination ; ou il pourrait simplement augmenter la probabilité de survie cellulaire (Figure 22-39). En suivant le devenir des cellules hématopoïétiques isolées en culture, il a été possible de montrer qu'un seul CSF,

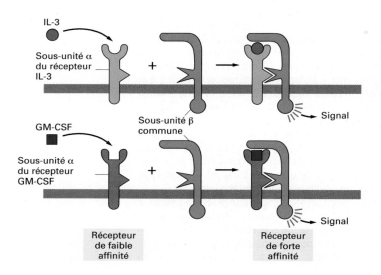

Figure 22-38 Partage de sous-unités par les récepteurs des CSF. Les récepteurs humains de l'IL-3 et du GM-CSF ont différentes sous-unités α et une sous-unité β commune. Leurs ligands se lient à la sous-unité α avec une faible affinité, et cela déclenche l'assemblage de l'hétérodimère qui lie le ligand avec une forte affinité.

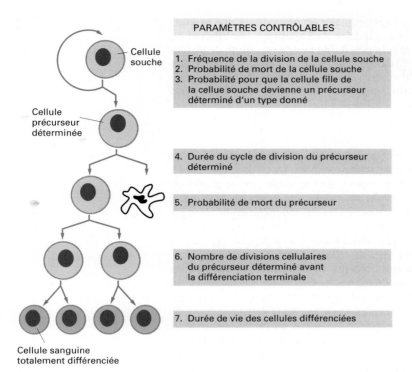

PARAMÈTRES CONTRÔLABLES

Cellule souche

1. Fréquence de la division de la cellule souche
2. Probabilité de mort de la cellule souche
3. Probabilité pour que la cellule fille de la cellule souche devienne un précurseur déterminé d'un type donné

Cellule précurseur déterminée

4. Durée du cycle de division du précurseur déterminé

5. Probabilité de mort du précurseur

6. Nombre de divisions cellulaires du précurseur déterminé avant la différenciation terminale

7. Durée de vie des cellules différenciées

Cellule sanguine totalement différenciée

comme le GM-CSF, peut avoir tous ces effets. Néanmoins, nous ne savons toujours pas quelles sont les actions importantes *in vivo*.

De plus, des études *in vitro* indiquent qu'il y a une grande part de hasard dans le comportement d'une cellule hématopoïétique. Au moins quelques CSF semblent agir en contrôlant les probabilités et non en dictant directement à la cellule ce qu'elle doit faire. Dans des cellules hématopoïétiques en culture, même si ces cellules ont été sélectionnées pour former une population aussi homogène que possible, il y a une grande diversité de tailles et souvent de caractéristiques dans les colonies qui se développent. De plus, si deux cellules sœurs sont prélevées juste après une division cellulaire et cultivées séparément dans des conditions identiques, elles donneront fréquemment des colonies qui contiennent des types différents de cellules sanguines ou les mêmes types de cellules sanguines en nombre différent. La programmation de la division cellulaire et le processus de spécialisation semblent donc impliquer des événements aléatoires au niveau unicellulaire, même si le comportement du système pluricellulaire dans son ensemble est contrôlé de façon fiable.

La régulation de la survie cellulaire est aussi importante que la régulation de la prolifération cellulaire

Alors que de telles observations montrent que les CSF ne sont pas strictement nécessaires pour enseigner aux cellules hématopoïétiques comment se différencier ou combien de fois se diviser, les CSF sont nécessaires pour maintenir les cellules en vie : le comportement par défaut des cellules en absence de CSF est la mort par apoptose (*voir* Chapitre 17). En principe, les CSF pourraient réguler le nombre des différents types de cellules sanguines entièrement par le biais du contrôle sélectif de la survie cellulaire, et il y a de plus en plus de preuves que le contrôle de la survie cellulaire joue un rôle central dans la régulation du nombre des cellules sanguines comme on l'a vu auparavant pour les hépatocytes et également pour beaucoup d'autres types cellulaires. Le nombre de morts par apoptose dans le système hématopoïétique des vertébrés est énorme : des milliards de neutrophiles meurent de cette façon tous les jours chez un être humain adulte, par exemple et en fait, la grande majorité meurent sans jamais avoir fonctionné. Ce cycle inutile de production-destruction sert vraisemblablement à maintenir une réserve suffisante de cellules qui peuvent être mobilisées rapidement pour lutter contre des infections à chaque fois qu'elles surviennent ou bien être phagocytées et digérées pour recyclage quand tout est calme. Comparée à la vie de l'organisme, la vie des cellules ne vaut pas cher.

Une mort cellulaire insuffisante peut être aussi dangereuse pour la santé d'un organisme multicellulaire qu'une prolifération excessive. Dans le système hématopoïétique, des mutations qui inhibent la mort cellulaire en provoquant une production excessive de Bcl-2, un inhibiteur intracellulaire de l'apoptose, contribuent au développement des lymphomes B. De fait, la possibilité pour une cellule de s'auto-renouveler indéfiniment est une propriété dangereuse. Beaucoup de cas de leucémies surviennent à cause de mutations qui confèrent cette propriété aux cellules progénitrices hématopoïétiques qui doivent normalement se différencier puis mourir après un nombre limité de cycles de division.

Résumé

Les nombreux types de cellules sanguines – érythrocytes, lymphocytes, granulocytes et macrophages – dérivent tous d'une cellule souche multipotente commune. Chez l'adulte, les cellules souches hématopoïétiques se trouvent en grande majorité dans la moelle osseuse et elles dépendent des signaux intercellulaires avec les cellules stromales (tissu conjonctif) de la moelle pour le maintien de leur caractéristique de cellule souche. Elles ont normalement une faible fréquence de division pour donner un plus grand nombre de cellules souches (autorenouvellement) et différentes cellules précurseurs déterminées (les cellules transitoires amplificatrices), chacune n'étant capable de donner qu'un ou quelques types de cellules sanguines. Les cellules précurseurs déterminées se divisent abondamment sous l'influence de différentes molécules informatives protéiques (appelées facteurs stimulateurs de colonies ou CSF) et se différencient en cellules sanguines matures, qui meurent généralement après quelques jours ou quelque semaines.

Des expériences in vitro dans lesquelles les cellules souches et les cellules précurseurs déterminées forment des colonies clonales sur une matrice semi-solide ont permis une meilleure compréhension de l'hématopoïèse. La descendance des cellules souches semble faire un choix parmi des voies de développement alternatives d'une manière en partie aléatoire. La mort cellulaire par apoptose, contrôlée par la disponibilité des CSF, joue aussi un rôle central dans la régulation du nombre de cellules matures différenciées.

GENÈSE, MODULATION ET RÉGÉNÉRATION DU MUSCLE SQUELETTIQUE

Le terme de «muscle» couvre une multitude de types cellulaires, tous spécialisés dans la contraction mais différents à d'autres égards. Comme nous l'avons noté dans le chapitre 16, un système contractile qui fait intervenir actine et myosine est une caractéristique fondamentale des cellules eucaryotes en général. Mais les cellules musculaires ont développé ce mécanisme à un haut degré. Les mammifères possèdent quatre catégories principales de cellules spécialisées dans la contraction : les *cellules du muscle squelettique*, les *cellules du muscle cardiaque*, les *cellules du muscle lisse* et les *cellules myoépithéliales* (Figure 22-40). Leur fonction, leur structure et leur développement sont différents. Bien que toutes ces cellules semblent engendrer des forces contractiles grâce à des systèmes organisés de filaments constitués d'actine et de myosine, les molécules d'actine et de myosine utilisées ont des séquences d'acides aminés un peu différentes, sont disposées différemment dans la cellule et sont associées à différents groupes de protéines pour contrôler la contraction.

Les **cellules du muscle squelettique** sont responsables de pratiquement tous les mouvements sous contrôle volontaire. Ces cellules peuvent être énormes (de 2 à 3 cm de long et de 100 μm de diamètre chez l'homme adulte) et sont souvent appelées *fibres musculaires* du fait de leur forme très effilée. Chacune d'elles est un syncytium qui contient un nombre très important de noyaux dans un même cytoplasme. Les autres types de cellules musculaires, n'ayant qu'un seul noyau, sont plus conventionnels. Les **cellules du muscle cardiaque** ressemblent aux cellules du muscle squelettique du fait que leurs filaments d'actine et de myosine sont alignés en rangées très ordonnées pour former une série d'unités contractiles appelées *sarcomères*, qui leur donnent une apparence striée. Les **cellules du muscle lisse** doivent leur nom, en revanche, à leur absence de striation. Les fonctions du muscle lisse sont très diverses, allant de la progression des aliments dans l'appareil digestif à l'érection des poils sous l'effet du froid ou de la frayeur. Les **cellules myoépithéliales** n'ont également pas de striation mais, contrairement aux autres cellules musculaires, elles se trouvent dans les épithéliums et dérivent de l'ectoderme. Elles forment le muscle dilatateur de l'iris et elles servent aussi à l'expulsion de la salive, de la sueur et du lait hors des glandes correspondantes (*voir* Figure 22-8). Les quatre principales catégories de cellules musculaires peuvent être encore subdivisées en sous-groupes distincts qui ont chacun leurs propres caractéristiques.

Les mécanismes de la contraction musculaire sont discutés dans le chapitre 16 ; ici nous verrons comment le tissu musculaire est produit et maintenu. Nous nous

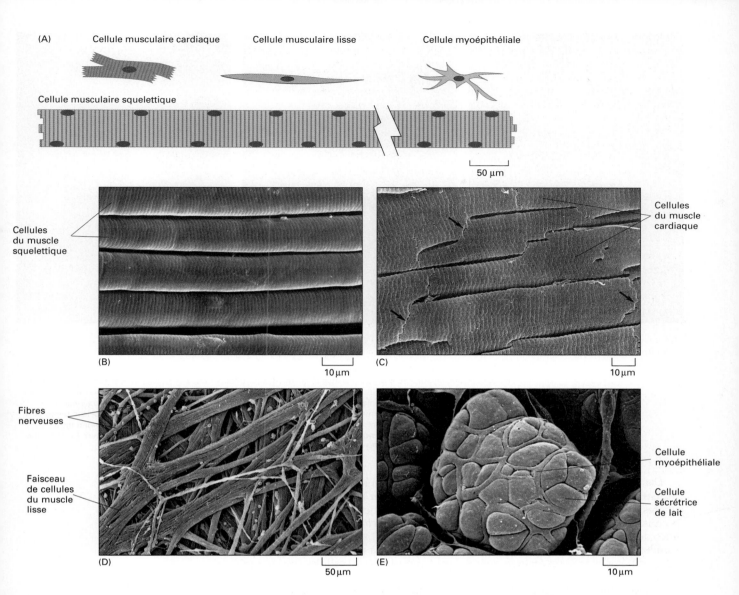

(A) Cellule musculaire cardiaque   Cellule musculaire lisse   Cellule myoépithéliale

Cellule musculaire squelettique

50 µm

Cellules du muscle squelettique

(B)   10 µm

Cellules du muscle cardiaque

(C)   10 µm

Fibres nerveuses

Faisceau de cellules du muscle lisse

(D)   50 µm

Cellule myoépithéliale

Cellule sécrétrice de lait

(E)   10 µm

intéresserons plus particulièrement à la cellule du muscle squelettique qui se développe de façon curieuse, qui possède une surprenante capacité à moduler son caractère différencié et qui adopte une stratégie de réparation inhabituelle.

Les nouvelles cellules du muscle squelettique se forment grâce à la fusion des myoblastes

Le chapitre précédent montrait comment certaines cellules, dérivant des somites d'un embryon de vertébré à un stade très précoce, se déterminent en **myoblastes** (précurseurs des cellules du muscle squelettique). Comme nous l'avons discuté dans le chapitre 7, la détermination vers un myoblaste dépend de protéines de régulation des gènes d'au moins deux familles – la *famille MyoD* des protéines hélice-boucle-hélice et la *famille MEF2* des protéines MADS box. Elles agissent de façon combinatoire pour permettre au myoblaste de garder en mémoire son état déterminé et éventuellement, de réguler l'expression d'autres gènes qui donnent à la cellule musculaire mature son caractère de spécialisation (*voir* Figure 7-72). Après une période de prolifération, les myoblastes subissent un changement phénotypique important qui dépend de l'activation coordonnée de toute une batterie de gènes spécifiques du muscle. Ce processus est appelé différenciation myoblastique. Pendant qu'ils se différencient, ils fusionnent les uns avec les autres pour former les fibres musculaires squelettiques multinucléées (Figure 22-41). La fusion implique des molécules d'adhérence intercellulaire spécifiques qui assurent la reconnaissance entre les myoblastes nouvellement différenciés et les fibres. Une fois la fusion terminée, les noyaux ne répliquent plus jamais leur ADN.

Figure 22-40 Les quatre catégories de cellules musculaires chez les mammifères. (A) Dessins schématiques (à l'échelle). (B-E) Photographies en microscopie électronique à balayage montrant (B) le muscle squelettique d'un cou de hamster, (C) le muscle cardiaque d'un rat, (D) le muscle lisse de la vessie d'un cobaye, et (E) des cellules myoépithéliales d'un alvéole sécréteur de glande mammaire d'une rate en lactation. Les *flèches* en (C) désignent les disques intercalaires – des jonctions bout à bout entre les cellules musculaires cardiaques ; les cellules musculaires squelettiques des muscles longs sont réunies bout à bout de manière similaire. Noter que le muscle lisse est représenté à plus faible grossissement que les autres micrographies. (B, avec l'autorisation de Junzo Desaki ; C, d'après T. Fujiwara, *in* Cardiac Muscle in Handbook of Microscopic Anatomy [E.D Canal, ed.]. Berlin : Springer-Verlag, 1986 ; D, avec l'autorisation de Satoshi Nakasiro ; E, d'après T. Nagato, Y. Yoshida, A. Yoshida et Y. Uehara, *Cell and Tissue Res.* 209 : 1-10, 1980.)

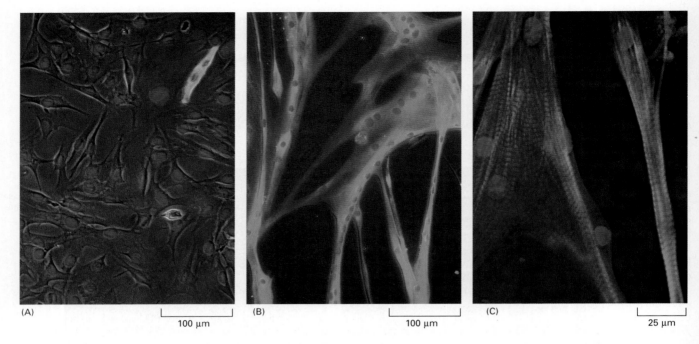

(A)   100 µm   (B)   100 µm   (C)   25 µm

Figure 22-41 Fusion de myoblastes en culture. La culture est incubée avec un anticorps fluorescent (*vert*), dirigé contre la myosine de muscle squelettique, qui marque les cellules musculaires différenciées et avec un colorant spécifique de l'ADN (*bleu*) pour visualiser les noyaux. (A) Peu de temps après un changement de milieu de culture qui favorise la différenciation, il y a uniquement deux myoblastes parmi les nombreux de la figure qui produisent de la myosine et ont fusionné pour former une cellule musculaire à deux noyaux (*en haut à droite*). (B) Quelque temps plus tard, la plupart des cellules se sont différenciées et ont fusionné. (C) Vue à plus fort grossissement montrant les striations caractéristiques (*fines rayures transversales*) dans deux cellules musculaires multinucléées. (Avec l'autorisation de Jacqueline Gross et Terence Partridge.)

Des myoblastes qui ont été maintenus en culture, aussi longtemps que deux ans, gardent leurs capacités à se différencier et à fusionner pour former des cellules musculaires en réponse à un changement approprié des conditions de culture. Le facteur de croissance de fibroblastes (FGF pour *fibroblast growth factor*) ou le facteur de croissance des hépatocytes (HGF pour *hepatocyte growth factor*) semblent essentiels dans le milieu de culture pour que les myoblastes continuent à proliférer et ne puissent pas de différencier : si ces facteurs solubles sont supprimés, les cellules cessent rapidement de se diviser, fusionnent et se différencient. Cependant, le système de contrôle des myoblastes est complexe. Afin de se différencier, les myoblastes doivent, par exemple, adhérer à la matrice extracellulaire. De plus, le processus de fusion est coopératif : les myoblastes qui fusionnent sécrètent des facteurs qui stimulent la différenciation des autres myoblastes. Dans l'animal intact, les myoblastes et les fibres musculaires sont maintenus dans les mailles d'une charpente de tissu conjonctif formée par les fibroblastes. Cette charpente guide le développement du muscle et contrôle l'arrangement et l'orientation des cellules musculaires.

Les cellules musculaires peuvent moduler leurs propriétés par un changement d'isoformes protéiques

Une fois formée, une cellule du muscle squelettique prolifère, devient mature et module son caractère en fonction des besoins fonctionnels. Le génome contient de multiples copies différentes des gènes qui codent un grand nombre de protéines caractéristiques de la cellule du muscle squelettique, et les transcrits d'ARN d'un grand nombre de ces gènes peuvent être épissés de plusieurs façons. Il en résulte que l'appareil musculaire contractile est composé d'une multitude de variants protéiques (traditionnellement appelés isoformes). Au cours de la maturation de la cellule musculaire, différentes sélections d'isoformes sont produites, adaptées aux nécessités changeantes de vitesse, force et endurance dans le fœtus, le nouveau-né et l'adulte. À l'intérieur d'un muscle adulte individuel, plusieurs types distincts de cellules musculaires squelettiques, chacune avec un jeu différent d'isoformes protéiques et des propriétés fonctionnelles différentes, peuvent être trouvés côte à côte (Figure 22-42). Les fibres musculaires lentes (pour soutenir la contraction) et rapides (pour les mouvements rapides) sont innervées par des motoneurones lents ou rapides respectivement, et l'innervation peut réguler l'expression génique et la taille des fibres musculaires selon les différents modèles de stimulation électrique que ces neurones délivrent.

Les fibres musculaires squelettiques sécrètent de la myostatine qui limite leur propre croissance

Un muscle peut se développer de trois façons : les cellules musculaires différenciées qui le composent peuvent augmenter en nombre, en longueur ou en circonférence. Comme les cellules du muscle squelettique sont incapables de se diviser, elles ne peuvent être produites que par fusion des myoblastes. Le nombre de cellules multinucléées du muscle squelettique chez l'adulte est, de fait, atteint très tôt – avant la naissance chez l'homme. Une fois formée, une fibre musculaire squelettique survit en général durant toute la vie de l'animal. Cependant, individuellement des noyaux peuvent être ajoutés ou perdus. Ainsi, l'augmentation considérable postnatale de la masse musculaire est accomplie grâce à l'accroissement cellulaire. L'allongement dépend du recrutement d'un plus grand nombre de myoblastes dans les fibres multinucléées existantes qui augmentent le nombre de noyaux dans chaque cellule. L'augmentation de diamètre, comme dans les muscles des haltérophiles, implique à la fois un recrutement des myoblastes et une augmentation dans la taille et le nombre de myofibrilles contractiles contenues dans chaque cellule musculaire.

Mais quels sont les mécanismes qui contrôlent le nombre de cellules musculaires et la taille du muscle ? Une partie de la réponse est liée à la protéine de signal extracellulaire appelée *myostatine*. Les souris ayant une mutation-perte de fonction du gène de la myostatine ont des muscles énormes, 2 à 3 fois la taille normale (Figure 22-43). À la fois le nombre et la taille des cellules musculaires semblent augmentés. Des mutations dans le même gène ont abouti à des élevages de bétail appelés «double muscle» (*voir* Figure 17-51) : en sélectionnant les muscles hypertrophiés, les éleveurs ont involontairement sélectionné un déficit en myostatine. La myostatine appartient à la superfamille du TGFβ et elle est normalement fabriquée et sécrétée par les cellules musculaires squelettiques. Sa fonction est évidemment de permettre un rétrocontrôle qui limite la croissance musculaire. De petites quantités peuvent être détectées dans la circulation des hommes adultes et il a été rapporté une augmentation chez les patients porteurs du virus du SIDA présentant une fonte musculaire. La myostatine peut donc agir comme régulateur négatif de la croissance musculaire chez l'adulte et durant le développement. La croissance de certains autres organes est pareillement contrôlée par un rétrocontrôle négatif via un facteur qu'ils produisent eux-mêmes. Nous verrons un autre exemple dans un prochain paragraphe.

Certains myoblastes persistent en tant que cellules souches quiescentes chez l'adulte

Bien que normalement l'homme ne génère pas de nouvelles cellules musculaires squelettiques durant l'âge adulte, cette capacité n'est cependant pas complètement perdue. On trouve encore quelques myoblastes sous forme de petites cellules aplaties et inactives qui sont en contact étroit avec la cellule musculaire mature et sont emprisonnées dans sa gaine de lame basale (Figure 22-44). Si le muscle est endommagé, ces *cellules satellites*, sont amenées à proliférer et leur descendance peut fusionner pour former de nouvelles cellules musculaires. Les cellules satellites sont, par conséquent, les cellules souches du muscle squelettique adulte normalement tenues en réserve dans un état quiescent, mais disponibles pour servir de source d'auto-renouvellement de cellules totalement différenciées, en cas de besoin. L'étirement musculaire des athlètes endommage souvent les fibres musculaires et c'est grâce à ce mécanisme de régénération des fibres que leurs muscles sont réparés.

Ce processus de réparation par les cellules satellites est cependant limité. Bien que ce mécanisme de réparation du muscle opère bien chez de petits animaux tels que les souris, il est moins efficace chez l'homme. Dans une forme de *dystrophie musculaire*, par exemple, les cellules musculaires différenciées meurent à cause d'un défaut génétique dans une protéine cytosquelettique, la dystrophine. Il en résulte que les cellules satellites prolifèrent pour former de nouvelles cellules musculaires ; mais cette réponse régénérative est incapable de compenser le dommage, et les cellules

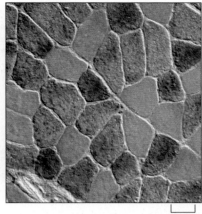

20 μm

Figure 22-42 Fibres musculaires rapides et lentes. Deux coupes sériées du muscle de la patte de souris adulte sont marquées avec différents anticorps, chacun étant spécifique d'une isoforme de la chaîne lourde de myosine. Les images des deux coupes sont superposées en fausse couleur pour montrer les profils d'expression des deux types de cellules musculaires. Les fibres marquées avec l'anticorps contre la myosine «rapide» (*gris*) sont spécialisées dans la contraction rapide. Les fibres marquées avec l'anticorps contre la myosine «lente» (*rose*) sont spécialisées dans la contraction lente et continue. Les cellules à contraction rapide sont connues sous le nom de *cellules musculaires blanches* parce qu'elles contiennent relativement peu de myoglobine, protéine colorée liant l'oxygène ; les cellules musculaires lentes sont appelées *cellules musculaires rouges* parce qu'elles en contiennent beaucoup plus. (Avec l'autorisation de Simon Hughes.)

Souris normale   Souris mutante (déficit en myostatine)

(A)

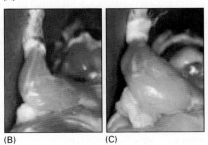

(B)   (C)

Figure 22-43 Régulation de la taille musculaire par la myostatine. (A) Comparaison entre une souris normale et une souris déficiente en myostatine. Patte d'une souris normale (B) et d'une souris déficiente en myostatine (C) dont la peau a été enlevée pour montrer l'augmentation massive de la musculature du mutant (D'après S.J. Lee et A.C. McPherron, *Curr. Opin. Genet. Devel.* 9 : 604-607, 1999. © Elsevier.)

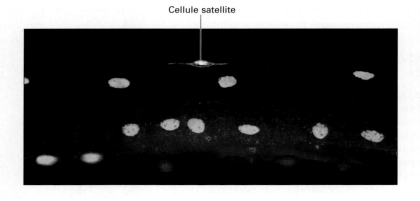

Cellule satellite

Figure 22-44 Une cellule satellite dans une fibre musculaire squelettique. L'échantillon est marqué avec un anticorps (en *rouge*) contre la cadhérine musculaire, cadhérine M, qui est présente à la fois dans les cellules satellites et les fibres musculaires, et est concentrée au point de contact de leurs membranes. Les noyaux des cellules musculaires sont colorés en *vert* et celui des cellules satellites en *bleu*. (Avec l'autorisation de Terence Partridge.)

musculaires finissent par être remplacées par du tissu conjonctif, bloquant toute possibilité de régénération ultérieure. Une perte similaire de la capacité de réparation semble contribuer à la fonte musculaire chez l'homme âgé.

Dans la dystrophie musculaire, là où les cellules satellites sont constamment amenées à proliférer, leur capacité de division peut s'épuiser à cause du raccourcissement de leurs télomères au fil des divisions (*voir* Chapitre 17). Les cellules souches d'autres tissus, comme le sang, sont également limitées : elles se divisent normalement à une faible vitesse. Mais des mutations ou des circonstances exceptionnelles peuvent entraîner une augmentation de leur vitesse de division et ainsi un épuisement prématuré de la réserve de cellules souches.

Résumé

Les cellules du muscle squelettique représentent l'une des quatre principales catégories de cellules de vertébré spécialisées dans la contraction. Elles sont responsables de la motricité volontaire. Chaque cellule du muscle squelettique est un syncytium et se développe par fusion de myoblastes. Les myoblastes prolifèrent intensivement, mais une fois qu'ils ont fusionné, ils ne peuvent plus se diviser. La fusion myoblastique est généralement couplée au début de la différenciation de la cellule musculaire, au cours de laquelle de nombreux gènes codant pour des protéines spécifiques du muscle sont activés de façon coordonnée. Dans le muscle adulte, quelques myoblastes persistent à l'état quiescent sous la forme de cellules satellites. En cas de lésion musculaire, ces cellules sont réactivées pour proliférer et fusionner pour remplacer les cellules musculaires perdues. La masse musculaire est régulée homéostatiquement par un mécanisme de rétrocontrôle négatif par lequel un muscle existant sécrète de la myostatine, qui inhibe toute croissance musculaire ultérieure.

LES FIBROBLASTES ET LEURS TRANSFORMATIONS : LA FAMILLE DES CELLULES DU TISSU CONJONCTIF

Un grand nombre de cellules différenciées dans l'organisme adulte peuvent être groupées en familles dont les membres sont étroitement apparentés tant par l'origine que par le caractère. La famille des **cellules du tissu conjonctif** constitue un exemple important ; ses membres ne sont pas seulement apparentés mais également interchangeables à un degré inhabituel. La famille comprend les *fibroblastes*, les *cellules cartilagineuses* et les *cellules osseuses*, toutes spécialisées dans la sécrétion d'une matrice extracellulaire de collagène et conjointement responsables de la charpente architecturale du corps, tout comme les *adipocytes* et les *cellules du muscle lisse* qui semblent partager avec elles une origine commune. Ces types cellulaires, ainsi que leurs interconversions possibles, sont illustrés dans la figure 22-45. Les cellules du tissu conjonctif jouent un rôle essentiel dans le soutien et la réparation de la majorité des tissus et des organes, et l'adaptabilité de leur caractère différencié est une caractéristique importante des réponses à de nombreux types de lésions.

Les fibroblastes modifient leur caractère en réponse à des signaux chimiques

Les fibroblastes semblent être les cellules les moins spécialisées de la famille des cellules du tissu conjonctif. Elles se trouvent dans le tissu conjonctif de la totalité de l'organisme où elles sécrètent une matrice extracellulaire souple, riche en collagène de

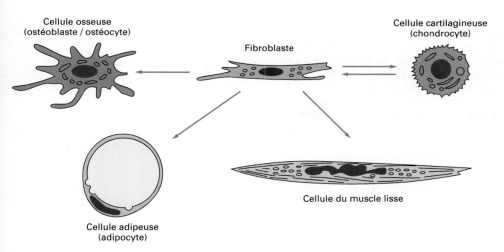

Cellule osseuse
(ostéoblaste / ostéocyte)

Fibroblaste

Cellule cartilagineuse
(chondrocyte)

Cellule du muscle lisse

Cellule adipeuse
(adipocyte)

Figure 22-45 Famille des cellules du tissu conjonctif. Les *flèches* indiquent les interconversions qui semblent se produire dans la famille des cellules du tissu conjonctif. Pour simplifier, le fibroblaste est considéré comme un type cellulaire unique, mais en réalité, nous ne savons pas avec certitude combien de types de fibroblastes existent et si le potentiel de différenciation des différents types peut être réduit de différentes façons.

type I et de type III, comme décrit dans le chapitre 19. Lorsqu'un tissu est lésé, les fibroblastes voisins migrent sur le lieu de la blessure, prolifèrent et produisent de grandes quantités de matrice de collagène qui contribuent à isoler et réparer le tissu lésé. Cette aptitude à faire face à une lésion, ainsi que leur style de vie solitaire, peut expliquer pourquoi les fibroblastes sont les cellules les plus faciles à cultiver *in vitro* – une caractéristique qui en a fait le sujet favori pour des études de biologie cellulaire (Figure 22-46).

Comme l'indique la figure 22-45, les fibroblastes semblent être aussi les plus versatiles des cellules du tissu conjonctif, car elles possèdent la remarquable capacité de se différencier en d'autres membres de la famille. Il y a cependant quelques incertitudes importantes à propos de leurs interconversions. Il y a de bons arguments pour dire que les fibroblastes dans différentes régions de l'organisme sont intrinsèquement différents, et il peut même y avoir des différences entre les fibroblastes d'une même région. Des fibroblastes «matures» incapables de se transformer peuvent coexister avec des fibroblastes «immatures» (appelés souvent *cellules mésenchymateuses*) qui peuvent se développer en une variété de types cellulaires matures.

Les cellules stromales de la moelle osseuse, mentionnées précédemment, sont un bon exemple de la versatilité du tissu conjonctif. Ces cellules, que l'on peut considérer comme des fibroblastes, peuvent être isolées de la moelle osseuse et cultivées. De grosses colonies de descendants peuvent être générées de cette façon à partir d'un unique ancêtre. Selon les protéines signaux ajoutées au milieu de culture, les membres de tel clone peuvent soit continuer de proliférer pour produire plus de cellules du même type ou bien peuvent se différencier en cellules adipeuses, cartilagineuses ou osseuses. À cause de leur auto-renouvellement et de leur caractère multipotent elles sont appelées *cellules souches mésenchymateuses*.

Les fibroblastes de la peau sont différents. Placés dans les mêmes conditions de culture, ils ne possèdent pas la même plasticité. Ils peuvent cependant changer de caractéristique. Par exemple, lors de la cicatrisation, ils changent leur expression d'actine et acquièrent certaines propriétés contractiles des cellules musculaires, aidant ainsi à l'accolement des deux bords d'une blessure. De telles cellules sont appelées *myofibroblastes*. Si une préparation de matrice osseuse, obtenue en broyant un os en poudre fine et en éliminant par dissolution le composant minéral dur, est implantée dans la couche dermique de la peau, certaines cellules (probablement les fibroblastes dermiques) se transforment en cellules cartilagineuses et d'autres, un peu plus tard, se transforment en cellules osseuses, créant de ce fait, un parfait morceau d'os avec son canal médullaire. Ces expériences suggèrent que les composants de la matrice extracellulaire peuvent considérablement influer sur la différenciation des cellules du tissu conjonctif.

Nous verrons que des transformations cellulaires analogues sont importantes dans la réparation des fractures osseuses. De fait, la matrice osseuse contient de fortes

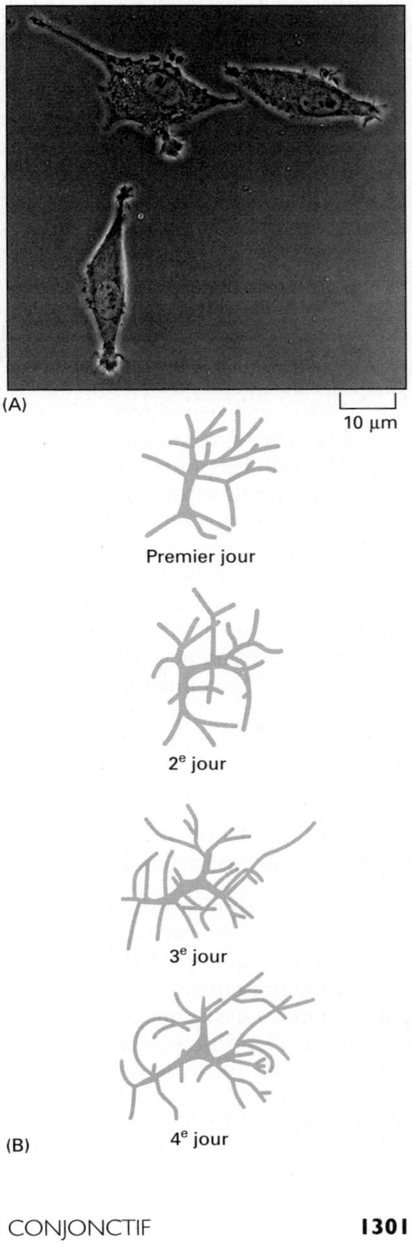

(A)

10 µm

Premier jour

2e jour

3e jour

4e jour

(B)

Figure 22-46 Les fibroblastes. (A) Micrographie en contraste de phase d'un fibroblaste en culture. (B) Dessins d'une cellule vivante de type fibroblastique dans la queue transparente d'un têtard, montrant ses changements de forme et de position plusieurs jours de suite. Bien que les fibroblastes s'étalent en culture, noter qu'ils peuvent avoir des morphologies plus complexes dans les tissus, avec des prolongements. *Voir aussi* Figure 19-35. (A, d'après E. Pokorna et al., *Cell Motil. Cytoskel.* 28 : 25-33, 1994. © Wiley-Liss. B, redessiné d'après E. Clark, *Am. J. Anat.* 13 : 351-379, 1912.)

concentrations de facteurs de croissance capables de modifier le comportement des cellules du tissu conjonctif. Parmi eux se trouvent des membres de la superfamille du TGF-β dont les BMP et le TGF-β lui-même. Ces facteurs sont des régulateurs puissants de la croissance, de la différenciation et de la synthèse de matrice par les cellules du tissu conjonctif, et exercent une variété d'actions en fonction du type de cellule cible et d'une combinaison d'autres facteurs et de composants de la matrice qui sont présents. Quand ils sont injectés dans un animal vivant, ces facteurs peuvent induire la formation de cartilage, d'os ou de matrice fibreuse, selon le site et les circonstances de l'injection. TGF-β est particulièrement important lors de la cicatrisation, où il stimule la conversion des fibroblastes en myofibroblastes et augmente la formation du tissu cicatriciel riche en collagène, ce qui donne à la cicatrice sa solidité.

La matrice extracellulaire peut influer sur la différenciation des cellules du tissu conjonctif en modifiant la forme et l'ancrage des cellules

La matrice extracellulaire peut influer sur l'état de différenciation des cellules du tissu conjonctif aussi bien chimiquement que physiologiquement. Cela a été démontré grâce à l'étude de cellules cartilagineuses, ou **chondrocytes**, en culture. Dans des conditions de culture appropriées, ces cellules proliféreront et maintiendront leur caractère différencié, continuant pendant de nombreuses générations à synthétiser de grandes quantités de la matrice cartilagineuse très caractéristique dont elles s'entourent. Il se produit cependant une transformation lorsque les cellules sont maintenues à une densité relativement faible et restent en monocouche sur la boîte de culture : les cellules perdent leur forme arrondie qui est typique des chondrocytes, s'aplatissent sur le substrat et cessent de fabriquer la matrice cartilagineuse ; elles cessent, en particulier, de produire du collagène de type II – caractéristique du cartilage – et se mettent à produire du collagène de type I – caractéristique des fibroblastes. Au bout d'un mois de culture, la majorité des cellules cartilagineuses ont commuté l'expression de leurs gènes collagéniques et ont pris l'apparence de fibroblastes. La modification biochimique doit se produire brusquement car très peu de cellules produisent simultanément les deux types de collagène.

De nombreux résultats suggèrent que le changement de forme et la modification des ancrages cellulaires induisent, en partie du moins, le changement biochimique. Les cellules cartilagineuses qui ont subi une transformation fibroblastique, par exemple, peuvent être délicatement détachées de la boîte de culture et transférées dans une boîte d'agarose. En les entourant d'un gel, l'agarose maintient les cellules en suspension sans aucun point d'ancrage au substrat, les forçant à adopter une forme arrondie. Dans ces conditions, les cellules retrouvent rapidement le caractère chondrocytaire et recommencent à produire du collagène de type II. La forme et l'ancrage des cellules pourraient contrôler l'expression des gènes par l'intermédiaire de signaux intracellulaires engendrés par des contacts focaux, par les intégrines qui agissent comme des récepteurs de la matrice, comme nous l'avons vu dans le chapitre 19.

Pour la majorité des types cellulaires et notamment pour une cellule du tissu conjonctif, les possibilités d'ancrage et d'attachement dépendent de la matrice environnante, qui est généralement synthétisée par la cellule elle-même. Ainsi, une cellule peut créer un environnement qui réagit ensuite sur cette dernière pour renforcer son caractère différencié. De plus, la matrice extracellulaire sécrétée par la cellule agit également sur les cellules voisines et tend à les faire se différencier de la même façon (*voir* Figure 19-61). Un groupe de chondrocytes formant un nodule de cartilage, par exemple, dans un organisme en développement ou en culture *in vitro*, s'étendra du fait de la conversion des fibroblastes environnants en chondrocytes.

Les cellules adipeuses peuvent se développer à partir des fibroblastes

Les **cellules adipeuses** ou **adipocytes** se développent sans doute aussi à partir de cellules de type fibroblastique aussi bien au cours du développement normal des mammifères que dans différentes conditions pathologiques – par exemple, dans la dystrophie musculaire, où les cellules musculaires meurent et sont peu à peu remplacées par du tissu conjonctif adipeux, probablement par une conversion locale des fibroblastes. La différenciation des adipocytes commence avec l'expression de protéines régulatrices de deux familles : la famille *C/EBP* (pour *CCAAT/enhancer binding protein*) et la famille *PPAR* (pour *peroxisome proliferator-activated receptor*), tout particulièrement PPARγ. Tout comme les familles MyoD et MEF2 dans le développement

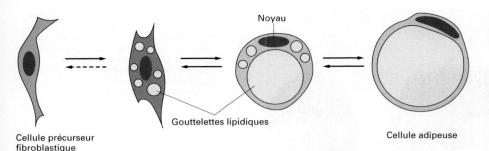

Figure 22-47 Développement d'un adipocyte. Une cellule précurseur de type fibroblastique est convertie en une cellule adipeuse mature par l'accumulation et la fusion de gouttelettes lipidiques. Ce processus est partiellement réversible, comme l'indiquent les *flèches*. Les cellules peuvent se diviser aux stades précoce et intermédiaire, mais la cellule adipeuse mature ne le peut pas.

Noyau

Gouttelettes lipidiques

Cellule précurseur fibroblastique

Cellule adipeuse

du muscle squelettique, les protéines C/EBP et PPARγ dirigent et maintiennent l'un l'autre leurs expressions grâce à de nombreuses boucles de contrôle transversal ou d'autocontrôle. Elles agissent ensemble pour contrôler l'expression d'autres gènes caractéristiques des adipocytes.

La production d'enzymes nécessaires à l'importation d'acides gras et de glucose et à la synthèse lipidique entraîne l'accumulation de gouttelettes lipidiques, constituées principalement de triglycérides (*voir* Figure 2-77). Elles fusionnent et grossissent jusqu'à ce que la cellule soit extrêmement distendue (avec un diamètre supérieur à 120 μm), avec uniquement un reste de cytoplasme autour de la masse lipidique (Figures 22-47 et 22-48). Les lipases sont également fabriquées par les adipocytes, leur donnant la possibilité d'inverser le processus d'accumulation de lipides, en réduisant les triglycérides en acides gras, qui peuvent être sécrétés pour une utilisation par d'autres cellules. L'adipocyte peut modifier son volume jusqu'à 100 fois selon qu'il accumule ou libère les lipides.

La leptine sécrétée par les adipocytes réalise un rétrocontrôle négatif pour inhiber l'appétit

Pour la plupart des animaux dans des conditions de vie sauvage, les apports alimentaires sont variables et imprévisibles. Les adipocytes ont le rôle vital de stocker des réserves de nourriture en période d'abondance et de les délivrer en cas de pénurie. Il est essentiel pour le fonctionnement du tissu adipeux que sa quantité puisse être ajustée tout au long de la vie selon les apports de nutriments. Pour nos ancêtres, c'était un bienfait ; dans les pays développés c'est surtout devenu une malédiction. Aux États-Unis, par exemple, plus de 30 p. 100 de la population est obèse, comme défini par un indice de masse corporelle (poids/taille^2) supérieur à 30 kg/m^2, équivalent à un surpoids de 30 p. 100 environ.

Il n'est pas facile de déterminer dans quelle mesure les changements de quantité de tissu adipeux dépendent de changements de nombre des adipocytes par rapport à des changements de taille cellulaire. Le changement de taille est probablement le facteur principal chez les adultes non obèses, mais du moins en cas d'obésité sévère, le nombre de cellules peut aussi augmenter. Les facteurs qui dirigent le recrutement des nouveaux adipocytes ne sont pas bien compris mais l'hormone de croissance et l'IGF-1 (*insulinlike growth factor-1*) en font partie. Cependant, il est clair que la modification de taille cellulaire est régulée directement par le niveau des nutriments circulants et des hormones, comme l'insuline, qui reflète les apports de nutriments. Dès que l'apport de nourriture est supérieur aux dépenses énergétiques, il y a accumulation de tissu adipeux.

Mais comment la consommation de nourriture et les dépenses énergétiques sont-elles régulées ? Un humain adulte mange environ un million de kilocalories par an, équivalent à 200 kg de graisse pure. Clairement, si vous n'êtes pas désespérément gros ou maigre, tout au long de la vie il doit exister des mécanismes de contrôle pour ajuster votre alimentation et vos dépenses énergétiques à long terme selon la quantité de vos réserves graisseuses. Le signal clé est une hormone protéique appelée **leptine** qui circule dans le flux sanguin. Les souris mutantes déficientes en leptine ou en son récepteur sont très grasses (Figure 22-49). Les mutations dans les mêmes gènes ont parfois lieu dans l'espèce humaine mais c'est très rare. Les conséquences sont identiques : faim constante, suralimentation et obésité invalidante.

La leptine est normalement fabriquée par les adipocytes ; plus ils sont grands, plus ils en fabriquent. La leptine agit sur beaucoup de tissus, et en particulier dans le cerveau sur les cellules de la région régulatrice du comportement alimentaire dans l'hy-

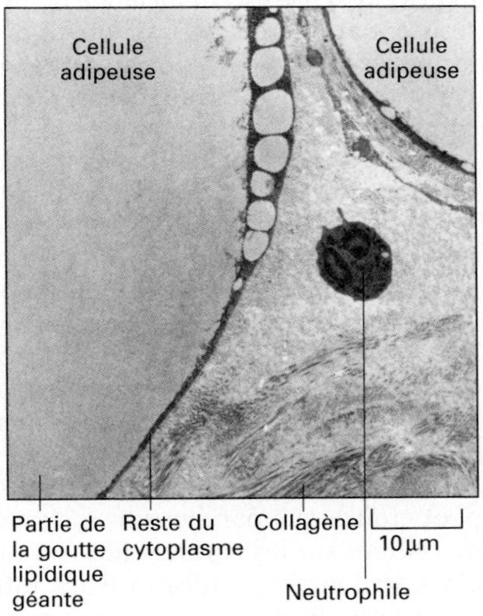

Cellule adipeuse

Cellule adipeuse

Partie de la goutte lipidique géante | Reste du cytoplasme | Collagène | 10 μm

Neutrophile

Figure 22-48 Cellules adipeuses. Cette micrographie en microscopie électronique à faible grossissement montre une partie de deux cellules adipeuses. Le neutrophile présent dans le tissu conjonctif adjacent donne une idée de l'échelle. Chaque cellule adipeuse est plus de dix fois plus grosse et est entièrement remplie d'une unique gouttelette lipidique. Les plus petites gouttelettes (formes pâles ovales) dans le reste de cytoplasme vont fusionner avec la gouttelette centrale. Le noyau de ces deux cellules adipeuses n'est pas visible sur cette image. (Avec l'autorisation de Don Fawcett, d'après D. W. Fawcett, A Textbook of Histology, 12th edn. New York : Chapman and Hall, 1994.)

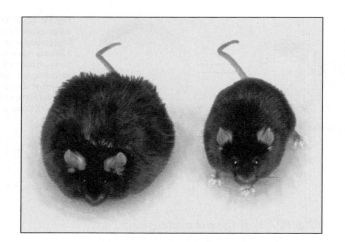

Figure 22-49 **Effets du déficit en leptine.**
Les souris normales sont comparées avec les
souris présentant une mutation dans le gène
obèse, qui code pour la leptine. Ces souris
mutantes n'arrivent pas à limiter leur
alimentation et deviennent énormes (trois
fois le poids d'une souris normale). (Avec
l'autorisation de Jeffrey M. Friedman.)

pothalamus. L'effet dans le cerveau est de diminuer la faim, et de décourager la prise
d'aliments. Il en résulte une diminution de la quantité de tissu adipeux. La leptine,
tout comme la myostatine libérée par les cellules musculaires, réalise un rétrocontrôle
négatif pour réguler la croissance du tissu qui la sécrète.

Chez beaucoup d'obèses, les concentrations de leptine dans le sang sont continuellement élevées. Bien que les récepteurs à la leptine soient présents et fonctionnels, l'effet de la leptine sur la prise alimentaire est dominé par d'autres influences,
qui sont mal comprises.

L'os est continuellement remodelé par les cellules qu'il contient

L'**os** est une forme particulière, très dense, du tissu conjonctif. Tel le béton armé, la
matrice osseuse est un mélange de fibres rigides (fibrilles de collagène de type I), qui
résistent aux forces de traction, et de particules solides (phosphate de calcium sous
forme de cristaux d'hydroxyapatite) qui résistent à la compression. Le volume occupé
par le collagène est pratiquement le même que celui qu'occupe le phosphate de calcium. Les fibrilles de collagène de l'os adulte sont déposées en couches régulières
comme du contre-plaqué, les fibrilles de chaque couche étant disposées parallèlement
les unes aux autres mais perpendiculairement aux fibrilles des couches adjacentes.

En dépit de sa rigidité, l'os n'est en aucun cas un tissu permanent et immuable.
Des canaux et des cavités occupés par des cellules vivantes traversent sa matrice
extracellulaire rigide. Ces cellules représentent 15 p. 100 du poids de l'os compact et
sont engagées dans un processus continu de remodelage : une catégorie de cellules
(les *ostéoclastes* apparentés aux macrophages) détruit la matrice osseuse usée tandis
qu'une autre (les *ostéoblastes* apparentés aux fibroblastes) en dépose une nouvelle. Ce
mécanisme permet un renouvellement et un remplacement continus de la matrice
intra-osseuse.

À l'inverse des tissus mous, qui peuvent croître par expansion interne, l'os ne
peut croître que par *apposition*, c'est-à-dire par dépôt de matrice supplémentaire et
de cellules sur les surfaces libres du tissu rigide. Dans l'embryon, ce processus doit
être coordonné à la croissance des autres tissus de telle façon que les proportions har-
monieuses du corps soient préservées lors de son édification. Pour l'ensemble du
squelette, et en particulier pour les os longs des membres et du tronc, cette croissance
coordonnée s'effectue selon une stratégie complexe. Un ensemble d'os en «modèle
réduit» est tout d'abord formé avec du cartilage. Chaque «modèle réduit» croît et,
tandis que du nouveau cartilage se forme, l'ancien est remplacé par de l'os. La croissance et l'érosion du cartilage sont si bien coordonnées avec le dépôt osseux pendant
le développement, que l'os adulte, bien qu'il puisse atteindre 0,5 m de long, a presque
la même forme que le modèle cartilagineux initial qui n'avait pas plus de quelques
millimètres de long.

Une croissance défectueuse du cartilage durant le développement des os longs,
due à une mutation dominante du gène qui code pour un récepteur du FGF, le
FGFR3, est responsable de la forme la plus fréquente de nanisme, l'*achondroplasie*
(Figure 22-50). Inversement, les ostéoblastes sont absents chez les individus présentant une mutation qui empêche la production d'une protéine (appelée CBFA1) spé-

Figure 22-50 **Achondroplasie.** Ce type
de nanisme présente une fréquence d'une
naissance sur 10000-100000. Dans plus de
99 p. 100 des cas, il est dû à une mutation
dans le codon correspondant à l'acide aminé
380 du récepteur 3 du FGF (une glycine en
position transmembranaire). La mutation est
dominante, et est dans la plupart des cas *de
novo*. Elle a lieu dans un site particulier du
génome soumis à un niveau élevé de mutation.
Le déficit dans la signalisation du FGF entraîne
un nanisme en interférant avec la croissance du
cartilage durant le développement des os longs.
(D'après une peinture de Sebastian de Morra
par Velasquez. © Musée du Prado, Madrid.)

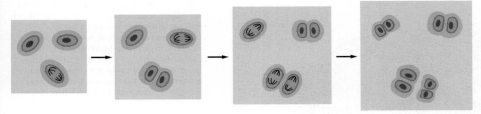

Figure 22-51 Croissance du cartilage. Le tissu se développe alors que les chondrocytes se divisent et produisent davantage de matrice. La matrice néosynthétisée avec laquelle chaque cellule s'entoure est figurée en *vert foncé*. Le cartilage croît aussi par recrutement de fibroblastes du tissu environnant et leur transformation en chondrocytes.

cifiquement nécessaire pour la différenciation des ostéoblastes : les souris homozygotes pour ce déficit génétique naissent avec un squelette constitué uniquement de cartilage et meurent peu après la naissance.

Les ostéoblastes sécrètent la matrice osseuse alors que les ostéoclastes la détruisent

Le **cartilage** est un tissu simple, constitué de cellules d'un seul type – les chondrocytes – enchâssés dans une matrice plus ou moins uniforme. La matrice cartilagineuse est déformable et le tissu croît par extension lorsque les chondrocytes se divisent et sécrètent plus de matrice (Figure 22-51). L'os est un tissu plus complexe. La matrice osseuse est sécrétée par les **ostéoblastes** qui se trouvent à la surface de la couche matricielle existante et y déposent de nouvelles couches d'os. Certains ostéoblastes restent libres à la surface tandis que d'autres se trouvent peu à peu inclus dans leur propre sécrétion. Le matériel néoformé (constitué principalement de collagène de type I) est appelé *ostéoïde*. Il est rapidement transformé en matrice osseuse rigide grâce aux dépôts de cristaux de phosphate de calcium. Une fois emprisonnée dans la matrice osseuse, la cellule à l'origine de la formation osseuse, appelée dès lors **ostéocyte**, ne peut plus se diviser bien qu'elle continue à sécréter autour d'elle de la matrice en petite quantité. L'ostéocyte, tout comme le chondrocyte, occupe une petite cavité, ou *lacune*, dans la matrice, mais contrairement au chondrocyte, il n'est pas isolé de ses congénères. Des canaux minuscules, ou *canalicules*, rayonnent à partir de chaque cavité, et contiennent des prolongements cellulaires issus de l'ostéocyte résidant, qui leur permettent de former des jonctions communicantes avec les ostéocytes adjacents (Figure 22-52). Bien que les réseaux d'ostéocytes n'interviennent ni dans la synthèse ni dans l'érosion de la matrice, ils doivent probablement jouer un rôle essentiel dans le contrôle de l'activité des cellules qui en sont responsables. Alors que le dépôt de la matrice osseuse est effectué par les ostéoblastes, son érosion est due aux **ostéoclastes** (Figure 22-53). Ces cellules volumineuses multinucléées sont issues, comme les macrophages, des cellules souches hématopoïétiques de la moelle osseuse. Les cellules précurseurs, les monocytes, sont libérées dans le sang et se rassemblent aux sites de résorption osseuse où elles fusionnent pour donner les ostéoclastes. Les ostéoclastes s'accrochent à la surface de la matrice osseuse et la phagocytent. Les ostéoclastes peuvent creuser profondément la substance de l'os compact, formant des cavités qui seront envahies par d'autres cellules. Un capillaire sanguin s'étend vers le centre du tunnel formé et les parois du tunnel se tapissent d'une couche d'ostéoblastes (Figure 22-54). Ceux-ci déposent des couches concen-

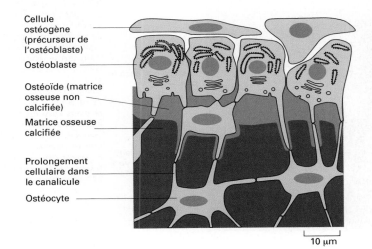

Cellule ostéogène (précurseur de l'ostéoblaste)

Ostéoblaste

Ostéoïde (matrice osseuse non calcifiée)

Matrice osseuse calcifiée

Prolongement cellulaire dans le canalicule

Ostéocyte

10 μm

Figure 22-52 Dépôt de matrice osseuse par les ostéoblastes. Les ostéoblastes qui tapissent la surface de l'os sécrètent la matrice organique osseuse (ostéoïde) et se transforment en ostéocytes au fur et à mesure de leur inclusion dans cette matrice. La matrice se calcifie peu après son dépôt. Les ostéoblastes eux-mêmes dérivent vraisemblablement de cellules souches ostéogènes, étroitement apparentées aux fibroblastes.

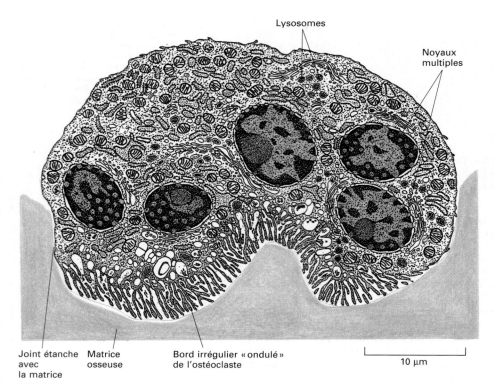

Lysosomes

Noyaux
multiples

Joint étanche
avec
la matrice

Matrice
osseuse

Bord irrégulier «ondulé»
de l'ostéoclaste

10 µm

Figure 22-53 Un ostéoclaste représenté en coupe transversale. Cette cellule géante multinucléée érode la matrice osseuse. La membrane «à bord ondulé» est le site de sécrétion d'acides (pour dissoudre les composés minéraux de l'os) et d'hydrolases (pour digérer les composés organiques de la matrice). Les ostéoclastes sont de forme variable, ils sont mobiles et étendent souvent des prolongements pour éroder l'os en de nombreux sites. Ils se développent à partir des monocytes et peuvent être considérés comme des macrophages spécialisés. (D'après R. V. Krstic, Ultrastructure of the Mammalian Cell : an Atlas. Berlin : Springer, 1979.)

triques d'os néoformé qui remplissent progressivement la cavité ; un étroit canal persiste qui contient le vaisseau sanguin. Beaucoup d'ostéoblastes se trouvent piégés dans la matrice osseuse et y persistent sous forme d'anneaux concentriques d'ostéocytes. Parallèlement au comblement osseux de certains tunnels, d'autres sont perforés par les ostéoclastes qui coupent à travers des systèmes concentriques plus anciens. Les conséquences de ce remodelage perpétuel sont parfaitement illustrées par la structure stratifiée de la matrice observée dans l'os compact (Figure 22-55).

Au cours du processus de remodelage, les os ont une remarquable capacité à remodeler leur structure de façon à s'adapter à la charge qui leur est imposée, et cela implique un contrôle du dépôt et de l'érosion de la matrice par des contraintes mécaniques locales. Nous ne comprenons pas les mécanismes qui décident du dépôt de la matrice par les ostéoblastes ou de son érosion par les ostéoclastes au niveau d'une surface osseuse donnée, mais il est probable qu'un rôle important est joué par des

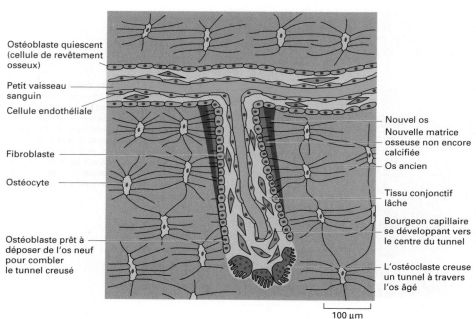

Ostéoblaste quiescent
(cellule de revêtement
osseux)

Petit vaisseau
sanguin

Cellule endothéliale

Fibroblaste

Ostéocyte

Ostéoblaste prêt à
déposer de l'os neuf
pour combler
le tunnel creusé

Nouvel os

Nouvelle matrice
osseuse non encore
calcifiée

Os ancien

Tissu conjonctif
lâche

Bourgeon capillaire
se développant vers
le centre du tunnel

L'ostéoclaste creuse
un tunnel à travers
l'os âgé

100 µm

Figure 22-54 Remodelage de l'os compact. Les ostéoclastes agissent ensemble en petits groupes, creusent un tunnel à travers l'os âgé à une vitesse d'environ 50 µm par jour. Les ostéoblastes pénètrent dans le tunnel à leur suite, revêtent ses parois et commencent à former à nouveau de l'os, déposant des couches successives de matrice à la vitesse de 1 à 2 µm par jour. Au même moment, un capillaire bourgeonne vers le centre du tunnel. Ce tunnel se remplit finalement de couches concentriques d'os, laissant un canal central étroit. Chacun de ces canaux est une voie d'accès pour les ostéoclastes et les ostéoblastes, mais contient en outre un ou plusieurs vaisseaux sanguins qui apportent les nutriments nécessaires à la survie des cellules osseuses. Typiquement, 5 à 10 p. 100 de l'os chez un mammifère adulte sain sont ainsi remplacés chaque année. (D'après Z.F.G. Jaworski, B. Duck et G. Sekaly, J. Anat. 133 : 397-405, 1981.)

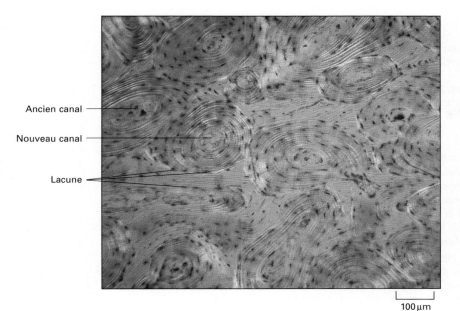

Ancien canal

Nouveau canal

Lacune

100 μm

facteurs de croissance qui sont produits par les cellules osseuses, emprisonnés dans la matrice, et libérés, peut-être, lorsque la matrice est dégradée ou subit certaines contraintes. Les protéines libérées, tout particulièrement les membres de la sous-famille BMP des TGF-β peuvent guider le processus de remodelage.

Le remodelage comporte un risque : un contrôle déficient peut conduire à l'*ostéoporose*, avec érosion excessive de la matrice osseuse et fragilisation de l'os. À l'opposé quand l'os devient excessivement épais et dense, cela conduit à l'*ostéopétrose*.

Au cours du développement, le cartilage est érodé par les ostéoclastes pour laisser la place à l'os

Le remplacement du cartilage par l'os pendant le développement dépend vraisemblablement aussi des activités des ostéoclastes. Durant la maturation du cartilage, ces cellules dans certaines régions, prennent une ampleur considérable aux dépens de la matrice environnante, et la matrice elle-même commence, comme l'os, à se minéraliser par dépôt de cristaux de phosphate de calcium. Les chondrocytes gonflés meurent, laissant ainsi de volumineuses cavités vides. Les ostéoclastes et les vaisseaux sanguins envahissent ces cavités et il y a alors érosion de la matrice cartilagineuse minéralisée résiduelle. Dans leur sillage, les ostéoblastes commencent à déposer de la matrice osseuse. Le seul vestige cartilagineux dans l'os long adulte est une fine couche qui forme un revêtement régulier sur les surfaces osseuses au niveau des articulations, là où un os s'articule avec un autre (Figure 22-56).

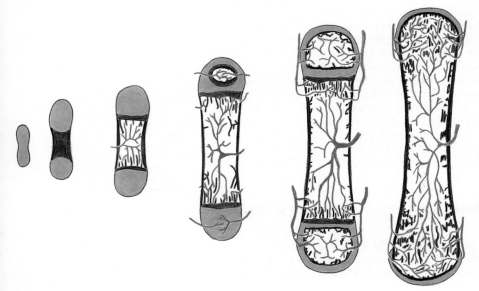

Quelques cellules capables de former du nouveau cartilage persistent cependant dans le tissu conjonctif qui entoure l'os. Si l'os se casse, les cellules proches de la fracture exécutent la réparation par une reproduction grossière de processus embryonnaire original au cours duquel du cartilage est d'abord déposé pour combler la brèche, puis est remplacé par de l'os.

La capacité d'autoréparation, si bien illustrée par les tissus du squelette, est une propriété des structures vivantes qui n'a pas d'équivalent.

Résumé

La famille des cellules du tissu conjonctif comprend les fibroblastes, les cellules cartilagineuses, les cellules osseuses, les adipocytes et les cellules du muscle lisse. Il semble que certaines catégories de fibroblastes puissent se transformer en n'importe quel autre membre de la famille. Ces transformations de type cellulaire du tissu conjonctif sont contrôlées par la composition de la matrice extracellulaire environnante, par la forme de la cellule et par des hormones et des facteurs de croissance. Bien que la principale fonction de la plupart des membres de cette famille soit de sécréter la matrice extra-cellulaire, les adipocytes servent de lieu de stockage de la graisse. La quantité de tissu adipeux est régulée en partie par un rétro-contrôle négatif : les adipocytes libèrent une hormone, la leptine, qui agit sur le cerveau pour réduire l'appétit ; ce qui aboutit à une diminution du tissu adipeux.

Le cartilage et l'os sont tous deux constitués de cellules incluses dans une matrice solide. Le cartilage possède une matrice déformable et peut se développer en gonflant, alors que l'os est rigide et ne peut se développer que par apposition à sa surface. L'os est néanmoins soumis à un perpétuel remodelage par l'action combinée des ostéoclastes (macrophages spécialisés) qui érodent la matrice et des ostéoblastes qui la sécrètent, lui permettant de s'adapter aux charges auxquelles il est soumis. Certains ostéoblastes sont piégés dans la matrice en tant qu'ostéocytes et interviennent en contrôlant le renouvellement de la matrice osseuse. La plupart des os longs se développent à partir de matrices cartilagineuses miniatures qui, lors de la croissance, servent de moules pour le dépôt osseux effectué grâce à l'action combinée des ostéoblastes et des ostéoclastes. De la même manière, au cours de la réparation d'une fracture chez l'adulte, la fissure est d'abord comblée par du cartilage qui est ensuite remplacé par de l'os.

INGÉNIERIE DES CELLULES SOUCHES

Quand les cellules sont isolées du corps et sont maintenues en culture, elles conservent généralement leur caractère d'origine. Les kératinocytes continuent à se comporter comme des kératinocytes, les chondrocytes comme des chondrocytes, les hépatocytes comme des hépatocytes, etc. Chaque type de cellule spécialisée conserve en mémoire l'historique de son développement et semble limité à son destin spécialisé. Néanmoins quelques transformations minimes peuvent avoir lieu, comme dans les tissus entiers dont nous avons discuté précédemment. Les cellules souches en culture, comme dans les tissus, peuvent continuer à se diviser ou elles peuvent se différencier en un ou plusieurs types cellulaires, mais le nombre de cellule qu'elles peuvent générer est limité. Chaque type de cellules souche sert au renouvellement d'un tissu en particulier. Pour certains tissus, comme le cerveau, on a longtemps pensé qu'aucune régénération n'était possible chez l'adulte car il ne restait pas de cellules souches. Il semble cependant y avoir un petit espoir de remplacer les neurones perdus dans le cerveau de mammifère en en générant de nouveaux ou en régénérant n'importe quel autre type de cellules dont les précurseurs ne sont plus présents.

Des découvertes récentes ont renversé ce sombre jugement et ont donné lieu à une vision plus optimiste de ce que peuvent faire les cellules souches et comment nous serions capables de les utiliser. Le changement est venu du fait que différentes données ont démontré l'exceptionnelle versatilité des formes de cellules souches qui ne pouvait être soupçonnée à partir de ce que nous savions sur la vie normale des cellules dans les tissus. Dans cette dernière partie du chapitre, nous examinons ces phénomènes et considérons les nouvelles opportunités ainsi créées afin d'améliorer les mécanismes de réparation.

Les cellules ES peuvent être utilisées pour former n'importe quelle partie du corps

Comme décrit dans le chapitre 21, il est possible de cultiver une extraordinaire classe de cellules, issues d'embryons précoces de souris, appelées **cellules souches embryonnaires** ou **cellules ES**. Ces cellules ES peuvent proliférer indéfiniment en

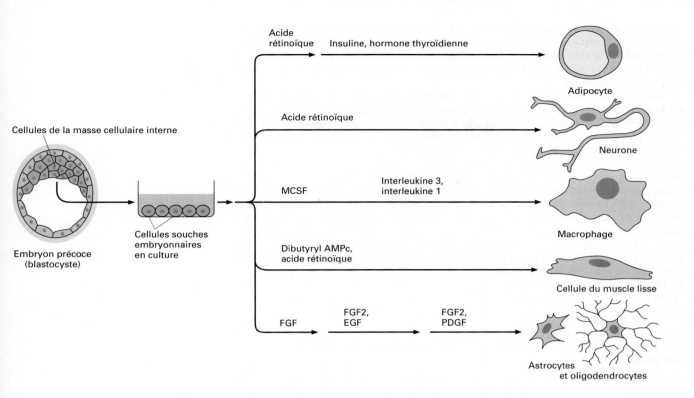

Figure 22-57 Production des cellules différenciées à partir des cellules ES de souris en culture. Les cellules ES, dérivées d'un embryon précoce de souris, peuvent être cultivées indéfiniment en monocouche ou bien former des agrégats appelés corps embryoïdes, dans lesquels les cellules commencent à se spécialiser. Les cellules des corps embryoïdes, cultivées en présence de différents facteurs, peuvent être amenées à se différencier selon plusieurs voies. (Basé sur E. Fuchs et J. A. Segre, Cell, 100 : 143-155, 2000.)

culture et conserver leur potentiel non restrictif de développement. Si elles sont mises dans un environnement «embryonnaire précoce», elles peuvent donner naissance à tous les tissus et types cellulaires de l'organisme, y compris les cellules germinales. Elles s'intègrent parfaitement dans tout environnement, adoptant les caractéristiques et le comportement des cellules normales voisines. On peut penser le développement en termes de séries de choix présentés aux cellules tout au long de leur cheminement du stade oeuf fécondé à la différenciation terminale. Après un long séjour en culture, les cellules ES et leurs descendants, peuvent toujours comprendre les signaux des différentes voies et répondre comme une cellule embryonnaire normale le ferait.

Des cellules aux propriétés similaires à celles des cellules ES peuvent maintenant être issues d'embryons humains et des ovaires et des testicules fœtaux, procurant un apport inépuisable de cellules qui peuvent être utilisées pour le remplacement et la production de tissus humains matures endommagés. Que l'on ait ou pas d'objections éthiques à l'utilisation de cellules embryonnaires humaines, cela vaut la peine de prendre en compte les possibilités offertes. Mettant de côté le rêve de faire croître des organes entiers à partir des cellules ES par une reprise du développement embryonnaire, les expériences chez la souris suggèrent qu'il sera possible dans un futur proche d'utiliser les cellules ES pour remplacer les cellules musculaires squelettiques qui dégénèrent chez les victimes de dystrophies musculaires, de remplacer les neurones chez les Parkinsoniens, les cellules sécrétrices d'insuline chez les diabétiques de type I, les cellules myocardiques après une attaque cardiaque, etc.

Les cellules ES peuvent être amenées à se différencier en culture en une variété de types cellulaires (Figure 22-57). Quand elles sont incubées en présence d'une combinaison de protéines bien choisie, les cellules ES se différencient en astrocytes ou oligodendrocytes ; les deux types majoritaires de cellules gliales du système nerveux central. Si ces cellules sont injectées dans le cerveau de souris, elles peuvent servir de précurseurs pour ces types cellulaires. Si la souris receveuse est déficiente en myéline (formée par les oligodendrocytes), par exemple, les cellules greffées peuvent corriger ce déficit et former des gaines de myéline autour des axones qui en sont privés.

Les populations de cellules souches épidermiques peuvent être augmentées en culture en vue de la réparation tissulaire

Il y a un long chemin entre le succès chez des souris et le traitement des pathologies humaines. L'une des principales difficultés est le rejet immunologique. Si les cellules dérivées des cellules ES d'un génotype sont greffées chez un individu d'un autre génotype, ces cellules seront rejetées par l'organisme comme « non-soi ». Des méthodes pour traiter ce problème ont été développées pour la transplantation d'organes, comme le rein et le cœur. Les problèmes immunologiques – et certains problèmes éthiques – peuvent cependant être résolus si les cellules sont obtenues à partir du propre corps du patient.

Un exemple simple est l'utilisation de cellules souches épidermiques pour réparer la peau chez les grands brûlés. En cultivant des cellules de régions préservées du patient brûlé, il est possible d'obtenir assez rapidement des cellules souches épidermiques en grande quantité. Elles peuvent être utilisées pour repeupler la surface corporelle endommagée. Pour obtenir de bons résultats après une brûlure au troisième degré, il est cependant essentiel de remplacer le derme détruit. Le derme issu d'un cadavre humain ou un substitut artificiel peuvent être utilisés. C'est toujours une voie active d'expérimentation. Une matrice artificielle de collagène mélangée à des glycosaminoglycanes est fabriquée sur une plaque recouverte sur sa face externe d'une mince couche de silicone (formant une barrière pour les pertes aqueuses) et un substitut de peau (appelé Integra) est déposé sur la surface brûlée bien lavée. Les fibroblastes et les capillaires sanguins survivants dans la profondeur des tissus migrent sur la matrice artificielle et peu à peu la remplacent par du nouveau tissu conjonctif. Pendant ce temps, les cellules épidermiques sont cultivées jusqu'à ce qu'elles soient en nombre suffisant pour une plaque de la taille adaptée. Deux semaines ou plus après l'intervention, la membrane siliconée est retirée précautionneusement et est remplacée par l'épiderme cultivé, reconstruisant ainsi un épiderme complet.

Les cellules souches neurales peuvent repeupler le système nerveux central

Alors que l'épiderme est parmi l'un des tissus le plus simple et facile à régénérer, le système nerveux central (SNC) est le tissu le plus complexe et semble être le plus difficile à reconstruire chez l'adulte. Le cerveau et la moelle épinière adulte de mammifères possèdent très peu de capacité d'autoréparation. Les cellules souches capables de générer de nouveaux neurones sont difficiles à trouver chez les mammifères adultes – à tel point qu'elles étaient jusqu'à récemment introuvables.

Cependant, on sait maintenant que les cellules souches neurales du SNC, capables de donner naissance à la fois aux neurones et aux cellules gliales, persistent dans le cerveau adulte de mammifère. De plus, dans certaines parties du cerveau, elles produisent constamment de nouveaux neurones en remplacement de ceux qui meurent (Figure 22-58). Le renouvellement neuronal se produit à plus grande échelle chez certains oiseaux-chanteurs, où de nombreux neurones meurent chaque année et sont remplacés par de nouveaux. Cela fait partie du processus par lequel un nouveau chant est appris à chaque saison de reproduction.

Chez les rongeurs, les cellules souches neurales adultes ont été extraites du cerveau, cultivées et réimplantées dans un cerveau d'un animal receveur où elles produisent une descendance différenciée. De façon remarquable, les cellules greffées semblent ajuster leur comportement à leur nouvelle localisation. Par exemple les cellules souches de l'hippocampe, implantées dans la voie olfactive bulbaire (*voir* Figure 22-58) donnent naissance à des neurones qui deviennent correctement incorporés dans le bulbe olfactif, et vice versa. Ces données offrent l'espoir que, en dépit de l'extraordinaire complexité des cellules nerveuses et de leurs connexions, il soit possible d'utiliser des cellules souches neurales pour réparer au moins quelques types de lésions et maladies du SNC.

Les cellules souches des tissus adultes peuvent être plus polyvalentes qu'elles n'y paraissent

Est-ce que des cellules souches avec des capacités inattendues se cachent aussi dans d'autres parties de l'organisme ? Si les cellules souches embryonnaires peuvent se différencier selon plusieurs voies, est-il possible de provoquer la production par des cellules souches de tissus adultes de types cellulaires différents de ceux obtenus habituellement ?

Il est évident maintenant que la réponse est positive. Il a été rapporté, par exemple, que des cellules souches neurales, dérivées de cerveau adulte, peuvent donner naissance à des cellules hématopoïétiques quand elles sont injectées à des souris chez qui le propre stock de cellules hématopoïétiques a été déplété par irradiations aux rayons X. Ces cellules souches neurales ont également donné naissance à des cellules musculaires squelettiques quand elles ont été injectées directement dans le

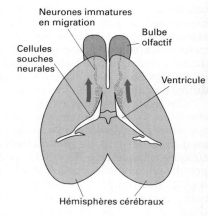

Figure 22-58 La production continue de neurones dans le cerveau adulte de souris. Le cerveau est vu en coupe pour montrer la région bordant les ventricules frontaux où les cellules souches neurales sont trouvées. Ces cellules produisent continuellement des descendants qui migrent jusqu'aux bulbes olfactifs, où ils se différencient en neurones. Le renouvellement constant des neurones dans le bulbe olfactif semble lié d'une certaine façon au renouvellement des neurones olfactifs récepteurs qui s'y projettent à partir de l'épithélium olfactif, comme discuté précédemment. Il y a également un renouvellement constant de neurones dans l'hippocampe adulte, une région particulièrement concernée par l'apprentissage et la mémoire, où la plasticité des fonctions adultes semble associée à un renouvellement d'un sous-ensemble spécifique de neurones. (Adapté d'après B. Barres, *Cell* 97 : 667-670, 1999.)

muscle. Dans un autre exemple important, des cellules de moelle osseuse adulte, injectées chez des receveurs irradiés, non seulement fournissent à l'hôte des cellules hématopoïétiques nouvelles mais peuvent également donner naissance à toute une variété de types cellulaires, incluant des pneumocytes dans les poumons et des hépatocytes dans le foie. La genèse de cellules hépatiques (et quelques autres types cellulaires surprenants) à partir de cellules de la moelle osseuse a été démontrée chez des souris et chez des hommes, qui ont reçu des greffes de moelle osseuse pour traiter leur leucémie. Les hépatocytes, portant des marqueurs génétiques du donneur, ont été trouvés dans le foie du receveur. Des expériences chez la souris ont montré que dans un tel cas les hépatocytes dérivent spécifiquement des cellules souches hématopoïétiques de la moelle osseuse.

Quand le foie receveur est lui-même défectueux ou endommagé, cela encourage sa repopulation par les cellules greffées; les hépatocytes dérivés des cellules souches hématopoïétiques du donneur sont retrouvés en abondance. La façon dont se met en place facilement la conversion du devenir cellulaire n'est toujours pas claire. Il se peut que chaque cellule souche hématopoïétique donnée ait seulement une faible probabilité de modifier sa destinée même si elle est placée dans un environnement approprié. À ce jour, nous n'avons qu'une idée imprécise des transitions qui sont permises et des facteurs qui les déclenchent ou les inhibent.

Les cellules souches issues des tissus adultes sont prometteuses pour la réparation tissulaire mais d'autres stratégies peuvent avoir un plus grand potentiel. En principe du moins, il doit être possible d'utiliser des cellules ES «personnalisées» dérivées des tissus adultes – c'est-à-dire des cellules ES avec le même génome que le patient adulte qui en a besoin. Le clonage de la brebis Dolly ou d'autres mammifères a ouvert une voie. Le noyau d'un ovule peut être remplacé artificiellement par un noyau de cellule adulte, et la cellule hybride peut se développer jusqu'à un individu entier possédant un génome identique à celui du donneur adulte (*voir* Figure 7-2). Comme la plupart d'entre nous ne veulent pas faire des êtres humains de cette façon, il serait possible d'obtenir de cellules ES à partir des descendants précoces de cellule hybride, par des techniques semblables à celles utilisées pour obtenir des cellules ES à partir des embryons précoces de souris.

Des problèmes éthiques et techniques doivent être surmontés avant qu'une telle approche devienne réalité. Peut-être d'autres voies meilleures seront trouvées pour rendre aux cellules adultes une polyvalence comme dans l'état embryonnaire. Par une voie ou une autre, il semble que la biologie cellulaire soit en train d'ouvrir de nouvelles opportunités pour améliorer les mécanismes de réparation de la Nature, aussi remarquables soient-ils.

Résumé

Dans le corps adulte normal, différentes classes de cellules souches sont responsables du renouvellement de différents types de tissus. Cependant, certains tissus semblent incapables de se réparer par la genèse de nouvelles cellules car il n'y a pas de cellules souches compétentes présentes. Des découvertes récentes ont ouvert de nouvelles opportunités de manipuler artificiellement le comportement des cellules pour réparer des tissus qui semblaient précédemment irréparables. Des cellules souches épidermiques de peau saine d'un patient gravement brûlé peuvent rapidement croître en grand nombre en culture et être greffées pour reconstruire un épiderme recouvrant les brûlures. Les cellules souches neurales persistent dans quelques régions du cerveau adulte de mammifère et quand elles sont greffées, dans un cerveau en développement ou endommagé, elles peuvent générer de nouveaux neurones ou des cellules gliales adéquats.

Les cellules souches embryonnaires (cellules ES) sont capables de se différencier en tout type de cellules dans le corps et en beaucoup de cellules en culture. Des cellules souches de certains tissus adultes, comme la moelle osseuse, placées dans un environnement adéquat, semblent capables de générer une plus grande variété de cellules différenciées que celle produite normalement. Ces données de la biologie des cellules souches offrent un espoir de guérir de nombreuses maladies sévères.

Bibliographie

Généralités

Fawcett DW (1994) Bloom and Fawcett: A Textbook of Histology, 12th edn. New York/London: Arnold/Chapman & Hall.

Kerr JB (1999) Atlas of Functional Histology. London: Mosby.

Marshak DR, Gardner RL & Gottlieb D (eds) (2001) Stem Cell Biology. Cold Spring Harbor, NY: Cold Spring Harbor Laboratory Press.

Young B & Heath JW (2000) Wheater's Functional Histology: A Text and Colour Atlas, 4th edn. Edinburgh: Churchill Livingstone.

L'épiderme et son renouvellement par les cellules souches

Fuchs E (1998) Beauty is skin deep: the fascinating biology of the epidermis and its appendages. Harvey Lect. 94, 47–77.

Imagawa W, Yang J, Guzman R & Nandi S (1994) Control of mammary gland development. In The Physiology of Reproduction (Knobil E & Neill JD eds), 2nd edn, pp 1033–1063. New York: Raven Press.

Jensen UB, Lowell S & Watt FM (1999) The spatial relationship between stem cells and their progeny in the basal layer of human epidermis: a new view based on whole-mount labelling and lineage analysis. Development 126, 2409–2418.

Nguyen AV & Pollard JW (2000) Transforming growth factor beta3 induces cell death during the first stage of mammary gland involution. Development 127, 3107–3118.

Steinert PM (2000) The complexity and redundancy of epithelial barrier function. J. Cell Biol. 151, F5–F8.

Watt FM (2001) Stem cell fate and patterning in mammalian epidermis. Curr. Opin. Genet. Dev. 11, 410–417.

Épithélium sensoriel

Buck LB (2000) The molecular architecture of odor and pheromone sensing in mammals. Cell 100, 611–618.

Gillespie PG & Walker RG (2001) Molecular basis of mechanosensory transduction. Nature 413, 194–202.

Howard J & Hudspeth AJ (1988) Compliance of the hair bundle associated with gating of mechanoelectrical transduction channels in the bullfrog's saccular hair cell. Neuron 1, 189–199.

Masland RH (2001) The fundamental plan of the retina. Nat. Neurosci. 4, 877–886.

Mombaerts P, Wang F, Dulac C et al. (1996) Visualizing an olfactory sensory map. Cell 87, 675–686.

Morrow EM, Furukawa T & Cepko CL (1998) Vertebrate photoreceptor cell development and disease. Trends Cell Biol. 8, 353–358.

Stone JS & Rubel EW (2000) Cellular studies of auditory hair cell regeneration in birds. Proc. Natl. Acad. Sci. USA 97, 11714–11721.

Voies aériennes et intestin

Conlon I & Raff M (1999) Size control in animal development. Cell 96, 235–244.

Ganz T (2000) Paneth cells—guardians of the gut cell hatchery. Nat Immunol 1, 99–100.

Korinek V, Barker N, Moerer P et al. (1998) Depletion of epithelial stem-cell compartments in the small intestine of mice lacking Tcf-4. Nat. Genet. 19, 379–383.

Michalopoulos GK & DeFrances MC (1997) Liver regeneration. Science 276, 60–66.

Stappenbeck TS, Wong MH, Saam JR et al. (1998) Notes from some crypt watchers: regulation of renewal in the mouse intestinal epithelium. Curr. Opin. Cell Biol. 10, 702–709.

Wright NA (2000) Epithelial stem cell repertoire in the gut: clues to the origin of cell lineages, proliferative units and cancer. Int. J. Exp. Pathol. 81, 117–143.

Vaisseaux sanguins et cellules endothéliales

Folkman J & Haudenschild C (1980) Angiogenesis in vitro. Nature 288, 551–556.

Folkman J (1996) Fighting cancer by attacking its blood supply. Sci. Am. 275(3), 150–154.

Risau W (1997) Mechanisms of angiogenesis. Nature 386, 671–674.

Semenza GL (1998) Hypoxia-inducible factor 1: master regulator of O_2 homeostasis. Curr. Opin. Genet. Dev. 8, 588–594.

Shima DT & Mailhos C (2000) Vascular developmental biology: getting nervous. Curr. Opin. Genet. Dev. 10, 536–542.

Yancopoulos GD, Davis S, Gale NW et al. (2000) Vascular-specific growth factors and blood vessel formation. Nature 407, 242–248.

Renouvellement par des cellules souches multipotentes : la formation des cellules sanguines

Metcalf D (1980) Clonal analysis of proliferation and differentiation of paired daughter cells: action of granulocyte-macrophage colony-stimulating factor on granulocyte-macrophage precursors. Proc. Natl. Acad. Sci. USA 77, 5327–5330.

Metcalf D (1999) Stem cells, pre-progenitor cells and lineage-committed cells: are our dogmas correct? Ann. N.Y. Acad. Sci. 872, 289–303; discussion 303–304.

Nutt SL, Eberhard D, Horcher M et al. (2001) Pax5 determines the identity of B cells from the beginning to the end of B-lymphopoiesis. Int. Rev. Immunol. 20, 65–82.

Orkin SH (2000) Diversification of haematopoietic stem cells to specific lineages. Nat. Rev. Genet. 1, 57–64.

Weissman I, Anderson DJ & Gage FH (2001) Stem and progenitor cells: origins, phenotypes, lineage commitments, and transdifferentiations. Annu. Rev. Cell Dev. Biol. 17, 387–403.

Wintrobe MM (1980) Blood, Pure and Eloquent. New York: McGraw-Hill.

Genèse, modulation et régénération du muscle squelettique

Andersen JL, Schjerling P & Saltin B (2000) Muscle, genes and athletic performance. Sci. Am. 283(3), 48–55.

Lee SJ & McPherron AC (1999) Myostatin and the control of skeletal muscle mass. Curr. Opin. Genet. Dev. 9, 604–607.

Naya FS & Olson E (1999) MEF2: a transcriptional target for signaling pathways controlling skeletal muscle growth and differentiation. Curr. Opin. Cell Biol. 11, 683–688.

Seale P, Sabourin LA, Girgis-Gabardo A et al. (2000) Pax7 is required for the specification of myogenic satellite cells. Cell 102, 777–786.

Weintraub H, Davis R, Tapscott S et al. (1991) The myoD gene family: nodal point during specification of the muscle cell lineage. Science 251, 761–766.

Les fibroblastes et leurs transformations : la famille des cellules du tissu conjonctif

Ahima RS & Flier JS (2000) Leptin. Annu. Rev. Physiol. 62, 413–437.

Ducy P, Schinke T & Karsenty G (2000) The osteoblast: a sophisticated fibroblast under central surveillance. Science 289, 1501–1504.

Martin P (1997) Wound healing—aiming for perfect skin regeneration. Science 276, 75–81.

Rosen ED & Spiegelman BM (2000) Molecular regulation of adipogenesis. Annu. Rev. Cell Dev. Biol. 16, 145–171.

Teitelbaum SL (2000) Bone resorption by osteoclasts. Science 289, 1504–1508.

Ingénierie des cellules souches

Brustle O, Jones KN, Learish RD et al. (1999) Embryonic stem cell-derived glial precursors: a source of myelinating transplants. Science 285, 754–756.

Clarke D & Frisén J (2001) Differentiation potential of adult stem cells. Curr. Opin. Genet. Dev. 11, 575–580.

Donovan PJ & Gearhart J (2001) The end of the beginning for pluripotent stem cells. Nature 414, 92–97.

Lagasse E, Connors H, Al-Dhalimy M et al. (2000) Purified hematopoietic stem cells can differentiate into hepatocytes in vivo. Nat. Med. 6, 1229–1234.

Schulz JT, 3rd, Tompkins RG & Burke JF (2000) Artificial skin. Annu. Rev. Med. 51, 231–244.

Suhonen JO, Peterson DA, Ray J & Gage FH (1996) Differentiation of adult hippocampus-derived progenitors into olfactory neurons in vivo. Nature 383, 624–627.

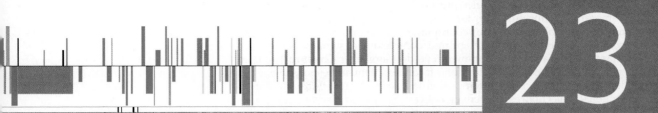

CANCER

Les cellules cancéreuses rompent les règles les plus fondamentales du comportement qui édifient et entretiennent les organismes multicellulaires et exploitent chaque opportunité pour ce faire. Par l'étude de ces transgressions, nous pouvons découvrir ce que sont les règles normales et comment elles sont forcées. De ce fait, dans le contexte de la biologie cellulaire, le cancer a une importance particulière et l'intérêt porté à la recherche sur le cancer a largement bénéficié à un domaine bien plus vaste de connaissances médicales que celui du seul cancer.

Nous avons déjà parlé de nombreuses retombées de la recherche sur le cancer dans les chapitres précédents. En effet, les efforts pour combattre le cancer ont entraîné beaucoup de découvertes fondamentales en biologie cellulaire. Un grand nombre de protéines impliquées dans la réparation de l'ADN (Chapitre 5), dans la signalisation cellulaire (Chapitre 15), dans le cycle cellulaire et la mort cellulaire programmée (Chapitre 17) et dans l'architecture tissulaire (Chapitre 19) ont été découvertes à cause d'anomalies de leurs fonctions qui conduisent à une prolifération incontrôlée, au chaos génétique et à d'autres comportements antisociaux, caractéristiques des cellules cancéreuses.

Dans ce chapitre, nous verrons d'abord de plus près ce qu'est le cancer et nous retracerons l'histoire naturelle de cette maladie du point de vue cellulaire. Nous verrons ensuite les modifications moléculaires qui rendent une cellule cancéreuse. Enfin nous verrons comment une meilleure compréhension des fondements moléculaires du cancer peut nous amener à améliorer les méthodes de prévention et de traitement de cette maladie.

LE CANCER EST UN PROCESSUS MICRO-ÉVOLUTIF

Le corps d'un animal fonctionne en tant que société ou écosystème dont chaque membre est une cellule qui se reproduit par division cellulaire et s'organise en assemblages coopératifs ou tissus. Lorsque nous avons abordé la maintenance des tissus (Chapitre 22), nos intérêts étaient semblables à ceux des écologistes : la naissance, la mort, l'habitat, les limites territoriales et la maintenance de la taille des populations cellulaires. Un des concepts écologiques manifestement absent était celui de la sélection naturelle : nous n'avons rien dit sur la compétition entre les cellules somatiques ou leurs mutations. Cela s'explique parce que le corps sain est, de ce point de vue, une société très particulière, où l'autosacrifice – par opposition à la survie du plus adapté – est la règle. En fin de compte, toutes les lignées de cellules somatiques sont engagées à mourir ; elles ne laissent pas de descendance et dédient leur existence, par contre, à l'entretien des cellules germinales, les seules qui ont une chance de survie. Il n'y a pas de mystère à cela, car le corps est un clone et le génome des cellules somatiques est le même que celui des cellules germinales. Par leur autosacrifice pour la sauvegarde des cellules germinales, les cellules somatiques facilitent la propagation des copies de leurs propres gènes.

De ce fait, contrairement aux cellules qui vivent libres, comme les bactéries et entrent en compétition pour survivre, les cellules d'un organisme multicellulaire s'engagent dans une collaboration. Pour coordonner leur comportement, les cellules envoient, reçoivent et interprètent un groupe complexe de signaux servant de contrôles sociaux qui dit à chacune comment elle doit agir (*voir* Chapitre 15). Il en résulte que chaque cellule se comporte d'une façon socialement responsable, et se repose, se divise, se différencie ou meurt, selon le besoin et le bien-être de l'organisme. Les troubles moléculaires qui renversent cette harmonie s'accompagnent de problèmes pour la société multicellulaire. Dans un corps humain composé de plus de 10^{14} cellules, des milliards de cellules subissent chaque jour des mutations qui interrompent potentiellement les contrôles sociaux. Ce qui est encore plus dangereux, c'est qu'une mutation peut donner à une cellule un avantage sélectif et lui permettre de se diviser plus vigoureusement que ses voisines pour fonder un clone de mutants qui se développe. Une mutation qui donne naissance à ce type de comportement égoïste par un membre particulier de la collectivité peut mettre en danger l'avenir de toute l'entreprise. Ce sont des cycles répétés de mutation, de compétition et de sélection naturelle qui opèrent au sein de la population de cellules somatiques, qui font que cet état évolue de mal en pis. Ce sont là les ingrédients fondamentaux du cancer : c'est une maladie au cours de laquelle des clones mutants de cellules isolées commencent par prospérer aux dépens de leurs voisines, mais finissent par détruire toute la société cellulaire.

Dans ce chapitre, nous parlerons du développement du cancer en tant que processus micro-évolutif. À l'échelle du temps, ce processus prend des mois, voire des années, dans une population de cellules du corps, mais il dépend des mêmes principes de mutation et de sélection naturelle que ceux qui gouvernent l'évolution à long terme de tout organisme vivant.

Les cellules cancéreuses se reproduisent sans restriction et colonisent les tissus étrangers

Les cellules cancéreuses sont définies par deux propriétés transmissibles : elles et leur descendance (1) se reproduisent au mépris des restrictions normales de la division cellulaire et (2) envahissent et colonisent des territoires normalement réservés à d'autres cellules. C'est l'association de ces actions qui rend les cancers particulièrement dangereux. Une cellule isolée anormale, qui ne prolifère pas plus que ses voisines normales, n'occasionne pas de lésions significatives quelles que soient les autres propriétés nuisibles qu'elle peut avoir ; mais si sa prolifération n'est plus contrôlée, elle donnera naissance à une tumeur, ou *néoplasie* – masse constamment croissante de cellules anormales. Cependant, tant que les cellules néoplasiques restent rassemblées en une seule masse, on dit que la tumeur est **bénigne**. À ce stade, on peut généralement obtenir une guérison complète par l'exérèse chirurgicale de la masse. On considère qu'une tumeur devient un cancer que lorsqu'elle est **maligne**, c'est-à-dire seulement si ses cellules ont acquis la capacité de se détacher, d'entrer dans le courant sanguin ou les vaisseaux lymphatiques et de former des tumeurs secondaires ou **métastases**, au niveau d'autres sites corporels (Figure 23-1). Plus la dissémination du cancer est large, plus il devient difficile à éradiquer.

Les cancers sont classés selon le tissu et le type cellulaire dont ils proviennent. Les cancers qui partent des cellules épithéliales sont appelés **carcinomes** (épithéliomas) ; ceux qui partent des tissus conjonctifs ou des cellules musculaires sont appelés **sarcomes**. Les cancers qui n'entrent dans aucune de ces deux grandes catégories sont les diverses **leucémies**, dérivées des cellules hématopoïétiques et les cancers dérivés des cellules du système nerveux. La Figure 23-2 montre les types fréquents de cancers aux États-Unis, ainsi que leur incidence et le taux de mortalité observé. Chacune des grandes catégories présente de nombreuses subdivisions selon le type cellulaire spécifique, leur localisation dans le corps et la structure de la tumeur ; beaucoup de noms sont utilisés par tradition mais n'ont pas de fondement rationnel moderne.

Parallèlement à l'ensemble des noms utilisés pour les tumeurs malignes, il existe un groupe apparenté de noms pour désigner les tumeurs bénignes : un *adénome*, par exemple, est une tumeur épithéliale bénigne dotée d'une organisation glandulaire, et le type malin correspondant est l'*adénocarcinome* (Figure 23-3) ; de même, un *chondrome* et un *chondrosarcome* représentent respectivement des tumeurs bénignes et malignes du cartilage. Près de 90 p. 100 des cancers de l'homme sont des carcinomes, peut-être parce que, dans le corps, la majeure partie de la prolifération cellulaire se

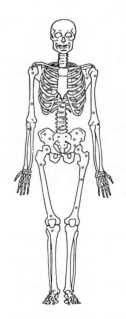

Figure 23-1 Métastases. Les tumeurs malignes donnent typiquement naissance à des métastases qui rendent le cancer difficile à éradiquer. Le schéma montre les sites communs de métastases dans la moelle osseuse d'un carcinome de la prostate. (D'après l'Union Internationale Contre le Cancer, TNM Atlas : Illustrated Guide to the Classification of Malignant Tumors, 2nd edn. Berlin : Springer-Verlag, 1986.)

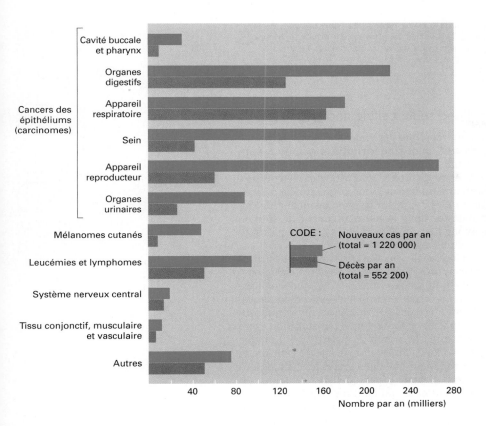

Figure 23-2 Incidence des cancers et de la mortalité aux États-Unis. Ces figures sont celles de l'année 2000. Le total des nouveaux cas diagnostiqués cette année-là aux États-Unis était de 1 220 000 et le total des décès par cancer était de 552 200. Notez que la moitié seulement des personnes environ qui développent un cancer en meurt.

Dans le monde en tant que tout, les cinq cancers les plus communs sont ceux du poumon, de l'estomac, du sein, du côlon/rectum et du col utérin et le nombre total de nouveaux cas de cancers enregistrés par an dépasse juste 6 millions.

Les cancers de la peau qui ne sont pas des mélanomes ne sont pas inclus sur cette figure car presque tous sont facilement guéris et beaucoup ne sont pas enregistrés. (Données issues de l'American Cancer Society, Cancer Facts and Figures, 2000.)

produit dans l'épithélium, ou parce que les tissus épithéliaux sont plus souvent exposés aux diverses formes de lésions physiques et chimiques qui favorisent le développement des cancers.

Chaque cancer présente des caractéristiques qui reflètent son origine. De ce fait, par exemple, les cellules d'un *épithélioma basocellulaire*, dérivé des cellules souches des kératinocytes de la peau, continuent généralement de synthétiser les filaments intermédiaires de cytokératine alors que les cellules des *mélanomes*, dérivés des cellules pigmentaires de la peau continuent souvent (mais pas toujours) à fabriquer des granules pigmentaires. Les cancers originaires des différents types cellulaires engendrent, en général, des maladies très différentes. L'épithélioma basocellulaire, par exemple, n'est que localement invasif et forme rarement des métastases tandis que les mélanomes, s'ils ne sont pas rapidement retirés, sont bien plus malins et donnent rapidement naissance à de nombreuses métastases (comportement qui rappelle les tendances migratrices des précurseurs normaux des cellules pigmentaires pendant le développement, *voir* Chapitre 21). L'épithélioma basocellulaire est généralement facile à retirer chirurgicalement, ce qui entraîne la guérison complète ; mais le mélanome malin, une fois qu'il a largement métastasé, est souvent impossible à éliminer et par conséquent fatal.

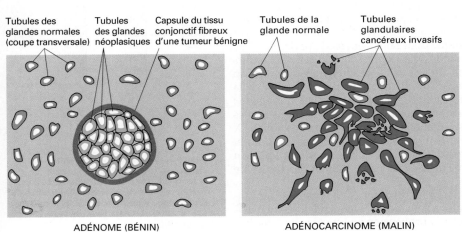

ADÉNOME (BÉNIN)   ADÉNOCARCINOME (MALIN)

Figure 23-3 Tumeurs bénignes versus tumeurs malignes. Une tumeur glandulaire bénigne (adénome) et une tumeur glandulaire maligne (adénocarcinome) sont structurellement distinctes. Ces types de tumeurs peuvent prendre de nombreuses formes : le schéma illustre les types qui peuvent être retrouvés dans le sein.

LE CANCER EST UN PROCESSUS MICRO-ÉVOLUTIF

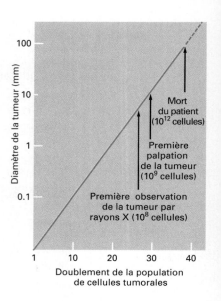

Figure 23-4 La croissance d'une tumeur typique de l'homme comme la tumeur du sein. Le diamètre de la tumeur est placé sur une échelle logarithmique. Des années peuvent s'écouler avant que la tumeur ne soit notable. Le temps de doublement d'une tumeur du sein typique, par exemple, est d'environ 100 jours.

La plupart des cancers dérivent d'une seule cellule anormale

Même lorsqu'un cancer a métastasé, on peut remonter généralement son origine jusqu'à la **tumeur primitive** unique, originaire d'un organe identifié et qui, on le suppose, dérive de la division cellulaire d'une unique cellule qui a subi certaines modifications transmissibles qui lui permettent de croître plus vite que ses voisines. Lors de sa première détection, cependant, une tumeur typique contient déjà un milliard de cellules environ, voire plus (Figure 23-4), et inclut souvent beaucoup de cellules normales – par exemple des fibroblastes dans le tissu conjonctif de soutien associé au carcinome. Quelles preuves avons-nous que les cellules cancéreuses sont effectivement un clone issu d'une seule cellule anormale ?

La mise en évidence nette de l'évolution clonale provient de l'analyse des chromosomes des cellules tumorales. Des aberrations et des réarrangements chromosomiques sont présents dans les cellules de la plupart des cancers. Chez presque tous les patients atteints de *leucémie myéloïde chronique*, par exemple, les leucocytes leucémiques peuvent être différenciés des cellules normales par une anomalie chromosomique spécifique : le chromosome Philadelphie, engendré par la translocation entre les bras longs des chromosomes 9 et 22, comme le montre la figure 23-5. Lorsque l'ADN au niveau du site de translocation est cloné et séquencé, le site de coupure et de réunion des fragments transloqués apparaît identique dans toutes les cellules leucémiques d'un patient donné, mais diffère légèrement (par quelques centaines ou milliers de paires de bases) d'un patient à l'autre, ce qui était prévisible si on suppose que chaque cas de leucémie part d'un accident particulier apparu dans une seule cellule. Nous verrons ultérieurement comment cette translocation Philadelphie conduit à la leucémie par l'activation inappropriée d'un gène spécifique.

Beaucoup d'autres preuves, issues de divers cancers, nous ont amenés à la même conclusion : la plupart des cancers partent d'une seule cellule aberrante (Figure 23-6).

Les cancers résultent de mutations somatiques

Si une seule cellule anormale doit donner naissance à une tumeur, elle doit transmettre son anomalie à sa descendance : l'aberration doit donc être transmissible. La compréhension du cancer pose certains problèmes : un des premiers est de découvrir si l'aberration héréditaire est due à une modification génétique – c'est-à-dire une altération de la séquence ADN de la cellule – ou une modification *épigénétique* – c'est-à-dire une modification du patron d'expression génique sans modification de la séquence ADN. Les variations épigénétiques transmissibles, qui reflètent une mémoire cellulaire, se produisent durant le développement normal, et sont la manifestation de la stabilité d'un état différencié et de phénomènes comme l'inactivation du chromosome X et l'empreinte génomique parentale (*voir* Chapitre 7). On a également trouvé que ces modifications épigénétiques jouaient un rôle dans le développement de certains cancers.

Il y a cependant, de bonnes raisons de croire que la grande majorité des cancers commencent par des variations génétiques. On a pu montrer d'abord que les cellules de divers cancers présentaient des anomalies communes de leur séquence ADN qui les différenciaient des cellules normales de la périphérie tumorale, comme, par exemple, lors de leucémie myéloïde chronique dont nous venons de parler.

Deuxièmement, beaucoup d'agents connus pour donner naissance à des cancers provoquent des modifications génétiques. De ce fait, la **carcinogenèse** (formation d'un cancer), semble être liée à la *mutagenèse* (production d'une modification de la séquence ADN). Pour trois classes d'agents carcinogènes, cette corrélation est nette : les **carcinogènes chimiques** (qui provoquent typiquement des modifications locales simples de la séquence nucléotidique), les radiations ionisantes comme les rayons X (qui provoquent typiquement une cassure chromosomique et une translocation) et les virus (qui introduisent un ADN étranger dans la cellule). Nous parlerons plus en détail de chacun de ces agents ultérieurement, dans la partie traitant des causes de cancer qui peuvent être évitées.

Enfin, des études sur les personnes qui ont hérité d'une forte sensibilité au cancer confortent la conclusion que les mutations somatiques sous-tendent cette maladie. Dans une proportion significative de cas, la propension au cancer a été rattachée

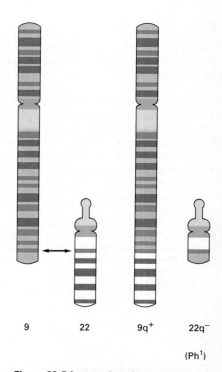

9   22   9q⁺   22q⁻

(Ph¹)

Figure 23-5 La translocation entre les chromosomes 9 et 22, responsable de la leucémie myéloïde chronique. Le plus petit des deux chromosomes anormaux obtenu est le chromosome Philadelphie, du nom de la ville où l'anomalie a été pour la première fois enregistrée.

à une anomalie génétique des mécanismes de réparation de l'ADN de ces individus qui leur permet d'accumuler des mutations à vitesse élevée. Les individus atteints par exemple de *xeroderma pigmentosum*, présentent des anomalies du système cellulaire qui répare les lésions de l'ADN induites par la lumière UV et présentent une incidence bien plus forte de cancers cutanés.

Une seule mutation ne suffit pas à provoquer un cancer

On estime que 10^{16} divisions cellulaires s'effectuent dans un corps humain normal au cours de la vie ; chez une souris, qui possède un nombre inférieur de cellules et dont la durée de vie est plus courte, ce nombre est d'environ 10^{12}. Même dans un environnement sans mutagènes, des mutations se produiront spontanément à la vitesse estimée de 10^{-6} mutations par gène et par division cellulaire – une valeur établie à partir des limites fondamentales de la précision de la réplication de l'ADN et de sa réparation. De ce fait, au cours de la vie, chaque gène a des chances de subir une mutation à 10^{10} occasions séparées environ pour l'homme ou à 10^6 occasions environ pour la souris. Parmi les cellules mutantes obtenues on pourrait s'attendre à ce que beaucoup présentent des anomalies dans les gènes de régulation de la division cellulaire et, par conséquent, puissent désobéir aux restrictions normales de la prolifération cellulaire. De ce point de vue, le problème du cancer ne semble pas être pourquoi il se produit mais pourquoi il se produit aussi rarement.

En clair, si une seule mutation suffisait à transformer une cellule saine typique en une cellule cancéreuse qui prolifère sans restriction, nous ne serions pas des êtres viables. Beaucoup de preuves différentes indiquent que la genèse d'un cancer nécessite typiquement que plusieurs accidents indépendants et rares se produisent dans la lignée d'une cellule. Une de ces preuves provient des études épidémiologiques de l'incidence des cancers en fonction de l'âge (Figure 23-7). Comme les mutations se produisent avec une probabilité fixe par an, si une seule mutation était responsable, le risque de développement d'un cancer pour chaque année donnée devrait être indépendant de l'âge. En fait, pour la plupart des types de cancers, l'incidence augmente fortement avec l'âge – ce qui est prévisible si on suppose que le cancer est provoqué par l'accumulation lente de nombreuses mutations aléatoires dans une seule lignée de cellules. (Une autre raison de l'augmentation de l'incidence du cancer avec l'âge sera abordée ultérieurement, lorsque nous parlerons de la sénescence cellulaire réplicative.)

Maintenant que nous avons identifié de nombreuses mutations spécifiques responsables du développement des cancers, nous pouvons rechercher directement leur présence dans un cas particulier de maladie. Ces tests ont révélé qu'une seule cellule maligne porte généralement de multiples mutations. Des modèles animaux ont également confirmé qu'une seule de ses altérations génétiques n'était pas suffisante pour provoquer un cancer : lorsqu'on introduit une seule mutation par génie génétique chez une souris, on obtient typiquement une légère anomalie de la croissance tissulaire, suivie parfois de la formation de tumeurs bénignes éparpillées au hasard ; mais la plupart des cellules de l'animal mutant restent non cancéreuses.

Ce concept, que le développement d'un cancer nécessite des mutations au sein de nombreux gènes – peut-être dix ou plus – concorde avec un grand nombre d'informations, datant de plusieurs années, sur le phénomène d'**évolution tumorale**, au cours duquel une anomalie, initialement légère, du comportement cellulaire évolue graduellement en un cancer franc. Comme nous l'expliquerons par la suite, ces observations sur le mode de développement des tumeurs fournissent aussi des indices sur la nature des modifications qui doivent se produire pour qu'une cellule normale devienne une cellule cancéreuse.

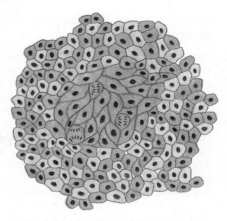

Figure 23-6 La preuve du mosaïcisme par inactivation de X démontre l'origine monoclonale des cancers. Du fait d'un processus aléatoire qui se produit dans le jeune embryon, pratiquement tout le tissu normal du corps d'une femme est un mélange de cellules porteuses de chromosomes X différents inactivés de façon transmissible (indiqué ici par le mélange de cellules rouges et de cellules grises dans un tissu normal). Lorsque les cellules d'un cancer sont examinées pour rechercher l'expression de gènes de marquage liés à X, cependant, on trouve généralement qu'elles ont toutes le même chromosome X inactivé. Cela implique qu'elles dérivent toutes d'une seule cellule cancéreuse précurseur.

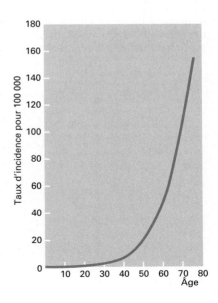

Figure 23-7 Incidence du cancer en fonction de l'âge. Le nombre de cas nouvellement diagnostiqués de cancer du côlon chez des femmes en Angleterre et au Pays de Galles en un an est représenté en fonction de l'âge au moment du diagnostic et exprimé relativement au nombre total d'individus de chaque groupe d'âge. L'incidence du cancer augmente brutalement en fonction de l'âge. Si une seule mutation était nécessaire pour déclencher le cancer et que cette mutation avait une chance égale de se produire à chaque fois, l'incidence serait indépendante de l'âge. (Données d'après C. Muir et al., Cancer Incidence in Five Continents, Vol. V. Lyon : International Agency for Research on Cancer, 1987.)

LE CANCER EST UN PROCESSUS MICRO-ÉVOLUTIF

Les cancers se développent par étapes lentes à partir de cellules légèrement aberrantes

Au cours des cancers qui ont une cause externe connue, la maladie ne devient apparente en général que longtemps après l'exposition à l'agent causal : l'incidence du cancer du poumon ne commence pas à augmenter brutalement avant 10 ou 20 ans de tabagisme important ; l'incidence des leucémies à Hiroshima et Nagasaki n'a pas présenté d'élévation marquée avant les 5 ans qui ont suivi l'explosion des bombes atomiques ; les employés des industries, exposés pendant une période limitée à des carcinogènes chimiques, ne développent généralement pas de cancers caractéristiques de leur travail avant les 10, 20, ou même plus, années qui suivent leur exposition (Figure 23-8). Pendant cette longue période d'incubation, les cellules cancéreuses potentielles subissent une succession de modifications. La même chose s'applique lorsque la lésion génétique d'origine n'a pas de cause externe évidente.

La leucémie myéloïde chronique, dont nous avons déjà parlé, représente un exemple simple et clair. Cette maladie commence par une affection caractérisée par la surproduction non létale de globules blancs et se poursuit ainsi pendant plusieurs années avant de changer et devenir une affection bien plus rapidement évolutive qui se termine généralement par la mort en quelques mois. Dans la phase précoce chronique, les cellules leucémiques du corps sont principalement différenciées parce qu'elles possèdent la translocation chromosomique dont nous avons parlé (bien qu'elles puissent aussi présenter d'autres modifications génétiques plus difficilement visibles). Dans la phase aiguë de la maladie qui suit, le système hématopoïétique est dépassé par des cellules qui présentent non seulement cette anomalie chromosomique mais aussi plusieurs autres. C'est comme si les membres du clone mutant initial avaient subi d'autres anomalies qui les auraient rendus plus rapidement prolifératifs (ou leur auraient permis de se diviser plus de fois avant de mourir ou de se différencier de façon terminale), de telle sorte à dépasser en nombre à la fois les cellules hématopoïétiques normales et leurs parentes qui ne possèdent que la translocation chromosomique primaire (le chromosome Philadelphie).

On pense que les carcinomes et les autres tumeurs solides évoluent de façon similaire. Même si, chez l'homme, la plupart de ces cancers ne sont pas diagnostiqués avant un stade relativement tardif, dans quelques cas il est possible d'observer les étapes précoces du développement de la maladie. Nous en verrons un exemple – le *cancer colorectal* – vers la fin de ce chapitre. Les cancers du col utérin représentent un autre exemple. On pense que ces cancers dérivent de l'épithélium situé près de l'orifice du col.

Cet épithélium subit des variations physiologiques de structure aux différents moments de la vie reproductive de la femme. Dans une région du col qui peut donner naissance au cancer, sous les conditions qui permettent le début de la maladie, les cellules sont initialement organisées en un épithélium squameux stratifié (multicouches) (Figure 23-9 A,E), de structure similaire à l'épiderme de la peau ou à celui qui tapisse l'intérieur de la bouche (*voir* p. 1274). Dans ce type d'épithélium stratifié, la prolifération ne se produit normalement que dans la couche basale, et engendre des cellules qui se déplacent alors vers la surface ; ces cellules se différencient pendant leur déplacement pour former des cellules aplaties, riches en kératine et qui ne se divisent pas et desquament lorsqu'elles atteignent la surface. Lorsqu'on examine des échantillons d'épithélium cervical issus de différentes femmes, cependant, il n'est pas inhabituel de trouver des zones dans lesquelles cette organisation est perturbée

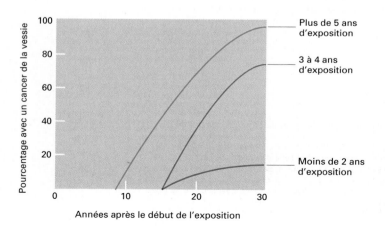

Figure 23-8 L'apparition retardée du cancer après l'exposition à un carcinogène. Ce graphique montre la durée du temps de latence avant l'apparition d'un cancer de la vessie dans un groupe de 78 employés de l'industrie chimique qui ont été exposés à un carcinogène, le 2-naphthylamine, regroupés selon la durée de leur exposition. (Modifié d'après J. Cairns, Cancer : Science and Society. San Francisco : W.H. Freeman, 1978. D'après M.H.C. Williams *in* Cancer, Vol. III [R.W. Raven, ed.]. Londres : Butterworth Heinemann, 1958.)

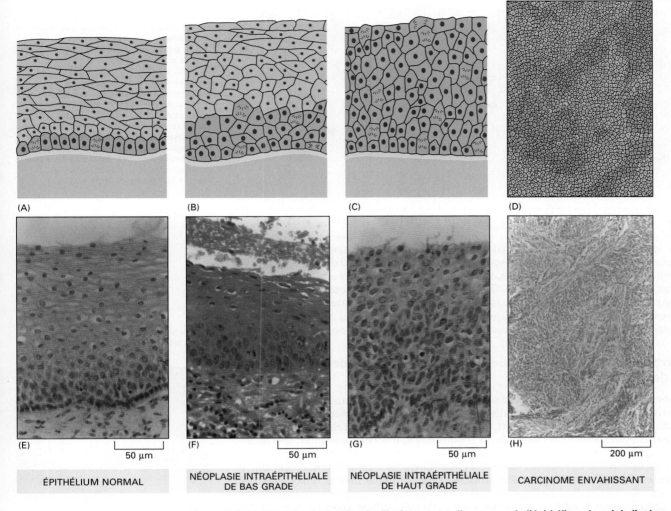

(A)   (B)   (C)   (D)

(E)   (F)   (G)   (H)
        50 µm   50 µm   50 µm   200 µm

ÉPITHÉLIUM NORMAL   NÉOPLASIE INTRAÉPITHÉLIALE   NÉOPLASIE INTRAÉPITHÉLIALE   CARCINOME ENVAHISSANT
                      DE BAS GRADE   DE HAUT GRADE

Figure 23-9 Stades de la progression du développement d'un cancer de l'épithélium du col de l'utérus. Les anatomopathologistes utilisent la terminologie standard pour classer les types de troubles qu'ils observent afin de guider le choix thérapeutique. Les représentations schématiques sont montrées de A à D ; des coupes de l'épithélium du col, correspondant à ces modifications, sont montrées de E à H. (A, E) Dans l'épithélium squameux stratifié normal, les cellules en division sont confinées à la couche basale. (B, F) Lors de néoplasie intraépithéliale de bas grade, les cellules en division peuvent être observées dans tout le tiers inférieur de l'épithélium ; les cellules superficielles sont encore plates et montrent des signes de différenciation quoique incomplets. (C, G) Dans des néoplasies intraépithéliales de haut grade, les cellules de toutes les couches épithéliales sont en prolifération et ne montrent pas de signes de différenciation. (D, H) Le cancer véritable commence lorsque les cellules se déplacent à travers la lame basale ou la détruisent et envahissent les tissus conjonctifs sous-jacents. (Photographies dues à l'obligeance de Margaret Stanley.)

d'une façon qui suggère le début d'une transformation cancéreuse. Les anatomopathologistes décrivent cette modification par le terme de *néoplasie intraépithéliale* et la classent en de bas grade (légère) ou de haut grade (modérée à sévère).

Dans les lésions de bas grade, les cellules en division ne sont plus confinées aux couches basales mais occupent le tiers inférieur de l'épithélium. Bien que la différenciation s'effectue dans les couches épithéliales supérieures, elle est légèrement désorganisée (Figure 23-9B,F). Laissées seules, la plupart de ces lésions légères régressent spontanément, mais un petit nombre (environ 10 p. 100) évolue pour devenir des lésions de haut grade. Dans ces zones plus fortement anormales, la plupart ou toutes les couches épithéliales sont occupées par des cellules indifférenciées en division, dont la taille et la forme, tant cellulaire que nucléaire, sont généralement hautement variables. Des figures mitotiques anormales sont souvent observées et le caryotype est généralement anormal ; cependant les cellules anormales sont encore confinées au côté épithélial de la lame basale (Figure 23-9C,G). La présence de ces lésions peut être détectée par le frottis d'un échantillon de cellules prélevé à partir de la surface du col et son observation en microscopie (la technique du frottis par coloration de Papanicolaou ou «Pap smear» – Figure 23-10). À ce stade, il est encore facile d'obtenir la guérison complète par la destruction ou l'exérèse chirurgicale du tissu anormal.

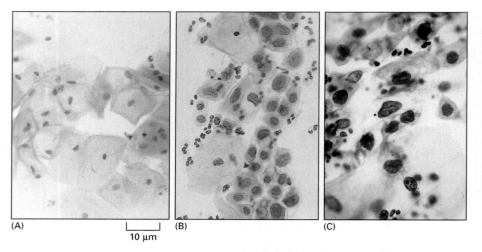

(A)

(B)

(C)

|← 10 μm →|

Figure 23-10 Photographies de cellules recueillies par frottis de la surface du col utérin (technique du frottis par coloration de Papanicolaou ou « Pap smear »). (A) Normal : les cellules sont de grande taille et bien différenciées avec un noyau fortement condensé. (B) Lésion précancéreuse : la différenciation et la prolifération sont anormales mais la lésion n'est pas encore invasive ; les cellules sont à divers stades de différenciation, certaines assez immatures. (C) Carcinome invasif : les cellules apparaissent toutes indifférenciées avec un cytoplasme peu abondant et un noyau relativement gros. Des débris à l'arrière plan incluent certaines cellules leucocytaires. (Dues à l'obligeance de Winifred Gray.)

Sans traitement, le tissu anormal peut simplement persister sans évoluer ou peut même régresser spontanément ; mais dans au moins 30 à 40 p. 100 des cas, on observe une évolution qui donne naissance, sur une période de plusieurs années, à un carcinome envahissant franc (Figure 23-9D,H) – lésion maligne dans lesquelles les cellules traversent ou détruisent la lame basale, envahissent les tissus sous-jacents et métastasent via les vaisseaux lymphatiques. Le traitement chirurgical devient progressivement plus difficile avec l'extension envahissante de la croissance tumorale.

L'évolution tumorale implique des cycles successifs de mutation et de sélection naturelle

Comme nous l'avons vu, le cancer semble généralement se produire suite à un processus au cours duquel une population initiale de cellules légèrement anormales, descendantes d'un seul ancêtre mutant, évolue de mal en pis du fait de cycles successifs de mutation et de sélection naturelle. À chaque étape, une cellule acquiert une mutation supplémentaire qui lui donne un avantage sélectif sur ses voisines, et la rend plus capable de se développer dans son environnement – un environnement qui, à l'intérieur d'une tumeur, peut être difficile, avec un faible niveau d'oxygène, des nutriments rares et des barrières naturelles à la croissance représentées par les tissus normaux périphériques. La progéniture de cette cellule bien adaptée poursuit ses divisions, finit par dépasser la tumeur, et devient le clone dominant de la lésion en développement (Figure 23-11). De ce fait, la tumeur croît par à-coups, lorsque des mutations supplémentaires avantageuses apparaissent et que les cellules porteuses deviennent florissantes. Cette évolution implique un important facteur chance et prend généralement plusieurs années ; la plupart d'entre nous mourront d'autres maux avant que le cancer n'ait eu le temps de se développer.

Pourquoi faut-il autant de mutations ? Une des raisons est que les processus cellulaires sont contrôlés par des voies complexes interconnectées ; les cellules emploient des mécanismes régulateurs redondants qui les aident à maintenir un contrôle étroit et précis de leur comportement. De ce fait, il faut qu'une cellule cancéreuse interrompe beaucoup de systèmes régulateurs différents avant de pouvoir se débarrasser de ses contraintes normales et se comporter de façon provocante comme une cellule cancéreuse maligne. De plus, à chaque étape du processus évolutif, les cellules tumorales peuvent rencontrer de nouvelles barrières qui s'opposent à la poursuite de leur expansion. Par exemple, l'oxygène et les nutriments ne sont pas limités jusqu'à ce qu'une tumeur atteigne un ou deux millimètres de diamètre, point où les cellules situées à l'intérieur de la tumeur n'ont plus d'accès adéquat à ce type de ressources nécessaires. Chaque nouvelle barrière, qu'elle soit physique ou physiologique, doit être dépassée par l'acquisition de nouvelles mutations.

En général, on pourrait s'attendre à ce que la vitesse d'évolution dans une population dépende de quatre paramètres principaux : (1) la *vitesse de mutation*, qui est la probabilité par gène et par unité de temps qu'un membre donné de la population subisse une variation génétique ; (2) le *nombre d'individus* de la population ; (3) la *vitesse de reproduction*, qui est le nombre moyen de génération de descendance produit par unité de temps ; et (4) l'*avantage sélectif* reçu par les individus mutants successifs, c'est-à-dire le rapport du nombre de descendants fertiles survivants par unité de temps sur le nombre de descendants fertiles produits par les individus non mutants. Ce sont les facteurs critiques de l'évolution des cellules cancéreuses dans

Les cellules épithéliales se développent sur la lame basale

Production accidentelle d'une cellule mutante

PROLIFÉRATION CELLULAIRE

Cellule à deux mutations

PROLIFÉRATION CELLULAIRE

Cellule à trois mutations

PROLIFÉRATION CELLULAIRE

PROLIFÉRATION CELLULAIRE DANGEREUSE

Figure 23-11 L'évolution clonale. Une tumeur se développe via des cycles répétés de mutation et de prolifération qui donnent finalement naissance à un clone de cellules cancéreuses totalement malignes. À chaque étape une seule cellule subit une mutation qui augmente la prolifération cellulaire de telle sorte que sa descendance devient le clone dominant de la tumeur. La prolifération de ce clone hâte l'apparition de l'étape suivante d'évolution tumorale en augmentant la taille de la population cellulaire au risque de subir une mutation supplémentaire.

un organisme multicellulaire, tout comme ils le sont pour l'évolution des organismes à la surface de la Terre.

En clair, la vitesse d'évolution vers le cancer dépend de nombreuses choses en plus de la variation du génotype d'une cellule cancéreuse isolée. De même, il est clair qu'il y a un nombre de propriétés génétiques assez disparates qui pourraient aider une cellule cancéreuse à être une réussite évolutive. Dans les dernières parties, nous verrons les variations moléculaires qui lui confèrent cette propriété. Mais d'abord il est intéressant de voir, en termes généraux, ce que sont réellement ces propriétés capitales : quelles sont les capacités spécifiques communes à la majorité des cellules cancéreuses qui sont responsables de leur mauvais comportement ?

La plupart des cellules cancéreuses de l'homme sont génétiquement instables

La grande majorité des cancers de l'homme montrent des signes d'augmentation spectaculaire de la vitesse des mutations : les cellules sont dites **génétiquement instables**. Cette instabilité peut prendre diverses formes. Certaines cellules cancéreuses sont déficientes du point de vue de leur capacité à réparer les lésions locales de l'ADN ou à corriger les erreurs de réplication qui affectent individuellement les nucléotides. Ces cellules ont tendance à accumuler plus de mutations ponctuelles et de variations de petites séquences d'ADN localisées que les cellules normales. D'autres cellules cancéreuses ont des difficultés à maintenir l'intégrité de leurs chromosomes et présentent donc des anomalies macroscopiques dans leur caryotype (Figure 23-12). D'un point de vue évolutif ce n'est pas une surprise ; on pouvait s'attendre à ce que l'instabilité génétique favorise la formation des cancers, car elle augmente la probabilité que les cellules subissent une mutation qui conduise à la malignité. En fait, il semble qu'un certain degré d'instabilité soit essentiel au développement d'un cancer ; en dernier lieu il semble que cela contribue puissamment à l'évolution du cancer.

Différentes tumeurs – même issues du même tissu – peuvent montrer différentes sortes d'instabilité génétique, provoquées par des mutations d'un groupe de gènes très spécifique ou d'un autre dont les produits sont nécessaires pour protéger le génome des altérations. Comme nous l'avons déjà dit, on a trouvé que les personnes qui héritent de mutations dans ces gènes présentent une incidence plus élevée de cancers. Bien que ces maladies susceptibles d'engendrer un cancer soient relativement rares, elles incluent des exemples de mutations dans pratiquement tous les types de gènes connus pour être nécessaires à la stabilité génétique, ce qui confirme que la perte de cette stabilité peut jouer un rôle causal dans le cancer, quelle que soit la façon dont elle se produit.

Le plus souvent, les mutations déstabilisantes ne sont pas transmises mais apparaissent *de novo* lorsque la tumeur se développe, et aident les cellules cancéreuses à accumuler des mutations bien plus rapidement que leurs voisines. Il est important, cependant, de noter que l'instabilité génétique ne donne pas, par elle-même, un avantage sélectif à la cellule. Au contraire, l'instabilité génétique endommage véritablement la bonne santé d'une cellule, car la plupart des mutations aléatoires sont nuisibles. De ce fait, une cellule génétiquement instable ne sera pas sélectivement favorisée sauf si elle a des propriétés supplémentaires ou arrive à accumuler d'autres mutations qui lui confèrent un certain avantage compétitif. Il semble qu'il existe un

(A)

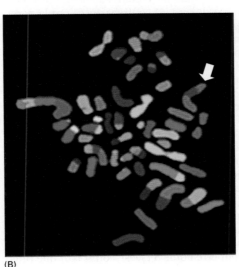

(B)

Figure 23-12 Les chromosomes issus d'une tumeur du sein présentant des anomalies de structure et de nombre. Les chromosomes ont été préparés à partir d'une cellule d'une tumeur du sein en métaphase, étalée sur une lame de verre et colorée (A) avec un colorant général de l'ADN et (B) avec une association de colorants fluorescents qui donnent une couleur différente à chaque chromosome normal de l'homme. La coloration (présentée par de fausses couleurs) montre de multiples translocations, y compris un chromosome à double translocation (*flèche blanche*) formé de deux parties du chromosome 8 (en *vert*) et d'une partie du chromosome 17 (*violet*). Le caryotype contient également 48 chromosomes au lieu des 46 normaux. (Due à l'obligeance de Joanne Davidson et Paul Edwards.)

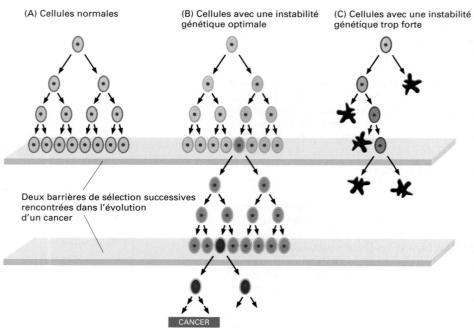

(A) Cellules normales

(B) Cellules avec une instabilité génétique optimale

(C) Cellules avec une instabilité génétique trop forte

Deux barrières de sélection successives rencontrées dans l'évolution d'un cancer

CANCER

Figure 23-13 L'instabilité génétique et l'évolution tumorale. Les cellules qui maintiennent un niveau optimal d'instabilité génétique peuvent être celles qui ont le plus de succès dans la course à la formation d'une tumeur. (A) Dans les cellules normales, la quantité intrinsèque d'instabilité génétique est faible. De ce fait lorsque les cellules normales atteignent une barrière de sélection — une faible teneur en oxygène, ou un manque de signaux de prolifération par exemple — il y a très peu de chances qu'elles soient assez mutables pour produire une cellule qui poursuit sa prolifération. (B) Dans les cellules précurseurs des tumeurs, l'augmentation du niveau d'instabilité génétique rend probable qu'une cellule au moins contienne l'altération génétique nécessaire pour dépasser la barrière de sélection et continuer le processus de progression tumorale. Cette instabilité génétique est maintenue dans la lignée et peut être mesurée dans la tumeur résultante. (C) Si le niveau de l'instabilité génétique est trop élevé, beaucoup de cellules souffrent de mutations délétères et prolifèrent bien plus lentement que leurs voisines ou sont éliminées par mort cellulaire. Cette mutabilité excessive peut conduire à l'extinction de la lignée cellulaire. (Adapté d'après D.P. Cahill et al., *Trends Cell Biol.* 9 : M57-M60, 1999.)

certain niveau «optimal» d'instabilité génétique pour le développement d'un cancer, qui rend une cellule assez mutable pour évoluer dangereusement, mais pas assez mutable pour mourir (Figure 23-13).

La croissance cancéreuse dépend souvent d'une anomalie de contrôle de la mort ou de la différenciation cellulaire

Tout comme l'augmentation de la vitesse des mutations peut augmenter la probabilité d'une évolution cancéreuse, toute circonstance qui augmente le nombre de cellules disponibles pour ces mutations le peut aussi. Plus le clone de cellules mutantes qui résultent d'une mutation précoce est grand, plus il y a de chances qu'une mutation individuelle permette au cancer d'évoluer, jusqu'à ce que la croissance soit totalement hors contrôle et devienne maligne. De ce fait, à chaque stade du développement d'un cancer, les mutations qui aident les cellules à accroître leur nombre sont primordiales.

Comment une mutation peut-elle avoir cet effet? Le moyen le plus évident est d'augmenter la vitesse de division. En effet, les mutations qui ont tendance à rendre les cellules aveugles aux restrictions normales de la division cellulaire sont une des caractéristiques fréquentes du cancer comme nous le verrons ultérieurement en détail. Il est devenu de plus en plus clair, cependant, que ce type de mutations n'est pas le seul mécanisme – ni nécessairement le plus important – utilisé pour augmenter le nombre de cellules. Dans les tissus adultes normaux, en particulier ceux qui présentent un risque de cancer, les cellules peuvent proliférer continuellement, mais leur nombre reste stable parce que la production cellulaire est contrebalancée par la perte cellulaire. La mort cellulaire programmée par apoptose joue très souvent un rôle essentiel dans cet équilibre, comme nous l'avons vu dans les chapitres 17 et 22. Si trop de cellules sont engendrées, la vitesse de l'apoptose augmente pour éliminer le surplus. Une des propriétés les plus importantes des cellules cancéreuses est donc qu'elles ne s'engagent pas dans le suicide alors qu'une cellule normale le ferait honorablement.

Les mutations qui modifient la capacité des cellules mutantes à se différencier peuvent aussi augmenter la taille du clone cellulaire comme cela est illustré par ce qui se passe dans le col utérin, dont nous avons déjà parlé. Comme l'épiderme de la peau et beaucoup d'autres épithéliums, l'épithélium du col utérin s'auto-renouvelle constamment de façon normale par la desquamation des cellules totalement différenciées de sa surface externe et leur remplacement via les cellules souches de la couche basale. En moyenne chaque division d'une cellule souche normale engendre une cellule souche fille et une cellule condamnée à subir la différenciation terminale et à cesser sa division cellulaire. Si la cellule souche se divise plus rapidement, les cellules à différenciation terminale sont produites et desquament plus rapidement, mais l'équilibre entre la genèse et la destruction est maintenu. De ce fait, pour qu'une cellule souche anormale engendre un clone de descendants mutants constamment en croissance, ces règles fondamentales doivent être bouleversées : soit il faut que plus de 50 p. 100 des cellules filles restent des cellules souches, soit il faut que le processus de différenciation soit perturbé afin que les cellules filles qui prennent cette voie gardent leur capacité à se diviser indéfiniment, ne meurent pas et ne soient pas éliminées à la fin de la chaîne de fabrication (Figure 23-14).

On suppose que le développement de ce type de propriétés sous-tend l'évolution de la néoplasie intraépithéliale de bas grade du col de l'utérus en néoplasie intraépithéliale de haut grade puis en cancer malin (*voir* Figure 23-9). Des considérations similaires s'appliquent au développement de cancers dans les autres tissus qui se reposent sur des cellules souches, comme la peau, les cellules qui tapissent le tube digestif et le système hématopoïétique. Diverses formes de leucémies, par exemple, semblent émerger de l'interruption du programme normal de différenciation de telle sorte qu'une cellule précurseur engagée à former un type particulier de cellule sanguine continue de se diviser indéfiniment au lieu de se différencier normalement de façon terminale et de mourir après un nombre strictement limité de cycles de division (comme nous l'avons vu au chapitre 22).

En conclusion, les modifications qui bloquent la maturation normale des cellules dans leur état de différenciation terminale ne se divisant plus ou qui évitent la mort cellulaire programmée normale, jouent un rôle essentiel dans beaucoup de cancers.

Beaucoup de cellules cancéreuses échappent à leur limite programmée de prolifération cellulaire

Beaucoup de cellules normales arrêtent de se diviser lorsqu'elles mûrissent pour devenir des cellules spécialisées différenciées de façon terminale. Cependant, cette différenciation n'est pas la seule condition qui puisse arrêter la prolifération cellulaire. Les cellules cessent aussi de se diviser lorsqu'elles sont stressées ou détectent des lésions sur leur ADN. De plus, la plupart des cellules normales de l'homme, lorsqu'elles sont retirées d'un tissu et qu'on examine en culture leur capacité à proliférer, montrent une limite établie du nombre de leurs divisions. Une fois que les cellules sont passées par un certain nombre de doublements de population – 25 à 50 pour les fibroblastes de l'homme par exemple – elles arrêtent simplement de proliférer, un processus appelé **sénescence cellulaire réplicative** (*voir* Chapitre 17). Il est possible que, lorsqu'une personne vieillit, certaines cellules atteignent cette limite de leur prolifération – en particulier dans les tissus qui nécessitent un renouvellement constant comme l'épiderme ou les cellules qui tapissent le tube digestif. Si dans ces circonstances une cellule continue de se diviser afin d'engendrer un cancer, elle doit échapper à cette contrainte de sénescence réplicative. En fait, les cellules cancéreuses, lorsqu'elles sont examinées en culture, se comportent souvent comme si elles avaient été «immortalisées»: elles continuent de se diviser indéfiniment contrairement à leurs contreparties normales.

Alors que ces faits sont bien établis, on ne sait pas encore clairement cependant comment les relier au processus de la maladie cancéreuse. En dépit des observations

Figure 23-14 Le contrôle normal ou altéré de la production cellulaire à partir des cellules souches. (A) Stratégie normale de production de nouvelles cellules différenciées. (B et C). Deux types de dérangements qui peuvent donner naissance à la prolifération effrénée caractéristique du cancer. Notez que la vitesse de division cellulaire excessive des cellules souches de (A) n'a pas, en elle-même, cet effet tant que chaque division cellulaire ne produit qu'une seule fille qui est une cellule souche.

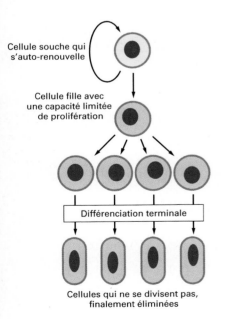

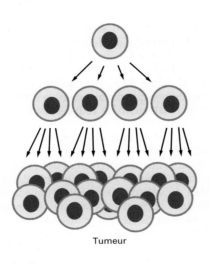

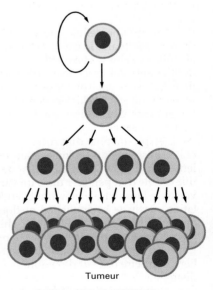

Tumeur

Tumeur

(A) DÉROULEMENT NORMAL

(B) LES CELLULES SOUCHES NE PRODUISENT PAS UNE CELLULE FILLE NON SOUCHE À CHAQUE DIVISION ET PROLIFÈRENT DE CE FAIT POUR PRODUIRE UNE TUMEUR

(C) LES CELLULES FILLES NE SE DIFFÉRENCIENT PAS NORMALEMENT ET PROLIFÈRENT DONC POUR FORMER UNE TUMEUR

en culture, il y a remarquablement peu d'informations consistantes sur l'importance de la sénescence réplicative dans les tissus normaux des hommes sains. Selon une hypothèse, la sénescence réplicative serait un mécanisme utile qui nous protégerait du cancer – une barrière supplémentaire que devraient surmonter les cellules cancéreuses. Selon une autre école, les cellules de la plupart des tissus n'atteignent jamais véritablement cette sénescence réplicative au cours de la vie d'un homme et «l'immortalité» des cellules cancéreuses n'est qu'un effet secondaire de la sélection de certaines autres propriétés qu'elles doivent avoir. Certaines études récentes, que nous verrons ultérieurement dans ce chapitre, suggèrent une troisième hypothèse, radicalement différente des deux autres. Celle-ci est que, dans les tissus normaux, beaucoup de cellules subissent une sénescence cellulaire réplicative et ralentissent ou arrêtent leur prolifération lorsque la personne prend de l'âge et que cela crée des circonstances qui pourraient permettre aux cellules cancéreuses de s'épanouir au mieux par la poursuite de leurs divisions très rapides. Selon ce point de vue, la sénescence cellulaire réplicative, loin de nous protéger de la croissance des tumeurs, créerait une base d'élevage de cellules mutantes qui se seraient soustraites aux contrôles normaux et envahiraient les tissus parce qu'elles ne feraient face à aucune compétition de la part de leurs voisines normales sénescentes. Les mutations qui permettent une prolifération continue peuvent conférer en même temps d'autres caractères cancéreux, comme l'instabilité génétique ou un mépris général pour les contrôles du cycle cellulaire, et conduire progressivement à un comportement plus désordonné. De cette façon, on pourrait s'attendre, dans un tissu qui s'auto-renouvelle, à ce que la sénescence cellulaire réplicative favorise la genèse d'un cancer ; cela pourrait être en partie une raison qui expliquerait pourquoi le cancer est surtout une maladie de la vieillesse.

Des études menées au niveau moléculaire pourraient bientôt clarifier ce tableau. Ultérieurement dans ce chapitre, nous verrons que la sénescence cellulaire réplicative des cellules de l'homme est liée au raccourcissement des télomères – les séquences d'ADN répétitives associées à des protéines qui coiffent l'extrémité de chaque chromosome. Et nous verrons comment certains cancers partent d'une voie dangereuse qui permet à certaines mutations de protéger les cellules mutantes du blocage de la division cellulaire rencontré par les cellules normales lorsque leurs télomères deviennent trop courts.

Pour métastaser, les cellules cancéreuses malignes doivent survivre et proliférer dans un environnement étranger

Les métastases représentent l'aspect le plus craint – et le moins compris – du cancer. Par sa dissémination dans tout le corps, le cancer devient presque impossible à éradiquer chirurgicalement ou par irradiation localisée, et donc mortel. Les métastases en elles-mêmes sont un processus à étapes multiples : les cellules doivent se détacher de la tumeur primaire, envahir les tissus et les vaisseaux locaux puis établir de nouvelles colonies cellulaires dans des sites éloignés. Chacun de ces événements est, en lui-même, assez complexe et les mécanismes moléculaires impliqués ne sont pas encore clairs.

Pour qu'une cellule cancéreuse métastase, elle doit d'abord se détacher de la tumeur parentale ; la clé de cette échappée est l'acquisition de la capacité à envahir les tissus voisins. Cet envahissement est la propriété qui définit une tumeur maligne, qui présente une croissance désorganisée avec des limites délabrées et des extensions dans les tissus environnants (*voir* par exemple Figure 23-3). Bien que cet envahissement ne soit pas totalement compris, il nécessite presque certainement la rupture des mécanismes d'adhésion qui maintiennent normalement les cellules fixées à leurs propres voisines.

L'étape suivante du processus – l'échappée du voisinage de la tumeur primaire et l'établissement de colonies dans des tissus éloignés – est une opération complexe, lente et inefficace ; peu de cellules de la tumeur primaire y arrivent. Pour métastaser, une cellule doit pénétrer dans un vaisseau sanguin ou un vaisseau lymphatique, traverser la lame basale et la limite endothéliale du vaisseau pour entrer dans la circulation, sortir de la circulation quelque part dans le corps puis survivre et proliférer avant d'être découverte et retirée chirurgicalement. Seule une minuscule proportion de cellules malignes arrive à s'échapper dans la circulation ; et des expériences montrent que seule une minuscule proportion d'entre elles, moins de une sur des milliers, peut-être une sur des millions, survit pour former des métastases. Ce qui semble distinguer les cellules capables d'établir des métastases est leur capacité à survivre et à croître après s'être établies dans un site étranger.

On pense que les cellules normales dépendent de signaux de survie moléculaires particuliers à leur environnement normal ; lorsqu'elles sont privées de ces signaux

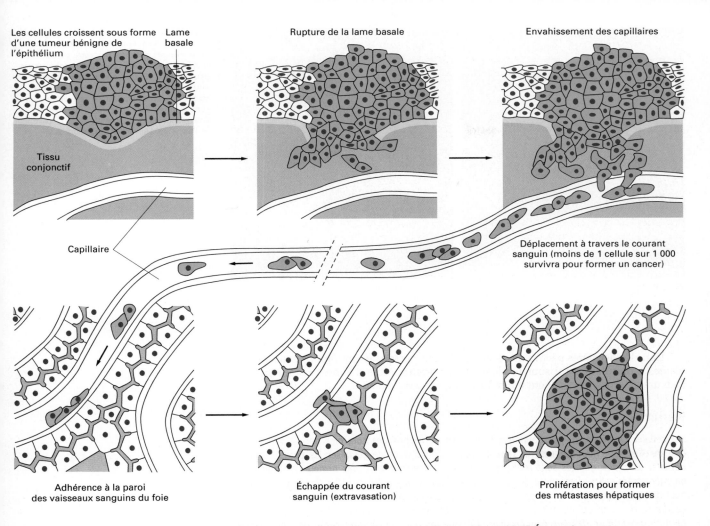

Les cellules croissent sous forme d'une tumeur bénigne de l'épithélium — **Lame basale**

Tissu conjonctif

Capillaire

Rupture de la lame basale

Envahissement des capillaires

Déplacement à travers le courant sanguin (moins de 1 cellule sur 1 000 survivra pour former un cancer)

Adhérence à la paroi des vaisseaux sanguins du foie

Échappée du courant sanguin (extravasation)

Prolifération pour former des métastases hépatiques

elles activent leur machinerie de mort cellulaire et subissent l'apoptose. Les cellules cancéreuses qui sont capables de métastaser sont souvent relativement résistantes à l'apoptose par comparaison aux cellules normales et peuvent donc survivre et poursuivre leur croissance après s'être échappées de leur propre maison (Figure 23-16).

En plus de tout ceci, une tumeur doit, pour grossir, recruter un apport vasculaire adapté. De ce fait, l'angiogenèse, ou formation de nouveaux vaisseaux sanguins, est une nécessité à la croissance de la tumeur primaire et de ses métastases. Bien que les tissus normaux possèdent un mécanisme automatique qui attire un apport vasculaire supérieur lorsqu'ils en ont besoin (*voir* Chapitre 22), beaucoup de tumeurs atteignent une croissance rapide par l'activation de signaux d'angiogenèse en grand nombre. Les nouveaux vaisseaux sanguins fournissent les nutriments et l'oxygène à la tumeur et peuvent aussi fournir une voie d'échappement plus facile pour les cellules métastatiques.

Six propriétés capitales permettent aux cellules une croissance cancéreuse

En clair, pour réussir à former un cancer, une cellule doit acquérir une gamme complète de propriétés anormales – une collection de nouvelles aptitudes subversives – pendant son développement. Les différents cancers nécessitent différentes combinaisons de ces propriétés. Néanmoins, nous pouvons dresser une courte liste des comportements capitaux d'une cellule cancéreuse en général :

1. Elle méprise les signaux externes et internes qui régulent la prolifération cellulaire.
2. Elle a tendance à éviter le suicide par apoptose.
3. Elle contourne les limitations programmées de la prolifération, échappe à la sénescence réplicative et évite la différenciation.
4. Elle est génétiquement instable.
5. Elle s'échappe de son tissu d'origine (c'est-à-dire elle est envahissante).
6. Elle survit et prolifère dans des sites étrangers (c'est-à-dire elle métastase).

Figure 23-15 Étapes du processus de métastases. Cet exemple illustre la dissémination d'une tumeur à partir d'un organe, comme le poumon ou la vessie, vers le foie. Les cellules tumorales peuvent entrer dans le courant sanguin directement en traversant la paroi d'un vaisseau sanguin, comme cela est schématisé ici, ou peut-être plus fréquemment, en traversant la paroi d'un vaisseau lymphatique qui finalement libère son contenu (lymphe) dans le courant sanguin. Les cellules tumorales qui sont entrées dans un vaisseau lymphatique sont souvent piégées dans les ganglions lymphatiques le long de la voie, et donnent naissance aux métastases des ganglions lymphatiques. Des études menées chez les animaux montrent que typiquement moins d'une cellule de tumeur maligne sur les plusieurs milliers qui entrent dans le courant sanguin survit et produit une tumeur dans un nouveau site.

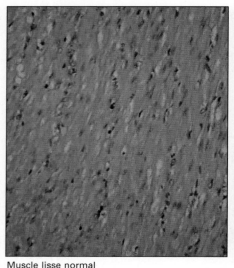

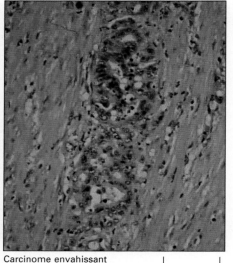

Muscle lisse normal

Carcinome envahissant
le muscle

0,1 mm

Figure 23-16 Le cancer du côlon envahit la couche musculaire lisse située sous l'épithélium colique. Sur cette coupe tissulaire, les cellules cancéreuses colorectales peuvent être observées et se développent entre les fibres musculaires (*rose*). Certains stades du développement de ce type de cancer sont montrés dans la figure 23-28. (Due à l'obligeance de Paul Edwards et du Department of Pathology. University of Cambridge.)

Dans les dernières parties de ce chapitre, nous verrons les mutations et les mécanismes moléculaires qui sous-tendent ces propriétés. Mais d'abord, examinons les facteurs externes qui peuvent aider à provoquer cette maladie.

Résumé

Les cellules cancéreuses, par définition, prolifèrent au mépris des contrôles normaux (c'est-à-dire qu'elles sont néoplasiques) et sont capables d'envahir et de coloniser les tissus environnants (c'est-à-dire qu'elles sont malignes). En donnant naissance à des tumeurs secondaires, ou métastases, elles deviennent difficiles à éradiquer chirurgicalement. On pense que la plupart des cancers partent d'une seule cellule qui a subi initialement une mutation, mais la descendance de cette cellule doit subir d'autres modifications et de nombreuses mutations supplémentaires pour devenir cancéreuses. Ce phénomène d'évolution tumorale, qui prend généralement plusieurs années, reflète une opération malheureuse d'évolution par mutation et sélection naturelle de certaines cellules somatiques.

Le traitement rationnel du cancer nécessite la compréhension des propriétés spécifiques acquises par ces cellules cancéreuses pendant leur évolution, leur multiplication et leur dissémination. Ces propriétés spécifiques incluent des altérations des voies de signalisation cellulaire, qui permettent aux cellules d'une tumeur d'ignorer les signaux de son environnement qui maintiennent normalement la prolifération cellulaire sous contrôle étroit. Les cellules sont ainsi d'abord capables de proliférer anormalement dans leur tissu d'origine puis de métastaser, survivre et proliférer dans des tissus étrangers. En tant que partie du processus évolutif de la progression tumorale, les cellules cancéreuses acquièrent également une aversion anormale au suicide, et évitent ou se libèrent des limitations programmées de la prolifération – y compris de la sénescence réplicative et des voies normales de différenciation qui entraveraient sinon leur capacité à croître et se diviser.

Comme beaucoup de mutations sont nécessaires pour conférer cet ensemble complet de mauvaises propriétés, il n'est peut-être pas surprenant d'observer que presque toutes les cellules cancéreuses ont la propriété supplémentaire d'être anormalement mutable, et ont acquis une ou plusieurs anomalies dans divers aspects du métabolisme de leur ADN. Cette instabilité génétique augmente la vitesse d'acquisition par la cellule de l'ensemble complexe d'altérations, nécessaires à la néoplasie et la malignité.

PRÉVENTION DE CERTAINES CAUSES DE CANCER

Le développement d'un cancer nécessite généralement plusieurs étapes, chacune gouvernée par de multiples facteurs – certains dépendent de la constitution génétique des individus, d'autres dépendent de leur environnement ou de leur mode de vie. On peut donc s'attendre à une certaine incidence de fond, irréductible, du cancer quelles que soient les circonstances : il est impossible de toujours éviter totalement les mutations, parce qu'elles sont la conséquence incontournable des limites fondamentales de la précision de la réplication de l'ADN, comme nous l'avons vu au chapitre 5. Si un homme pouvait vivre assez longtemps, inévitablement une de ses cellules, au moins, finirait par avoir accumulé un ensemble de mutations suffisant pour qu'un cancer se développe.

Néanmoins, il existe des preuves que des facteurs environnementaux, pourtant évitables, jouent un certain rôle causal dans la plupart des cas de cancers. La comparaison de l'incidence des cancers dans différents pays nous le montre clairement : pour presque tous les cancers qui sont communs dans un pays, il existe un autre pays où leur incidence est très nettement plus faible (Tableau 23-I). Comme les populations qui se déplacent ont tendance à adopter la distribution typique de l'incidence cancéreuse du pays hôte, ces différences semblent surtout dues à des facteurs environnementaux et non pas génétiques. D'après ces données, on estime que 80 à 90 p. 100 des cancers pourraient être évités ou, du moins, différés. Malheureusement, les différents cancers présentent différents facteurs de risques liés à l'environnement et une population qui échappe à un de ces dangers est généralement exposée à un autre. Ce n'est pas cependant inévitable. Il existe certains sous-groupes dont le mode de vie réduit substantiellement le taux global de mortalité par cancer parmi les individus d'un âge donné. Dans les conditions courantes aux États-Unis et en Europe, une personne sur cinq environ meurt d'un cancer. Mais l'incidence des cancers parmi les Mormons seuls en Utah, par exemple, n'est que de la moitié environ de celle des Américains en général. L'incidence du cancer est également faible dans certaines populations d'Afrique relativement riches.

Bien que ce type d'observations sur les populations humaines indique qu'il est souvent possible d'éviter le cancer, il a été difficile, dans la plupart des cas, d'identifier les facteurs de risques spécifiques à l'environnement ou d'établir leur mode d'action. Nous commencerons par présenter ce que nous savons des agents externes connus pour provoquer le cancer. Nous aborderons ensuite quelques-unes des victoires et des difficultés rencontrées dans la recherche sur la prévention des cancers

TABLEAU 23-I Variations de l'incidence de certains cancers communs entre divers pays

SITE D'ORIGINE DU CANCER	POPULATION À FORTE INCIDENCE		POPULATION À FAIBLE INCIDENCE	
	LOCALISATION	INCIDENCE*	LOCALISATION	INCIDENCE*
Poumons	USA (Nouvelle-Orléans, Noirs)	110	Inde (Madras)	5,8
Seins	Hawaï (Hawaïens)	94	Israël (non Juifs)	14,0
Prostate	USA (Atlanta, Noirs)	91	Chine (Tianjin)	1,3
Col utérin	Brésil (Recife)	83	Israël (non Juifs)	3,0
Estomac	Japon (Nagasaki)	82	Koweït (Koweïtiens)	3,7
Foie	Chine (Shanghai)	34	Canada (Nouvelle Écosse)	0,7
Côlon	USA (Connecticut, Blancs)	34	Inde (Madras)	1,8
Mélanome	Australie (Queensland)	31	Japon (Osaka)	0,2
Rhinopharynx	Hong Kong	30	RU (Sud-Ouest)	0,3
Œsophage	France (Calvados)	30	Roumanie (Cluj, zone urbaine)	1,1
Vessie	Suisse (Bâle)	28	Inde (Nagpur)	1,7
Utérus	USA (Zone de la baie de San Francisco, Blancs)	26	Inde (Nagpur)	1,2
Ovaire	Nouvelle-Zélande (Polynésiens)	26	Koweït (Koweïtiens)	3,3
Rectum	Israël (nés en Europe et aux USA)	23	Koweït (Koweïtiens)	3,0
Larynx	Brésil (São Paulo)	18	Japon (Miyagi, zone rurale)	2,1
Pancréas	USA (Los Angeles, Coréens)	16	Inde (Poona)	1,5
Lèvre	Canada (Terre-Neuve)	15	Japon (Osaka)	0,1
Rein	Canada (NWT et Yukon)	15	Inde (Poona)	0,7
Cavité buccale	France (Bas-Rhin)	14	Inde (Poona)	0,4
Leucémie	Canada (Ontario)	12	Inde (Nagpur)	2,2
Testicule	Suisse (Canton de Vaud urbain)	10	Chine (Tianjin)	0,6

*Incidence = nombre de nouveaux cas par an pour une population de 100 000, ajusté à une distribution standardisée de l'âge de la population (pour éliminer les effets dus surtout à des différences de distribution de l'âge de la population). Les chiffres pour les cancers du sein, du col utérin, de l'utérus et de l'ovaire sont pour les femmes ; les autres chiffres sont pour les hommes. (Adapté d'après V.T. DeVita, S. Hellman et S.A. Rosenberg (eds), Cancer : Principles and Practice of Oncology, 4th edn. Philadelphia : Lippincott, 1993 ; basé sur des données de C. Muir et al., Cancer Incidence in Five Continents, Vol. 5. Lyon : International Agency for Research on Cancer, 1987.)

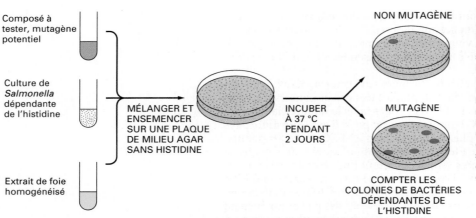

Figure 23-17 Le test Ames de mutagenèse. Ce test utilise une souche de bactéries *Salmonella* qui nécessite de l'histidine dans le milieu parce qu'elle présente une anomalie d'un gène nécessaire à la synthèse de l'histidine. Des mutagènes peuvent provoquer une autre modification dans ce gène qui inverse l'anomalie présente et engendre des bactéries ayant subi une réversion qui ne nécessitent plus d'histidine. Pour augmenter la sensibilité au test, la bactérie présente aussi une anomalie de sa machinerie de réparation de l'ADN qui la rend particulièrement sensible aux agents qui lèsent l'ADN. La majorité des composants qui sont mutagènes avec ce type de test sont aussi carcinogènes et vice-versa.

de l'homme. Le problème du traitement sera abordé dans la dernière partie, une fois que nous aurons étudié la biologie moléculaire de cette maladie.

Beaucoup d'agents responsables de cancers lèsent l'ADN, mais pas tous

Les agents qui peuvent provoquer un cancer sont nombreux et variés mais les plus faciles à comprendre sont ceux qui provoquent des lésions de l'ADN et engendrent ainsi des mutations. Ces mutagènes qui provoquent un cancer incluent les carcinogènes chimiques, les virus et diverses formes de radiations – lumière UV et radiations ionisantes comme les rayons gamma et les particules alpha issus de la dégradation radioactive.

Beaucoup de substances chimiques assez disparates se sont avérées carcinogènes lorsqu'elles ont été données à des animaux d'expérience ou badigeonnées à répétition sur leur peau. Parmi les exemples citons divers hydrocarbures aromatiques et leurs dérivés comme les amines aromatiques ; les nitrosamines ; et les agents alkylants comme le gaz moutarde. Bien que ces carcinogènes chimiques soient de structure diverse, ils ont au moins une propriété en commun – ils provoquent des mutations. Une des épreuves populaires pour tester les propriétés mutagènes consiste à mélanger le carcinogène à un extrait activateur préparé à partir de cellules hépatiques de rat (pour mimer les processus biochimiques qui se produisent chez l'animal intact) et à l'ajouter à une culture de bactéries spécifiquement conçues pour le test ; la vitesse de mutation résultante de la bactérie est alors mesurée (Figure 23-17). La plupart des composés qui obtiennent, avec ce test rapide et pratique fait sur des bactéries, un score qui indique qu'ils sont mutagènes, provoquent aussi des mutations ou des aberrations chromosomiques lorsqu'ils sont testés sur des cellules de mammifères. L'analyse des données du caractère mutagène issues de diverses sources, montre que la majorité des carcinogènes identifiés sont des mutagènes.

Quelques-uns de ces carcinogènes agissent directement sur l'ADN cible, mais en général les plus puissants sont relativement inertes chimiquement et ne deviennent nuisibles qu'une fois modifiés, par traitement métabolique, en leur forme plus réactive – en particulier par le biais d'un groupe d'enzymes intracellulaires, les cytochrome P-450 oxydases. Ces enzymes nous permettent normalement de convertir les toxines ingérées en composés inoffensifs et facilement excrétés. Malheureusement, leur activité sur certains produits chimiques engendre des produits hautement mutagènes. Parmi les exemples de carcinogènes ainsi activés citons l'aflatoxine B1, une toxine fongique (Figure 23-18) et le benzo[a]pyrène, une substance chimique responsable de cancers, présente dans le goudron et la fumée de tabac.

Figure 23-18 L'activation métabolique d'un carcinogène. Beaucoup de carcinogènes chimiques doivent être activés par une transformation métabolique avant de provoquer une mutation par réaction avec l'ADN. Le composé illustré ici est l'aflatoxine B1, une toxine d'une moisissure (*Aspergillus flavus oryzae*) qui pousse sur des céréales et des cacahuètes lorsqu'elles sont conservées sous des conditions tropicales humides. On pense qu'il est une des causes qui contribue au cancer du foie sous les tropiques et est associé à des mutations caractéristiques du gène p53 (traité ultérieurement dans ce chapitre).

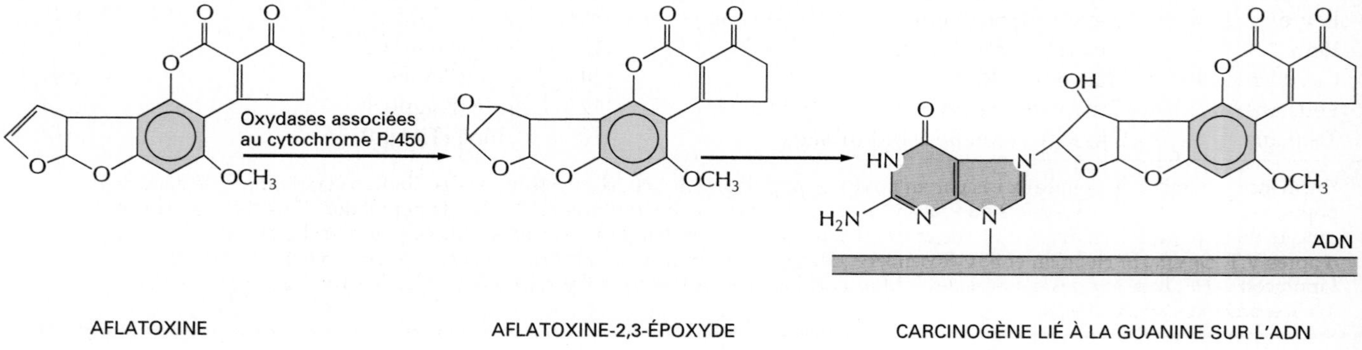

AFLATOXINE — Oxydases associées au cytochrome P-450 — AFLATOXINE-2,3-ÉPOXYDE — CARCINOGÈNE LIÉ À LA GUANINE SUR L'ADN

ADN

Certains facteurs qui ne modifient pas la séquence ADN de la cellule peuvent favoriser le développement d'un cancer

Cependant, toutes les substances qui favorisent le développement des cancers ne sont pas des mutagènes. Certaines des preuves les plus évidentes sont issues d'études effectuées il y a longtemps sur les effets de substances chimiques responsables de cancer sur la peau de souris, où il est facile d'observer les étapes de l'évolution tumorale. Le badigeonnage répété sur la peau d'un carcinogène chimique mutagène comme le benzo[a]pyrène ou un composé apparenté, le diméthylbenzo[a]anthracène (DMBA) peut engendrer des cancers cutanés chez la souris. Cependant, en général, une seule application du carcinogène ne donne pas en elle-même naissance à une tumeur ou une autre anomalie évidente persistante. Elle provoque par contre des lésions génétiques latentes – mutations qui initient le stade d'une forte augmentation de l'incidence des cancers si les cellules sont exposées à des traitements ultérieurs par la même substance ou à certaines autres lésions assez différentes. Un carcinogène qui sème ainsi les «graines» du cancer agit comme un **initiateur tumoral**.

La simple blessure d'une peau exposée une fois à ce type d'initiateur peut provoquer le développement d'un cancer à partir de certaines cellules situées au bord de la plaie. L'exposition prolongée, sur une période de plusieurs mois, à certaines substances appelées **promoteurs tumoraux**, qui ne sont pas en elles-mêmes mutagènes, peut également provoquer un cancer, sélectivement sur la peau qui a été exposée à l'initiateur tumoral. Les promoteurs tumoraux les plus largement étudiés sont les *esters du phorbol*, comme l'acétate de tétradécanoylphorbol (TPA) qui se comporte comme un activateur artificiel de la protéine-kinase C et active ainsi une partie de la voie de signalisation par les phosphatidylinositol (*voir* Chapitre 15). Ces substances provoquent une forte fréquence de cancers uniquement si elles sont appliquées après un traitement par un initiateur mutagène (Figure 23-19).

Comme on pourrait s'y attendre du fait des lésions génétiques, les modifications cachées provoquées par l'initiateur tumoral sont irréversibles ; de ce fait, le traitement par un promoteur tumoral peut les découvrir même longtemps après. L'effet immédiat du promoteur est apparemment de stimuler la division cellulaire (ou d'entraîner les cellules qui devraient normalement subir leur différenciation terminale à poursuivre à la place leur division). Dans la région auparavant exposée à un initiateur, cette prolifération s'accompagne de la croissance de nombreuses petites tumeurs bénignes, les *papillomes*, qui ressemblent à des verrues. Plus la dose initiale d'initiateur a été forte, plus le nombre de papillomes induits est important : on pense que chaque papillome (du moins pour les faibles doses d'initiateur) est formé d'un seul clone de cellules descendantes d'une cellule mutante produite par l'initiateur. On ne comprend pas totalement le mode d'action des promoteurs tumoraux et il y a des chances que différents promoteurs tumoraux agissent différemment. Une des hypothèses est qu'ils induisent simplement l'expression de gènes de contrôle de la croissance qui ont été mutés avant l'application du promoteur : une mutation qui rend le produit du gène hyperactif ne montrera ses effets que lorsque le gène s'exprimera. Une autre hypothèse est que le promoteur libère temporairement la cellule d'une influence inhibitrice qui empêche les effets d'induction de la prolifération de

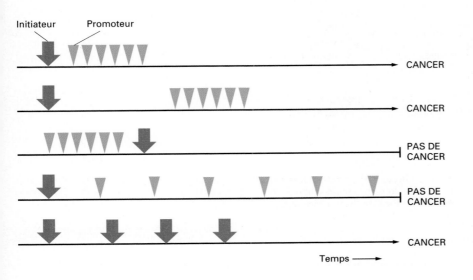

Figure 23-19 Quelques schémas possibles de l'exposition à un initiateur tumoral (mutagène) et à un promoteur tumoral (non mutagène) et leurs résultats. Un cancer se produit uniquement si l'exposition au promoteur suit l'exposition à l'initiateur et uniquement si l'intensité d'exposition au promoteur dépasse un certain seuil. Un cancer peut aussi se produire du fait de l'exposition répétée au seul initiateur.

la mutation. Il en résulte que la cellule est capable de se diviser et de croître en un gros agrégat cellulaire (Figure 23-20).

Un papillome typique contient environ 10⁵ cellules. Si l'exposition au promoteur tumoral est arrêtée, presque tous les papillomes régressent et la peau récupère un aspect largement normal. Cependant, dans certains papillomes se produisent d'autres modifications qui permettent la poursuite de la croissance de façon incontrôlée même après l'élimination du promoteur. Ces modifications semblent apparaître occasionnellement dans une cellule du papillome à la même fréquence que celle des mutations spontanées. De cette façon, une petite proportion de papillomes évolue vers un cancer. Le promoteur tumoral favorise donc apparemment le développement des cancers par l'extension de la population de cellules porteuses de la mutation initiale : plus ces cellules sont nombreuses, plus elles se diviseront et plus il y a de chances qu'une d'entre elles, au moins, subisse une autre mutation qui l'amènera à l'étape suivante de malignité.

Même si les cancers naturels ne suivent pas nécessairement cette séquence spécifique, en deux étapes distinctes d'initiation et de promotion que nous venons de décrire, leur évolution doit être gouvernée par des principes similaires. Ils se développent également à une vitesse qui dépend à la fois de la fréquence des mutations et des influences qui affectent la survie, la prolifération et la dissémination des cellules mutantes sélectionnées.

Les virus et d'autres infections engendrent une proportion significative de cancers chez l'homme

D'après ce que nous savons, les virus et d'autres infections ne jouent pas de rôle dans la majorité des cancers de l'homme. Cependant, une petite proportion significative de cancers de l'homme, peut-être 15 p. 100 dans le monde entier, est liée à des mécanismes qui impliquent des virus, des bactéries ou des parasites. Les principaux coupables, comme le montre le tableau 23-II, sont les virus à ADN. Les preuves de leur implication proviennent d'une part de leur détection chez les patients cancéreux et

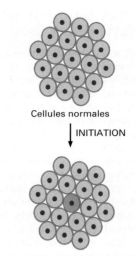

Cellules normales

↓ INITIATION

Une cellule isolée a une mutation mais sa croissance est restreinte

↓ LE PROMOTEUR LIBÈRE CETTE CONTRAINTE

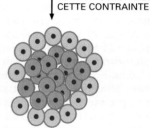

Les cellules mutantes croissent pour former un grand clone de cellules dans lequel d'autres mutations peuvent se produire.

Figure 23-20 Les effets d'un promoteur tumoral. Le promoteur tumoral étend la population de cellules mutantes et augmente ainsi la probabilité d'une évolution tumorale par d'autres modifications génétiques.

TABLEAU 23-II Virus associés aux cancers de l'homme

VIRUS	TUMEURS ASSOCIÉES	ZONES DE FORTE INCIDENCE
Virus à ADN Famille des Papovaviridae		
Papillomavirus (plusieurs souches distinctes)	Verrue (bénigne) Carcinome du col utérin	Monde entier Monde entier
Famille des Hepadnaviridae		
Virus de l'hépatite B	Cancer du foie (carcinome hépatocellulaire)	Asie du Sud-Est, Afrique tropicale
Famille des Herpesviridae		
Virus Epstein-Barr	Lymphome de Burkitt (cancer des lymphocytes B) Carcinome rhinopharyngien	Afrique de l'Ouest, Papouasie, Nouvelle-Guinée Chine du Sud, Groenland
Virus à ARN Famille des Retroviridae		
Virus lymphotrope T humain de type 1 (HTLV-1)	Leucémie à cellule T de l'adulte/lymphome	Japon, Indes occidentales
Virus de l'immunodéficience humaine (VIH, le virus du SIDA)	Sarcome de Kaposi	Afrique centrale et du Sud

Pour tous les virus ci-dessus, le nombre de personnes infectées est bien plus fort que le nombre d'individus qui développent un cancer : le virus doit agir en association avec d'autres facteurs. De plus, certains virus contribuent au cancer seulement de façon indirecte ; par exemple, le VIH, en perturbant les défenses immunitaires normales à médiation cellulaire, permet aux cellules endothéliales d'être transformées par un autre virus (un type d'herpesvirus) et de s'épanouir en une tumeur au lieu d'être détruites par le système immunitaire.

d'autre part de l'épidémiologie. Les cancers du foie, par exemple, sont fréquents dans des parties du monde (Afrique et Asie du Sud-Est) où les infections par le virus de l'hépatite B sont fréquentes et, dans ces régions, ce cancer apparaît presque exclusivement chez les personnes qui présentent des signes d'infection chronique par le virus de l'hépatite B.

Le rôle précis des virus associés au cancer est souvent difficile à déchiffrer parce qu'il y a un délai de plusieurs années entre l'infection virale initiale et le développement du cancer. De plus, le virus n'est responsable que d'une étape sur la série qui engendre la progression vers le cancer et d'autres facteurs environnementaux ainsi que des accidents génétiques sont également impliqués. Comme les substances chimiques qui provoquent le cancer et dont nous avons déjà parlé, les virus peuvent soit directement altérer l'ADN cellulaire soit agir comme un promoteur tumoral. Les virus à ADN transportent souvent des gènes qui peuvent bouleverser le contrôle de la division cellulaire dans la cellule hôte et y provoquer une prolifération incontrôlée, ce que nous verrons ultérieurement. Les virus à ADN qui opèrent de la sorte incluent le papillomavirus humain (Figure 23-21) ; certains de ces virus sont impliqués dans le développement des carcinomes du col utérin.

Pour certains autres cancers, les virus semblent avoir d'autres actions indirectes qui favorisent les tumeurs : le virus de l'hépatite B, par exemple, favorise le développement du cancer du foie car il occasionne, dans le foie, des lésions qui provoquent une division cellulaire et altère aussi directement le contrôle de la croissance cellulaire. Lors du SIDA, le virus de l'immunodéficience de l'homme (VIH) favorise le développement d'un cancer très rare, le sarcome de Kaposi, car il détruit le système immunitaire et permet ainsi une infection secondaire par un herpès virus humain (HVH-8) qui a une action carcinogène directe. Les infections chroniques par des parasites et des bactéries peuvent aussi promouvoir le développement de certains cancers. Par exemple, les infections de l'estomac par *Helicobacter pylori*, une bactérie qui provoque des ulcères, semblent être une des causes majeures du cancer de l'estomac. Dans certaines parties du monde, un cancer de la vessie est associé à l'infection par un trématode sanguin, *Schistosoma haematobium*, un ver plat parasite.

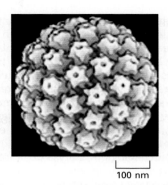

Figure 23-21 Un papillomavirus de l'homme. (Due à l'obligeance de Norman Olson.)

L'identification des carcinogènes laisse entrevoir des méthodes pour éviter les cancers

La fumée du tabac est de loin la cause environnementale la plus importante de cancer dans le monde actuel. Il nous faut encore identifier d'autres causes chimiques aussi importantes de cancer chez l'homme. On suppose parfois que les principales causes environnementales du cancer sont le résultat d'un mode de vie hautement industrialisé – l'augmentation de la pollution, de l'utilisation d'additifs alimentaires et ainsi de suite – mais peu de preuves confortent cette hypothèse. Celle-ci provient peut-être en partie de l'identification de certains matériaux hautement carcinogènes utilisés dans l'industrie comme la 2-naphtylamine et l'amiante. En fait, hormis l'augmentation des cancers provoqués par le tabagisme et la baisse remarquable des cancers de l'estomac, l'incidence des cancers les plus fréquents chez les personnes d'un âge donné n'a pas beaucoup changé au cours du vingtième siècle (Figure 23-22).

La plupart des facteurs carcinogènes significatifs connus ne sont, en aucun cas, particuliers au monde moderne. Le carcinogène le plus puissant connu (d'après cer-

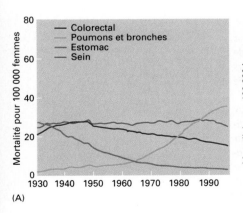

(A)

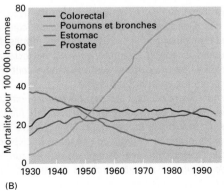

(B)

Figure 23-22 Taux de mortalité par cancer ajusté à l'âge, États-Unis, 1930-1996. Les taux de mortalité sélectionnés ajustés à la distribution de l'âge de la population des USA en 1970 sont placés sur le schéma (A) pour les femmes et (B) pour les hommes. Notez l'augmentation spectaculaire du cancer du poumon dans les deux sexes, qui suit le schéma du tabagisme et la baisse de la mortalité par cancer de l'estomac, probablement liée aux modifications alimentaires ou à l'état des infections par *Helicobacter*. Les réductions récentes d'autres taux de mortalité par cancer peuvent correspondre aux améliorations de leur détection et de leur traitement. (Adapté d'après Cancer Facts and Figures 2000. © American Cancer Society, 2000).

tains tests), qui est une cause importante de cancer du foie en Afrique et en Asie, est l'aflatoxine B1 (*voir* Figure 23-18), un composé produit par les champignons qui contaminent naturellement les aliments comme les cacahuètes tropicales. Et chez la femme, les risques de cancer sont très fortement influencés par les hormones sexuelles qui circulent dans le corps aux différents stades de la vie. De ce fait, il existe une corrélation étonnante entre les commémoratifs sexuels et l'apparition des cancers du sein (Figure 23-23). Les hormones sexuelles affectent probablement l'incidence du cancer du sein par leur influence sur la prolifération cellulaire dans le sein. En clair, avant d'identifier les causes environnementales d'un cancer, nous devons réserver nos opinions.

L'épidémiologie – analyse de la fréquence des maladies dans une population – reste le principal instrument qui nous permet de trouver les causes environnementales des cancers de l'homme. Cette méthode a connu certaines réussites notables et en promet d'autres à venir. Par la simple révélation du rôle du tabagisme, l'épidémiologie nous a montré une façon de réduire de 30 p. 100 le taux total de mortalité par cancer en Amérique du Nord et en Europe. Cette méthode fonctionne mieux lorsqu'elle s'applique sur une population assez uniforme dans laquelle il est facile de distinguer les individus exposés à l'agent de ceux qui ne l'ont pas été et lorsque l'agent à examiner est responsable de la plupart des cas d'un certain type de cancers. Par exemple, au cours de la première partie de ce siècle, dans une usine britannique, tous les hommes employés à la distillation de la 2-napthylamine (et ainsi soumis à une exposition prolongée) ont fini par développer un cancer de la vessie (*voir* Figure 23-8); le rapport a été relativement facile à établir parce que la substance chimique et la forme du cancer étaient toutes deux rares dans la population générale.

Par contre, l'épidémiologie seule permet très difficilement d'identifier les facteurs environnementaux quotidiens qui favorisent le développement de cancers communs; la plupart de ces facteurs sont probablement des agents auxquels nous sommes tous exposés à un certain degré et beaucoup d'entre eux contribuent probablement ensemble à l'incidence d'un cancer donné. Si, par exemple, le fait de manger des oranges doublait le risque de cancer colorectal, il est peu probable que nous le trouvions, sauf si nous avons une raison préalable de suspecter un rapport; il en est de même pour les innombrables autres substances que nous mangeons, buvons, respirons et mettons sur notre corps. Même lorsqu'il est prouvé qu'une substance peut être carcinogène, par l'épidémiologie ou par des tests de laboratoire, il est parfois difficile de décider quel est le niveau acceptable d'exposition pour l'homme. Il est difficile d'estimer le nombre de cas de cancers humains qu'une certaine quantité de substance risque de provoquer; et il est encore plus difficile de peser les risques par rapport à l'utilité de cette substance. Par exemple, certains fongicides agricoles semblent être légèrement carcinogènes à forte dose lors des tests menés sur des animaux mais il a été calculé que, si nous ne les utilisons pas en agriculture, la contamination des aliments par des métabolites fongiques comme l'aflatoxine B1 entraînerait de loin bien plus de cas de cancers que les résidus de fongicides de la nourriture.

Néanmoins, nos efforts pour identifier des carcinogènes potentiels jouent encore un rôle central dans notre lutte contre le cancer. Non seulement la prévention de cette maladie est meilleure que sa guérison mais, pour beaucoup de types de cancers, il semble aussi qu'elle soit plus facile à atteindre, du fait de l'état actuel de nos connaissances.

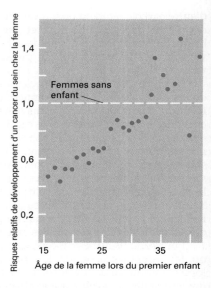

Figure 23-23 Les effets de la grossesse sur le risque de cancer du sein. La probabilité qu'un cancer du sein se développe au cours de la vie d'une femme est placée sur le graphique en fonction de l'âge auquel elle a donné naissance à son premier enfant. Le graphique montre les valeurs de la probabilité relative par rapport à une femme sans enfants. Plus la période d'exposition aux hormones sexuelles jusqu'à la naissance du premier enfant est grande, plus le risque est grand. On pense que la première grossesse à terme peut engendrer une modification permanente de l'état de différenciation des cellules du sein, et modifier leur réponse ultérieure aux hormones. Diverses autres preuves épidémiologiques soutiennent également l'hypothèse que l'exposition à certaines associations d'hormones sexuelles, en particulier les estrogènes, peut favoriser le développement de cancers du sein. (D'après J. Cairns, Cancer : Science and Society. San Francisco : W.H. Freeman, 1978. D'après B. MacMahon, P. Cole et J.B. Brown, *J. Natl. Cancer Inst.* 50 : 21-42, 1973.)

Résumé

La vitesse d'évolution et de progression des tumeurs est accélérée par des agents mutagènes (initiateurs tumoraux) et des agents non mutagènes (promoteurs tumoraux) qui affectent l'expression génique, stimulent la prolifération cellulaire et modifient l'équilibre écologique des cellules mutantes et non mutantes. La majorité des agents qui provoquent des cancers connus sont des mutagènes, y compris les carcinogènes chimiques, certains virus et diverses formes de radiations – comme la lumière UV et les radiations ionisantes. Comme beaucoup de facteurs contribuent au développement d'un cancer donné – et que certains sont sous notre contrôle – la prévention d'une grande proportion de cancers est en principe possible.

Notre ignorance est encore grande concernant les principaux facteurs environnementaux qui affectent l'incidence des cancers. Parmi les facteurs de risque environnementaux identifiés, cependant, beaucoup peuvent être évités. Ils incluent le tabagisme et les infections par des virus provoquant le cancer comme les papillomavirus ou le virus de l'hépatite B. L'épidémiologie peut être un instrument puissant pour l'identification de ce type de cas de cancer de l'homme et la mise en œuvre de modes de prévention de cette maladie. Cette méthode ne nécessite pas la connaissance du mode de fonctionnement de l'agent causal du cancer et permet de découvrir des facteurs qui ne sont pas de simples mutagènes, comme les virus et certaines planifications des grossesses.

DÉCOUVERTE DES GÈNES CRITIQUES DU CANCER

Le cancer est une maladie génétique : il résulte de mutations des cellules somatiques. Pour le comprendre au niveau moléculaire, nous devons identifier les mutations pertinentes et découvrir comment elles donnent naissance au comportement cellulaire cancéreux. D'un certain point de vue, la découverte des mutations est facile : les cellules mutantes sont favorisées par sélection naturelle et attirent l'attention sur elles parce qu'elles engendrent des tumeurs. La difficulté de la tâche commence alors : comment peut-on identifier les gènes qui présentent une mutation carcinogène au milieu de tous les autres gènes d'une cellule cancéreuse ? Un problème similaire de recherche d'une « aiguille dans une meule de foin » se pose à chaque recherche d'un gène sous-jacent à un phénotype mutant donné, mais dans le cas du cancer, cette tâche est particulièrement complexe. Un cancer typique dépend d'un ensemble complet de mutations – en général un ensemble quelque peu différent chez chaque patient – et l'introduction d'une seule d'entre elles dans une cellule normale ne suffit généralement pas à la rendre cancéreuse. Cette coopération génétique explique la difficulté à tester la signification des mutations suspectes. Le pire c'est que la plupart des cellules cancéreuses contiennent des mutations qui sont des sous-produits accidentels de l'instabilité génétique et elles peuvent être difficiles à distinguer des mutations qui jouent un rôle causal dans la maladie.

En dépit de ces difficultés, beaucoup de gènes altérés à répétition lors de cancer humain ont été identifiés – plus de 100 – mais il est clair qu'il en reste encore beaucoup d'autres à découvrir. Nous appellerons ces gènes, dans l'attente d'une meilleure dénomination, les **gènes critiques du cancer**, terme qui englobe tous les gènes dont les mutations contribuent à l'apparition d'un cancer. Notre connaissance de ces gènes s'est accumulée, pièce par pièce, via de nombreuses méthodes différentes, parfois indirectes, allant de la recherche sur le développement embryonnaire aux études des infections responsables de cancer chez le poulet. Les analyses des formes exceptionnelles mais très révélatrices de cette maladie ont aussi joué un grand rôle.

Dans cette partie du chapitre, nous verrons les méthodes utilisées pour identifier les gènes critiques du cancer et les différents types de mutations qui s'y produisent au cours du développement d'un cancer.

Différentes méthodes sont utilisées pour identifier des mutations avec gain de fonction et avec perte de fonction

Les gènes critiques du cancer sont regroupés en deux grandes classes, selon que le risque de cancer est engendré par une trop grande activité ou une trop faible activité du produit génique. Les gènes du premier groupe, au sein desquels une mutation avec gain de fonction entraîne la cellule vers le cancer sont appelés **proto-oncogènes** ; leur forme mutante hyperactive est appelée **oncogène**. Les gènes du deuxième groupe, au sein desquels une mutation avec perte de fonction engendre le danger sont appelés **gènes suppresseurs de tumeur**.

Comme nous le verrons, ces deux types de mutation ont des effets similaires qui augmentent la prolifération et la survie cellulaires. De ce fait, du point de vue d'une cellule cancéreuse, les oncogènes et les suppresseurs de tumeur – ainsi que les mutations qui les affectent, représentent les deux faces d'une même pièce. Cependant les techniques utilisées pour trouver ces gènes sont différentes et dictées par le fait qu'ils deviennent hyperactifs ou hypo-actifs lors de cancer.

La mutation d'une seule copie d'un proto-oncogène peut avoir un effet dominant qui favorise la croissance d'une cellule (Figure 23-24A). De ce fait, l'oncogène peut être détecté par ses effets si on l'*ajoute* – par exemple, par transfection d'ADN ou par infection avec un vecteur viral – au génome d'un type adapté de cellule test. À l'opposé, dans le cas des gènes suppresseurs de tumeur, les mutations responsables du cancer sont généralement récessives : les deux copies du gène normal doivent être éliminées ou inactivées dans la cellule somatique diploïde avant de pouvoir observer l'effet (Figure 23-24B). Cela fait appel à une méthode différente pour découvrir ce qui manque.

Dans certains cas, une grosse anomalie chromosomique visible en microscopie est associée régulièrement à un type particulier de cancer. Cela peut donner un indice sur la localisation de l'oncogène activé du fait du réarrangement chromosomique

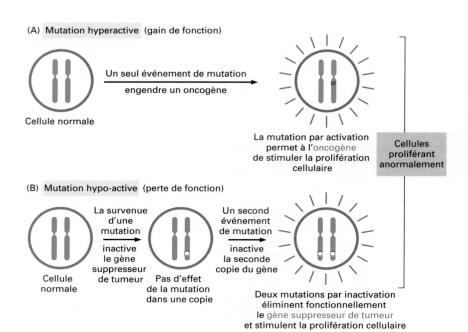

Figure 23-24 Les gènes critiques du cancer sont regroupés en deux catégories faciles à distinguer, dominants et récessifs. Les oncogènes agissent de façon dominante : une mutation avec gain de fonction dans une seule copie d'un gène critique de cancer peut entraîner une cellule vers le cancer. Les gènes suppresseurs de tumeur, d'un autre côté, agissent généralement de façon récessive : la fonction des deux allèles du gène critique de cancer doit être perdue pour entraîner une cellule vers le cancer. Dans ce schéma, les mutations par activation sont représentées par des cases rouges pleines, les mutations par inactivation par des cases rouges vides.

(comme dans l'exemple de la translocation chromosomique responsable de la leucémie myéloïde chronique dont nous avons parlé) ou de la délétion du gène suppresseur de tumeur ; mais, là encore, les types d'anomalies chromosomiques impliqués dans les deux cas et les circonstances dans lesquelles ils sont typiquement rencontrés, sont différents.

Les oncogènes sont identifiés par leurs effets dominants de transformation

Traditionnellement, les généticiens identifient des gènes par l'étude de leur mode de transmission dans les familles d'individus qui montrent certains caractères héréditaires. Pour trouver où est située la mutation responsable d'un caractère dans le génome, il faut rechercher un lien génétique entre ce caractère et des marqueurs génétiques de position chromosomique connue. Cette méthode exploite un effet de la reproduction sexuée : les gènes qui résident près d'un autre ont tendance à être transmis ensemble, tandis que les gènes éloignés sont souvent séparés par recombinaison pendant la méiose. De cette façon, une mutation responsable d'une maladie peut être localisée par la détermination de sa distance par rapport à d'autres marqueurs génétiques (*voir* Chapitre 8 pour plus de détails).

Les cellules cancéreuses ne se reproduisent pas sexuellement, de telle sorte que les généticiens doivent utiliser d'autres méthodes pour suivre les mutations qui différencient les cellules cancéreuses de leurs voisines normales dans l'organisme. Pour les oncogènes, une méthode directe et de concept simple (bien que laborieuse) consiste à balayer le génome de la cellule cancéreuse pour rechercher des segments ADN qui incitent celle-ci à se comporter de façon cancéreuse lorsqu'ils sont introduits dans les cellules d'une lignée cellulaire test-adaptée. Une lignée cellulaire de fibroblastes dérivé de souris représente une source pratique de cellules tests pour cet examen ; on pense que ces cellules, qui ont été sélectionnées pour se développer en culture, contiennent déjà des altérations génétiques qui les ont fait avancer une partie du chemin vers la malignité. C'est pourquoi, l'addition d'un seul oncogène peut suffire à produire un résultat spectaculaire.

Pour détecter un oncogène de cette façon, l'ADN est extrait des cellules tumorales, cassé en fragments et introduit dans les fibroblastes en culture. Si un de ces fragments contient un oncogène, de petites colonies de cellules anormales prolifératives – dites « transformées » – commencent à apparaître. Chacune de ces colonies est composée d'un clone de cellules issues d'une seule cellule dont la croissance a été favorisée par le gène ajouté. Comme elles ont été libérées des contrôles sociaux de la division cellulaire, les cellules transformées submergent les cellules normales et s'empilent en couches superposées sur la boîte de culture tandis qu'elles prolifèrent (Figure 23-25).

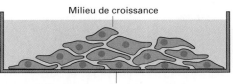

Monocouche de
cellules normales
inhibées par contact

Milieu de croissance

Couches multiples
de cellules cancéreuses
non inhibées

Boîte de culture tissulaire en plastique

Figure 23-25 Perte de l'inhibition de contact dans les cellules en culture. La plupart des cellules normales arrêtent de proliférer une fois qu'elles ont tapissé la boîte avec une seule couche de cellules ; la prolifération semble dépendre de contacts avec la boîte et être inhibée par les contacts avec les autres cellules. Les cellules cancéreuses, par contre, méprisent généralement ces contraintes et continuent de croître pour finir par s'empiler les unes sur les autres.

Ce test appliqué à l'ADN de tumeurs de l'homme, a conduit à la première identification directe d'une mutation oncogène d'un cancer humain. Plusieurs gènes hyperactifs de promotion de la croissance ont été identifiés par l'isolement et le séquençage de fragments d'ADN transférés dans ces cellules transformées. Le premier de ces gènes séquencés a été une version mutante du **gène *Ras***, et on sait maintenant qu'une tumeur sur quatre de l'homme environ porte une mutation de ce gène.

Cette découverte était des plus spectaculaires parce que, peu de temps avant, on avait trouvé qu'un gène *Ras* mutant était le gène responsable d'une tumeur dans un **rétrovirus** qui provoque des sarcomes chez les rongeurs. Les rétrovirus, nous le savons maintenant, sont capables de prélever, au hasard, des fragments de matériel génétique de leur animal hôte et de le transférer d'un individu infecté à l'autre. Parfois, c'est un proto-oncogène qui est prélevé, sous une forme lésée ou mal régulée qui le transforme en un oncogène. Les infections par un virus porteur de ce chargement peuvent déclencher des tumeurs chez certaines espèces animales et beaucoup d'oncogènes ont été découverts pour la première fois de cette façon.

Il y a vingt ans, la découverte du même gène mutant dans les cellules tumorales humaines et dans un virus animal responsable de tumeurs a été électrisante. L'hypothèse que les cancers étaient provoqués par des mutations d'un nombre limité de gènes critiques du cancer a permis d'envisager la nature exacte du cancer comme un problème scientifique soluble et a induit une évolution de notre compréhension de la biologie moléculaire du cancer.

Comme nous l'avons vu au chapitre 15, les protéines Ras normales sont des GTPases monomériques qui facilitent la transmission de signaux à partir des récepteurs cellulaires de surface des facteurs de croissance. La mutation ponctuelle trouvée dans les gènes *Ras* isolés de tumeurs de l'homme engendre une protéine Ras hyperactive qui persiste anormalement sous son état actif – et transmet un signal inapproprié de prolifération cellulaire. Comme ce type de mutation rend les produits géniques hyperactifs, son effet est dominant – une seule des deux copies du gène a besoin de subir cette modification. Les gènes *Ras* présentent des mutations dans un grand nombre de cancers de l'homme et restent les exemples les plus importants de gènes critiques de cancer.

Des gènes suppresseurs de tumeur peuvent parfois être identifiés par l'étude de syndromes rares de cancers héréditaires

Étant donné une cellule cancéreuse, l'identification d'un gène inactivé nécessite une autre stratégie que celle utilisée pour trouver un gène devenu hyperactif : on ne peut pas, par exemple, utiliser un test de transformation cellulaire pour identifier quelque chose qui tout simplement n'est pas là. De ce fait, la recherche des gènes suppresseurs de tumeur a pris une voie assez différente de celle suivie pour la chasse aux oncogènes. L'indice capital qui a conduit à la découverte du premier gène suppresseur de tumeur est venu d'études menées sur un type rare de cancer de l'homme, le **rétinoblastome**, qui émerge de cellules du corps qui sont transformées en un état cancéreux par un nombre inhabituellement petit de mutations. Comme cela arrive souvent, cette découverte est venue de l'examen d'un cas particulier mais son intérêt s'est avéré universel.

Le rétinoblastome apparaît pendant l'enfance ; les tumeurs se développent à partir des précurseurs des cellules nerveuses de la rétine immature. Un enfant sur 20 000 environ est atteint. Il existe deux formes de cette maladie, une héréditaire et l'autre non. Dans la forme héréditaire, de multiples tumeurs apparaissent généralement, de

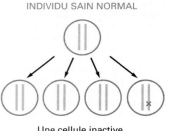

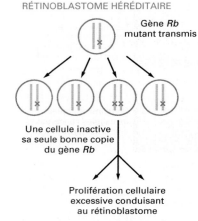

Gène *Rb*
mutant transmis

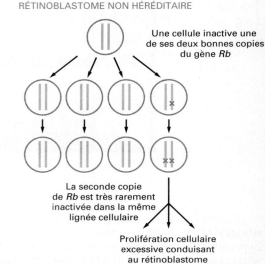

Une cellule inactive une
de ses deux bonnes copies
du gène *Rb*

Une cellule inactive
un de ses deux bons gènes *Rb*

Une cellule inactive
sa seule bonne copie
du gène *Rb*

Prolifération cellulaire
excessive conduisant
au rétinoblastome

La seconde copie
de *Rb* est très rarement
inactivée dans la même
lignée cellulaire

Prolifération cellulaire
excessive conduisant
au rétinoblastome

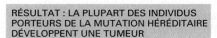

RÉSULTAT : PAS DE TUMEUR

RÉSULTAT : LA PLUPART DES INDIVIDUS
PORTEURS DE LA MUTATION HÉRÉDITAIRE
DÉVELOPPENT UNE TUMEUR

RÉSULTAT : ENVIRON 1 SEUL INDIVIDU
NORMAL SUR 30 000 DÉVELOPPE UNE TUMEUR

Figure 23-26 Mécanismes génétiques qui sous-tendent les rétinoblastomes. Dans la forme héréditaire, toutes les cellules du corps manquent d'une des deux copies fonctionnelles normales du gène suppresseur tumoral *Rb* et les tumeurs se produisent là où la copie restante est perdue ou inactivée par une mutation somatique. Dans la forme non héréditaire, toutes les cellules contiennent initialement deux copies fonctionnelles du gène et la tumeur apparaît parce que les deux copies sont perdues ou inactivées par la coïncidence de deux mutations somatiques dans une lignée de cellules.

façon indépendante, et atteignent les deux yeux. Dans la forme non héréditaire, un seul œil est atteint et par une seule tumeur. Certains individus atteints de rétinoblastome héréditaire possèdent un caryotype visiblement anormal avec une délétion d'une bande spécifique sur le chromosome 13. Des délétions de ce même locus sont également rencontrées dans les cellules tumorales issues de certains patients atteints de la forme non héréditaire, ce qui a suggéré que ce cancer pouvait être provoqué par la perte d'un gène critique situé dans cette région chromosomique.

La délétion chromosomique de localisation connue associée au rétinoblastome, a permis de cloner et de séquencer le gène dont la perte semble critique pour le développement du cancer – le gène *Rb*. Comme cela était prévisible, chez les malades qui souffrent de la forme héréditaire de la maladie, une délétion ou une mutation avec perte de fonction se produit dans une des copies du gène *Rb* de toutes les cellules du corps. De ce fait, ces cellules sont prédisposées à devenir cancéreuses mais ne le sont pas réellement tant qu'elles gardent une bonne copie du gène. Les cellules rétiniennes qui deviennent cancéreuses sont déficientes dans les deux copies de *Rb* parce qu'une mutation somatique s'est produite en plus de la mutation originelle héréditaire et a éliminé la bonne copie restante. Chez les patients atteints de la forme non héréditaire de la maladie, au contraire, les cellules non cancéreuses ne montrent pas d'anomalies des copies de *Rb* alors que les cellules cancéreuses ont à nouveau les deux copies anormales. Ces rétinoblastomes non héréditaires sont très rares parce qu'ils nécessitent la coïncidence de deux mutations somatiques au sein d'une seule lignée cellulaire rétinienne qui détruit les deux copies du gène *Rb* (Figure 23-26).

Par la suite le gène *Rb* s'est avéré être bien plus qu'un gène muté dans une tumeur rare de l'enfant : il est également absent dans divers types fréquents de cancers, y compris les carcinomes du poumon, du sein et de la vessie. Ces cancers bien plus fréquents apparaissent suite à une série plus complexe de modifications génétiques que les rétinoblastomes et font leur apparition bien plus tard au cours de la vie et dans d'autres tissus du corps. Mais dans tous ces cancers, il semble que la perte de *Rb* soit souvent une étape majeure de la progression vers la malignité. Le gène *Rb* code pour la protéine Rb qui est un régulateur universel du cycle cellulaire et s'exprime normalement dans presque toutes les cellules du corps (*voir* Figure 17-30). Comme elle agit comme un des principaux freins de la progression dans le cycle cellulaire, la perte de Rb peut permettre aux cellules d'entrer dans le cycle de division de façon inappropriée, comme nous le verrons dans la partie sur les fondements moléculaires du comportement des cellules cancéreuses.

Les gènes suppresseurs de tumeur peuvent être identifiés même sans indices issus de syndromes cancéreux héréditaires

Nous avons déjà insisté sur le fait que les syndromes cancéreux héréditaires comme le rétinoblastome sont très rares et seuls quelques gènes suppresseurs de tumeur importants ont été découverts par leur étude. Lorsqu'il n'existe pas de tels indices tirés d'un syndrome héréditaire, nous nous trouvons face à la tâche ardue d'identifier des gènes suppresseurs de tumeur simplement en vertu de leur absence dans une cellule tumorale. Cela implique de comparer les cellules tumorales avec les cellules non cancéreuses issues du même patient et de découvrir ce qui leur manque ou est fonctionnellement anormal au milieu des 3 milliards de nucléotides du génome humain. À cause de l'instabilité génétique des cellules cancéreuses les absences sont généralement nombreuses. La plupart des anomalies sont des conséquences secondaires aléatoires et accidentelles de l'instabilité génétique. Il n'est donc pas possible d'identifier uniquement les gènes suppresseurs de tumeur sur le critère de leur absence ou de leur anomalie répétitive dans beaucoup de cas indépendants de cancer.

La perte d'un gène se produit par délétion d'un segment relativement important d'un chromosome. Il en résulte qu'une des copies du gène suppresseur de tumeur dans une cellule cancéreuse peut, par exemple, subir une mutation ponctuelle d'inactivation tandis qu'une importante délétion élimine l'autre copie ainsi que certains gènes voisins (la délétion d'un important agrégat de gènes sur les deux chromosomes a de grandes chances de tuer la cellule). L'importante anomalie sur un chromosome facilite la détection de la perte.

Une des stratégies de détection des délétions tire avantage des variations génétiques humaines normales qui différencient de façon visible l'ensemble des chromosomes maternels et paternels. En moyenne les séquences d'ADN de l'homme diffèrent – c'est-à-dire que nous sommes hétérozygotes – grossièrement d'un nucléotide pour 1000. À l'endroit où un gros segment d'un chromosome est perdu, il y a par conséquent une *perte d'hétérozygotie* : il ne reste qu'une seule des versions de chaque séquence variable d'ADN dans le voisinage. Un très grand nombre – plus d'un million – de sites communs d'hétérozygotie dans le génome humain ont été cartographiés au cours du Projet du Génome Humain : chacun de ces sites est caractérisé par une séquence d'ADN spécifique connue pour son polymorphisme – c'est-à-dire qu'elle apparaît communément sous deux ou plusieurs versions légèrement différentes dans la population humaine. À partir d'un échantillon d'ADN tumoral, on peut rechercher quelles versions de ces séquences polymorphes sont présentes. On fait de même avec un échantillon d'ADN issu d'un tissu non cancéreux du même patient, pour comparaison. L'absence d'hétérozygotie dans toute une région du génome qui contient plusieurs sites polymorphes, ou la perte d'une séquence de marquage génétique observée dans l'ADN témoin non cancéreux, indique la délétion d'une région chromosomique.

Les techniques des analyses de l'ADN à grande échelle et de la détection des délétions et d'autres mutations font de rapides progrès et on peut s'attendre à ce qu'elles ajoutent de nombreux gènes suppresseurs de tumeur au catalogue actuel.

Différentes voies rendent hyperactifs ou hypo-actifs les gènes mutés lors de cancer

Nous connaissons maintenant au moins 100 gènes critiques de cancer qui peuvent être transformés en oncogènes par une mutation activatrice. Le nombre de gènes dont l'absence ou l'inactivation conduit au cancer, les gènes suppresseurs de tumeur, est plus faible mais se développe. Les modes de mutations de chaque gène de ces deux classes qui les rendent plus – ou moins – actifs sont énormément variés : comme on pourrait s'y attendre, tout accident génétique qui peut augmenter, diminuer ou modifier l'activité d'un gène a des chances de se trouver quelque part dans le catalogue de plus en plus complexe de variations génétiques qui se produisent lors de cancer.

Les types d'altération génétique qui transforment un gène critique de cancer en un oncogène sont répartis en trois catégories fondamentales, comme cela est résumé dans la figure 23-27. Le gène peut être modifié par une petite variation de sa séquence comme une mutation ponctuelle, par une variation à plus grande échelle comme une délétion partielle ou par une translocation chromosomique qui implique la cassure et la réunion de l'hélice d'ADN. Ces variations peuvent se produire dans la région de codage des protéines et engendrer un produit hyperactif ou peuvent se produire dans une région de contrôle adjacente de telle sorte que le gène est simplement exprimé à une concentration bien plus élevée que la normale. Un gène critique de

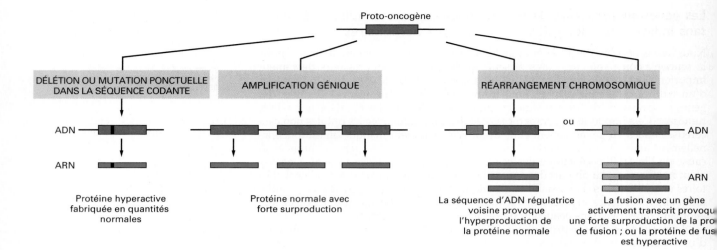

Proto-oncogène

| DÉLÉTION OU MUTATION PONCTUELLE DANS LA SÉQUENCE CODANTE | AMPLIFICATION GÉNIQUE | RÉARRANGEMENT CHROMOSOMIQUE |

ADN

ARN

Protéine hyperactive fabriquée en quantités normales

Protéine normale avec forte surproduction

ou

La séquence d'ADN régulatrice voisine provoque l'hyperproduction de la protéine normale

La fusion avec un gène activement transcrit provoqu[e] une forte surproduction de la pro[téine] de fusion ; ou la protéine de fus[ion] est hyperactive

cancer peut également être surexprimé parce qu'il en existe des copies supplémentaires du fait d'une *amplification génique* provoquée par des erreurs de réplication de l'ADN (Figure 23-28).

Les types spécifiques d'anomalies sont caractéristiques d'un gène particulier et de la réponse à des carcinogènes spécifiques. Par exemple, 90 p. 100 des tumeurs de la peau, provoquées par l'initiateur tumoral diméthylbenzo[a]anthracène (DMBA), présentent une modification A pour T exactement sur les mêmes sites des gènes *Ras* mutants ; il est probable que, parmi toutes les mutations provoquées par DMBA, seules celles situées sur ce site activent efficacement les cellules de la peau pour les amener à former une tumeur.

Le récepteur du facteur de croissance épidermique (EGF pour *epidermal growth factor*), d'un autre côté, peut être activé par une délétion qui élimine une partie de son domaine extracellulaire. Ces récepteurs mutants sont capables de former des dimères actifs même en l'absence d'EGF et produisent donc un signal stimulateur inapproprié tout comme une sonnette défectueuse sonne même si personne n'appuie dessus. Ces mutations sont retrouvées dans beaucoup de glioblastomes, des types de tumeurs cérébrales de l'homme.

Figure 23-27 Trois voies qui rendent les proto-oncogènes hyperactifs et les transforment en oncogènes.

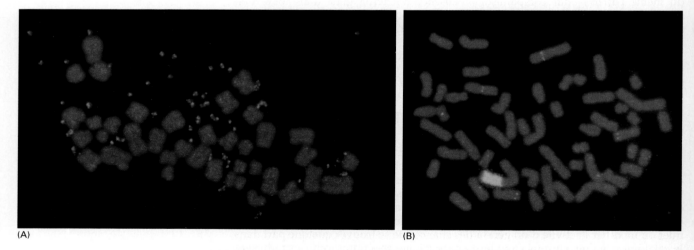

(A)　　　　　　　　　　　　(B)

Figure 23-28 Les variations chromosomiques dans les cellules cancéreuses reflètent l'amplification génique. Dans ces exemples, le nombre de copies d'un proto-oncogène *Myc* est amplifié. L'amplification des oncogènes est fréquente dans les carcinomes et est souvent visible sous la forme d'une variation curieuse du caryotype : la cellule contient des paires supplémentaires de chromosomes miniatures – les *chromosomes minuscules doubles* (« *double minute* ») – ou présente une région homogène colorée intercalée dans le motif en bande normal d'un de ces chromosomes normaux. Ces deux aberrations sont composées d'une amplification massive de copies d'un petit segment du génome. Les chromosomes sont colorés avec un colorant fluorescent *rouge* tandis que les multiples copies du gène *Myc* sont détectées par l'hybridation *in situ* avec une sonde fluorescente *jaune*. (A) Caryotype d'une cellule dans laquelle les copies du gène *Myc* sont présentes dans des chromosomes « double minute » (minuscules doubles) (mouchetures jaunes appariées). (B) Caryotype d'une cellule dans laquelle de multiples copies du gène *Myc* apparaissent sous forme d'une région à teinture homogène (*jaune*), intercalée dans un des chromosomes normaux. (Les gènes *Myc* ordinaires à copie unique peuvent être détectés comme de minuscules points jaunes placés dans le génome.) (Due à l'obligeance de Denise Sheer.)

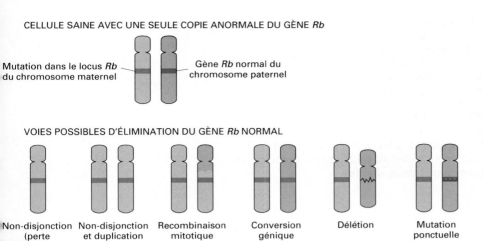

CELLULE SAINE AVEC UNE SEULE COPIE ANORMALE DU GÈNE *Rb*

Mutation dans le locus *Rb* du chromosome maternel

Gène *Rb* normal du chromosome paternel

VOIES POSSIBLES D'ÉLIMINATION DU GÈNE *Rb* NORMAL

Non-disjonction (perte chromosomique)

Non-disjonction et duplication

Recombinaison mitotique

Conversion génique

Délétion

Mutation ponctuelle

Figure 23-29 Les six modes de perte de la bonne copie restante d'un gène suppresseur de tumeur. Une cellule qui a une seule de ses deux copies d'un gène suppresseur de tumeur anormale – par exemple le gène *Rb* – se comporte généralement comme une cellule saine normale ; le schéma montre comment elle peut également perdre la fonction de l'autre copie du gène et évoluer ainsi vers un cancer. Les sondes de clones d'ADN peuvent être utilisées, associées à des tests du polymorphisme (*voir* Chapitre 8) pour analyser l'ADN tumoral et découvrir quel type d'événement s'est produit chez un patient donné. Une septième possibilité, rencontrée avec certains suppresseurs de tumeur est la mise sous silence du gène par une variation épigénétique, sans altération de sa séquence d'ADN. (D'après W.K. Cavenee et al., *Nature* 305 : 779-784, 1983. © Macmillan Magazines Ltd.)

Les membres de la famille *Myc* des proto-oncogènes, d'un autre côté, ne sont généralement pas activés par une mutation dans la région codante des protéines ; par contre, les gènes sont surexprimés ou amplifiés (*voir* Figure 23-28). Dans les cellules normales, la protéine Myc agit dans le noyau comme un signal de la prolifération cellulaire, ce que nous avons vu au chapitre 17 ; une quantité excessive de Myc peut provoquer la prolifération de la cellule dans des circonstances où une cellule normale s'arrêterait. Bien que *Myc* soit fréquemment amplifié dans les cancers, il peut également être activé par une translocation chromosomique. Il résulte de ce réarrangement que de puissantes séquences régulatrices de gènes se retrouvent mal positionnées près de la séquence codante de la protéine Myc, et produisent des quantités particulièrement importantes d'ARNm de *Myc*. Par exemple, dans le lymphome de Burkitt, une translocation met le gène *Myc* sous le contrôle de séquences qui entraînent normalement l'expression d'un anticorps dans les lymphocytes B. Il en résulte que les lymphocytes B mutants prolifèrent de façon excessive et forment des tumeurs. Des translocations chromosomiques similaires spécifiques sont fréquentes dans les lymphomes et les leucémies.

Les gènes suppresseurs de tumeurs peuvent aussi être inactivés par plusieurs voies différentes selon les différentes associations d'incidents génétiques qui se produisent ensemble pour éliminer ou invalider les deux copies du gène. La première copie peut, par exemple être perdue par une petite délétion chromosomique ou inactivée par une mutation ponctuelle. Des variations épigénétiques peuvent aussi inactiver un gène suppresseur tumoral : par exemple son promoteur peut être méthylé ou le gène peut être placé dans de l'hétérochromatine, ce qui arrête efficacement l'expression génique. La seconde copie peut être inactivée de façon similaire, mais le plus souvent elle est éliminée par un mécanisme moins spécifique : le chromosome qui porte la copie normale restante est soit perdu par la cellule soit le gène normal est remplacé par une version mutante par recombinaison mitotique ou conversion génique. La gamme des possibilités pour la perte de la bonne copie restante d'un gène suppresseur de tumeur est résumée dans la figure 23-29, avec le gène *Rb* comme exemple.

La chasse aux gènes critiques du cancer se poursuit

Le séquençage du génome humain a ouvert de nouvelles voies vers la découverte systématique des gènes critiques de cancer. Il est maintenant possible, en principe, de dresser une liste pratiquement complète des 30 000 gènes singuliers du génome humain et de les examiner un par un dans une lignée cellulaire cancéreuse donnée pour rechercher des anomalies potentielles significatives, par le biais d'analyses automatisées de l'ARNm que la cellule produit ou de l'ADN génomique. L'application de cette technique à un nombre raisonnable de cancers différents, devrait permettre d'identifier les gènes qui subissent à répétition une mutation dans les cancers. La mise en place de ce projet d'une façon exhaustive et systématique est une proposition d'un coût immense, mais non impossible, car il y a moins de 2 p. 100 du génome humain qui code réellement pour des protéines. Cet effort est déjà entrepris. En même temps, une entreprise de collaboration a commencé pour créer un organisme central accessible d'information sur les gènes critiques du cancer – leurs séquences, leurs mutations et leur profil d'expression dans diverses cellules cancéreuses et normales. L'accumulation de données devrait conduire finalement à un catalogue exhaustif des gènes dont les mutations contribuent au cancer.

Pour rechercher les gènes critiques du cancer comme nous venons de le décrire, il n'y a en principe pas besoin de connaître au départ leurs fonctions normales ni de comprendre comment leurs mutations provoquent un cancer. La stratégie, comme lors de criblage génétique qui recherche les gènes impliqués dans tout autre processus, consiste à trouver d'abord les coupables puis à chercher comment ils commettent leur crime. Cependant, grâce à l'amélioration de notre compréhension de la biologie cellulaire, il devient plus facile de deviner quels sont les gènes qui risquent d'être suspects et d'utiliser ces indices fonctionnels pour les dépister. La tâche qui consiste à trouver ces gènes est donc largement mêlée au problème de découvrir ce qu'ils font. Ce sera le sujet de la prochaine partie de ce chapitre.

Résumé

Les gènes critiques de cancer sont en général classés en deux groupes selon que les mutations dangereuses qu'ils renferment provoquent une perte de fonction ou un gain de fonction. Les mutations avec perte de fonction des gènes suppresseurs de tumeur libèrent les cellules des inhibitions qui les aident normalement à maintenir leur nombre sous contrôle; les mutations avec gain de fonction des proto-oncogènes stimulent les cellules pour qu'elles augmentent leur nombre lorsqu'elles ne le devraient pas. Ces dernières mutations ont un effet dominant et les gènes mutants, appelés oncogènes, sont parfois identifiés par leur capacité à entraîner une lignée spécifique de cellules tests vers la prolifération cancéreuse. Beaucoup ont été d'abord découverts parce qu'ils provoquaient un cancer chez les animaux lorsqu'ils y étaient introduits lors d'une infection par un vecteur viral ayant prélevé du matériel génétique dans une cellule hôte antérieure. Les oncogènes peuvent aussi être localisés dans les cellules cancéreuses de l'homme par la recherche des gènes cibles en activant des mutations ou par la recherche de translocations chromosomiques qui peuvent signaler la présence d'un gène critique de cancer.

Les mutations des gènes suppresseurs de tumeur ont généralement des effets récessifs sur les cellules individuelles : il n'y a pas de perte de contrôle jusqu'à ce que les deux copies du gène soient mises hors action. Les méthodes habituelles de recherche de ces gènes dépendent du balayage du génome des cellules cancéreuses à la recherche de signes de perte génique, qui se manifestent souvent par une perte d'hétérozygotie dans une région chromosomique spécifique. Une autre méthode a consisté à étudier les cancers qui se forment dans certaines familles. Bien que ces formes héréditaires de cancer soient rares, elles ont conduit à la découverte de gènes suppresseurs de tumeur dont la perte est une caractéristique commune à de nombreux cancers. Ces individus sujets au cancer héritent souvent d'une copie anormale et d'une copie fonctionnelle du gène suppresseur tumoral; ils ont une prédisposition supérieure à développer un cancer parce qu'une seule mutation dans une cellule somatique est suffisante, associée à la mutation héréditaire, pour créer une cellule dépourvue totalement de la fonction du gène suppresseur tumoral. Le séquençage récent du génome humain et la disponibilité d'instruments de plus en plus puissants pour la recherche systématique de mutations significatives dans l'ADN devraient bientôt conduire à un catalogue bien plus complet des gènes critiques du cancer.

FONDEMENTS MOLÉCULAIRES DU COMPORTEMENT DES CELLULES CANCÉREUSES

Les oncogènes et les suppresseurs de tumeur – ainsi que les mutations qui les affectent – sont deux proies différentes pour le chasseur de gènes du cancer. Mais du point de vue de la cellule cancéreuse ce sont les deux côtés de la même cible. Les mêmes sortes d'effets sur le comportement cellulaire peuvent résulter de mutations dans l'une ou l'autre classe de gènes, parce que la plupart des mécanismes de contrôle cellulaire impliquent des composants inhibiteurs (suppresseur de tumeur) et stimulateurs (proto-oncogènes). En termes fonctionnels, ce qui importe n'est pas de distinguer un suppresseur de tumeur d'un proto-oncogène mais de distinguer les gènes placés dans des voies biochimiques et régulatrices différentes.

Certaines voies importantes vers le cancer comportent des signaux issus de l'environnement cellulaire (*voir* Chapitre 15); d'autres sont responsables des programmes cellulaires internes, comme ceux qui contrôlent le cycle cellulaire ou la mort cellulaire (*voir* Chapitre 17); d'autres encore gouvernent les mouvements cellulaires et les interactions mécaniques avec le voisinage (*voir* Chapitre 19). Ces diverses voies sont reliées et interdépendantes selon des voies complexes. Une grande partie de nos connaissances en ce domaine sont des résultats dérivés de la recherche sur le cancer;

à l'inverse, les études de ces aspects fondamentaux de la biologie cellulaire ont transformé notre compréhension du cancer.

Dans la première partie de ce chapitre, nous avons résumé en termes généraux les propriétés qui font qu'une cellule cancéreuse est une cellule cancéreuse et dressé la liste des types de mauvais comportements qu'elle présente. Dans cette partie du chapitre, nous verrons comment chacune de ces propriétés caractéristiques provient de mutations identifiées dans les gènes critiques du cancer qui affectent des voies régulatrices spécifiques. Pour certaines parties du problème, les réponses sont simples. Pour d'autres, le mystère reste épais.

Nous commencerons par une brève discussion générale sur le mode de détermination des fonctions cellulaires des gènes critiques du cancer. Nous verrons ensuite l'état de nos connaissances sur le mode de contrôle de comportements cellulaires pertinents par ces gènes critiques du cancer. Enfin nous parlerons du développement du cancer du côlon qui nous servira d'exemple pour comprendre le mode de développement des tumeurs par l'accumulation de mutations qui conduisent d'un ensemble de mauvais comportement à un autre, encore pire.

Les études menées sur des embryons en développement et des souris transgéniques nous aident à découvrir les fonctions des gènes critiques du cancer

Prenons un gène qui a subi une mutation lors d'un cancer : nous devons comprendre comment ce gène fonctionne dans les cellules normales et comment les mutations de ce gène contribuent aux comportements aberrants caractéristiques des cellules cancéreuses. Lorsque *Rb* a été à l'origine cloné, par exemple, nous savions seulement qu'il avait subi une délétion au cours d'un cancer. Dans le cas de *Ras*, nous savions que le gène mutant dirigeait des cellules en culture vers une prolifération excessive et inappropriée, mais cette observation ne révélait pas le mode de fonctionnement de la protéine Ras dans les cellules normales ou cancéreuses. Dans les deux cas, la recherche sur le cancer a été le point de départ d'études qui ont révélé le rôle capital de ces produits de gènes dans les cellules normales – Rb en tant que régulateur du cycle cellulaire, Ras en tant que composant central de voies de signalisation cellulaire.

Aujourd'hui nos connaissances sur les cellules sont bien meilleures et, lorsqu'un nouveau gène est identifié comme gène critique du cancer, il s'avère souvent qu'il nous est familier du fait d'études menées dans d'autres contextes. Par exemple, il se trouve que beaucoup d'oncogènes et de gènes suppresseurs de tumeur sont des homologues de gènes déjà connus pour leur rôle dans le développement embryonnaire. Citons, comme exemples, les composants de pratiquement toutes les voies de signalisation majeures du développement par le biais desquelles les cellules communiquent (*voir* Chapitres 15 et 21) : les voies de signalisation par Wnt, Hedgehog, TGF-β, Notch et les récepteurs à activité tyrosine-kinase, comportent toutes d'importants gènes critiques du cancer – dont *Ras*, qui fait partie de la dernière de ces voies.

Avec le recul, ce n'est pas une surprise. Comme nous l'avons vu au chapitre 22, les mêmes mécanismes de signalisation qui contrôlent le développement embryonnaire opèrent dans le corps normal de l'adulte pour contrôler le renouvellement cellulaire et maintenir l'homéostasie. Le développement d'un animal multicellulaire et le maintien de sa structure adulte dépendent tous deux de la communication intercellulaire et de la régulation de la prolifération cellulaire, de la différenciation cellulaire, de la mort cellulaire, du mouvement cellulaire et de l'adhésion cellulaire – en d'autres termes, de tous les aspects du comportement cellulaire dont les modifications sous-tendent un cancer. La biologie du développement, qui utilise souvent des modèles animaux comme *Drosophila* et *C. elegans*, nous fournit donc des indices sur les fonctions normales de nombreux gènes critiques du cancer.

En fin de compte, cependant, nous voulons savoir ce que font les mutations de ces gènes aux cellules des tissus pour qu'elles donnent naissance à un cancer. Il est possible d'obtenir une certaine quantité d'informations par l'étude des cellules *in vitro* ou l'examen des sujets atteints de cancer. Mais la souris transgénique s'est avérée particulièrement intéressante pour rechercher comment les mutations de divers gènes critiques du cancer affectent les tissus dans un organisme entier.

Des souris transgéniques porteuses d'oncogènes dans toutes leurs cellules peuvent être engendrées par les méthodes décrites en détail dans le chapitre 8. Les oncogènes ainsi introduits peuvent s'exprimer soit dans beaucoup de tissus soit seulement dans quelques-uns sélectionnés, selon la spécificité tissulaire de l'ADN régulateur associé. Les études menées sur ces animaux transgéniques ont révélé que, même chez la souris, un seul oncogène ne suffit généralement pas à transformer une cellule normale en une cellule cancéreuse. Typiquement, les souris porteuses de l'oncogène *Myc* ou *Ras*, présentent un développement exagéré de certains tissus qui expriment l'oncogène et, avec le temps, certaines cellules subissent d'autres modifications qui engendrent des cancers. Cependant, la plupart des cellules de la souris transgénique qui expriment l'oncogène *Myc* ou *Ras*, ne donnent pas naissance à un cancer, ce qui montre qu'un oncogène unique ne suffit pas pour provoquer la malignité. Du point de vue de l'animal entier, l'oncogène transmis constitue néanmoins une menace sérieuse parce qu'il augmente le risque de développement d'un cancer. Des souris qui expriment plusieurs oncogènes peuvent être engendrées par l'accouplement d'un couple de souris transgéniques – une porteuse de l'oncogène *Myc*, l'autre porteuse de l'oncogène *Ras*, par exemple. Les descendants développent bien plus rapidement un cancer que l'un ou l'autre parent (Figure 23-30) mais, là encore, les cancers se développent sous forme de tumeurs éparpillées, isolées au sein de cellules non cancéreuses. De ce fait, même en cas d'expression de ces deux oncogènes, les cellules doivent subir d'autres modifications, apparues au hasard, pour devenir cancéreuses.

Tout comme il est possible d'introduire des oncogènes activés dans des tissus de souris, il est possible d'inactiver les gènes suppresseurs de tumeur par inactivation totale (*knocking-out*) du gène dans la souris via des techniques génétiques inverses (*voir* Figure 8-74). Plusieurs gènes suppresseurs de tumeur ont été totalement inactivés chez la souris, y compris *Rb*. Comme on l'avait anticipé, beaucoup de souches mutantes dépourvues d'une copie d'un gène suppresseur de tumeur apparaissent prédisposées au cancer. La délétion des deux copies conduit souvent à la mort au stade embryonnaire, ce qui reflète les rôles essentiels de ces gènes pendant le développement normal. Pour passer outre ces blocages et observer les effets des mutations homozygotes dans un tissu adulte, nous pouvons utiliser les méthodes décrites au chapitre 8 qui engendrent des mutations conditionnelles, pour qu'un seul tissu – par exemple le foie – présente l'anomalie. De cette façon, les souris transgéniques sont devenues une source capitale d'informations sur les mécanismes de formation des tumeurs. Nous verrons ultérieurement qu'elles ont aussi fourni d'importants modèles pour le développement de nouveaux traitements anticancéreux.

Beaucoup de gènes critiques du cancer régulent la division cellulaire

La plupart des gènes critiques du cancer codent pour des composants des voies qui régulent le comportement social des cellules dans l'organisme – en particulier les mécanismes qui permettent aux signaux envoyés par les cellules voisines d'empêcher la division, la différenciation ou la mort d'une cellule (Figure 23-31). En fait, un grand nombre de composants des voies de signalisation cellulaire ont été identifiés pour la première fois lors des recherches menées sur les gènes responsables de cancers. De plus, la liste complète des produits des proto-oncogènes et des gènes suppresseurs de tumeur comporte des exemples de pratiquement tous les types de molécules impliquées dans la signalisation cellulaire – protéines sécrétées, récepteurs transmembranaires, protéines de liaison au GTP, protéine-kinases, protéines régulatrices de gènes et ainsi de suite (*voir* Chapitre 15). Beaucoup de mutations cancéreuses modifient les composants des voies de signalisation aboutissant à ce qu'ils délivrent des signaux prolifératifs même lorsqu'il n'y a plus besoin d'autres cellules, ce qui active de façon inappropriée la croissance cellulaire, la réplication de l'ADN et la division cellulaire. Les mutations qui activent incorrectement un récepteur à activité tyrosine-kinase comme le récepteur EGF ou des protéines de la famille Ras, qui résident en aval de ce type de récepteurs des facteurs de croissance, agissent de cette façon.

D'autres voies de signalisation peuvent fonctionner pour inhiber la division cellulaire et, la mieux connue d'entre elles, est l'effet anti-croissance des protéines de signalisation de la famille des TGF-β. La perte de l'inhibition de croissance passant par les voies des TGF-β, contribue à la genèse de plusieurs types de cancers de l'homme. Le récepteur TGF-β-RII est muté dans certains cancers du côlon et Smad4 – un transducteur intracellulaire de signaux capital de cette voie – est inactivé dans les cancers du pancréas et de certains autres tissus.

Enfin, les gènes critiques du cancer qui régulent la division cellulaire exercent leur effet en agissant sur la machinerie de contrôle située au cœur du cycle cellulaire (*voir* Figure 17-41). Il n'est pas surprenant que des mutations de cette machinerie figurent en bonne place dans beaucoup de cancers. Comme nous l'avons vu au chapitre 17, on pense que la protéine Rb, produit du gène suppresseur de tumeur *Rb*, contrôle un point clé au niveau duquel les cellules prennent la décision de répliquer leur ADN et d'entrer dans le cycle de division cellulaire. Rb sert de frein qui restreint l'entrée en phase S en se fixant sur des protéines régulatrices de gènes nécessaires à l'expression de gènes dont les produits permettent la progression dans le cycle cellulaire. Normalement, cette inhibition par Rb est soulagée au bon moment par la phosphorylation de Rb qui libère alors son attache inhibitrice.

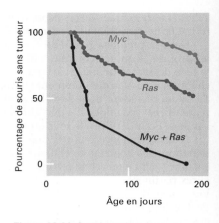

Figure 23-30 Collaboration des oncogènes chez les souris transgéniques. Ce schéma montre l'incidence des tumeurs dans trois types de souris transgéniques, une porteuse de l'oncogène *Myc*, une porteuse d'un oncogène *Ras* et une porteuse des deux oncogènes. Pour ces expériences deux lignées de souris transgéniques ont été d'abord fondées. L'une est porteuse d'une copie insérée d'un oncogène créé par la fusion du proto-oncogène *Myc* avec l'ADN régulateur du virus des tumeurs mammaires de la souris (qui entraîne alors la surexpression de *Myc* dans des tissus spécifiques comme la glande mammaire). L'autre est porteuse d'une copie insérée de l'oncogène *Ras* sous contrôle du même élément régulateur. Les deux souches de souris développent des tumeurs bien plus souvent que la normale, le plus souvent dans les glandes mammaires ou salivaires. Des souris porteuses des deux oncogènes sont obtenues par croisement des deux souches. Ces hybrides développent des tumeurs à une vitesse bien plus élevée encore, supérieure à la somme des vitesses des deux oncogènes pris séparément. Néanmoins, les tumeurs apparaissent uniquement après un certain délai et à partir d'une faible proportion de cellules seulement dans les tissus où ces deux gènes sont exprimés. Certaines autres modifications accidentelles, en plus des deux oncogènes semblent apparemment nécessaires pour le développement du cancer. (D'après E. Sinn et al., *Cell* 49 : 465-475, 1987. © Elsevier.)

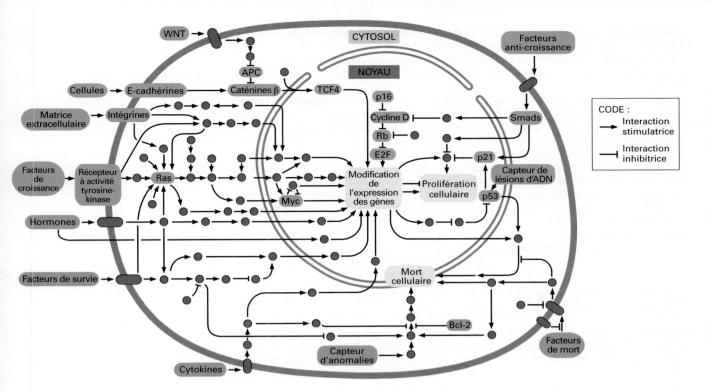

Beaucoup de cellules cancéreuses éliminent entièrement Rb et prolifèrent alors de façon inappropriée, comme nous l'avons déjà vu. D'autres tumeurs atteignent le même point en acquérant des mutations dans d'autres composants de la voie régulatrice par Rb (Figure 23-32). De ce fait, dans les cellules normales, un complexe formé par la cycline D1 et de la kinase cycline-dépendante Cdk4 (G₁-Cdk) stimule l'avancée dans le cycle cellulaire par la phosphorylation de Rb (*voir* Figure 17-30). La protéine p16 (INK4) – produite lorsque les cellules sont stressées – empêche la formation du complexe actif cycline D1-Cdk4 et inhibe la progression dans le cycle cellulaire. On a trouvé, dans certains glioblastomes et cancers du sein, une amplification des gènes codant pour Cdk4 ou pour la cycline D1, qui favorise ainsi la prolifération cellulaire. Et la délétion ou l'inactivation du gène *p16* est fréquente dans beaucoup de formes de cancers de l'homme. Dans les cancers où il n'est pas inactivé par mutation, ce gène est souvent mis sous silence par méthylation de son ADN régulateur.

Les nombreuses voies qui permettent de modifier la machinerie de contrôle du cycle cellulaire au cours des cancers illustrent deux points importants. D'abord, cela explique pourquoi chaque cas d'un cancer spécifique qui présente les mêmes symptômes peut se produire via des mutations différentes : dans de nombreux cas, différentes possibilités d'altérations auront, pour beaucoup, le même effet sur la prolifération cellulaire. Deuxièmement, cela renforce le fait qu'il n'existe pas de différences fondamentales entre les processus affectés par les oncogènes – qui sont activés par mutation – et ceux affectés par les gènes suppresseurs de tumeur – qui sont inactivés. Ces deux classes de gènes critiques du cancer diffèrent simplement par le fait qu'ils jouent un rôle stimulateur ou inhibiteur dans une voie (*voir aussi* Figure 23-31).

Les mutations des gènes qui régulent l'apoptose permettent aux cellules cancéreuses d'échapper au suicide

Pour atteindre une prolifération cellulaire nette, il est nécessaire d'entraîner les cellules à se diviser tout en les empêchant de s'engager dans un suicide par apoptose. Il existe de nombreuses situations normales au cours desquelles les cellules prolifèrent continuellement, mais la division cellulaire est exactement équilibrée par la perte cellulaire. Dans les centres germinatifs des ganglions lymphatiques, par exemple, les lymphocytes B prolifèrent rapidement mais la plupart de leurs descendants sont éliminés par apoptose. L'apoptose est donc essentielle pour maintenir l'équilibre normal entre les naissances et les morts cellulaires dans les tissus qui subissent un renouvellement. Elle joue aussi un rôle vital dans la réaction cellulaire vis-à-vis des lésions et des anomalies. Comme nous l'avons vu au chapitre 17, les cellules d'un organisme multicellulaire s'engagent vers le suicide lorsqu'elles sentent que quelque

Figure 23-31 Carte des principales voies de signalisation pertinentes pour l'apparition d'un cancer dans les cellules humaines, qui indique la localisation cellulaire de certaines protéines modifiées par mutation dans ces cancers. Les produits des oncogènes et des gènes suppresseurs de tumeur apparaissent souvent au sein de la même voie. Chaque protéine de signalisation est indiquée par un *rond rouge* et le composant critique du cancer ainsi que les mécanismes de contrôle traités dans ce chapitre sont en *vert*. Les interactions stimulatrices et inhibitrices entre les protéines sont désignées selon la légende. (Adapté d'après D. Hanahan et R.A. Weinberg, *Cell* 100 : 57-70, 2000.)

chose s'est mal passé – lorsque leur ADN est gravement lésé ou lorsqu'elles sont privées des signaux de survie qui leur indiquent qu'elles sont à la bonne place. La résistance à l'apoptose est donc une caractéristique capitale des cellules cancéreuses, qui est essentielle pour qu'elles puissent augmenter leur nombre et survivre là où elles ne le devraient pas.

Un certain nombre de mutations qui inhibent l'apoptose ont été trouvées dans les tumeurs. Bcl-2, une protéine qui bloque l'apoptose, a été découverte car elle est la cible d'une translocation chromosomique des lymphomes à cellules B. L'effet de cette translocation place le gène *Bcl-2* sous le contrôle d'un élément régulateur qui entraîne sa surexpression et permet la survie des lymphocytes B qui normalement devraient mourir.

Cependant, parmi tous les gènes critiques impliqués dans le contrôle de l'apoptose, un d'entre eux est impliqué dans les cancers de très nombreux tissus. Ce gène, *p53*, est placé à une intersection cruciale du réseau des voies qui gouvernent la réponse cellulaire aux lésions de l'ADN et aux autres incidents stressants. Le contrôle de l'apoptose – bien que très important – n'est qu'une partie de la fonction de ce gène. Comme nous le verrons, lorsque *p53* est anormal, non seulement les cellules génétiquement lésées ne meurent pas mais, ce qui est encore pire, elles continuent de proliférer sans motif et accumulent encore plus de lésions génétiques qui conduisent au cancer.

Les mutations du gène *p53* permettent aux cellules cancéreuses de survivre et de proliférer en dépit de lésions de leur ADN

Le gène *p53* – nommé d'après la masse moléculaire de son produit protéique – est peut-être le gène le plus important du cancer de l'homme. Ce gène suppresseur de tumeur présente une mutation dans près de la moitié des cancers de l'homme. Pourquoi *p53* est-il si critique? La réponse réside dans sa triple implication : le contrôle du cycle cellulaire, l'apoptose et l'entretien de la stabilité génétique – tous les aspects du rôle fondamental de la protéine p53 dans la protection de l'organisme vis-à-vis des lésions et des troubles cellulaires.

Contrairement à Rb, on trouve très peu de protéine p53 dans la plupart des cellules du corps dans les conditions normales. En fait, p53 n'est pas nécessaire au développement normal : les souris transgéniques qui présentent une inactivation totale des deux copies du gène sont tout à fait normales sauf sur un point – elles développent généralement des cancers vers l'âge de 3 mois. Ces observations suggèrent que p53 a peut-être une fonction nécessaire seulement de façon occasionnelle ou dans des circonstances particulières. En effet, lorsque les cellules normales sont privées d'oxygène

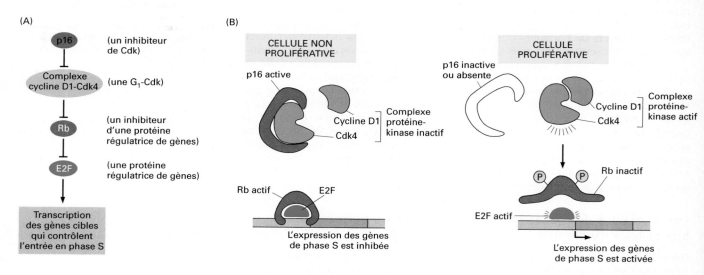

Figure 23-32 La voie qui contrôle le cycle cellulaire via la protéine Rb. On a trouvé des altérations par mutation de tous les composants de cette voie dans les cancers de l'homme (produits des proto-oncogènes, *vert* ; produit des gènes suppresseurs de tumeur, *rouge* ; E2F est montré en *bleu* parce qu'il a à la fois des actions inhibitrices et stimulatrices, en fonction des autres protéines qui lui sont liées). Dans la plupart des cas, un seul composant est modifié dans chaque tumeur. (A) Une vue simplifiée des relations de dépendance au sein de cette voie ; *voir* Figure 17-30 pour plus de détails. (B) La protéine Rb inhibe l'entrée dans le cycle de division cellulaire lorsqu'elle est non phosphorylée. Le complexe Cdk4 et la cycline D1 phosphorylent Rb et encouragent ainsi la prolifération cellulaire. Lorsqu'une cellule est stressée, p16 inhibe la formation du complexe actif Cdk4/cycline D1, et évite la prolifération. L'inactivation de Rb ou p16 par mutation encourage la division cellulaire (de ce fait, chacune peut être considérée comme un suppresseur de tumeur) tandis que l'hyperactivité de Cdk4 ou de la cycline D1 encourage la division cellulaire (de ce fait, chacune peut être considérée comme un proto-oncogène).

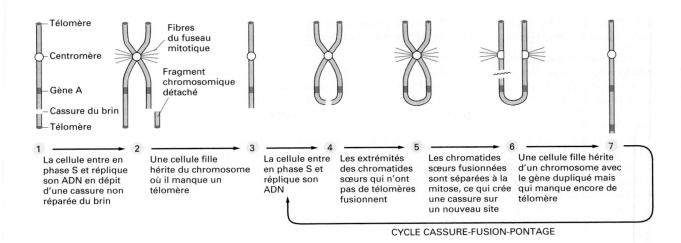

ou exposées à des traitements qui endommagent l'ADN, comme la lumière ultraviolette ou les rayons gamma, elles augmentent leur concentration en protéine p53 par le ralentissement de la vitesse normale rapide de dégradation de cette molécule. La réponse par p53 s'observe également dans les cellules où des oncogènes, comme *Ras* et *Myc* sont actifs, et engendrent un stimulus anormal de division cellulaire.

Dans tous les cas, la forte concentration en protéine p53 agit pour limiter le mal qui a été fait. En fonction des circonstances et de la gravité des lésions, p53 peut soit entraîner la cellule lésée ou mutante à s'engager dans un suicide par apoptose (*voir* p. 1013) – un événement relativement peu nuisible pour l'organisme multicellulaire – soit déclencher un mécanisme qui interdit à la cellule de se diviser tant que la lésion n'est pas réparée. Cette protection fournie par p53 est une partie importante de la raison qui explique pourquoi les mutations qui activent les oncogènes comme *Ras* et *Myc* ne suffisent pas en elles-mêmes pour engendrer une tumeur.

Comme nous l'avons vu au chapitre 17, la protéine p53 exerce ses effets sur le cycle cellulaire au moins en partie par sa fixation sur l'ADN qui induit la transcription de *p21* – un gène régulateur dont le produit protéique se fixe sur les complexes Cdk nécessaires à l'entrée en phase S et à la progression dans cette phase. La protéine p21 bloque l'activité kinase de ces complexes Cdk, et empêche ainsi la cellule d'entrer en phase S et de répliquer son ADN.

Les cellules déficientes en protéine p53 ne montrent pas ces réponses. Elles ont tendance à échapper à l'apoptose et, si leur ADN est endommagé – par radiation ou par certains autres incidents – elles continuent de se diviser, et plongent dans la réplication de l'ADN sans s'arrêter pour réparer les cassures ou autres lésions d'ADN provoquées par les dommages. Il s'ensuit qu'elles peuvent soit mourir soit, ce qui est encore pire, survivre et proliférer avec un génome endommagé. Une des conséquences fréquentes est la fragmentation de ses chromosomes qui se réunissent ensuite mal, et engendrent, par le biais de cycles supplémentaires de division cellulaire, un génome de plus en plus désorganisé, comme cela est expliqué dans la figure 23-33. Ce chaos chromosomique peut conduire à la fois à la perte de gènes suppresseurs de tumeur et à l'activation d'oncogènes, par amplification génique par exemple. Cette amplification génique est un mécanisme important d'activation des oncogènes, mais elle peut aussi permettre aux cellules de développer une résistance aux médicaments utilisés en thérapeutique, comme nous le verrons plus loin.

En résumé, p53 aide l'organisme multicellulaire à faire face aux lésions de l'ADN et aux autres événements cellulaires stressants sans lui nuire, et agit en réfrénant la prolifération cellulaire dans les circonstances où elle s'avère dangereuse. Beaucoup de cellules cancéreuses contiennent de grandes quantités de protéine p53 mutante (ou d'une variété sans effet), ce qui suggère que les accidents génétiques qu'elles ont subis, ou le stress de leur croissance dans un environnement inapproprié, ont engendré des signaux qui normalement mettent en jeu la protéine p53. La perte de l'activité de *p53* peut donc être trois fois plus dangereuse du point de vue du cancer. D'abord elle permet aux cellules mutantes défectueuses de poursuivre leur avancée dans le cycle cellulaire. Deuxièmement, elle leur permet d'échapper à l'apoptose. Troisièmement, elle conduit à une instabilité génétique, caractéristique des cellules cancéreuses, en permettant aux cellules d'accumuler d'autres mutations qui favorisent le cancer lorsqu'elles se divisent. Beaucoup d'autres mutations peuvent contribuer à l'un ou l'autre de ces types de mauvais comportement, mais les mutations de *p53* contribuent aux trois.

Figure 23-33 Mécanismes par lesquels la réplication de l'ADN lésé peut conduire à des anomalies chromosomiques, à une amplification génique et à une perte de gènes. Ce schéma montre un des nombreux mécanismes possibles. Le processus commence par une lésion accidentelle de l'ADN dans une cellule dépourvue de protéine p53 fonctionnelle. Au lieu de s'arrêter au point de contrôle du cycle de division dépendant de p53, où une cellule normale avec un ADN lésé s'arrêterait jusqu'à ce qu'elle ait réparé la lésion, la cellule déficiente en p53 entre en phase S avec les conséquences montrées. Une fois qu'un chromosome porteur d'une duplication et dépourvu de télomère a été engendré, des cycles répétés de réplication, fusion de la chromatide et coupure inégale (ce qu'on appelle le cycle cassure-fusion-pontage) peuvent augmenter encore plus le nombre de copies de la région dupliquée.

La sélection en faveur des cellules dotées d'un nombre supérieur de copies d'un gène dans la région chromosomique affectée conduit ainsi à des mutants dans lesquels le gène est amplifié par un grand nombre de copies. Les multiples copies finiront par être visibles dans le chromosome sous forme d'une région de teinture homogène ou pourront – soit par un événement de recombinaison soit par une cassure non réparée des brins d'ADN – être excisées de leur locus d'origine et apparaître ainsi sous forme de chromosomes minuscules doubles (« double minute ») indépendants (*voir* Figure 23-28). Cette anomalie chromosomique peut aussi conduire à une perte de gènes avec une sélection en faveur des cellules qui ont perdu les suppresseurs de tumeur.

Les virus cancérigènes à ADN activent la machinerie de réplication cellulaire par blocage de l'action de gènes clés suppresseurs de tumeur

Les **virus cancérigènes à ADN** provoquent un cancer principalement par leur interférence avec les contrôles du cycle cellulaire, y compris ceux qui dépendent de p53. Pour comprendre ce type de carcinogenèse virale, il est important de comprendre l'historique de la vie du virus. Ces virus utilisent la machinerie de réplication de l'ADN de la cellule hôte pour répliquer leur propre génome. Pour fabriquer beaucoup de particules virales infectieuses à partir d'une seule cellule hôte, un virus à ADN doit commander cette machinerie et la surmener, afin de franchir les contraintes normales de réplication de l'ADN et tuer généralement la cellule hôte pendant le processus. Cependant, il est typique que le virus ait également une autre option : il peut propager son génome dans la cellule hôte sous forme d'un passager tranquille, qui se comporte bien et se réplique parallèlement à l'ADN de la cellule hôte pendant les cycles ordinaires de division cellulaire. Le virus peut osciller entre ces deux modes d'existence, soit rester latent et inoffensif soit proliférer pour engendrer des particules infectieuses en fonction des circonstances. Peu importe quel type de vie suit le virus, cela n'entre pas en compte dans la cause du cancer. Mais des accidents génétiques peuvent se produire de telle sorte que le virus utilise mal son équipement pour commander la machinerie de réplication de l'ADN et au lieu d'activer la réplication rapide de son propre génome, il active une prolifération persistante de la cellule hôte.

Les virus à ADN font partie d'un groupe varié mais il semble que ce type de problème se produise avec la plupart de ceux qui sont impliqués dans le cancer. Les *papillomavirus*, par exemple, engendrent des verrues chez l'homme et sont un facteur causal capital du carcinome du col utérin (environ 6 p. 100 de tous les cancers de l'homme), d'où leur importance particulière. Les papillomavirus infectent l'épithélium et sont maintenus dans la couche basale des cellules sous forme de plasmides extra-chromosomiques qui se répliquent parallèlement aux chromosomes. Les particules virales infectieuses sont engendrées dans les couches épithéliales externes car la cellule commence à se différencier avant de desquamer en surface. À ce moment, la division cellulaire devrait normalement s'arrêter, mais le virus interfère avec cet arrêt afin de permettre la réplication rapide de son propre génome. En général, les effets sont restreints aux couches cellulaires externes et relativement inoffensifs, comme dans les verrues. Occasionnellement, du fait d'un accident génétique qui provoque une erreur de régulation des gènes viraux dont les produits empêchent l'arrêt du cycle cellulaire, le contrôle de la division cellulaire est également bouleversé dans les couches basales, au sein des cellules souches de l'épithélium. Cela peut mener au cancer, et les gènes viraux agissent alors comme des oncogènes (Figure 23-34).

Dans les papillomavirus, les principaux gènes viraux à blâmer sont *E6* et *E7*. Les produits de ces oncogènes viraux interagissent avec beaucoup de protéines de la cellule hôte mais se fixent en particulier sur les produits protéiques de deux gènes clefs suppresseurs de tumeur de la cellule hôte, pour les mettre hors d'action et permettre ainsi à la cellule de répliquer son ADN et se diviser de façon incontrôlée. Une de ces protéines hôte est Rb : par sa liaison sur Rb la protéine virale E7 l'empêche de se fixer

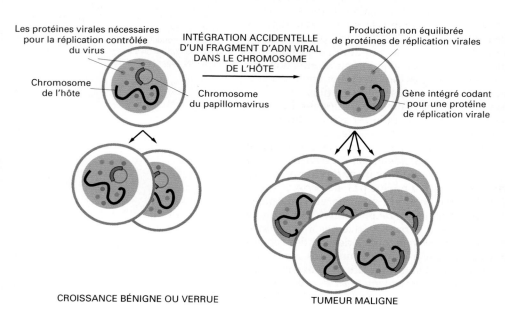

Les protéines virales nécessaires pour la réplication contrôlée du virus

Chromosome de l'hôte

INTÉGRATION ACCIDENTELLE D'UN FRAGMENT D'ADN VIRAL DANS LE CHROMOSOME DE L'HÔTE

Chromosome du papillomavirus

Production non équilibrée de protéines de réplication virales

Gène intégré codant pour une protéine de réplication virale

CROISSANCE BÉNIGNE OU VERRUE

TUMEUR MALIGNE

Figure 23-34 On pense que certains papillomavirus donnent naissance à des cancers du col de l'utérus. Les papillomavirus ont un ADN circulaire à double brin porté par des chromosomes qui contiennent environ 8 000 paires de nucléotides. Dans une verrue ou une autre infection bénigne, ces chromosomes restent stables dans les cellules basales de l'épithélium sous forme de plasmides dont la réplication est régulée de façon à rester en arrière du chromosome de l'hôte (*gauche*). De rares accidents peuvent provoquer l'intégration d'un fragment de ce type de plasmide dans le chromosome de l'hôte, et modifier l'environnement des gènes viraux. Cela (ou peut-être d'autres causes) interrompt le contrôle de l'expression du gène viral. La production non régulée des protéines de réplication virales interfère avec le contrôle de la division cellulaire, et facilite ainsi la formation d'un cancer (*droite*).

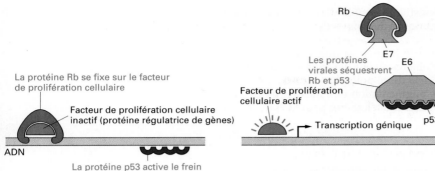

Rb

E7

Les protéines virales séquestrent Rb et p53

E6

La protéine Rb se fixe sur le facteur de prolifération cellulaire

Facteur de prolifération cellulaire inactif (protéine régulatrice de gènes)

Facteur de prolifération cellulaire actif

ADN

Transcription génique

p53

La protéine p53 active le frein de sûreté de la prolifération cellulaire

PROLIFÉRATION CELLULAIRE BLOQUÉE

PROLIFÉRATION CELLULAIRE ACTIVÉE PAR UN VIRUS À ADN

sur ses associés cellulaires normaux. L'autre protéine hôte inactivée par le virus est le suppresseur de tumeur p53 sur lequel se fixe la protéine virale E6, ce qui déclenche sa destruction (Figure 23-35). L'élimination de p53 permet aux cellules anormales de survivre et d'accumuler encore plus d'anomalies.

Chez l'homme, le raccourcissement des télomères peut préparer le terrain qui mène au cancer

La souris est l'organisme modèle le plus utilisé pour étudier les cancers, cependant la gamme des cancers observée chez la souris diffère grandement de celle observée chez l'homme. La grande majorité des cancers de la souris sont des sarcomes et des leucémies alors que plus de 80 p. 100 des cancers de l'homme sont des carcinomes (épithéliomas) – cancers des épithéliums où se produit un renouvellement rapide des cellules (*voir* Figure 23-2). On a trouvé beaucoup de traitements qui guérissent les cancers des souris ; mais quand ces mêmes traitements sont utilisés chez l'homme, ils échouent généralement. Quelle peut être la raison de la différence entre les cancers des souris et des hommes et que peut-elle nous dire sur les mécanismes moléculaires de la maladie ? Une grande part de la réponse peut résider dans le comportement des télomères et la relation entre leur raccourcissement, la sénescence cellulaire réplicative et l'instabilité génétique.

Comme nous l'avons déjà vu, la plupart des cellules de l'homme semblent avoir une limite programmée à leur prolifération : elles montrent une sénescence réplicative, du moins lorsqu'elles se développent en culture. On pense que, chez l'homme, la sénescence cellulaire réplicative est causée par des variations de la structure des **télomères** – les séquences d'ADN répétitives associées à des protéines qui coiffent les extrémités de chaque chromosome. Ces séquences d'ADN télomériques sont synthétisées et maintenues par un mécanisme spécifique qui nécessite une enzyme, la télomérase, comme nous l'avons expliqué au chapitre 5. Dans la plupart des cellules de l'homme, excepté celles de la lignée germinale et certaines cellules souches, l'expression des gènes codant pour la sous-unité catalytique de la télomérase est inactivée ou, du moins, n'est pas totalement activée. Il en résulte que les télomères de ces cellules ont tendance à devenir un peu plus courts à chaque cycle de division cellulaire. Pour finir, la coiffe télomérique située à l'extrémité du chromosome peut devenir si courte qu'un signal de danger est engendré et arrête le cycle cellulaire. Ce signal est similaire, du moins en fonction, à celui qui arrête le cycle lorsqu'une extrémité non coiffée d'ADN est créée par une cassure double brin accidentelle. Dans les deux cas, l'effet recherché est d'éviter toute division cellulaire tant que la cellule contient de l'ADN cassé ou mal coiffé. Dans une cellule qui présente une cassure chromosomique, cela donne du temps à la réparation de l'ADN ; dans la cellule sénescente normale, il semble que cela arrête simplement la prolifération cellulaire. Comme nous l'avons vu au début du chapitre, on ne connaît pas clairement la fréquence à laquelle les cellules d'un tissu normal de l'homme se heurtent à cette limite ; mais si une population cellulaire qui s'auto-renouvelle subit une sénescence réplicative, toute cellule aberrante qui subit une mutation qui lui permet de poursuivre ses divisions présente un énorme avantage compétitif – bien supérieur à celui obtenu si cette même mutation s'était produite dans une cellule d'une population non sénescente. De ce point de vue, il semblerait que la sénescence réplicative favorise le développement du cancer.

Les souris possèdent des télomères bien plus longs que ceux des hommes. De plus, contrairement à l'homme, elles gardent une télomérase active dans leurs cellules somatiques et les télomères de souris n'ont donc pas tendance à se raccourcir en fonction de l'âge de l'organisme. Il est cependant possible d'utiliser la technologie d'inactivation complète des gènes pour fabriquer des souris dépourvues de télomérase fonctionnelle. Chez elles, les télomères se raccourcissent à chaque génération mais on n'observe aucune conséquence fâcheuse jusqu'à ce que, chez les arrière-arrière-petits-fils des mutants initiaux, les télomères soient devenus si courts qu'ils ont disparu ou ont cessé de fonctionner. Au-delà de ce point, la souris commence à présenter diverses anomalies, y compris une augmentation de l'incidence des cancers. Cela suggère que le raccourcissement naturel des télomères peut faciliter la formation de nombreuses tumeurs de l'homme.

Dans une population de cellules déficientes en télomères, la perte de p53 ouvre une porte qui mène facilement au cancer

Chez l'homme, la plupart des cellules cancéreuses expriment la télomérase contrairement à la plupart de ses cellules normales. On pense que c'est ce qui explique pourquoi, contrairement aux cellules normales, elles ont tendance à se diviser de façon illimitée en culture et c'est une preuve supplémentaire du rôle significatif de l'entretien des télomères dans le cancer.

Étant donné que les cellules cancéreuses contiennent une télomérase, une des hypothèses évidentes serait qu'elles partent de précurseurs mutants qui ont simplement échappé au raccourcissement de leurs télomères et n'ont donc jamais rencontré de limite télomérique à la division cellulaire. Il existe cependant, une autre hypothèse, mise en évidence par des observations de souris déficientes en télomérase. Un cancer peut dériver d'une cellule qui a connu un raccourcissement des télomères mais a subi une mutation qui fait qu'elle méprise les signaux qui arrêtent normalement la division cellulaire lorsque les télomères sont trop courts. Une mutation qui provoque la perte d'activité de p53 peut justement avoir cet effet : si elle apparaît dans une cellule à l'intérieur d'une population dont la division est arrêtée par le raccourcissement des télomères, elle peut donner à cette cellule et à sa descendance un avantage compétitif immédiat sur ses voisines qui ne se divisent plus. Au même moment, comme cela est expliqué dans la figure 23-36, l'absence de p53 provoque une importante instabilité chromosomique caractéristique des carcinomes de l'homme, et permet aux cellules mutantes d'accumuler d'autres mutations et d'évoluer rapidement vers le cancer. C'est ce qui semble se produire chez la souris déficiente en télomérase. Si elle manque non seulement de télomérase mais aussi d'une des deux copies du gène *p53*, la fréquence des carcinomes devient encore plus grande. Il est étonnant que ces cancers supplémentaires soient surtout des carcinomes – cancers des épithéliums qui s'auto-renouvellent – plutôt que les sarcomes et les lymphomes habituellement observés chez la souris. Les carcinomes constituent de loin la classe la plus fréquente de cancers chez l'homme. Les différences de comportement des télomères pourraient donc entrer en compte dans la principale différence observée entre les souris et les hommes normaux sur le plan du type prédominant de cancers qui se forme. Comme les cellules des carcinomes de l'homme, les cellules tumorales des souris présentent généralement une inactivation de leur dernier gène *p53* restant ; elles montrent aussi d'importantes anomalies chromosomiques avec beaucoup de cassures, de fusions et d'extrémités chromosomiques cassées.

Si ce scénario s'applique aux cancers de l'homme, l'hypothèse serait que la télomérase est réactivée après, et non pas avant, la catastrophe génétique. La désorganisation génétique progressive qui suit la perte de p53 peut être si sévère que les cellules y survivent rarement plus de quelques générations. Une cellule qui réactive l'expression de sa télomérase pourra arrêter ce cycle catastrophique et regagner suffisamment de stabilité chromosomique pour survivre (*voir* Figure 23-36). Sa descendance héritera d'un jeu de chromosomes hautement anormal comportant beaucoup de mutations et d'altérations ; ces cellules lésées pourront alors continuer à accumuler d'autres mutations à une vitesse plus modérée, ce qui entraînera l'évolution d'une tumeur. Ce modèle concorde avec l'observation faite lors de cancers du sein et colorectaux, à savoir que les grandes anomalies chromosomiques semblent se produire au début du développement de la tumeur, avant la réactivation de la télomérase. Une fois la télomérase activée, ces carcinomes possèdent encore assez d'instabilité génétique – due à la perte de p53 ou à d'autres mutations – pour continuer à évoluer, et tendre ainsi à devenir métastatiques.

Il est possible que beaucoup de types très communs de carcinomes humains débutent ainsi. Mais il y a certainement bien d'autres voies qui permettent l'apparition des cancers, et il nous faut encore déterminer la véritable importance de la sénescence réplicative et du comportement des télomères dans les cancers de l'homme. Cette incertitude met en évidence le peu de connaissances que nous avons encore sur l'historique naturel des cancers, en dépit des avancées spectaculaires de la compréhension de la génétique moléculaire cancéreuse. Pour finir, cependant, ces résultats suggèrent que les souris dépourvues de télomères peuvent fournir un modèle raisonnable pour l'étude des carcinomes communs de l'homme. Ce modèle de souris nous aidera peut-être aussi à imaginer des traitements anticancéreux qui fonctionneraient aussi bien chez l'homme que chez la souris.

Les mutations qui conduisent aux métastases restent encore mystérieuses

Peut-être le fossé le plus important dans notre compréhension du cancer concerne la malignité et les métastases. Il nous faut encore identifier clairement les mutations qui permettent spécifiquement aux cellules d'envahir les tissus environnants, de se disséminer dans tout le corps et de former des métastases. En effet, on ne comprend même pas clairement quelles sont les propriétés exactes que doit acquérir une cellule cancéreuse pour devenir métastatique. Une des hypothèses extrêmes est que la capacité de métastase des cellules cancéreuses dans le corps n'a pas besoin de modifications génétiques en plus de celles nécessaires à la perte du contrôle de la division cellulaire. L'hypothèse opposée, la plus souvent acceptée, est que la formation d'une métastase est une tâche difficile et complexe pour une cellule, qui nécessite une grande quantité de nouvelles mutations – tellement de mutations si variées en fonction des circonstances, qu'il est difficile de découvrir ce qu'elles sont individuellement.

Une matière actuelle à débat est de savoir quelles sont les étapes de la formation des métastases qui sont les plus difficiles. Cependant certaines observations expérimentales apportent quelques lumières sur les résultats. Il est évident, avant tout, que les métastases représentent des problèmes différents pour des types cellulaires différents. Pour une cellule de leucémie, déjà vagabonde dans le corps via la circulation, les métastases devraient être plus faciles que pour une cellule d'un carcinome qui doit s'échapper d'un épithélium. Comme nous l'avons vu au début du chapitre, il est intéressant de différencier deux grades de malignité pour les carcinomes, qui représentent les deux phases de la progression tumorale. Pendant la première phase, les cellules tumorales échappent aux confins normaux de leur épithélium parental et commencent à envahir les tissus immédiatement sous-jacents – elles deviennent loca-

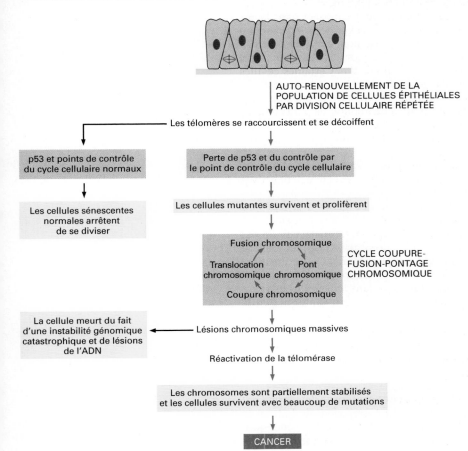

Figure 23-36 Représentation du mode par lequel le raccourcissement des télomères peut conduire à une instabilité chromosomique et à un cancer. La plupart des cellules humaines sont dépourvues de télomérase. Lorsqu'une telle cellule se divise, les télomères qui coiffent les extrémités de leurs chromosomes décroissent. Après de nombreuses divisions, les télomères deviennent si courts qu'ils cessent de fonctionner correctement et l'extrémité chromosomique mal coiffée produit un signal intracellulaire similaire à celui produit par une cassure double brin. Dans les cellules normales, qui produisent encore p53 fonctionnelle et ont leurs points de contrôle du cycle cellulaire intacts, cela déclenche l'arrêt de la division cellulaire (sénescence réplicative). Mais si, à l'intérieur d'une population cellulaire, une rare cellule a acquis une mutation dans son gène p53 ou dans ses points de contrôle du cycle cellulaire, elle peut ignorer ce signal et poursuivre sa division, entrant dans un cycle coupure-fusion-pontage qui provoque des lésions chromosomiques massives (*voir* Figure 23-33). Certaines cellules peuvent survivre à cette période de désorganisation génétique par la réactivation de leur télomérase qui stoppe ce cycle catastrophique et restaure assez de stabilité chromosomique pour la survie cellulaire. Ces cellules lésées peuvent alors continuer à accumuler des mutations supplémentaires nécessaires à la production d'un cancer.

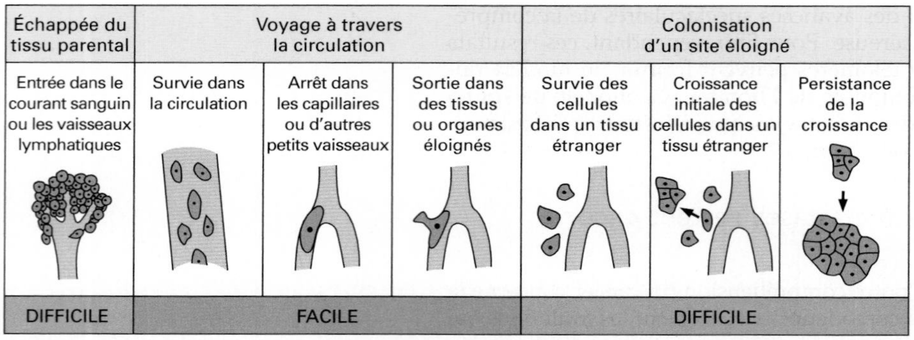

Échappée du tissu parental	Voyage à travers la circulation			Colonisation d'un site éloigné		
Entrée dans le courant sanguin ou les vaisseaux lymphatiques	Survie dans la circulation	Arrêt dans les capillaires ou d'autres petits vaisseaux	Sortie dans des tissus ou organes éloignés	Survie des cellules dans un tissu étranger	Croissance initiale des cellules dans un tissu étranger	Persistance de la croissance
DIFFICILE	**FACILE**			**DIFFICILE**		

Figure 23-37 Les barrières aux métastases. Les études des cellules tumorales marquées qui quittent un site tumoral, entrent dans la circulation et établissent des métastases montrent les étapes, dans le processus métastatique, soulignées dans la figure 23-15 qui sont difficiles ou « inefficaces », dans le sens où ce sont des étapes au cours desquelles beaucoup de cellules échouent et sont perdues. C'est au cours de ces étapes difficiles qu'on observe que les cellules hautement métastatiques présentent une bien meilleure réussite que les cellules non métastatiques. Il semble que la capacité à s'échapper des tissus parentaux et à survivre et à croître dans le tissu étranger, soient des propriétés capitales que les cellules doivent acquérir pour devenir métastatiques. (Adapté d'après A.F. Chambers et al., *Breast Cancer Res.* 2 : 400-407, 2000.)

lement envahissantes. Dans la seconde phase, elles se déplacent dans des sites éloignés et s'établissent pour former des colonies, un processus appelé *métastase*.

L'envahissement local nécessite la dégradation des mécanismes qui maintiennent normalement ensembles les cellules épithéliales. Dans certains carcinomes de l'estomac et du sein, le gène *E-cadhérine* a été identifié comme gène suppresseur de tumeur. La fonction primaire de la protéine E-cadhérine s'effectue dans l'adhésion intercellulaire, où cette protéine, incluse dans les deux membranes plasmiques adjacentes, réunit les cellules épithéliales (*voir* Figure 19-24). Lorsque les cellules tumorales, qui sont dépourvues de cette molécule d'adhésion, sont placées en culture, et qu'on leur redonne un gène *E-cadhérine* fonctionnel, elles perdent certaines de leurs caractéristiques envahissantes et commencent à présenter une cohésion assez semblable à celle des cellules normales. La perte de *E-cadhérine* peut donc favoriser le cancer en contribuant spécifiquement à l'envahissement local.

La deuxième étape de la malignité, qui implique l'entrée dans le courant sanguin ou les vaisseaux lymphatiques, le déplacement via la circulation et la colonisation de sites éloignés, reste plus énigmatique. Les cellules doivent, par exemple, traverser des barrières comme la membrane basale de l'épithélium parental et des vaisseaux sanguins. Ont-elles besoin d'acquérir des mutations supplémentaires pour pouvoir le faire ? On ne connaît pas clairement la réponse. Pour découvrir quelles sont les étapes du processus de métastase qui posent le plus de difficultés aux cellules – et donc doivent être facilitées par l'acquisition de mutations supplémentaires – on peut marquer les cellules cancéreuses par un colorant fluorescent, les injecter dans la circulation d'un animal vivant et suivre leur destinée. Dans ces expériences, beaucoup de cellules, qu'elles viennent d'une tumeur métastatique ou non, survivent dans la circulation, se logent dans les petits vaisseaux et en sortent pour aller dans les tissus avoisinants. La plus grande partie des pertes se produit ensuite. Certaines cellules meurent immédiatement ; d'autres survivent à l'entrée dans le tissu étranger mais ne peuvent s'y développer ; d'autres encore se divisent un petit nombre de fois puis arrêtent. Dans ce cas, les cellules qui sont métastase-compétentes sont plus performantes que leurs apparentées non métastatiques, ce qui suggère que la capacité à se développer dans un tissu étranger est une propriété capitale que les cellules doivent acquérir pour devenir métastatiques (Figure 23-37).

Pour découvrir les modifications qui leur confèrent un potentiel métastatique, on peut utiliser des micropuces d'ADN pour rechercher les gènes sélectivement activés dans les cellules cancéreuses devenues hautement malignes. Ces micropuces permettent à un chercheur de suivre l'expression de milliers de gènes à la fois (*voir* Figure 8-64). Une de ces études a porté sur la comparaison de cellules de mélanomes de l'homme et de la souris, sélectionnées pour leur fort potentiel métastatique par rapport à leurs contreparties peu métastatiques. Sur les douzaines de gènes environ qui semblaient sélectivement actifs dans les cellules malignes, *RhoC* – un membre d'une famille de gènes connue pour réguler la mobilité cellulaire (*voir* Chapitre 16) – montrait une augmentation répétitive de son expression dans les cellules métastatiques. L'utilisation large de ces méthodes, devenues bien plus puissantes depuis la disponibilité de la séquence du génome humain, nous donnera bientôt une image claire des modifications moléculaires qui permettent aux tumeurs de métastaser.

Les cancers colorectaux se développent lentement via une succession de modifications visibles

Au début de ce chapitre, nous avons vu que la plupart des cancers se développaient petit à petit, à partir d'une unique cellule aberrante, et progressaient de la tumeur bénigne à la tumeur maligne par l'accumulation de nombreux accidents génétiques indépendants. Nous avons vu ce qu'étaient certains de ces accidents en termes moléculaires et comment ils contribuaient au comportement cancéreux. Examinons maintenant de plus près une classe spécifique de cancers, fréquents chez l'homme, et utilisons-les pour illustrer et élargir certains principes et mécanismes moléculaires généraux que nous avons introduits et voir comment nous pouvons donner un sens à l'historique naturel de la maladie. Nous prendrons comme exemple le **cancer colorectal**, dont les étapes de la progression tumorale ont été suivies *in vivo* et attentivement étudiées au niveau moléculaire.

Les cancers colorectaux partent de l'épithélium qui tapisse le côlon et le rectum (l'extrémité inférieure du tube digestif). Ils sont fréquents, provoquent couramment plus de 60 000 morts par an aux États-Unis, soit près de 11 p. 100 de la mortalité totale par cancer. Comme la plupart des cancers, ils ne sont généralement pas diagnostiqués avant un âge avancé (90 p. 100 après l'âge de 55 ans). Cependant, l'examen de routine d'adultes normaux par coloscopie (à l'aide d'un appareil à fibres optiques qui permet l'observation de l'intérieur du côlon et du rectum) révèle souvent une petite tumeur bénigne, ou adénome, de l'épithélium digestif qui forme une masse tissulaire qui fait saillie, le polype (Figure 23-38A). On pense que ces polypes adénomateux sont les précurseurs d'une grande proportion de cancers colorectaux. Comme la progression de la maladie est généralement très lente, il s'écoule typiquement une période de 10 à 35 ans pendant laquelle il est possible de détecter cette tumeur à croissance lente sans qu'elle soit encore devenue maligne. De ce fait, lorsque les patients sont dépistés par coloscopie vers l'âge de 50 ans et que leurs polypes sont retirés – une technique chirurgicale rapide et facile – l'incidence ultérieure du cancer colorectal est très faible – selon certaines études, moins d'un quart de ce qu'elle serait autrement.

Les cancers du côlon représentent un exemple clair du phénomène de progression tumorale dont nous avons parlé. Dans les polypes inférieurs à 1 cm de diamètre, les cellules et les particularités locales de leur disposition dans l'épithélium apparaissent généralement presque normales. Plus le polype est gros, plus il risque de

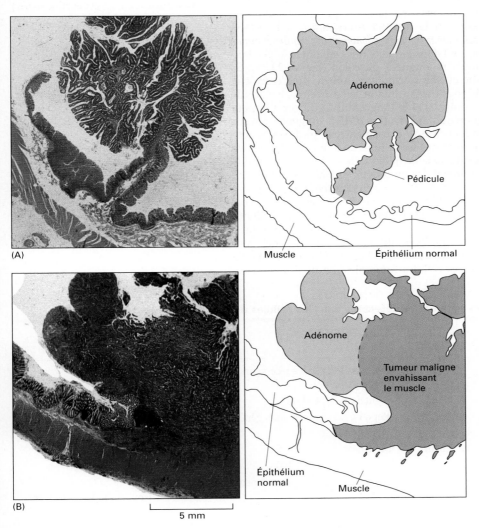

(A)

(B)

5 mm

Figure 23-38 Coupes transversales montrant les stades du développement d'un cancer typique du côlon. (A) Un polype adénomateux du côlon. Le polype fait saillie dans la lumière – l'espace à l'intérieur du côlon. Le reste de la paroi du côlon est recouvert d'un épithélium colique normal ; l'épithélium du polype apparaît légèrement anormal. (B) Un carcinome qui commence à envahir la couche musculaire sous-jacente. La figure 23-16 est une vue au fort grossissement de la région qui montre les cellules tumorales qui se développent entre les cellules musculaires. (Due à l'obligeance de Paul Edwards.)

contenir des cellules qui apparaissent anormalement indifférenciées et forment des structures d'organisation anormale. Parfois, il est possible de distinguer deux ou plusieurs secteurs à l'intérieur d'un même polype, les cellules d'un des secteurs apparaissant relativement normales, celles de l'autre apparaissent franchement cancéreuses, comme si elles formaient un sous-clone mutant à l'intérieur du clone originel des cellules adénomateuses. Aux stades plus tardifs de la maladie, les cellules tumorales deviennent envahissantes, commencent par rompre la membrane basale épithéliale, puis se disséminent à travers la couche musculaire qui entoure l'intestin (Figure 23-38B), et finalement, métastasent dans les ganglions lymphatiques, le foie, les poumons et d'autres tissus.

Quelques lésions génétiques capitales sont communes à la majorité des cas de cancers colorectaux

Quelles sont les mutations qui s'accumulent avec le temps pour produire cette chaîne d'événements ? Jusqu'à présent, parmi les gènes découverts comme étant impliqués dans les cancers colorectaux, trois – *K-Ras* (un membre de la famille des gènes *Ras*), *p53* et *APC*, un troisième gène que nous verrons ultérieurement (Tableau 23-III) – présentent souvent des mutations. D'autres sont impliqués dans un plus petit nombre de cancers du côlon. D'autres gènes critiques doivent encore être identifiés.

Une des méthodes qui a permis la découverte des mutations responsables du cancer colorectal a consisté à examiner les cellules pour rechercher des anomalies dans les gènes que l'on savait déjà impliqués dans d'autres cancers ou que l'on suspectait de l'être. Ce type de dépistage génétique a révélé que 40 p. 100 environ des cancers colorectaux comportent une mutation ponctuelle spécifique de *K-Ras*, qui l'active comme un oncogène, et que 60 p. 100 environ ont une mutation inactivatrice ou une délétion de *p53*.

Une autre méthode pour trouver les gènes critiques du cancer a consisté à suivre leur piste jusqu'à l'anomalie génétique dans les rares familles qui présentaient une prédisposition héréditaire au cancer colorectal. Le premier de ces cancers colorectaux héréditaires élucidé a été une maladie appelée la *polypose adénomateuse familiale colique* (*FAP* pour *familial adenomatous polyposis coli*) dans laquelle des centaines ou des milliers de polypes se développent sur toute la longueur du côlon (Figure 23-39). Ils apparaissent précocement à l'âge adulte et, s'ils ne sont pas retirés, un d'entre eux ou plus évolue presque inévitablement pour devenir malin ; en moyenne, il s'écoule 12 ans entre la première détection des polypes et le diagnostic de cancer. On peut remonter cette maladie jusqu'à la délétion ou l'inactivation d'*APC*, un gène situé sur le bras long du chromosome 5. Les patients à FAP présentent une mutation inactivatrice ou une délétion du gène *APC* dans toutes les cellules de leur corps. Parmi les patients à cancer colorectal qui n'ont pas de maladie héréditaire – ce qui est la grande majorité des cas – plus de 60 p. 100 présentent des mutations similaires dans les cellules cancéreuses mais pas dans celles des autres tissus ; en d'autres termes, ils ont perdu leurs deux copies du gène *APC* au cours de leur vie. De ce fait, via une voie similaire à celle que nous avons vue dans le cas du rétinoblastome, on a pu identifier la mutation de *APC* comme l'un des ingrédients au cœur du cancer colorectal.

Comme nous l'avons déjà expliqué, il est possible de dépister les gènes suppresseurs de tumeur même en l'absence de syndrome héréditaire connu, par la recherche de délétions génétiques dans les cellules tumorales. Le dépistage systé-

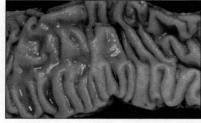

Figure 23-39 Le côlon d'un patient atteint de polypose adénomateuse familiale colique comparé à un côlon normal. (A) Le côlon polypeux est complètement recouvert de centaines de polypes qui se projettent (montrés en coupe dans la figure 23-38A), chacun ressemblant à un minuscule chou-fleur vu à l'œil nu. (B) La paroi d'un côlon normal est une surface qui ondule régulièrement mais reste lisse. (Due à l'obligeance d'Andrew Wyllie et Mark Arends.)

TABLEAU 23-III Certaines anomalies génétiques détectées dans les cellules des cancers colorectaux

GÈNE	CLASSE	VOIE ATTEINTE	TUMEURS AVEC MUTATIONS (p. 100)
K-Ras	Oncogène	Signalisation par les récepteurs à activité tyrosine-kinase	40
Caténine β	Oncogène	Signalisation par Wnt	5-10
p53	Suppresseur de tumeur	Réponse au stress/lésions génétiques	60
APC	Suppresseur de tumeur	Signalisation par Wnt	> 60
Smad4	Suppresseur de tumeur	Signalisation par TGF-β	30
Récepteur II aux TGF-β	Suppresseur de tumeur	Signalisation par TGF-β	10
MLH1 et autres gènes de réparation des mésappariements de l'ADN	Suppresseur de tumeur	Réparation des mésappariements d'ADN	15 (souvent rendus silencieux par méthylation)

matique d'un grand nombre de cancers colorectaux a révélé une perte fréquente de grandes zones de certains chromosomes, ce qui suggère que ces régions peuvent porter des gènes suppresseurs de tumeur. L'une d'entre elles est la région qui inclut *APC*. Une autre inclut le gène *Smad4* qui subit une mutation dans près de 30 p. 100 des cancers du côlon. On pense qu'il existe au moins un autre gène suppresseur de tumeur important au voisinage de *Smad4* sur le chromosome 18 mais il doit encore être identifié. Des zones spécifiques sur d'autres chromosomes montrent aussi de fréquentes pertes – ou gain – au cours des cancers colorectaux et on y recherche actuellement d'autres gènes critiques du cancer.

Avec l'amélioration de nos connaissances des gènes et de leur fonction, une autre méthode fructueuse a consisté à rechercher les gènes qui interagissent avec un gène critique du cancer connu dans l'espoir que ceux-ci soient également les cibles de mutations. On sait maintenant que la protéine APC est un composant inhibiteur de la voie de signalisation par Wnt (*voir* Chapitre 15). Elle agit en se liant sur la caténine β, un autre composant de cette voie et empêche ainsi l'activation de TCF4, une protéine régulatrice de gènes qui stimule la croissance de l'épithélium du côlon lorsqu'elle est fixée sur la caténine β. Comme nous l'avons vu au chapitre 22, la perte de TCF4 provoque une déplétion de la population de cellules souches digestives, de telle sorte que la perte de son antagoniste, APC, peut provoquer un excès de croissance par l'effet inverse. Lorsque le gène de la caténine β a été séquencé dans une collection de tumeurs colorectales, il s'est avéré que, parmi les quelques tumeurs qui ne présentaient pas de mutation d'*APC*, beaucoup avaient à la place une mutation activatrice du gène de la caténine β. De ce fait, c'est plutôt la voie de signalisation par Wnt, et non pas chaque oncogène ou gène suppresseur de tumeur qu'elle contient, qui est critique pour le cancer.

Les anomalies de la réparation des mésappariements d'ADN créent une autre voie vers les cancers colorectaux

En plus de la maladie héréditaire associée aux mutations APC, il existe une deuxième sorte de prédisposition héréditaire au carcinome du côlon largement plus fréquente, au cours de laquelle l'évolution des événements est assez différente de celle que nous avons décrite pour la FAP. Chez les patients atteints de *cancer colique héréditaire sans polypose* (*HNPCC* pour *hereditary nonpolyposis colorectal cancer*), la probabilité du cancer du côlon augmente sans qu'il y ait d'augmentation du nombre de polypes colorectaux (adénomes). De plus, les cellules cancéreuses de la tumeur qui se développe sont particulières, d'autant plus que l'examen de leurs chromosomes en microscopie révèle un caryotype normal (ou presque normal) et un nombre de chromosomes normal (ou presque normal). Par contre, la grande majorité des patients atteints de cancers colorectaux non HNPCC présentent d'importantes anomalies chromosomiques dans leurs cellules tumorales, avec de multiples translocations, délétions et autres aberrations et un nombre total de chromosomes compris entre 55 à 70, voire même plus, au lieu des 46 normaux (Figure 23-40).

Il s'est avéré que les mutations qui prédisposent un individu à HNPCC au cancer colorectal se trouvent dans un des nombreux gènes qui code pour les composants au cœur du système de réparation des mésappariements de l'ADN chez l'homme, et dont la structure et la fonction sont homologues aux gènes *mutL* et *mutS* des bactéries et des levures (*voir* Figure 5-23). Une seule copie du gène impliqué sur les deux est anormale de telle sorte que les erreurs inévitables de la réplication de l'ADN sont efficacement éliminées dans la plupart des cellules du patient. Cependant, comme nous l'avons vu précédemment avec les autres gènes suppresseurs de tumeur, ces individus sont «à risque» parce que la perte accidentelle ou l'altération de la bonne copie restante du gène augmente immédiatement par cent ou plus la vitesse de mutations spontanées (*voir* Chapitre 5). Les cellules génétiquement instables accélèrent

Figure 23-40 Les compléments chromosomiques (caryotype) des cancers du côlon montrant différents types d'instabilité génétique. (A) Le caryotype d'un cancer typique montre beaucoup d'anomalies importantes dans le nombre et la structure des chromosomes. Une variation considérable peut aussi exister de cellule à cellule. (B) Caryotype d'une tumeur qui a un complément chromosomique stable avec peu d'anomalies chromosomiques. Ses anomalies sont pratiquement invisibles, et ont été engendrées par des anomalies de la réparation des mésappariements de l'ADN. Tous les chromosomes de cette figure ont été colorés comme dans la Figure 23-12, et l'ADN de chaque chromosome normal a été coloré par différentes associations de colorants fluorescents. (Due à l'obligeance de Wael Abdel-Rahman et Paul Edwards.)

(A)

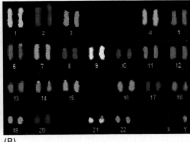

(B)

probablement les processus standard de mutation et de sélection naturelle qui permettent à des clones de cellules d'évoluer vers la malignité.

Ce type d'instabilité génétique engendre des modifications invisibles des chromosomes – en particulier des modifications de nucléotides isolés et de courtes expansions ou contractions de répétitions mono et dinucléotidiques comme AAAA… ou CACACA… Dès lors que ce phénomène a été reconnu, on a trouvé des mutations des gènes de réparation des mésappariements dans 15 p. 100 des cancers colorectaux environ se produisant chez les personnes normales, sans mutation héréditaire. Là encore, dans ces cancers, les chromosomes étaient particuliers car leur caryotype était presque normal.

De ce fait, on retrouve une instabilité génétique dans pratiquement tous les cancers colorectaux, mais elle peut être acquise au moins par deux voies très différentes. La majorité des cancers colorectaux deviennent instables du fait du réarrangement de leurs chromosomes – certains peut-être du fait du résultat combiné d'une mutation de *p53* et d'un raccourcissement des télomères, comme nous l'avons vu précédemment. D'autres ont été capables d'éviter ce type de traumatisme ; leur instabilité génétique se produit à une échelle bien plus faible, et est provoquée par une anomalie de la réparation des mésappariements de leur ADN. Le fait que beaucoup de carcinomes montrent une instabilité chromosomique ou une anomalie de la réparation des mésappariements – mais rarement les deux – démontre clairement que l'instabilité génétique n'est pas le résultat secondaire accidentel du comportement malin mais une cause qui y contribue ; c'est une propriété nécessaire à la plupart des cellules pour pouvoir devenir malignes, mais qu'elles peuvent acquérir par des voies différentes.

Il est possible de corréler les étapes de la progression tumorale à des mutations spécifiques

Au niveau de quelles séquences *K-Ras*, *p53*, *APC* et les autres gènes identifiés du cancer colorectal subissent-ils leurs mutations et quelle est la contribution de chacun d'eux au comportement final illégal de la cellule cancéreuse ? Il ne peut exister de réponse simple à cette question parce que le cancer colorectal peut avoir plusieurs origines. De ce fait, comme nous venons de le voir, dans certains cas la première mutation qui conduit au cancer peut se trouver dans un gène de réparation des mésappariements de l'ADN, et dans d'autres cas elle peut se trouver dans un gène de régulation de la croissance. Une caractéristique générale, comme l'instabilité génétique, peut apparaître de diverses manières, par des mutations dans des gènes différents.

Néanmoins, certaines suites d'événements sont particulièrement fréquentes. De ce fait, les mutations qui inactivent le gène *APC* semblent, dans la plupart des cas, être les premières ou du moins apparaître à une étape très précoce. Elles peuvent être déjà détectées dans les petits polypes bénins à la même fréquence élevée que dans les grosses tumeurs malignes. La perte d'*APC* semble augmenter, dans l'épithélium colique, la vitesse de la prolifération cellulaire par rapport à la vitesse de la perte cellulaire, sans affecter le mode de différenciation des cellules ni les particularités de l'organisation histologique qu'elles forment.

Les mutations qui activent l'oncogène *K-Ras* – un membre de la famille *Ras* – semblent apparaître un peu plus tard que celles du gène *APC* ; elles sont rares dans les petits polypes mais fréquentes dans les plus gros qui montrent des anomalies de différenciation cellulaire et d'organisation histologique. Lorsque les cellules d'un carcinome colorectal malin qui présente des mutations des gènes *Ras* sont mises en culture, elles montrent des caractéristiques typiques de cellules transformées, comme une capacité à proliférer sans s'ancrer sur un support. La perte des gènes critiques du cancer sur le chromosome 18 et les mutations de *p53* peuvent se produire encore plus tardivement. Elles sont rares dans les polypes mais fréquentes dans les carcinomes, ce qui suggère qu'elles se produisent souvent tardivement dans la séquence (Figure 23-41). Comme nous l'avons vu précédemment, on pense que la perte de la fonction de *p53* permet aux cellules anormales non seulement d'éviter l'apoptose et de se diviser, mais aussi d'accumuler des mutations supplémentaires à une vitesse rapide par leur progression dans le cycle cellulaire alors qu'elles ne sont pas adaptées pour le faire, ce qui engendre ainsi beaucoup de chromosomes anormaux.

Chaque cas de cancer est caractérisé par son propre ensemble de lésions génétiques

Comme nous l'avons vu pour le cancer colorectal, la classification traditionnelle des cancers est très simple : une unique catégorie conventionnelle des tumeurs s'avérera – lors d'un examen attentif – être une collection hétérogène de troubles avec quelques

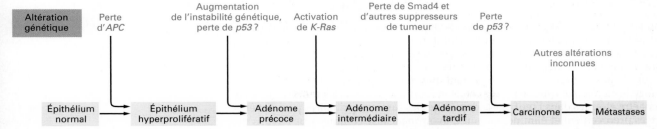

Figure 23-41 Séquence typique des modifications génétiques suggérées comme étant sous-jacentes au développement d'un carcinome colorectal. Ce schéma extrêmement simplifié fournit une idée générale du mode par lequel les mutations peuvent être adaptées au développement tumoral. Mais il existe certainement d'autres gènes mutants que nous ne connaissons pas encore et différents cancers du côlon peuvent évoluer via différentes séquences de mutations. Le débat sur la chronologie de la mutation de p53 et l'apparition de l'instabilité par rapport aux autres mutations est encore d'actualité.

caractéristiques en commun, mais chacun caractérisé par son propre ensemble de lésions génétiques (Figure 23-42). Beaucoup de types de cancers qui ont été génétiquement analysés montrent une grande gamme de lésions génétiques et un grand nombre de variations entre un cas de maladie et un autre. Dans la forme de cancer du poumon appelée cancer du poumon à petite cellule, par exemple, on trouve des mutations non seulement dans *Ras*, *p53* et *APC* mais aussi dans *Rb*, dans les membres de la famille de gènes *Myc* (sous forme d'amplification du nombre de copies du gène *Myc*) et dans au moins cinq autres proto-oncogènes et gènes suppresseurs de tumeur connus. Différentes combinaisons de mutations sont rencontrées chez différents patients et correspondent aux cancers qui réagissent différemment au traitement.

En principe, la biologie moléculaire fournit les instruments pour trouver précisément quels sont les gènes amplifiés, délétés et mutés dans les cellules tumorales de n'importe quel patient. Comme nous le verrons dans la prochaine partie de ce chapitre, ces informations seront bientôt considérées aussi importantes pour le diagnostic et le traitement des cancers qu'elles le sont pour l'identification des microorganismes chez les patients atteints de pathologie infectieuse.

Résumé

Les études sur les embryons en développement et les souris transgéniques ont aidé à révéler les fonctions de beaucoup de gènes critiques du cancer. La plupart des gènes qui présentent une mutation lors de cancer, que ce soit les oncogènes ou les gènes suppresseurs de tumeur, codent pour des composants des voies qui régulent le comportement social et prolifératif des cellules dans le corps – en particulier les mécanismes par lesquels les signaux émis par les voisines d'une cellule peuvent l'obliger à se diviser, se différencier ou mourir. D'autres gènes critiques du cancer sont impliqués dans le maintien de l'intégrité du génome et sa préservation vis-à-vis des lésions. Cependant, les modifications moléculaires qui permettent aux cancers de métastaser, à savoir s'échapper de la tumeur parentale et croître dans des tissus étrangers, restent encore largement mystérieuses.

Les virus à ADN comme les papillomavirus peuvent favoriser le développement de cancers en séquestrant les produits des gènes suppresseurs de tumeur – en particulier la protéine Rb qui régule la division cellulaire et la protéine p53 supposée agir comme un frein d'urgence de la division cellulaire dans les cellules qui ont subi des lésions génétiques et entraîner l'arrêt de la division cellulaire dans les cellules sénescentes pourvues de télomères raccourcis.

La protéine p53 joue un double rôle, et régule à la fois la progression dans le cycle cellulaire et l'initiation de l'apoptose. La perte ou l'inactivation de p53, qui se produit dans près de la moitié de l'ensemble des cancers de l'homme est donc doublement dangereuse : elle permet aux cellules génétiquement lésées et sénescentes de continuer à répliquer leur ADN, ce qui augmente les lésions, et d'échapper à l'apoptose. La perte de la fonction de p53 peut contribuer à l'instabilité génétique de nombreux cancers qui forment des métastases très importantes.

D'un point de vue général, il est possible de corréler les étapes de la progression tumorale aux mutations qui activent des oncogènes spécifiques et inactivent des gènes suppresseurs de tumeur spécifiques. Mais les différentes combinaisons de ces mutations peuvent être observées dans différentes formes de cancer et même chez des patients qui présentent nominalement la même forme de maladie, ce qui reflète le mode aléatoire par lequel les mutations se produisent. Néanmoins, on rencontre de nombreuses fois des types de lésions génétiques identiques, ce qui suggère qu'il n'existe qu'un nombre limité de voies qui permettent de rompre nos défenses vis-à-vis du cancer.

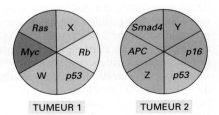

TUMEUR 1   TUMEUR 2

Figure 23-42 Chaque tumeur contient généralement un ensemble différent de lésions génétiques. Sur ce schéma, W, X, Y et Z représentent des altérations dans un gène suppresseur de tumeur ou oncogène non encore découvert. Les tumeurs qui partent de différents tissus sont généralement plus différentes du point de vue de leurs anomalies génétiques que les tumeurs de même origine.

Comment peut-on appliquer notre compréhension croissante de la biologie du cancer au combat de cette maladie ? La prévention reste toujours meilleure que la guérison et, comme nous l'avons déjà vu dans la première partie de ce chapitre, beaucoup de cancers peuvent réellement être prévenus – avant tout, en évitant l'utilisation de tabac, un risque de loin bien plus important que celui engendré par n'importe quel carcinogène connu dérivant de notre société industrielle. De plus les cancers peuvent souvent être étouffés dans l'œuf par le dépistage : les tumeurs primaires peuvent être détectées précocement et éliminées avant d'avoir métastasé comme nous l'avons vu pour le cancer du col, par exemple. Il reste beaucoup d'opportunités à une meilleure prévention et à un meilleur dépistage, et certaines utilisent de nouveaux tests moléculaires hautement sensibles. Les avancées dans ces domaines offrent probablement les perspectives les plus immédiates à la réduction substantielle du taux de mortalité d'origine cancéreuse. Mais la prévention et le dépistage ne pourront jamais être totalement efficaces. Il est sûr que les pathologies déclarées franches resteront encore fréquentes – et nécessiteront un traitement – dans les nombreuses années à venir.

La recherche de la guérison du cancer est difficile mais pas sans espoir

Guérir un cancer semble aussi difficile que de se débarrasser des mauvaises herbes. Les cellules cancéreuses peuvent être retirées chirurgicalement ou détruites par des toxiques chimiques ou des radiations ; mais il est difficile de toutes les éradiquer. La chirurgie peut rarement dénicher chaque métastase et, en général, les traitements qui tuent les cellules cancéreuses, sont toxiques aussi pour les cellules normales. Même s'il ne reste que quelques cellules cancéreuses, elles peuvent proliférer et produire une résurgence de la maladie et, contrairement aux cellules normales, elles développent souvent une résistance vis-à-vis des poisons utilisés contre elles. En dépit de ces difficultés, des médicaments anticancéreux (utilisés seuls ou associés à d'autres traitements) ont déjà permis d'obtenir des guérisons efficaces de certains cancers auparavant presque toujours mortels – en particulier le lymphome de Hodgkin, le cancer testiculaire, le choriocarcinome et certaines leucémies et autres cancers de l'enfant. Même dans des types de cancers où actuellement la guérison semble hors d'atteinte, il existe des traitements qui prolongent la vie ou, du moins, soulagent la douleur. Mais quelles sont les perspectives d'amélioration et de découverte de méthodes de guérison des formes les plus fréquentes de cancers ?

Les traitements actuels exploitent la perte du contrôle du cycle cellulaire et l'instabilité génétique des cellules cancéreuses

Les traitements anticancéreux doivent profiter de certaines propriétés des cellules cancéreuses qui les différencient des cellules normales. Une de ces propriétés est l'instabilité génétique qui résulte de la perte de l'entretien chromosomique ou des mécanismes de réparation de l'ADN. Il est remarquable de constater que la plupart des traitements anticancéreux qui existent agissent par l'exploitation de ces anomalies moléculaires, sans que les personnes qui les ont développées l'aient su. Les traitements anticancéreux traditionnels se basent surtout sur des agents – substances chimiques ou radiations ionisantes – qui lèsent l'ADN et la machinerie qui maintient l'intégrité chromosomique. Ces traitements tuent préférentiellement certains types de cellules cancéreuses parce que ces mutants présentent une baisse de leur capacité à survivre à une lésion. Les cellules normales, lorsqu'elles sont traitées par des radiations, par exemple, souffrent de lésions de leur ADN, mais arrêtent alors leur cycle cellulaire jusqu'à ce qu'elles les aient réparées (Figure 23-43). Les cellules tumorales qui présentent des anomalies à divers points de contrôle du cycle cellulaire, d'un autre côté, perdent cette capacité à arrêter leur cycle cellulaire dans ces circonstances et continuent donc de se multiplier immédiatement après l'irradiation. Presque toutes ces cellules meurent ainsi quelques jours après du fait des lésions d'ADN catastrophiques qu'elles éprouvent lorsqu'elles essayent de se diviser avec des chromosomes anormaux.

Le cancer peut développer une résistance aux traitements

Malheureusement, tandis que certaines anomalies moléculaires présentes dans les cellules cancéreuses peuvent augmenter leur sensibilité à ce type d'agents cytotoxiques, d'autres peuvent augmenter leur résistance. Par exemple, les lésions de l'ADN induisent pour la plupart une mort cellulaire par apoptose, de telle sorte que

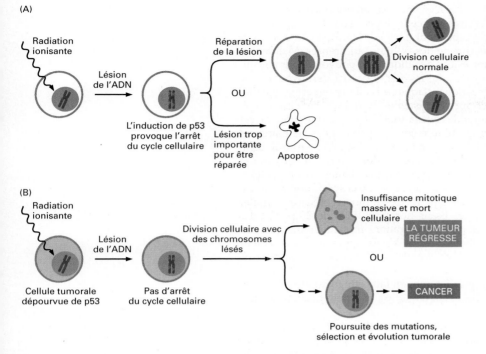

Figure 23-43 Les effets des radiations ionisantes sur les cellules normales (A) et sur les cellules cancéreuses (B). Les cellules cancéreuses ont tendance à être plus sensibles que les cellules normales aux effets lésant des radiations ionisantes parce qu'elles n'ont pas la capacité d'arrêter le cycle cellulaire et d'effectuer les réparations nécessaires. Malheureusement ces mêmes anomalies génétiques peuvent rendre certaines cellules cancéreuses résistantes aux traitements par radiations, car elles peuvent également être moins adaptées à l'activation de l'apoptose en face d'une lésion de l'ADN.

les cellules cancéreuses qui contiennent des anomalies de leur programme de mort cellulaire peuvent parfois échapper aux effets des traitements cytotoxiques. Les cellules cancéreuses présentent une réponse vis-à-vis des radiations et des différents types de médicaments cytotoxiques qui varie largement et il semble probable que cette différence reflète les types spécifiques d'anomalies qu'elles possèdent dans leurs voies de réparation de l'ADN, de contrôle du cycle cellulaire et d'apoptose.

L'instabilité génétique en elle-même peut être bonne ou mauvaise pour le traitement anticancéreux. Bien qu'elle semble constituer le talon d'Achille exploité par beaucoup de traitements conventionnels, l'instabilité génétique peut aussi rendre l'éradication du cancer plus difficile. Du fait de la mutabilité particulièrement forte de nombreuses cellules cancéreuses, les populations cellulaires tumorales les plus malignes sont hétérogènes de plusieurs points de vue, ce qui les rend difficile à cibler avec un seul type de traitement. De plus cette mutabilité permet à de nombreux cancers de développer avec une vitesse alarmante des résistances aux médicaments thérapeutiques.

Ce qui est encore pire c'est que les cellules qui sont exposées à un médicament anticancéreux développent souvent une résistance non seulement à celui-ci, mais aussi à d'autres médicaments auxquels elles n'ont jamais été exposées. Ce phénomène de résistance médicamenteuse multiple est souvent corrélé à l'amplification d'une partie du génome qui contient un gène, *Mrd1*. Ce gène code pour une ATPase de transport, liée à la membrane plasmique et qui appartient à la superfamille des transporteurs ABC (*voir* Chapitre 11). La surproduction de cette protéine ou de certains autres membres de la même famille peut éviter l'accumulation intracellulaire de certains médicaments lipophiles en les pompant à l'extérieur de la cellule. L'amplification d'autres types de gènes peut également apporter un avantage sélectif à la cellule cancéreuse : le gène d'une enzyme, la dihydrofolate réductase (DHFR), est souvent amplifié en réponse à la chimiothérapie anticancéreuse par le méthotrexate, un antagoniste de l'acide folique.

Nos connaissances sur la biologie cancéreuse peuvent engendrer de nouveaux traitements

Notre connaissance de plus en plus grande de la biologie des cellules cancéreuses et de la progression des tumeurs nous amène petit à petit à de meilleures méthodes de traitement de la maladie, et pas uniquement par le ciblage des anomalies de l'arrêt du cycle cellulaire et des processus de réparation de l'ADN. Prenons comme exemple, les antagonistes des estrogènes (comme le tamoxifène) et les substances chimiques qui bloquent la synthèse des estrogènes qui sont maintenant largement utilisés chez les patients pour la prévention ou le retard des récidives du cancer du sein (et ils sont même testés pour la prévention de l'apparition de nouveaux cancers). Ces composés anti-estrogéniques ne tuent pas directement les cellules tumorales. Néanmoins, ils améliorent les perspectives de survie du patient, probablement parce que les estrogènes sont nécessaires à la croissance de l'épithélium mammaire normal et qu'une certaine proportion des cancers du sein conserve cette dépendance hormonale.

Nos espoirs les plus grands résident cependant dans la découverte de voies plus puissantes et sélectives d'extermination directe des cellules cancéreuses. Maintenant que nous avons localisé exactement leurs lésions génétiques, ne pouvons-nous pas utiliser nos connaissances de biologie cellulaire pour les tuer ? Dans les dernières années, beaucoup de nouvelles voies aventurières pour attaquer les cellules ont été suggérées, et beaucoup se sont montrées efficaces sur les systèmes modèles – réduisant typiquement ou prévenant la croissance tumorale chez la souris. Un grand nombre de ces protocoles n'auront certainement aucune utilité médicale, parce qu'ils ne marchent pas chez l'homme, ont des effets secondaires nuisibles ou sont simplement trop difficiles à mettre en application. Mais certains semblent avoir des chances de réussir. Par exemple, certaines cellules tumorales sont hautement dépendantes d'une protéine spécifique qu'elles produisent en excès (bien qu'elle ne soit pas spécifique à ces cellules). Le blocage de l'activité de cette protéine peut être un moyen efficace de traiter le cancer s'il ne lèse pas excessivement les tissus normaux. Près de 25 p. 100 des tumeurs du sein, par exemple, expriment des concentrations particulièrement hautes en une protéine Her2, un récepteur à activité tyrosine-kinase apparenté au récepteur EGF qui joue normalement un rôle dans le développement de l'épithélium mammaire. On pourrait s'attendre donc à ce que le blocage de la fonction de Her2 ralentisse ou arrête la croissance des cancers du sein de la femme ; en fait cette méthode est actuellement testée avec certains succès dans des essais cliniques, qui utilisent comme agent bloquant un anticorps monoclonal qui reconnaît Her2.

Une autre méthode de destruction des tumeurs vise la délivrance d'un composé toxique directement dans les cellules cancéreuses par l'exploitation de protéines comme Her2, abondantes à la surface. Des anticorps contre ces protéines peuvent être armés d'une toxine ou porter une enzyme qui coupe une « pro-substance » inoffensive en une molécule toxique. Dans ce dernier cas, la molécule enzymatique peut engendrer un grand nombre de molécules toxiques. Une des vertus de cette stratégie est que la substance toxique engendrée par voie enzymatique peut alors diffuser aux cellules tumorales voisines, et augmenter les chances de les tuer aussi, même si l'anticorps ne se fixe pas directement dessus.

Des traitements peuvent être conçus pour attaquer les cellules qui manquent de p53

Les traitements ciblent tous des propriétés ou des molécules possédées par les tumeurs – mais qu'en est-il des molécules qu'elles n'ont pas ? Une des méthodes ingénieuses pour viser les cellules tumorales exploite leur perte de p53. Certains virus, y compris les papillomavirus et les adénovirus, codent pour des protéines qui se fixent sur la protéine p53 de la cellule et l'inactivent (*voir* Figure 23-35). Cela permet à ces virus de déjouer les défenses de la cellule hôte médiées par p53 et d'y répliquer librement leur propre génome. Au cours de leur style de vie lytique, les adénovirus se répliquent continuellement à l'intérieur d'une cellule sans défense qui éclate lorsque leur nombre est suffisant, ce qui tue la cellule et infecte les voisines. Un adénovirus qui ne possède pas le gène qui code pour la protéine qui bloque p53 a été construit ; ce virus anormal peut donc uniquement se répliquer dans les cellules où p53 est déjà inactivé – y compris beaucoup de types de cellules cancéreuses. Si cet adénovirus modifié est injecté dans une tumeur, on peut s'attendre à ce que ce virus se réplique et tue seulement les cellules cancéreuses dépourvues de p53, sans léser les cellules normales. Cette stratégie est également sous essais cliniques.

La privation de l'apport vasculaire dans les cellules cancéreuses peut mettre la croissance tumorale en état de choc

Une autre méthode prometteuse de destruction des tumeurs ne vise pas du tout directement les cellules cancéreuses. Comme les tumeurs nécessitent la formation de nouveaux vaisseaux sanguins pour accroître leur taille d'un millimètre, les traitements qui bloquent l'angiogenèse devraient bloquer la croissance tumorale de beaucoup de types différents de cancers. Comme nous l'avons vu au chapitre 22, la croissance de nouveaux vaisseaux nécessite des signaux locaux – les facteurs de croissance de l'angiogenèse – et l'action de ces molécules pourrait, en principe, être bloquée. Des essais cliniques avec des inhibiteurs de l'angiogenèse sont actuellement en place. Il s'avère également que les cellules endothéliales qui entrent en jeu dans ce processus de néoformation vasculaire expriment différents marqueurs cellulaires de surface, ce qui fournit une voie prometteuse par laquelle elles pourraient être attaquées sans nuire aux vaisseaux sanguins qui existent dans les tissus non cancéreux.

Il est possible de concevoir de petites molécules visant des protéines oncogènes spécifiques

Les nouveaux traitements présentés ci-dessus sont encore au stade expérimental. Pour la plupart d'entre eux, il faut encore tester leur efficacité dans la guérison des cancers de l'homme ou le ralentissement de leur progression. Les expériences passées nous ont appris à être prudents. Cependant, une réussite spectaculaire récente a engendré d'importants espoirs.

Comme nous l'avons déjà vu, la leucémie myéloïde chronique est associée, dans plus de 95 p. 100 des cas, à une translocation chromosomique particulière, visible sous forme d'une anomalie caractéristique du caryotype – le chromosome Philadelphie (*voir* Figure 23-5). Elle est la conséquence d'une coupure et d'une réunion chromosomique sur le site de deux gènes spécifiques, *Abl* et *Bcr*. La fusion de ces gènes engendre un gène hybride qui code pour une protéine chimérique composée d'un fragment N-terminal de Bcr fusionné à la portion C-terminale de Abl (Figure 23-44). Abl est une protéine tyrosine-kinase impliquée dans la signalisation cellulaire. La substitution da sa portion normale N-terminale par le fragment Bcr la rend hyperactive, de telle sorte qu'elle stimule la prolifération inappropriée des précurseurs des cellules hématopoïétiques qui la contiennent et inhibe ces cellules d'une mort par apoptose. Cela engendre un nombre excessif de globules blancs qui sont libérés dans le courant sanguin et produisent une leucémie.

La protéine chimérique Bcr-Abl est une cible évidente pour l'attaque thérapeutique. Les recherches sur des molécules chimiques synthétiques qui pourraient inhiber l'activité de cette protéine-kinase ont permis d'en découvrir une, STI-571, qui bloque Bcr-Abl (Figure 23-45). Lorsque cette molécule, renommée Gleevec, a été donnée à une série de 54 patients atteints d'une leucémie myéloïde chronique qui avait résisté aux autres traitements, tous sauf un ont présenté une réponse excellente, avec un retour à une numération leucocytaire normale, et dans certains cas l'éradication apparente des cellules porteuses du chromosome Philadelphie. Après un an de traitement, 51 patients sur les 54 du départ étaient encore en excellente condition. Les résultats n'étaient pas aussi bons chez les patients qui avaient déjà développé d'autres mutations et évolué vers la phase aiguë de la maladie, où l'instabilité génétique s'est établie et la marche de la maladie est bien plus rapide. Ces patients ont présenté une réponse au départ puis ont rechuté : leurs cellules cancéreuses étaient capables de développer une résistance au Gleevec. Néanmoins, la réussite extraordinaire du Gleevec chez les patients au stade chronique (précoce) de la maladie suffit à prouver le principe : une fois que nous comprenons précisément quelles sont les lésions génétiques qui se sont produites lors du cancer, nous pouvons commencer à concevoir des méthodes efficaces et rationnelles pour le traiter.

La compréhension de la biologie du cancer conduit à des traitements médicaux rationnels bien adaptés

Tous les progrès médicaux dépendent d'un diagnostic précis. Si on ne peut identifier correctement une maladie, on ne peut pas découvrir sa cause, prévoir son devenir, choi-

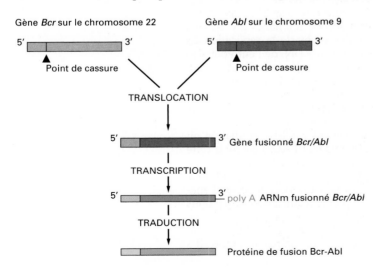

Figure 23-44 La conversion du proto-oncogène Abl en un oncogène chez les patients atteints de leucémie myéloïde chronique. La translocation chromosomique responsable réunit le gène *Bcr* du chromosome 22 au gène *Abl* du chromosome 9, et engendre ainsi le chromosome Philadelphie (*voir* Figure 23-5). La protéine de fusion résultante possède l'extrémité N-terminale de la protéine Bcr réunie à l'extrémité C-terminale de la tyrosine protéine-kinase Abl ; par conséquent, le domaine Abl-kinase devient actif de façon inappropriée, et entraîne la prolifération excessive d'un clone de cellules hématopoïétiques dans la moelle osseuse.

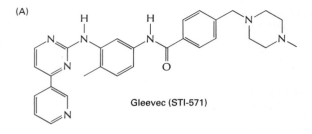

(A)

Gleevec (STI-571)

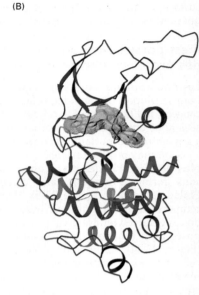

(B)

(C)

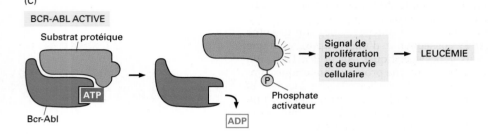

BCR-ABL ACTIVE

Substrat protéique

Bcr-Abl

ATP

ADP

Phosphate activateur

Signal de prolifération et de survie cellulaire → LEUCÉMIE

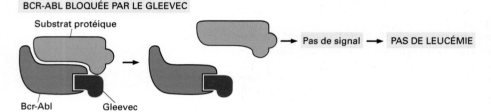

BCR-ABL BLOQUÉE PAR LE GLEEVEC

Substrat protéique

Bcr-Abl

Gleevec

Pas de signal → PAS DE LEUCÉMIE

Figure 23-45 Comment le Gleevec (STI-571) bloque l'activité de la protéine Bcr-Abl et arrête la leucémie myéloïde chronique. (A) Structure chimique du Gleevec. Ce médicament peut être administré par voie orale ; il présente des effets secondaires, généralement assez tolérables. (B) Structure du complexe Gleevec (objet *vert plein*) avec le domaine tyrosine-kinase de la protéine Abl (schématisé par un *ruban*), déterminée par cristallographie aux rayons X. (C) Le Gleevec se place dans la poche de fixation de l'ATP du domaine tyrosine-kinase de Bcr-Abl et empêche ainsi Bcr-Abl de transférer un groupement phosphate de l'ATP sur un résidu tyrosine du substrat protéique. Cela bloque la transmission vers l'avant d'un signal de prolifération cellulaire et de survie. (B, d'après T. Schindler et al., *Science* 289 : 1938-1942, 2000. © AAAS.)

sir un traitement approprié à un patient donné ni mener des essais sur une population de patients pour juger si le traitement proposé est efficace. Les cancers, comme nous l'avons vu, représentent une collection extraordinairement hétérogène de maladies. Néanmoins, les nouvelles techniques fournissent des instruments permettant d'établir un diagnostic précis et spécifique. Nous avons maintenant les moyens de caractériser chaque tumeur individuellement, au niveau moléculaire avec des détails sans précédents. Par exemple, l'utilisation des micropuces d'ADN (*voir* Chapitre 8) pour analyser les ARNm présents dans un tissu permet de déterminer simultanément les niveaux d'expression de milliers de gènes d'un seul échantillon et de les comparer aux niveaux d'expression dans les tissus témoins normaux. Chaque cas d'une forme donnée de cancer, comme le cancer du sein, possède son propre profil d'expression mais lorsque les profils de plusieurs patients sont comparés, on constate qu'ils peuvent être regroupés en un plus petit nombre de classes distinctes dont les membres partagent des caractéristiques communes. Les différentes classes de profils d'expression génique reflètent les conséquences des différents groupes de mutations oncogènes et sont corrélées aux différents pronostics et aux différentes réponses aux traitements. Nous commençons juste à découvrir ces corrélations, à les interpréter et à agir sur elles.

Avec l'augmentation de notre compréhension des mécanismes de génétique moléculaire, nous pouvons par exemple aspirer à déterminer les anomalies précises du métabolisme de l'ADN pour chaque tumeur – les altérations de la réplication de l'ADN, de la recombinaison de l'ADN, de la réparation de l'ADN, de l'entretien des chromosomes, et/ou des contrôles des points de contrôle – qui ont probablement, dans la plupart des cas, aidé les cellules à acquérir les multiples mutations nécessaires à la croissance tumorale et à son caractère envahissant. Ces anomalies devraient rendre la tumeur particulièrement vulnérable à certains types spécifiques d'attaques de son ADN et de sa machinerie d'entretien de l'ADN. L'observation que les cellules de certaines tumeurs sont tuées particulièrement facilement par leur irradiation ou leur exposition à des substances chimiques qui endommagent l'ADN conforte cette hypothèse. La conception de médicaments ciblés avec précision, qui exploitent une faiblesse particulière plus précisément que les traitements traditionnels, devrait nous permettre d'attaquer plus efficacement les cellules cancéreuses. De cette façon, l'analyse moléculaire du cancer promet de transformer le traitement anticancéreux en nous permettant d'ajuster le traitement bien plus précisément à chaque patient individuel.

La découverte des divers gènes critiques du cancer a marqué la fin d'une ère de tâtonnement à la recherche d'indices sur les fondements moléculaires du cancer. Il a été encourageant de trouver qu'il existe, après tout, certains principes généraux et que certaines anomalies génétiques capitales sont communes à de nombreuses formes de cette maladie. Mais nous sommes encore loin de comprendre complètement les cancers les plus fréquents de l'homme. Nous connaissons les séquences ADN de nombreux gènes critiques du cancer et les fonctions d'un nombre toujours plus grand d'entre eux. Il devient possible de concevoir des traitements rationnels ciblés avec précision. Mais nous avons encore besoin d'améliorer notre compréhension tout d'abord du mode d'interaction des molécules impliquées dans la direction du comportement de chaque cellule individuelle, de la sociologie des cellules dans un tissu et enfin des nombreux processus qui gouvernent la genèse et la dissémination des cellules cancéreuses par le biais des mutations et de la sélection naturelle.

Si nous regardons en arrière l'histoire de la biologie cellulaire et que nous contemplons la vitesse des récents progrès, tout espoir est permis. Ce désir de comprendre, qui entraîne la recherche fondamentale nous révélera sûrement de nouvelles voies pour utiliser notre connaissance de la cellule dans des buts humanitaires, non seulement en relation avec le cancer, mais aussi sur le plan des maladies infectieuses, des maladies mentales, de l'agriculture et d'autres domaines que nous ne pouvons guère encore prévoir.

Résumé

Notre compréhension croissante de la biologie cellulaire du cancer devrait nous conduire à de meilleurs moyens de diagnostic et de traitement de cette maladie. Il est possible de concevoir des traitements anticancéreux pour détruire préférentiellement les cellules cancéreuses en exploitant les propriétés qui les distinguent des cellules normales, y compris les anomalies qu'elles contiennent dans leurs mécanismes de réparation de l'ADN, des points de contrôle du cycle cellulaire et des voies de l'apoptose. Il est également possible d'attaquer les tumeurs par leur dépendance vis-à-vis de l'apport sanguin. Par la compréhension des mécanismes de contrôle normaux et des voies exactes qui les modifient au cours des cancers spécifiques, il devient possible de concevoir des médicaments qui ciblent avec plus de précision les cancers. Comme nous sommes de plus en plus capables de déterminer les gènes qui sont amplifiés ou bien ont subi une délétion ou une mutation dans les cellules de n'importe quelle tumeur donnée, nous pouvons commencer à adapter plus précisément les traitements à chaque patient individuel.

Bibliographie

Généralités

Brugge J, Curran T, Harlow E & McCormick F (eds) (1991) Origins of Human Cancer. Cold Spring Harbor, NY: Cold Spring Harbor Laboratory Press.

Cairns J (1978) Cancer: Science and Society. San Francisco: WH Freeman.

De Vita VT, Hellman S & Rosenberg SA (eds) (2000) Cancer: Principles and Practice of Oncology, 6th edn. Philadelphia: Lippincott, Williams and Wilkins.

Greaves M (2000) Cancer: The Evolutionary Legacy. Oxford: Oxford University Press.

Le cancer est un processus micro-évolutif

Cahill DP, Kinzler KW, Vogelstein B & Lengauer C (1999) Genetic instability and darwinian selection in tumours. Trends Cell Biol. 9, M57–M60.

Cairns J (1975) Mutation, selection and the natural history of cancer. Nature 255, 197–200.

Evan GI & Vousden KH (2001) Proliferation, cell cycle and apoptosis in cancer. Nature 411, 342–348.

Fialkow PJ (1976) Clonal origin of human tumors. Biochim. Biophys. Acta 458, 283–321.

Hanahan D & Weinberg RA (2000) The hallmarks of cancer. Cell 100, 57–70.

Kern SE (2001) Progressive genetic abnormalities in human neoplasia. In Molecular Basis of Cancer (J Mendelsohn, PM Howley, MA Israel, LA Liotta eds), 2nd edn, pp 41–70. Philadelphia: Saunders.

Klein G (1998) Foulds' dangerous idea revisited: the multistep development of tumors 40 years later. Adv. Cancer Res. 72, 1–23.

Nowell PC (1976) The clonal evolution of tumor cell populations. Science 194, 23–28.

Ruoslahti E (1996) How cancer spreads. Sci. Am. 275(3), 72–77.

Solomon E, Borrow J & Goddard AD (1991) Chromosome aberrations and cancers. Science 254, 1153–1160.

Wright WE & Shay JW (2001) Cellular senescence as a tumor-protection mechanism: The essential role of counting. Curr. Opin. Genet. Dev. 11, 98–103.

Prévention de certaines causes de cancers

Ames B, Durston WE, Yamasaki E & Lee FD (1973) Carcinogens are mutagens: a simple test system combining liver homogenates for activation and bacteria for detection. Proc. Natl. Acad. Sci. USA 70, 2281–2285.

Berenblum I (1954) A speculative review: the probable nature of promoting action and its significance in the understanding of the mechanism of carcinogenesis. Cancer Res. 14, 471–477.

Cairns J (1985) The treatment of diseases and the war against cancer. Sci. Am. 253(5), 51–59.

Doll R (1977) Strategy for detection of cancer hazards to man. Nature 265, 589–597.

Doll R & Peto R (1981) The causes of cancer: quantitative estimates of avoidable risks of cancer in the United States today. J. Natl. Cancer Inst. 66, 1191–1308.

Hsu IC, Metcalf RA, Sun T et al. (1991) Mutational hotspot in the p53 gene in human hepatocellular carcinomas. Nature 350, 427–428.

Newton R, Beral V & Weiss RA (eds) (1999) Infections and Human Cancer. Cold Spring Harbor, NY: Cold Spring Harbor Laboratory Press.

Peto J (2001) Cancer epidemiology in the last century and the next decade. Nature 411, 390–395.

Découverte des gènes critiques du cancer

Hahn SA, Schutte M, Hoque AT et al. (1996) DPC4, a candidate tumor suppressor gene at human chromosome 18q21.1. Science 271, 350–353.

Hilgers W & Kern SE (1999) Molecular genetic basis of pancreatic adeno-carcinoma. *Genes Chromosomes Cancer* 26, 1–12.

Varmus H & Weinberg RA (1993) Genes and the Biology of Cancer. New York: Scientific American Library.

Vogelstein B & Kinzler KW (eds) (1998) The Genetic Basis of Human Cancer. New York: McGraw-Hill.

Wallrapp C, Muller-Pillasch F, Micha A et al. (1999) Strategies for the detection of disease genes in pancreatic cancer. *Ann. NY Acad. Sci.* 880, 122–146.

Fondements moléculaires du comportement des cellules cancéreuses

Artandi SE & DePinho RA (2000) Mice without telomerase: what can they teach us about human cancer? *Nat. Med.* 6, 852–855.

Chambers AF, Naumov GN, Vantyghem S & Tuck AB (2000) Molecular biology of breast cancer metastasis: clinical implications of experimental studies on metastatic inefficiency. *Breast Cancer Res.* 2, 400–407.

Edwards PAW (1999) The impact of developmental biology on cancer research: an overview. *Cancer Metastasis Rev.* 18, 175–180.

Hanahan D & Weinberg RA (2000) The hallmarks of cancer. *Cell* 100, 57–70.

Karran P (1996) Microsatellite instability and DNA mismatch repair in human cancer. *Semin. Cancer Biol.* 7, 15–24.

Kinzler KW & Vogelstein B (1996) Lessons from hereditary colorectal cancer. *Cell* 87, 159–170.

Lowe SW & Lin AW (2000) Apoptosis in cancer. *Carcinogenesis* 21, 485–495.

Macleod KF & Jacks T (1999) Insights into cancer from transgenic mouse models. *J. Pathol.* 187, 43–60.

McCormick F (1999) Signaling networks that cause cancer. *Trends Cell Biol.* 9, M53–56.

Mendelsohn J, Howley PM, Israel MA & Liotta LA (eds) (2001) Molecular Basis of Cancer, 2nd edn. Philadelphia: Saunders.

Ridley A (2000) Molecular switches in metastasis. *Nature* 406, 466–467.

Vogelstein B, Lane DP & Levine AJ (2000) Surfing the p53 network. *Nature* 408, 307–310.

Weinberg RA (1995) The retinoblastoma protein and cell-cycle control. *Cell* 81, 323–330.

Traitement du cancer : présent et avenir

Baselga J & Albanell J (2001) Mechanism of action of anti-HER2 monoclonal antibodies. *Ann. Oncol.* 12, S35–41.

Druker BJ & Lydon NB (2000) Lessons learned from the development of an abl tyrosine kinase inhibitor for chronic myelogenous leukemia. *J. Clin. Invest.* 105, 3–7.

Folkman J (1996) Fighting cancer by attacking its blood supply. *Sci. Am.* 275(3), 150–154.

Golub TR, Slonim DK, Tamayo P et al. (1999) Molecular classification of cancer: class discovery and class prediction by gene expression monitoring. *Science* 286, 531–537.

Hu Z & Garen A (2001) Targeting tissue factor on tumor vascular endothelial cells and tumor cells for immunotherapy in mouse models of prostatic cancer. *Proc. Natl. Acad. Sci. USA* 98, 12180–12185.

Huang P & Oliff A (2001) Signaling pathways in apoptosis as potential targets for cancer therapy. *Trends Cell Biol.* 11, 343–348.

Kreitman RJ (1999) Immunotoxins in cancer therapy. *Curr. Opin. Immunol.* 11, 570–578.

Malpas J (1997) Chemotherapy. In Introduction to the Cellular and Molecular Biology of Cancer (LM Franks, NM Teich eds), 3rd edn, pp 343–352. Oxford: Oxford University Press.

McCormick F (2000) Interactions between adenovirus proteins and the p53 pathway: the development of ONYX-015. *Semin. Cancer Biol.* 10, 453–459.

Roninson IB, Abelson HT, Housman DE et al. (1984) Amplification of specific DNA sequences correlates with multi-drug resistance in Chinese hamster cells. *Nature* 309, 626–628.

Sidransky D (1997) Nucleic acid-based methods for the detection of cancer. *Science* 278, 1054–1059.

Waldman T, Khang Y, Dillehay L et al. (1997) Cell-cycle arrest versus cell death in cancer therapy. *Nat. Med.* 3, 1034–1036.

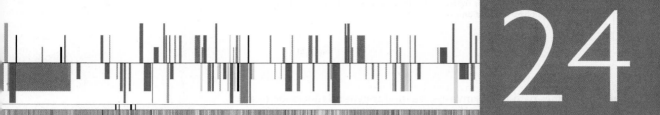

24

SYSTÈME IMMUNITAIRE ADAPTATIF OU SPÉCIFIQUE

Notre **système immunitaire adaptatif** nous sauve d'un certain nombre de décès par infection. Un enfant né avec un système immunitaire adaptatif gravement défectueux mourra rapidement sauf si des mesures extraordinaires sont prises pour l'isoler d'une multitude d'agents infectieux, dont les bactéries, les virus, les champignons et les parasites. En effet, tous les organismes multicellulaires ont besoin de se défendre eux-mêmes vis-à-vis des infections par ce type d'envahisseurs nuisibles potentiels, appelés collectivement **agents pathogènes**. Les invertébrés utilisent des stratégies relativement simples de défense qui reposent surtout sur des barrières protectrices, des molécules toxiques et des cellules phagocytaires qui ingèrent et détruisent les microorganismes envahissants (*microbes*) et les parasites plus gros (comme les vers). Les vertébrés utilisent eux aussi ce type de **réponse immunitaire innée** comme première ligne de défense (*voir* Chapitre 25), mais peuvent aussi édifier des défenses bien plus sophistiquées que l'on nomme **réponses immunitaires adaptatives** ou **spécifiques**. Les réponses innées mettent en jeu les réponses immunitaires adaptatives et toutes deux agissent ensemble pour éliminer les agents pathogènes (Figure 24-1). Contrairement aux réponses immunitaires innées, les réponses adaptatives sont hautement spécifiques de l'agent pathogène particulier qui les induit. Elles peuvent aussi fournir une protection de longue durée. Une personne qui guérit de la rougeole, par exemple, est protégée à vie de la rougeole par le système immunitaire adaptatif mais pas contre les autres virus communs qui provoquent, par exemple, les oreillons ou la varicelle. Dans ce chapitre, nous nous concentrerons surtout sur les réponses immunitaires adaptatives et, sauf si nous l'indiquons, le terme de réponse immunitaire se référera à celles-ci. Nous étudierons en détail les réponses immunitaires innées dans le chapitre 25.

La fonction des réponses immunitaires adaptatives est de détruire les agents pathogènes invasifs et toutes les molécules toxiques qu'ils produisent. Comme ces réponses sont destructrices, il est crucial qu'elles soient uniquement produites en réponse aux molécules étrangères à l'hôte et non aux molécules de l'hôte lui-même. Dans ce sens, cette capacité à distinguer ce qui est étranger de ce qui ne l'est pas est une caractéristique fondamentale du système immunitaire adaptatif. Parfois, ce système ne peut pas faire cette distinction et réagit de façon destructrice contre les propres molécules de l'hôte. Ces *maladies auto-immunes* peuvent être fatales.

Bien sûr, beaucoup de molécules étrangères qui entrent dans le corps sont inoffensives et il serait inutile et potentiellement dangereux de monter une réponse immunitaire adaptative contre elles. Les allergies comme le rhume des foins et l'asthme sont des exemples de réponses immunitaires adaptatives délétères édifiées contre des molécules étrangères apparemment inoffensives. Ces réponses inappropriées sont normalement évitées parce que le système immunitaire inné ne fait appel aux réponses immunitaires adaptatives que lorsqu'il reconnaît certaines molécules

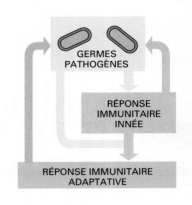

caractéristiques des germes pathogènes invasifs, les **immunostimulants associés aux pathogènes** (*voir* Chapitre 25). De plus, le système immunitaire inné peut différencier les différentes classes d'agents pathogènes et recruter les formes les plus efficaces de réponses immunitaires adaptatives pour les éliminer.

Toute substance capable d'entraîner une réponse immunitaire adaptative est appelée **antigène** (pour *antibody generator* ou générateur d'anticorps). La majeure partie de nos connaissances sur ces réponses provient d'études au cours desquelles l'expérimentateur dupe le système immunitaire adaptatif d'un animal de laboratoire (en général une souris) pour qu'il réponde à une molécule inoffensive associée à un immunostimulant (en général d'origine microbienne) appelé *adjuvant*, qui active le système immunitaire inné. Ce processus est appelé **immunisation**. Administrée ainsi, presque toute macromolécule, tant qu'elle est étrangère au receveur, peut induire une réponse immunitaire adaptative qui lui est spécifique. De façon remarquable, le système immunitaire adaptatif peut faire la différence entre des antigènes très semblables – comme deux protéines qui ne diffèrent que par un acide aminé, ou les deux isomères optiques d'une même molécule.

Les réponses immunitaires adaptatives sont assumées par des globules blancs sanguins appelés **lymphocytes**. Il existe deux grandes classes de ce type de réponse – les *réponses par les anticorps* et les *réponses immunitaires à médiation cellulaire* qui sont assumées par différentes classes de lymphocytes, les **lymphocytes B** et les **lymphocytes T** respectivement. Lors de la **réponse par anticorps**, les lymphocytes B sont activés pour sécréter des anticorps qui sont des protéines appelées *immunoglobulines*. Les anticorps circulent dans le courant sanguin et passent dans les autres liquides organiques où ils se fixent spécifiquement sur l'antigène étranger qui stimule leur production (Figure 24-2). La fixation d'un anticorps inactive les toxines virales et microbiennes (comme la toxine du tétanos ou la toxine diphtérique) par blocage de leur capacité à se fixer sur les récepteurs de la cellule hôte. La fixation des anticorps marque également les agents pathogènes invasifs pour leur destruction, et facilite en particulier leur ingestion par les cellules phagocytaires du système immunitaire inné.

Lors des **réponses immunitaires à médiation cellulaire**, la seconde classe de réponse immunitaire adaptative, les lymphocytes T activés réagissent directement contre l'antigène étranger qui leur est présenté à la surface de la cellule hôte. Les lymphocytes T par exemple, peuvent tuer une cellule hôte infectée par un virus qui présente des antigènes viraux à sa surface et éliminer ainsi la cellule infectée avant que le virus ait eu une chance de se répliquer (*voir* Figure 24-2). Dans d'autres cas, les cellules T produisent des molécules de signalisation qui activent les macrophages pour qu'ils détruisent les microbes invasifs qu'ils ont phagocytés.

Nous commencerons ce chapitre par les propriétés générales des lymphocytes. Nous verrons ensuite les caractéristiques fonctionnelles et structurelles des anticorps qui leur permettent de reconnaître et de neutraliser les microbes extracellulaires et les toxines qu'ils fabriquent. Nous verrons ensuite comment les lymphocytes B peuvent produire un nombre virtuellement illimité de molécules d'anticorps différentes. Enfin nous envisagerons les caractéristiques spécifiques des lymphocytes T et des réponses immunitaires à médiation cellulaire dont ils sont responsables. Remarquons que les lymphocytes T peuvent détecter des microbes cachés à l'intérieur des cellules hôtes et tuent alors la cellule infectée ou aident d'autres cellules à éliminer le microbe.

LYMPHOCYTES ET FONDEMENTS CELLULAIRES DE L'IMMUNITÉ ADAPTATIVE

Les lymphocytes sont responsables de la spécificité étonnante des réponses immunitaires adaptatives. Ils apparaissent en grand nombre dans le sang et la lymphe (le liquide incolore des vaisseaux lymphatiques qui relient les ganglions lymphatiques du corps les uns aux autres et au courant sanguin) et dans les **organes lymphoïdes**, comme le thymus, les ganglions lymphatiques, la rate et l'appendice (Figure 24-3).

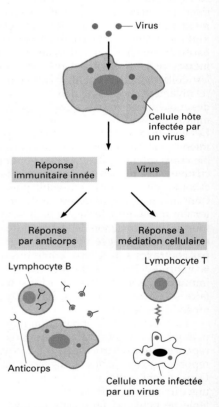

Figure 24-2 Les deux principales classes de réponses immunitaires adaptatives. Les lymphocytes assument les deux classes de réponse. Dans ce cas, les lymphocytes répondent à une infection virale. Dans une des classes de réponse, les lymphocytes B sécrètent des anticorps qui neutralisent le virus. Dans l'autre cas, la réponse à médiation cellulaire, les lymphocytes T tuent les cellules infectées par le virus.

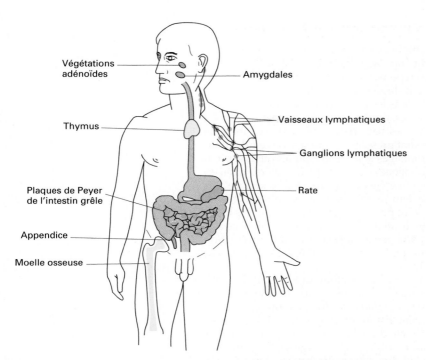

Végétations
adénoïdes

Amygdales

Thymus

Vaisseaux lymphatiques

Ganglions lymphatiques

Rate

Plaques de Peyer
de l'intestin grêle

Appendice

Moelle osseuse

Figure 24-3 Les organes lymphoïdes de l'homme. Les lymphocytes se développent dans le thymus et la moelle osseuse (*jaune*) qui sont de ce fait appelés organes lymphoïdes *primaires* (*centraux*). Les lymphocytes néoformés migrent de ces organes primaires aux organes lymphoïdes *secondaires* (*périphériques*) (*bleu*) où ils peuvent réagir avec les antigènes étrangers. Seuls quelques organes lymphoïdes périphériques et vaisseaux lymphatiques sont montrés ici ; beaucoup de lymphocytes, par exemple, se trouvent dans la peau et l'appareil respiratoire. Comme nous le verrons plus tard, les vaisseaux lymphatiques se vident pour finir dans le courant sanguin (non montré ici).

Dans cette partie du chapitre, nous étudierons les propriétés générales des lymphocytes qui s'appliquent aux lymphocytes B et T. Nous verrons que chaque lymphocyte est engagé à répondre à un antigène spécifique et que sa réponse au cours de sa première rencontre avec l'antigène assure qu'il se produira une réponse plus efficace et plus rapide lors des rencontres ultérieures avec ce même antigène. Nous verrons comment les lymphocytes évitent de répondre aux auto-antigènes et comment ils circulent continuellement entre le sang et les organes lymphoïdes : cela assure qu'un lymphocyte trouvera son antigène étranger spécifique quel que soit l'endroit où il est entré dans le corps.

Les lymphocytes sont nécessaires à l'immunité adaptative

Il y a environ 2×10^{12} lymphocytes dans le corps humain, ce qui fait que le système immunitaire est comparable, en termes de masse cellulaire, au foie ou au cerveau. En dépit de leur abondance, leur rôle central dans l'immunité adaptative n'a été démontré qu'à la fin des années 1950. Des expériences cruciales ont été menées chez des souris et des rats fortement irradiés dans le but de tuer presque tous leurs globules blancs, y compris les lymphocytes. Ce traitement rendait les animaux incapables de montrer une réponse immunitaire adaptative. Ensuite, par le transfert de divers types de cellules dans ces animaux, il a été possible de déterminer quelles étaient celles qui contrecarraient cette déficience. Seuls les lymphocytes ont permis la restauration des réponses immunitaires adaptatives de ces animaux irradiés, ce qui a indiqué que les lymphocytes étaient nécessaires à ces réponses (Figure 24-4).

Figure 24-4 Expérience classique montrant que les lymphocytes sont nécessaires aux réponses immunitaires adaptatives vis-à-vis d'antigènes étrangers. Dans toutes ces expériences de transfert cellulaire, il est important que les cellules soient transférées entre des animaux de la même souche consanguine. Les membres d'une souche consanguine sont génétiquement identiques. Si des lymphocytes sont transférés dans un animal génétiquement différent et irradié, ils réagissent contre les antigènes « étrangers » de l'hôte et peuvent tuer l'animal. Dans l'expérience montrée ici, l'injection de lymphocytes a restauré en même temps les réponses immunitaires adaptatives par les anticorps et par médiation cellulaire, ce qui indique que les lymphocytes sont nécessaires à ces deux types de réponses.

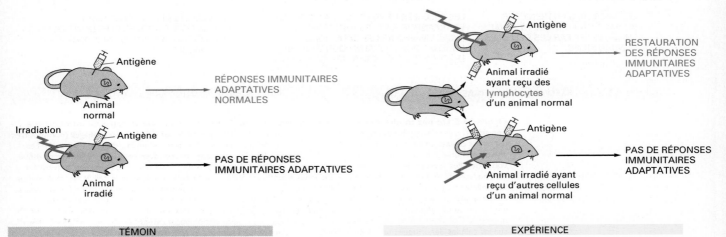

Antigène

Animal
normal

RÉPONSES IMMUNITAIRES
ADAPTATIVES
NORMALES

Irradiation

Antigène

Animal
irradié

PAS DE RÉPONSES
IMMUNITAIRES ADAPTATIVES

Antigène

Animal irradié
ayant reçu des
lymphocytes
d'un animal normal

RESTAURATION
DES RÉPONSES
IMMUNITAIRES
ADAPTATIVES

Antigène

Animal irradié ayant
reçu d'autres cellules
d'un animal normal

PAS DE RÉPONSES
IMMUNITAIRES
ADAPTATIVES

TÉMOIN

EXPÉRIENCE

Les systèmes immunitaires inné et adaptatif agissent ensemble

Comme nous l'avons déjà mentionné, les lymphocytes répondent généralement aux antigènes étrangers uniquement si le **système immunitaire inné** a d'abord été activé. Comme nous le verrons au chapitre 25, les réponses immunitaires innées vis-à-vis d'une infection sont rapides. Elles dépendent de *récepteurs PRR* (pour *pattern recognition receptor*) qui reconnaissent des motifs dans les molécules associées aux pathogènes (immunostimulants), comme l'ADN, les lipides, les polysaccharides et les protéines microbiennes qui forment les flagelles bactériens, qui sont absents dans l'organisme hôte. Certains de ces récepteurs sont présents à la surface de cellules phagocytaires professionnelles comme les macrophages et les neutrophiles où ils servent de médiateurs à l'absorption des germes pathogènes qui sont ensuite libérés dans les lysosomes pour être détruits. D'autres sont sécrétés et se fixent à la surface des germes pathogènes, ce qui les marque pour leur destruction par les phagocytes ou le système du complément. D'autres encore sont présents à la surface de divers types de cellules hôtes et activent les voies de signalisation intracellulaires en réponse à la fixation d'immunostimulants associés aux pathogènes ; cela conduit à la production de molécules de signalisation extracellulaires qui favorisent l'inflammation et aident à activer les réponses immunitaires adaptatives.

Certaines cellules du système immunitaire inné présentent directement des antigènes microbiens aux lymphocytes T pour initier la réponse immunitaire adaptative. Les cellules les plus efficaces pour ce faire sont les *cellules dendritiques,* présentes dans la plupart des tissus des vertébrés. Elles reconnaissent et phagocytent les microbes envahissants ou leurs produits au niveau du site d'infection puis migrent avec leur proie vers un organe lymphoïde périphérique voisin. Là elles agissent comme des *cellules de présentation des antigènes* qui activent directement les lymphocytes T pour répondre aux antigènes microbiens. Une fois activés, certains lymphocytes T migrent ensuite sur le site infectieux où ils aident les autres cellules phagocytaires, en particulier les macrophages, à détruire les microbes (Figure 24-5). D'autres lymphocytes T activés restent dans l'organe lymphoïde et aident les lymphocytes B à

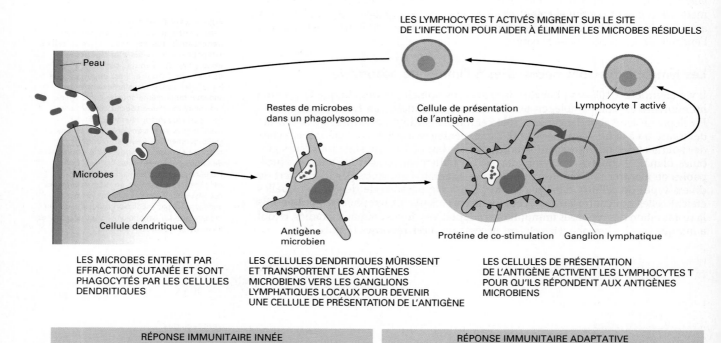

Figure 24-5 Un des modes permettant au système immunitaire inné d'activer le système immunitaire adaptatif. Les cellules phagocytaires spécifiques du système immunitaire inné, y compris les macrophages (non montrés ici) et les cellules dendritiques, ingèrent les microbes envahissants ou leurs produits au niveau du site d'infection. Les cellules dendritiques subissent une maturation et migrent dans les vaisseaux lymphatiques vers un ganglion lymphatique voisin où elles servent de cellules de présentation de l'antigène. Les cellules de présentation de l'antigène activent les lymphocytes T pour qu'ils répondent aux antigènes microbiens étalés à la surface cellulaire de la cellule de présentation. Les cellules de présentation de l'antigène présentent également des protéines spécifiques sur leur surface (les *molécules de co-stimulation*) qui aident à activer les lymphocytes T. Certains lymphocytes T activés migrent alors sur le site infectieux où ils aident soit à activer les macrophages soit à tuer les cellules infectées ce qui facilite l'élimination des microbes. Comme nous le verrons plus loin, les molécules de co-stimulation apparaissent sur les cellules dendritiques uniquement après leur maturation en réponse à des microbes invasifs.

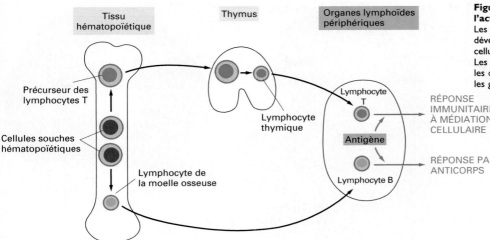

Figure 24-6 Le développement et l'activation des lymphocytes T et B. Les organes lymphoïdes centraux, où se développent les lymphocytes à partir des cellules précurseurs, sont marqués en *jaune*. Les lymphocytes répondent aux antigènes dans les organes lymphatiques périphériques comme les ganglions lymphatiques ou la rate.

répondre aux antigènes microbiens. Les lymphocytes B activés sécrètent des anticorps qui circulent dans le corps et recouvrent les microbes afin de les transformer en une cible efficacement phagocytée.

De ce fait, les réponses immunitaires innées sont activées surtout au niveau du site infectieux tandis que les réponses immunitaires adaptatives sont activées dans les organes lymphoïdes périphériques. Ces deux types de réponses agissent ensemble pour éliminer les germes pathogènes invasifs.

Les lymphocytes B se développent dans la moelle osseuse; les lymphocytes T dans le thymus

Les lymphocytes T et B tiennent leur nom de l'organe où ils se développent. Les lymphocytes T se développent dans le *thymus* et les lymphocytes B, chez les mammifères, se développent dans la *moelle osseuse (bone marrow)* de l'adulte et le foie du fœtus.

En dépit de leurs origines différentes, les lymphocytes B et T se développent à partir des mêmes *cellules souches hématopoïétiques pluripotentes* qui donnent naissance à toutes les cellules sanguines, y compris les hématies, les leucocytes et les plaquettes. Ces cellules souches (*voir* Chapitre 22) sont localisées surtout dans les tissus *hématopoïétiques* – principalement le foie du fœtus et la moelle osseuse de l'adulte. Les lymphocytes T se développent dans le thymus à partir de précurseurs cellulaires qui y ont migré depuis les tissus hématopoïétiques via le sang. Chez la plupart des mammifères, y compris l'homme et la souris, les lymphocytes B se développent à partir des cellules souches dans les tissus hématopoïétiques eux-mêmes (Figure 24-6). Comme ce sont les sites où les lymphocytes se développent à partir de leurs précurseurs cellulaires, le thymus et les tissus hématopoïétiques sont appelés **organes lymphoïdes primaires** (ou **centraux**) (*voir* Figure 24-3).

Comme nous le verrons ultérieurement, la plupart des lymphocytes meurent dans l'organe lymphoïde central peu après s'être développés sans avoir jamais fonctionné. D'autres, cependant, subissent une maturation et migrent, via le sang, vers les **organes lymphoïdes périphériques (secondaires)** – surtout les ganglions lymphatiques, la rate et les tissus lymphoïdes associés à l'épithélium dans le tube digestif, l'appareil respiratoire et la peau (*voir* Figure 24-3). Comme nous l'avons déjà dit, c'est dans les organes lymphoïdes périphériques que les lymphocytes T et les lymphocytes B réagissent avec les antigènes étrangers (*voir* Figure 24-6).

Les lymphocytes B et T deviennent morphologiquement différenciables les uns des autres seulement une fois qu'ils ont été activés par l'antigène. Les lymphocytes T et B non activés se ressemblent beaucoup, même en microscopie électronique. Ils sont tous deux petits, à peine plus gros que les hématies, et contiennent très peu de cytoplasme (Figure 24-7A). Ils sont tous les deux activés par les antigènes et prolifèrent puis subissent une maturation en *cellules effectrices*. Les lymphocytes B effecteurs sécrètent des anticorps. Dans leur forme la plus mature, appelés *plasmocytes*, ils sont remplis d'un réticulum endoplasmique rugueux étendu (Figure 24-7B). À l'opposé, les lymphocytes T effecteurs (Figure 24-7C) contiennent très peu de réticulum endoplasmique et ne sécrètent pas d'anticorps.

Il y a deux classes principales de lymphocytes T – les *lymphocytes T cytotoxiques* et les *lymphocytes T helper*. Les lymphocytes T cytotoxiques tuent les cellules infectées tandis que les lymphocytes T helper facilitent l'activation des macrophages, des lym-

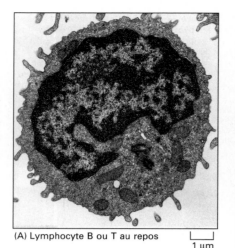

(A) Lymphocyte B ou T au repos   1 μm

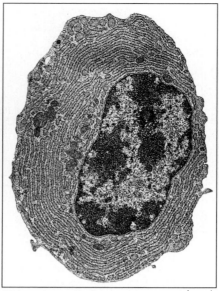

(B) Lymphocyte B effecteur (plasmocyte)   1 μm

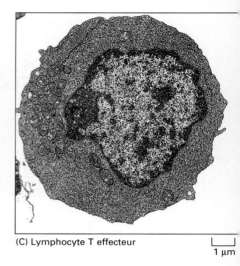

(C) Lymphocyte T effecteur   1 μm

phocytes B et des lymphocytes T cytotoxiques. Les lymphocytes T helper effecteurs sécrètent diverses protéines de signalisation, les **cytokines,** qui agissent comme des médiateurs locaux. Ils présentent également diverses protéines de co-stimulation à leur surface. Grâce à ces cytokines et ces protéines de co-stimulation liées à leur membrane, ils peuvent influencer le comportement des divers types cellulaires qu'ils aident. Les lymphocytes T cytotoxiques effecteurs tuent aussi les cellules cibles infectées au moyen de protéines qu'ils sécrètent ou qu'ils présentent à leur surface. De ce fait, tandis que les lymphocytes B peuvent agir sur de longues distances par la sécrétion d'anticorps qui sont répartis par le courant sanguin, les lymphocytes T peuvent migrer sur des sites à distance mais n'agissent que localement sur des cellules voisines.

Le système immunitaire adaptatif agit par sélection clonale

La caractéristique la plus remarquable du système immunitaire adaptatif est qu'il peut répondre à des millions d'antigènes étrangers différents d'une façon hautement spécifique. Les lymphocytes B, par exemple, fabriquent des anticorps qui réagissent spécifiquement avec l'antigène qui induit leur production. Comment les lymphocytes B produisent-ils une telle diversité d'anticorps spécifiques? Un début de réponse a émergé dans les années 1950 avec la formulation de la **théorie de sélection clonale**. Selon cette théorie, un animal engendre d'abord au hasard une grande diversité de lymphocytes puis parmi ces lymphocytes, ceux qui peuvent réagir vis-à-vis des antigènes étrangers que l'animal rencontre réellement sont spécifiquement sélectionnés pour agir. Lorsque chaque lymphocyte se développe dans un organe lymphoïde central, il est engagé à réagir avec un antigène particulier sans avoir jamais été exposé à cet antigène. Il exprime cet engagement sous forme de récepteurs cellulaires de surface spécifiquement adaptés à cet antigène. Lorsqu'un lymphocyte rencontre son antigène dans un organe lymphoïde périphérique, la fixation de l'antigène sur son récepteur active le lymphocyte et provoque à la fois sa prolifération et sa différenciation en une cellule effectrice. Un antigène stimule ainsi sélectivement les lymphocytes qui expriment des récepteurs complémentaires spécifiques et sont donc déjà engagés à lui répondre. C'est cet arrangement qui rend les réponses immunitaires adaptatives spécifiques de l'antigène.

Le terme «clonale» de la théorie de sélection clonale dérive du postulat que le système immunitaire adaptatif est formé de millions de familles différentes, ou clones, de lymphocytes, chacune composée de lymphocytes T ou B descendus d'un ancêtre commun. Chaque cellule ancestrale était déjà engagée dans la fabrication d'un récepteur protéique spécifique de l'antigène spécifique, et donc toutes les cellules d'un clone ont la même spécificité antigénique (Figure 24-8). Selon cette théorie de sélection clonale, il semble que le système immunitaire fonctionne selon le principe du «prêt-à-porter» plutôt que sur celui du «fait sur mesure».

Il y a des preuves captivantes qui soutiennent les principales doctrines de la théorie de sélection clonale. Par exemple, lorsqu'on incube, dans un tube à essai, des lym-

Figure 24-7 Photographies en microscopie électronique de lymphocytes activés et non activés. (A) Un lymphocyte au repos qui pourrait être un lymphocyte T ou un lymphocyte B, car ces cellules sont difficiles à différencier morphologiquement tant qu'elles n'ont pas été activées pour devenir des cellules effectrices. (B) Un lymphocyte B effecteur (plasmocyte). Il est rempli d'un important réticulum endoplasmique rugueux (ER) distendu par les molécules d'anticorps. (C) Un lymphocyte T effecteur qui contient relativement peu de réticulum endoplasmique rugueux mais est rempli de ribosomes libres. Notez que ces trois cellules sont montrées au même grossissement. (A, due à l'obligeance de Dorothy Zucker-Franklin; B, due à l'obligeance de Carlo Grossi; A et B, d'après D. Zucker-Franklin et al., Atlas of Blood Cells : Function and Pathology, 2nd edn. Milan, Italy : Edi. Ermes, 1988; C, due à l'obligeance de Stefanello de Petris.)

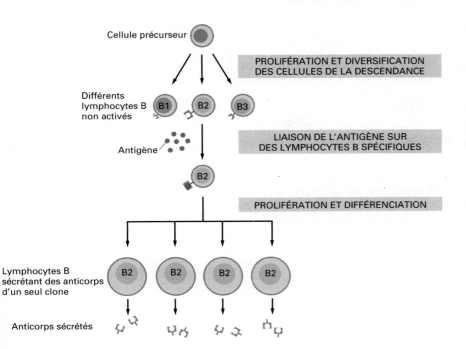

Cellule précurseur

PROLIFÉRATION ET DIVERSIFICATION
DES CELLULES DE LA DESCENDANCE

Différents
lymphocytes B
non activés

B1 B2 B3

Antigène

LIAISON DE L'ANTIGÈNE SUR
DES LYMPHOCYTES B SPÉCIFIQUES

B2

PROLIFÉRATION ET DIFFÉRENCIATION

Lymphocytes B
sécrétant des anticorps
d'un seul clone

B2 B2 B2 B2

Anticorps sécrétés

Figure 24-8 La théorie de sélection clonale. Un antigène active seulement les clones de lymphocytes (représentés ici par une seule cellule) déjà préparés («engagés») à lui répondre. Un lymphocyte engagé à répondre à un antigène spécifique expose des récepteurs cellulaires de surface qui reconnaissent spécifiquement cet antigène et toutes les cellules à l'intérieur du clone exposent le même récepteur. On pense que le système immunitaire est composé de millions de clones de lymphocytes différents. Un antigène particulier peut activer des centaines de clones différents. Bien que seuls les lymphocytes B soient montrés ici, les lymphocytes T agissent de même.

phocytes issus d'un animal qui n'a pas été immunisé avec un certain nombre d'antigènes marqués par radioactivité, seule une très petite proportion (moins de 0,01 p. 100) se fixe sur chaque antigène, ce qui suggère que quelques lymphocytes seulement sont engagés dans la réponse à cet antigène. De plus, lorsqu'un antigène est rendu tellement radioactif qu'il tue toutes les cellules qui se fixent dessus, les lymphocytes qui restent ne peuvent plus produire de réponse immunitaire contre cet antigène particulier, même s'ils peuvent encore répondre normalement à d'autres antigènes. De ce fait, les lymphocytes engagés doivent présenter des récepteurs sur leur surface qui se fixent spécifiquement sur cet antigène. Bien que la plupart des expériences de ce type impliquent les lymphocytes B et les réponses aux anticorps, d'autres expériences indiquent que les lymphocytes T, tout comme les lymphocytes B, opèrent par sélection clonale.

Comment le système immunitaire adaptatif peut-il produire des lymphocytes qui exposent collectivement une telle diversité de récepteurs, y compris ceux qui reconnaissent des molécules synthétiques qui n'apparaissent jamais dans la nature ? Nous verrons ultérieurement que les récepteurs spécifiques des antigènes situés sur les lymphocytes B et les lymphocytes T sont codés par des gènes réunis à partir d'une série de segments géniques via une forme unique de recombinaison génétique qui se produit précocement au cours du développement des lymphocytes, avant qu'ils aient rencontré des antigènes. C'est ce processus d'assemblage qui engendre l'énorme diversité de récepteurs et de lymphocytes, et permet ainsi au système immunitaire de répondre à une diversité presque illimitée d'antigènes.

La plupart des antigènes activent beaucoup de différents clones de lymphocytes

La plupart des grosses molécules, y compris virtuellement toutes les protéines et beaucoup de polysaccharides, peuvent servir d'antigènes. Les parties antigéniques qui s'associent au site de liaison à l'antigène placé sur une molécule d'anticorps ou sur un récepteur lymphocytaire sont appelées les **déterminants antigéniques** (ou *épitopes*). La plupart des antigènes présentent divers déterminants antigéniques qui peuvent stimuler la production d'anticorps, la réponse spécifique des lymphocytes T ou les deux. Certains déterminants d'un antigène produisent une plus forte réponse que d'autres, de telle sorte que les réactions qu'ils engendrent peuvent dominer la réponse globale. Ces déterminants sont dits *immunodominants*.

La diversité des lymphocytes est telle que même un seul déterminant antigénique a des chances d'activer plusieurs clones, dont chacun produit un site de liaison à l'antigène qui possède sa propre affinité caractéristique pour le déterminant. Même une structure relativement simple, comme le groupement *dinitrophényle* (DNP) de la figure 24-9, peut être «considérée» de plusieurs manières. Lorsqu'il est couplé à une protéine, comme cela est montré sur la figure, il stimule généralement la production

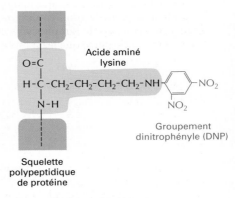

Acide aminé
lysine

O=C

H-C-CH₂-CH₂-CH₂-CH₂-NH

N-H

NO₂

NO₂

Groupement
dinitrophényle (DNP)

Squelette
polypeptidique
de protéine

Figure 24-9 Le groupement dinitrophényle (DNP). Bien qu'il soit trop petit pour induire une réponse immunitaire de son propre chef, le DNP stimule la production de centaines d'espèces différentes d'anticorps qui se fixent tous spécifiquement sur lui lorsqu'il est couplé de façon covalente à une chaîne latérale de lysine d'une protéine, comme cela est illustré ici.

de centaines d'espèces d'anticorps anti-DNP, chacun fabriqué par un clone de lymphocyte B différent. Ces réponses sont dites *polyclonales*. Lorsque seuls quelques clones sont activés, on dit que la réponse est *oligoclonale*; et lorsque la réponse implique un seul clone de lymphocyte B ou T, on dit qu'elle est *monoclonale*. Les anticorps monoclonaux sont des instruments largement utilisés en biologie et en médecine, mais ils doivent être produits d'une certaine façon (*voir* Figure 8-6), car les réponses à la plupart des antigènes sont polyclonales.

La mémoire immunologique est due à la fois à l'expansion clonale et à la différenciation lymphocytaire

Le système immunitaire adaptatif, comme le système nerveux, peut se souvenir d'expériences antérieures. C'est pourquoi nous développons une immunité qui persiste toute notre vie, vis-à-vis de beaucoup de maladies infectieuses communes après notre exposition initiale au germe pathogène et c'est pourquoi les vaccins fonctionnent. Ce même phénomène peut être démontré chez des animaux d'expérimentation. Si un animal est immunisé une fois par un antigène A, une réponse immunitaire (soit par anticorps soit par médiation cellulaire) apparaît au bout de plusieurs jours, augmente rapidement et exponentiellement puis décline plus graduellement. C'est l'évolution caractéristique de la **réponse immunitaire primaire**, qui se produit lors de la première exposition d'un animal à un antigène. Si au bout de quelques semaines, quelques mois ou même de quelques années on réinjecte l'antigène A dans l'animal, il produit généralement une **réponse immunitaire secondaire** très différente de la réponse primaire : la période de latence est plus courte et la réponse plus forte. Ces différences indiquent que l'animal s'est «souvenu» de sa première exposition à l'antigène A. Si l'animal reçoit un autre antigène (par exemple, un antigène B) au lieu d'une deuxième injection d'antigène A, la réponse est typique de la réponse immunitaire primaire et non pas secondaire. La réponse secondaire reflète donc une **mémoire immunologique** spécifique de l'antigène, pour l'antigène A (Figure 24-10).

La théorie de sélection clonale fournit une trame conceptuelle très intéressante pour la compréhension des fondements cellulaires de la mémoire immunologique. Chez un animal adulte, les organes lymphoïdes périphériques contiennent un mélange de cellules à au moins trois stades de maturation : les *lymphocytes naïfs*, les *lymphocytes effecteurs* et les *lymphocytes mémoires*. Lorsque les **lymphocytes naïfs** rencontrent un antigène pour la première fois, certains sont stimulés pour proliférer et se différencier en **lymphocytes effecteurs** qui sont activement engagés dans la formation de la réponse (les effecteurs B sécrètent des anticorps tandis que les effecteurs T tuent les cellules infectées ou aident d'autres cellules à combattre l'infection). Au lieu de devenir des lymphocytes effecteurs, certains lymphocytes naïfs stimulés se multiplient et se différencient en **lymphocytes mémoires** – lymphocytes qui ne sont pas, par eux-mêmes, engagés dans la réponse mais sont plus facilement et plus rapidement induits à devenir des lymphocytes effecteurs lors d'une rencontre ultérieure avec le même antigène. Les lymphocytes mémoires, comme les lymphocytes naïfs, donnent naissance à des lymphocytes effecteurs ou à d'autres lymphocytes mémoires (Figure 24-11).

De ce fait, la mémoire immunologique est engendrée pendant la réponse primaire en partie parce que la prolifération de lymphocytes naïfs stimulés par les antigènes engendre beaucoup de lymphocytes mémoires – un processus appelé *expansion clonale* – et en partie parce que les lymphocytes mémoires sont capables de répondre de

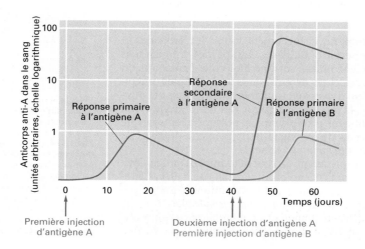

Figure 24-10 Les réponses par anticorps primaires et secondaires. La réponse secondaire induite par la deuxième exposition à l'antigène A est plus rapide et plus forte que la réponse primaire et est spécifique de A, ce qui indique que le système immunitaire adaptatif s'est spécifiquement rappelé d'avoir déjà rencontré l'antigène A. Ce même type de mémoire immunologique est observé dans les réponses à médiation cellulaire par les lymphocytes T.

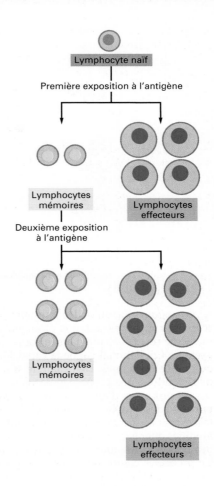

Figure 24-11 Un modèle du fondement cellulaire de la mémoire immunologique. Lorsque des lymphocytes naïfs sont stimulés par leurs antigènes spécifiques, ils prolifèrent et se différencient. La plupart deviennent des lymphocytes effecteurs qui fonctionnent puis meurent, tandis que d'autres deviennent des lymphocytes mémoires à longue durée de vie. Lors de l'exposition suivante au même antigène, les lymphocytes mémoires répondent plus facilement et rapidement que les lymphocytes naïfs ; ils prolifèrent et donnent naissance à des lymphocytes effecteurs et à d'autres lymphocytes mémoires. Dans le cas des lymphocytes T, les lymphocytes mémoires peuvent aussi se développer à partir de lymphocytes effecteurs (non montré ici).

façon plus sensible et rapide au même antigène que les lymphocytes naïfs. Et contrairement à la plupart des lymphocytes effecteurs, qui meurent en quelques jours ou semaines, les lymphocytes mémoires vivent toute la vie de l'animal, et lui fournissent ainsi une mémoire immunologique qui dure toute la vie.

La tolérance immunologique acquise assure l'absence d'attaque des antigènes non étrangers

Comme nous le verrons au chapitre 25, les cellules du système immunitaire inné reconnaissent des molécules à la surface des germes pathogènes qui ne sont pas retrouvées chez l'hôte. Le système immunitaire adaptatif a une tâche de reconnaissance bien plus difficile : il doit être capable de répondre spécifiquement à un nombre presque illimité de macromolécules étrangères tout en évitant de répondre à un grand nombre de molécules fabriquées par l'organisme hôte lui-même. Comment est-ce possible ? D'un côté les molécules non étrangères n'induisent pas les réactions immunitaires innées nécessaires à l'activation des réponses immunitaires adaptatives. Mais même lorsqu'une infection déclenche des réactions innées, les molécules non étrangères continuent normalement à ne pas induire de réponse immunitaire adaptative. Pourquoi ?

Une des réponses est que le système immunitaire adaptatif « apprend » à ne pas répondre aux antigènes non étrangers. Des expériences de transplantation fournissent un certain nombre de preuves de ce processus d'apprentissage. Lorsque des tissus sont transplantés d'un individu à l'autre, le système immunitaire du receveur reconnaît en général les cellules du donneur en tant qu'étrangères et les détruit, sauf si les deux individus sont des jumeaux identiques. (Pour des raisons que nous verrons ultérieurement, les antigènes étrangers des cellules du donneur sont si puissants qu'ils peuvent stimuler les réponses immunitaires adaptatives en l'absence d'infection ou d'adjuvant). Si, cependant, les cellules d'une souche de souris sont introduites dans un souriceau nouveau-né d'une autre souche, certaines de ces cellules survivent pendant la majeure partie de la vie de l'animal receveur et le receveur peut alors accepter une greffe du donneur d'origine, même s'il rejette des greffes d'un « troisième donneur ». Apparemment des antigènes étrangers peuvent, dans certaines circonstances, induire le système immunitaire à ne pas leur répondre spécifiquement. Cette absence de réponse spécifique à l'antigène vis-à-vis d'antigènes étrangers est appelée **tolérance immunologique acquise** (Figure 24-12).

L'absence de réponse du système immunitaire adaptatif d'un animal à ses propres macromolécules (*tolérance immunologique naturelle*) est acquise de la même manière. Les souris normales, par exemple, ne peuvent fabriquer de réponses immunitaires dirigées contre un de leurs propres composants protéiques du système du complément appelé C5 (*voir* Chapitre 25). Des souris mutantes, cependant, qui n'ont pas de gène codant pour C5 (mais sont sinon génétiquement identiques aux souris normales) peuvent fabriquer une forte réponse immunitaire vis-à-vis de cette pro-

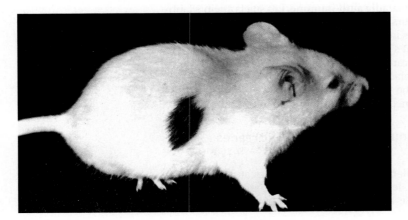

Figure 24-12 Tolérance immunologique. La greffe de peau observée ici, transplantée d'une souris adulte brune sur une souris adulte blanche, a survécu quelques semaines uniquement parce que la souris blanche, au moment de sa naissance, a reçu une injection de cellules issues de la souris brune et, donc, est devenue immunologiquement tolérante vis-à-vis d'elles. Les cellules de la souris brune persistent dans la souris blanche adulte et continuent d'induire une tolérance chez les nouveaux lymphocytes formés qui, sinon, réagiraient contre la peau brune. (Due à l'obligeance de Leslie Brent, d'après I. Roitt, *Essential Immunology*, 6th edn. Oxford, UK : Blackwell Scientific, 1988.)

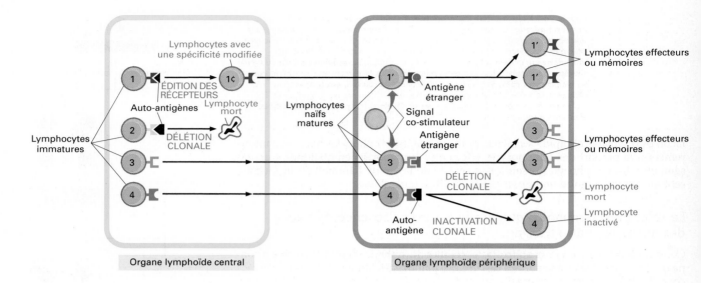

Figure 24-13 Induction d'une tolérance immunologique aux antigènes du soi (non étrangers) dans les organes lymphoïdes centraux et périphériques. Lorsqu'un lymphocyte immature fixe son propre antigène dans l'organe lymphoïde central où il est produit, il peut être amené à modifier le récepteur qu'il fabrique afin qu'il ne soit plus auto-réactif. Ce processus est appelé édition du récepteur et semble se produire uniquement dans les cellules B en développement. Alternativement, le lymphocyte peut mourir par apoptose, un processus appelé délétion clonale. Lorsqu'un lymphocyte naïf auto-réactif échappe à la tolérance dans l'organe lymphoïde central et fixe son propre antigène dans un organe lymphoïde périphérique, il peut mourir par apoptose ou être inactivé, car cette fixation se produit généralement en l'absence d'un signal co-stimulateur. Bien que cela ne soit pas montré, certains lymphocytes qui auto-réagissent survivent et sont éliminés par certains lymphocytes T régulateurs. Lorsqu'un lymphocyte naïf fixe un antigène étranger dans un organe lymphoïde périphérique en présence d'un signal co-stimulateur, sa prolifération et sa différenciation en lymphocyte effecteur ou mémoire est stimulée. Comme les microbes sont généralement responsables de l'induction de signaux co-stimulateurs, la plupart des réactions immunitaires adaptatives ne se produisent normalement qu'en réponse à des microbes.

téine sanguine lorsqu'on les immunise avec elle. La tolérance immunologique naturelle pour une molécule non étrangère particulière persiste uniquement tant que la molécule reste présente dans le corps. Si on retire cette molécule non étrangère, par exemple C5, l'animal gagne la capacité à y répondre au bout de quelques semaines ou de quelques mois. De ce fait, le système immunitaire est génétiquement capable de répondre à nos propres molécules mais apprend à ne pas le faire.

Ce processus d'apprentissage qui conduit à l'auto-tolérance peut impliquer l'élimination des lymphocytes auto-réactifs (*délétion clonale*), leur inactivation fonctionnelle (*anergie* ou *inactivation clonale*), la stimulation de cellules qui produisent des récepteurs modifiés qui ne reconnaissent plus l'auto-antigène (*édition de récepteurs*), ou l'inhibition des lymphocytes auto-réactifs par un type spécifique de lymphocytes T régulateurs. Ce processus commence dans les organes lymphoïdes centraux lorsque les lymphocytes auto-réactifs néoformés rencontrent pour la première fois leur auto-antigène. Au lieu d'être activés en fixant leurs antigènes, les lymphocytes immatures sont induits soit à altérer leurs récepteurs soit à mourir par apoptose. Les lymphocytes qui pourraient potentiellement répondre aux auto-antigènes et ne se trouvent pas dans les organes lymphoïdes centraux meurent souvent ou sont soit inactivés soit inhibés après avoir subi leur maturation et migré dans les organes lymphoïdes périphériques.

Pourquoi la fixation des antigènes non étrangers conduit-elle à une tolérance et non pas à une activation ? Comme nous le verrons ultérieurement, pour qu'un lymphocyte soit activé dans un organe lymphoïde périphérique, il doit non seulement fixer ses antigènes mais aussi recevoir un *signal co-stimulateur*. Ce dernier signal est fourni par un lymphocyte T helper dans le cas des lymphocytes B et par une cellule présentant l'antigène dans le cas des lymphocytes T. La production des signaux co-stimulateurs dépend généralement d'une exposition à des germes pathogènes, ce qui fait que le lymphocyte auto-réactif rencontre normalement son antigène en l'absence de ce signal. Sans signal co-stimulateur, l'antigène a tendance à tuer ou à inactiver le lymphocyte plutôt qu'à l'activer (Figure 24-13).

La tolérance aux antigènes non étrangers s'arrête parfois, et provoque la réaction des lymphocytes B ou T vis-à-vis des antigènes des propres tissus de l'organisme. La *myasthénie* est un exemple de ce type de **maladie auto-immune**. Les sujets atteints fabriquent des anticorps contre les récepteurs à l'acétylcholine de leurs propres cellules musculaires squelettiques. Ces anticorps interfèrent avec le fonctionnement normal de ces récepteurs de telle sorte que le sujet s'affaiblit et peut mourir parce qu'il ne peut plus respirer. On ne connaît pas le mécanisme responsable de l'arrêt de la tolérance aux antigènes non étrangers lors de maladie auto-immune. On pense cependant que l'activation du système immunitaire inné par des infections peut aider au déclenchement de certaines réponses anti-personnelles chez les sujets génétiquement sensibles.

Les lymphocytes circulent continuellement entre les organes lymphoïdes périphériques

Les germes pathogènes entrent généralement dans le corps par les surfaces épithéliales, en général à travers la peau, le tube digestif ou l'appareil respiratoire. Comment les antigènes microbiens se déplacent-ils de ces points d'entrée aux organes lymphoïdes périphériques, comme un ganglion lymphatique ou la rate, où les lymphocytes sont activés (*voir* Figure 24-6)? La voie et la destination dépendent des sites d'entrée. Les antigènes qui traversent la peau ou l'appareil respiratoire sont transportés aux ganglions lymphatiques locaux via la lymphe ; ceux qui entrent par le tube digestif se terminent dans les organes lymphoïdes périphériques associés au tube digestif comme les plaques de Peyer ; et ceux qui entrent par le sang sont filtrés dans la rate. Dans la plupart des cas, les cellules dendritiques transportent l'antigène du site d'infection aux organes lymphoïdes périphériques, où elles deviennent des cellules de présentation de l'antigène (*voir* Figure 24-5), spécialisées dans l'activation des lymphocytes T (comme nous le verrons ultérieurement).

Mais les lymphocytes qui peuvent reconnaître un antigène microbien particulier dans un organe lymphatique périphérique ne représentent qu'une minuscule fraction de la population lymphocytaire totale. Comment ces rares cellules trouvent-elles la cellule de présentation de l'antigène qui expose leurs antigènes ? Cela s'explique par le fait qu'ils circulent continuellement entre la lymphe et le sang jusqu'à ce qu'ils rencontrent leur antigène. Dans un ganglion lymphatique, par exemple, les lymphocytes quittent continuellement le courant sanguin en passant entre les cellules endothéliales spécifiques qui tapissent les petites veines appelées *veinules post-capillaires*. Après s'être infiltrés dans les ganglions, ils s'accumulent dans les petits vaisseaux lymphatiques qui quittent le ganglion et se connectent avec les autres vaisseaux lymphatiques qui traversent d'autres ganglions lymphatiques situés plus en aval (*voir* Figure 24-3). Après leur passage dans des vaisseaux de plus en plus gros, les lymphocytes finissent par entrer dans le vaisseau lymphatique principal (le *canal thoracique*) qui les ramène dans le sang (Figure 24-14). Cette recirculation continue entre le sang et la lymphe ne se termine que si le lymphocyte rencontre son antigène spécifique (et un signal co-stimulateur) à la surface d'une cellule de présentation de l'antigène dans un organe lymphoïde périphérique. Le lymphocyte reste alors dans l'organe lymphoïde périphérique où il prolifère et se différencie en lymphocytes effecteurs. Certains lymphocytes T effecteurs quittent ensuite l'organe via la lymphe et migrent à travers le sang vers le site d'infection (*voir* Figure 24-5).

La recirculation des lymphocytes dépend d'interactions spécifiques entre la surface cellulaire des lymphocytes et la surface des cellules endothéliales spécifiques qui tapissent les veinules post-capillaires dans les organes lymphoïdes périphériques. Dans le sang de nombreux types de cellules entrent en contact avec ces cellules endothéliales mais seuls les lymphocytes y adhèrent et migrent pour sortir du courant sanguin. Les lymphocytes adhèrent initialement aux cellules endothéliales via les *récepteurs homing* qui se fixent sur des ligands spécifiques (souvent appelés *contre-récepteurs*) de la surface des cellules endothéliales. La migration des lymphocytes dans les ganglions lymphatiques, par exemple, dépend d'un récepteur homing, la *L-sélectine*, un membre de la famille des sélectines des lectines cellulaires de surface, traité au chapitre 19. Cette protéine se fixe sur des groupements sucre spécifiques du contre-récepteur, qui est exclusivement exprimé à la surface de cellules endothéliales spécialisées dans les ganglions lymphatiques, et provoque une faible adhérence des lymphocytes sur les cellules endothéliales, leur permettant de rouler le long de leur surface. Ce roulement se poursuit jusqu'à ce qu'un autre système d'adhésion plus fort entre en jeu via des protéines chimio-attractives (les *chimiokines* ; *voir* plus loin) sécrétées par les cellules endothéliales. Cette forte adhésion est médiée par des membres de la famille des intégrines des molécules d'adhésion cellulaire (*voir* Chapitre 19) qui deviennent activés à la surface des lymphocytes. C'est alors que les

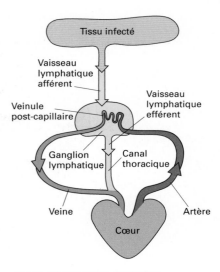

Figure 24-14 La voie suivie par les lymphocytes qui circulent continuellement entre la lymphe et le sang. La circulation à travers un ganglion lymphatique est montrée ici. Les antigènes microbiens sont transportés dans le ganglion lymphatique par les cellules dendritiques qui entrent via les vaisseaux lymphatiques afférents drainant les tissus infectés. Les lymphocytes B et T, au contraire, entrent dans le ganglion lymphatique via une artère et migrent à l'extérieur du courant sanguin par le biais des veinules post-capillaires. Tant qu'ils ne rencontrent pas leur antigène, les lymphocytes T et B quittent le ganglion lymphatique via les vaisseaux lymphatiques efférents qui finissent par rejoindre le canal thoracique. Le canal thoracique se déverse dans une grosse veine qui transporte le sang au cœur. Le cycle de circulation typique prend entre 12 et 24 heures.

Figure 24-15 La migration d'un lymphocyte qui sort du courant sanguin pour entrer dans un ganglion lymphatique. Un lymphocyte circulant adhère faiblement à la surface des cellules endothéliales spécifiques qui tapissent une veinule post-capillaire dans un ganglion lymphatique. Cette adhésion initiale est médiée par la L-sélectine à la surface du lymphocyte. Cette adhésion est suffisamment faible pour permettre aux lymphocytes de rouler le long de la surface des cellules endothéliales, poussés par le flux sanguin. Stimulés par les chimiokines sécrétées par les cellules endothéliales, les lymphocytes activent rapidement un système d'adhésion plus fort, médié par une intégrine. Cette forte adhésion permet à la cellule d'arrêter de rouler et de migrer pour sortir de la veinule entre les cellules endothéliales. La migration ultérieure du lymphocyte dans le ganglion lymphatique dépend également de chimiokines produites à l'intérieur du ganglion. La migration d'autres globules blancs à l'extérieur du courant sanguin dans les sites d'infection se produit de façon similaire.

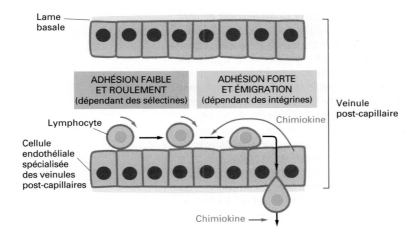

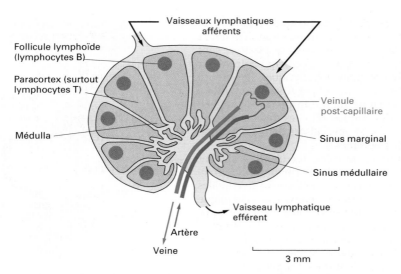

Follicule lymphoïde
(lymphocytes B)

Paracortex (surtout
lymphocytes T)

Médulla

Vaisseaux lymphatiques
afférents

Veinule
post-capillaire

Sinus marginal

Sinus médullaire

Vaisseau lymphatique
efférent

Artère

Veine

3 mm

Figure 24-16 Schéma simplifié d'un ganglion lymphatique de l'homme. Les lymphocytes B sont principalement regroupés dans une structure appelée follicule lymphoïde, alors que les lymphocytes T sont principalement retrouvés dans le paracortex. Les deux types de lymphocytes sont attirés par des chimiokines qui les font entrer dans le ganglion lymphatique à partir du sang via les veinules post-capillaires. Ils migrent alors vers leurs zones respectives, attirés par différentes chimiokines. S'ils ne rencontrent pas leur antigène spécifique, les lymphocytes T et B entrent alors dans les sinus médullaires et quittent le ganglion via le vaisseau lymphatique efférent. Ce vaisseau finit par se jeter dans le courant sanguin et permet aux lymphocytes de recommencer un autre cycle de circulation à travers un organe lymphoïde secondaire (*voir* Figure 24-14).

lymphocytes cessent de rouler et migrent à l'extérieur du vaisseau sanguin pour entrer dans le ganglion lymphatique (Figure 24-15).

Les **chimiokines** sont de petites protéines sécrétées, de charge positive, qui jouent un rôle central dans le guidage de la migration de divers types de leucocytes. Elles sont structurellement apparentées et se fixent à la surface des cellules endothéliales et aux protéoglycanes de charge négative de la matrice extracellulaire dans les organes. Lorsqu'elles se fixent sur les récepteurs couplés aux protéines G (*voir* Chapitre 15) à la surface de cellules sanguines spécifiques, les chimiokines attirent ces cellules issues du courant sanguin dans un organe, les guident dans certaines localisations spécifiques à l'intérieur de l'organe puis facilitent l'arrêt de la migration. [Le virus du SIDA (VIH) se fixe aussi sur les récepteurs des chimiokines, ce qui lui permet d'infecter les leucocytes.] Les lymphocytes B et T entrent initialement dans la même région d'un ganglion lymphatique mais sont ensuite attirés par différentes chimiokines dans des régions séparées du ganglion – les lymphocytes T vers le *paracortex* et les lymphocytes B vers les *follicules lymphoïdes* (Figure 24-16). Tant qu'ils ne rencontrent pas leur antigène, ces deux types de lymphocytes quittent rapidement le ganglion lymphatique via les vaisseaux lymphatiques. S'ils rencontrent leur antigène, cependant, ils restent dans le ganglion, prolifèrent et se différencient soit en lymphocyte effecteur soit en lymphocyte mémoire. La plupart des lymphocytes effecteurs quittent le ganglion et expriment différents récepteurs aux chimiokines qui facilitent leur guidage vers leur nouvelle destination – les lymphocytes T vers les sites d'infection et les lymphocytes B vers la moelle osseuse.

Résumé

Les réponses immunitaires innées sont déclenchées au niveau des sites d'infection par des molécules spécifiques des microbes associées aux germes pathogènes invasifs. En plus de combattre directement l'infection, ces réponses facilitent l'activation des réponses immunitaires adaptatives dans les organes lymphoïdes périphériques. Contrairement aux réponses immunitaires innées, les réponses adaptatives fournissent une protection spécifique et de longue durée contre le germe pathogène particulier qui les induit.

Le système immunitaire adaptatif est composé de millions de clones de lymphocytes et, dans chaque clone, les cellules ont en commun un unique récepteur cellulaire de surface qui leur permet de se fixer sur un antigène spécifique. La fixation d'un antigène sur ces récepteurs, cependant, ne suffit généralement pas pour stimuler la prolifération d'un lymphocyte et sa différenciation en un lymphocyte effecteur qui peut faciliter l'élimination du germe pathogène. Il faut également des signaux co-stimulateurs fournis par une autre cellule spécialisée dans un organe lymphoïde périphérique. Les lymphocytes T helper fournissent ces signaux pour les lymphocytes B tandis que les cellules dendritiques de présentation de l'antigène les fournissent généralement pour les lymphocytes T. Les lymphocytes B effecteurs sécrètent des anticorps, qui peuvent agir sur de longues distances pour faciliter l'élimination des germes pathogènes extracellulaires et de leurs toxines. Une partie de la réponse immunitaire adaptative consiste en la prolifération et la différenciation de certains lymphocytes en lymphocytes mémoires à mêmes de répondre plus vite et plus efficacement à une deuxième attaque par le même pathogène. Les lymphocytes qui devraient réagir contre les molécules non étrangères sont induits à modifier leurs récepteurs, ou à se tuer eux-mêmes, ou sont inactivés, ou enfin inhibés afin que le système immunitaire adap-

tatif ne réagisse normalement que vis-à-vis des antigènes étrangers. Les lymphocytes T et B circulent de façon continue entre le sang et la lymphe. Ce n'est que s'ils rencontrent leurs antigènes étrangers spécifiques dans un organe lymphoïde spécifique qu'ils cessent de migrer, prolifèrent et se différencient en lymphocytes effecteurs ou lymphocytes mémoires.

LYMPHOCYTES B ET ANTICORPS

Les vertébrés meurent inévitablement d'infection s'ils sont incapables de fabriquer des anticorps. Les anticorps nous défendent des infections en se fixant sur les virus et les toxines microbiennes pour les inactiver (*voir* Figure 24-2). La fixation des anticorps sur les germes pathogènes invasifs recrute aussi divers types de globules blancs ainsi qu'un système de protéines sanguines, appelées collectivement *complément* (*voir* Chapitre 25). Les leucocytes et les composants activés du complément agissent ensemble pour attaquer les envahisseurs.

Synthétisés exclusivement par les lymphocytes B, les anticorps sont produits sous des milliards de formes, dont chacune a une séquence en acides aminés différente et un site différent de fixation sur l'antigène. Collectivement appelés **immunoglobulines** (abréviation **Ig**), ils font partie des composants protéiques les plus abondants du sang et constituent environ 20 p. 100 du poids des protéines plasmatiques totales. Les mammifères fabriquent cinq classes d'anticorps, dont chacune effectue la médiation d'une réponse biologique caractéristique après la fixation des antigènes. Dans cette partie du chapitre, nous verrons la structure et la fonction des anticorps et comment ils interagissent avec les antigènes.

Les lymphocytes B fabriquent à la fois des anticorps qui sont des récepteurs cellulaires de surface et des anticorps sécrétés

Comme annoncé par la théorie de sélection clonale, toutes les molécules d'anticorps fabriquées par chaque lymphocyte B ont le même site de fixation à l'antigène. Les premiers anticorps fabriqués par un lymphocyte néoformé ne sont pas sécrétés. Par contre, ils sont insérés dans la membrane plasmique où ils servent de récepteur aux antigènes. Chaque lymphocyte B a approximativement 10^5 récepteurs de ce type dans sa membrane plasmique. Comme nous le verrons ultérieurement, chacun de ces récepteurs est associé de façon stable à un complexe de protéines transmembranaires qui activent des voies de signalisation intracellulaires lorsque l'antigène se fixe sur son récepteur.

Chaque lymphocyte B produit une seule espèce d'anticorps, chacun doté d'un site unique de fixation à l'antigène. Lorsqu'un lymphocyte B naïf ou mémoire est activé par un antigène (à l'aide d'un lymphocyte T helper), il prolifère et se différencie en un lymphocyte effecteur sécrétant un anticorps. Ces cellules fabriquent et sécrètent une grande quantité d'anticorps solubles (plutôt que liés à la membrane), qui ont le même site spécifique de fixation à l'antigène que l'anticorps cellulaire de surface qui a servi auparavant de récepteur antigénique (Figure 24-17). Les lymphocytes B effecteurs peuvent commencer à sécréter des anticorps alors qu'ils sont encore de petits lymphocytes mais le stade final de leur voie de maturation est le plasmocyte, de plus grande taille (*voir* Figure 24-7B), qui sécrète continuellement des anticorps à la vitesse étonnante de 2 000 molécules environ par seconde. Les plasmocytes semblent avoir tellement engagé leur machinerie de synthèse protéique dans la fabrication des anticorps qu'ils sont incapables de poursuivre leur croissance et se diviser. Bien que beaucoup meurent au bout de plusieurs jours, certains survivent dans la moelle osseuse pendant des mois ou des années et continuent de sécréter des anticorps dans le sang.

Un anticorps typique possède deux sites identiques de liaison à l'antigène

Les anticorps les plus simples sont des molécules en forme de Y pourvues de deux sites identiques de liaison à l'antigène, un à l'extrémité de chaque bras du Y (Figure 24-18). Du fait de leurs deux sites de liaison à l'antigène, ils sont décrits comme *bivalents*. Tant qu'un antigène possède trois déterminants antigéniques ou plus, les molécules d'anticorps bivalents peuvent se réunir par liaison pour former un gros treillis (Figure 24-19). Ce treillis peut rapidement être phagocyté et dégradé par les macrophages. L'efficacité de la liaison à l'antigène et de la formation de liaisons croisées avec lui est fortement accrue par la présence d'une *région charnière* flexible dans la plupart des anticorps, qui permet de faire varier la distance entre les deux sites de liaison à l'antigène (Figure 24-20).

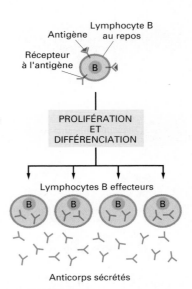

Figure 27-17 Activation des lymphocytes B. Lorsque des lymphocytes B naïfs ou mémoires sont activés par un antigène (et par des lymphocytes T helper, non montrés ici) ils prolifèrent et se différencient en lymphocytes effecteurs. Les lymphocytes effecteurs produisent et sécrètent des anticorps qui ont un site spécifique de fixation à l'antigène identique à celui de l'anticorps lié à la membrane d'origine et qui sert de récepteur à l'antigènes.

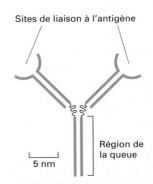

Figurez 24-18 Représentation simplifiée d'une molécule d'anticorps. Notez que ses deux sites de liaison à l'antigène sont identiques.

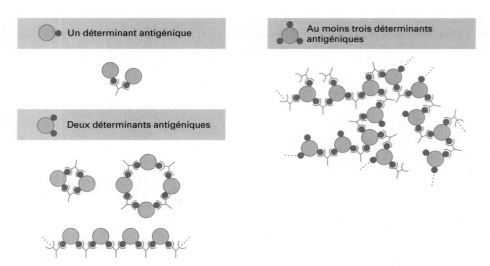

Un déterminant antigénique

Au moins trois déterminants antigéniques

Deux déterminants antigéniques

Figure 24-19 Interactions anticorps-antigène. Comme les anticorps ont deux sites identiques de liaison à l'antigène, ils peuvent relier des antigènes. Les types de complexes anticorps-antigènes qui se forment dépendent du nombre de déterminants antigéniques sur l'antigène. Dans le cas présent, une seule espèce d'anticorps (un anticorps monoclonal) est montrée se fixant sur des antigènes contenant une, deux ou trois copies d'un seul type de déterminant antigénique. Les antigènes avec deux déterminants antigéniques peuvent former de petits complexes cycliques ou des chaînes linéaires avec les anticorps, tandis que les antigènes qui ont trois ou plusieurs déterminants antigéniques peuvent former de gros treillis tridimensionnels qui précipitent facilement lorsqu'ils ne sont pas en solution. La plupart des antigènes ont plusieurs déterminants antigéniques différents (*voir* Figure 24-29A) et les différents anticorps qui reconnaissent les différents déterminants peuvent coopérer et relier les antigènes entre eux (non montré ici).

L'effet protecteur des anticorps n'est pas simplement dû à leur capacité à fixer un antigène. Ils sont engagés dans diverses activités médiées par la queue de la molécule en Y. Comme nous le verrons ultérieurement, des anticorps qui possèdent les mêmes sites de liaison aux antigènes peuvent avoir une queue différente parmi les quelques qui existent. Chaque type de queue donne à l'anticorps des propriétés fonctionnelles différentes comme la capacité à activer le système du complément, à se fixer sur des cellules phagocytaires ou à traverser le placenta de la mère pour aller au fœtus.

Une molécule d'anticorps est composée de chaînes légères et de chaînes lourdes

L'unité structurelle fondamentale d'une molécule d'anticorps est composée de quatre chaînes polypeptidiques, deux **chaînes légères** identiques (**L** pour *light*) (de 220 acides aminés environ chacune) et deux **chaînes lourdes** identiques (**H** pour *heavy*) (en général de 440 acides aminés environ). Les quatre chaînes sont maintenues ensemble par l'association de liaisons covalentes (disulfure) et non covalentes. La molécule est composée de deux moitiés identiques, chacune ayant le même site de liaison à l'antigène. Les deux chaînes légères et les deux chaînes lourdes coopèrent généralement pour former la surface de liaison à l'antigène (Figure 24-21).

Il existe cinq classes de chaînes lourdes, qui ont chacune des propriétés biologiques différentes

Chez les mammifères, il existe cinq *classes* d'anticorps, IgA, IgD, IgE, IgG et IgM, qui ont chacune leur propre classe de chaînes lourdes – respectivement α, δ, ε, γ et μ. Les molécules d'IgA ont des chaînes α, les molécules d'IgG ont des chaînes γ et ainsi de suite. De plus, il existe un certain nombre de sous-classes d'immunoglobulines IgG et IgA ; par exemple, il y a quatre sous-classes d'IgG chez l'homme (IgG1, IgG2, IgG3 et IgG4), qui ont respectivement les chaînes lourdes γ_1, γ_2, γ_3 et γ_4. Les diverses chaînes lourdes modifient la conformation des régions charnière et de queue de l'anticorps de telle sorte que chaque classe (et sous-classe) a des propriétés caractéristiques.

L'**IgM**, qui a une chaîne lourde μ, est toujours la première classe d'anticorps fabriquée par un lymphocyte B en développement, bien que beaucoup de lymphocytes B finissent par passer à la fabrication d'autres classes d'anticorps (*voir* plus loin). Le pré-

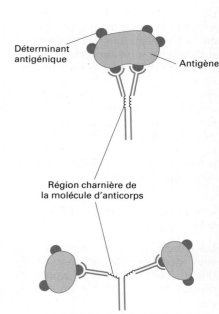

Déterminant antigénique

Antigène

Région charnière de la molécule d'anticorps

Figure 24-20 Région charnière d'une molécule d'anticorps. En raison de sa flexibilité, la région charnière améliore l'efficacité de la fixation de l'antigène et des liaisons croisées.

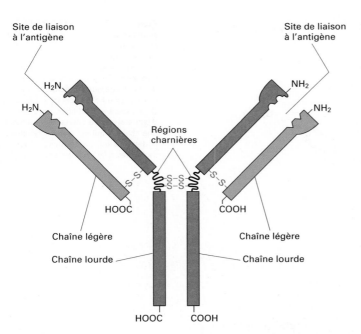

Figure 24-21 Schéma d'une molécule d'anticorps typique. Elle est composée de quatre chaînes polypeptidiques – deux chaînes lourdes identiques et deux chaînes légères identiques. Les deux sites de liaison à l'antigène sont identiques, chacun formé par la région N-terminale d'une chaîne légère et la région N-terminale d'une chaîne lourde. La queue (Fc) et la région charnière sont formées toutes deux par les deux chaînes lourdes.

curseur immédiat d'un lymphocyte B, le **pré-lymphocyte B**, fabrique initialement des chaînes μ qui s'associent à des *chaînes légères de substitution* (qui se substituent aux véritables chaînes légères) et s'insèrent dans la membrane plasmique. Les complexes de chaînes μ et de chaînes légères de substitution sont nécessaires pour que la cellule évolue au stade suivant de son développement, où elle fabrique les véritables chaînes légères. Les chaînes légères s'associent aux chaînes μ et remplacent les chaînes légères de substitution, pour former des molécules d'IgM à quatre chaînes (chacune avec deux chaînes μ et deux chaînes légères). Ces molécules s'insèrent alors dans la membrane plasmique, où elles fonctionnent comme récepteur des antigènes. À ce moment, la cellule est appelée *lymphocyte B naïf immature*. Après avoir quitté la moelle osseuse, ce lymphocyte commence à produire également des molécules d'**IgD** à la surface de la cellule, qui possèdent le même site de liaison à l'antigène que les molécules d'IgM. Il est maintenant appelé *lymphocyte B naïf mature*. C'est cette cellule qui peut répondre aux antigènes étrangers dans les organes lymphoïdes périphériques (Figure 24-22).

L'IgM n'est pas seulement la première classe d'anticorps à apparaître à la surface d'un lymphocyte B en développement. C'est aussi la classe majeure qui est sécrétée dans le sang pendant les stades précoces de la *réponse primaire* par anticorps, lors de la première exposition à un antigène. (Contrairement aux IgM, les molécules d'IgD ne sont sécrétées qu'en petite quantité et semblent fonctionner surtout comme des récepteurs cellulaires de surface pour un antigène.) Sous sa forme sécrétée, l'IgM est un pentamère composé de cinq sous-unités à quatre chaînes, ce qui donne un total de 10 sites de liaison antigéniques. Chaque pentamère contient une copie d'une autre chaîne polypeptidique, la *chaîne J* (pour *joining* ou union). La chaîne J est produite par les lymphocytes qui sécrètent les IgM et est insérée de façon covalente entre deux queues adjacentes (Figure 24-23).

La fixation d'un antigène sur une seule molécule d'IgM pentamérique sécrétée peut activer le système du complément. Comme nous le verrons au chapitre 25, lorsque l'antigène est à la surface d'un germe pathogène invasif, cette activation du complément peut soit marquer le germe pathogène pour sa phagocytose, soit le tuer directement.

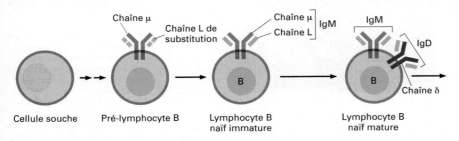

Figure 24-22 Les principaux stades du développement des lymphocytes B. Toutes les étapes se produisent indépendamment des antigènes. Lorsqu'ils sont activés par leurs antigènes spécifiques étrangers et les lymphocytes T helper dans les organes lymphoïdes périphériques, les lymphocytes B matures naïfs prolifèrent et se différencient en lymphocytes B effecteurs ou mémoires (non montré ici).

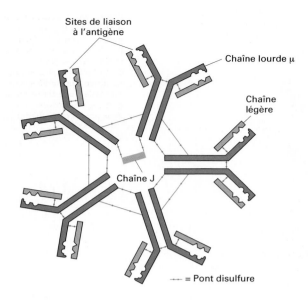

Sites de liaison
à l'antigène

Chaîne lourde μ

Chaîne
légère

Chaîne J

--- = Pont disulfure

Figure 24-23 Molécule d'IgM pentamérique. Les cinq sous-unités sont maintenues ensemble par des ponts disulfure (*rouge*). Une seule chaîne J, qui a une structure similaire à celle d'un seul domaine Ig (traité ultérieurement), est reliée par des ponts disulfure aux queues de deux chaînes lourdes μ. La chaîne J est nécessaire à la formation du pentamère. L'addition de chaque sous-unité d'IgM aux quatre autres chaînes, nécessite une chaîne J qui est ensuite éliminée, sauf la dernière qui est conservée. Notez que les molécules d'IgM n'ont pas de région charnière.

La principale classe d'immunoglobulines dans le sang est l'**IgG**, qui est un monomère à quatre chaînes produit en grandes quantités pendant les réponses immunitaires *secondaires*. En plus d'activer le complément, la queue d'une molécule d'IgG se fixe sur des récepteurs spécifiques des macrophages et des neutrophiles. En grande partie grâce à leurs **récepteurs Fc** (appelés ainsi parce que la queue d'un anticorps est appelée région *Fc*), ces cellules phagocytaires se fixent, ingèrent et détruisent les microorganismes infectants recouverts d'anticorps IgG en réponse à l'infection (Figure 24-24).

Les molécules d'IgG sont les seuls anticorps qui peuvent passer de la mère au fœtus via le placenta. Les cellules du placenta, qui sont en contact avec le sang maternel, possèdent des récepteurs Fc qui se fixent sur les molécules d'IgG transportées par le sang et dirigent leur passage vers le fœtus. Les molécules d'anticorps fixées sur les récepteurs sont d'abord absorbées dans les cellules placentaires via une endocy-

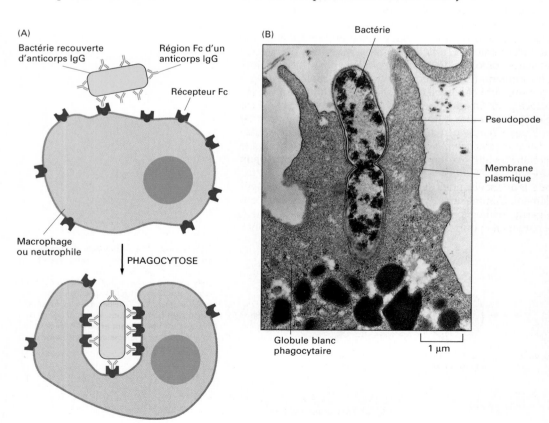

(A)

Bactérie recouverte
d'anticorps IgG

Région Fc d'un
anticorps IgG

Récepteur Fc

Macrophage
ou neutrophile

PHAGOCYTOSE

(B)

Bactérie

Pseudopode

Membrane
plasmique

Globule blanc
phagocytaire

1 μm

Figure 24-24 Phagocytose activée par les anticorps.
(A) Une bactérie recouverte d'anticorps IgG est efficacement phagocytée par un macrophage ou un neutrophile qui a un récepteur cellulaire de surface qui se fixe sur la queue (Fc) des molécules d'IgG. La fixation de la bactérie recouverte d'anticorps sur ces récepteurs Fc active le processus phagocytaire. La queue d'une molécule d'anticorps est appelée région Fc parce que, lorsque les anticorps sont coupés par une enzyme protéolytique, la papaïne, les fragments qui contiennent la queue cristallisent facilement.
(B) Une photographie en microscopie électronique d'un neutrophile qui phagocyte une bactérie recouverte d'IgG, en train de se diviser. (B, due à l'obligeance de Dorothy F. Bainton, d'après R.C. Williams, Jr. et H.H. Fudenberg, Phagocytic Mechanisms in Health and Disease. New York : Intercontinental Book Corporation, 1971.)

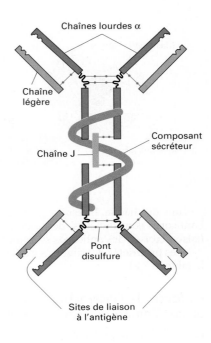

tose médiée par les récepteurs. Elles sont ensuite transportées à travers la cellule dans des vésicules puis libérées par exocytose dans le sang fœtal (un processus appelé *transcytose*, voir Chapitre 13). Comme les autres classes d'anticorps ne se fixent pas sur ces récepteurs Fc spécifiques, elles ne peuvent traverser le placenta. L'IgG est également sécrétée dans le lait de la mère et passe du tube digestif au sang du nouveau-né, ce qui lui donne une protection vis-à-vis des infections.

L'**IgA** est la principale classe d'anticorps des sécrétions, y compris la salive, les larmes, le lait et les sécrétions respiratoires et intestinales. Alors que dans le sang les IgA sont des monomères à quatre chaînes, elles forment des dimères à huit chaînes dans les sécrétions (Figure 24-25). Elles sont transportées par les cellules épithéliales sécrétrices du liquide extracellulaire dans le liquide sécrété via un autre type de récepteur Fc particulier aux épithéliums sécréteurs (Figure 24-26). Ce récepteur Fc peut aussi transporter des IgM dans les sécrétions (mais moins efficacement), ce qui explique probablement pourquoi les individus qui présentent une déficience sélective en IgA, la forme la plus commune de déficience en anticorps, ne sont que légèrement affectés par cette anomalie.

La queue des molécules d'**IgE**, qui sont des monomères à quatre chaînes, se fixe avec une affinité particulièrement forte (K_a ~10^{10} litres/mole) sur une autre classe de récepteurs Fc. Ces récepteurs sont localisés à la surface des *mastocytes* tissulaires et des *basophiles* sanguins. Les molécules d'IgE qui leur sont liées fonctionnent comme des récepteurs aux antigènes acquis de façon passive. La fixation des antigènes déclenche la sécrétion par les mastocytes ou les basophiles de diverses cytokines et amines biologiquement actives, en particulier l'*histamine* (Figure 24-27). Ces molécules provoquent la dilatation des vaisseaux sanguins qui deviennent perméables, ce qui à son tour facilite l'entrée des leucocytes, des anticorps et des composants du complément au niveau du site d'infection. Ces mêmes molécules sont aussi largement responsables des symptômes des réactions *allergiques* comme le rhume des foins, l'asthme et l'urticaire. En plus, les mastocytes sécrètent des facteurs qui attirent et activent certains leucocytes, les *éosinophiles*. Ces cellules ont aussi des récepteurs Fc qui fixent les molécules d'IgE et peuvent tuer divers types de parasites, en particulier si ceux-ci sont recouverts d'anticorps IgE.

En plus des cinq classes de chaînes lourdes trouvées dans les molécules d'anticorps, les vertébrés possèdent deux types de chaînes légères, κ et λ, qui semblent être fonctionnellement indifférenciables. Ces deux types de chaînes légères peuvent être associés à n'importe quelle chaîne lourde. Chaque molécule d'anticorps, cependant, contient toujours des chaînes légères identiques et des chaînes lourdes identiques : une molécule d'IgG par exemple, peut avoir des chaînes légères soit κ soit λ, mais

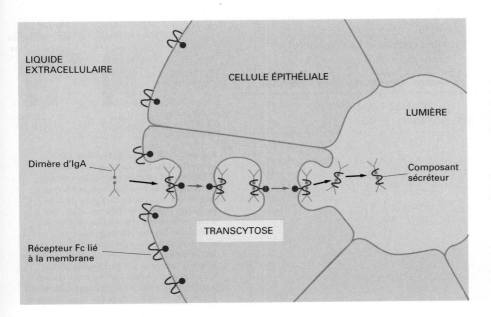

Figure 24-26 Les mécanismes de transport d'une molécule d'IgA dimérique à travers une cellule épithéliale. La molécule d'IgA, sous forme de dimère contenant une chaîne J, se fixe sur un récepteur transmembranaire de la surface non luminale d'une cellule épithéliale sécrétrice. Les complexes récepteurs-IgA sont ingérés par endocytose médiée par les récepteurs, transférés dans des vésicules à travers le cytoplasme des cellules épithéliales, et sécrétés par exocytose dans la lumière du côté opposé de la cellule. Lorsqu'ils sont exposés à la lumière, la partie Fc du récepteur protéique qui est liée au dimère d'IgA (le *composant sécréteur*) est coupée au niveau de sa queue transmembranaire ce qui libère l'anticorps sous la forme montrée dans la figure 24-25. La chaîne J n'est pas montrée ici.

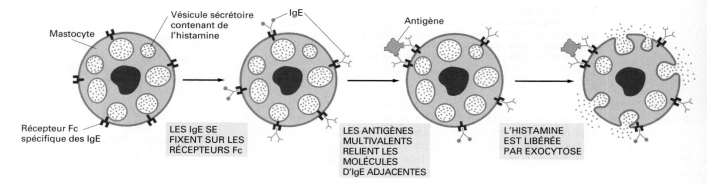

Mastocyte · Vésicule sécrétoire contenant de l'histamine · IgE · Antigène

Récepteur Fc spécifique des IgE

LES IgE SE FIXENT SUR LES RÉCEPTEURS Fc

LES ANTIGÈNES MULTIVALENTS RELIENT LES MOLÉCULES D'IgE ADJACENTES

L'HISTAMINE EST LIBÉRÉE PAR EXOCYTOSE

pas une de chaque. Il résulte de cette symétrie que les sites de liaison à l'antigène de l'anticorps sont toujours identiques. Cette symétrie est cruciale pour la fonction de liaison croisée des anticorps sécrétés (*voir* Figure 24-19).

Les propriétés des diverses classes d'anticorps chez l'homme sont résumées dans le tableau 24-I.

La force de l'interaction anticorps-antigène dépend du nombre et de l'affinité des sites de liaison à l'antigène

La fixation d'un antigène sur un anticorps, comme la fixation d'un substrat sur une enzyme, est réversible. Elle passe par l'addition des nombreuses forces non covalentes relativement faibles, y compris les liaisons hydrogène et les liaisons hydrophobes de van der Waals ainsi que par les interactions ioniques. Ces forces faibles ne sont efficaces que lorsque la molécule d'antigène est assez proche pour permettre à certains de ses atomes de s'adapter à l'intérieur des récessus complémentaires à la surface de l'anticorps. Les régions complémentaires d'une unité d'anticorps à quatre chaînes sont ses deux sites identiques de liaison à l'antigène; la région correspondante sur l'antigène est le *déterminant antigénique* (Figure 24-28). La plupart des macromolécules antigéniques possèdent beaucoup de déterminants antigéniques différents et sont dites *multivalentes*; si deux ou plusieurs d'entre eux sont identiques (comme dans un polymère à structure répétitive), l'antigène est dit *polyvalent* (Figure 24-29).

La réaction de fixation réversible entre un antigène à un seul déterminant antigénique (noté Ag) et un seul site de liaison à l'antigène (noté Ab) peut s'exprimer sous la forme :

$$Ag + Ab \leftrightarrow AgAb$$

Le point d'équilibre dépend à la fois de la concentration en Ab et en Ag et de la force de leur interaction. En clair, une fraction importante de Ab s'associera avec Ag lorsque la concentration en Ag augmentera. La force de l'interaction est généralement exprimée sous forme d'une **constante d'affinité (K_a)** (*voir* Figure 3-44), avec

$$K_a = \frac{[AgAb]}{[Ag][Ab]}$$

(les crochets indiquent la concentration en chaque composant à l'équilibre).

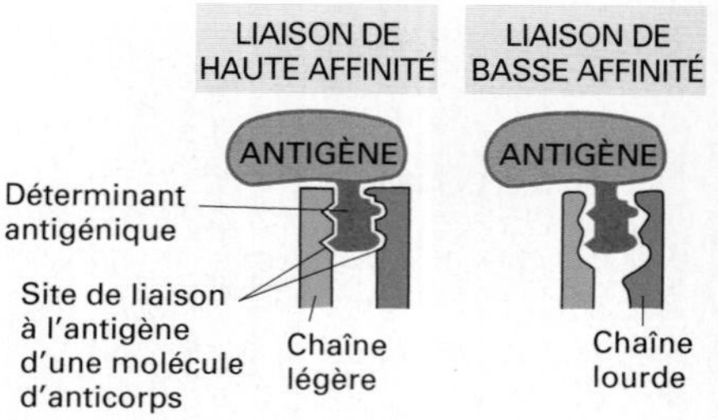

TABLEAU 24-I Propriétés des principales classes d'anticorps chez l'homme

PROPRIÉTÉS	CLASSE D'ANTICORPS				
	IgM	IgD	IgG	IgA	IgE
Chaînes lourdes	μ	δ	γ	α	ε
Chaînes légères	κ ou λ	κ ou λ	κ ou λ	κ ou λ	κ ou λ
Nombre d'unités à quatre chaînes	5	1	1	1 ou 2	1
Pourcentage d'Ig totale dans le sang	10	< 1	75	15	< 1
Active le complément	++++	–	++	–	–
Traverse le placenta	–	–	+	–	–
Se fixe sur les macrophages et les neutrophiles	–	–	+	–	–
Se fixe sur les mastocytes et les basophiles	–	–	–	–	+

Figure 24-27 Rôle des IgE dans la sécrétion d'histamine par les mastocytes. Un mastocyte (ou un basophile) fixe une molécule d'IgE qui a été sécrétée par les lymphocytes B activés. Les anticorps solubles IgE se fixent sur les récepteurs Fc de la surface des mastocytes qui reconnaissent spécifiquement la région Fc de ces anticorps. Les molécules d'IgE liées servent de récepteur aux antigènes à la surface des cellules. De ce fait, contrairement aux lymphocytes B, chaque mastocyte (et basophile) a un ensemble d'anticorps à sa surface et donc une grande variété de sites de liaison aux antigènes. Lorsqu'une molécule d'antigène se fixe sur ces anticorps IgE liés à la membrane en les reliant à leurs voisins, elle envoie un signal aux mastocytes qui libèrent leur histamine et d'autres médiateurs locaux par exocytose.

LIAISON DE HAUTE AFFINITÉ · LIAISON DE BASSE AFFINITÉ

Déterminant antigénique · ANTIGÈNE · ANTIGÈNE

Site de liaison à l'antigène d'une molécule d'anticorps · Chaîne légère · Chaîne lourde

Figure 24-28 Un antigène fixé sur un anticorps. Sur cette représentation extrêmement schématique, le déterminant antigénique d'une macromolécule interagit avec le site de liaison à l'antigène de deux molécules d'anticorps différentes, une qui a une forte affinité, l'autre qui a une faible affinité. Le déterminant antigénique est maintenu dans le site de liaison par diverses forces faibles non covalentes et le site le mieux adapté à l'antigène a la plus grande affinité. Notez que les chaînes légères et les chaînes lourdes de la molécule d'anticorps contribuent généralement au site de liaison avec l'antigène.

Figure 24-29 Molécules pourvues de multiples déterminants antigéniques.
(A) Une protéine globulaire qui possède un certain nombre de déterminants antigéniques différents est montrée ici. Les différentes régions d'une chaîne polypeptidique s'assemblent généralement en une structure repliée pour former chacun des déterminants antigéniques à la surface de la protéine. (B) Une structure polymérique contenant beaucoup de déterminants antigéniques *identiques* est montrée ici.

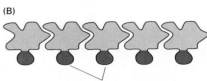

(A)

Multiples déterminants antigéniques différents (un antigène multivalent)

(B)

Multiples déterminants antigéniques identiques (un antigène polyvalent)

La constante d'affinité, parfois appelée constante d'association, peut être déterminée par la mesure de la concentration en Ag libre nécessaire pour remplir la moitié des sites de liaison à l'antigène sur l'anticorps. Lorsque la moitié des sites est remplie, [AgAb] = [Ab] et $K_a = 1/[Ag]$. De ce fait, la réciproque de la concentration en antigène qui provoque la moitié de la fixation maximale est égale à la constante d'affinité de l'anticorps pour l'antigène. Les valeurs fréquentes sont comprises entre 5×10^4 (très faible) à 10^{11} litres/mole (très forte).

L'**affinité** d'un anticorps pour un déterminant antigénique décrit la force de la fixation d'une seule copie du déterminant antigénique sur un seul site de liaison à l'antigène et est indépendante du nombre de sites. Cependant, quand un antigène polyvalent qui porte de multiples copies du même déterminant antigénique s'associe à un anticorps polyvalent, la force de liaison augmente fortement parce que toutes les liaisons antigène-anticorps doivent être simultanément cassées pour que l'antigène et l'anticorps puissent se dissocier. Il en résulte qu'une molécule d'IgG typique peut se fixer 100 fois plus solidement au moins sur un antigène polyvalent si ses deux sites de liaison à l'antigène sont engagés et non pas un seul. La force totale de fixation d'un anticorps polyvalent sur un antigène polyvalent est appelée **avidité** de l'interaction.

Si l'affinité des sites de liaison à l'antigène d'une molécule d'IgG et d'IgM est la même, la molécule d'IgM (avec 10 sites de liaison) a une avidité bien plus grande pour l'antigène multivalent que la molécule d'IgG (qui n'a que deux sites de liaison). Cette différence d'avidité, souvent multipliée par 10^4 ou plus, est importante parce que les anticorps produits au début de la réponse immunitaire ont généralement une affinité bien plus faible que ceux produits ultérieurement. En raison de leur forte avidité totale, les IgM – la principale classe d'Ig produite au début de la réponse immunitaire – peuvent fonctionner efficacement même lorsque chacun de leurs sites de liaison ne possède qu'une faible affinité.

Jusqu'à présent nous avons considéré la structure générale et la fonction des anticorps. Voyons maintenant les particularités de leur structure, révélées par l'étude de leur séquence en acides aminés et de leur structure tridimensionnelle.

Les chaînes légères et lourdes sont composées de régions constantes et de régions variables

La comparaison des séquences en acides aminés de différentes molécules d'anticorps a révélé une caractéristique étonnante qui a d'importantes implications génétiques. Les chaînes légères et lourdes possèdent une séquence variable à leur extrémité N-terminale mais une séquence constante à leur extrémité C-terminale. Par conséquent, lorsqu'on compare les séquences en acides aminés de plusieurs chaînes κ différentes, les moitiés C-terminales sont les mêmes ou ne montrent que des différences mineures tandis que les moitiés N-terminales sont toutes très différentes. Les chaînes légères ont une **région constante** d'environ 110 acides aminés de long et une **région variable** de même taille. La région variable de la chaîne lourde (à son extrémité N-terminale) est aussi d'environ 110 acides aminés de long, mais sa région constante est trois à quatre fois plus longue (330 ou 440 acides aminés) selon la classe (Figure 24-30).

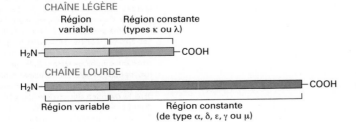

CHAÎNE LÉGÈRE

Région variable — Région constante (types κ ou λ)

H_2N— —COOH

CHAÎNE LOURDE

H_2N— —COOH

Région variable — Région constante (de type α, δ, ε, γ ou μ)

Figure 24-30 Régions constantes et variables des chaînes d'immunoglobulines. Les chaînes légères et les chaînes lourdes d'une molécule d'anticorps ont une région constante et une région variable distinctes.

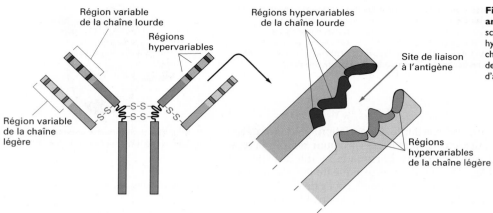

Figure 24-31 Régions hypervariables des anticorps. Cette représentation extrêmement schématique montre comment les trois régions hypervariables de chaque chaîne légère et de chaque chaîne lourde forment ensemble le site de liaison à l'antigène d'une molécule d'anticorps.

Ce sont les extrémités N-terminales des chaînes légères et lourdes qui s'assemblent pour former le site de liaison à l'antigène (*voir* Figure 24-21) et la variabilité de leurs séquences en acides aminés fournit les fondements structuraux de la diversité des sites de liaison à l'antigène. La diversité des régions variables des chaînes légères et lourdes est, en grande partie, restreinte aux trois petites **régions hypervariables** de chaque chaîne ; les parties restantes de la région variable, ou *régions de charpente*, sont relativement constantes. Seuls les 5 à 10 acides aminés de chaque région hypervariable forment les sites de liaison à l'antigène (Figure 24-31). Il en résulte que la taille du déterminant antigénique, reconnue par un anticorps, est en général comparativement assez petite. Elle peut comporter moins de 25 acides aminés situés à la surface d'une protéine globulaire, par exemple.

Les chaînes légères et les chaînes lourdes sont composées de domaines Ig répétitifs

Les chaînes légères et les chaînes lourdes sont composées de segments répétitifs – qui mesurent chacun environ 110 acides aminés de long et contiennent un pont disulfure intracaténaire. Chaque segment répétitif se replie indépendamment pour former des unités fonctionnelles compactes appelées **domaines immunoglobulines (Ig)**. Comme cela est montré dans la figure 24-32, une chaîne légère est composée d'un domaine variable (V_L) et d'un domaine constant (C_L) (équivalent aux régions variable et constante montrées sur la moitié supérieure de la figure 24-30). Ces domaines s'apparient avec le domaine variable (V_H) et le premier domaine constant (C_H1) de la chaîne lourde pour former la région de liaison à l'antigène. Les domaines constants restants des chaînes lourdes forment la région Fc, qui détermine les autres propriétés biologiques de l'anticorps. La plupart des chaînes lourdes ont trois domaines constants (C_H1, C_H2, et C_H3), mais celles des anticorps IgM et IgE en ont quatre.

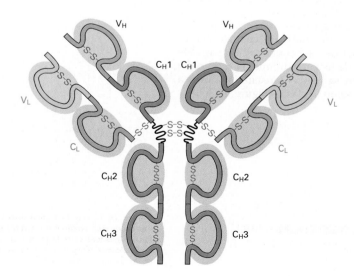

Figure 24-32 Domaines immunoglobulines. Les chaînes lourdes et les chaînes légères d'une molécule d'anticorps sont chacune repliées en domaines répétitifs, similaires les uns aux autres. Les domaines variables (ombrés en *bleu*) des chaînes légères et des chaînes lourdes (V_L et V_H) forment les sites de liaison à l'antigène, tandis que les domaines constants des chaînes lourdes (surtout C_H2 et C_H3) déterminent les autres propriétés biologiques de la molécule. Les chaînes lourdes des anticorps IgM et IgE n'ont pas de région charnière et ont un domaine constant supplémentaire (C_H4). Les interactions hydrophobes entre les domaines situés sur des chaînes adjacentes jouent un rôle important dans le maintien des chaînes dans la molécule d'anticorps : V_L se fixe sur V_H, C_L se fixe sur C_H1 et ainsi de suite (*voir* Figure 24-34).

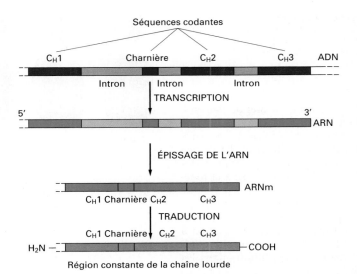

Figure 24-33 L'organisation des séquences ADN qui codent la région constante d'une chaîne lourde d'anticorps. Les séquences codantes (exons) de chaque domaine et de la région charnière sont séparées par des séquences non codantes (introns). Les séquences d'intron sont éliminées par épissage du transcrit primaire d'ARN qui forme un ARNm. On pense que la présence d'introns dans l'ADN a facilité les duplications accidentelles des segments d'ADN qui ont donné naissance aux gènes de l'anticorps pendant l'évolution (*voir* Chapitre 7). Les séquences ADN et ARN qui codent pour la région variable de la chaîne lourde ne sont pas montrées ici.

La similarité de ces domaines suggère que les chaînes d'anticorps sont apparues au cours de l'évolution suite à une série de duplications géniques, qui a commencé par un gène primordial codant pour un unique domaine de 110 acides aminés de fonction inconnue. Cette hypothèse est soutenue par l'observation que chaque domaine de la région constante d'une chaîne lourde est codé par une séquence codante séparée (exon) (Figure 24-33).

Le site de liaison à l'antigène est construit à partir de boucles hypervariables

Un certain nombre de fragments d'anticorps, ainsi que de molécules d'anticorps intacts, ont été étudiés par cristallographie aux rayons X. D'après ces exemples, nous pouvons comprendre le mode de construction des milliards de sites de fixation aux antigènes différents à partir d'un thème structural commun.

Comme cela est illustré dans la figure 24-34, chaque domaine Ig a une structure tridimensionnelle très similaire, fondée sur ce qu'on appelle le *domaine immunoglobuline*, composé d'un sandwich formé par deux feuillets β maintenus par une liaison disulfure. Nous verrons ultérieurement que beaucoup d'autres protéines situées à la surface des lymphocytes et d'autres cellules, dont beaucoup fonctionnent comme des molécules d'adhésion intercellulaire (*voir* Chapitre 19), contiennent des domaines similaires et sont ainsi des membres de la très grande *superfamille des immunoglobulines (Ig)*.

Les domaines variables des molécules d'anticorps sont particuliers du fait qu'ils possèdent chacun un ensemble spécifique de trois régions hypervariables disposées en trois *boucles hypervariables* (*voir* Figure 24-34). Les boucles hypervariables des

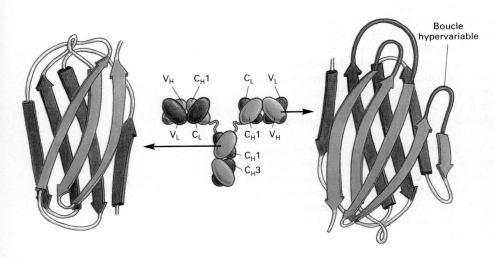

Figure 24-34 Structure repliée d'une molécule d'anticorps IgG, selon les études de cristallographie aux rayons X. La structure de toute la protéine est montrée au milieu, tandis que la structure d'un domaine constant est montrée *à gauche* et celle d'un domaine variable *à droite*. Les deux domaines sont composés de deux feuillets β réunis par un pont disulfure (non montré ici). Notez que toutes les régions hypervariables (en *rouge*) forment des boucles aux extrémités du domaine variable, où elles s'assemblent pour former une partie du site de liaison à l'antigène.

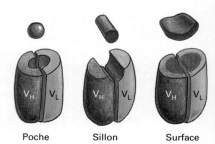

Figure 24-35 Sites de liaison à l'antigène des anticorps. Les boucles hypervariables des différents domaines V_L et V_H peuvent se combiner pour former une large gamme de surfaces de liaison. Les déterminants antigéniques et le site de liaison à l'antigène des anticorps sont montrés en *rouge*. Seul le site de liaison à l'antigène est montré pour chaque anticorps.

Poche   Sillon   Surface

domaines variables léger et lourd sont rassemblées pour former le site de liaison à l'antigène. Comme la région variable d'une molécule d'anticorps est composée d'une charpente rigide fortement conservée et de boucles hypervariables fixées à une extrémité, il est possible d'engendrer une diversité énorme de sites de liaison à l'antigène par la simple modification de la longueur et de la séquence en acides aminés des boucles hypervariables. La structure tridimensionnelle globale nécessaire à la fonction des anticorps reste constante.

L'analyse aux rayons X du cristal de fragments d'anticorps fixés sur un déterminant antigénique révèle exactement le mode de coopération des boucles hypervariables des domaines variables léger et lourd pour former la surface de fixation à l'antigène dans les cas spécifiques. Les dimensions et la forme de chaque site diffèrent varient en fonction de la conformation de la chaîne polypeptidique dans les boucles hypervariables qui, à son tour, est déterminée par la séquence des chaînes latérales en acides aminés dans les boucles. Les formes des sites de liaison varient fortement – poches, sillons, surface plane ondulée et même protrusions – en fonction de l'anticorps (Figure 24-35). Les plus petits ligands ont tendance à se fixer sur des poches plus profondes, tandis que les plus gros ont tendance à se fixer sur des surfaces plus planes. De plus, le site de liaison peut changer de forme après sa fixation sur l'antigène pour mieux s'adapter à son ligand.

Maintenant que nous avons vu la structure et la fonction des anticorps, nous sommes prêts à envisager la question cruciale qui intrigue les immunologistes depuis de nombreuses années – quels sont les mécanismes génétiques qui nous permettent de fabriquer plusieurs milliards de molécules d'anticorps différents?

Résumé

Les anticorps défendent les vertébrés contre les infections par l'inactivation des virus et des toxines microbiennes et le recrutement du système du complément et divers types de leucocytes sanguins pour tuer les germes pathogènes envahissants. Une molécule d'anticorps typique a une forme en Y avec deux sites identiques de liaison à l'antigène à l'extrémité du Y et des sites de liaison pour les composants du complément et/ou divers récepteurs cellulaires de surface sur la queue du Y.

Chaque clone de lymphocyte B fabrique des molécules d'anticorps avec un site spécifique de liaison à l'antigène. Initialement, pendant le développement des lymphocytes B dans la moelle osseuse, les molécules d'anticorps sont insérées dans la membrane plasmique, où elles servent de récepteurs pour les antigènes. Dans les organes lymphoïdes périphériques, la fixation des antigènes sur ces récepteurs, associée à des signaux co-stimulateurs fournis par les lymphocytes T helper, active la prolifération et la différenciation des lymphocytes B soit en lymphocytes mémoires soit en lymphocytes effecteurs sécrétant des anticorps. Les lymphocytes effecteurs sécrètent des anticorps qui possèdent le même site de liaison à l'antigène que les anticorps fixés à la membrane.

Une molécule d'anticorps typique est composée de quatre chaînes polypeptidiques, deux chaînes légères identiques et deux chaînes lourdes identiques. Des parties des chaînes lourdes et des chaînes légères s'associent en général pour former les sites de liaison à l'antigène. Il existe cinq classes d'anticorps (IgA, IgD, IgE, IgG et IgM) qui sont formés chacun d'une chaîne lourde différente (respectivement α, δ, ε, γ et μ). Les chaînes lourdes forment également la queue (région Fc) de l'anticorps qui détermine les autres protéines qui se fixeront sur l'anticorps et également les propriétés biologiques que possédera la classe d'anticorps. Chaque type de chaîne légère (κ ou λ) peut être associé à n'importe quelle classe de chaîne lourde, mais le type de chaîne légère ne semble pas influencer les propriétés de l'anticorps, hormis sa spécificité pour l'antigène.

Chaque chaîne légère et chaque chaîne lourde sont composées d'un nombre de domaines Ig – structure en feuillets β qui contient environ 110 acides aminés. Une chaîne légère possède un domaine variable (V_L) et un domaine constant (C_L), tandis que la chaîne lourde possède un domaine variable (V_H) et trois ou quatre domaines constants (C_H). La variation de la séquence en acides aminés des chaînes légères et des chaînes lourdes est surtout confinée à diverses petites régions hypervariables qui font saillie sous forme de boucles à l'extrémité des domaines et constituent le site de liaison à l'antigène.

Même en l'absence de stimulation antigénique, un homme peut probablement fabriquer plus de 10^{12} molécules d'anticorps différentes – son *répertoire d'anticorps pré-immunitaire*. De plus, les sites de liaison antigéniques de beaucoup d'anticorps peuvent interagir avec divers déterminants antigéniques apparentés mais différents, améliorant encore plus cette force de défense formidable par les anticorps. Apparemment, le répertoire pré-immunitaire est suffisamment grand pour assurer qu'il existe un site de liaison antigénique adapté à presque tous les déterminants antigéniques potentiels, mais avec une faible affinité. Après des stimulations antigéniques répétées, les lymphocytes B peuvent fabriquer des anticorps qui fixent leurs antigènes avec une affinité bien plus forte – un processus appelé *maturation de l'affinité*. Ainsi, la stimulation antigénique augmente fortement l'arsenal des anticorps.

Les anticorps sont des protéines et les protéines sont codées par des gènes. La diversité des anticorps pose donc un problème génétique particulier : comment un animal peut-il fabriquer plus d'anticorps qu'il y a de gènes dans son génome ? (Le génome de l'homme, par exemple, contient moins de 50 000 gènes). Ce problème n'est pas aussi complexe qu'il y paraît à première vue. Souvenons-nous que les régions variables des chaînes légères comme des chaînes lourdes des anticorps forment en général le site de liaison antigénique. De ce fait, un animal qui possède 1 000 gènes codant pour les chaînes légères et 1 000 gènes codant pour les chaînes lourdes pourrait en principe combiner les produits de $1\,000 \times 1\,000$ façons différentes pour fabriquer 10^6 sites de liaison à l'antigène différents (bien qu'en réalité toutes les chaînes légères ne peuvent pas s'associer avec chaque chaîne lourde pour fabriquer un site de liaison à l'antigène). Néanmoins, le système immunitaire des mammifères a développé un mécanisme génétique spécifique qui lui permet d'engendrer un nombre presque illimité de chaînes légères différentes et de chaînes lourdes différentes d'une manière remarquablement économique, par la réunion de *segments géniques* séparés avant leur transcription. Les oiseaux et les poissons utilisent une stratégie très différente pour diversifier les anticorps et même les moutons et les lapins utilisent une stratégie quelque peu différente de celle des souris et des hommes. Nous concentrerons notre étude sur les mécanismes utilisés par l'homme et la souris.

Nous commencerons cette partie du chapitre par l'abord des mécanismes utilisés par les lymphocytes B pour produire des anticorps pourvus d'une diversité énorme de sites de liaison à l'antigène. Nous verrons ensuite comment un lymphocyte B peut modifier la queue de l'anticorps qu'il fabrique sans modifier le site de liaison à l'antigène. Cette capacité permet au lymphocyte B de passer de la fabrication d'un anticorps lié à la membrane à la fabrication d'anticorps sécrétés, ou de la fabrication d'une classe d'anticorps à une autre sans modifier la spécificité antigénique de l'anticorps.

Les gènes des anticorps sont assemblés à partir de segments géniques séparés pendant le développement du lymphocyte B

La première preuve directe du réarrangement de l'ADN pendant le développement des lymphocytes B est apparue dans les années 1970 lors d'expériences au cours desquelles les biologistes moléculaires comparaient l'ADN d'embryons de souris aux premiers stades du développement, qui ne fabriquent pas d'anticorps, à l'ADN d'une tumeur à lymphocyte B de souris qui fabrique une seule espèce de molécule d'anticorps. Les séquences codantes de la région spécifique variable (V) et de la région constante (C) que la cellule tumorale utilisait se trouvaient sur le même fragment d'ADN de restriction dans les cellules tumorales mais sur deux fragments de restriction différents chez l'embryon. Cela a montré que les séquences ADN qui codent pour une molécule d'anticorps sont réarrangées à un certain stade du développement des lymphocytes B (Figure 24-36).

Nous savons maintenant que chaque type de chaîne d'anticorps – la chaîne légère κ, la chaîne légère λ et les chaînes lourdes – ont un pool séparé de **segments géniques** et d'exons à partir duquel une seule chaîne polypeptidique est finalement synthétisée. Chaque pool se trouve sur un chromosome différent et contient un grand nombre de segments géniques qui codent pour la région V d'une chaîne d'anticorps et, comme nous l'avons vu dans la figure 24-33, un plus petit nombre d'exons codant pour la région C. Pendant le développement d'un lymphocyte B, une séquence codante complète pour chacune des deux chaînes de l'anticorps à synthétiser est assemblée par recombinaison génétique spécifique de site (*voir* Chapitre 5). En plus de rapprocher des segments géniques séparés et les exons de la région C du gène de l'anticorps, ces réarrangements activent aussi la transcription à partir du promoteur

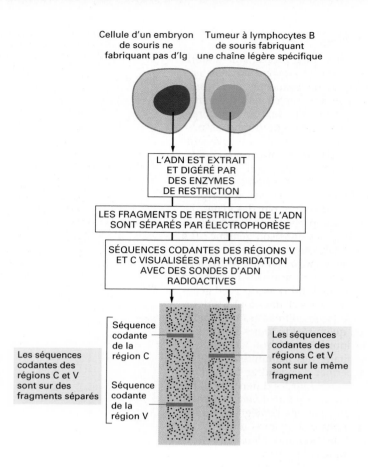

Cellule d'un embryon de souris ne fabriquant pas d'Ig

Tumeur à lymphocytes B de souris fabriquant une chaîne légère spécifique

L'ADN EST EXTRAIT ET DIGÉRÉ PAR DES ENZYMES DE RESTRICTION

LES FRAGMENTS DE RESTRICTION DE L'ADN SONT SÉPARÉS PAR ÉLECTROPHORÈSE

SÉQUENCES CODANTES DES RÉGIONS V ET C VISUALISÉES PAR HYBRIDATION AVEC DES SONDES D'ADN RADIOACTIVES

Séquence codante de la région C

Séquence codante de la région V

Les séquences codantes des régions C et V sont sur des fragments séparés

Les séquences codantes des régions C et V sont sur le même fragment

Figure 24-36 Schéma d'une expérience qui démontre directement que l'ADN est réarrangé pendant le développement des lymphocytes B. La tumeur à lymphocytes B provient d'un seul lymphocyte B et fabrique ainsi une seule espèce de molécule d'anticorps. Les deux sondes d'ADN radioactives utilisées ici sont spécifiques de la séquence ADN qui code pour la région C et la région V de la chaîne légère que le lymphocyte tumoral fabrique.

génique par le biais de modifications de la position relative des amplificateurs et des gènes de mise sous silence qui agissent sur le promoteur. De ce fait une chaîne complète d'anticorps ne peut être synthétisée qu'une fois que l'ADN a été réarrangé. Comme nous le verrons, le processus de réunion des segments géniques contribue par différentes voies à la diversité des sites de liaison à l'antigène.

Chaque région variable est codée par plusieurs segments géniques

Lorsque les séquences ADN du génome codant pour les régions V et C ont été analysées pour la première fois, il a été trouvé qu'une seule région d'ADN codait pour la région C d'une chaîne d'anticorps (*voir* Figure 24-33), mais que deux ou plusieurs régions d'ADN devaient être assemblées pour coder chaque région V. Chaque région V de la chaîne légère est codée par une séquence ADN assemblée à partir de deux segments géniques – un long **segment génique V** et un court **segment de réunion ou segment J** (J pour *joining* ou unir) (à ne pas confondre avec une protéine, la *chaîne J* (*voir* Figure 24-23), codée ailleurs dans le génome). La figure 24-37 illustre les mécanismes génétiques impliqués dans la production du polypeptide de la chaîne légère κ à partir d'un exon de la région C et de segments géniques séparés *V* et *J*.

Chaque région V de la chaîne lourde est codée par une séquence ADN assemblée à partir de trois segments géniques – un segment V, un segment J et un *segment de diversité*, ou **segment génique D**. La figure 24-38 montre le nombre et l'organisation des segments géniques utilisés pour la fabrication des chaînes lourdes de l'homme.

Le grand nombre de segments géniques transmis *V, J* et *D* disponibles pour coder les chaînes d'anticorps apporte, en lui-même, une contribution substantielle à la diversité des anticorps, mais la réunion combinée de ces segments (appelée *diversification combinatoire*) augmente fortement cette contribution. Chacun des 40 segments *V* du pool de segments géniques de la chaîne légère κ de l'homme, par exemple, peut être uni à n'importe lequel des 5 segments *J* (*voir* Figure 24-37) de telle sorte qu'au moins 200 (40 × 5) régions V différentes dans la chaîne κ peuvent être codées par ce pool. De même, n'importe lequel des 51 segments *V* du pool de chaîne lourde de l'homme peut être réuni à n'importe lequel des 6 segments *J* et des 27 segments *D* pour coder au moins 8262 (51 × 6 × 27) régions V différentes dans la chaîne lourde.

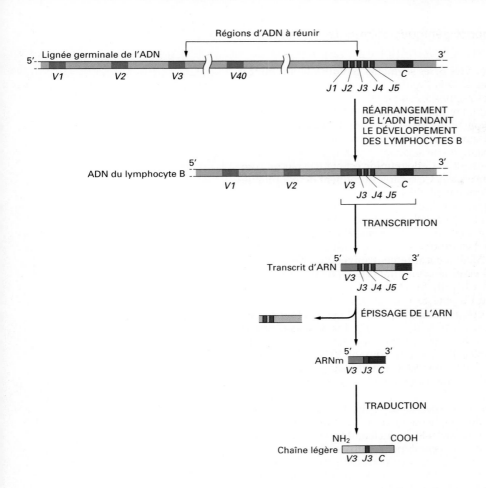

Figure 24-37 Processus de réunion V-J impliqué dans la fabrication d'une chaîne légère κ de l'homme. Dans l'ADN de la lignée germinale (où les gènes des anticorps ne s'expriment pas et ne sont donc pas réarrangés) l'agrégat de cinq segments géniques J est séparé de l'exon de la région C par un court intron et des 40 segments géniques V par des milliers de paires de nucléotides. Pendant le développement d'un lymphocyte B, le segment génique V, choisi au hasard (V3 dans ce cas) est déplacé pour résider précisément à côté d'un des segments géniques J (J3 dans ce cas). Les autres segments géniques J (J4 et J5) et la séquence d'intron sont transcrits (ainsi que les segments géniques V3 et J3 et l'exon de la région C) puis éliminés par épissage de l'ARN pour engendrer des molécules d'ARNm dans lesquelles les séquences V3, J3 et C sont contiguës. Ces ARNm sont ensuite traduits en chaînes légères κ. Un segment génique J code pour les 15 acides aminés environ de l'extrémité C-terminale de la région V et la réunion du segment V-J coïncide avec la troisième région hypervariable de la chaîne légère qui est la partie la plus variable de la région V.

La diversification combinatoire résultant de l'assemblage des différentes combinaisons transmises des segments géniques *V*, *J* et *D* que nous venons de voir est un mécanisme important de la diversification des sites de liaison à l'antigène des anticorps. Par ce seul mécanisme, un homme peut produire 316 régions V_L différentes (200 κ et 116 λ) et 8262 régions V_H différentes. En principe, elles peuvent se combiner pour fabriquer environ $2,6 \times 10^6$ (316 × 8262) sites de liaison antigéniques différents. En plus, comme nous le verrons dans le paragraphe suivant, le mécanisme de réunion augmente lui-même fortement le nombre de ces possibilités (probablement de plus de 10^8 fois), ce qui augmente encore plus le nombre total de lymphocytes B chez l'homme (environ 10^{12}).

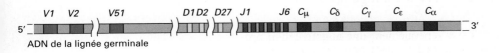

Figure 24-38 Le pool de segments géniques de la chaîne lourde de l'homme. Il y a 51 segments *V*, 27 segments *D* et 6 segments *J* et un agrégat ordonné d'exons de la région *C*, chaque agrégat codant pour une classe différente de chaîne lourde. Le segment *D* (et une partie du segment *J*) code pour les acides aminés de la troisième région hypervariable, partie la plus variable de la région V. Le schéma n'est pas à l'échelle : la longueur totale du locus de la chaîne lourde est supérieure à 2 mégabases. De plus, beaucoup de détails ont été omis. Par exemple, chaque région *C* est codée par de multiples exons (*voir* Figure 24-33) ; il y a quatre agrégats d'exons de la région C_γ ($C_{\gamma1}$, $C_{\gamma2}$, $C_{\gamma3}$ et $C_{\gamma4}$) et les segments géniques V_H sont agrégés sur le chromosome en groupes de familles homologues. Les mécanismes génétiques impliqués dans la production d'une chaîne lourde sont les mêmes que ceux montrés sur la figure 24-37 pour les chaînes légères excepté qu'il faut deux étapes de réarrangements d'ADN au lieu d'une. D'abord un segment D est réuni à un segment J puis un segment V est réuni au segment DJ réarrangé.

La réunion imprécise des segments géniques augmente fortement la diversité des régions V

Pendant le développement des lymphocytes B, les segments géniques *V* et *J* (pour la chaîne légère) et les segments géniques *V*, *D* et *J* (pour la chaîne lourde) sont réunis pour former les séquences codantes des régions fonctionnelles V_L et V_H selon un processus de recombinaison spécifique de site appelé **réunion V(D)J**. Des séquences ADN conservées encadrent chaque segment génique et servent de site de reconnaissance au processus de réunion afin d'assurer que seuls des segments géniques appropriés se recombinent. De ce fait, par exemple, un segment *V* se réunira toujours à un segment *J* ou *D* mais pas à un autre segment *V*. Cette réunion est médiée par un complexe enzymatique appelé **V(D)J recombinase.** Ce complexe contient deux protéines spécifiques des lymphocytes en développement ainsi que les enzymes qui facilitent la réparation de l'ADN lésé dans toutes nos cellules.

Les protéines spécifiques des lymphocytes de la V(D)J recombinase sont codées par deux gènes très liés appelés *rag-1* et *rag-2* (rag = *recombination activating genes* ou gènes d'activation de la recombinase). Les **protéines RAG** introduisent une cassure double brin au niveau des séquences ADN d'encadrement suivie d'un processus de réunion médié par les **protéines RAG** et les enzymes impliquées dans la réparation générale des ADN doubles brins (*voir* Chapitre 5). De ce fait, si les deux gènes *rag* sont artificiellement exprimés dans un fibroblaste, celui-ci devient capable de réarranger des segments géniques d'anticorps introduits expérimentalement tout comme le fait un lymphocyte B en développement. De plus, les individus déficients soit en gène *rag* soit en l'une des enzymes de réparation générale sont hautement sensibles aux infections parce qu'ils sont incapables d'effectuer la réunion *V(D)*J et, par conséquent, n'ont pas de lymphocytes B ou T fonctionnels. (Les lymphocytes T utilisent la même recombinase pour assembler les segments géniques qui codent leurs récepteurs spécifiques aux antigènes.)

Dans la plupart des cas de recombinaison spécifique de site, la réunion de l'ADN est précise. Mais pendant la réunion des segments géniques des anticorps (et des récepteurs des lymphocytes T), un nombre variable de nucléotides est souvent perdu aux extrémités des segments géniques qui se recombinent et un ou plusieurs nucléotides choisis au hasard peuvent aussi être insérés. Ces pertes et gains aléatoires de nucléotides au niveau des sites de réunion forment ce qu'on appelle la **diversification jonctionnelle** et augmentent énormément la diversité des séquences codantes de la région V créée par recombinaison, en particulier dans la troisième région hypervariable. Cependant, cette augmentation de la diversification a un prix. Dans beaucoup de cas, elle s'accompagne du décalage du cadre de lecture qui produit un gène non fonctionnel. Comme, grossièrement, deux réarrangements sur trois ne sont pas « productifs », beaucoup de lymphocytes B en développement ne fabriqueront jamais d'anticorps fonctionnels et par conséquent mourront dans la moelle osseuse. Les lymphocytes B qui fabriquent des molécules d'anticorps fonctionnelles qui se fixent solidement aux auto-antigènes dans la moelle osseuse sont stimulés afin de réexprimer les protéines RAG et subir un second cycle de réarrangements *V(D)*J, pour modifier la spécificité des anticorps cellulaires de surface qu'ils fabriquent – un processus nommé **édition des récepteurs.** Les lymphocytes B auto-réactifs qui ne peuvent modifier de cette manière leur spécificité sont éliminés par le processus de délétion clonale (*voir* Figure 24-13).

L'hypermutation somatique entraînée par les antigènes affine les réponses des anticorps

Comme nous l'avons déjà mentionné, il y a généralement une augmentation progressive de l'affinité des anticorps produits contre l'antigène immunisant lorsque du temps s'écoule après l'immunisation. Ce phénomène, appelé **maturation de l'affinité**, est dû à l'accumulation de mutations ponctuelles spécifiquement dans les séquences codantes des régions V des chaînes lourdes et des chaînes légères. Ces mutations se produisent longtemps après l'assemblage des régions codantes, une fois que les lymphocytes B ont été stimulés par un antigène et des lymphocytes T helper et ont engendré des lymphocytes mémoires dans les follicules lymphoïdes d'un organe lymphoïde périphérique (*voir* Figure 24-16). Elles se produisent à la vitesse d'une mutation par séquence codante de région V et par génération cellulaire environ. Comme cette vitesse est près d'un million de fois supérieure à celle des mutations spontanées dans les autres gènes, ce processus est appelé **hypermutation somatique.** Son mécanisme moléculaire est encore incertain, mais on pense qu'il implique certaines formes de processus de réparation de l'ADN, prédisposés aux erreurs, et ciblés sur les séquences codantes des régions V réarrangées par des régions spécifiques d'ADN assemblées par la réunion V(D)J. De façon surprenante, une enzyme impliquée dans l'édition des ARN (*voir* Chapitre 7) est nécessaire, mais sa fonction dans le processus d'hypermutation n'est pas connue.

Seule une faible minorité des récepteurs antigéniques modifiés engendrés par ces hypermutations ont une affinité supérieure pour l'antigène. Cependant, les quelques lymphocytes B qui expriment ces récepteurs de plus forte affinité sont préférentiellement stimulés par l'antigène et survivent et prolifèrent alors que la plupart des autres lymphocytes B meurent par apoptose. De ce fait, le résultat des cycles répétés d'hypermutations somatiques suivis de la prolifération, activée par l'antigène, de clones sélectionnés de lymphocytes B mémoires entraîne l'augmentation du nombre d'anticorps d'affinité de plus en plus forte pendant la réponse immunitaire, ce qui fournit progressivement une meilleure protection vis-à-vis du germe pathogène.

Les principaux mécanismes de la diversification des anticorps sont résumés dans la figure 24-39.

Le contrôle de la réunion de V(D)J assure que les lymphocytes B sont monospécifiques

Comme la théorie de la sélection clonale le prédit, les lymphocytes B sont *monospécifiques*. C'est-à-dire que tous les anticorps produits par un lymphocyte B particulier ont des sites de fixation antigéniques identiques. Cette propriété permet aux anticorps de relier les antigènes pour former de gros agrégats et favoriser ainsi l'élimination des antigènes (*voir* Figure 24-19). Cela signifie aussi qu'un lymphocyte B activé sécrète des anticorps qui ont la même spécificité que celle des anticorps liés à la membrane sur le lymphocyte B stimulé à l'origine.

La nécessité de la monospécificité signifie que chaque lymphocyte B ne peut fabriquer qu'un seul type de région V_L et un seul type de région V_H. Les lymphocytes B, comme la plupart des cellules somatiques, sont diploïdes, et chaque lymphocyte possède six pools de segments géniques codant pour les chaînes d'anticorps : deux pools de chaîne lourde (un de chaque parent) et quatre pools de chaîne légère (un κ et un λ issu de chaque parent). Si les réarrangements de l'ADN se produisaient indépendamment dans chaque pool de chaîne lourde et dans chaque pool de chaîne légère, une seule cellule pourrait fabriquer jusqu'à huit anticorps différents, qui auraient chacun un site différent de liaison à l'antigène.

Cependant, en fait, chaque lymphocyte B utilise uniquement deux des six pools de segments géniques : un des deux pools de chaîne lourde et un des quatre pools de chaîne légère. Chaque lymphocyte B doit ainsi choisir non seulement son pool de chaîne légère κ ou λ mais aussi faire le choix entre ses pools maternels et paternels de chaîne légère et de chaîne lourde. Ce deuxième choix est appelé **exclusion allélique** et peut aussi se produire pour l'expression des gènes qui codent les récepteurs des lymphocytes T. Pour la plupart des autres protéines codées par les gènes autosomiques, les gènes maternels et paternels dans une cellule s'expriment à peu près de façon égale.

L'exclusion allélique et le choix chaîne légère κ versus λ pendant le développement du lymphocyte B dépendent d'une régulation par rétrocontrôle négatif du processus de réunion *V(D)J*. Le réarrangement fonctionnel d'un pool de segment génique supprime les réarrangements dans tous les autres pools restants qui codent pour le même type de chaîne polypeptidique (Figure 24-40). Dans les clones de lymphocytes B isolés de souris transgéniques qui expriment un gène de chaîne μ réarrangé, par exemple, le réarrangement des gènes endogènes de chaîne lourde est généralement supprimé. Des résultats comparables ont été obtenus pour les chaînes légères. Cette suppression ne se produit pas si le produit du gène réarrangé ne s'assemble pas à un récepteur qui l'insère dans la membrane plasmique. Il a donc été proposé que le processus d'assemblage du récepteur lui-même ou les signaux extracellulaires qui agissent sur le récepteur soient impliqués dans la suppression des autres réarrangements géniques.

Bien qu'aucune différence biologique entre les régions constantes des chaînes légères κ et λ n'ait été découverte, le fait d'avoir deux pools séparés de segments géniques codant pour les régions variables des chaînes légères présente un avantage.

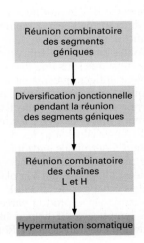

Figure 24-39 Les quatre principaux mécanismes de diversification des anticorps. Ceux en *vert* se produisent pendant le développement des lymphocytes B dans la moelle osseuse (ou le foie fœtal), tandis que le mécanisme en *rouge* se produit lorsque les lymphocytes B sont stimulés par un antigène étranger et les lymphocytes T helper dans les organes lymphoïdes périphériques pour produire des lymphocytes B mémoires.

Figure 24-40 Sélection du pool génique des anticorps dans un lymphocyte B en développement. Pour produire des anticorps ayant un seul type de site de liaison à l'antigène, un lymphocyte B en développement ne doit utiliser qu'un pool de segment génique de chaîne L et un pool de chaîne H. Même si on suppose que le choix entre les pools maternel et paternel est aléatoire, l'assemblage des séquences codantes de la région V dans un lymphocyte B en développement s'effectue selon une séquence ordonnée, un segment à la fois, et commence en général par le pool de la chaîne lourde. Dans ce pool, les segments D sont d'abord réunis aux segments J_H sur les deux chromosomes parentaux ; puis la réunion V_H avec DJ_H se produit sur un de ces chromosomes (non montré ici). Si ce réarrangement produit un gène fonctionnel, la production de la chaîne μ complète qui en résulte (toujours la première chaîne lourde fabriquée) conduit à son expression à la surface cellulaire en association avec les chaînes légères de substitution. La cellule arrête alors tous les autres réarrangements des segments géniques codant pour la région V_H et commence les réarrangements de V_L. Bien que cela ne soit pas montré, les réarrangements se produisent généralement d'abord dans un pool de segments géniques κ, et c'est seulement si cela ne réussit pas, que cela se produit dans l'autre pool de κ ou dans les pools de λ. Si à un moment, une réunion « en phase » V_L à J_L conduit à la production de chaînes légères, elles se combinent avec les chaînes μ préexistantes pour former des molécules d'anticorps IgM qui s'insèrent dans la membrane plasmique. On pense que les récepteurs cellulaires de surface des IgM permettent aux lymphocytes B néoformés de recevoir des signaux extracellulaires qui arrêtent toute poursuite de réunion $V(D)J$, en inactivant l'expression des gènes *rag-1* et *rag-2*. Si un lymphocyte B en développement fabrique un récepteur qui reconnaît un auto-antigène, il est stimulé pour re-exprimer ses gènes *rag* et subir un autre cycle de réunion $V(D)J$ (appelé édition des récepteurs), modifiant ainsi la spécificité de ses récepteurs (non montré ici). Si un lymphocyte n'arrive pas à assembler à la fois une séquence codante d'une région V_H fonctionnelle et d'une région V_L fonctionnelle, il est incapable de fabriquer des molécules d'anticorps et meurt par apoptose (non montré ici).

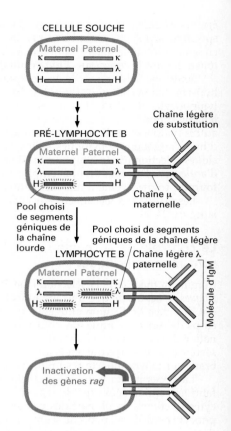

Ces deux pools séparés augmentent les chances qu'un pré-lymphocyte B qui a réussi à assembler une séquence codante de région V_H continue à pouvoir assembler une séquence codante de région V_L pour devenir un lymphocyte B. Cette chance augmente encore plus parce que, avant de produire des chaînes légères ordinaires, un pré-lymphocyte B en développement fabrique des chaînes légères de substitution (*voir* Figure 24-22) qui s'assemblent avec les chaînes lourdes μ. Les récepteurs obtenus sont exposés à la surface de la cellule et permettent à la cellule de proliférer et de produire un grand nombre de cellules descendantes, dont certaines pourront lui succéder et produire les véritables chaînes légères.

Lorsqu'il est activé par un antigène, le lymphocyte B passe de la fabrication d'un anticorps lié à la membrane à la fabrication d'une forme sécrétée de ce même anticorps

Passons maintenant des mécanismes génétiques qui déterminent le site de liaison à l'antigène d'un anticorps à ceux qui déterminent ses propriétés biologiques – c'est-à-dire à ceux qui déterminent la forme de la région constante de la chaîne lourde qui sera synthétisée. Le choix des segments géniques spécifiques qui codent pour le site de liaison à l'antigène est un engagement à vie du lymphocyte B et de sa descendance, mais le type de région C_H fabriqué se modifie au cours du développement du lymphocyte B. Les modifications sont de deux types : celles qui permettent le passage de la forme liée à la membrane à la forme sécrétée de la même région C_H et les modifications de la classe de la région C_H qui est fabriquée.

Toutes les classes d'anticorps peuvent être fabriquées sous une forme liée à la membrane, ainsi que sous une forme soluble sécrétée. La forme liée à la membrane sert de récepteur antigénique à la surface des lymphocytes B tandis que la forme soluble est fabriquée uniquement après l'activation de la cellule par un antigène pour qu'elle devienne un lymphocyte effecteur qui sécrète des anticorps (*voir* Figure 24-17). La seule différence entre les deux formes réside dans l'extrémité C-terminale de la chaîne lourde. Les chaînes lourdes des molécules d'anticorps liées à la membrane ont une extrémité C-terminale hydrophobe qui les ancre dans la bicouche lipidique de la membrane plasmique des lymphocytes B. Les chaînes lourdes des molécules d'anticorps sécrétées, à l'opposé, ont à la place une extrémité C-terminale hydrophile qui leur permet de s'échapper de la cellule. La commutation du caractère de la molécule d'anticorps fabriquée se produit parce que l'activation des lymphocytes B par les antigènes (et les lymphocytes T helper) induit une modification du mode de fabrication et de maturation des transcrits d'ARN de la chaîne H dans le noyau (*voir* Figure 7-93).

Les lymphocytes B peuvent modifier la classe d'anticorps qu'ils fabriquent

Pendant le développement d'un lymphocyte B, beaucoup de lymphocytes B passent de la fabrication d'une classe d'anticorps à la fabrication d'une autre – un processus appelé **commutation de classe**. Tous les lymphocytes B commencent leur vie de synthèse d'anticorps par la fabrication de molécules d'IgM et leur insertion dans la membrane plasmique en tant que récepteur antigénique. Une fois que les lymphocytes B quittent la moelle osseuse, mais avant qu'ils n'interagissent avec l'antigène, ils commutent et fabriquent à la fois des molécules d'IgM et d'IgD sous forme de récepteurs liés à la membrane, les deux ayant le même site de liaison à l'antigène (*voir* Figure 24-22). Lors d'une stimulation par les antigènes et les lymphocytes T helper, certains de ces lymphocytes sont activés pour sécréter des anticorps IgM qui dominent lors de la réponse immunitaire primaire. Plus tard lors de la réponse immunitaire, l'association de l'antigène et des cytokines que les lymphocytes T helper sécrètent amène beaucoup de lymphocytes B à commuter pour fabriquer des anticorps IgG, IgE ou IgA. Ces lymphocytes engendrent à la fois des lymphocytes mémoires qui expriment les classes correspondantes de molécules d'anticorps à leur surface et des lymphocytes effecteurs qui sécrètent les anticorps. Les molécules d'IgE, IgG et IgA sont collectivement nommées *classes secondaires d'anticorps* à la fois parce qu'elles sont produites uniquement après la stimulation antigénique et parce qu'elles dominent la réponse immunitaire secondaire. Comme nous l'avons déjà vu, chaque classe différente d'anticorps est spécialisée dans l'attaque de microbes de différentes manières et dans différents sites.

La région constante d'une chaîne lourde d'anticorps détermine la classe d'anticorps. De ce fait, la capacité des lymphocytes B à modifier la classe d'anticorps qu'ils fabriquent sans changer le site de liaison à l'antigène implique que la même séquence codante de la région V_H assemblée (qui spécifie la partie qui se lie à l'antigène de la chaîne lourde) puisse séquentiellement s'associer à différentes séquences codantes de C_H. Cela a des implications fonctionnelles importantes. Cela signifie que, chez un animal particulier, un site spécifique de liaison à l'antigène, qui a été sélectionné par des antigènes environnementaux, peut être distribué aux diverses classes d'anticorps et acquérir ainsi les différentes propriétés biologiques de chaque classe.

Lorsqu'un lymphocyte B passe de la fabrication d'IgM et d'IgD à celle d'une classe secondaire d'anticorps, il se produit une modification irréversible au niveau de l'ADN – un processus appelé *recombinaison de commutation de classe*. Elle comprend la délétion de toutes les séquences codantes pour C_H entre la séquence codante VDJ assemblée et la séquence codante spécifique de C_H que la cellule est destinée à exprimer (Figure 24-41). La recombinaison de commutation diffère de la réunion *V(D)J* de plusieurs manières : (1) elle implique uniquement des séquences non codantes et de ce fait laisse les séquences codantes sans modifications ; (2) elle utilise différentes séquences qui flanquent les recombinaisons et différentes enzymes ; (3) elle se produit après la stimulation antigénique et (4) elle dépend des lymphocytes T helper.

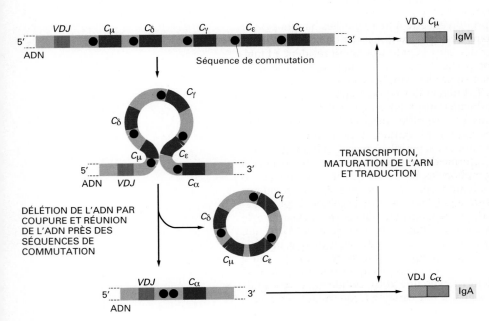

Figure 24-41 Exemple de réarrangement de l'ADN qui se produit lors de recombinaison de commutation de classe. Un lymphocyte B qui fabrique un anticorps IgM à partir d'une séquence *VDJ* assemblée d'ADN est stimulé par l'antigène et les cytokines fabriquées par les lymphocytes T helper pour commuter et fabriquer des anticorps IgA. Dans ce processus, il effectue la délétion de l'ADN entre la séquence *VDJ* et la séquence codante C_α. Les séquences spécifiques de l'ADN (*séquences de commutation*) localisées en amont de chaque séquence codante C_H se recombinent les unes avec les autres pour effectuer la délétion de l'ADN intercalé. On pense que la recombinaison de commutation de classe est médiée par une *recombinase de commutation* dirigée vers la séquence à commuter dès qu'elle devient accessible sous l'influence de cytokines comme nous le verrons ultérieurement.

Résumé

Les anticorps sont produits à partir de trois pools de segments géniques et d'exons. Un pool code pour les chaînes légères κ, un code pour les chaînes légères λ et un code pour les chaînes lourdes. Dans chaque pool, des segments géniques séparés, qui codent pour différentes parties de la région variable des chaînes lourdes et des chaînes légères, sont réunis par une recombinaison spécifique de site pendant le développement des lymphocytes B. Le pool de chaîne légère contient un ou plusieurs exons de région constante (C) et un ensemble de segments géniques variable (V) et de réunion (J pour joining). Le pool de chaînes lourdes contient un groupe d'exons de région C et un ensemble de segments géniques V, de diversité (D) et J.

Pour fabriquer une molécule d'anticorps, un segment génique V_L se recombine avec un segment génique J_L pour produire une séquence ADN codant pour la région V de la chaîne légère et un segment génique V_H se recombine avec un segment génique D et un segment génique J_H pour produire une séquence codante d'ADN pour la région V de la chaîne lourde. Chacune des séquences codantes assemblées des régions V est alors co-transcrite avec la séquence appropriée de la région C pour produire une molécule d'ARN qui code pour la chaîne polypeptidique complète. Les lymphocytes qui fabriquent des chaînes légères et des chaînes lourdes fonctionnelles inactivent le processus de réunion V(D)J pour assurer que chaque lymphocyte B fabrique une seule espèce de site de liaison à l'antigène.

Par l'association aléatoire de segments géniques héréditaires qui codent pour les régions V_L et V_H, les hommes peuvent fabriquer des centaines de chaînes légères différentes et des milliers de chaînes lourdes différentes. Comme le site de liaison à l'antigène se forme à l'endroit où sont réunies les boucles hypervariables de V_L et de V_H dans l'anticorps définitif, les chaînes légères et les chaînes lourdes peuvent s'apparier pour former des anticorps avec des millions de sites de liaison à l'antigène différents. Ce nombre augmente énormément encore par la perte et le gain de nucléotides au niveau des sites de réunion des segments géniques ainsi que par des mutations somatiques qui se produisent à très haute fréquence dans les séquences codantes de la région V assemblées après la stimulation par un antigène et les lymphocytes T helper.

Toutes les cellules B fabriquent initialement des anticorps IgM et la plupart d'entre elles fabriquent également des IgD. Ensuite beaucoup commutent et fabriquent des anticorps d'une autre classe mais avec le même site de liaison à l'antigène que l'anticorps IgM ou IgD d'origine. Ce type de commutation de classe dépend de la stimulation antigénique et des lymphocytes T helper et permet aux mêmes sites de liaison antigénique de se distribuer à des anticorps pourvus de propriétés biologiques variables.

LYMPHOCYTES T ET PROTÉINES MHC

Les diverses réponses des lymphocytes T sont collectivement appelées *réactions immunitaires à médiation cellulaire*. C'est pour les distinguer des réponses par anticorps qui, bien sûr, dépendent également de cellules (lymphocytes B). Les réponses par les lymphocytes T, comme la réponse par les anticorps, sont extrêmement spécifiques des antigènes et sont au moins aussi importantes que les anticorps pour défendre les vertébrés des infections. En effet, la plupart des réponses immunitaires adaptatives, y compris les réponses par les anticorps, doivent être initiées par des lymphocytes T helper. Ce qui est encore plus important c'est que, contrairement aux lymphocytes B, les lymphocytes T peuvent éliminer des germes pathogènes qui résident à l'intérieur des cellules hôtes. La plus grande partie du reste de ce chapitre s'intéresse au mode d'accomplissement de cette prouesse par les lymphocytes T.

Les réponses par les lymphocytes T diffèrent des réponses par les lymphocytes B au moins par deux points capitaux. Premièrement, les lymphocytes T sont activés par des antigènes étrangers pour proliférer et se différencier en lymphocytes effecteurs uniquement lorsque l'antigène est exposé à la surface d'une cellule de présentation de l'antigène dans les organes lymphoïdes périphériques. Les lymphocytes T répondent de cette manière parce que la forme des antigènes qu'ils reconnaissent est différente de celle reconnue par les lymphocytes B. Tandis que les lymphocytes B reconnaissent des antigènes intacts, les lymphocytes T reconnaissent des fragments de protéines antigéniques en partie dégradées à l'intérieur de la cellule de présentation de l'antigène. Ces fragments peptidiques sont ensuite transportés à la surface de la cellule de présentation sur des molécules spécifiques appelées *protéines MHC*, qui présentent les fragments aux lymphocytes T. La deuxième différence est que, une fois activés, les lymphocytes T effecteurs agissent uniquement à courte distance, soit à l'intérieur d'un organe lymphoïde secondaire soit une fois qu'ils ont migré dans le site infectieux. Ils interagissent directement avec une autre cellule du corps qu'ils tuent ou à laquelle ils transmettent un signal d'une certaine façon (nous citerons ces cellules comme *cellules cibles*). Les lymphocytes B activés, au contraire, sécrètent des anticorps qui peuvent agir à distance.

Il existe deux classes principales de lymphocytes T – les lymphocytes T cytotoxiques et les lymphocytes T helper. Les *lymphocytes T cytotoxiques* effecteurs tuent directement les cellules infectées par un virus ou certains autres germes pathogènes intracellulaires. Les *lymphocytes T helper* effecteurs, au contraire, stimulent les réponses d'autres cellules – surtout des macrophages, des lymphocytes B et des lymphocytes T cytotoxiques.

Dans cette partie du chapitre, nous décrirons ces deux classes de lymphocytes T et leurs fonctions respectives. Nous verrons comment ils reconnaissent des antigènes étrangers à la surface des cellules de présentation des antigènes et des cellules cibles et nous verrons les rôles cruciaux joués par les protéines MHC dans le processus de reconnaissance. Enfin, nous montrerons comment les lymphocytes T sont choisis pendant leur développement dans le thymus pour assurer que seules les cellules dotées de récepteurs potentiellement intéressants survivent et subissent une maturation. Nous commencerons par étudier la nature des récepteurs cellulaires de surface que les lymphocytes T utilisent pour reconnaître les antigènes.

Les récepteurs des lymphocytes T sont des hétérodimères de type anticorps

Comme les réponses des lymphocytes T dépendent d'un contact direct avec une cellule de présentation de l'antigène ou une cellule cible, les récepteurs antigéniques fabriqués par les lymphocytes T, contrairement aux anticorps fabriqués par les lymphocytes B, n'existent que sous leur forme liée à la membrane et ne sont pas sécrétés. C'est pourquoi les récepteurs des lymphocytes T ont été difficiles à isoler et ce n'est que vers les années 1980 qu'ils ont été identifiés pour la première fois biochimiquement. Sur les lymphocytes T cytotoxiques et helper, les récepteurs sont similaires aux anticorps. Ils sont composés de deux chaînes polypeptidiques (appelées α et β) reliées par des ponts disulfure, dont chacune contient deux domaines de type Ig, un variable et un constant (Figure 24-42A). De plus, la structure tridimensionnelle de la partie extracellulaire du récepteur d'un lymphocyte T a été déterminée par diffraction des rayons X et ressemble fortement à un des bras d'une molécule d'anticorps en Y (Figure 24-42B).

Les pools de segments géniques qui codent pour les chaînes α et β sont localisés sur différents chromosomes. Comme les pools des chaînes lourdes des anticorps, les pools des récepteurs des lymphocytes T contiennent des segments géniques séparés *V, D* et *J* qui sont assemblés par recombinaison spécifique de site pendant le développement des lymphocytes T dans le thymus. À une exception près, tous les mécanismes utilisés par les lymphocytes B pour engendrer la diversité des anticorps sont également utilisés par les lymphocytes T pour engendrer la diversité de leurs récepteurs. En effet, la même recombinase *V(D)J* est utilisée, pourvue de ses protéines RAG (traitées précédemment). Le mécanisme qui n'opère pas dans la diversification des récepteurs des lymphocytes T est l'hypermutation somatique entraînée par les antigènes. De ce fait, l'affinité des récepteurs reste basse (K_a ~10^5-10^7 litres/mole) même lors de réponse immunitaire tardive. Nous verrons ultérieurement comment les divers corécepteurs et les mécanismes d'adhésion intercellulaires renforcent fortement la fixation d'un lymphocyte T sur une cellule de présentation de l'antigène ou sur une cellule cible, ce qui permet de compenser la faible affinité des récepteurs des lymphocytes T.

Une petite minorité de lymphocytes T, au lieu de fabriquer des chaînes α et β, fabrique un type différent mais apparenté de récepteurs hétérodimériques, compo-

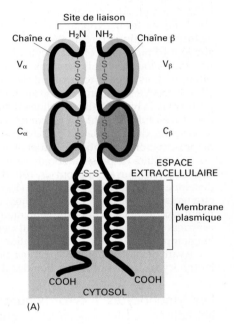

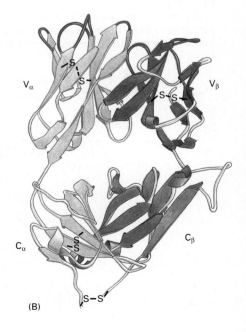

Figure 24-42 Récepteur hétérodimérique d'un lymphocyte T. (A) Cette représentation schématique montre que le récepteur est composé de deux chaînes polypeptidiques, une chaîne α et une chaîne β. Chaque chaîne contient environ 280 acides aminés et a une grande partie extracellulaire repliée en deux domaines de type Ig – un variable (V) et un constant (C). Le site de liaison à l'antigène est formé par un domaine V_α et un domaine V_β (en *bleu*). Contrairement aux anticorps, qui ont deux sites de liaison antigéniques, les récepteurs des lymphocytes T n'en ont qu'un. L'hétérodimère αβ est associé de façon non covalente à un grand groupe de protéines invariables liées à la membrane (non montré ici) qui facilitent l'activation du lymphocyte T lorsque les récepteurs des lymphocytes T se fixent sur l'antigène. Un lymphocyte T typique possède environ 30 000 complexes de récepteurs à sa surface. (B) La structure tridimensionnelle de la partie extracellulaire du récepteur d'un lymphocyte T. Le site de liaison à l'antigène est formé par les boucles hypervariables des domaines V_α et V_β (en *rouge*) et est similaire dans ses dimensions globales et sa géométrie au site de liaison à l'antigène d'une molécule d'anticorps. (B, d'après K.C. Garcia et al., *Science* 274 : 209-219, 1996.)

sés de chaînes γ et δ. Ces cellules apparaissent tôt au cours du développement et sont surtout observées dans les épithéliums (dans la peau et l'intestin par exemple). Leurs fonctions sont incertaines et nous n'en parlerons pas plus.

Les récepteurs des lymphocytes T, comme ceux des lymphocytes B, sont solidement associés, dans la membrane plasmique, à un certain nombre de protéines constantes, liées à la membrane, qui sont impliquées dans la transmission du signal du récepteur activé par l'antigène à l'intérieur de la cellule. Nous parlerons de ces protéines ultérieurement de façon plus détaillée. Voyons, cependant, d'abord, comment les lymphocytes T cytotoxiques et helper fonctionnent et quels sont leurs modes particuliers de reconnaissance des antigènes étrangers.

Les cellules de présentation de l'antigène activent les lymphocytes T

Avant que les lymphocytes T cytotoxiques ou helper puissent, respectivement, tuer ou aider leurs cellules cibles, ils doivent être activés pour proliférer et se différencier en cellules effectrices. Cette activation se produit dans les organes lymphoïdes périphériques à la surface des **cellules de présentation de l'antigène** qui présentent à leur surface les antigènes étrangers complexés à des protéines MHC.

Il existe trois types principaux de cellules de présentation de l'antigène dans les organes lymphoïdes périphériques qui peuvent activer les lymphocytes T – les cellules dendritiques, les macrophages et les lymphocytes B. La plus puissante des trois est la **cellule dendritique** (Figure 24-43) dont la seule fonction connue est de présenter les antigènes étrangers aux lymphocytes T. Les cellules dendritiques immatures sont localisées dans tous les tissus du corps, y compris la peau, le tube digestif et l'appareil respiratoire. Lorsqu'elles rencontrent des microbes envahissants au niveau de ces sites, elles phagocytent par endocytose les germes pathogènes ou leurs produits et les transportent via la lymphe aux ganglions lymphatiques locaux ou aux organes lymphoïdes associés au tube digestif. La rencontre avec un germe pathogène induit la maturation de la cellule dendritique qui passe d'une cellule de capture des antigènes à une cellule de présentation de l'antigène qui peut activer les lymphocytes T (*voir* Figure 24-5).

Les cellules de présentation de l'antigène possèdent trois types de molécules protéiques à leur surface qui ont un rôle dans l'activation du lymphocyte T pour qu'il devienne un lymphocyte effecteur : (1) les *protéines MHC* qui présentent les antigènes étrangers aux récepteurs des lymphocytes T, (2) les *protéines de co-stimulation* qui se fixent sur des récepteurs complémentaires à la surface des lymphocytes T et (3) des *molécules d'adhésion intercellulaire* qui permettent au lymphocyte T de se fixer assez longtemps sur la cellule de présentation de l'antigène pour être activé (Figure 24-44).

Avant de parler du rôle des protéines MHC dans la présentation des antigènes aux lymphocytes T, voyons la fonction des deux principales classes de lymphocytes T.

Les lymphocytes T cytotoxiques effecteurs conduisent les cellules cibles infectées au suicide

Les lymphocytes T cytotoxiques fournissent une protection vis-à-vis des germes pathogènes intracellulaires comme les virus et certaines bactéries et parasites qui se multiplient dans le cytoplasme de la cellule hôte où ils sont protégés des attaques par les anticorps. Ils fournissent cette protection en tuant les cellules infectées avant

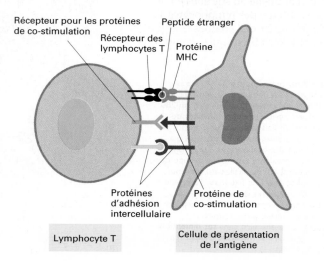

Figure 24-44 Les trois types de protéines à la surface d'une cellule de présentation de l'antigène, impliquées dans l'activation d'un lymphocyte T. Les chaînes polypeptidiques constantes qui sont associées de façon stable avec les récepteurs des lymphocytes T ne sont pas montrées ici.

Récepteur pour les protéines de co-stimulation

Récepteur des lymphocytes T

Peptide étranger

Protéine MHC

Protéines d'adhésion intercellulaire

Protéine de co-stimulation

Lymphocyte T

Cellule de présentation de l'antigène

que les microbes ne puissent proliférer et s'échapper de ces cellules pour infecter les cellules voisines.

Une fois qu'un lymphocyte T cytotoxique a été activé par une cellule de présentation de l'antigène infectée, pour devenir un lymphocyte effecteur, il peut tuer n'importe quelle cellule cible infectée par le même germe pathogène. Lorsque le lymphocyte T effecteur reconnaît un antigène microbien à la surface d'une cellule cible infectée, il concentre son appareil sécréteur sur la cible. Nous pouvons observer ce comportement en étudiant des lymphocytes T effecteurs fixés sur leurs cibles : lorsqu'il est marqué par des anticorps anti-tubuline, on observe que le centrosome du lymphocyte T s'oriente vers le point de contact avec la cellule cible (Figure 24-45). De plus, le marquage par anticorps montre que la taline et d'autres protéines qui facilitent l'union des récepteurs cellulaires de surface aux filaments d'actine corticaux sont concentrées dans le cortex du lymphocyte T au niveau du site de contact. L'agrégation des récepteurs du lymphocyte T sur le site de contact conduit apparemment à l'altération locale des filaments d'actine du cortex cellulaire. Un mécanisme dépendant des microtubules déplace alors le centrosome associé à son appareil de Golgi vers le site de contact et focalise la machinerie tueuse sur la cellule cible. Une polarisation similaire du cytosquelette est observée lorsqu'un lymphocyte T helper effecteur interagit fonctionnellement avec une cellule cible.

Une fois lié sur sa cellule cible, le lymphocyte T cytotoxique peut employer au moins deux stratégies pour tuer la cible, qui opèrent toutes deux par l'induction du suicide de la cellule cible par apoptose (*voir* Chapitre 17). Pour tuer une cellule cible infectée, le lymphocyte T cytotoxique libère généralement une protéine formant un pore, la **perforine**, homologue au composant C9 du complément (*voir* Figure 25-42) qui se polymérise dans la membrane plasmique de la cellule cible pour former des canaux transmembranaires. La perforine est stockée dans des vésicules sécrétoires du lymphocyte T cytotoxique et est libérée par exocytose locale au niveau du point de contact avec la cellule cible. La vésicule sécrétoire contient aussi des sérine-protéases qui, pense-t-on, entrent dans le cytosol de la cellule cible par les canaux de perforine. Une des protéases, la *granzyme B*, coupe et active ainsi un ou plusieurs membres d'une *famille* de protéases, les *caspases*, qui permettent l'apoptose. Ces cas-

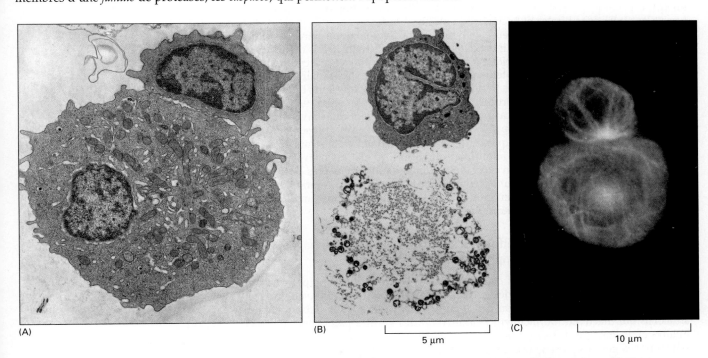

(A)   (B)   5 µm   (C)   10 µm

Figure 24-45 Lymphocytes T cytotoxiques effecteurs tuant des cellules cibles en culture. (A) Cette photographie en microscopie électronique montre un lymphocyte T cytotoxique effecteur qui se fixe sur la cellule cible. Les lymphocytes T cytotoxiques proviennent de souris immunisées avec la cellule cible, des cellules tumorales étrangères. (B) Cette photographie en microscopie électronique montre un lymphocyte T cytotoxique et une cellule tumorale que le lymphocyte T a tuée. Chez un animal, contrairement à ce qui se passe dans une boîte de culture, la cellule cible aurait été phagocytée par les cellules voisines longtemps avant de se désintégrer de la façon montrée ici. (C) Une photographie en microscopie à immunofluorescence d'un lymphocyte T et d'une cellule tumorale après leur coloration avec des anticorps anti-tubuline. Notez que le centrosome du lymphocyte T et les microtubules qui irradient à partir de lui sont orientés vers le point de contact intercellulaire avec la cellule cible. Voir aussi la Figure 16-97A.
(A et B, d'après D. Zagury, J. Bernard, N. Thierness, M. Feldman et G. Berke, *Eur. J. Immunol.* 5 : 818-822, 1975 ; C, reproduit d'après B. Geiger, D. Rosen et G. Berke, *J. Cell Biol.* 95 : 137-143, 1982. © The Rockefeller University Press.)

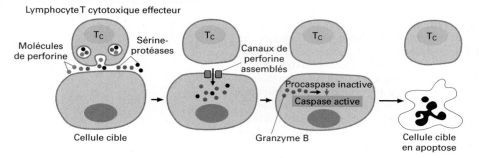

A Élimination cellulaire dépendant des perforines

Lymphocyte T cytotoxique effecteur

Molécules de perforine
Sérine-protéases
Canaux de perforine assemblés
Procaspase inactive
Caspase active
Cellule cible
Granzyme B
Cellule cible en apoptose

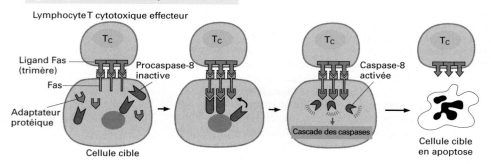

B Élimination cellulaire dépendante de Fas

Lymphocyte T cytotoxique effecteur

Ligand Fas (trimère)
Procaspase-8 inactive
Caspase-8 activée
Fas
Adaptateur protéique
Cellule cible
Cascade des caspases
Cellule cible en apoptose

Figure 24-46 Deux stratégies qui permettent aux lymphocytes T cytotoxiques effecteurs de tuer leurs cellules cibles. (A) Le lymphocyte T cytotoxique (T_C) libère la perforine et les enzymes protéolytiques à la surface d'une cellule cible infectée par exocytose localisée. La forte concentration en Ca^{2+} du liquide extracellulaire provoque l'assemblage de la perforine en canaux transmembranaires qui, pense-t-on, permettent aux enzymes protéolytiques d'entrer dans le cytosol de la cellule cible. Une des enzymes, la granzyme B, coupe et active des procaspases spécifiques ce qui déclenche la cascade protéolytique des caspases qui conduit à l'apoptose. (B) Le ligand Fas homotrimérique de la surface des lymphocytes T cytotoxiques se fixe et active le récepteur protéique Fas à la surface d'une cellule cible. La queue cytosolique de Fas contient un *domaine de mort* qui, lorsqu'il est activé, se fixe sur une protéine adaptatrice qui, à son tour, recrute une procaspase spécifique (la procaspase 8). Les molécules agrégées de procaspases 8 se coupent alors mutuellement pour produire des molécules de caspase 8 actives qui initient la cascade protéolytique des caspases conduisant à l'apoptose.

pases activent alors d'autres caspases, ce qui produit une cascade protéolytique qui aide à tuer la cellule (*voir* Chapitre 17) (Figure 24-46A). Les souris qui présentent une inactivation du gène de la perforine ne peuvent engendrer de lymphocytes T cytotoxiques spécifiques des microbes et présentent une augmentation de leur sensibilité à certaines infections virales et bactériennes intracellulaires.

Dans la deuxième stratégie tueuse, le lymphocyte T cytotoxique active aussi une cascade de caspases qui induit la mort dans la cellule cible mais le fait moins directement. Une protéine homotrimérique à la surface des lymphocytes T cytotoxiques, le **ligand Fas**, se fixe sur les récepteurs protéiques **Fas** transmembranaires de la cellule cible. Cette fixation modifie les protéines Fas de telle sorte que leurs queues cytosoliques agrégées recrutent la procaspase-8 dans le complexe via une protéine adaptatrice. Les molécules de procaspase-8 recrutées se coupent et s'activent mutuellement pour commencer la cascade des caspases qui conduit à l'apoptose (Figure 24-46B). Les lymphocytes T cytotoxiques utilisent apparemment cette stratégie tueuse pour aider à contenir la réponse immunitaire une fois qu'elle est bien engagée en tuant les lymphocytes effecteurs en excès, en particulier les lymphocytes T effecteurs. Si le gène codant pour Fas ou pour le ligand Fas est inactivé par mutation, les lymphocytes effecteurs s'accumulent en grand nombre dans la rate et les ganglions lymphatiques, qui s'hypertrophient énormément.

Les lymphocytes T helper effecteurs activent les macrophages, les lymphocytes B et les lymphocytes T cytotoxiques

Contrairement aux lymphocytes T cytotoxiques, les **lymphocytes T helper** sont cruciaux pour les défenses vis-à-vis des germes pathogènes extracellulaires et intracellulaires. Ils facilitent la stimulation des lymphocytes B pour qu'ils fabriquent des anticorps qui inactivent ou facilitent l'élimination des germes pathogènes extracellulaires et de leurs produits toxiques. Ils activent les macrophages pour qu'ils détruisent tous les germes pathogènes intracellulaires qui se multiplient à l'intérieur des phagosomes des macrophages et facilitent l'activation des lymphocytes T cytotoxiques pour qu'ils tuent les cellules cibles infectées.

Une fois qu'un lymphocyte T helper a été activé par une cellule de présentation de l'antigène pour devenir une cellule effectrice, il peut alors activer d'autres cellules. Il le fait par la sécrétion de diverses cytokines et par la présentation de protéines de co-stimulation à sa surface. Lorsqu'il est activé par une cellule de présentation de l'antigène, un lymphocyte T helper naïf peut se différencier en l'un des deux types distincts de lymphocytes T helper effecteurs, T_H1 et T_H2. Les *lymphocytes T_H1* facilitent surtout l'activation des macrophages et des lymphocytes T cytotoxiques,

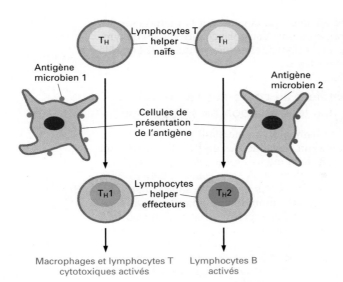

Figure 24-47 Différenciation des lymphocytes T helper naïfs en lymphocytes helper effecteurs, T$_H$1 ou T$_H$2, dans un organe lymphoïde périphérique. La cellule de présentation de l'antigène et les caractéristiques du germe pathogène qui l'activent déterminent surtout le type de lymphocyte T helper qui se développe.

tandis que les *lymphocytes T$_H$2* facilitent surtout l'activation des lymphocytes B (Figure 24-47). Comme nous le verrons ultérieurement, la nature du germe invasif et les types de réponses immunitaires innées qu'il engendre déterminent largement le type de lymphocyte T helper qui se développe. Cela détermine à son tour la nature des réponses immunitaires adaptatives mobilisées pour combattre les envahisseurs.

Avant de voir comment les lymphocytes T helper fonctionnent pour activer les macrophages, les lymphocytes T cytotoxiques ou les lymphocytes B, envisageons le rôle crucial des protéines MHC dans les réponses des lymphocytes T.

Les lymphocytes T reconnaissent les peptides étrangers liés aux protéines MHC

Comme nous l'avons déjà vu, les lymphocytes T cytotoxiques et les lymphocytes T helper sont initialement activés dans les organes lymphoïdes périphériques par la reconnaissance d'antigènes étrangers à la surface des cellules de présentation de l'antigène, en général des cellules dendritiques. L'antigène est sous la forme de fragments peptidiques engendrés par la dégradation des antigènes protéiques étrangers à l'intérieur de la cellule de présentation de l'antigène. Le processus de reconnaissance dépend de la présence, dans ces cellules de présentation, de **protéines MHC** qui se fixent sur ces fragments, les transportent à la surface cellulaire et les présentent aux lymphocytes T, associés au signal co-stimulateur. Une fois activés, les lymphocytes T effecteurs reconnaissent alors ce même complexe peptide-MHC à la surface de la cellule cible qu'ils influencent, un lymphocyte B, un lymphocyte T cytotoxique ou un macrophage infecté dans le cas des lymphocytes T helper ou la cellule infectée par un virus dans le cas des lymphocytes T cytotoxiques.

Les protéines MHC sont codées par un important complexe de gènes appelé **complexe majeur d'histocompatibilité** (**MHC** pour *major histocompatibility complex*). Il existe deux classes de protéines MHC, distinctes du point de vue structurel et fonctionnel : les *protéines MHC de classe I* qui présentent des peptides étrangers aux lymphocytes T cytotoxiques et les *protéines MHC de classe II* qui présentent les peptides étrangers aux lymphocytes T helper (Figure 24-48).

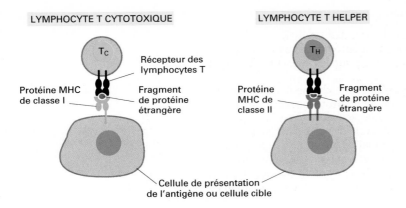

Figure 24-48 Reconnaissance par les lymphocytes T de peptides étrangers liés aux protéines MHC. Les lymphocytes T cytotoxiques reconnaissent les peptides étrangers associés aux protéines MHC de classe I, tandis que les lymphocytes T helper reconnaissent les peptides étrangers associés aux protéines MHC de classe II. Dans les deux cas, les complexes peptides-MHC sont reconnus à la surface d'une cellule de présentation de l'antigène ou d'une cellule cible.

Avant d'examiner les différents mécanismes qui engendrent la maturation des antigènes protéiques afin qu'ils soient présentés aux deux principales classes de lymphocytes T, étudions plus en détail les protéines MHC elles-mêmes qui jouent un rôle si important dans la fonction des lymphocytes T.

Les protéines MHC ont été identifiées au cours des réactions de transplantation, avant même que leur fonction ne soit connue

Les protéines MHC ont été initialement identifiées comme étant l'antigène majeur reconnu lors des **réactions de transplantation**. Lorsque des greffes d'organes sont effectuées entre des individus adultes, soit de la même espèce (*allogreffes*) soit d'espèces différentes (*xénogreffes*), elles sont généralement rejetées. Dans les années 1950, les expériences sur les greffes de peau entre différentes souches de souris ont mis en évidence que le *rejet des greffes* était une réponse immunitaire adaptative vis-à-vis d'antigènes étrangers situés à la surface des cellules greffées. Le rejet est surtout médié par les lymphocytes T qui réagissent vis-à-vis des versions génétiquement étrangères des protéines cellulaires de surface appelées *molécules d'histocompatibilité* (du grec *histos*, qui signifie «tissu»). Les protéines MHC codées par les gènes agrégés du complexe majeur d'histocompatibilité (MHC) sont de loin les plus importantes. Les protéines MHC sont exprimées dans les cellules des vertébrés supérieurs. Elles ont été mises en évidence pour la première fois chez les souris où elles sont appelées *antigènes H-2* (antigènes d'histocompatibilité-2). Chez l'homme, elles sont appelées *antigènes HLA* (pour *human leucocyte-associated* ou associés aux leucocytes de l'homme) parce qu'elles ont été mises en évidence pour la première fois sur les leucocytes (globules blancs sanguins).

Ces propriétés remarquables des protéines MHC ont longtemps laissé perplexes les immunologistes. D'abord, les protéines MHC sont, de manière écrasante, les antigènes reconnus de préférence au cours des réactions de transplantation passant par les lymphocytes T. Deuxièmement, une fraction particulièrement importante de lymphocytes T est capable de reconnaître les protéines MHC étrangères : alors que moins de 0,001 p. 100 des lymphocytes T d'un individu répondent à un antigène viral typique, plus de 0,1 p. 100 d'entre eux répondent à un seul antigène MHC étranger. Troisièmement, certains gènes qui codent pour les protéines MHC font partie des plus *polymorphes* connus chez les vertébrés supérieurs. C'est-à-dire que, dans une espèce, il existe un nombre extraordinairement important d'*allèles* (les formes alternatives du même gène), dans certains cas plus de 200, sans qu'il y ait d'allèle prédominant. Comme chaque individu possède au moins 12 gènes codant pour les protéines MHC (*voir* plus loin), il est très rare que deux individus non apparentés présentent le même jeu de protéines MHC. La concordance entre le donneur et le receveur est de ce fait très difficile lors de transplantation d'organes, sauf s'ils sont étroitement apparentés.

Bien sûr un vertébré n'a pas besoin de se protéger lui-même vis-à-vis d'invasion par des cellules étrangères de vertébrés. C'est pourquoi l'obsession apparente de ses lymphocytes T pour les protéines MHC étrangères et le polymorphisme extrême de ces molécules constituaient un vrai casse-tête. Cette énigme a été résolue lorsqu'il fut découvert que (1) les protéines MHC se fixent sur des fragments de protéines étrangères et les présentent à la surface de la cellule hôte pour que les lymphocytes T les reconnaissent et (2) les lymphocytes T répondent aux protéines MHC étrangères comme ils répondent à leurs propres protéines MHC ayant un antigène étranger fixé à elles.

Les protéines MHC de classe I et de classe II sont des hétérodimères de structure similaire

Les protéines MHC de classe I et de classe II ont une structure globale très similaire. Ce sont toutes deux des hétérodimères transmembranaires pourvus de domaines N-terminaux extracellulaires qui fixent les antigènes pour les présenter aux lymphocytes T.

Les **protéines MHC de classe I** sont composées d'une chaîne α transmembranaire, codée par un gène MHC de classe I, et d'une petite protéine extracellulaire, la β_2-*microglobuline* (Figure 24-49A). La β_2-microglobuline ne traverse pas la membrane et est codée par un gène qui ne réside pas dans la batterie des gènes MHC. La chaîne α est repliée en trois domaines globulaires extracellulaires (α_1, α_2 et α_3) ; le domaine α_3 et la β_2-microglobuline, qui sont les plus proches de la membrane, sont tous deux similaires à un domaine Ig. Les deux domaines N-terminaux de la chaîne α les plus éloignés de la membrane contiennent les acides aminés polymorphes (variables)

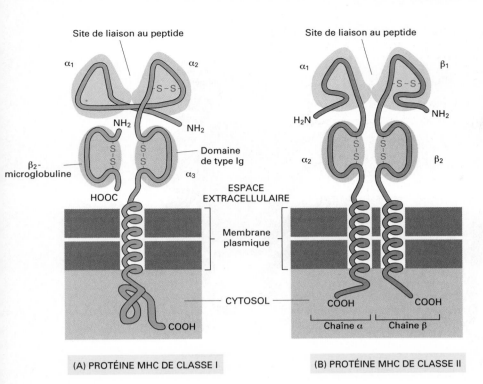

Site de liaison au peptide

α_1 α_2 S–S

β_2-microglobuline

Domaine de type Ig

NH$_2$ NH$_2$

α_3

HOOC

ESPACE EXTRACELLULAIRE

Membrane plasmique

CYTOSOL

COOH

(A) PROTÉINE MHC DE CLASSE I

Site de liaison au peptide

α_1 β_1 S–S

H$_2$N NH$_2$

α_2 β_2

COOH COOH

Chaîne α Chaîne β

(B) PROTÉINE MHC DE CLASSE II

Figure 24-49 Protéines MHC de classe I et de classe II. (A) La chaîne α de la molécule de classe I a trois domaines extracellulaires α_1, α_2 et α_3, codés par des exons séparés. Elle est associée de façon non covalente à une plus petite chaîne polypeptidique, la β_2-microglobuline qui n'est pas codée à l'intérieur du MHC. Le domaine α_3 et la β_2-microglobuline sont de type Ig. Alors que la β_2-microglobuline est constante, la chaîne α est extrêmement polymorphe, surtout dans les domaines α_1 et α_2. (B) Dans les protéines MHC de classe II les deux chaînes sont polymorphes surtout dans les domaines α_1 et β_1; les domaines α_2 et β_2 sont de type Ig. De ce fait il existe des similitudes frappantes entre les protéines MHC de classe I et II. Dans les deux, les domaines les plus externes (en *bleu*) interagissent pour former le sillon qui fixe les fragments peptidiques des protéines étrangères et les présentent aux lymphocytes T.

reconnus par les lymphocytes T lors des réactions de transplantation. Ces domaines fixent le peptide et le présentent aux lymphocytes T cytotoxiques.

Les **protéines MHC de classe II**, comme celles de la classe I, sont des hétérodimères qui ont deux domaines de type Ig conservés proches de la membrane et deux domaines N-terminaux polymorphes (variables) plus éloignés de la membrane. Dans ces protéines, cependant, les deux chaînes (α et β) sont codées par des gènes à l'intérieur du MHC et traversent toutes deux la membrane (Figure 24-49B). Les deux domaines polymorphes fixent le peptide et le présentent aux lymphocytes T helper.

La présence de domaines de type Ig dans les protéines de classe I et II suggère que les protéines MHC et les anticorps ont une histoire évolutive commune. La localisation des gènes qui codent pour les protéines MHC de classe I et II chez l'homme est montrée dans la figure 24-50, et nous y avons également montré comment un individu pouvait fabriquer six types de protéines MHC de classe I et plus de six types de protéines de classe II.

En plus des protéines MHC de classe I classiques, il existe beaucoup de *protéines MHC de classe I non classiques*, qui forment des dimères avec la β_2-microglobuline. Ces protéines ne sont pas polymorphes mais certaines présentent aux lymphocytes T des antigènes microbiens spécifiques y compris certains lipides et glycolipides. Cependant, les fonctions de la plupart d'entre elles ne sont pas connues.

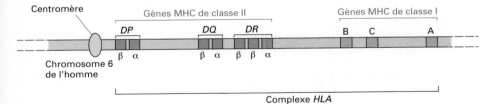

Centromère

Gènes MHC de classe II

Gènes MHC de classe I

DP DQ DR

B C A

β α β α β β α

Chromosome 6 de l'homme

Complexe *HLA*

Figure 24-50 Gènes MHC de l'homme. Cette représentation schématique simplifiée montre la localisation des gènes qui codent pour les sous-unités transmembranaires des protéines MHC de classe I (*vert clair*) et de classe II (*vert foncé*). Les gènes montrés ici codent pour trois types de protéines MHC de classe I (HLA-A, HLA-B et HLA-C) et trois types de protéines MHC de classe II (HLA-DP, HLA-DQ, et HLA-DR). Un individu peut donc fabriquer six types de protéines MHC de classe I (trois codés par les gènes maternels et trois par les gènes paternels) et plus de six types de protéines MHC de classe II. Le nombre de protéines MHC de classe II qui peut être fabriqué est encore supérieur parce qu'il y a deux gènes DR β et parce que les chaînes polypeptidiques codées par la mère et celles codées par le père peuvent parfois s'apparier.

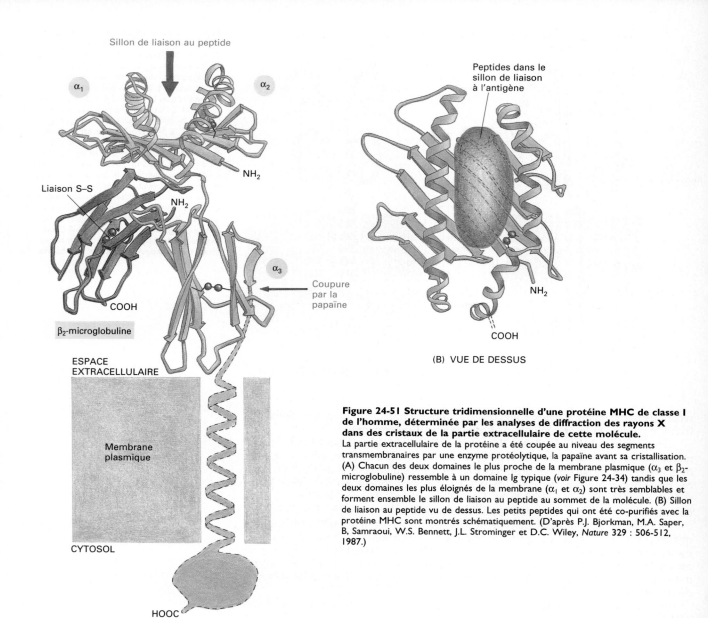

Sillon de liaison au peptide

α₁ α₂

NH₂

Liaison S–S

NH₂

α₃

Coupure par la papaïne

COOH

β₂-microglobuline

ESPACE EXTRACELLULAIRE

Membrane plasmique

CYTOSOL

HOOC

(A) VUE LATÉRALE

Peptides dans le sillon de liaison à l'antigène

NH₂

COOH

(B) VUE DE DESSUS

Figure 24-51 Structure tridimensionnelle d'une protéine MHC de classe I de l'homme, déterminée par les analyses de diffraction des rayons X dans des cristaux de la partie extracellulaire de cette molécule. La partie extracellulaire de la protéine a été coupée au niveau des segments transmembranaires par une enzyme protéolytique, la papaïne avant sa cristallisation. (A) Chacun des deux domaines le plus proche de la membrane plasmique (α_3 et β_2-microglobuline) ressemble à un domaine Ig typique (*voir* Figure 24-34) tandis que les deux domaines les plus éloignés de la membrane (α_1 et α_2) sont très semblables et forment ensemble le sillon de liaison au peptide au sommet de la molécule. (B) Sillon de liaison au peptide vu de dessus. Les petits peptides qui ont été co-purifiés avec la protéine MHC sont montrés schématiquement. (D'après P.J. Bjorkman, M.A. Saper, B, Samraoui, W.S. Bennett, J.L. Strominger et D.C. Wiley, *Nature* 329 : 506-512, 1987.)

Une protéine MHC fixe un peptide et interagit avec un récepteur d'un lymphocyte T

Chaque individu ne peut fabriquer qu'un petit nombre de protéines MHC différentes, qui doivent être capables de présenter les fragments peptidiques de n'importe quelle protéine étrangère, ou presque, aux lymphocytes T. De ce fait, contrairement aux molécules d'anticorps, chaque protéine MHC doit pouvoir se fixer à un très grand nombre de peptides différents. Les fondements structurels de cette versatilité ont été mis en évidence par les analyses des protéines MHC par cristallographie aux rayons X.

Comme cela est montré dans la figure 24-51A, une protéine MHC de classe 1 possède un seul site de liaison peptidique localisé à une de ses extrémités, éloignée de la membrane plasmique. Ce site est composé d'un sillon profond entre deux longues hélices α ; ce sillon se rétrécit aux deux extrémités afin d'être juste assez large pour laisser entrer un peptide allongé composé d'environ 8 à 10 acides aminés. En fait, lorsqu'une protéine MHC de classe I a été analysée pour la première fois par cristallographie aux rayons X en 1987, son sillon contenait des peptides liés qui avaient co-cristallisé avec la protéine MHC (Figure 24-51B), ce qui suggère que, une fois que le peptide se fixe sur ce site, normalement il ne s'en dissocie plus.

Un peptide typique se fixe dans le sillon d'une protéine MHC de classe I sous une conformation allongée, avec son groupe amine terminal fixé sur une poche constante à une des extrémités du sillon et son groupement carboxyle lié à une poche constante à l'autre extrémité du sillon. Les autres acides aminés du peptide (appelés «acides aminés d'ancrage») se fixent sur des «poches de spécificité» du sillon, formées par les portions polymorphes de la protéine MHC (Figure 24-52). Les chaînes latérales des autres acides aminés pointent vers l'extérieur dans une position qui peut être reconnue par les récepteurs des lymphocytes T cytotoxiques. Comme les poches conservées situées aux extrémités du sillon de fixation reconnaissent des caractéristiques du squelette peptidique, communes à tous les peptides, chaque allèle d'une protéine MHC de classe I peut fixer une grande variété de peptides de séquences différentes. En même temps, les différentes poches de spécificité situées le long du sillon, qui fixent les chaînes latérales d'acides aminés, spécifiques du peptide, assurent que chaque allèle fixe et présente un ensemble caractéristique et distinct de peptides. De ce fait, les six types de protéines MHC de classe I d'un individu peuvent présenter une large gamme de peptides étrangers aux lymphocytes T cytotoxiques mais, pour chaque individu, elles le font d'une façon légèrement différente.

Les protéines MHC de classe II ont une structure tridimensionnelle très similaire à celle des protéines de classe I mais leur sillon de liaison à l'antigène ne se rétrécit pas aux extrémités de telle sorte qu'il peut laisser entrer de plus gros peptides qui contiennent généralement 13 à 17 acides aminés. De plus, le peptide n'est pas fixé à ses extrémités. Il est maintenu dans le sillon par des parties de son squelette peptidique qui se fixent sur des poches constantes formées d'acides aminés conservés qui tapissent tous les sillons de fixation des protéines MHC de classe II, ainsi que par les chaînes latérales de ses acides aminés d'ancrage qui se fixent dans le sillon sur des poches de spécificité variable (Figure 24-53). Un sillon de liaison des MHC de classe II peut laisser entrer un ensemble plus hétérogène de peptides qu'un sillon MHC de classe I. De ce fait, bien qu'un individu fabrique uniquement un petit nombre de types de protéines de classe II, chacune dotée de son propre sillon unique de liaison au peptide, toutes ces protéines peuvent fixer et présenter ensemble une variété énorme de peptides étrangers aux lymphocytes T helper qui jouent un rôle crucial dans presque toutes les réponses immunitaires adaptatives.

Le mode de reconnaissance du fragment peptidique lié à une protéine MHC par les récepteurs des lymphocytes T a été révélé par les analyses de cristallographie aux rayons X des complexes formés entre un récepteur soluble et une protéine soluble MHC contenant un peptide dans son sillon de liaison. (Les protéines solubles pour ces expériences sont produites par la technologie de l'ADN recombinant). Dans chaque cas étudié, les récepteurs des lymphocytes T s'adaptent en diagonale dans le sillon de liaison au peptide et se fixent par le biais de leurs boucles hypervariables V_α et V_β à la fois sur la paroi du sillon et sur celle du peptide (Figure 24-54). Les complexes solubles peptide-MHC sont maintenant largement utilisés pour détecter les lymphocytes T dotés d'une spécificité particulière; ils sont généralement réunis en tétramères pour augmenter leur avidité pour les récepteurs des lymphocytes T.

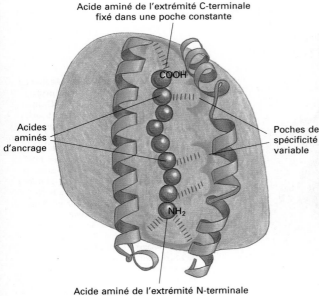

Acide aminé de l'extrémité C-terminale fixé dans une poche constante

COOH

Acides aminés d'ancrage

Poches de spécificité variable

NH₂

(A)

Acide aminé de l'extrémité N-terminale fixé dans une poche constante

(B)

Figure 24-52 Un peptide fixé dans le sillon d'une protéine MHC de classe I. (A) Représentation schématique d'une vue de dessus du sillon. Le squelette peptidique est montré comme une corde de *balles rouges* dont chacune représente un des neuf acides aminés du peptide. Les groupements terminaux amine et carboxyle du squelette peptidique se fixent sur des poches constantes à l'extrémité du sillon tandis que les chaînes latérales de plusieurs acides aminés d'ancrage du peptide se fixent sur des poches de spécificité variable dans le sillon. (B) La structure tridimensionnelle d'un peptide fixé dans le sillon d'une protéine MHC de classe I, déterminée par diffraction des rayons X. (B, due à l'obligeance de Paul Travers.)

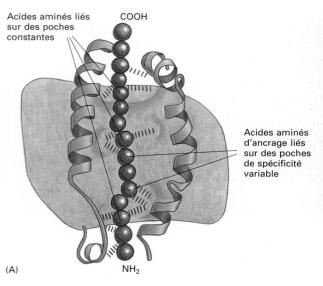

Acides aminés liés
sur des poches
constantes

COOH

Acides aminés
d'ancrage liés
sur des poches
de spécificité
variable

(A)

NH₂

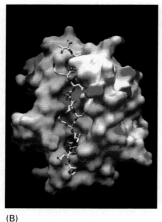

(B)

Figure 24-53 Un peptide fixé dans le sillon d'une protéine MHC de classe II. (A) Représentation schématique semblable à celle montrée dans la Figure 24-52A. Notez que les extrémités du peptide ne sont pas solidement fixées et s'étendent au-delà de la fente. Le peptide est maintenu dans le sillon par des interactions entre des parties de son squelette et des poches constantes du sillon et entre les chaînes latérales de divers acides aminés d'ancrage du peptide et des poches de spécificité variable du sillon. (B) La structure tridimensionnelle d'un peptide lié dans le sillon d'une protéine MHC de classe II, déterminée par diffraction des rayons X. (B, due à l'obligeance de Paul Travers.)

Les protéines MHC dirigent les lymphocytes T vers leurs cibles appropriées

Les protéines MHC de classe I sont virtuellement exprimées sur toutes les cellules nucléées. C'est probablement parce que les lymphocytes T cytotoxiques effecteurs doivent pouvoir se focaliser et tuer toute cellule du corps infectée par un microbe intracellulaire comme un virus. Les protéines de classe II, au contraire, sont normalement en grande partie confinées aux cellules qui absorbent les antigènes étrangers à partir du liquide extracellulaire et interagissent avec les lymphocytes T helper. Il s'agit des cellules dendritiques, qui activent initialement les lymphocytes T helper ainsi que les cibles des lymphocytes T helper effecteurs, comme les macrophages et les lymphocytes B. Comme les cellules dendritiques expriment à la fois les protéines MHC de classe I et de classe II, elles peuvent activer les lymphocytes T cytotoxiques et helper.

Il est important que les lymphocytes T cytotoxiques effecteurs focalisent leur attaque sur les cellules qui fabriquent les antigènes étrangers (comme les protéines virales) tandis que les lymphocytes T helper focalisent leur aide surtout aux cellules qui ont absorbé les antigènes étrangers à partir du liquide extracellulaire. Comme le premier type de cellule cible est toujours une menace, alors que le deuxième type est essentiel aux défenses immunitaires du corps, il est d'une importance vitale que les lymphocytes T ne confondent jamais ces deux cellules cibles et dirigent mal leur fonction cytotoxique et helper. De ce fait, en plus des récepteurs antigéniques qui reconnaissent le complexe peptide–MHC, chacune des deux principales classes de lymphocytes T exprime aussi un *co-récepteur* qui reconnaît une partie séparée constante de la bonne classe de protéines MHC. Ces deux co-récepteurs, appelés CD4 et CD8, aident à diriger respectivement les lymphocytes T helper et les lymphocytes T cytotoxiques vers leurs bonnes cibles comme nous le verrons dans le prochain paragraphe. Les propriétés des protéines MHC de classe I et de classe II sont comparées dans le tableau 24-II.

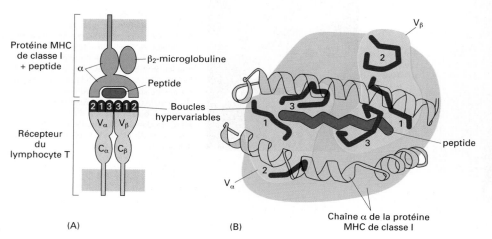

Protéine MHC
de classe I
+ peptide

α

β₂-microglobuline

Peptide

2 1 3 3 1 2

Boucles
hypervariables

Vα Vβ

Cα Cβ

Récepteur
du
lymphocyte T

(A)

(B)

Vβ

peptide

Vα

Chaîne α de la protéine
MHC de classe I

Figure 24-54 Interaction du récepteur d'un lymphocyte T avec un peptide viral fixé sur une protéine MHC de classe I. (A) Vue schématique des boucles hypervariables des domaines V_α et V_β du récepteur du lymphocyte T qui interagissent avec le peptide et avec les parois du sillon de fixation du peptide de la protéine MHC. Les contacts précis ne sont pas illustrés ici. (B) Schéma de l'«empreinte» des domaines V (en *bleu*) et des boucles hypervariables (en *bleu foncé*) du récepteur sur le sillon de liaison au peptide, déterminé par diffraction des rayons X. Le domaine V_α couvre la moitié amine du peptide tandis que le domaine V_β couvre la moitié carboxyle. Notez que le récepteur est orienté en diagonale au travers du sillon de liaison au peptide. (B, adapté d'après D.N. Garboczi et al., *Nature* 384 : 134-141, 1996.)

TABLEAU 24-II Propriétés des protéines MHC de classe I et de classe II de l'homme

	CLASSE I	CLASSE II
Loci génétiques	*HLA-A, HLA-B, HLA-C*	*DP, DQ, DR*
Structure de la chaîne	Chaîne α + β₂-microglobuline	Chaîne α + chaîne β
Distribution cellulaire	La plupart des cellules nucléées	Cellules de présentation de l'antigène (y compris les lymphocytes B), cellules épithéliales thymiques, certaines autres
Impliqué dans la présentation des antigènes aux	Lymphocytes T cytotoxiques	Lymphocytes T helper
Source du fragment peptidique	Protéines fabriquées dans le cytoplasme	Protéines extracellulaires et de la membrane plasmique endocytées
Domaines polymorphes	$\alpha_1 + \alpha_2$	$\alpha_1 + \beta_1$
Reconnaissance par des co-récepteurs	CD8	CD4

Les co-récepteurs CD4 et CD8 se fixent sur des parties non variables des protéines MHC

L'affinité des récepteurs des lymphocytes T pour les complexes peptides-MHC d'une cellule de présentation de l'antigène ou d'une cellule cible est généralement trop faible pour permettre une interaction fonctionnelle entre les deux cellules par elle-même. Les lymphocytes T nécessitent normalement des *récepteurs accessoires* qui les aident à stabiliser l'interaction en augmentant la force globale de l'adhésion inter-cellulaire. Contrairement aux récepteurs des cellules T ou des protéines MHC, les récepteurs accessoires ne se fixent pas sur des antigènes étrangers et sont constants.

Lorsque ces récepteurs accessoires jouent également un rôle direct dans l'activation des lymphocytes T par la génération de leurs propres signaux intracellulaires, ils sont appelés **co-récepteurs**. Les co-récepteurs les plus importants et les mieux connus des lymphocytes T sont les protéines CD4 et CD8, qui sont toutes deux des protéines à un seul domaine transmembranaire dotées de domaines extracellulaires de type Ig. Comme les récepteurs des lymphocytes T, elles reconnaissent les pro-téines MHC mais, contrairement à eux, elles se fixent sur des parties constantes de la protéine, éloignées du sillon de fixation du peptide. **CD4** s'exprime sur les lym-phocytes T helper et se fixe sur les protéines MHC de classe II tandis que **CD8** s'ex-prime sur les lymphocytes T cytotoxiques et se fixe sur les protéines MHC de classe I (Figure 24-55). De ce fait, CD4 et CD8 contribuent à la reconnaissance des lympho-cytes T en les aidant à se focaliser sur des protéines MHC spécifiques et donc sur des types particuliers de cellules – les lymphocytes T helper sur les cellules dendritiques, les macrophages et les lymphocytes B et les lymphocytes cytotoxiques sur toute cel-lule nucléée de l'hôte qui présente un peptide étranger sur une protéine MHC de classe I. La queue cytoplasmique de ces protéines transmembranaires est associée à un membre de la famille Src des tyrosine protéine-kinases cytoplasmiques, *Lck*, qui phosphoryle diverses protéines intracellulaires sur les tyrosines et participe ainsi à l'activation des lymphocytes T. Les anticorps anti-CD4 et anti-CD8 sont largement utilisés comme instrument de différenciation des deux principales classes de lym-phocytes T tant chez l'homme que chez les animaux d'expérimentation.

De façon ironique le virus du SIDA (VIH) utilise les molécules CD4 (ainsi que les récepteurs des chimiokines) pour entrer dans les lymphocytes T helper. C'est cette déplétion finale en lymphocytes T helper qui rend les patients atteints de SIDA sen-sibles à des infections par des microbes normalement non dangereux. Il en résulte que la plupart de ces patients meurent d'infections plusieurs années après le début des symptômes, sauf s'ils sont traités par l'association de puissants médicaments anti-VIH. Le VIH utilise aussi CD4 et les récepteurs des chimiokines pour entrer dans les macrophages qui possèdent également ces deux récepteurs à leur surface.

Avant qu'un lymphocyte T cytotoxique ou helper puisse reconnaître une protéine étrangère, cette protéine doit avoir subi une maturation à l'intérieur de la cellule de pré-sentation de l'antigène ou de la cellule cible afin de pouvoir être présentée sous forme du complexe peptide-MHC à la surface de la cellule. Voyons d'abord comment une cel-lule de présentation de l'antigène ou une cellule cible, infectée par un virus, effectue la maturation des protéines virales pour les présenter à un lymphocyte T helper.

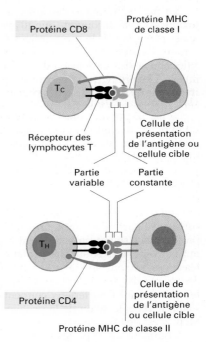

Figure 24-55 Co-récepteurs CD4 et CD8 de la surface des lymphocytes T. Les lymphocytes T cytotoxiques (T$_C$) expriment CD8, qui reconnaît les protéines MHC de classe I, tandis que les lymphocytes T helper (T$_H$) expriment CD4, qui reconnaît les protéines MHC de classe II. Notez que les co-récepteurs se fixent sur les mêmes protéines MHC que le récepteur des lymphocytes T a engagées, de telle sorte qu'ils sont rapprochés des récepteurs des lymphocytes pendant le processus de reconnaissance de l'antigène. Tandis que les récepteurs des lymphocytes T se fixent sur les parties variables (polymorphes) de la protéine MHC qui forme le sillon de liaison au peptide, le co-récepteur se fixe sur la partie constante, éloignée du sillon.

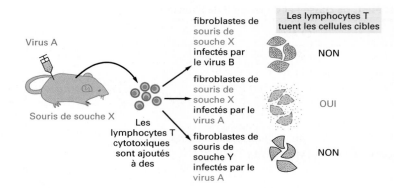

fibroblastes de
souris de
souche X
infectés par
le virus B — NON

fibroblastes de
souris de
souche X
infectés par le
virus A — OUI

fibroblastes de
souris de
souche Y
infectés par le
virus A — NON

Virus A

Souris de souche X

Les
lymphocytes T
cytotoxiques
sont ajoutés
à des

Figure 24-56 Expérience classique montrant qu'un lymphocyte T cytotoxique effecteur reconnaît certains aspects de la surface d'une cellule cible de l'hôte en plus de l'antigène viral. Les souris de la souche X sont infectées par un virus A. Sept jours plus tard, la rate de ces souris contient des lymphocytes T cytotoxiques effecteurs capables de tuer les fibroblastes de la souche X infectés de virus en culture cellulaire. Comme on pouvait s'y attendre, ils ne tuent que les fibroblastes infectés par le virus A et pas ceux infectés par le virus B. De ce fait, les lymphocytes cytotoxiques sont spécifiques du virus. Ces mêmes lymphocytes T, cependant, sont également incapables de tuer des fibroblastes d'une souris de souche Y infectée par le même virus A, ce qui indique que les lymphocytes cytotoxiques reconnaissent une différence génétique entre les deux sortes de fibroblastes et pas seulement le virus. L'identification de cette différence nécessite l'utilisation de souches spécifiques de souris (appelés *souches congéniques*) qui sont soit génétiquement identiques à l'exception de leurs allèles des loci MHC de classe I soit sont génétiquement différentes à l'exception de ces mêmes allèles. Il a été trouvé ainsi que la destruction des cellules cibles infectées nécessite l'expression d'au moins un allèle MHC de classe I identique à celui exprimé par la souris infectée à l'origine. Cela suggère que les protéines MHC de classe I sont nécessaires pour présenter des antigènes viraux liés à la surface cellulaire aux lymphocytes T cytotoxiques effecteurs.

Les lymphocytes T cytotoxiques reconnaissent des fragments de protéines cytosoliques étrangères, associés aux protéines MHC de classe I

Une des premières et des plus spectaculaires preuves que les protéines MHC présentent les antigènes étrangers aux lymphocytes T a été tirée d'expériences effectuées dans les années 1970. Il a été découvert que les lymphocytes T cytotoxiques effecteurs, issus d'une souris infectée par un virus, pouvaient tuer des cellules en culture, infectées par ce même virus, uniquement si ces cellules cibles exprimaient certaines protéines MHC de classe I identiques à celles de la souris infectée (Figure 24-56). Cette expérience a démontré que les lymphocytes T de chaque individu qui reconnaissent un antigène spécifique ne le peuvent que lorsque cet antigène est associé aux formes alléliques des protéines MHC exprimées par cet individu, un phénomène appelé *restriction des MHC*.

La nature chimique des antigènes viraux reconnus par les lymphocytes T cytotoxiques n'a été découverte que 10 ans après. Dans des expériences menées sur des cellules infectées par le virus influenza, il a été découvert, de façon inattendue, que certains lymphocytes T cytotoxiques effecteurs activés par le virus reconnaissaient spécifiquement des protéines internes du virus non accessibles dans la particule virale intacte. Des preuves ultérieures ont indiqué que les lymphocytes T reconnaissaient des fragments de dégradation des protéines virales internes qui étaient liés à des protéines MHC de classe I à la surface de la cellule infectée. Comme un lymphocyte T peut reconnaître des quantités infimes d'antigènes (aussi peu qu'une centaine de complexes peptide-MHC), il suffit qu'une petite fraction des fragments engendrés à partir des protéines virales se fixe sur les protéines MHC de classe I et aille à la surface de la cellule pour attirer une attaque par un lymphocyte T cytotoxique effecteur.

Les protéines virales sont synthétisées dans le cytosol de la cellule infectée. Comme nous l'avons vu au chapitre 3, la dégradation protéolytique dans le cytosol est principalement médiée par un mécanisme qui dépend de l'ATP et de l'ubiquitine et s'effectue dans les *protéasomes* – gros complexe enzymatique protéolytique construit à partir de nombreuses sous-unités protéiques différentes. Bien que tous les protéasomes soient probablement capables d'engendrer des fragments peptidiques qui peuvent se fixer sur des protéines MHC de classe I, on pense que certains protéasomes se sont spécialisés dans ce travail car ils contiennent deux sous-unités codées par des gènes localisés à l'intérieur de la région MHC chromosomique. Même les protéasomes bactériens coupent des protéines en peptides dont la longueur s'adapte dans le sillon de la protéine MHC de classe I ce qui suggère que ce sillon MHC s'est développé pour s'adapter à cette longueur peptidique.

Comment les peptides engendrés dans le cytosol entrent-ils en contact avec le sillon de liaison au peptide des protéines MHC de classe I dans la lumière du réticulum endoplasmique (Figure 24-57) ? La réponse a été découverte par le biais d'observation de cellules mutantes dans lesquelles les protéines MHC de classe I ne sont pas exprimées à la surface de la cellule mais sont par contre dégradées à l'intérieur de la cellule. Dans ces cellules, les gènes mutants codent pour des sous-unités d'une protéine qui appartient à la famille des *transporteurs ABC*, dont nous avons parlé au chapitre 11. Cette protéine de transport est localisée dans la membrane du RE et utilise l'énergie de l'hydrolyse de l'ATP pour pomper des peptides du cytosol dans la lumière du RE. Les gènes codant pour ses deux sous-unités se trouvent dans la région chromosomique MHC et, si un des gènes est inactivé par mutation, les cellules sont incapables de fournir des peptides aux protéines MHC de classe I. Les protéines de classe I de ces cellules mutantes sont dégradées dans la cellule parce que la fixation du peptide est normalement nécessaire au repliement correct de ces protéines. Jusqu'à ce qu'elle fixe un peptide, la protéine MHC de classe I reste dans le RE, fixée sur un transporteur ABC par une protéine chaperon (Figure 24-58).

Fragment peptidique

Réticulum endoplasmique

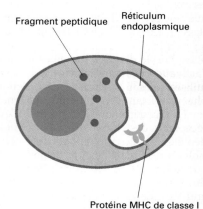

Protéine MHC de classe I

Figure 24-57 Le problème de transport des peptides. Comment les fragments peptidiques sortent du cytosol, où ils sont produits, pour entrer dans la lumière du RE où sont localisés les sillons de liaison au peptide des protéines MHC de classe I ? Un processus spécifique de transport est nécessaire.

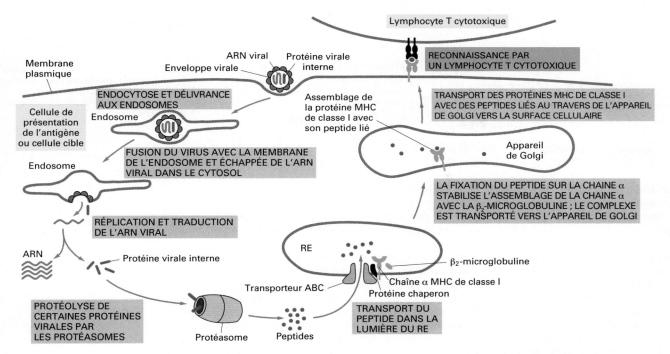

Dans les cellules qui ne sont pas infectées, les fragments peptidiques viennent des propres protéines nucléaires et cytosoliques qui sont dégradées lors du processus de renouvellement protéique normal et du mécanisme de contrôle de qualité. (De façon surprenante, plus de 30 p. 100 des protéines fabriquées par une cellule d'un mammifère sont apparemment déficientes et dégradées dans les protéasomes peu après leur synthèse.) Ces peptides sont pompés dans le RE et transportés vers la surface cellulaire par des protéines MHC de classe I. Ils ne sont pas antigéniques parce que les lymphocytes T cytotoxiques qui pourraient les reconnaître ont été éliminés ou inactivés durant leur développement comme nous le verrons ultérieurement.

Lorsque les lymphocytes T cytotoxiques et certains lymphocytes T helper sont activés par des antigènes et deviennent des lymphocytes effecteurs, ils sécrètent l'**interféron γ (IFN-γ)**, une cytokine qui augmente fortement les réponses antivirales. L'IFN-γ agit sur les cellules infectées de deux façons. Il bloque la réplication virale et augmente l'expression de nombreux gènes à l'intérieur de la région chromosomique MHC. Ces gènes incluent ceux qui codent pour les protéines MHC de classe I (et de classe II), les deux sous-unités spécialisées du protéasome et les deux sous-unités du transporteur peptidique localisé dans le RE (Figure 24-59). De ce fait, toute la machinerie nécessaire à la présentation des antigènes viraux aux lymphocytes T cytotoxiques est mise en jeu de façon coordonnée par l'IFN-γ, ce qui crée une boucle de rétrocontrôle positif qui amplifie la réponse immunitaire et culmine par la mort de la cellule infectée.

La légende de la figure 24-58 : Un lymphocyte T cytotoxique effecteur tue une cellule infectée par un virus lorsqu'il reconnaît des fragments de protéine virale liés à une protéine MHC de classe I à la surface de la cellule infectée. Tous les virus n'entrent pas dans la cellule comme ce virus à ARN enveloppé, mais les fragments internes des protéines virales suivent toujours la voie montrée ici. Certaines protéines virales synthétisées dans le cytosol sont dégradées et cette quantité suffit pour attirer une attaque par des lymphocytes T cytotoxiques. Le repliement et l'assemblage des protéines MHC de classe I sont facilités dans la lumière du RE par diverses protéines chaperons dont une seule est montrée ici. Les chaperons se fixent sur la chaîne MHCα de classe I et agissent séquentiellement. La dernière fixe la protéine MHC sur le transporteur ABC, comme cela est montré ici.

Les lymphocytes T helper reconnaissent des fragments de protéines étrangères endocytés et associés aux protéines MHC de classe II

Contrairement aux lymphocytes T cytotoxiques, les lymphocytes T helper n'interviennent pas directement pour tuer les cellules infectées et éliminer les microbes. Par contre, ils stimulent les macrophages pour qu'ils détruisent plus efficacement les microorganismes intracellulaires et aident les lymphocytes B et les lymphocytes T cytotoxiques à répondre aux antigènes microbiens.

Tout comme les protéines virales présentées aux lymphocytes T cytotoxiques, les protéines présentées aux lymphocytes T helper sur les cellules de présentation de l'antigène ou les cellules cibles sont des fragments dégradés de protéines étrangères. Ces fragments sont fixés sur les protéines MHC de classe II d'une façon qui ressemble assez à celle de la fixation des peptides dérivés de virus sur les protéines MHC de classe I. Mais la source des fragments peptidiques présentés et la voie qu'ils prennent pour trouver les protéines MHC sont différentes de celles des fragments peptidiques présentés par les protéines MHC de classe I aux lymphocytes T cytotoxiques.

Au lieu de dériver des protéines étrangères synthétisées dans le cytosol d'une cellule, le peptide étranger présenté aux lymphocytes T helper dérive des endosomes. Certains proviennent de microbes extracellulaires ou de leurs produits endocytés par la cellule présentant les antigènes puis dégradés dans l'environnement acide des

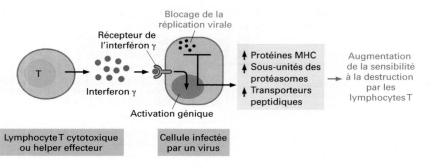

Figure 24-59 Quelques effets de l'interféron γ sur les cellules infectées. Les récepteurs activés de l'interféron γ transmettent un signal au noyau qui modifie la transcription génique, ce qui conduit aux effets indiqués. Les conséquences, marquées en *jaune*, ont tendance à faire de la cellule infecté une meilleure cible à détruire pour un lymphocyte T cytotoxique effecteur.

endosomes. Les autres proviennent de microbes qui se développent à l'intérieur des compartiments endocytaires de la cellule de présentation de l'antigène. Ces peptides n'ont pas besoin d'être pompés à travers une membrane parce qu'ils ne proviennent pas du cytosol; ils sont engendrés dans un compartiment de topologie équivalente à l'espace extracellulaire. Ils n'entrent jamais dans la lumière du RE où sont synthétisées et assemblées les protéines MHC de classe II, mais par contre ils se fixent sur des hétérodimères de classe II pré-assemblés dans un compartiment endosomique spécifique. Une fois que le peptide s'est fixé, la protéine MHC de classe II modifie sa conformation, et piège le peptide dans son sillon de liaison pour le présenter aux lymphocytes T helper à la surface cellulaire.

Une protéine MHC de classe II néosynthétisée doit éviter d'obstruer prématurément son sillon de liaison dans la lumière du RE avec des peptides dérivés de protéines synthétisées de façon endogène. Un polypeptide particulier, la **chaîne invariante**, joue cette fonction en s'associant avec les hétérodimères MHC de classe II néosynthétisés dans le RE. Une partie de sa chaîne polypeptidique réside à l'intérieur du sillon de liaison au peptide de la protéine MHC et empêche ainsi le sillon de fixer d'autres peptides dans la lumière du RE. La chaîne invariante dirige aussi les protéines MHC de classe II du réseau *trans*-golgien vers le compartiment endosomique tardif. Là, la chaîne invariante est clivée par des protéases qui ne laissent qu'un court fragment fixé dans le sillon de liaison au peptide de la protéine MHC. Ce fragment est ensuite éliminé (catalysé par une protéine de type MHC de classe II appelée HLA-DM), ce qui libère la protéine MHC qui peut maintenant fixer les peptides dérivés des protéines endocytées (Figure 24-60). De cette façon, les différences fonctionnelles entre les protéines MHC de classe I et de classe II sont assurées – les premières présentent les molécules qui proviennent du cytosol et les secondes présentent des molécules qui proviennent des compartiments endocytaires.

La plupart des protéines MHC de classe I et de classe II à la surface d'une cellule cible possèdent des peptides dérivés de protéines non étrangères dans leur sillon de liaison. Pour les protéines de classe I, les fragments dérivent des protéines cytosoliques et nucléaires dégradées. Pour les protéines de classe II, ils dérivent surtout des protéines dégradées qui proviennent de la membrane plasmique ou du liquide extracellulaire et ont été endocytées. Seule une petite fraction sur les 10^5, voire même plus, protéines MHC de classe II à la surface des cellules de présentation de l'antigène possède des peptides étrangers fixés dessus. Cela suffit cependant, parce qu'il ne faut qu'une centaine environ de ces molécules pour stimuler un lymphocyte T helper, tout comme dans le cas des complexes peptide-MHC de classe I qui stimulent un lymphocyte T cytotoxique.

Les lymphocytes T potentiellement utiles sont positivement sélectionnés dans le thymus

Nous avons vu que les lymphocytes T reconnaissaient les antigènes associés aux protéines MHC non étrangères mais pas ceux associés aux protéines MHC étrangères (*voir* Figure 24-56) : c'est-à-dire que les lymphocytes T montrent une *restriction des MHC*. Cette restriction résulte d'un processus de **sélection positive** pendant le développement thymique des lymphocytes T. Durant ce processus, les lymphocytes T immatures, qui ont été capables de reconnaître les peptides étrangers présentés par les protéines MHC non étrangères, sont sélectionnés pour survivre alors que les autres, sans aucune utilité pour l'animal, subissent l'apoptose. De ce fait, la restriction des MHC est une propriété acquise du système immun qui apparaît lorsque les lymphocytes T se développent dans le thymus.

La méthode la plus directe pour étudier ce processus de sélection consiste à suivre le destin d'un ensemble de lymphocytes T en développement de spécificité connue. Cela peut s'effectuer par l'utilisation de souris transgéniques qui expriment une paire spécifique de gènes réarrangés des récepteurs α et β des lymphocytes T dérivés d'un clone de lymphocytes T de spécificité MHC et antigénique connue. Ces expériences montrent que les lymphocytes T transgéniques subissent la maturation dans le thymus et peuplent les organes lymphoïdes périphériques uniquement si la souris transgénique exprime aussi la même forme allélique de protéine MHC que celle reconnue par le récepteur du lymphocyte T transgénique. Si la souris n'exprime pas la protéine MHC appropriée, les lymphocytes T transgéniques meurent dans le thymus. De ce fait, la maturation et la survie d'un lymphocyte T dépendent d'une correspondance entre son récepteur et les protéines MHC exprimées dans le thymus. Des expériences similaires menées sur des souris transgéniques dans lesquelles l'expression de MHC reste confinée sur des types cellulaires spécifiques dans le thymus indiquent que ce sont les protéines MHC situées sur les cellules épithéliales du cortex du thymus qui sont responsables de ce processus de sélection positive. Une fois que les lymphocytes T positivement sélectionnés ont quitté le thymus, la poursuite de leur survie dépend de leur stimulation continue par les complexes peptide-MHC non étrangers ; cette stimulation suffit pour favoriser la survie des lymphocytes mais pas pour les activer afin qu'ils deviennent des lymphocytes effecteurs.

Une partie du processus de sélection positive dans le thymus consiste à sélectionner les lymphocytes T en développement qui expriment des récepteurs reconnaissant les protéines MHC de classe I pour qu'ils deviennent des lymphocytes cytotoxiques, alors que les lymphocytes T qui expriment des récepteurs reconnaissant les protéines MHC de classe II sont sélectionnés pour devenir des lymphocytes T helper. De ce fait, les souris génétiquement modifiées qui ne présentent pas de protéines MHC de classe I à la surface de leurs cellules sont spécifiquement dépourvues de lymphocytes T cytotoxiques tandis que les souris qui n'ont pas de protéines MHC de classe II manquent de lymphocytes T helper. Les lymphocytes, qui subissent une sélection positive, expriment initialement les deux co-récepteurs CD4 et CD8 qui sont nécessaires au processus de sélection : sans CD4, les lymphocytes T helper ne se développent pas et sans CD8, les lymphocytes T cytotoxiques ne se développent pas.

La sélection positive laisse encore un grand problème à résoudre. Si des lymphocytes T en développement, pourvus de récepteurs qui reconnaissent des peptides non étrangers associés aux protéines MHC non étrangères, devaient subir une maturation dans le thymus et migrer dans les tissus lymphoïdes périphériques, ils pourraient entraîner des ravages. Un deuxième processus de *sélection négative* dans le thymus est donc nécessaire pour permettre d'éviter ce désastre potentiel.

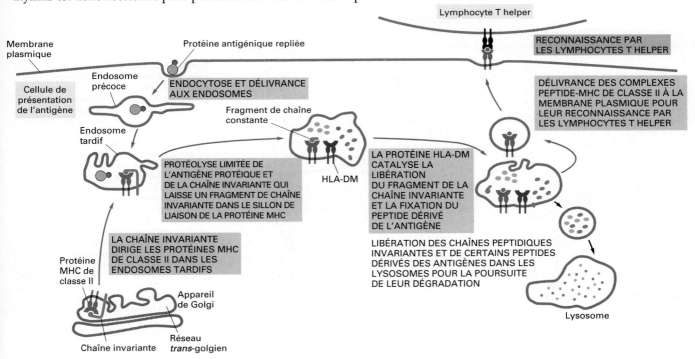

Figure 24-60 La maturation d'une protéine antigénique extracellulaire pour sa présentation à un lymphocyte T helper. Ce schéma montre une vue simplifiée du mode de formation des complexes peptide-MHC de classe II dans les endosomes et de leur délivrance à la surface cellulaire. Notez que la libération du fragment de chaîne invariante du sillon de fixation de la protéine MHC de classe II dans l'endosome est catalysée par une protéine de type MHC de classe II appelée HLA-DM. Les glycoprotéines virales peuvent aussi subir une maturation via cette voie pour leur présentation aux lymphocytes T helper. Elles sont fabriquées dans le RE, transportées vers la membrane plasmique et peuvent alors entrer dans les endosomes après endocytose.

Beaucoup de lymphocytes T en développement qui pourraient être activés par les peptides non étrangers sont éliminés dans le thymus

Comme nous l'avons vu précédemment, une des caractéristiques fondamentales du système immunitaire adaptatif est qu'il peut distinguer le «propre» de l'étranger et ne réagit normalement pas contre les molécules non étrangères. Un des mécanismes importants qui permet d'atteindre cet état de *tolérance immunologique au non-étranger* est la délétion dans le thymus des lymphocytes T auto-réactifs en développement – c'est-à-dire les lymphocytes T dont les récepteurs se fixent, assez solidement, sur le complexe formé par un peptide non étranger et une protéine MHC non étrangère pour être activés. Comme, nous le verrons ultérieurement, la plupart des lymphocytes B nécessitent des lymphocytes T helper pour répondre aux antigènes, l'élimination des lymphocytes T helper auto-réactifs permet aussi de s'assurer que les lymphocytes B auto-réactifs qui échappent à l'induction de la tolérance des lymphocytes B restent inoffensifs.

Il ne suffit pas, cependant, que le thymus effectue une sélection pour *garder* les lymphocytes T qui reconnaissent les protéines MHC non étrangères ; il doit aussi faire une sélection pour *éliminer* les lymphocytes T qui pourraient être activés par les protéines MHC non étrangères complexées à des peptides non étrangers. En d'autres termes, il ne doit maintenir en survie que les lymphocytes T capables de répondre aux protéines MHC non étrangères complexées à des antigènes étrangers même si ces peptides ne sont pas présents dans le thymus en développement. On pense que ces lymphocytes T se fixent faiblement dans le thymus aux protéines MHC non étrangères qui transportent des peptides non étrangers mésappariés aux récepteurs des lymphocytes T. Ainsi, l'objectif peut être atteint en (1) assurant la mort des lymphocytes T qui se fixent *fortement* sur les complexes peptide-MHC non étrangers dans le thymus tout en (2) favorisant la survie de ceux qui s'y fixent faiblement et (3) en permettant la mort de ceux qui ne se fixent pas du tout. Le processus 2 est la sélection positive dont nous venons de parler. Le processus 1 est la **sélection négative**. Dans les deux processus de mort, la cellule qui meurt subit une apoptose (Figure 24-61).

La preuve la plus convaincante de la sélection négative provient encore une fois d'expériences menées sur des souris transgéniques. Après l'introduction de transgènes des récepteurs des lymphocytes T qui codent pour un récepteur qui reconnaît un antigène peptidique spécifique du mâle, par exemple, on retrouve un grand nombre de lymphocytes T matures qui expriment le récepteur transgénique dans le thymus et les organes lymphoïdes périphériques de la souris femelle. Très peu cependant sont retrouvés chez la souris mâle, dont les cellules meurent dans le thymus avant d'avoir eu une chance de subir une maturation. La sélection négative, comme la sélection positive, nécessite l'interaction d'un récepteur de lymphocyte T et d'un co-récepteur CD4 ou CD8 avec une protéine MHC appropriée. Contrairement à la

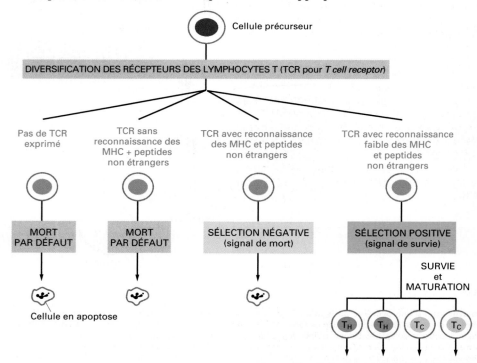

Figure 24-61 Sélections positive et négative dans le thymus. Les lymphocytes dont les récepteurs peuvent leur permettre de répondre à des peptides étrangers associés à des protéines MHC non étrangères survivent, subissent une maturation et migrent dans les organes lymphoïdes périphériques. Tous les autres lymphocytes subissent l'apoptose. Les cellules qui subissent une sélection positive expriment initialement les co-récepteurs CD4 et CD8 en même temps. Pendant le processus de sélection positive, les lymphocytes T helper (T$_H$) et les lymphocytes T cytotoxiques (T$_C$) divergent via un mécanisme encore mal compris. Au cours de ce processus, les lymphocytes helper développent l'expression de CD4 mais pas de CD8 et reconnaissent les peptides étrangers associés aux protéines MHC de classe II tandis que les lymphocytes cytotoxiques développent l'expression de CD8 mais pas de CD4 et reconnaissent les peptides étrangers associés aux protéines MHC de classe I (non montré ici).

sélection positive, cependant, qui se produit surtout à la surface des cellules épithéliales thymiques, la sélection négative se produit à la surface des cellules dendritiques et des macrophages thymiques qui, comme nous l'avons vu, fonctionnent comme des cellules de présentation de l'antigène dans les organes lymphoïdes périphériques.

La délétion des lymphocytes T auto-réactifs dans le thymus ne peut éliminer tous les lymphocytes T potentiellement auto-réactifs car certaines molécules non étrangères ne sont pas présentes dans le thymus. De ce fait, certains lymphocytes T potentiellement auto-réactifs sont délétés ou fonctionnellement inactivés après avoir quitté le thymus, probablement parce qu'ils reconnaissent des peptides non étrangers fixés sur des protéines MHC à la surface des cellules dendritiques qui n'ont pas été activées par des microbes et de ce fait ne fournissent pas de signal co-stimulateur. Comme nous le verrons ultérieurement, la reconnaissance antigénique non associée à des signaux co-stimulateurs peut déléter ou inactiver un lymphocyte B ou T.

Certains lymphocytes T auto-réactifs cependant ne sont pas délétés ou inactivés. Par contre on pense que des lymphocytes T *régulateurs* spécifiques (ou *suppresseurs*) les empêchent de répondre à leurs propres antigènes via la sécrétion de cytokines inhibitrices comme les TGF-β (*voir* Chapitre 15). Ces lymphocytes T auto-réactifs peuvent parfois échapper à cette suppression et provoquer des maladies auto-immunes.

La fonction des protéines MHC explique leur polymorphisme

Le rôle des protéines MHC dans la fixation des peptides étrangers et leur présentation aux lymphocytes T a fourni une explication de leur important polymorphisme. Dans la guerre évolutive entre les microbes pathogènes et le système immunitaire adaptatif, les microbes ont tendance à changer leurs antigènes pour éviter de s'associer aux protéines MHC. Lorsqu'un microbe y parvient, il est capable de se transmettre dans une population sous forme d'épidémie. Dans ces circonstances, les quelques individus qui produisent une nouvelle protéine MHC qui peut s'associer à l'antigène modifié du microbe présentent un avantage sélectif important. De plus les individus qui ont deux allèles différents au niveau de n'importe quel locus MHC (hétérozygotes) ont plus de chances de résister à l'infection par rapport à ceux qui ont des allèles identiques au niveau du locus car ils ont une plus grande capacité à présenter les peptides issus d'une large gamme de microbes et de parasites. De ce fait, la sélection aura tendance à promouvoir et à maintenir une importante diversité de protéines MHC dans la population. Cette hypothèse selon laquelle les maladies infectieuses ont encouragé le polymorphisme des MHC a été largement confortée par des études menées en Afrique occidentale. On y a constaté que les individus possédant un allèle MHC spécifique présentaient une sensibilité réduite aux formes sévères de malaria. Bien que cet allèle soit rare dans les autres parties du monde, il est retrouvé chez 25 p. 100 de la population d'Afrique occidentale où cette forme de malaria est fréquente.

Si une plus grande diversité de MHC signifie une plus grande résistance aux infections, pourquoi avons-nous si peu de gènes MHC codant pour ces molécules ? Pourquoi n'avons-nous pas développé des stratégies pour augmenter la diversité des protéines MHC – par exemple, via un épissage alternatif de l'ARN, des mécanismes de recombinaison génétique comme ceux utilisés pour diversifier les anticorps et les récepteurs des lymphocytes T ? Il est probable qu'il existe des limites parce que, à chaque fois qu'une nouvelle protéine est ajoutée au répertoire, les lymphocytes T qui reconnaissent les peptides non étrangers associés à cette nouvelle protéine MHC doivent être éliminés pour maintenir l'auto-tolérance. L'élimination de ces lymphocytes T contrebalancerait l'avantage de l'addition de la nouvelle protéine MHC. De ce fait, le nombre de protéines MHC que nous exprimons représente peut-être un équilibre entre l'avantage de présenter une forte diversité de peptides étrangers aux lymphocytes T et l'inconvénient de restreindre sévèrement la gamme de lymphocytes T au cours de la sélection négative dans le thymus. Cette explication est confortée par l'étude de modèles informatiques.

Résumé

Il existe deux classes fonctionnellement distinctes de lymphocytes T : les lymphocytes T cytotoxiques tuent directement les cellules infectées en induisant chez elles une apoptose, tandis que les lymphocytes T helper facilitent l'activation des lymphocytes B pour qu'ils initient la réponse par les anticorps et les macrophages pour qu'ils détruisent les organismes qui les envahissent ou qu'ils ont ingérés. Les lymphocytes T helper permettent également d'activer les lymphocytes T cytotoxiques. Ces deux classes de lymphocytes T expriment des récepteurs cellulaires de surface de type anticorps, codés par des gènes assemblés à partir de multiples segments géniques pendant le développement des lymphocytes T dans le thymus. Ces récepteurs reconnaissent des fragments de protéines étrangères exposés à la surface des cellules hôtes associés à des protéines MHC. Les lymphocytes T cytotoxiques et helper sont activés dans les organes lymphoïdes périphériques par les cellules de présentation de l'antigène qui expriment, à leur surface, les complexes peptide-MHC, des protéines co-stimulatrices et diverses molécules d'adhésion intercellulaire.

Les protéines MHC de classe I et de classe II jouent un rôle crucial dans la présentation des antigènes étrangers respectivement aux lymphocytes T cytotoxiques et helper. Alors que les protéines de classe I sont exprimées sur presque toutes les cellules de vertébrés, les protéines de classe II sont normalement restreintes aux types cellulaires qui interagissent avec les lymphocytes T helper, comme les cellules dendritiques, les macrophages et les lymphocytes B. Les deux classes de protéines MHC possèdent un seul sillon de liaison au peptide qui fixe un petit fragment peptidique dérivé des protéines. Chaque protéine MHC peut fixer une large gamme caractéristique de peptides qui sont produits dans la cellule par la dégradation protéique : les protéines MHC de classe I fixent généralement des fragments produits dans le cytosol tandis que les protéines MHC de classe II fixent des fragments produits dans le compartiment endocytaire. Une fois qu'ils se sont formés à l'intérieur de la cellule cible, les complexes MHC-peptide sont transportés à la surface cellulaire. Les complexes qui contiennent un peptide dérivé d'une protéine étrangère sont reconnus par des récepteurs des lymphocytes T qui interagissent à la fois avec le peptide et les parois du sillon de liaison au peptide. Les lymphocytes T expriment également des co-récepteurs CD4 et CD8 qui reconnaissent les régions non polymorphes des protéines MHC sur les cellules cibles : les lymphocytes helper expriment CD4 qui reconnaissent les protéines MHC de classe II et les lymphocytes T cytotoxiques expriment CD8 qui reconnaissent les protéines MHC de classe I.

Le répertoire des récepteurs des lymphocytes T est façonné surtout par la combinaison de processus de sélection positive et négative qui opèrent pendant le développement des lymphocytes T dans le thymus. Ces processus permettent de s'assurer que seuls les lymphocytes T qui possèdent des récepteurs potentiellement utiles survivent et subissent une maturation tandis que les autres meurent par apoptose. Les lymphocytes T capables de répondre à des peptides étrangers complexés aux protéines MHC non étrangères sont sélectionnés positivement tandis que beaucoup de cellules qui pourraient réagir fortement avec les peptides non étrangers complexés aux protéines MHC non étrangères sont éliminées. Les lymphocytes T qui possèdent des récepteurs qui pourraient réagir fortement avec des antigènes non étrangers absents du thymus sont éliminés, fonctionnellement inactivés ou maintenus activement supprimés une fois qu'ils ont quitté le thymus.

LYMPHOCYTES T HELPER ET ACTIVATION DES LYMPHOCYTES

Les lymphocytes T helper sont incontestablement les cellules les plus importantes de l'immunité adaptative, car ils sont nécessaires à presque toutes les réponses immunitaires adaptatives. Non seulement ils facilitent l'activation des lymphocytes B pour qu'ils sécrètent les anticorps et des macrophages pour qu'ils détruisent les microbes ingérés mais ils facilitent aussi l'activation des lymphocytes T cytotoxiques pour qu'ils tuent les cellules cibles infectées. Comme cela a été démontré de façon dramatique chez les patients atteints de SIDA, sans lymphocytes T helper nous ne pouvons pas nous défendre nous-mêmes, même contre des microbes normalement inoffensifs.

Cependant les lymphocytes T helper eux-mêmes ne peuvent fonctionner que quand ils ont été activés pour devenir des lymphocytes effecteurs. Ils sont activés à la surface des cellules de présentation des antigènes qui subissent une maturation pendant la réponse immunitaire innée déclenchée par une infection. Les réponses innées dictent également le type de lymphocyte effecteur que deviendra le lymphocyte T helper et déterminent ainsi la nature de la réponse immunitaire adaptative choisie.

Dans cette dernière partie, nous présenterons les multiples signaux qui permettent l'activation d'un lymphocyte T et nous verrons comment un lymphocyte T helper, une fois activé en un lymphocyte effecteur, aide à l'activation des autres cellules. Nous verrons également comment la réponse immunitaire innée détermine la nature des réponses adaptatives en stimulant la différenciation des lymphocytes T helper en lymphocytes effecteurs T_H1 ou T_H2.

Les protéines co-stimulatrices sur les cellules de présentation de l'antigène facilitent l'activation des lymphocytes T

Pour activer la prolifération et la différenciation d'un lymphocyte T cytotoxique ou helper en une cellule effectrice, une cellule de présentation de l'antigène fournit deux types de signaux. Le *signal 1* est fourni par le peptide étranger lié à une protéine MHC à la surface de la cellule de présentation. Ce complexe peptide-MHC transmet un

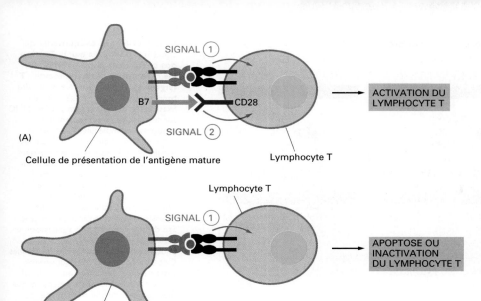

(A)

SIGNAL ①

B7   CD28

SIGNAL ②

Cellule de présentation de l'antigène mature

Lymphocyte T

ACTIVATION DU LYMPHOCYTE T

Lymphocyte T

SIGNAL ①

APOPTOSE OU INACTIVATION DU LYMPHOCYTE T

(B)

Cellule de présentation de l'antigène immature

Figure 24-62 Les deux signaux qui activent un lymphocyte T helper. (A) Une cellule mature de présentation de l'antigène peut délivrer les deux signaux 1 et 2 et activer ainsi le lymphocyte T. (B) Une cellule immature de présentation de l'antigène délivre le signal 1 sans le signal 2, ce qui peut tuer ou inactiver les lymphocytes T ; c'est un des mécanismes de la tolérance immunologique pour les auto-antigènes. Un des modèles du rôle du signal 2 indique qu'il induirait le transport actif de protéines de signalisation dans la membrane plasmique des cellules T jusqu'au site de contact entre le lymphocyte T et la cellule de présentation de l'antigène. On pense que l'accumulation de protéines de signalisation autour du récepteur du lymphocyte T augmente fortement l'intensité et la durée du processus de signalisation activé par le signal 1. De cette façon, «des synapses immunologiques» se forment dans la zone de contact avec, au centre, les récepteurs des lymphocytes T (et leurs protéines associées *voir* Figure 24-63) et les co-récepteurs et, en périphérie, les protéines d'adhésion intercellulaire qui forment un anneau (non montré ici).

signal à travers le récepteur du lymphocyte T associé à ses protéines. Le *signal 2* est fourni par des protéines co-stimulatrices, en particulier les **protéines B7** (CD80 et CD86) reconnues par le co-récepteur protéique **CD28** à la surface des lymphocytes T. L'expression des protéines B7 sur une cellule de présentation de l'antigène est induite par les germes pathogènes pendant la réponse innée à l'infection. Les lymphocytes T effecteurs agissent par retour en favorisant l'expression des protéines B7 sur les cellules de présentation de l'antigène, ce qui crée une boucle de rétrocontrôle positif qui amplifie la réponse des lymphocytes T.

On pense que le signal 2 amplifie le processus de signalisation intracellulaire déclenché par le signal 1. Si un lymphocyte T reçoit un signal 1 sans signal 2, il peut subir une apoptose ou se modifier afin de ne plus être activé, même s'il reçoit ultérieurement les deux signaux (Figure 24-62). C'est un des mécanismes qui permet à un lymphocyte T de devenir *tolérant* aux auto-antigènes.

Le récepteur du lymphocyte T n'agit pas de lui-même pour transmettre le signal 1 dans la cellule. Il est associé à un complexe de protéines transmembranaires constantes, **CD3**, qui permet la transduction de la fixation du complexe peptide-MHC en un signal intracellulaire (Figure 24-63). De plus, les co-récepteurs CD4 et CD8 jouent des rôles importants dans le processus de signalisation, comme cela est illustré dans la figure 24-64.

Les actions combinées des signaux 1 et 2 stimulent la prolifération des lymphocytes T et le début de leur différenciation en lymphocytes effecteurs via un mécanisme indirect curieux. En culture, elles provoquent la stimulation par les lymphocytes T de leur propre prolifération et différenciation en amenant les lymphocytes à sécréter une cytokine, l'**interleukine 2 (IL-2)** et simultanément à synthétiser des récepteurs cellulaires de surface de haute affinité qui peuvent la fixer. La fixation d'IL-2 sur ses récepteurs active une voie de signalisation intracellulaire qui active des gènes qui facilitent la prolifération des lymphocytes T et leur différenciation en lymphocytes effecteurs (Figure 24-65). Comme cela a été vu au chapitre 15, ce type de mécanisme autocrine a des avantages. Il permet d'assurer que les lymphocytes T se différencient en lymphocytes effecteurs uniquement lorsqu'un nombre substantiel d'entre eux répond simultanément à des antigènes au même endroit, comme, par exemple, dans un ganglion lymphatique pendant une infection. Ce n'est qu'alors que la concentration en IL-2 augmente assez pour être efficace.

Une fois lié à la surface d'une cellule de présentation de l'antigène, un lymphocyte T augmente sa force de fixation par l'activation d'une protéine d'adhésion de type intégrine, *LFA-1* (pour *lymphocyte-function-associated protein 1* ou protéine 1 associée à la fonction des lymphocytes). LFA-1 activée se lie alors plus fortement à son ligand de type Ig, *ICAM-1* (pour *intracellular adhesion molecule 1* ou molécule d'adhésion intracellulaire 1) à la surface des cellules de présentation. Cette augmentation de l'adhésion permet au lymphocyte T de rester fixé sur la cellule de présentation de l'antigène assez longtemps pour être activé.

L'activation d'un lymphocyte T est contrôlée par un rétrocontrôle négatif. Pendant le processus d'activation, la cellule commence à exprimer une autre protéine

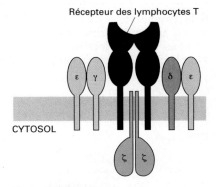

Récepteur des lymphocytes T

ε   γ   δ   ε

CYTOSOL

ζ   ζ

Figure 24-63 Le récepteur des lymphocytes T associé à son complexe CD3. Excepté la chaîne ζ (zeta), toutes les chaînes polypeptidiques CD3 (montrées en *vert*) ont un domaine extracellulaire de type Ig et sont donc membres de la superfamille des Ig.

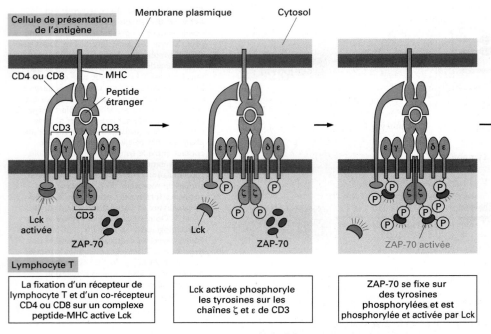

Figure 24-64 Les événements de signalisation initiés par la fixation des complexes peptide-MHC sur les récepteurs des lymphocytes T (signal 1). Lorsque les récepteurs des lymphocytes T sont agrégés par leur fixation sur des complexes peptide-MHC sur une cellule de présentation de l'antigène, les molécules CD4 sur les lymphocytes T helper ou CD8 sur les lymphocytes T cytotoxiques s'agrègent avec eux, se fixant respectivement sur les parties invariantes des mêmes protéines MHC de classe II ou de classe I situées sur la cellule de présentation. Cela amène Lck, une tyrosine-kinase cytoplasmique de type Src dans le complexe de signalisation et l'active. Une fois activée, Lck phosphoryle les tyrosines sur les chaînes ζ et ε du complexe CD3 qui servent alors de sites d'arrimage pour ZAP-70, une autre tyrosine-kinase cytoplasmique. Bien que cela ne soit pas montré ici, ZAP-70 phosphoryle alors des tyrosines sur la queue d'une autre protéine transmembranaire qui sert alors de site d'arrimage pour diverses protéines adaptatrices et enzymes. Ces protéines facilitent le relais du signal vers le noyau et d'autres parties de la cellule par l'activation des voies de signalisation par les inositol phospholipides et les MAP-kinases (voir Chapitre 15), et d'une GTPase de la famille Rho, qui régule le cytosquelette d'actine (voir Chapitre 16).

Les trois cadres sous le schéma :

- La fixation d'un récepteur de lymphocyte T et d'un co-récepteur CD4 ou CD8 sur un complexe peptide-MHC active Lck
- Lck activée phosphoryle les tyrosines sur les chaînes ζ et ε de CD3
- ZAP-70 se fixe sur des tyrosines phosphorylées et est phosphorylée et activée par Lck

cellulaire de surface, *CTLA-4*, qui agit par l'inhibition de la signalisation intracellulaire. Elle ressemble à CD28, mais se fixe sur les protéines B7 à la surface de la cellule de présentation de l'antigène avec une affinité bien plus forte que CD28 et, une fois liée, maintient en échec le processus d'activation. Les souris chez qui le gène *CTLA-4* est rompu meurent par l'accumulation massive de lymphocytes T activés.

La plupart des lymphocytes T (et B) effecteurs produits pendant une réponse immunitaire doivent être éliminés après avoir fait leur travail. Lorsque la concentration en antigène chute et la réponse persiste, les lymphocytes effecteurs sont privés de la stimulation par les antigènes et les cytokines dont ils ont besoin pour survivre et la majorité d'entre eux meurt par apoptose. Seuls les lymphocytes mémoires et certains lymphocytes effecteurs à longue durée de vie survivent.

Le tableau 24-III montre certains co-récepteurs et autres protéines accessoires trouvés à la surface des lymphocytes T.

Avant de voir comment les lymphocytes T helper facilitent l'activation des macrophages et des lymphocytes B, intéressons-nous aux deux sous-classes fonctionnellement distinctes de lymphocytes T helper, T_H1 et T_H2, et à leur mode de formation.

Les sous-classes de lymphocytes T helper effecteurs déterminent la nature de la réponse immunitaire adaptative

Lorsqu'une cellule de présentation de l'antigène active un lymphocyte T helper dans un tissu lymphoïde périphérique, celui-ci peut se différencier en lymphocyte helper effecteur T_H1 ou T_H2. Ces deux types de sous-classes fonctionnellement distinctes de lymphocytes T helper peuvent être différenciés par les cytokines qu'elles sécrètent. Si le lymphocyte se différencie en un **lymphocyte T_H1**, il sécrétera l'*interféron γ (IFN-γ)* et le *facteur de nécrose tumorale α (TNF-α)* et activera les macrophages pour qu'ils tuent les microbes localisés dans leurs propres phagosomes. Il activera également les lymphocytes T cytotoxiques pour qu'ils tuent les cellules infectées. Même si les lym-

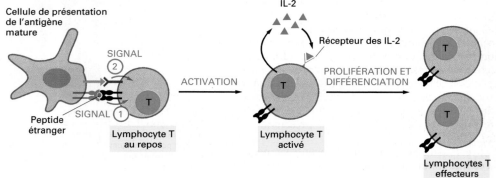

Figure 24-65 La stimulation en culture des lymphocytes T par l'IL-2. Les signaux 1 et 2 activent les lymphocytes T pour qu'ils fabriquent des récepteurs à l'IL-2 de forte affinité et qu'ils sécrètent l'IL-2. La fixation d'IL-2 sur son récepteur stimule la prolifération et la différenciation du lymphocyte en lymphocyte effecteur. Bien que certains lymphocytes T ne fabriquent pas d'IL-2 tant qu'ils sont activés par leur antigène et expriment de ce fait les récepteurs aux IL-2, les IL-2 fabriquées par les lymphocytes T voisins peuvent les aider à proliférer et à se différencier (non montré ici).

phocytes T$_H$1 défendent ainsi un animal contre les germes pathogènes intracellulaires, ils peuvent aussi stimuler les lymphocytes B pour leur faire sécréter des sous-classes spécifiques d'anticorps IgG qui peuvent recouvrir des microbes extracellulaires et activer le complément.

Si le lymphocyte T helper naïf se différencie en un **lymphocyte T$_H$2**, au contraire, il sécrétera des *interleukines 4, 5, 10 et 13 (IL-4, IL-5, IL-10 et IL-13)* et défendra surtout les animaux contre les germes pathogènes extracellulaires. Un lymphocyte T$_H$2 peut stimuler des lymphocytes B pour qu'ils fabriquent la plupart des classes d'anticorps, y compris les IgE et certaines sous-classes d'anticorps IgG qui se fixent sur les mastocytes, les basophiles et les éosinophiles. Ces cellules libèrent des médiateurs locaux qui provoquent des éternuements, de la toux ou des diarrhées et facilitent l'expulsion des microbes extracellulaires et des plus gros parasites des surfaces épithéliales du corps.

De ce fait, la décision des lymphocytes T helper de se différencier en lymphocytes effecteurs T$_H$1 ou T$_H$2 influence le type de réponse immunitaire adaptative montée contre le pathogène – qui sera dominée soit par l'activation des macrophages soit par la production d'anticorps. Les cytokines spécifiques présentes pendant le processus d'activation des lymphocytes T helper influencent le type de lymphocyte effecteur produit. Au niveau du site d'infection, les microbes ne stimulent pas seulement les cellules dendritiques pour qu'elles fabriquent à leur surface des protéines B7 co-stimulatrices; ils les stimulent également pour qu'elles produisent des cytokines. Les cellules dendritiques migrent alors vers un organe lymphoïde périphérique et activent les lymphocytes T helper pour qu'ils se différencient en lymphocytes effecteurs T$_H$1 ou T$_H$2, en fonction des cytokines produites sur les cellules dendritiques. Certaines bactéries intracellulaires, par exemple, stimulent les cellules dendritiques pour qu'elles produisent *IL-12* qui encourage le développement des T$_H$1 et ainsi l'activation des macrophages. Comme on peut s'y attendre, les souris déficientes en IL-12 ou en son récepteur sont bien plus sensibles à ces infections bactériennes que les souris normales. Beaucoup de protozoaires et de vers parasites, à l'opposé, stimulent la production de cytokines qui encouragent le développement des T$_H$2 et ainsi la production d'anticorps et l'activation des éosinophiles, qui conduit à l'expulsion du parasite (Figure 24-66).

Une fois qu'un lymphocyte effecteur T$_H$1 ou T$_H$2 se développe, il inhibe la différenciation de l'autre type de lymphocyte T helper. L'IFN-γ produit par les lymphocytes T$_H$1 inhibe le développement des lymphocytes T$_H$2 tandis que IL-4 et IL-10, produites par les lymphocytes T$_H$2, inhibent le développement des lymphocytes T$_H$1. De ce fait, le choix initial de la réponse est renforcé pendant que s'effectue la réponse.

TABLEAU 24-III Quelques protéines accessoires à la surface des lymphocytes T

PROTÉINE*	SUPERFAMILLE	EXPRIMÉ SUR	LIGAND SUR LA CELLULE CIBLE	FONCTIONS
Complexe CD3	Ig (sauf pour ζ)	Tous les lymphocytes T	–	Facilite la transduction des signaux lorsque les complexes antigènes-MHC se fixent sur les récepteurs des lymphocytes T; aide le transport des récepteurs des lymphocytes T vers la surface cellulaire
CD4	Ig	Lymphocytes T helper	MHC de classe II	Favorise l'adhésion aux cellules de présentation de l'antigène et aux cellules cibles; transmet le signal aux lymphocytes T
CD8	Ig	Lymphocytes T cytotoxiques	MHC de classe I	Favorise l'adhésion sur les cellules de présentation de l'antigène et les cellules cibles infectées; transmet le signal aux lymphocytes T
CD28	Ig	La plupart des lymphocytes T	Protéines B7 (CD80 et CD86)	Fournit le signal 2 à certains lymphocytes T
CTLA	Ig	Lymphocytes T activés	Protéines B7 (CD80 et CD86)	Inhibe l'activation des lymphocytes T
Ligand CD40	Famille de ligands FAS	Lymphocytes T helper effecteurs	CD40	Protéine co-stimulatrice qui facilite l'activation des macrophages et des lymphocytes B
LFA-1	Intégrines	La plupart des leucocytes, y compris tous les lymphocytes T	ICAM-1	Favorise l'adhésion intercellulaire

*CD signifie «agrégats de différenciation» (*cluster of differentiation*), du fait que les protéines CD étaient à l'origine définies comme les «antigènes de différenciation» des cellules sanguines, reconnus par de multiples anticorps monoclonaux. Leur identification a dépendu d'études collaboratives à grande échelle au cours desquelles des centaines d'anticorps de ce type engendrés dans beaucoup de laboratoires ont été comparés; il a été trouvé qu'ils formaient des groupes relativement peu nombreux (ou «agrégats»), chacun reconnaissant une seule protéine à la surface des cellules. Depuis ces premières études, cependant, plus de 150 protéines CD ont été identifiées.

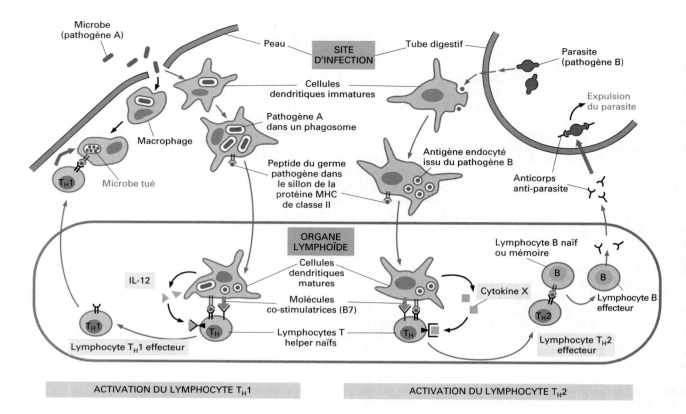

L'importance de la décision T$_H$1/T$_H$2 est illustrée par les individus infectés par *Mycobacterium leprae*, la bactérie qui provoque la lèpre. Cette bactérie se réplique principalement à l'intérieur des macrophages et provoque une des deux formes de la maladie, en fonction principalement de la constitution génétique de l'individu infecté. Chez certains patients, c'est la forme *tuberculoïde* de la maladie qui se produit. Les lymphocytes T$_H$1 se développent et stimulent les macrophages infectés pour qu'ils tuent la bactérie. Cela produit une inflammation locale qui lèse la peau et les nerfs. Il s'ensuit une maladie chronique qui évolue lentement mais ne tue pas l'hôte. Chez d'autres patients, à l'opposé, c'est la forme *lépromateuse* de la maladie qui se produit. Les lymphocytes T$_H$2 se développent et stimulent la production d'anticorps. Comme l'anticorps ne peut traverser la membrane plasmique pour attaquer la bactérie intracellulaire, la bactérie prolifère sans être contrée et finit par tuer l'hôte.

Les lymphocytes T$_H$1 facilitent l'activation des macrophages au niveau des sites d'infection

Les lymphocytes T$_H$1 sont préférentiellement induits par les cellules de présentation des antigènes qui transportent les microbes dans des vésicules intracellulaires. Les bactéries qui provoquent la tuberculose, par exemple, se répliquent surtout dans les phagosomes à l'intérieur des macrophages où elles sont protégées des anticorps. Elles ne sont donc pas facilement attaquées par des lymphocytes T cytotoxiques, qui reconnaissent principalement les antigènes étrangers produits dans le cytosol (*voir* Figure 24-58). Les bactéries peuvent survivre dans les phagosomes parce qu'elles inhibent à la fois la fusion des phagosomes aux lysosomes et l'acidification des phagosomes nécessaire à l'activation des hydrolases lysosomiales. Les cellules dendritiques infectées recrutent les lymphocytes T helper pour les aider à tuer ces microbes. Les cellules dendritiques migrent vers les organes lymphoïdes périphériques où elles stimulent la production de lymphocytes T$_H$1, qui migrent ensuite vers les sites d'infection pour faciliter l'activation des macrophages infectés pour qu'ils tuent les microbes qu'ils transportent dans leurs phagosomes (*voir* Figure 24-66).

Les lymphocytes T$_H$1 effecteurs utilisent deux signaux pour activer un macrophage. Ils sécrètent les IFN-γ, qui se fixent sur les récepteurs des IFN-γ à la surface des macrophages et exposent une protéine co-stimulatrice, le **ligand CD40**, qui se fixe sur **CD40** situé sur les macrophages (Figure 24-67). (Nous verrons plus tard que le ligand CD40 est également utilisé par les lymphocytes T helper pour activer les lymphocytes B.) Une fois activé, le macrophage peut tuer les microbes qu'il contient :

Figure 24-66 L'activation des lymphocytes T$_H$1 et T$_H$2. La différenciation des lymphocytes T helper en lymphocytes T$_H$1 ou T$_H$2 effecteurs détermine la nature de la réponse immunitaire adaptative ultérieure activée par le lymphocyte T helper. Le fait qu'un lymphocyte T helper devienne un lymphocyte T$_H$1 ou T$_H$2 dépend surtout des cytokines présentes lorsque ce lymphocyte T helper est activé par une cellule dendritique mature dans un organe lymphoïde périphérique. Les types de cytokines produites dépendent de l'environnement local et de la nature du microbe ou du parasite qui active la cellule dendritique immature au niveau du site d'infection. L'IL-12 produite par les cellules dendritiques matures favorise le développement des lymphocytes T$_H$1. Les cytokines produites par une cellule dendritique qui favorisent le développement des lymphocytes T$_H$2 ne sont pas connues (cytokines X), même si l'IL-4 produite par les lymphocytes T peut avoir cette fonction. Dans cette figure, le lymphocyte T$_H$1 effecteur produit dans l'organe lymphoïde périphérique migre vers le site d'infection et aide un macrophage à tuer les microbes qu'il a phagocyté. Les lymphocytes T$_H$2 effecteurs restent dans l'organe lymphoïde et facilitent l'activation d'un lymphocyte B pour qu'il produise des anticorps dirigés contre le parasite. Les anticorps arment les mastocytes, les basophiles et les éosinophiles (non montrés ici) qui peuvent alors faciliter l'expulsion du parasite de l'intestin.

les lysosomes peuvent alors fusionner plus facilement avec les phagosomes et déclencher l'attaque hydrolytique et les macrophages activés fabriquent des radicaux oxygène et du monoxyde d'azote, tous deux hautement toxiques pour les microbes (*voir* Chapitre 25). Comme les cellules dendritiques expriment aussi CD40, les lymphocytes T$_H$1 situés au niveau des sites d'infection peuvent aussi faciliter leur activation. Il en résulte que les cellules dendritiques augmentent leur production de protéines MHC de classe II, de protéines B7 co-stimulatrices et de diverses cytokines, en particulier IL-12. Elles deviennent ainsi plus efficaces pour stimuler la différenciation des lymphocytes T helper en lymphocytes effecteurs T$_H$1 dans les organes lymphoïdes périphériques, ce qui crée une boucle de rétrocontrôle positif qui augmente la production de lymphocytes T$_H$1 et donc l'activation des macrophages.

Les lymphocytes T$_H$1 effecteurs stimulent la réponse inflammatoire en recrutant plus de cellules phagocytaires sur le site infectieux. Ils le font de trois façons :

1. Ils sécrètent des cytokines qui agissent sur la moelle osseuse pour augmenter la production de monocytes (précurseurs des macrophages qui circulent dans le sang) et de neutrophiles.
2. Ils sécrètent d'autres cytokines qui activent les cellules endothéliales tapissant les vaisseaux sanguins locaux pour qu'elles expriment des molécules d'adhésion cellulaire provoquant l'adhérence à cet endroit des monocytes et des neutrophiles dans le sang.
3. Ils sécrètent des chimiokines qui dirigent la migration des monocytes et des neutrophiles adhérents pour qu'ils sortent du courant sanguin et entrent dans le site infectieux.

Les lymphocytes T$_H$1 facilitent aussi l'activation des lymphocytes T cytotoxiques dans les organes lymphoïdes périphériques par la stimulation des cellules dendritiques afin qu'elles produisent plus de protéines co-stimulatrices. De plus, elles peuvent aider les lymphocytes T cytotoxiques effecteurs à tuer les cellules cibles infectées par un virus : la sécrétion d'IFN-γ augmente l'efficacité avec laquelle les cellules cibles effectuent la maturation des antigènes viraux pour les présenter aux lymphocytes T cytotoxiques (*voir* Figure 24-59). Un lymphocyte T$_H$1 effecteur peut aussi tuer lui-même directement certaines cellules, y compris des lymphocytes effecteurs : par l'expression du *ligand Fas* à sa surface, il peut induire des lymphocytes B ou T effecteurs qui expriment *Fas* à la surface de la cellule à subir l'apoptose (*voir* Figure 24-46B).

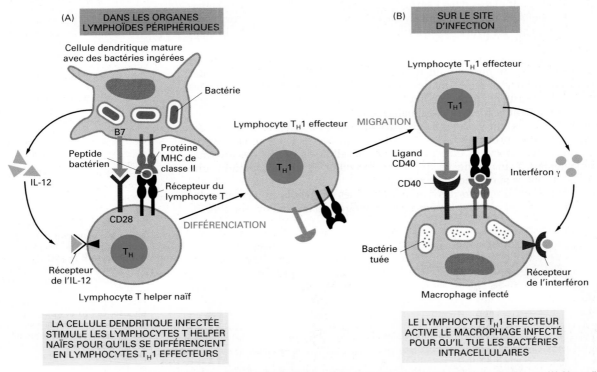

Figure 24-67 La différenciation des lymphocytes T$_H$1 et l'activation des macrophages. (A) Une cellule dendritique infectée qui a migré à partir du site d'infection vers un organe lymphoïde périphérique active un lymphocyte T helper naïf pour qu'il se différencie en un lymphocyte T$_H$1 effecteur, par le biais de B7 à la surface de la cellule et d'IL-12 sécrétée. (B) Un lymphocyte T$_H$1 effecteur qui a migré à partir d'un organe lymphoïde périphérique vers le site infectieux facilite l'activation des macrophages pour qu'ils tuent les bactéries transportées dans leurs phagosomes. Le lymphocyte T active le macrophage au moyen du ligand CD40 à sa surface et de l'interféron γ sécrété.

Les lymphocytes T_H1 et T_H2 peuvent aider à stimuler la prolifération et la différenciation des lymphocytes B en lymphocytes effecteurs qui sécrètent des anticorps ou en lymphocytes mémoires. Ils peuvent aussi amener les lymphocytes B à commuter la classe d'anticorps qu'ils fabriquent, des IgM (et IgD) à une des classes d'anticorps secondaires. Avant de voir comment les lymphocytes T helper font cela, voyons le rôle des récepteurs antigéniques des lymphocytes B dans l'activation des lymphocytes B.

La fixation d'un antigène fournit le signal 1 aux lymphocytes B

Les lymphocytes B, comme les lymphocytes T, nécessitent deux types de signaux extracellulaires pour être activés. Le signal 1 est fourni par la fixation de l'antigène sur le récepteur antigénique, molécule liée à la membrane. Le signal 2 est généralement fourni par les lymphocytes T helper. Tout comme les lymphocytes T, si un lymphocyte B reçoit uniquement le premier signal, il est généralement éliminé ou inactivé fonctionnellement, ce qui est un moyen pour les lymphocytes B de devenir tolérants aux auto-antigènes.

La signalisation par le récepteur antigénique des lymphocytes B fonctionne de façon très semblable à celle qui passe par les récepteurs des lymphocytes T (*voir* Figure 24-64). Le récepteur est associé à deux chaînes protéiques invariantes, Igα et Igβ, qui aident à transformer la fixation d'un antigène sur le récepteur en un signal intracellulaire. Lorsque l'antigène relie ses récepteurs à la surface d'un lymphocyte B, il provoque l'agrégation des récepteurs et des protéines qui y sont associées en petits amas. Cette agrégation conduit à l'assemblage d'un complexe de signalisation intracellulaire au niveau du site de l'agrégation des récepteurs et initie une cascade de phosphorylation (Figure 24-68).

Tout comme les co-récepteurs CD4 et CD8 des cellules T augmentent l'efficacité de la signalisation par le récepteur des lymphocytes T, un complexe de co-récepteurs qui fixe les protéines du complément augmente fortement l'efficacité de la signalisation via le récepteur antigénique de l'antigène associé à ses chaînes invariantes. Si un microbe active le système du complément (*voir* Chapitre 25), les protéines du complément sont souvent déposées à la surface du microbe, ce qui augmente fortement la réponse des lymphocytes B contre lui. Par contre, lorsque le microbe agrège les récepteurs antigéniques sur un lymphocyte B, les *complexes de co-récepteurs qui fixent le complément* sont placés dans l'agrégat, ce qui augmente la force de la signalisation (Figure 24-69A). Comme on peut s'y attendre, les réponses des anticorps sont fortement réduites chez les souris dépourvues d'un des composants requis du complément ou des récepteurs du complément sur les lymphocytes B.

Par contre, lorsque plus tard au cours de la réponse immunitaire les anticorps IgG décorent la surface du microbe, un autre co-récepteur entre en jeu pour réfréner la réponse des lymphocytes B. Ce sont des *récepteurs Fc* qui se fixent sur la queue des anticorps IgG. Ils recrutent, dans le complexe de signalisation, des phosphatases, enzymes qui diminuent la force de la signalisation (Figure 24-69B). De cette façon, les récepteurs Fc sur les lymphocytes B agissent comme des co-récepteurs inhibiteurs tout comme le font les protéines CTLA-4 sur les lymphocytes T. De ce fait, les co-récepteurs sur un lymphocyte T ou B permettent à la cellule de gagner des informations supplémentaires sur l'antigène fixé à son récepteur et ainsi de prendre une décision plus raisonnée sur le mode de réponse.

Contrairement aux récepteurs des lymphocytes T, les récepteurs antigéniques des lymphocytes B ne servent pas simplement à lier un antigène et transmettre un signal 1.

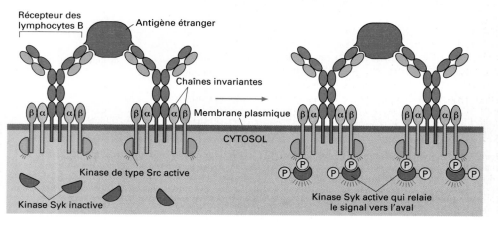

Figure 24-68 Événements de signalisation activés par la fixation d'un antigène sur des récepteurs d'un lymphocyte B (signal 1). L'antigène relie des récepteurs protéiques adjacents qui sont des molécules d'anticorps transmembranaires, ce qui provoque le rassemblement des récepteurs et de la chaîne invariante qui leur est associée (Igα et Igβ). La tyrosine-kinase de type Src associée à la queue cytosolique des Igβ réunit l'agrégat et phosphoryle l'Igα et l'Igβ (pour plus de simplicité seule la phosphoylation sur l'Igβ est montrée ici). Les tyrosines phosphorylées résultantes sur les Igα et les Igβ servent de sites d'arrimage à une autre tyrosine-kinase de type Src appelée *Syk*, qui est homologue à la ZAP-70 des lymphocytes T (*voir* Figure 24-64). Comme ZAP-70, Syk est phosphorylée et relaie le signal vers l'aval.

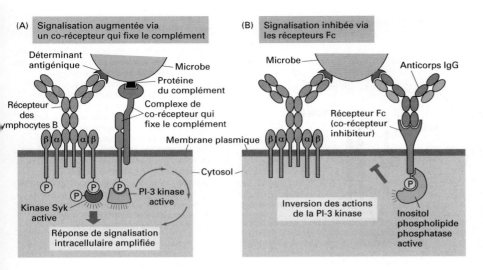

(A) Signalisation augmentée via un co-récepteur qui fixe le complément

Déterminant antigénique
Microbe
Protéine du complément
Récepteur des lymphocytes B
Complexe de co-récepteur qui fixe le complément
Membrane plasmique
Cytosol
β α α β
P P P
Kinase Syk active
PI-3 kinase active
Réponse de signalisation intracellulaire amplifiée

(B) Signalisation inhibée via les récepteurs Fc

Microbe
Anticorps IgG
Récepteur Fc (co-récepteur inhibiteur)
β α α β
P
Inversion des actions de la PI-3 kinase
Inositol phospholipide phosphatase active

Figure 24-69 L'influence des co-récepteurs des lymphocytes B sur l'efficacité du signal 1. (A) La fixation des complexes microbe-complément sur un lymphocyte B relie les récepteurs des antigènes aux complexes de co-récepteurs, qui fixent le complément. La queue cytosolique d'un des composants du complexe de co-récepteurs devient phosphorylée sur des tyrosines qui servent alors de sites d'arrimage pour les PI-3 kinases. Comme nous l'avons vu au chapitre 15, la PI-3 kinase est activée pour engendrer, dans la membrane plasmique, des sites d'arrimage inositol phospholipides qui recrutent des protéines de signalisation intracellulaires (non montré ici). Ces protéines de signalisation agissent avec le signal engendré par la kinase Syk pour amplifier la réponse. (B) Lorsque les anticorps IgG se fixent sur des antigènes étrangers, en général tardivement au cours de la réponse, les régions Fc des anticorps se fixent sur les récepteurs Fc à la surface des lymphocytes B et sont ainsi recrutées dans le complexe de signalisation. Les récepteurs Fc se phosphorylent sur les tyrosines qui servent alors de site d'arrimage pour l'inositol phospholipide phosphatase. Cette phosphatase déphosphoryle les sites d'arrimage inositol phospholipides de la membrane plasmique engendrés par la PI-3 kinase, et inversent ainsi les effets d'activation de la PI-3 kinase. Les récepteurs Fc inhibent également la signalisation par le recrutement de protéines tyrosine-phosphatases dans le complexe de signalisation (non montré ici).

Ils délivrent les antigènes à un compartiment endosomique où ils seront dégradés en peptides qui retourneront à la surface du lymphocyte B, liés aux protéines MHC de classe II (*voir* Figure 24-60). Les complexes peptide-MHC de classe II sont alors reconnus par les lymphocytes T helper qui peuvent alors délivrer le signal 2. Le signal 1 prépare le lymphocyte B à son interaction avec un lymphocyte T helper en augmentant l'expression des protéines MHC de classe II et des récepteurs au signal 2.

Les lymphocytes T helper fournissent le signal 2 aux lymphocytes B

Alors que les cellules de présentation de l'antigène comme les cellules dendritiques et les macrophages sont omnivores et ingèrent et présentent des antigènes de façon non spécifique, un lymphocyte B ne présente généralement qu'un antigène spécifiquement reconnu. Dans la réponse primaire par anticorps, les lymphocytes T helper naïfs sont activés dans un organe lymphoïde périphérique par leur fixation sur un peptide étranger fixé sur une protéine MHC de classe II à la surface d'une cellule dendritique. Une fois activé, le lymphocyte T helper effecteur active alors un lymphocyte B qui expose spécifiquement le même complexe peptide étranger-protéine MHC de classe II à sa surface (*voir* Figure 24-66).

L'exposition de l'antigène à la surface des lymphocytes B reflète la sélectivité avec laquelle il absorbe les protéines étrangères à partir du liquide extracellulaire. Ces protéines étrangères sont sélectionnées par les récepteurs antigéniques à la surface du lymphocyte B et sont ingérées par une endocytose médiée par les récepteurs. Elles sont ensuite dégradées et recyclées à la surface cellulaire sous forme de peptides liés à des protéines MHC de classe II. De ce fait, le lymphocyte T helper active les lymphocytes B dont les récepteurs reconnaissent spécifiquement l'antigène qui a initialement activé le lymphocyte T, bien que les lymphocytes T et B reconnaissent généralement des déterminants antigéniques différents sur l'antigène (*voir* Figure 24-70). Dans les réponses secondaires par anticorps, les lymphocytes B mémoires eux-mêmes peuvent agir comme des cellules de présentation de l'antigène et activer les lymphocytes T helper et aussi comme des cibles ultérieures pour les lymphocytes T helper effecteurs. Ces actions des lymphocytes T helper et des lymphocytes B qui se renforcent mutuellement conduisent à une réponse immunitaire à la fois intense et extrêmement spécifique.

Une fois qu'un lymphocyte helper a été activé pour devenir un lymphocyte effecteur et contacter un lymphocyte B, le contact initie un réarrangement interne du cytoplasme du lymphocyte helper. Le lymphocyte T oriente son centrosome et son appareil de Golgi vers le lymphocyte B comme cela a été décrit auparavant pour le lymphocyte T cytotoxique effecteur qui entre en contact avec sa cellule cible (*voir* Figure 24-45). Dans ce cas, cependant, on pense que l'orientation permet au lymphocyte T helper effecteur de fournir le signal 2 en dirigeant, vers la surface des lymphocytes B, les molécules de signalisation liées à la membrane et les molécules de signalisation sécrétées. La molécule de signalisation est une protéine transmembranaire, le ligand CD40, que nous avons déjà vu, qui s'exprime à la surface des lymphocytes T helper effecteurs mais pas à la surface des lymphocytes T helper naïfs non activés ou mémoires. Elle est reconnue par la protéine CD40 à la surface des lymphocytes B. L'interaction entre le ligand CD40 et CD40 est nécessaire pour que les lymphocytes T helper activent la prolifération et la différenciation des lymphocytes B en lymphocytes effecteurs

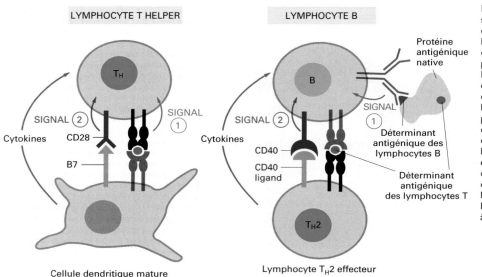

LYMPHOCYTE T HELPER

LYMPHOCYTE B

SIGNAL ② SIGNAL ①

Cytokines

CD28

B7

Cellule dendritique mature

SIGNAL ② SIGNAL ①

Cytokines

CD40

CD40 ligand

T_H2

Lymphocyte T_H2 effecteur

Protéine antigénique native

Déterminant antigénique des lymphocytes B

Déterminant antigénique des lymphocytes T

Figure 24-70 Comparaison des signaux nécessaires à l'activation d'un lymphocyte T helper et d'un lymphocyte B. Notez que, dans les deux cas, des molécules sécrétées et liées à la membrane peuvent coopérer pour fournir le signal 2. Bien que cela ne soit pas montré, CD40 est également exprimé à la surface des cellules dendritiques matures et aide à maintenir les lymphocytes T helper à l'état actif. L'antigène protéique natif est endocyté par les cellules dendritiques et le lymphocyte B puis est dégradé dans les endosomes (non montré ici). Le déterminant antigénique des lymphocytes T est présenté à la surface des cellules dendritiques et des lymphocytes B sous forme d'un fragment peptidique lié à une protéine MHC de classe II. À l'opposé, les lymphocytes B reconnaissent le déterminant antigénique à la surface de la protéine repliée.

mémoires ou sécrétant des anticorps. Les individus dépourvus de ligand CD40 sont gravement immunodéficients. Ils sont sensibles aux mêmes infections que les patients atteints de SIDA, dont les lymphocytes T helper ont été détruits.

Les signaux sécrétés à partir des lymphocytes T helper aident aussi les lymphocytes B à proliférer et à se différencier et, dans certains cas, à commuter la classe d'anticorps qu'ils produisent. L'*interleukine 4 (IL-4)* est un de ces signaux. Produite par les lymphocytes T_H2, elle collabore avec le ligand CD40 pour stimuler la prolifération des lymphocytes B et leur différenciation et favorise la commutation vers la production d'anticorps IgE. Les souris qui ne produisent pas d'IL-4 ont une capacité sévèrement réduite à fabriquer des IgE.

Les signaux nécessaires à l'activation des lymphocytes B et T sont comparés dans la figure 24-70 et certaines des cytokines traitées dans ce chapitre sont listées dans le tableau 24-IV.

Certains antigènes peuvent amener les lymphocytes B à proliférer et à se différencier en lymphocytes effecteurs qui sécrètent des anticorps sans l'aide des lymphocytes T. La plupart de ces *antigènes indépendants des lymphocytes T* sont des polysaccharides microbiens qui n'activent pas les lymphocytes T helper. Certains activent directement les lymphocytes B en fournissant les signaux 1 et 2. D'autres sont de gros polymères dotés de déterminants antigéniques identiques et répétitifs (*voir* Figure 24-29B); leur fixation multipoint sur les récepteurs antigéniques des lymphocytes B peut engendrer un signal 1 assez fort pour activer directement les lymphocytes B, sans signal 2. Comme les antigènes indépendants des lymphocytes T n'activent pas

TABLEAU 24-IV Propriétés de quelques interleukines

CYTOKINE	QUELQUES SOURCES	QUELQUES CIBLES	QUELQUES ACTIONS
Il-2	Tous les lymphocytes T helper; certains lymphocytes T cytotoxiques; les mastocytes activés	Tous les lymphocytes T activés et les lymphocytes B	Stimule la prolifération et la différenciation
IL-4	Lymphocytes T_H2 et mastocytes	Lymphocytes B et lymphocytes T_H	Stimule la prolifération des lymphocytes B, la maturation et la commutation de classe en IgE et IgG1; inhibe le développement des lymphocytes T_H1
IL-5	Lymphocytes T_H2 et mastocytes	Lymphocytes B, éosinophiles	Favorise la prolifération et la maturation
IL-10	Lymphocytes T_H2, macrophages et cellules dendritiques	Macrophages et lymphocytes T_H1	Inhibe le développement des macrophages et des lymphocytes T_H1
IL-12	Lymphocytes B, macrophages et cellules dendritiques	Lymphocytes T naïfs	Induit le développement des lymphocytes T_H2 et inhibe le développement des lymphocytes T_H1
IFN-γ	Lymphocytes T_H1	Lymphocytes B, macrophages, cellules endothéliales	Active divers gènes MHC et les macrophages; augmente l'expression de MHC dans beaucoup de types cellulaires
TNF-α	Lymphocytes T_H1 et macrophages	Cellules endothéliales	Active

les lymphocytes T helper, ils ne peuvent induire les lymphocytes B mémoires, la maturation d'affinité ou la commutation de classe, qui nécessitent tous l'aide des lymphocytes T. De ce fait, ils stimulent surtout la production d'anticorps IgM de faible affinité (mais de forte avidité). La plupart des lymphocytes B qui fabriquent des anticorps sans aide des lymphocytes T appartiennent à une lignée distincte de lymphocytes B. Ils sont appelés *lymphocytes B1* pour les différencier des *lymphocytes B2* qui nécessitent l'aide des lymphocytes T. Les lymphocytes B1 semblent particulièrement importants dans les défenses vis-à-vis des germes pathogènes intestinaux.

Les molécules de reconnaissance immunitaire appartiennent à une ancienne superfamille

La plupart des protéines qui permettent la reconnaissance intercellulaire ou la reconnaissance antigénique dans le système immunitaire contiennent des domaines Ig ou de type Ig, ce qui suggère qu'elles ont une histoire évolutive commune. Dans cette **superfamille des Ig** se trouvent les anticorps, les récepteurs des lymphocytes T, les protéines MHC, les co-récepteurs CD4, CD8 et CD28 et la plupart des chaînes polypeptidiques invariantes associées aux récepteurs des lymphocytes B et T ainsi que les divers récepteurs Fc sur les lymphocytes et les autres leucocytes sanguins. Toutes ces protéines contiennent au moins un domaine Ig ou de type Ig. En fait, près de 40 p. 100 des 150 polypeptides environ caractérisés à la surface des leucocytes appartiennent à cette superfamille. Beaucoup de ces molécules sont des dimères ou des oligomères supérieurs dans lesquels les domaines Ig ou de type Ig d'une chaîne interagissent avec ceux d'une autre (Figure 24-71).

Les acides aminés de chaque domaine de type Ig sont généralement codés par un exon séparé. Il semble probable que toute la superfamille de gènes ait évolué à partir d'un gène codant pour un seul domaine de type Ig – similaire à celui qui code pour les β$_2$-microglobulines (*voir* Figure 24-50A) ou la protéine Thy-1 (*voir* Figure 24-71) – qui pourrait avoir permis les interactions intercellulaires. Il existe des preuves que ce type de gène primordial soit apparu avant la divergence des vertébrés de leurs ancêtres invertébrés, il y a environ 400 millions d'années. De nouveaux membres de la famille sont probablement apparus par la duplication d'exons et de gènes.

Les multiples segments géniques qui codent pour les anticorps et les récepteurs des lymphocytes T ont pu apparaître lorsqu'un élément transposable, ou transposon

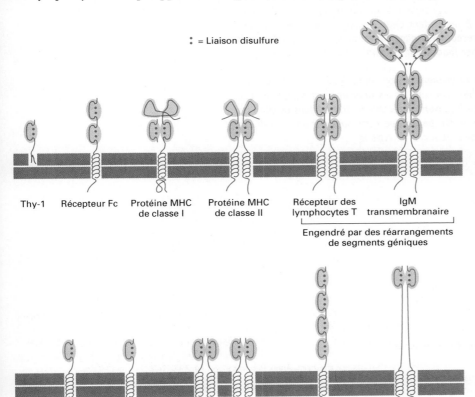

Figure 24-71 Quelques-unes des protéines membranaires de la superfamille des Ig. Les domaines Ig et de type Ig sont en *gris* sauf les domaines de fixation de l'antigène (qui ne sont pas tous des domaines Ig) qui sont en *bleu*. La fonction de Thy-1 est inconnue mais elle est largement utilisée pour identifier les lymphocytes T chez la souris. La superfamille des Ig induit aussi beaucoup de protéines cellulaires de surface impliquées dans les interactions intercellulaires en dehors du système immunitaire comme, par exemple, la molécule d'adhésion cellulaire neurale (N-CAM) traitée au chapitre 19 et les récepteurs de divers facteurs de croissance protéique traités aux chapitres 15 et 17 (non montré ici). Il y a environ 765 membres dans la superfamille des Ig de l'homme.

(*voir* Chapitre 5), s'est inséré dans un exon d'un gène codant pour un membre de la famille des Ig, dans une cellule ancestrale de type lymphocyte. Le transposon pourrait avoir contenu les ancêtres des gènes *rag* qui, comme nous l'avons vu auparavant, codent pour les protéines qui initient la réunion *V(D)J* ; la découverte que les protéines RAG peuvent agir comme des transposons dans un tube à essai conforte largement cette hypothèse. Après l'insertion du transposon dans l'exon, le gène ne pouvait s'exprimer que si le transposon était excisé par les protéines RAG et les deux extrémités de l'exon étaient réunies, ce qui ressemble à ce qui se produit lorsque les segments géniques *V* et *J* d'un gène de chaîne légère d'Ig sont assemblés (*voir* Figure 24-37). Une deuxième insertion du transposon dans le même exon pourrait avoir alors divisé le gène en trois segments, équivalents aux segments géniques actuels *V*, *D* et *J*. Les duplications suivantes de segments géniques individuels ou de la totalité du gène clivé pourraient avoir engendré l'arrangement des segments géniques qui caractérise les systèmes immunitaires adaptatifs des vertébrés actuels.

Les systèmes immunitaires adaptatifs se sont développés pour défendre les vertébrés vis-à-vis des infections par les germes pathogènes. Cependant, les germes pathogènes ont évolué plus rapidement et ont acquis des stratégies remarquablement sophistiquées pour contrecarrer ces défenses, ce que nous verrons au chapitre 25.

Résumé

Les lymphocytes T naïfs nécessitent au moins deux signaux pour leur activation. Ils sont tous deux fournis par une cellule de présentation de l'antigène qui est généralement une cellule dendritique : le signal 1 est fourni par les complexes peptide-MHC qui se fixent sur les récepteurs des lymphocytes T tandis que le signal 2 est surtout fourni par les protéines costimulatrices B7 qui se fixent sur CD28 à la surface les lymphocytes T. Si le lymphocyte T ne reçoit qu'un signal 1, il est généralement délété ou inactivé. Lorsque les lymphocytes T helper sont initialement activés sur une cellule dendritique, ils peuvent se différencier en lymphocytes T_H1 ou T_H2 effecteurs, en fonction des cytokines de leur environnement : les lymphocytes T_H1 activent les macrophages, les lymphocytes T cytotoxiques et les lymphocytes B tandis que les lymphocytes T_H2 activent surtout les lymphocytes B. Dans les deux cas, les lymphocytes T helper effecteurs reconnaissent le même complexe peptide étranger-protéine MHC de classe II sur la surface de la cellule cible comme ils l'ont initialement reconnu sur les cellules dendritiques qui les ont activés. Ils activent leurs cellules cibles par une combinaison de protéines de signalisation liées à la membrane et sécrétées. Le signal lié à la membrane est le ligand CD40. Comme les lymphocytes T, les lymphocytes B nécessitent deux signaux simultanés pour leur activation. La fixation des antigènes sur les récepteurs antigéniques des lymphocytes B fournit le signal 1 tandis que les lymphocytes T helper fournissent le signal 2 sous la forme du ligand CD40 et de diverses cytokines.

La plupart des protéines impliquées dans la reconnaissance intercellulaire et la reconnaissance des antigènes dans le système immunitaire, y compris les anticorps, les récepteurs des lymphocytes T et les protéines MHC ainsi que les divers co-récepteurs traités dans ce chapitre appartiennent à l'ancienne superfamille des Ig. On pense que cette superfamille a évolué à partir d'un gène primordial codant pour un seul domaine de type Ig.

Bibliographie

Généralités

Abbas AK, Lichtman AH & Pober JS (1997) Cellular and Molecular Immunology, 3rd edn. Philadelphia: WB Saunders.

Janeway CA, Jr, Travers P, Walport M & Shlomchik M (2001) Immunobiology: The Immune System in Health and Disease, 5th edn. London: Garland.

Parham P (2001) The Immune System. New York/London: Garland Publishing/Elsevier Science Ltd.

Paul WE (1999) Fundamental Immunology. Philadelphia: Lippincott-Raven.

Lymphocytes et fondements cellulaires de l'immunité adaptative

Billingham RE, Brent L & Medewar PB (1956) Quantitative studies on tissue transplantation immunity. III. Actively acquired tolerance. *Philos. Trans. R. Soc. Lond. B. Biol. Sci.* 239, 357–414.

Butcher EC & Picker LJ (1996) Lymphocyte homing and homeostasis. *Science* 272, 60–66.

Cyster JG (1999) Chemokines and cell migration in secondary lymphoid organs. *Science* 286, 2098–2102.

Fearon DT & Locksley RM (1996) The instructive role of innate immunity in the acquired immune response. *Science* 272, 50–53.

Hoffmann JA, Kafatos FC, Janeway CA, Jr & Ezekowitz RAB (1999) Phylogenetic perspectives in innate immunity. *Science* 284, 1313–1318.

Ikuta K, Uchida N, Friedman J & Weissman IL (1992) Lymphocyte development from stem cells. *Annu. Rev. Immunol.* 10, 759–784.

Janeway CA, Jr, Goodnow CC & Medzhitov R (1996) Danger—pathogen on the premises. *Curr. Biol.* 6, 519–522.

Sprent J (1997) Immunological memory. *Curr. Opin. Immunol.* 9, 371–379.

Zinkernagel RM, Bachmann MF, Kundig TM et al. (1996) On immunological memory. *Annu. Rev. Immunol.* 14, 333–367.

Lymphocytes B et anticorps

Braden BC & Poljak RJ (1995) Structural features of the reactions between antibodies and protein antigens. *FASEB J.* 9, 9–16.

Burton DR & Woof JM (1992) Human antibody effector function. *Adv. Immunol.* 51, 1–84.

Davies DR, Sherrif S & Padlan EA (1988) Antigen–antibody complexes. *J. Biol. Chem.* 263, 10541–10544.

DeFranco AL (1993) Structure and function of the B cell antigen receptor. *Annu. Rev. Cell Biol.* 9, 377–410.

Padlan EA (1994) Anatomy of the antibody molecule. *Mol. Immunol.* 31, 169–217.

Reth M (1994) B cell antigen receptors. *Curr. Opin. Immunol.* 6, 3–8.

Sakano H, Rogers JH, Huppi K et al. (1979) Domains and the hinge region of an immunoglobulin heavy chain are encoded in separate DNA segments. *Nature* 277, 627–633.

Wilson IA & Stanfield RL (1994) Antibody–antigen interactions: new structures and new conformational changes. *Curr. Opin. Struct. Biol.* 4, 857–867.

Formation de la diversité des anticorps

Bergman Y (1999) Allelic exclusion in B and T lymphopoiesis. *Semin. Immunol.* 11, 319–328.

Chen J & Alt FW (1993) Gene rearrangement and B-cell development. *Curr. Opin. Immunol.* 5, 194–200.

Fugmann SD, Lee AI, Shockett PE et al. (2000) The RAG proteins and V(D)J recombination: complexes, ends, and transposition. *Annu. Rev. Immunol.* 18, 495–527.

Green NS, Lin MM & Scharff MD (1998) Somatic hypermutation of antibody genes: a hot spot warms up. *Bioessays* 20, 227–234.

Kinoshita K & Honjo T (2001) Linking class-switch recombination with somatic hypermutation. *Nat. Rev. Mol. Cell Biol.* 2, 493–503.

Rajewsky K (1996) Clonal selection and learning in the antibody system. *Nature* 381, 751–758.

Stavnezer J (1996) Antibody class switching. *Adv. Immunol.* 61, 79–146.

Tonegawa S (1983) Somatic generation of antibody diversity. *Nature* 302, 575–581.

Willerford DM, Swat W & Alt FW (1996) Developmental regulation of V(D)J recombination and lymphocyte differentiation. *Curr. Opin. Genet. Dev.* 6, 603–609.

Lymphocytes T et protéines MHC

Bentley GA & Mariuzza RA (1996) The structure of the T cell antigen receptor. *Annu. Rev. Immunol.* 14, 563–590.

Bjorkman PJ (1997) MHC restriction in three dimensions: a view of T cell receptor/ligand interactions. *Cell* 89, 167–170.

Cresswell P (1998) Proteases, processing, and thymic selection. *Science* 280, 394–395.

Dong C & Flavell RA (2001) Th1 and Th2 cells. *Curr. Opin. Hematol.* 8, 47–51.

Dustin ML & Cooper JA (2000) The immunological synapse and the actin cytoskeleton: molecular hardware for T cell signaling. *Nat. Immunol.* 1, 23–29.

Garcia KC, Teyton L & Wilson IA (1999) Structural basis of T cell recognition. *Annu. Rev. Immunol.* 17, 369–397.

Goldrath AW & Bevan MJ (1999) Selecting and maintaining a diverse T-cell repertoire. *Nature* 402, 255–262.

Hennecke J & Wiley DC (2001) T cell receptor–MHC interactions up close. *Cell* 104, 1–4.

Lanzavecchia A & Sallusto F (2001) The instructive role of dendritic cells on T cell responses: lineages, plasticity and kinetics. *Curr. Opin. Immunol.* 13, 291–298.

McDevitt HO (2000) Discovering the role of the major histocompatibility complex in the immune response. *Annu. Rev. Immunol.* 18, 1–17.

Meyer D & Thomson G (2001) How selection shapes variation of the human major histocompatibility complex: a review. *Ann. Hum. Genet.* 65, 1–26.

Natarajan K, Li H, Mariuzza RA & Margulies DH (1999) MHC class I molecules, structure and function. *Rev. Immunogenet.* 1, 32–46.

Nossal GJ (1994) Negative selection of lymphocytes. *Cell* 76, 229–239.

Pieters J (2000) MHC class II-restricted antigen processing and presentation. *Adv. Immunol.* 75, 159–208.

Rock KL & Goldberg AL (1999) Degradation of cell proteins and the generation of MHC class I-presented peptides. *Annu. Rev. Immunol.* 17, 739–779.

The MHC sequencing consortium (1999) Complete sequence and gene map of human major histocompatibility complex. *Nature* 401, 921–923.

von Boehmer H (1994) Positive selection of lymphocytes. *Cell* 76, 219–228.

Watts C & Powis S (1999) Pathways of antigen processing and presentation. *Rev. Immunogenet.* 1, 60–74.

Wülfing C & Davis MM (1998) A receptor/cytoskeletal movement triggered by costimulation during T cell activation. *Science* 282, 2267–2269.

Zinkernagel RM & Doherty PC (1979) MHC-restricted cytotoxic T cells: studies of the biological role of polymorphic major transplantation antigens determining T-cell restriction-specificity, function and responsiveness. *Adv. Immunol.* 27, 51–177.

Lymphocytes T helper et activation des lymphocytes

Buck CA (1992) Immunoglobulin superfamily: structure, function and relationship to other receptor molecules. *Semin. Cell Biol.* 3, 179–188.

Carroll MC (2000) The role of complement in B cell activation and tolerance. *Adv. Immunol.* 74, 61–88.

Croft M & Dubey C (1997) Accessory molecule and costimulation requirements for CD4 T cell response. *Crit. Rev. Immunol.* 17, 89–118.

DeFranco AL (1996) The two-headed antigen. *Curr. Biol.* 6, 548–550.

Lichtman AH & Abbas AK (1997) Recruiting the right kind of help. *Curr. Biol.* 7, R242–R244.

Weintraub BC & Goodnow CC (1998) Costimulatory receptors have their say. *Curr. Biol.* 8, R575–R577.

Williams AF, Davis SJ, He Q & Barclay AN (1989) Structural diversity in domains of the immunoglobulin superfamily. *Cold Spring Harb. Symp. Quant. Biol.* 54, 637–647.

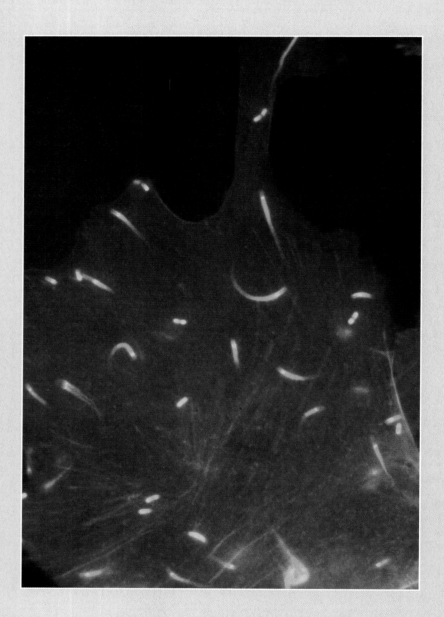

Interactions hôte-agent pathogène.
Listeria monocytogenes, un agent pathogène,
croît directement dans le cytoplasme des
cellules hôtes de mammifères, y compris les
cellules de l'homme montrées ici. Ces bactéries
induisent l'assemblage des filaments d'actine
de la cellule hôte (en *vert*) en des queues de
type comète qui propulsent l'envahisseur à
travers le cytoplasme de l'hôte et permettent
à l'infection de se disséminer directement
d'une cellule à ses voisines. (Due à
l'obligeance de Julie Theriot.)

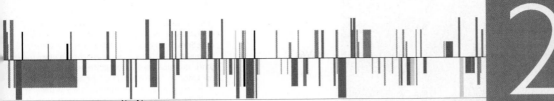

25

AGENTS PATHOGÈNES, INFECTION ET IMMUNITÉ INNÉE

Les maladies infectieuses et parasitaires provoquent actuellement près d'un tiers des décès chez l'homme, soit plus que toutes les formes de cancer. En plus de la masse toujours importante de maladies anciennes comme la tuberculose et la malaria, de nouvelles maladies infectieuses émergent continuellement, dont la pandémie (épidémie mondiale) actuelle du *SIDA (syndrome d'immunodéficience acquise)*, qui a déjà provoqué plus de vingt millions de morts dans le monde entier. De plus, il s'avère aujourd'hui que certaines maladies longtemps considérées comme ayant une autre cause sont en réalité associées à des infections. La plupart des ulcères gastriques, par exemple, sont provoqués non pas par le stress ou une nourriture épicée, comme on le croyait jadis, mais par une infection bactérienne de l'estomac provoquée par *Helicobacter pylori*.

La masse des maladies infectieuses et parasitaires n'est pas répartie uniformément sur toute la planète. Les pays et les communautés les plus pauvres souffrent de façon disproportionnée. Il existe souvent une corrélation entre la prévalence des maladies infectieuses, les systèmes sanitaires déficients et les bouleversements politiques. Certaines maladies infectieuses, cependant, surviennent principalement ou exclusivement dans les communautés industrialisées : la légionellose en est un exemple récent.

Les hommes sont depuis longtemps préoccupés et fascinés par les maladies infectieuses. Les descriptions les plus anciennes des moyens de limiter la dissémination de la rage datent d'il y a plus de trois mille ans. Depuis les années 1850, les médecins et les scientifiques ont lutté pour identifier les agents responsables des maladies infectieuses, collectivement appelés **agents pathogènes**. Plus récemment, l'avancée de la génétique microbienne et de la biologie cellulaire moléculaire a fortement amélioré notre compréhension des causes et des mécanismes des maladies infectieuses. Nous savons maintenant que les agents pathogènes exploitent fréquemment les attributs biologiques de leurs cellules hôtes pour les infecter. Cette compréhension peut nous donner de nouveaux indices sur la biologie cellulaire normale ainsi que sur les stratégies de traitement et de prévention des maladies infectieuses.

Dans un monde regorgeant d'agents pathogènes hostiles, intelligents et qui évoluent rapidement, comment l'homme, fragile et évoluant lentement, peut-il survivre ? Nous avons développé, comme tous les autres organismes multicellulaires, des mécanismes pour résister aux infections par les agents pathogènes. Ces défenses sont de deux sortes : la **réponse immunitaire innée**, qui entre en jeu immédiatement après le début d'une infection et ne dépend pas de l'exposition préalable de l'hôte au germe pathogène, et la **réponse immunitaire adaptative** qui est une défense plus puissante, qui opère plus tardivement au cours de l'infection et est hautement spécifique du germe pathogène qui l'a induite.

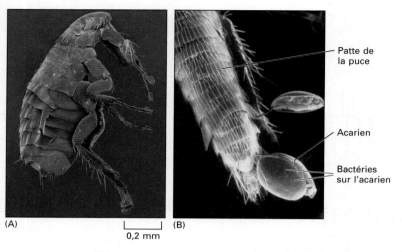

Figure 25-1 Un parasitisme à plusieurs niveaux. (A) Photographie en microscopie à balayage d'une puce. La puce est un parasite commun des mammifères – y compris les chats, les chiens, les rats et l'homme. Elle boit le sang de son hôte. La piqûre de la puce dissémine la peste bubonique par la transmission de l'agent pathogène *Yersinia pestis* du courant sanguin d'un hôte infecté à celui d'un autre. (B) Une vue rapprochée d'une patte de puce révèle que cette puce a aussi un parasite, un type d'acarien. Cet acarien, à son tour, est recouvert de bactéries. Il y a des chances que ces bactéries soient parasitées par des *bactériophages* qui sont des virus bactériens.

Une observation similaire a été rapportée par Jonathan Swift en 1733 : « Alors, les naturalistes ont observé que les puces étaient la proie de plus petites puces ; et que ces dernières en avaient encore de plus petites qui les piquaient ; et ainsi de suite jusqu'à l'infini. » (A, due à l'obligeance de Tina Carvalho/ MicroAngela ; B, due à l'obligeance de Stanley Falkow.)

Patte de la puce

Acarien

Bactéries sur l'acarien

(A)   (B)

0,2 mm

Nous commencerons ce chapitre par des généralités sur les différents types d'organismes qui provoquent une maladie. Nous verrons ensuite la biologie cellulaire de l'infection, pour finir par l'immunité innée. L'immunité adaptative est le sujet du chapitre 24.

INTRODUCTION AUX AGENTS PATHOGÈNES

On considère généralement les agents pathogènes avec hostilité – comme des envahisseurs qui attaquent notre corps. Mais un germe pathogène ou un parasite, comme tout autre organisme, essaye simplement de vivre et de procréer. Vivre aux dépens d'un organisme hôte est une stratégie très attrayante et il est possible que chaque organisme vivant sur terre soit soumis à un certain type d'infection ou de parasitisme (Figure 25-1). Un hôte humain est un environnement chaud et humide, riche en nutriments, qui se maintient à une température constante et se renouvelle continuellement lui-même. Il n'est pas surprenant que beaucoup de microorganismes aient développé la capacité de survivre et de se reproduire dans ce nid douillet. Dans cette partie du chapitre, nous étudierons certaines des caractéristiques communes que les microorganismes doivent présenter pour être infectieux. Nous explorerons ensuite la grande variété des organismes qui provoquent des maladies chez l'homme.

Les agents pathogènes ont développé des mécanismes spécifiques pour interagir avec l'hôte

Le corps humain est un écosystème complexe et prospère. Il contient environ 10^{13} cellules humaines et également près de 10^{14} cellules bactériennes, fongiques et protozoaires qui représentent des milliers d'espèces microbiennes. Ces microbes, qui forment la **flore normale**, sont généralement limités à certaines zones du corps, dont la peau, la bouche, le gros intestin et le vagin. De plus, les hommes sont en permanence infectés par des virus dont la plupart seront rarement, voire jamais, à l'origine de symptômes. S'il est normal que nous vivions en intimité si étroite avec une large variété de microbes, comment se fait-il que certains soient capables de provoquer chez nous la maladie ou la mort ?

Les agents pathogènes sont généralement différents de notre flore normale. Nos habitants microbiens normaux ne provoquent de troubles que lorsque notre système immunitaire est affaibli ou s'ils accèdent à une partie normalement stérile de notre organisme (par exemple, lorsqu'une perforation intestinale permet à la flore digestive d'entrer dans la cavité péritonéale de l'abdomen, ce qui provoque une *péritonite*). À l'opposé, les agents pathogènes spécifiques ne nécessitent pas que l'hôte soit immunodéprimé ou blessé. Ils ont développé des mécanismes hautement spécialisés pour traverser les barrières cellulaires et biochimiques et provoquer des réponses spécifiques de l'organisme hôte qui contribuent à leur survie et à leur multiplication.

Afin de survivre et de se multiplier efficacement dans l'hôte, un germe pathogène doit être capable de : (1) coloniser l'hôte ; (2) trouver une niche nutritionnelle compatible dans le corps de l'hôte ; (3) éviter, subvertir ou contourner les réponses immunitaires innées et adaptatives de l'hôte ; (4) se répliquer, en utilisant les ressources de l'hôte ; et (5) sortir et se transmettre à un nouvel hôte. Du fait d'une pression sélective sévère afin d'induire uniquement la réponse correcte de la cellule hôte qui leur permet d'accomplir cet ensemble de tâches complexes, les agents pathogènes ont développé des mécanismes qui exploitent au maximum la biologie de leur organisme hôte. Beaucoup d'agents pathogènes que nous présenterons dans ce chapitre sont des biologistes cellulaires habiles et doués de sens pratique. Leur observation peut nous apprendre beaucoup sur la biologie cellulaire.

Les signes et les symptômes d'une infection peuvent être provoqués par l'agent pathogène ou par les réponses de l'hôte

Si l'on comprend facilement pourquoi les microorganismes infectieux se développent pour se reproduire dans un hôte, le fait qu'ils évoluent pour provoquer des maladies paraît moins clair. Une des explications peut être que, dans certains cas, les réponses pathologiques provoquées par les microorganismes augmentent l'efficacité de leur dissémination ou de leur propagation et engendrent ainsi clairement un avantage sélectif pour l'agent pathogène. Les lésions des parties génitales qui renferment des virus, lors d'une infection par l'*herpes simplex*, par exemple, facilitent la dissémination directe du virus de l'hôte infecté à son partenaire non infecté pendant les rapports sexuels. De même, les infections diarrhéiques sont disséminées efficacement du patient au soignant. Dans beaucoup de cas, cependant, l'induction de la maladie n'a pas d'avantage apparent pour l'agent pathogène.

Beaucoup de symptômes et de signes associés aux maladies infectieuses sont des manifestations directes des réponses immunitaires actives de l'hôte. Certains signes pathognomoniques de l'infection bactérienne, comme l'œdème et la rougeur au site d'infection et la production de pus (surtout des leucocytes morts), sont le résultat direct des efforts faits par les cellules du système immunitaire pour détruire les microorganismes envahissants. La fièvre est également une réponse de défense car l'augmentation de la température du corps peut inhiber la croissance de certains micro-organismes. De ce fait, la compréhension de la biologie d'une maladie infectieuse nécessite l'appréciation du rôle joué à la fois par le germe pathogène et par l'hôte.

D'un point de vue phylogénétique, les agents pathogènes sont variés

De nombreux types d'agents pathogènes provoquent des maladies chez l'homme. Les plus familiers sont les virus et les bactéries. Les virus provoquent un éventail de maladies qui s'étend du SIDA et de la variole au rhume. Ce sont essentiellement des fragments d'instructions d'acides nucléiques (ADN ou ARN), entourés d'une enveloppe protectrice de protéines et (dans certains cas) d'une membrane (Figure 25-2A). Ils utilisent la machinerie de transcription et de traduction fondamentale de leur cellule hôte pour leur réplication.

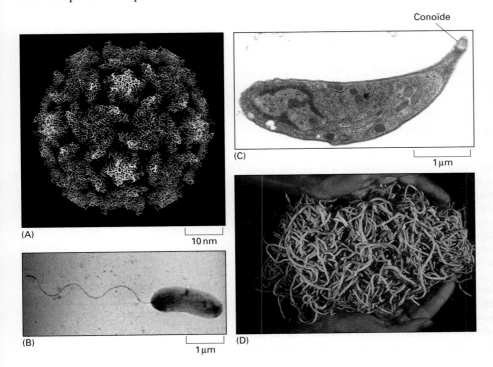

Figure 25-2 Les diverses formes d'agents pathogènes. (A) Structure de l'enveloppe protéique, ou *capside*, d'un poliovirus. Ce virus était auparavant une cause commune de paralysie mais la maladie (poliomyélite) a été presque éradiquée par une vaccination étendue. (B) La bactérie *Vibrio cholerae*, germe responsable du choléra, une maladie diarrhéique épidémique. (C) Un parasite protozoaire, *Toxoplasma gondii*. Cet organisme est normalement un parasite des chats mais peut provoquer une infection grave des muscles et du cerveau chez les individus immunodéprimés atteints du SIDA. (D) Cet amas d'*Ascaris*, un nématode, a été retiré de l'intestin obstrué d'un garçon de deux ans. (A, due à l'obligeance de Robert Grant, Stephan Crainic et James M. Hogle ; B, tous les essais ont été entrepris pour contacter les détenteurs du copyright et nous leur serions gré d'entrer en contact avec nous ; C, due à l'obligeance de John Boothroyd et David Ferguson ; D, d'après J.K. Baird et al., *Amer. J. Trop. Med. Hyg.* 35 : 314-318, 1986. Photographie par Daniel H. Connor.)

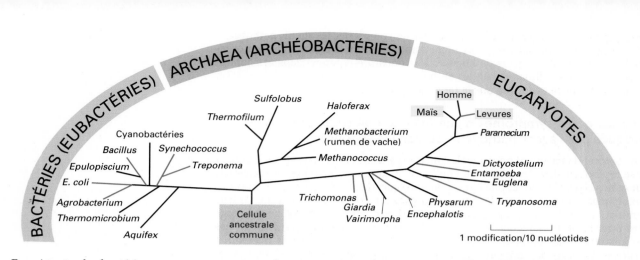

Figure 25-3 Diversité phylogénétique des germes pathogènes. Ce schéma montre les similitudes parmi les ARN ribosomiques 16S des formes de vie cellulaire (bactéries, archéobactéries et eucaryotes). Chaque embranchement est marqué par le nom d'un membre représentatif de ce groupe et la longueur des branches correspond au degré de différences dans la séquence de l'ARNr. Notez que tous les organismes que nous pouvons voir à l'œil nu (montrés en *jaune*) représentent un petit sous-ensemble de la diversité de la vie. Dans les deux embranchements de l'arbre, qui représentent les bactéries et les eucaryotes, les ramifications qui incluent les agents pathogènes connus sont indiquées en *rouge*. On ne connaît actuellement aucune maladie causée par les archéobactéries, bien que beaucoup d'hommes et tous les bovins portent certains types d'archéobactéries dans leur flore intestinale normale.

Parmi toutes les bactéries que nous rencontrons dans notre vie, seule une petite minorité est spécifiquement pathogène. Plus grosses et plus complexes que les virus, les bactéries sont généralement des cellules vivantes libres qui effectuent la plupart de leurs fonctions métaboliques fondamentales par elles-mêmes et se reposent sur l'hôte surtout pour leur alimentation (Figure 25-2B).

Certains autres agents infectieux sont des organismes eucaryotes. Leur variété s'étend des champignons et des protozoaires monocellulaires (Figure 25-2C) aux métazoaires complexes de grande taille comme les vers parasites. L'infestation intestinale par *Ascaris lumbricoides*, qui atteint plus d'un milliard de personnes actuellement, est l'une des maladies infectieuses les plus fréquentes sur notre planète. Ce nématode ressemble beaucoup à son cousin *Caenorhabditis elegans*, largement utilisé comme organisme modèle pour les recherches biologiques du développement et les recherches génétiques (*voir* Chapitre 21). Cependant, *C. elegans* ne mesure qu'1 mm alors qu'*Ascaris* peut atteindre 30 cm (Figure 25-2D).

Certaines maladies neurodégénératives rares, y compris la maladie de la vache folle, sont provoquées par un type particulier de particules infectieuses appelées *prions*, qui ne sont composées que de protéines. Bien que le prion ne contienne pas de génome, il peut néanmoins se répliquer et tuer son hôte.

À l'intérieur même de chaque classe d'agent pathogène, il existe une diversité étonnante. Les virus varient énormément en taille, forme et contenu (ADN versus ARN, enveloppé ou non, et ainsi de suite) et cela est vrai pour les autres agents pathogènes. La capacité à provoquer une maladie (*pathogénie*) est un choix de style de vie, non un héritage partagé seulement par de proches parents (Figure 25-3).

Chaque agent pathogène provoque une maladie de façon différente, d'où la difficulté à comprendre la biologie fondamentale de l'infection. Mais lorsqu'on considère les interactions des agents infectieux avec leurs hôtes, certains thèmes communs apparaissent sur la pathogénie. Ces thèmes communs sont au centre de ce chapitre. Nous introduirons d'abord les caractéristiques fondamentales de chaque type majeur d'agents pathogènes qui exploitent les caractéristiques de la biologie de la cellule hôte. Nous examinerons ensuite, tout à tour, les mécanismes que l'hôte utilise pour contrôler ces agents pathogènes.

Les bactéries pathogènes transportent des gènes de virulence spécifiques

Les bactéries sont petites et de structure simple, par comparaison à la grande majorité des cellules eucaryotes. La plupart peuvent être classées largement par leur forme qui peut être un bâtonnet (bacille), une sphère (cocci) ou une spirale et par leurs propriétés cellulaires de surface. Bien qu'elles n'aient pas la diversité morphologique complexe des cellules eucaryotes, elles présentent une collection surprenante d'appendices de surface qui leur permettent de nager ou d'adhérer sur les surfaces souhaitées (Figure 25-4). Leur génome est également simple, typiquement de l'ordre de 1 000 000 à 5 000 000 paires de nucléotides (comparé aux 12 000 000 des levures et aux plus de 3 000 000 000 de l'homme).

Comme nous l'avons déjà dit, seule une minorité d'espèces bactériennes a développé la capacité de provoquer des maladies chez l'homme. Certaines de celles qui provoquent des maladies peuvent uniquement se répliquer à l'intérieur des cellules du corps humain, ce sont les **agents pathogènes obligatoires**. D'autres se répliquent dans un réservoir de l'environnement comme l'eau ou le sol et ne provoquent une maladie que lorsqu'elles rencontrent un hôte sensible : ce sont les **agents pathogènes facultatifs**. Beaucoup de bactéries sont normalement bénignes mais ont une capacité latente à provoquer une maladie chez un hôte lésé ou immunodéprimé ; elles sont appelées **agents pathogènes opportunistes**.

Certaines bactéries pathogènes sont difficiles sur le choix de leur hôte et n'infectent qu'une seule espèce ou un groupe d'espèces apparentées tandis que d'autres sont généralistes. *Shigella flexneri*, par exemple, qui provoque la dysenterie épidémique (diarrhée hémorragique) dans les zones du monde dépourvues d'un apport d'eau propre, n'infecte que l'homme et d'autres primates. Par contre, une bactérie proche parente, *Salmonella enterica*, qui est une cause fréquente d'intoxication alimentaire chez l'homme, peut aussi infecter d'autres espèces de vertébrés, y compris le poulet et les tortues. Mais le record est détenu par l'agent pathogène opportuniste, *Pseudomonas aeruginosa*, capable de provoquer une maladie aussi bien chez les végétaux que chez les animaux.

Les différences significatives entre une bactérie pathogène virulente et ses apparentées non pathogènes peuvent résulter d'un très petit nombre de gènes. Les gènes qui contribuent à la capacité d'un organisme à provoquer une maladie sont appelés **gènes de virulence**. Les protéines qu'ils codent sont les **facteurs de virulence**. Les gènes de virulence sont souvent rassemblés soit en groupes sur le chromosome bactérien, les *îlots de pathogénicité*, soit sur des *plasmides de virulence* extrachromosomiques (Figure 25-5). Ces gènes peuvent aussi être transportés par des bactériophages mobiles (virus bactériens). Il semble donc qu'un agent pathogène puisse apparaître lorsqu'un groupe de gènes de virulence est transféré dans une bactérie auparavant non virulente. Prenons, par exemple, *Vibrio cholerae* – la bactérie qui provoque le choléra. Plusieurs gènes codant pour les toxines qui provoquent la diarrhée du choléra sont portés par un bactériophage mobile (Figure 25-6). Sur les centaines de souches de *Vibrio cholerae* trouvées dans les lacs sauvages, les seules qui provoquent la maladie humaine sont celles qui sont infectées par ce virus.

Beaucoup de gènes de virulence codent pour des protéines qui interagissent directement avec les cellules hôtes. Deux de ces gènes transportés par le phage du *Vibrio cholerae*, par exemple, codent pour deux sous-unités de la **toxine cholérique**. La sous-unité B de cette protéine toxique sécrétée se fixe sur un composant glycolipidique de la membrane plasmique des cellules épithéliales de l'intestin d'une personne qui a

Figure 25-4 Formes bactériennes et structures cellulaires de surface. Les bactéries sont classées en trois formes cellulaires différentes : (A) sphères (coccis), (B) bâtonnets (bacilles) et (C) spirales (spirochètes). (D) Elles sont aussi classées en *Gram positif* ou *Gram négatif*. Les bactéries comme *Streptococcus* et *Streptococcus* ont une seule membrane et une paroi cellulaire épaisse fabriquée à base de *peptidoglycanes* à liaison croisée. Elles gardent le colorant violet utilisé par la coloration de Gram et sont donc dites à Gram positif. Les bactéries à Gram négatif comme *E. coli* et *Salmonella* ont deux membranes, séparées par un *espace périplasmique* (voir Figure 11-17). La couche de peptidoglycanes de la paroi cellulaire de ces organismes est localisée dans l'espace périplasmique et est plus fine que chez les Gram positif ; elles ne gardent donc pas le colorant lors de la coloration de Gram. La membrane interne des bactéries à Gram négatif est une bicouche phospholipidique et le feuillet interne de la membrane externe est également formé principalement de phospholipides ; le feuillet externe de la membrane externe cependant est composé d'un lipide glycosylé particulier, le *lipopolysaccharide* (LPS) (voir Figure 25-40). (E) Les projections cellulaires de surface sont importantes pour le comportement bactérien. Beaucoup de bactéries nagent en utilisant la rotation d'un flagelle hélicoïdal (voir Figure 15-68). La bactérie représentée ici a un seul flagelle à un pôle ; d'autres comme *E. coli* sont décorées de multiples flagelles sur toute la surface. Des poils (*pili*) droits (appelés aussi *fimbriae*) leur servent à adhérer aux surfaces de l'hôte et facilitent les échanges génétiques entre les bactéries. Les flagelles et les pili sont ancrés à la surface cellulaire par de gros complexes multiprotéiques.

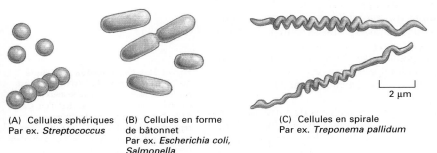

(A) Cellules sphériques
Par ex. *Streptococcus*

(B) Cellules en forme de bâtonnet
Par ex. *Escherichia coli*, *Salmonella*

(C) Cellules en spirale
Par ex. *Treponema pallidum*

2 µm

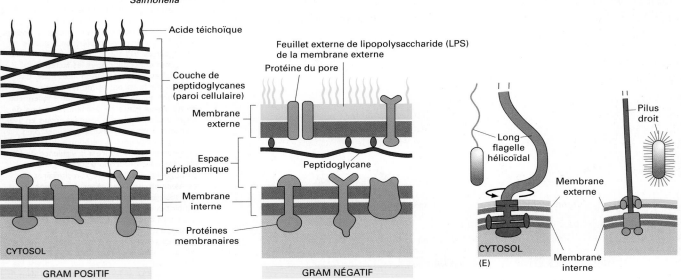

Acide téichoïque

Couche de peptidoglycanes (paroi cellulaire)

Membrane externe

Espace périplasmique

Membrane interne

Protéines membranaires

CYTOSOL

GRAM POSITIF

Feuillet externe de lipopolysaccharide (LPS) de la membrane externe

Protéine du pore

Peptidoglycane

GRAM NÉGATIF

Long flagelle hélicoïdal

Pilus droit

Membrane externe

Membrane interne

CYTOSOL

(E)

(D)

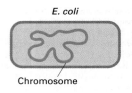

E. coli

Chromosome

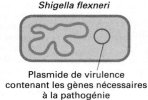

Shigella flexneri

Plasmide de virulence
contenant les gènes nécessaires
à la pathogénie

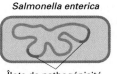

Salmonella enterica

Îlots de pathogénicité
contenant les gènes
de virulence

Figure 25-5 Les différences génétiques entre les agents pathogènes et non pathogènes. *Escherichia coli*, non pathogène, possède un seul chromosome circulaire. *E. coli* est très apparenté à deux types de germes pathogènes transportés par la nourriture – *Shigella flexneri* qui provoque une dysenterie et *Salmonella enterica* qui est une cause commune d'intoxication alimentaire. Si ces trois organismes étaient aujourd'hui nommés en se fondant sur des techniques moléculaires, ils seraient classés dans le même genre, ou même, dans la même espèce. Le chromosome de *S. flexneri* diffère de celui d'*E. coli* seulement au niveau de quelques loci ; la plupart des gènes nécessaires à la pathogénie sont transportés par un plasmide extrachromosomique de virulence. Le chromosome de *S. enterica* transporte deux gros inserts (îlots de pathogénicité) non retrouvés dans le chromosome d'*E. coli* ; ces inserts contiennent chacun plusieurs gènes de virulence.

consommé de l'eau contaminée par *Vibrio cholerae*. La sous-unité B transfère la sous-unité A à travers la membrane dans le cytoplasme des cellules épithéliales. La sous-unité A est une enzyme qui catalyse le transfert d'une moitié ADP-ribose issue de NAD sur la protéine G trimérique G$_S$, qui active normalement l'adénylate cyclase pour fabriquer de l'AMP cyclique (*voir* Chapitre 15). L'ADP-ribosylation de la protéine G produit une accumulation excessive d'AMP cyclique et un déséquilibre ionique, qui conduit à la diarrhée hydrique massive associée au choléra. L'infection se dissémine alors par la voie fécale-orale via la nourriture et l'eau contaminée.

Certaines bactéries pathogènes utilisent plusieurs mécanismes indépendants pour provoquer une toxicité vis-à-vis des cellules de leur hôte. Le *charbon*, par exemple, est une maladie infectieuse aiguë des moutons, des bovins et d'autres herbivores et parfois de l'homme. Il est généralement provoqué par le contact avec des spores d'une bactérie à Gram positif, *Bacillus anthracis*. Contrairement au choléra, il n'a jamais été observé de dissémination directe du charbon d'une personne infectée à l'autre. Les spores en dormance peuvent survivre dans le sol pendant de longues périodes et sont extrêmement résistantes aux conditions environnementales défavorables, comme la chaleur, les radiations ultraviolettes et ionisantes, la pression et les substances chimiques. Une fois que les spores ont été inhalées, ingérées ou ont pénétré dans la peau par des blessures, elles germent et la bactérie commence à se répliquer. Les bactéries en croissance sécrètent deux toxines, appelées **facteur létal** et **facteur d'œdème**. Chaque toxine seule ne suffit pas à provoquer les signes d'infection. Comme les sous-unités A et B de la toxine du choléra, les deux toxines sont constituées de deux sous-unités. La sous-unité B est identique entre le facteur toxique et le facteur d'œdème et se fixe sur un récepteur cellulaire de surface de l'hôte pour transférer deux sous-unités A différentes dans les cellules hôtes. La sous-unité A du facteur d'œdème est une adénylate cyclase qui transforme directement l'ATP de la cellule hôte en AMP cyclique. Cela provoque un déséquilibre ionique qui peut conduire à l'accumulation de liquide extracellulaire (*œdème*) dans la peau ou les poumons infectés. La sous-unité A du facteur létal est une protéase à zinc qui coupe plusieurs membres de la famille des MAP kinase kinase (*voir* Chapitre 15). L'injection du facteur létal dans le courant sanguin d'un animal provoque un choc suivi de la mort. Les mécanismes moléculaires et la séquence des événements qui conduisent à la mort par le charbon ne sont pas encore certains.

Ces exemples illustrent un thème commun parmi les facteurs de virulence. Ce sont fréquemment soit des protéines toxiques (*toxines*) qui interagissent directement avec les protéines structurales ou de signalisation importantes de l'hôte pour provoquer une réponse cellulaire de l'hôte favorable à la colonisation par le germe pathogène ou à sa réplication, soit des protéines nécessaires à la délivrance de ce type

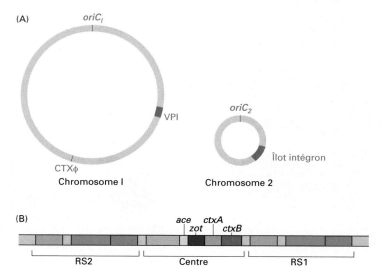

(A)

oriC$_I$

VPI

CTXφ

Chromosome I

oriC$_2$

Îlot intégron

Chromosome 2

(B)

ace   ctxA
zot   ctxB

RS2   Centre   RS1

Figure 25-6 Organisation génétique de *Vibrio cholerae*. (A) *Vibrio cholerae* est particulier parce qu'il possède deux chromosomes circulaires au lieu d'un. Ces deux chromosomes ont des origines de réplication distinctes (oriC$_1$ et oriC$_2$). Les souches pathogènes de *V. cholerae* possèdent trois loci absents dans les souches non pathogènes, qui semblent avoir été acquis assez récemment. CTXφ sur le chromosome I est un génome de bactériophage intégré qui porte les gènes de la toxine cholérique. L'îlot de pathogénicité VPI sur le chromosome I inclut des gènes qui codent pour les facteurs nécessaires à la colonisation intestinale. L'*îlot intégron* sur le chromosome 2 est une structure qui permet l'acquisition séquentielle de nouveaux gènes en facilitant l'insertion de fragments d'ADN nouvellement acquis en aval d'un fort promoteur transcriptionnel. Bien qu'on n'ait pas encore démontré que l'îlot intégron était nécessaire à la virulence de *V. cholerae*, dans beaucoup d'autres agents pathogènes, des îlots intégron similaires contiennent aussi des gènes de virulence ainsi que des gènes impliqués dans la résistance aux antibiotiques. (B) Cartographie du locus CTXφ. Les gènes codant pour les deux sous-unités de la toxine cholérique sont ctxA et ctxB. D'autres gènes dans la région centrale (ace et zot) sont aussi impliqués dans la virulence. Les deux séquences répétitives qui encadrent les séquences RS2 et RS1 sont impliquées dans l'insertion chromosomique du génome du bactériophage.

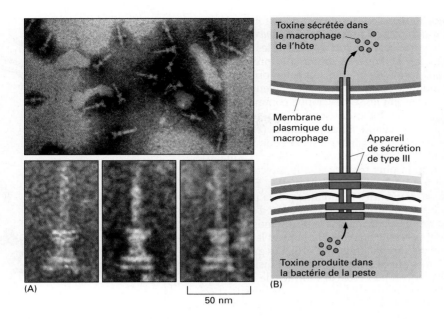

(A)

(B)

50 nm

Figure 25-7 Systèmes de sécrétion de type III pouvant délivrer des facteurs de virulence dans le cytoplasme de la cellule hôte. (A) Photographie en microscopie électronique d'appareils de type III purifiés. Près de deux douzaines de protéines sont nécessaires à la fabrication de la structure complète, montrée dans les trois microphotographies agrandies en dessous. Le gros anneau inférieur est encastré dans la membrane interne et l'anneau supérieur plus petit est encastré dans la membrane externe. La longue projection au sommet est un tube creux, au travers duquel passent les protéines sécrétées. (B) Pendant l'infection, le contact de l'extrémité du tube avec la membrane plasmique d'une cellule hôte déclenche la sécrétion. Dans ce cas, le bacille de la peste, *Yersinia pestis*, libère ses toxines dans un macrophage. (A, d'après K. Tamano et al., *EMBO J.* 19 : 3876-3887, 2000, avec la permission de l'Oxford University Press.)

Dans la figure (B) :
- Toxine sécrétée dans le macrophage de l'hôte
- Membrane plasmique du macrophage
- Appareil de sécrétion de type III
- Toxine produite dans la bactérie de la peste

de toxine à leurs cellules cibles hôte. Un mécanisme de délivrance commun et particulièrement efficace appelé **système de sécrétion de type III** fonctionne comme une seringue minuscule qui injecte directement la protéine toxique du cytoplasme de la bactérie extracellulaire dans le cytoplasme de la cellule hôte adjacente (Figure 25-7). Il existe un degré remarquable de similarité structurelle entre la seringue de type III et la base d'un flagelle bactérien (*voir* Figure 15-67) et beaucoup de protéines de ces deux structures sont clairement homologues.

Comme les bactéries forment un règne distinct des eucaryotes qu'elles infectent (*voir* Figure 25-3), la plus grande partie de leur machinerie fondamentale de réplication, transcription et traduction de l'ADN ainsi que leur métabolisme fondamental sont assez différents de ceux de leur hôte. Ces différences nous permettent de trouver des médicaments antibactériens qui inhibent spécifiquement ces processus dans les bactéries sans les interrompre chez l'hôte. Les **antibiotiques** que nous utilisons pour traiter les infections bactériennes sont, pour la plupart, de petites molécules qui inhibent des synthèses macromoléculaires dans les bactéries en ciblant les enzymes bactériennes qui sont soit distinctes de leurs contreparties eucaryotes, soit impliquées dans des voies absentes chez l'homme, comme la biosynthèse de la paroi cellulaire (Figure 25-8 et Tableau 6-III).

Les champignons et les protozoaires parasites ont des cycles de vie complexes avec des formes multiples

Les champignons et les protozoaires parasites sont des eucaryotes. Il est donc plus difficile de trouver des médicaments qui les tuent sans tuer l'hôte. Par conséquent, les médicaments antifongiques et antiparasitaires sont souvent moins efficaces et plus toxiques que les antibiotiques. Une deuxième caractéristique des infections fongiques et parasitaires qui les rend difficiles à traiter est leur tendance à passer par plusieurs formes différentes pendant leur cycle de vie. Un médicament qui élimine efficacement une forme est souvent inefficace pour en tuer une autre, qui survit donc au traitement.

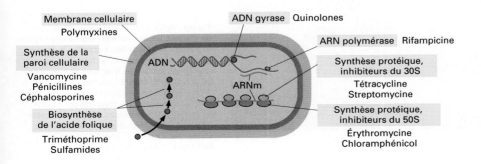

Légendes de la figure :
- Membrane cellulaire — Polymyxines
- ADN gyrase — Quinolones
- Synthèse de la paroi cellulaire — Vancomycine, Pénicillines, Céphalosporines
- ARN polymérase — Rifampicine
- ADN
- ARNm
- Synthèse protéique, inhibiteurs du 30S — Tétracycline, Streptomycine
- Biosynthèse de l'acide folique — Triméthoprime, Sulfamides
- Synthèse protéique, inhibiteurs du 50S — Érythromycine, Chloramphénicol

Figure 25-8 Cibles des antibiotiques. En dépit du grand nombre d'antibiotiques disponibles, la gamme de leurs cibles, surlignées en *jaune*, est étroite. Quelques antibiotiques représentatifs de chaque classe sont présentés ici. Tous les antibiotiques utilisés pour traiter les infections de l'homme font partie d'une de ces catégories. La grande majorité inhibe soit la synthèse des protéines bactériennes soit la synthèse de la paroi bactérienne.

L'embranchement des **champignons** du règne eucaryote inclut à la fois les *levures* unicellulaires (comme *Saccharomyces cerevisiae* et *Schizosaccharomyces pombe*) et les *moisissures* multicellulaires filamenteuses (comme celles qu'on trouve sur les fruits ou le pain moisis). La plupart des champignons pathogènes importants présentent un *dimorphisme* – capacité à croître soit sous forme de levure, soit sous forme de moisissure. La transition levure-moisissure ou moisissure-levure est souvent associée à une infection. *Histoplasma capsulatum*, par exemple, se développe comme une moisissure aux basses températures dans le sol mais, lorsqu'il est inhalé, passe à la forme levure dans les poumons où il provoque une maladie, l'histoplasmose (Figure 25-9).

Les **protozoaires parasites** ont des cycles de vie plus complexes que les champignons. Ces cycles nécessitent fréquemment le service de plusieurs hôtes. La **malaria** est la maladie à protozoaires (protozoose) la plus fréquente. Elle infecte 200 à 300 millions de personnes chaque année et tue 1 à 3 millions d'entre elles. Elle est provoquée par quatre espèces de *Plasmodium*, transmises à l'homme par la piqûre d'un moustique femelle appartenant à l'une ou l'autre des 60 espèces d'Anophèles. *Plasmodium falciparum* – le parasite responsable de la malaria le plus intensément étudié – existe sous huit formes distinctes et nécessite à la fois l'homme et le moustique comme hôtes pour effectuer son cycle sexuel complet (Figure 25-10). Les gamètes sont formés dans le courant sanguin des hommes infectés, mais ne peuvent fusionner pour former un zygote que dans l'intestin du moustique. Trois des formes de *Plasmodium* sont extrêmement spécialisées pour envahir et se répliquer dans des tissus spécifiques – l'épithélium qui tapisse le tube digestif de l'insecte, le foie de l'homme et les hématies de l'homme.

La malaria est si répandue et dévastatrice qu'elle a agi comme une puissante pression de sélection sur les populations humaines des zones du monde hébergeant les moustiques de l'espèce Anophèle. La *drépanocytose*, par exemple, est une maladie

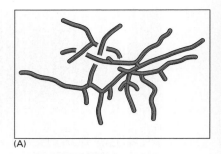

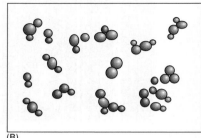

(A)

(B)

Figure 25-9 Le dimorphisme d'un champignon pathogène, *Histoplasma capsulatum*. (A) À basse température dans le sol, *Histoplasma* croît sous forme d'un champignon filamenteux. (B) Après avoir été inhalé dans le poumon d'un mammifère, *Histoplasma* subit une commutation morphologique déclenchée par la variation de la température. Sous la forme levure, il ressemble fortement à *Saccharomyces cerevisiae*.

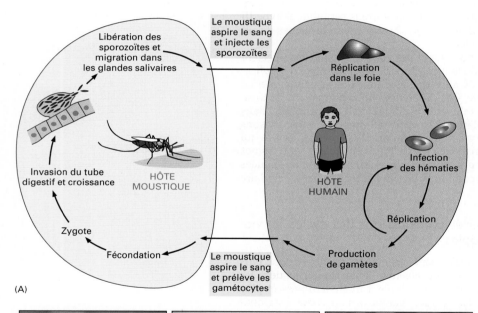

(A)

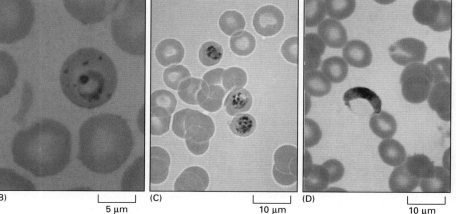

Figure 25-10 Le cycle de vie complexe de l'agent de la malaria. (A) Le cycle sexuel de *Plasmodium falciparum* nécessite le passage entre un hôte humain et un hôte insecte. (B)-(D) Les frottis de sang issus de personnes infectées par la malaria, montrent les différentes formes du parasite qui apparaissent dans les hématies : (B) trophozoïtes (forme en bague) ; (C) schizontes ; (D) gamétocytes. (Microphotographies dues à l'obligeance du Center for Disease Control, Division of Parasitic Diseases, DPDx.)

génétique récessive provoquée par une mutation ponctuelle dans le gène qui code pour la chaîne β de l'hémoglobine et est fréquente dans les zones d'Afrique ayant une forte incidence de la forme la plus grave de malaria (provoquée par *Plasmodium falciparum*). Les parasites de la malaria se développent mal dans les hématies des patients homozygotes atteints de drépanocytose ou chez les porteurs sains hétérozygotes et il en résulte que la malaria est rarement observée parmi les porteurs de cette mutation. C'est pourquoi la malaria a provoqué le maintien d'une forte fréquence de la mutation drépanocytose dans ces régions d'Afrique.

Les virus exploitent la machinerie de la cellule hôte pour tous les aspects de leur multiplication

Les bactéries, les champignons et les parasites eucaryotes sont eux-mêmes des cellules. Même lorsqu'ils sont des parasites obligatoires, ils utilisent leur propre machinerie pour la réplication, la transcription et la traduction de l'ADN et fournissent leur propre source d'énergie métabolique. Les **virus**, par contre, sont des auto-stoppeurs, et transportent à peine plus qu'une information sous forme d'acide nucléique. Cette information est en grande partie répliquée, empaquetée et conservée par les cellules hôtes (Figure 25-11). Les virus ont un petit génome, constitué d'un seul type d'acide nucléique – soit ADN soit ARN – qui, dans les deux cas, peut être simple brin ou double brin. Le génome est empaqueté dans une enveloppe protéique qui, chez certains virus, est entourée en plus d'une enveloppe lipidique.

Les virus se répliquent de diverses façons. En général la réplication implique (1) le désassemblage de la particule virale infectieuse, (2) la réplication du génome viral, (3) la synthèse des protéines virales par la machinerie de traduction de la cellule hôte, et (4) le réassemblage de ces composants dans les particules virales filles. Une seule particule virale (*virion*) qui infecte une seule cellule hôte peut produire des milliers de descendants dans la cellule hôte. Cette multiplication virale prodigieuse est souvent suffisante pour tuer la cellule hôte : la cellule infectée s'ouvre (lyse) et permet ainsi aux virus fils d'accéder aux cellules voisines. Beaucoup de manifestations cliniques de l'infection virale reflètent cet *effet cytolytique* du virus. Le bouton d'herpès formé par le virus *herpes simplex* et les lésions provoquées par le virus de la *variole*, par exemple, reflètent la mort des cellules épidermiques dans la zone cutanée locale infectée.

Les virus existent sous une large gamme de formes et de tailles et contrairement aux autres formes de vie cellulaire, ils ne peuvent être classés dans un seul arbre phylogénétique. En raison de leur taille minuscule, les séquences génomiques complètes de presque tous les virus cliniquement importants ont été obtenues. Les *poxvirus* font partie des plus gros, ayant jusqu'à 450 nm de long, ce qui est environ la taille de certaines petites bactéries. Leur génome d'ADN double brin est composé d'environ 270 000 paires de nucléotides. À l'opposé sur l'échelle de taille se trouvent les parvovirus, qui mesurent moins de 20 nm de long et ont un génome à ADN simple brin de moins de 5 000 nucléotides (Figure 25-12). L'information génétique dans un virus peut être portée par diverses formes inhabituelles d'acides nucléiques (Figure 25-13).

La **capside** qui entoure le génome viral est constituée d'une ou de plusieurs protéines disposées en couches et motifs réguliers répétitifs. Dans les virus enveloppés, la capside elle-même est enfermée dans une membrane bicouche lipidique acquise lors du processus de bourgeonnement à partir de la membrane plasmique de la cellule hôte (Figure 25-14). Alors que les *virus non enveloppés* quittent généralement une cellule infectée en la lysant, un virus enveloppé peut quitter la cellule par bourgeonnement, sans rompre la membrane plasmique, et donc sans la tuer. Ces virus peuvent provoquer des infections chroniques et certains peuvent faciliter la transformation d'une cellule infectée en une cellule cancéreuse.

En dépit de cette variété, tous les génomes viraux codent pour trois types de protéines : les protéines qui répliquent le génome, les protéines qui empaquètent le génome et le délivrent à d'autres cellules hôtes et les protéines qui modifient la structure ou la fonction de la cellule hôte pour s'adapter aux besoins du virus (Figure 25-15). Dans la deuxième partie de ce chapitre nous nous concentrerons surtout sur cette troisième classe de protéines virales.

Comme la plupart des étapes critiques de la réplication virale sont effectuées par la machinerie de la cellule hôte, l'identification de médicaments antiviraux efficaces est particulièrement problématique. Alors que l'antibiotique tétracycline empoisonne les ribosomes bactériens, par exemple, il ne sera pas possible de trouver un médicament qui empoisonne spécifiquement les ribosomes viraux, car les virus utilisent les ribosomes de la cellule hôte pour fabriquer leurs protéines. La meilleure stratégie pour contenir les maladies virales est leur prévention par la vaccination des hôtes

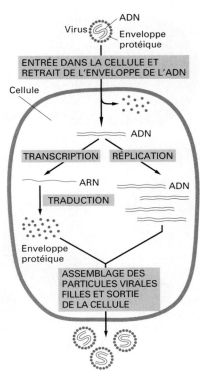

Figure 25-11 Un cycle de vie simple de virus. Le virus hypothétique montré ici est composé d'une petite molécule d'ADN double brin qui code pour une seule protéine de capside virale. Aucun virus connu n'est aussi simple.

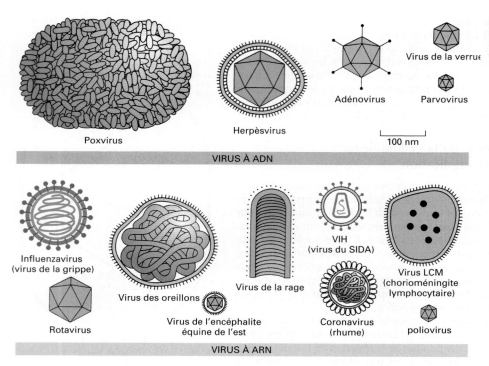

Figure 25-12 Exemples de la morphologie des virus. Comme cela est montré ici, les virus varient fortement à la fois en taille et en forme.

Poxvirus

Herpèsvirus

Adénovirus

Virus de la verrue

Parvovirus

100 nm

VIRUS À ADN

Influenzavirus (virus de la grippe)

Virus des oreillons

Rotavirus

Virus de l'encéphalite équine de l'est

Virus de la rage

VIH (virus du SIDA)

Coronavirus (rhume)

poliovirus

Virus LCM (chorioméningite lymphocytaire)

VIRUS À ARN

potentiels. Des programmes de vaccination extrêmement efficaces ont permis l'élimination effective de la variole de la planète et l'éradication de la poliomyélite est imminente (Figure 25-16).

Les prions sont des protéines infectieuses

Toutes les informations des systèmes biologiques sont codées par des structures. Nous avons l'habitude de considérer l'information biologique sous forme d'une séquence d'acides nucléiques (comme dans notre description du génome viral) mais la séquence elle-même est un code raccourci de la description de la structure de l'acide nucléique. La réplication et l'expression de l'information codée dans l'ADN et l'ARN sont strictement dépendantes de la structure de ces acides nucléiques et de leurs interactions avec d'autres macromolécules. La propagation de l'information génétique nécessite surtout que l'information soit stockée dans une structure qui puisse être dupliquée à partir de précurseurs non structurés. Les séquences en acides nucléiques représentent la solution la plus simple et robuste que les organismes ont trouvée au problème de la réplication structurelle fidèle.

Cependant, les acides nucléiques ne sont pas la seule solution. Les **prions** sont des agents infectieux qui se répliquent dans l'hôte par la copie d'une structure pro-

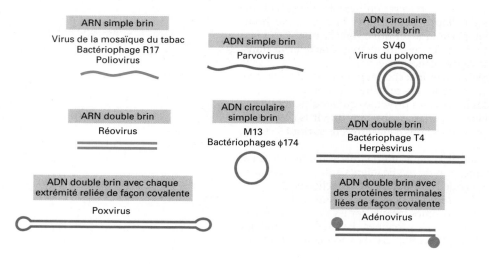

ARN simple brin

Virus de la mosaïque du tabac
Bactériophage R17
Poliovirus

ADN simple brin

Parvovirus

ADN circulaire double brin

SV40
Virus du polyome

ARN double brin

Réovirus

ADN circulaire simple brin

M13
Bactériophages φ174

ADN double brin

Bactériophage T4
Herpèsvirus

ADN double brin avec chaque extrémité reliée de façon covalente

Poxvirus

ADN double brin avec des protéines terminales liées de façon covalente

Adénovirus

Figure 25-13 Représentation schématique de plusieurs types de génomes viraux. Les plus petits virus contiennent seulement quelques gènes et peuvent avoir un génome à ARN ou à ADN. Les plus gros virus contiennent des centaines de gènes et ont un génome à ADN double brin. Les extrémités particulières (ainsi que la forme circulaire) surmontent les difficultés de réplication des derniers nucléotides à l'extrémité du brin d'ADN (*voir* Chapitre 5).

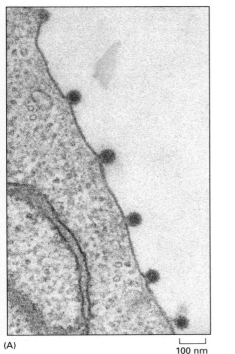

(A)

100 nm

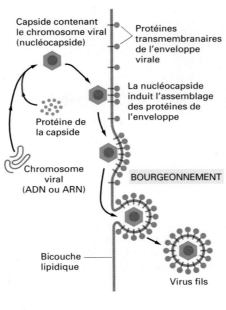

Capside contenant
le chromosome viral
(nucléocapside)

Protéines
transmembranaires
de l'enveloppe
virale

La nucléocapside
induit l'assemblage
des protéines de
l'enveloppe

Protéine de
la capside

Chromosome
viral
(ADN ou ARN)

BOURGEONNEMENT

Bicouche
lipidique

Virus fils

(B)

Figure 25-14 Acquisition d'une enveloppe virale. (A) Une photographie en microscopie électronique d'une cellule animale à partir de laquelle bourgeonnent six copies d'un virus enveloppé (virus de la forêt de Semliki). (B) Représentation schématique des processus d'assemblage de l'enveloppe et de bourgeonnement. La bicouche lipidique qui entoure la capside virale dérive directement de la membrane plasmique de la cellule hôte. Par contre, les protéines de cette bicouche lipidique (montrées en *vert*) sont codées par le génome viral. (A, due à l'obligeance de M. Olsen et G. Griffith.)

téique aberrante. Ils peuvent se former dans des levures et ils provoquent diverses maladies neurodégénératives chez les mammifères. L'infection la mieux connue provoquée par les prions est l'*encéphalopathie spongiforme bovine* (*ESB* ou maladie de la vache folle) qui se dissémine occasionnellement à l'homme ayant mangé des parties infectées de la vache (Figure 25-17). L'isolement des prions infectieux provoquant la *tremblante du mouton*, suivi par des années de caractérisation laborieuse au laboratoire, à partir de souris infectées par la tremblante, a finalement établi que c'était la protéine elle-même qui était infectieuse.

Ce qui est très intrigant, c'est que la protéine infectieuse du prion est fabriquée par l'hôte et sa séquence en acides aminés est identique à celle d'une protéine normale de l'hôte. De plus, les modifications post-traductionnelles du prion et de la forme normale de la protéine sont indifférenciables. La seule différence entre elles semble être dans leur structure tridimensionnelle repliée. La protéine du prion mal repliée a tendance à s'agréger et a cette capacité remarquable d'entraîner l'adoption par la protéine normale de la conformation mal repliée du prion pour qu'elle devienne ainsi infectieuse (*voir* Figure 6-89). Cette capacité du prion à transformer la protéine hôte normale en une protéine de prion mal repliée est équivalente à une réplication du prion lui-même dans l'hôte. S'ils sont ingérés par un autre hôte sensible, les nouveaux prions mal repliés peuvent transmettre l'infection.

On ne sait pas comment les protéines normales sont généralement capables de trouver la seule conformation repliée correcte parmi les milliards d'autres possibilités, sans être bloquées dans des impasses intermédiaires (*voir* Chapitres 3 et 6). Les prions sont un bon exemple d'un repliement protéique qui se passerait mal et deviendrait dangereux. Mais pourquoi les maladies à prions sont-elles si rares ? Quelles sont les contraintes qui déterminent si une protéine mal repliée se comportera comme un prion, ou simplement se repliera ou sera dégradée par la cellule qui la fabrique ?

Figure 25-15 Une carte du génome du VIH. Ce génome rétroviral est composé d'environ 9 000 nucléotides et contient neuf gènes, dont les localisations sont montrées en *vert* et *rouge*. Trois des gènes (*vert*) sont communs à tous les rétrovirus : *gag* code pour les protéines de la capside, *env* code pour les protéines de l'enveloppe et *pol* code pour deux protéines, la transcriptase inverse et l'intégrase (*voir* Chapitre 5). Le génome du VIH est particulièrement complexe parce qu'il contient six petits gènes (en *rouge*) en plus des trois grands gènes (*verts*) nécessaires au cycle de vie du rétrovirus. Au moins certains de ces petits gènes codent pour une protéine qui régule l'expression du gène viral (*tat* et *rev*, *voir* Figure 7-97) ; les autres codent pour des protéines qui modifient les processus cellulaires de l'hôte, y compris le transport protéique (*vpu* et *nef*) et la progression dans le cycle cellulaire (*vpr*). Comme cela est indiqué par les *lignes rouges*, l'épissage de l'ARN (à l'aide des spliceosomes de l'hôte) est nécessaire à la production des protéines Tat et Rev.

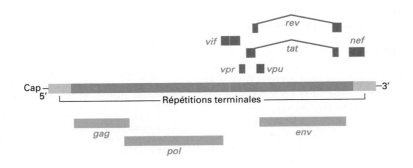

rev

vif

tat

nef

vpr

vpu

Cap
5'

3'

Répétitions terminales

gag

env

pol

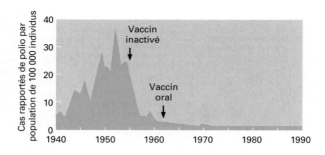

Nous n'avons pas encore de réponses à ces questions et l'étude des prions reste un domaine de recherche intense.

Résumé

Les maladies infectieuses sont provoquées par des agents pathogènes qui incluent des bactéries, des champignons, des protozoaires, des vers, des virus et même des protéines infectieuses appelées prions. Les agents pathogènes de toutes classes doivent posséder des mécanismes particuliers pour entrer dans l'hôte et éviter la destruction immédiate par son système immunitaire. La plupart des bactéries ne sont pas pathogènes. Celles qui le sont contiennent des gènes de virulence spécifiques qui permettent leurs interactions avec l'hôte et provoquent des réponses particulières à partir des cellules hôtes qui favorisent la réplication et la dissémination du germe pathogène. Les champignons, les protozoaires et les autres parasites eucaryotes pathogènes passent typiquement par différentes formes pendant l'évolution de l'infection ; la capacité à passer entre ces formes est généralement nécessaire pour que le parasite puisse survivre chez un hôte et provoquer une maladie. Dans certains cas, comme la malaria, les parasites doivent passer séquentiellement par diverses espèces d'hôtes pour terminer leur cycle de vie. Contrairement aux bactéries et aux parasites eucaryotes, les virus n'ont pas de métabolisme propre ni de capacité intrinsèque à produire des protéines codées par leur génome à ARN ou à ADN. Ils se reposent totalement sur la subversion de la machinerie de la cellule hôte pour produire leurs protéines et répliquer leur génome. Les prions, les agents infectieux les plus petits et les plus simples, ne contiennent pas d'acide nucléique ; par contre ce sont des protéines repliées de façon aberrante qui arrivent à catalyser chez l'hôte le mauvais repliement des protéines ayant la même séquence primaire en acides aminés.

BIOLOGIE CELLULAIRE DE L'INFECTION

Nous venons de voir que les agents pathogènes forment un ensemble varié de germes. Il existe, de façon correspondante, divers mécanismes qui leur permettent de provoquer une maladie. Mais la survie et la réussite de tous ces agents pathogènes nécessitent qu'ils colonisent l'hôte, atteignent une niche appropriée, évitent les défenses de l'hôte, se répliquent puis finissent par sortir de l'hôte infecté pour se disséminer à un autre, non infecté. Dans cette partie, nous examinerons les stratégies communes utilisées par de nombreux pathogènes pour accomplir ces tâches.

Les germes traversent les barrières protectrices pour coloniser l'hôte

Pour l'agent pathogène, la première étape de l'infection est de coloniser l'hôte. La plus grande partie du corps de l'homme est bien protégée de l'environnement par une couverture cutanée épaisse et assez résistante. Les barrières protectrices de certains autres tissus de l'homme (yeux, cavités nasales et appareil respiratoire, bouche et tube digestif, appareil urinaire et appareil génital de la femme) sont moins robustes. Par exemple, dans les poumons et l'intestin grêle où, respectivement, l'oxygène et les nutriments sont absorbés à partir de l'environnement, la barrière est une simple monocouche de cellules épithéliales.

La peau et beaucoup d'autres barrières épithéliales superficielles sont généralement peuplées d'une flore normale dense. Certains agents pathogènes bactériens ou fongiques colonisent également ces surfaces et essayent de rivaliser avec la flore normale, mais la plupart (et tous les virus) évitent cette compétition en traversant ces barrières pour accéder à des niches inoccupées à l'intérieur de l'hôte.

Les blessures au niveau des barrières épithéliales, comme la peau, permettent aux germes pathogènes d'accéder directement à l'intérieur de l'hôte. Cette voie d'entrée nécessite peu de spécialisation de la part de l'agent pathogène. En effet, beau-

Trous remplis de liquide
dans les tissus cérébraux

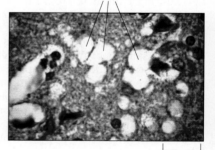

10 μm

Figure 25-17 Dégénérescence nerveuse lors d'une infection par un prion. Cette microphotographie montre une coupe issue d'un cerveau d'une personne morte de kuru. Le kuru est une maladie à prion de l'homme, très semblable à l'ESB, qui s'est disséminée d'une personne à une autre lors de rituels mortuaires pratiqués en Nouvelle Guinée. Les gros trous remplis de liquide représentent les endroits où les neurones sont morts. Ces trous caractéristiques ont donné son nom au syndrome d'encéphalopathie spongiforme. (Due à l'obligeance de Gary Baumbach.)

coup de membres de la flore normale peuvent provoquer des maladies graves s'ils entrent à travers de telles blessures. Les bactéries anaérobies du genre *Bacteroides*, par exemple, existent en très forte densité dans la flore inoffensive du gros intestin mais elles peuvent provoquer une péritonite mortelle si elles entrent dans la cavité péritonéale par le biais d'une perforation intestinale due à un traumatisme, une chirurgie ou une infection de la paroi intestinale. *Staphylococcus* provenant de la peau et du nez, ou *Streptococcus* de la gorge et de la bouche sont aussi responsables de nombreuses infections graves résultant de ruptures des barrières épithéliales.

Cependant, les agents pathogènes spécifiques n'ont pas besoin d'attendre l'opportunité d'une blessure pour pouvoir accéder à leur hôte. Une voie particulièrement efficace utilisée par les agents pathogènes pour traverser la peau est de cheminer dans la salive d'un insecte piqueur. Beaucoup d'arthropodes se nourrissent eux-mêmes en aspirant le sang et un groupe varié de bactéries, de virus et de protozoaires ont développé la capacité de survivre dans l'arthropode de manière à utiliser ces animaux piqueurs comme *vecteurs* pour passer d'un hôte mammifère à un autre. Comme nous l'avons déjà vu, *Plasmodium,* un protozoaire qui provoque la malaria, se développe en plusieurs formes pendant son cycle de vie, dont certaines se sont spécialisées pour la survie chez l'homme et d'autres pour la survie chez le moustique (*voir* Figure 25-10). Les virus disséminés par les piqûres d'insectes comprennent les agents responsables de divers types de fièvres hémorragiques, y compris la fièvre jaune et la dengue, ainsi que les agents responsables de plusieurs types d'encéphalites virales (inflammation du cerveau). Tous ces virus ont acquis la capacité de se répliquer dans les cellules de l'insecte et dans les cellules des mammifères, ce qui est requis pour qu'ils soient transmis par un insecte vecteur. Les virus transportés dans le sang, comme le VIH, qui ne sont pas capables de se répliquer dans un insecte, sont rarement, voire jamais, transmis de l'insecte à l'homme.

La dissémination efficace d'un germe pathogène via un insecte vecteur nécessite que l'insecte consomme des repas de sang chez de nombreux hôtes mammifères. Dans quelques cas étonnants, l'agent pathogène semble modifier le comportement de l'insecte afin que sa transmission soit plus probable. Comme la plupart des animaux, la mouche tsé-tsé (dont la piqûre transmet *Trypanosoma brucei,* le protozoaire parasite qui provoque la maladie du sommeil en Afrique) arrête de manger lorsqu'elle est rassasiée. Mais les mouches tsé-tsé porteuses de trypanosomes piquent plus fréquemment et ingèrent beaucoup plus de sang que les mouches non infectées. La présence des trypanosomes bloque la fonction des mécanorécepteurs de l'insecte mesurant le flux sanguin à travers l'œsophage pour vérifier le remplissage de l'estomac, et dupe efficacement la mouche tsé-tsé en lui faisant croire qu'elle a encore faim. La bactérie *Yersinia pestis,* qui provoque la peste bubonique, utilise un autre mécanisme pour s'assurer que la puce qui la transporte pique à répétition ; elle se multiplie dans la partie antérieure de son tube digestif et y forme des agrégats qui finissent par élargir et bloquer physiquement le tube digestif. L'insecte est alors incapable de se nourrir normalement et commence à jeûner. Au cours des essais répétés pour satisfaire son appétit, certaines bactéries de la partie antérieure du tube digestif sont injectées dans le site de piqûre et transmettent la peste à un nouvel hôte (Figure 25-18).

Les agents pathogènes qui colonisent les épithéliums doivent éviter leur élimination par l'hôte

Faire de l'auto-stop pour traverser la peau via la trompe d'un insecte n'est qu'une des stratégies utilisées par les agents pathogènes pour forcer les barrières initiales de défense de l'hôte. Alors que beaucoup de zones barrières comme la peau, la bouche et le gros intestin sont densément peuplées d'une flore normale, d'autres, comme la partie inférieure des poumons, l'intestin grêle et la vessie sont normalement conservées presque stériles en dépit d'un accès relativement direct à l'environnement. Dans ces zones, l'épithélium résiste activement à la colonisation bactérienne. Comme nous l'avons vu au chapitre 22, l'épithélium respiratoire est recouvert d'une couche de mucus protecteur et le battement coordonné de ses cils balaye vers le haut le mucus, avec les bactéries et les débris qui y sont piégés pour qu'ils ressortent des poumons. L'épithélium qui tapisse la vessie et le tractus gastro-intestinal supérieur présente aussi une épaisse couche de mucus et ces organes sont périodiquement rincés, respectivement, par la miction et le péristaltisme qui rejettent les microbes indésirables. Les bactéries et les parasites pathogènes qui infectent ces surfaces épithéliales présentent des mécanismes spécifiques qui maîtrisent ces mécanismes de nettoyage de l'hôte. Ceux qui infectent l'appareil urinaire, par exemple, résistent à l'action de

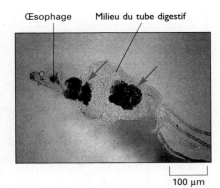

Œsophage   Milieu du tube digestif

100 µm

Figure 25-18 La transmission de la peste. Cette microphotographie montre une dissection du tube digestif d'une puce qui a dîné environ 2 semaines auparavant du sang d'un animal infecté par la bactérie de la peste, *Yersinia pestis.* Cette bactérie se multiplie dans le tube digestif de la puce pour produire de gros agrégats cohésifs indiqués par les *flèches rouges* ; la masse bactérienne à gauche est en train d'occlure le passage entre l'œsophage et l'intestin moyen. Ce type de blocage empêche la puce de digérer son repas de sang ce qui provoque des piqûres répétées de sa part et dissémine l'infection. (D'après B.J. Hinnebusch, E.R. Fischer et T.G. Schwann, *J. Infect. Dis.* 178 : 1406-1415, 1998. © The University of Chicago Press.)

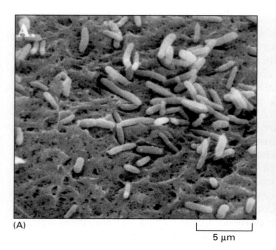

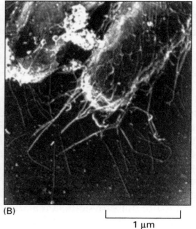

Figure 25-19 E. coli uropathogène et ses pili P. (A) Photographie en microscopie électronique à balayage d'*E. coli* uropathogène, fréquemment responsable d'infections de la vessie et du rein, fixée à la surface des cellules épithéliales de la vessie d'une souris infectée. (B) La vue rapprochée de la bactérie montre ses pili P à sa surface. (A, d'après G.E. Soto et S.J. Hultgren, *J. Bact.* 181 : 1059-1071, 1999 ; B, due à l'obligeance de D.G. Thanassi et S.J. Hultgren, *Meth. Comp. Meth. Enzym.* 20 : 111-126, 2000. © Academic Press.)

(A)

5 μm

(B)

1 μm

lavage par l'urine par leur adhésion solide sur l'épithélium vésical via des **adhésines** spécifiques, protéines ou complexes protéiques qui reconnaissent des molécules à la surface des cellules de l'hôte et s'y fixent. Un groupe important d'adhésines dans les souches d'*E. coli* uropathogènes sont des composants des *pili P* (*voir* Figure 25-4E) qui aident les bactéries à infecter le rein. Ces projections de surface peuvent mesurer plusieurs micromètres et sont donc capables de traverser l'épaisseur de la couche de mucus protectrice. À l'extrémité de chaque pilus se trouve une protéine qui se fixe solidement sur un disaccharide spécifique relié à un glycolipide présent à la surface des cellules de la vessie et des reins (Figure 25-19).

L'estomac est un des organes les plus difficiles à coloniser pour un microbe. En plus du lavage péristaltique et de sa protection par une épaisse couche de mucus, l'estomac est rempli d'acide (pH moyen ~ 2). Cet environnement extrême est létal pour presque toutes les bactéries ingérées dans l'alimentation. Néanmoins, il est colonisé par une bactérie résistante et entreprenante, *Helicobacter pylori*, qui n'a été reconnue que récemment comme la cause majeure d'ulcères gastriques et, peut-être, de cancer gastrique. Bien que les anciens traitements des ulcères (médicaments acidoréducteurs et régimes dépourvus d'irritants) soient encore utilisés pour réduire l'inflammation, un traitement antibiotique court et relativement bon marché peut maintenant guérir efficacement un patient atteint d'ulcères gastriques récurrents. L'hypothèse selon laquelle les ulcères gastriques seraient provoqués par une infection bactérienne persistante de l'épithélium tapissant l'estomac s'est initialement heurtée à un scepticisme considérable. Cela fut finalement prouvé par le jeune médecin australien qui fit la découverte initiale : il but une bouteille de culture pure de *H. pylori* et développa un ulcère typique. L'une des méthodes utilisées par *H. pylori* pour survivre dans l'estomac est la production d'une enzyme, l'*uréase*, qui transforme l'urée en ammoniac et en dioxyde de carbone : de cette façon la bactérie s'entoure elle-même d'une couche d'ammoniac qui neutralise l'acidité de l'estomac dans son voisinage immédiat. La bactérie exprime aussi au moins cinq types d'adhésines qui lui permettent d'adhérer à l'épithélium de l'estomac et produit plusieurs cytokines qui détruisent les cellules épithéliales de l'estomac, ce qui engendre des ulcères douloureux. L'inflammation chronique qui en résulte favorise la prolifération cellulaire et prédispose ainsi l'individu infecté au cancer gastrique.

Un des exemples encore plus extrêmes de colonisation active est fourni par *Bordetella pertussis*, la bactérie qui provoque la coqueluche. La première étape de l'infection par *B. pertussis* est la colonisation de l'épithélium respiratoire. La bactérie contourne le mécanisme normal de clairance (l'*escalator mucociliaire* décrit au chapitre 22) par sa fixation solide sur la surface des cellules ciliées et sa multiplication sur celles-ci. *B. pertussis* exprime au moins quatre types d'adhésines qui se fixent solidement sur des glycolipides spécifiques des cellules ciliées. La bactérie adhérente produit diverses toxines qui finissent par tuer les cellules ciliées, ce qui compromet la capacité de l'hôte à éliminer l'infection. La toxine la plus connue est la *toxine coquelucheuse* qui, comme la toxine du choléra, est une enzyme d'ADP-ribosylation. Elle effectue l'ADP-ribosylation de la sous-unité α d'une protéine G, G_i, ce qui provoque la modification de la régulation de l'adénylate cyclase de l'hôte et une surproduction d'AMP cyclique (*voir* Chapitre 15). De plus, *B. pertussis* produit également elle-même une adénylate cyclase qui est inactive tant qu'elle n'est pas fixée sur une protéine eucaryote, la calmoduline, qui fixe Ca²⁺. L'enzyme produite par la bactérie n'est donc active que dans le cytoplasme d'une cellule eucaryote. Même si *B. pertussis* et *V. cholerae* engendrent cette même augmentation drastique de la concentration en AMPc dans les cellules hôtes sur lesquelles elles adhèrent, les symptômes de la maladie sont très différents parce que ces deux bactéries colonisent des sites différents sur l'hôte : *B. pertussis* colonise l'appareil respiratoire et provoque une toux paroxystique tandis que *V. cholerae* colonise l'appareil digestif et provoque une diarrhée aqueuse.

Tous les exemples spécifiques de colonisation bactérienne ne nécessitent pas l'expression d'adhésines qui se fixent sur des glycolipides ou des protéines de la cellule hôte. *E. coli* entéropathogène, qui provoque une diarrhée chez les jeunes enfants, utilise à la place un système de sécrétion de type III (*voir* Figure 25-7) pour délivrer, dans la cellule hôte, son propre récepteur protéique qu'elle exprime elle-même (Tir) (Figure 25-20A). Une fois que Tir est inséré dans la membrane de la cellule hôte, une protéine de surface bactérienne se fixe sur le domaine extracellulaire de Tir et déclenche une série remarquable d'événements à l'intérieur de la cellule hôte. D'abord, le récepteur protéique Tir est phosphorylé sur des résidus tyrosine par une tyrosine-kinase de l'hôte. Contrairement aux cellules eucaryotes, les bactéries ne phosphorylent généralement pas les résidus tyrosine, mais Tir contient un domaine peptidique qui est un motif de reconnaissance spécifique pour la tyrosine-kinase eucaryote. On pense ensuite que Tir phosphorylé recrute un membre de la famille Rho de petites GTPases qui favorise la polymérisation de l'actine via une série d'étapes intermédiaires (*voir* Chapitre 16). L'actine polymérisée forme une protrusion unique à la surface de la cellule, le *piédestal*, qui repousse la bactérie solidement adhérente à une hauteur de 10 μm environ de la surface de la cellule hôte (Figure 25-20B,C).

Ces exemples de colonisation de l'hôte illustrent l'importance de la communication hôte-agent pathogène dans le processus infectieux. Les organismes pathogènes ont acquis des gènes qui codent pour des protéines qui interagissent spécifiquement avec des molécules particulières des cellules hôtes. Dans certains cas, comme l'adénylate cyclase de *B. pertussis*, un ancêtre de l'agent pathogène aurait pu acquérir le gène de son hôte, tandis que dans d'autres cas, comme Tir, c'est une mutation aléatoire qui pourrait avoir donné naissance à des motifs protéiques reconnus par un partenaire protéique eucaryote.

Les agents pathogènes intracellulaires possèdent des mécanismes qui leur permettent d'entrer et de sortir de la cellule hôte

Beaucoup d'agents pathogènes, dont *V. cholerae* et *B. pertussis*, infectent leur hôte sans entrer dans leurs cellules. D'autres, cependant, y compris tous les virus et beaucoup de bactéries et de protozoaires, sont des **agents pathogènes intracellulaires**. Leurs niches préférées pour leur réplication et leur survie se trouvent à l'intérieur du cytoplasme ou dans des compartiments intracellulaires de cellules spécifiques de l'hôte. Cette stratégie a plusieurs avantages. Les agents pathogènes ne sont pas accessibles aux anticorps (*voir* Chapitre 24) et ne sont pas des cibles faciles pour les cellules phagocytaires (*voir* plus loin). Ce style de vie, cependant, oblige l'agent pathogène à développer des mécanismes pour entrer dans les cellules hôtes, y trouver une niche subcellulaire adaptée pour se répliquer et enfin pour sortir de la cellule infectée et disséminer l'infection. Nous étudierons dans la suite de cette section certaines des très nombreuses voies exploitées par certains agents pathogènes, qui modifient la biologie de la cellule hôte pour satisfaire à ces besoins.

Figure 25-20 Interactions entre *E. coli* entéropathogène (EPEC) et sa cellule hôte. (A) Lorsque EPEC entre en contact avec une cellule épithéliale qui tapisse l'intestin de l'homme, elle délivre une protéine bactérienne, Tir, dans la cellule hôte à travers un système de sécrétion de type III. Tir s'insère alors dans la membrane plasmique de la cellule hôte, où il fonctionne comme un récepteur d'une adhésine bactérienne, l'intimine. (B) Le domaine intracellulaire de Tir est phosphorylé sur un résidu tyrosine par une protéine tyrosine-kinase cellulaire de l'hôte. Tir phosphorylé recrute alors probablement une GTPase de la famille Rho qui déclenche la polymérisation de l'actine ; il recrute également d'autres facteurs du cytosquelette de la cellule hôte qui interagissent avec l'actine. Par conséquent, un faisceau de filaments d'actine s'assemble en dessous de la bactérie pour former un piédestal d'actine. (C) EPEC sur son piédestal. Sur cette photographie en microscopie à fluorescence, l'ADN de EPEC et de la cellule hôte est marqué en *bleu*, la protéine Tir est marquée en *vert* et les filaments d'actine de l'hôte sont marqués en *rouge*. L'encadré montre une vue rapprochée de deux bactéries sur des piédestaux. (C, d'après D. Goosney et al., *Annu. Rev. Cell Dev. Biol.* 16 : 173-189, 2000. © Annual Reviews.)

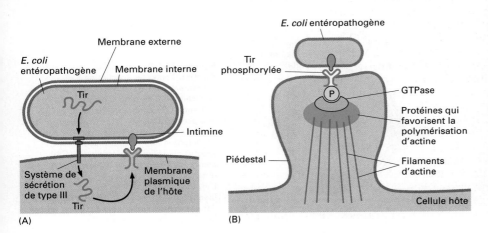

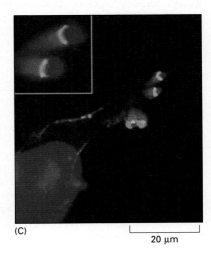

(C)   20 μm

Les virus se fixent sur des molécules exposées à la surface de la cellule hôte

La première étape de chaque agent pathogène intracellulaire est de se fixer à la surface de la cellule cible de l'hôte. Pour les virus, cette fixation s'accomplit par l'association entre une protéine de surface virale et un récepteur spécifique situé à la surface de la cellule hôte. Bien sûr, aucun récepteur de la cellule hôte n'a évolué dans le seul but de permettre à un agent pathogène de s'y fixer ; ces récepteurs ont tous d'autres fonctions. Le premier « récepteur viral » identifié a été une protéine de surface de *E. coli* qui permet au bactériophage lambda de se fixer sur la bactérie. La fonction normale de cette protéine de transport est l'absorption du maltose.

Les virus qui infectent les cellules animales utilisent généralement comme molécules des récepteurs cellulaires de surface qui sont soit très abondants (comme les oligosaccharides à acide sialique, utilisés par les virus de la grippe), soit uniquement retrouvés sur les types cellulaires à l'intérieur desquels les virus peuvent se répliquer (comme le récepteur du facteur de croissance des nerfs, le récepteur nicotinique de l'acétylcholine, ou la protéine d'adhésion cellulaire N-CAM, tous utilisés par le virus de la rage pour infecter spécifiquement les neurones). Souvent plusieurs types de virus utilisent un même récepteur, par contre certains virus utilisent plusieurs récepteurs différents. De plus, différents virus qui infectent le même type cellulaire peuvent chacun utiliser un récepteur différent. L'hépatite, par exemple, est causée par six virus au moins, qui se répliquent tous préférentiellement dans les cellules hépatiques. Les récepteurs de quatre virus de l'hépatite ont été identifiés et ils sont tous différents. Les récepteurs n'ont pas besoin d'être des protéines ; le virus de l'*herpes simplex* (herpès), par exemple, se fixe sur les protéoglycanes héparane-sulfate via des protéines membranaires virales spécifiques.

Souvent les virus nécessitent à la fois un récepteur primaire et un co-récepteur secondaire pour se fixer avec efficacité et entrer dans la cellule hôte. Un des exemples importants est représenté par le VIH. Son récepteur primaire est CD4, une protéine impliquée dans la reconnaissance immunitaire, présente à la surface de nombreux lymphocytes T et macrophages (*voir* Chapitre 24). L'entrée du virus nécessite aussi la présence d'un co-récepteur, soit CCR5 (un récepteur des chimiokines β) ou CXCR4 (un récepteur des chimiokines α), en fonction du variant spécifique du virus (Figure 25-21). Les macrophages sont sensibles uniquement aux variants VIH qui utilisent CCR5 pour entrer alors que les lymphocytes T sont plus efficacement infectés par les variants qui utilisent CXCR4. Les virus retrouvés les premiers mois de l'infection par le VIH nécessitent presque invariablement CCR5, ce qui explique probablement pourquoi les individus porteurs d'un gène CCR5 déficient ne sont pas sensibles à l'infection par le VIH. Dans les stades plus tardifs de l'infection, les virus commutent et utilisent le co-récepteur CXCR4 ou s'adaptent pour utiliser les deux co-récepteurs ; de cette façon, le virus peut modifier le type de cellules qu'il infecte tandis que la maladie évolue.

Les virus entrent dans les cellules hôtes par fusion membranaire, formation d'un pore ou rupture membranaire

Après sa reconnaissance et sa fixation sur la surface d'une cellule de l'hôte, le virus doit ensuite entrer dans cette cellule et libérer son génome d'acide nucléique de son manteau protéique protecteur ou de son enveloppe lipidique. Dans la plupart des cas, l'acide nucléique libéré reste complexé à certaines protéines virales. Les **virus enveloppés**

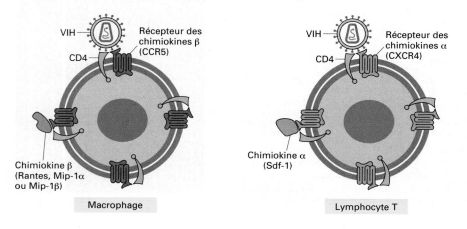

Figure 25-21 Récepteur et co-récepteurs du VIH. Toutes les souches de VIH nécessitent CD4 comme récepteur primaire. Au début de l'infection, la plupart des virus utilisent CCR5 comme co-récepteur, ce qui leur permet d'infecter les macrophages et leurs précurseurs, les monocytes. Avec l'évolution de l'infection, des variants mutants sont apparus qui utilisent maintenant CXCR4 comme co-récepteur, ce qui leur permet d'infecter efficacement les lymphocytes T. L'invasion de chaque type de virus peut être bloquée par le ligand naturel des récepteurs des chimiokines (Sdf-1 pour CXCR4 ; Rantes, Mip-1α ou Mip-1β pour CCR5).

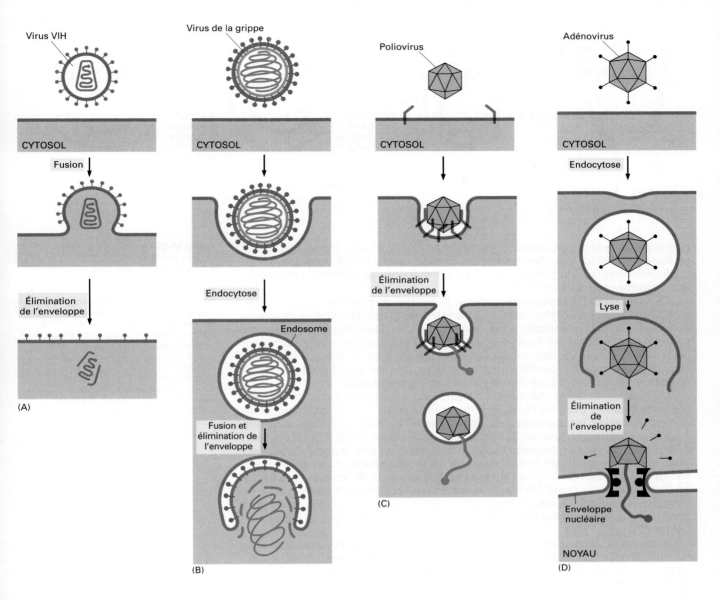

Virus VIH

Virus de la grippe

Poliovirus

Adénovirus

CYTOSOL

CYTOSOL

CYTOSOL

CYTOSOL

Fusion

Endocytose

Endocytose

Élimination
de l'enveloppe

Endocytose

Élimination
de l'enveloppe

Lyse

Endosome

Élimination
de
l'enveloppe

Fusion et
élimination de
l'enveloppe

Enveloppe
nucléaire

NOYAU

(A)

(B)

(C)

(D)

entrent dans la cellule hôte par fusion soit avec la membrane plasmique soit avec la membrane d'un endosome après leur endocytose (Figure 25-22A,B). On pense que la fusion s'effectue via un mécanisme similaire à la fusion des vésicules médiée par les SNARE pendant le transport vésiculaire intracellulaire normal (*voir* Chapitre 13).

Cette fusion est régulée à la fois pour assurer que les particules virales fusionnent uniquement avec la bonne membrane de la cellule hôte et pour éviter que les particules virales fusionnent les unes avec les autres. Pour les virus comme le VIH, qui fusionnent avec la membrane plasmique à un pH neutre, la fixation sur les récepteurs ou les co-récepteurs déclenche généralement une modification de conformation de la protéine de l'enveloppe virale qui expose alors un peptide de fusion normalement enfoui (*voir* Figure 13-16). D'autres virus enveloppés, comme le virus de la grippe, ne fusionnent qu'après l'endocytose ; dans ce cas, c'est souvent l'environnement acide des endosomes précoces qui déclenche la modification d'une protéine à la surface du virus qui expose alors le peptide de fusion (Figure 25-23). H^+, qui est pompé dans les endosomes précoces, entre dans la particule virale grippale par l'intermédiaire d'un canal ionique et déclenche l'*élimination de l'enveloppe* qui recouvre l'acide nucléique viral. Celui-ci est alors directement libéré dans le cytosol lorsque le virus fusionne avec la membrane endosomique. Dans le cas du virus de la forêt de Semliki, par exemple, la fixation des ribosomes de l'hôte sur la capside provoque la séparation de la capside protéique du génome viral.

Il est plus difficile d'imaginer comment les **virus non enveloppés** entrent dans les cellules de l'hôte car il n'est pas évident de comprendre comment de gros assemblages, formés de protéines et d'acides nucléiques, peuvent traverser la membrane

Figure 25-22 Quatre stratégies d'élimination de l'enveloppe du virus. (A) Certains virus enveloppés, comme le VIH, fusionnent directement avec la membrane plasmique de la cellule hôte pour libérer leur capside (en *vert*) dans le cytosol. (B) D'autres virus enveloppés, comme les virus de la grippe, se fixent d'abord sur les récepteurs cellulaires de surface et déclenchent leur endocytose médiée par les récepteurs. Lorsque l'endosome s'acidifie, l'enveloppe virale fusionne avec la membrane endosomique et libère la nucléocapside (en *bleu*) dans le cytosol. (C) Le poliovirus, un virus non enveloppé, se fixe sur un récepteur (en *vert*) de la surface de la cellule hôte puis forme un pore dans la membrane de la cellule hôte pour extruder son génome à ARN (en *bleu*). (D) Les adénovirus, d'autres virus non enveloppés, utilisent une stratégie plus complexe. Ils induisent une endocytose médiée par les récepteurs puis rompent la membrane endosomique, ce qui libère une partie de la capside dans le cytosol. La capside s'arrime finalement sur un pore nucléaire et libère directement son génome à ADN (en *rouge*) dans le noyau.

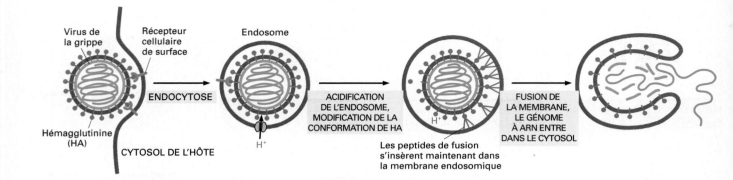

Figure 25-23 La stratégie d'entrée utilisée par le virus de la grippe. Les têtes globulaires de l'hémagglutinine virale (HA) permettent la fixation du virus sur les récepteurs cellulaires de surface contenant de l'acide sialique. Les complexes virus-récepteur sont endocytés et, dans l'environnement acide de l'endosome, la région en boucle de HA devient un superenroulement qui déplace le peptide de fusion au sommet de la molécule, près de la membrane endosomique. Pour permettre la libération du génome viral dans le cytosol, les ions H^+ de l'endosome entrent dans le virus par un canal ionique dans la membrane virale, et libèrent le génome à ARN (en *bleu*) de sa capside. La fusion des membranes virales et endocytaires permet au génome viral d'entrer dans le cytosol.

plasmique ou celle des endosomes. Dans les cas où le mécanisme d'entrée est connu, on s'aperçoit que les virus non enveloppés forment un pore dans la membrane cellulaire pour délivrer leur génome viral dans le cytoplasme, ou rompent la membrane endosomique après leur endocytose.

Le *poliovirus* utilise la première stratégie. La fixation du poliovirus sur son récepteur déclenche une endocytose médiée par le récepteur et une modification de conformation de la particule virale. Cette modification de conformation expose une projection hydrophobe sur l'une des protéines de la capside qui s'insère apparemment dans la membrane endosomique pour former un pore. Le génome viral entre alors dans le cytoplasme par ce pore et laisse sa capside soit dans l'endosome soit à la surface cellulaire, soit à ces deux endroits (*voir* Figure 25-22C).

L'*adénovirus* utilise la deuxième stratégie. Il est généralement absorbé par une endocytose médiée par les récepteurs. Lorsque l'endosome subit sa maturation pour devenir plus acide, le virus subit de multiples étapes de décapsidation au cours desquelles ses protéines structurelles sont séquentiellement retirées de la capside. Certaines de ces étapes nécessitent l'action d'une protéase virale, inactive dans la particule virale extracellulaire (probablement à cause de liaisons disulfure intracaténaires) mais qui est activée dans l'environnement réducteur de l'endosome. Une des protéines libérées de la capside lyse la membrane de l'endosome et libère le reste du virus dans le cytosol. Ce virus « grignoté » s'arrime alors sur un complexe du pore nucléaire et libère son génome d'ADN à travers le pore dans le noyau où il est transcrit (*voir* Figure 25-22D).

Au cours de ces diverses stratégies d'entrée, le virus exploite diverses molécules et processus de la cellule hôte, y compris des composants cellulaires de surface, une endocytose médiée par des récepteurs et des étapes de maturation endosomique. Ces stratégies illustrent encore une fois les méthodes sophistiquées développées par les agents pathogènes pour utiliser la biologie cellulaire fondamentale de leur hôte.

Les bactéries entrent dans les cellules hôtes par phagocytose

Les bactéries sont bien plus grosses que les virus et sont trop grosses pour être absorbées par une endocytose médiée par les récepteurs. Par contre, elles entrent dans les cellules hôtes par phagocytose. La phagocytose des bactéries est une fonction normale des macrophages. Ils patrouillent dans les tissus du corps afin d'ingérer et de détruire les microbes indésirables. Certains agents pathogènes, cependant, ont acquis la capacité de survivre et se répliquer à l'intérieur des macrophages qui les ont phagocytés.

La **tuberculose**, une infection pulmonaire grave très répandue dans certaines populations urbaines, est provoquée par une de ces bactéries pathogènes, *Mycobacterium tuberculosis*. Cette bactérie est généralement acquise par inhalation dans les poumons où elle est phagocytée par les macrophages alvéolaires. Même si ce microbe peut survivre et se répliquer à l'intérieur des macrophages, chez la plupart des individus sains, les macrophages, aidés du système immunitaire adaptatif, contiennent l'infection dans une lésion appelée *tubercule*. Dans la plupart des cas, la lésion est entourée d'une capsule fibreuse qui subit une calcification, après quoi elle peut facilement être vue sur les radiographies pulmonaires des personnes infectées. Une des caractéristiques particulières de *M. tuberculosis* est sa capacité à survivre des décennies à l'intérieur des macrophages contenus dans ces lésions. Puis, plus tardivement, en particulier si le système immunitaire s'affaiblit du fait de maladies ou de la prise de médicaments, l'infection peut se réactiver et se disséminer dans les poumons et même à d'autres organes.

La tuberculose est reconnue dans les populations humaines depuis des milliers d'années, mais une autre bactérie, qui vit à l'intérieur des macrophages alvéolaires, n'a été reconnue comme agent pathogène de l'homme qu'en 1976. *Legionella pneumophila* est normalement un parasite de certaines amibes d'eau douce, qui les absorbent par phagocytose. Lorsque des gouttelettes d'eau contenant *L. pneumophila* ou des amibes infectées sont inhalées dans le poumon, la bactérie peut envahir les macrophages alvéolaires et y vivre (Figure 25-24) car, pour la bactérie, ils peuvent ressembler à une grosse amibe. Cette infection conduit à un type de pneumonie, la **légionellose**. La bactérie pathogène peut se transmettre efficacement par l'air conditionné, car les amibes, qui sont l'hôte normal des bactéries, sont particulièrement adaptées à croître dans les tours de réfrigération de l'air conditionné ; de plus, ces systèmes de refroidissement produisent des microgouttes d'eau facilement inhalées. L'incidence de la légionellose a augmenté de façon spectaculaire ces dernières décennies et il est souvent possible de remonter les cas jusqu'au système de conditionnement des bureaux, des hôpitaux et des hôtels. D'autres formes d'aérosols modernes, comme les fontaines décoratives et les vaporisateurs des supermarchés, ont aussi été impliquées dans le déclenchement de cette maladie.

Certaines bactéries envahissent des cellules normalement non phagocytaires. Une des méthodes utilisées par les bactéries pour induire leur phagocytose par ces cellules consiste à exprimer une adhésine qui se fixe avec une forte affinité sur une protéine d'adhésion cellulaire que la cellule utilise normalement pour adhérer sur une autre cellule ou sur la matrice extracellulaire (*voir* Chapitre 19). Par exemple, *Yersinia pseudotuberculosis* (une proche parente de la bactérie de la peste, *Yersinia pestis*), qui provoque une diarrhée, exprime une protéine, l'*invasine*, qui se fixe sur les intégrines β1. *Listeria monocytogenes*, qui provoque une forme rare mais grave d'intoxication alimentaire, exprime une protéine qui se fixe sur les E-cadhérines. La fixation sur ces protéines d'adhésion transmembranaires dupe la cellule hôte qui tente alors de former une jonction cellulaire et commence à déplacer son actine et d'autres composants de son cytosquelette vers le site d'attache bactérienne. Comme la bactérie est relativement petite par rapport à la cellule hôte, les tentatives de la cellule hôte pour s'étaler sur la surface adhésive de la bactérie entraînent l'absorption de la bactérie par capture phagocytaire – un processus appelé mécanisme d'invasion de type fermeture Éclair (*zipper mechanism*) (Figure 25-25A). La similitude de cette forme d'invasion avec le processus naturel d'adhésion cellulaire a été mise en évidence par la détermination de la structure tridimensionnelle de l'invasine. Cette protéine bactérienne a un motif RGD, dont la structure est presque identique à celle du site normal de liaison de l'intégrine β1 dans la laminine (*voir* Chapitre 19).

Une deuxième voie utilisée par les bactéries pour envahir les cellules non phagocytaires est le mécanisme de type gâchette (*trigger mechanism*) (Figure 25-25B). Il est utilisé par divers agents pathogènes dont *Salmonella enterica* qui provoque une intoxication alimentaire. Cette forme spectaculaire d'invasion est initiée lorsque la bactérie injecte un ensemble de molécules effectrices dans le cytoplasme de la cellule hôte par un système de sécrétion de type III. Certaines de ces molécules effectrices

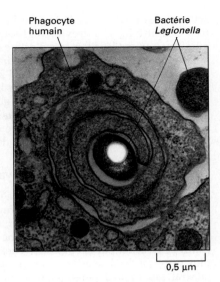

Figure 25-24 Absorption de *Legionella pneumophila* par un phagocyte mononucléé humain. Cette photographie en microscopie électronique montre la structure enroulée inhabituelle induite à la surface du phagocyte par la bactérie. (D'après M.A. Horwitz, *Cell* 36 : 27-33, 1984. © Elsevier.)

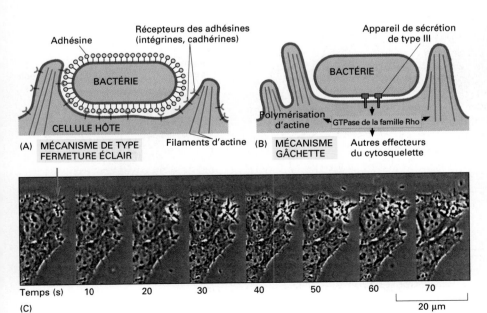

Figure 25-25 Mécanismes utilisés par les bactéries pour induire la phagocytose par des cellules hôtes non phagocytaires. (A) Les mécanismes de type fermeture Éclair et (B) de type gâchette pour la phagocytose induite par les germes pathogènes nécessitent tous les deux la polymérisation d'actine au site de l'entrée bactérienne. (C) Images d'un film pris sur un certain laps de temps, toutes les dix secondes, montrant la formation d'un hérissement membranaire géant (*flèche*) lorsque *Salmonella enterica* entre en contact avec une cellule hôte en culture. Cela conduit à la phagocytose de la bactérie par un mécanisme de type gâchette. (C, due à l'obligeance de Julie Theriot et Jorge Galàn.)

activent des GTPases de la famille Rho qui stimulent la polymérisation de l'actine (*voir* Chapitre 16). D'autres interagissent plus directement avec les éléments du cytosquelette, coupent les filaments d'actine et provoquent le réarrangement des protéines à liaison croisée. Il s'ensuit qu'il apparaît un hérissement spectaculaire et localisé, à la surface de la cellule hôte (Figure 25-25C), qui envoie de grosses protrusions riches en actine qui se replient et piègent les bactéries dans de grosses vésicules d'endocytose appelées *macropinosome*. L'aspect général des cellules en train d'être envahies par le mécanisme gâchette est similaire au hérissement spectaculaire induit par certains facteurs de croissance, ce qui suggère que des cascades de signalisation intracellulaire similaires sont activées dans les deux cas.

Les parasites intracellulaires envahissent activement les cellules hôtes

L'absorption des virus par endocytose médiée par les récepteurs et des bactéries par phagocytose nécessitent de l'énergie fournie par la cellule hôte. Le germe pathogène est un participant relativement passif, qui fournit généralement le déclencheur initiant le processus d'invasion, mais ne contribue pas à l'énergie métabolique. Par contre, l'invasion par les parasites eucaryotes intracellulaires, qui sont typiquement plus gros que les bactéries, s'effectue par diverses voies complexes qui nécessitent généralement une dépense énergétique significative de la part du parasite.

Toxoplasma gondii, un parasite du chat qui provoque aussi occasionnellement des infections humaines graves, est un exemple instructif. Lorsque ce protozoaire entre en contact avec une cellule hôte, il émet une protrusion formée par une structure nervurée de microtubules appelée un *conoïde,* puis se réoriente pour que le conoïde touche la surface de la cellule hôte. Le parasite pousse alors doucement pour tracer son chemin dans la cellule hôte. L'énergie de cette invasion semble provenir entièrement du parasite et le processus peut être interrompu par la dépolymérisation du cytosquelette d'actine du parasite – mais pas de l'hôte. Lorsque le parasite se déplace dans la cellule hôte, il sécrète des lipides à partir d'une paire d'organites spécifiques, ce qui crée une membrane vacuolaire constituée principalement de lipides et de protéines du parasite. De cette façon, l'organisme se protège lui-même, à l'intérieur de la cellule hôte, dans un compartiment entouré d'une membrane qui ne participe pas aux voies de transport des membranes cellulaires de l'hôte et ne fusionne pas avec les lysosomes (Figure 25-26). Cette membrane vacuolaire spécifique permet au parasite d'absorber des intermédiaires métaboliques et des nutriments issus du cytosol de la cellule hôte mais exclut les molécules plus grosses.

Une stratégie d'invasion entièrement différente mais non moins particulière est utilisée par un protozoaire, *Trypanosoma cruzi,* qui provoque une maladie multi-organe (maladie de Chagas) surtout au Mexique et en Amérique centrale et du Sud. Après son attachement sur les intégrines β1 de la surface cellulaire de l'hôte, ce parasite induit une élévation locale de Ca²⁺ dans le cytoplasme de l'hôte. Ca²⁺ signale alors le recrutement de lysosomes au niveau du site d'attache du parasite qui fusionnent ensuite avec la membrane plasmique et permettent au parasite d'entrer dans une

Figure 25-26 Le cycle de vie du parasite intracellulaire *Toxoplasma gondii*. (A) Après l'attachement sur une cellule hôte, *T. gondii* sécrète des lipides à partir d'organites internes. Après l'invasion, le parasite se réplique dans une vacuole spécifique formée à partir des lipides du parasite. Cette vacuole ne possède pas les protéines cellulaires de l'hôte associées aux endosomes normaux et la vacuole parasitaire ne fusionne pas avec les lysosomes. Après plusieurs cycles de réplication, le parasite provoque la lyse de la cellule hôte et les parasites fils sont libérés pour infecter d'autres cellules. (B) Une photographie en microscopie optique de *T. gondii* qui se réplique dans une vacuole au sein d'une cellule en culture. (B, due à l'obligeance de Manuel Camps et John Boothroyd.)

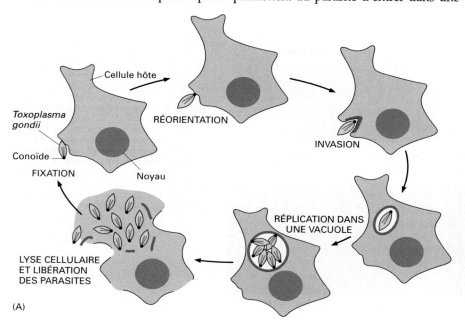

(A)

Cellule hôte
Toxoplasma gondii
Conoïde
FIXATION
Noyau
RÉORIENTATION
INVASION
RÉPLICATION DANS UNE VACUOLE
LYSE CELLULAIRE ET LIBÉRATION DES PARASITES

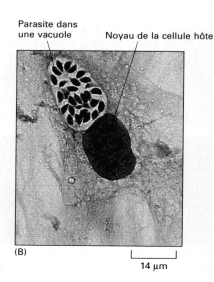

Parasite dans une vacuole
Noyau de la cellule hôte

(B)

14 µm

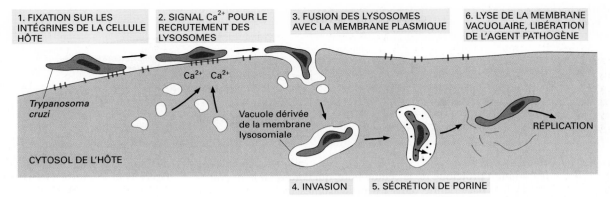

1. FIXATION SUR LES INTÉGRINES DE LA CELLULE HÔTE

2. SIGNAL Ca²⁺ POUR LE RECRUTEMENT DES LYSOSOMES

3. FUSION DES LYSOSOMES AVEC LA MEMBRANE PLASMIQUE

6. LYSE DE LA MEMBRANE VACUOLAIRE, LIBÉRATION DE L'AGENT PATHOGÈNE

Ca²⁺ Ca²⁺

Trypanosoma cruzi

Vacuole dérivée de la membrane lysosomiale

RÉPLICATION

CYTOSOL DE L'HÔTE

4. INVASION   5. SÉCRÉTION DE PORINE

vacuole dérivée presque entièrement de la membrane lysosomiale (Figure 25-27). Comme nous le verrons ultérieurement, la plupart des agents pathogènes intracellulaires s'éloignent fortement pour éviter l'exposition à l'environnement protéolytique hostile du lysosome mais ce trypanosome utilise le lysosome comme moyen d'entrée. Dans la vacuole, le parasite sécrète une transsialidase, une enzyme qui élimine l'acide sialique des glycoprotéines lysosomiales et le transfère sur ses propres molécules de surface afin de se recouvrir ainsi lui-même de sucres issus de la cellule hôte. Puis, il sécrète une toxine formant un pore qui lyse la membrane vacuolaire et libère le parasite dans le cytosol de la cellule hôte, où il se réplique.

Figure 25-27 Invasion par *Trypanosoma cruzi*. Ce parasite recrute les lysosomes des cellules hôtes sur son site d'attache. Les lysosomes fusionnent avec la membrane plasmique pour créer une vacuole construite presque entièrement de membrane lysosomiale. Après un bref moment dans la vacuole, le parasite sécrète une protéine (porine) qui rompt la membrane vacuolaire, ce qui permet au parasite de s'échapper dans le cytosol de la cellule hôte et de se répliquer.

Beaucoup d'agents pathogènes modifient le transport membranaire dans la cellule hôte

Les deux exemples de parasites intracellulaires traités dans le paragraphe précédent soulèvent un problème général auquel est confronté chaque germe pathogène menant un style de vie intracellulaire, comme les virus, les bactéries et les parasites. Ils doivent faire face, d'une certaine façon, au transport vésiculaire dans la cellule hôte. Après l'endocytose par une cellule hôte, ils se trouvent généralement eux-mêmes dans un compartiment endosomique qui devrait normalement fusionner avec les lysosomes. Ils doivent donc soit modifier le compartiment pour éviter sa fusion, soit s'échapper de ce compartiment avant d'être digérés, soit trouver les moyens de survivre dans l'environnement hostile du phagolysosome (Figure 25-28).

La plupart des agents pathogènes utilisent la première ou la deuxième stratégie. Il est bien plus rare de trouver des germes pathogènes qui puissent survivre dans le phagolysosome. Comme nous l'avons vu, *Trypanosoma cruzi* utilise la solution de la fuite, comme pratiquement tous les virus (*voir* Figure 25-22). La bactérie *Listeria monocytogenes* utilise aussi cette stratégie. Elle est absorbée dans des cellules via le mécanisme de type fermeture Éclair, traité plus haut, puis sécrète une protéine, l'hémolysine, qui forme de larges pores dans la membrane du phagosome, finit par rompre cette membrane et libère la bactérie dans le cytosol. Une fois dans le cytosol, cette bactérie continue à sécréter l'hémolysine mais ne détruit pas la membrane plasmique. L'hémolysine ne détruit sélectivement que la membrane du phagosome pour deux raisons : d'abord elle est dix fois plus active au pH acide du phagosome qu'au pH neutre du cytosol et deuxièmement, l'hémolysine contient une séquence PEST (un motif peptidique riche en proline, glutamate, sérine et thréonine), reconnue par

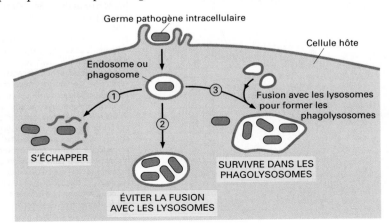

Germe pathogène intracellulaire

Cellule hôte

Endosome ou phagosome

① ③

② Fusion avec les lysosomes pour former les phagolysosomes

S'ÉCHAPPER

SURVIVRE DANS LES PHAGOLYSOSOMES

ÉVITER LA FUSION AVEC LES LYSOSOMES

Figure 25-28 Les germes pathogènes intracellulaires doivent faire face à des choix. Après leur entrée, généralement par endocytose ou phagocytose dans un compartiment entouré d'une membrane, les germes intracellulaires pathogènes peuvent utiliser une de ces trois stratégies pour survivre et se répliquer. Les germes pathogènes qui suivent la stratégie (1) sont tous les virus, *Trypanosoma cruzi*, *Listeria monocytogenes* et *Shigella flexneri*. Ceux qui suivent la stratégie (2) sont *Plasmodium falciparum*, *Mycobacterium tuberculosis*, *Salmonella enterica*, *Legionella pneumophila* et *Chlamydia trachomatis*. Ceux qui suivent la stratégie (3) incluent *Coxiella burnetii* et *Leishmania*.

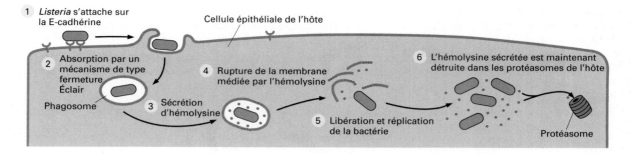

Cellule épithéliale de l'hôte

2. Absorption par un mécanisme de type fermeture Éclair

Phagosome

3. Sécrétion d'hémolysine

4. Rupture de la membrane médiée par l'hémolysine

5. Libération et réplication de la bactérie

6. L'hémolysine sécrétée est maintenant détruite dans les protéasomes de l'hôte

Protéasome

la machinerie de dégradation protéique de la cellule hôte, qui conduit à la dégradation rapide de l'hémolysine bactérienne dans les protéasomes (*voir* Figure 6-86). L'hémolysine est stable dans le phagosome, car la machinerie de dégradation n'y a pas accès (Figure 25-29). L'hémolysine sécrétée par *L. monocytogenes* est fortement apparentée aux hémolysines sécrétées par d'autres bactéries qui ne sont pas des pathogènes intracellulaires. Ces hémolysines apparentées, cependant, sont toutes dépourvues de séquences PEST. Il semble que l'hémolysine de *L. monocytogenes* ait acquis exprès un domaine protéique eucaryote essentiel pour permettre à son activité d'être régulée dans la cellule hôte.

La stratégie, de loin la plus commune, utilisée par les bactéries et les parasites intracellulaires consiste à modifier le compartiment endosomique pour pouvoir y rester et s'y répliquer. Ils doivent modifier le compartiment au moins de deux façons : d'abord en évitant la fusion lysosomiale et ensuite en fournissant une voie qui permette l'importation des nutriments issus du cytosol de l'hôte. Différents pathogènes ont développé des stratégies distinctes dans ce but. Comme nous l'avons vu, *Toxoplasma gondii* crée son propre compartiment entouré d'une membrane qui ne participe pas au transport membranaire normal de la cellule hôte et permet le transport des nutriments. Cette option n'est pas ouverte aux bactéries, trop petites pour transporter leur propre apport de membrane. *Mycobacterium tuberculosis* évite d'une certaine façon que les endosomes très précoces qui la contiennent subissent une maturation, de telle sorte qu'ils ne s'acidifient jamais ni n'acquièrent les caractéristiques d'un endosome tardif. Les endosomes qui contiennent *Salmonella enterica*, par contre, s'acidifient et acquièrent les marqueurs des endosomes tardifs mais ils arrêtent leur maturation avant la fusion lysosomiale. D'autres bactéries semblent trouver des abris dans des compartiments intracellulaires complètement différents de la voie endocytaire habituelle. *Legionella pneumophila*, par exemple, se réplique dans des compartiments qui sont entourés par des couches de réticulum endoplasmique rugueux. *Chlamydia trachomatis*, une bactérie pathogène transmise sexuellement qui peut provoquer la stérilité et la cécité, se réplique dans un compartiment qui semble assez similaire à des parties de la voie exocytaire (Figure 25-

Figure 25-29 Destruction sélective de la membrane du phagosome par *Listeria monocytogenes*. *L. monocytogenes* s'attache sur les E-cadhérines à la surface des cellules épithéliales et induit sa propre absorption par le mécanisme de type fermeture Éclair (*voir* Figure 25-25A). À l'intérieur du phagosome, la bactérie sécrète une protéine hydrophobe, l'hémolysine, qui forme des oligomères dans la membrane de la cellule hôte, ce qui crée de gros pores et finit par rompre la membrane. Une fois dans le cytosol de la cellule hôte, la bactérie continue de sécréter l'hémolysine. Comme l'hémolysine est rapidement dégradée par les protéasomes, la membrane plasmique de la cellule hôte reste intacte.

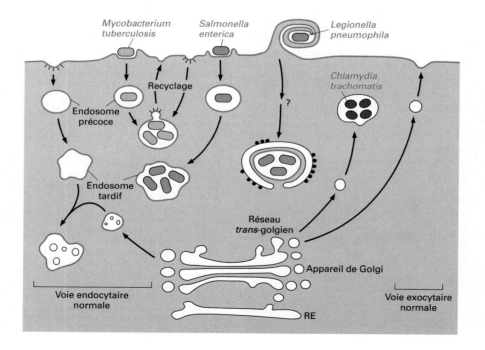

Figure 25-30 Modifications du transport membranaire intracellulaire par les bactéries pathogènes. Quatre bactéries pathogènes intracellulaires, *Mycobacterium tuberculosis*, *Salmonella enterica*, *Legionella pneumophila* et *Chlamydia trachomatis* se répliquent dans des compartiments entourés d'une membrane, mais ces quatre compartiments sont différents. *M. tuberculosis* reste dans un compartiment qui a des marqueurs d'endosome précoce et continue de communiquer avec la membrane plasmique. *S. enterica* se réplique dans un compartiment qui a des marqueurs d'endosome tardif et ne communique pas avec la surface. *L. pneumophila* se réplique dans un compartiment particulier qui est enroulé dans plusieurs couches de membranes du réticulum endoplasmique rugueux. *C. trachomatis* se réplique dans un compartiment de la voie exocytaire qui fusionne avec des vésicules issues de l'appareil de Golgi.

30). Les mécanismes utilisés par ces organismes pour modifier leurs compartiments membranaires ne sont pas encore compris.

Les virus modifient aussi souvent le transport membranaire dans la cellule hôte. Les virus enveloppés doivent acquérir leur membrane à partir des phospholipides cellulaires de l'hôte. Dans les cas les plus simples, les protéines codées par les virus sont insérées dans la membrane du RE et suivent la voie usuelle de l'appareil de Golgi à la membrane plasmique, subissant en chemin les diverses modifications post-traductionnelles. La capside virale s'assemble alors au niveau de la membrane plasmique et bourgeonne à partir de la surface cellulaire. C'est le mécanisme utilisé par le VIH. D'autres virus enveloppés interagissent de façon complexe (Figure 25-31). Même certains virus non enveloppés altèrent le transport membranaire de la cellule hôte afin qu'elle s'adapte à leurs propres objectifs. La réplication du poliovirus, par exemple, s'effectue par une ARN polymérase codée par le virus et associée à la membrane. La réplication peut s'effectuer plus rapidement si la surface membranaire de la cellule hôte est augmentée. Pour ce faire, le virus induit l'augmentation de la synthèse des lipides dans la cellule hôte et bloque leur sécrétion à partir du RE. Les membranes intracellulaires s'accumulent ainsi et augmentent la surface sur laquelle peut se produire la réplication de l'ARN (Figure 25-32).

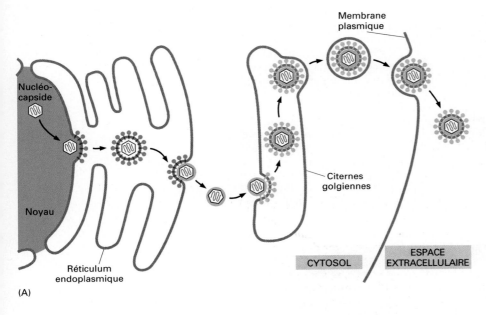

(A)

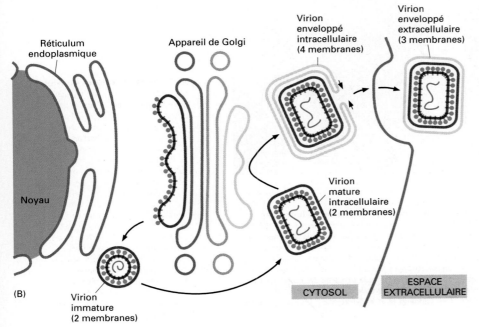

(B)

Figure 25-31 Stratégies complexes de l'acquisition de l'enveloppe virale. (A) Les capsides de l'herpèsvirus sont assemblées dans le noyau puis bourgeonnent à travers la membrane nucléaire interne pour acquérir une enveloppe membranaire. Ces virus perdent apparemment alors cette enveloppe lorsqu'ils fusionnent avec la membrane nucléaire externe pour s'échapper dans le cytosol. Ensuite ils bourgeonnent pour entrer dans l'appareil de Golgi et bourgeonnent à nouveau pour en sortir de l'autre côté, acquérant deux nouvelles enveloppes membranaires. Le virus bourgeonne alors pour sortir de la cellule avec une seule membrane car sa membrane externe fusionne avec la membrane plasmique. (B) Le virus de la vaccine, proche du virus qui provoque la variole, s'assemble dans des « usines de réplication » situées profondément dans le cytosol. La première structure assemblée contient deux membranes acquises à partir de l'appareil de Golgi par un mécanisme mal défini d'enveloppement. Une proportion variable de ces particules virales est alors phagocytée par les membranes d'un deuxième compartiment intracellulaire entouré d'une membrane. Ces particules virales ont au total quatre couches d'enveloppe membranaire. Après sa fusion avec la membrane plasmique, le virus s'échappe avec trois couches membranaires.

Les virus et les bactéries exploitent le cytosquelette de la cellule hôte pour leur déplacement intracellulaire

Le cytoplasme des cellules de mammifères est extrêmement visqueux. Il est encombré d'organites et soutenu par des réseaux de filaments du cytosquelette qui inhibent tous la diffusion des particules de la taille d'une bactérie ou d'une capside virale. Si un agent pathogène doit atteindre une zone particulière de la cellule pour effectuer une partie de son cycle de réplication, il doit s'y déplacer activement. Comme dans le cas du transport des organites intracellulaires, les agents pathogènes utilisent généralement le cytosquelette pour leurs mouvements actifs.

Plusieurs bactéries qui se répliquent dans le cytosol de la cellule hôte (plutôt que dans les compartiments entourés d'une membrane) ont adopté un mécanisme remarquable pour se déplacer, qui dépend de la polymérisation de l'actine. Ces bactéries, comme *Listeria monocytogenes*, *Shigella flexneri* et *Rickettsia rickettsii* (qui provoque la fièvre pourprée des Montagnes Rocheuses) induisent la nucléation et l'assemblage des filaments d'actine de la cellule hôte à un pôle de la bactérie. Les filaments en croissance engendrent des forces substantielles et repoussent la bactérie à travers le cytoplasme à la vitesse maximale de 1 µm/s. De nouveaux filaments se forment à l'arrière de chaque bactérie et restent derrière comme une traînée de fusée tandis que la bactérie avance, se dépolymérisant à nouveau en une minute dès qu'ils rencontrent des facteurs de dépolymérisation dans le cytosol. Lorsqu'une bactérie en déplacement atteint la membrane plasmique, elle poursuit son déplacement vers l'extérieur et induit la formation d'une longue protrusion fine qui contient la bactérie à son extrémité. Cette projection est souvent phagocytée par une cellule voisine, ce qui permet à la bactérie d'entrer dans le cytoplasme voisin sans avoir été exposée à l'environnement extracellulaire, et d'éviter ainsi d'être reconnue par les anticorps produits par le système immunitaire adaptatif de l'hôte (Figure 25-33).

Les mécanismes moléculaires de l'assemblage de l'actine, induit par l'agent pathogène, ont été déterminés pour deux de ces bactéries. Ces mécanismes sont différents, ce qui suggère qu'ils se sont développés indépendamment. Bien qu'ils utilisent tous deux la même voie régulatrice de la cellule hôte qui contrôle normalement la nucléation des filaments d'actine, ils exploitent différents points de cette voie. Comme nous l'avons vu au chapitre 16, l'activation de la petite GTPase Cdc42 par les facteurs de croissance ou d'autres signaux externes provoque l'activation d'une protéine appelée N-WASp, qui active à son tour le complexe ARP qui peut nucléer

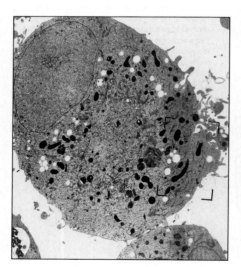
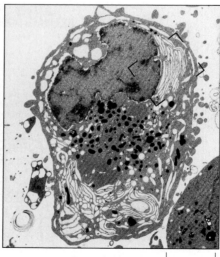

10 µm

Figure 25-32 Altérations des membranes intracellulaires induites par une protéine du poliovirus. Le poliovirus, comme les autres virus à brin d'ARN positif, réplique son génome à ARN via une polymérase qui s'associe aux membranes intracellulaires. Plusieurs protéines codées dans son génome modifient la structure ou le comportement dynamique des organites entourés d'une membrane dans la cellule hôte. Ces photographies en microscopie électronique montrent une cellule normale Cos-7 (*à gauche*) et une cellule qui exprime la protéine 3A du poliovirus (*à droite*). Dans la cellule transfectée, le RE est gonflé et le transport du RE au Golgi est inhibé. (D'après J.J.R. Doedens, T.H. Giddings Jr et K. Kirkegaard, *J. Virol.* 71 : 9054-9064, 1997.)

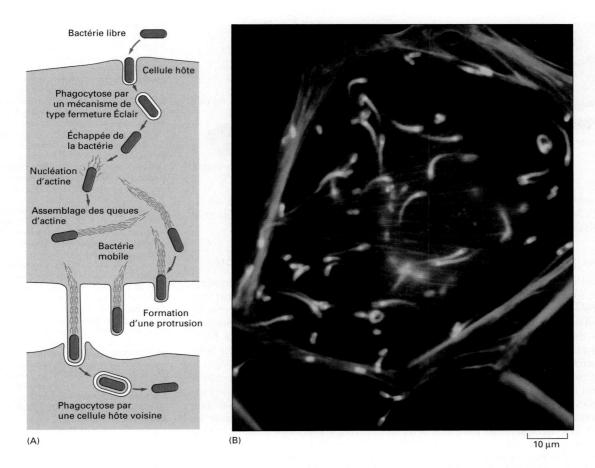

(A) (B) 10 µm

Figure 25-33 Le déplacement de *Listeria monocytogenes*, fondé sur l'actine, à l'intérieur et entre les cellules hôtes. (A) Ces bactéries induisent l'assemblage de queues riches en actine dans le cytoplasme de la cellule hôte qui leur permettent de se déplacer rapidement. Les bactéries mobiles passent de cellule à cellule en formant des protrusions entourées d'une membrane qui sont phagocytées par les cellules voisines. (B) Une photographie en microscopie à fluorescence de bactéries qui se déplacent dans une cellule colorée pour révéler à la fois les bactéries et les filaments d'actine. Notez la queue en comète des filaments d'actine (*vert*) derrière chaque bactérie en déplacement (*rouge*). Les régions où se superposent les fluorescences rouge et verte apparaissent en *jaune*. (Due à l'obligeance de Julie Theriot et Tim Mitchison.)

la croissance d'un nouveau filament d'actine. Une protéine de surface de *L. monocytogenes* se fixe directement sur le complexe ARP et l'active pour initier la formation d'une queue d'actine tandis qu'une protéine de surface non apparentée sur *S. flexneri* se fixe sur N-WASp et l'active, ce qui active alors le complexe ARP. Il est remarquable de voir que le virus de la vaccine utilise encore un autre mécanisme pour se déplacer dans la cellule via l'induction de la polymérisation de l'actine, exploitant là encore la même voie régulatrice (Figure 25-34).

D'autres germes pathogènes se reposent principalement sur un transport fondé sur les microtubules pour se déplacer dans la cellule hôte. Ce mouvement est particulièrement bien illustré par les virus qui infectent les neurones. Citons, comme exemple important, les herpèsvirus alpha neurotropes, un groupe qui inclut le virus responsable de la varicelle. Pour l'infection des neurones sensoriels, les particules virales sont transportées vers le noyau via un transport fondé sur les microtubules, probablement médié par l'attachement de la capside sur une protéine motrice, la dynéine. Après la réplication et l'assemblage dans le noyau, le virus enveloppé est transporté le long des microtubules loin du corps cellulaire du neurone vers l'extrémité de l'axone, probablement par son attachement sur une protéine motrice de type kinésine (Figure 25-35).

Wolbachia est une bactérie qui s'associe aux microtubules. Ce genre fascinant inclut beaucoup d'espèces qui sont des parasites ou des symbiontes des insectes et d'autres invertébrés, et vivent dans le cytosol de chaque cellule de l'animal. L'infection est transmise verticalement de la mère à sa descendance, car *Wolbachia* est également présente dans les œufs. Cette bactérie assure sa transmission dans chaque cellule par sa fixation sur les microtubules et subit ainsi une ségrégation via le fuseau mitotique en

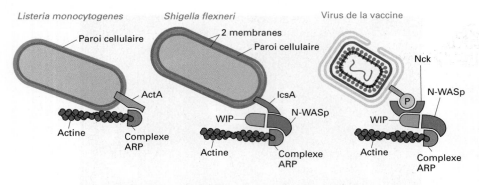

Listeria monocytogenes   Shigella flexneri   Virus de la vaccine

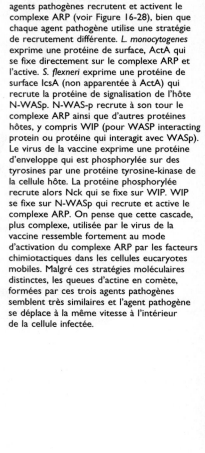

Figure 25-34 Mécanismes moléculaires de la nucléation d'actine par divers agents pathogènes. Les bactéries *Listeria monocytogenes* et *Shigella flexneri* ainsi que le virus de la vaccine se déplacent tous dans la cellule grâce à la polymérisation de l'actine. Pour induire la nucléation de l'actine, ces agents pathogènes recrutent et activent le complexe ARP (voir Figure 16-28), bien que chaque agent pathogène utilise une stratégie de recrutement différente. *L. monocytogenes* exprime une protéine de surface, ActA qui se fixe directement sur le complexe ARP et l'active. *S. flexneri* exprime une protéine de surface IcsA (non apparentée à ActA) qui recrute la protéine de signalisation de l'hôte N-WASp. N-WAS-p recrute à son tour le complexe ARP ainsi que d'autres protéines hôtes, y compris WIP (pour WASP interacting protein ou protéine qui interagit avec WASp). Le virus de la vaccine exprime une protéine d'enveloppe qui est phosphorylée sur des tyrosines par une protéine tyrosine-kinase de la cellule hôte. La protéine phosphorylée recrute alors Nck qui se fixe sur WIP. WIP se fixe sur N-WASp qui recrute et active le complexe ARP. On pense que cette cascade, plus complexe, utilisée par le virus de la vaccine ressemble fortement au mode d'activation du complexe ARP par les facteurs chimiotactiques dans les cellules eucaryotes mobiles. Malgré ces stratégies moléculaires distinctes, les queues d'actine en comète, formées par ces trois agents pathogènes semblent très similaires et l'agent pathogène se déplace à la même vitesse à l'intérieur de la cellule infectée.

même temps que la ségrégation chromosomique lorsqu'une cellule infectée se divise (Figure 25-36). Comme nous le verrons ultérieurement, l'infection par *Wolbachia* peut significativement modifier le comportement reproducteur de l'insecte hôte.

Les virus prennent la direction du métabolisme de la cellule hôte

La plupart des bactéries et des parasites intracellulaires portent leur information génétique fondamentale nécessaire à leur propre métabolisme et se reposent sur leur cellule hôte uniquement pour leur nourriture. Les virus, à l'opposé, utilisent la machinerie fondamentale de la cellule hôte pour la plupart des aspects de leur reproduction : ils dépendent tous des ribosomes de la cellule hôte pour produire leurs protéines et certains utilisent aussi l'ADN et l'ARN polymérases de la cellule hôte respectivement pour leur réplication et leur transcription.

Beaucoup de virus codent pour des protéines qui modifient l'appareil de transcription ou de traduction afin de favoriser la synthèse des protéines virales par rapport à celles de la cellule hôte. Il en résulte que la capacité de synthèse de la cellule hôte est principalement dirigée vers la production de nouvelles particules virales. Le poliovirus, par exemple, code pour une protéase qui coupe spécifiquement le facteur de fixation sur TATA, un composant du TFIID (*voir* Figure 6-16), ce qui inactive efficacement toute la transcription de la cellule hôte via l'ARN polymérase II. Le virus de la grippe produit une protéine qui bloque à la fois l'épissage et la polyadénylation des transcrits d'ARNm qui n'arrivent ainsi pas à être exportés du noyau (*voir* Figure 6-40).

L'initiation de la traduction de la plupart des ARNm de la cellule hôte dépend de la reconnaissance de leur coiffe 5' par un groupe de facteurs d'initiation de la traduction (*voir* Figure 6-71). L'initiation de la traduction de l'ARNm de l'hôte est souvent inhibée pendant les infections virales, de telle sorte que les ribosomes de l'hôte peuvent être utilisés plus efficacement pour la synthèse des protéines virales.

0 s

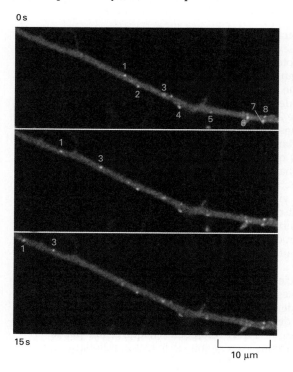

15 s

10 μm

Figure 25-35 Transport de l'herpèsvirus dans un axone. Cette cellule nerveuse a été infectée par un herpèsvirus alpha génétiquement modifié pour exprimer la protéine de fluorescence verte (GFP) fusionnée à une de ses protéines de capside. Dans ce segment d'axone, plusieurs particules virales sont visibles et deux d'entre elles (numérotées un et trois) s'éloignent du corps cellulaire. (D'après G.A. Smith, S.P. Gross et L.W. Enquist, *Proc. Natl. Acad. Sci. USA* 98 : 3466-3470, 2001. © National Academy of Sciences.)

Certains virus codent pour des endonucléases qui coupent la coiffe 5' des ARNm de la cellule hôte. Certains, même, utilisent alors les coiffes 5' libérées comme amorce pour la synthèse des ARNm viraux, un processus appelé « vol de la coiffe » (*cap snatching*). Plusieurs autres génomes viraux à ARN codent pour des protéases qui coupent certains facteurs d'initiation de la traduction. Ces virus se reposent sur une traduction de l'ARN viral indépendante de la coiffe 5', qui utilise les sites d'entrée interne du ribosome (IRES pour *internal ribosome entry site*) (*voir* Figure 7-102).

Quelques virus à ADN utilisent l'ADN polymérase de la cellule hôte pour répliquer leur génome. Ces virus ont besoin de résoudre un problème : l'ADN polymérase n'est exprimée à de fortes concentrations que pendant la phase S du cycle cellulaire, alors que la plupart des cellules que les virus infectent passent la majeure partie de leur temps en phase G_1. Les adénovirus résolvent ce problème en induisant l'entrée de la cellule hôte en phase S. Son génome code pour des protéines qui inactivent à la fois Rb et p53, deux suppresseurs clés de la progression dans le cycle cellulaire (*voir* Chapitre 17). Comme on pourrait s'y attendre pour n'importe quel mécanisme qui induit une réplication d'ADN non régulée, ces virus sont souvent oncogènes.

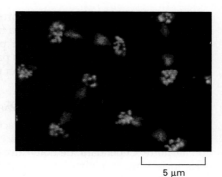

Figure 25-36 *Wolbachia* associée aux microtubules. Une photographie en microscopie à fluorescence de *Wolbachia* (en *rouge*) associée aux microtubules (en *vert*) des fuseaux mitotiques d'un embryon de *Drosophila*. Les amas de bactéries aux pôles du fuseau se répartiront dans les deux cellules filles lors de la division de chaque cellule infectée. (D'après H. Kose et T.L. Karr, *Mech. Cell Dev.* 51 : 275-288, 1995. © Elsevier.)

Les agents pathogènes peuvent modifier le comportement de l'organisme hôte pour faciliter leur dissémination

Comme nous l'avons vu, les agents pathogènes peuvent modifier le comportement de la cellule hôte afin de favoriser la survie et la réplication de l'agent pathogène. De même, les agents pathogènes modifient souvent le comportement de l'organisme hôte en son ensemble pour faciliter leur dissémination, comme nous l'avons vu précédemment pour *Trypanosoma brucei* et *Yersinia pestis*. Dans certains cas, il est difficile de dire si une réponse spécifique de l'hôte est plus avantageuse pour l'hôte ou pour l'agent pathogène. Certains agents pathogènes comme *Salmonella enterica*, qui provoque une diarrhée, par exemple, produisent généralement des infections autolimitatives parce que la diarrhée élimine efficacement le germe. Les diarrhées chargées de bactéries, cependant, peuvent disséminer l'infection à un nouvel hôte. De même, la toux et les éternuements facilitent l'élimination du germe pathogène de l'appareil respiratoire mais disséminent également l'infection vers de nouveaux individus. Une personne atteinte de rhume peut produire 20 000 gouttelettes à chaque éternuement, toutes portant un rhinovirus ou un coronavirus.

Un exemple inquiétant d'agent pathogène qui modifie le comportement de l'hôte s'observe avec la rage, décrite la première fois, il y a 3 000 ans, dans des écritures égyptiennes. Le virus se réplique dans les neurones et les individus ou les animaux infectés deviennent « enragés » : ils sont particulièrement agressifs et développent un fort désir de mordre. Le virus est transporté dans la salive et transmis par la plaie de morsure dans le courant sanguin de la victime, ce qui dissémine l'infection à un nouvel hôte.

Toxoplasma gondii, un parasite eucaryote qui forme des lésions dans les tissus musculaires et cérébraux, représente un autre exemple tout aussi remarquable. Il ne peut compléter son cycle de vie que chez son hôte normal – le chat. S'il infecte un hôte intermédiaire, comme un rongeur ou un homme, l'infection se trouve dans une impasse pour le parasite tant que l'hôte intermédiaire n'est pas mangé par le chat. Des études comportementales montrent que les rats infectés par *T. gondii* perdent leur crainte innée pour les chats et recherchent préférentiellement les endroits parfumés d'urine de chat au lieu des zones parfumés d'urine de lapin, exactement le comportement opposé de celui d'un rat normal.

Mais l'exemple le plus spectaculaire de modification du comportement de l'hôte par un agent pathogène appartient à *Wolbachia*. Ces bactéries manipulent le comportement sexuel de leur hôte pour optimiser leur dissémination. Comme nous l'avons décrit précédemment, *Wolbachia* est transmis verticalement dans la descendance par l'intermédiaire des œufs. S'ils vivent chez un mâle, cependant, ils atteignent une impasse car ils sont exclus des spermatozoïdes. Chez certaines espèces de *Drosophila*, *Wolbachia* modifie les spermatozoïdes de leur hôte de telle sorte qu'ils ne peuvent féconder que les œufs des femelles infectées. Cette modification crée un avantage reproducteur chez la femelle infectée par rapport aux femelles non infectées, de telle sorte que la proportion globale de porteurs de *Wolbachia* augmente. Dans d'autres espèces hôtes, une infection à *Wolbachia* tue les mâles mais épargne les femelles, ce qui augmente le nombre de femelles dans la population et ainsi le nombre d'individus qui peuvent produire des œufs pour transmettre l'infection. Chez quelques types de guêpes, les infections à *Wolbachia* permettent aux femelles de produire des œufs qui se développent par parthénogenèse, sans avoir besoin d'être fécondés par les spermatozoïdes ; dans ces espèces, les mâles ont été complètement éliminés. Pour certains de ses hôtes, *Wolbachia* est devenu un symbionte indispensable et la guérison de l'infection provoque la mort de l'hôte. Dans un cas, les hommes utilisent cette dépendance : la filaire nématode qui provoque l'onchocercose (cécité des rivières) est difficile à tuer par des antiparasitaires mais lorsque les personnes atteintes de cécité sont traitées par des antibiotiques qui guérissent l'infection du nématode par *Wolbachia*, l'infection par le nématode est également arrêtée.

Les agents pathogènes évoluent rapidement

La complexité et la spécificité des interactions moléculaires entre les agents pathogènes et leurs cellules hôtes suggèrent que la virulence est difficile à acquérir par une mutation aléatoire. Cependant, de nouveaux agents pathogènes émergent continuellement et les anciens agents pathogènes se modifient constamment de façon à rendre les infections connues difficiles à traiter. Les agents pathogènes ont deux grands avantages qui leur permettent d'évoluer rapidement. Tout d'abord, ils se répliquent très vite, ce qui fournit une grande quantité de matériel pour la mécanique de la sélection naturelle. Alors que les hommes et les chimpanzés ont acquis une différence de 2 p. 100 dans leurs séquences génomiques depuis que leur évolution a divergé, il y a 8 millions d'années environ, le poliovirus obtient une modification de 2 p. 100 de son génome en 5 jours, environ le temps qu'il met pour passer de la bouche d'un homme à son tube digestif. Deuxièmement, cette variation génétique rapide est influencée par une pression sélective puissante fournie par le système immunitaire adaptatif de l'hôte et par la médecine moderne, qui détruit les agents pathogènes qui n'arrivent pas à changer.

Un exemple à petite échelle de cette bataille constante entre l'infection et l'immunité est le phénomène de **variation antigénique**. Une des réponses immunitaires adaptatives importantes contre beaucoup d'agents pathogènes est la production d'anticorps qui reconnaissent des antigènes spécifiques à la surface de l'agent pathogène (*voir* Chapitre 24). Beaucoup d'agents pathogènes évitent leur élimination complète par les anticorps par la modification de ces antigènes au cours de l'évolution de l'infection. Certains parasites, par exemple, subissent des réarrangements programmés des gènes qui codent pour leurs antigènes de surface. L'exemple le plus frappant se produit chez des trypanosomes africains, comme *Trypanosoma brucei*, parasite qui provoque la maladie du sommeil et est transmis par un insecte vecteur (*T. brucei* est fortement apparenté à *T. cruzi* – *voir* Figure 25-27 – mais se réplique selon un mode extracellulaire plutôt qu'à l'intérieur des cellules). *T. brucei* est recouvert d'un seul type de glycoprotéine, la *glycoprotéine spécifique du variant (VSG)*, qui provoque une réponse protectrice par anticorps éliminant rapidement la plupart des parasites. Le génome du trypanosome, cependant, contient environ 1 000 gènes VSG, qui codent chacun pour une VSG pourvue de propriétés antigéniques distinctes. Un seul de ces gènes est exprimé à un moment donné par sa copie dans un site actif d'expression du génome. Le gène VSG exprimé peut être modifié à répétition via des réarrangements géniques qui copient de nouveaux allèles dans le site d'expression. De cette façon, quelques trypanosomes qui présentent une VSG modifiée échappent à leur élimination par les anticorps, se répliquent et provoquent une récurrence de la maladie, ce qui conduit à une infection cyclique chronique (Figure 25-37).

Un autre type de variation antigénique se produit pendant l'évolution d'une infection par des virus qui possèdent des mécanismes de réplication sujets à erreur. Les rétrovirus, par exemple, acquièrent en moyenne une mutation ponctuelle à chaque cycle de réplication parce que leur transcriptase inverse qui produit l'ADN à partir du génome viral à ARN ne peut corriger les erreurs d'incorporation de nucléotides. Une infection à VIH typique non traitée peut finalement impliquer des génomes de VIH qui présentent n'importe quelle mutation ponctuelle possible. D'une certaine façon, cette vitesse de mutation rapide est avantageuse pour le germe pathogène. Via ces processus microévolutifs de mutation et de sélection à l'intérieur de chaque hôte, le virus peut passer de l'infection des macrophages à celle des lymphocytes T (comme nous l'avons déjà décrit) et une fois que le traitement a commencé, il peut rapidement acquérir une résistance aux médicaments. Cependant, si le taux d'erreur de la transcriptase inverse est trop haut, des mutations délétères peuvent s'accumuler trop rapidement pour permettre au virus de survivre. De plus la diversification virale rapide dans un hôte ne conduit pas nécessairement à l'évolution rapide du virus dans la population, car parfois les virus mutés ne sont pas capables d'infecter un nouvel hôte. Il est possible d'estimer l'importance de cette contrainte pour le VIH-1, par l'examen de la diversité des séquences entre différents individus infectés par le virus. Il est alors remarquable qu'un tiers seulement des positions des nucléotides dans la séquence codante du virus sont constantes, et que les séquences de nucléotides dans certaines parties du génome, comme le gène *env*, diffèrent parfois de 30 p. 100. Cette souplesse génomique extraordinaire complique énormément les essais de développement de vac-

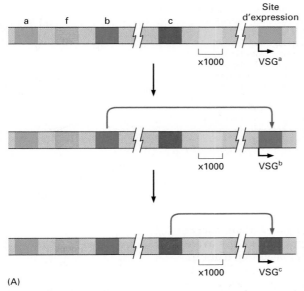

(A)

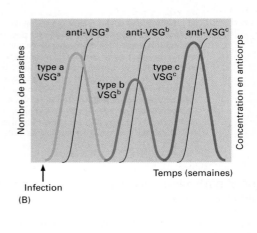

(B)

cins contre le VIH et peut aussi conduire à une résistance rapide aux médicaments (*voir* plus loin). Une autre conséquence a été la diversification rapide et l'émergence de nouvelles souches de VIH. Les comparaisons de séquences entre les diverses souches de VIH et le virus de l'immunodéficience du singe (VIS), très apparenté et issu de diverses espèces de singes, semblent indiquer que le type le plus virulent du VIH, le VIH-1, a pu passer des chimpanzés à l'homme très récemment, vers 1930 (Figure 25-38).

L'évolution rapide chez les bactéries s'effectue plus fréquemment par le transfert horizontal de gènes que par une mutation ponctuelle. Pour une grande part, ce transfert horizontal de gènes passe par l'acquisition de plasmides et de bactériophages. Les bactéries prélèvent facilement des îlots de pathogénicité et des plasmides de virulence (*voir* Figure 25-5) des autres bactéries. Une fois qu'une bactérie a acquis un nouvel ensemble de gènes liés à la virulence, elle peut rapidement établir elle-même une nouvelle cause d'épidémie chez l'homme. *Yersinia pestis*, par exemple, provoque une infection endémique des rats et d'autres rongeurs, apparue pour la première fois dans l'histoire de l'homme en 542 av. J.-C. lorsque la cité de Constantinople fut dévastée par la peste. La comparaison des séquences de *Y. pestis* avec son proche parent *Y. pseudotuberculosis*, responsable d'une maladie diarrhéique grave, suggère que *Y. pestis* pourrait avoir formé une souche distincte il n'y a que quelques milliers d'années, peu de temps avant de commencer sa dévastation urbaine.

L'émergence et l'évolution de nouvelles maladies infectieuses sont, dans beaucoup de cas, exacerbées par les modifications du comportement de l'homme. Par exemple, les conditions de vie des cités médiévales sales et peuplées ont contribué à la dissémination de la peste chez l'homme à partir du rongeur, hôte naturel. La tendance des hommes modernes à vivre dans des populations de forte densité au sein de grandes villes a également créé des opportunités pour les organismes infectieux qui ont alors initié, par exemple, des épidémies de grippe, de tuberculose et de SIDA qui n'auraient pas pu se disséminer aussi rapidement ni aussi loin au sein de populations humaines éparses. Les voyages aériens peuvent, en principe, permettre à un hôte asymptomatique nouvellement infecté de transmettre, en quelques heures ou quelques jours, une épidémie dans une population jamais exposée auparavant. Les pratiques agricoles modernes favorisent également l'émergence de certains types d'agents infectieux qui ne se seraient peut-être pas aussi facilement développés dans les sociétés de chasse et de cueillette des premiers hommes. Les virus de la grippe, par exemple, sont particuliers du fait que leur génome est composé de divers (en général huit) brins d'ARN. Lorsque deux souches de ces virus infectent le même hôte, les brins des deux souches peuvent se remanier pour former un nouveau type distinct de virus de la grippe. Avant 1900, la souche qui infectait l'homme provoquait une maladie très légère ; une souche différente infectait la volaille comme les canards et les poulets mais ne pouvait pas infecter l'homme. Les souches aviaires et humaines, cependant, peuvent infecter les cochons et se recombiner dans un hôte porcin pour former de nouvelles souches qui peuvent provoquer des maladies humaines graves. Dans les communautés où les porcins sont élevés avec les poulets ou les dindes, de nouvelles souches recombinées émergent périodiquement et provoquent des épidémies mondiales. La première, et la plus grave de ces épidémies, a été l'épidémie de grippe espagnole en 1918, qui a tué plus de personnes que la Première Guerre mondiale.

Figure 25-37 Variation antigénique des trypanosomes. (A) *Trypanosoma brucei* possède environ 1 000 gènes VSG différents mais un seul site d'expression du gène VSG. Un gène inactif est copié dans le site d'expression par une conversion génique, et il s'y exprime alors. De rares commutations permettent aux trypanosomes de modifier répétitivement l'antigène de surface qu'il exprime. (B) Une personne infectée par des trypanosomes qui expriment VSG^a établit rapidement une réponse protectrice par anticorps, qui s'accompagne de l'élimination de la plupart des parasites qui expriment cet antigène. Cependant, quelques trypanosomes peuvent avoir commuté et exprimer VSG^b ; ils peuvent maintenant proliférer jusqu'à ce qu'ils soient éliminés par des anticorps anti-VSG^b. À ce moment, cependant, certains parasites auront commuté pour VSG^c et ce cycle se répète ainsi presque indéfiniment.

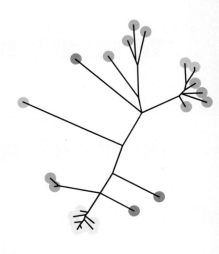

Figure 25-38 Diversification de VIH-1, VIH-2 et des souches apparentées de VIS. La distance génétique entre chaque paire de virus isolés est obtenue en suivant la voie la plus courte qui les rejoint dans l'arbre. VIH-1 est divisé en deux groupes, majeur (M) et isolé (O pour *outlier*). Le groupe des VIH-1 M est responsable de l'épidémie générale du SIDA. VIH-1 M se subdivise ensuite en plusieurs sous-types de A à G. Le sous-type B est dominant en Amérique et en Europe, B, C et E prédominent en Asie et tous ces sous-types sont trouvés en Afrique. Au moins deux virus du singe, ceux du chimpanzé et du mandrill, sont plus apparentés au VIH-1 qu'au VIH-2, ce qui suggère que le VIH-1 et le VIH-2 sont apparus indépendamment l'un de l'autre. On estime que le VIH-1 et le VIS-CPZ (chimpanzé) ont divergé vers 1930. Cet arbre a été établi à partir des séquences nucléotidiques du gène *gag*, en utilisant une base de donnée contenant environ 16 000 séquences issues d'échantillons de virus isolés dans le monde.

- ○ VIH-1 groupe M
- ● VIH-1 groupe O
- ● VIS du chimpanzé
- ○ VIS du mandrill
- ● VIS des singes Sykes
- ● VIS des singes verts d'Afrique
- ○ VIS du sooty mangabey
- ● VIH-2

Les agents pathogènes résistants aux médicaments posent un problème croissant

Alors que certaines activités humaines ont favorisé la transmission de certaines maladies infectieuses, les améliorations des conditions sanitaires publiques et les avancées de la médecine ont évité ou soulagé la souffrance causée par beaucoup d'autres. Des vaccins efficaces et des programmes de vaccination mondiaux ont éliminé la variole et réduit fortement la poliomyélite ; beaucoup d'infections mortelles de l'enfance comme les oreillons et la rougeole sont devenues rares dans les pays riches industrialisés. Cependant, il existe encore des maladies infectieuses répandues et dévastatrices comme la malaria, pour lesquelles aucun vaccin efficace n'est disponible. Le développement de médicaments qui guérissent plutôt qu'ils ne préviennent l'infection a revêtu aussi une grande importance. La classe médicamenteuse qui y réussit le mieux est représentée par les *antibiotiques*, qui tuent les bactéries. La pénicilline a été un des premiers antibiotiques utilisés pour traiter les infections chez l'homme, et sa première introduction en clinique a permis d'éviter des dizaines de milliers de morts par infection de blessures sur les champs de batailles de la Seconde Guerre mondiale. Cependant, l'évolution rapide des germes a permis aux bactéries visées de développer très rapidement des résistances aux antibiotiques ; le temps de latence typique entre l'introduction d'un antibiotique en clinique et l'apparition de souches résistantes est de quelques années seulement. Une résistance médicamenteuse similaire apparaît rapidement parmi les virus lorsque les infections sont traitées par des agents antiviraux. La population virale d'une personne infectée par le VIH et traitée par l'AZT, un inhibiteur de la transcriptase inverse, par exemple, peut acquérir une résistance complète à ce médicament en quelques mois. Le protocole actuel du traitement des infections par le VIH implique l'utilisation simultanée de trois médicaments, ce qui aide à minimiser l'acquisition de la résistance.

Il y a trois stratégies générales qui permettent à un germe pathogène de développer une résistance aux médicaments. Les germes pathogènes peuvent (1) produire une enzyme qui détruit le médicament, (2) altérer la cible moléculaire du médicament afin qu'elle ne soit plus sensible au médicament ou (3) éviter l'accès à la cible, par exemple, par le pompage actif du médicament à l'extérieur du germe pathogène. Une fois qu'un agent pathogène s'est engagé dans une stratégie efficace, les gènes nouvellement acquis ou mutés qui lui confèrent une résistance sont souvent transmis à la population pathogène et peuvent même être transférés à des espèces pathogènes différentes traitées par le même médicament. Par exemple, la *vancomycine*, un antibiotique hautement efficace et très cher, a été utilisée comme traitement de dernier recours de nombreuses infections bactériennes nosocomiales graves déjà résistantes à la plupart des autres antibiotiques connus. La vancomycine empêche une des étapes de la biosynthèse de la paroi cellulaire bactérienne en se fixant sur une partie de la chaîne de peptidoglycanes en croissance afin d'éviter qu'elle soit reliée aux autres chaînes. Une résistance peut apparaître si la bactérie synthétise un autre type de paroi cellulaire, par l'utilisation d'autres sous-unités qui ne se fixent pas sur la vancomycine. Le type le plus efficace de résistance à la vancomycine dépend d'un transposon qui code pour sept gènes. Les produits de ces gènes agissent ensemble pour sentir la présence de la vancomycine, inactiver la voie normale de la synthèse de la paroi cellulaire bactérienne et engendrer une paroi cellulaire d'un autre type. Même si la réunion de ces gènes en un seul transposon a dû être une tâche évolutive difficile (cela a mis 15 ans pour que la résistance à la vancomycine se développe, au lieu du temps de latence typique d'un an ou deux), le transposon peut maintenant être facilement transmis à de nombreuses autres espèces bactériennes pathogènes.

Tout comme la plupart des autres aspects des maladies infectieuses, le problème de la résistance aux médicaments a été exacerbé par le comportement humain.

Beaucoup de patients prennent des antibiotiques pour des maladies virales qui ne sont pas traitées par ces médicaments, y compris la grippe, les rhumes et les douleurs d'oreille. Ce type de mauvaise utilisation chronique et persistante des antibiotiques peut finalement résulter en une résistance de la flore normale à ces antibiotiques et celle-ci peut alors la transférer aux agents pathogènes. Par exemple, plusieurs apparitions de résistances aux antibiotiques de diarrhées infectieuses provoquées par *Shigella flexneri* sont survenues de cette façon. Ce problème est particulièrement grave dans les pays où les antibiotiques sont disponibles sans prescription médicale, comme le Brésil où plus de 80 p. 100 des souches de *S. flexneri* trouvées chez les patients infectés sont résistantes à quatre antibiotiques ou plus.

Les antibiotiques sont aussi mal utilisés en agriculture où ils sont communément employés comme additifs alimentaires pour favoriser la croissance des animaux sains. Un antibiotique très apparenté à la vancomycine a été communément ajouté à la nourriture pour bovins en Europe. On pense fortement que la résistance survenant dans la flore normale de ces animaux est l'une des sources d'origine de la résistance à la vancomycine observée aujourd'hui dans des infections humaines mortelles.

Résumé

Tous les agents pathogènes ont en commun la capacité à interagir avec les cellules hôtes de façon à favoriser la réplication et la transmission des agents pathogènes, mais ces interactions hôte-pathogène sont diverses. Les agents pathogènes colonisent souvent l'hôte par l'adhésion ou l'envahissement à travers les surfaces épithéliales qui tapissent les poumons, l'intestin, la vessie et d'autres surfaces en contact direct avec l'environnement. Les agents pathogènes intracellulaires, y compris tous les virus et beaucoup de protozoaires et de bactéries, se répliquent à l'intérieur d'une cellule hôte, qu'ils envahissent par un des mécanismes divers. Les virus se reposent largement sur l'endocytose médiée par les récepteurs pour entrer dans la cellule hôte tandis que les bactéries exploitent l'adhésion cellulaire et les voies de la phagocytose. Les protozoaires emploient une stratégie d'invasion particulière qui nécessite généralement une dépense métabolique significative. Une fois à l'intérieur, les agents pathogènes intracellulaires recherchent une niche favorable pour leur réplication, souvent via la modification du transport membranaire de l'hôte et l'exploitation de son cytosquelette pour leurs mouvements intracellulaires. En plus de modifier le comportement des cellules hôtes prises individuellement, les agents pathogènes modifient souvent le comportement de l'organisme hôte de façon à favoriser leur dissémination vers un nouvel hôte. Les agents pathogènes évoluent rapidement de telle sorte que de nouvelles maladies infectieuses émergent souvent et que les maladies anciennes acquièrent de nouvelles méthodes pour contrer les tentatives humaines de traitement, de prévention et d'éradication.

IMMUNITÉ INNÉE

Les hommes sont exposés quotidiennement à des millions d'agents pathogènes, par contact, ingestion et inhalation. Notre capacité à éviter une infection dépend en partie du système immunitaire adaptatif (*voir* Chapitre 24) qui se souvient de ses rencontres préalables avec les agents pathogènes spécifiques et les détruit lorsqu'ils attaquent à nouveau. Les réponses immunitaires adaptatives, cependant, sont lentes à se développer lors de la première exposition à un nouvel agent pathogène et il faut attendre que les clones spécifiques de lymphocytes B et T soient activés et se développent ; cela peut donc prendre une semaine avant que les réponses ne soient efficaces. Par contre, une seule bactérie, avec un temps de doublement d'une heure, peut produire environ 20 millions de descendants, soit une infection franche, en un seul jour. De ce fait, pendant les premières heures et les premiers jours critiques qui suivent l'exposition à un nouveau germe pathogène, nous nous reposons sur notre **système immunitaire inné** pour nous protéger de l'infection.

Les réponses immunitaires innées ne sont pas spécifiques d'un agent pathogène particulier comme le sont les réponses immunitaires adaptatives. Elles dépendent d'un groupe de protéines et de cellules phagocytaires qui reconnaissent des caractéristiques conservées des agents pathogènes et s'activent rapidement pour faciliter la destruction des envahisseurs. Alors que le système immunitaire adaptatif est apparu il y a moins de 500 millions d'années au cours de l'évolution et reste confiné aux vertébrés, des réponses immunitaires innées ont été retrouvées parmi les vertébrés et les invertébrés ainsi que chez les végétaux et les mécanismes fondamentaux qui les régulent ont été conservés. Comme nous l'avons vu au chapitre 24, les réponses immunitaires innées chez les vertébrés sont aussi nécessaires à l'activation des réponses immunitaires adaptatives.

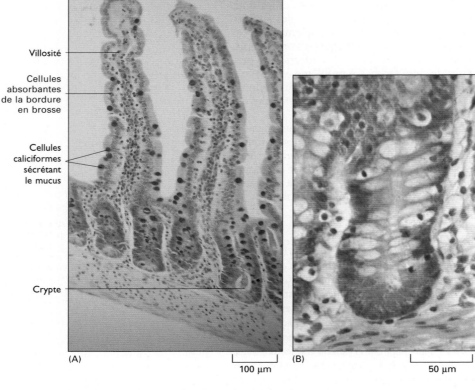

Villosité

Cellules
absorbantes
de la bordure
en brosse

Cellules
caliciformes
sécrétant
le mucus

Crypte

(A)   100 µm   (B)   50 µm

Figure 25-39 Défenses épithéliales vis-à-vis de l'invasion microbienne. (A) Cette coupe transversale à travers la paroi de l'intestin grêle de l'homme montre trois villosités. Les cellules caliciformes qui sécrètent du mucus sont colorées en *magenta*. La couche de mucus protectrice recouvre les surfaces exposées des villosités. À la base des villosités se trouvent des *cryptes* où prolifèrent les cellules épithéliales. (B) Vue rapprochée d'une crypte, colorée par une méthode qui rend *écarlates* les granules des cellules de Paneth. Ces cellules sécrètent de grandes quantités de peptides antimicrobiens et de défensines dans la lumière intestinale. (B, due à l'obligeance de H.G. Burkitt, d'après P.R. Wheater, *Functional Histology*, 2nd edn. London : Churchill-Livingstone, 1987.)

Les surfaces épithéliales aident à éviter l'infection

Chez les vertébrés, la peau et les autres surfaces épithéliales, y compris celles qui tapissent les poumons et l'intestin (Figure 25-39), fournissent une barrière physique entre l'intérieur du corps et le monde extérieur. Les jonctions serrées (*voir* Chapitre 19) entre les cellules voisines empêchent l'entrée facile des agents pathogènes potentiels. Les surfaces épithéliales intérieures sont également recouvertes d'une couche de mucus qui protège ces surfaces vis-à-vis des lésions microbiennes, mécaniques et chimiques ; beaucoup d'amphibiens et de poissons possèdent aussi une couche de mucus qui recouvre leur peau. Ce manteau de mucus visqueux est constitué principalement de mucine sécrétée et d'autres glycoprotéines et il aide physiquement à éviter que les agents pathogènes n'adhèrent à l'épithélium. Il facilite aussi leur élimination par le battement des cils situés sur les cellules épithéliales (*voir* Chapitre 22).

La couche de mucus contient également des substances qui tuent les agents pathogènes ou inhibent leur croissance. Parmi les plus abondantes, citons les peptides antimicrobiens, appelés **défensines**, retrouvés chez tous les animaux et les végétaux. Ils sont généralement courts (12 à 50 acides aminés), de charge positive et possèdent des domaines hydrophobes ou amphipathiques dans leur structure repliée. Ils constituent une famille variée qui présente une activité antimicrobienne à large spectre, comme la capacité de tuer ou inactiver les bactéries à Gram négatif et à Gram positif, les champignons (y compris les levures), les parasites (y compris les protozoaires et les nématodes) et même les virus enveloppés comme le VIH. Les défensines représentent aussi le type protéique le plus abondant dans les neutrophiles (*voir* plus loin) qui les utilisent pour tuer les agents pathogènes phagocytés.

On ne sait pas encore avec certitude comment les défensines tuent les agents pathogènes. Une des possibilités est qu'elles utilisent leurs domaines hydrophobes ou amphipathiques pour s'insérer dans la membrane de leur victime, rompant ainsi l'intégrité membranaire. Une partie de leur sélectivité pour les agents pathogènes par rapport aux cellules de l'hôte pourrait venir de leur préférence pour les membranes qui ne contiennent pas de cholestérol. Après avoir rompu la membrane de l'agent pathogène, les peptides de charge positive pourraient aussi interagir avec diverses cibles de charge négative à l'intérieur du microbe, y compris l'ADN. Du fait de la nature relativement non spécifique de l'interaction entre les défensines et les microbes qu'elles tuent, il est difficile pour les microbes d'acquérir une résistance vis-à-vis d'elles. De ce fait, en principe, les défensines pourraient être des substances thérapeutiques très intéressantes pour combattre les infections soit seules soit associées aux médicaments plus traditionnels.

Les cellules de l'homme reconnaissent des caractéristiques conservées des agents pathogènes

Les microorganismes rompent parfois les barrières épithéliales. C'est alors aux systèmes immunitaires inné et adaptatif de les reconnaître et de les détruire, sans nuire à l'hôte. Par conséquent, le système immunitaire doit être capable de différencier le non-étranger de l'étranger. Nous avons vu au chapitre 24 comment le système immunitaire adaptatif le fait. Le système immunitaire inné se repose sur la reconnaissance de types particuliers de molécules communes à beaucoup d'agents pathogènes mais absentes chez l'hôte. Ces molécules associées aux agents pathogènes (appelées *immunostimulants associés aux pathogènes*) stimulent deux types de réponses immunitaires innées – les réponses inflammatoires (*voir* plus loin) et la phagocytose par des cellules comme les neutrophiles et les macrophages. Ces deux réponses peuvent se produire rapidement, même si l'hôte n'a jamais été exposé auparavant à l'agent pathogène spécifique.

Les **immunostimulants associés aux pathogènes** sont de types variés. L'initiation de la traduction des procaryotes diffère de l'initiation de la traduction des eucaryotes dans le fait que ce sont des *méthionines formylées* et non pas des méthionines normales qui, généralement, sont utilisées comme premier acide aminé. De ce fait, tout peptide qui contient de la formylméthionine à son extrémité N-terminale doit être d'origine bactérienne. Les peptides qui contiennent de la formylméthionine agissent comme des chimioattracteurs très puissants des neutrophiles, qui migrent rapidement vers la source de ces types de peptides et phagocytent les bactéries qui les produisent (*voir* Figure 16-96).

De plus, la surface externe de beaucoup de microorganismes est composée de molécules qui n'apparaissent pas chez leurs hôtes multicellulaires et ces molécules agissent aussi comme des immunostimulants. Il s'agit des peptidoglycanes de la paroi cellulaire et du flagelle des bactéries, ainsi que des lipopolysaccharides (LPS) des bactéries à Gram négatif (Figure 25-40) et des acides téichoïques des bactéries à Gram positif (*voir* Figure 25-4). Ce sont aussi des molécules de la paroi cellulaire des champignons comme le zymosan, le glucane et la chitine. Beaucoup de parasites contiennent aussi des composants membranaires uniques qui agissent comme des immunostimulants, y compris les glycosylphosphatidylinositol du *Plasmodium*.

De courtes séquences de l'ADN bactérien peuvent aussi agir comme des immunostimulants. Le responsable est un « motif CpG » composé du dinucléotide non méthylé CpG flanqué de deux résidus purine 5' et de deux pyrimidines 3'. Cette courte séquence est au moins vingt fois plus rare dans l'ADN des vertébrés que dans l'ADN des bactéries, et elle peut activer les macrophages, stimuler une réponse inflammatoire et augmenter la production d'anticorps par les lymphocytes B.

Figure 25-40 Structure des lipopolysaccharides (LPS). La structure tridimensionnelle d'une molécule de LPS est montrée *à gauche* avec les acides gras en *jaune* et les sucres en *bleu*. La structure moléculaire de la base du LPS est montrée *à droite*. L'ancre membranaire hydrophobe est constituée de l'union de deux sucres glucosamines, fixés sur trois phosphates et six queues d'acides gras. Cette structure fondamentale est compliquée par la fixation d'une longue chaîne de sucres souvent fortement ramifiée. Ce schéma montre le type de plus simple de LPS qui permet à *E. coli* de vivre : il a juste deux molécules de sucres sur la chaîne, toutes deux des acides 3-désoxy-D-manno-octulosonique. Sur la position marquée par la *flèche*, les bactéries à Gram négatif de type sauvage fabriquent de huit à douze sucres reliés ainsi qu'un long antigène O constitué d'une unité d'oligosaccharide répétée plusieurs fois (jusqu'à 40 fois). Les sucres qui forment le noyau saccharidique et l'antigène O varient d'une espèce bactérienne à l'autre et même entre les différentes souches de la même espèce. Toutes les formes de LPS sont hautement immunogènes.

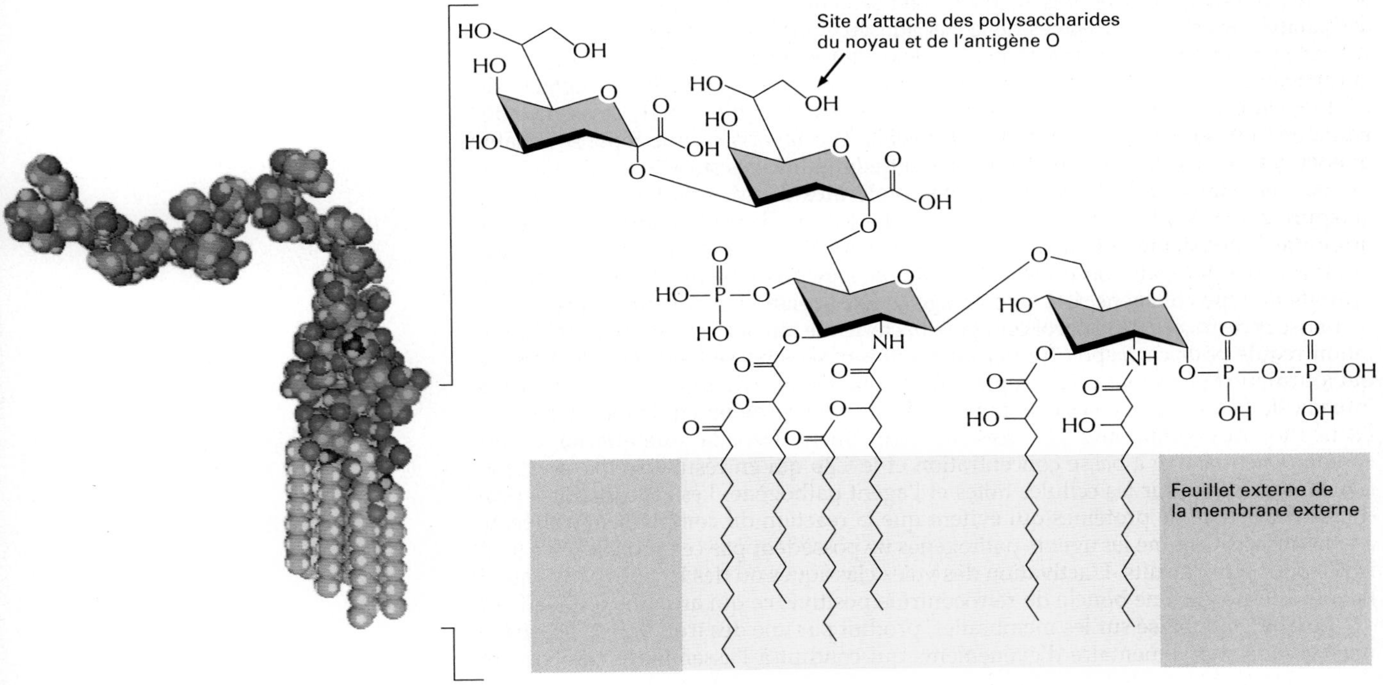

Site d'attache des polysaccharides du noyau et de l'antigène O

Feuillet externe de la membrane externe

Les diverses classes d'immunostimulants associés aux agents pathogènes apparaissent souvent à leur surface sous forme de motifs répétitifs. Ils sont reconnus par divers types de récepteurs spécialisés de l'hôte qui sont collectivement appelés *récepteurs de reconnaissance de motif (pattern recognition receptors)*. Ces récepteurs incluent des récepteurs solubles dans le sang (composants du système du complément) et des récepteurs liés à la membrane à la surface des cellules hôtes (membres de la famille des récepteurs de type Toll). Les récepteurs cellulaires de surface ont deux fonctions : ils initient la phagocytose de l'agent pathogène et stimulent un programme d'expression génique dans la cellule hôte qui stimule les réponses immunitaires innées. Les récepteurs solubles facilitent également la phagocytose et, dans certains cas, l'élimination directe de l'agent pathogène.

L'activation du complément cible la phagocytose ou la lyse des agents pathogènes

Le **système du complément** est composé d'environ 20 protéines solubles qui interagissent. Elles sont surtout fabriquées par le foie et circulent dans le sang et le liquide extracellulaire. La plupart sont inactives tant qu'elles ne sont pas mises en jeu par une infection. Elles ont été identifiées à l'origine par leur capacité à amplifier et à « complémenter » l'action des anticorps, mais certains composants du complément sont aussi des récepteurs de reconnaissance des motifs qui peuvent être activés directement par les immunostimulants associés aux agents pathogènes.

Les *composants précoces du complément* sont d'abord activés. Il en existe trois groupes, qui appartiennent aux trois voies distinctes d'activation du complément – la *voie classique*, la *voie des lectines* et la *voie alterne*. Les composants précoces de ces trois voies agissent localement pour activer C3, qui est le composant capital du complément (Figure 25-41). Les individus qui présentent une déficience en C3 sont sujets à des infections bactériennes répétées. Les composants précoces et C3 sont des proenzymes activés séquentiellement par une coupure protéolytique. La coupure de chaque proenzyme de la série active la formation par le composant suivant d'une sérine-protéase qui coupe le proenzyme suivant de la série et ainsi de suite. Comme chaque enzyme activée coupe beaucoup de molécules du proenzyme suivant de la chaîne, l'activation des composants précoces entraîne une cascade protéolytique amplificatrice.

Beaucoup de ces coupures libèrent un petit fragment peptidique biologiquement actif et un plus gros fragment qui se fixe sur la membrane. La fixation du gros fragment sur une membrane cellulaire, en général à la surface d'un agent pathogène, aide à effectuer la réaction suivante de la séquence. De cette façon, l'activation du complément reste largement confinée à la surface cellulaire particulière où elle a commencé. Le plus gros fragment de C3, appelé C3b, se fixe de façon covalente à la surface de l'agent pathogène. Une fois en place, non seulement il agit comme une protéase qui catalyse les étapes suivantes de la cascade du complément mais il est également reconnu par des récepteurs spécifiques sur les cellules phagocytaires, ce qui augmente la capacité de ces cellules à phagocyter l'agent pathogène. Le plus petit fragment de C3 (appelé C3a) ainsi que les fragments C4 et C5 (*voir* Figure 25-41) agissent indépendamment, sous forme de signaux diffusibles qui favorisent une réponse inflammatoire par le recrutement de phagocytes et de lymphocytes sur le site infectieux.

La **voie classique** est activée par des molécules d'anticorps IgG ou IgM (*voir* Chapitre 24) liées à la surface d'un microbe. La **lectine fixant le mannane**, protéine qui initie la deuxième voie de l'activation du complément, est une protéine sérique qui forme des agrégats composés de six têtes se liant aux glucides autour d'une tige centrale de type collagène. Cet assemblage se fixe spécifiquement sur les résidus de mannose et de fucose de la paroi cellulaire bactérienne qui ont l'espacement et l'orientation requis pour correspondre parfaitement aux six sites se liant aux glucides, ce qui fournit un bon exemple de récepteur de reconnaissance du motif. Ces événements initiaux de fixation des voies classiques et des lectines provoquent le recrutement et l'activation des composants précoces du complément. Dans la **voie alterne**, C3 est spontanément activé à basse concentration et le C3b qui en résulte se fixe de façon covalente à la fois sur les cellules hôtes et l'agent pathogène. Les cellules hôtes produisent une série de protéines qui évitent que la réaction du complément s'effectue à leur surface. Comme les agents pathogènes ne possèdent pas ces protéines, ils sont isolés pour être détruits. L'activation des voies classiques ou des lectines active aussi la voie alterne par une boucle de rétrocontrôle positive, ce qui amplifie leurs effets.

Le C3b immobilisé sur les membranes, produit par une des trois voies, déclenche une cascade supplémentaire d'événements qui conduit à l'assemblage des compo-

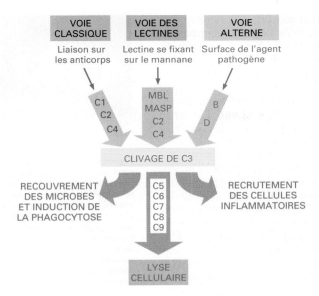

Figure 25-41 Principales étapes de l'activation du complément par la voie classique, la voie des lectines et la voie alterne (alternative). Dans ces trois voies, les réactions de l'activation du complément s'effectuent généralement à la surface d'un microbe invasif, comme une bactérie. C1-C9 et les facteurs B et D sont les composants réactifs du système du complément ; divers autres composants régulent ce système. Les composants précoces sont montrés à l'intérieur des *flèches grises*, tandis que les composants tardifs sont montrés à l'intérieur des *flèches marron*.

sants tardifs qui forment les *complexes d'attaque membranaire* (Figure 25-42). Ces complexes s'assemblent dans la membrane de l'agent pathogène près du site d'activation de C3 et ont un aspect caractéristique sur les photographies en microscopie électronique colorées négativement, où ils apparaissent sous forme des pores aqueux qui traversent la membrane (Figure 25-43). C'est pour cette raison, et parce qu'ils perturbent la structure de la bicouche à leur voisinage, qu'ils rendent la membrane perméable et peuvent, dans certains cas, provoquer la lyse de la cellule microbienne, tout comme les défensines déjà mentionnées.

Du fait de ces propriétés d'auto-amplification, inflammatoires et destructrices de la cascade du complément, il est essentiel que les composants clés activés soient rapidement inactivés une fois qu'ils ont été engendrés afin que l'attaque ne s'étende pas aux cellules hôtes proches. Cette désactivation est obtenue au moins de deux façons. D'abord, des protéines inhibitrices spécifiques du sang ou de la surface des cellules hôtes arrêtent la cascade soit en se fixant soit en coupant certains composants une fois qu'ils ont été activés par clivage protéolytique. Deuxièmement, beaucoup de composants activés de la cascade sont instables ; s'ils ne se fixent pas immédiatement sur un autre composant approprié de la cascade ou sur une membrane proche, ils deviennent rapidement inactifs.

Les protéines de type Toll forment une ancienne famille de récepteurs de reconnaissance du motif

Beaucoup de récepteurs de reconnaissance du motif à la surface des cellules de mammifères responsables du déclenchement de l'expression génique dans la cellule hôte en réponse à des agents pathogènes sont des membres de la famille des **récepteurs de type Toll** (**TLR** pour *Toll-like receptor*). Chez *Drosophila*, Toll est une protéine transmembranaire qui possède un grand domaine extracellulaire composé d'une série de

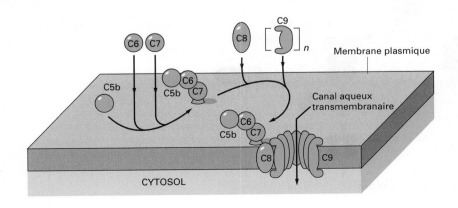

Figure 25-42 Assemblage des composants tardifs du complément pour former des complexes d'attaque membranaire. Lorsque C3b est produit par une des trois voies d'activation, il est immobilisé sur une membrane où il provoque le clivage du premier des trois composants tardifs, C5, pour produire C5a (non montré ici) et C5b. C5b reste fixé lâchement sur C3b (non montré ici) et s'assemble rapidement avec C6 et C7 pour former C567, qui se fixe alors fermement via C7 sur la membrane, comme cela est illustré ici. Sur ce complexe est ajoutée une molécule de C8 pour former C5678. La fixation d'une molécule de C9 à C5678 induit une modification de conformation de C9 qui expose une région hydrophobe et entraîne C9 à s'insérer dans la bicouche lipidique de la cellule cible. Cela initie une réaction en chaîne dans laquelle C9 modifié se fixe sur une deuxième molécule de C9 qui peut alors fixer une autre molécule de C9 et ainsi de suite. De cette façon, il se forme un gros canal transmembranaire constitué d'une chaîne de molécules de C9.

répétitions riches en leucine (*voir* Figure 15-76). Il a été identifié la première fois comme une protéine impliquée dans l'établissement de la polarité dorso-ventrale des embryons de mouche en développement (*voir* Chapitre 21). Il est également impliqué, cependant, dans la résistance de la mouche adulte aux infections fongiques. La voie de transduction du signal intracellulaire activée en aval de Toll lorsqu'une mouche est exposée à un champignon pathogène conduit à la translocation de la protéine NF-κB (*voir* Chapitre 15) dans le noyau, où elle active la transcription de divers gènes, y compris ceux qui codent pour les défensines antifongiques. Un autre membre de la famille Toll chez *Drosophila* est activé lors d'exposition à des bactéries pathogènes, et conduit à la production d'une défensine antibactérienne.

Les hommes ont au moins dix TLR et on a montré que plusieurs d'entre eux jouaient un rôle important dans la reconnaissance immunitaire innée des immunostimulants associés aux pathogènes, y compris les lipopolysaccharides, les peptidoglycanes, le zymozan, les flagelles bactériens et l'ADN CpG. Tout comme les membres de la famille Toll de *Drosophila*, les différents TLR de l'homme sont activés en réponse à différents ligands, bien que beaucoup d'entre eux utilisent la voie de signalisation par NF-κB (Figure 25-44). Chez les mammifères, l'activation d'un TLR stimule l'expression de molécules qui initient à la fois la réponse inflammatoire (*voir* plus loin) et facilitent l'induction d'une réponse immunitaire adaptative. Les TLR sont abondants à la surface des macrophages et des neutrophiles ainsi que sur les cellules épithéliales qui tapissent les poumons et le tube digestif. Ils agissent comme un système d'alarme qui alerte en même temps les systèmes immunitaires inné et adaptatif qu'une infection se trame.

Les molécules apparentées à Toll et les TLR sont apparemment impliqués dans l'immunité innée de tous les organismes multicellulaires. Chez les végétaux, les protéines qui ont des répétitions riches en leucine et des domaines homologues à la portion cytosolique des TLR sont nécessaires à la résistance aux agents pathogènes fongiques, bactériens et viraux (Figure 25-45). De ce fait, au moins deux parties du système immunitaire inné – les défensines et les TLR – semblent être très anciens du point de vue évolutif, datant peut-être d'avant la séparation entre les animaux et les végé-

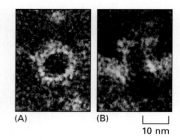

Figure 25-43 Photographie en microscopie électronique par coloration négative de lésions engendrées par le complément dans la membrane plasmique d'une hématie. La lésion en (A) est vue de face et la lésion en (B) est vue de profil sous forme d'un canal transmembranaire visible. La coloration négative remplit le canal qui, par conséquent, apparaît noir. (D'après R. Dourmashkine, *Immunology* 35 : 205-212, 1978. © Blackwell Scientific.)

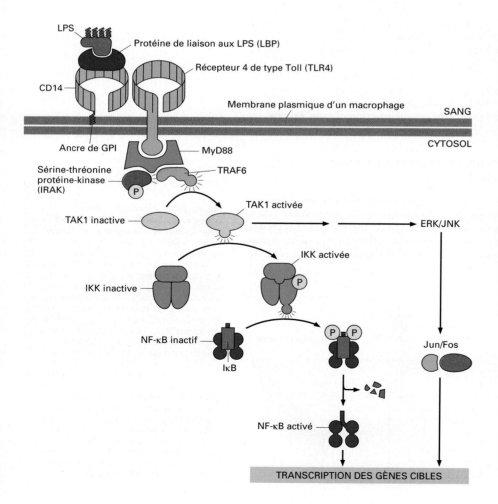

Figure 25-44 Activation d'un macrophage par un lipopolysaccharide (LPS). Une protéine de liaison aux LPS (LPB-pour *LPS binding protein*) se lie au LPS dans le sang et le complexe formé se fixe sur CD14, un récepteur à ancre de GPI de la surface des macrophages. Le complexe ternaire active alors le récepteur 4 de type Toll (TLR4). TLR4 activé recrute une protéine adaptatrice MyD88 qui interagit avec la sérine-thréonine protéine-kinase IRAK. Le recrutement d'IRAK sur le complexe activé de récepteurs entraîne son autophosphorylation et son association avec une protéine adaptatrice, TRAF6. TRAF6 à son tour s'associe avec TAK1, une MAP kinase kinase kinase et l'active. Via plusieurs étapes intermédiaires, l'activation de TAK1 conduit à la phosphorylation et à l'activation de l'IκB kinase (IKK). IKK phosphoryle IκB, l'inhibiteur de NF-κB, et induit sa dégradation et la libération de NF-κB. Par le biais de MAP kinases supplémentaires (ERK et JNK), TAK1 active aussi les membres de la famille de transcription AP-1, Jun et Fos, qui, associés à NF-κB, activent la transcription de gènes qui favorisent les réponses immunitaires et inflammatoires (*voir aussi* Figure 15-74).

Figure 25-45 Maladie microbienne chez un végétal. Ces feuilles de tomate sont infectées par une moisissure des feuilles, *Cladosporium fulvum*. La résistance de ce type d'infection dépend de la reconnaissance d'une protéine fongique par un récepteur hôte qui est structurellement apparenté aux TLR. (Due à l'obligeance de Jonathan Jones.)

taux, il y a plus d'un milliard d'années. Leur conservation pendant l'évolution indique l'importance de ces réponses innées dans les défenses contre les agents pathogènes.

Les cellules phagocytaires recherchent, phagocytent et détruisent les agents pathogènes

Chez tous les animaux aussi bien vertébrés qu'invertébrés, la reconnaissance d'un envahisseur microbien est souvent rapidement suivie par sa phagocytose par une cellule phagocytaire. Les végétaux, cependant, n'ont pas ce type de réponse immunitaire innée. Chez les vertébrés, les *macrophages* résident dans tous les tissus du corps et sont particulièrement abondants dans les zones où les infections risquent de se produire, y compris les poumons et l'intestin. Ils sont aussi présents en grandes quantités dans les tissus conjonctifs, le foie et la rate. Ces cellules à longue durée de vie patrouillent dans les tissus du corps et sont parmi les premières cellules à rencontrer les microbes invasifs. Les *neutrophiles* forment la deuxième famille majeure de cellules phagocytaires chez les vertébrés ; ils ont une courte durée de vie et sont abondants dans le sang mais ne sont pas présents dans les tissus normaux sains. Ils sont rapidement recrutés sur les sites infectieux à la fois par les macrophages activés et par des molécules, comme les peptides qui contiennent de la formyl-méthionine, libérées par les microbes eux-mêmes. Les macrophages et les neutrophiles exposent divers récepteurs cellulaires de surface qui leur permettent de reconnaître et de phagocyter des agents pathogènes. Ces récepteurs incluent les récepteurs de reconnaissance du motif, comme les TLR. De plus, ils ont des récepteurs cellulaires de surface pour la portion Fc des anticorps produits par le système immunitaire adaptatif ainsi que pour le composant C3b du complément. La fixation d'un ligand sur un de ces récepteurs induit la polymérisation d'actine au niveau du site d'attache de l'agent pathogène, ce qui provoque l'enroulement de la membrane plasmique du phagocyte autour de l'agent pathogène et la phagocytose de celui-ci dans un gros phagosome entouré d'une membrane (Figure 25-46).

Une fois que l'agent pathogène à été phagocyté, le macrophage ou le neutrophile déclenche une armurerie impressionnante pour le tuer. Le phagosome est acidifié et fusionne avec les lysosomes qui contiennent du lysozyme et des hydrolases acides pouvant dégrader la paroi cellulaire bactérienne et les protéines. Les lysosomes contiennent aussi des défensines qui constituent jusqu'à 15 p. 100 des protéines totales dans les neutrophiles. De plus, les phagocytes assemblent un *complexe NADPH-oxydase* sur la membrane du phagosome qui catalyse la production d'une série de composés hautement toxiques dérivés de l'oxygène, comme les superoxydes (O_2^-), l'hypochlorite (HOCl, l'ingrédient actif de l'eau de Javel), du peroxyde d'hydrogène, des radicaux hydroxyle et du monoxyde d'azote (NO). La production de ces composés toxiques s'accompagne d'une augmentation transitoire de la consommation d'oxygène par la cellule, appelée l'*explosion respiratoire* (*respiratory burst*). Alors que les macrophages survivent généralement à cette frénésie tueuse et continuent de patrouiller dans les tissus pour rechercher d'autres agents pathogènes, les neutrophiles meurent en général. Les neutrophiles morts et en train de mourir représentent un composant majeur du pus qui se forme dans les blessures infectées en phase aiguë. La coloration verdâtre particulière du pus est due à l'abondance dans les neutrophiles de myéloperoxydase, une enzyme contenant du cuivre qui est un des composants actifs de l'explosion respiratoire.

Si un agent pathogène est trop gros pour pouvoir être phagocyté (si, par exemple, c'est un gros parasite comme un nématode), un groupe de macrophages, neutrophiles ou éosinophiles (*voir* Chapitre 22) se rassemblera autour de l'envahisseur. Ils

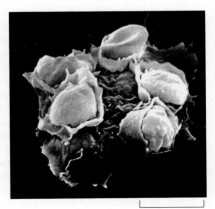

10 μm

Figure 25-46 Phagocytose. Cette photographie en microscopie électronique à balayage montre un macrophage en pleine consommation de cinq hématies qui ont été recouvertes d'un anticorps dirigé contre une glycoprotéine de surface. (D'après E.S. Gold et al., *J. Exp. Med.* 190 : 1849-1856, 1999. © The Rockefeller University Press.)

sécréteront leurs défensines et leurs autres produits lysosomiaux par exocytose et libéreront également les produits toxiques de l'explosion respiratoire (Figure 25-47). Ce barrage est généralement suffisant pour détruire l'agent pathogène.

Beaucoup de pathogènes ont développé des stratégies qui leur permettent d'éviter leur ingestion par les phagocytes. Certaines bactéries à Gram positif se recouvrent elles-mêmes d'un manteau polysaccharidique très épais et visqueux, ou *capsule*, qui n'est pas reconnu par le complément ou les récepteurs des phagocytes. D'autres agents pathogènes sont phagocytés mais évitent d'être tués ; comme nous l'avons déjà vu, *Mycobacterium tuberculosis* évite la maturation du phagosome et peut ainsi survivre. Certains agents pathogènes échappent totalement au phagosome et d'autres encore sécrètent des enzymes qui détoxifient les produits de l'explosion respiratoire. Pour ces agents pathogènes malins, cette première ligne défensive est insuffisante pour éliminer l'infection et il faut les réponses immunitaires adaptatives pour les contenir.

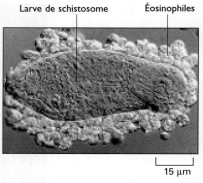

Larve de schistosome   Éosinophiles

15 µm

Figure 25-47 Attaque d'une larve de schistosome par des éosinophiles. De gros parasites, comme des vers, ne peuvent être ingérés par les phagocytes. Cependant, lorsque le ver est recouvert d'anticorps ou de complément, les éosinophiles et d'autres leucocytes sanguins peuvent les reconnaître et les attaquer. (Due à l'obligeance d'Anthony Butterworth.)

Les macrophages activés recrutent d'autres cellules phagocytaires sur le site infectieux

Lorsqu'un agent pathogène envahit un tissu, il provoque presque toujours une **réponse inflammatoire**. Cette réponse est caractérisée par de la douleur, de la rougeur, de la chaleur et une tuméfaction au niveau du site d'infection, toutes provoquées par des modifications locales des vaisseaux sanguins. Les vaisseaux sanguins se dilatent et deviennent perméables aux fluides et aux protéines, ce qui conduit à la tuméfaction locale et l'accumulation de protéines sanguines qui facilitent les défenses, y compris les composants de la cascade du complément. Au même moment, les cellules endothéliales qui tapissent les vaisseaux sanguins locaux sont stimulées, ce qui leur permet d'exprimer des protéines d'adhésion cellulaire (*voir* Chapitre 19) qui facilitent l'attachement et l'extravasation des leucocytes, y compris les neutrophiles, les lymphocytes et les monocytes (précurseurs des macrophages).

La réponse inflammatoire passe par diverses molécules de signalisation. L'activation des TLR s'accompagne de la production de molécules de signalisation lipidiques comme les prostaglandines et de molécules de signalisation protéiques (ou peptidiques) comme les cytokines (*voir* Chapitre 15), qui contribuent toutes à la réponse inflammatoire. La libération protéolytique des fragments du complément y contribue aussi. Certaines cytokines produites par les macrophages activés sont des chimioattracteurs (appelés *chimiokines*). Certaines attirent les neutrophiles qui sont les premières cellules recrutées en grand nombre sur le site d'une nouvelle infection. D'autres attirent ensuite des monocytes et des cellules dendritiques. Les cellules dendritiques prennent les antigènes des agents pathogènes envahissants et les transportent dans les ganglions lymphatiques proches, où elles présentent l'antigène aux lymphocytes pour rassembler des troupes du système immunitaire adaptatif (*voir* Chapitre 24). D'autres cytokines déclenchent la *fièvre*, une augmentation de la température du corps. Tout bien considéré, la fièvre aide le système immunitaire à lutter contre l'infection, car la plupart des bactéries et des virus se développent mieux à basse température alors que la réponse immunitaire adaptative est plus puissante à de plus fortes températures.

Certaines molécules de signalisation pro-inflammatoires amènent les cellules endothéliales à exprimer les protéines qui déclenchent la coagulation sanguine dans les petits vaisseaux sanguins. L'occlusion des vaisseaux et l'arrêt du flux sanguin par cette réponse peuvent aider à empêcher l'agent pathogène d'entrer dans le courant sanguin et d'étendre l'infection aux autres parties du corps.

Les mêmes réponses inflammatoires, cependant, qui sont si efficaces pour contrôler les infections locales peuvent avoir des conséquences désastreuses lorsqu'elles se produisent lors d'infections disséminées dans le courant sanguin, une maladie appelée *septicémie*. La libération systémique des molécules de signalisation pro-inflammatoires dans le sang provoque la dilatation des vaisseaux sanguins, la perte du volume plasmatique et la coagulation sanguine généralisée qui engendrent une pathologie mortelle appelée *choc septique*. Les réponses inflammatoires inappropriées ou trop zélées sont aussi associées à certaines pathologies chroniques comme l'*asthme* (Figure 25-48).

Tout comme pour la phagocytose, certains agents pathogènes ont développé des mécanismes soit pour éviter la réponse inflammatoire soit, dans certains cas, pour en profiter pour disséminer l'infection. Beaucoup de virus, par exemple, codent pour des antagonistes puissants des cytokines qui bloquent la réponse inflammatoire. Certains sont simplement des formes modifiées des récepteurs des cytokines, codées par des gènes acquis par le génome viral à partir de l'hôte. Ils se fixent sur les cytokines avec une forte affinité et bloquent leur activité. Certaines bactéries, comme *Salmonella*, induisent une réponse inflammatoire dans l'intestin au site initial de l'infection, et recrutent ainsi les macrophages et les neutrophiles qu'elles envahissent ensuite. De cette façon, les bactéries font de l'auto-stop jusqu'aux autres tissus du corps.

Les cellules infectées par les virus prennent des mesures drastiques pour éviter la réplication virale

Les immunostimulants associés aux pathogènes à la surface des bactéries et des parasites qui sont si importants parce qu'ils provoquent une réponse immunitaire innée ne sont généralement pas présents à la surface des virus. Les protéines virales sont fabriquées par les ribosomes de la cellule hôte et les membranes des virus enveloppés sont composées de lipides de la cellule hôte. La seule molécule inhabituelle associée aux virus est l'ARN double brin (ARNds pour *double-stranded*) qui est un intermédiaire dans le cycle de vie de beaucoup de virus. Les cellules hôtes peuvent détecter la présence d'ARNds et initier un programme de réponses drastiques afin de l'éliminer.

Ce programme s'effectue en deux étapes. D'abord, les cellules dégradent l'ARNds en petits fragments (environ 21-25 paires de nucléotides de long). Ces fragments se fixent sur n'importe quel ARN simple brin (ARNss pour *single strand*) dans la cellule hôte qui a la même séquence qu'un des deux brins du fragment d'ARNds, ce qui conduit à la destruction de l'ARNss. Cette destruction de l'ARNss dirigée par l'ARNds est le fondement de la technique d'*ARN interférence* (ARNi) utilisée par les chercheurs pour bloquer l'expression spécifique de gènes (*voir* Chapitre 8). Deuxièmement, l'ARNds induit la production et la sécrétion par la cellule hôte de deux cytokines – l'*interféron α (IFN-α)* et l'*interféron β (IFN-β)* qui agissent de façon autocrine sur la cellule infectée et paracrine sur les cellules voisines non infectées. La fixation des interférons sur leurs récepteurs cellulaires de surface stimule la transcription d'un gène spécifique par la voie de signalisation intracellulaire Jak/STAT (*voir* Figure 15-63), ce qui conduit à l'activation d'une protéine-kinase qui phosphoryle et inactive le facteur d'initiation de la synthèse protéique eIF-2, ce qui à son tour inactive la majeure partie de la synthèse protéique dans la cellule hôte assiégée. Apparemment, par la destruction d'une grande partie de l'ARN qu'elle contient et l'arrêt transitoire de la majeure partie de la synthèse protéique, la cellule inhibe la réplication virale sans se suicider. Dans certains cas, cependant, une cellule infectée par un virus est persuadée par les globules blancs de se suicider pour éviter que le virus ne se réplique.

Les cellules NK (*natural killer*) induisent le suicide des cellules infectées par un virus

Une autre manière pour les interférons d'aider les vertébrés à s'auto-défendre contre les virus est la stimulation des réponses immunitaires innées et adaptatives. Dans le chapitre 24, nous avons vu comment l'interféron augmentait l'expression des protéines MHC de classe I qui présentent les antigènes viraux aux lymphocytes T cytotoxiques (*voir* Figure 24-48). Voyons maintenant comment les interférons augmentent l'activité des **cellules NK** (*natural killer*) qui font partie du système immunitaire inné. Comme les lymphocytes T cytotoxiques, les cellules NK détruisent les cellules infectées par un virus en induisant leur suicide par apoptose. Contrairement aux lymphocytes T, cependant, les cellules NK n'expriment pas de récepteurs spécifiques des antigènes. Comment peuvent-elles alors différencier les cellules infectées par un virus de celles qui ne le sont pas ?

Les cellules NK surveillent la concentration en protéines MHC de classe I exprimées à la surface de la plupart des cellules de vertébrés. La présence de fortes concentrations en ces protéines inhibe l'activité destructrice des cellules NK de telle sorte que les cellules NK tuent sélectivement les cellules qui expriment de faibles concentrations, comme les cellules infectées par un virus et certaines cellules cancéreuses (Figure 25-49). Beaucoup de virus ont développé des mécanismes pour inhiber l'expression des molécules MHC de classe I à la surface des cellules qu'ils infectent, afin d'éviter leur détection par les lymphocytes T cytotoxiques. Par exemple, les adénovirus et le VIH codent pour des protéines qui bloquent la transcription des gènes MHC de classe I. Le virus de l'herpès simplex et les cytomégalovirus bloquent les translocateurs peptidiques de la membrane du RE qui transportent les peptides dérivés des protéasomes du cytosol dans la lumière du RE ; ces peptides sont nécessaires à l'assemblage des protéines MHC de classe I néoformées dans la membrane du RE

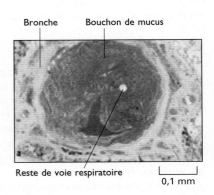

Bronche   Bouchon de mucus

Reste de voie respiratoire

0,1 mm

Figure 25-48 L'inflammation des voies respiratoires lors d'asthme chronique restreint la respiration. Une photographie en microscopie optique d'une coupe à travers les bronches d'un patient mort d'asthme. On observe une occlusion presque totale des voies respiratoires par un bouchon de mucus. Le bouchon de mucus est un infiltrat inflammatoire dense qui inclut des éosinophiles, des neutrophiles et des lymphocytes. (Due à l'obligeance de Thomas Krausz.)

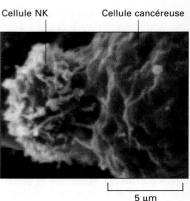

Figure 25-49 Une cellule NK (*natural killer*) attaquant une cellule cancéreuse. La cellule NK est la plus petite cellule *à gauche*. Cette photographie en microscopie électronique à balayage a été prise peu de temps après l'attachement de la cellule NK, mais avant qu'elle n'amène la cellule cancéreuse à se suicider. (Due à l'obligeance de J.C. Hiserodt, *in* Mechanisms of Cytotoxicity by Natural Killer Cells [R.B. Herberman et D. Callewaert, eds.]. New York : Academic Press, 1995.)

5 µm

et à leur transport de l'appareil de Golgi à la surface cellulaire (*voir* Figure 24-58). Le cytomégalovirus provoque la rétrotranslocation des protéines de MHC de classe I à partir de la membrane du RE dans le cytosol où elles sont rapidement dégradées dans les protéasomes. Les protéines codées par d'autres virus empêchent la délivrance des protéines MHC de classe I assemblées à partir du RE dans l'appareil de Golgi ou de l'appareil de Golgi dans la membrane plasmique. Cependant, en empêchant ce type de reconnaissance par les lymphocytes T cytotoxiques, un virus s'attire la colère des cellules NK. La production locale des IFN-α et des IFN-β active l'activité tueuse des cellules NK et augmente aussi l'expression des protéines MHC de classe I dans les cellules non infectées. Les cellules infectées par un virus qui bloque l'expression des MHC de classe I sont ainsi exposées et deviennent les victimes des cellules NK activées. De ce fait, il est difficile ou impossible pour les virus de se cacher simultanément des systèmes immunitaires inné et adaptatif.

Les cellules NK et les lymphocytes T cytotoxiques tuent les cellules cibles infectées en induisant chez elles l'apoptose avant que le virus ait eu une chance de se répliquer. Il n'est donc alors pas surprenant que beaucoup de virus aient acquis des mécanismes qui inhibent l'apoptose, en particulier au début de l'infection. Comme nous l'avons vu au chapitre 17, l'apoptose dépend d'une cascade protéolytique intracellulaire, que la cellule cytotoxique peut déclencher soit par l'activation de récepteurs de mort à la surface des cellules soit par l'injection d'une enzyme protéolytique dans une cellule cible (*voir* Figure 24-46). Les protéines virales peuvent interférer avec presque chaque étape de ces voies. Dans certains cas cependant, les virus codent pour des protéines qui agissent tardivement dans leur cycle de réplication pour induire une apoptose dans la cellule hôte, ce qui libère les virus fils qui peuvent infecter les cellules voisines.

La bataille entre les agents pathogènes et les défenses de l'hôte est remarquablement équilibrée. Jusqu'à présent, les hommes semblent avoir un léger avantage, par l'utilisation des mesures sanitaires publiques, des vaccins et des médicaments pour faciliter les efforts de nos systèmes immunitaires inné et adaptatif. Cependant, les maladies infectieuses et parasitaires sont encore la principale cause de mortalité dans le monde et de nouvelles épidémies, comme le SIDA, continuent d'apparaître. L'évolution rapide des agents pathogènes et la variété presque infinie des voies qui leur permettent d'envahir le corps humain et d'éviter les réponses immunitaires nous empêchera de gagner complètement cette bataille.

Résumé

Les réponses immunitaires innées sont la première ligne de défense contre les germes invasifs. Elles sont aussi nécessaires pour initier les réponses immunitaires adaptatives. Les réponses immunitaires innées se reposent sur la capacité du corps à reconnaître les caractéristiques conservées des agents pathogènes qui n'existent pas chez l'hôte non infecté. Elles incluent plusieurs types de molécules à la surface microbienne et l'ARN double brin de certains virus. Beaucoup de ces molécules spécifiques des agents pathogènes sont reconnues par des récepteurs de type Toll qui sont retrouvés chez les végétaux et les animaux invertébrés et vertébrés. Chez les vertébrés, les molécules de surface microbiennes activent également le complément, un groupe de protéines sanguines qui agissent ensemble pour rompre la membrane des microorganismes, cibler les microorganismes pour que les macrophages et les neutrophiles les phagocytent et produire une réponse inflammatoire. Les cellules phagocytaires utilisent une association d'enzymes de dégradation, de peptides antimicrobiens et d'espèces réactives d'oxygène pour tuer les microorganismes invasifs. De plus, elles libèrent des molécules de signalisation qui déclenchent une réponse inflammatoire et commencent à rassembler les troupes du système immunitaire adaptatif. Les cellules infectées par les virus produisent des interférons, qui induisent une série de réponses cellulaires qui inhibent la réplication virale et activent l'activité tueuse des cellules NK (natural killer) et des lymphocytes T cytotoxiques.

Bibliographie

Généralités

Cossart P, Boquet P, Normark S & Rappuoli R (eds) (2000) Cellular Microbiology. Washington: ASM Press.

Flint SJ, Enquist LW, Krug RM et al. (2000) Principles of Virology: Molecular Biology, Pathogenesis, and Control. Washington: ASM Press.

Janeway CA, Travers P, Walport M & Shlomchik M (2001) Immunobiology: The Immune System in Health and Disease, 5th edn. New York: Garland Science.

Salyers A & Whitt DD (1994) Bacterial Pathogenesis: A Molecular Approach. Washington: ASM Press.

Schaechter M, Engleberg NC, Isenstein BI & Medoff G (eds) (1988) Mechanisms of Microbial Disease. Philadelphia: Lippincott, Williams & Wilkins.

Introduction aux agents pathogènes

Baltimore D (1971) Expression of animal virus genomes. Bacteriol. Rev. 35, 235–241.

Crick FHC & Watson JD (1956) Structure of small viruses. Nature 177, 374–475.

Galan JE & Collmer A (1999) Type III secretion machines: bacterial devices for protein delivery into host cells. Science 284, 1322–1328.

Hacker J & Kaper JB (2000) Pathogenicity islands and the evolution of microbes. Annu. Rev. Microbiol. 54, 641–679.

Heidelberg JF, Eisen JA, Nelson WC et al. (2000) DNA sequence of both chromosomes of the cholera pathogen Vibrio cholerae. Nature 406, 477–483.

Lang-Unnasch N & Murphy AD (1988) Metabolic changes of the malaria parasite during the transition from the human to the mosquito host. Annu. Rev. Microbiol. 52, 561–590.

Lorber B (1996) Are all diseases infectious? Ann. Intern. Med. 125, 844–51.

Madhani HD & Fink GR (1998) The control of filamentous differentiation and virulence in fungi. Trends Cell Biol. 1998, 348–353.

Poulin R & Morand S (2000) The diversity of parasites. Q. Rev. Biol. 75, 277–293.

Prusiner SB (1996) Molecular biology and genetics of prion diseases. Cold Spring Harb. Symp. Quant. Biol. 61, 473–493.

Rixon FJ (1990) Structure and assembly of herpesviruses. Semin. Virol. 1, 477–487.

Biologie cellulaire de l'infection

Baranowski E, Ruiz-Jarabo CM & Domingo E (2001) Evolution of cell recognition by viruses. Science 292, 1102–1105.

Berdoy M, Webster JP & Macdonald DW (2000) Fatal attraction in rats infected with Toxoplasma gondii. Proc. R. Soc. Lond. B. Biol. Sci. 267, 1591–1594.

Berger EA, Murphy PM & Farber JM (1999) Chemokine receptors as HIV-1 coreceptors: roles in viral entry, tropism, and disease. Annu. Rev. Immunol. 17, 657–700.

Bliska JB, Galan JE & Falkow S (1993) Signal transduction in the mammalian cell during bacterial attachment and entry. Cell 73, 903–920.

Deitsch KW, Moxon ER & Wellems TE (1997) Shared themes of antigenic variation and virulence in bacterial, protozoal, and fungal infections. Microbiol. Mol. Biol. Rev. 61, 281–293.

Dramsi S & Cossart P (1988) Intracellular pathogens and the actin cytoskeleton. Annu. Rev. Cell Dev. Biol. 14, 137–166.

Finlay BB & Cossart P (1997) Exploitation of mammalian host cell functions by bacterial pathogens. Science 276, 718–725.

Galan JE (1996) Molecular genetic bases of Salmonella entry into host cells. Mol. Microbiol. 20, 263–271.

Garoff H, Hewson R & Opstelten DJ (1998) Virus maturation by budding. Microbiol. Mol. Biol. Rev. 62, 1171–1190.

Hacker J & Carniel E (2001) Ecological fitness, genomic islands and bacterial pathogenicity. A Darwinian view of the evolution of microbes. EMBO Rep. 2, 376–381.

Hackstadt T (2000) Redirection of host vesicle trafficking pathways by intracellular parasites. Traffic 1, 93–99.

Jones NC (1990) Transformation by the human adenoviruses. Semin. Cancer Biol. 1, 425–435.

Kaariainen L & Ranki M (1984) Inhibition of cell functions by RNA-virus infections. Annu. Rev. Microbiol. 38, 91–109.

Kenny B, DeVinney R, Stein M et al. (1997) Enteropathogenic E. coli (EPEC) transfers its receptor for intimate adherence into mammalian cells. Cell 91, 511–520.

Koch AL (1981) Evolution of antibiotic resistance gene function. Microbiol. Rev. 45, 355–378.

Lyles DS (2000) Cytopathogenesis and inhibition of host gene expression by RNA viruses. Microbiol. Mol. Biol. Rev. 64, 709–724.

Neu HC (1992) The crisis in antibiotic resistance. Science 257, 1064–1073.

Overbaugh J & Bangham CR (2001) Selection forces and constraints on retroviral sequence variation. Science 292, 1106–1109.

Rosenshine I & Finlay BB (1993) Exploitation of host signal transduction pathways and cytoskeletal functions by invasive bacteria. Bioessays 15, 17–24.

Sibley LD & Andrews NW (2000) Cell invasion by un-palatable parasites. Traffic 1, 100–106.

Skehel JJ & Wiley DC (2000) Receptor binding and membrane fusion in virus entry: the influenza hemagglutinin. Annu. Rev. Biochem. 69, 531–569.

Sodeik B (2000) Mechanisms of viral transport in the cytoplasm. Trends Microbiol. 8, 465–472.

Stephens EB & Compans RW (1988) Assembly of animal viruses at cellular membranes. Annu. Rev. Microbiol. 42, 489–516.

Tilney LG & Portnoy DA (1989) Actin filaments and the growth, movement, and spread of the intracellular bacterial parasite, Listeria monocytogenes. J. Cell Biol. 109, 1597–1608.

Immunité innée

Aderem A & Ulevitch RJ (2000) Toll-like receptors in the induction of the innate immune response. Nature 406, 782–787.

Aderem A & Underhill DM (1999) Mechanisms of phagocytosis in macrophages. Annu. Rev. Immunol. 17, 593–623.

Ganz T & Lehrer RI (1998) Antimicrobial peptides of vertebrates. Curr. Opin. Immunol. 10, 41–44.

Guidotti LG & Chisari FV (2001) Noncytolytic control of viral infections by the innate and adaptive immune response. Annu. Rev. Immunol. 19, 65–91.

Hampton MB, Kettle AJ & Winterbourn CC (1998) Inside the neutrophil phagosome: oxidants, myeloperoxidase, and bacterial killing. Blood 92, 3007–3017.

Hancock RE & Scott MG (2000) The role of antimicrobial peptides in animal defenses. Proc. Natl. Acad. Sci. USA 97, 8856–8861.

Imler JL & Hoffmann JA (2000) Toll and Toll-like proteins: an ancient family of receptors signaling infection. Rev. Immunogenet. 2, 294–304.

Kimbrell DA & Beutler B (2001) The evolution and genetics of innate immunity. Nat. Rev. Genet. 2, 256–267.

Medzhitov R & Janeway C Jr (2000) Innate immune recognition: mechanisms and pathways. Immunol. Rev. 173, 89–97.

Medzhitov R & Janeway C Jr (2000) Innate immunity. N. Engl. J. Med. 343, 338–344.

Muller-Eberhard HJ (1988) Molecular organization and function of the complement system. Annu. Rev. Biochem. 57, 321–347.

Murphy PM (2001) Viral exploitation and subversion of the immune system through chemokine mimicry. Nat. Immunol. 2, 116–22.

Ploegh HL (1998) Viral strategies of immune evasion. Science 280, 248–253.

Super M & Ezekowitz RA (1992) The role of mannose-binding proteins in host defense. Infect. Agents Dis. 1, 194–199.

Timonen T & Helander TS (1997) Natural killer cell-target cell interactions. Curr. Opin. Cell Biol. 9, 667–673.

Tomlinson S (1993) Complement defense mechanisms. Curr. Opin. Immunol. 5, 83–89.

Watanabe S & Arai Ki (1996) Roles of the JAK-STAT system in signal transduction via cytokine receptors. Curr. Opin. Genet. Dev. 6, 587–596.

Yang RB, Mark MR, Gray A et al. (1998) Toll-like receptor-2 mediates lipopolysaccharide-induced cellular signalling. Nature 395, 284–288.

Glossaire

Accepteur d'électrons

Molécule qui donne facilement un électron, et s'oxyde pendant ce processus.

Acétyl CoA

Petite molécule hydrosoluble qui transporte des groupements acétyle dans les cellules. Elle est composée d'un groupement acétyle lié au coenzyme A (CoA) par une liaison thioester facilement hydrolysable. (*Voir* Figure 2-62.)

Acétylcholine

Neurotransmetteur qui fonctionne au niveau d'une classe de synapses chimiques appelées synapses cholinergiques. Retrouvé à la fois dans le cerveau et le système nerveux périphérique. C'est le neurotransmetteur des jonctions neuromusculaires des vertébrés. (*Voir* Figure 15-9.)

Acétyle

Groupement chimique dérivé de l'acide acétique. Les groupements acétyles sont importants dans le métabolisme et sont ajoutés de façon covalente à certaines protéines en tant que modification post-traductionnelle.

Acide

Substance qui libère des protons lorsqu'elle est dissoute dans l'eau, formant ainsi un ion hydronium (H_3O^+).

Acide aminé

Molécule organique contenant à la fois un groupement amine et un groupement carboxyle. Ceux qui servent de blocs de construction des protéines sont les acides aminés alpha, qui ont des groupements amine et carboxyle reliés au même atome de carbone. (*Voir* Planche 3-1, p. 132-133.)

Acide désoxyribonucléique – *voir* **ADN**

Acide gras

Composé comme l'acide palmitique qui a un acide carboxylique attaché sur une longue chaîne d'hydrocarbure. Utilisé comme source d'énergie principale pendant le métabolisme et comme point de départ de la synthèse des phospholipides. (*Voir* Planche 2-5, p. 118-119.)

Acide nucléique

ARN ou ADN, macromolécule composée d'une chaîne de nucléotides reliés par des liaisons phosphodiester.

Acide ribonucléique – *voir* **ARN**

Actine

Protéine abondante qui forme des filaments d'actine dans toutes les cellules eucaryotes. La forme monomérique est parfois appelée actine globulaire ou actine-G ; la forme polymérisée est l'actine filamenteuse ou actine-F.

Adaptation

Ajustement de la sensibilité après une stimulation répétée. C'est le mécanisme qui permet à un neurone, un photodétecteur ou une bactérie de réagir à de petites modifications des stimuli, même en face de stimulations de fond importantes.

Adaptine

Protéine qui fixe la clathrine à la surface membranaire dans les vésicules recouvertes de clathrine.

Adenomatous polyposis coli (APC) ou polypose adénomateuse du côlon

Protéine suppresseur de tumeur qui forme une partie d'un complexe protéique et qui recrute une caténine β cytoplasmique libre et la dégrade ; également abréviation du complexe de promotion de l'anaphase.

Adénosine triphosphate – *voir* **ATP**

Adénylate cyclase

Enzyme liée à la membrane qui catalyse la formation d'AMP cyclique à partir de l'ATP. Un composant important de certaines voies de signalisation intracellulaires.

Adhésion focale, plaque d'adhésion, contacts focaux

Type de jonction cellulaire d'ancrage, qui forme une petite région à la surface d'un fibroblaste ou d'une autre cellule ancrée à la matrice extracellulaire. L'attachement est médié par des protéines transmembranaires comme les intégrines qui sont reliées, par d'autres protéines, aux filaments d'actine dans le cytoplasme.

Adipocyte

Cellule du tissu adipeux.

ADN (acide désoxyribonucléique)

Polynucléotide formé d'unités de désoxyribonucléotides reliées de façon covalente. Elle sert de réserve d'information héréditaire à l'intérieur de la cellule et porte cette information de génération en génération.

ADN complémentaire – *voir* **ADNc**

ADN génomique

ADN qui constitue le génome d'une cellule ou d'un organisme. Souvent utilisé par opposition à l'ADNc (ADN préparé par la transcription inverse à partir d'ARN messager). Les **clones d'ADN génomique** représentent l'ADN cloné directement à partir de l'ADN chromosomique et la collection de ces clones à partir d'un génome donné forme une **banque d'ADN génomique**.

ADN hélicase

Enzyme impliquée dans l'ouverture de l'hélice d'ADN en ses simples brins pour permettre la réplication de l'ADN.

ADN ligase

Enzyme qui réunit les extrémités de deux brins d'ADN par une liaison covalente afin de former un brin d'ADN continu.

ADN polymérase
Enzyme qui synthétise l'ADN par la réunion des nucléotides en utilisant une matrice ADN comme guide.

ADN primase
Enzyme qui synthétise un court brin d'ARN sur une matrice d'ADN, et produit ainsi une amorce pour la synthèse de l'ADN.

ADN recombinant
Toute molécule d'ADN formée par la réunion de segments d'ADN issus de différentes sources. Les ADN recombinants sont largement utilisés pour le clonage des gènes, lors de modifications génétiques des organismes et en biologie moléculaire générale.

ADN satellite
Régions d'ADN hautement répétitives issues d'un chromosome eucaryote, généralement identifiables par leur composition particulière en nucléotides. L'ADN satellite n'est pas transcrit et n'a pas de fonction connue.

ADN superenroulé
Région d'ADN dans laquelle la double hélice est encore plus enroulée sur elle-même. (*Voir* Figure 6-20.)

ADN topoisomérase
Enzyme qui se fixe sur l'ADN et coupe de façon réversible une liaison phosphodiester dans un brin ou dans les deux, ce qui permet à l'ADN de subir une rotation au niveau de ce point. Elle empêche l'enchevêtrement de l'ADN pendant la réplication.

ADNc
Molécules d'ADN fabriquées comme copies d'un ARN messager et qui sont, de ce fait, dépourvues des introns présents dans l'ADN génomique. Les **clones d'ADNc** représentent l'ADN cloné à partir de l'ADNc et une collection de ces clones, représentant généralement les gènes exprimés dans un type cellulaire ou tissulaire particulier, forme une **banque d'ADNc**.

ADP (adénosine 5'-diphosphate)
Nucléotide qui est produit par hydrolyse du phosphate terminal de l'ATP. Il régénère l'ATP lorsqu'il est phosphorylé par un processus générateur d'énergie comme la phosphorylation oxydative. (*Voir* Figure 2-57.)

Adrénaline (épinéphrine)
Hormone libérée par les cellules chromaffines (de la glande surrénale) et par certains neurones en réponse au stress. Produit les réponses «de lutte ou de fuite», y compris l'augmentation du rythme cardiaque et de la glycémie.

Aérobie
Décrit un processus qui nécessite de l'oxygène gazeux ou se produit en sa présence.

Agent pathogène
Organisme ou autre agent qui provoque une maladie.

Akt – *voir* **Protéine-kinase B**

Alcaloïde
Petit métabolite contenant de l'azote, chimiquement complexe, produit par les végétaux en tant que défense vis-à-vis des herbivores. Citons comme exemples la caféine, la morphine et la colchicine.

Alcane (adjectif : aliphatique)
Composé de carbone et d'hydrogène qui possède une seule liaison covalente. L'éthane en est un exemple (CH_3CH_3).

Alcène
Hydrocarbure avec une ou plusieurs doubles liaisons carbone-carbone. L'éthylène en est un exemple (CH_2CH_2).

Alcool
Molécule organique polaire qui contient un groupement hydroxyle fonctionnel (–OH) lié à un atome de carbone qui n'est pas dans un noyau aromatique. Citons comme exemple l'alcool éthylique (CH_3CH_2OH).

Aldéhyde
Composé organique qui contient le groupement $-C\langle\substack{O\\H}$
Le glycéraldéhyde en est un exemple. Peut être oxydé en un acide ou réduit en un alcool.

Algue
Terme informel utilisé pour décrire une large gamme d'organismes photosynthétiques eucaryotes unicellulaires ou pluricellulaires simples. Comme exemples citons *Nitella*, *Volvox* et *Fucus*.

Allèle
Une des formes alternatives d'un gène. Dans une cellule diploïde chaque gène aura deux allèles, chacun occupant la même position (locus) sur des chromosomes homologues.

Amide
Molécule contenant un groupement carbonyle fixé sur une amine.

Amidon
Polysaccharide composé exclusivement d'unités de glucose, utilisé comme matériel de réserve d'énergie dans les cellules végétales.

Amine
Groupement chimique contenant de l'azote et de l'hydrogène. Il se charge positivement dans l'eau.

Aminoacyl ARNt
Forme activée de l'acide aminé utilisée dans la synthèse protéique. Est composée d'un acide aminé lié par une liaison ester labile par son groupement carboxyle sur un groupement hydroxyle de l'ARNt. (*Voir* Figure 6-57.)

Aminoacyl-ARNt synthétase
Enzyme qui attache le bon acide aminé sur une molécule d'ARNt pour former un aminoacyl-ARNt. (*Voir* Figure 6-57.)

Amorce d'ARN
Court segment d'ARN synthétisé sur une matrice d'ADN. Utilisé par les ADN polymérases pour commencer la synthèse de l'ADN.

AMP (adénosine 5'-monophosphate)
Un des quatre nucléotides d'une molécule d'ARN. Deux phosphates sont ajoutés à l'AMP pour former l'ATP. (*Voir* Planche 2-6, p. 120-121.)

AMP cyclique (AMPc)
Nucléotide engendré à partir de l'ATP par l'adénylate cyclase en réponse à la stimulation de nombreux types de récepteurs cellulaires de surface. L'AMPc agit comme une molécule de signalisation intracellulaire en activant une kinase dépendante de l'AMP cyclique (la protéine-kinase A, PKA). Il est hydrolysé en AMP par une phosphodiestérase.

Amphipathique
Qui possède à la fois une région hydrophobe et une région hydrophile ; exemple, les phospholipides ou les molécules de détergent.

Amplificateur
Séquence régulatrice d'ADN sur laquelle se fixent les protéines régulatrices de gènes pour influencer la vitesse de transcription d'un gène structural et qui peut en être éloignée de plusieurs milliers de paires de bases.

Anabolisme
Dans une cellule, système de réactions biosynthétiques par lequel de grosses molécules sont fabriquées à partir de plus petites.

Anaérobie
Décrit une cellule, un organisme ou un processus métabolique qui fonctionne en l'absence d'air, ou plus précisément de molécules d'oxygène (O_2).

Analyse du lignage
Recherche des ancêtres d'une cellule individuelle dans un embryon en développement.

Anaphase
Stade de la mitose pendant lequel les deux ensembles de chromosomes se séparent et s'éloignent loin l'un de l'autre. Composé de l'**anaphase A** (les chromosomes se dirigent vers les deux pôles du fuseau) et de l'**anaphase B** (les pôles du fuseau s'éloignent).

Ancre de glycosylphosphatidylinositol (ancre de GPI)
Type de liaison lipidique qui relie certaines protéines membranaires à la membrane. Elle se forme lorsque les protéines se déplacent à travers le réticulum endoplasmique.

Angiogenèse
Croissance de nouveaux vaisseaux sanguins par bourgeonnement à partir de ceux pré-existants.

Angström (Å)
Unité de longueur pour mesurer les atomes et les molécules. Est égal à 10^{-10} mètres ou 0,1 nanomètre (nm).

Ankyrine
Protéine surtout responsable de l'attachement du cytosquelette de spectrine sur la membrane plasmique des hématies.

Anneau contractile
Anneau contenant de l'actine et de la myosine qui se forme sous la surface des cellules animales qui subissent une division cellulaire ; il se contracte pour séparer par pincement deux cellules filles.

Antérieur
Situé du côté du corps où se trouve la tête.

Antéropostérieur
Décrit l'axe allant de la tête à la queue du corps de l'animal.

Antibiotique
Substance comme la pénicilline ou la streptomycine qui est toxique pour les microorganismes. En général un produit d'un microorganisme ou d'un végétal spécifique.

Anticodon
Séquence de trois nucléotides dans une molécule d'ARN de transfert qui est complémentaire au codon de trois nucléotides d'une molécule d'ARN messager.

Anticorps (immunoglobuline)
Protéine produite par les lymphocytes B en réponse à une molécule étrangère ou un microorganisme envahisseur. Se fixe souvent extrêmement solidement à la molécule ou à la cellule étrangère, ce qui l'inactive ou la marque pour qu'elle soit détruite par phagocytose ou lyse induite par le complément.

Anticorps monoclonal
Anticorps sécrété par un clone d'hybridomes. Comme chaque clone de ce type est dérivé d'un seul lymphocyte B, toutes les molécules d'anticorps produites sont identiques.

Antigène
Molécule qui est capable de provoquer une réponse immunitaire.

Antiparallèle
Décrit l'orientation relative des deux brins d'une double hélice d'ADN ; la polarité d'un des brins est orientée dans la direction opposée de celle de l'autre.

Antiport
Molécule de transport qui transporte deux ions différents ou deux petites molécules différentes à travers une membrane dans des directions opposées, soit simultanément, soit séquentiellement.

APC – *voir* **Complexe de promotion de l'anaphase** ; également abréviation de **Adenomatous polyposis coli**

Apical
Décrit le sommet d'une cellule, d'une structure ou d'un organe. La surface apicale d'une cellule épithéliale est la surface libre présentée par opposition à la surface basale. La surface basale se trouve sur la lame basale qui sépare l'épithélium des autres tissus.

Apoptose
Forme de mort cellulaire, appelée aussi mort cellulaire programmée, au cours de laquelle un programme de «suicide» est activé à l'intérieur de la cellule, et conduit à la fragmentation de l'ADN, au rétrécissement du cytoplasme, à des modifications membranaires et à la mort cellulaire sans lyse, ni lésion pour les cellules voisines. C'est un phénomène normal, se produisant souvent dans un organisme multicellulaire.

Appareil de Golgi (complexe golgien)
Organite des cellules eucaryotes, entouré d'une membrane, dans lequel les protéines et les lipides transférés à partir du réticulum endoplasmique sont modifiés et triés. C'est le site de la synthèse de nombreux polysaccharides de la paroi cellulaire des végétaux et des glycosaminoglycanes de la matrice extracellulaire des cellules animales.

Aqueux
Qui a un rapport avec l'eau ; par exemple, une solution aqueuse.

Archéobactérie
Membre d'une des deux principales divisions des procaryotes (les Archéobactéries), l'autre étant les Bactéries.

ARN (acide ribonucléique)
Polymère formé à partir de monomères de ribonucléotides reliés de façon covalente. (*Voir aussi* **ARN messager**, **ARN ribosomique**, **ARN de transfert**.)

ARN antisens
ARN complémentaire à un transcrit spécifique d'ARN d'un gène qui peut s'hybrider à cet ARN spécifique et bloquer sa fonction.

ARN messager (ARNm)
Molécule d'ARN qui spécifie la séquence en acides aminés d'une protéine. Produite (chez les eucaryotes) par épissage de plus grosses molécules d'ARN fabriquées par l'ARN polymérase et qui représentent une copie complémentaire de l'ADN. Elle est traduite en protéines selon un processus catalysé par les ribosomes.

ARN polymérase
Enzyme qui catalyse la synthèse d'une molécule d'ARN sur une matrice d'ADN à partir de précurseurs nucléosides triphosphates. (*Voir* Figure 6-8.)

ARN ribosomique (ARNr)
Une des nombreuses molécules d'ARN spécifiques qui forme une partie de la structure d'un ribosome et participe à la synthèse des protéines. Souvent différenciées par leur coefficient de sédimentation, comme l'ARNr 28S ou l'ARNr 5S.

ARN de transfert (ARNt)
Ensemble de petites molécules d'ARN utilisées dans la synthèse protéique comme une interface (adaptateur) entre l'ARN messager et les acides aminés. Chaque type de molécule d'ARNt est lié de façon covalente à un acide aminé particulier.

ARNi – *voir* **Interférence de l'ARN**

ARNm – *voir* **ARN messager**

ARNr – *voir* **ARN ribosomique**

ARNsn (petit ARN nucléaire, sn pour *small nuclear*)
Petites molécules d'ARN complexées à des protéines et qui forment les particules ribonucléoprotéiques impliquées dans l'épissage de l'ARN.

ARNt – *voir* **ARN de transfert**

ARNt initiateur
ARNt particulier qui initie la traduction. Transporte toujours un acide aminé, la méthionine.

Aromatique
Décrit une molécule qui contient un cycle formé d'atomes de carbone, lesquels sont fréquemment représentés reliés par une alternance de liaisons simples et doubles. Souvent molécule apparentée au benzène.

Aster

Système de microtubules en forme d'étoile émanant d'un centrosome ou d'un pôle du fuseau mitotique.

ATP (adénosine 5'-triphosphate)

Nucléoside triphosphate composé d'adénine, de ribose et de trois groupements phosphate. C'est le transporteur principal de l'énergie chimique dans la cellule. Ses groupements phosphate terminaux sont extrêmement réactifs dans le sens que leur hydrolyse, ou transfert sur une autre molécule, s'effectue avec la libération d'une grande quantité d'énergie libre. (*Voir* Figure 2-26.)

ATP synthase

Complexe enzymatique de la membrane interne d'une mitochondrie et de la membrane thylacoïde d'un chloroplaste qui catalyse la formation d'ATP à partir d'ADP et de phosphate inorganique respectivement au cours de la phosphorylation oxydative et la photosynthèse. Également présent dans la membrane plasmique des bactéries.

ATPase

Enzyme qui catalyse un processus impliquant l'hydrolyse de l'ATP. Beaucoup de protéines différentes ont une activité ATPasique.

Atténuation de la transcription

Inhibition de l'expression des gènes dans les bactéries par la terminaison prématurée de la transcription.

Attraction non covalente

Liaison chimique au cours de laquelle, contrairement aux liaisons covalentes, aucun électron n'est partagé. Les liaisons non covalentes sont relativement faibles mais peuvent s'additionner pour produire des interactions fortes hautement spécifiques entre les molécules.

Attraction de van der Waals

Type de liaison non covalente (individuellement faible) formé à faible intervalle entre des atomes non polaires.

Auto-anticorps

Anticorps produit par un individu et dirigé contre une protéine ou un autre antigène de ses propres cellules ou tissus. Les auto-anticorps peuvent provoquer des maladies auto-immunes.

Autocatalyse

Réaction qui est catalysée par un de ses produits, créant un effet de rétrocontrôle positif (auto-amplification) sur la vitesse de la réaction.

Autophagie

Digestion des organites usés par les propres lysosomes de la cellule.

Autoradiographie

Technique au cours de laquelle un objet radioactif produit une image de lui-même sur un film photographique. L'image est appelée autoradiogramme ou autoradiographe.

Autosome

Tout chromosome qui n'est pas un chromosome sexuel.

Avidité

Force totale de liaison d'un anticorps polyvalent sur un antigène polyvalent.

Axone

Long prolongement des neurones qui est capable de conduire rapidement les influx nerveux sur de longues distances afin de délivrer des signaux à d'autres cellules.

Axonème

Faisceau de microtubules et de protéines associées qui forme le cœur d'un cil ou d'un flagelle dans une cellule eucaryote et est responsable de leurs mouvements.

Bactérie

Membre de l'embranchement des Bactéries, une des principales divisions des procaryotes, l'autre étant les Archéobactéries. La plupart d'entre elles sont sous forme d'une seule cellule, certaines sont responsables de maladies.

Bactériophage (phage)

Tout virus qui infecte des bactéries. Les bactériophages ont été les premières entités utilisées pour les études de génétique moléculaire et sont également largement utilisés en tant que vecteurs de clonage.

Bactériophage lambda (bactériophage λ)

Virus qui infecte *E. coli*. Largement utilisé comme vecteur de clonage de l'ADN.

Bactériorhodopsine

Protéine pigmentée retrouvée dans la membrane plasmique d'une bactérie aimant le sel, *Halobacterium halobium*. Elle fait sortir de la cellule les protons par pompage en réponse à la lumière.

Bande de préprophase

Bande de microtubules et de filaments d'actine qui fait toute la circonférence d'une cellule végétale et se forme sous la membrane plasmique avant la mitose et la division cellulaire.

Banque d'ADN

Collection de molécules d'ADN clonées, représentant soit le génome complet (banque génomique) soit des copies ADN des ARN messagers produits par une cellule (banque d'ADNc).

Basal

Situé près de la base. La surface basale d'une cellule est opposée à la surface apicale.

Base

Une substance qui peut accepter un proton en solution. Les purines et les pyrimidines dans l'ADN et l'ARN sont des bases organiques azotées et sont souvent désignées simplement par le terme base.

Basique ou alcalin

Qui a les propriétés d'une base.

Bâtonnet photorécepteur (cellule en bâtonnet)

Cellule photoréceptrice de la rétine responsable de la vision non colorée en lumière faible.

Bénin

Décrit des tumeurs dont la croissance s'autolimite et qui ne sont pas envahissantes.

Benzène

Molécule composée d'un cycle à six atomes de carbone, habituellement dessiné pourvu de doubles liaisons en alternance. Le cycle benzénique fait partie de beaucoup de molécules biologiques.

Bicouche lipidique

Fin feuillet bimoléculaire composé surtout de phospholipides, qui forme la structure centrale de toutes les membranes cellulaires. Les deux couches de molécules lipidiques sont placées avec leurs queues hydrophobes pointant vers l'intérieur et leurs têtes hydrophiles vers l'extérieur, exposées à l'eau.

Biosphère

Le monde des organismes vivants.

Biotine

Composé de faible masse moléculaire utilisé comme coenzyme. Très intéressant techniquement comme marqueur covalent des protéines, leur permettant d'être détectées par l'avidine, une protéine de l'œuf, qui se fixe extrêmement solidement sur la biotine. (*Voir* Figure 2-63)

Bivalent

Un chromosome dupliqué apparié avec son chromosome homologue dupliqué au début de la méiose.

Blastomère

Une des cellules formée par le clivage d'un œuf fécondé.

Blastula

Stade précoce d'un embryon animal, composé généralement de cellules formant une balle creuse, avant le début de la gastrulation.

Blotting (effet buvard)

Technique biochimique au cours de laquelle des macromolécules séparées sur un gel d'agarose ou de polyacrylamide sont transférées sur une membrane de nylon ou une feuille de papier, ce qui les immobilise pour la poursuite de leur analyse. (*Voir* **Transfert Northern**, **Transfert Southern**, **Transfert Western**.)

Boîte TATA

Séquence consensus, située dans la région du promoteur de nombreux gènes eucaryotes, qui fixe un facteur général de transcription et spécifie ainsi la position au niveau de laquelle la transcription est initiée.

Bordure en brosse

Couverture dense de microvillosités de la surface apicale des cellules épithéliales dans l'intestin et les reins. Les microvillosités facilitent l'absorption en augmentant la surface de la cellule.

Brin précoce

Un des deux brins néosynthétisés de l'ADN retrouvé au niveau de la fourche de réplication. Le brin précoce est fabriqué par synthèse continue dans la direction 5' vers 3'.

Brin tardif

Un des deux brins néosynthétisés d'ADN retrouvé au niveau de la fourche de réplication. Le brin tardif est fabriqué sous forme de longueurs discontinues reliées ensuite de façon covalente.

Cadhérine

Un membre de la famille de protéines servant à la médiation de l'adhésion intercellulaire dépendante de Ca^{2+} dans les tissus animaux.

Cadre de lecture

Phase de lecture des nucléotides, par groupes de trois, pour coder une protéine. Une molécule d'ARN messager peut être lue dans n'importe lequel des trois cadres de lecture, mais un seul donnera la protéine requise. (*Voir* Figure 6-51.)

Calmoduline

Protéine ubiquiste de liaison au calcium dont la fixation sur d'autres protéines est gouvernée par les modifications de la concentration intracellulaire en Ca^{2+}. Sa fixation modifie l'activité de beaucoup d'enzymes cibles et de protéines de transport membranaires.

Calorie

Unité de chaleur. Une calorie (petit « c ») est la quantité de chaleur nécessaire pour augmenter de 1 °C la température d'1 gramme d'eau. Une kilocalorie (1 000 calories) est l'unité utilisée pour décrire la teneur énergétique des aliments.

CAM – *voir* **Molécule d'adhésion cellulaire**

CaM kinase – *voir* **Protéine-kinase Ca^{2+}/calmoduline-dépendante**

CaM kinase II

Protéine-kinase multifonctionnelle, dépendante de Ca^{2+}/calmoduline, présente dans toutes les cellules animales et qui subit une autophosphorylation lorsqu'elle est activée. Elle est particulièrement abondante dans le cerveau et on pense qu'elle joue un rôle dans l'apprentissage et la mémoire chez les vertébrés.

Canal à cations à ouverture contrôlée par le voltage

Type de canal ionique trouvé dans les membranes de cellules excitables (comme une cellule nerveuse ou musculaire) qui s'ouvre en réponse à un décalage du potentiel membranaire qui dépasse une valeur seuil.

Canal de fuite de K^+

Canal ionique de transport de K^+ dans la membrane plasmique des cellules animales qui reste ouvert même dans une cellule « en repos ».

Canal ionique

Complexe de protéines transmembranaires qui forme un canal rempli d'eau dans la bicouche lipidique à travers lequel des ions inorganiques spécifiques peuvent diffuser selon leur gradient électrochimique.

Canal ionique à ouverture contrôlée par un transmetteur

Canal ionique de la membrane post-synaptique des cellules nerveuses et musculaires qui ne s'ouvre qu'en réponse à la fixation d'un neurotransmetteur extracellulaire spécifique. L'entrée d'ions qui en résulte conduit à la formation d'un signal électrique local dans la cellule post-synaptique.

Canal membranaire

Complexe protéique transmembranaire qui permet aux ions inorganiques ou à d'autres petites molécules de diffuser passivement à travers la bicouche lipidique.

Capacitation

Processus mal compris que doivent subir les spermatozoïdes dans l'appareil reproducteur femelle avant d'être compétents pour la fécondation.

Capside

Manteau protéique d'un virus formé par l'auto-assemblage d'une ou de plusieurs sous-unités protéiques en une structure géométrique régulière.

Carcinogène

Tout agent, comme une substance chimique ou une forme de radiation, qui provoque un cancer.

Carcinogenèse

Formation d'un cancer.

Carcinome

Cancer des cellules épithéliales. La forme la plus commune de cancer chez l'homme.

Carte de restriction

Représentation schématique d'une molécule d'ADN qui indique les sites de coupure par diverses réactions enzymatiques.

Carte génétique

Carte des chromosomes sur laquelle la distance des gènes les uns par rapport aux autres est déterminée par la quantité de recombinaisons génétiques qui se produisent entre eux.

Carte peptidique

Organisation bidimensionnelle caractéristique (sur papier ou gel) formée par la séparation d'un mélange de peptides obtenu par la digestion partielle d'une protéine.

Cartilage

Forme de tissu conjonctif composé de cellules (chondrocytes) incluses dans une matrice riche en collagène de type II et en chondroïtine sulfate.

Caryotype

Jeu complet de chromosomes d'une cellule disposés selon leur taille, leur forme et leur nombre.

Caspase

Nom donné à chaque membre d'une famille de protéases impliquées dans l'initiation des événements cellulaires de l'apoptose.

Catabolisme

Terme général désignant les réactions à catalyse enzymatique se produisant dans une cellule et au cours desquelles les molécules complexes sont dégradées en de plus simples avec une libération d'énergie. Les intermédiaires de cette réaction sont parfois appelés catabolites.

Catalyseur

Substance qui peut abaisser l'énergie d'activation d'une réaction augmentant ainsi sa vitesse.

Caténine bêta (caténine β)

Protéine cytoplasmique multifonction qui est impliquée dans l'adhésion intercellulaire médiée par la cadhérine, reliant les cadhérines au cytosquelette d'actine. Peut aussi agir indépendamment en tant que protéine régulatrice de gènes. Joue un rôle important dans le développement animal en tant que partie de la voie de signalisation par Wnt.

Caveola (au pluriel, **caveolae**)

Invaginations à la surface cellulaire qui se séparent par bourgeonnement interne pour former des vésicules de pinocytose. On pense qu'elles se forment à partir des microdomaines lipidiques, régions de la membrane riches en certains lipides.

CD4

Co-récepteur protéique trouvé sur les lymphocytes T helper qui se fixe sur les molécules MHC de classe II à l'extérieur du site de liaison antigénique.

CD8

Co-récepteur protéique trouvé sur les lymphocytes T cytotoxiques qui se fixe sur les molécules MHC de classe I à l'extérieur du site de liaison antigénique.

CD28

Protéine cellulaire de surface située sur les lymphocytes T qui se fixe sur la protéine B7 co-stimulatrice située sur les cellules de présentation de l'antigène « professionnelles », fournissant un signal supplémentaire nécessaire à l'activation d'un lymphocyte T naïf par un antigène.

Cdk – *voir* **Kinase cycline-dépendante**

Cdk de phase M (M-Cdk)

Complexe formé dans les cellules des vertébrés par une cycline M et la kinase cycline-dépendante correspondante (Cdk).

Cellularisation

Formation de cellules autour de chaque noyau dans un cytoplasme multinucléé, le transformant en une structure multicellulaire.

Cellule adipeuse (adipocyte)

Cellule du tissu conjonctif qui produit et met en réserve les graisses chez les animaux.

Cellule chromaffine

Cellule qui garde en réserve l'adrénaline dans des vésicules sécrétoires et la sécrète dans les moments de stress lorsqu'elle est stimulée par le système nerveux.

Cellule conjonctive

Tous les différents types de cellules retrouvés dans les tissus conjonctifs, par ex, les fibroblastes, les cellules cartilagineuses (chondrocytes), les cellules osseuses (ostéoblastes et ostéocytes), les cellules adipeuses (adipocytes) et les cellules du muscle lisse.

Cellule dendritique

Cellule dérivée de la moelle osseuse, présente dans le tissu lymphoïde et d'autres tissus spécialisés dans l'absorption de particules de matériaux par phagocytose et qui agit comme une cellule « professionnelle » de présentation de l'antigène au cours de la réponse immunitaire.

Cellule effectrice

Cellule qui effectue la réponse ou la fonction finale d'un processus particulier. Les principales cellules effectrices du système immunitaire, par exemple, sont les lymphocytes activés et les phagocytes – les cellules impliquées dans la destruction des germes pathogènes et leur élimination du corps.

Cellule endocrinienne

Cellule animale spécifique qui sécrète une hormone dans le sang. Fait généralement partie d'une glande comme la thyroïde ou l'hypophyse.

Cellule endothéliale

Type cellulaire aplati qui forme un feuillet (l'endothélium) qui tapisse tous les vaisseaux sanguins.

Cellule ES – *voir* **Cellule souche embryonnaire**

Cellule folliculaire

Un des types de cellules qui entoure un ovocyte en développement ou un ovule.

Cellule germinale (ou reproductrice)

Cellule précurseur qui donnera naissance aux gamètes.

Cellule germinale primordiale

Cellule placée de côté au début du développement embryonnaire, qui est le précurseur des cellules germinales qui donnent naissance aux gamètes.

Cellule de la glie

Cellule de soutien du système nerveux, parmi lesquelles les oligodendrocytes et les astrocytes du système nerveux central des vertébrés et les cellules de Schwann du système nerveux périphérique.

Cellule HeLa

Lignée de cellules épithéliales de l'homme qui croît de façon vigoureuse en culture. Dérivée d'un carcinome du col utérin humain.

Cellule musculaire lisse

Cellule de type musculaire allongée, mononucléée, en forme de fuseau, qui compose le tissu musculaire présent dans les parois des artères et de l'intestin et des autres viscères et dans certaines autres localisations du corps des vertébrés. Appelée « lisse » parce qu'elle ne contient pas les myofibrilles des cellules des muscles squelettiques et cardiaque.

Cellule myéloïde

Tous les globules blancs sauf les lymphocytes.

Cellule myoépithéliale

Cellule de type musculaire non striée retrouvée dans les épithéliums, par ex. dans l'iris de l'œil et les tissus glandulaires.

Cellule nerveuse – *voir* **Neurone**

Cellule NK (*natural killer*)

Cellule cytotoxique du système immunitaire inné qui peut tuer les cellules infectées par un virus.

Cellule nourricière

Cellule reliée par des ponts cytoplasmiques à un ovule en développement et qui, de ce fait, lui fournit les ribosomes, l'ARNm et les protéines nécessaires aux premiers stades du développement de l'embryon.

Cellule de présentation de l'antigène

Cellule qui présente à sa surface des antigènes étrangers complexés à une molécule MHC.

Cellule de Schwann

Cellule de la glie responsable de la formation des gaines de myéline dans le système nerveux périphérique.

Cellule somatique

Toute cellule d'un végétal ou d'un animal qui n'est pas une cellule germinale ou une cellule précurseur de la lignée germinale. (Du grec *soma*, « corps »).

Cellule souche

Cellule relativement indifférenciée qui peut continuer à se diviser indéfiniment, donnant des cellules filles qui peuvent subir une différenciation finale en types cellulaires spécifiques.

Cellule souche embryonnaire (cellule ES)

Cellule dérivée de la masse cellulaire interne d'un embryon de mammifères aux premiers stades de son développement qui peut donner naissance à toutes les cellules du corps. Elle peut se développer en culture, être génétiquement modifiée puis insérée dans un blastocyste pour former un animal transgénique.

Cellulose

Polysaccharide structurel composé de longues chaînes d'unités de glucose liées de façon covalente. Fournit une résistance élastique dans la paroi des cellules végétales.

Centre fer-soufre

Groupe de transport d'électrons composé soit de deux soit de quatre atomes de fer liés à un nombre égal d'atomes de soufre. Présents dans une classe de protéines de transport des électrons.

Centre d'inactivation de X (XIC)

Site d'un chromosome X au niveau duquel est initiée l'inactivation et qui s'étend vers l'avant.

Centre organisateur des microtubules (MTOC)

Région d'une cellule, comme le centrosome ou le corps basal, à partir de laquelle se développent les microtubules.

Centre organisateur de Spemann

Tissu spécialisé de la lèvre dorsale du blastopore d'un embryon d'amphibien; source des signaux qui aident à orchestrer la formation de l'axe embryonnaire du corps. (D'après H. Spemann et H. Mangold, les chercheurs qui ont fait la co-découverte.)

Centre de réaction photochimique

Partie du photosystème qui transforme l'énergie lumineuse en énergie chimique.

Centriole

Courte disposition cylindrique de microtubules, très semblable par sa structure à un corpuscule basal. Une paire de centrioles est généralement observée au centre d'un centrosome dans les cellules animales.

Centromère

Région de constriction d'un chromosome mitotique qui maintient ensemble les chromatides sœurs. C'est également le site sur l'ADN, où se forment les kinétochores qui capturent les microtubules du fuseau mitotique.

Centrosome

Organite des cellules animales, localisé centralement, qui forme le centre primaire organisateur des microtubules et agit comme pôle du fuseau pendant la mitose. Dans la plupart des cellules animales, il contient une paire de centrioles.

Cétone

Molécule organique contenant un groupement carbonyle relié à deux groupements alkyles.

CGN – *voir* **Réseau *cis*-golgien**

Chaîne latérale

Partie d'un acide aminé qui diffère selon les divers acides aminés, et lui confère ses propriétés physiques et chimiques particulières.

Chaîne légère

Un des plus petits polypeptides d'une protéine à multiples sous-unités comme la myosine ou l'immunoglobuline. Abrégé en **chaîne L** pour les immunoglobulines.

Chaîne lourde (chaîne H, pour *heavy*)

Le plus gros des deux types de polypeptides d'une molécule d'immunoglobuline.

Chaîne respiratoire

Chaîne de transport des électrons, située dans la membrane mitochondriale interne, qui reçoit les électrons riches en énergie dérivés du cycle de l'acide citrique et engendre à travers la membrane un gradient de protons qui est utilisé pour actionner la synthèse d'ATP.

Chaîne de transport des électrons

Série de molécules de transport d'électrons allant d'un haut niveau d'énergie à un plus bas niveau d'énergie jusqu'à la molécule receveuse finale. L'énergie libérée pendant le mouvement d'un électron peut servir à actionner différents processus. Les chaînes de transport d'électrons présentes dans la membrane mitochondriale interne et dans la membrane thylacoïde des chloroplastes engendrent un gradient de protons à travers la membrane qui sert à actionner la synthèse d'ATP.

Champignons

Règne d'organismes eucaryotes qui comprend les levures, les moisissures et les champignons. Beaucoup de maladies des végétaux et un nombre relativement faible de maladies animales sont provoquées par des champignons.

Chaperon (molécule chaperon)

Protéine qui aide les autres protéines à éviter une voie de mauvais repliement qui produirait des polypeptides inactifs ou agrégés.

Chélate

Produit qui s'associe réversiblement, en général avec une haute affinité, à un ion métallique comme le fer, le calcium ou le magnésium.

Chiasma

Connexion en forme de X, visible entre des paires de chromosomes homologues au cours de la division I de la méiose et qui représente un site de crossing-over.

Chimiokine

Petite protéine sécrétée qui attire des cellules, comme les leucocytes, pour les déplacer vers sa source. Important dans le fonctionnement du système immunitaire.

Chimiotaxie

Mouvement d'une cellule ou d'un organisme, qui le rapproche ou l'éloigne d'une substance chimique qui diffuse.

Chlorophylle

Pigment vert qui absorbe la lumière et joue un rôle central dans la photosynthèse des bactéries, des végétaux et des algues.

Chloroplaste

Organite des algues vertes et des végétaux verts qui contient de la chlorophylle et effectue la photosynthèse. C'est une forme spécialisée de plaste.

Cholestérol

Molécule lipidique ayant une structure stéroïde caractéristique à quatre noyaux, qui est un composant important de la membrane plasmique des cellules animales. (*Voir* Figure 10-10.)

Chondrocyte (cellule cartilagineuse)

Cellule du tissu conjonctif qui sécrète la matrice du cartilage.

Chromatide

Une copie d'un chromosome, formé par la réplication de l'ADN et qui est encore réunie au niveau du centromère à l'autre copie. Les deux chromatides identiques sont appelées chromatides sœurs.

Chromatide sœur – *voir* **Chromatide**

Chromatine

Complexe d'ADN, d'histones et de protéines non histones, présent dans le noyau d'une cellule eucaryote. Matériel à partir duquel sont formés les chromosomes.

Chromatographie

Technique biochimique dans laquelle les substances d'un mélange sont séparées par leur charge, leur taille ou certaines autres propriétés en permettant leur séparation entre une phase mobile et une phase stationnaire. (*Voir* **Chromatographie d'affinité, Chromatographie par affinité à l'ADN, Chromatographie liquide haute performance.**)

Chromatographie d'affinité

Type de chromatographie au cours duquel le mélange de protéines à purifier est passé sur une matrice sur laquelle sont fixés des ligands spécifiques à la protéine recherchée, de telle sorte que la protéine est retenue sur la matrice.

Chromatographie par affinité à l'ADN

Technique de purification des protéines de liaison à l'ADN, ayant une spécificité de séquence, par leur liaison sur une matrice sur laquelle ont été fixés des fragments d'ADN adaptés.

Chromatographie liquide haute performance (CLHP; en anglais : HPLC)

Type de chromatographie qui utilise des colonnes remplies de billes minuscules de matrice; la solution à séparer est poussée sous haute pression.

Chromosome

Structure composée d'une très longue molécule d'ADN et de ses protéines associées qui porte une partie (ou la totalité) des informations héréditaires d'un organisme. Particulièrement visible dans les cellules végétales et animales subissant une mitose ou une méiose, où chaque chromosome se condense en une structure compacte de type bâtonnet visible en microscopie optique.

Chromosome bactérien artificiel (BAC)
Vecteur de clonage qui peut recevoir de gros morceaux d'ADN mesurant jusqu'à 1 million de paires de bases.

Chromosome en écouvillon
Chromosome apparié lors de la méiose dans les œufs d'amphibiens immatures et dans lequel la chromatine forme de grandes boucles rigides qui s'étendent à l'extérieur de l'axe linéaire du chromosome.

Chromosome homologue (homologue)
Une des deux copies d'un chromosome particulier d'une cellule diploïde, chaque copie dérivant d'un parent différent.

Chromosome mitotique
Chromosome dupliqué, hautement condensé, et dont les deux nouveaux chromosomes restent encore maintenus ensembles au niveau du centromère sous forme de chromatides sœurs.

Chromosome polyténique
Chromosome géant dans lequel l'ADN a subi une réplication répétée sans séparation en de nouveaux chromosomes.

Chromosome sexuel
Chromosome qui peut être présent ou non, ou être présent en nombre de copies variables selon le sexe de l'individu. Chez les mammifères, les chromosomes X et Y.

Cil
Extension de type poil d'une cellule eucaryote contenant un noyau constitué d'un faisceau de microtubules et capable d'effectuer des mouvements de battements répétés. Les cils sont trouvés en grand nombre à la surface de beaucoup de cellules et sont responsables de la nage de beaucoup d'organismes unicellulaires.

Citerne – *voir* **Saccule**

CKI – *voir* **Protéine inhibitrice des Cdk**

Clathrine
Protéine qui s'assemble en une cage polyhédrique du côté cytosolique d'une membrane, pour former un puit recouvert de clathrine. Celui-ci se sépare par bourgeonnement via endocytose pour former une vésicule intracellulaire recouverte de clathrine.

CLHP – *voir* **Chromatographie liquide haute performance**

Clivage
(1) Coupure physique d'une cellule en deux. (2) Type particulier de division cellulaire vue dans beaucoup d'embryons aux premiers stades de développement et au cours duquel une grosse cellule se subdivise sans croissance en beaucoup de cellules plus petites.

Clone
Population de cellules ou d'organismes, formée par des divisions répétées (asexuées) à partir de cellules ou d'un organisme commun. Utilisé aussi comme verbe : «cloner un gène» signifie produire beaucoup de copies d'un gène par des cycles répétés de réplication.

Code génétique
Ensemble de règles qui spécifient la correspondance entre les triplets de nucléotides (codons) de l'ARN ou l'ADN et les acides aminés des protéines.

Codon
Séquence de trois nucléotides dans une molécule d'ADN ou d'ARN messager qui représente les instructions pour l'incorporation d'un acide aminé spécifique dans une chaîne polypeptidique en croissance.

Coenzyme
Petite molécule solidement associée à une enzyme qui participe à la réaction que catalyse l'enzyme, formant une liaison covalente avec le substrat. Les exemples incluent la biotine, le NAD$^+$ et le coenzyme A.

Coenzyme A
Petite molécule utilisée dans le transfert enzymatique de groupements acyle dans la cellule. (*Voir aussi* **Acétyl CoA**.)

Cofacteur
Ion inorganique ou coenzyme qui est nécessaire pour l'activité d'une enzyme.

Cohésine, complexe des cohésines
Complexe de protéines qui maintiennent ensemble les chromatides sœurs sur toute leur longueur avant leur séparation.

Collagène
Protéine fibreuse riche en glycine et en proline qui est un composant majeur de la matrice extracellulaire et du tissu conjonctif. Existe sous de nombreuses formes : le type I, le plus fréquent, est présent dans la peau, les tendons et les os ; le type II est présent dans les cartilages ; le type IV est présent dans les lames basales.

Collagène fibrillaire
Type de molécule de collagène qui s'assemble en une structure de type cordage. Les collagènes de type I (fréquents dans la peau), II, III, V et XI en font partie.

Colorant fluorescent
Molécule qui absorbe la lumière à une longueur d'onde et répond par l'émission de lumière à une autre longueur d'onde. La lumière émise est de longueur d'onde supérieure (et donc de plus basse énergie) que la lumière absorbée.

Coloration négative
Technique de coloration utilisée en microscopie électronique qui engendre la formation d'une image inverse ou négative de l'objet.

Commutation de classe
Modification de la classe d'imunoglobulines produite (par exemple IgM) en une autre classe (par exemple IgG), que beaucoup de lymphocytes B subissent au cours d'une réponse immunitaire.

Compartiment
Régions de l'embryon formées exclusivement des descendants de quelques cellules fondatrices ; il n'y a pas de mouvements entre les compartiments une fois qu'ils sont délimités.

Complémentaire
Deux séquences en acides nucléiques sont dites complémentaires si elles peuvent former, l'une avec l'autre, une double hélice parfaite par appariement des bases.

Complexe
Assemblage de molécules maintenues ensemble par des liaisons non covalentes. Les complexes protéiques effectuent la plupart des fonctions cellulaires.

Complexe en anneau de tubulines γ
Complexe protéique contenant de la tubuline γ ainsi que d'autres protéines et qui permet la nucléation efficace des microtubules.

Complexe de l'antenne
Partie d'un photosystème qui capture l'énergie lumineuse et la canalise dans le centre de réaction photochimique. Il est composé de complexes protéiques qui fixent un grand nombre de molécules de chlorophylle et d'autres pigments.

Complexe ARP (complexe ARP2/3)
Complexe de protéines qui permet la nucléation des filaments d'actine en croissance à partir de l'extrémité moins.

Complexe cycline-Cdk
Complexes protéiques formés périodiquement pendant le cycle cellulaire eucaryote lorsque la concentration en cyclines augmente et dans lesquels la kinase dépendante des cyclines (Cdk) devient partiellement activée.

Complexe du cytochrome b-c$_1$
Deuxième des trois pompes à protons entraînées par les électrons de la chaîne respiratoire. Elle accepte les électrons de l'ubiquinone.

Complexe de la cytochrome oxydase
Troisième des trois pompes à protons entraînées par les électrons de la chaîne respiratoire. Elle accepte les électrons du cytochrome c et engendre de l'eau en utilisant une molécule d'oxygène comme accepteur d'électrons.

Complexe enzymatique respiratoire
Un des complexes protéiques principaux de la chaîne respiratoire mitochondriale qui agit comme une pompe à protons entraînée par les électrons pour créer un gradient de protons à travers la membrane interne.

Complexe Hox
Deux agrégats de gènes solidement liés chez *Drosophila* (les complexes bithorax et Antennapedia) qui contrôlent les différences entre les différents segments du corps. Des complexes Hox homologues sont présents chez d'autres animaux chez lesquels ils déterminent également l'organisation le long de l'axe antéropostérieur.

Complexe majeur d'histocompatibilité (MHC)
Complexe de gènes hautement polymorphes des vertébrés. Ils codent pour une grande famille de glycoprotéines à la surface des cellules (molécules MHC) qui fixent des fragments peptidiques des protéines étrangères et les présentent aux lymphocytes T pour induire une réponse immunitaire. (*Voir* Figure 24-50.)

Complexe de la NADH déshydrogénase
Première des trois pompes à protons entraînées par les électrons de la chaîne respiratoire mitochondriale. Accepte les électrons de NADH.

Complexe de la nitrogénase
Complexe enzymatique des bactéries fixant l'azote qui catalyse la réduction de N_2 atmosphérique en ammoniac.

Complexe du pore nucléaire
Grosse structure multiprotéique qui forme un canal (le **pore nucléaire**) qui traverse l'enveloppe nucléaire et permet à des molécules sélectionnées de se déplacer entre le noyau et le cytoplasme.

Complexe de promotion de l'anaphase (APC)
Ubiquitine ligase qui favorise la destruction d'un ensemble de protéines dont certaines initient la séparation des chromatides sœurs pendant la transition métaphase-anaphase lors de la mitose.

Complexe de reconnaissance de l'origine (ORC)
Gros complexe protéique lié à l'ADN au niveau des origines de réplication des chromosomes eucaryotes tout au long du cycle cellulaire.

Complexe synaptonémal
Structure qui maintient les chromosomes appariés ensembles pendant la prophase I de la méiose et favorise la recombinaison génétique.

Complexe TIM
Translocateurs protéiques de la membrane mitochondriale interne. Le complexe TIM 23 permet le transport des protéines dans la matrice et l'insertion de certaines protéines dans la membrane interne. Le complexe TIM 22 permet l'insertion d'un sous-groupe de protéines dans la membrane interne.

Complexe TOM
Complexe protéique à sous-unités multiples qui transporte les protéines à travers la membrane mitochondriale externe.

Concentration critique
Concentration en un monomère protéique, comme l'actine ou la tubuline, en équilibre avec la forme assemblée de cette protéine (respectivement les filaments d'actine ou les microtubules). (*Voir* Planche 16-2, p. 912-913.)

Condensation chromosomique
Processus par lequel un chromosome se tasse en une structure plus compacte avant la phase M du cycle cellulaire.

Condensine, complexe des condensines
Complexe de protéines impliquées dans la condensation des chromosomes avant la mitose. Cible de la M-Cdk.

Cône de croissance
Extrémité mobile qui migre d'un axone ou d'un dendrite d'une cellule nerveuse en croissance.

Conformation
Disposition spatiale des atomes en trois dimensions dans une macromolécule comme une protéine ou un acide nucléique.

Connexon
Pore rempli d'eau de la membrane plasmique, formé d'un anneau de six sous-unités protéiques. Partie d'un nexus (*gap junction*) : les connexons de deux cellules adjacentes se réunissent pour former un canal continu entre deux cellules.

Constante d'affinité (constante d'association) (K_a)
Mesure de la force de liaison des composants dans un complexe. Pour les composants A et B et un équilibre de liaison $A + B \rightleftharpoons AB$, la constante d'association est donnée par [AB]/[A][B] et est d'autant plus forte que la liaison entre A et B est plus solide. (*Voir aussi* **Constante de dissociation**.)

Constante d'association – *voir* **Constante d'affinité**

Constante de dissociation (K_d)
Mesure de la tendance d'un complexe à se dissocier. Pour les composants A et B et l'équilibre de liaison $A + B \rightleftharpoons AB$, la constante de dissociation est donnée par [A][B]/[AB] et est d'autant plus faible que la liaison entre A et B est plus solide. (*Voir aussi* **Constante d'affinité**.)

Constante d'équilibre
Rapport des constantes de vitesse d'une réaction s'effectuant vers l'avant et inverse ; égale à la constante d'association. (*Voir* Figure 3-44.)

Constitutif
Produit en quantité constante ; s'oppose à «régulé».

Contrôle combinatoire
Décrit le contrôle d'une étape d'un processus cellulaire, comme l'initiation de la transcription de l'ADN, par l'association de protéines plutôt que par une seule.

Contrôle de la maturation de l'ARN
Contrôle de l'expression des gènes par le contrôle du mode d'épissage ou de toute autre maturation du transcrit d'ARN.

Contrôle négatif
Type de contrôle de l'expression génique au cours duquel le gène est inactivé par la fixation à l'ADN de la forme active de la protéine régulatrice.

Contrôle positif
Type de contrôle de l'expression génique dans lequel la forme de la protéine régulatrice liée à l'ADN active le gène.

Contrôle post-transcriptionnel
Tout contrôle de l'expression génique exercé à un stade qui suit le début de la transcription.

Contrôle respiratoire
Mécanisme régulateur qui contrôle selon les besoins la vitesse de transport des électrons dans la chaîne respiratoire en exerçant une influence directe sur le gradient électrochimique de protons.

Contrôle traductionnel
Contrôle de l'expression génique par sélection de l'ARNm du cytoplasme qui sera traduit par les ribosomes.

Contrôle transcriptionnel
Contrôle de l'expression génique par le contrôle du moment et de la fréquence de transcription du gène.

Conversion génique
Processus qui permet de transférer l'information de la séquence ADN d'une hélice d'ADN (qui reste inchangée) à une autre hélice d'ADN dont la séquence est modifiée. Elle se produit occasionnellement pendant la recombinaison générale.

Coopération

Phénomène au cours duquel la fixation d'une molécule de ligand sur une molécule cible favorise la fixation successive de molécules de ligand. S'observe lors de l'assemblage de gros complexes, ainsi que dans les enzymes et les récepteurs composés de multiples sous-unités allostériques, où elle renforce la réponse au ligand. (*Voir* Figure 15-22.)

Corps cellulaire

Partie principale d'une cellule nerveuse qui contient le noyau. Les autres parties sont les axones et les dendrites.

Corps central

Structure formée à la fin du clivage et qui peut persister pendant un certain temps sous forme d'un lien entre deux cellules filles chez les animaux.

Corpuscule basal

Courte disposition cylindrique des microtubules associés à leurs protéines, retrouvée à la base d'un cil ou d'un flagelle d'une cellule eucaryote. Sert de site de nucléation pour la croissance de l'axonème. Très semblable en structure à un centriole.

Correction contrôlée des mésappariements (par un brin)

Processus de réparation de l'ADN qui corrige les mésappariements des nucléotides insérés pendant la réplication de l'ADN. Un court segment d'ADN néosynthétisé, qui inclut le nucléotide mal apparié, est éliminé et remplacé par la séquence correcte par référence au brin matrice.

Cortex cellulaire

Couche spécialisée de cytoplasme à la face interne de la membrane plasmique. Dans les cellules animales, c'est une couche riche en actine responsable des mouvements de la surface cellulaire.

Co-traductionnel

Décrit l'importation d'une protéine dans le réticulum endoplasmique avant que la chaîne polypeptidique ne soit complètement synthétisée.

Co-transport (transport couplé)

Processus de transport membranaire au cours duquel le transfert d'une molécule dépend du transfert simultané ou séquentiel d'une deuxième molécule.

Coupe

Tranche très fine de tissu, adaptée à l'examen en microscopie.

Couplage chimio-osmotique

Mécanisme qui utilise un gradient d'ions hydrogène (un gradient de pH) au travers d'une membrane pour entraîner un processus nécessitant de l'énergie, comme la production d'ATP ou la rotation d'un flagelle bactérien.

Couple redox

Couple de molécules dans lequel l'une agit comme un donneur d'électrons et l'autre comme un accepteur d'électrons au cours d'une réaction d'oxydo-réduction ; par exemple, NADH (donneur d'électrons) et NAD$^+$ (accepteur d'électrons).

Crêtes

(1) Un des plis de la membrane mitochondriale interne.
(2) Une structure sensorielle de l'oreille interne.

Criblage génétique

Recherche au sein d'une grande collection de mutants d'un mutant pourvu d'un phénotype particulier.

Cristallographie aux rayons X

Technique de détermination de la disposition tridimensionnelle des atomes d'une molécule basée sur le motif de diffraction des rayons X traversant un cristal de cette molécule.

Croissant gris

Bande pigmentaire pâle qui apparaît dans l'œuf de certaines espèces d'amphibiens à l'opposé du site d'entrée du spermatozoïde après la fécondation. Causé par la rotation du cortex de l'œuf et des granules pigmentaires associés. Marque le futur côté dorsal.

Crossing-over chromosomique

Échange d'ADN entre des paires de chromosomes homologues lors de la division I de la méiose. C'est un signe de recombinaison génétique et les zones de crossing-over (chiasmas) sont visibles en microscopie optique. (*Voir* Figure 20-10.)

Cryomicroscopie électronique

Technique de microscopie électronique au cours de laquelle les objets à observer, comme les macromolécules ou les virus, sont rapidement congelés.

Cryptochrome

Flavoprotéine répondant à la lumière bleue, retrouvée dans les végétaux et les animaux. Chez les animaux, elle est impliquée dans les rythmes circadiens.

CSF – *voir* Facteur de stimulation des colonies

Cycle de l'acide citrique (cycle des acides tricarboxyliques, cycle de Krebs)

Voie métabolique centrale présente chez les organismes aérobies. Oxyde les groupements acétyle dérivés des molécules alimentaires en CO_2 et H_2O. Dans les cellules eucaryotes, s'effectue dans les mitochondries.

Cycle des acides tricarboxyliques (TCA) – *voir* Cycle de l'acide citrique

Cycle de l'azote

Circulation naturelle de l'azote entre l'azote moléculaire de l'atmosphère, les molécules inorganiques du sol et les molécules organiques des êtres vivants.

Cycle de Calvin (cycle de Calvin-Benson)

Principale voie métabolique par laquelle CO_2 est incorporé dans les glucides pendant la deuxième étape de la photosynthèse (fixation du carbone) chez les végétaux. Appelé aussi cycle de fixation du carbone.

Cycle cellulaire (cycle de division cellulaire)

Cycle reproducteur d'une cellule : la séquence ordonnée d'événements qui permet à une cellule de dupliquer son contenu et de se diviser en deux.

Cycle du centrosome

Duplication du centrosome (pendant l'interphase) et séparation de deux nouveaux centrosomes (au début de la mitose) qui fournit deux centrosomes pour former les pôles du fuseau mitotique.

Cycle endocytaire-exocytaire

Processus d'endocytose et d'exocytose qui, respectivement, élimine et ajoute de la membrane plasmique à la cellule, n'entraînant aucune modification globale de la surface et du volume de la cellule.

Cycle de fixation du carbone – *voir* Cycle de Calvin

Cycle de Krebs – *voir* Cycle de l'acide citrique

Cycle TCA – *voir* Cycle de l'acide citrique

Cycline

Protéine dont la concentration augmente et diminue périodiquement en phase avec le cycle cellulaire des eucaryotes. Les cyclines activent des protéine-kinases cruciales (les protéine-kinases cyclines-dépendantes, ou Cdk) et facilitent ainsi le contrôle de la progression d'un stade du cycle cellulaire au suivant.

Cycline M

Type de cycline, retrouvé dans toutes les cellules eucaryotes, qui favorise les événements de la mitose.

Cytochrome

Protéine colorée à base d'hème qui transfère les électrons pendant la respiration cellulaire et la photosynthèse.

Cytocinèse

Division du cytoplasme d'une cellule végétale ou animale en deux, différente de la division de son noyau (la mitose).

Cytokine

Protéine ou peptide de signalisation extracellulaire qui agit comme un médiateur local lors de la communication inter-cellulaire.

Cytoplasme

Contenu d'une cellule qui se trouve à l'intérieur de la membrane plasmique, mais, dans le cas des cellules eucaryotes, à l'extérieur du noyau.

Cytosol

Contenu du principal compartiment du cytoplasme, qui exclut les organites entourés d'une membrane comme le réticulum endoplasmique et les mitochondries. Défini à l'origine opérationnellement comme la fraction cellulaire restante après élimination, par centrifugation à faible vitesse, des membranes, des composants du cytosquelette et des autres organites.

Cytosquelette

Système de filaments protéiques situé dans le cytoplasme d'une cellule eucaryote et qui donne à la cellule sa forme et sa capacité à diriger ses mouvements. Ses principaux composants sont les filaments d'actine, les microtubules et les filaments intermédiaires.

Dalton

Unité de masse moléculaire. Approximativement égal à la masse d'un atome d'hydrogène ($1,66 \times 10^{-24}$ g) et très exactement au 1/12 de la masse d'un atome de ^{12}C.

Dégénéré

Ce n'est pas un jugement moral mais un adjectif qui décrit de multiples états qui reviennent à la même chose : des combinaisons différentes de triplets de bases nucléotidiques (codons) qui codent pour le même acide aminé.

Délétion

Type de mutation dans laquelle un seul nucléotide ou une seule séquence de nucléotides a été éliminé de l'ADN.

Dénaturation

Modification spectaculaire de la conformation d'une protéine ou d'un acide nucléique, provoquée par la chaleur ou l'exposition à un produit chimique et qui entraîne généralement une perte de la fonction biologique.

Dendrite

Extension d'une cellule nerveuse, typiquement ramifiée et relativement courte qui reçoit les stimuli des autres cellules nerveuses.

Dépendance d'ancrage

Dépendance de la croissance cellulaire vis-à-vis de l'attachement à un support.

Désensibilisation – *voir* **Adaptation**

Desmosome

Type de jonction intercellulaire d'ancrage généralement formé entre deux cellules épithéliales, caractérisé par des plaques denses de protéines dans lesquelles s'insèrent les filaments intermédiaires des deux cellules adjacentes.

Destin cellulaire

En biologie du développement, décrit ce que forme normalement une cellule particulière à un stade donné de son développement.

Détergent

Petites molécules de type amphipathique qui ont tendance à devenir coalescentes dans l'eau, avec leurs queues hydrophobes enfouies et leurs têtes hydrophiles exposées. Elles sont largement utilisées pour solubiliser les protéines membranaires.

Déterminant antigénique (épitope)

Région spécifique d'une molécule antigénique qui se fixe sur un anticorps ou sur un récepteur des lymphocytes T.

Déterminé

En biologie du développement, une cellule embryonnaire est dite déterminée si elle s'est engagée dans une voie particulière du développement. Cette détermination reflète une modification du caractère interne de la cellule et précède le processus plus facilement détectable de la différenciation cellulaire.

Développement

Succession de modifications qui s'effectuent dans un organisme lorsqu'un ovule fécondé donne naissance à un végétal ou un animal adulte.

Diacylglycérol

Lipide produit par la coupure des inositol phospholipides en réponse à des signaux extracellulaires. Composé de deux chaînes d'acide gras reliées au glycérol, il sert de molécule de signalisation qui facilite l'activation d'une protéine-kinase C.

Différenciation

Processus par lequel une cellule subit une modification en un type cellulaire franchement spécialisé.

Diffusion

Entraînement net des molécules dans la direction de plus faible concentration, du fait de mouvements thermiques aléatoires.

Diffusion facilitée – *voir* **Transport passif**

Diploïde

Qui contient deux jeux de chromosomes homologues et donc deux copies de chaque gène ou locus génétique.

Diplotène

Quatrième stade de la division I de la méiose au cours duquel on observe les chiasmas pour la première fois.

Disaccharide

Molécule de glucide, formée par la réunion de deux unités de monosaccharides. (*Voir* Planche 2-4, p. 116-117.)

Disque imaginal

Groupe de cellules placées de côté dans l'embryon de *Drosophila* et qui se développeront en une structure adulte, comme l'œil, la patte, l'aile.

Disque Z (ligne Z)

Région en forme de plaque d'un sarcomère de muscle sur laquelle sont fixées les extrémités plus des filaments d'actine. Forme une ligne noire transversale sur les microphotographies.

Division cellulaire

Séparation d'une cellule en deux cellules filles. Dans les cellules eucaryotes, elle comprend la division du noyau (mitose) suivie de près par la division du cytoplasme (cytocinèse).

Division cellulaire asymétrique

Division cellulaire qui produit deux cellules filles qui diffèrent, par exemple, de par la taille, la présence ou l'absence de certains constituants cytoplasmiques.

Division I de la méiose

La première division cellulaire de la méiose, au cours de laquelle les membres de chaque paire de chromosomes homologues (dupliqués) sont ségrégés vers les pôles opposés de la cellule en division.

Division II de la méiose

La seconde division cellulaire de la méiose au cours de laquelle les chromatides de chaque chromosome dupliqué sont ségréguées vers les pôles opposés de la cellule en division.

Doigt à zinc

Motif structural de fixation sur l'ADN, présent sur de nombreuses protéines régulatrices de gènes. Composé d'une boucle de chaîne polypeptidique maintenue en une courbure de type épingle à cheveux et reliée à un atome de zinc.

Domaine – *voir* **Domaine protéique**

Domaine d'homologie à la pleckstrine (domaine PH)

Domaine protéique présent dans des protéines de signalisation intracellulaires qui leur permet de se fixer aux inositol phospholipides phosphorylés par la PI-3 kinase.

Domaine immunoglobuline (domaine Ig)

Domaine protéique caractéristique, d'environ 100 acides aminés, présent dans les chaînes légères et lourdes d'immunoglobulines. Des domaines similaires, appelés domaines de type immunoglobuline (ou Ig-like) existent dans beaucoup d'autres protéines impliquées dans les interactions intercellulaires et la reconnaissance de l'antigène et définissent la superfamille des Ig.

Domaine PH – *voir* **Domaine d'homologie à la pleckstrine**

Domaine protéique

Portion d'une protéine qui a une structure tertiaire propre. Les plus grosses protéines sont généralement composées de plusieurs domaines reliés chacun au suivant par une courte région flexible de chaîne polypeptidique.

Domaine SH2

Région 2 d'homologie à la Src; domaine protéique présent dans beaucoup de protéines de signalisation; il se fixe sur une courte séquence d'acides aminés contenant une tyrosine phosphorylée.

Dominant

En génétique, se réfère au membre d'une paire d'allèles qui est exprimé dans le phénotype de l'organisme tandis que l'autre allèle ne l'est pas, même si les deux allèles sont présents. S'oppose à récessif.

Donneur d'électrons

Molécule qui donne facilement un électron, et devient oxydée au cours de ce processus.

Dorsal

Relatif au dos de l'animal. Désigne également la surface supérieure d'une feuille, d'une aile, etc.

Dorsoventral

Décrit l'axe allant du dos au ventre d'un animal ou du côté supérieur au côté inférieur d'une structure.

Double hélice

Structure tridimensionnelle de l'ADN dans laquelle deux chaînes d'ADN sont maintenues ensemble par des liaisons hydrogène entre les bases et enroulées en une hélice.

Drosophila melanogaster

Espèce de petite mouche, appelée communément mouche des fruits, très utilisée pour l'étude génétique du développement.

Dynamine

GTPase cytosolique qui se fixe sur le col d'une vésicule recouverte de clathrine au cours du processus de bourgeonnement à partir de la membrane, et qui est impliquée dans la terminaison de la formation de la vésicule.

Dynéine

Membre d'une famille de grandes protéines motrices qui subissent un mouvement dépendant de l'ATP le long des microtubules. Dans l'axonème des cils, la dynéine forme les bras latéraux qui provoquent le glissement des doublets de microtubules les uns sur les autres.

Dysplasie

Modification de la croissance et du comportement des cellules dans un tissu dans lequel la structure devient désordonnée.

Ectoderme

Tissu embryonnaire précurseur de l'épiderme et du système nerveux.

Édition des ARN

Production d'ARNm fonctionnels par l'insertion ou la modification de nucléotides individuels d'une molécule d'ARN après sa synthèse.

Effet de position

Différence d'expression génique qui dépend de la position du gène sur le chromosome et reflète probablement les différences de l'état de la chromatine le long du chromosome.

Élastine

Protéine hydrophobe qui forme des fibres extracellulaires extensibles (fibres élastiques) qui donnent aux tissus leur élasticité et leur capacité à s'étirer.

Électron

Particule sub-atomique de charge négative qui occupe généralement les orbites qui entourent le noyau d'un atome.

Électrophorèse bidimensionnelle sur gel

Type d'électrophorèse au cours de laquelle le mélange protéique passe d'abord dans une direction puis dans une direction perpendiculaire à la première. Permet une meilleure séparation de chaque protéine.

Électrophorèse sur gel de polyacrylamide-SDS (SDS-PAGE)

Type d'électrophorèse au cours de laquelle le mélange de protéines à séparer est passé sur un gel contenant un détergent, le sodium dodécyl sulfate (SDS) qui déplie les protéines et les libère de leur association avec les autres molécules.

Élément isolateur

Séquence d'ADN qui empêche une protéine régulatrice de gènes, liée à l'ADN dans la région de contrôle du gène, d'influencer la transcription des gènes adjacents.

Élément transposable

Segment d'ADN qui peut passer d'une position dans le génome à une autre. Appelé aussi transposon.

Élimination de l'ARNm non-sens

Mécanisme d'élimination des ARNm aberrants qui contiennent des codons stop dans le cadre de lecture avant qu'ils puissent être traduits.

Embryogenèse

Développement d'un embryon à partir d'un ovule fécondé, ou zygote.

Empreinte génomique parentale

Situation où un gène est soit exprimé soit non exprimé dans l'embryon en fonction du parent à partir duquel il est transmis.

Empreinte sur l'ADN (*foot-printing*)

Technique de détermination de la séquence d'ADN sur laquelle se fixe une protéine de liaison à l'ADN.

Endocytose

Absorption de matériel dans une cellule par invagination de la membrane plasmique et son internalisation dans une vésicule entourée d'une membrane. (*Voir aussi* **Pinocytose** et **Phagocytose**.)

Endocytose en phase liquide

Type d'endocytose au cours duquel de petites vésicules bourgeonnent vers l'intérieur et se séparent de la membrane plasmique, transportant dans la cellule les liquides extracellulaires et le matériel dissous. (*Voir aussi* **Pinocytose**.)

Endocytose médiée par les récepteurs

Internalisation par endocytose de complexes récepteur-ligand à partir de la membrane plasmique. Elle sert à absorber certaines macromolécules comme les lipoprotéines contenant du cholestérol à partir du liquide extracellulaire et représente aussi un moyen de recyclage des récepteurs protéiques une fois qu'ils ont lié leurs ligands.

Endoderme

Tissu embryonnaire précurseur du tube digestif et des organes qui y sont associés.

Endosome

Organite des cellules animales, entouré d'une membrane, qui transporte des matériaux nouvellement ingérés par endocytose et les transmet en grande partie aux lysosomes pour leur dégradation.

Endosome de recyclage

Grande vésicule intracellulaire, entourée d'une membrane, formée à partir d'un fragment d'endosome, qui représente une étape intermédiaire par où passent les récepteurs recyclés qui retournent à la membrane plasmique.

Énergie d'activation

Énergie supplémentaire qui doit être possédée par des atomes ou des molécules en plus de leur énergie de base afin de subir une réaction chimique particulière. (*Voir* Figure 2-44.)

Énergie de liaison
Force d'une liaison chimique entre deux atomes, mesurée par l'énergie, en kilocalorie ou kilojoules, nécessaire pour la rompre.

Énergie libre (G)
Énergie qui peut être extraite d'un système pour entraîner des réactions. Prend en compte les variations à la fois de l'énergie et de l'entropie.

Entropie
Quantité thermodynamique qui mesure le degré de désordre d'un système. Plus l'entropie est haute, plus le désordre est grand.

Enveloppe nucléaire
Double membrane qui entoure le noyau. Composée d'une membrane interne et d'une membrane externe et perforée de pores nucléaires.

Enzyme
Protéine qui catalyse une réaction chimique spécifique.

Enzyme protéolytique – *voir* **Protéase**

Épiderme
Couche épithéliale qui recouvre la surface externe du corps. Il a différentes structures dans différents groupes d'animaux. La couche externe du tissu végétal est aussi appelée épiderme.

Épimérisation
Réaction qui modifie l'arrangement stérique autour d'un atome comme dans une molécule de sucre.

Épinéphrine – *voir* **Adrénaline**

Épissage alternatif de l'ARN
La production de différentes protéines à partir du même transcrit d'ARN grâce à un épissage s'effectuant de différentes manières.

Épissage de l'ARN
Processus au cours duquel les séquences d'introns sont excisées à partir des transcrits d'ARN dans le noyau pendant la formation d'ARN messager et d'autres ARN.

Épithélium
Feuillet cohérent de cellules formé à partir d'une ou de plusieurs couches de cellules recouvrant une surface externe ou tapissant une cavité.

Épitope – *voir* **Déterminant antigénique**

Équation de Nernst
Expression quantitative liée au rapport entre l'équilibre de la concentration en un ion de part et d'autre d'une membrane perméable et la différence de voltage à travers cette membrane. (*Voir* Planche 11-2, p. 634.)

Équilibre
État où il n'y a pas de modification nette d'un système. Par exemple, l'équilibre est atteint dans une réaction chimique lorsque les vitesses de réaction vers l'avant et à l'inverse sont égales.

Érythrocyte (globule rouge, hématie)
Petite cellule sanguine des vertébrés qui contient de l'hémoglobine et transporte l'oxygène et le dioxyde de carbone vers les tissus et hors des tissus.

Érythropoïétine
Facteur de croissance qui stimule la production des hématies. Est produite par le rein et agit sur les cellules précurseurs dans la moelle.

Escherichia coli (E. coli)
Bactérie en bâtonnet normalement présente dans le côlon de l'homme et d'autres mammifères et largement utilisée dans la recherche biomédicale.

Espace intermembranaire
(1) Sous-compartiment formé entre les membranes mitochondriales interne et externe. (2) Compartiment correspondant dans les chloroplastes.

Espace matriciel
(1) Sous-compartiment central d'une mitochondrie entouré par la membrane mitochondriale interne. (2) Compartiment correspondant des chloroplastes, plus communément appelé stroma.

Ester
Molécule formée par la réaction de condensation d'un groupement alcool avec un groupement acide. Les groupements phosphate forment généralement des esters lorsqu'ils sont liés à une deuxième molécule. (*Voir* Planche 2-1, p. 110-111.)

État de transition
Structure qui se forme transitoirement pendant une réaction chimique et possède la plus forte énergie libre de toutes les réactions intermédiaires. Sa formation est une étape qui limite la vitesse de la réaction.

Éthyle (–CH_2CH_3)
Groupement chimique hydrophobe dérivé de l'éthane (CH_3CH_3).

Eucaryote
Organisme composé d'une ou de plusieurs cellules dotées d'un noyau et d'un cytoplasme distincts. Comprend toutes les formes de vie sauf les virus et les procaryotes (bactéries et archéobactéries).

Euchromatine
Région d'un chromosome en interphase qui se colore de façon diffuse ; la chromatine normale, par opposition à l'hétérochromatine plus condensée.

Exclusion allélique
L'expression d'un gène d'une chaîne d'immunoglobuline (ou d'une chaîne du récepteur des lymphocytes T) à partir d'un seul des deux loci homologues présents pour ce gène dans le lymphocyte.

Exocytose
Processus par lequel la plupart des molécules sont sécrétées par une cellule eucaryote. Ces molécules sont placées dans des vésicules recouvertes d'une membrane qui fusionnent avec la membrane plasmique, et libèrent leur contenu à l'extérieur.

Exon
Segment d'un gène eucaryote composé de la séquence de nucléotides qui sera représentée dans l'ARN messager, l'ARN de transfert ou l'ARN ribosomique définitifs. Dans les gènes qui codent pour les protéines, les exons codent pour les acides aminés de la protéine. Un exon est généralement adjacent à un segment d'ADN non codant appelé intron.

Expression
Production d'un phénotype observable par un gène – en général en dirigeant la synthèse d'une protéine.

Extension convergente
Réarrangement cellulaire à l'intérieur d'un tissu qui provoque son extension dans une dimension (par exemple la longueur) et son rétrécissement dans l'autre (par exemple la largeur).

Extrémité amino-terminale (extrémité N-terminale)
L'extrémité d'une chaîne polypeptidique qui transporte un groupement libre α-aminé.

Extrémité carboxyle (extrémité C-terminale)
L'extrémité d'une chaîne polypeptidique qui transporte un groupement libre α-carbonyle.

Extrémité C-terminale – *voir* **Extrémité carboxyle**

Extrémité moins
Extrémité d'un microtubule ou d'un filament d'actine sur laquelle l'addition des monomères se produit moins facilement ; extrémité à croissance lente du microtubule ou du filament

d'actine. L'extrémité moins d'un filament d'actine est aussi appelée extrémité pointue. (*Voir* Planche 16-2, p. 912-913.)

Extrémité N-terminale – *voir* **Extrémité amino-terminale**

Extrémité plus
Extrémité d'un microtubule ou d'un filament d'actine où se produit plus rapidement l'addition des monomères ; l'extrémité à croissance rapide d'un microtubule ou d'un filament d'actine. L'extrémité plus d'un filament d'actine est aussi appelée l'extrémité à barbes. (*Voir* Planche 16-2, p. 912-913.)

Face *cis*
Face d'un dictyosome golgien au niveau de laquelle les matériaux entrent dans l'organite. Elle est adjacente au réseau *cis*-golgien.

Face *trans*
Face d'un dictyosome golgien au niveau de laquelle les matériaux quittent l'organite pour la surface cellulaire ou un autre compartiment cellulaire. Elle est adjacente au réseau *trans*-golgien.

Facteur de croissance
Molécule de signalisation polypeptidique extracellulaire qui peut stimuler la croissance ou la prolifération d'une cellule. Les exemples sont : le facteur de croissance épidermique (EGF), et le facteur de croissance dérivé des plaquettes (PDGF). La plupart des facteurs de croissance ont aussi d'autres actions.

Facteur d'échange des nucléotides guanyliques (GEF)
Protéines qui se fixent sur une protéine de liaison au GTP et l'activent en stimulant la libération de son GDP solidement fixé, lui permettant ainsi de fixer du GTP à la place.

Facteur d'élongation
Protéine nécessaire à l'addition d'acides aminés sur une chaîne polypeptidique en croissance au niveau des ribosomes.

Facteur général de transcription
Toutes les protéines dont l'assemblage autour de la boîte TATA est nécessaire pour l'initiation de la transcription de la plupart des gènes eucaryotes.

Facteur d'initiation
Protéine qui favorise l'association correcte entre un ribosome et un ARN messager ; il est nécessaire à l'initiation de la synthèse protéique.

Facteur de stimulation des colonies (CSF pour *colony stimulating factor*)
Nom général de nombreuses molécules de signalisation qui contrôlent la différenciation des cellules sanguines.

Facteur de survie
Signal extracellulaire nécessaire à la survie de la cellule ; en son absence la cellule subit une apoptose et meurt.

Facteur de transcription
Terme général appliqué à n'importe quelle protéine nécessaire à l'initiation ou à la régulation de la transcription chez les eucaryotes. Inclut à la fois les protéines régulatrices de gènes et les facteurs généraux de transcription.

FADH$_2$ (flavine adénine dinucléotide réduite)
Molécule de transport produite par le cycle de l'acide citrique.

FAK – *voir* **Kinase FAK**

Famille des IAP
Protéines intracellulaires inhibitrices de l'apoptose.

Famille des inhibiteurs de l'apoptose – *voir* **Famille des IAP**

Famille des récepteurs de type Toll (TLR)
Importante famille de récepteurs de reconnaissance du motif des mammifères, abondants dans les macrophages, les neutrophiles et les cellules épithéliales de l'intestin. Ils reconnaissent les immunostimulants associés aux germes pathogènes comme les lipopolysacharides et les peptidoglycanes.

Famille Src
Famille de tyrosine-kinases cytoplasmiques (prononcer « sark ») qui s'associent aux domaines protéiques de certains récepteurs, couplés à des enzymes (par exemple le récepteur aux antigènes des lymphocytes T), dépourvus d'une activité tyrosine-kinase intrinsèque. Elles transmettent le signal vers l'avant par la phosphorylation du récepteur lui-même et d'autres protéines de signalisation.

Fécondation
Fusion d'un gamète mâle avec un gamète femelle (tous deux haploïdes) pour former un zygote diploïde, qui se développe en un nouvel individu.

Fermentation
Voie métabolique anaérobie, génératrice d'énergie, au cours de laquelle le pyruvate produit par la glycolyse est converti, par exemple, en lactate ou éthanol, avec conversion de NADH en NAD$^+$.

Fermeture Éclair à leucine
Motif structural observé dans beaucoup de protéines de liaison à l'ADN, dans lequel deux hélices α, issues de protéines séparées, sont réunies en un superenroulement (plutôt comme une fermeture Éclair) et forment un dimère protéique.

Feuillet bêta (feuillet β)
Motif structural fréquent des protéines dans lequel différentes parties de la chaîne polypeptidique s'étendent latéralement l'une par rapport à l'autre, reliées par des liaisons hydrogène entre les atomes du squelette polypeptidique. Appelé aussi feuillet β-plissé.

Fibrille de collagène
Structure extracellulaire formée par l'auto-assemblage de sous-unités sécrétées de collagène fibrillaire. Un des constituants abondants de la matrice extracellulaire dans beaucoup de tissus animaux.

Fibroblaste
Type cellulaire fréquemment retrouvé dans le tissu conjonctif. Sécrète une matrice extracellulaire riche en collagène et en autres macromolécules matricielles extracellulaires. Migrent et prolifèrent facilement dans les tissus lésés et dans les cultures tissulaires.

Fibronectine
Protéine de la matrice extracellulaire impliquée dans l'adhésion des cellules sur la matrice et le guidage des cellules migrantes pendant l'embryogenèse. Les intégrines à la surface des cellules sont des récepteurs de la fibronectine.

Filament d'actine (microfilament)
Filament protéique hélicoïdal formé par la polymérisation de molécules d'actine globulaire. Un des constituants majeurs du cytosquelette de toutes les cellules eucaryotes et une des parties de l'appareil contractile du muscle squelettique.

Filament intermédiaire
Filament protéique fibreux (d'environ 10 nm de diamètre) qui forme des réseaux de type cordage dans les cellules animales. Un des trois types principaux de filaments du cytosquelette. (*Voir* Planche 16-1, p. 909.)

Filopode
Protrusion fine en forme de pointe composée d'un cœur de filaments d'actine, et formée sur le bord avant d'une cellule animale en migration.

Filtre de sélectivité
Partie de la structure d'un canal ionique qui détermine l'ion qu'il peut transporter.

Fixateur
Réactif chimique comme le formaldéhyde ou le tétroxyde d'osmium utilisé pour conserver les cellules pour leur examen en microscopie. Les échantillons traités par ces réactifs sont dits fixés et le processus est appelé fixation.

Fixation de l'azote
Processus biologique, effectué par certaines bactéries, qui réduit l'azote atmosphérique (N$_2$) en ammoniac, ce qui conduit pour finir à divers métabolites contenant de l'azote.

Fixation du carbone
Processus par lequel les végétaux verts incorporent dans les sucres les atomes de carbone à partir du dioxyde de carbone atmosphérique. La deuxième étape de la photosynthèse.

Flagelle
Longue protrusion de type fouet dont les ondulations entraînent une cellule dans un milieu liquide. Les flagelles des eucaryotes sont de plus longues versions des cils. Les flagelles bactériens sont plus petits et totalement différents de par leur construction et leurs mécanismes d'action.

Fluorescéine
Colorant fluorescent de fluorescence verte lorsqu'il est illuminé en lumière bleue ou ultraviolette.

Force hydrophobe
Force exercée par le réseau de liaisons hydrogène des molécules d'eau qui rapproche deux surfaces non polaires et exclut l'eau entre elles.

Force proto-motrice
Force d'entraînement qui déplace les protons à travers une membrane du fait d'un gradient électrochimique de protons.

Fourche de réplication
Région d'une molécule d'ADN en réplication, en forme de V, sur laquelle se forment puis se séparent les deux brins fils.

Fragments d'Okazaki
Courts ADN produits sur le brin tardif pendant la réplication de l'ADN. Ils sont rapidement réunis par une ADN-ligase pour former un brin d'ADN continu.

FRET – *voir* **Technique FRET**

Fuseau mitotique
Disposition des microtubules et de leurs protéines associées qui se forme entre les pôles opposés d'une cellule eucaryote pendant la mitose et servent à déplacer les chromosomes dupliqués pour les séparer.

Fusion cellulaire
Processus au cours duquel les membranes plasmiques de deux cellules fusionnent au niveau de leur point de contact, permettant aux deux cytoplasmes de se mélanger.

G – *voir* **Énergie libre**

ΔG – *voir* **Variation d'énergie libre**

$\Delta G°$ – *voir* **Variation d'énergie libre standard**

G_0
Phase G-«zéro». État de retrait du cycle de division cellulaire des eucaryotes par l'entrée dans la phase G_1 quiescente. État fréquent des cellules différenciées.

G_1/S-Cdk
Complexe formé dans les cellules des vertébrés par une cycline G_1/S et la kinase cycline-dépendante (Cdk) correspondante.

G_1-Cdk
Complexe formé dans les cellules des vertébrés par une cycline G_1 et la kinase cycline-dépendante (Cdk) correspondante.

GAG – *voir* **Glycosaminoglycane**

Gaine de myéline
Couche isolante d'une membrane cellulaire spécialisée, enroulée autour des axones des vertébrés. Produite par les oligodendrocytes dans le système nerveux central et par les cellules de Schwann dans le système nerveux périphérique.

Gamète
Cellule haploïde spécialisée, soit un spermatozoïde soit un ovule, qui sert à la reproduction sexuée.

Ganglion
Amas de cellules nerveuses associées à des cellules de la glie; le ganglion est localisé à l'extérieur du système nerveux central.

Ganglioside
Tout glycolipide ayant un ou plusieurs résidus d'acide sialique dans sa structure. Présent dans la membrane plasmique des cellules eucaryotes et particulièrement abondant dans les cellules nerveuses.

Gastrulation
Stade de l'embryogenèse d'un animal pendant lequel l'embryon est transformé d'une balle de cellules en une structure dotée d'un tube digestif (une gastrula).

Gène
Région d'ADN qui contrôle un petit caractère héréditaire, et correspond en général à une seule protéine ou un seul ARN; cette définition englobe toute l'unité fonctionnelle composée des séquences d'ADN codantes, des séquences d'ADN non codantes régulatrices et des introns.

Gène de l'ARNr
Gène qui spécifie un ARN ribosomique (ARNr).

Gène *cdc* – *voir* **Gène du cycle de division cellulaire**

Gène du cycle de division cellulaire (gène *cdc*)
Gène qui contrôle une étape ou un groupe d'étapes spécifiques dans le cycle cellulaire eucaryote. Identifié en premier chez les levures.

Gène domestique
Gène servant à une fonction nécessaire à tous les types cellulaires d'un organisme, quels que soient leurs rôles spécifiques.

Gène structural
Région d'ADN qui code pour une protéine ou une molécule d'ARN qui forme une partie d'une structure ou possède une fonction enzymatique. Différente des régions d'ADN qui régulent l'expression des gènes.

Gène suppresseur de tumeur
Gène qui semble éviter la formation d'un cancer. Les mutations avec perte de fonction de ce type de gène augmentent la sensibilité aux cancers.

Gène de virulence
Gène qui contribue à la capacité d'un organisme à provoquer une maladie.

Génétique inverse
Méthode de découverte de la fonction des gènes qui commence par l'ADN (gène) et les protéines puis engendre des mutants pour analyser la fonction des gènes.

Génome
La totalité des informations génétiques appartenant à une cellule ou à un organisme; en particulier, l'ADN qui porte ces informations.

Génomique
Science de l'étude des séquences d'ADN et des propriétés du génome complet.

Génotype
La constitution génétique d'une cellule ou d'un organisme particulier.

GFP – *voir* **Protéine de fluorescence verte**

G_i – *voir* **Protéine G inhibitrice**

Giga
Préfixe dénotant 10^9. (Du grec *gigas*, «géant».)

Globule blanc sanguin (leucocyte)
Nom général de toutes les cellules sanguines nucléées, dépourvues d'hémoglobine. Inclut les lymphocytes, les neutrophiles, les éosinophiles, les basophiles et les monocytes.

Globule rouge (hématie) – *voir* **Érythrocyte**

Glucide (hydrate de carbone)
Terme général pour les sucres et les composés apparentés, contenant du carbone, de l'hydrogène et de l'oxygène, en général avec la formule empirique $(CH_2O)n$.

Glucose

Sucre à six atomes de carbone qui joue un rôle majeur dans le métabolisme des cellules vivantes. Mis en réserve sous forme de polymère comme le glycogène dans les cellules animales et l'amidon dans les cellules végétales. (*Voir* Planche 2-4, p. 116-117.)

Glutaraldéhyde

Petite molécule réactive pourvue de deux groupements aldéhyde, souvent utilisée comme fixateur en créant des liaisons croisées.

Glycérol

Petite molécule organique qui est le composé parental de nombreuses petites molécules de la cellule, y compris les phospholipides.

Glycocalyx (manteau cellulaire)

Couche riche en glucides qui forme le manteau externe d'une cellule eucaryote. Composé d'oligosaccharides, reliés à des glycoprotéines et des glycolipides intrinsèques de la membrane plasmique ainsi qu'à des glycoprotéines et des protéoglycanes, qui ont été sécrétés et réabsorbés à la surface cellulaire.

Glycogène

Polysaccharide composé exclusivement d'unités de glucose, utilisé pour stocker l'énergie dans les cellules animales. Les gros granules de glycogène sont particulièrement abondants dans le foie et les cellules musculaires.

Glycolipide

Molécule lipidique membranaire pourvue d'un résidu de sucre ou d'un oligosaccharide attaché sur le groupement polaire de tête. (*Voir* Planche 2-5, p. 118-119.)

Glycolyse

Voie métabolique ubiquiste du cytosol au cours de laquelle les sucres sont partiellement dégradés, ce qui produit de l'ATP. (Littéralement, «cassure des sucres».)

Glycoprotéine

Toute protéine ayant une ou plusieurs chaînes d'oligosaccharides reliées de façon covalente à des chaînes latérales d'acides aminés. La plupart des protéines sécrétées et des protéines exposées à la surface externe de la membrane plasmique sont des glycoprotéines.

Glycosaminoglycanes (GAG)

Long polysaccharide linéaire fortement chargé composé d'une paire répétitive de sucres, dont l'un est toujours un sucre aminé. Surtout observé lié de façon covalente à un noyau protéique dans les protéoglycanes de la matrice extracellulaire. Les exemples sont : la chondroïtine sulfate, l'acide hyaluronique et l'héparine.

Glycosylation

Processus d'addition d'un ou de plusieurs sucres sur une protéine ou une molécule lipidique. (*Voir aussi* **O-glycosylation**.)

Glycosylation protéique

Addition post-traductionnelle d'une chaîne latérale d'oligosaccharides sur une protéine.

GMP cyclique

Petite molécule de signalisation intracellulaire soluble formée à partir de GTP par une enzyme, la guanylate cyclase, en réponse à la stimulation des photorécepteurs de la rétine.

GPF – *voir* **Protéine de fluorescence verte**

G_q

Classe de récepteurs couplés aux protéines G qui activent la phospholipase C-β et commencent la voie de signalisation par les inositolphospholipides.

Gradient électrochimique

Influence combinée de la différence de concentration en un ion de part et d'autre d'une membrane et de la différence de charge électrique des deux côtés de cette membrane (potentiel membranaire). Il produit une force d'entraînement qui provoque le déplacement de l'ion à travers la membrane.

Gradient électrochimique de protons

Le résultat de l'association d'un gradient de pH (gradient de protons) et du potentiel de membrane.

Graisse

Lipides de réserve énergétique des cellules. Est composée de triglycérides – acides gras estérifant le glycérol.

Grana (au singulier, granum)

Disques membranaires empilés (thylacoïdes) dans les chloroplastes qui contiennent de la chlorophylle et sont le site des réactions de piégeage de la lumière pendant la photosynthèse.

Granules corticaux

Vésicule sécrétrice spécialisée présente sous la membrane plasmique d'un ovule non fécondé, y compris celui des mammifères ; après la fécondation, ils sont impliqués dans la prévention de l'entrée d'autres spermatozoïdes.

Granulocyte

Catégorie de leucocytes facilement différenciés par la présence de granules cytoplasmiques bien visibles. Comprend les neutrophiles, les basophiles et les éosinophiles.

Groupement acyle

Groupement fonctionnel dérivé d'un acide carboxylique ($R-C{\lessgtr}^O_{OH}$). (R représente un groupement alkyle, comme le méthyle.)

Groupement alkyle

Terme général pour un groupe d'atomes de carbone et d'hydrogène liés de façon covalente comme les groupements méthyle ($-CH_3$) ou éthyle ($-CH_2CH_3$). Ces groupements peuvent être formés par l'élimination d'un atome d'hydrogène d'un alcane.

Groupement amine

Groupement fonctionnel faiblement alcalin dérivé de l'ammoniac (NH_3) dans lequel un ou plusieurs atomes d'hydrogène sont remplacés par un autre atome. En solution aqueuse, il peut accepter un proton et porter une charge positive.

Groupement carbonyle

Paire d'atomes, composée d'un atome de carbone relié à un atome d'oxygène par une double liaison (C=O).

Groupement carboxyle

Atome de carbone lié à la fois à un atome d'oxygène par une double liaison et à un groupement hydroxyle. Les molécules contenant un groupement carboxyle sont des acides faibles – **acides carboxyliques** ($-C{\lessgtr}^O_{OH}$).

Groupement chimique

Ensemble d'atomes liés de façon covalente, comme le groupement hydroxyle (-OH) ou le groupement amine (-NH$_2$), dont le comportement chimique est bien caractérisé.

G_s – *voir* **Protéine G stimulatrice**

GTP (guanosine 5'-triphosphate)

Nucléoside triphosphate produit par la phosphorylation du GDP (guanosine diphosphate). Comme l'ATP, il libère une grande quantité d'énergie libre lors de l'hydrolyse de son groupement phosphate terminal. Il joue un rôle spécifique dans l'assemblage des microtubules, la synthèse des protéines et la signalisation cellulaire.

GTPase

Activité enzymatique qui effectue la conversion du GTP en GDP. Nom commun également utilisé pour les protéines monomériques de liaison au GTP. (*Voir* **Protéine de liaison au GTP.**)

H$^+$ – *voir* **Proton**

Haploïde

Qui n'a qu'un seul jeu de chromosomes, comme les spermatozoïdes et les bactéries, par opposition à diploïde (qui a deux jeux de chromosomes).

Hélice alpha (hélice α)

Motif fréquent de repliement des protéines dans lequel une séquence linéaire d'acides aminés se replie en une hélice avec pas à droite stabilisée par des liaisons hydrogène internes entre les atomes du squelette.

Hélice-boucle-hélice (HLH)
Motif structural de liaison sur l'ADN de beaucoup de protéines régulatrices de gènes. Ne doit pas être confondue avec hélice-coude-hélice.

Hématopoïèse
Formation des cellules sanguines, surtout dans la moelle osseuse.

Hème
Molécule organique cyclique contenant un atome de fer qui transporte l'oxygène dans l'hémoglobine et un électron dans les cytochromes. (*Voir* Figure 14-22.)

Hémidesmosome
Jonction d'ancrage spécialisée entre une cellule épithéliale et la lame basale sous-jacente.

Hémoglobine
Protéine majeure des hématies, qui s'associe avec O_2 dans les poumons au moyen d'un groupement hème lié.

Hépatocyte
Cellule hépatique.

Hétérocaryon
Cellule ayant deux ou plusieurs noyaux génétiquement différents ; produite par la fusion de deux ou plusieurs cellules différentes.

Hétérochromatine
Région d'un chromosome qui garde de la chromatine particulièrement condensée ; transcriptionnellement inactive pendant l'interphase.

Hétérodimère
Complexe protéique composé de deux chaînes polypeptidiques différentes.

Hétérozygote
Cellule ou individu diploïde ayant deux allèles différents sur un ou plusieurs gènes spécifiques.

Histone
Un membre d'un groupe de petites protéines abondantes riches en arginine et en lysine dont quatre forment le nucléosome sur l'ADN des chromosomes eucaryotes.

HLH – *voir* **Hélice-boucle-hélice**

Holoenzyme de l'ARN polymérase II
Gros complexe pré-assemblé d'ARN polymérase II, de la plupart des facteurs nécessaires à sa fonction et du complexe médiateur protéique.

Homéoboîte (en anglais : homeobox)
Courte séquence d'ADN conservée (180 paires de bases de long) qui code pour un motif protéique de liaison à l'ADN (l'homéodomaine) fameux du fait de sa présence dans les gènes impliqués dans l'orchestration du développement chez une grande variété d'organismes.

Homéodomaine
Domaine de liaison à l'ADN qui définit une classe de protéines régulatrices de gènes très importante pendant le développement animal.

Homologue (adj.)
Décrit des organes ou des molécules similaires à cause de leur origine évolutive commune. En particulier, décrit les similitudes de séquences de protéines ou d'acides nucléiques.

Homologue (nom)
(1) Un gène parmi deux ou plusieurs gènes de séquences similaires et qui dérivent d'un même gène ancestral. Le terme recouvre les gènes paralogues et orthologues. (2) *Voir* **Chromosome homologue**.

Homozygote
Cellule ou organisme diploïde dont les deux allèles d'un gène ou d'un groupe de gènes sont identiques.

Horloge circadienne
Processus interne cyclique qui produit une modification particulière dans une cellule ou un organisme avec une période d'environ 24 heures ; par exemple, le cycle veille-sommeil de l'homme.

Hormone
Molécule de signalisation sécrétée par une cellule endocrinienne dans le courant sanguin et qui peut ainsi être transportée vers des cellules cibles éloignées.

Hybridation
En biologie moléculaire, processus par lequel deux brins d'acide nucléique forment une double hélice. Forme la base d'une technique puissante de détection de séquences nucléotidiques spécifiques.

Hybridation *in situ*
Technique qui utilise un ARN ou un ADN simple brin pour localiser par hybridation un gène ou une molécule d'ARN messager dans une cellule ou un tissu.

Hybridome
Lignée cellulaire utilisée pour la production d'anticorps monoclonaux. Obtenue par la fusion de lymphocytes B sécrétant des anticorps avec une cellule d'une tumeur lymphocytaire.

Hydrocarbure
Composé possédant seulement des atomes de carbone et d'hydrogène. (*Voir* Planche 2-1, p. 110-111.)

Hydrolase acide
Groupe d'enzymes hydrolytiques (comprenant des protéases, des nucléases, des glycosidases) dont l'activité optimale se situe à un pH acide (autour de 5,0) et qu'on trouve dans les lysosomes.

Hydrolyse (adjectif : hydrolytique)
Coupure d'une liaison covalente qui s'accompagne de l'addition d'eau, –H étant ajouté à un des produits de la coupure et –OH à l'autre.

Hydrophile
Décrit une molécule polaire ou une partie d'une molécule qui forme assez d'interactions énergétiquement favorables avec les molécules d'eau pour se dissoudre rapidement dans l'eau. (Littéralement, « qui aime l'eau ».)

Hydrophobe (lipophile)
Décrit une molécule non polaire ou une partie d'une molécule qui ne peut pas former des interactions énergétiquement favorables avec les molécules d'eau et ne se dissout donc pas dans l'eau. (Littéralement, « qui hait l'eau ».)

Hydroxyle (–OH)
Groupement chimique composé d'un atome d'hydrogène lié à un oxygène, comme dans un alcool.

Hypertonique
Décrit tout milieu ayant une forte concentration de solutés qui provoque par osmose la sortie de l'eau d'une cellule.

Hypotonique
Décrit tout milieu de concentration suffisamment basse en solutés pour provoquer par osmose l'entrée d'eau dans la cellule.

Ig – *voir* **Immunoglobulines**

Îlot CG
Région d'ADN ayant une densité supérieure à la moyenne en séquences CG ; ces régions restent généralement non méthylées.

Immortalisation
Production d'une lignée cellulaire capable d'un nombre illimité de divisions cellulaires. Peut être le résultat d'une transformation chimique ou virale ou de la fusion des cellules originelles avec des cellules de la lignée tumorale.

Immunoglobuline (Ig)
Molécule d'anticorps. Les vertébrés supérieurs ont cinq classes d'immunoglobulines – IgA, IgD, IgE, IgG, et IgM – chacune ayant un rôle différent dans la réponse immunitaire.

Immunoprécipitation
Utilisation d'un anticorps spécifique pour précipiter la protéine antigénique correspondante. Cette technique permet d'identifier des complexes de protéines qui interagissent dans des extraits cellulaires en utilisant un anticorps spécifique de l'une des protéines pour précipiter le complexe.

Inactivation de X
Inactivation d'une copie du chromosome X dans les cellules somatiques des mammifères femelles.

Induction
En biologie du développement, modification du destin de développement d'un tissu provoquée par une interaction avec un autre tissu. Ce type d'interaction est appelé **interaction inductive**.

Information positionnelle
Informations fournies ou possédées par les cellules en fonction de leur position dans un organisme multicellulaire. L'enregistrement interne des informations positionnelles de la cellule s'appelle la valeur positionnelle.

Inhibition par rétrocontrôle
Type de régulation du métabolisme au cours de laquelle une enzyme qui agit au début de la voie de réaction est inhibée par un produit tardif de cette voie.

Inositol phospholipide
Une des familles de lipides contenant des dérivés inositol phosphorylés. Bien que ce soient des composants mineurs de la membrane plasmique, ils sont importants pour la transduction des signaux dans les cellules eucaryotes. (*Voir* Figure 15-34.)

Insaturé
Décrit une molécule qui contient une ou plusieurs doubles ou triples liaisons carbone-carbone, comme l'isoprène et le benzène.

Instabilité dynamique
Propriété qui désigne la conversion soudaine de la croissance à la décroissance et vice-versa d'un filament protéique comme un microtubule ou un filament d'actine. (*Voir* Planche 16-2, p. 912-913.)

Insuline
Hormone polypeptidique sécrétée par les cellules β du pancréas qui permet la régulation du métabolisme du glucose chez les animaux.

Intégrine
Membre d'une grande famille de protéines transmembranaires impliquées dans l'adhésion des cellules à la matrice extracellulaire et aux autres cellules.

Interférence de l'ARN (ARNi)
Dégradation intracellulaire sélective de l'ARN destinée à éliminer les ARN étrangers comme ceux des virus. Les fragments coupés à partir de l'ARN libre double brin dirigent le mécanisme de dégradation sur les autres séquences similaires d'ARN. Largement exploité dans une technique qui sert à bloquer l'expression de gènes définis.

Interféron γ (IFN-γ)
Cytokine sécrétée par certains types de lymphocytes T après leur activation ; elle améliore la réponse antivirale et l'activation des macrophages.

Interleukine
Peptide ou protéine sécrété qui permet principalement des interactions locales entre les globules blancs sanguins (leucocytes) pendant l'inflammation et les réponses immunitaires.

Interphase
Longue période du cycle cellulaire entre une mitose et la suivante. Comprend la phase G_1, la phase S et la phase G_2.

Intron
Région non codante d'un gène eucaryote transcrite en une molécule d'ARN puis excisée par épissage de l'ARN pendant la production de l'ARN messager ou d'autres ARN structuraux fonctionnels.

Inversion
Type de mutation au cours de laquelle un segment de chromosome est inversé.

In vitro
Terme utilisé par les biochimistes pour décrire un processus qui s'effectue dans un extrait acellulaire isolé. Utilisé aussi par les biologistes cellulaires pour se référer aux cellules qui se développent en culture (*in vitro*), par opposition à celles se développant dans un organisme (*in vivo*). (Du latin, « dans le verre ».)

In vivo
Dans une cellule ou un organisme intact. (Du latin, « dans la vie ».)

Ion
Atome qui a gagné ou perdu des électrons pour acquérir une charge : par exemple Na^+ et Cl^-.

Ion hydronium (H_3O)
Molécule d'eau associée à un proton.

Ionophore
Petite molécule hydrophobe qui se dissout dans les bicouches lipidiques et augmente leur perméabilité à des ions inorganiques spécifiques.

Isomères
Molécules formées à partir des mêmes atomes reliés par les mêmes liaisons chimiques mais dont la conformation tridimensionnelle est différente. (*Voir* Planche 2-4, p. 116-117.)

Isoprénoïde (polyisoprénoïde)
Membre d'une grande famille de molécules lipidiques dont le squelette carboné est formé de multiples unités isoprène à cinq carbones. Les exemples incluent l'acide rétinoïque et le dolichol.

Isotope
Une des nombreuses formes d'un atome qui diffèrent par la masse atomique mais ont le même nombre de protons et d'électrons et, de ce fait, la même chimie. Peuvent être soit stables soit radioactifs.

Isotope radioactif
Forme d'un atome à noyau instable qui émet des radiations lorsqu'il se dégrade.

Jaune
Réserves nutritives, riches en lipides, protéines et polysaccharides, présentes dans les œufs de nombreux animaux.

Jonction adhérente
Jonction cellulaire dans laquelle la face cytoplasmique de la membrane plasmique est attachée à des filaments d'actine. Des exemples incluent les ceintures d'adhésions reliant des cellules épithéliales adjacentes et les contacts focaux à la face inférieure des fibroblastes en culture.

Jonction d'ancrage
Type de jonction cellulaire qui fixe les cellules aux cellules voisines ou à la matrice extracellulaire.

Jonction cellulaire
Région spécialisée de connexion entre deux cellules ou entre une cellule et la matrice extracellulaire.

Jonction communicante
Type de jonction cellulaire qui permet le passage de signaux électriques ou chimiques d'une cellule à l'autre.

Jonction de Holliday
Structure en forme de X observée sur l'ADN qui subit une recombinaison, au sein de laquelle les deux molécules d'ADN sont maintenues ensemble sur le site d'un crossing-over, appelé aussi échange de brin croisé.

Jonction neuromusculaire

Synapse chimique spécifique située entre la terminaison d'un axone d'un neurone moteur et une cellule du muscle squelettique.

Jonction occlusive

Type de jonction cellulaire qui scelle les cellules en un épithélium, et forme des barrières à travers lesquelles même les petites molécules ne peuvent passer.

Jonction septale

Principal type de jonction cellulaire occlusive chez les invertébrés ; leur structure est différente des jonctions serrées des vertébrés.

Jonction serrée

Jonction intercellulaire qui scelle les cellules épithéliales adjacentes, et empêche le passage de la plupart des molécules dissoutes d'un côté du feuillet épithélial à l'autre.

Jonction zonulaire

Jonction adhérente de type ceinture, qui encercle l'extrémité apicale d'une cellule épithéliale et l'attache à la cellule adjacente.

Joule

Unité standard d'énergie du système mètre kilogramme seconde. Un joule est l'énergie délivrée en une seconde par une source de puissance d'un watt. Approximativement égal à 0,24 calorie.

K – *voir* **Constante d'équilibre**

K_a – *voir* **Constante d'affinité**

Kératine

Membre d'une famille de protéines qui forment des filaments intermédiaires de kératine, surtout dans les cellules épithéliales. Des kératines spécifiques sont retrouvées dans les poils, les ongles et les plumes.

Kilo-

Préfixe marquant 10^3.

Kilocalorie (kcal)

Unité d'énergie calorique égale à 1 000 calories. Souvent utilisée pour exprimer l'énergie contenue dans un aliment ou une molécule : les forces de liaison, par exemple, sont mesurées en kcal/mole. Une autre unité largement utilisée est le kilojoule, égal à 0,24 kcal.

Kilojoule

Unité standard d'énergie égale à 1 000 joules, ou 0,24 kilocalorie.

Kinase d'activation des Cdk (CAK)

Protéine-kinase qui phosphoryle les Cdk dans les complexes cycline-Cdk, activant les Cdk.

Kinase cycline-dépendante (Cdk)

Protéine-kinase qui doit être complexée à une cycline pour agir. Les différents complexes cycline-Cdk déclenchent différentes étapes du cycle de division cellulaire par la phosphorylation de protéines cibles spécifiques.

Kinase FAK (*focal adhesion kinase*)

Tyrosine-kinase cytoplasmique présente au niveau des jonctions cellule-matrice (plaques d'adhésion) associées aux queues cytoplasmiques des intégrines.

Kinésine

Un des types de protéines motrices qui utilise l'énergie de l'ATP pour se déplacer le long d'un microtubule.

Kinétochore

Structure complexe formée de protéines au niveau d'un chromosome mitotique, sur laquelle les microtubules s'attachent et qui joue un rôle actif dans le mouvement des chromosomes vers les pôles. Le kinétochore se forme sur la partie du chromosome appelée centromère.

Lame basale

Fin tapis de matrice extracellulaire qui sépare les feuillets épithéliaux et beaucoup d'autres types cellulaires, comme les cellules musculaires ou adipeuses, des tissus conjonctifs.

Lamellipode

Protrusion aplatie, de type feuillet, soutenue par un réseau de filaments d'actine et qui s'étend sur le bord avant d'une cellule animale qui migre.

Lamina nucléaire

Réseau fibreux de protéines de la surface interne de la membrane nucléaire interne. Constituée d'un réseau de filaments intermédiaires formé à partir des lamines nucléaires.

Lamine nucléaire

Sous-unité protéique de filaments intermédiaires de la lamina nucléaire.

Laminine

Protéine de la matrice extracellulaire retrouvée dans la lame basale, où elle forme un réseau de type feuillet.

Lectine

Protéine qui se fixe solidement sur un sucre donné. Les lectines abondantes des graines de végétaux, sont souvent utilisées comme réactifs d'affinité pour purifier des glycoprotéines ou les détecter à la surface des cellules.

Leptotène

Première phase de la division I de la méiose au cours de laquelle les chromosomes homologues dupliqués se condensent et deviennent visibles en microscopie optique.

Leucémie

Cancer des leucocytes.

Leucocyte – *voir* **Globule blanc sanguin**

Levure

Terme commun à plusieurs familles de champignons unicellulaires. Inclut des espèces utilisées pour le brassage de la bière et la fabrication du pain ainsi que des espèces pathogènes (c'est-à-dire des espèces qui provoquent des maladies).

Levure bourgeonnante (se divisant par bourgeonnement)

Nom commun souvent donné à la levure de boulanger, *Saccharomyces cerevisiae*, un organisme d'expérimentation fréquemment utilisé qui se divise par bourgeonnement d'une plus petite cellule.

Levure se divisant par fission

Nom commun donné à la levure *Schizosaccharomyces pombe*, un organisme fréquent des études expérimentales. Elle se divise pour donner deux cellules de taille identique.

Liaison covalente

Liaison chimique stable entre deux atomes produite par le partage d'une ou de plusieurs paires d'électrons.

Liaison disulfure (–S–S–)

Liaison covalente formée entre deux groupements sulfhydryle sur des cystéines. Pour les protéines extracellulaires, un moyen fréquemment utilisé qui permet de réunir deux protéines ou de relier différentes parties de la même protéine. Formée dans le réticulum endoplasmique des cellules eucaryotes.

Liaison de haute énergie (riche en énergie)

Liaison covalente dont l'hydrolyse libère une quantité particulièrement importante d'énergie libre dans les conditions qui existent dans une cellule. Un groupe lié à une molécule par ce type de liaison est facilement transféré d'une molécule à une autre. Les exemples incluent les liaisons phosphodiester dans l'ATP et les liaisons thioester dans l'acétyl CoA.

Liaison hydrogène

Liaison non covalente dans laquelle un atome d'hydrogène électropositif est partiellement partagé entre deux atomes électronégatifs.

Liaison ionique

Cohésion entre deux atomes, un de charge positive et l'autre de charge négative. Un des types de liaison non covalente.

Liaison peptidique

Liaison chimique entre le groupement carbonyle d'un acide aminé et le groupement amine d'un deuxième acide aminé – forme particulière d'une liaison amide. Les liaisons peptidiques relient entre eux les acides aminés dans les protéines. (*Voir* Planche 3-1, p. 132-133.)

Liaison phosphodiester

Ensemble de liaisons chimiques covalentes formées lorsque deux groupements hydroxyles sont reliés au même groupement phosphate par une liaison ester. Cette liaison unit des nucléotides adjacents dans l'ARN ou l'ADN.

Liaison thioester

Liaison riche en énergie formée par une réaction de condensation entre un groupement acide (acyle) et un groupement thiol (–SH); vu par exemple dans l'acétyl CoA et beaucoup de complexes enzyme-substrat.

Lien

(1) Effet mutuel de la liaison d'un ligand sur la liaison d'un autre qui est la caractéristique centrale du comportement de toutes les protéines allostériques. (2) Co-hérédité de deux loci génétiques qui résident l'un près de l'autre sur le même chromosome. Plus ces deux loci sont près, c'est-à-dire plus le lien est important, plus la fréquence des recombinaisons entre eux est faible.

Ligand

Toute molécule qui se fixe sur un site spécifique d'une protéine ou d'une autre molécule. (Du latin *ligare*, «lier».)

Ligase

Enzyme qui réunit (relie) deux molécules selon un processus énergie-dépendant. L'ADN ligase, par exemple, relie deux molécules d'ADN, bout à bout, via des liaisons phosphodiester.

Lignée cellulaire

Population de cellules d'origine végétale ou animale capable de se diviser indéfiniment en culture.

Lignée germinale

Lignée des cellules germinales (qui contribuent à la formation d'une nouvelle génération d'organismes) par opposition à celle des cellules somatiques (qui forment le corps et ne laissent pas de descendants).

Lipase

Enzyme qui catalyse la coupure des triglycérides entre les acides gras et la moitié glycérol.

Lipide

Molécule organique insoluble dans l'eau mais qui a tendance à se dissoudre dans des solvants organiques non polaires. Une classe particulière, les phospholipides forment les fondements structuraux des membranes biologiques.

Lipophile – *voir* Hydrophobe

Lipoprotéine de basse densité (LDL)

Gros complexe composé d'une seule molécule protéique et de nombreuses molécules de cholestérol estérifiées, associées à d'autres lipides. La forme sous laquelle le cholestérol est transporté dans le sang et est absorbé par les cellules.

Liposome

Vésicule artificielle de la bicouche lipidique formée à partir d'une suspension aqueuse de molécules de phospholipides.

Locus

En génétique, position d'un gène sur un chromosome. Les différents allèles du même gène occupent tous le même locus.

Locus du type d'accouplement (locus MAT)

Dans les levures bourgeonnantes, locus qui détermine le type d'accouplement (α ou a) de la cellule haploïde de levure.

LTP – *voir* Potentialisation à long terme

Lumière

Cavité entourée d'un feuillet épithélial (dans un tissu) ou d'une membrane (dans une cellule).

Lumière du RE

L'espace entouré par les membranes du réticulum endoplasmique (RE).

Lymphe

Liquide incolore dérivé du sang par filtration à travers les parois capillaires. Transporte les lymphocytes dans un système spécifique de canaux et de vaisseaux – les vaisseaux lymphatiques.

Lymphocyte

Type de leucocyte sanguin, responsable de la spécificité des réponses immunitaires adaptatives. Il y en a de deux types, les lymphocytes B, qui produisent des anticorps et les lymphocytes T qui interagissent directement avec les autres cellules effectrices du système immunitaire et avec les cellules infectées. Les lymphocytes T se développent dans le thymus et sont responsables de l'immunité à médiation cellulaire. Les lymphocytes B se développent dans la moelle osseuse des mammifères et sont responsables de la production des anticorps circulants.

Lymphocyte B

Type de lymphocyte qui fabrique des anticorps.

Lymphocyte T (cellule T)

Type de lymphocyte responsable de l'immunité à médiation cellulaire; inclut à la fois les lymphocytes T cytotoxiques et les lymphocytes T helper.

Lymphocyte T cytotoxique

Type de lymphocyte T responsable de l'élimination des cellules infectées.

Lymphocyte T helper

Type de lymphocyte T qui aide à la stimulation des lymphocytes B pour qu'ils fabriquent des anticorps et activent les macrophages pour tuer les microorganismes ingérés.

Lyse

Rupture d'une membrane plasmique d'une cellule, qui conduit à la libération du cytoplasme et à la mort de la cellule.

Lysogénie

État d'une bactérie qui porte l'ADN d'un virus inactif intégré à son génome. Le virus peut ensuite être activé, se répliquer et lyser la cellule.

Lysosome

Organite des cellules eucaryotes entouré d'une membrane contenant des enzymes digestives qui sont typiquement plus actives au pH acide retrouvé dans la lumière des lysosomes.

Lysozyme

Enzyme qui catalyse la coupure des chaînes de polysaccharides dans les parois cellulaires des bactéries.

M6P – *voir* Mannose 6-phosphate

Macromolécule

Molécule comme les protéines, les acides nucléiques ou les polysaccharides ayant une masse moléculaire supérieure à quelques milliers de daltons.

Macrophage

Cellule phagocytaire dérivée des monocytes sanguins, résidente typique de la plupart des tissus. Possède à la fois des fonctions de nécrophage et de présentation des antigènes au cours des réponses immunitaires.

Maladie à prion

Encéphalopathie spongiforme transmissible comme la maladie de Kreutzfeld-Jacob chez l'homme, la tremblante du mouton et l'encéphalopathie spongiforme bovine (BSE) des bovins, qui sont apparemment provoquées et transmises par une forme anormale d'une protéine (prion).

Maladie auto-immune

État pathologique au cours duquel le corps édifie une réponse immunitaire contre un ou plusieurs de ses propres antigènes.

Malaria
Maladie de l'homme, potentiellement mortelle, provoquée par un protozoaire parasite, *Plasmodium*, et transmise par la piqûre d'un moustique infecté.

Maligne
Décrit des tumeurs et des cellules tumorales envahissantes ou capables de former des métastases. Une tumeur maligne est un cancer.

Mannose 6-phosphate (M6P)
Marqueur spécifique fixé sur les oligosaccharides de certaines glycoprotéines destinées aux lysosomes.

Manteau cellulaire – *voir* **Glycocalyx**

MAP – *voir* **Protéine associée aux microtubules**

MAP kinase (protéine-kinase activée par les mitogènes)
Protéine-kinase qui effectue une étape cruciale dans le relais des signaux entre la membrane plasmique et le noyau. Activée par une large gamme de signaux induisant la prolifération ou la différenciation.

Marqueur
Groupement chimique, atome radioactif ou colorant fluorescent ajouté à une molécule afin de suivre sa progression dans une réaction biochimique ou de la localiser dans l'espace. Également utilisé sous forme de verbe « marquer » pour ajouter ce type de groupement ou d'atome à une cellule ou une molécule.

Masse atomique
Masse d'un atome relativement à la masse d'un atome d'hydrogène. Égale à la somme des protons et des neutrons.

Masse moléculaire
Numériquement, la même chose que la masse moléculaire relative ou poids moléculaire d'une molécule, exprimée en daltons. Par exemple, une protéine de masse moléculaire relative de 20 000 possède une masse moléculaire de 20 000 daltons.

Matrice
ADN simple brin ou ARN dont la séquence nucléotidique agit comme un guide pour la synthèse d'un brin complémentaire.

Matrice extracellulaire
Réseau complexe de polysaccharides (comme les glycosaminoglycanes ou la cellulose) et de protéines (comme le collagène) sécrétées par les cellules. Sert d'élément structural dans les tissus et influence également leur développement et leur physiologie.

Maturation d'affinité
Augmentation progressive de l'affinité des anticorps pour les antigènes immunisants avec le temps écoulé depuis l'immunisation.

M-Cdk – *voir* **Cdk de phase M**

Médiateur local
Molécule de signalisation sécrétée qui agit sur des cellules adjacentes à faible distance.

Méga-
Préfixe indiquant 10^6. (Du grec *megas*, « énorme, puissant »).

Mégacaryocyte
Grosse cellule myéloïde ayant un noyau multilobulé qui reste dans la moelle osseuse lorsqu'elle mûrit. Libère des plaquettes par bourgeonnement à partir de longs processus cytoplasmiques.

Méiose
Type particulier de division cellulaire au cours duquel les ovules et les spermatozoïdes sont produits. Comprend deux divisions nucléaires successives avec un seul cycle de réplication de l'ADN ce qui produit quatre cellules filles haploïdes à partir d'une cellule initiale diploïde.

Mélanocyte
Cellule qui produit un pigment noir, la mélanine. Responsable de la pigmentation de la peau et des poils.

Membrane
Bicouche lipidique associée à des protéines qui entoure toutes les cellules et dans les cellules eucaryotes, beaucoup d'organites également.

Membrane externe
La plus externe des deux membranes qui entourent un organite ; membrane adjacente au cytosol.

Membrane interne
La plus interne des deux membranes qui entourent un organite. Dans les mitochondries, elle entoure la matrice et contient la chaîne de transport des électrons.

Membrane noire
Membrane bicouche lipidique plane artificielle.

Membrane nucléaire externe
La plus externe des deux membranes nucléaires. Elle est continue avec le réticulum endoplasmique et est accrochée à des ribosomes sur sa face cytosolique.

Membrane nucléaire interne
La plus interne des deux membranes nucléaires. Elle contient les sites de liaison à la chromatine et les lamines nucléaires sur sa face interne.

Membrane plasmique
Membrane qui entoure une cellule vivante.

Membranes internes
Membranes des cellules eucaryotes autres que la membrane plasmique. Les membranes du réticulum endoplasmique et de l'appareil de Golgi en sont des exemples.

Mémoire immunologique
État persistant qui suit une réponse immunitaire primaire vis-à-vis de nombreux antigènes, et qui permet une réponse immunitaire secondaire rapide lors d'une rencontre ultérieure avec ce même antigène.

Méristème
Groupe organisé de cellules qui se divisent et dont les dérivés donnent naissance aux tissus et organes d'un végétal qui fleurit. Les exemples clés sont : les méristèmes apicaux à l'extrémité des racines et des pousses.

Mésenchyme
Forme immature non spécialisée du tissu conjonctif chez les animaux, composé de cellules incluses dans une fine matrice extracellulaire.

Mésoderme
Tissu embryonnaire qui est le précurseur des muscles, du tissu conjonctif, du squelette et de nombreux organes internes.

Métabolisme
Ensemble complet de processus chimiques qui s'effectuent dans les cellules vivantes.

Métaphase
Étape de la mitose au cours de laquelle les chromosomes sont solidement attachés à l'équateur du fuseau mitotique mais n'ont pas encore été séparés vers les pôles opposés.

Métaplasie
Modification du patron de différenciation cellulaire dans un tissu.

Métastase
Dissémination de cellules cancéreuses à partir de leur site d'origine vers d'autres sites du corps.

Méthode didésoxy
Méthode standard de séquençage de l'ADN.

Méthylation de l'ADN
Addition d'un groupement méthyle sur l'ADN. La méthylation étendue des bases cytosine dans les séquences CG est utilisée par les vertébrés pour maintenir les gènes à l'état inactif.

Méthyle (–CH₃)

Groupement chimique hydrophobe dérivé du méthane (CH_4).

MHC – *voir* **Complexe majeur d'histocompatibilité**

Micro-

Préfixe qui signifie 10^{-6}.

Microélectrode, micropipette

Fine pièce de verre en forme de tube, insérée dans une extrémité encore plus fine. Utilisée pour pénétrer dans une cellule et étudier sa physiologie ou pour y injecter un courant électrique ou une molécule.

Microfilament – *voir* **Filament d'actine**

Micro-injection

Injection de molécules dans une cellule à l'aide d'une micropipette.

Micron (μm ou micromètre)

Unité de mesure souvent appliquée aux cellules et aux organites. Égal à 10^{-6} mètre ou 10^{-4} centimètre.

Microphotographie

Photographie d'une image vue à travers un microscope. Peut être une photographie en microscopie électronique ou en microscopie optique en fonction du type de microscope employé.

Micropipette – *voir* **Microélectrode**

Micropuces d'ADN

Technique d'analyse de l'expression simultanée d'un grand nombre de gènes dans une cellule, au cours de laquelle l'ARN cellulaire isolé est hybridé à une importante collection de sondes ADN immobilisées sur une lame de verre.

Microscope à champ clair

Le microscope optique classique dans lequel l'image est obtenue par simple transmission de la lumière à travers l'objet à examiner.

Microscope confocal

Type de microscope optique qui produit une image claire d'un plan donné à l'intérieur d'un objet solide. Il utilise un faisceau laser comme source d'illumination en tête d'épingle pour balayer à travers le plan et produire une «coupe optique» bidimensionnelle.

Microscope à contraste de phase

Type de microscope optique qui exploite les effets d'interférence qui se produisent lorsque la lumière passe à travers des matériaux de différents indices de réfraction. Utilisé pour observer les cellules vivantes.

Microscope électronique

Type de microscope qui utilise un faisceau d'électrons pour créer l'image.

Microscopie électronique à balayage

Type de microscopie électronique qui produit une image de la surface d'un objet.

Microscopie électronique après cryofracture

Technique d'étude de la structure membranaire au cours de laquelle la membrane d'une cellule congelée est fracturée le long de la partie interne de sa bicouche, ce qui la sépare en deux monocouches et expose les faces internes.

Microscopie électronique après immunomarquage à l'or

Technique de microscopie électronique au cours de laquelle les structures cellulaires ou les molécules à étudier sont marquées par des anticorps marqués par des particules d'or denses aux électrons. Elles apparaissent comme des points noirs sur l'image.

Microscope à fluorescence

Microscope conçu pour l'observation de matériel coloré par des colorants fluorescents. Similaire au microscope optique mais la lumière qui illumine passe à travers un jeu de filtres avant d'atteindre l'échantillon pour sélectionner les longueurs d'ondes qui excitent le colorant et à travers un autre jeu de filtres avant d'atteindre l'œil, pour ne sélectionner que les longueurs d'ondes émises par la fluorescence du colorant.

Microsome

Petite vésicule provenant du réticulum endoplasmique fragmenté, produit après homogénéisation des cellules.

Microtubule

Longue structure cylindrique creuse composée d'une protéine, la tubuline. C'est l'une des trois classes principales de filaments du cytosquelette. (*Voir* Planche 16-1, p. 909.)

Microtubule astérien

Dans le fuseau mitotique, tout microtubule irradiant de l'aster qui n'est pas fixé sur le kinétochore d'un chromosome.

Microtubule kinétochorien

Dans un fuseau mitotique ou méiotique, microtubule dont l'une des extrémités est fixée sur le kinétochore d'un chromosome.

Microtubules se chevauchant

Dans le fuseau mitotique ou méiotique, microtubule interdigité au niveau de l'équateur avec les microtubules qui émanent de l'autre pôle.

Microvillosité

Fine projection cylindrique, recouverte d'une membrane, à la surface d'une cellule animale, qui contient en son centre un faisceau de filaments d'actine. Présentes en très grand nombre à la surface d'absorption des cellules épithéliales intestinales.

Milli-

Préfixe signifiant 10^{-3}.

Mitochondrie

Organite entouré d'une membrane de la taille d'une bactérie environ, qui effectue la phosphorylation oxydative et produit la majeure partie de l'ATP des cellules eucaryotes.

Mitogène

Substance extracellulaire, comme un facteur de croissance, qui stimule la prolifération cellulaire.

Mitose

Division du noyau d'une cellule eucaryote, qui implique la condensation de l'ADN dans des chromosomes visibles et la séparation des chromosomes dupliqués pour former deux jeux identiques. (Du grec *mitos*, «fil», par référence à l'aspect en forme de fil des chromosomes condensés.)

Modifications post-traductionnelles

Modifications d'une protéine, catalysées par les enzymes, qui s'effectuent une fois qu'elle a été synthétisée. Les exemples sont : l'acétylation, la coupure, la glycosylation, la méthylation, la phosphorylation et la prénylation.

Module

Dans les protéines ou les acides nucléiques, unité structurale ou fonctionnelle retrouvée dans différentes molécules, dans divers contextes différents.

Module protéique – *voir* **Module**

Molaire

Décrit une solution dont la concentration est d'une mole de substance dissoute dans un litre de solution (abréviation, 1 M).

Mole

X grammes d'une substance où X représente la masse moléculaire relative. Une mole est composée de 6×10^{23} molécules de substance.

Molécule

Groupe d'atomes réunis par des liaisons covalentes.

Molécule d'adhésion cellulaire (CAM)

Protéine de la surface d'une cellule animale et qui sert d'intermédiaire à la liaison cellule-cellule ou à la liaison cellule-matrice.

Molécule d'adhésion des cellules nerveuses (N-CAM)

Molécule d'adhésion cellulaire de la superfamille des immunoglobulines, exprimée par beaucoup de types cellulaires y compris la plupart des cellules nerveuses. Elle permet l'attachement intercellulaire indépendant de Ca^{2+} chez les vertébrés.

Molécule chaperon – *voir* Chaperon

Molécule MHC

Molécule d'une grande famille de glycoprotéines cellulaires de surface codées par des gènes du complexe majeur d'histocompatibilité (MHC). Elle fixe les fragments peptidiques des antigènes étrangers et les présente aux lymphocytes T pour induire une réponse immunitaire. (*Voir aussi* **Molécule MHC de classe I, Molécule MHC de classe II**.)

Molécule MHC de classe I

Une des deux classes de molécules MHC. Molécules rencontrées sur presque tous les types cellulaires et qui assurent la présentation des peptides viraux à la surface des cellules infectées par des virus, où ils sont reconnus par les lymphocytes T cytotoxiques.

Molécule MHC de classe II

Molécule située sur les cellules «professionnelles» de présentation de l'antigène qui assure la présentation des peptides étrangers aux lymphocytes T helper. (*Voir* Figure 24-49.)

Molécule de signalisation

Molécule extracellulaire ou intracellulaire qui aligne la réponse d'une cellule au comportement d'autres cellules ou d'objets de son environnement.

Molécule «trappée»

Molécule organique destinée à passer sous sa forme active lorsqu'elle est irradiée par une lumière de longueur d'onde spécifique. Un exemple est l'ATP «trappé».

Monocyte

Type de globule blanc sanguin qui quitte le courant sanguin et subit une maturation en un macrophage dans les tissus.

Monomère

Petit bloc de construction moléculaire qui peut servir de sous-unité en étant relié à d'autres blocs du même type pour former une plus grosse molécule (polymères).

Monosaccharide

Sucre simple de formule générale $(CH_2O)n$, où n est compris entre 3 et 8.

Monoxyde d'azote (NO)

Molécule de signalisation sous forme gazeuse retrouvée chez les animaux et les végétaux. Chez les animaux, régule la contraction des muscles lisses, par exemple. Chez les végétaux, il est impliqué dans la réponse aux lésions ou à l'infection.

Morphogène

Molécule de signalisation qui peut imposer une organisation dans un champ de cellules en provoquant l'adoption de destins différents par les cellules placées à des endroits différents.

Mort cellulaire programmée – *voir* Apoptose

Mosaïque

En biologie du développement, organisme fabriqué à partir d'un mélange de cellules de génotypes différents.

Motif

Élément de structure ou d'organisation qui réapparaît dans de nombreux contextes. En particulier, petit domaine structural qui peut être reconnu par diverses protéines.

MTOC – *voir* Centre organisateur des microtubules

Muscle cardiaque

Forme spécialisée de muscle strié trouvé dans le cœur, composée de cellules musculaires cardiaques individuelles reliées par des jonctions cellulaires.

Muscle strié

Muscle composé de myofibrilles à bandes transversales (striées). Les muscles squelettiques et cardiaque des vertébrés en sont les meilleurs exemples connus.

Mutagenèse dirigée sur le site

Technique qui permet de créer une mutation sur un site particulier d'ADN.

Mutant

Organisme dans lequel s'est produite une mutation qui le rend différent du type sauvage ou de la gamme «normale» des variations d'une population.

Mutant thermosensible (ts)

Organisme ou cellule portant une protéine (ou une molécule d'ARN) génétiquement modifiée qui agit normalement à une température mais est anormale à une autre (généralement supérieure).

Mutation

Modification transmissible (héréditaire) de la séquence nucléotidique d'un chromosome.

Mutation conditionnelle

Mutation qui modifie une protéine ou une molécule d'ARN afin que sa fonction ne soit modifiée que sous certaines conditions, comme une température particulièrement haute ou basse.

Mutation dominante négative

Mutation qui affecte le phénotype de façon dominante par le biais d'une protéine ou d'une molécule d'ARN anormales qui interfère avec la fonction du produit normal du gène dans la même cellule.

Mutation homéotique

Mutation qui induit les cellules à se comporter dans une région du corps comme si elles étaient localisées ailleurs, et provoque une perturbation bizarre du plan corporel.

Mutation létale

Mutation qui provoque la mort des cellules ou de l'organisme qui les contient.

Mutation ponctuelle

Modification d'un seul nucléotide de l'ADN, en particulier dans une région d'ADN codant pour des protéines.

Myoblaste

Cellule musculaire précurseur indifférenciée et mononucléée. Une cellule du muscle squelettique est formée par la fusion de multiples myoblastes.

Myofibrille

Long faisceau d'actine, de myosine et d'autres protéines, hautement organisé, dans le cytoplasme des cellules musculaires et qui se contracte par un mécanisme de glissement de filaments.

NAD⁺ (nicotinamide adénine dinucléotide)

Porteur activé qui participe à une réaction d'oxydation en acceptant un ion hydrure (H^-) issu d'une molécule donneuse. Le **NADH** formé est un important transporteur d'électrons pour la phosphorylation oxydative.

NADP⁺ (nicotinamide adénine dinucléotide phosphate)

Transporteur activé très apparenté à NAD⁺ largement utilisé dans les voies biosynthétiques plutôt que cataboliques. La forme réduite est **NADPH**.

Nano-

Préfixe marquant 10^{-9}.

Nanomètre (nm)

Unité de longueur communément utilisée pour mesurer les molécules et les organites cellulaires. 1 nm = 10^{-3} micromètres (mm) = 10^{-9} m.

N-CAM – *voir* Molécule d'adhésion des cellules nerveuses

Neurite

Long processus qui croît à partir d'une cellule nerveuse en culture. Terme générique qui ne spécifie pas si le processus est un axone ou une dendrite.

Neurofilament

Type de filament intermédiaire retrouvé dans les cellules nerveuses.

Neurone (cellule nerveuse)

Cellule dotée de longs processus spécialisés dans la réception, la conduction et la transmission de signaux dans le système nerveux.

Neuropeptide

Peptide sécrété par une molécule de signalisation au niveau d'une synapse ou ailleurs.

Neurotransmetteur

Petite molécule de signalisation sécrétée par les neurones présynaptiques au niveau des synapses chimiques pour relayer le signal vers les cellules post-synaptiques. Les exemples incluent l'acétylcholine, le glutamate, le GABA, la glycine et de nombreux neuropeptides.

Neurotransmetteur inhibiteur

Neurotransmetteur qui ouvre les canaux à Cl⁻ ou K⁺ à ouverture contrôlée par les transmetteurs dans la membrane post-synaptique d'une cellule nerveuse ou musculaire et tend ainsi à inhiber la formation d'un potentiel actif.

Neutron

Particule sub-atomique non chargée qui forme une partie du noyau atomique.

Neutrophile

Globule blanc sanguin spécialisé dans l'absorption par phagocytose de matériel sous forme de particules et qui entre dans les tissus infectés ou enflammés.

Nexus (*gap junction*)

Jonction communicante intercellulaire qui permet aux ions et aux petites molécules de passer du cytoplasme d'une cellule au cytoplasme de la suivante.

Nicotinamide adénine dinucléotide – *voir* **NAD⁺**

Nicotinamide adénine dinucléotide phosphate – *voir* **NADP⁺**

nm – *voir* **Nanomètre**

NO – *voir* **Monoxyde d'azote**

Nombre d'Avogadro

6×10^{23}. C'est le nombre d'atomes dans 1 gramme d'hydrogène et par conséquent dans un équivalent en grammes de la masse atomique ou moléculaire de tout élément ou molécule.

Non polaire (apolaire)

Qui n'a pas d'accumulation asymétrique de charges positive et négative. Les molécules non polaires sont généralement insolubles dans l'eau.

Notch

Récepteur protéique impliqué dans beaucoup d'exemples de choix de destin cellulaire au cours du développement animal, par exemple, pour la spécification des cellules nerveuses à partir de l'épithélium ectodermique. Ses ligands sont des protéines cellulaires de surface comme Delta et Serrate.

Notochorde

Bâtonnet rigide du mésoderme qui s'étend le long du dos de tous les embryons de chordés. Chez les vertébrés, ne persiste pas et s'incorpore dans la colonne vertébrale.

Noyau

Important organite entouré d'une membrane d'une cellule eucaryote, qui contient l'ADN organisé en chromosomes.

NSF

Protéine dotée d'une activité ATPasique qui désassemble un complexe de SNARE-v et de SNARE-t.

Nucléase de restriction (enzyme de restriction)

Une des nombreuses nucléases qui peut couper une molécule d'ADN au niveau de n'importe quel site où se trouve une courte séquence nucléotidique spécifique. Largement utilisée dans la technologie de l'ADN recombinant.

Nucléation

Étape critique de l'assemblage d'une structure polymérique, comme un microtubule, au cours de laquelle un petit agrégat de monomères s'agrège dans la disposition correcte et initie la polymérisation rapide. (*Voir* Planche 16-2, p. 912-913.) Plus généralement, étape limitante de la vitesse du processus d'assemblage.

Nucléole

Structure du noyau où est transcrit l'ARN ribosomique et où les sous-unités ribosomiques sont assemblées.

Nucléoporine

Une des nombreuses protéines différentes qui constitue le complexe du pore nucléaire.

Nucléoside

Molécule composée d'une base purine ou pyrimidine reliée de façon covalente à un sucre ribose ou désoxyribose. (*Voir* Planche 2-6, p. 120-121.)

Nucléosome

Structure en forme de perle de la chromatine eucaryote. Il est composé d'une courte longueur d'ADN enroulée autour d'un noyau d'histones et représente l'unité structurelle fondamentale de la chromatine.

Nucléotide

Nucléoside contenant un ou plusieurs groupements phosphate reliés par des liaisons ester à la moitié sucre. L'ADN et l'ARN sont des polymères de nucléotides.

O-glycosylation

Addition d'une chaîne d'oligosaccharides à une protéine via le groupement OH d'une chaîne latérale de sérine ou de thréonine.

Oligodendrocyte

Dans le système nerveux des vertébrés, type de cellule de la glie qui forme la gaine de myéline autour des axones.

Oligomère

Court polymère, composé généralement (dans une cellule) d'acides aminés (oligopeptides), de sucres (oligosaccharides) ou de nucléotides (oligonucléotides). (Du grec *oligos*, « peu, petit ».)

Oligosaccharide

Courte chaîne linéaire ou ramifiée de sucres reliés de façon covalente. (*Voir* Planche 2-4, p. 116-117.) (*Voir aussi* **Oligosaccharide complexe, Oligosaccharide riche en mannose, Oligosaccharide fixé par liaison *N*-osidique, *O*-glycosylation**.)

Oligosaccharide complexe

Chaîne de sucres, fixée sur une glycoprotéine, engendrée par le grignotage d'un oligosacharide originel fixé dans le réticulum endoplasmique et par l'addition d'autres sucres. (*Voir* Figure 13-25.)

Oligosaccharide fixé par liaison *N*-osidique

Chaîne de sucres, attachée sur une protéine via le groupement NH_2 de la chaîne latérale d'un résidu asparagine.

Oligosaccharide riche en mannose

Chaîne de sucres, attachée à une glycoprotéine, qui contient beaucoup de résidus mannose. Ils sont engendrés par un grignotage de l'oligosaccharide originel riche en mannose qui laisse la plupart des résidus mannose sans addition supplémentaire d'autres sucres. (*Voir* Figure 13-26.)

Oncogène

Gène altéré dont le produit peut agir sur le mode dominant pour aider à rendre une cellule cancéreuse. Typiquement, un oncogène est une forme mutante d'un gène normal (proto-oncogène) impliqué dans le contrôle de la croissance ou de la division cellulaire.

Opérateur

Courte région d'ADN d'un chromosome bactérien qui contrôle la transcription d'un gène adjacent.

Opéron

Dans un chromosome bactérien, groupe de gènes contigus transcrits en une seule molécule d'ARNm.

ORC – *voir* **Complexe de reconnaissance de l'origine**

Organe lymphoïde central (organe lymphoïde primaire)

Organe lymphoïde dans lequel se développent les lymphocytes. Chez les mammifères adultes, ce sont le thymus et la moelle osseuse.

Organe lymphoïde périphérique (secondaire)

Organe lymphoïde dans lequel les lymphocytes B et T interagissent avec les antigènes étrangers. Les exemples sont : la rate, les ganglions lymphatiques et les tissus lymphoïdes associés aux muqueuses.

Organes lymphoïdes

Organes impliqués dans la production ou la fonction des lymphocytes comme le thymus, la rate, les ganglions lymphatiques et les amygdales.

Organisateur nucléolaire

Région d'un chromosome qui contient un agrégat de gènes d'ARN ribosomique et qui donne naissance à un nucléole.

Organisme modèle

Espèce, comme *Drosophila melanogaster* ou *Escherichia coli*, qui a été intensivement étudiée pendant une longue période et qui sert, de ce fait, de «modèle» pour la biologie d'un type particulier d'organisme.

Organisme transgénique

Végétal ou animal qui a incorporé de façon stable un ou plusieurs gènes à partir d'une autre cellule ou organisme et peut les transmettre aux générations successives.

Organite

Compartiment d'une cellule eucaryote, entouré d'une membrane, qui a une structure, une composition macromoléculaire et une fonction distinctes. Les exemples sont : le noyau, les mitochondries, les chloroplastes et l'appareil de Golgi.

Origine de réplication

Endroit d'une molécule d'ADN où commence la réplication.

Osmolarité

Terme utilisé pour décrire la concentration en un soluté en terme de pression osmotique qu'il peut exercer.

Osmose

Mouvement net des molécules d'eau à travers une membrane semi-perméable, entraîné par la différence de concentration en solutés de part et d'autre. La membrane doit être perméable à l'eau mais pas aux molécules de solutés.

Ostéoblaste

Cellule qui sécrète la matrice de l'os.

Ostéoclaste

Cellule de type macrophage qui érode les os, ce qui leur permet d'être remodelés pendant la croissance ou en réponse au stress pendant toute la vie.

Ovocyte

L'ovule en développement. C'est en général une cellule de grande taille et immobile.

Ovogenèse

Formation et maturation des ovocytes dans l'ovaire.

Ovulation

Libération d'un ovule à partir de l'ovaire.

Ovule (aussi appelé œuf)

Le gamète femelle mature des organites à reproduction sexuée. C'est généralement une grosse cellule immobile.

Ovum – *voir* **Ovule**

Oxydation (verbe : oxyder)

Perte des électrons à partir d'un atome, ce qui se produit pendant l'addition d'un oxygène sur une molécule ou lors de l'élimination d'un hydrogène. S'oppose à la réduction. (*Voir* Figure 2-43.)

p53

Gène suppresseur de tumeur trouvé muté dans près de la moitié des cancers de l'homme. Il code pour une protéine régulatrice de gènes activée par les lésions de l'ADN et impliquée dans le blocage de la poursuite de la progression dans le cycle cellulaire.

Pachytène

Troisième stade de la division I de la méiose au cours duquel se termine le synapsis.

Paire de bases

Dans une molécule d'ARN ou d'ADN deux nucléotides qui sont maintenus ensemble par des liaisons hydrogène – par exemple, G s'apparie avec C et A avec T ou U.

Paroi cellulaire

Matrice extracellulaire mécaniquement résistante déposée par une cellule à l'extérieur de sa membrane plasmique. Elle est importante dans la plupart des végétaux, des bactéries, des algues et des champignons. Absente dans la plupart des cellules animales.

Parthénogenèse

Production d'un nouvel individu à partir d'un ovule en l'absence de fécondation par un spermatozoïde.

Particule de reconnaissance du signal (SRP)

Particule ribonucléoprotéique qui se fixe sur une séquence-signal du RE d'une chaîne polypeptidique partiellement synthétisée et dirige le polypeptide lié à son ribosome vers le réticulum endoplasmique.

Patch de signal

Signal de tri protéique formé par la disposition spécifique tridimensionnelle de certains atomes situés à la surface de la protéine repliée.

PCR (réaction en chaîne par la polymérase)

Technique d'amplification de régions spécifiques d'ADN qui utilise des séquences amorces spécifiques et de multiples cycles de synthèse d'ADN, chaque cycle étant suivi d'un bref traitement par la chaleur afin de séparer les brins complémentaires.

Peroxysome

Petit organite entouré d'une membrane qui utilise l'oxygène moléculaire pour oxyder les molécules organiques. Contient certaines enzymes qui produisent et d'autres qui dégradent le peroxyde d'hydrogène (H_2O_2).

Petit ARN nucléaire – *voir* **ARNsn**

Petit médiateur intracellulaire – *voir* **Second messager**

pH

Mesure fréquente de l'acidité d'une solution : «p» se réfère à la puissance dix, «H» à l'hydrogène. Défini comme le logarithme négatif de la concentration en ions hydrogène en mole par litre (M). De ce fait, à l'échelle de pH, pH 3 (10^{-3}M H$^+$) est acide et pH 9 (10^{-9}M H$^+$) est basique ou alcalin.

Phage – *voir* **Bactériophage**

Phagocyte

Terme général qui désigne une cellule phagocytaire «professionnelle», comme un macrophage ou un neutrophile, spécialisée dans l'absorption de particules et de microorganismes par phagocytose.

Phagocytose

Processus au cours duquel des matériaux spécifiques sont endocytés («mangés») par une cellule. Très important dans les cellules carnivores comme *Amoeba proteus* et dans les macrophages et les neutrophiles des vertébrés. (Du grec *phagein*, «manger».)

Phagosome

Grande vésicule intracellulaire entourée d'une membrane formée du fait de la phagocytose. Contient des matériaux extracellulaires ingérés.

Phase G₁

Phase intermédiaire 1 du cycle de division des cellules eucaryotes, entre la fin de la cytocinèse et le début de la synthèse d'ADN.

Phase G₂

Phase intermédiaire 2 du cycle de division des cellules eucaryotes, entre la fin de la synthèse de l'ADN et le commencement de la mitose.

Phase M

Période du cycle cellulaire pendant laquelle le noyau et le cytoplasme se divisent.

Phase S

Période du cycle cellulaire d'un eucaryote pendant laquelle l'ADN est synthétisé.

Phénotype

Caractère observable d'une cellule ou d'un organisme.

Phosphatase

Enzyme qui élimine les groupements phosphate d'une molécule.

Phosphatidylinositol

Un inositol phospholipide. (*Voir* Figure 15-34.)

Phosphatidylinositol 3-kinase (PI 3-kinase)

Kinase impliquée dans les voies de signalisation intracellulaire activées par divers récepteurs à la surface des cellules. Phosphoryle les inositol phospholipides à la position 3 du cycle inositol. (*Voir* Figure 2-28.)

Phosphoinositide – *voir* **Inositol phospholipide**

Phospholipase C-β (PLC-β)

Enzyme liée à la face cytoplasmique de la membrane plasmique qui transforme le phosphatidylinositol 4,5-bisphosphate membranaire en diacylglycérol (qui reste dans la membrane plasmique) et en inositol 1,4,5-trisphosphate (IP₃). Est activée par certaines protéines G pour déclencher la voie de signalisation par les inositol phospholipides.

Phospholipase C-γ (PLC-γ)

Comme la phospholipase C-β, enzyme qui coupe les inositol phospholipides en diacylglycérol et en IP₃ pour déclencher la voie de signalisation par les inositol phospholipides. Activée par certains récepteurs à activité tyrosine-kinase.

Phospholipide

Principale catégorie de molécules lipidiques utilisées dans la construction des membranes biologiques. Composé en général de deux acides gras reliés par le glycérol phosphate à un des nombreux groupements polaires.

Phosphoprotéine phosphatase

Enzyme qui élimine un groupement phosphate d'une protéine par hydrolyse.

Phosphorylation

Réaction au cours de laquelle un groupement phosphate est couplé de façon covalente à une autre molécule.

Phosphorylation oxydative

Processus des bactéries et des mitochondries au cours duquel la formation de l'ATP est entraînée par le transfert d'électrons issus des molécules alimentaires sur l'oxygène moléculaire. Implique la formation intermédiaire d'un gradient protonique (gradient de pH) à travers une membrane et un couplage chimio-osmotique.

Phosphorylation protéique

Addition covalente d'un groupement phosphate sur une chaîne latérale d'une protéine, catalysée par une protéine-kinase.

Photon

Particule élémentaire de lumière et d'autres radiations électromagnétiques.

Photophosphorylation non cyclique

Processus photosynthétique qui produit à la fois de l'ATP et du NADPH dans les végétaux et les cyanobactéries.

Photorécepteur

Cellule ou molécule sensible à la lumière.

Photosynthèse

Processus par lequel les végétaux, les algues et certaines bactéries utilisent l'énergie de la lumière du soleil pour entraîner la synthèse de molécules organiques à partir de gaz carbonique et d'eau.

Photosystème

Complexe multiprotéique, impliqué dans la photosynthèse, qui capture l'énergie de la lumière du soleil et la transforme en une forme utile d'énergie.

Phragmoplaste

Structure constituée de microtubules et de filaments d'actine qui se forme dans le plan prévisible de division d'une cellule végétale et guide la formation de la plaque cellulaire.

Phylogénie

Historique évolutif d'un organisme ou d'un groupe d'organismes souvent présenté sous forme d'un arbre phylogénique.

Pinocytose

Type d'endocytose au cours de laquelle des matériaux solubles sont absorbés à partir de l'environnement et incorporés dans des vésicules pour être digérés. Littéralement, cellule «qui boit». (*Voir aussi* **Endocytose en phase liquide**.)

PKA – *voir* **Protéine-kinase dépendante de l'AMP cyclique**

PKC – *voir* **Protéine-kinase C**

Plaque cellulaire

Structure aplatie liée à la membrane qui se forme par fusion de vésicules dans le cytoplasme d'une cellule végétale en division et qui est le précurseur de la nouvelle paroi cellulaire.

Plaque d'adhésion – *voir* **Adhésion focale**

Plaque équatoriale ou métaphasique

Plan imaginaire, perpendiculaire au fuseau mitotique et à mi-chemin entre les pôles du fuseau ; plan dans lequel sont positionnés les chromosomes en métaphase.

Plaquette

Fragment de cellule, dépourvu de noyau, qui se détache d'un mégacaryocyte de la moelle osseuse et se trouve en grand nombre dans le courant sanguin. Facilite l'initiation de la coagulation sanguine lorsque les vaisseaux sanguins sont lésés.

Plasmide

Petite molécule d'ADN circulaire qui se réplique indépendamment du génome. Des plasmides modifiés sont largement utilisés comme **vecteurs plasmidiques** lors du clonage de l'ADN.

Plasmodesme

Jonction communicante intercellulaire des végétaux formée d'un canal de cytoplasme tapissé de membrane plasmique et qui relie deux cellules adjacentes à travers un petit pore situé dans leurs parois cellulaires.

Plaste

Organite cytoplasmique des végétaux, entouré d'une double membrane, qui transporte son propre ADN et est souvent pigmenté. Les chloroplastes sont des plastes.

PLC-β – *voir* **Phospholipase C-β**

PLC-γ – *voir* **Phospholipase C-γ**

Ploïdie

Nombre de jeux complets de chromosomes d'un génome. Les organismes diploïdes ont deux jeux dans leurs cellules somatiques, les organismes polyploïdes en ont plus de deux. La polyploïdie naturelle est le résultat de duplications préalables du génome complet ou de l'introduction de génomes complets d'autres espèces pendant l'évolution.

Point de contrôle

Point du cycle de division cellulaire eucaryote où le cycle peut être stoppé, jusqu'à ce que les conditions soient favorables pour que la cellule passe au stade suivant.

Point de contrôle de l'attachement sur le fuseau
Point de contrôle qui s'effectue pendant la mitose et assure que tous les chromosomes sont correctement attachés sur le fuseau avant que les chromatides sœurs ne commencent leur séparation.

Point isoélectrique
pH auquel une molécule chargée en solution n'a pas de charge électrique nette et, de ce fait, ne se déplace pas dans un champ électrique.

Point de restriction
Point de contrôle important du cycle cellulaire des mammifères. Le passage du point de restriction engage la cellule à entrer en phase S. Il correspond au point de départ du cycle cellulaire de la levure.

Polaire
Au sens électrique, décrit une structure (par exemple une liaison chimique, un groupement chimique ou une molécule) qui possède une charge positive concentrée à une des extrémités et une charge négative concentrée à l'autre du fait d'une distribution non uniforme des électrons. Les molécules polaires ont des chances d'être solubles dans l'eau.

Pôle animal
Dans les œufs avec jaune, l'extrémité sans jaune qui se clive plus rapidement que le pôle végétatif.

Pôle végétatif
Extrémité au niveau de laquelle se trouve la majeure partie du jaune dans un œuf animal. L'extrémité opposée est le pôle animal.

Polyisoprénoïde – *voir* **Isoprénoïde**

Polymère
Grosse molécule composée de multiples unités identiques ou similaires (monomères) reliées par des liaisons covalentes.

Polymorphe
Décrit un gène ayant plusieurs allèles différents, dont aucun n'est prédominant dans la population.

Polymorphisme d'un seul nucléotide (SNP pour *single nucleotide polymorphism*)
Variations entre les individus au niveau de certaines positions nucléotidiques du génome.

Polypeptide
Polymère linéaire, composé de multiples acides aminés. Les protéines sont de gros polypeptides et les deux termes peuvent être utilisés de façon interchangeable.

Polyploïde
Décrit une cellule ou un organisme qui contient plus de deux jeux de chromosomes homologues.

Polyribosome (polysome)
Molécule d'ARN messager sur laquelle sont fixés de nombreux ribosomes engagés dans la synthèse protéique.

Polysaccharide
Polymère linéaire ou ramifié de monosaccharides, comme le glycogène, l'amidon, l'acide hyaluronique et la cellulose.

Pompe
Protéine transmembranaire qui entraîne le transport actif d'ions ou de petites molécules à travers la bicouche lipidique.

Pompe à Ca²⁺ (Ca²⁺ ATPase)
Protéine de transport de la membrane du réticulum sarcoplasmique des cellules musculaires (et d'autres cellules) qui pompe le Ca^{2+} à l'extérieur du cytoplasme pour le faire entrer dans le réticulum sarcoplasmique en utilisant l'énergie de l'hydrolyse de l'ATP.

Pompe Na⁺-K⁺ (Na⁺-K⁺ ATPase)
Protéine de transport transmembranaire, retrouvée dans la membrane plasmique de la plupart des cellules animales, qui pompe Na^+ vers l'extérieur et fait entrer K^+ dans la cellule, en utilisant l'énergie dérivée de l'hydrolyse de l'ATP.

Postérieur
Situé vers la queue du corps.

Post-traductionnel
Décrit tout processus qui implique une protéine et se produit après la fin de la synthèse protéique.

Potentialisation à long terme
Augmentation de longue durée (jours ou semaines) de la sensibilité de certaines synapses dans l'hippocampe. Induite par une charge de déclenchements répétitifs des neurones pré-synaptiques.

Potentiel d'action
Excitation électrique rapide, transitoire, qui s'auto-propage dans la membrane plasmique d'un neurone ou d'une cellule musculaire. Les potentiels d'action ou influx nerveux, permettent la signalisation à distance dans le système nerveux.

Potentiel membranaire
Différence de voltage à travers une membrane due à un léger excès d'ions positifs d'un côté et d'ions négatifs de l'autre. Le potentiel membranaire typique de la membrane plasmique d'un animal est de –60 mV (l'intérieur est négatif par rapport au liquide tout autour).

Potentiel membranaire de repos
Potentiel membranaire à l'équilibre, pour lequel il n'existe aucun flux net à travers la membrane plasmique.

Potentiel redox
Affinité d'un couple redox pour les électrons, mesurée en général par la différence de voltage entre un mélange équimolaire du couple et une référence standard. NADH/ NAD⁺ possède un faible potentiel redox et O_2/H_2 possède un fort potentiel redox (haute affinité pour les électrons).

Poussée-chasse (*pulse-chase*)
Technique qui permet de suivre le mouvement d'une substance pendant un processus biochimique ou cellulaire, et qui consiste à ajouter brièvement la substance marquée par radioactivité (la poussée) suivie de la substance non marquée (la chasse).

Pré-lymphocyte B
Précurseur immédiat des lymphocytes B.

Prénylation
Fixation covalente d'un groupement lipidique isoprénoïde sur une protéine.

Primosome
Complexe composé d'ADN primase et d'ADN hélicase, qui se forme sur le brin tardif pendant la réplication de l'ADN, et améliore l'efficacité de la réplication.

Prion
Forme infectieuse anormale d'une protéine normale qui se réplique dans l'hôte en forçant la protéine normale du même type à adopter une structure aberrante.

Procaryote
Microorganisme monocellulaire dont les cellules ne possèdent pas un noyau bien défini entouré d'une membrane. Les procaryotes comprennent deux ensembles majeurs d'êtres vivants – les Bactéries et les Archéobactéries.

Progression tumorale
Processus par lequel un comportement cellulaire initialement légèrement perturbé évolue peu à peu en un cancer franc déclaré.

Prométaphase
Phase de la mitose qui précède la métaphase et au cours de laquelle l'enveloppe nucléaire se rompt et les chromosomes se fixent pour la première fois sur le fuseau.

Promoteur
Séquence nucléotidique de l'ADN sur laquelle se fixe l'ARN polymérase pour commencer la transcription.

Prophase

Premier stade de la mitose, pendant lequel les chromosomes sont condensés mais pas encore attachés au fuseau mitotique.

Protéase (protéinase, enzyme protéolytique)

Enzyme comme la trypsine qui dégrade les protéines par hydrolyse de certaines de leurs liaisons peptidiques.

Protéasome

Gros complexe protéique du cytosol qui possède une activité protéolytique et est responsable de la dégradation des protéines marquées pour leur destruction par ubiquitinylation ou d'une autre façon.

Protéine

Constituant macromoléculaire majeur des cellules. Polymère linéaire d'acides aminés reliés par des liaisons peptidiques selon une séquence spécifique.

Protéine d'activation de la GTPase (GAP)

Protéine qui se fixe sur une protéine de liaison au GTP et l'inactive en stimulant son activité GTPasique de telle sorte qu'elle hydrolyse son GTP lié en GDP.

Protéine activatrice de gènes

Protéine régulatrice de gènes qui active la transcription lorsqu'elle est fixée sur sa séquence régulatrice d'ADN.

Protéine adaptatrice

Terme général qui désigne les protéines des voies de signalisation intracellulaire qui relient directement différentes protéines d'une voie.

Protéine allostérique

Protéine qui passe d'une conformation à une autre lorsqu'elle fixe une autre molécule. La modification de conformation modifie l'activité de la protéine et peut produire un mouvement.

Protéine ARF

GTPase monomérique responsable de la régulation de l'assemblage du manteau de COPI et de l'assemblage du manteau de clathrine au niveau des membranes golgiennes.

Protéine à canal

Protéine de transport membranaire qui forme un pore aqueux dans la membrane, à travers lequel un soluté spécifique, en général un ion, peut passer.

Protéine de choc thermique (protéine de réponse au stress)

Protéine synthétisée en quantité supérieure en réponse à une élévation de la température ou un autre traitement stressant et qui aide généralement la cellule à survivre au stress. Les exemples frappants sont : hsp60 et hsp70.

Protéine d'échafaudage

Protéine qui organise des groupes de protéines de signalisation intracellulaire en des complexes de signalisation.

Protéine d'échange des phospholipides

Protéine de transport hydrosoluble qui transfère une molécule de phospholipide d'une membrane à une autre.

Protéine Fas (Fas)

Récepteur lié à la membrane qui, après la fixation de son ligand (ligand Fas), initie l'apoptose dans les cellules qui présentent le récepteur.

Protéine de fluorescence verte (GFP pour *green fluorescent protein*)

Protéine fluorescente isolée d'une méduse. Largement utilisée comme marqueur en biologie cellulaire.

Protéine G – *voir* **Protéine de liaison au GTP**

Protéine G inhibitrice (G$_i$)

Protéine G qui peut réguler les canaux ioniques et inhiber une enzyme, l'adénylate cyclase.

Protéine G stimulatrice (G$_s$)

Protéine G qui, lorsqu'elle est activée, active une enzyme, l'adénylate cyclase, et stimule ainsi la production d'AMP cyclique.

Protéine globulaire

Toute protéine de forme approximativement ronde. Ces protéines sont opposées aux longues protéines fibreuses allongées comme le collagène.

Protéine inhibitrice des Cdk (CKI)

Protéine que se fixe sur les complexes cycline-Cdk et les inhibe ; principalement impliquée dans le contrôle des phases G$_1$ et S.

Protéine de liaison à l'actine

Protéine qui s'associe soit aux monomères d'actine soit aux filaments d'actine dans les cellules et modifie leurs propriétés. Comme exemples citons la myosine, l'actinine α et la profiline.

Protéine de liaison à l'ADN simple brin

Protéine qui se fixe sur un seul brin d'une double hélice d'ADN ouverte, et empêche les structures hélicoïdales de se reformer pendant la réplication de l'ADN.

Protéine de liaison au GTP, protéine G

Protéine ayant une activité GTPasique et qui fixe le GTP ce qui active la protéine. L'activité GTPasique intrinsèque finit par effectuer la conversion du GTP en GDP, ce qui inactive la protéine. Ces GTPases agissent comme des commutateurs moléculaires, par exemple, dans les voies de signalisation intracellulaire. Une des familles est composée de trois sous-unités différentes (protéines de liaison au GTP hétérotrimériques). Les membres d'une autre très grande famille sont les protéines monomériques de fixation du GTP ; elles sont fréquemment nommées GTPases monomériques.

Protéine MDR – *voir* **Protéine de résistance multiple aux médicaments (*multidrug resistance*)**

Protéine membranaire

Protéine qui est normalement étroitement associée à une membrane cellulaire. (*Voir* Figure 10-17.)

Protéine membranaire intégrale

Protéine solidement maintenue dans une membrane et qui ne peut en être éliminée que par des traitements qui rompent la bicouche lipidique.

Protéine membranaire périphérique

Protéine fixée sur une des faces d'une membrane via des interactions non covalentes avec les autres protéines membranaires et qui peut être éliminée par des traitements relativement doux qui laissent la bicouche lipidique intacte.

Protéine associée aux microtubules (MAP)

Toute protéine qui se fixe sur les microtubules et modifie leurs propriétés. Il en existe de nombreuses sortes, y compris des protéines structurales comme MAP-2 et des protéines motrices comme la dynéine.

Protéine à multiples domaines transmembranaires

Protéine membranaire dont la chaîne polypeptidique traverse plusieurs fois la bicouche lipidique.

Protéine motrice

Protéine qui utilise l'énergie dérivée de l'hydrolyse d'un nucléoside triphosphate pour se propulser elle-même le long d'un filament protéique ou d'une autre molécule polymérique.

Protéine précurseur mitochondriale

Protéine mitochondriale codée par un gène nucléaire, synthétisée dans le cytosol puis transportée dans les mitochondries.

Protéine Rab

N'importe quelle protéine d'une grande famille de GTPases monomériques présentes dans la membrane plasmique et les membranes des organites qui jouent un rôle dans la spécificité de l'arrimage des vésicules.

Protéine Ras

Membre le plus connu d'une grande famille de protéines fixant le GTP (les GTPases monomériques) qui aident à relayer jusqu'au noyau les signaux issus des récepteurs situés à la surface des cellules. Nommée d'après le gène *ras*, identifié au départ dans les virus qui provoquent le sarcome du rat.

Protéine RecA
Prototype d'une classe de protéines se fixant sur l'ADN qui catalyse le synopsis des brins d'ADN pendant la recombinaison génétique.

Protéine régulatrice de gènes
Nom général désignant toute protéine qui se fixe sur une séquence spécifique d'ADN pour modifier l'expression d'un gène.

Protéine à répétitions riches en leucine (protéine LRR)
Type commun de récepteur à activité sérine/thréonine-kinase des végétaux. Caractérisé par la disposition en tandem de séquences de répétitions riches en leucine dans la portion extracellulaire.

Protéine répresseur de gènes
Protéine régulatrice qui empêche l'initiation de la transcription.

Protéine résidente du RE
Protéine qui reste dans le réticulum endoplasmique (RE) ou ses membranes et y effectue ses fonctions ; s'oppose aux protéines présent dans le RE seulement en transit.

Protéine de résistance multiple aux médicaments (protéine MDR pour *multidrug resistance*)
Protéine de type transporteur ABC qui peut pomper les médicaments hydrophobes (comme certains médicaments anticancéreux) pour les faire sortir du cytoplasme des cellules eucaryotes.

Protéine RNPnh (ribonucléoprotéine nucléaire hétérogène)
Membre d'un groupe de protéines qui s'assemblent sur l'ARN néosynthétisé et l'organisent en une forme plus compacte.

Protéine à un seul domaine transmembranaire
Protéine membranaire dont la chaîne polypeptidique traverse une seule fois la bicouche lipidique.

Protéine de signalisation intracellulaire
Protéine qui relaie un signal et fait partie d'une voie de signalisation intracellulaire. Peut activer la protéine suivante de la voie ou engendrer un petit médiateur intracellulaire.

Protéine transmembranaire
Protéine membranaire qui s'étend à travers la bicouche lipidique avec une partie de sa masse située de part et d'autre de la membrane.

Protéine de transport
Protéine membranaire de transport qui se fixe sur un soluté et le transporte à travers la membrane en subissant une série de modifications de conformation.

Protéine de transport membranaire
Protéine membranaire qui permet le passage d'ions ou de molécules à travers une membrane. Les exemples sont : les canaux ioniques et les protéines de transport.

Protéine trimérique de liaison au GTP – *voir* **Protéine de liaison au GTP**

Protéine-kinase
Enzyme qui transfère le groupement phosphate terminal d'un ATP sur un acide aminé spécifique d'une protéine cible.

Protéine-kinase activée par les mitogènes – *voir* **MAP-kinase**

Protéine-kinase AMP cyclique-dépendante (protéine-kinase A, PKA)
Enzyme qui phosphoryle les protéines cibles en réponse à l'augmentation de l'AMP cyclique intracellulaire.

Protéine-kinase C (PKC)
Protéine-kinase, dépendante du Ca^{2+}, qui lorsqu'elle est activée par le diacylglycérol et une augmentation de la concentration en Ca^{2+}, phosphoryle des protéines cibles sur des sérines et des thréonines spécifiques.

Protéine-kinase Ca^{2+}/calmoduline-dépendante (CaM kinase)
Protéine-kinase dont l'activité est régulée par la fixation de calmoduline activée par Ca^{2+} (Ca^{2+}/calmoduline) et qui sert indirectement de médiation aux effets de Ca^{2+} en phosphorylant d'autres protéines.

Protéine-phosphatase – *voir* **Phosphoprotéine phosphatase**

Protéines Mcm
Protéines des cellules eucaryotes qui se fixent sur les complexes de reconnaissance de l'origine dans l'ADN au début de la phase G_1 et qui sont impliquées dans la formation du complexe de pré-réplication.

Protéoglycane
Molécule composée d'une ou de plusieurs chaînes de glycosaminoglycanes (GAG) fixées sur un noyau protéique.

Protéolyse
Dégradation d'une protéine par hydrolyse au niveau d'une ou de plusieurs de ses liaisons peptidiques.

Protofilament
Chaîne linéaire, formée de sous-unités protéiques reliées bout à bout, associée latéralement à d'autres protofilaments pour former un composant du cytosquelette comme les microtubules et les filaments intermédiaires.

Proton
Particule sub-atomique positivement chargée qui forme une partie d'un noyau atomique. L'hydrogène possède un noyau composé d'un seul proton (H^+).

Proto-oncogène
Gène normal, en général concerné par la régulation de la prolifération cellulaire, qui peut être transformé par mutation en un oncogène favorisant le cancer.

Protozoaire
Organisme eucaryote mobile, monocellulaire, non photosynthétique, vivant librement ou parasite, comme *Paramecium* et *Amoeba*. Les protozoaires libres se nourrissent de bactéries ou d'autres microorganismes.

Pseudogène
Gène qui a accumulé de multiples mutations qui l'ont rendu inactif et non fonctionnel.

Pseudopode
Grande protrusion formée, à la surface de la cellule, par les cellules amiboïdes lorsqu'elles migrent. Plus généralement toute extension dynamique riche en actine de la surface d'une cellule animale.

Puits recouvert de clathrine
Région de la membrane plasmique d'une cellule animale qui est recouverte d'une protéine, la clathrine, sur sa face cytosolique. Ces régions se forment continuellement et bourgeonnent par endocytose pour former des vésicules intracellulaires recouvertes de clathrine contenant du liquide extracellulaire et du matériel dissous.

Purine
Une des deux catégories de composés azotés cycliques présentes dans l'ADN et l'ARN. Les exemples sont : l'adénine et la guanine. (*Voir* Planche 2-6, p. 120-121.)

Pyrimidine
Une des deux catégories de composés azotés cycliques présentes dans l'ADN et l'ARN. Les exemples sont : la cytosine, la thymine et l'uracile. (*Voir* Planche 2-6, p. 120-121.)

Quinone (Q)
Petite molécule de transport d'électrons, liposoluble et mobile, trouvée dans les chaînes respiratoire et photosynthétique de transport des électrons. (*Voir* Figure 14-24.)

Radeau lipidique, microdomaine lipidique
Petite région de la membrane plasmique enrichie en sphingolipides et en cholestérol.

Ran
GTPase monomérique, présente dans le cytosol et le noyau,

nécessaire au transport actif des macromolécules vers l'intérieur et l'extérieur du noyau via les complexes du pore nucléaire. On pense que l'hydrolyse du GTP en GDP fournit l'énergie nécessaire à ce transport.

RE – *voir* **Réticulum endoplasmique**

Réaction
En chimie, tout processus au cours duquel une molécule est transformée en une autre par l'élimination ou l'addition d'atomes, ou au cours duquel la disposition des atomes dans une (ou des) molécule(s) est modifiée par la modification des liaisons chimiques.

Réaction acrosomique
Réaction qui se produit lorsqu'un spermatozoïde commence à entrer dans l'ovule et au cours de laquelle le contenu du sac acrosomique est libéré, aidant ainsi le spermatozoïde à traverser la zone pellucide.

Réaction en chaîne par la polymérase – *voir* **PCR**

Réaction de condensation
Réaction chimique au cours de laquelle deux molécules sont reliées de façon covalente par le biais de groupements –OH avec l'élimination d'une molécule d'eau.

Réaction couplée
Couple de réactions chimiques liées dans lequel l'énergie libre libérée par une des réactions sert à entraîner la seconde.

Réaction redox
Réaction au cours de laquelle un composant s'oxyde et l'autre se réduit : réaction d'oxydoréduction.

Récepteur
Protéine qui fixe une molécule extracellulaire spécifique de signalisation (ligand) et initie une réponse intracellulaire. Les récepteurs cellulaires de surface, comme le récepteur à l'acétylcholine et le récepteur à l'insuline, sont localisés dans la membrane plasmique et leur site de fixation au ligand est exposé vers le milieu extérieur. Les récepteurs intracellulaires, comme les récepteurs aux hormones stéroïdes, se fixent sur des ligands qui diffusent dans la cellule à travers la membrane plasmique.

Récepteur à l'acétylcholine
Canal ionique qui s'ouvre en réponse à la fixation de l'acétylcholine, transformant ainsi un signal chimique en un signal électrique. Exemple le mieux connu de canal à ouverture contrôlée par un transmetteur. Parfois appelé récepteur nicotinique pour le différencier du récepteur muscarinique qui est un récepteur cellulaire de surface à l'acétylcholine couplé à une protéine G.

Récepteur associé à l'histidine-kinase
Type de récepteur transmembranaire trouvé dans la membrane plasmique des bactéries, des levures et des cellules végétales, et impliqué, par exemple, dans la perception des stimuli qui provoquent la chimiotaxie bactérienne. Associé à une histidine protéine-kinase sur sa face cytoplasmique.

Récepteur couplé à une enzyme
Type principal de récepteur cellulaire de surface dans lequel le domaine cytoplasmique possède lui-même une activité enzymatique ou est associé à une enzyme intracellulaire. Dans les deux cas, l'activité enzymatique est stimulée par la fixation du ligand sur le récepteur.

Récepteur couplé aux protéines G
Récepteur cellulaire de surface qui s'associe à une protéine trimérique intracellulaire de fixation au GTP (protéine G) après son activation par un ligand extracellulaire. Ces récepteurs sont des protéines à sept domaines transmembranaires.

Récepteur des cytokines
Type de récepteur cellulaire de surface dont les ligands sont des cytokines comme les interférons, l'hormone de croissance et la prolactine, et qui agit par la voie Jak-STAT.

Récepteur Fc
Membre d'une famille de récepteurs spécifiques de la région constante invariable (région Fc) des immunoglobulines (autres que les IgM et IgD) ; les différents récepteurs Fc sont spécifiques des IgG, IgA, IgE et de leurs sous-classes.

Récessif
En génétique, se réfère au membre d'une paire d'allèles qui n'exprime pas le phénotype de l'organisme en présence de l'allèle dominant. Se réfère aussi au phénotype d'un individu qui ne possède que l'allèle récessif.

Receveur d'électrons
Atome ou molécule qui absorbe facilement les électrons, gagne ainsi un électron et devient réduit.

Recombinaison
Processus au cours duquel les molécules d'ADN sont cassées et les fragments réunis en une nouvelle combinaison. Peut se produire dans les cellules vivantes – par exemple au cours d'un crossing-over pendant la méiose – ou *in vitro* en utilisant de l'ADN purifié et des enzymes qui cassent et relient les brins d'ADN.

Recombinaison générale, recombinaison génétique générale
Recombinaison qui s'effectue entre deux chromosomes homologues (comme lors de méiose).

Recombinaison génétique – *voir* **Recombinaison**

Recombinaison spécifique de site
Type de recombinaison qui ne nécessite pas de similitude étendue entre les deux séquences d'ADN qui subissent la recombinaison. Peut se produire entre deux molécules d'ADN différentes ou à l'intérieur d'une seule molécule d'ADN.

Réduction (verbe : **réduire**)
Addition d'électrons sur un atome, comme lors d'addition d'hydrogène sur une molécule ou l'élimination d'oxygène de cette molécule. S'oppose à l'oxydation. (*Voir* Figure 2-43.)

Régénération par intercalation
Type de régénération qui comble les tissus manquants lorsque deux parties mal appariées d'une structure sont greffées ensemble.

Région de contrôle du gène
Séquence d'ADN nécessaire pour initier la transcription d'un gène donné et contrôler la vitesse d'initiation.

Région hypervariable
N'importe laquelle des trois petites régions à l'intérieur de la région variable d'une chaîne d'immunoglobuline légère ou lourde qui montre la plus forte variabilité d'une molécule à l'autre. Ces régions déterminent la spécificité du site de liaison à l'antigène.

Région variable
Région d'une chaîne d'immunoglobuline légère ou lourde qui diffère d'une molécule à l'autre ; elle comprend le site de liaison à l'antigène.

Régulateur de croissance des végétaux
Molécule de signalisation (appelée aussi hormone végétale) qui aide à coordonner la croissance et le développement. Les exemples sont : l'éthylène, les auxines, les gibberellines, les cytokines, l'acide abscisique et les brassinostéroïdes.

Réparation de l'ADN
Nom collectif des processus biochimiques qui corrigent les modifications accidentelles de l'ADN.

Réparation des mésappariements – *voir* **Correction des mésappariements.**

Réponse immunitaire
Réponse faite par le système immunitaire lorsqu'une substance étrangère ou un microorganisme entre dans son corps. (*Voir aussi* **Réponse immunitaire innée**, **Réponse immunitaire adaptative**, **Réponse immunitaire primaire**, **Réponse immunitaire secondaire**.)

Réponse immunitaire adaptative
Réponse du système immunitaire des vertébrés à un antigène spécifique ; elle engendre typiquement une mémoire immunologique.

Réponse immunitaire innée
Réponse immunitaire (des vertébrés et des invertébrés) vis-à-vis d'un agent pathogène qui implique les défenses préexistantes du corps – le **système immunitaire inné** – comme les barrières formées par la peau et les muqueuses, les molécules antimicrobiennes et les phagocytes. Ce type de réponse n'est pas spécifique de l'agent pathogène.

Réponse immunitaire à médiation cellulaire
Partie d'une réponse immunitaire adaptative pour laquelle les lymphocytes T spécifiques sont activés, afin d'effectuer diverses fonctions comme tuer les cellules infectées et activer les macrophages.

Réponse immunitaire primaire
Réponse immunitaire adaptative vis-à-vis d'un antigène qui se forme lors de la première rencontre avec cet antigène.

Réponse immunitaire secondaire
Réponse immunitaire adaptative vis-à-vis d'un antigène qui se forme lors de la deuxième rencontre ou d'une rencontre ultérieure avec l'antigène donné. Son apparition est plus rapide et sa réponse est plus forte et plus spécifique que la réponse immunitaire primaire.

Réponse inflammatoire
Réponse locale d'un tissu à une lésion ou une infection – caractérisée au niveau du tissu par de la rougeur, une tuméfaction, de la chaleur et de la douleur. Provoquée par l'invasion des leucocytes, qui libèrent divers médiateurs locaux comme l'histamine.

Réponse aux protéines dépliées
Réponse cellulaire déclenchée par une accumulation de protéines mal repliées dans le réticulum endoplasmique. Implique l'augmentation de la transcription de chaperons du RE et d'enzymes de dégradation.

Répresseur
Protéine qui se fixe sur une région spécifique de l'ADN pour éviter la transcription d'un gène adjacent.

Reproduction asexuée
Tout type de reproduction (comme le bourgeonnement chez *Hydra*, la fission binaire des bactéries ou la division mitotique des microorganismes eucaryotes) qui n'implique pas la formation de gamètes et leur fusion. Elle produit un individu génétiquement identique au parent.

Reproduction sexuelle
Type de reproduction au cours de laquelle les génomes de deux individus se mélangent pour former un nouvel organisme. Les individus produits par la reproduction sexuelle diffèrent de leurs parents et les uns des autres.

Réseau *cis*-golgien (CGN)
Réseau de citernes et de tubules interconnectés qui reçoivent les vésicules du réticulum endoplasmique et transfèrent le matériel à la face *cis* de l'appareil de Golgi.

Réseau *trans*-golgien (TGN)
Réseau de citernes et de tubules interconnectés au niveau de la face *trans* de l'appareil de Golgi, à travers lequel les matériaux sont transférés pour sortir de l'appareil de Golgi.

Résidu
Terme général qui désigne l'unité d'un polymère. Partie d'un sucre, d'un acide aminé ou d'un nucléotide qui est conservée en tant que partie de la chaîne polymérique pendant le processus de polymérisation.

Résonance magnétique nucléaire – *voir* **RMN**

Respiration
Terme général qui désigne un processus intracellulaire qui implique la dégradation oxydative des sucres et d'autres molécules organiques et nécessite l'absorption d'O_2 tout en produisant CO_2 et H_2O comme produit de déchet.

Réticulum endoplasmique (RE)
Compartiment des cellules eucaryotes, en forme de labyrinthe et entouré d'une membrane, où sont synthétisés les lipides et les protéines liées à la membrane et où sont fabriquées les protéines sécrétoires.

Réticulum endoplasmique lisse (RE lisse)
Région de réticulum endoplasmique non associée à des ribosomes. Impliqué dans la synthèse des lipides.

Réticulum endoplasmique rugueux (RE rugueux)
Réticulum endoplasmique portant des ribosomes sur sa surface cytosolique. Impliqué dans la synthèse de protéines sécrétées et liées à la membrane.

Réticulum sarcoplasmique
Réseau de membranes internes dans le cytoplasme d'une cellule musculaire, qui contient de fortes concentrations en Ca^{2+} séquestré, libéré dans le cytosol pendant la contraction musculaire.

Rétrotransposon
Type d'élément transposable qui se déplace en étant d'abord transcrit en une copie ARN qui est ensuite convertie en ADN par une transcriptase inverse puis inséré ailleurs dans les chromosomes.

Rétrovirus
Virus à ARN qui se réplique dans une cellule en fabriquant d'abord un ADN double brin intermédiaire.

Réunion V(D)J
Processus de recombinaison par lequel les segments géniques sont réunis pour former le gène fonctionnel d'une chaîne polypeptidique d'une immunoglobuline ou d'un récepteur de lymphocyte T.

Rhodopsine
Récepteur sensible à la lumière, couplé à une protéine G, des cellules photoréceptrices en bâtonnets de la rétine.

Ribonucléase
Enzyme qui coupe une molécule d'ARN par l'hydrolyse d'une ou de plusieurs de ses liaisons phosphodiester.

Ribosome
Particule composée d'ARN ribosomique et de protéines ribosomiques qui s'associe à l'ARN messager et catalyse la synthèse d'une protéine.

Ribosome libre
Ribosome libre dans le cytosol, non fixé sur une membrane. Il est le site de la synthèse de toutes les protéines codées par le génome nucléaire sauf celles destinées à entrer dans le réticulum endoplasmique.

Ribosomes liés à la membrane
Ribosomes fixés sur la face cytosolique du réticulum endoplasmique. Le site de la synthèse des protéines qui entrent dans le réticulum endoplasmique.

Ribozyme
ARN doté d'une activité catalytique.

RMN (résonance magnétique nucléaire)
Absorption par résonance de radiations électromagnétiques à une fréquence spécifique par les noyaux atomiques dans un champ magnétique, due au changement de l'orientation du moment magnétique de leur dipôle. Le spectre RMN est largement utilisé pour déterminer la structure tridimensionnelle des petites protéines.

Saccharomyces
Genre de levure qui se reproduit selon un mode asexué par bourgeonnement ou sexuellement par conjugaison. Économiquement importante pour les brasseurs et les boulangers, elle est également largement utilisée en génie génétique et comme organisme modèle simple pour l'étude de la biologie cellulaire des eucaryotes.

Saccharose
Disaccharide composé d'une unité de glucose et d'une unité

de fructose. La forme principale de transport du glucose entre les cellules végétales.

Saccule (citerne)
Compartiment aplati entouré d'une membrane, trouvé dans le réticulum endoplasmique ou l'appareil de Golgi.

Sarcome
Cancer des tissus conjonctifs.

Sarcomère
Unité répétitive des myofibrilles des cellules musculaires, formée par un ensemble de filaments épais (myosine) et de filaments fins (actine) qui se chevauchent entre deux disques Z adjacents.

Saturé
Décrit une molécule contenant des liaisons carbone-carbone qui ne présente que des liaisons covalentes simples.

S-Cdk
Complexe formé dans les cellules de vertébrés par une cycline S et la kinase cycline-dépendante correspondante (Cdk).

Second messager
Petite molécule formée ou libérée dans le cytosol en réponse à un signal extracellulaire et qui aide à relayer le signal à l'intérieur de la cellule. Les exemples incluent l'AMPc, l'IP3 et Ca^{2+}.

Segment génique V
Segment génique codant pour la majeure partie des régions variables des chaînes polypeptidiques des immunoglobulines ou des récepteurs des lymphocytes T.

Sélectine
Membre d'une famille de protéines cellulaires de surface qui se lient aux glucides et permettent l'adhésion intercellulaire transitoire, dépendante de Ca^{2+}, dans le courant sanguin, par exemple entre les leucocytes et l'endothélium de la paroi des vaisseaux sanguins.

Sénescence cellulaire réplicative
Phénomène observé dans les cultures cellulaires primaires lorsqu'elles vieillissent, et au cours duquel la prolifération cellulaire se ralentit puis finit par s'arrêter.

Séquençage de l'ADN
Détermination de l'ordre des nucléotides dans une molécule d'ADN. (*Voir* Figure 8-36.)

Séquence consensus
Forme moyenne ou typique d'une séquence qui est reproduite avec des variations mineures dans un groupe de séquences d'ADN, d'ARN ou de protéines apparentées. La séquence consensus présente les nucléotides ou les acides aminés les plus souvent retrouvés dans chaque position. La conservation d'un consensus implique que la séquence est fonctionnellement importante. (*Voir* Figure 6-12.)

Séquence palindromique
Séquence nucléotidique identique à son brin complémentaire lorsque chacun est lu dans la même direction chimique – par exemple GATC.

Séquence régulatrice
Séquence ADN sur laquelle se fixent les protéines régulatrices de gènes pour contrôler la vitesse d'assemblage des complexes transcriptionnels sur le promoteur.

Séquence de signal
Courte séquence continue d'acides aminés qui détermine la localisation finale d'une protéine dans la cellule. Un exemple est la séquence de l'extrémité N-terminale, longue de 20 acides aminés environ, qui dirige les protéines transmembranaires et sécrétoires naissantes vers le réticulum endoplasmique.

Séquence de signal du RE
Séquence de signal N-terminale qui dirige les protéines pour qu'elles entrent dans le réticulum endoplasmique (RE). Elle est coupée par une signal-peptidase après l'entrée dans le RE.

Sérine-protéase
Type de protéase qui possède une sérine réactive dans son site actif

Signal d'arrêt du transfert
Séquence hydrophobe d'acides aminés qui arrête la translocation d'une chaîne polypeptidique à travers la membrane du réticulum endoplasmique, et ancre ainsi la chaîne protéique dans la membrane. (*Voir* Figure 12-49.)

Signal de début de transfert
Courte séquence d'acides aminés qui permet le début de la translocation d'une chaîne polypeptidique dans la membrane du réticulum endoplasmique à travers un translocateur protéique. Les protéines à multiples domaines transmembranaires possèdent à la fois un signal N-terminal de début de transfert (séquence de signal) et des signaux internes de début de transfert.

Signal d'exportation nucléaire
Signal de tri contenu dans la structure de molécules et de complexes comme l'ARN et les sous-unités ribosomiques néosynthétisées, qui sont transportés du noyau au cytosol à travers le complexe du pore nucléaire.

Signal de localisation nucléaire (NLS pour *nuclear localization signal*)
Séquence de signal ou patchs de signal retrouvés dans les protéines destinées au noyau et qui permettent leur transport sélectif dans le noyau à partir du cytosol via les complexes du pore nucléaire.

Signal de rétention dans le RE
Courte séquence d'acides aminés d'une protéine qui l'empêche de se déplacer hors du réticulum endoplasmique (RE). Observée sur les protéines résidentes du RE qui y fonctionnent.

Signal de terminaison
Signal de l'ADN bactérien qui arrête la transcription.

Signal de tri
Séquence d'acides aminés qui dirige la délivrance d'une protéine sur une localisation spécifique à l'extérieur du cytosol.

Signalisation autocrine
Type de signalisation cellulaire au cours de laquelle une cellule sécrète des molécules de signalisation qui agissent sur elle-même ou sur d'autres cellules adjacentes du même type.

Signalisation contact-dépendante
Communication intercellulaire au cours de laquelle la molécule de signalisation reste fixée sur la cellule de signalisation et n'influence que les cellules qui entrent physiquement en contact avec elle.

Signalisation paracrine
Communication intercellulaire de courte distance via des molécules de signalisation sécrétées qui agissent sur les cellules adjacentes.

Signalisation synaptique
Type de communication intercellulaire qui se produit à travers les synapses chimiques du système nerveux.

Signal-peptidase
Enzyme qui élimine une séquence de signal terminale d'une protéine une fois que le processus de tri est terminé.

Site actif
Région de la surface d'une enzyme sur laquelle se fixe une molécule de substrat afin de subir une réaction catalysée.

Site de liaison
Une région de la surface d'une molécule (en général une protéine ou un acide nucléique) qui peut interagir avec une autre molécule par des liaisons non covalentes.

Site régulateur
Site enzymatique, différent du site actif, sur lequel se fixe une molécule qui affecte l'activité enzymatique.

SNARE

Grande famille de protéines transmembranaires présentes dans les membranes des organites et dans les vésicules qui en dérivent. Elles sont impliquées dans le guidage des vésicules vers leur destination correcte. Elles existent par paires – les SNARE-v de la membrane des vésicules se fixent spécifiquement sur les SNARE-t complémentaires de la membrane cible.

SNARE-t – *voir* **SNARE**

SNARE-v – *voir* **SNARE**

SNP – *voir* **Polymorphisme d'un seul nucléotide**

Soluté

Toute molécule dissoute dans un liquide. Le liquide est appelé un solvant.

Somite

Un des blocs pairs du mésoderme qui se forme au cours des premiers stades du développement et réside de part et d'autre de la notochorde dans les embryons de vertébrés. Ils peuvent donner naissance à la colonne vertébrale, aux muscles et au tissu conjonctif associé. Chaque somite produit la musculature d'un segment vertébral plus le tissu conjonctif qui lui est associé.

Sonde

Fragment défini d'ADN ou d'ARN, marqué par radioactivité ou chimiquement, utilisé pour localiser des séquences spécifiques d'acides nucléiques par hybridation.

Sous-unité

Composant d'un complexe à multiples composants – par exemple, composant protéique d'un complexe protéique ou chaîne polypeptidique d'une protéine à chaînes multiples.

Spectre de diffraction

Spectre dû à l'interférence d'ondes entre des radiations transmises ou diffusées par différentes parties d'un objet.

Spectrine

Abondante protéine associée à la face cytosolique de la membrane plasmique des hématies, et qui forme le réseau rigide qui soutient la membrane.

Spermatogenèse

Développement des spermatozoïdes.

Spermatozoïde

Gamète mâle mature des animaux. Il est mobile et généralement petit comparé à l'ovule.

Splicéosome

Gros assemblage d'ARN et de molécules protéiques qui effectue l'épissage du pré-ARNm dans les cellules eucaryotes.

Squelette polypeptidique

Chaîne composée de la répétition d'atomes de carbone et d'hydrogène, reliés par des liaisons peptidiques, d'un polypeptide ou d'une protéine. Les chaînes latérales des acides aminés se projettent à partir de ce squelette.

SRP – *voir* **Particule de reconnaissance du signal**

Stéréocil

Grande microvillosité rigide formée dans des ensembles d'«organes tubulaires» situés à la surface apicale des poils auditifs. Un stéréocil contient un faisceau de filaments d'actine au lieu de microtubules et n'est donc pas un vrai cil.

Stéroïde

Molécule lipidique hydrophobe dont la structure caractéristique comporte quatre cycles. Beaucoup d'hormones importantes comme les estrogènes et la testostérone sont des stéroïdes. (*Voir* Planche 2-5, p. 118-119.)

Stroma

(1) Tissu conjonctif dans lequel est inclus un épithélium glandulaire ou non. (2) Espace intérieur important d'un chloroplaste qui contient les enzymes qui incorporent le CO_2 dans des sucres.

Structure primaire

Séquence d'un polymère linéaire, composée d'unités monomériques, comme la séquence en acides aminés d'une protéine.

Structure quaternaire

Relation tridimensionnelle entre les différentes chaînes polypeptidiques d'une protéine à multiples sous-unités ou d'un complexe protéique.

Structure secondaire

Type localisé normal de repliement d'une molécule polymérique. Dans les protéines, il s'agit des hélices α et des feuillets β.

Structure tertiaire

Forme complexe tridimensionnelle d'une chaîne polymérique repliée, en particulier d'une protéine ou d'une molécule d'ARN.

Substrat

Molécule sur laquelle agit une enzyme.

Sucre

Petit glucide dont l'unité monomérique à comme formule générale $(CH_2O)n$. Les exemples sont les monosaccharides comme le glucose, le fructose et le mannose et un disaccharide, le saccharose (composé d'une molécule de glucose reliée à une molécule de fructose).

Sulfhydryle (thiol, –SH)

Groupement chimique contenant du soufre et de l'hydrogène retrouvé dans un acide aminé, la cystéine et dans d'autres molécules. Deux groupements sulfhydryle peuvent être reliés pour produire un pont disulfure.

Superenroulement

Structure en forme de corde particulièrement stable dans les protéines, formée de deux hélices α enroulées l'une autour de l'autre.

Superenroulement de l'ADN

Enroulement supplémentaire de l'hélice d'ADN qui se produit en réponse à une tension superhélicoïdale créée lorsque, par exemple, un ADN circulaire est partiellement déroulé. (*Voir* Figure 6-20.)

Superfamille des facteurs de croissance de transformation β – *voir* **Superfamille des TGF-β**

Superfamille des Ig

Grande famille de protéines qui contient des domaines immunoglobulines ou des domaines de type immunoglobuline. La plupart sont impliquées dans les interactions intercellulaires ou la reconnaissance des antigènes.

Superfamille des récepteurs nucléaires

Récepteurs intracellulaires de molécules hydrophobes de signalisation comme les stéroïdes et l'acide rétinoïque. Le complexe récepteur-ligand agit comme un facteur transcriptionnel dans le noyau.

Superfamille des TGF-β (facteur de croissance de transformation)

Grande famille de protéines structurellement apparentées et sécrétées qui agissent comme des hormones et des médiateurs locaux pour contrôler une large gamme de fonctions chez les animaux, y compris pendant le développement. Elle inclut les TGF-β, les activines et les BMP (*bone morphogenetic proteins*).

Support

Surface solide sur laquelle adhère une cellule.

Symbiose

Association intime entre deux organismes d'espèces différentes qui leur donne un avantage sélectif à long terme.

Symport

Protéine porteuse qui transporte deux types de solutés à travers la membrane dans la même direction.

Synapse

Jonction intercellulaire communicante qui permet le passage de signaux d'un neurone à une autre cellule. Dans une synapse chimique, le signal est transporté par un neurotransmetteur diffusible ; dans une synapse électrique, une connexion directe est créée entre le cytoplasme des deux cellules via des nexus.

Synapsis

(1) En recombinaison génétique, formation initiale d'appariement de bases entre des brins d'ADN complémentaires de différentes molécules d'ADN qui se produit au niveau des sites de crossing-over entre les chromosomes. (2) Pendant la méiose, appariement des copies maternelle et paternelle d'un chromosome lorsqu'elles s'attachent l'une à l'autre sur toute leur longueur.

Syncytium

Masse de cytoplasme contenant de nombreux noyaux entourés par une seule membrane plasmique. Typiquement résultat de la fusion cellulaire ou d'une série de cycles incomplets de division au cours desquels les noyaux se divisent mais pas la cellule.

Synténie

Présence dans différentes espèces de régions de chromosomes ayant les mêmes gènes dans le même ordre.

Système acellulaire

Homogénat cellulaire fractionné qui garde une fonction biologique particulière de la cellule intacte et dans lequel les réactions biochimiques et les processus cellulaires peuvent être plus facilement étudiés.

Système du complément

Système de protéines sériques activé par les complexes anticorps-antigène ou par les microorganismes. Facilite l'élimination des microorganismes pathogènes en provoquant directement leur lyse ou en favorisant leur phagocytose.

Système de contrôle du cycle cellulaire

Réseau de protéines régulatrices qui gouverne la progression des cellules eucaryotes dans le cycle cellulaire.

Système à double hybride

Technique d'identification des protéines qui interagissent par l'utilisation de cellules de levure génétiquement modifiées.

Système immunitaire

Population de lymphocytes et d'autres leucocytes dans le corps d'un vertébré qui le défend vis-à-vis des infections.

Système nerveux central (SNC)

Organe principal de traitement de l'information du système nerveux. Chez les vertébrés, il est composé du cerveau et de la moelle épinière.

Système de sécrétion de type III

Système bactérien qui délivre des toxines protéiques dans les cellules de son hôte.

Technique d'enregistrement local (*patch clamp recording*)

Technique électrophysiologique au cours de laquelle l'extrémité d'une minuscule électrode est scellée dans une zone de la membrane cellulaire, ce qui permet d'enregistrer le flux du courant à travers chaque canal ionique de cette zone.

Technique FRET (*fluorescent resonance energy transfert*)

Technique pour suivre la proximité de deux molécules marquées par fluorescence (et donc leurs interactions) dans les cellules.

Technique du *phage display*

Technique de détection de protéines qui interagissent les unes avec les autres en faisant passer par balayage une protéine sur une banque de phages génétiquement modifiés, chacun présentant une protéine de liaison potentielle à sa surface.

Télomérase

Enzyme qui allonge la séquence des télomères dans l'ADN.

Télomère

Extrémité d'un chromosome associée à une séquence ADN caractéristique et qui est répliquée de façon particulière. S'oppose à la tendance des chromosomes à se raccourcir à chaque cycle de réplication. (du Grec *telos*, « extrémité »).

Télophase

Étape finale de la mitose au cours de laquelle les deux jeux de chromosomes séparés se décondensent et s'entourent d'enveloppes nucléaires.

TGN – *voir* **Réseau *trans*-golgien**

Théorie de sélection clonale

Théorie qui explique comment le système immunitaire adaptatif peut répondre à des millions d'antigènes différents d'une façon hautement spécifique. Au sein d'une population de lymphocytes ayant un vaste répertoire empirique de spécificité antigénique engendré de façon aléatoire, un antigène étranger donné active (sélectionne) uniquement les cellules ayant la spécificité antigénique correspondante.

Thiol – *voir* **Sulfhydryle**

Thylacoïde

Sac aplati formé de membranes dans un chloroplaste qui contient de la chlorophylle et d'autres pigments et effectue les réactions de piégeage de la lumière de la photosynthèse. Les empilements de thylacoïdes forment les grana des chloroplastes.

Tissu conjonctif

Tout tissu de soutien situé entre d'autres tissus et composé de cellules incluses dans une quantité relativement grande de matrice extracellulaire. Inclut les os, le cartilage et le tissu conjonctif lâche.

Tissu épithélial – *voir* **Épithélium**

Tolérance immunologique acquise

Non-réponse du système immunitaire à un antigène étranger donné ; elle peut apparaître dans certaines circonstances.

Topoisomérase (ADN topoisomérase)

Enzyme qui effectue des coupures réversibles dans une molécule d'ADN hélicoïdale double brin pour retirer les nœuds ou dérouler les enroulements excessifs.

Traceur

Molécule ou atome qui a été marqué soit chimiquement soit par radioactivité de telle sorte à pouvoir être suivi ou facilement localisé dans un tissu.

Traduction (traduction de l'ARN)

Processus au cours duquel la séquence des nucléotides d'une molécule d'ARN messager dirige l'incorporation des acides aminés dans les protéines. S'effectue sur les ribosomes.

Traitement de l'image

Traitement informatique des images obtenues par microscopie ; il révèle des informations qui ne sont pas immédiatement visibles à l'œil.

Transcriptase inverse

Enzyme, découverte pour la première fois dans les rétrovirus, qui fabrique une copie d'ADN double brin à partir d'une molécule d'ARN simple brin qui sert de matrice.

Transcription (transcription de l'ADN)

Copie d'un brin d'ADN en une séquence complémentaire d'ARN par une enzyme, l'ARN polymérase.

Transcrit

Produit ARN de la transcription d'ADN.

Transcytose

Absorption de matériel à une des faces de la cellule par endocytose, transfert à travers la cellule dans des vésicules et déchargement au niveau de l'autre face par exocytose.

Transduction du signal

Relais du signal par la conversion d'une forme chimique ou physique en une autre. En biologie cellulaire, processus par lequel une cellule convertit un signal extracellulaire en une réponse.

Trans-épissage

Type d'épissage de l'ARN qui s'effectue dans quelques organismes eucaryotes et au cours duquel les exons de deux molécules d'ARN séparées sont réunis pour former une molécule d'ARNm.

Transfection

Introduction d'une molécule d'ADN étranger dans une cellule eucaryote. Généralement suivie par l'expression d'un ou de plusieurs gènes dans l'ADN nouvellement introduit.

Transferts d'électrons par photosynthèse

Réactions de la photosynthèse entraînées par la lumière au cours desquelles les électrons se déplacent dans la membrane thylacoïde, le long d'une chaîne de transport des électrons, ce qui engendre ATP et NADPH.

Transfert Northern (*Northern blot*)

Technique d'immobilisation, sur une feuille de papier, de fragments d'ARN séparés par électrophorèse. Un ARN spécifique est alors détecté par hybridation avec une sonde d'acide nucléique marquée.

Transfert Southern (*Southern blot*)

Technique au cours de laquelle les fragments d'ADN sont séparés par électrophorèse et immobilisés sur une feuille de papier. Les fragments spécifiques sont ensuite détectés par une sonde d'acide nucléique marquée. (Nommé d'après E.M. Southern, inventeur de la technique.)

Transfert Western (*Western blot*)

Technique de séparation des protéines par électrophorèse et d'immobilisation sur une feuille de papier afin de les analyser généralement par le biais d'un anticorps marqué.

Translocateur protéique

Protéine, liée à la membrane, qui permet le transport d'une autre protéine à travers la membrane d'un organite.

Translocation

Type de mutation au cours de laquelle une portion d'un chromosome est coupée et fixée sur un autre.

Transport actif

Mouvement d'une molécule à travers une membrane ou une autre barrière entraîné par de l'énergie autre que celle stockée dans le gradient électrochimique de la molécule transportée.

Transport axonal

Transport dirigé des organites et des molécules le long d'un axone neuronal. Il peut être antérograde (centrifuge à partir du corps cellulaire) ou rétrograde (centripète vers le corps cellulaire).

Transport membranaire

Mouvement des molécules à travers une membrane médié par une protéine de transport membranaire.

Transport nucléaire

Mouvement des macromolécules vers l'intérieur et l'extérieur du noyau qui passe par les récepteurs de transport nucléaire.

Transport passif

Transport d'un soluté à travers une membrane selon son gradient de concentration ou son gradient électrochimique, qui utilise simplement l'énergie stockée dans ce gradient.

Transport transcellulaire

Transport de solutés comme les nutriments, à travers un épithélium via les protéines de transport membranaire au niveau des faces apicale et basale des cellules épithéliales.

Transport vésiculaire

Transport de protéines d'un compartiment cellulaire à un autre par le moyen d'intermédiaires entourés d'une membrane comme les vésicules ou les fragments d'organites.

Transporteur activé

Petite molécule diffusible dans les cellules qui met en réserve de l'énergie facilement échangeable sous la forme d'une ou de plusieurs liaisons covalentes riches en énergie. Comme exemples citons l'ATP et le NADPH. Appelés aussi coenzymes.

Transporteur d'électrons

Molécule, comme le cytochrome c, qui transfère un électron d'une molécule donneuse sur une molécule receveuse.

Transporteurs ABC

Grande superfamille de protéines de transport membranaire qui utilise l'énergie de l'ATP pour transférer des peptides et diverses petites molécules à travers la membrane.

Transposition

Mouvement d'une séquence ADN d'un site à un autre dans le génome. *Voir aussi* transposition «couper-coller».

Transposition «coupure-collage»

Type de mouvement d'un élément transposable au cours duquel il est coupé de l'ADN et inséré dans un nouveau site par une enzyme spécifique, une transposase.

Transposon d'ADN

Type d'élément transposable qui existe sous forme d'ADN pendant tout son cycle de vie. Beaucoup de types se déplacent par transposition coupure-collage.

Treadmilling

Processus par lequel un filament protéique polymérique garde une longueur constante par l'addition de sous-unités protéiques à une des extrémités et la perte de sous-unités à l'autre extrémité. (*Voir* Planche 16-2, p. 912-913.)

Triacylglycérol

Molécule composée de trois acides gras estérifiés au glycérol. Principal constituant des gouttelettes graisseuses des tissus animaux (ou les acides gras sont saturés) et des huiles végétales (ou les acides gras sont surtout insaturés). Appelé aussi triglycéride. (*Voir* Planche 2-5, p. 118-119.)

Tube neural

Tube de l'ectoderme qui formera le cerveau et la moelle épinière dans l'embryon des vertébrés.

Tubuline

Sous-unité protéique des microtubules.

Tumeur colorectale

Carcinome fréquent de l'épithélium qui tapisse le côlon et le rectum.

Type sauvage

Forme normale, non mutante, d'un organisme : forme trouvée dans la nature (à l'état sauvage).

Ubiquitine

Petite protéine hautement conservée, présente dans toutes les cellules eucaryotes, qui s'attache de façon covalente sur les lysines d'autres protéines. L'attachement d'une courte chaîne d'ubiquitine sur une lysine marque la protéine pour sa destruction protéolytique intracellulaire dans les protéasomes.

Ubiquitine-ligase

Une des nombreuses enzymes qui fixe l'ubiquitine sur une protéine, la marquant ainsi pour sa destruction dans les protéasomes. Le processus catalysé par l'ubiquitine-ligase est appelé ubiquitinylation.

Uniport

Protéine porteuse qui transporte un seul soluté d'un côté de la membrane à l'autre.

Vacuole

Très grande vésicule remplie de liquide, retrouvée dans la plupart des végétaux et des cellules fongiques, et qui occupe typiquement plus d'un tiers du volume cellulaire.

Variation antigénique

Propriété de certains microorganismes pathogènes de modifier les antigènes présentés à la surface cellulaire ce qui leur permet d'éviter l'attaque par le système immunitaire.

Variation d'énergie libre (ΔG)

Variation de l'énergie libre pendant une réaction : énergie libre des produits moins l'énergie libre des molécules de départ. Une valeur négative importante de ΔG indique que la réaction a fortement tendance à se produire. (*Voir* Planche 2-7, p. 122-123.)

Variation de l'énergie libre standard (ΔG°)

Variation d'énergie libre de deux molécules réagissant à la température et la pression standard lorsque tous les composants sont présents à la concentration de 1 mole par litre.

Vecteur

En biologie cellulaire, ADN d'un agent (virus ou plasmide) utilisé pour transmettre le matériel génétique à une cellule ou un organisme (*Voir aussi* **Vecteur de clonage, Vecteur d'expression.**)

Vecteur de clonage

Petite molécule d'ADN, en général dérivée d'un bactériophage ou d'un plasmide, qui est utilisée pour porter le fragment d'ADN à cloner dans la cellule receveuse et qui permet au fragment d'ADN d'être répliqué.

Vecteur d'expression

Virus ou plasmide qui transporte une séquence ADN dans une cellule hôte adaptée et y dirige la synthèse de la protéine codée par la séquence.

Ventral

Situé vers la surface du ventre d'un animal ou vers la surface inférieure d'une aile ou d'une feuille.

Vésicule

Petit organite sphérique entouré d'une membrane dans le cytoplasme d'une cellule eucaryote.

Vésicule acrosomique

Région située à l'extrémité de la tête d'un spermatozoïde qui contient un sac d'enzymes hydrolytiques utilisés pour digérer le manteau protecteur de l'ovule.

Vésicule recouverte

Petit organite recouvert d'une membrane avec une cage de protéine (le manteau) sur sa surface cytosolique. Se forme suite à la séparation par pincement d'une région recouverte de membrane (**puits recouvert**). Certains manteaux sont à base de clathrine, alors que d'autres sont constitués d'autres protéines.

Vésicule sécrétoire

Organite entouré d'une membrane dans lequel les molécules destinées à la sécrétion sont stockées avant d'être libérées. Parfois appelés granules sécrétoires parce que leur contenu, de couleur sombre, les rend visibles sous forme de petits objets solides.

Vésicule sécrétoire immature

Vésicule sécrétoire qui semble s'être juste séparée par pincement d'un dictyosome golgien. Sa structure ressemble à celle d'une citerne du réseau *trans*-golgien.

Vésicule synaptique

Petite vésicule sécrétoire remplie de neurotransmetteurs qui se forme au niveau des terminaisons axonales des neurones et libère son contenu par exocytose dans la fente synaptique lorsqu'un potentiel d'action atteint la terminaison de l'axone.

VIH

Virus de l'immunodéficience de l'homme, rétrovirus responsable du SIDA.

Virus

Particule composée d'un acide nucléique (ARN ou ADN) entouré d'un manteau protéique et capable de se répliquer à l'intérieur d'une cellule hôte et de passer d'une cellule à une autre. Beaucoup de virus provoquent des maladies.

Virus cancérigènes à ADN

Terme général désignant différents virus à ADN qui peuvent provoquer des tumeurs.

Virus enveloppé

Virus doté d'une capside entourée d'une membrane lipidique (l'enveloppe) qui dérive de la membrane plasmique de l'hôte lorsque le virus bourgeonne à partir de la cellule.

Virus non enveloppé

Virus comportant uniquement un cœur d'acide nucléique et une capside protéique.

Vitesse de mutation

Vitesse à laquelle se produisent des modifications observables d'une séquence ADN.

Voie classique

Voie pour l'activation du système du complément qui est initiée par les anticorps IgG et IgM fixés à la surface d'un microbe.

Voie par défaut

Voie sécrétoire constitutive qui délivre automatiquement le matériel issu de l'appareil de Golgi à la membrane plasmique en l'absence de tout autre signal de tri.

Voie sécrétoire constitutive

Voie présente dans toutes les cellules que permet de délivrer continuellement à la membrane plasmique des molécules, comme les protéines de la membrane plasmique, issues de l'appareil de Golgi dans des vésicules qui fusionnent avec la membrane plasmique. (*Voir aussi* **Voie par défaut.**)

Voie de signalisation par Jak-STAT

Voie rapide de signalisation par laquelle certains signaux extracellulaires (par exemple les interférons) activent l'expression génique. Implique des récepteurs cellulaires de surface et les kinases cytoplasmiques Janus (Jak) plus des transducteurs de signaux et des activateurs de transcription (STAT).

***Xenopus laevis* (crapaud à griffes sud-africain)**

Espèce de grenouille (et non pas de crapaud) fréquemment utilisée dans les études des premiers stades de développement des vertébrés.

XIC – *voir* **Centre d'inactivation de X**

Zone pellucide

Couche de glycoprotéines à la surface d'un ovule non fécondé. C'est souvent une barrière à la fécondation entre espèces.

Zygote

Cellule diploïde produite par la fusion d'un gamète mâle et d'un gamète femelle. Un ovule fécondé (œuf).

Zygotène

Deuxième stade de la division I de la méiose, au cours duquel le complexe synaptonémal commence à se former entre les deux ensembles de chromatides sœurs de chaque chromosome bivalent.

Index

Les folios **en gras** renvoient aux pages où l'entrée est principalement traitée. Les folios suivis d'un F renvoient à une figure, ceux suivis de FF à plusieurs figures consécutives. Les folios suivis d'un T se rapportent à un tableau. Cf. signifie comparer.

Les folios **en gras** renvoient aux pages où l'entrée est principalement traitée. Les folios suivis d'un F renvoient à une figure, ceux suivis de FF à plusieurs figures consécutives.
Les folios suivis d'un T se rapportent à un tableau. Cf. signifie comparer.

Les folios **en gras** renvoient aux pages où l'entrée est principalement traitée. Les folios suivis d'un F renvoient à une figure, ceux suivis de FF à plusieurs figures consécutives. Les folios suivis d'un T se rapportent à un tableau. Cf. signifie comparer.

Les folios **en gras** renvoient aux pages où l'entrée est principalement traitée. Les folios suivis d'un F renvoient à une figure, ceux suivis de FF à plusieurs figures consécutives.
Les folios suivis d'un T se rapportent à un tableau. Cf. signifie comparer.

Les folios en gras renvoient aux pages où l'entrée est principalement traitée. Les folios suivis d'un F renvoient à une figure, ceux suivis de FF à plusieurs figures consécutives.
Les folios suivis d'un T se rapportent à un tableau. Cf. signifie comparer.

Les folios **en gras** renvoient aux pages où l'entrée est principalement traitée. Les folios suivis d'un F renvoient à une figure, ceux suivis de FF à plusieurs figures consécutives.
Les folios suivis d'un T se rapportent à un tableau. Cf. signifie comparer.

I:15

Les folios **en gras** renvoient aux pages où l'entrée est principalement traitée. Les folios suivis d'un F renvoient à une figure, ceux suivis de FF à plusieurs figures consécutives.
Les folios suivis d'un T se rapportent à un tableau. Cf. signifie comparer.

I:21

Les folios **en gras** renvoient aux pages où l'entrée est principalement traitée. Les folios suivis d'un F renvoient à une figure, ceux suivis de FF à plusieurs figures consécutives.
Les folios suivis d'un T se rapportent à un tableau. Cf. signifie comparer.

I:23

Les folios **en gras** renvoient aux pages où l'entrée est principalement traitée. Les folios suivis d'un F renvoient à une figure, ceux suivis de FF à plusieurs figures consécutives.
Les folios suivis d'un T se rapportent à un tableau. Cf. signifie comparer.

I:25

Les folios **en gras** renvoient aux pages où l'entrée est principalement traitée. Les folios suivis d'un F renvoient à une figure, ceux suivis de FF à plusieurs figures consécutives.
Les folios suivis d'un T se rapportent à un tableau. Cf. signifie comparer.

I:27

Les folios **en gras** renvoient aux pages où l'entrée est principalement traitée. Les folios suivis d'un F renvoient à une figure, ceux suivis de FF à plusieurs figures consécutives.
Les folios suivis d'un T se rapportent à un tableau. Cf. signifie comparer.

Les folios **en gras** renvoient aux pages où l'entrée est principalement traitée. Les folios suivis d'un F renvoient à une figure, ceux suivis de FF à plusieurs figures consécutives.
Les folios suivis d'un T se rapportent à un tableau. Cf. signifie comparer.

I:31

Les folios en gras renvoient aux pages où l'entrée est principalement traitée. Les folios suivis d'un F renvoient à une figure, ceux suivis de FF à plusieurs figures consécutives.
Les folios suivis d'un T se rapportent à un tableau. Cf. signifie comparer.

I:35

Les folios **en gras** renvoient aux pages où l'entrée est principalement traitée. Les folios suivis d'un F renvoient à une figure, ceux suivis de FF à plusieurs figures consécutives.
Les folios suivis d'un T se rapportent à un tableau. Cf. signifie comparer.

I:37

Les folios **en gras** renvoient aux pages où l'entrée est principalement traitée. Les folios suivis d'un F renvoient à une figure, ceux suivis de FF à plusieurs figures consécutives.
Les folios suivis d'un T se rapportent à un tableau. Cf. signifie comparer.

Les folios **en gras** renvoient aux pages où l'entrée est principalement traitée. Les folios suivis d'un F renvoient à une figure, ceux suivis de FF à plusieurs figures consécutives.
Les folios suivis d'un T se rapportent à un tableau. Cf. signifie comparer.

Les folios **en gras** renvoient aux pages où l'entrée est principalement traitée. Les folios suivis d'un F renvoient à une figure, ceux suivis de FF à plusieurs figures consécutives.
Les folios suivis d'un T se rapportent à un tableau. Cf. signifie comparer.

Achevé d'imprimer en Italie par G. Canale & C. S.p.A. (Turin)
en Mai 2004
N° d'éditeur 10744

Tableaux

Le code génétique

1re position (extrémité 5′)	2e position				3e position (extrémité 3′)
	U	C	A	G	
U	Phe	Ser	Tyr	Cys	U
	Phe	Ser	Tyr	Cys	C
	Leu	Ser	**STOP**	**STOP**	A
	Leu	Ser	**STOP**	Trp	G
C	Leu	Pro	His	Arg	U
	Leu	Pro	His	Arg	C
	Leu	Pro	Gln	Arg	A
	Leu	Pro	Gln	Arg	G
A	Ile	Thr	Asn	Ser	U
	Ile	Thr	Asn	Ser	C
	Ile	Thr	Lys	Arg	A
	Met	Thr	Lys	Arg	G
G	Val	Ala	Asp	Gly	U
	Val	Ala	Asp	Gly	C
	Val	Ala	Glu	Gly	A
	Val	Ala	Glu	Gly	G

Acides aminés   Codons

A	Ala	Alanine	GCA GCC GCG GCU
C	Cys	Cystéine	UGC UGU
D	Asp	Acide aspartique	GAC GAU
E	Glu	Acide glutamique	GAA GAG
F	Phe	Phénylalanine	UUC UUU
G	Gly	Glycine	GGA GGC GGG GGU
H	His	Histidine	CAC CAU
I	Ile	Isoleucine	AUA AUC AUU
K	Lys	Lysine	AAA AAG
L	Leu	Leucine	UUA UUG CUA CUC CUG CUU
M	Met	Méthionine	AUG
N	Asn	Asparagine	AAC AAU
P	Pro	Proline	CCA CCC CCG CCU
Q	Gln	Glutamine	CAA CAG
R	Arg	Arginine	AGA AGG CGA CGC CGG CGU
S	Ser	Sérine	AGC AGU UCA UCC UCG UCU
T	Thr	Thréonine	ACA ACC ACG ACU
V	Val	Valine	GUA GUC GUG GUU
W	Trp	Tryptophane	UGG
Y	Tyr	Tyrosine	UAC UAU